hat mir was zuuor gethan, das ichs yhm vergellte? Es ist meyn alles was unter allen hymeln ist. Ich will nicht fur yhm ... schweygen ... Wer kan yhm seyn kleyd auffdecken? Und ... Wer kan die thur seynes andlitz auffthun? Schrecklich ist der ... Seyn leychnam ist wie schilde ... eyns ... an der andern, das nicht eyn lufftle dazwisschen gehet. Es henget eyner am andern und hallten sich zusamen, das sie nicht voneynander gethan mugen werden. Seyn nyesen ist wie eyn ... liecht. Seyne augen sind wie die augenlied der morgen rod. Aus seynem munde faren fackeln und feurige funcken. Aus seyner nasen gehet rauch wie von heyssen toepffen und kessle. Seyn odem ist wie eyttel glüende kolen und aus seynem munde gehen flammen. In seynem halse ist sterck ... Die gelidmas seynes fleyschs hangen an eynander ... Seyn hertz ist so hart wie eyn steyn ... Wenn er sich erhebt ... Wenn man zu yhm will mit dem schwerd ... Er achtet eysen wie stro und ertz wie faul holtz. ... Die schleuder steyne sind yhm wie stoppel. Den hamer achtet er wie stoppeln. Er spottet der zitteren lantzen. ... Er macht ...

carpe diem
mündel

# D. Martin Luther

# Die gantze heilige Schrifft Deudsch

Wittenberg 1545

15. 5. 74.
von
Gisela

D. MARTIN LUTHER

# Die gantze Heilige Schrifft Deudsch

WITTENBERG 1545

*Letzte zu Luthers Lebzeiten erschienene Ausgabe*
*Herausgegeben von Hans Volz unter Mitarbeit von Heinz Blanke*
*Textredaktion Friedrich Kur*

ROGNER & BERNHARD MÜNCHEN 1972

Auf den Vorsatzblättern
ist in Faksimile-Druck eine Seite
aus Luthers eigenhändigem Übersetzungsmanuskript
(Psalm 1,1 bis 2,2) wiedergegeben.
Vgl. dazu Anhang unten S. 153*.

1. bis 20. Tausend


Typographie
Karlheinz Wehner und Karl Gebhardt, Passau
Einband: Atelier Noth + Hauer, Berlin
Satz in der
10 und 8 Punkt Mono-Foto-Garamond mit Kursiv
durch die Passavia Druckerei AG Passau
Belichtung durch W. Tutte, Salzweg bei Passau
und Passavia Druckerei AG Passau
Papier von der Papierfabrik Scheufelen, Oberlenningen
Druck und Bindearbeiten
durch die Passavia Druckerei AG Passau
und die Druckerei Ludwig Auer, Donauwörth

Printed in Germany, November 1972

ISBN 3 9208 0283 7 (Leinen)
und 3 9208 0284 5 (Leder)

Biblia: das ist:
Die gantze Heilige Schrifft: Deudsch
Auffs new zugericht.
D. Mart. Luth.
Begnadet mit Kurfürstlicher zu Sachsen Freiheit.
Gedruckt zu Wittemberg/ Durch Hans Lufft.
M. D. XLV.

# VORWORT.

Wer heutzutage eine moderne, durch verschiedene kirchenamtliche »Revisionen« stark verfremdete Edition der Lutherbibel zur Hand nimmt, kann auch nicht im entferntesten ermessen, welche breite Kluft eine derartige, auch in ihrer ganzen Ausstattung so überaus nüchterne Edition in jeder Hinsicht von den schön gestalteten Ausgaben trennt, wie sie in der Reformationszeit in Wittenberg erschienen sind. Um aber nun breiteren interessierten Kreisen den Eindruck wie auch den Inhalt einer solchen, meist nur noch in großen wissenschaftlichen Bibliotheken befindlichen und daher den meisten Menschen unzugänglichen Ausgabe zu vermitteln, wird hier der vollständige Text der Lutherbibel im ursprünglichen Sprachgewand und mit allen einstigen ergänzenden Zutaten – des Reformators Vorreden zu den einzelnen biblischen Büchern und seinen erklärenden Randglossen nebst dem gesamten, von dem unbekannten Monogrammisten MS geschaffenen (in den Einzelheiten und Textbezügen im Anhang erläuterten) Bildschmuck – dargeboten. Als Vorlage für die Reproduktion diente aus technischen Gründen die letzte zu Luthers Lebzeiten erschienene Wittenberger Ausgabe von 1545. Da jedoch die damals benutzte deutsche Schrift jetzt bei der Lektüre vielfach sehr erhebliche Schwierigkeiten bereitet, ist auf die Herstellung einer Faksimile-Ausgabe verzichtet und statt dessen der Weg eines völligen Neusatzes bei diplomatisch getreuer Textwiedergabe in jetzt allgemein üblichen Antiqualettern beschritten. Um jedem Leser auch noch die allerletzten von Luther im Zusammenwirken mit seinen Mitarbeitern im Bereich des Römer- und des ersten sowie den Kapiteln 1–3 des zweiten Korintherbriefes im Spätherbst 1544 vorgenommenen Übersetzungskorrekturen, die erst in der postum erschienenen Wittenberger Bibel von 1546 Aufnahme fanden, zugänglich zu machen, sind in unserem Anhang – unter Beigabe einer Tabelle, in der die damals geänderten rund hundert Stellen (nach Kapitel- und Verszahl) verzeichnet sind, – jene Textstücke in der neuen Fassung zum Vergleich mit deren Wortlaut in der vorangegangenen Bibel von 1545 abgedruckt.

Die ausführliche, dem derzeitigen Forschungsstand entsprechende Einleitung, die zum Teil auf der länger als ein Jahrzehnt (1950/61) währenden wissenschaftlichen Arbeit des Verfassers an der Edirion des Alten Testamentes im Rahmen der großen kritischen Weimarer Lutherausgabe (Abt. Deutsche Bibel Bd. 8–12) basiert, soll dem Benutzer unter Einbeziehung eines Überblickes über die vorlutherische Bibelübersetzung den Zugang zur Kenntnis der Entstehungsgeschichte von Luthers Verdeutschung und der mit ihr verknüpften verschiedenartigen Probleme eröffnen.

Die von Herrn Heinz Blanke gelieferten, am Schluß des Anhanges zusammengestellten Worterklärungen dienen – im Verein mit einer kurzgefaßten Einführung in die Besonderheiten der Luthersprache – der Überwindung sprachlicher Schwierigkeiten, während ein vom gleichen Verfasser beigesteuertes biblisches Schlagwortregister dem der Heiligen Schrift weniger kundigen Laien die Auffindung wichtigerer Stellen und Erzählungen erleichtern soll.

Im Gegensatz zu allen sonstigen seit der Reformationszeit entstandenen deutschen und auch fremdsprachigen Bibelübersetzungen besitzt ausschließlich der Luthertext – abgesehen von seiner kirchlich-theologischen Bedeutung – einen eigenständigen Wert als sprachliches Kunstwerk. Mehrfach hat sich der Reformator über die bei seiner Verdeutschung verfolgten Grundsätze ausgesprochen – sei es innerhalb einiger (1534 bei Drucklegung der ersten Vollbibel von ihm getilgter) Abschnitte seiner Vorreden, sei es in selbständigen Schriften (»Sendbrief vom Dolmetschen« [1530] und »Summarien über die Psalmen und Ursachen des Dolmetschens« [1533]) –, und so erschien es zweckmäßig, alle diese theoretischen Darlegungen ebenfalls in den Anhang mitaufzunehmen. Wie weit man in damaliger Zeit ebenso von einer allgemeinverständlichen Schriftsprache im deutschen Sprachgebiet wie von einer einheitlichen Orthographie entfernt war, zeigen in aller Deutlichkeit die an gleicher Stelle abgedruckten beiden Baseler Glossare Adam Petris und Thomas Wolffs von 1523 und die einschlägigen Ausführungen des Wittenberger Korrektors Christoph Walther, der aus eigener Kenntnis über Luthers orthographische Bemühungen bei dem Bibeldruck berichtet.

Zum Schluß möchte ich meinem langjährigen Mitarbeiter Herrn Heinz Blanke, Göttingen, sehr herzlich für die mannigfache Hilfe danken, die er mir sowohl bei der Manuskriptherstellung wie auch bei den Korrekturarbeiten hat zuteil werden lassen.

Zusätzlich danken der Herausgeber und der Verlag Herrn Karl Gebhardt und Herrn Karlheinz Wehner, Passau, für die typographische Gestaltung, Besorgung des Satzes und die Drucküberwachung des Werkes und Herrn Friedrich Kur, München, für die Textredaktion.

Göttingen, 22. September 1972.

D. Dr. Hans Volz

INHALTSVERZEICHNIS.


VORWORT 7*–9*

ZU DIESER AUSGABE 19*–24*

LITERATURVERZEICHNIS 25*–30*

VERZEICHNIS DER ABGEKÜRZT ZITIERTEN LITERATUR 31*

EINLEITUNG 33*–144*

Die mittelalterlichen deutschen Bibelübersetzungen 33*–41*

Luthers deutsche Bibelübersetzung 41*–137*

Die Voraussetzungen 41*–45*

Die Übersetzung des Neuen Testamentes 45*–62*

Die Übersetzung des Alten Testamentes 62*–83*

Die Revision des Neuen Testamentes und des Psalters 83*–92*

Die erste Wittenberger Vollbibel von 1534 und ihre Nachfolgerinnen bis 1540 92*–104*

Die Bibelrevision von 1539/41 und die Wittenberger Bibelausgaben von 1541 bis 1545 104*–113*

Georg Rörer als »der Bibel Corrector« und die postume Lutherbibel von 1546 113*–118*

Luther als Bibelübersetzer 118*–131*

Die Verbreitung der Lutherbibel und deren Auswirkung 131*–137*

Zeittafel zu Luthers Bibelübersetzung 138*–142*

Personenregister 142*–144*

INHALT DER LUTHERBIBEL VON 1545 1–2516

Das kurfürstliche Privileg vom 6. August 1534 4–5

| | |
|---|---|
| Luthers »Warnung« an die Drucker von 1541 | 6–7 |
| Luthers Vorrede auf das Alte Testament | 8–20 |
| Die Bücher des Alten Testaments | 21–22 |
| 1. Buch Mose | 24–122 |
| 2. Buch Mose | 123–201 |
| 3. Buch Mose | 201–256 |
| 4. Buch Mose | 257–333 |
| 5. Buch Mose | 334–403 |
| Josua | 404–450 |
| Richter | 451–498 |
| Ruth | 499–505 |
| 1. Buch Samuelis | 506–569 |
| 2. Buch Samuelis | 570–620 |
| 1. Buch der Könige | 621–681 |
| 2. Buch der Könige | 682–739 |
| 1. Buch der Chronik | 740–790 |
| 2. Buch der Chronik | 791–854 |
| Esra | 855–873 |
| Nehemia | 874–900 |
| Esther | 901–915 |
| Luthers Vorrede auf das Buch Hiob | 915–916 |
| Hiob | 916–963 |
| Luthers Vorrede auf den Psalter | 964–968 |
| Psalter | 968–1092 |
| Luthers Vorrede auf die Bücher Salomonis | 1093–1095 |
| Sprüche Salomonis | 1095–1137 |
| Prediger Salomonis | 1137–1151 |
| Hohes Lied Salomonis | 1151–1158 |
| Luthers Vorrede auf die Propheten | 1160–1168 |

| | |
|---|---|
| Luthers Vorrede auf den Propheten Jesaja | 1168–1173 |
| Jesaja | 1174–1268 |
| Luthers Vorrede auf den Propheten Jeremia | 1269–1271 |
| Jeremia | 1272–1379 |
| Klagelieder Jeremiä | 1380–1389 |
| Luthers Vorrede auf den Propheten Hesekiel | 1390–1391 |
| Luthers neue Vorrede auf den Propheten Hesekiel | 1392–1398 |
| Luthers Unterrichtung, wie das Gebäu Hesekielis in den letzten Kapiteln... zu verstehen sei | 1398–1400 |
| Hesekiel | 1401–1497 |
| Luthers Vorrede auf den Propheten Daniel | 1498–1540 |
| Daniel | 1541–1571 |
| Luthers Vorrede auf den Propheten Hosea | 1572–1573 |
| Hosea | 1574–1588 |
| Luthers Vorrede auf den Propheten Joel | 1588–1589 |
| Joel | 1589–1594 |
| Luthers Vorrede auf den Propheten Amos | 1595–1596 |
| Amos | 1597–1608 |
| Luthers Vorrede auf den Propheten Obadja | 1608–1609 |
| Obadja | 1610–1612 |
| Luthers Vorrede auf den Propheten Jona | 1612–1613 |
| Jona | 1613–1617 |
| Luthers Vorrede auf den Propheten Micha | 1617 |
| Micha | 1618–1626 |

Luthers Vorrede auf den Propheten Nahum 1627
Nahum 1628–1631
Luthers Vorrede auf den Propheten Habakuk 1632–1633
Habakuk 1633–1637
Luthers Vorrede auf den Propheten Zephanja 1638
Zephanja 1639–1643
Luthers Vorrede auf den Propheten Haggai 1644–1645
Haggai 1645–1648
Luthers Vorrede auf den Propheten Sacharja 1648–1649
Sacharja 1650–1666
Luthers Vorrede auf den Propheten Maleachi 1666–1667
Maleachi 1668–1673
Die Apokryphen 1674
Luthers Vorrede auf das Buch Judith 1674–1676
Judith 1676–1698
Luthers Vorrede auf die Weisheit Salomonis 1699–1702
Weisheit Salomonis 1703–1730
Luthers Vorrede auf das Buch Tobiä 1731–1732
Tobias 1733–1750
Luthers Vorrede auf das Buch Jesus Sirach 1751–1752
Jesus Sirach 1752–1827
Luthers Vorrede auf den Baruch 1827
Baruch 1828–1840
Luthers Vorrede auf das 1. Buch der Makkabäer 1841–1842
1. Buch der Makkabäer 1843–1900

| | |
|---|---|
| Luthers Vorrede auf das 2. Buch der Makkabäer | 1900–1901 |
| 2. Buch der Makkabäer | 1901–1942 |
| Luthers Vorrede auf die Stücke Esther und Daniel | 1943 |
| Stücke in Esther und Daniel | 1943–1961 |
| Stücke in Esther | 1943–1949 |
| Susanna und Daniel | 1949–1953 |
| Bel zu Babel | 1954–1955 |
| Drache zu Babel | 1955–1956 |
| Gebet Asarjä | 1957–1958 |
| Gesang der drei Männer im Feuerofen | 1958–1960 |
| Gebet Manasse | 1960–1961 |
| Luthers Vorrede auf das Neue Testament | 1962–1965 |
| Die Bücher des Neuen Testaments | 1966 |
| Matthäusevangelium | 1967–2029 |
| Markusevangelium | 2030–2068 |
| Lukasevangelium | 2069–2136 |
| Johannesevangelium | 2137–2186 |
| Luthers Vorrede auf die Apostelgeschichte | 2187–2189 |
| Apostelgeschichte | 2190–2253 |
| Luthers Vorrede auf den Brief des Paulus an die Römer | 2254–2268 |
| Brief des Paulus an die Römer | 2269–2296 |
| Luthers Vorrede auf den 1. Brief des Paulus an die Korinther | 2297–2299 |
| 1. Brief des Paulus an die Korinther | 2300–2325 |
| Luthers Vorrede auf den 2. Brief des Paulus an die Korinther | 2326 |
| 2. Brief des Paulus an die Korinther | 2327–2343 |
| Luthers Vorrede auf den Brief des Paulus an die Galater | 2344 |
| Brief des Paulus an die Galater | 2345–2354 |

Luthers Vorrede auf den Brief des Paulus an die Epheser 2355
Brief des Paulus an die Epheser 2355–2364
Luthers Vorrede auf den Brief des Paulus an die Philipper 2365
Brief des Paulus an die Philipper 2365–2371
Luthers Vorrede auf den Brief des Paulus an die Kolosser 2372
Brief des Paulus an die Kolosser 2373–2378
Luthers Vorrede auf den 1. Brief des Paulus an die Thessalonicher 2379
1. Brief des Paulus an die Thessalonicher 2380–2385
Luthers Vorrede auf den 2. Brief des Paulus an die Thessalonicher 2385
2. Brief des Paulus an die Thessalonicher 2386–2388
Luthers Vorrede auf den 1. Brief des Paulus an Timotheus 2389
1. Brief des Paulus an Timotheus 2390–2396
Luthers Vorrede auf den 2. Brief des Paulus an Timotheus 2397
2. Brief des Paulus an Timotheus 2397–2402
Luthers Vorrede auf den Brief des Paulus an Titus 2402
Brief des Paulus an Titus 2403–2405
Luthers Vorrede auf den Brief des Paulus an Philemon 2406
Brief des Paulus an Philemon 2406–2407
Luthers Vorrede auf den 1. Brief des Petrus 2408
1. Brief des Petrus 2409–2416
Luthers Vorrede auf den 2. Brief des Petrus 2417
2. Brief des Petrus 2418–2422
Luthers Vorrede auf die drei Briefe des Johannes 2423

1. Brief des Johannes 2424–2430

2. Brief des Johannes 2431

3. Brief des Johannes 2432

Luthers Vorrede
auf den Brief an die Hebräer 2433–2434

Brief an die Hebräer 2434–2453

Luthers Vorrede auf die Briefe
des Jakobus und Judas 2454–2455

Brief des Jakobus 2456–2462

Brief des Judas 2463–2464

Luthers Vorrede auf die
Offenbarung des Johannes 2465–2473

Offenbarung des Johannes 2474–2513

Georg Rörers Postfatio 2514–2516

ANHANG (im Beiheft) 145*–397*

Erläuterungen zu den Illustrationen
der Lutherbibel von 1545 145*–160*

Erläuterungen
zum kurfürstlichen Wahlspruch
und Privileg von 1534 161*

zu Luthers »Warnung« an die
Drucker von 1541 161*

zu Luthers in der Bibel von 1545
enthaltenen Vorreden 161*–177*

zu Rörers Postfation von 1545 177*–178*

Der im Herbst 1544 letztmalig
revidierte Text von Röm. Kap. 1
bis 2. Kor. Kap. 3 (ohne Luthers
Vorreden) und Rörers Postfation
aus der Wittenberger Bibel von 1546
(nebst tabellarischer Übersicht
über die hier vorgenommenen
Textkorrekturen) 179*–237*

Seit der Wittenberger Bibel von 1534
fortgefallene Luthertexte: 238*–241*

Schluß von Luthers Vorrede zum
Alten Testament von 1523 238*–239*

Schlußabsatz von Luthers Vorrede zum Buche Hiob von 1524 239*

Erster Absatz von Luthers Vorrede zur Weisheit Salomonis von 1529 240*

Anfang von Luthers Vorrede zum Neuen Testament (Septembertestament) von 1522 240*

»Wilchs die rechten vnd edlisten bucher des newen testaments sind« im Neuen Testament (Septembertestament) von 1522 241*

Der erste Teil von »Ein sendbrieff D. M. Luthers. Von Dolmetzschen vnd Fürbitt der heiligen. M.D.XXX.« (Nürnberg 1530) 242*–249*

Der erste Teil von »Summarien vber die Psalmen, Vnd vrsachen des dolmetschens. Mart. Luther« (Wittenberg 1533) 250*–257*

Luther über seinen Gebrauch der Synkope (1527) 258*–259*

Adam Petris Glossar zum Neuen Testament (Basel, März 1523) 259*–266*

Thomas Wolffs Glossar zum Pentateuch (Basel 1523) 267*–269*

Die Orthographie der Wittenberger Lutherbibeln im 16. Jahrhundert 270*–277*

Konkordanz zur unterschiedlichen Psalmenzählung in der Lutherbibel und der Vulgata 277*

Biblisches Schlagwortregister. Von Heinz Blanke 278*–291*

Zum Verständnis der Luthersprache. Von Heinz Blanke 292*–298*

Worterklärungen zur Lutherbibel von 1545. Von Heinz Blanke 299*–397*

## ZU DIESER AUSGABE.

Alle in diese Ausgabe aufgenommenen Texte, die der Lutherbibel von 1545 sowie die zeitgenössischen Texte im Anhang, wurden diplomatisch getreu, d.h. ohne Eingriffe in Textbestand und Anordnung abgedruckt.

Im Grundsatz *beibehalten* ist die von Luther selbst (vgl. Anhang unten S. 272*–274* nebst Anm. 13) für die Schreibung des Gottesnamens aufgestellte Regel:

HERR (wo im Urtext יהוה steht) und

HErr (wo im Urtext אדני oder – im NT – der Christustitel Κύριος steht).

Lediglich wo in der Vorlage bei HERR(N) zwecks Raumersparnis zuweilen die Schreibweise HERr, HERRn oder HERrn verwandt ist, sind in unserer Ausgabe stattdessen stets *einheitlich* Versalien gesetzt.

*Beibehalten* wurde ferner:

Wechselnde Groß- und Kleinschreibung: z.B. *Freund*, *freund*.

Getrennt- und Zusammenschreibung: z.B. *er ein komen*, *erein komen*, *er einkomen*, *ereinkomen* (hereinkommen).

Wechsel zwischen griechischer und lateinischer Akkusativendung bei Namen im NT: z.B. *Galilean*, *Galileam* bzw. *Herodionem*, *Asynkritum*, aber *Stachyn*, *Herman*.

### *1. Typographie*

Beim Umsetzen der originalen Textur- und Frakturschriften in eine moderne Antiqua wurde folgendermaßen verfahren:

Alle *Initialen*, die im Original Antiqua-, Textur- oder Frakturcharakter haben, werden einheitlich als Antiqua-Initialen wiedergegeben. Diese Ausgabe übernimmt damit ein benutzerfreundliches Prinzip der 1545er Bibel, nach dem – wie Georg Rörer in seiner Postfation »Dem Christlichen Leser« erklärt – »... so offt ein newe Historien / Straffe oder Trostpredigt / Ermanung / Wunderzeichen etc. angehet / ... am Anfang derselben / ein grosser Buchstabe gesetzt« wird.

Die grundsätzlich als *Auszeichnungsschrift* verwendete Fraktur innerhalb des Bibeltextes erscheint in dieser Ausgabe in Antiqua-Versalien mit Kapitälchen. Zu dieser ausdrücklich auf den Benutzer hin konzipierten Auszeichnungspraxis der Lutherbibel schreibt Rörer:

»Auff das nu auch die Leien / so die Bibel lesen / sich in dis heilig Buch / darin die göttlich Maiestet selbs redet von den hohesten vnd grösten sachen etc. sich deste leichter richten können / dasselbe mit mehr nutz vnd verstand zu lesen / Jst vmb derselben willen / vber die grosse mühe vnd vleis / die Bibel von newes an durch aus zu vbersehen vnd bessern / durch den Ehrwird. Hochgeler. Herrn D. Mart. etc. auch diese erbeit furgenomen / Das erstlich von anfang der Bibel bis an das ende die furnemesten Sprüche / darin Christus verheissen ist / vnd im newen Testament angezogen werden / mit grösser schrifft gedruckt sind / das sie der Leser leicht vnd bald finden könne«.

Andere Auszeichnung etwa durch größere Textur- oder Frakturschriften am Anfang eines Buches, Kapitels oder Abschnitts wurden (sofern es sich um Buch- und Kapitelanfänge handelt) einheitlich in Versalien und Kapitälchen bzw. (sofern es sich um Abschnittsanfänge innerhalb von Kapiteln handelt) in Kapitälchen gesetzt.

In den *Marginalspalten* verwendet diese Ausgabe fünf verschiedene Schriften. Dabei steht:

*Grundschrift* für die Marginalgrundschrift der Lutherbibel (kleine Textur).

*Kursive* für durch kursive oder gerade Antiqua hervorgehobene lateinische Randglossen.

*Versalien mit Kapitälchen* für besonders groß gedruckte Namen und Begriffe, die in der Lutherbibel als Abschnitts- oder Kapitelüberschriften verwendet werden – dann auch meistens mit den Kolumnentiteln übereinstimmen – oder bei denen die Wichtigkeit durch besonders großen Druck hervorgehoben wird. *Kapitälchen* meistens für wichtige Namen, die in der Lutherbibel ebenfalls durch größeren Druck ausgezeichnet sind.

*Versalien* für Namen und Begriffe, die in der Lutherbibel aus Antiqua-Versalien gesetzt sind. Es sind dies Namen und Begriffe, die – laut Rörers Postfation – durch den Druck dem »vnerfaren Leser« anzeigen, daß hier »die Schrifft rede ... von zorn, straffe etc.« (vgl. dazu die Einleitung unten S. 115*).

Beim Umsetzen in die moderne Schrift wurde im übrigen folgendermaßen verfahren:

Das in den alten Schriften einheitliche Zeichen für I und J wird (mit Ausnahme der Initialen) immer mit J wiedergegeben.

*Abbreviaturen* wie Kürzungsstriche (z.B. gebē), *er*-Haken (z.B.: *v'* = *ver-*) etc. wurden immer in der üblichen Form aufgelöst.

*Die et-Ligatur* »&« und das tironische Zeichen für *et* »ꝛ« (in: etc.) werden immer mit *et* wiedergegeben.

*Die Abkürzung vñ* wurde immer in ›*vnd*‹ aufgelöst.

*Die Umlautzeichen* o͛ und u͛ werden immer mit *ö* und *ü* wiedergegeben.

## 2. *Druckfehler und orthographische Unregelmäßigkeiten*

Offensichtliche Druckfehler der Lutherbibel von 1545 wurden beim Neusatz korrigiert. Es handelt sich hierbei um

reine *Satzfehler:* z.B. *u* für *n* und umgekehrt, *m* für *in* und umgekehrt, *r* für *t* und umgekehrt, *f* für langes *ſ* und umgekehrt; Auslassung oder Doppelschreibung von Silben.

Druckfehler, die wahrscheinlich auf *Lesefehler* des Setzers zurückgehen: z.B. *Sap.* (Weisheit – *Sapientia*) verlesen für *Sop.* (Zephanja – *Sophonias*) und vor allem Verwechslung ähnlich aussehender Zahlen in den Querverweisen.

## 3. *Verszählung und Kapiteleinteilung*

Die Lutherbibel von 1545 besaß noch keine Verszählung (vgl. Einleitung unten S. 58* und Anm. 90a). Um dem Benutzer den Umgang mit dem Luthertext zu erleichtern, wurden die Verszahlen des Textabdruckes in der Weimarer Lutherausgabe im Neusatz übernommen. Diese Verszählung bestimmt auch den Umfang des Kapitels. So entsprechen etwa dem 4., nicht nach Versen abgeteilten Kapitel des Propheten Maleachi in der 1545er Lutherbibel die Verse 19–24 des 3. Kapitels. Dies geschah hauptsächlich, um für den Benutzer dieser Ausgabe den Vergleich mit den Verweisen einer modernen Bibel zu erleichtern. Außerdem wurde damit die uneinheitliche Verweispraxis der Lutherbibel bei Büchern, die in den verschiedenen Bibeln (Vulgata, Septuaginta, Hebräische Bibel) abweichende Kapitelgrenzen aufweisen, vereinheitlicht.

### 4. *Querverweise*

Da der Neusatz den Text der Lutherbibel nicht zeilengleich wiedergibt, mußten der sich dadurch ergebenden Verschiebung die Standorte der Querverweise angepaßt werden. Zu diesem Zweck wurden alle Querverweise überprüft, wobei zahlreiche Druckfehler oder Versehen der Lutherbibel von 1545 verbessert werden konnten. So etwa

unmittelbar ersichtliche *Satzfehler* wie: *4. Par.* für *1. Par.*,

*Lesefehler* des Setzers wie der Verweis: *Psal. 57.* zu Sprüche 2, 21 für *Psal. 37.*,

*Montagefehler* wie der Verweis: *Num. 21.* zu Psalm 136, *17* statt zu V. *19*.

Ferner wurde die Stellenangabe des Verweises einheitlich immer auf den durch die Verszählung sich ergebenden tatsächlichen Kapitelumfang bezogen (vgl. oben unter 3).

### 5. *Blattzählung*

Die Lutherbibel von 1545 weist so wohl eine Bogen- wie eine (auf den Bibeltext nebst Luthers Vorreden beschränkte) Blattzählung auf. Im Neusatz wurde nur die Blattzählung angegeben, und zwar derart, daß im Text jeweils der Beginn einer neuen Seite durch senkrechten Doppelstrich angezeigt wird und in der Marginalspalte die folgende Blattzahl in arabischen Ziffern mit dem Zusatz a (Vorderseite) bzw. b (Rückseite) neben einem Doppelstrich erscheint. Die nicht foliierten Blätter des Vorsatzbogens werden entsprechend mit römischen Zahlen gezählt.

### 6. *Abkürzungen*

In den Querverweisen bedeuten folgende Abkürzungen*:

Abac. (Abc.) – Habakuk (Abacuc)
Abd. – Obadja (Abdias)
Act. – Apostelgeschichte (Actus Apostolorum)
Ag. (Agg.) – Haggai (Aggeus)
Am. (Amo.) – Amos

* Soweit zum Verständnis der Abkürzung notwendig, sind hier in Klammern die Bezeichnungen der biblischen Bücher innerhalb der Vulgata angegeben.

Ap. (Apo., Apoc.) – Offenbarung (Apocalypsis)

Cant. – Hohes Lied (Canticum Canticorum)
1./2. Co. (Cor., Corint.) – 1./2. Korintherbrief
Col. (Co., Collos.) – Kolosserbrief

Dan. (Da., Dani.) – Daniel
Deut. (Deu., Deute.) – 5. Buch Mose (Deuteronomium)

Ebr. (Ebre.) – Hebräerbrief (Epistola ad Ebraeos)
Ep. (Eph., Ephe.) – Epheserbrief
Esa. – Jesaia (Esaias)
Esr. (Esdr., Es.) – Esra (Esdras)
Esth. – Esther
Ex. (Exo., Exod.) – 2. Buch Mose (Exodus)
Ez. (Ezech.) – Hesekiel (Ezechiel)

Ga. (Gal.) – Galaterbrief
Gen. (Ge., Gene.) – 1. Buch Mose (Genesis)

Hab. (Haba., Habac.) – Habakuk
Hag. (Hagg.) – Haggai
Heb. – Hebräerbrief
Hes. (He., Hese.) – Hesekiel
Hier. – Jeremia (Hieremias)
Hiob. – Hiob
Hos. (Ho., Hose.) – Hosea

In. (Inf., Infr.) – unten (infra)
Isa. (Is.) – Jesaja (Isaias)

Jac. – Jakobusbrief
Jer. (Jere.) – Jeremia
Jesa. (Jes.) – Jesaja
1./2./3. Jo. (Joh., Johan.) – 1./2./3. Brief des Johannes
Job. – Hiob
Joel. – Joel
Joh. (Jo., Johan.) – Johannes [Evangelium]
Jon. (Jona) – Jona
Jos. (Josu.) – Josua
Jud. – Richter (Liber Judicum)

1./2. Kö. (Kön.) – 1./2. Könige [nur im ersten und zweiten Buch der Könige]

Lev. (Le., Levi., Levit.) – 3. Buch Mose (Leviticus)
Lu. (Luc.) – Lukas

1./2. Mac. (Mak.) – 1./2. Makkabäer

Mal. – Maleachi
Mar. (Marc.) – Markus
Mat. (Math., Matt., Matth.) – Matthäus
Mi. (Mich.) – Micha

Neh. (Ne., Nehem.) – Nehemia
Num. (Nu.) – 4. Buch Mose (Numeri)

Os. (Ose.) – Hosea (Osee)

1./2. Par. (Pa., Para., Paral.) – 1./2. Chronik (Paralipomena)
1./2. Pet. (Pe., Petr.) – 1./2. Brief des Petrus
Pred. – Prediger
Pro. (Prou., Prouer.) – Sprüche (Liber Proverbiorum)
Ps. (Psal.) – Psalm

1. Reg. (Re.) – 1. Samuel (1. Liber Regum)
2. Reg. (Re.) – 2. Samuel (2. Liber Regum)
3. Reg. (Re.) – 1. Könige (3. Liber Regum)
4. Reg. (Re.) – 2. Könige (4. Liber Regum)
Ro. (Rom. Roma.) – Römerbrief
Rut. – Ruth

Sach. – Sacharja
1. Sam. (Samu.) – 1. Samuel [nur im ersten Buch Samuel]
Sap. – Weisheit (Sapientia)
Sop. – Zephania (Sophonias)
Su. (Sup., Supr.) – oben (supra)

1./2. Thes. (The., Tess.) – 1./2. Thessalonicherbrief
1./2. Tim. (Ti.) – 1./2. Timotheusbrief
Tit. (Ti.) – Titusbrief
Tob. (To., Tobi.) – Tobias

Zach. – Sacharja (Zacharias)

# LITERATURVERZEICHNIS.

## TEXTAUSGABEN

### Mittelalterliche Bibelübersetzung

Hochdeutsche: Die erste deutsche Bibel, hrsg. von W. Kurrelmeyer 10 Bde. (Tübingen 1904–1915) (Bd. 1–2: Neues Testament, Bd. 3–10: Altes Testament).

Niederdeutsche: Die niederdeutschen Bibeldrucke, hrsg. von G. Ising, bisher 4 Bde. [Genesis – Jesaja] (Berlin 1961–1971).

### Luthers Bibelübersetzung

Dr. Martin Luther's Bibelübersetzung nach der letzten Original-Ausgabe, hrsg. von H. E. Bindseil und H. A. Niemeyer 7 Bde. (Halle 1850 bis 1855).

A. Reifferscheid, Marcus Evangelion nach der Septemberbibel mit den Lesarten aller Originalausgaben (Heilbronn 1889).

Weimarer Lutherausgabe. Abt.: Die deutsche Bibel Bd. 6–7 (= Neues Testament, hrsg. von O. Albrecht), Bd. 8–12 (= Altes Testament, hrsg. von H. Volz) (Weimar 1929–1961) (jeweils Erstdruck und Bibeltext 1546 bzw. 1545 in Paralleldruck mit Varianten der übrigen Wittenberger Ausgaben). – Bd. 1–2, S. 200 (1906–1909) enthalten Luthers Übersetzungsmanuskripte, Bd. 2, S. 201 ff. die Bibliographie der hochdeutschen Bibeldrucke bis 1546 (s. u.) und Bd. 3–4 (1911–1923) die Revisionsprotokolle von 1531 bis 1544.

Dat nyge Testament tho dude [Hamburg 1523], hrsg. von K. Beckey (in: H. Vollmer, Bibel und deutsche Kultur Bd. 9, S. 1–236 und Bd. 10, S. 237–463 [Potsdam 1939–1940]).

### Auswahlausgaben

Frühneuhochdeutsche Bibelübersetzungen. Texte von 1400 bis 1600, hrsg. von G. Eis (Frankfurt/M. 1949).

Vom Spätmittelhochdeutschen zum Frühneuhochdeutschen. Synoptischer Text des Propheten Daniel in sechs deutschen Übersetzungen des 14. bis 16. Jahrhunderts, hrsg. von H. Volz (Tübingen 1963).

1200 Jahre deutsche Sprache in synoptischen Bibeltexten, hrsg. von F. Tschirch (2. Aufl. Berlin 1969).

### Faksimileausgaben der Lutherbibel

Die Septemberbibel. Das Neue Testament deutsch von Martin Luther. Nachbildung der zu Wittenberg 1522 erschienenen ersten Ausgabe, eingel. von J. Köstlin (Berlin 1883).

Das Newe Testament Deutzsch (Martin Luther, Septembertestament 1522), Begleittext von I. Ludolphy (Leipzig 1972).

Biblia / das ist / die gantze Heilige Schrifft Deudsch. Faksimile-Ausgabe der ersten vollständigen Lutherbibel von 1534 2 Bde. Mit einer Einführung von E. Lauch, Luthers Deutsche Bibel (2. Aufl. Leipzig 1935).

Biblia Germanica 1545. Verkleinerte Faksimile-Ausgabe (Stuttgart 1967).

### BIBLIOGRAPHIE VON DEUTSCHEN BIBELDRUCKEN

Gesamtkatalog der Wiegendrucke Bd. 4 (Leipzig 1930), Nr. 4295–4306 und 4307–4309 (hoch- und niederdeutsche vorluth. Übersetzungen bis 1500).

G. W. Panzer, Annalen der ältern deutschen Litteratur Bd. 1 (Nürnberg 1788), Nr. 575 und 888 (hochdeutsche Augsburger vorluth. Bibelausgaben von 1507 und 1518).

C. Borchling und B. Claußen, Niederdeutsche Bibliographie Bd. 1 (Neumünster 1931/36), Nr. 26 und 27 (niederdeutsche Halberstädter vorluth. Bibelausgabe von 1522).

P. H. Vogel, Europäische Bibeldrucke des 15. und 16. Jahrhunderts in den Volkssprachen (Baden-Baden 1962), S. 13–51 (deutsche Bibeldrucke).

G. W. Panzer, Entwurf einer vollständigen Geschichte der deutschen Bibelübersezung D. Martin Luthers vom Jahr 1517 an, bis 1581 (2. Aufl. Nürnberg 1791).

Weimarer Lutherausgabe. Abt.: Die Deutsche Bibel Bd. 2, hrsg. von P. Pietsch (Weimar 1909), S. 201–727: Die Bibliographie der [hoch-] deutschen Bibel Luthers [1522–1546].

H. Volz, Hundert Jahre Wittenberger Bibeldruck 1522–1626 (Göttingen 1954), S. 153–168 (Bibliographie der Wittenberger hoch- und niederdeutschen Lutherbibeln von 1534 bis 1626).

J. M. Goeze, Versuch einer Historie der gedruckten Niedersächsischen Bibeln vom Jahr 1470 bis 1621 (Halle 1775).

C. Borchling und B. Claußen, Niederdeutsche Bibliographie (s. o.) Bd. 1, Nr. 766–768. 786. 787 u. ö. (niederdeutsche Drucke von Luthers Übersetzung seit 1523 [vgl. das Register in Bd. 2]).

DARSTELLUNGEN UND UNTERSUCHUNGEN

Nachschlagewerke

Realencyklopädie für protestantische Theologie und Kirche Bd. 3 (3. Aufl. Leipzig 1897), S. 64–74; Bd. 23 (1913), S. 217f. (E. Nestle).

Reallexikon der deutschen Literaturgeschichte Bd. 1 (2. Aufl. Berlin 1958), S. 145–152 (E. Brodführer).

Evangelisches Kirchenlexikon Bd. 1 (Göttingen 1956), Sp. 480–482 (H. Strathmann).

Die Religion in Geschichte und Gegenwart Bd. 1 (3. Aufl. Tübingen 1957), Sp. 1201–1207 (H. Volz).

Lexikon für Theologie und Kirche Bd. 2 (2. Aufl. Freiburg 1958), Sp. 401 f.

Gesamtgeschichte
und vorlutherische Bibelübersetzung

A. Risch, Die Deutsche Bibel in ihrer geschichtlichen Entwickelung (Berlin 1907).

H. Volz, Bibel und Bibeldruck in Deutschland im 15. und 16. Jahrhundert (Mainz 1960).

W. Walther, Die Deutsche Bibelübersetzung des Mittelalters 3 Tle. (Braunschweig 1889–1892).

F. Falk, Die Bibel am Ausgange des Mittelalters, ihre Kenntnis und ihre Verbreitung (Köln 1905).

H. Vollmer, Materialien zur Bibelgeschichte und religiösen Volkskunde 4 Bde. (Potsdam 1912 bis 1929).

H. Vollmer, Bibel und deutsche Kultur 11 Bde. (Potsdam 1931–1941).

H. Vollmer, Die deutsche Bibel (in: Luther-Jahrbuch Bd. 16 [1934], S. 27–50).

F. Schulze, Deutsche Bibeln. Vom ältesten Bibeldruck bis zur Lutherbibel (Leipzig 1943).

H. Rost, Die Bibel im Mittelalter (Augsburg 1939).

O. Reichert, D. Martin Luthers Deutsche Bibel (Tübingen 1910).
H. Zerener, Studien über das beginnende Eindringen der Lutherischen Bibelübersetzung in die deutsche Literatur (Leipzig 1911).
W. Walther, Luthers Deutsche Bibel (Berlin 1917).
W. Walther, Die ersten Konkurrenten des Bibelübersetzers Luther (Leipzig 1917).
F. Kluge, Von Luther bis Lessing (5. Aufl. Leipzig 1918).
M. Freier, Luthers Bußpsalmen und Psalter. Kritische Untersuchung nach jüdischen und lateinischen Quellen (Leipzig 1918).
A. Risch, Luthers Bibelverdeutschung (Leipzig 1922).
G. Roethe, Luther in Worms und auf der Wartburg. II. Septemberbibel (in: Deutsche Reden [Leipzig o. J.], S. 182–197).
E. Hirsch, Luthers deutsche Bibel (München 1928).
Th. Pahl, Quellenstudien zu Luthers Psalmenübersetzung (Weimar 1931).
G. Baesecke, Die Sprache der Lutherbibel und wir (Halle 1932).
E. Zimmermann, Die Verbreitung der Lutherbibel zur Reformationszeit (in: Luther Bd. 16 [1934], S. 81–87.
G. Bebermeyer, Die Schlußgestalt der Lutherbibel. Zur Kritik der Wittenberger Lutherbibeln 1545 und 1546 (in: Die Lutherbibel. Festschrift zum 400jährigen Jubiläum der Lutherbibel, hrsg. vom Ausschuß der Deutschen Bibelgesellschaften [Stuttgart 1934], S. 48–65).
G. Bruchmann, Die Hamburger Handschrift Goeze in ihrem Verhältnis zu den gedruckten hochdeutschen Bibeln (Koburger-Kreis) und Perikopenbüchern sowie zu Luthers Verdeutschungen (in: H. Vollmer, Bibel und deutsche Kultur Bd. 5 [Potsdam 1935], S. 3–35).
G. Bruchmann, Luther als Bibelverdeutscher in seinen Wartburgpostillen (in: Luther-Jahrbuch Bd. 17 [1935], S. 111–131).
H. Dibbelt, Hatte Luthers Verdeutschung des Neuen Testaments den griechischen Text zur Grundlage? (in: Archiv für Reformationsgeschichte Bd. 38 [1941], S. 300–330).

E. Hirsch, Scholien zu Luthers Bibelverdeutschung (in: ders., Lutherstudien Bd. 2 [Gütersloh 1954], S. 207–273).
H. Volz, Melanchthons Anteil an der Lutherbibel (in: Archiv für Reformationsgeschichte Bd. 45 [1954], S. 196–232).
H. Volz, Hundert Jahre Wittenberger Bibeldruck 1522–1626 (Göttingen 1954).
H. Volz, Luthers Arbeiten am Propheten Daniel (in: Beiträge zur Geschichte der deutschen Sprache und Literatur Bd. 77 [Tübingen 1955], S. 393–423).
H. Bornkamm, Luthers Übersetzung des Neuen Testamentes (in: ders., Luthers geistige Welt [3. Aufl. Gütersloh 1959], S. 263–271 und 313).
S. Raeder, Das Hebräische bei Luther untersucht bis zum Ende der ersten Psalmenvorlesung (Tübingen 1961).
H. Volz, Aus der Wittenberger Druckpraxis der Lutherbibel (1522/46) (in: Gutenberg-Jahrbuch 1961, S. 142–155).
H. Volz, Aus der Druckpraxis der Nachdrucke der Lutherbibel (1522/46) (in: Gutenberg-Jahrbuch 1962, S. 234–250).
F. Tschirch, Probeartikel zum Wörterbuch der Bibelsprache Luthers (in: Nachrichten der Akademie der Wissenschaften in Göttingen, phil.-hist. Klasse 1964 Nr. 3, S. 151–197).
S. Raeder, Voraussetzungen und Methode von Luthers Bibelübersetzung (in: Geist und Geschichte der Reformation. Festschrift für H. Rückert [Berlin 1966], S. 152–178).
S. Raeder, Die Benutzung des masoretischen Textes bei Luther in der Zeit zwischen der ersten und zweiten Psalmenvorlesung (1515–1518) (Tübingen 1967).
F. Tschirch, Geschichte der deutschen Sprache Bd. 2 (Berlin 1968), S. 88–158: Die Entstehung einer deutschen Gemeinsprache (Das Frühneuhochdeutsche).
M. E. Schild, Abendländische Bibelvorreden bis zur Lutherbibel (Gütersloh 1970).
J. M. Goeze, Versuch einer Historie der gedruckten Niedersächsischen Bibeln vom Jahr 1470 bis 1621 (Halle 1775).
K. E. Schaub, Über die niederdeutschen Übertragungen der Lutherschen Übersetzung des

Neuen Testamentes, welche im 16. Jahrhundert im Druck erschienen (Diss. Greifswald 1889).

Weitere Literatur über Luthers Bibelübersetzung vgl. bei K. Schottenloher, Bibliographie zur deutschen Geschichte im Zeitalter der Glaubensspaltung Bd. 1, Nr. 11768–11849. 13216–13242; Bd. 4, 35410–35446; Bd. 5, Nr. 47606–47644; Bd. 7, Nr. 55867–55888. 56394–56396. 62439 bis 62442.

Die Spezialliteratur über Luthers Psalterübersetzung vgl. WA Bibel Bd. $10^{II}$, S. XXI Anm. 21.

Die Literatur über die Frage einer Benutzung der mittelalterlichen Bibelübersetzung vgl. Einleitung unten S. 126*f. Anm. 363.

Die Illustration der vorluth. Bibeln und der Lutherbibel

A. Schramm, Die illustrierten Bibeln der deutschen Inkunabel-Drucker (Leipzig 1922).

A. Schramm, Der Bilderschmuck der deutschen Frühdrucke 23 Bde. (Leipzig 1922–1943); in Frage kommen die Bände: Augsburg, Köln, Lübeck und Nürnberg.

H. Grisar und F. Heege, Luthers Kampfbilder: II. Der Bilderkampf in der deutschen Bibel (Freiburg 1922).

A. Schramm, Die Illustration der Lutherbibel (Leipzig 1923).

H. Zimmermann, Beiträge zur Bibelillustration des 16. Jahrhunderts (Illustrationen und Illustratoren des ersten Luther-Testamentes und der Oktav-Ausgaben des Neuen Testamentes in Mittel-, Nord- und Westdeutschland) (Straßburg 1924).

H. Zimmermann, Der Monogrammist M. S. (in: Buch und Schrift Bd. 1 [1927], S. 70–91).

L. Grote, Georg Lemberger (Leipzig 1933).

K. Galling, Die Prophetenbilder der Lutherbibel (in: Evangelische Theologie Bd. 6 [1946/47], S. 273–297).

Die Religion in Geschichte und Gegenwart Bd. 1 (3. Aufl. Tübingen 1957), Sp. 1177–1181 (Chr.-A. Isermeyer).

Ph. Schmidt, Die Illustration der Lutherbibel 1522 bis 1700 (Basel 1962).

## VERZEICHNIS DER ABGEKÜRZT ZITIERTEN LITERATUR.

| | |
|---|---|
| CR | Corpus Reformatorum (Halle–Braunschweig 1834ff.). |
| GW Bd. 4 | Gesamtkatalog der Wiegendrucke Bd. 4 (Leipzig 1930). |
| Schmidt, Die Illustration | Ph. Schmidt, Die Illustration der Lutherbibel 1522–1700 (Basel 1962). |
| Schramm | A. Schramm, Die Illustration der Lutherbibel (Leipzig 1923). |
| Volz, Bibel | H. Volz, Bibel und Bibeldruck in Deutschland im 15. und 16. Jahrhundert (Mainz 1960). |
| WA | D. Martin Luthers Werke. Kritische Gesamtausgabe [Weimarer Lutherausgabe] (Weimar 1883ff.). |
| Zimmermann, Beiträge | H. Zimmermann, Beiträge zur Bibelillustration des 16. Jahrhunderts (Illustrationen und Illustratoren des ersten Luther-Testamentes und der Oktav-Ausgaben des Neuen Testamentes in Mittel-, Nord- und Westdeutschland) (Straßburg 1924). |

# DIE MITTELALTERLICHEN DEUTSCHEN BIBELÜBERSETZUNGEN.[1]

Die ersten Anfänge einer mittelalterlichen deutschen Bibelübersetzung fallen mit zunächst nur wenigen Versuchen in die Zeit um die Wende des 8./9. Jahrhunderts. Die damals geschaffenen Übertragungen, die mit den von Karl dem Großen stark geförderten Christianisierungsbestrebungen in Verbindung standen, beschränkten sich aber bloß auf Teile des Psalters und die Evangelien. Nachdem dann auch aus den nächstfolgenden Jahrhunderten nur verhältnismäßig wenige Verdeutschungen biblischer Texte zu verzeichnen sind, begann man erst im Laufe des 14. Jahrhunderts, also in spätmittelhochdeutscher Zeit, sich mit einer solchen Aufgabe intensiver zu befassen. Die damals in größerer Zahl unabhängig voneinander angefertigten, meist anonymen Übertragungen, die naturgemäß weiteren Kreisen noch unzugänglich blieben, enthielten in nur ganz wenigen Fällen den vollständigen Bibeltext; im übrigen handelte es sich entweder um Teile der Bibel oder gar bloß um einzelne ihrer Bücher wie vor allem den Psalter. Begegnen sich auf der einen Seite diese sämtlichen Verdeutschungen in dem Punkte, daß ihnen durchweg nicht die Urtexte als Vorlage dienten, sondern die lateinische Bibelübertragung, die Vulgata, so unterscheiden sie sich andererseits in starkem Maße voneinander durch den Grad der dort zutage tretenden Sprachkunst des jeweiligen Übersetzers. Von einem unbeholfen-hölzernen Stil und einer infolge mangelnder Lateinkenntnis häufig fehlerhaften Übertragung bei gleichzeitiger sklavischer Bindung an den lateinischen Text spannt sich der Bogen bis hin zu manchmal recht gewandter und auf ein gutes Deutsch bedachter Ausdrucksweise. Stellen auch die erhaltenen Handschriften nur einen Bruchteil der einst vorhandenen Manuskripte dar, so zeigt doch ihre verhältnismäßig kleine Zahl deutlich, daß die deutsche Bibel im Mittelalter nicht sehr weit verbreitet war. Eine wesentliche Änderung trat in dieser Hinsicht in der zweiten Hälfte des 15. Jahrhunderts ein – und

1 Vgl. dazu W. Walther, Die Deutsche Bibelübersetzung des Mittelalters 3 Teile (Braunschweig 1889–1892); H. Rost, Die Bibel im Mittelalter (Augsburg 1939), S. 323–353.

zwar infolge von Johann Gutenbergs bahnbrechender Erfindung des Buchdrucks mit beweglichen Lettern.[2])

Hatte Gutenberg in den 1455 fertiggestellten Druck seiner lateinischen Bibelausgabe sehr erhebliche finanzielle Mittel in dem Wunsche investiert, dem ersten großen Erzeugnis seiner Werkstatt eine in jeder Hinsicht vollkommene äußere Gestalt zu verleihen, und sich dadurch wirtschaftlich völlig zugrunde gerichtet, so zog sein ehemaliger Geselle Johann Mentelin († 1478), der dann schon etwa 1458/59 in Straßburg eine eigene Offizin begründete, dank seiner außerordentlichen Geschäftstüchtigkeit aus der großen Erfindung jenen materiellen Gewinn, den das Schicksal Gutenberg versagt hatte.[3]) Für ihrer beider Geschäftsgebaren ist folgende Tatsache bezeichnend: Während Gutenberg für seine 42-zeilige Bibel zur Erzielung eines möglichst gefälligen und ausgewogenen Schriftbildes eine ausnehmend schöne, große Missaleschrift geschaffen hatte, verwandte demgegenüber Mentelin erheblich kleinere Typen, die zwar raumsparender, aber gleichzeitig auch sehr viel weniger ansprechend waren. Hatte er auf diese Weise schon bei seinem 1461 herausgebrachten Nachdruck der Gutenbergbibel[4]) die Zeilenzahl jeder Spalte (mit über 40 Buchstaben statt – wie bei Gutenberg – etwa 35 je Zeile) um ein Sechstel auf 49 erhöhen[5]) und zugleich die Blattzahl von 643 (bei Gutenberg) auf bloß 427 senken können, wodurch sich die Papier- und Herstellungskosten bereits erheblich verringerten, so erreichte er bei seiner deutschen Bibeledition von 1466[6]) durch die Wahl

2 Zum Folgenden vgl. H. Volz, Bibel und Bibeldruck in Deutschland im 15. und 16. Jahrhundert (Mainz 1961) (zitiert: Bibel).

3 Über Mentelin, der »in kurzer Zeit sehr reich wurde« (Volz, Bibel, S. 65 Anm. 7), vgl. K. Schorbach, Der Straßburger Frühdrucker Johann Mentelin (Mainz 1932) sowie C. Wehmer, Deutsche Buchdrucker des fünfzehnten Jahrhunderts (Wiesbaden 1971), S. 12 und 39.

4 Gesamtkatalog der Wiegendrucke (GW) Bd. 4, Nr. 4203.

5 Vgl. die Abbildung je einer Seite der Gutenbergbibel (bei A. Ruppel, Johannes Gutenberg. Sein Leben und sein Werk [2. Aufl. Berlin 1947] am Schluß) und einer Seite der lateinischen Mentelinbibel von 1461 (bei W. A. Copinger, Incunabula Biblica or the first half century of the Latin Bible [London 1892], Tafel 3).

6 GW Bd. 4, Nr. 4295.

noch kleinerer Typen bei etwa gleichem Satzspiegel eine Vermehrung der Zahl der Zeilen um fast die Hälfte auf 61[7]) und (trotz des durch die Eigenart der deutschen Sprache verursachten größeren Raumbedarfes) eine Umfangsverminderung auf sogar nur 410 Blätter. An die Stelle des wahrhaften Künstlers, den sein Idealismus zum totalen Ruin geführt hatte, trat jetzt also der rechnende Kaufmann.

Die Anregung, nach seinem Nachdruck der lateinischen Bibel von 1461[4]) als Erstdruck nun auch eine deutsche unter die Presse zu nehmen, empfing Mentelin wohl durch den guten Absatz jenes ersten Erzeugnisses. Für die jetzt in Aussicht genommene deutsche Veröffentlichung gab er indessen keine neue Übersetzung des Vulgatatextes in Auftrag, sondern er beschränkte sich vielmehr auf die unveränderte Wiedergabe einer schon vor rund hundert Jahren von einem Anonymus in der Nürnberger Gegend[8]) angefertigten Verdeutschung.[9]) Diese war jedoch alles andere als eine Meisterleistung; denn ganz abgesehen von recht mangelhaften Lateinkenntnissen schloß sich der Übersetzer gar zu eng an seine Vorlage an; daneben war es aber auch ziemlich schlecht um seine Sprachkunst bestellt.[10]) Als charakteristische Probe sei hier der Wortlaut des 23. Psalmes mitgeteilt:

7 Vgl. die Abbildung einer Seite dieser Bibel bei Walther a.a.O. hinter Sp. 16. – Da bei allen drei genannten Bibeldrucken der Satzspiegel nur um wenige Millimeter differiert (Gutenbergbibel: 28,7 × 19,3 cm; Mentelins lat. und dtsch. Bibel: 28,6 × 19,9 bzw. 28,1 × 19,7 cm), ist ein Vergleich ihrer typographischen Wirkung besonders eindrucksvoll an Hand der (in etwa gleichem Maßstab verkleinerten) Reproduktion von je einer Seite in dem von Wolfgang Milde bearbeiteten Ausstellungskatalog der Herzog-August-Bibliothek Nr. 4: Incunabula incunabulorum (Wolfenbüttel 1972), S. 7. 61. 63.

8 Vgl. E. Gössel, Der Wortschatz der Ersten Deutschen Bibel (Gießen 1933), S. 27 und 43.

9 Diese Übersetzung liegt – abgesehen von der späteren Drucküberlieferung – nur in drei größeren Teilabschriften vor (vgl. Walther a.a.O., Sp. 143 ff. und W. Kurrelmeyer, Die erste deutsche Bibel Bd. 1 [Tübingen 1904], S. XIX bis XXIX und Bd. 3 [ebd. 1907], S. V–X).

10 Vgl. F. Teudeloff, Beiträge zur Übersetzungstechnik der ersten gedruckten deutschen Bibel auf Grund der Psalmen (Berlin 1922); E. Brodführer, Untersuchungen zur vorlutherischen Bibelübersetzung. Eine syntaktische Studie (Halle 1922); vgl. auch Walther a.a.O., Sp. 62–85.

Der Ingolstädter katholische Theologe Johann Eck (1486

[1]»Der herr der richt mich und mir gebrast [*mangelte*] nit,

[2]und an der stat der weyde do satzt er mich. Er fuortte mich ob dem wasser der widerbringung,

[3]er bekert mein sel. Er fuort mich aus auf die steig der gerechtigkeit umb seinen namen.

[4]Wann [*denn*] ob ich ioch [*auch*] gee in mitzt des schaten des tods, ich vörcht nit die übeln dinge; wann [*denn*] du bist mit mir. Dein ruote und dein stab sy selb habent mich getröst.

[5]Du hast bereyt den tisch in meiner bescheude [*meinem Anblick*] wider die, die mich betrüebent. Du hast ereystent [*fett gemacht*] mein haubt mit dem öl, und mein kelch der macht truncken, wie lauter er ist.

[6]Und dein erbermbd die nachvolgt mir alle die tag meins lebens. Das auch ich entwele [*mich aufhalte*] in dem haus des herrn in die leng der tag«.[11])

bis 1543), der der irrigen Meinung war, diese Übersetzung sei erst im letzten Viertel des 15. Jahrhunderts entstanden, kritisierte diese in der Vorrede zu seiner 1537 erschienenen Bibelverdeutschung (über diese vgl. H. Volz, Vom Spätmittelhochdeutschen zum Frühneuhochdeutschen [Tübingen 1963], S. XX–XXIII; unten Anm. 19) folgendermaßen: »ich befand, das der tolmetscher nit gehalten het die regel S. Hieronymi de optimo genere interpretandi: Dan er hat zu hart darauf trungen, das er verteütsche von wort zu wort, darmit er oft unverstendig [*unverständlich*] ist worden und der ainfeltig leser kain sinn und verstand darauß vernemmen mag. Zu dem andern, so ist jederman kuntlich, ... das zu zeit der selbigen translation vor viertzig oder fünftzig jaren die lateinisch sprach nit so hoh kummen in teütschland, so adelich, zierlich und volkummen als jetz. Auch seind die büecher do zemal nit verhanden gwäsen, darauß der tolmetscher sich het mögen erhollen [*sich Rat holen*]. Darum kain wunder, ob [*wenn*] er zu weil auß mangels des latein gestrauchelt hat«.

11 Kurrelmeyer a.a.O. Bd. 7 (Tübingen 1910), S. 272f.

In dem vierten Bibeldruck (Günther Zainer, Augsburg ca. 1475 [vgl. unten S. 38*]) wurden folgende dann bis zum letzten (1518) beibehaltene Textkorrekturen vorgenommen: *v. 1*: der richt] regiert gebrast nit] gebrist nichts *v. 2*: fuortte mich ob] hat mich gefüeret auff *v. 4*: ioch] ia (–1480) mitzt] mitt mit] bei sy selb] die selb(en) *v. 5*: meiner bescheude] meinem angesicht mit] in *v. 6*: entwele] inwone.

(Nur v. 1: »regiert«, v. 2: »auff« und v. 5: »angesicht« begegnet schon in dem von Jodokus Pflanzmann gleichzeitig hergestellten dritten Bibeldruck, der aber nicht Zainers Vorlage bildete; vgl. Walther a.a.O., Sp. 46f.)

In dem neunten Bibeldruck (Anton Koberger, Nürnberg

Insgesamt wurde diese Bibelübersetzung innerhalb von rund einem halben Jahrhundert (1466 bis 1518) vierzehnmal (davon nicht weniger als neunmal in Augsburg) aufgelegt, wobei aber zehn dieser Drucke in der kurzen Spanne von nur anderthalb Jahrzehnten (1475–1490) erschienen.[12]) Daß in der Folgezeit bis zur nächsten Auflage (1507) eine siebzehn- und dann bis zur letzten (1518) noch einmal eine elfjährige Pause eintrat, hängt augenscheinlich mit wirtschaftlichen Gründen zusammen; denn die starke Zunahme des deutschen Bibeldruckes seit der Mitte der siebziger Jahre, die sicher auf einer gegenseitigen Wechselwirkung von Angebot und Nachfrage beruhte, hatte offenbar in Verbindung mit einer beträchtlichen Auflageerhöhung, wie sie vor allem bei dem bedeutenden Nürnberger Drucker-Verleger Anton Koberger im Jahre 1483 deutlich erkennbar ist, schließlich zu einem Überangebot geführt, dem dann zwangsläufig eine Absatzstockung folgte – war doch angesichts der Preishöhe die potentielle Käufer-

1483 [vgl. unten S. 38*f.]) wurden folgende dann bis 1518 beibehaltene weitere Textkorrekturen vorgenommen: *v. 4*: ia (ioch)] *fehlt* *v. 5*: der] *fehlt* *v. 6*: die (*1. u. 2.*)] *fehlt*.

12 Die hochdeutschen Bibeldrucke 1466/1518:

| | | |
|---|---|---|
| 1466 | in Straßburg | bei Johann Mentelin |
| ca. 1470 | ebd. | bei Heinrich Eggestein |
| ca. 1475 | in Augsburg | bei Jodokus Pflanzmann |
| ca. 1475 | ebd. | bei Günther Zainer |
| ca. 1476/78 | in Nürnberg | bei Andreas Frisner und Johann Sensenschmidt |
| 1477 | in Augsburg | bei Günther Zainer |
| 1477 | ebd. | bei Anton Sorg |
| 1480 | ebd. | dto. |
| 1483 | in Nürnberg | bei Anton Koberger |
| 1485 | in Straßburg | bei Johann Grüninger |
| 1487 | in Augsburg | bei Johann Schönsperger |
| 1490 | ebd. | dto. |
| 1507 | ebd. | bei Hans Otmar |
| 1518 | ebd. | bei Silvan Otmar. |

Vgl. GW Bd. 4, Nr. 4295–4306 sowie (für die beiden Drucke von 1507 und 1518) G.W. Panzer, Annalen der ältern deutschen Litteratur Bd. 1 (Nürnberg 1788), S. 275f. (Nr. 575) und 410f. (Nr. 888); Walther a.a.O., Sp. 113–118; Kurrelmeyer a.a.O. Bd. 1, S. IX–XIX und Bd. 10 (Tübingen 1915), S. XXX–L; P.H. Vogel, Europäische Bibeldrucke des 15. und 16. Jahrhunderts in den Volkssprachen (Baden-Baden 1962), S. 15–17. 19f. Nr. 1–14; F. Schulze, Deutsche Bibeln. Vom ältesten Bibeldruck bis zur Lutherbibel (Leipzig 1934), S. 9–24; Volz, Bibel, S. 30–34. – Der gesamte Mentelin-Text ist mit den Lesarten der späteren 13 Auflagen bei Kurrelmeyer a.a.O. Bd. 1–10 abgedruckt.

schicht nur begrenzt, so daß nach relativ kurzer Zeit eine Sättigung des Marktes und damit ein Käufermangel eintreten mußte.[13])

Ein derartiger buchhändlerischer Erfolg, wie man ihn in den Jahren 1475/90 hatte erringen können, wäre aber unter Beibehaltung der von Mentelin gelieferten Textrezension niemals zu erzielen gewesen; denn deren Verständlichkeit wurde – abgesehen von der vielfach mangelhaften Übersetzung – in starkem Maße dadurch beeinträchtigt, daß der Drucker hier eine bereits um die Mitte des 14. Jahrhunderts entstandene Verdeutschung mit einem mittlerweile stark veralteten Wortschatz unverändert darbot.[14]) Schon die beiden ersten Nachfolger Mentelins, Heinrich Eggestein in Straßburg und Jodokus Pflanzmann in Augsburg, empfanden diesen Mangel, und daher begannen sie bei dem zweiten bzw. dritten Bibeldruck (1470 und ca. 1475) mit dem Austausch ungebräuchlich gewordener Wörter.[15]) Das Hauptverdienst in dieser Hinsicht gebührt aber dem aus Straßburg zugewanderten Begründer des Augsburger Druckergewerbes Günther Zainer, der unabhängig von Pflanzmanns Unternehmen bei seiner (gleichfalls um 1475 erschienenen) »mit größtem fleiß corrigierten« großformatigen Bibel (der vierten der ganzen Reihe) eine durchgreifende Revision des Übersetzungstextes sowohl im Hinblick auf dessen Verbesserung und Berichtigung an Hand der Vulgata wie auch auf einen Ersatz vieler veralteter Wörter veranstaltete, so daß »alle frembde teütsch unnd unverstentliche wort, so in den erstgedruckten ... bybeln gewesen, gantz ausgethan ... seind«.[16]) Ihre fortan im wesentlichen endgültige,

13 Vgl. Volz, Bibel, S. 33f. Ein paralleler Vorgang ist auch bei den in Deutschland gedruckten lateinischen Bibelausgaben in der Zeit nach 1480 festzustellen (ebd. S. 16f. und 19–21).

14 Vgl. E. Gössel, Der Wortschatz der Ersten Deutschen Bibel (Gießen 1933).

15 Vgl. die Wortlisten bei Volz, Vom Spätmittelhochdeutschen zum Frühneuhochdeutschen, S. XIII Anm. 19 und 20.

16 GW Bd. 4, Nr. 4298. Vgl. dazu Walther a.a.O., Sp. 39–75 (insbes. das Wortverzeichnis auf Sp. 68–71) sowie D. Müller, Das Verhältnis der ersten und vierten vorlutherischen Bibel zueinander und zur Vulgata auf Grund der Evangelienübersetzung untersucht (Diss. Halle 1911); vgl. auch oben Anm. 11. – Die beiden obigen Zitate entstammen einer Verlagsanzeige von 1476 (K. Burger, Buchhändler-

bis 1518 fast unveränderte beibehaltene Gestalt erhielt diese Übersetzung dann erst durch eine zweite (jedoch mehr nach stilistischen Gesichtspunkten durchgeführte) Revision in Anton Kobergers Nürnberger Druckerei, in der 1483 der neunte hochdeutsche Bibeldruck hergestellt wurde.[17]) Mit dem 14. Bibeldruck, den der Augsburger Drucker Silvan Otmar[18]) am 27. Januar 1518, also ein Vierteljahr nach Ausbruch des Ablaßstreites

anzeigen des 15. Jahrhunderts in getreuer Nachbildung [Leipzig 1907], S. 9f. und Tafel 20).

17 GW Bd. 4, Nr. 4303. Vgl. Walther a. a. O., Sp. 106–109 und oben Anm. 11.

18 Vgl. Walther a. a. O., Sp. 112 und 118 Nr. 14; Kurrelmeyer a. a. O. Bd. 10, S. L. Diese Bibeledition Silvan Otmars, der seit 1513 in Augsburg wirkte, stellte einen genauen Nachdruck der von seinem Vater Johann in derselben Stadt am 12. Februar 1507 vollendeten 13. Bibelausgabe dar (vgl. Walther a. a. O., Sp. 112 und 118 Nr. 13; Kurrelmeyer a. a. O., S. XLIXf.); über Johann und Silvan Otmar vgl. J. Benzing, Die deutschen Buchdrucker des 16. und 17. Jahrhunderts im deutschen Sprachgebiet (Wiesbaden 1963), S. 13–15 Nr. 5 und 10. Silvan Otmar wurde im Herbst des Jahres 1518 zugleich auch der allererste Lutherdrucker in Augsburg, wo er aber nicht nur vier unveränderte (darunter zwei unsignierte) Nachdrucke von Lutherschriften, sondern auch – unter Vermittlung des damals auf dem dortigen Reichstag weilenden kurfürstlichen Geheimsekretärs und Lutherfreundes Georg Spalatin – die Erstausgabe von des Reformators deutscher Auslegung des 109. (110.) Psalms herausbrachte (WA Bd. 1, S. 249: D; 318: E; 376: C; 636: E; ebd. S. 687: A/B; Zeitschrift für Bibliothekswesen und Bibliographie Bd. 5 [1958], S. 90 Nr. 3). Sein persönliches Interesse an Lutherschriften dokumentiert nicht nur die Tatsache, daß er auf das Titelblatt seines undatierten Nachdruckes von Luthers »Sermo de poenitentia« den Werbespruch: »Eme, lege et gaudebis« setzte (WA Bd. 1, S. 318: E), sondern daß er die Ausgabe von dessen »Sermo de digna praeparatione ad Sacramentum Eucharistiae« (nebst der von ihm acht Wochen später veranstalteten deutschen Übersetzung) noch durch den Text einer bisher unbekannten Lutherpredigt erweiterte (WA Bd. 1, S. 325 und 326: E u. G und a; 335 und 339f.). Otmar, der in den Jahren 1519/38 noch weitere 95 Lutherschriften nachdruckte (vgl. J. Benzing, Lutherbibliographie [Baden-Baden 1966], S. 460) und außerdem zwischen 1523 und 1537 12 Teilausgaben der Lutherbibel herausbrachte (WA Bibel Bd. 2, Nr. 6–9. 25. 26. 61. 62. 120. 142 [vgl. WA Bibel Bd. 10$^{II}$, S. XLIIIf. Anm. 14]. 180 und einen bisher unbeschriebenen, zwischen 1537 und 1539 erschienenen Sirach-Nachdruck), war der bedeutendste Augsburger Lutherdrucker. Bemerkenswert ist, daß er seinen Nachdruck der Pentateuchübersetzung des Reformators von 1523 mit der gleichen Titelbordüre ausstattete, die er ein halbes Jahrzehnt zuvor bei dem 14. vorlutherischen Bibeldruck verwandt hatte (WA Bibel Bd. 2, S. 229 Nr. 9; ebd. Zl. 4 streiche »2.« als irrig).

und daher von diesem noch völlig unbeeinflußt, herausbrachte, ging die Epoche der mittelalterlichen Bibelübersetzung zu Ende.[19])

Unabhängig von der hochdeutschen Übersetzung, die in den vierzehn oberdeutschen Drucken im ober- und mitteldeutschen Raum Verbreitung fand, entstanden – ebenfalls anonym – im 15. Jahrhundert auch niederdeutsche Übertragungen; ihre vier Ausgaben – zwei Kölner von ca. 1478 (und zwar je eine ostwestfälische und westwestfälische) sowie je eine Lübecker von 1494 und eine Halberstädter Bibel von 1522 – bieten jedoch im Gegensatz zu den hochdeutschen Editionen, die alle einer einzigen Textfamilie angehören, keine einheitliche Textgestalt dar, sondern sie enthalten teilweise selbständige Übersetzungen[20]).

19 Als der Ingolstädter Theologieprofessor Johann Eck (oben Anm. 10) in den dreißiger Jahren des 16. Jahrhunderts von den strengkatholischen Bayernherzögen den Auftrag erhielt, gegenüber der immer mehr an Boden gewinnenden Lutherbibel ein katholisches Gegenstück zu schaffen, übernahm er damals für den Bereich des Neuen Testamentes im wesentlichen die weithin ein Plagiat von Luthers Arbeit darstellende Verdeutschung des 1527 verstorbenen Hieronymus Emser (vgl. unten S. 84*), während er im Hinblick auf das Alte Testament zunächst einen Wiederabdruck der vorlutherischen Übersetzung ins Auge faßte, wie er in seiner Vorrede darlegte: »Und wie wol etlich mir möchten entgegen werfen, ... warum ich nit gfaren sei mit der alt Nürmberger Bibel [*von 1483*] oder Augspurgerin [*zwischen 1475 und 1518*] im alten wie mit dem Emser im newen testament, Darauf gib ich disen bericht, das ich ja auch darnach gedacht hab und mich darob gewunden [*davon (= von der eigenen Übersetzung) abgewandt*] het, der grossen, strengen arbait gern geraten [*mich ... entschlagen*].« Aber er entschloß sich, wie er im Einzelnen (vgl. oben Anm. 10) ausführte, dann doch wegen ihrer allzu wörtlichen und daher oft unverständlichen, außerdem auch häufig fehlerhaften Übersetzung zu einer eigenen Verdeutschung; zur Begründung führte er aus dem Propheten Jesaja eine Reihe von vokabelmäßig falschen Übersetzungen der vorlutherischen Bibel an, die er dann trotzdem neben der Vulgata in einer ihrer jüngeren Auflagen mitbenutzte.

20 Vgl. GW Bd. 4, Nr. 4307 (ost-westf.). 4308 (westwestf.). 4309 (niederdtsch.); Borchling-Claußen, Niederdeutsche Bibliographie Bd. 1, Sp. 319–321 Nr. 704 = Vogel a.a.O., S. 18 und 20 Nr. 15–18; über den (statt Lorenz Stuchs) irrigerweise immer noch als Drucker der Halberstädter niederdeutschen Bibel von 1522 genannten Ludwig Trutebul vgl. ebd. S. 18 und H. Volz, Hundert Jahre Wittenberger Bibeldruck 1522–1626 (Göttingen 1954), S. 12 Anm. 3. – Der Text dieser vier niederdeutschen Bibeln wird (z. Z. mit dem Propheten Jesaja schließend) von G. Ising teils in vollem Wortlaut vierspaltig, teils aber entsprechend den je-

Schöpften im ausgehenden Mittelalter die breiten Volksschichten ihre Bibelkenntnisse vorwiegend aus Predigten oder aus Plenarien[21]) und Postillen[22]), so war demgegenüber die damalige deutsche Bibel sowohl wegen ihres hohen Preises wie auch wegen ihrer großen sprachlichen Mängel weit davon entfernt, ein wirkliches Volksbuch darzustellen, wie sie es erst durch Martin Luthers einzigartiges Übersetzungswerk wurde.

## LUTHERS DEUTSCHE BIBELÜBERSETZUNG.

### Die Voraussetzungen.

Als Luther im Dezember 1521 im Alter von 38 Jahren das gewaltige Werk seiner Bibelübersetzung in Angriff nahm, war er – abgesehen von seiner hervorragenden sprachlichen und dichterischen Begabung – schon im Besitz zweier für jene

weiligen Abhängigkeitsverhältnissen auch nur in drei oder zwei Spalten (mit den Lesarten der übrigen Texte) herausgegeben (Die niederdeutschen Bibelfrühdrucke. Kölner Bibeln [um 1478]. Lübecker Bibel [1494]. Halberstädter Bibel [1522] Bd. 1–4 [Berlin 1961–1971]).

Der mit Luther eng befreundete, aus Pommern gebürtige Wittenberger Superintendent und Stadtpfarrer Johannes Bugenhagen fällte in seiner Vorrede zu der im August 1541 in Wittenberg erschienenen niederdeutschen Übertragung der Lutherbibel ein sehr negatives Urteil über die vorlutherische niederdeutsche Bibel: »De hochdüdesche Biblia des Eerwerdigen Doctoris Martini Lutheri, mynes leven Heren und Vaders in Christo, ys in dyt Sassesche düdesch upt alder vlitigeste uthgesettet uth synem Bevele schyr van worde tho worde, so vele alse ydt de art der reynen sprake hefft lyden mögen. Unde ys uth dem Ebreischen de beste Emendatio, welkere aldererst uthgegan ys inn dessem yare des Heren Christi 1541. Nene beter, gewißer und klarer Translatio ys yewerle [*jemals*] up Erden geweset noch by den Greken noch by den Latinischen noch nergende. De olde düdesche Biblia, van unvorständigen Lüden uth dem Latine vordüdeschet, ys gegen deße tho achten Narrewerck und nicht werdt, dat se düdesch heten schal« (J. M. Goeze, Versuch einer Historie der gedruckten Niedersächsischen Bibeln vom Jahr 1470 bis 1621 [Halle 1775], S. 247).

21 Über diese Perikopenbücher vgl. P. Pietsch, Ewangely und Epistel Teutsch. Die gedruckten hochdeutschen Perikopenbücher (Plenarien) 1473–1523 (Göttingen 1927).

22 So kaufte sich beispielsweise Luther in seiner Erfurter Studentenzeit, als ihm der Erwerb einer ganzen Bibel unmöglich war, eine Postille (WA Tischreden Bd. 1, S. 44, 18–20): »Paulo post emit postillam; ea mire placuit, quod plura evangelia contineret, quam per annum doceri solebant« (vgl. auch ebd. Bd. 3, S. 598, 11 f.).

Luthers Bibelstudium

Aufgabe fundamentaler sachlicher Voraussetzungen, die er sich im Laufe der voraufgegangenen Jahre erworben hatte. Einerseits hatte er sich nämlich durch ein bereits während seines Noviziates begonnenes intensives Studium der Vulgata den Bibeltext derart zu eigen gemacht, daß er ein ausgezeichneter »textualis und localis«, d.h. mit ihrem Inhalt wie auch mit dem Fundort der Stellen aufs innigste vertraut geworden war[23]); noch weiterhin vertiefte sich sodann seine Bibelkenntnis durch die Vorlesungen, die er als Inhaber der »lectura in biblia« an der Wittenberger Universität über den Psalter (1513/15 und 1518/21) sowie über den Römer- (1515/16), Galater- (1516/17) und Hebräerbrief (1517/18) hielt. Die zweite Hauptvoraussetzung für seine Bibelverdeutschung war aber eine gründliche Kenntnis der »heiligen Sprachen«, des Hebräischen[24]) und des Griechischen.

Luthers hebräische Sprachkenntnisse

Daß sich Luther schon während seines Erfurter Klosteraufenthaltes für das Hebräische interessierte, beweist die Tatsache, daß er Johann Reuchlins im Jahr 1506 veröffentlichtes, für die damalige Zeit grundlegendes Werk: »De Rudimentis hebraicis«, das Grammatik und Lexikon in sich vereinigte,

23 Luthers Tischreden: vom 22. Februar 1538: »quamprimum me in monasterium contuli, incepi legere, relegere et iterum legere bibliam cum summa admiratione Doctoris Staupitii« (WA Tischr. Bd. 3, S. 598, 13–15); vom November 1531: »[*Im Kloster*] monachi ei dederunt bibliam ... Eam adeo familiarem sibi fecit, ut, quid in uno quoque folio contineretur, nosset et statim, cum sententia aliqua offerretur, primo intuitu, ubi scripta esset, sciret« (ebd. Bd. 1, S. 44, 23–26); vom März 1533: »Olim totam bibliam ita meditatam habui, ut omnium capitum tenerem summam« (ebd. Bd. 3, S. 141, 14f.); vom Juli 1539: »Ego juvenis me assuefeci ad bibliam; saepius legendo fiebam localis« (ebd. Bd. 4, S. 432, 18f.; vgl. auch Bd. 5, S. 75, 13–16. 18f.). Der kursächsische Leibarzt Matthäus Ratzeberger (1501/59) berichtet auf Grund von Luthers Erzählungen: »Insonderheit ... befahl D. Staupitz dem Luthero, Er solte in seinem studio Theologico furnemlichen dahin sehen, das er in der Bibel ein guter tex[t]ualis und localis wurde. Diesem Rathe folgete Lutherus mit hochstem vleisse dermassen, das sich D. Staupitz sehr darob verwunderte« (Ch. G. Neudecker, Die handschriftliche Geschichte Ratzeberger's über Luther und seine Zeit [Jena 1850], S. 48). Zum Ausdruck: »localis« vgl. auch Corpus Reformatorum (CR) Bd. 25, Sp. 667.

24 Vgl. dazu S. Raeder, Das Hebräische bei Luther untersucht bis zum Ende der ersten Psalmenvorlesung (Tübingen 1961) und dens., Die Benutzung des masoretischen Textes bei Luther in der Zeit zwischen der ersten und zweiten Psalmenvorlesung (1515–1518) (Tübingen 1967).

alsbald nach Erscheinen erwarb[25]) und schon vor Beginn seiner ersten Psalmenvorlesung »systematisch durchgearbeitet« hatte.[26]) Während er aber in dieser »in bezug auf das Hebräische fast ganz auf fremde Autoritäten angewiesen war«[27]) und erst in deren zweiter Hälfte – abgesehen von Reuchlins kommentierter und mit einer lateinischen Übersetzung versehener Separatausgabe der hebräischen Bußpsalmen von 1512[28]) – nur »in seltenen Fällen und unregelmäßig den hebräischen Grundtext benutzte«[29]), begann er 1516 – eine ganz entscheidende Vorbedingung für seine künftige alttestamentliche Übersetzungsarbeit – mit einem eigenen »systematischen Studium des hebräischen Textes«.[30]) Dabei bildete für ihn zunächst ein wichtiges Hilfsmittel die ihm wohl bald nach Erscheinen von seinem Ordensbruder Johann Lang geschenkte kleine Ausgabe des hebräischen Psalters, die Konrad Pellikan im November 1516 in Basel veröffentlicht hatte.[31]) Seit wann Luther im persönlichen Besitz eines vollständigen hebräischen Alten Testamentes war, läßt sich nicht feststellen.[32])

25 Luther an Johann Lang (29. Mai 1522): »Lexicon Hebraicon remitto, ... quod olim Erfordiae emeram ab initio« (WA Briefe Bd. 2, S. 547, 2f.).

26 Für Luthers wahrscheinlich zunächst geübtes Verfahren einer Heranziehung hebräischer Wörter ohne Benutzung des masoretischen Textes auf dem Weg über die in Reuchlins »Rudimenta« als Belege zitierten und von Luther systematisch in seinem lateinischen Bibelexemplar gekennzeichneten Vulgatastellen vgl. K. A. Meißinger, Luthers Exegese in der Frühzeit (Leipzig 1911), S. 69; Raeder, Das Hebräische, S. 169–172; dens., Die Benutzung, S. 7.

27 Raeder, Die Benutzung, S. 10.

28 Ebd. S. 4 und Anm. 2.

29 Ebd. S. 4.

30 Ebd. S. 10.

31 Vgl. WA Bibel Bd. 10^II, S. 290–296 und 321–324.

32 Zwei hebräische Bibeln aus Luthers Besitz sind bekannt – ein (in West-Berlin, Staatsbibl. Preuß. Kulturbesitz: Inc. 2840 erhaltenes, mit vielen Luthereintragungen versehenes) 1494 in Brescia gedrucktes Oktavexemplar (vgl. WA Bibel Bd. 11^II, S. XXXIV Anm. 111; B. W. D. Schulze, Vollständigere Kritik über die gewöhnlichen Ausgaben der hebräischen Bibel, nebst einer nähern zuverlässigen Nachricht von der hebräischen Bibel, welche ... Luther bey seiner Übersetzung gebraucht [Berlin 1766], S. 13; Raeder, Die Benutzung, S. 87–93) und eine (verschollene) »grosse Hebreische Bibel« (wohl eine der beiden Venetianer Rabbinenbibeln von 1516/17 und 1524/25) (vgl. WA Bibel Bd. 11^II, S. XX Anm. 48 sowie D. Thyen, Luthers Jesaja-

Luthers griechische Sprachkenntnisse

Was nun Luthers Kenntnis des Griechischen[33]) anlangt, so verdankte er dem von ihm als »Graecus et Latinus«[34]) bezeichneten, humanistisch gebildeten Johann Lang, mit dem er schon in Erfurt wie auch (bis zum Frühjahr 1516[35])) in Wittenberg in enger klösterlicher Gemeinschaft gelebt hatte, wohl nur eine Einführung in die Anfangsgründe dieser Sprache. Einen gewissen Fortschritt brachte dann das Erscheinen der von Erasmus besorgten allerersten griechischen Textausgabe des Neuen Testamentes, die – zugleich mit einer lateinischen Übersetzung des Erasmus und dessen textkritischen Anmerkungen (Annotationes) ausgestattet – im Februar 1516 in Basel herauskam und Luthers Interesse für jene Sprache stärker befruchtete; erste Spuren einer Benutzung des Urtextes scheinen in seiner damaligen Römerbriefvorlesung bei Kap. 8,15 und 9,8 vorzuliegen.[36]) Jedoch kann bis zum Jahre 1518 von einer systematischen Aneignung des Griechischen noch nicht die Rede sein. In dieser Hinsicht wurde für den Reformator von ausschlaggebender Bedeutung erst Melanchthons damalige Berufung als Professor des Griechischen nach Wittenberg, wo er Ende August 1518 seine Lehrtätigkeit aufnahm. Unter dessen Anleitung widmete sich Luther nunmehr eifrig dem Studium jener Sprache[37]) und unterwarf sich dessen sachverständigem Urteil bei der Interpretation schwieriger Textstellen; wahrscheinlich arbeitete Melanchthon auch an Luthers im Frühjahr 1519 fertiggestelltem Galaterbriefkommentar mit. In der ersten Zeit seines Wartburgaufenthaltes (12. Mai 1521) erhielt der Reformator als Geschenk des Straßburger Humanisten Nikolaus Gerbel ein Exemplar der von diesem besorgten griechischen

vorlesung [theol. Diss. Heidelberg 1964], Anmerkungen S. [44] zu S. 81 [Anm. 15]) – evtl. mit der am 30. Oktober 1520 genannten »Bibel« identisch (WA Bibel Bd. 9$^{I}$, S. XIII).

33 Zum Ganzen vgl. Archiv für Reformationsgeschichte Bd. 38 (1941), S. 300–330 und Bd. 45 (1954), S. 197f. 200f.

34 WA Briefe Bd. 1, S. 40, 22 (29. Mai 1516).

35 Vgl. Archiv für Reformationsgeschichte Bd. 60 (1969), S. 28.

36 Vgl. WA Bd. 56, S. LV; 78, 27; 90, 15 nebst Anm.

37 Über das dem Reformator von Melanchthon im Jahr 1519 geschenkte dreiteilige griechische Homerexemplar von 1517 vgl. WA Briefe Bd. 3, S. 51 Anm. 7; Bd. 13, S. 55; Bd. 14, S. XVIII f. (Bibl. der Columbia-Univ., New York [Plimpton-Coll. 880/1517]).

Textausgabe des Neuen Testamentes[38]), auf die sich wohl seine damalige briefliche Bemerkung bezieht: »Bibliam Graecam et Hebraeam lego« (»Ich lese die griechische und hebräische Bibel«[39])).

## Die Übersetzung des Neuen Testamentes.

Hatte im religiösen Leben des mittelalterlichen Laien die Bibel keine wesentliche Rolle gespielt, so änderte sich bald nach Beginn der Reformation dieser Zustand grundlegend; denn schon früh bekannte sich Luther nachdrücklich zur Heiligen Schrift als alleiniger Richtschnur in Glaubensfragen, und zum Widerruf seiner Lehre erklärte er sich nur unter der Bedingung bereit, daß er durch biblisches Zeugnis überwunden würde. In den vielfach lateinunkundigen Laien, die in steigendem Maße an seinem Kampf gegen Rom inneren Anteil nahmen, erweckte er durch seine vielfältigen, auf biblischer Grundlage fußenden Streit- und Erbauungsschriften ein starkes religiöses Interesse und den lebhaften Wunsch nach eigener Bibellektüre. Diesen befriedigte der Reformator zunächst durch seine Verdeutschung des Neuen Testamentes, die er um die Wende der Jahre 1521/22 zu Papier brachte.

Diese Übertragung bildete indessen nicht die erste biblische Übersetzungsarbeit des Reformators, sondern er hatte vor deren Inangriffnahme im Rahmen seiner schriftstellerischen Tätigkeit bereits seit 1517 verschiedene Psalmen, Stücke aus den Sprüchen Salomonis, das »Magnificat« (Luk. 1,46–55) sowie eine Reihe von neutestamentlichen

38 Vgl. WA Briefe Bd. 2, S. 337, 4f. (nebst Anm. 2) und 397, 41–44 (nebst Anm. 27).

39 Ebd. S. 337, 32f. (14. Mai 1521); vgl. auch ebd. S. 354, 23 (10. Juni 1521): »Hebraica et greca disco«. An hebräischen Textausgaben hatte Luther auf der Wartburg auf alle Fälle im Mai/Juni 1521 (laut Bearbeitungsnotizen) das ihm von Johann Lang geschenkte Exemplar des Sedezpsalters von 1516 bei sich (oben Anm. 31 und bes. WA Bibel Bd. 10$^{II}$, S. 296); an dessen Stelle trat aber spätestens Ende Juni/Anfang Juli 1521 ein dem Reformator von Melanchthon dediziertes anderes Exemplar der gleichen Ausgabe (das erste verschenkte Luther daraufhin noch im selben Jahr an seinen Ordensbruder Tilemann Schnabel); vgl. ebd. S. 299f. und 296f.

Perikopentexten in das Deutsche übertragen. Er begann dabei mit den sieben Bußpsalmen (Ps. 6. 32. 38. 51. 102. 130. 143)[40]), deren im Frühjahr 1517 erschienene Auslegung[41]) seine allererste eigene deutsche Veröffentlichung darstellte. Im Spätsommer 1518 folgten dann Ps. 110[42]) und 1521 während seines Wartburgaufenthaltes die drei Psalmen 68, 119 und 37[43]); in diese Zeit fiel dann außerdem sowohl die Verdeutschung einiger in seine Schrift: »Von der Beicht, ob die der Papst Macht habe zu gebieten« eingefügter Stücke aus den Sprüchen Salomonis[44]) wie auch der fast durchgängig dem Neuen Testament entstammenden Perikopentexte seiner im September 1521 verfaßten Predigt vom 14. Sonntag nach Trinitatis[45]), der Ende Juli beendeten Weihnachtspostille[46]) und der im letzten Novemberdrittel begonnenen Adventspostille[47]), während er das »Magnificat«[48]) bereits im Spätherbst 1520 ins Deutsche übertragen hatte. Wenn sich auch diese schon zumeist an Hand der biblischen Urtexte gelieferten Übersetzungen in ihrer Sprachgestalt ganz wesentlich über das Niveau der vorlutherischen deutschen Bibeldrucke erhoben, so waren sie für den Reformator doch noch keineswegs ein Selbstzweck, sondern sie bildeten nur das Fundament für seine jeweils damit verbundenen Textauslegungen; infolgedessen verwandte er auf jene Verdeutschungen noch nicht

40 WA Bd. 1, S. 158f. 166f. 174f. 184f. 195f. 206. 211f.; vgl. dazu Raeder, Die Benutzung, S. 60–62; Th. Pahl, Quellenstudien zu Luthers Psalmenübersetzung (Weimar 1931), S. 1–10.

41 WA Bd. 1, S. 155: A.

42 WA Bd. 1, S. 690f. und Bd. 9, S. 180f.; Raeder, Die Benutzung, S. 78f.; Pahl a.a.O., S. 10f.; oben Anm. 18.

43 WA Bd. 8, S. 4–34. 186–204. 214–233; Pahl a.a.O., S. 12–18.

44 Kap. 4, 24–27; 7, 4–27; 9, 13–18; 27, 23–27; 30, 5f. (WA Bd. 8, S. 142. 145–147. 155).

45 Luk. 17, 11–19 (WA Bd. 8, S. 344, 3–18).

46 WA Bd. 10I,1, S. 18ff. (15 neutestamentliche und 1 alttestamentliche [Sir. 15, 1–6] Perikopen). Vgl. dazu G. Bruchmann, Luther als Bibelverdeutscher in seinen Wartburgpostillen (Luther-Jahrbuch Bd. 17 [1935], S. 111–131); A. Freitag in WA Bibel Bd. 6, S. 602–622 und Bd. 7, S. 548 bis 552.

47 WA Bd. 10I,2, S. 1ff. (8 neutestamentliche Perikopen); zum Beginn der Abfassung vgl. ebd. S. LIV.

48 WA Bd. 7, S. 546, 2–19.

die Zeit und Mühe wie dann in der Folgezeit auf die gesamte Bibelübersetzung.[49])

49 Für den Bereich des Psalters sind die Textabweichungen der oben erwähnten Einzelübersetzungen Luthers aus den Jahren 1517/21 gegenüber dem Text der vollständigen Übertragung von 1524 in WA Bibel Bd. 10[I] bei den betreffenden Psalmen jeweils im Apparat verzeichnet.

Zum Vergleich ist in der nachfolgenden Tabelle je ein alt- (Ps. 130) und ein neutestamentlicher Text (»Magnificat«, Luk. 1,46–55)

a) in der (jeweils bis zu Silvan Otmars letztem Augsburger Druck von 1518 unverändert gebliebenen) Fassung der (neunten) vorlutherischen Nürnberger Bibel Anton Kobergers von 1483 (Kurrelmeyer Bd. 7, S. 441; Bd. 1, S. 199f.),

b) in Luthers Einzelübersetzungen von 1517 bzw. 1520 und

c) in dessen Teilausgaben der Bibelübersetzung von 1524 bzw. 1522

einander gegenübergestellt.

Psalm 130 (Vulg.: 129).

| *Vorluther. Bibelübersetzung (1483/1518):* | *Luther 1517 (WA Bd. 1, S. 206, 12–27):* | *Luther 1524 (WA Bibel Bd. 10[I], S. 540):* |
|---|---|---|
| 1 Von der tieffe schrey ich zu dir, herre, 2 o herr, erhör mein stymm. Deine oren süllen werden aufmerkkend zu der stymm meiner bittung. | 1 O Gott, tzu dyr hab ich geschryen von den tyffen, 2 o got, erhore mein geschrey. Ach das deine oren achtnehmen wolten auff das geschrey meines bittens. | 1 Aus der tieffen Ruffe ich, HERR, zu dyr. 2 HERR, höre meyne stym, Las deyne oren merkken auff die stym meynes flehens. |
| 3 O herre, ob [*wenn*] du beheltest die boßheyt, herr, wer wirt es dulden? | 3 Szo du wilt achthaben auff die sunde, O mein got, O gott, wer kan dan besteen? | 3 So du willt acht haben auff missethat, HERR, wer wird bestehen? |
| 4 Wann [*denn*] die versünunge ist bey dir, | 4 Dan ist doch nur bey dir allein vorgebung, darumb bistu auch allein tzu furchten. | 4 Denn bey dyr ist vergebung, das man dich furchte. |
| 5 vnd, herre, ich geduldet dich umb dein ee [*Gesetz*]. Mein sel geduldet in seinem wort, | 5 Ich hab gottis [*auf G.*] gewartet, und mein seel hat gewartet, und auff seyn wort hab ich gebeytet [*gewartet*]. | 5 Ich harre des HERRN, meyne seele harret, und ich warte auff seyn wort. |
| 6 mein sel hoffet in dem herren. Von der hut [*Wache*] der mettenzeyt [*Frühmessenzeit*] untz [*bis*] zu der nacht | 6 Mein seel die ist tzu gott wartend Von der morgen wache biß widder zu der morgen wache. | 6 Meyne seele wartet auff den HERRN von eyner morgen wache bis zur andern. |

| | | |
|---|---|---|
| [7] sol hoffen Israhel in dem herren. Wanndieerbermbd ist bey dem herren, und vil erlößung ist bey im. | [7] Israel der wartet zu gott, dann die barmhertzigkeit ist bey gott, und manichfeltig ist bey yhm die erloßung. | [7] Israel, warte auff den HERRN, Denn guete ist bey dem HERRN und viel erlösunge bey yhm. |
| [8] Und er wirt erlößen Israhel von allen seinen missetaten. | [8] Und er wirt erloßen Israel auß allen seinen sunden. | [8] Und er wird Israel erlösen aus aller seyner missethat. |

Das Magnifikat (Luk. 1, 46–55).

| *Vorluther. Bibelübersetzung (1483/1518):* | *Luther 1520 (WA Bd. 7, S. 546, 2–19):* | *Luther 1522 (WA Bibel Bd. 6, S. 212/214):* |
|---|---|---|
| [46] Mein sel grösset den herren, | [46] Meyn Seel erhebt Gott den herrn. | [46] Meyne seel erhebt den herrn, |
| [47] und mein geyst hat gefrolocket in got, meinem heyl. | [47] Und meyn geyst frewet sich ynn Gott, meynen heyland. | [47] und meyn geyst frewet sich ynn Gott, meynen heyland. |
| [48] Wann [*denn*] er hat angesehen die demütigkeyt seiner diern. Wann sih [*siehe*], auß dem werden mich selig sagen alle geschlecht. | [48] Denn er hat mich, seine geringe magd, angesehen, davon mich werden selig preyßen kyndß kynd ewiglich. | [48] Denn er hat die nydrickeyt seyner magd angesehen, Sihe, von nu an werden mich selig preyssen alle kinds kind. |
| [49] Wann der do ist gewaltig, der tet mir grosse ding, und sein nam ist heylig. | [49] Denn er, der alle ding thuet, hat groß ding mir gethan, und heylig ist sein name. | [49] Denn er hat grosse ding an myr than, der do mechtig ist und des name heylig ist. |
| [50] Unnd sein barmhertzigkeyt ist von geschlecht in geschlecht den, die in fürchten. | [50] Und seine barmhertzickeit langet von eynem geschlecht zum andern allen, die sich fur yhm furchten. | [50] Und seyne barmhertzigkeyt weret ymer fur und fur bey denen, die yhn furchten. |
| [51] Er tet den gewalt in seim arm und zerstrewet die hohfertigen in dem gemüt ires hertzen. | [51] Er wircket geweltiglich mit seinem arm und zurstoret alle die hoffertigen ym gemut yhres hertzen. | [51] Er hat gewalt übet mit seynem arm und zurstrewet, die da hoffertig sind ynn yhrs hertzen synn. |
| [52] Die gewaltigen hat er ab gesetzet von dem stul und hat erhöht dy demütigen. | [52] Er absetzet die großen herrn von yhrer herschafft und erhohet, die da nydrig und nichts seyn. | [52] Er hat die gewalltigen von dem stuel gestossen und die nydrigen erhaben. |
| [53] Die hungerigen hat er erfüllt mit guten dingen, und | [53] Er macht sat die hungrigen mit allerley gutter, und | [53] Die hungerigen hatt er mit guttern erfullet und die |

Der vom Reformator in seinem Kampfe gegen das Papsttum seit 1519 verfochtene Grundsatz der Alleingültigkeit der Heiligen Schrift als höchster Autorität in Glaubensfragen legte beinahe zwangsläufig den Gedanken einer neuen und wirklich guten Bibelverdeutschung nahe. Hatte man in Wittenberg schon im November 1520 offensichtlich einen derartigen Plan erwogen[50]), so verging bis zu seiner Verwirklichung doch noch mehr als ein volles Jahr. Für Luthers Entschluß, die Bibelübersetzung nunmehr in Angriff zu nehmen, war zweifelsohne sein dreitägiger geheimer Besuch, den er den Wittenberger Freunden in der ersten Dezemberwoche 1521 von der Wartburg aus abstattete[51]), von ausschlaggebender Bedeutung. In einer undatierten (in den Anfang der dreißiger Jahre fallenden) Tischrede[52]) äußerte sich der Reformator über die Genesis dieses Planes nämlich folgendermaßen: »Philipp Melanchthon nötigte mich, das Neue Testament zu übersetzen«; als Begründung für diese Forderung fügte Luther noch

| | | |
|---|---|---|
| die reychen hat er eytel [*leer*] gelassen. | die reichen lessit er ledig bleyben. | reychen leer gelassen. |
| [54] Er empfieng Israhel, sein kind, und gedacht seiner erbermde, | [54] Er nympt auff sein volck Israel, das yhm dienet, nach dem er gedacht an seine barmhertzickeyt, | [54] Er hatt der barmhertzigkeyt gedacht und seynem diener Israel auff geholffen, |
| [55] Als [*wie*] er hat geredt zu unsern vetern Abraham und seim samen in ewigkeyt. | [55] wie er denn vorsprochen hat unßern vetern Abraham und seinen kinden ynn ewikkeyt. | [55] wie er geredt hat unsern vettern Abraham und seynem samen ewiglich. |

50 Vgl. Luther-Jahrbuch Bd. 26 (1959), S. 98 Anm. 29.

51 Vgl. dazu F. Geß, Akten und Briefe zur Kirchenpolitik Herzog Georgs von Sachsen Bd. 1 (Leipzig 1905), S. 273, 17–35; N. Müller, Die Wittenberger Bewegung 1521 und 1522 (Leipzig 1911), S. 159f.; WA Briefe Bd. 2, S. 410, 15 u. 24f.; 415, 29f.

52 WA Bd. 48, S. 448, 2–5 (Johann Aurifabers verkürzte deutsche Übersetzung [1566] ist in WA Tischreden Bd. 1, S. 487, 11–16 abgedruckt); der lateinische Text lautet: »Phil. Melanchthon coegit me ad Novi Testamenti versionem. Quia vidit hinc inde lacerari. Ille Mattheum, hic Lucam vertit. Et tamen praecipue propter Paulum faciendum erat. Necessarium enim videbatur Pauli epistolas obscuratas in lucem et dispositionem redigere, quia ibi erat confusio«. – Vgl. auch Luthers briefliche Bemerkung vom 18. Dezember 1521 im Hinblick auf seine Übersetzung des Neuen Testamentes: »quam rem postulant nostri« (WA Briefe Bd. 2, S. 413, 6f.).

hinzu: »Denn er sah, daß dieses von verschiedenen Seiten zerfetzt wurde: Einer [*der schon mehrfach erwähnte Augustinermönch Johann Lang*[53])] übersetzte den Matthäus, ein anderer den Lukas[54]). Vor allem mußte es aber um des Paulus willen geschehen; denn es erschien notwendig, die [bisher mit Glossen und mancherlei Geschwätz[55])] verfinsterten Paulusbriefe in das helle Licht und, weil dort Verwirrung herrschte, in eine rechte Ordnung zu bringen« (diese letzte Bemerkung zielt wohl auf die Einreihung des unechten Laodizener- sowie des Hebräerbriefes innerhalb der vorlutherischen deutschen wie auch der Vulgatadrucke unter die Paulusbriefe). Abgesehen davon, daß Luther hier ausdrücklich Melanchthon, bei dem er damals aus Geheimhaltungsgründen wohnte, als denjenigen bezeichnete, der den Anstoß für seine Übersetzung gab, erfährt man aus diesem Bericht über die für jenen maßgebenden Gründe zweierlei: einmal, daß an die Stelle zerstreuter neutestamentlicher Einzelverdeutschungen, wie sie damals im Entstehen waren, eine einheitliche Gesamtübersetzung treten sollte, und zum andern, daß eine zuverlässige und

53 Über Johann Langs Ende Juni 1521 in Erfurt erschienene Matthäusübersetzung (vgl. M. von Hase, Bibliographie der Erfurter Drucke von 1501–1550 [3. Aufl. Nieuwkoop 1968], S. 14 Nr. 102/103), die zwar auf dem von Erasmus dargebotenen griechischen Text bzw. dessen lateinischer Übersetzung beruht, aber sprachlich recht unbeholfen ist, vgl. W. Walther, Die ersten Konkurrenten des Bibelübersetzers Luther (Leipzig 1917), S. 30–40; Kap. 14 und 15 von Langs Verdeutschung ist von G. Eis, Frühneuhochdeutsche Bibelübersetzungen (Frankfurt/M. 1949), S. 68–72 als Textprobe abgedruckt. Luther kannte Langs Veröffentlichung offensichtlich nur vom Hörensagen, da er diesem am 18. Dezember 1521 im Hinblick auf seine eigene Übersetzungsarbeit schreibt: »in qua et te audio laborare« (WA Briefe Bd. 2, S. 413, 7). Diese Tatsache unterstützt den bereits anderwärts (vgl. Walther a. a. O., S. 36) geführten Nachweis, daß Luther »den Lange nicht benutzt hat«. Vgl. auch WA Bibel Bd. 6, S. 620.

54 In der Rückerinnerung ist Luther hier ein Irrtum unterlaufen, da im Jahr 1521 überhaupt keine deutsche Lukasübersetzung erschienen ist (hier können nicht gemeint sein die beiden anonymen Lukasverdeutschungen, die erst im Jahr 1522 und auch nicht gesondert veröffentlicht wurden, sondern jeweils in verschiedenen, und zwar in Leipzig bzw. in Augsburg hergestellten Ausgaben vollständiger, von mehreren Verfassern herrührender Evangelienübersetzungen enthalten sind; vgl. Walther a. a. O., S. 56ff. und 66ff.).

55 Aus Luthers Vorrede zur Römerbriefübersetzung (WA Bibel Bd. 7, S. 2, 14 = unten S. 2254, 16f.).

verständliche Übersetzung der paulinischen Briefe als besonders wichtig galt.

Zu einem solchen theologisch bedingten Beweggrund für die Entscheidung, die Übersetzungsarbeit mit dem Neuen Testament zu beginnen, trat noch als praktischer Gesichtspunkt die geringere sprachliche Schwierigkeit, die dieser Bibelteil im Vergleich zum hebräischen Urtext des Alten Testamentes bereitete.[56]) Daher wollte Luther an den letzteren nach eigenem Zeugnis erst nach seiner Heimkehr nach Wittenberg, für die er zunächst den Ostertermin 1522 ins Auge faßte[57]), in der Nähe und unter Mitarbeit seiner gelehrten Freunde herangehen.[58])

Alsbald nach seiner Rückkehr aus Wittenberg – etwa Mitte Dezember 1521 – begann der Reformator auf der Wartburg mit der Übersetzung des Neuen Testamentes, von der er bereits am 18. Dezember erstmals berichtete.[59]) Jedoch beschränkte er sich innerhalb der etwa elf Wochen, die ihm bis

56 Betreffs der Schwierigkeiten der vor ihm liegenden Durchführung des Gesamtplanes wie auch unter dem Eindruck der Erfahrungen, die er bereits bei der Übersetzung des Neuen Testamentes gemacht hatte, schrieb Luther nach seiner Heimkehr nach Wittenberg etwa am 26./27. März 1522 an den Ritter Hartmut von Cronberg: »Ich hab myr auch fürgenommen, die Biblia tzu verteutschen, das ist myr nott geweßen, ich hette sunst wol [*gewiß*] sollen ynn dem yrthumb gestorben seyn, das ich wer gelert geweßen. Es sollten solichs werck thun, die sich lassen duncken gelert seyn« (WA Bd. 10$^{II}$, S. 60, 13–16; zum Datum vgl. WA Briefe Bd. 2, S. 484f. Nr. 466); in ähnlicher Weise heißt es in der Vorrede zu der Pentateuchübersetzung (1523): »ich bekenne frey, das ich mich zu viel unterwunden habe, sonderlich das alte testament zu verdeutschen; denn die Ebreische sprache ligt leyder zu gar [*sehr*] darnidder, das auch die Juden selbs[t] wenig gnug davon wissen, ... und achte, sol die Bibel erfur komen, so mussen wyrs thun, die Christen sind, als die den verstand [*Verständnis*] Christi haben, on wilchen auch die kunst der sprache nichts ist« (WA Bibel Bd. 8, S. 30, 30–36 = Anhang unten S. 238*, 15–21).

57 20. April 1522; vgl. WA Briefe Bd. 2, S. 413, 5; 423,47.

58 Am 13. Januar 1522 schrieb Luther an seinen Freund Nikolaus von Amsdorf: »Vetus vero Testamentum non potero attingere nisi vobis praesentibus et cooperantibus«; daher bat er ihn und auch gleichzeitig Melanchthon um ein »secretum cubile apud vestrum aliquem« (WA Briefe Bd. 2, S. 423, 50–56; 427, 128–130).

59 An Johann Lang: »Interim Postillas conscribam, Novum Testamentum vernacula donaturus«; an Wenzeslaus Link: »Iam in Postilla et vernacule tradenda Biblia laboro« (WA Briefe Bd. 2, S. 413, 5f.; 415, 37f.). Über die Adventspostille vgl. oben S. 46* und Anm. 47.

zu seinem dann bereits auf den 1. März 1522 vorverlegten Aufbruch nach Wittenberg zur Verfügung standen, nicht auf die Bewältigung dieser großen Aufgabe[60]) – sein durchschnittliches tägliches Übersetzungspensum entspricht etwa 8½ Seiten des griechischen Nestle-Textes (z. B. Mark. Kap. 1–3) –, sondern daneben vollendete er auch noch die erst im letzten Novemberdrittel 1521 begonnene Ausarbeitung der deutschen Adventspostille[61]) und verfaßte außerdem zwei deutsche Schriften[62]) im Gesamtumfang von 58 gedruckten Quartseiten.

Als Grundlage für seine Übersetzung des Neuen Testamentes benutzte Luther in erster Linie die 1519 in zweiter Auflage in Basel erschienene Erasmus-Ausgabe des griechischen Urtextes[63]), neben dem er auch die im gleichen Band enthaltene, von dem Humanistenkönig verfaßte lateinische Übersetzung[64]) und dessen textkritische »Anmerkungen« (Annotationes)[65]) heranzog. Außerdem verwertete er häufig auch noch den ihm durch sein langjähriges Vulgatastudium wohlvertrauten Hieronymustext.[66]) Bei öfter begegnenden Übereinstimmungen mit der mittelalterlichen Bibelübersetzung – seien es die gedruckten Bibeln oder Ple-

60 Vier Wochen nach Beginn der Arbeit bekannte Luther, er habe eine über seine Kräfte gehende Arbeit übernommen und sähe jetzt, was Übersetzen heiße und warum es bisher von niemandem versucht worden sei (dabei auf die anonym erschienene mittelalterliche deutsche Übersetzung zielend), der dabei seinen Namen genannt hätte (WA Briefe Bd. 2, S. 423, 48–50).

61 Vgl. oben Anm. 59.

62 »Eine treue Vermahnung zu allen Christen, sich zu verhüten vor Aufruhr und Empörung« (WA Bd. 8, S. 673 und Briefe Bd. 2, S. 412, 31 f.) und »Bulla coenae domini, das ist die Bulla vom Abendfressen ...« (WA Bd. 8, S. 688 f.).

63 Vgl. WA Bibel Bd. 6, S. LXXI f.; Bd. 7, S. 545–547 und 655.

64 Vgl. WA Bibel Bd. 7, S. 547 und 657. Wenn auch keineswegs eine Benutzung von Erasmus' lateinischer Übersetzung neben dem griechischen Urtext abzustreiten ist, so läßt sich jedoch andererseits auf keinen Fall die von H. Dibbelt (Hatte Luthers Verdeutschung des Neuen Testamentes den griechischen Text zur Grundlage? [Archiv für Reformationsgeschichte Bd. 38 (1941), S. 329]) vertretene These, angesichts von Luthers »so geringen Sprachkenntnissen« sei eine Übersetzung unmittelbar aus dem Griechischen »kaum denkbar«, aufrecht erhalten; vgl. dazu H. Bornkamm, Luthers geistige Welt (3. Aufl. Gütersloh 1959), S. 266.

65 Vgl. WA Bibel Bd. 6, 546 f. und 656.

66 Vgl. oben Anm. 23 und WA Bibel Bd. 7, S. 657.

narien oder auch eine mündliche Übersetzungstradition – handelt es sich dagegen auf keinen Fall um irgendeine systematische Benutzung dieser Quellengattung.[67]) Im Gegensatz zu seiner anschließenden Übersetzung des Alten Testamentes[68]) hat sich von Luthers Niederschrift seiner Verdeutschung des Neuen Testamentes – abgesehen von den wenigen gedruckten Perikopentexten der gleichzeitig bearbeiteten Adventspostille[69]) – auch nicht der geringste Rest erhalten, der einen Einblick in die allerersten Anfänge seiner Tätigkeit als Bibelübersetzer gewähren könnte.

Schloß sich Luther dem griechischen Urtext an, wenn er entgegen der Vulgata (und der ihr darin folgenden mittelalterlichen deutschen Übersetzung) den hier hinter den Galaterbrief gestellten unechten Laodizenerbrief fortließ und außerdem der auf den Hebräerbrief (am Schluß der Paulusbriefe) folgenden Apostelgeschichte ihren Platz nunmehr hinter dem Johannesevangelium zuwies, so verfuhr er bei der sonstigen Anordnung und Gliederung der neutestamentlichen Bücher durchaus selbständig; er vereinigte nämlich den in der Vulgata an die Paulusbriefe anschließenden Hebräer- sowie den hier hinter die Apostelgeschichte gestellten Jakobusbrief (eine »rechte strohern Epistel«[70])) wegen ihres nicht-apostolischen Ursprunges und aus inhaltlichen Gründen entgegen der bisherigen kirchlichen Tradition mit den seit alters am Schluß stehenden beiden Büchern, dem Judasbrief und der Offenbarung Johannis, zu einer besonderen Gruppe[71]), die er im Inhaltsverzeichnis[72]) unnumeriert ließ und durch einen Zwischenraum von den 24 »Hauptbüchern« abgrenzte, um auf diese Weise ihren andersartigen und zweitrangigen Charakter zu dokumentieren.

Nachdem Luther Ende Februar 1522 in der unglaublich kurzen Frist von nur elf Wochen die ge-

67 Vgl. unten Anm. 363.

68 Luthers Übersetzungs- (und Druck-)manuskripte des Alten Testamentes sind, soweit erhalten, abgedruckt in WA Bibel Bd. 1, S. 1–639; Bd. 2, S. 1–200; Bd. 11$^{II}$, S. 393f.

69 Vgl. WA Bibel Bd. 6, S. 616f. und Bd. 7, S. 548–552.

70 WA Bibel Bd. 6, S. 10, 33f. = Anhang unten S. 241*, 27f.

71 Vgl. Luthers Vorreden WA Bibel Bd. 7, S. 344. 384/386. (= unten S. 2433f. 2454f.). 404.

72 WA Bibel Bd. 6, S. 12.

samte Übersetzung des Neuen Testamentes fertiggestellt hatte, deren erste Hälfte (bis zum Schluß des Johannesevangeliums) er bereits um den 20. Februar zusammen mit dem Manuskript der Adventspostille über den kurfürstlichen Geheimsekretär Georg Spalatin nach Wittenberg abgeschickt hatte, wo die Sendung aber erst am 1. März ankam[73]), hielt es ihn angesichts der »Wittenberger Unruhen« nicht länger auf der Wartburg, und so traf er am 6. März mit dem Rest der handschriftlichen Übersetzung überraschend in Wittenberg ein. Sobald er im Verlauf von bloß einer Woche durch seine Invokavitpredigten dort Ruhe und Ordnung wiederhergestellt hatte, begann er, die Drucklegung des Neuen Testamentes vorzubereiten. Den Verlag hatten der Maler Lukas Cranach und der Goldschmied, Gasthof- und Fuhrwerkbesitzer Christian Döring in Händen[74]), während die Druckarbeiten Melchior Lotther d. J., der älteste Sohn des namhaften Leipziger Druckers Melchior Lotther d. Ä., besorgte.[75]) Nach seinem später so formulierten Grundsatze, daß »Übersetzer nicht allein sein sollen, da einem ein[z]igen nicht allzeit gute und treffende Worte einfallen«[76]), veröffentlichte der Reformator – ebenso wie dann in der Folgezeit auch bei allen Teilen des Alten Testamentes – seine Übersetzung nicht eher, bevor er sie nicht im Verein mit sprachkundigen Freunden einer nochmaligen genauen Durchsicht unterzogen hatte. Noch im März begann er diese zusammen mit dem Gräzisten Philipp Melanchthon.[77]) Daneben wandte er sich in Spezialfragen – wie etwa betreffs der Verdeutschung des griechischen Wortes: »Eunuch«, für die er das westfälische Dialektwort: »Ron« (eigentlich: verschnittenes Pferd) in Vorschlag brachte, oder hinsichtlich der Namen

73 CR Bd. 1, Sp. 563 und 565; WA Bibel Bd. 6, S. XLIV und Briefe Bd. 2, S. 490 Anm. 4 (und Bd. 13, S. 45 z. St.).

74 Vgl. H. Volz, Hundert Jahre Wittenberger Bibeldruck 1522–1626 (Göttingen 1954), S. 16f. sowie WA Briefe Bd. 2, S. 598, 6.

75 Über Melchior Lotther d. J. vgl. Benzing, Die Buchdrucker des 16. und 17. Jahrhunderts, S. 466 Nr. 6.

76 In einer Tischrede aus der ersten Hälfte der dreißiger Jahre (WA Tischreden Bd. 1, S. 486, 22f.; WA Bd. 48, S. 448, 9) (teilweise lateinisch: »Nec translatores debent esse soli, ... et propria verba ...«).

77 Vgl. WA Briefe Bd. 2, S. 490, 9f.: »omnia nunc elimari cepimus Philippus et ego« (30. März 1522).

und der Farbe der in der Apokalypse Kap. 21 genannten Edelsteine[78]) – an den ihm befreundeten Spalatin, den er zugleich bat, bei Verdeutschungsvorschlägen nur »volkstümliche, aber keine militärischen oder höfischen Ausdrücke« zu verwenden.[79]) An denselben trat auch Melanchthon mit sprachlichen Problemen heran, während er bei numismatischen Schwierigkeiten den auf diesem Gebiet sachverständigen Erfurter Arzt Georg Sturtz um Rat fragte.[80])

September-testament 1522

Nach endgültiger Fertigstellung wanderte das Manuskript dann stückweise in die Druckerei, die bereits Anfang Mai die ersten Probedrucke lieferte.[81]) Die insgesamt fünfeinhalb Monate beanspruchende Drucklegung, bei der zunächst auf einer, seit Ende Mai auf zwei und zum Schluß (seit Ende Juli) sogar auf drei Pressen gearbeitet wurde, um die Fertigstellung dieses Foliobandes von 222 Blättern bis zu der für den Absatz sehr wichtigen Leipziger Herbstmesse (29. September bis 6. Oktober) zu ermöglichen, hielt man zwecks Verhütung eines Diebstahls und damit eines vorzeitigen fremden Nachdrucks sorgfältig geheim.[82])

Die Beigabe zum Neuen Testament

Erst während der Korrekturen fügte Luther – nach seiner bei dem Druck des Alten Testamentes zu beobachtenden Gepflogenheit zu schließen – in Anlehnung an die Tradition verschiedene Bei-

78 WA Briefe Bd. 2, S. 527, 37–39 sowie unten Anm. 346.

79 WA Briefe Bd. 2, S. 490, 10–12.

80 CR Bd. 1, Sp. 567 und 571 f.; vgl. auch Archiv für Reformationsgeschichte Bd. 45, S. 204–207. Zu den Münzwerten vgl. auch WA Bd. 54, S. 499–501. – Außerdem wandte sich Melanchthon – jedoch offensichtlich erfolglos – wahrscheinlich schon im März 1522 an den jungen Wittenberger Studenten Caspar Cruciger, der damals aus Furcht vor einer Seuche in seiner Heimatstadt Leipzig weilte, mit der Bitte, aus den Schätzen des dortigen (bereits im September des Vorjahres verstorbenen) Sammlers von Altertümern (»Antiquarius«) Johann Reyneck, Inhabers eines geistlichen Lehens am Hospital zu Delitzsch (vgl. Julius Pflug, Correspondance, hrsg. von J. V. Pollet Bd. 1 [Leiden 1969], S. 104), zwecks Beigabe einer »τοπογραφία terrae sanctae« zur Übersetzung des Neuen Testamentes eine angeblich dort befindliche ausgezeichnete römische Karte (πίναξ) Judäas leihweise oder käuflich zu beschaffen (CR Bd. 1, Sp. 583 = Melanchthons Werke in Auswahl Bd. 7[1]: Ausgewählte Briefe 1517–1526, hrsg. von H. Volz [Gütersloh 1971], S. 170 [Zl. 8 lies: quia in Reinecci]).

81 WA Briefe Bd. 2, S. 524, 5 f.

82 Vgl. WA Bibel Bd. 6, S. XLV f.

gaben hinzu.[83]) Während seit alters die lateinischen Bibelhandschriften (und danach auch die Drucke) der Mehrzahl der biblischen Bücher vorwiegend von dem Kirchenvater Hieronymus († 420) verfaßte Prologe vorangestellt hatten, ersetzte Erasmus sie einerseits durch drei von ihm selbst stammende Einleitungsschriften (»Paraclesis«, »Methodus« und »Apologia«) und andererseits teils durch griechischen Handschriften des Neuen Testaments entnommene Stücke, teils durch eigene lateinische Vorreden und »Argumenta«.[84]) Luther dagegen verfaßte unter Verzicht auf die Aufnahme jedweden fremden Textes außer den beiden von ihm erst ganz zum Schluß[85]) niedergeschriebenen umfangreichen beiden Vorreden zum Neuen Testament und zum Römerbrief sowie einer kurzen Einführung, »wilchs die rechten und edlisten Bücher des Neuen Testaments sind«, zu sämtlichen übrigen Briefen und der Apokalypse kürzere Ausarbeitungen, in denen er – verbunden mit kurzen kapitelweisen Inhaltsangaben – die Besonderheiten des jeweiligen Textes herausstellte[86]); die drei Johannesbriefe sowie der Jakobus- und Judasbrief erhielten dagegen nur je eine gemeinsame Vorrede. Weiterhin lieferte der Reformator in Gestalt sehr zahlreicher kürzerer oder längerer Randglossen (wie sie in ähnlicher Form – teils aus älteren Quellen entlehnt, teils erst damals neu verfaßt – auch schon die Lübecker niederdeutsche Bibelausgabe von 1494 aufwies[87])) theologische

83 Vgl. WA Bibel Bd. 6, S. LXXXIII–LXXXVI; Bd. 7, S. XXXI bis XXXIV.

84 Vgl. M.E. Schild, Abendländische Bibelvorreden bis zur Lutherbibel (Gütersloh 1970), S. 13–165.

85 Daß Luther seine Vorreden zu den biblischen Büchern erst kurz vor ihrer Drucklegung zu verfassen pflegte, beweiren nicht nur diese beiden großen neutestamentlichen Vorreden, die beide auf besonders signierten Bogen stehen – für die Römerbriefvorrede ist zudem der Drucktermin auch noch brieflich bezeugt (WA Briefe Bd. 2, S. 598, 4f.; 599, 4) –, sondern auch die Tatsache, daß er gelegentlich – bei der Psaltervorrede im Dritten Teil des Alten Testamentes (vgl. WA Bibel Bd. 10$^{II}$, S. XVIII) – mit der Niederschrift nicht rechtzeitig fertig wurde, so daß die Vorrede zunächst an das Ende des betreffenden biblischen Buches gesetzt werden mußte, um dann erst bei der nächsten Auflage ihre richtige Stelle zu erhalten.

86 Vgl. Schild a.a.O., S. 166–264.

87 Vgl. dazu O. Schwencke, Die Glossierung alttestamentlicher Bücher in der Lübecker Bibel von 1494 (Berlin 1967).

oder sprachliche Texterläuterungen, während er nach dem Vorbild zeitgenössische Vulgatadrucke am Rande biblische Parallelstellen verzeichnete.

In gleicher Weise hatten auch die hier begegnenden Illustrationen, die teils von dem Wittenberger Maler Lukas Cranach d.Ä. selbst, teils von den Mitarbeitern in seiner Werkstatt herrühren, ihren Vorläufer in hoch- und niederdeutschen Bibeldrucken, die seit der Mitte der siebziger Jahre des 15. Jahrhunderts einen – allerdings bei dem Neuen Testament ebenso wie dann auch bei dem Luthertext nur spärlichen – Bildschmuck aufweisen. Der von dem Augsburger Drucker Günther Zainer (ca. 1475) als erstem hergestellten Verbindung eines in Holz geschnittenen Initialbuchstabens am Anfang jedes biblischen Buches mit einer figürlichen, dem jeweiligen Text entsprechenden Darstellung folgten auch Cranachs insgesamt zehn Initialen, die innerhalb einer Landschaft oder eines geschlossenen Raumes fast ausschließlich die Verfasser der betreffenden neutestamentlichen Schriftsteller zeigen.[88]) Ebenso bildeten die vorlutherischen Bibeln, die sich bei der Illustration des Neuen Testamentes – abgesehen von Abbildungen der Evangelisten und der Briefübergabe durch die Apostel an die Boten[89]) – auf die Apokalypse beschränkten[89a]), auch hier das Vorbild für das

88 Vgl. A. Schramm, Der Bilderschmuck der Frühdrucke Bd. 2 (Leipzig 1920), Abb. 609–679; WA Bibel Bd. 2, S. 202f.; A. Schramm, Die Illustration der Lutherbibel (Leipzig 1923 [zitiert: Schramm]), S. 1 und Abb. 2–11. Im Luthertestament ist die P-Initiale bei den Paulusbriefen (mit Ausnahme des an Philemon) zwölfmal, dagegen das D bei Matthäus und der Offenbarung sowie das I bei dem Evangelisten Johannes und Jakobus doppelt verwandt. Bei der D-Initiale am Anfang der Apostelgeschichte ist die Ausgießung des Heiligen Geistes dargestellt, während zwei Bildinitialen mit landschaftlichem Hintergrund jeglicher biblischer Bezug fehlt: bei dem Hebräerbrief dem N mit einem schreienden Hirsch und bei dem Judasbrief dem I mit zwei Männern bei einem Vogelschießen.

89 Dieses traditionelle Motiv fand erst in der von Georg Lemberger illustrierten Oktavausgabe des Neuen Testamentes (gedruckt von Melchior Lotther d. J. 1523/24 = WA Bibel Bd. 2, S. 216 Nr. *4y = S. 267–269 Nr. *8; Zimmermann, Beiträge, S. 21f. und 127 Nr. 15) Eingang; vgl. Schramm, S. 8f. und Abb. 77–83.

89a Folgte Luther in diesem Fall der Tradition der Bibelillustration, gab er andererseits seit 1529 das traditionellerweise illustrierte »alte Passional büchlein«, mit zahlreichen Holzschnitten hauptsächlich zu neutestamentlichen Ge-

im Druck befindliche Wittenberger Neue Testament. Unter Zugrundelegung von Albrecht Dürers (fünfzehn Blätter umfassender) Folge zur Offenbarung Johannis von 1498/1511 schuf nämlich Cranach mit zwei Mitarbeitern (dem Monogrammisten HB und dem sogenannten Meister der Zackenblätter [Monogrammist MB]) eine um sechs Blätter auf 21 erweiterte, in den Maßen (23,3 : 16 cm) gegenüber Dürer (39,5 : 28,5 cm) um etwa ein Drittel verkleinerte Folge mit einer zum Teil scharf antipäpstlichen Tendenz. Wo hier gegenüber der Vorlage ikonographische Abweichungen auftreten, sind diese jeweils auf einen – zweifelsohne durch den Reformator veranlaßten – engeren Anschluß an den Bibeltext zurückzuführen.[90])

In Übereinstimmung mit allen sonstigen Bibeldrucken der damaligen Zeit entbehrt auch diese Erstveröffentlichung des deutschen Neuen Testamentes einschließlich der in der Folgezeit erschienenen Lutherbibeln und sonstiger biblischer Einzeldrucke in des Reformators Übersetzung vorerst einer Verszählung, die sich dann erst in der zweiten Hälfte des 16. Jahrhunderts allmählich einbürgerte.[90a])

In hervorragender typographischer Ausstattung war wohl kurz vor dem 21. September 1521 das (daher jetzt allgemein als »Septembertestament« bezeichnete) große Werk vollendet[91]), das nach Luthers Willen »ohne ... fremden Namen ausgehen« sollte[92]) und infolgedessen ohne die Angabe der Namen des Übersetzers, Druckers und der Verleger wie auch der Jahreszahl an das Licht der

schichten ausgestattet, seinem erstmals 1522 erschienenen Betbüchlein bei (WA Bd. 10^II, S. 341 f. und 458–470).

90 Vgl. die Abbildungen in: Albrecht Dürer 1471 bis 1528. Das gesamte graphische Werk Bd. 2: Druckgraphik (München 1971), S. 1488–1521 und Schramm, Abb. 12–32 (WA Bibel Bd. 7, S. 483–523; vgl. dazu ebd. S. 479–482 und 525 bis 528 sowie Bd. 2, S. 203 f.). Vgl. auch Ph. Schmidt, Die Illustration der Lutherbibel 1522–1700 (Basel 1962), S. 93 bis 112 (ob Schmidts Identifizierung hier angeblich dargestellter zeitgenössischer Persönlichkeiten zutrifft, erscheint fraglich).

90a Vgl. dazu H. Volz, Hundert Jahre Wittenberger Bibeldruck 1522–1626 (Göttingen 1954), S. 34 Anm. 96 und 118 Anm. 102; Zentralblatt für Bibliothekswesen Bd. 20 (1903), S. 273–277 (E. Nestle); Anhang unten S. 273* Anm. 14.

91 Vgl. WA Bibel Bd. 6, S. XLV–XLVII.

92 Vgl. ebd. S. 2, 2 f. = Anhang unten S. 240*, 15 f.

Öffentlichkeit trat. Das Titelblatt war lediglich mit den kunstvoll in Holz geschnittenen, verschnörkelten Worten: »Das Newe Testament Deutzsch« geschmückt, denen dann noch in Drucklettern die damals jeden Zeitgenossen auf Luther als Übersetzer hinweisende Ortsname: »Vuittemberg« hinzugefügt war.[93]) Ein überaus beredtes Zeugnis für die begeisterte Aufnahme, die der stattliche Folioband trotz seines für jene Zeit hohen Preises von einem halben Gulden[94]) alsbald bei dem Publikum fand, liefert das bereits am 7. November erlassene, gegen das Septembertestament gerichtete scharfe, aber ziemlich wirkungslos gebliebene gedruckte Verbotsmandat des heftigen Luthergegners Herzog Georgs von Sachsen; es heißt dort nämlich: »Uns gelanget aber an, so befinden wir auch solchs öffentlich am Tage, daß itzo zu Wittenberg das Naue Testament durch Martinum Lutter, dovor es menniglich achtet⸢*jederman hält*], vordeutscht mit sonderlichen Postillen [*Glossen*] auf dem Rande, auch mit etlichen schmählichen Figuren [*zur Apokalypse*][95]) bäbstlicher Heiligkeit zu Schmähe [*Schmach*] und zu Bekräftigunge seiner Lehre in Druck [ge]bracht und ausgegangen, daß sich auch viel unser Undertanen und andere in unsern Landen und Fürstentumen angezeiget Naue Testament zu käufen und zu vorkäufen understanden und nachmals understehen, ... welchs alles ... uns in keinem Wege zu geduldenleidlich [*zu dulden erträglich*]«; daher ordnete der Herzog unter scharfen Strafandrohungen an, daß ein jeder das von ihm erworbene Exemplar unter gleichzeitiger Angabe des Namens des Verkäufers, des Kaufortes und -preises gegen Erstattung des dafür aufgewandten Geldes im nächstgelegenen Amt bis Weihnachten abzuliefern habe. Wie gering jedoch der Erfolg dieses Mandates war, beweist die Tatsache, daß in den

93 Vgl. die bibliographische Beschreibung des Septembertestamentes in WA Bibel Bd. 2, S. 201–205 Nr. *1; das Titelblatt vgl. ebd. B. 6, Tafel 1 = Schramm, Abb. 1.

94 Zu diesem Preis (= $10^1/_2$ Groschen) vgl. Volz, Hundert Jahre usw., S. 19 und Anm. 38. – In Meißen wurde damals ein Exemplar zu 20 bzw. 22 und in Leipzig zu 15 bzw. 18 Groschen verkauft; vgl. F. Geß, Akten und Briefe zur Kirchenpolitik Herzog Georgs von Sachsen Bd. 1 (Leipzig 1905), S. 442, 5f. und 10–13; 453, 10f.

95 Vgl. unten S. 61*f.

beiden Ämtern Leipzig und Meißen nur je vier Exemplare und im Amt Weißenfels überhaupt keins abgeliefert wurde.[96]) Für das überaus starke Publikumsinteresse spricht weiterhin der Umstand, daß die gesamte Auflage des Septembertestamentes schon in den ersten Dezembertagen in Wittenberg völlig vergriffen war.[97]) In Voraussicht eines derart raschen Absatzes dieses Erstdruckes hatten sich die beiden Verleger sofort bei dessen Erscheinen bereits zur Herstellung einer zweiten, spätestens am 19. Dezember (also nur ein Vierteljahr später) fertig vorliegenden zweiten Auflage, die man im Unterschied vom »Septembertestament« als »Dezembertestament« bezeichnet, entschlossen.[98]) Gleichzeitig bemächtigten sich aber auch die auswärtigen Nachdrucker unverzüglich dieses großen geschäftlichen Erfolg

96 Herzog Georgs Mandat vgl. bei Geß a.a.O. Bd. 1, S. 386f. Es wurde auch von Georgs Bruder Herzog Heinrich und den Bischöfen von Meißen und Merseburg verkündigt (ebd. S. 387f. und 387 Anm. 1); über einen Fall, wo das Plakat abgerissen und mit Füßen getreten wurde, vgl. ebd. S. 407, 4–6 (in Mücheln bei Merseburg). Die Leipziger Theologische Fakultät befürwortete am 6. Januar 1523 das Verbot von Luthers Übersetzung »umb zusatzunge seyner vorreden und glossen willen, dorinne er gemeyniglich [*überall*] seyne vordechtige und langst vordampte lere ausdruckit« (ebd. S. 426, 2–4). Über den geringen Erfolg dieses Mandates vgl. auch Archiv für Reformationsgeschichte Bd. 24 (1927), S. 179–183. Luthers polemische Stellungnahme zu dem Mandat vgl. WA Bd. 11, S. 246, 27ff. und 267, 1ff.

97 Am 13. Dezember 1522 berichtete Luthers Ordensbruder Heinrich von Zütphen, der damals in Bremen als erster evangelischer Prediger wirkte, brieflich: »Novum Testamentum vidi, sed nullum exemplar potui habere neque restant ulla Wittenbergae amplius, quare iam secundo sub praelo sunt locata« (K. und W. Krafft, Briefe und Documente aus der Zeit der Reformation im 16. Jahrhundert [Elberfeld 1875], S. 46).

98 Vgl. WA Briefe Bd. 2, S. 633, 47f. – Daß die Entscheidung über die Inangriffnahme einer zweiten Auflage ziemlich gleichzeitig mit dem Abschluß des Druckes des Septembertestamentes fiel, beweist eine drucktechnische Besonderheit. Als man nämlich den Satz der für das Septembertestament zuletzt gesetzten und gedruckten Vorrede Luthers zum Römerbrief (vgl. WA Briefe Bd. 2, S. 598, 4f. und 599, 4f.) in der Lottherschen Druckerei nach vollendetem Druck gerade wieder aufzulösen begann, fiel jene Entscheidung. Daraufhin ließ man diesen noch Bl. $A^b$–A $6^a$ der Vorrede umfassenden Satz stehen, ergänzte die bereits zerstörte erste Seite (Bl. $A^a$) durch einen Neusatz und verwandte den nun wieder vervollständigten Satz bei der Herstellung des Dezembertestamentes (vgl. WA Bibel Bd. 7, S. 3 App. zu Zl. 11).

versprechenden, durch keinerlei Privileg geschützten Objektes. Wie rasch diese Konkurrenz arbeitete, ergibt sich aus dem Erscheinungsdatum des ersten, vom Baseler Drucker Adam Petri hergestellten Nachdruckes: »Christmond [*Dezember*] deß Jars M.D.xxij.« Eine weitere Auflage brachte Petri, »Gedruckt zum anderen mal«, schon im März 1523 heraus.[99]) Wie groß das Bestreben war, mit dem Nachdruck möglichst rasch auf den Markt zu kommen, beweist auch der Umstand, daß der Augsburger Drucker Silvan Otmar gar nicht erst die Fertigstellung der von ihm in Auftrag gegebenen Nachschnitte der vollständigen Illustrationsfolge zur Offenbarung abwartete, sondern Anfang 1523 zunächst einen nur mit 6, dann einen mit 9 und schließlich erst im Mai 1523 einen mit allen 21 Bildern ausgestatteten, größtenteils vom gleichen Satz abgezogenen Nachdruck herausbrachte.[100]) Insgesamt erschienen im Laufe des einen Jahres 1523 nicht weniger als zwölf vollständige Nachdrucke des Neuen Testamentes, von denen drei auf Augsburg und sieben auf Basel entfielen sowie je einer auf Grimma, wo der Leipziger Drucker Wolfgang Stöckel einen Zweigbetrieb eingerichtet hatte, und auf Leipzig.[101])

Dezember-
testament 1522

Das Wittenberger Dezembertestament stellt jedoch keineswegs – wie die auswärtigen Nachdrucke – nur eine unveränderte Wiedergabe des vorangegangenen Septembertestamentes dar, sondern es weist vielmehr an etlichen hundert Stellen bereits Luthers bessernde Hand auf – sei es in Gestalt einer Berichtigung von Druck- oder Übersetzungsfehlern oder Ergänzung versehentlicher Auslassungen oder neuer Parallelstellen am Rande, sei es aber auch in Form zahlreicher Veränderungen im Wortschatz, in der Wortfolge, in stilistischen Fragen oder in der Syntax.[102]) Wie bei Her-

99 Vgl. WA Bibel Bd. 2, S. 209–211 Nr. 1 und S. 237f. Nr. 12.

100 Vgl. ebd. S. 222–226 Nr. 6¹. 6². 7; Gutenberg-Jahrbuch 1962, S. 235.

101 WA Bibel Bd. 2, S. 222–263 Nr. 6¹ (nebst 6² und 7). 8. 11. 12. 13¹. 13². 14. 16–18 sowie (S. 263 hinter Nr. 23) S. 361–367 Nr. 70¹ (vgl. S. 710).

102 Vgl. WA Bibel Bd. 2, S. 206f. sowie R. Kuhn, Verhältnis der Dezemberbibel zur Septemberbibel (phil. Diss. Greifswald 1901), S. 8–49, insbes. S. 44–48 und H. Weber in der Zeitschrift für Kirchengeschichte Bd. 33 (1912), S. 409 bis 439.

zog Georg[96]) hatte auch sonst des öfteren bei den ganzseitigen Illustrationen zur Apokalypse die dreimalige Verwendung der päpstlichen Tiara auf Bild 11, 16 und 17 bei der Darstellung des Drachens bzw. der babylonischen Hure Anstoß erregt; im Dezembertestament schuf man daraufhin Abhilfe, indem – wie ein Vergleich der drei Blätter im ersten und zweiten Stadium[103]) deutlich erkennen läßt – aus den betreffenden Holzstöcken einfach jeweils der Oberteil der Papstkrone herausgeschnitten wurde.

Die Übersetzung des Alten Testamentes.

Schon während der Zeit, zu der sich das Septembertestament noch im Druck befand, nahm Luther die – sowohl hinsichtlich des Umfanges wie auch der sehr viel größeren sprachlichen Schwierigkeiten – weit schwerer zu bewältigende Aufgabe einer Verdeutschung des Alten Testamentes in Angriff, deren Durchführung ihn dann volle zwölf Jahre (1522–1534) beanspruchte.

Seiner Verdeutschung des Alten Testamentes legte der Reformator wiederum wie bereits bei dem Neuen den Urtext zugrunde, neben dem er aber auch in gewissem Umfange gleichfalls den ihm altvertrauten Vulgatatext heranzog.[104]) Wich im Neuen Testament nur die Stellung, die der Apostelgeschichte innerhalb des Briefkorpus in den Vulgataausgaben und den vorlutherischen deutschen Bibeldrucken zugewiesen war, von der im Urtext (hinter dem Johannesevangelium) ab und bereitete die von Luther hier vorgenommene Umgruppierung ebensowenig wie die von ihm ganz selbständig vollzogene Zusammenfassung der vier neutestamentlichen Bücher nicht-apostolischen Ursprungs am Ende zu einer gesonderten Gruppe für den damaligen Benutzer irgendeine

103 Vgl. Schramm, Abb. 22 = 33; 27 = 34; 28 = 35. Von den auswärtigen Nachdrucken des Jahres 1523 (vgl. oben Anm. 101) weist nur der Baseler von Thomas Wolff (in den Kopien von Hans Holbein d. J.) sowie der Augsburger von Johann Schönsperger d. J. die Bilder mit einer Tiara auf; vgl. WA Bibel Bd. 2, S. 250, 235; H. Grisar und F. Heege, Luthers Kampfbilder II: Der Bilderkampf in der deutschen Bibel (Freiburg 1922), S. 28–30.

104 Vgl. oben Anm. 32 und 23.

besondere Schwierigkeit[105]), so lagen die Verhältnisse in dieser Hinsicht bei dem Alten Testament völlig anders; denn im Gegensatz zu der Vulgata und der ihr auch in diesem Punkte folgenden mittelalterlichen deutschen Bibel waren die biblischen Bücher im hebräischen Urtext nach einem wesentlich anderen Prinzip (Gesetz, Propheten, Schriften) angeordnet. Da sich aber bisher, und zwar erst innerhalb der letzten Jahrzehnte bloß wenige christliche Gelehrte mit dem hebräischen Alten Testament beschäftigt hatten und daher auch dessen Einteilung kannten, verbot sich für Luther von vorneherein hier eine Angleichung der Reihenfolge der alttestamentlichen Bücher an jene sowohl Theologen wie auch Laien gänzlich ungewohnte Ordnung. Nur im Hinblick auf die Ausscheidung der allein in der (griechischen) Septuaginta und in der Vulgata nebst der mittelalterlichen deutschen Bibel enthaltenen Apokryphen aus dem alttestamentlichen Kanon folgte der Reformator der hebräischen Vorlage, indem er jene am Schluß des Alten Testamentes zu einer besonderen Gruppe vereinigte.[105a]

Während der nur ein knappes Viertel der Gesamtbibel betragende Umfang des Neuen Testamentes es noch gestattet hatte, dieses sogleich als eine geschlossene Einheit herauszubringen, war sich Luther von Anfang an über die Unmöglichkeit im Klaren, mit dem um soviel größeren und dazu noch ungleich schwierigeren Alten Testament in gleicher Weise zu verfahren. Daher äußerte er am 3. November 1522 die Absicht, zunächst die Übertragung des Pentateuchs, darauf die der geschichtlichen Bücher und endlich die der (die poetischen Bücher miteinschließenden) Propheten zu veröffentlichen; »denn zu einer derartigen Aufteilung und allmählichen Herausgabe zwingt die Rücksicht auf Größe und Preis der Bücher«.[106]) Lagen dann nach Abschluß der nur 2¹/₄ Jahre in Anspruch nehmenden Verdeutschung des Pentateuchs, der historischen und poetischen Bücher Anfang Oktober 1524 schon fast zwei Drittel des

105 Vgl. oben S. 53*.

105a Vgl. unten S. 80* und 95* (nebst Anm. 242).

106 »Hunc [*Pentateuch*] seorsum edemus, deinde historias, ultimo prophetas, sic enim partiri et paulatim emittere cogit ratio magnitudinis et precii librorum« (WA Briefe Bd. 2, S. 614, 19–21).

Alten Testamentes in deutscher Sprache fertig vor, so nahm aus verschiedensten Gründen der Rest dieser Übersetzungsarbeit, der in mehreren, zum Teil sehr kleinen Etappen herauskam, noch volle zehn Jahre in Anspruch, so daß erst im Herbst 1534 die vollständige Lutherbibel in Wittenberg erscheinen konnte.

1. Teil des Alten Testamentes (Pentateuch) 1523

Zu welchem genauen Zeitpunkt der Reformator sich im Sommer 1522 nach Abschluß der Revisionsarbeit am Druckmanuskript des Neuen Testamentes nunmehr der Verdeutschung des Alten zuwandte, ist nicht bekannt. Da er sich am 3. November, als er bei der Übertragung des Dritten Buches Mose stand und damit wohl etwa die Hälfte des Pentateuchs erledigt hatte, über die vorangegangenen verschiedenen Störungen, zu denen auch eine vierzehntägige Reise nach Weimar (16.–31. Oktober) gehörte, heftig beklagte, könnte sich vielleicht die Wendung in seiner um den 1. August erschienenen »Antwort auf König Heinrichs Buch«: »es liegt mir die Bibel zu verdeutschen auf dem Hals«[107]) bereits auf die Arbeit an den fünf Büchern Mose beziehen. Mitte Dezember war des Reformators erste Niederschrift beendet[108]), und nun konnte – nach soeben erfolgter Fertigstellung des »Dezembertestamentes« – der von dem Verlegerpaar wiederum Melchior Lotther d. J. übertragene Druck des Pentateuchs beginnen.[109]) Diesen begleitete ebenso wie vorher bei dem Neuen Testament[110]) auch eine schon mittlerweile eingeleitete, von Luther gemeinsam mit Melanchthon und jetzt auch mit dem Wittenberger Hebraisten Matthäus Aurogallus veranstaltete gründliche Durchsicht des Druckmanuskriptes, die sich noch bis zum Frühsommer 1523 hinzog[111]) und an der wiederum Spalatin brieflich als

107 Ebd. S. 614, 16–18; WA Bd. 10$^{III}$, S. CLXI; Zeitschrift für Kirchengeschichte Bd. 19 (1899), S. 99f. Zur Beendigung des 3. Buches Mose vgl. WA Bibel Bd. 6, S. XLVII f. – WA Bd. 10$^{II}$, S. 261, 33f.

108 Vgl. WA Briefe Bd. 2, S. 624, 112; 626, 24f.; 630, 11; 633, 47; 638, 14.

109 Vgl. ebd. S. 633, 47f.

110 Vgl. oben S. 54*.

111 Erstmals erwähnte Luther diese Durchsicht am 11. (?) Dezember 1522: »iam in recognoscendo sumus, ut tradatur typis« (WA Briefe Bd. 2, S. 626, 25); vgl. auch Melanchthon am 4. Januar 1523: »Vetus Testamentum cuditur, in quo recognoscendo modo nonnihil negotii nobis fit« (CR Bd. 1,

Berater mitwirkte.[112]) Ende August war sodann der 148 Blätter zählende Folioband zum Preis von 14 Groschen im Handel, dürfte aber wohl etwas eher erschienen sein, da der von Silvan Otmar in Augsburg hergestellte erste Nachdruck schon das Datum des 24. Oktober trägt.[113]) Das architektonisch eingerahmte Titelblatt der Wittenberger Erstausgabe ist in doppelter Hinsicht bemerkenswert. Erstens ist nämlich – im Gegensatz zum Septembertestament und den beiden folgenden, die historischen und poetischen Bücher enthaltenden Teilübersetzungen – nur hier Luthers Name ausdrücklich genannt; zweitens schließt die Formulierung des Titels: »Das Allte Testament deutsch«, indem er über den Inhalt des vorliegenden Bandes weit hinausgreift – ebenso wie die für das gesamte Alte Testament bestimmte umfängliche Vorrede und das beigegebene Gesamtinhaltsverzeichnis der alttestamentarischen Bücher, an dessen Schluß der Reformator ohne Zählung die Apokryphen stellte[114]), – bereits alle noch folgenden Teile mit ein.

Soviel Schwierigkeiten dem Reformator die Verdeutschung des Pentateuchs, die seine erste große Übersetzung aus dem Hebräischen bildete, auch bereitet hatte, so konnte er doch im Vergleich mit den »alten Dolmetschern« und deren Leistungen voll berechtigten Stolzes auf sein vollendetes

Sp. 600). Vgl. auch WA Bibel Bd. 8, S. XXI und Anm. 10. Über Aurogallus vgl. auch NDB Bd. 1, S. 457.

112 Vgl. WA Briefe Bd. 2, S. 625, 9–626, 24 (betr. 1. Mos. 1,26f.; 5,3; 3,16; 2,18) und 630,14–631, 45 (betr. 3. Mos. 11, 13–19. 29f. und 5. Mos. 14,5. 12–18); vgl. dazu auch Bd. 13, S. 50–52.

113 Vgl. Archiv für Reformationsgeschichte Bd. 25 (1928), S. 27; WA Bibel Bd. 2, S. 217f. (Nr.*4) und 229f. (Nr. 9). – Auf einem Irrtum beruht H. Zereners Angabe (in: Studien über das beginnende Eindringen der Lutherischen Bibelübersetzung in die deutsche Literatur [Leipzig 1911], S. 12 und 80f. Nr. 172), Martin Bucers »Verantwortung«, in der er wörtlich aus Luthers Pentateuch-Übersetzung 5. Mos. 23,22f. zitiert, trüge das Datum: »Mense Augusti« 1523 (danach müßte der Luthertext schon früher erschienen sein, da Bucer damals im fernen Straßburg lebte). Während aber die »Verantwortung« nur die bloße Jahreszahl: »M. D. XXIII.« aufweist und daher durchaus erst in den Herbstmonaten erschienen sein kann, findet sich jenes Monatsdatum vielmehr in der Vorrede zur Bucerschrift: »Das ym selbs niemant ...« (S. 80f. Nr. 173), wo jedoch gegen Zereners Angabe die Lutherübersetzung noch nicht benutzt ist.

114 WA Bibel Bd. 8, S. 10/34 und 34, 28–34.

Werk zurückblicken: »Ich aber (so bekannte er in seiner Vorrede), wiewohl ich mich nicht rühmen kann, daß ich alles erlanget habe, thar [*wage*] ich doch das [zu] sagen, daß diese deutsche Bibel lichter und gewisser ist an vielen Orten denn die latinische, daß es wahr ist, wo die Drucker sie mit ihrem Unfleiß (wie sie pflegen) nicht verderben, hat gewißlich hie die deutsche Sprach ein bessere Bibel denn die latinische Sprache, des [*dafür*] beruf ich mich auf die Leser«.[114a])

2. Teil des Alten Testamentes (Histor. Bücher) 1524

Ging die Übersetzung des die historischen Bücher (Richter bis Esther) umfassenden »Andern teyls des alten testaments«, die Luther schon vor Abschluß der gemeinsamen Durchsicht des Druckmanuskripts des Pentateuchs begonnen hatte[115]), ebenso wie auch die Drucklegung im wesentlichen reibungslos vonstatten[116]), so daß jener wohl zu Beginn des Jahres 1524 in einem 217 Blätter zählenden Folioband auf den Markt kam[117]), war die von Luther noch Anfang Dezember 1523[118]) in Angriff genommene Übertragung des »Dritten teyls«, der nach seinem ursprünglichen Plan[119]) außer den poetischen Büchern auch die Propheten enthalten sollte und daher von ihm als »größter«[120]) bezeichnet wurde, mit sehr erheblichen Schwierigkeiten verknüpft. Diese traten in besonders starkem Maße wegen der »Erhabenheit des großartigen Stils« schon bei dem allerersten Stück, dem Buche Hiob, auf. Luther klagte damals, daß Hiob »unserer Übersetzung viel unzugänglicher zu sein scheine als dem Trost der Freunde«.[121]) In

3. Teil des Alten Testamentes (Poetische Bücher) 1524

114a Ebd. S. 30, 37/32, 5 (= Anhang unten, S. 238* 22–27). Zum »Unfleiß der Drucker« vgl. das umfangreiche Correctorium ebd. S. 674/680.

115 Vgl. WA Bibel Bd. 9^II^, S. XVIII Anm. 5.

116 Über gelegentliche kleinere Stockungen in der Manuskriptablieferung an die Druckerei vgl. ebd. S. XXII Anm. 20.

117 WA Bibel Bd. 2, S. 272–275 Nr. *11. Zum Erscheinungsdatum vgl. ebd. Bd. 9^II^, S. XIX und Anm. 8. Zum Drucker vgl. unten S. 69*f. und Anm. 133.

118 An Nikolaus Hausmann am 4. Dezember 1523: »iam absoluta altera parte testamenti veteris ... ad tertiam me dedo difficillimam et maximam« (WA Briefe Bd. 3, S. 199, 11f.).

119 Vgl. oben S. 63*.

120 Oben Anm. 118: »maximam [partem]«.

121 An Spalatin am 23. Februar 1524: »In transferendo Hiob tantum est nobis negocii ob stili grandissimi granditatem, ut videatur multo impatientior translationis nostrae esse, quam fuit consolationis amicorum« (WA Briefe Bd. 3, S. 249, 15–17).

ähnlicher Weise äußerte er sich in seiner Vorrede zu diesem biblischen Buche: »Das Buch Hiob ist nicht ein schwer Buch des Sinnes halben, sondern allein der Sprache halben... Die Rede dieses Buchs ist so reisig [*kraftvoll*] und prächtig als [*wie*] freilich keins Buchs in der ganzen Schrift, und so mans sollte allenthalben von Wort zu Wort und nicht das mehr Mal [*öfter*] nach dem Sinn verdolmetschen, ... würde es niemand verstehen mügen [*können*]«.[122]) Noch sechs Jahre später erinnerte sich Luther dieser überaus schwierigen Aufgabe, wenn er im Hinblick auf die gemeinsame Manuskriptdurchsicht bekannte: »Im Hiob erbeiten wir [*mühten uns ab*] also, M[agister] Philipps [Melanchthon], Aurogallus und ich, daß wir in vier Tagen zuweilen kaum drei Zeilen kunnten fertigen [*fertigstellen*]«.[123]) Die zahlreichen Korrekturen – Streichungen und Zusätze –, die Luther gerade im Bereiche des Buches Hiob in seinem (jetzt verschollenen) Übersetzungsmanuskript sowohl bei der ersten Niederschrift wie auch bei der späteren Durcharbeit mit Melanchthon und Aurogallus vornahm, hatten zur unmittelbaren Folge, daß es als Druckvorlage zu unübersichtlich geworden war und daher für diesen Zweck von fremder Hand eine (nicht erhaltene) Reinschrift hergestellt werden mußte.[123a]) Jene Übersetzungsschwierig-

122 WA Bibel Bd. 10^I, S. 4, 2f. und 6, 1–4 (der erste Satz und der letzte Absatz S. 6, 1–13 [= Anhang unten S. 239*, 24–36] fielen in der Lutherbibel seit 1534 fort).

123 Im »Sendbrief vom Dolmetschen« (1530) (WA Bd. 30^II, S. 636, 18–20 = Anhang unten S. 245*, 22f.). Vgl. auch Luthers Tischrede: »Iob ist das allerschwerste buch zu vertiren [*übersetzen*], es hat uns auch am meisten zu arbeiten gemacht, quia est Arabicus et Iudaicus, item poeticus, quare multum habet brevitatis. Bisweilen ist er auch copiosus, wie die poeten thun mussen« (WA Bd. 48, S. 686, 25–27); zur Frage, »ob Iob sey Arabs ader [*oder*] Sirus«, vgl. ebd. S. 686, 14f.: »Ich wolt jn gern Arabem machen. Nam lingua est Arabica, dictio est Arabica«.

123a Luthers seit 1945 verschollenes Autograph seiner Hiobübersetzung liegt in diplomatisch getreuem Abdruck in WA Bibel Bd. 1, S. 393–452 vor. Daß es nicht in die Druckerei gelangte, ergibt sich aus dem Fehlen jeglicher Setzermarken (vgl. ebd. Bd. 10^II, S. XIX Anm. 19); da diese erst bei Ps. 5 einsetzen, bildete von hier an – wohl infolge Zeitmangels, der ein weiteres Kopieren verbot – Luthers eigenhändiges Druckmanuskript die Vorlage für den Setzer. Von solchen Abschriften berichtet der langjährige Korrektor der Lufftschen Druckerei Christoph Walther (Antwort Auff Sigmund Feyerabends vnd seiner Mitgeselschafft fal-

keiten machen es durchaus verständlich, daß der dadurch verzögerte endgültige Abschluß der Übersetzung deren Drucklegung erheblich aufhielt.[124]) Aber auch bei dem nachfolgenden Psalter lagen die Termine von Luthers erster Niederschrift, der Manuskriptdurchsicht und des Druckbeginns nachweislich jeweils sehr nahe beieinander[125]), wodurch das ganze Unternehmen auch hier in Zeitnot geriet. Zog sich aber der Druck allzusehr in die Länge, bestand die Gefahr, daß mit Hilfe bereits hergestellter, aus der Offizin gestohlener Bogen noch vor Erscheinen der Originalausgabe in einer anderen Stadt ein Nachdruck veranstaltet worden könnte.[126]) Daher entschloß man sich mit Rücksicht auf die geschäftlichen Belange der Wittenberger Drucker und Verleger[127]), und zwar erst während des Druckes dazu, diesen stärksten und zugleich schwierigsten Band zu teilen und die Verdeutschung der Propheten vorläufig zurückzustellen, nachdem entsprechend dem ursprünglichen Plan[106]) in dem (im zuerst hergestellten Titelbogen enthaltenen) »Register über die Bücher dieses Teils« neben den poetischen Büchern zunächst noch sämtliche sechzehn Propheten aufgeführt worden waren.[128]) Obwohl die ersteren nur ein gutes Drittel des zunächst in Aussicht genommenen Umfanges des Dritten Teiles ausmachten, dauerte es noch bis zum Herbst 1524 – wahrscheinlich Anfang Oktober –, bis dieser (nur 100 Blätter umfassende) Folioband vorlag.[129])

sches Angeben [Wittenberg 1571], Bl. B ij[a]): »Das wissen wir aber, das im anfang, da die Biblia von Doctor Luther verdolmetscht worden, solch gros Werck viel abschreibens bedorfft, ehe mans in die Druckerey geben, Vnd das on zweiuel mehr denn einer dran geschrieben hat«.

124 Luther im oben Anm. 121 zitierten Brief: »Ea res moratur praela [*Pressen*] in hac tertia parte Bibliae« (S. 249, 19).

125 Vgl. WA Bibel Bd. 10$^{I}$, S. 95 Anm. 4. – Auf den vorderen und hinteren Vorsatzblättern ist die erste Seite des Psaltermanuskriptes reproduziert (vgl. dazu Anhang unten S. 145*).

126 Solche Fälle ereigneten sich dann tatsächlich 1525 und 1529 bei anderen Lutherveröffentlichungen (vgl. WA Bibel Bd. 10$^{II}$, S. XVII Anm. 8).

127 Diese mögliche Schädigung des Wittenberger Druckgewerbes nannte Luther am 26. September 1525 als »der Ursachen eine, daß ich die Propheten nicht habe turen [*gewagt*] angreifen, daß ich nicht Ursache ihrs Verderbens gebe« (WA Briefe Bd. 3, S. 578, 16f.; vgl. auch S. 612, 7f.).

128 WA Bibel Bd. 10$^{I}$, S. 2, 7–23; vgl. unten Anm. 177.

129 Vgl. WA Bibel Bd. 10$^{II}$, S. XVII und Anm. 12; Bd. 2,

Fehlte – ebenso wie bei dem Septembertestament – im »Andern *bzw.* Dritten teyl des alten testaments« auf dem Titelblatt wiederum Luthers Name, so war jedoch die Anonymität des Übersetzers, die bereits bei der Pentateuchedition aufgegeben war, auch bei den folgenden beiden Bänden, und zwar in verschiedenartiger Weise beseitigt. Trägt bei den poetischen Büchern die Hiobvorrede den Namen des Reformators (»Vorrede Martini Lutheri«[130]), so bekannte sich dieser in einmaliger Art zur Autorschaft der Übersetzung der historischen Bücher. Am Schluß des Bandes stehen nämlich, in Holz geschnitten, nebeneinander ein Schild mit Lamm, Kelch und Kreuzesfahne sowie ein kreisrundes Medaillon mit dem Lutherwappen und beigefügtem Monogramm: »M L«. Den Zweck dieser (eine »Schutzmarke« bildenden und dann fortan häufig bei Wittenberger Lutherdrucken einzeln oder zusammen verwandten) beiden Darstellungen erläutert des Reformators Unterschrift: »Dies Zeichen sei Zeuge, daß solche Bücher durch meine Hand [ge]gangen sind; denn des falschen Druckens und Bücherverderbens [be]fleißigen sich itzt viel«.[131]) Luther wandte sich damit gegen die in auswärtigen Nachdrucken seiner Bücher vielfach begegnende Verunstaltung und Verfälschung, gegen die er bereits im Vorjahr sehr nachdrücklich Einspruch erhoben hatte.[132])

Hatten die beiden Verleger Cranach und Döring die Herstellung des Septembertestamentes und des Pentateuchs der Offizin Melchior Lotthers d. J. übertragen, so läßt demgegenüber das in dem (gleichfalls ohne Druckernamen erschienenen) Zweiten und Dritten Teil des Alten Testamentes verwandte völlig andersartige Typenmaterial deutlich erkennen, daß diese beiden Ausgaben einer anderen Druckerei entstammten, und zwar

S. 276–278 Nr*13. Zum Drucker vgl. unten sowie Anm. 133. – Am 29. November 1524 wurde der erste datierte auswärtige Nachdruck von Johann Loersfelt in Erfurt vollendet (WA Bibel Bd. 2, S. 300f. Nr. 35). Zum Drucker vgl. M. von Hase, Bibliographie der Erfurter Drucke von 1501 bis 1550 (3. Aufl. Nieuwkoop 1968), S. 104 (Nr. 713). 216.

130 WA Bibel Bd. $10^{I}$, S. 4, 1.

131 WA Bibel Bd. $9^{II}$, S. 392 nebst Anm. 1. Vgl. auch Libri Bd. 4 (1954), S. 216–225 (erweitert in: Antiquariatskatalog Gerd Rosen, Humanismus und Reformation Teil V Lieferung 2: Luther [Berlin, 1962], S. LXIII–LXVIII).

132 WA Bd. $10^{III}$, S. 176, 4ff.

der von den beiden Verlegern im Sommer 1523 errichteten und in ihrem Auftrag von dem Drukker Joseph Klug geleiteten Werkstätte. Indem sie nunmehr sich selbst die Herstellung der Erstdrucke der Lutherübersetzung vorbehielten, beschäftigten sie Melchior Lotther d. J. und seinen inzwischen zugewanderten jüngeren Bruder Michael zunächst nur noch mit der Herstellung späterer Auflagen, bis sie dann im Frühjahr 1524 dem Brüderpaar jegliche Druckaufträge entzogen; der Grund hierfür lag darin, daß sich Melchior eines schweren Vergehens – der eigenmächtigen Folterung eines Buchbinders und damit eines eigenmächtigen Eingriffes in des Rates Gerichtsbarkeit – schuldig gemacht hatte, weswegen er nicht nur mit einer hohen Geldstrafe belegt wurde, sondern auch im Frühjahr 1525 Wittenberg verlassen mußte.[133])

Psalterausgabe 1524

Mit dem fast gleichzeitigen Erscheinen des Dritten Teiles des Alten Testamentes und des daraus als kleine Sonderausgabe und mit nur wenigen nachträglichen Verbesserungen Luthers abgedruckten und aus derselben Druckerei hervorgegangenen Psalters[134]) trat in des Reformators Übersetzungstätigkeit eine Periode nur sehr langsamen Fortschreitens ein; während dieses bis zum Jahre 1532 reichenden Zeitraumes kam bloß die Verdeutschung vereinzelter biblischer Bücher – insgesamt sechs an der Zahl – heraus. Die Gründe für diese Verzögerung waren mannigfaltiger Art. Infolge Melanchthons Weigerung, an der Wittenberger Universität weiterhin theologische Vorlesungen zu halten, sah sich Luther gezwungen, zu Beginn des Sommersemesters 1524 seine (seit dem 30. März 1521 ruhende) akademische Lehrtätigkeit wieder aufzunehmen, weswegen er nach

133 Vgl. WA Bibel Bd. 8, S. XLV Anm. 3; Bd. 9<sup>II</sup>, S. XXf. und Anm. 16; Bd. 10<sup>II</sup>, S. XXV-XXVII; Volz, Hundert Jahre Wittenberger Bibeldruck, S. 23–29; Jahrbuch für Liturgik und Hymnologie Bd. 4 (1959), S. 132 und Anm. 40.

134 Vgl. WA Bibel Bd. 10<sup>II</sup>, S. XXXIII–XXXVII; Bd. 2, S. 278 Nr. *14. Zu Lukas Cranachs d. Ä. eigenhändiger Oktaveinfassung mit dem Lutherwappen (vgl. dazu oben S. 69* und Anm. 131) vgl. WA Bibel Bd. 10<sup>II</sup>, S. XXXVII nebst Anm. 15 und 160 (laut F. W. Hollstein, German Engravings, Etchings and Woodcuts ca. 1400–1700 Bd. 6 [Amsterdam 1959], S. 170 Nr. 23 handelt es sich bei dieser Bordüre nur um eine Werkstattarbeit).

seiner eigenen Aussage »die Bibel zu verdeutschen mußte nachlassen«.[135]) Dazu kamen im Laufe der nächsten Jahre neben manchen Reisen und mehrfachen Erkrankungen, die Luthers Arbeitskraft beeinträchtigten, eine gründliche Überarbeitung des bereits zuvor erschienenen Psalters (1528) und Neuen Testamentes (1529/30)[136]), ferner die Auseinandersetzungen mit den Schwärmern (1524/25), Erasmus (1525) und den Schweizern im Abendmahlsstreit (1527/28), sodann die Stürme des Bauernkrieges (Sommer 1525), seine öftere Inanspruchnahme durch die Organisation der Kirchenvisitation sowie die Vertretung des ein volles Jahr auswärts weilenden Stadtpfarrers Johann Bugenhagen (1528/29).

Jona, Habakuk und Sacharja 1526/28

Indem der Reformator seine Vorlesungen über die kleinen Propheten (Frühjahr 1524–Sommer 1526) als Vorbereitung für die Fortsetzung seiner Übersetzung benutzte, veröffentlichte er in den Jahren 1526/28 die jeweils mit einer zum Teil recht umfänglichen Auslegung verbundene und von Michael Lotther gedruckte Verdeutschung des Jona, Habakuk und Sacharja.[137]) Stellten diese drei Bücher, deren Schwergewicht auf dem exegetischen Teil ruhte, nur mittelbar eine Weiterführung der Bibelübersetzung dar, so hatte der Reformator die eigentliche Prophetenverdeutschung

Jesaja 1528

mit dem Jesaja zwar schon Anfang Februar 1527 aufgenommen[138]); aber bereits im Sommer geriet sie zunächst durch seine schwere, langdauernde Erkrankung (seit 8. Juli) und dann durch die seuchenbedingte achtmonatige Verlegung der Universität nach Jena und die dadurch verursachte Abwesenheit seiner philologisch geschulten Mitarbeiter Melanchthon und Aurogallus ins Stokken.[139]) Ein weiteres Hemmnis für einen raschen

135 Vgl. WA Bibel Bd. 11$^{II}$, S. IX und Anm. 2.

136 Vgl. unten S. 88*f. und 84*–86*.

137 Vgl. WA Bibel Bd. 11$^{II}$, S. XIV–XIX; Bd. 2, S. 392 bis 394 (Nr. *21 und *23) sowie 439f. (Nr. *31).

138 Luther an Johann Lang, 4. Februar 1527: »Prophetas Germanice vertendos assumpsi« (WA Briefe Bd. 4, S. 168, 8). Wenn Luther um den 4. Mai an Wenzeslaus Link schrieb: »Ego ... iam accingor et ipsos [Prophetas] vernacula extrudere [*in deutscher Übersetzung mir vom Halse zu schaffen*]«, so ist der Ausdruck: »iam accingor« wohl dahin zu interpretieren, daß die Jesaja-Übersetzung zum mindesten noch nicht sehr weit fortgeschritten war (ebd. S. 198, 9).

139 Vgl. Luther am 2. September 1527: »nostra disper-

Fortgang der Arbeit bildeten sodann, wie Luther Mitte Juni 1528 während der mit jenen beiden Gelehrten durchgeführten Revision des Druckmanuskriptes bekannte[140]), die großen sprachlichen Schwierigkeiten: »Wir mühen uns jetzt ab, die Propheten zu verdeutschen. Was ist das für ein großes, beschwerliches Werk, die hebräischen Schriftsteller zu zwingen, deutsch zu reden. Wie sträuben sie sich, da sie ihre hebräische Ausdrucksweise nicht verlassen und sich dem groben Deutsch nicht anpassen wollen, gleich als ob man eine Nachtigall zwänge, den Kuckuck nachzuahmen, dessen eintönige Stimme sie verabscheut, und ihren melodischen Gesang aufzugeben«.[141]) Da unter diesen Umständen der Abschluß der Übersetzung aller Propheten in eine ungewisse Ferne rückte, entschloß sich Luther dazu, die Jesaja-Übertragung vorerst »einzeln auszulassen«[142]); sie erschien Ende September oder Anfang Oktober in einem schmalen Quartband, von dem Drucker Hans Lufft herausgebracht[143]), der fortan alle Wittenberger biblischen Erstdrucke herstellte.[144])

Weisheit Salomonis 1529

Benutzte der Reformator im Frühjahr 1529 eine ihn ans Haus fesselnde Erkrankung dazu, um während Melanchthons damaliger Abwesenheit auf dem Speyerer Reichstag als erstes Stück der

sione« (WA Briefe Bd. 4, S. 243, 8). Etwa Ende November (zum Datum vgl. D. Thyen, Luthers Jesajavorlesung [theol. Diss. Heidelberg 1964], S. 70) berichtete Bugenhagen folgende Äußerung des Reformators: »Nihil magis optat, quam ut redeat ad ... Bibliorum translationes« (O. Vogt, Dr. Johannes Bugenhagens Briefwechsel [2. Aufl. Hildesheim 1966], S. 73).

140 Melanchthon an Joachim Camerarius am 15. Juni 1528: »Bonam diei partem nunc collocamus in recognitionem Esaiae versi a Luthero« (CR Bd. 1, Sp. 983 und O. Clemen, Melanchthons Briefwechsel Bd. 1 [Leipzig 1926], S. 427).

141 »Nos iam in prophetis vernacule donandis sudamus. Deus, quantum et quam molestum opus Hebraicos scriptores cogere Germanice loqui, qui (?) resistunt, quam (?) suam Hebraicitatem relinquere nolunt et barbariem Germanicam imitari, tanquam si philomela cuculum cogatur deserta elegantissima melodia unisonam illius vocem detestans imitari« (an Wenzeslaus Link, 14. Juni 1528 [WA Briefe Bd. 4, S. 484, 14–18]).

142 WA Bibel Bd. 11$^{I}$, S. 22, 19–22 = unten S. 163*f. (seit der Prophetengesamtausgabe von 1532 als überholt ausgelassen).

143 WA Bibel Bd. 11$^{II}$, S. XXI; Bd. 2, S. 439 Nr. *30.

144 Vgl. Volz, Hundert Jahre Wittenberger Bibeldruck, S. 150.

Apokryphen aus dem Griechischen die keine größeren Schwierigkeiten bereitende Weisheit Salomonis zu übersetzen, die er nach Magister Philipps Heimkehr mit diesem zusammen druckfertig machte – sie erschien dann Ende Juni[145]) –, wandte er sich um die Jahreswende 1529/30 – die Reihenfolge des biblischen Kanons verlassend – als nächstem Propheten dem Daniel zu; der Grund hierfür ist in der aktuellen Beziehung dieses Propheten zur Türkengefahr, die angesichts des erst vor kurzem erfolgten Vorstoßes der Osmanen gegen Wien damals die Gemüter zutiefst beeindruckte, zu suchen, da Luther in Kap. 7 des Propheten Daniel »des Mahomets Greuel« geweissagt sah. Dieser von ihm angenommene zeitgeschichtliche Bezug veranlaßte ihn daher, den Daniel »auszulassen vor den andern [*Jeremia und Hesekiel*], die noch dahinden sind«[146]), wobei er dem Bibeltexte eine umfangreiche, besonders das 11. Kapitel kommentierende Vorrede voranstellte.[147])

Daniel 1530

Hatte Luther zehn Jahre zuvor in der ungestörten Ruhe seines Aufenthaltes auf der Wartburg die Muße gefunden, in kürzester Frist das ganze Neue Testament ins Deutsche zu übertragen[148]), so erhoffte er sich für die Monate, die er während des Augsburger Reichstages von 1530, um in dessen möglichster Nähe zu sein, an der äußersten Grenze Kursachsens auf der Veste Coburg verbringen sollte, ein Gleiches im Hinblick auf die noch nicht bewältigten Reste der alttestamentlichen Propheten: Jeremia, Hesekiel und die Kleinen Propheten (mit Ausnahme der bereits erschienenen: Jona, Habakuk und Sacharja). Als der Reformator unmittelbar nach der Trennung von den nach Augsburg weiterreisenden Wittenberger Freunden am 24. April in dem ersten an Melanchthon gerichteten Brief sein Arbeitsprogramm für die kommende Zeit entwickelte, stand neben der Beschäftigung mit dem Psalter die Pro-

Propheten 1532

145 Vgl. WA Bibel Bd. 12, S. XXV–XXVII; Bd. 2, S. 455 Nr. *32. Luther an Wenzeslaus Link am 21. Mai 1529: »Librum Sapientiae transtulimus absente Philippo; ... is iam typis formatur Philippi auxilio castigatus« (WA Briefe Bd. 5, S. 75, 12f.).

146 WA Bibel Bd. 11$^{II}$, S. 383, 2f. 7f.

147 Zum Ganzen vgl. WA Bibel Bd. 11$^{II}$, S. XXVI bis LIV; Bd. 2, S. 484 f. Nr. *35; Anhang unten S. 165*–167*.

148 Vgl. oben S. 51*f.

phetenübersetzung im Vordergrund.[149]) Ehe er aber nun an die bereits in Wittenberg nach Abschluß des Daniel begonnene Verdeutschung des Jeremia[150]) erneut Hand anlegte, übersetzte er in Anknüpfung an die voraufgegangene Beschäftigung mit dem Propheten Daniel zunächst das dann alsbald mit einer entsprechenden Vorrede als Sonderdruck veröffentlichte »38. und 39. Katel Hesekiel vom Gog«, den Luther ebenfalls auf die Türken bezog.[151]) War in der Folgezeit bis zum 8. Mai schon die Arbeit am Propheten Jeremia (einschließlich der Klagelieder) fast abgeschlossen, so daß sich der Reformator der trügerischen Hoffnung hingab, bereits innerhalb eines Monates die ganze Prophetenübertragung zum Abschluß bringen zu können, machte – abgesehen von der dazwischen geschobenen Abfassung einer Reihe eigener Veröffentlichungen – vor allem sein schlechter Gesundheitszustand, durch den er nach seiner Angabe insgesamt fast die Hälfte seiner Arbeitszeit einbüßte[152]), jenen Plan zunichte; erst am 19. Juni war der Jeremia beendet. Da sich Luther in der Folgezeit angesichts seiner körperlichen Schwäche der Verdeutschung des besonders schwierigen Hesekiel nicht gewachsen fühlte, vertauschte er ihn alsbald mit den noch übrigen neun Kleinen Propheten. Nach Abschluß dieser Arbeit (zwischen dem 15. und 20. August) kehrte er wieder zum Hesekiel zurück. Ob er aber diesen letzten Rest aus der Reihe der Prophetenbücher noch auf der Coburg, die er am 4. Oktober verließ, oder erst nach seiner Rückkehr in Wittenberg beendete, ist unbekannt.[153])

Teils infolge seines angegriffenen Gesundheitszustandes, teils aber auch wegen anderer Arbeiten, zu denen während des ersten Vierteljahres 1531 die erste umfassende Revision seiner sechs Jahre zuvor erschienenen Psalterverdeutschung gehörte,

149 WA Briefe Bd. 5, S. 285, 4f. Zum Ganzen vgl. WA Bibel Bd. 11II, S. LV–LXII. Zu Luthers Psalterstudien auf der Coburg vgl. unten Anm. 217.

150 Vgl. WA Briefe Bd. 5, S. 242, 12f.

151 Vgl. WA Bibel Bd. 2, S. 485f. Nr. *36; Briefe Bd. 5, S. 28, 21f.; 166, 14.

152 WA Briefe Bd. 5, S. 632, 1–633, 5 (23. September 1530).

153 Vgl. WA Briefe Bd. 5, S. 382, 9f.; 522, 17–20; 554, 8; 608, 21f.

die dann, stark überarbeitet, Anfang April erschien[154]), zog sich die abschließende Durchsicht der Prophetenübersetzung, bei der neben den bisherigen Mitarbeitern Melanchthon und Aurogallus jetzt zum ersten Male auch der junge Theologe und Hebraist Caspar Cruciger (1504–1548) mitwirkte[155]), bis zum Jahresende hin. Zwecks Beschleunigung der Drucklegung begann man – ebenso wie schon bei dem Septembertestament von 1522, wo die Evangelien nebst Apostelgeschichte und die Briefe auf zwei Pressen gleichzeitig nebeneinander gedruckt wurden[156]) – den Satz zugleich (mit ebenfalls unterschiedlicher Blattzählung) bei den bereits in Einzelausgaben vorliegenden Propheten Jesaja und Daniel; auf diese Weise gewann Luther noch eine gewisse Zeitspanne, um zusammen mit seinen Mitarbeitern die übrigen Propheten druckfertig zu machen und die jedem Buch vorangestellte Vorrede zu Papier zu bringen. Nachdem er in der zweiten Februarhälfte 1532 schließlich auch noch als Letztes die Gesamtvorrede zu den Propheten abgefaßt hatte, konnten – von Christian Döring (als Alleinverleger) verlegt und von Hans Lufft gedruckt – »Die Propheten alle Deudsch« endlich als vierter Teil des Alten Testamentes mit dem Rest der kanonischen Bücher in einem Folioband von 194 Blättern Mitte März zur Frankfurter Frühjahrsmesse erscheinen.[157])

In Anbetracht der Tatsache, daß in den zwanziger Jahren weder Luthers Übersetzung der Propheten noch die der Apokryphen zum Abschluß gekommen war und daher auch die Herstellung einer Wittenberger Vollbibel noch in weiter Ferne lag, erwuchs damals bei den evangelisch Gesinnten, die die bisherigen biblischen Teil- oder Einzel-

154 Vgl. unten S. 88* und 91*.

155 Vgl. WA Bibel Bd. 11$^{II}$, S. LXIIf. Anm. 26. Über den von Luther sehr geschätzten Cruciger, der seit 1529 zunächst der Wittenberger artistischen und seit 1536 der theologischen Fakultät als Professor angehörte und der »erste oberste Corrector der Biblien und anderer Bücher Lutheri« war (Anhang unten S. 271*, 21f.), vgl. E. Wolgast, Die Wittenberger Luther-Ausgabe (Nieuwkoop 1971), Sp. 27–31 und die dort in Anm. 149 angegebene ältere Literatur.

156 Vgl. oben S. 55*.

157 Vgl. WA Bibel Bd. 11$^{II}$, S. LXIII–LXVIII; Bd. 2, S. 512f. Nr. *38.

Erste vollständige deutsche Bibelausgaben außerhalb Wittenbergs 1529/30

veröffentlichungen des Reformators nach Ausweis der vielen in Wittenberg erschienenen Ausgaben und ihrer auswärtigen Nachdrucke begeistert aufgenommen hatten, das lebhafte Verlangen nach einer Verdeutschung auch der restlichen Partien der Heiligen Schrift. Es ist daher verständlich, daß diese Situation und Konjunktur andernorts zur selbständigen Inangriffnahme einer solchen Aufgabe führte. So erschien bereits 1527 in Worms eine recht gut gelungene und im Absatz außerordentlich erfolgreiche Prophetenübertragung aus der Feder der beiden Spiritualisten Ludwig Hetzer (†1529) und Hans Denck (†1527)[158]), der dann (unter deren teilweise sich einem Plagiat nähernden Benutzung) zwei Jahre später in Zürich eine von den dortigen »Prädikanten« hergestellte Verdeutschung folgte, während im gleichen Jahr der Züricher Theologe Leo Jud (†1542) die Apokryphen übertrug und veröffentlichte.[159]) Damit war aber nunmehr die Möglichkeit gegeben, aus einer Kombination aller dieser Einzelteile eine deutsche Gesamtbibel herzustellen. Als erster benutzte diese günstige geschäftliche Situation der Wormser Drucker Peter Schöffer, ein jüngerer Sohn des 1502 verstorbenen gleichnamigen Mainzer Drukkers; bereits 1529 brachte er nämlich eine solche »kombinierte« Bibel heraus, indem er dort (unter Hinzufügung des vom Reformator ausgeschiedenen unechten Laodizenerbriefes in der mittelalterlichen deutschen Übersetzung) die von Luther verdeutschten ersten drei Teile des Alten und das Neue Testamentes (im Züricher Nachdruck von 1527) mit der erwähnten Schweizer Propheten- und Apokryphenübertragung zu einer »Biblia beyder Allt vnd Newen Testaments Teutsch« vereinigte.[160]) Ziemlich gleichen Inhalt und gleiche Textgestalt wies dann auch die (von Christoph

158 Über diese Übersetzung, ihre zwölf innerhalb der Jahre 1527/31 erschienenen Ausgaben sowie ihre Beurteilung und Benutzung durch Luther vgl. H. Volz, Vom Spätmittelhochdeutschen zum Frühneuhochdeutschen (Tübingen 1963), S. XV–XVII; WA Bibel Bd. 11$^{II}$, S. CXIII bis CXXXIII; G, Krause, Studien zu Luthers Auslegung der Kleinen Propheten (Tübingen 1962), S. 15–60.

159 Über die Züricher Propheten- und Apokryphenübersetzung vgl. WA Bibel Bd. 2, S. 384. 435 und Bd. 7, S. XI f. sowie die bei Volz, Bibel und Bibeldruck, S. 74 Anm. 127 zitierte Literatur.

160 Vgl. WA Bibel Bd. 2, S. 474-478 (Nr. 140) und 717.

Froschauer gedruckte) erste Züricher »gantze Bibel« vom Jahr 1530 auf.[161]) Einen ähnlichen Weg beschritt endlich auch Wolfgang Köpfel in Straßburg, der in seiner erstmals 1529/30 gedruckten »gantzen« Bibel für die ersten drei Teile des Alten Testamentes, für die bereits vom Reformator einzeln in deutscher Sprache veröffentlichten Propheten Jesaja, Jona, Habakuk und Sacharja sowie für das Neue Testament ausschließlich den Luthertext, für die Apokryphen Juds Übersetzung, dagegen – im Unterschied von Schöffer und Froschauer – für die restlichen drei Großen Propheten und neun Kleinen Hetzer-Dencks Wormser Prophetenverdeutschung als Vorlage benutzte.[162])

Apokryphenübersetzung

Angesichts dieser Konkurrenz war für den Wittenberger Buchhandel eine baldige Vollendung der Apokryphenübersetzung, von der bisher (seit 1529) nur die Weisheit Salomonis fertig vorlag, eine dringende Notwendigkeit; denn davon hing ja die Herausgabe einer vollständigen Lutherbibel ab. Da der Reformator in der ersten Jahreshälfte 1532 recht leidend war, konnte er sich erst in der zweiten der Verdeutschung des Jesus Sirach, des umfangreichsten Apokryphentextes, zuwenden; dabei zog er aber anscheinend, wie gewisse Unterschiede im Wortschatz, ferner Ergebnisse der Schallanalyse[163]) – zum mindesten in den Schlußkapiteln – und auch die von der bisherigen Praxis abweichende Formulierung des Buchtitels: »Jesus Syrach zu Wittemberg verdeudscht. Marti. Luther«[164]) vermuten lassen, bereits bei der Über-

Jesus Sirach 1533

161 Über diese Bibel vgl. WA Bibel Bd. 2, S. 500f. Nr. 147; P. Leemann-van Elck, Die Bibelsammlung im Großmünster zu Zürich (Zürich 1945), S. 16f. und 76 Nr. 4.

162 Vgl. WA Bibel Bd. 2, S. 490–500; Archiv für Reformationsgeschichte Bd. 31 (1934), S. 32–34. Über Christian Egenolffs nach dem gleichen Prinzip gestaltete kombinierte deutsche Bibelausgabe (Frankfurt/Main, 26. März 1534), in die er auch die Weisheit Salomonis, den Jesus Sirach und das 1. Makkabäerbuch in Luthers Übersetzung aufnahm, vgl. WA Bibel Bd. 2, S. 556–560 Nr. 177 und Gutenberg-Jahrbuch 1962, S. 241; zum Ganzen vgl. WA Bibel Bd. 12, S. LV Anm. 113.

163 Nach gütiger Mitteilung von Herrn Oberkirchenrat Dr. P. Schanze-Weimar.

164 WA Bibel Bd. 2, S. 528 Nr. *42.

Soweit vorher Luthers Name in den Wittenberger biblischen Übersetzungserstdrucken überhaupt genannt ist, steht er entweder unverbunden unterhalb des Buchtitels

setzung selbst (und nicht erst nur bei der Schlußdurchsicht) als Mitarbeiter Melanchthon und Cruciger heran.[165]) Nachdem Ende 1532 – gerade noch rechtzeitig zur Leipziger Neujahrsmesse – der wiederum von Hans Lufft hergestellte Druck erschienen war[166]), übernahm angesichts von Luthers damaligem mangelhaftem und schwankendem Gesundheitszustand (während der Monate Februar bis Juni 1533) zu seiner Entlastung Melanchthon und der Wittenberger Theologieprofessor Justus Jonas, der ein besonders gewandter Übersetzer war, die Verdeutschung der restlichen Apokryphen.[167]) In der Form eines aus Hans Luffts Offizin hervorgegangenen kleinen Sonderdruckes erschien lediglich 1533 das wohl von Melanchthon übertragene 1. Makkabäerbuch (mit einer von Luther verfaßten Vorrede und einem der Sirachausgabe entsprechenden Titel: »... Verdeudscht zu Wittemberg. D. Mart. Luth.«); diesem folgte noch im gleichen Jahre eine wiederum von Lufft gedruckte zweite Auflage, der anhangs-

1. Makkabäerbuch 1533

(1. Teil des AT: »deutsch. | M. Luther.«; Psalter: »deutsch. | Martinus | Luther.«; Daniel: »Deudsch. | Marti. Luther.«; Propheten: »Deudsch. | D. Mart. Luth.«) oder im Anschluß an den Titel (Weisheit Salomonis: »Verdeudscht | durch M. Luth.«; Hesekiel Kap. 38/39: »Verdeudscht durch | Mart. Luther.«) – in beiden Fällen mit einem in besonderer Zeile nachfolgenden: »Wittemberg«.

165 Über Crucigers Mitwirkung unterrichtet ein am 25. Oktober 1532 abgefaßter Brief des Lutherschülers und damaligen Hausgenossen des Reformators Veit Dietrich: »D. Lutherus cum D. Philippo et Crucigero laborat in Ecclesiastico vertendo, qui liber mirum quantum negocii eis faciat« (Archiv für Reformationsgeschichte Bd. 22 [1925], S. 194). Über die bei der Verdeutschung zu überwindenden großen Schwierigkeiten vgl. auch den Schlußabsatz von Luthers Vorrede (WA Bibel Bd. 12, S. 148, 1–12 = unten S. 1752, 9–23). – Zum Ganzen vgl. WA Bibel Bd. 12, S. XXX bis XXXIII.

166 WA Bibel Bd. 2, S. 528 Nr. *42.

167 Den Nachweis und die Belege für diese bisher völlig unbekannte Tatsache vgl. WA Bibel Bd. 12, S. XLIX–LVI und LXII–LXXIII sowie Archiv für Reformationsgeschichte Bd. 45 (1954), S. 214–216 und 229–232. – Daß hier nur eine Notlösung vorlag, beweist eine Tischrede Luthers aus dem Juni/Juli 1532, in der er die Übersetzung der Apokryphen als seine Aufgabe betrachtete: »Si adhuc triennio viverem, sat laborum haberem in corrigendis bibliis [*Bibelrevision*], transferendis Apocryphis et compositione postillarum aestivalium [*die erst 1544 in Caspar Crucigers Bearbeitung erschienene Sommerpostille*]« (WA Tischreden Bd. 3, S. 232, 16–18; Anm. 13 ist als unzutreffend zu tilgen).

weise eine Übersetzung der (allein in der Septuaginta und Vulgata im Danielbuch enthaltenen) beiden kleinen apokryphen Stücke: »Historia von der Susanna und Daniel« sowie: »Von dem Bel und Drachen zu Babel« hinzugefügt ist.[168]) Von den übrigen Apokryphen verdeutschte wahrscheinlich Justus Jonas[169]) die Bücher Judith, Tobias und Baruch, während Melanchthon wohl auch das 2. Makkabäerbuch übersetzte. Alle diese Stücke, denen Luther dann noch jeweils eine Vorrede beigab, lagen im Frühjahr 1534 im Manuskript fertig vor, so daß sie (abgesehen von der bereits früher erschienenen Weisheit Salomonis, dem Jesus Sirach und dem 1. Makkabäerbuch) erstmalig – und zwar sämtlich in niederdeutscher Sprachform – in der von Johann Bugenhagen betreuten und am 1. April 1534 von dem Lübekker Drucker Ludwig Dietz vollendeten ersten niederdeutschen Lutherbibel an das Licht der Öffentlichkeit treten konnten.[170]) Damit war aber nun zugleich der Weg zur ersten Wittenberger hochdeutschen Vollbibel frei.

Die Beigaben zu den Teil- und Separatausgaben des Alten Testaments

Betrachten wir nun noch zum Schluß dieses Kapitels die Beigaben, nämlich die Vorreden des Reformators[171]) sowie die Illustrationen, die in den Wittenberger alttestamentlichen Erstausgaben seit 1523 enthalten sind (Luthers Name findet sich hier seit 1529 [Weisheit Salomonis] durchgängig auf dem Titelblatt).

Ebenso wie Luthers dem Septembertestament vorangestellte Vorrede auch die Evangelien im Besonderen mitberücksichtigte, so bezog seine Gesamtvorrede zum Alten Testament speziell den Pentateuch mit ein. Während dann dem Zweiten Teil des Alten Testaments mit den historischen Büchern von Josua bis Esther jegliche Vorrede fehlt, verfaßte der Reformator innerhalb des Dritten Teils je eine besondere Vorrede sowohl für das Buch Hiob und den Psalter wie auch für die Sprü-

168 Vgl. WA Bibel Bd. 12, S. XLIV f.; Bd. 2, S. 531f. Nr. *45 und *46.

169 Vgl. WA Bibel Bd. 12, S. LII und Tischreden Bd. 3, S. 133, 23–25.

170 Über die Lübecker Bibelausgabe vgl. WA Bibel Bd. 8, S. XXIX–XXXI Anm. 46; Bd. 12, S. LVI f.

171 Vgl. dazu oben S. 55*f. und M. E. Schildt, Abendländische Bibelvorreden bis zur Lutherbibel, S. 166–264.

che und den Prediger Salomonis. Seine Vorreden zu den Einzeleditionen des Jesaja (1528) und Daniel (1530) fanden später in der Prophetenausgabe von 1532 Aufnahme, wo er ihre Zahl noch um eine Gesamtvorrede zu allen Propheten und vierzehn Einzelvorreden zu den restlichen Großen und den Kleinen Propheten vermehrte; dabei entnahm er den Text für die Vorreden zu den beiden Kleinen Propheten Jona und Habakuk seinen im Jahr 1526 mit deren Übersetzung erschienenen Auslegungen.[172]) In gleicher Weise wie bei den Propheten verfuhr Luther schließlich auch bei den Apokryphen, indem er seine bereits in den Sonderdrucken enthaltenen Vorreden zur Weisheit Salomonis, zum Jesus Sirach und zum 1. Makkabäerbuch um solche zu den inzwischen in Wittenberg neu übersetzten (aber bisher noch ungedruckten) Büchern Judith, Tobias, Baruch, dem 2. Makkabäerbuch sowie den Stücken in Daniel und Esther vermehrte, die – nach Übertragung aus dem Hochdeutschen ins Niederdeutsche – dann erstmals geschlossen in der Lübecker Bibel von 1534 veröffentlicht wurden.

Was nun den Inhalt dieser Vorreden anlangt, der entsprechend dem sehr unterschiedlichen Charakter der biblischen Bücher auch außerordentlich vielfältig ist, so war es Luthers Bestreben, dem Leser die notwendigen Verständnishilfen an die Hand zu geben, indem er die jeweiligen besonderen Gesichtspunkte darlegt und den theologischen Gehalt des betreffenden Buches analysiert sowie kapitelweise Inhaltsübersichten mit mehr oder minder ausführlichen Erläuterungen verbindet. Darüberhinaus bemüht er sich bei den prophetischen Büchern, sie in den Gang der jüdischen Geschichte einzuordnen und den Leser mit den speziellen Verhältnissen – wie etwa in der Jesajavorrede mit der geographischen Situation – vertraut zu machen. Eine ganz besondere Stellung nimmt in dieser Hinsicht die umfangreiche Danielvorrede ein, als hier Luther die im 11. Kapitel enthaltene Weissagung mit Hilfe antiker Schriftsteller bis ins Letzte zu entschlüsseln sucht.[172a]) Verschiedentlich stellt er auch literarkritische Erör-

172 Vgl. WA Bibel Bd. 11$^{II}$, S. XV (nebst Anm. 13) und XVII (nebst Anm. 27).

172a Vgl. Anhang unten S. 165*–167*.

terungen an, wobei er sich über Entstehung oder Überlieferung einzelner biblischer Bücher ausläßt. Neben den erläuternden Randglossen, in denen der Reformator anfangs den Text noch häufig allegorisch ausdeutet, sind es gerade die Vorreden, die der Lutherbibel ihren ganz besonderen persönlichen Charakter verleihen.

Wie schon in den vorlutherischen Bibeln ist auch in Luthers Übersetzung das Alte Testament – zunächst allerdings bloß im Pentateuch und den historischen Büchern – mit einer gegenüber dem Neuen Testament sehr viel reicheren Illustration ausgestattet, die in den drei ersten Teilen des Alten Testamentes sowie den Sonderausgaben des Jona und Habakuk (1526) und Sacharja (1528) ausschließlich von Lukas Cranach d.Ä. oder seiner Werkstatt herrührt. Eine Sonderstellung nimmt lediglich die schöne, architektonisch gestaltete Titeleinfassung[173]) bei der von Melchior Lotther d. J. gedruckten Pentateuchübertragung ein; diese war nämlich von dem Künstler Georg Lemberger für das am 6. November 1522 fertiggestellte Prager »Missale« des Leipziger Druckers Melchior Lotther d.Ä. geschaffen[174]), der diesen Holzstock dann seinem in Wittenberg tätigen gleichnamigen Sohn überließ. Die Cranach-Bilder zum ersten und zweiten Teil des Alten Testamentes[175]) gliedern sich in zwei Gruppen; während die 21 szenischen Darstellungen (und die fünf Bildinitialen im Pentateuch) sich an die Ausstattungstradition der vorlutherischen deutschen Bibeln anschließen, folgen die insgesamt 13 Abbildungen sowohl von der Stiftshütte wie auch dem Salomonischen Tempel (nebst ihrem Zubehör) dem in Drucken der lateinischen Postille Nikolaus' von Lyra (Nürnberg 1481 u.ö.) dargebotenen Vorbild. Dafür, daß Luther persönlich an der thematischen Auswahl der Bilder und ihrer Gestaltung als Be-

173 Schramm, Abb. 36.

174 L. Grote, Georg Lemberger (Leipzig 1933), Abb. 17.

175 Schramm, S. 6f. und 10–12 sowie Abb. 37–53 und 122–144; Schmidt, Die Illustration, S. 53f. und 137–146; WA Bibel Bd. 2 S. 217f. und 273f. Cranachs Titelbild zum Zweiten Teil des Alten Testaments, das den gepanzert auf einem Felsblock sitzenden Josua darstellt (Schramm, Abb. 120), fand später auch in der Wittenberger Vollbibel Verwendung (vgl. unten S. 98* und Anm. 249; Anhang unten S. 148* Nr. 26).

rater beteiligt war, spricht die Tatsache, daß er in seinem Übersetzungsmanuskript des »Andern Teiles des Alten Testaments« (das des Ersten ist nicht erhalten) verschiedentlich innerhalb des Richterbuches den Ort, wo das betreffende Bild in den Drucktext einzufügen ist, selbst angegeben hat.[176])

Cranachs ikonographische Ausstattung des »Dritten Teiles des Alten Testaments« (poetische Bücher) beschränkt sich auf ein seitengroßes Hiobbild[177]) sowie die der Auslegungen der drei Kleinen Propheten auf je ein Titelbild.[178]) Von Georg Lemberger stammen dagegen das Titelbild zum Sonderdruck des Jesaja und das Bild von Nebukadnezars Traum in der Separatausgabe des Daniel[179]), die dann beide – ebenso wie die vom Monogrammisten AW herrührende Weltkarte in

176 WA Bibel Bd. 1, S. 13. 15. 17–19 App. Vgl. dazu H. Preuß, Martin Luther. Der Künstler (Gütersloh 1931), S. 25 f. und unten S. 98* f. – Bemerkenswert ist auch die Tatsache, daß – wohl auf Luthers Anregung zurückgehend – sich sowohl die Cranach-Holzschnitte zur Offenbarung von 1522 wie auch im Bereich des Alten Testamentes die des Monogrammisten MS zur Bibel von 1534 enger als ihre jeweiligen Vorlagen – Dürers Illustration zur Apokalypse bzw. die Bilder in den Wittenberger Teilausgaben der Lutherübersetzung (1523/32) – an die Einzelheiten des Bibeltextes anschließen; vgl. WA Bibel Bd. 7, S. 526 (H. Zimmermann) und Evangelische Theologie Bd. 6 (1946/47), S. 275 f. (K. Galling) (betr. 1. Kön. 7, 12 und 2. Mos. 30, 1–5) sowie ebd. S. 277. 282. 287 (betr. Jona, Jesaja und Sacharja). Vgl. auch Luthers kleine Randzeichnungen in seinem Bibelübersetzungsmanuskript (Preuß a. a. O., S. 20 f.).

177 Schramm, S. 12 f. und Abb. 172; Schmidt, Die Illustration, S. 148. Die ebenfalls von Cranach stammende Titeleinfassung (Schramm, Abb. 171; Schmidt a. a. O., S. 147) (mit der Darstellung von Mose, David und Propheten, die auf die gleichfalls abgebildete Kreuzigung Christi hinweisen) sowie das auf der Titelrückseite stehende »Register vber die bucher dises teyls« (WA Bibel Bd. 10^I, S. 2), wo außer den poetischen Büchern auch sämtliche Großen und Kleinen Propheten mitaufgeführt sind, rühren aus der Zeit her, als Luther noch beabsichtigte, in diesen Band auch die Propheten mitaufzunehmen (vgl. oben S. 63*. 66*. 68*.).

178 Schramm, S. 14–16 und Abb. 183. 184. 187; WA Bibel Bd. 2, S. 392. 394. 439 f.; Bd. 11^II, Tafel I a und b. II a. Über Cranachs Urheberschaft vgl. ebd. S. XIV Anm. 5; XVI Anm. 21; XVIII Anm. 37 (laut Hollstein [vgl. oben Anm. 134], S. 169 f. Nr. 20–22 handelt es sich hierbei jedoch nur um Werkstattarbeiten).

179 Schramm, S. 16 und 19 sowie Abb. 186 und 229; WA Bibel Bd. 2, S. 439 und 484 f.; Bd. 11^II, Tafel II b und IV b; zu Lembergers Autorschaft vgl. ebd. S. XXII Anm. 60 und LIV Anm. 182.

der Danielübersetzung[180]) – auch in die Gesamtausgabe der Propheten von 1532 übernommen wurden. Die restlichen Einzelausgaben (Hesekiel Kap. 38/39, Weisheit Salomonis, Jesus Sirach und 1. Makkabäer) entbehren – von den Titelbordüren abgesehen – jeglichen Bildschmukkes.

## Die Revision des Neuen Testamentes und des Psalters.

Im Gegensatz zu seinen eigenen Schriften, bei denen er nur selten bei Neuauflagen Verbesserungen oder Erweiterungen vornahm[181]), gab sich Luther bei seiner Bibelübersetzung keineswegs mit deren Erstfassung zufrieden, sondern er besserte unaufhörlich bis zu seinem Tode immer wieder an seiner Verdeutschung. Bei dem 1523 veröffentlichten Pentateuch setzten derartige Korrekturen sogar schon in dem am Schluß beigegebenen Correctorium ein, wo es sich keineswegs nur um Druckfehlerberichtigungen, sondern in erheblichem Maße auch um eine größere Zahl von Übersetzungsverbesserungen handelt.[182])

Neues Testament

Bei dem Neuen Testament widmete sich der Reformator wohl schon während des Druckes des »Septembertestamentes« von 1522 und unmittelbar nach dessen Fertigstellung einer vor allem die

180 Schramm, S. 19 und Abb. 230; WA Bibel Bd. 2, S. 485; Bd. 11^II, Tafel IIIa und S. XXXf. Anm. 95 und XLIXf. nebst Anm. 170.

181 Seltene Einzelfälle in dieser Hinsicht stellen sowohl die Zusätze dar, die Luther der zweiten Auflage seiner Kampfschriften: »An den christlichen Adel deutscher Nation« im August 1520 (WA Briefe Bd. 2, S. 169, 6f. und WA Bd. 6, S. 398: B; 436, 10–38; 462, 12–465, 21) und »De votis monasticis« 1520 (WA Bd. 8, S. 570: C; 596, 18–23; 662, 1–666, 14; außerdem S. 656, 27-657, 15 gestrichen) hinzufügte, wie auch die vermehrte Auflage seiner »Resolutio Lutheriana super propositione sua XIII. de potestate Papae« von 1519 (WA Bd. 2, S. 181f.: E). Handelte es sich bei der zweiten Auflage seiner letzten größeren Veröffentlichung: »Wider das Papsttum zu Rom vom Teufel gestiftet« (1545) nur um wenige kleinere Zusätze (vgl. WA Bd. 54 den Apparat zu S. 250f. 256. 271. 275f.), so bildet die Neuausgabe seiner Auslegung der sieben Bußpalmen von 1525 (WA Bd. 18, S. 479–530) eine tiefgreifende Neubearbeitung dieser erstmals 1517 veröffentlichten Schrift (WA Bd. 1, S. 158 bis 220).

182 WA Bibel Bd. 8, S. 674. 676. 678. Betr. des Psalters vgl. auch ebd. Bd. 10^I, S. 588, 5–7.

stilistische Seite betreffenden Durchsicht, deren vielfältige Früchte bereits dem »Dezembertestament« zugute kamen.[183]) Brachten dann die in den Jahren 1524/25 erschienenen Ausgaben des Neuen Testamentes manche weitere Verbesserungen und eine Beseitigung einzelner versehentlicher Textauslassungen[184]), so steht hier die Zahl von stilistischen Korrekturen weit hinter der zurück, die die in dieser Hinsicht sehr viel wichtigeren Drucke von 1526 (26¹ und 26²)[185]) und vor allem von 1527 (27²)[186]) insbesondere an neuen Übersetzungen enthalten[187]), ohne daß Luther jedoch (laut seiner eigenen Aussage) bei der »letzten Verbesserung« von 1527 seine Verdeutschung »vollständig durchgesehen« hätte.[188]) Inwieweit er dann durch Hieronymus Emsers, des Hofkaplans des reformationsfeindlichen Herzogs Georg von Sachsen, Plagiat an seiner Übertragung des Neuen Testamentes, die jener unter weitgehender (vielfach nur nach dem Vulgatatext geringfügig abgeänderter) Übernahme des Wortlautes des »Septembertestamentes« in seiner eigenen Ausgabe eines deutschen Neuen Testamentes im Herbst 1527 begangen hatte[189]), zu seiner dann im Laufe des Jahres 1529 gemeinsam mit Melanchthon durchgeführten ersten ganz gründlichen Revision seiner eigenen Übersetzung veranlaßt wurde, ist ungewiß. Die damals »mit größter Sorgfalt erneut verbesserte«[190]), zur Frankfurter Ostermesse 1530 er-

183 Vgl. oben S. 61* und Anm. 102.

184 WA Bibel Bd. 2, S. 266 f. (Nr. *7) und 341 f. (Nr. *15); Bd. 6, S. XXIII.

185 WA Bibel Bd. 2, S. 389 f. (Nr. *19) und 387 f. (Nr. *18). Über die Verbesserungen in Nr. *18 (26²) vgl. Zeitschrift für Kirchengeschichte Bd. 37 (1918), S. 326–376. Über die Abhängigkeit des Druckes 26² von 26¹ vgl. WA Bibel Bd. 6, S. XXIV Anm. 1.

186 WA Bibel Bd. 2, S. 415 f. Nr. *26; über diese verschollene, wahrscheinlich von Hans Lufft gedruckte Ausgabe vgl. ebd. Bd. 6, S. XXIV f. und LXIV–LXVIII.

187 Zum Ganzen vgl. WA Bibel Bd. 6, S. XXIII f. und LXVIII f. sowie Bd. 7, S. 656–659.

188 Georg Rörer am 6. Oktober 1527: »doctor ipse fatetur se omnia non pervidisse in illa emendatione novissima« (WA Bibel Bd. 6, S. LXV).

189 Vgl. W. Walther, Luthers Deutsche Bibel (Berlin 1917), S. 110–119, G. Kawerau, Hieronymus Emser (Halle 1898), S. 65–70 sowie den Anhang unten S. 243*, 30 ff.

190 Veit Dietrich am 7. Dezember 1529: »Novum Testamentum denuo emendatum summa diligentia iam imprimi-

schienene Neuauflage[191]), die die weitaus meisten und stärksten Eingriffe seit 1522 aufweist und in sehr vielen Fällen nunmehr schon die endgültige Fassung darbietet, beruht auf einer mehr als halbjährigen Gemeinschaftsarbeit der beiden Reformatoren, die erstmalig am 2. Juni 1529 erwähnt wurde und dann um die Jahreswende abgeschlossen war.[192]) Diese Revision beschränkte sich aber nicht bloß auf eine genaue Durcharbeit des gesamten neutestamentlichen Textes[193]), sondern sie erstreckte sich auch auf Luthers Vorreden. So erweiterte dieser damals nicht nur seine 1522 offensichtlich unter dem Zeitdruck der rasch fortschreitenden Satzarbeiten entstandene und daher bloß eine sehr knappe Inhaltsangabe bietende Vorrede zum 1. Korintherbrief[194]), sondern er verfaßte jetzt auch für die Offenbarung Johannis eine ganz neue Vorrede, die die ursprüngliche von 1522 um das Achtfache ihres Umfanges übertraf.[195]) Hatte er zunächst über dieses biblische Buch ein sehr negatives Urteil gefällt, das in den Worten gipfelte: »Halt davon jedermann, was ihm sein Geist gibt, mein Geist kann sich in das Buch nicht schicken«[196]), so trat jetzt an die Stelle seiner früheren Ablehnung der ehrliche Versuch, – ähnlich wie in seiner gleichzeitigen Danielvorrede[197]) – die Apokalypse historisch auszudeuten, und zwar hier in Richtung auf die Geschichte der Christenheit bis zur Gegenwart hin, indem er zugleich die Ergebnisse dieser seiner »beinahe kommentierenden« Auslegung[198]) dem Bibeltext in Form von zahl-

tur; ... ego, cum corrigeretur a Doctore et Philippo, interfui« (WA Bibel Bd. 6, S. LXIII; zum Datum vgl. Archiv für Reformationsgeschichte Bd. 45 [1954], S. 207 Anm. 59).

191 WA Bibel Bd. 2, S. 480–482 Nr. *33; Briefe Bd. 5, S. 242, 13 f.

192 Vgl. Archiv für Reformationsgesch. Bd. 45, S. 207 f.

193 Vgl. WA Bibel Bd. 6, S. LXIII; Bd. 7, S. 656–658.

194 WA Bibel Bd. 7, S. 80/82 und 82/86 (= unten S. 2297 bis 2299). Über kleine Korrekturen Luthers in seinen Vorreden zu dem 2. Petrus- und dem Hebräerbrief vgl. ebd. S. XXXII.

195 WA Bibel Bd. 7, S. 404 und 406/420 (= unten S. 2465 bis 2473); vgl. dazu Schildt, Abendländische Bibelvorreden bis zur Lutherbibel, S. 238–241.

196 WA Bibel Bd. 7, S. 404, 25 f.

197 Vgl. oben S. 73* und Anm. 147.

198 Luther am 25. Februar 1530 an Nikolaus Hausmann: »Apocalypsin diligenti prefatione et scholiis [*Randglossen*] pene commentati sumus« (WA Briefe Bd. 5, S. 242, 15 f.).

reichen neuen Randglossen mit scharf antipäpstlicher Polemik hinzufügte. Luthers veränderte Einstellung zur Offenbarung dokumentiert sich aber auch darin, daß zweifellos auf seine Anregung hin die bisherigen 21 Abbildungen, die seit 1529[199]) in einer (sich an Georg Lembergers gleichartige Folge von 1523[200]) anlehnenden) Oktav-Holzschnittfolge des Monogrammisten AW[201]) vorlagen, vom gleichen Meister durch Aufteilung eines Bildes zu Off. Kap. 8 in fünf und unter Hinzufügung eines ganz neuen auf 26 ergänzt wurden[202]); zeitgeschichtlichen Bezug auf die Türkengefahr, die seit dem Herbst 1529 riesengroß war, nimmt nicht nur deren neu hinzugekommenes und jetzt vorletztes Bild (zu Off. 20,8f.), das mit den Beischriften: »Gog Magog« und »Wien« die kürzlich erfolgte Belagerung dieser »geliebten« Stadt darstellt, sondern auch die Tatsache, daß die in einer neuen Randglosse auf »Mahometh und die Saracenen« gedeuteten Löwenreiter auf dem nunmehr 13. Bild (zu Off. 9,17) als Kopfbedeckung jetzt Turbane tragen.[203])

Enthält die zweite Ausgabe des Neuen Testamentes des Jahres 1530 ($30^2$)[204]) gegenüber der ersten ($30^1$) nur verhältnismäßig wenige Besserungen, so kommt dem ersten Druck von 1533 ($33^1$)[205]) wieder erhöhte Bedeutung zu; denn hier hat der Reformator – auf seinen diesbezüglichen Vorarbeiten von 1530 für ein (jedoch nicht zustande gekommenes) Buch »de justificatione« fußend[206]) – der Apostelgeschichte sowohl erstmals eine theo-

199 In dem von Hans Lufft 1529 in Wittenberg in Oktavformat gedruckten niederdeutschen Neuen Testament (Borchling-Claußen, Niederdeutsche Bibliographie Bd. 1, Nr. 1009; Zimmermann, Beiträge, S. 141f. Nr. 36).

200 Vgl. Zimmermann a. a. O., S. 20–24 und 127 Nr. 15 (= WA Bibel Bd. 2, S. 216 Nr. *4y = S. 267–269 Nr. *8); Schramm, Abb. 85–105.

201 Vgl. Zimmermann a. a. O., S. 38–40.

202 Schramm, Abb. 200–225 (neu 206–210 [unter Aufteilung von Lembergers Bild zu Kap. 8 Abb. 91] und 224); WA Bibel Bd. 2, S. 481f. (nach diesen Ausführungen zu berichtigen); Zimmermann a. a. O., S. 144 Nr. 41.

203 Schramm, Nr. 212 (vgl. dazu Lembergers 9. Bild [Nr. 93]) und 224.

204 WA Bibel Bd. 2, S. 482–484 Nr. *34.

205 Vgl. WA Bibel Bd. 6, S. XXV; Bd. 2, S. 524f. Nr. *39.

206 Vgl. WA Bd. $30^{II}$, S. 652–676; Bibel Bd. 4, S. 439 bis 447. 457–470; Bd. 6, S. 414.

logisch wichtige Vorrede[207]), in der er unter Verzicht auf die sonst übliche kapitelweise Inhaltsangabe die in diesem biblischen Buch durch »Exempel« belegte Rechtfertigung allein durch den Glauben behandelt[208]), wie auch zahlreiche diesem Thema entsprechende neue Randglossen zu Kap. 1–18 hinzugefügt. Mit dieser Ausgabe hat das von Luther verdeutschte Neue Testament seine vorerst endgültige Gestalt erhalten.

Psalter

Neben seiner Verdeutschung des Neuen Testamentes war es der Psalter, dessen erstmals im Jahr 1524 zwiefach (innerhalb des »Dritten Teiles des Alten Testaments« und als daraus abgedruckte Oktavseparatausgabe) erschienener Übertragung Luther im Laufe des folgenden Jahrzehntes – unbeschadet des (wenn auch sehr verlangsamten) Fortganges seiner Übersetzung der weiteren biblischen Bücher – seine ganz besondere Aufmerksamkeit widmete, indem er jene zu verbessern unablässig bestrebt war. Weist schon der Oktavdruck von 1524 die ersten neuen Korrekturen des Reformators auf[209]), so begegnen weitere Besserungen von seiner Hand in den beiden 1525 ebenfalls in Kleinformat hergestellten Wittenberger Einzelausgaben, von denen aber die erste (zu Anfang des Jahres fertiggestellte) verschollen ist und sich nur auf Grund verschiedener anderer Textzeugen rekonstruieren läßt.[210]) Erstmals war dieser außerdem auch noch ein Nachwort[211]) beigegeben; dort lieferte Luther als Ergänzung zu seiner Vorrede von 1524[212]), in der er hauptsächlich einige theo-

207 WA Bibel Bd. 6, S. 414/416 = unten S. 2187–2189; vgl. Schildt, Abendländische Bibelvorreden, S. 198–200.

208 Vgl. WA Bibel Bd. 6, S. 416, 4–7.

209 Vgl. WA Bibel Bd. 10^II, S. XXXVI Anm. 9 und XLIX; Bd. 2, S. 278 Nr. *14; oben S. 70*.

210 Vgl. WA Bibel Bd. 10^II, S. XXXIX–XLIX. – Die in dem Wittenberger Psaltersonderdruck von 1524 (vgl. oben Anm. 209) – sowie in den beiden folgenden des nächsten Jahres (zum zweiten von 1525 vgl. ebd. S. L–LV) und in dem von 1528 (vgl. unten Anm. 214) von Luther vorgenommenen Verbesserungen sind bei dem Psalterabdruck in WA Bibel Bd. 10^I, S. 106–586 in der jeweils auf allen linken Seiten stehenden Tabelle verzeichnet, die einen guten Überblick über des Reformators unermüdliche Arbeit an der Verbesserung seiner Psalterübersetzung vermittelt.

211 WA Bibel Bd. 10^I, S. 588/590.

212 WA Bibel Bd. 10^I, S. 94–97; zu diesen beiden Luthertexten vgl. Schildt, Abendländische Bibelvorreden, S. 203 f.

logische Begriffe erläutert hatte, nunmehr eine kurze Anleitung zum richtigen Gesamtverständnis des Psalters. Der im Jahre 1527 vom Reformator allein vorgenommenen gründlichen Durchsicht des Neuen Testamentes[213]) entspricht eine gleichartige, die – im Folgejahr bei dem Psalter durchgeführt – eine so große Zahl textlicher Änderungen erbrachte, daß die erstmals von Hans Lufft gedruckte Neuauflage den Titel: »New deudsch Psalter« erhielt[214]); diese Neuerungen bezogen sich aber nicht nur auf den Psalmentext, sondern Luther ersetzte außerdem sein bisheriges Vor- und Nachwort durch eine sehr viel umfangreichere neue Vorrede[215]), in der er die überragende Bedeutung des Psalters eindringlich darlegte und die fortan unverändert blieb.

Aber ebenso wie dem Reformator die Korrekturen, die er 1527 an seiner Übersetzung des Neuen Testamentes allein vorgenommen hatte, auf die Dauer nicht ausreichend erschienen und er daher zwei Jahre später – nunmehr in Gemeinschaft mit dem besonders sprachkundigen Melanchthon – eine erneute und sehr viel intensivere Revision als je zuvor durchführte[216]), handelte er auch bei dem Psalter. Indessen genügte ihm für ein derartiges, schon durch seine Psalmenstudien auf der Coburg im Sommer 1530[217]) vorbereitetes Unternehmen angesichts der großen sprachlichen Schwierigkeiten, die der von ihm angestrebten vollständigen Eindeutschung dieses biblischen Buches hindernd im Wege standen, keineswegs eine Durchsicht in einem nur auf eine ganz kleine Mitarbeiterzahl begrenzten Kreise. Daher zog er Mitte Januar 1531 alle fachkundigen Wittenberger Gelehrten zu einer ungefähr zwei Monate währenden Revisionsarbeit

213 Vgl. oben S. 84*.

214 Vgl. dazu WA Bibel Bd. 10^II, S. LV–LX; Bd. 2, S. 438 Nr. *29.

215 WA Bibel Bd. 10^I, S. 98/104 = unten S. 964–968; vgl. dazu Schildt a. a. O., S. 204–207.

216 Vgl. oben S. 84*f.

217 Vgl. dazu Luthers Arbeitsprogramm für die Zeit seines Coburg-Aufenthaltes (oben S. 73*f. und Anm. 149) sowie die seinem damaligen Begleiter Veit Dietrich diktierte Auslegung von Ps. 1–25 (WA Bd. 31^I, S. 263–383) und die verschiedenen in dieser Zeit entstandenen gedruckten deutschen Auslegungen der Psalmen 2, 82, 111, 117 und 118 (WA Bd. 30^II, S. 403–409; Bd. 31^I, S. 191–218. 396–426. 223–257. 68–182). Vgl. auch WA Bibel Bd. 10^II, S. LXf.

heran; an der mehrmals in der Woche in seinem Hause abgehaltenen Sitzungen nahmen außer Melanchthon und Aurogallus mindestens noch Caspar Cruciger und Justus Jonas sowie gelegentlich wohl auch noch andere Theologen teil, wobei der Wittenberger Diakonus Georg Rörer, bewährt als Schnellschreiber bei den Nachschriften von Luthers Predigten und Vorlesungen, das Protokoll führte.[218]) Ein Vergleich zwischen der bisherigen und der jetzt erarbeiteten, vielfach ganze Verse völlig ändernden Fassung zeigt, welch großer Fortschritt damals erzielt wurde.[219]) Als kleines Beispiel für die sprachliche Vervollkommnung von des Reformators Übersetzung sind hier die damals innerhalb des 23. Psalmes erarbeiteten Verbesserungen im Vergleich zu der (bisher unverändert gebliebenen) Erstfassung von 1524 durch Kursive hervorgehoben[220]):

| 1524 | 1531 |
|---|---|
| [1]Der HERR ist mein Hirte, mir wird nichts mangeln. | [1]Der HERR ist mein Hirte, mir wird nichts mangeln. |
| [2]Er *läßt mich weiden, da viel Gras steht*, und führet mich zum *wasser, das mich erkühlet*. | [2]Er *weidet mich auf einer grünen Auen* und führet mich zum *frischen Wasser*. |
| [3]Er erquickt meine Seele, er führet mich auf rechter Straße um seins Namens willen. | [3]Er erquicket meine Seele, er führet mich auf rechter Straße um seines Namens willen. |
| [4]Und ob ich schon wandert im finstern Tal, fürcht ich kein Unglück; denn du bist bei mir. Dein Stecken und Stab trösten mich. | [4]Und ob ich schon wandert im finstern Tal, fürchte ich kein Unglück; denn du bist bei mir. Dein Stecken und Stab trösten mich. |

218 Vgl. zu dieser Psalmenrevision von 1531 und dem Protokoll WA Bibel Bd. 3, S. XV–XLVIII und 1–166 (nebst den Berichtigungen in Bd. 4, S. 419–428); A. Haß, Der Einfluß des Psalmen-Revisions-Protokolls von 1531 auf die endgültige Verdeutschung des Lutherschen Psalters (Gymn.-Programm Pyritz 1912); Luther-Jahrbuch Bd. 13 (1931), S. 29–66. Über Rörer vgl. unten S. 113* und Anm. 307.

219 Die Fassungen von 1524 und 1531 (nebst der letzten von 1545) sind in WA Bibel Bd. 10$^{I}$, S. 106–587 im Paralleldruck wiedergegeben.

220 WA Bibel Bd. 10$^{I}$, S. 170f. (vgl. auch oben S. 35*f.).

| | |
|---|---|
| [5]Du bereitest für mir einen Tisch gegen meine Feinde, du *machst* mein Häupt *fett* mit Öle und schenkest mir voll ein. [6]Gutes und Barmherzigkeit werden mir *nachlaufen* mein Leben lang, und werde bleiben im Hause des HERRN immerdar. | [5]Du bereitest für mir einen Tisch gegen meine Feinde, du *salbest* mein Häupt mit Öle und schenkest mir voll ein. [6]Gutes und Barmherzigkeit werden mir *folgen* mein Leben lang, und werde bleiben im Hause des HERRN immerdar. |

Als weiteres Beispiel möge noch Ps. 90,10 dienen[221]):

| | |
|---|---|
| Die Zeit unser Jahre ist siebenzig Jahr ... darnach ist's Mühe und Erbeit. | Unser Leben währet siebenzig Jahr ... Und wenn's köstlich gewesen ist, so ist's Mühe und Erbeit gewesen. |

Solche bis ins Letzte ausgefeilten Formulierungen fielen aber Luther nicht einfach in den Schoß, sondern an Hand seines Übersetzungsmanuskriptes und der verschiedenen Ausgaben läßt sich in allen Einzelheiten sein ständiges Ringen mit dem Text verfolgen, bis er endlich die ihn in jeder Hinsicht befriedigende Fassung fand. So hieß es beispielsweise in Ps. 24,7 ursprünglich: »Ihr Tore, hebt auf Eure Häupter und erhebt Euch, Ihr Türe der Welt«. Erst 1531 löste sich Luther von der dieser Stelle zugrundeliegenden hebräischen Ausdrucksweise, indem er sich nunmehr nach deutschem Sprachgefühl an die Menschen selbst wandte: »Machet die Tore weit und die Türe in der Welt hoch«.[222]) Das zunächst unklare Bild in Ps. 42,8: »Ein Tiefe ruft der andern in der Stimm [*im Übersetzungsmanuskript geändert in*: über dem Brausen] Deiner Flut« wich gleichfalls 1531 der plastischen Vorstellung: »Deine Flut[en] rauschen daher, daß hie eine Tiefe und da eine Tiefe brausen«.[223])

221 WA Bibel Bd. $10^{I}$, S. 402f.
222 WA Bibel Bd. $10^{I}$, S. 172f.
223 WA Bibel Bd. 1, S. 499; Bd. $10^{I}$, S. 236f.

Voll tiefer Befriedigung konnte Luther auf das gelungene Werk zurückblicken – hatte doch der deutsche Psalter die in seinen Augen endgültige Gestalt erhalten. »Wir haben«, so schrieb er damals, »unser deutsch Psalterlin wiederum überlaufen und zum letzten Mal gebessert, dabei wirs gedenken hinfurt bleiben zu lassen«.[224] Das Ergebnis jener gemeinsamen Arbeit umriß er in einem an den »Leser« gerichteten und dem schon Anfang April 1531 erschienenen »Deudsch Psalter D. Luthers zu Wittemberg«[225] beigegebenen Nachwort[226] folgendermaßen: »Ob [*wenn*] jemand klügeln [*naseweis sein*] wollt und fürgeben [*behaupten*], wir hätten den Psalter zu fern von den Worten gezogen [*zu frei übersetzt*], der sei bei sich selbst klug [*behalte seine Besserwisserei für sich*] und lass' uns diesen Psalter ungetadelt; denn wir haben's wissentlich [*absichtlich*] getan und freilich alle Wort auf der Goldwaage gehalten und mit allem Fleiß und Treuen [*getreu*] verdeutschet und sind auch gelehrter Leute gnug dabei gewest. Doch lassen wir unsern vorigen deutschen Psalter [*von 1524/28*] auch bleiben um der willen, so da begehren, zu sehen unser Exempel und Fußstapfen, wie man mit Dolmetschen näher und näher kommt; denn der vorige deutsche Psalter ist an viel Orten dem Ebräischen näher und dem Deutschen ferner, dieser ist dem Deutschen näher und dem Ebräischen ferner«.

Fertigte der Reformator hier die Besserwisser kurz ab, so hielt er es andererseits doch für zweckmäßig, im Hinblick auf »gute, fromme Herzen, die auch der Sprachen kundig und doch des Dolmetschen ungeübt« und daher an seiner oft sehr freien Übersetzung Anstoß nehmen könnten, eine durch entsprechende Beispiele belegte Begründung dafür zu geben, weswegen »wir so frei an vielen Orten von den Buchstaben [ge]gangen sind, zuweilen auch anderm Verstand [*Wortverständnis*] gefolget, denn

224 WA Bd. 38, S. 9, 2–5 = Anhang unten S. 250*, 2–4.

225 Zum Oktav-Psalterdruck von 1531, den eine von dem Monogrammisten MS für diesen Zweck neu geschaffene Titeleinfassung mit der Darstellung von Davids Flucht vor Saul (1. Sam. 19, 11f.) und dem Luther- und Melanchthonwappen schmückt (vgl. Schramm, Abb. 236; Buch und Schrift Bd. 1 [1927], S. 73; WA Bibel Bd. 10^II^, S. LXIII f. Anm. 93 und [Nachtrag] S. CIV), vgl. WA Bibel Bd. 10^II^, S. LXII–LXIV und Bd. 2, S. 502 f. Nr. *37.

226 WA Bibel Bd. 10^I^, S. 590, 38–48.

[*als*] der Juden Rabbini und Grammatici lehren«. Um nun zu zeigen, »wie wir nicht aus Unverstand der Sprachen noch aus Unwissen der Rabbinen Glossen, sondern wissentlich und williglich [*mit voller Absicht*] so zu dolmetschen fürgenommen haben«[227]), veröffentlichte er eine bereits in Verbindung mit der Revisionsarbeit begonnene, aber erst 1533 vollendete (und mit einer kurzen Inhaltsangabe aller Psalmen verbundene) kleine Schrift »über die Ursachen des Dolmetschens«.[228]) Hier stellte Luther den aus seiner alttestamentlichen Übersetzungspraxis gewonnenen allgemeingültigen Grundsatz auf[229]): »Wer Deutsch reden will, der muß nicht der ebräischen Wort[e] Weise führen, sondern muß darauf sehen, wenn er den ebräischen Mann verstehet, daß er den Sinn fasse und denke also: Lieber, wie redet der deutsche Mann in solchem Fall? Wenn er nu[n] die deutsche[n] Wort[e] hat, die hiezu dienen, so lasse er die ebräischen Wort[e] fahren und sprech frei den Sinn [h]eraus aufs beste Deutsch, so er kann«.

## Die erste Wittenberger Vollbibel von 1534 und ihre Nachfolgerinnen bis 1540.

Nachdem die restlichen Stücke der Apokryphenübersetzung (Judith, Tobias, Baruch, 2. Mak., St. in Esther), von deren Vollendung die Herstellung der ersten Wittenberger hochdeutschen Vollbibel abhing, an Stelle des erkrankten Reformators von den beiden dortigen Gelehrten Justus Jonas und Melanchthon im Laufe des Jahres 1533 endlich im Manuskript abgeschlossen waren[230]), stand nunmehr einer Zusammenfassung der bisher nur in biblischen Teilausgaben oder Einzeldrucken vorliegenden Lutherübersetzung zu einer einheitlichen Gesamtbibel nichts mehr im Wege – einer Aufgabe, deren baldmöglichste Lösung für den Wittenberger Buchdruck und Buchhandel angesichts der bereits seit einem halben Jahrzehnt in

227 WA Bibel Bd. 38, S. 9, 7–14 = Anhang unten S. 250*, 7–10.

228 »Summarien über die Psalmen und Ursachen des Dolmetschens« (WA Bd. 38, S. 1–3 und 9–69); vgl. Anhang unten S. 250*–257*.

229 WA Bd. 38, S. 11, 27–32 = Anhang unten S. 252*, 35–40.

230 Vgl. oben S. 78*.

Worms, Zürich und Straßburg erscheinenden »kombinierten« deutschen Bibeln[231]) dringend notwendig war.

Den Verlag dieser künftigen Wittenberger Bibel hatte – nach Lukas Cranach d. Ä. Ausscheiden aus dem gemeinsamen Verlagsgeschäft in der zweiten Hälfte der zwanziger Jahre – zunächst dessen bisheriger Teilhaber Christian Döring übernommen und bereits 1532[232]) dem wohl schon seit zwei Jahren in Cranachs Wittenberger Werkstatt arbeitenden Monogrammisten MS[233]), dessen voller Name sich bisher nicht entschlüsseln ließ[234]), eine völlig neue und sehr viel reichhaltigere Illustration des geplanten Werkes, als wie sie die bisherigen Teildrucke aufwiesen, übertragen. Ferner verlieh auf Luthers Fürsprache der erst vor wenigen Monaten zur Regierung gekommene sächsische Kurfürst Johann Friedrich bald darauf – wohl Anfang 1533 – Döring (außer für einige kleinere biblische Drucke und des Reformators Kirchenpostille) vor allem für diese geplante Bibel ein zeitlich unbefristetes Privileg, das den Verleger sowohl vor un-

231 Vgl. oben S. 75*–77* und WA Bibel Bd. 12, S. LV Anm. 113.

232 Daß der Auftrag bereits in diesem Jahre erging, beweist die Tatsache, daß von den neun datierten Holzschnitten fünf, und zwar zwei im Alten (Schramm, Abb. 256 und 278) und drei im Neuen Testament (Abb. 335, 339 und 358) (= Anhang unten S. 147*, 149*, 157*, 159* [Nr. 10. 35. 94. 101. 121]) das Datum 1532 tragen.

233 Über diesen Künstler vgl. H. Zimmermann in: Buch und Schrift Bd. 1 (1927), S. 70–78. Für seine Anwesenheit in Wittenberg schon im Jahre 1530 könnte sein Nachschnitt der Weltkarte (Daniels Vision) sprechen, der in der Anfang 1530 erschienenen zweiten Auflage von Luthers »Heerpredigt wider den Türken« (bei Nikolaus Schirlentz) begegnet (vgl. Die Erde Bd. 8 [1956], S. 162–164 Nr. IIa, 1; WA Bibel Bd. $11^{II}$, S. L Anm. 170; Zimmermann a. a. O., S. 73f. und 90 Anm. 244–246) und dann auch in die Illustrationsfolge der Gesamtbibel von 1534 Aufnahme fand (Schramm, Abb. 315 = unten S. 1558 und Anhang S. 154* Nr. 73); vgl. unten Anm. 257.

234 Genannt werden auf Grund der Anfangsbuchstaben die Namen Martin Schaffner, Melchior Schwarzenberg, Martin Schön(e), Matthäus Schaffnaburgensis (= Matthias Grünewald von Aschaffenburg) und der Leipziger Moritz Schreiber, ohne daß jedoch für einen von ihnen außer der Gleichheit der Namensanfangsbuchstaben irgendwie überzeugende Beweise für eine Identität beigebracht werden konnten (vgl. E. Lauch, Einführung in die Faksimile-Ausgabe: Biblia/das ist/ die gantze Heilige Schrifft ... M. D. XXXIIII. [2. Aufl. Leipzig 1935], S. 8).

berechtigtem Nachdruck innerhalb Kursachsens wie auch vor Einfuhr auswärts hergestellter Druckerzeugnisse schützen sollte.[235]) Jedoch geriet Döring, der bereits am 15. April 1533 mit dem Buchdrucker Hans Lufft für die »Biblia« einen Druckvertrag abschloß[236]), – unbekannt, aus welchem Grunde – damals in eine immer größere Schuldenlast. Sei es, daß er trotz dieses Privilegs nicht mehr Herr über die wirtschaftlichen Schwierigkeiten zu werden vermochte, sei es, daß seine Körperkräfte allzusehr nachließen – er starb dann bereits im Dezember 1533 –, sah er sich schon am 23. Mai dieses Jahres dazu gezwungen, an die drei Wittenberger Buchhändler Moritz Goltze (ca. 1495 bis 1548), Christoph Schramm († 1549) und Bartholomäus Vogel (1489 oder 1504–1569) für 800 rheinische Gulden außer seinem Verlag und ganzen Buchvorrat auch sein Privileg, auf das die Käufer größtes Gewicht legten, zu veräußern.[235])

Hatte Luther von den bereits im Druck vorliegenden Einzelteilen der Bibel diejenigen, die ihm ganz besonders am Herzen lagen – das Neue Testament und den Psalter[237]) –, schon mehrere Jahre zuvor durchgreifend revidiert, so bedurften vor allem die schon in den zwanziger Jahren erschienenen übrigen Bibelteile einer gründlichen Überarbeitung. Da das von Rörer geführte Protokoll dieser in der Zeit vom 24. Januar bis Mitte März 1534 veranstalteten Revision, deren Teilnehmer sicher die gleichen wie bei der vor drei Jahren vorgenommenen gemeinsamen Psalterdurchsicht waren, verloren ist[238]), läßt sich Umfang, Intensität und Ergebnis der damaligen Verhandlungen nur aus der Zahl und Art der in der Bibel von 1534 erstmals erscheinenden Verbesserungen entnehmen.

Unter gänzlicher Ausschaltung des drei Jahre zuvor weitgehend neu gestalteten deutschen Psalters wurden die meisten Korrekturen innerhalb des in den Jahren 1523/24 erschienenen ersten bis dritten Teils des Alten Testamentes vorgenommen, wobei ein besonderes Schwergewicht auf

235 Vgl. Volz, Hundert Jahre Wittenberger Bibeldruck, S. 50 f.; WA Bibel Bd. 8, S. L–LIII; Briefe Bd. 12, S. 288 bis 292; über diese drei Buchhändler vgl. ebd. S. 285 Anm. 1.

236 Vgl. Volz a. a. O., S. 47 Anm. 151 und 54 Anm. 4.

237 Vgl. oben S. 84* f. und 88*–91*.

238 Vgl. WA Bibel Bd. 4, S. XVIII–XXV; über die Teilnehmer von 1531 vgl. oben S. 89*.

dem theologisch bedeutsamsten 1. Buch Mose ruhte.[239]) Änderungen in geringerem Umfange finden sich (infolge der vorangegangenen gründlichen Durchsicht von 1529) bei dem Neuen Testament[240]) und auch in der erst 1532 veröffentlichten vollständigen Prophetenübersetzung (abgesehen von dem bereits 1528 verdeutschten und daher jetzt in stärkerem Maße verbesserten Propheten Jesaja)[241]). Von den alttestamentlichen Apokryphen, von denen bereits hochdeutsche Drucke vorlagen, wurde die schon 1529 herausgekommene Weisheit Salomonis bei der Revision von 1534 intensiver überarbeitet, während sowohl der erst 1532 übertragene Jesus Sirach wie auch das dann 1533 von Melanchthon verdeutschte Erste Makkabäerbuch (mit den Anhängen aus dem Daniel) jetzt fast ganz unverändert blieben. Ebenso wurden die restlichen Apokryphen, die bisher – aus dem hochdeutschen Übersetzungsmanuskript der Wittenberger Theologen Melanchthon und Jonas ins Niederdeutsche übertragen – nur in der Lübecker Bibel vom 1. April 1534 gedruckt vorlagen, wie ein Vergleich dieses niederdeutschen Textes mit dem Wortlaut in der Wittenberger Vollbibel von 1534 zeigt, gleichfalls nur geringfügig korrigiert.[242])

239 Vgl. WA Bibel Bd. 8, S. XXIX–XXXIII; Bd. 9^II, S. XXVIIIf.; Bd. 10^II, S. LXXV–LXXVII.
240 Vgl. WA Bibel Bd. 6, S. XXV.
241 Vgl. WA Bibel Bd. 11^II, S. LXXf.
242 Vgl. WA Bibel Bd. 12, S. XXX. XLIII. LVIf. LIX sowie oben S. 72*f.

Hatte sich Luther aus praktischen Erwägungen bei den kanonischen Büchern des Alten Testamentes an deren Reihenfolge in der Vulgata angeschlossen (vgl. oben S. 62*f.), so wich er – und zwar schon in dem 1523 dem Ersten Teil des Alten Testamentes beigegebenen Gesamtinhaltsverzeichnis (WA Bibel Bd. 8, S. 34, 28–34) – bei den Apokryphen teilweise von der Anordnung der (in der Venetianer Ausgabe von 1518 benutzten) Septuaginta und der damit im wesentlichen übereinstimmenden Vulgata ab:

| *Septuaginta und Vulgata*: | *Lutherbibel*: |
|---|---|
| Tobias – Judith – [Esther – Hiob – Psalter – Sprüche – Prediger – Hoheslied –] Weisheit – Sirach. | Judith – Weisheit – Tobias – Sirach. |

Über den Grund, warum der Reformator die beiden erzählenden Bücher des Tobias und der Judith umstellte und sie mit den zwei Lehrschriften, der Weisheit Salomonis, die er nach alter Tradition dem Philo als Verfasser zuschrieb (vgl. WA Bibel Bd. 12, S. 50, 14ff. = unten S. 1699, 41ff.), und

Wenn Luther bei seinen bisherigen biblischen Vorreden damals einige kleinere Eingriffe vornahm, so handelt es sich dabei keineswegs um irgendwelche grundsätzlichen Änderungen. So betraf die Tilgung der Schlußpartie der Vorrede sowohl zum Alten Testament (1523) wie auch zum Hiob (1524)[243]) im wesentlichen nur Darlegungen, die sich auf die seinerzeitigen Übersetzungsschwierigkeiten bezogen, während bei der Weisheit Salomonis der erste Absatz seiner Vorrede (1529) fortfiel, da dieser lediglich die nunmehr nach einem halben Jahrzehnt inaktuell gewordene Entstehungsgeschichte der Verdeutschung jenes Buches schilderte.[244]) Ferner strich der Reformator noch

dem Jesus Sirach, in der Weise verband, daß er der Judith die Weisheit und dem Tobias den Sirach zuordnete, gibt er in seinen Vorreden Auskunft; nach seiner Meinung stellte nämlich das Judithbuch »ein gemein Exempel« der »Weisheit Philonis« (ebd. S. 6, 28–31 = unten S. 1676, 1–6) und der Tobias »ein Exempel« des Jesus Sirach (ebd. S. 110, 18–21 = unten S. 1732, 20–24) dar. Indem er aber nun die altüberlieferte Reihenfolge: Weisheit Salomonis – Jesus Sirach beibehielt, ergab sich daraus auch zwangsläufig die Umstellung von Tobias und Judith. Ferner ließ Luther entsprechend der Reihenfolge der biblischen Bücher den von der Septuaginta und Vulgata unter die Propheten (hinter Jeremia) eingeordneten apokryphen Baruch (samt dem Brief Jeremia als Kap. 6) und sodann die sich in den fremdsprachigen Vorlagen an die Propheten anschließenden beiden Makkabäerbücher (unter Auslassung des nur in der Septuaginta enthaltenen dritten Buches) folgen. Auf diese vollständigen biblischen Bücher folgten dann die in dem Urtext gleichfalls nicht enthaltenen Zusätze zu Esther (über diese vgl. WA Bibel Bd. 12, S. LVIII Anm. 129) und Daniel (die Erzählungen von der Susanna sowie vom Bel und Drachen zu Babel, ferner das Gebet Asarja und der Gesang der drei Männer im Feuerofen). Den Schluß bildet das in den Septuaginta-Ausgaben der damaligen Zeit noch völlig fehlende und von der katholischen Kirche nur bedingt anerkannte Gebet Manasse, das Luther zwar zeit seines Lebens sehr schätzte (vgl. WA Bibel Bd. 12, S. LIX Anm. 133), dem er aber als einzigem Apokryphentext keine besondere Vorrede beigab.

Außer dem erwähnten Dritten Makkabäerbuch schloß Luther auch das (von ihm im Gesamtverzeichnis der biblischen Bücher von 1523 [WA Bibel Bd. 8, S. 34, 31: »Esra«] noch genannte) Dritte und Vierte Esrabuch, von dem das Dritte in der Septuaginta wie auch in der Vulgata, das Vierte hingegen lediglich in der Vulgata enthalten ist, von seiner Übersetzung völlig aus (WA Bibel Bd. 12, S. 290, 7–12 = unten S. 1827, 10–19).

243 WA Bibel Bd. 8, S. 30, 19–32, 35 und Bd. $10^{I}$, S. 6, 1–13 = Anhang unten S. 238* f.

244 WA Bibel Bd. 12, S. 48, 2–11 = Anhang unten S. 240*, 3–12.

seine beiden 1524 verfaßten Einzelvorreden zu den Sprüchen und dem Prediger Salomonis, um diese durch eine nunmehr auf alle drei Bücher Salomonis bezügliche Gesamtvorrede zu ersetzen.[245]) Außerdem entfiel damals gleichzeitig im Bereich des Neuen Testamentes sowohl der Anfang der Gesamtvorrede, in der Luther 1522 deren Abfassung begründet hatte, sowie auch seine kurze Erläuterung: »Wilchs die rechten und edlisten Bücher des Neuen Testaments sind«.[245a])

Der Bildschmuck der ersten Vollbibel

Bei der Drucklegung der Bibel in Hans Luffts Offizin hielt man jetzt (und auch noch in der Folgezeit bis 1540) an der Gliederung in die sechs (mit Sondertitelblättern und selbständiger Blattzählung versehenen) Einzelteilen fest: Pentateuch, historische und poetische Bücher, Propheten (mit der aus der Sonderausgabe von 1532 übernommenen Zweiteilung), Apokryphen sowie Neues Testament[246]), wobei das Titelblatt des Dritten Teiles des Alten Testaments und der Apokryphen ohne jeden Bildschmuck blieb. Für den Gesamttitel schuf der Meister MS ein ganz neues figurenreiches und sehr geschmackvolles (auch bei den Propheten und dem Neuen Testament verwandtes) Titelblatt[247]), das dann bis 1541 jeden Wittenberger Bibeldruck zierte. Im Mittelfeld entrollen und befestigen dort fünf Engel ein großes Blatt, auf dem in Typendruck der Titel steht: »Biblia / das ist / die gantze Heilige Schrifft Deudsch. Mart. Luth. Wittemberg. Begnadet mit Kürfurstlicher zu Sachsen freiheit. Gedruckt durch Hans Lufft. M.D. XXXIIII.« Am oberen Rande schreibt ein hinter einer Brüstung sitzender und einen Heiligenschein tragender bärtiger alter Mann auf einem Blatt, auf dessen herabhängendem Teil (jedoch nur in der Bibel von 1534) der biblische Wahlspruch der Reformation: »Gottes wort bleibt ewig«[248]) zu lesen

245 WA Bibel Bd. 10$^{II}$, S. 2/4 und 104/106. Dafür S. 6/10 = unten S. 1093–1095 hinzugefügt; vgl. dazu Schildt, Abendländische Bibelvorreden, S. 208–211.

245a WA Bibel Bd. 6, S. 2, 2–16 und 10, 7–35 = Anhang unten S. 240*f.

246 Vgl. WA Bibel Bd. 9$^{II}$, S. XXIX und Anm. 52; Bd. 12, S. LX Anm. 136.

247 Schramm, S. 22 und Abb. 248 (auf den beiden Nebentitelblättern fehlt die Inschrift: »Gottes wort bleibt ewig«; WA Bibel Bd. 2, S. 545f.).

248 Jes. 40, 8 bzw. 1. Petr. 1, 25. Über die meist in lateinischer Sprache verwandte Devise: »Verbum Domini manet

ist. Während unterhalb des Buchtitels ein von sechzehn Engeln gebildeter Chor dargestellt ist, stehen an der rechten und linken Schmalseite auf hohen Pilastern zwei Engel in Kriegsrüstung, von denen jeder eine Fahne mit dem sächsischen Rautenwappen bzw. dem die Kurschwerter zeigenden Wappen in der Hand hält.

Die ganze Bibel weist jetzt mit einer einzigen Ausnahme – dem schon 1524 von Lukas Cranach d. Ä. für den zweiten Teil des Alten Testamentes geschaffenen Titelbild, dem gepanzert auf einem Felsblock sitzenden Josua[249]) – einen von nur einem einzigen Künstler, dem Monogrammisten MS, stammenden und bei neun der zu Luthers Lebzeiten erschienenen zehn Wittenberger Bibeln verwandten[250]) reichen und künstlerisch sehr wertvollen Bildschmuck, viele Textbilder sowie zehn prächtige Bildinitialen (5,7 : 5,8 cm)[251]) am Anfang der meisten biblischen Bücher, auf. Über die Entstehung der Illustrationen, die sich zum Teil an bereits vorhandene Holzschnittfolgen anderer Künstler anlehnen[252]), berichtet der seit 1535 als

in (a)eternum« (abgekürzt: »V. D. M. I. E.«) und ihren Gebrauch seit 1522 durch die Kurfürsten Friedrich, Johann und Johann Friedrich von Sachsen vgl. C. A. H. Burkhardt, Stammtafeln der Ernestinischen Linien des Hauses Sachsen (Weimar 1885): Erläuterungen usw. Nr. 5. 8. 14; Zeitschrift für Kirchengeschichte Bd. 21 (1901), S. 146. 525f.; Archiv für Reformationsgeschichte Bd. 24 (1927), S. 165 Anm. 1; Luther. Vierteljahrsschrift der Luthergesellschaft Bd. 11 (1929), S. 122; WA Bd. 18, S. 85, 7–9; Bd. 38, S. 127, 20f.; Briefe Bd. 2, S. 590 Anm. 6; Tischreden Bd. 1, S. 530, 13f.; Bibel Bd. 8, S. 3, 1f.; G. Loesche, Analecta Lutherana et Melanthoniana (Gotha 1892), S. 170f. Nr. 235. – Der seit der Bibel von 1535 an dieser Stelle fortgelassene Wahlspruch begegnet erst in den Bibeln von 1545 und 1546 wieder, und zwar sowohl in lateinischer wie auch deutscher Sprache oberhalb des (hinter dem Titelblatt befindlichen) Holzschnittporträts des Kurfürsten Johann Friedrich (WA Bibel Bd. 8, S. 3, 1f. = unten S. 3, 1f.).

249 Schramm, S. 10 und Abb. 120; WA Bibel Bd. $9^{\mathrm{II}}$, S. XXII und Anm. 19. Nach Wegfall des Sondertitelblattes in der Wittenberger Bibel von 1541/40 ist dieser Holzschnitt vor dem Anfang des Buches Josua beibehalten, aber in der folgenden Medianbibel vom Herbst 1541 in den Text eingefügt (vgl. WA Bibel Bd. 2, S. 636 und 640 [die angebliche Verkleinerung beruht nur auf der schon früher erfolgten Beseitigung des Abschlußstriches]); vgl. oben Anm. 175 und Anhang unten S. 148* Nr. 26.

250 Über den Bildschmuck der zweispaltigen Wittenberger Bibel von 1540 vgl. unten S. 104*.

251 Schramm, Tafel 137; WA Bibel Bd. 2, S. 549.

252 Vgl. Anhang unten S. 146*–160*.

Unterkorrektor in Luffts Druckerei tätige Christoph Walther[253]): »Luther hat die Figuren in der Wittembergischen Biblia zum Teil selber angegeben, wie man sie hat sollen reißen oder malen, und hat befohlen, daß man aufs einfältigst den Inhalt des Texts sollt abmalen und reißen, und wollt nicht leiden, daß man überlei [*überflüssig*] und unnütz Ding, das zum Text nicht dienet, sollt dazu schmieren«. Besonders bemerkenswert ist noch die Tatsache, daß die im Septembertestament von 1522 in drei Offenbarungsbildern (von dem Luthergegner Herzog Georg von Sachsen damals heftig kritisierte) auf dem Haupt des »Tieres« und der Hure von Babylon erscheinende päpstliche Tiara, die daraufhin seit dem Dezembertestament aus Wittenberger Ausgaben gänzlich verschwand, in die MS-Holzschnittfolge von 1534 – sicherlich unter Luthers Mitwirkung – wieder aufgenommen wurde.[254])

Gegenüber den in den Wittenberger Erstdrukken von 1522/32 enthaltenen 21 Bildern zum Neuen und insgesamt 41 zum Alten Testament erhöhte der Illustrator der Gesamtbibel deren Zahl – vor allem durch die Fülle der Bilder im Prophetenteil – fast um das Doppelte auf 117 (von diesen Holzstöcken sind drei doppelt und einer sogar viermal verwandt).[255]) Erstmals bebildert sind jetzt die

253 WA Bibel Bd.6, S.LXXXVII; über Walther vgl. Volz, Hundert Jahre Wittenberger Bibeldruck, S.61f. Anm. 20 und Anhang unten S. 270* und Anm. 4.

254 Vgl. oben S. 59* und 62* nebst Anm. 103; Schramm, Abb. 354. 356. 359 = unten S. 159*f. = Nr. 117. 122. 123.

255 Schramm, S. 22–27 und Abb. 249–365; doppelt verwandt ist Abb. 269 (bei 3. Mos. 24 und 4. Mos. 15 [Steinigung]), Abb. 291 (bei 1. Kön. 6 und 7 [Tempel]), Abb. 336 (Luk. 1 und Apg. 1 [Lukas]), Abb. 337 (bei Röm. 1 und 1. Thess. 1 [Paulus und Phebe]) sowie viermal Abb. 338 (1. Kor. 1, Gal. 1, Kol. 1, 1. Tim. 1 [Paulus und zwei Boten]). Dazu kamen noch in der Bibel von 1535 drei Bilder (Abb. 404–406), in der von 1536 und von 1539/38 je ein Bild (Abb. 407 und 415 [die sonstigen in der letzteren vorgenommenen Änderungen der Illustration wurden bereits in der Bibel vom Frühjahr 1541 (1541/40), in der auch das Duplikat bei 1. Kön. 7 (Abb. 291) fortfiel, wieder rückgängig gemacht]); vgl. WA Bibel Bd. 2, S. 549–552. 569. 592f. 614. 636. Die Gesamtzahl der Bilder betrug 1541/40 122 an 129 Stellen. Zu der nur geringfügig von diesem Bestande differierenden Illustration der Bibel von 1545 vgl. Anhang unten S. 146*–160* das beschreibende Bildverzeichnis. – Zur Illustration der Bibel von 1534 vgl. auch Schmidt, Die Illustration, S. 179–216.

Apokryphen, während die ursprünglich nur innerhalb der Initialen dargestellten Evangelisten und Apostel Petrus und Paulus nunmehr – wie bereits in den Wittenberger neutestamentlichen Oktavausgaben Melchior Lotthers d. J. (1523) und Hans Luffts (1529/30) von Georg Lemberger bzw. dem Monogrammisten AW praktiziert[256]) – auf richtigen Bildern erscheinen. Aber die neuen Illustrationen zeichnen sich gegenüber den in den Wittenberger Urdrucken enthaltenen, vielfach aus der Werkstatt des Malers Lukas Cranach d. Ä. hervorgegangenen Abbildungen nicht nur durch ihre größere Zahl aus, sondern sie unterscheiden sich von jenen vor allem durch ihren höheren künstlerischen Gehalt und ihre Reichhaltigkeit an Nebenszenen, die nach damaliger Gepflogenheit auf dem Hauptbild jeweils mitdargestellt sind. Abgesehen von dem seitengroßen Anfangsbild, das (in der Art der vorlutherischen Bibeln) Gott als Weltenschöpfer zeigt, sowie der schon 1530 von MS für die von Nikolaus Schirlentz gedruckte Luthersche »Heerpredigt wider den Türken« entworfenen und jetzt von dort übernommenen Weltkarte[257]) (Daniels Traumgesicht) (11,8 : 15,1 cm) weisen alle übrigen Textillustrationen das gleiche Format (10,8 cm hoch und 14,7 cm breit) auf, so daß sie nur die knappe Seitenhälfte füllen. Bemerkenswert ist dabei die Tatsache, daß sie um etwa einen Zentimeter seitlich über den Satzspiegel herausragen. Daher liegt die Vermutung nahe, daß 1532 bei Erteilung des Druckauftrages[258]) zunächst ein größeres Format für die Bibel und ein dementsprechend breiterer Satzspiegel geplant war.

Das (im Titel erwähnte und dort durch die beiden Fahnen sowie durch eine von einem Engel gehaltene besiegelte Urkunde symbolisierte) zeitlich unbegrenzte Privileg, das der Kurfürst Johann Friedrich dem Verlegerkonsortium sowohl für die Lutherbibel wie auch für die schon in dem für Döring ausgestellten Schutzbrief erwähnte Schriftengruppe unter dem Datum: »Donnerstags nach

256 Vgl. oben S. 57* Anm. 88 und S. 86* nebst Anm. 199.
257 Schramm, Abb. 315 = unten S. 1558 und Anhang S. 154* Nr. 73; Die Erde Bd. 8 (1956), S. 164f. Nr. IIa 2; vgl. auch oben Anm. 233.
258 Vgl. oben S. 93* und Anm. 232.

Petri Kettenfeier [*6. August*]« 1534 erteilte[259]), ist in vollem Wortlaut hinter dem Titelblatt innerhalb des offensichtlich zu allerletzt hergestellten Titelbogens[260]) abgedruckt und erscheint dort in allen Wittenberger Bibelausgaben bis zum Jahre 1547.[261])

Der Druck des mehr als 900 Folioblätter umfassenden Werkes, dessen Zurichtung den Reformator, wie er mehrfach im Sommer 1534 erwähnte[262]), sehr beanspruchte, war vermutlich im September – genau zwölf Jahre nach Erscheinen des »Septembertestamentes« – abgeschlossen, so daß es zur Leipziger Michaelismesse (4.–11. Oktober) fertig vorlag; der Preis betrug für ein ungebundenes Exemplar zwei Gulden und acht Groschen.[263])

Welche freudige Aufnahme die erste Lutherbibel, auf deren Erscheinen der dem Reformator nahestehende Nürnberger Stadtschreiber Lazarus Spengler, wie er kurz vor seinem Tode († 7. Sep-

259 Die Pergamentausfertigung liegt im Wittenberger Stadtarchiv (Bc 57: Allerhand zum Archiv gehörige Originale, Befehle und Acten) und ist in verkleinertem Maßstab abgebildet bei Volz, Bibel, S. 52 Abb. 8. Der Text des Privilegs ist wieder abgedruckt in WA Bibel Bd. 8, S. 2–5 (nach der Urschrift und dem Druck von 1545 [= unten S. 4f.]). Zur Geschichte des Privilegs vgl. ebd. S. LIIIf.; Volz, Hundert Jahre Wittenberger Bibeldruck, S. 63f.; Gutenberg-Jahrbuch 1955, S. 133–135.

260 Diese Tatsache ergibt sich daraus, daß in dem Titelbogen, den man für das Titelblatt, das Privileg, das Verzeichnis der biblischen Bücher des Alten Testaments, Luthers Vorrede und das ganzseitige Bild Gottes als Weltenschöpfer reserviert hatte, nur 13 Seiten von den 8 Blättern (= 16 Seiten) mit den genannten Texten gefüllt wurden, so daß außer der Rückseite des Titelblattes zwischen dem Schluß der Vorrede (Bl. 7ª) und dem Bild (Bl. 8ᵇ) auch noch die beiden gegenüberstehenden Seiten Bl. 7ᵇ und 8ª leer blieben.

261 Vgl. WA Bibel Bd. 8, S. LIV und LXIf.

262 9. Juni 1534: »Wenn ich meine Drucker ein wenig gespeiset habe« (ebenso am 12. und 13. Juni), am 23. Juni: »so ich meine Plager ein wenig gespeiset«, am 26. Juni: »so erst ich mich aus Kommet, Sattel und Sporn der Drucker losreißen kann« (WA Briefe Bd. 7, S. 70, 13f.; 74, 8f.; 75, 6; 77, 43f.; 78, 23f. [vgl. zu dieser Stelle Bd. 13, S. 224 Nachtr.]). – Zu Luthers Arbeit an der Bibel im ersten Vierteljahr 1534 vgl. WA Bibel Bd. 8, S. XXIX Anm. 46.

263 Vgl. Volz, Hundert Jahre, S. 60–62; WA Bibel Bd. 2, S. 545–553 Nr. *50. Zur Lautgestalt dieser Bibel vgl. ebd. Bd. 8, S. XXXII. Der erste datierte Nachdruck (mit einer Nachbildung der Wittenberger Titeleinfassung) erschien am 16. Februar 1535 bei Heinrich Steiner in Augsburg (WA Bibel Bd. 2, S. 572–576 Nr. 182).

tember 1534) zweimal brieflich versicherte, »mit Begierden wartete«[264]), bei den Zeitgenossen fand, zeigt nicht allein der Umstand, daß deren rascher Absatz sowohl im Jahre 1535 wie auch 1536 je eine neue Wittenberger Auflage nötig machte[265]), sondern auch das tief empfundene lateinische Glückwunsch- und Dankesschreiben, das der damalige Witzenhausener Pfarrer und spätere Reformator des südlichen Niedersachsen Antonius Corvinus aus diesem Anlaß am 24. November 1534 an Luther richtete[266]): »Ich kann kaum ausdrücken, wie sehr mich, ja unzählige gute Menschen die Tatsache erfreut hat, daß endlich die Heilige Schrift, mit besserem Erfolge als je zuvor von Dir, allerliebster Luther, übersetzt, erschienen ist. Und ich erkenne nun endlich, daß der Satan nicht grundlos bisher Dich durch das Geschrei so vieler böser Menschen von dem so überaus heilbringenden Werk wegzutreiben versucht hat; denn jener Betrüger und Schurke wußte sehr wohl, einen wie großen Nutzen alle Frommen davon haben würden. Aber Deine unerschütterliche Standhaftigkeit hat diesen scheußlichen ›Mörder‹ [*Joh. 8,44*] besiegt, wozu ich Dich und alle Kirchen beglückwünsche, und zwar Dich, weil Du nun von so vielen und großen Mühen befreit bist, die Kirchen aber, weil jetzt die Heilige Schrift in Deiner glatten, fehlerfreien und ganz vollkommenen Übersetzung gelesen werden und verständigen Menschen beinahe einen Kommentar ersetzen kann. Was mich anlangt, so gestehe ich unumwunden, daß allein Deine Danielvorrede[267]) mehr Licht in diesen Propheten gebracht hat als die wortreichsten Kommentare vieler anderer Menschen«. Die gleiche Auffassung, daß Luthers Verdeutschung einem »Kommentar« vorzuziehen sei oder ihn ersetzen könne, sprach auch Melanchthon aus, und zwar nicht nur im Frühjahr 1522, als er soeben das Übersetzungsmanuskript des Neuen Testamentes kennen gelernt hatte, sondern auch nach des Reformators Tod, als dessen ganzes Übersetzungs-

264 Vgl. M. M. Mayer, Spengleriana (Nürnberg 1830), S. 164 und 168 (7. und 26. August 1534).

265 WA Bibel Bd. 2, S. 566–569 (Nr. *56) und 589–593 (Nr. *58).

266 WA Briefe Bd. 7, S. 119, 4–17.

267 Vgl. oben S. 73* und Anm. 147.

werk in seiner endgültigen Form abgeschlossen vorlag.[268])

Die Wittenberger Bibeln 1535–1540

Die drei in den folgenden Jahren 1535, 1536 und 1539/38 erschienenen Wittenberger Bibelausgaben[269]), von denen die erste angesichts ihrer vielen Druckfehler übereilt hergestellt zu sein scheint, weichen in Textgestalt, die nicht sehr viele Besserungen von Luthers Hand aufweist, wie auch in ihrer Bildausstattung[270]) nur unwesentlich von dem Erstdruck von 1534 ab. Dagegen zeigt die im Frühsommer 1540 fertiggestellte Bibel, die erstmals die drei ersten Teile des Alten Testamentes (1. Buch Mose bis Esther) zu einer geschlossenen Einheit zusammenfügte, in ihrer äußeren Aufmachung ein völlig abweichendes Bild[271]); denn sie ist – im Gegensatz zu ihren vier Vorgängerin-

268 »opus egregium et multis commentariis praeferendum« (CR Bd. 1, Sp. 583; zum Datum dieses Briefes vgl. Melanchthons Werke in Auswahl Bd. 7[I]: Ausgewählte Briefe 1517–1526, hrsg. von H. Volz [Gütersloh 1971], S. 170f. Anm. 7). – »... interpretatio Veteris et Novi Testamenti, in qua tanta est perspicuitas, ut vice commentarii esse possit ipsa germanica lectio, quae tamen non est nuda, sed habet adiunctas eruditissimas annotationes [*Randglossen*] et singularium partium argumenta [*Vorreden mit Inhaltsangaben*], quae et summam doctrinae coelestis monstrant et de genere sermonis erudiunt lectorem, ut ex ipsis fontibus bonae mentes firma testimonia doctrinae sumere possint« (1. Juni 1546 [CR Bd. 6, Sp. 169]). Ähnlich heißt es auch in Melanchthons Leichenrede auf Luther vom 22. Februar 1546: »Et ut illustra doctrina coelestis propagaretur ad posteritatem, vertit in linguam Germanicam prophetica et apostolica scripta tanta perspicuitate, ut haec ipsa versio plus lucis adferat lectori quam plerique commentarii« (CR Bd. 11, Sp. 729).

269 WA Bibel Bd. 2, S. 566–569 (Nr. *56), 589–593 (Nr. *58) und 611–615 (Nr. *63). Die letzte dieser drei Bibeln wurde bereits 1538 begonnen (laut Impressum des zweiten Teils des Alten Testaments und Titelblatt des Prophetenteils) und dann 1539 abgeschlossen (laut Gesamttitelblatt sowie Impressum des Apokryphenteils und des Neuen Testamentes).

270 Vgl. dazu oben Anm. 255. Bemerkenswert ist nur, daß in der Bibel von 1539/38 der bereits 1538 gedruckte Prophetenteil ein (dann an gleicher Stelle auch in den beiden folgenden Ausgaben von 1540 und 1541/40 sowie im Jahr 1539 bei dem ersten deutschen Band der Wittenberger Lutherausgabe verwandtes) neues Titelblatt erhielt, das in zwei Nischen Moses mit den zwei Gesetzestafeln und Abraham mit Isaak zeigt (Schramm, Abb. 417; WA Bibel Bd. 2, S. 612. 623f. 634; E. Wolgast, Die Wittenberger Luther-Ausgabe [Nieuwkoop 1971], Sp. 207). Dieses Titelblatt stammt ebenfalls vom Monogrammisten MS.

271 WA Bibel Bd. 2, S. 622–626 Nr. *66.

nen – in Anknüpfung an die Tradition der vorlutherischen Bibelausgaben[272]) – erstmals wieder in zwei Spalten gedruckt; außerdem ersetzte man (mit Ausnahme der Titelblätter und zweier Textbilder[273])) die gesamte MS-Illustration durch den Bildschmuck, den Georg Lemberger in Zusammenarbeit mit Hans Brosamer für die 1536 in Magdeburg hergestellte niederdeutsche Bibel des (Ende 1528 aus Wittenberg abgewanderten) Drukkers Michael Lotther geschaffen hatte[274]); von dem Monogrammisten AW stammen hingegen die 26 Offenbarungsbilder, die erstmals 1535 in Melchior Sachses Erfurter Druck des Neuen Testamentes begegnen.[275])

## Die Bibelrevision von 1539/41 und die Wittenberger Bibelausgaben von 1541 bis 1545.

War in den ersten Jahren nach 1534 die Lutherbibel von Hans Lufft im wesentlichen in der Form wiederaufgelegt worden, die sie durch die Revision von 1534 erhalten hatte, so entschloß sich Luther im Verein mit seinen gelehrten Freunden zu einer – wie er damals glaubte[276]) – letztmaligen Durchsicht der gesamten Bibel, die vom 17. Juli 1539 bis zum Sommer 1541 dauerte.[277]) Von diesen Sitzungen entwarf der spätere Joachimsthaler Bergwerkspfarrer und erste Lutherbiograph Johannes Mathe-

272 Vgl. Vogel, Europäische Bibeldrucke des 15. und 16. Jahrhunderts in den Volkssprachen, S. 19f.

273 Schramm, Abb. 305 und 306.

274 Schramm, S. 33–37 und Abb. 422–540. Vgl. Grote, Georg Lemberger, S. 22–25 (das Lemberger-Bild zu Richt. 17 war schon in der hochdeutschen Bibel von 1539/38 verwandt worden; vgl. WA Bibel Bd. 2, S. 614; Schramm, Abb. 415 = 486); Zimmermann, Beiträge, S. 70–72 und 174f. Nr. 9–10.

275 WA Bibel Bd. 2, S. 578f. Nr. 184 und 596f. Nr. *59; Zimmermann, Beiträge, S. 42–44. 148 (Nr. 53). 150 (Nr. 55).

276 In seiner »Warnung« an die Drucker, die seit dem Herbst 1541 allen Wittenberger Bibelausgaben vorangestellt ist (unten Anm. 286), schrieb Luther: »ich gedencke nicht, so lange zu leben, das ich die Biblia noch einmal müge [*könne*] überlauffen, auch ob [*wenn*] ich so lange leben müste, bin ich doch nu mehr zu schwach zu solcher Erbeit« (WA Bibel Bd. 8, S. 9, 14–17 = unten S. 7, 15–18).

277 Über diese Revision vgl. WA Bibel Bd. 4, S. XXVI bis XLIX und LV.

sius, der im Sommer 1540 in des Reformators Haus gewohnt hatte, ein sehr anschauliches Bild[278]): Luther berief die »besten Leute, so desmals vorhanden, welche wöch[ent]lich etlich Stunden vor dem Abendessen in Doktors Kloster zusammenkamen, nämlich D. Johann Bugenhagen, D. Justum Jonam, D. Creutziger, Magister Philippum [Melanchthon], Matthäum Aurogallum, darbei M[agister] Georg Rörer, der Korrektor, auch war; oftmals kamen fremde Doktorn und Gelehrte zu diesem hohen Werk... Wenn nun Doktor zuvor die aus[ge]gangen Bibel übersehen ..., kam er in das Konsistorium mit seiner alten lateinischen und neuen deutschen Biblien, darbei er auch stetigs den hebräischen Text hatte. Herr Philippus bracht mit sich den gräkischen Text, Doktor Creutziger neben dem hebräischen die chaldäische Bibel [*die aramäischen Paraphrasen in der von Jakob ben Chajim herausgegebenen Venetianer Rabbinenbibel von 1524/25*]. Die Professores hatten bei sich ihre Rabbinen [*Auslegungen der jüdischen Gelehrten*], D. Pommer hatte auch ein[en] lateinischen Text für [*vor*] sich, darin er sehr wohl bekannt war. Zuvor hat sich ein jeder auf den Text gerüst[et], davon man ratschlagen sollte, gräkische und lateinische neben den jüdischen Auslegern übersehen. Darauf proponiert dieser Präsident [Luther] ein[en] Text und ließ die Stimm[en] herumgehen und höret, was ein jeder darzu zu reden hätte nach Eigenschaft der Sprache oder nach der alten Doktorn Auslegung. Wunderschöne und lehrhaftige Reden sollen bei dieser Arbeit gefallen sein, welcher M. Georg [Rörer] etliche aufgezeichnet.«

Das von Rörer geführte Sitzungsprotokoll, das im Gegensatz zu dem von 1534 noch erhalten ist[279]), stellt neben Luthers Eintragungen in seinen von Mathesius erwähnten Handexemplaren des Alten und Neuen Testamentes[280]) eine hervor-

278 Johannes Mathesius, Ausgewählte Werke Bd. 3: Luthers Leben in Predigten, hrsg. von G. Loesche (2. Aufl. Prag 1906), S. 316, 5–32.

279 Vgl. WA Bibel Bd. 4, S. XXVII–XXXI und XLVII f. – Das Protokoll ist abgedruckt ebd. Bd. 3, S. 167–577 (nebst Nachträgen in Bd. 4, S. 428–435) und Bd. 4, S. 1–278 und 311 bis 418. Über Rörer vgl. unten S. 113* und Anm. 307.

280 Vgl. WA Bibel Bd. 4, S. XXXI–XXXVIII (Altes Testament in der Wittenberger Bibelausgabe 1539/38) und XLIII–XLVI (Neues Testament in dem Wittenberger Son-

ragende Quelle für unsere Kenntnis dieser ausgedehnten und tiefschürfenden Durcharbeit der Gesamtbibel dar.

Blieb die zweispaltige Bibel von 1540, die bereits am 29. Mai dieses Jahres im Handel war, von dieser Revision noch fast ganz unberührt[281]), so weist die folgende bereits 1540 in Satz gegangene, aber erst im Frühjahr 1541 erschienene Bibel[282]), die in ihrer Ausstattung wieder denen von 1534/1539 folgt, bis zum Schluß des Buches Esther sowohl im Text wie auch im Bestand der Randglossen bereits sehr viele der bei der Revision erarbeiteten Änderungen auf. Um noch möglichst viele von ihnen hier verwerten zu können, begann man entgegen der sonst üblichen Gepflogenheit den Druck nicht mit dem Pentateuch, sondern mit den Propheten (samt den Apokryphen) und dem Neuen Testament; daher tragen deren beide Sondertitelblätter ebenso wie das Impressum des Neuen Testamentes noch die Jahreszahl: »M.D.XL.«, während sie auf dem zuletzt gedruckten Gesamttitelblatt und in der Schlußschrift hinter dem Hohenlied bereits »M.D.XLI.« lautet. Im Hinblick auf die vielen hier schon aufgenommenen Textverbesserungen ist diese Bibel (wie dann auch alle danach folgenden) auf dem Haupttitelblatt als »Auffs new zugericht« bezeichnet.

Die Medianbibel vom Herbst 1541

Nach dem Erstdruck von 1534 bildet den zweiten entscheidenden Markstein in der Geschichte des Wittenberger Bibeldruckes die (wohl Ende September 1541 für die Leipziger Michaelismesse [2.–9. Oktober] fertiggestellte) mit besonderer Sorgfalt ausgestattete Edition in Medianformat.[283]) Textgeschichtlich liegt ihre große Bedeu-

derdruck von 1540). Beide Exemplare befinden sich auf der Jenaer Universitätsbibliothek.

281 Vgl. WA Bibel Bd. 8, S. XXXIV f. und Anm. 57; vgl. oben Anm. 271.

282 WA Bibel Bd. 2, S. 634–636 Nr. *68; vgl. ebd. Bd. 9^II^, S. XXXI f. und Anm. 64.

283 WA Bibel Bd. 2, S. 637–640 Nr. *69 (und S. 722–724). Die Vorbereitungen für diese Bibel begannen bereits im Jahre 1540; vgl. Rörer an den Zwickauer Stadtschreiber Stephan Roth am 28. Mai 1540: »Omnino consulo, ut Biblia germanica emas, quae nunc excuduntur in majore charta, quam medianam vocant« (Archiv für Geschichte des Deutschen Buchhandels Bd. 16 [1893], S. 197); ferner quittierte Hans Lufft auf der Leipziger Michaelismesse (3. bis 10. Oktober) 1540 über 50 Gulden zum Kauf des für die Perga-

tung darin, daß sie als erste Ausgabe den vollen Ertrag der kurz zuvor abgeschlossenen Revision darbot. Darüberhinaus enthält sie eine von Luther in seine (auch in der Erläuterung zu Kap. 9 etwas umgearbeitete) Danielvorrede des Jahres 1530 eingefügte umfängliche Auslegung des Antichristkapitels 12[284]) sowie (zusätzlich zu der Vorrede von 1532) eine »Newe Vorrede auff den Propheten Hesekiel« mit einer seitengroßen (das ursprüngliche Bild ersetzenden) Darstellung der Vision dieses Propheten, die von der Hand des (hier erstmals als Illustrator eines Wittenberger Bibeldrucks beteiligten) Lukas Cranach d. J. stammt; angefertigt ist sie nach dem Vorbild einer ähnlichen Abbildung in Nikolaus' von Lyra lateinischer Postille (von 1481 oder eines späteren Druckes). Weiterhin fügte der Reformator zur Kommentierung der Hesekiel-Vision von dem neuen Tempel (Kap. 40 bis 48) eine »Vnterrichtung: Wie das Gebew Ezechielis in den letzten Cap[iteln] ... zu verstehen sey« hinzu.[285]) In einer weiteren, seiner Vorrede auf das Alte Testament vorangestellten »Warnung« wandte er sich mit aller Entschiedenheit gegen die üblen Praktiken der Nachdrucker, die mit ihrem allzu raschen Nachdruck nicht nur das Wittenberger Gewerbe schädigten, sondern auch in der von ihrer Habgier (»Geitz«) verursachten Hast »wenig darnach fragen, wie recht oder falsch sie es hinnach drucken«. Diese scharfe Polemik Luthers richtete sich gegen den bisher für die Altgläubigen tätigen Leipziger Drucker Nikolaus Wolrab, der sich nach Einführung der Reformation im Herzogtum Sachsen (1539) unter Ausnutzung der Konjunktur alsbald dem Druck evangelischer Schriften

mentexemplare benötigten Pergaments (vgl. dazu unten Anm. 290); vgl. auch WA Briefe Bd. 8, S. 554, 19–28 und Bd. 13, S. 276 (zu S. 555 Anm. 7). Am 7. Dezember 1540 lag der für den Druck revidierte Text von Hiob bis Jeremia bereits in der Druckerei (WA Briefe Bd. 9, S. 289, 33–35 und Bibel Bd. 9^II^, S. XXXII Anm. 64). Zum Erscheinungsdatum vgl. Volz, Hundert Jahre Wittenberger Bibeldruck, S. 72 Anm. 67.

284 Vgl. WA Bibel Bd. 11^II^, S. LXXXVI–XCIV und 50, 1–124, 20 (= unten S. 1515, 31–1537, 36).

285 Vgl. WA Bibel Bd. 11^II^, S. LXXXII–LXXXIV und Bd. 11^I^, S. 394/404 und 406/408 (= unten S. 1392–1398 und 1398–1400). Über das neue Visionsbild und seine Vorlage vgl. ebd. Bd. 11^II^, S. LXXXIII f. Anm. 102 sowie Tafel VIII a und b (= Schramm, Abb. 543); vgl. auch unten S. 1401 und Anhang S. 153* Nr. 68.

und insbesondere der Lutherbibel ungeachtet der Proteste der Wittenberger Verleger zuwandte.[286])

Dem inneren Gehalt gerade dieser Ausgabe entsprach auch ihre äußere prächtige Ausstattung. Erstmals wählte man statt des bisher bei Wittenberger Lutherbibeln stets verwandten üblichen Folioformates (Satzspiegel 13,6: 24,3 cm) das noch stattlichere Medianformat (16,7 : 28,0 cm). Dadurch erhöhte sich der Preis für ein ungebundenes Exemplar von bisher 2 Gulden 8 Groschen um 13 Groschen – d.h. um mehr als einen halben Gulden – auf nunmehr drei Gulden.[287]) Ferner trat bei sonst gegenüber der vorigen Bibel von 1541/40 unveränderter Illustration erstmalig in dieser Ausgabe an die Stelle des seit 1534 immer wiederkehrenden, in erster Linie auf Bildwirkung berechneten Titelblattes[288]) eine völlig neue, ebenfalls von dem jüngeren Cranach geschaffene Titelbordüre. Diese veranschaulicht auf dem von einem auf der linken Seite verdorrten und auf der rechten Hälfte grünenden Baum halbierten Blatt in je drei gegenübergestellten Einzelbildern den theologischen Gedanken von Sündenfall und Verdammung einer- und Erlösung durch Christus andererseits.[289])

286 Diese »Warnung« erschien erstmals – jedoch nur in hochdeutscher Sprache – in der im August 1541 von Hans Lufft in Wittenberg im August 1541 erschienenen niederdeutschen Bibel (vgl. WA Bibel Bd. 8, S. 6/8 [= unten S. 6f.] und 8 Anm. 1; Bd. 11^II, S. LXXXV). Zu Nikolaus Wolrab und seinem Bibelnachdruck vgl. WA Bibel Bd. 8, S. LV bis LXI und Bd. 2, S. 643–647 Nr. 215; Briefe Bd. 8, S. 488 bis 492 und Bd. 12, S. 284–295; Volz, Hundert Jahre Wittenberger Bibeldruck, S. 66–69.

287 Oben S. 101*; WA Briefe Bd. 9, S. 564f.

288 Vgl. oben S. 97*f.

289 Dieses dogmatische Motiv, das wohl »in Zusammenarbeit mit Luther und den anderen Wittenberger Theologen entstanden« war, gestaltete Lukas Cranach d. Ä. erstmals in dem Gothaer Altargemälde von 1529. Vgl. O. Thulin, Cranach-Altäre der Reformation (Berlin 1955), S. 126–132 und 134–139, insbes. Abb. 161 und 175 (= Schramm, Abb. 542). Dem von Cranach in dem Prager Altargemälde vom selben Jahr 1529 in etwas anderer Form behandelten Motiv (vgl. Thulin, S. 132–134 und 139 sowie Abb. 162) folgten sowohl Erhard Altdorfer in seiner Titeleinfassung der Lübecker niederdeutschen Bibel vom 1. April 1534 (über diese vgl. oben Anm. 170; die Bordüre vgl. bei Thulin, Abb. 176) wie auch die beiden Monogrammisten H und AW in ihren bei Erfurter Drucken Melchior Sachses von 1532 und 1535 verwandten Einfassungen (WA Bibel Bd. 2, S. 515 [Nr. 158] und 579 [Nr. 185]; vgl. Zimmermann, Beiträge, S. 107 Anm. 102a und S. 111f. Anm. 118). Vgl. Einleitung unten S. 160*.

Nachdem in dieser Ausgabe entsprechend Luthers Auffassung seine in langjähriger, mühevoller Arbeit hergestellte Übersetzung nunmehr ihre endgültige Gestalt erreicht hatte[276]), unternahm man es damals auch, dem äußeren Aufbau des Gesamtwerkes seine abschließende Form zu verleihen. Waren die seit 1534 gemäß ihrer allmählichen Fertigstellung getrennt foliierten sechs Einzelteile in der Bibel von 1540 zunächst durch Zusammenfassung des ersten bis dritten Teiles des Alten Testamentes auf vier und dann in der folgenden Edition von 1541/40 durch eine weitere Vereinigung der Propheten und Apokryphen auf drei gesondert foliierte Teile reduziert, so beseitigte man aus praktischen Gründen nunmehr auch noch die bisherige Sonderstellung des Neuen Testamentes durch Anschluß an den Propheten-Apokryphen-Teil. Auf diese Weise entstanden zwei annähernd gleich starke und dadurch leichter zu handhabende, in sich völlig abgeschlossene Bände, deren erster den schon seit 1534 üblichen Gesamttitel behielt, während der zweite (allerdings ohne Rücksicht auf den wesentlich umfassenderen Inhalt) fortan nur als: »Die Propheten alle Deudsch« tituliert wurde.

Dem Bestreben, dieser (dann auch schon innerhalb eines Vierteljahres abgesetzten) Ausgabe einen gewissen bibliophilen Wert zu geben, diente offenbar die von dem Wittenberger Verlegerkonsortium vorgenommene Herabsetzung der Auflagenhöhe gegenüber der sonst üblichen von wohl 2000 oder mehr Exemplaren auf nur 1500.[287]) Unter allen diesen Umständen kann es auch nicht verwundern, daß verschiedene evangelische Fürstlichkeiten gerade diese prächtige Ausgabe wählten, um sich von ihr erstmals besonders kostbare, dann von Künstlerhand (u.a. von Cranach) illuminierte Pergamentexemplare herstellen zu lassen.[290]) Zunächst nur für die Herrscher bestimmt, dann aber (vor allem für anhaltische Kirchenzwecke)[291])

290 Vgl. dazu Volz, Hundert Jahre Wittenberger Bibeldruck, S. 74 Anm. 70; oben Anm. 283; Gutenberg-Jahrbuch 1971, S. 125 Anm. 26; Archiv für Reformationsgeschichte Bd. 28 (1931), S. 270f.

291 Vgl. das gemeinsame Ausschreiben der vier Fürsten Wolfgang, Johann, Georg und Joachim von Anhalt vom 3. Oktober 1541 an ihre Pfarrherrn und Untertanen bei E. Sehling, Die evangelischen Kirchenordnungen des XVI. Jahrhunderts Bd. 2 (Leipzig 1904), S. 547-549 Nr. 111.

auch bei Papierexemplaren benutzt, wurden vom jungen Cranach für beide Teile der Bibel neben dem oben beschriebenen neutralen Titelblatt auch solche mit dem kursächsischen, kurbrandenburgischen und fürstlich-anhaltischen Wappen entworfen.[292]) Während in allen drei Fällen auf der Vorderseite die jeweiligen, eine Bordüre bildenden Einzelwappen den Buchtitel einrahmen, zeigt die Rückseite des sächsischen Titelblattes ein von Cranach signiertes Brustbild des Kurfürsten Johann Friedrich[293]) im Gegensatz zu den brandenburgischen und anhaltischen Exemplaren, bei denen das brandenburgische (nebst Lutherwappen) bzw. das gleichfalls mit Cranachs Signet versehene anhaltische Gesamtwappen dargestellt ist.

Was lag aber nun bei der Sonderstellung, die gerade diese Bibel unter allen zu Luthers Lebzeiten in Wittenberg erschienenen Ausgaben einnahm, näher, als daß in Käufern jener besonders wertvollen Edition vielfach der lebhafte Wunsch entstand, einen solchen Besitz auch durch des Reformators Autograph geschmückt zu sehen? Hatte dieser in der zweiten Hälfte der dreißiger Jahre nur ganz selten zur Feder gegriffen, um in ein ihm zu diesem Zweck vorgelegtes Buch oder auch auf ein Einzelblatt (zur Einfügung in ein solches) einen deutschen oder lateinischen Bibelspruch mit einer kurzen erbaulichen Auslegung einzutragen, so entwickelte sich aus solchen zufällig und sporadisch entstandenen Einzeichnungen im Zusammenhang mit dem Erscheinen dieser Prachtausgabe nunmehr eine feststehende Gewohnheit und damit eine ganz neue Gattung reformatorischen Schrifttums, die dann auch bald bei den übrigen Wittenberger Reformatoren Nachahmung fand.[294])

Eine größere Nachlese von Korrekturen, die noch auf die Verhandlungen der Bibelrevisionskommission von 1539/41 zurückgehen, bot

292 Vgl. die Beschreibungen dieser Wappen in WA Bibel Bd. 2, S. 637–639 sowie nur des sächsischen im Anhang unten S. 145*.

293 Schramm, Abb. 546. Dieses Porträt findet sich dann auch in den beiden Wittenberger Bibelausgaben von 1543 sowie in der von 1545 und 1546/47 (WA Bibel Bd. 2, S. 657. 659f. 675 [= unten S. 3]. 688. 690).

294 Vgl. Gutenberg-Jahrbuch 1971, S. 125ff.; WA Bd. 48, S. 1–224; Revisionsnachtrag zu WA Bd. 48 (Weimar 1972), S. 11f. zu S. X Abs. 3 Zl. 9.

schließlich die schon 1542 begonnene und für die Leipziger Frühjahrsmesse bestimmte einspaltige Wittenberger Foliobibel von 1543[295]), die sich sonst im Text und Ausstattung ganz an die Medianbibel vom Herbst 1541 anschließt – mit Ausnahme des Titelblattes, bei dem entsprechend dem hier wiederum verwandten normalen Folioformat die bereits für die Wittenberger niederdeutsche Bibelausgabe vom August 1541 verkleinerte, aber in Einzelheiten stark veränderte Cranach-Einfassung mit dem Verdammung/Erlösung-Motiv benutzt ist. Das in der Medianbibel nur auf der Rückseite des kursächsischen Wappen-Sondertitelblattes abgedruckte Cranachsche Kurfürstenporträt erscheint nunmehr in der gesamten Auflage dieser und auch der folgenden Ausgaben bis 1547.

Ebenso wie die Bibel von 1540 druckte Hans Lufft auch die zweite Edition des Jahres 1543, die aber nach Georg Rörers Angabe erst »im Anfang des 44. Jahrs« erschien, zwar zweispaltig[296]), behielt aber im Gegensatz zu jener[297]) die von dem Monogrammisten MS herrührenden Illustrationen bei. Die textlichen Veränderungen sind hier minimal.

Die Bibel 1545

Als zehnte und letzte der zu des Reformators Lebzeiten in Wittenberg erschienenen hochdeutschen Bibelausgaben erschien 1545 noch einmal eine Medianbibel, die dem vorliegenden Abdruck zugrunde gelegt ist; auch sie enthält nur noch verhältnismäßig wenige auf Luther zurückzuführende Verbesserungen[298]); jedoch hat dieser nach dem Zeugnis des Unterkorrektors Christoph Walther »die Biblia des 45. Jahrs nicht selber korrigiert«.[299]) Im Lauf des Jahres 1544 wurde (laut Impressum am Schluß des Hohenliedes) der erste Band dieser Ausgabe fertiggestellt und auch der zweite nach Ausweis der Jahreszahl auf dessen zuerst gedrucktem Titelblatt in Angriff genommen.

295 WA Bibel Bd. 2, S. 657–660 Nr. *74 (und 652f. Nr. *73); vgl. Volz, Hundert Jahre Wittenberger Bibeldruck, S. 74. In der Illustration ist nur in dieser einen Ausgabe aus unbekanntem Grunde das Bild zu 1. Makk. 4 (Schramm, Abb. 330) gegen ein neues in gleicher Größe ausgetauscht; vgl. WA Bibel Bd. 2, S. 659 und 661; Anhang unten S. 156* Nr. 89.

296 WA Bibel Bd. 2, S. 660f. Nr. *75; Volz a. a. O., S. 74f.

297 Vgl. oben S. 104*.

298 WA Bibel Bd. 2, S. 675–677 Nr. *79 (und 725f.); Volz a.a.O., S. 75f.; unten S. 2415, 23(36)–2416, 30.

299 Vgl. WA Bibel Bd. 6, S. LVIII.

Die ganze Ausgabe, deren Herstellung mancherlei Verzögerungen erlitt, so daß der Erscheinungstermin immer wieder hinausgeschoben werden mußte, lag jedoch erst 1545 abgeschlossen vor (dieses Datum weist sowohl die Schlußschrift des zweiten Bandes am Ende des Neuen Testamentes wie auch der zu allerletzt gedruckte Haupttitel des ersten Teiles auf). Am 2. März 1545 – ein knappes Jahr vor Luthers Tod – war diese Ausgabe, die ebenso wie die Medianbibel von 1541[300]) ungebunden drei Gulden kostete, im Handel[300a]). Während man infolge des größeren Formates als Titelblatt hier wie auch schon in der Medianbibel von 1541[301]) sowohl das allgemeine mit dem Verdammung/Erlösung-Motiv als auch das kursächsische Wappentitelblatt (dagegen nicht das kurbrandenburgische und anhaltische) benutzte, entspricht die übrige Ausstattung derjenigen der einspaltigen Bibel von 1543[302]), die auch die textliche Vorlage bildete.[303]) Mit dieser Ausgabe, die nach des Reformators Tod[304]) – insbesondere seit der kursächsischen »Normalbibel« von 1581[305]) – eine gewisse bis in die heutige Zeit noch wirksame kanonische Bedeutung erlangte, hatte (von den er-

300 Vgl. WA Briefe Bd. 9, S. 565, 18.

300a Volz a.a.O., S. 75; die Angabe in WA Bd. 48, S. 219 Nr. 292 (»Constat fl. [= *Gulden*] 4«) bezieht sich auf ein gebundenes Exemplar.

301 Zum Titelblatt (oben S. 5* und unten S. 1159) vgl. oben S. 108* und Anm. 289. Zum Wappentitelblatt (unten S. 1) vgl. Anhang unten S. 145*.

302 Außer den oben Anm. 295 sowie Anhang unten S. 155* und 157* Nr. 80 und 97 genannten ausgetauschten Bildern.

303 Vgl. WA Bibel Bd. 6, S. XXVI; Bd. 8, S. XXXVII f.; Bd 9^II^, S. XXXV; Bd. 10^II^, S. LXXVIII; Bd. 11^II^, S. XCIX; Bd. 12, S. XCI.

304 Um die starke Nachfrage gerade nach dieser als »Ausgabe letzter Hand« betrachteten Edition zu befriedigen, gab man einem Teil der im Jahr 1550 gedruckten Wittenberger Neuauflage – unter gleichzeitiger Hinzufügung des infolge der Mühlberger Katastrophe von 1547 (Gefangennahme des Kurfürsten Johann Friedrich durch Kaiser Karl V.) sonst bereits fortgefallenen Kurfürstenbildes, Privilegs und Begnadungsvermerkes (auf dem Titelblatt) – die Jahreszahl 1545 auf den beiden Titelblättern, auf diese Weise jenen ursprünglichen Druck vortäuschend (WA Bibel Bd. 2, S. 677 bis 680 Nr. *80).

305 Zu dieser Bibel und ihrer Vorgeschichte sowie dem Streit um die angeblich verfälschte Wittenberger Bibel von 1546 (vgl. dazu unten S. 116*–118*) vgl. Volz, Hundert Jahre Wittenberger Bibeldruck, S. 108–114.

sten drei paulinischen Briefen abgesehen[306])) der Text der Lutherbibel seine endgültige Gestalt erreicht.

## Georg Rörer als »der Bibel Corrector« und die postume Lutherbibel von 1546.

Der aus Deggendorf (Niederbayern) gebürtige Georg Rörer (1492–1557) hatte seit 1511 zunächst in Leipzig, wo er 1520 den Magistergrad erwarb, und dann seit 1522 in Wittenberg studiert, wo ihn Luther am 14. Mai 1525 als ersten evangelischen Geistlichen zum Diakonus an der dortigen Pfarrkirche ordinierte.[307]) Schon seit seiner Studentenzeit war er bestrebt, mit Hilfe eines von ihm auf der Grundlage der lateinischen Abbreviaturen zu großer Vollkommenheit ausgebauten Kürzungssystems sowohl Luthers Predigten wie auch dessen akademische Vorlesungen möglichst genau und vollständig nachzuschreiben[308]) – dadurch erwarb er sich ein gar nicht hoch genug zu veranschlagendes Verdienst um die Überlieferung dieses Lutherschen Gedankengutes. Stand er bereits seit 1527 als wissenschaftlicher Mitarbeiter und Helfer den Wittenberger Druckern zur Seite, so tritt er im Zusammenhang mit des Reformators Arbeit an der Bibel für uns erstmals greifbar Anfang 1531 als Protokollführer bei der Psalmenrevision und dann drei Jahre später in gleicher Eigenschaft bei der ersten Bibelrevision in Erscheinung.[309]) Aber erst, nachdem Kurfürst Johann Friedrich dem damals aus dem kirchlichen Dienst Ausgeschiedenen am 6. September 1537 gegen eine feste Besoldung von jährlich 60 Gulden das Nachschreiben und die Veröffentlichung von Luthers geistigem Gut als Hauptamt übertragen hatte[310]), begann anscheinend Rörers Tätigkeit im Rahmen des Bibeldruckes.

306 Vgl. dazu unten S. 115*–118*.

307 Über Rörer vgl. E. Wolgast, Die Wittenberger Luther-Ausgabe (Nieuwkoop 1971), Sp. 17–27 und die dort in Anm. 7 verzeichnete ältere Literatur sowie N. Müller, Die Kirchen- und Schulvisitationen im Kreise Belzig 1530 und 1534 (Berlin 1904), S. 16–18. Über Rörers persönliches Verhältnis zu Luther vgl. Wolgast, Sp. 24f.

308 Vgl. Realencyklopädie für protestantische Theologie und Kirche Bd. 24, S. 428.

309 Vgl. oben S. 89* und 94*.

310 Vgl. Theologische Literaturzeitung Bd. 77 (1952), Sp. 750 und Anm. 13.

Die erste sichtbare Frucht von Rörers Mitarbeit an der Lutherbibel bestand wohl in der seit der Ausgabe von 1539/38 anzutreffenden erheblichen Vermehrung der an den Rand gesetzten biblischen Parallelstellen.[311]) Sodann führte er nicht nur wiederum in den Jahren 1539/41 das Protokoll bei der damaligen umfassenden Bibelrevision[312]), sondern er wertete dann deren Ergebnisse seit der Foliobibel vom Frühjahr 1541[313]) unter gleichzeitiger Heranziehung von Luthers Handexemplaren des Alten und Neuen Testamentes[314]) für die weiteren Ausgaben aus; er bemühte sich ferner in Zusammenarbeit mit dem Unterkorrektor der Lufftschen Druckerei Christoph Walther[314a]), durch Kollationen mit vorangegangenen Ausgaben eine möglichst fehlerfreie Textgestalt jeder im Druck befindlichen Edition zu erzielen und auf diese Weise etwaige Versehen der als unmittelbare Druckvorlage benutzten Bibel auszumerzen.[315]) Rörers persönliches Werk sind dann auch die seit dem Frühjahr 1541 (bis 1551) allen Wittenberger Bibeln am Schluß hinzugefügten und von ihm teils mit vollem Namen, teils nur mit der Chiffre: »G. R.« unterschriebenen Postfationen (nur in der Medianbibel von 1541 bezeichnet er sich zusätzlich als »der Bibel Corrector«).[316]) In diesen seinen Nachworten pflegt er auf bestimmte Neuerungen der vorliegenden Ausgabe, auf erstmals dort auftretende Luthersche Neuübersetzungen einzelner Bibelstellen oder auch auf Druckfehler aufmerksam zu machen.

Während Rörer die zunächst auf das Neue Testament beschränkte[317]) und dann auf die ganze Bibel ausgedehnte Auswahl von typographisch herausgehobenen Kernsprüchen und alttestamentlichen Zitaten innerhalb des Neuen Testamentes in seiner Postfation zur Medianbibel von 1541 ausdrücklich als Luthers Werk bezeichnete[318]), gehen auf Rörer

311 Vgl. WA Bibel Bd. 8, S. XLIII.
312 Vgl. oben S. 105*.
313 Vgl. oben S. 106*.
314 Vgl. oben S. 105*f. und Anm. 280.
314a Über Walther vgl. oben Anm. 253.
315 Vgl. WA Bibel Bd. 6, S. LXXXVII.
316 WA Bibel Bd. 8, S. LXXVII–LXXXIV; Bd. 7, S. XII–XIX (XIII und XVf.); Bd. 6, S. LIIIf.
317 Vgl. WA Bibel Bd. 7, S. XIII (1541/40).
318 Vgl. WA Bibel Bd. 8, S. XLIII und LXXVII, 16 bis LXXVIII, 23 (1541).

selbst zweifellos die zuerst 1540 nur in den ersten beiden Büchern Mose begegnenden[319]) und in den späteren Editionen dann auf die ganze Bibel ausgedehnten Inhaltsangaben am Rand bzw. in den Seitenüberschriften[320]) zurück. Eine vom Reformator angeblich als »Narrenwerk« bezeichnete Eigenart war seine Erfindung, mit Hilfe von Fraktur- und Antiquaversalien den Inhalt einer Bibelstelle in der Richtung kenntlich zu machen, ob dort von »Gnade und Trost« oder von »Zorn und Dräuung« die Rede sei.[321]) Hatte er diese äußerliche Charakterisierung des Textes in der Bibel von 1541/40 zunächst bei dem Neuen Testament angewandt, so dehnte er sie bei der Medianbibel von 1541 bereits auf die zweite Hälfte des Alten Testamentes (vom Psalter an) aus; vollständig hatte er sie dann in der ersten Edition des Jahres 1543 in der ganzen Bibel durchgeführt.[322])

Wußte sich Rörer bei seiner sorgfältigen Arbeit an der Bibel zu Lebzeiten Luthers, der seinen getreuen Helfer in scherzhafter Nachbildung des Papsttitels: »servus servorum Dei« einmal als »servus servorum in typographia« bezeichnete[323]), vollauf gedeckt – betonte er doch im Herbst 1543 ausdrücklich, daß in der Bibel »kein Wort ohn sonderlich Bedenken des Herrn Doktors geändert sei«[324]) –, so geriet er bei pflichtgetreuer Ausführung von Luthers Absichten nach dessen Tod völlig ungerechtfertigt in den Verdacht einer eigenmächtigen Handlungsweise, ja man warf ihm sogar Fälschungen vor.

Die letzte Revision des Neuen Testamentes 1544

Die Quelle für derartige häßliche Vorwürfe lag in der allerletzten Bibelrevision, die Luther – entgegen seiner im Herbst 1541 geäußerten Absicht, es endgültig bei der Revision von 1539/41 bewenden zu lassen[325]) – im Herbst und Winter 1544 mit dem Römerbrief begann, aber bereits bei dem 3. Kapitel des 2. Korintherbriefes abbrach[326]);

319 Vgl. WA Bibel Bd. 2, S. 721 unten (zu S. 624).
320 Vgl. WA Bibel Bd. 8, S. LXXVIII, 26–30 (1541).
321 Vgl. WA Bibel Bd. 6, S. LXXXVIIIf. und Luther-Jahrbuch Bd. 18 (1936), S. 83–96.
322 Vgl. WA Bibel Bd. 7, S. XIII; Bd. 8, S. LXXVIII, 31ff. und Nr. 3 App. zu Zl. 31/32.
323 WA Briefe Bd. 11, S. 20, 17f. (1545).
324 WA Bibel Bd. 8, S. LXXIX, 15.
325 Vgl. oben Anm. 276.
326 Vgl. WA Bibel Bd. 4, S. XLIX–LIII und LVI.

das Protokoll führte bei dieser Gelegenheit wiederum Rörer.[327]) Nach dessen Aussage war der Reformator »auch willens, die andern Episteln hinaus allzumal [*bis zum Ende*], item S. Johan[nis] Offenbarung, darnach alle Evangelisten auch dermaßen fürzunehmen und darin (neben den andern Herrn [*u. a. Melanchthon*[328])], die er hierin allzeit zu Hülfe nahme) auch etliche Wörter und Sentenz klärer und deutlicher ins Deutsch zu bringen, wie er in [*den oben erwähnten*] Episteln angefangen hatte, wo der liebe Gott ihn nicht zuvor aus dieser argen Welt zu sich in sein ewig Reich ... genommen hätte«.[329]) Da jedoch der Druck der dann im Frühjahr 1545 erschienenen Medianbibel damals schon zu weit vorangeschritten war, konnten hier die in jener letzten Revision erarbeiteten Textverbesserungen nicht mehr berücksichtigt werden.

Die Bibel 1546

Hatte bis zu seinem Tod der Reformator selbst – unterstützt von dem »Bibelkorrektor« Rörer – über seiner deutschen Bibel gewacht, so fiel nach seinem Hinscheiden die Wahrung dieses Erbes in erster Linie Rörer allein zu. Sein Werk war bereits – wie die Sonderedition des Neuen Testamentes – die Herausgabe der Foliobibel, deren beider Druck noch in Luthers letzten Lebenstagen begann, aber erst im Sommer 1546 vollendet wurde.[330]) Deren Hauptvorlage bildete die vorangegangene Bibel von 1545 – manche von ihren Fehlern sind in der Edition von 1546 unter Heranziehung früherer Wittenberger Ausgaben getilgt, andererseits haben sich aber auch neue Versehen eingeschlichen; daher sind beide Texte insoweit als gleichwertig zu betrachten.[331]) Im Neuen Testament fügte jedoch – und dadurch gewinnt diese neue Bibel ihre besondere Bedeutung – Rörer innerhalb des Römer-, 1. Korinther- und 2. Korintherbriefes (Kap. 1–3) mehr als hundert Korrekturen (sowohl innerhalb des Textes wie auch

327 Abgedruckt in WA Bibel Bd. 4, S. 313–381.

328 Über Melanchthons Teilnahme an dieser Revision vgl. WA Bibel Bd. 4, S. LI und Anm. 1; Bd. 6, S. LV.

329 WA Bibel Bd. 6, S. LIII = Anhang unten S. 236*, 6–12.

330 WA Bibel Bd. 6, S. LX; Bd. 2, S. 686–689 Nr. *81 und *82.

331 Vgl. WA Bibel Bd. 6, S. XXVI f.; Bd. 8, S. XXXVIII f.; Bd. 9^II^, S. XXXVI; Bd. 10^II^, S. LXXV und LXXIX; Bd. 11^II^, S. C; Bd. 12, S. XCI f.

der Randglossen[332]) ein.[333]) Von ganz wenigen und sachlich unbedeutenden Ausnahmen abgesehen, werden diese durch entsprechende Eintragungen in Luthers Handexemplar des Neuen Testamentes von 1540 bzw. in dem Revisionsprotokoll von 1544 als Ergebnis jener vom Reformator mit seinen Mitarbeitern vorgenommenen letzten Durchsicht erwiesen. Da die Öffentlichkeit ebensowenig von der Existenz dieser Beweisstücke wie von der Revisionssitzung naturgemäß irgendeine Kenntnis hatte, war man angesichts des Auftauchens jener Änderungen erst nach Luthers Tod mißtrauisch, so daß die Zeitgenossen (und ihnen folgend auch die Gelehrtenwelt bis zum Anfang dieses Jahrhunderts) Rörers diesbezüglicher Angabe in seiner Postfation zur Bibel von 1546 keinerlei Glauben schenkte; sie lautet[334]): »In diesem Druck sind zuweilen Wörter, zuweilen auch ganze Sentenz[en] oder Sprüche in der Epistel an die Römer durchaus [*bis ans Ende*], desgleichen in der 1. an die Korinther auch durchaus und nachmals in der 2. bis aufs 4. Kap[itel] geändert und gebessert durch den lieben Herrn

332 Zu den Randglossen vgl. WA Bibel Bd. 7, S. XXXV bis XXXVIII. Zu den drei (außerhalb der oben genannten drei paulinischen Briefe) im Rahmen des Neuen Testamentes erstmals auftretenden neuen Übersetzungen (Phil. 2,13; 1. Thess. 4,10f.; 1. Joh. 5,17) vgl. ebd. S. XXXIX und Anhang unten S. 237* Anm. 3 und 4.

Um dem Benutzer unserer Ausgabe auch den verbesserten Text von Röm. 1 bis 2. Kor. 3 leicht zugänglich zu machen, sind diese biblischen Texte in vollem Umfange im Anhang unten S. 180*–236* abgedruckt; die dort beigegebene tabellarische Übersicht weist nach Kapitel und Vers auf die korrigierten Stellen hin; dadurch erhält der Benutzer die Möglichkeit, durch Vergleich der Bibeltexte von 1545 und 1546 sich selbst ein Bild von den vorgenommenen Änderungen zu machen.

333 Wenn der Joachimsthaler Bergwerkspfarrer und Lutherschüler Johannes Mathesius (über ihn vgl. oben S. 104*f.) in seinen Lutherpredigten berichtet (a. a. O., S. 318, 2–12), Luther habe nach 1542 »viel schöner Sprüch heller und klärer gegeben, welche nach Doktors Absterben von M. Georg Rörer mit Vorwissen und Rat der Gelehrten von Wittenberg in die letzten Biblien mit eingebracht sein[*sind*]«, so bezieht sich Mathesius hier nicht auf die neutestamentliche Bibelrevision, sondern auf frühere Änderungen, die Luther im Zusammenhang mit der Abfassung seiner Schrift: »Von den letzten Worten Davids« bereits 1543 vornahm; vgl. H. Volz, Die Lutherpredigten des Johannes Mathesius (Leipzig 1930), S. 197 Anm. 6 (zu S. 196).

334 WA Bibel Bd. 6, S. LIII = Anhang unten S. 236*, 2–5.

und Vater D. Mart. Luther ... Nu achte ich aber, es sei ohn Not, daß man dieselbigen Wörter und Sentenz[en], so geändert und gebessert sind in gemelten Episteln, hie am Ende anzeige und ordentlich nacheinander, wie vor [*besonders in der Bibel von 1545*[334a]] geschehen, setze, weil derselbigen ein gut Teil mehr ist denn zuvor«.

Der Vorwurf der Fälschung, der seit dieser Zeit auf Rörer fast unwidersprochen lastete, wurde erst nach mehr als drei Jahrhunderten völlig entkräftet, als die bis dahin in der Verborgenheit ruhenden beiden entscheidenden Beweisurkunden – das Revisionsprotokoll und das neutestamentliche Handexemplar des Reformators (neben vielen anderen wichtigen Rörerhandschriften) – im Jahre 1893 von dem hochverdienten Lutherforscher Georg Buchwald in der Jenaer Universitätsbibliothek wiederaufgefunden und dann im ersten Drittel unseres Jahrhunderts von den beiden Mitarbeitern an der Weimarer Lutherausgabe Otto Albrecht und Otto Reichert wissenschaftlich ausgewertet wurden.[335]) Dabei konnte der wahre Sachverhalt festgestellt werden, aus welchem (oben genannten) Grunde die neuen Korrekturen erst in die postum erschienene Sonderausgabe des Neuen Testamentes und die Foliobibel von 1546 aufzunehmen möglich war.

## Luther als Bibelübersetzer.

Luthers Sprache

Martin Luthers Sprache ist das Frühneuhochdeutsche, das – etwa die Periode von 1450 bis 1620 umfassend – die Brücke vom Mittelhochdeutschen zu unserer neuhochdeutschen Sprache darstellt. Wenn sich auch das Frühneuhochdeutsche vor allem durch die Diphthonierung der Vokale î (mîn), û (hûs) und iu (=ü) (liute) zu ei (mein), au (Haus) und eu (Leute) erheblich vom Mittelhochdeutschen unterscheidet, so steht es doch dieser Sprachstufe, von der es im Vergleich zu seinem Abstand von der Gegenwart eine um

334a Vgl. unten S. 2515, 23ff. und Anhang unten S. 178*.

335 Zur ganzen Frage vgl. WA Bibel Bd. 4, S. XLIVf. und LIIf. (vgl. aber dazu Bd. 7, S. XVII Anm. 1); Bd. 6, S. L–LXIII; Bd. 7, S. XX–XXX. XXXV–XXXIX. Über die Veröffentlichungen von Albrecht und Reichert vgl. außerdem die Zusammenstellung in WA Bibel Bd. 6, S. LII.

etwa zweihundert Jahre kürzere Zeitspanne trennt (1250–1520–1970), in anderer Hinsicht (vor allem in Wortschatz und Wortbedeutung) erheblich näher als der heutigen Sprache. In damaliger Zeit gab es aber auch noch keine, das gesamte Reichsgebiet umfassende einheitliche Schriftsprache; vielmehr war das Deutsch jener Zeit in Wort und Schrift in eine größere Zahl von Dialekten mit vielfältigen lautlichen Eigenheiten und unterschiedlichem Wortschatz aufgespalten. Wesentlich günstiger als im Altreichsgebiet, wo stark ausgeprägte Dialekte wie das Bayerisch-Österreichische, das Schwäbische und das Alemannische herrschten, lagen in dieser Beziehung die sprachlichen Verhältnisse in dem ostdeutschen Kolonisationsgebiet, da durch das Zusammenströmen von Siedlern aus den verschiedensten deutschen Landschaften hier von vorneherein der Zwang zu einem stärkeren Ausgleich zunächst in Gestalt einer »Sprechsprache«, wie sie uns im Ostmitteldeutschen entgegentritt, gegeben war. Auf dieser Grundlage bildeten sich weiterhin landschaftliche schriftliche Verkehrs- und schließlich auch Kanzleisprachen. Unter diesen wurde im Laufe der Zeit wegen ihres ausgedehnten Geltungsbereiches die auf dem Meißnisch-Obersächsischen beruhende Kanzleisprache des Kurfürstentums Sachsen als des damals größten und mächtigsten ostdeutschen Territorialstaates weithin richtunggebend. An die in dieser Kanzlei übliche Lautgestalt schloß sich nun der aus einer thüringischen Familie stammende Reformator, dessen Sprache daneben auch noch von der seit dem 13. Jahrhundert entwickelten ostmitteldeutschen Literatursprache, der Sprache der deutschen Mystik und niederdeutschen Einflüssen mitgeprägt wurde, bewußt an. Diese Tatsache ergibt sich aus einer Äußerung Luthers[336]), die in den Herbst 1532 fiel, als er mit der Übersetzung des Jesus Sirach beschäftigt war: »Ich habe eine allgemein verständliche Sprache und keine beson-

336 WA Tischreden Bd. 2, S. 639, 16–20 (teilweise aus dem Lateinischen übersetzt: »ego communem quandam linguam scio et nullam certam, ideo intelligi possum in inferiori et superiori Germania ..., quam imitantur omnes principes Germaniae. Maximilianus et Fridericus totum imperium ita ad certam formam loquendi perduxerunt, ...«); eine andere Überlieferung dieser Tischrede vgl. ebd. S. 639, 28–640,4

dere; daher kann man mich in Nieder- und Oberdeutschland verstehen. Ich rede nach der sächsischen Kanzlei, der alle deutschen Fürsten folgen«, und im Hinblick auf gleichgerichtete Tendenzen der Reichskanzlei Kaiser Maximilians I. fuhr er fort: »Auf diese Weise haben Maximilian und Friedrich [der Weise] das ganze Reich zu einer bestimmten Redeform hingeführt, haben alle Sprachen also ineinander gezogen«.

Gerade diese Allgemeinverständlichkeit war aber eines der Ziele, die Luther in seiner Bibelübersetzung anstrebte. Benutzte er einerseits jede sich bietende Gelegenheit, seinen Wortschatz zu erweitern[337]) – erinnert sei hier nur an die von ihm aus dem Schrifttum der deutschen Mystik übernommenen Wörter[338]) –, so vermied er andererseits ausgesprochene Dialektworte und lehnte auch Ausdrücke ab, die nicht der allgemeinen Umgangssprache angehörten wie etwa die neumodischen Kanzleiworte: »beherzigen, behändigen, ersprießlich, erschießlich [*nützlich*]«[339]) oder Aus-

und (deutsche Übersetzung Aurifabers) Bd. 1, S. 524, 40–525, 3; vgl. auch WA Bd. 48, S. 511, 4–8. Zu Luthers Sprache vgl. K. Bischoff, Über Luthers Sprache (in: 450 Jahre Martin-Luther-Universität Halle–Wittenberg Bd. 1 [Halle 1952], S. 271–282); J. Erben, Luther und die neuhochdeutsche Schriftsprache (in: F. Maurer und F. Stroh, Deutsche Wortgeschichte Bd. 1 [2. Aufl. Berlin 1959], S. 439 bis 492); E. Arndt, Luthers deutsches Sprachschaffen (Berlin 1962); eine knappe Übersicht über »Luthers Sprachstand in seinen Grundzügen« vgl. ebd. S. 102–182.

337 Vgl. dazu Luthers Brief an seinen ehemaligen Ordensbruder und damaligen Nürnberger Prediger Wenzeslaus Link vom 2. März 1535: »Quaeso, mitte mihi non somnia poetica, sed carmina poetica, quae mihi vehementer placent. Non intelligis? Ich will deutsch reden, mein gnädiger Herr Er Wenzel. Wo es euch nicht zu schwer noch zu viel oder zu lang oder zu weit oder zu hoch oder zu tief und dergleichen etc. wäre, so bitt ich, wellet etwa einen Knaben lassen sammlen alle deutsche Bilde, Reimen, Lieder, Bücher, Meistersänge, so bei euch diese Jahr her sind gemalet, geticht[et], gemacht, gedruckt durch eure deutschen Poeten und Formschneider oder Drucker; denn ich Ursach habe, warum ich sie gern hätte. Lateinische Bücher können wir hie selber machen. An deutschen Büchern zu schreiben lernen wir fleißig und hoffen, daß wirs schier [*bald*] so gut wollen machen (wo wirs bereit[s] nicht getan), daß es niemand [*scherzhaft für*: jedem) gefallen soll« (WA Briefe Bd. 7, S. 163, 18–164, 28).

338 Vgl. Erben a. a. O., S. 446f.

339 WA Bibel Bd. 8, S. 32, 19–22 (Vorrede zum Alten Testament 1523) = Anhang unten S. 239*, 9.

drücke der militärischen und Hofsprache.[340]) Daß er jedoch – wenigstens zunächst – jene angestrebte Allgemeinverständlichkeit in den oberdeutschen Gebieten noch nicht in vollem Umfange erreichte, zeigt das etwa 200 Wörter umfassende, alphabetisch geordnete Glossar, das der Baseler Drucker Adam Petri erstmals seinem zweiten Nachdruck des Neuen Testamentes vom März 1523 beigab[341]); dabei handelt es sich um Ausdrücke, die damals in Oberdeutschland nicht mehr, noch nicht oder nicht allgemein bekannt waren bzw. deren von Luther verwandte Wortform unüblich war oder die in der hier gebrauchten speziellen Bedeutung nicht mehr oder noch nicht geläufig war.[342]) Welchem starken Bedürfnis Petri damit entgegenkam, zeigt schon die Tatsache, daß dies Glossar in den Jahren 1523/38 im ober- und westmitteldeutschen Raum (Basel, Augsburg, Nürnberg, Straßburg, Hagenau, Worms und Mainz) von insgesamt dreizehn Druckern fast vierzigmal nachgedruckt wurde. Analog zu diesem neutestamentlichen Glossar fügte der Baseler Drucker Thomas Wolff seinem Nachdruck des Lutherschen Pentateuchs von 1523 ebenfalls ein (61 Wörter umfassendes) Glossar hinzu, das jedoch in der Folgezeit nur einen einzigen Nachdruck erlebte.[343]) Andere oberdeutsche Drucker verfuhren dagegen in der Weise, daß sie in solchen Fällen unverständliche Lutherwörter im Bibeltext selbst durch in der betreffenden Gegend gebräuchliche Ausdrücke ersetzten.[344])

Luthers Übersetzungsprinzipien

Getragen von der wenige Wochen vor Inangriffnahme der neutestamentlichen Übersetzung einmal ausgesprochenen Losung: »Meinen Deutschen bin ich geboren, ihnen will ich dienen«[345]), genügte es dem Reformator in keiner Weise, die Bibel nur äußerlich in deutsche Worte zu kleiden,

340 WA Briefe Bd. 2, S. 490, 11f. (an Spalatin am 30. März 1522).

341 Anhang unten S. 259*–266*. Vgl. WA Bibel Bd. 2, S. 237 (Bl. A $3^b$–$4^b$) und Gutenberg-Jahrbuch 1962, S. 248f.

342 Vgl. Erben a.a.O., S. 475f.

343 Anhang unten S. 267*–269*. Vgl. WA Bibel Bd. 2, S. 255 (Bl. $k^a$–$2^b$) und Gutenberg-Jahrbuch 1962, S. 249.

344 Vgl. z.B. WA Bibel Bd. $10^{II}$, S. XXXIf. Anm. 56; Erben a.a.O., S. 474f.

345 Luther an Nikolaus Gerbel, 1. November 1521: »Germanis meis natus sum, quibus et serviam« (WA Briefe Bd. 2, S. 397, 34).

sondern sein ihm von Anfang an vorschwebendes Ziel ging vielmehr dahin, eine auch von deutschem Sprachgeist erfüllte Übertragung zu schaffen. Dazu gehörte aber nicht bloß eine Werktreue, die sich darin erschöpfte, Gegenstände wie Name und Farbe der verschiedenen im 21. Kapitel der Offenbarung Johannis erwähnten Edelsteine an Hand des Anschauungsmaterials, das die kurfürstliche Schatzkammer dem Reformator zur Verfügung stellte[346]), richtig wiederzugeben oder die im Mosaischen Gesetz begegnenden Einzelteile eines Opfertieres fachgerecht zu benennen[347]) oder fremde Münzbezeichnungen in wertentsprechende deutsche zu übertragen[348]) – ungleich viel wichtiger war für Luther der Grundsatz, anstatt eine sich sklavisch an die Vorlage bindende, hölzerne und undeutsche Übersetzung zu liefern, den fremden Sprachgeist – besonders bei dem Hebräischen – in eine wirklich deutsche Form umzugießen. Den Weg, der zu diesem Ziele führt, beschreibt er in seinem 1530 veröffentlichten »Sendbrief vom Dolmetschen« folgendermaßen[349]): »Man muß nicht die Buchstaben in der lateinischen Sprache fragen, wie man soll Deutsch reden, ... sondern man muß die Mutter im Hause, die Kinder auf der Gassen, den gemeinen Mann auf dem Markt drum fragen und denselbigen auf das Maul sehen, wie sie reden, und darnach dolmetschen, so verstehen sie es denn und merken, daß man Deutsch mit ihnen redet«. Aber nicht immer – vor allem im Alten Testament – gelang es Luther schon bei dem ersten Versuch, das gewünschte Ziel zu erreichen, sondern oft kam er, wie es besonders eindrücklich sein jahrelanges Ringen um die volle Eindeutschung des Psalters zeigt, erst nach verschiedenen Anläufen zu einem ihn voll befriedigenden Resultat.[350]) Diese Erfahrung kleidete er im Hinblick auf seine eigenen und seiner Freunde viel-

346 WA Briefe Bd. 2, S. 490, 13–15; 524, 6f.; 527, 39; 532, 8.

347 Vgl. H. Volz, Die Lutherpredigten des Johannes Mathesius (Leipzig 1930), S. 197 und Anm. 3.

348 Vgl. oben S. 55* und Anm. 80.

349 WA Bd. 30$^{II}$, S. 637, 17–22 = Anhang unten S. 246*, 14–19.

350 Vgl. Luthers Nachwort zum Psalter von 1531 (oben S. 91*).

fältigen Bemühungen einmal in das Bild[351]): »Wir müssen's oft in vier Fässer gießen, ehe wirs können zurechtbringen«. Wie es aber nun bei der gemeinsamen Durcharbeit von des Reformators Übersetzungsmanuskript eines ganz besonders schwierigen Textes zuging, schilderte jener sehr anschaulich[352]): »Ich hab mich des geflissen im Dolmetschen, daß ich rein und klar Deutsch geben möchte. Und ist uns wohl oft begegnet, das wir vierzehn Tage, drei, vier Wochen haben ein ein[z]iges Wort gesucht und gefragt, haben's dennoch zuweilen nicht [ge]funden. Im Hiob erbei[te]ten wir [*mühten uns ab*] also, M[agister] Philipps, Aurogallus und ich, daß wir in vier Tagen zuweilen kaum drei Zeilen kunnten fertigen. Lieber, nu[n] es verdeutscht und bereit ist, kann's ein jeder lesen und meistern, läuft einer itzt mit den Augen durch drei, vier Blätter und stößt nicht einmal an, wird aber nicht gewahr, welche Wacken [*große Steine*] und Klötze da gelegen sind, da er itzt überhin gehet wie über ein gehobelt Brett, da wir haben müssen schwitzen und uns ängsten [*abmühen*], ehe denn wir solche Wacken und Klötze aus dem Wege räumeten, auf daß man künnte so fein dahergehen. Es ist gut pflügen, wenn der Acker gereinigt ist«.

Speziell die Übersetzung aus dem Hebräischen hatte der Reformator im Auge, wenn er den Rat gab[353]): »Wer Deutsch reden will, der muß nicht der ebräischen Wort[e] Weise führen, sondern muß darauf sehen, wenn er den ebräischen Mann verstehet, daß er den Sinn fasse und denke also: Lieber, wie redet der deutsche Mann in solchem Fall? Wenn er nu[n] die deutsche[n] Wort[e] hat, die hiezu dienen, so lasse er die ebräischen Wort[e] fahren und sprech frei den Sinn [h]eraus aufs beste Deutsch, so er kann«.

So sehr Luther daran gelegen war, eine möglichst gute deutsche Übersetzung zu liefern, so gab es für ihn in dieser Hinsicht jedoch eine klare Grenze; mochte nämlich eine deutsche Formulierung auch noch so gut gelungen sein, so ver-

351 WA Tischreden Bd. 2, S. 656, 10f.

352 WA Bd. 30<sup>II</sup>, S. 636, 15–26 = Anhang unten S. 245*, 19–30.

353 WA Bd. 38, S. 11, 27–32 = Anhang unten S. 252*, 35–40.

warf er sie dennoch, wenn sie – gar zu frei – sich zu weit vom Grundtext entfernte und dessen Sinn nicht genau wiedergab. »Ich muß«, erklärte er einmal im Herbst 1532 bei Gelegenheit der recht schwierigen Sirach-Übersetzung[354]), »oft ein gut Wort beim Übersetzen verwerfen, daß ich [*wo ich doch*] lieber ein[en] roten Gulden [*Goldgulden*] verlieren wollt als jenes Wort; denn wie gut gewählt auch bisweilen irgendein Wort sein mag, so paßt es doch manchmal nicht zu dem Sinn«. Aber auch in anderen Fällen, wo »an denselben Worten [*des Urtextes*] etwas gelegen« war[355]) oder eine freie deutsche Übersetzung Anstoß erregt hätte[356]),

354 WA Tischreden Bd. 2, S. 656, 16–19 (teilweise aus dem Lateinischen übersetzt: »... in translatione ... quam illud verbum, quia, quantumcunque nonnunquam elegans est aliquod verbum, tamen quandoque non convenit ad sententiam«).

355 »Wiederum haben wir zuweilen auch stracks [*genau*] den Worten nach gedolmetscht, ob wirs wohl [*obwohl wirs*] hätten anders und deutlicher künnen geben, darum daß an denselben Worten etwas gelegen ist als [*wie*] hie [*Ps. 68*] im 18. [*19.*] Vers: ›Du bist in die Höhe gefahren und hast das Gefängnis gefangen‹. Hie wäre es wohl gut Deutsch gewest: ›Du hast die Gefangenen erlöset‹, aber es ist zu schwach und gibt nicht den feinen, reichen Sinn, welcher in dem Ebräischen ist« (WA Bd. 38, S. 13, 3–8 = Anhang unten 254*, 3–8; vgl. ebd. S. 17,6–10 = Anh. u. S. 257*, 26–30). Im »Sendbrief vom Dolmetschen« heißt es: »Doch hab ich wiederum nicht allzu frei die Buchstaben lassen fahren, sondern mit großen Sorgen [*Sorgfalt*] samt meinen Gehülfen drauf gesehen, daß, wo etwa an einem Ort gelegen ist, hab ichs nach den Buchstaben behalten und bin nicht so frei davon [ge]gangen als [*wie*] Johannes 6[,*27*], da Christus spricht: ›Diesen hat Gott der Vater versiegelt‹; da wäre wohl besser Deutsch gewest: ›Diesen hat Gott der Vater gezeichent‹ oder: ›Diesen meinet Gott der Vater‹. Aber ich habe ehe wollen der deutschen Sprache abbrechen [*Abbruch tun*] denn von dem Wort weichen« (WA Bd. $30^{II}$, S. 640, 19–25 = Anhang unten S. 248*, 35–249*, 1); vgl. auch WA Bd. $31^{I}$, S. 75, 20–22.

356 »Da der Engel Mariam grüßet und spricht: ›Gegrüßet seist du, Maria voll Gnaden, der Herr mit dir!‹ [*Luk. 1,28*]. Wohlan, so ist's bißher schlecht [*einfach*] den lateinischen Buchstaben nach verdeutschet, sage mir aber, ob solchs auch gut Deutsch sei? Wo redet der deutsch[e] Mann also: ›Du bist voll Gnaden‹? Und welcher Deutscher verstehet, was g[e]sagt sei [*bedeutet*] ›voll Gnaden‹? Er muß denken an ein Faß voll Bier oder Beutel voll Geldes, darum hab ichs vordeutscht: ›Du holdselige‹, damit doch ein Deutscher dester mehr hinzu kann denken, was der Engel meinet mit seinem Gruß. Aber hie wollen die Papisten toll werden über mich, daß ich den Engelischen Gruß verderbet habe. Wiewohl ich dennoch damit nicht das beste Deutsch habe [ge]troffen. Und hätte ich das beste Deutsch hie sollen nehmen

hielt der Reformator lieber an einer wörtlicheren Verdeutschung fest.[357])

Über die Prinzipien seiner Bibelverdeutschung sprach sich Luther nicht nur gelegentlich – wie etwa in seinen Tischreden[358]) – aus, sondern er faßte die reichen Erfahrungen, die er im Laufe der Zeit bei dieser Arbeit gesammelt hatte, in zwei speziellen Schriften zusammen, in denen er nicht nur seine dabei befolgten Grundsätze erläuterte, sondern sie auch gegen seine Kritiker aus dem gegnerischen Lager und die Besserwisser, die »Meister Klüglinge«, verteidigte. Wenn er in der ersten, seinem geradezu klassischen »Sendbrief vom Dolmetschen«[359]), den er im Spätsommer 1530 gegen Schluß seines Coburgaufenthaltes abfaßte, als Belege ausschließlich Zitate aus dem Neuen Testament und dem Propheten Daniel verwandte, so hängt diese Tatsache mit der im Vorjahr im Zusammenwirken mit Melanchthon veranstalteten gründlichen Revision des Neuen Testamentes und seiner in unmittelbarem Anschluß daran entstandenen Daniel-Übertragung[360]) zusammen. Seine zweite bereits 1531 begonnene, aber erst zwei Jahre später vollendete Schrift, »Summarien über die Psalmen und Ursachen des Dolmetschens«[361]), bezieht sich ausschließlich auf seine im Frühjahr 1531 in Kommissionssitzungen revidierte Psalmenübersetzung[362]); hier erläutert er – in heftiger Polemik gegen die »Rabbinen« – an Hand zahlreicher Einzelbeispiele die Gründe, die ihn jeweils zu dieser oder jener Entscheidung veranlaßt hatten.

Luthers Textvorlagen und Hilfsmittel

Was nun Luthers Vorlagen und Hilfsmittel bei seiner Übersetzung anlangt, so fußte er zwar von Anbeginn an in erster Linie auf den biblischen

und den Gruß also verdeutschen: ›Gott grüße dich, du liebe Maria‹ (denn soviel will der Engel sagen, und so würde er geredt haben, wann er hätte wollen sie deutsch grüßen), ich halt, sie sollten sich wohl selbs[t] erhenkt haben für großer Andacht zu der lieben Maria, daß ich den Gruß so zunichte gemacht hätte« (WA Bd. $30^{II}$, S. 638, 13–26 [= Anhang unten S. 427*, 4–17]; vgl. auch Bd. 47, S. 703, 7–11).

357 Vgl. auch WA Bibel Bd. 3, S. XLIV.

358 Vgl. das Register WA Bd. 58, S. 75–79.

359 WA Bd. $30^{II}$, S. 632–640 = Anhang unten S. 242* bis 249*.

360 Vgl. oben S. 84*f. und 73*.

361 WA Bd. 38, S. 9–17 = Anhang unten S. 250*–257*.

362 Vgl. oben S. 88*f.

Grundtexten im Sinne der Losung der Humanisten: »Ad fontes!«, d. h. »Zurück zu den Quellen!«, aber bei dem Alten Testament zog er daneben angesichts des damals noch sehr niedrigen Standes der hebräischen Sprachwissenschaft zusätzlich auch die Vulgata heran; von deren Einfluß machte er sich jedoch in Anbetracht ihrer Unzulänglichkeit im Laufe der Zeit, je geläufiger ihm das Hebräische wurde, immer freier. Hinsichtlich der lange umstrittenen Frage, ob der Reformator überhaupt und gegebenenfalls in welchem Umfange er sowohl für das Alte wie auch für das Neue Testament die mittelalterliche deutsche gedruckte Bibel benutzt hat, dürfte nunmehr im wesentlichen dahin geklärt sein, daß im Alten Testament gar kein Einfluß dieses Textes – auch nicht in seiner modernisierten Form von 1475 – nachweisbar und im Neuen ein solcher außerordentlich fraglich ist. Dagegen hat sich mittlerweile in zunehmenden Maße die Erkenntnis Bahn gebrochen, daß Luther in einer – weit über den Rahmen jener einen mittelalterlichen Textfamilie hinausgehenden – jahrhundertealten deutschen Übersetzungstradition stand und von ihr in seinem Schaffen befruchtet wurde. Da es sich aber dabei vielfach nur um eine mündliche Tradition, wie sie vor allem in Predigten erfolgte, handelt, tritt sie für uns naturgemäß im Einzelnen mehr zufällig zutage, als daß sie in ihrer ganzen Breite systematisch nachweisbar wäre.[363]) Konnte dem Reformator die

363 Nachdem Gustav Roethe (zuerst 1922 in einem ungedruckt gebliebenen Berliner Akademievortrag und dann) 1923 im Luther-Jahrbuch Bd. 5, S. 11–13 (= Deutsche Reden [Berlin o. J.], S. 191–193) die Auffassung vertreten hatte, ein Exemplar der von Zainer ca. 1475 erneuerten mittelalterlichen deutschen Bibel (über diese vgl. oben S. 38*) oder »irgendein Ausläufer dieser Redaktion« habe dem Reformator bei seiner Übersetzungsarbeit des Neuen Testamentes auf der Wartburg im Winter 1521/22 – in besonders starkem Maße bei der Offenbarung Johannis – »in Reichweite« gelegen, um »diese Vorarbeit zu Rate und zur Selbstprüfung heranzuziehen«, bemühte sich Albert Freitag in verschiedenen Veröffentlichungen, diese These unter gleichzeitiger Einbeziehung des Alten Testamentes zu erhärten (Die Zainerbibel als Quelle der Lutherbibel [Theologische Studien und Kritiken Bd. 100 (1928), S. 444–454]; Die Urschrift der Lutherbibel als Dokument für Luthers Benutzung der deutschen Bibel des Mittelalters [Sitzungsberichte der Preußischen Akademie der Wissenschaften, phil.-hist. Kl. 1929, S. 216–237]; Luthers Benutzung der deutschen Bibel

schwerfällige, von der Vulgata sklavisch abhängige gedruckte deutsche Bibel des Mittelalters keine irgendwie geartete Hilfe darbieten – bei leichten erzählenden Texten bedurfte er ihrer gar nicht, und bei schwierigen wie etwa bei den Paulusbriefen versagte sie völlig –, so verschmähte er andererseits keineswegs, dort Rat und Hilfe zu suchen, wo sie sich ihm wirklich darboten. War es bei dem Neuen Testament die mit textkritischen Anmerkungen (»Annotationes«) verbundene lateinische Erasmus-Übersetzung[364]), so benutzte er bei dem Alten Testament die gleichfalls zeitgenössischen lateinischen Übertragungen, wie sie der gelehrte italienische Augustinermönch Felix Pratensis 1515 vom Psalter[365]) sowie der Lyoner Dominikaner Santes Pagninus 1528 und der Baseler Hebraist Sebastian Münster 1534/35 von der ganzen Bibel bzw. dem Alten Testament veröffentlichten[366]); dazu kam auch noch die von den beiden oberdeutschen Spiritualisten Ludwig Hetzer und Hans Denck 1527 erstmals auf Grund des hebräi-

des Mittelalters [Zainerbibel] [WA Bibel Bd. 6 (1929), S. 595 bis 637]; Erörterung des Verhältnisses von Lutherbibel und Zainerbibel [ebd. Bd. 7 (1931), S. 545–660]). Diese Beweisführung wurde jedoch von der Wissenschaft allgemein als nicht stichhaltig abgelehnt; vgl. E. Hirsch, Lutherbibel und Zainerbibel (Allgemeine Evangelisch-Lutherische Kirchenzeitung Bd. 61 [1928], Sp. 1125–1131 [= E. Hirsch, Lutherstudien Bd. 2 (Gütersloh 1954), S. 261–273]); G. Bruchmann, Luthers Bibelverdeutschung auf der Wartburg in ihrem Verhältnis zu den mittelalterlichen Übersetzungen (Luther-Jahrbuch Bd. 18 [1936], S. 47–82 [mehr nicht erschienen]); H. Bornkamm, Die Vorlagen zu Luthers Übersetzung des Neuen Testaments (Theologische Literaturzeitung Bd. 72 [1947], Sp. 26–28]; A. Schirokauer, Sie brachten auch junge Kindlein zu ihm (Zeitschrift für deutsches Altertum Bd. 85 [1954/55], S. 77); H. Bornkamm, Luthers geistige Welt [3. Aufl. Gütersloh 1959], S. 267f.).

364 Vgl. oben S. 52*.

365 Über Felix Pratensis und seinen Psalter vgl. WA Bibel Bd. 10$^{II}$, S. 303 und Anm. 49.

366 Zu den Übersetzungen von Pagninus (Veteris et Novi Testamenti nova translatio [Lyon 1527]) und Münster (vgl. K.H. Burmeister, Sebastian Münster. Eine Bibliographie [Wiesbaden 1964], S. 97–99 Nr. 119) vgl. WA Bibel Bd. 11$^{I}$, S. 394f. Anm. 3 sowie Luthers Urteile über Münster in WA Tischreden Bd. 3, S. 362, 12–363, 8; 619, 25–40; Bd. 4, S. 478, 40–43; 608, 2. 19–609, 3; Bd. 5, S. 330, 30–32; 414, 9–12; Bibel Bd. 11$^{II}$, S. CXLVIII und 265 (App. zu Jona zu Gl. 2,5); über Münster und Pagninus vgl. WA Bd. 43, S. 660, 26–29; Bd. 53, S. 647, 27–33; Briefe Bd. 8, S. 176, 20–22 nebst Anm. 3; Tischreden Bd. 5, S. 220, 10f. 24f.; über Pagninus vgl. auch WA Bd. 42, S. 219, 16–18.

schen Urtextes veranstaltete, recht gut gelungene deutsche Prophetenübersetzung, die sogenannten »Wormser Propheten«.[367]) Ebenso bedeutsam war ihm aber auch die persönliche Unterstützung, die er seinen gelehrten und sprachkundigen Mitarbeitern und »Gehilfen« verdankte. Mochte der Reformator in fremdsprachigen philologischen Einzelkenntnissen einem Melanchthon oder Aurogallus oder anderen zeitgenössischen Fachgelehrten unterlegen sein[368]), so verfügte er andererseits über ein einzigartiges Sprachgefühl, das ihn im hebräischen Text häufig auch dort, wo der damaligen Zeit bei ihren (vom heutigen Standpunkt aus gesehen) primitiven Hilfsmitteln noch der Schlüssel der vergleichenden semitischen Sprachforschung fehlte, intuitiv das Richtige treffen ließ. Sein Vorgehen an schwierigen Stellen erläuterte er einmal folgendermaßen[369]): »Ich habe durch Vergleichung verschiedener Stellen[370]) mehr hebräisch gelernt als durch strenges Beobachten der Grammatik. Ich bin kein Hebräer, was die Grammatik anbetrifft, will auch keiner sein, weil ich mich nicht durch Regeln binden lassen will, sondern ich bewege mich frei in dieser Sprache«.

Die Lutherbibel als Kunstwerk

Als wahrhafter Dichter verstand es der Reformator geradezu meisterhaft, sich dem Stil seiner jeweiligen Übersetzungsvorlage anzupassen. Wenn er auch noch nichts von einem Versmaß der hebräischen Psalmendichtung wußte, so spürte er doch intuitiv, daß es sich dabei um Gedichte handelte, die er – unter öfterer Verwendung des (von ihm auch sonst häufig benutzten) altüber-

367 Vgl. oben S. 76* und Anm. 158.

368 Vgl. Luthers Tischredenäußerung: »Si ego haberem copiam [*Wortfülle*] Erasmi, Graeca Ioachimi [*der mit Melanchthon eng befreundete Humanist Joachim Camerarius*], Forstemii [*der Hebraist Johann Forster*] Hebraea et essem minor [*jünger*], wie wollt ich arbeiten!« (WA Bd. 48, S. 448, 10f.).

369 Tischrede vom 9. August 1532: »ego collatione lectionum plus Hebraea didici quam grammatica observatione ... Ego nullus sum Hebraeus grammatice et regulariter, quia nullis patior me vinculis constringi, sed libere versor« (WA Tischreden Bd. 3, S. 244, 8f. 12–14; deutsche Übersetzung Aurifabers ebd. Bd. 1, S. 525, 14f. 21f.).

370 Vgl. eine derartige eigenhändige Zusammenstellung Luthers auf einem (jetzt verschollenen) fragmentarischen Präparationszettel zu 1. Mos. 45,26 (Theologische Studien und Kritiken Bd. 100 [1928], S. 195f. und WA Bd. 44, S. 631, 25–632, 23); vgl. auch WA Bd. 43, S. 332, 30–333, 4; Bibel Bd. 3, S. 98, 34–99, 1 und Anm. 1.

kommenen Stilmittels der Alliteration[371]) – dementsprechend auch im Deutschen behandelte und in freien Rhythmen wiedergab, wobei jede Silbe (einschließlich des tonlosen ›e‹) wohlberechnet ist. Ein treffliches Beispiel liefert der 90. Psalm[372]):

»HERR Gott, du bist unser Zuflucht
Für und für.
Ehe denn die Berge worden und die Erde und die Welt geschaffen wurde,
Bist du, Gott, von Ewigkeit in Ewigkeit,
Der du die Menschen lässest sterben und sprichst:
Kommt wieder, Menschenkinder.
Denn tausend Jahr sind für dir wie der Tag, der gestern vergangen ist,
Und wie eine Nachtwache.
Du lässest sie dahin fahren wie einen Strom und sind wie ein Schlaf,
Gleich wie ein Gras, das doch balde welk wird,
Das da frühe blühet und bald welk wird
Und des Abends abgehauen wird und verdorret.
Das machet dein Zorn, daß wir so vergehen,

371 Vgl. z.B. Ps. 8,2: »*H*ERR unser *H*erscher, wie *h*errlich ist dein name«; Ps. 23,1.2.4.6: »Der *H*ERR ist mein *h*irte«; »*f*üret mich zum *f*risschen wasser«; »Dein *st*ecken und *st*ab«; »im *h*ause des *H*ERRN«; Ps. 24,4: »Der unschuldige *h*ende *h*at und reines *h*ertzen ist, der nicht *l*ust hat zu *l*oser *l*ere«; Ps. 111,9: »*H*eilig und *h*eh(e)r ist sein name«; Ps. 113,4: »Der *H*ERR ist *h*och über alle *H*eiden«; Ps. 116,19: »Inn den *h*öfen am *h*ause des *H*ERRN«. – Aber auch in andern biblischen Büchern benutzte Luther häufig die Alliteration; vgl. z.B. Richt. 19,22: »*b*öse *B*uben«; Hiob 11,11: »*l*osen *L*eute«; Pred. 5,7: »es ist noch ein *h*oher *H*üter über den *H*ohen, und sind noch *H*öher über die beide«; Hes. 26,10: »fur dem getümel seiner *R*ossen, *r*eder und *R*euter«; Hes. 32,21: »Davon werden sagen in der *H*elle die starcken *H*elden mit iren Ge*h*ülffen, die alle *h*inunter gefaren sind«; Joel 2,4: »Sie sind gestalt[et] wie *R*osse und *r*ennen wie die *R*euter«; Sir. 21,5: »von *H*aus und *h*ofe«; Matth. 5,16: »*l*asst ewer *L*iecht *l*euchten fur den *L*euten«; Apg. 4,13: »unge*l*erte *L*eute und *L*eien«.

Ein weiteres Stilmittel sind die durch Reim verbundenen Wörter wie: »schlecht und recht« (Ps. 25,21), »Rat und That« (Spr. Sal. 8,14); »Grewel und Schewel« (Hes. 7,20; 11,18 u. 21); »singen und klingen« (Sir. 39,20); auch Pred. 12,6: »Ehe denn ... der Eimer zuleche [*Risse bekomme*] am Born und das Rad zubreche am Born«; Jes. 7,9: »Gleubt ir nicht, So bleibt ir nicht« (vgl. dazu WA Bd. 48, S. 96 [Nr. 127] Anm. 4); Joh. 16,12: »Ich habe euch noch viel zu sagen, Aber ir könnet's itzt nicht tragen«.

Zum Ganzen vgl. G.W. Hopf, Alliteration, Assonanz, Reim in der Bibel. Ein neuer Beitrag zur Würdigung der Luther'schen Bibelverdeutschung (Erlangen 1883).

372 WA Bibel Bd. 10^I, S. 401/403 v. 1–10.

Und dein Grimm, daß wir so plötzlich dahin müssen.
Denn unser Missetat stellest du für dich,
Unser unerkannte Sünde ins Licht für deinem Angesichte.
Darum fahren alle unser Tage dahin durch deinen Zorn,
Wir bringen unser Jahre zu wie ein Geschwätz.
Unser Leben währet siebenzig Jahr, wenn's hoch kommt, so sind's achtzig Jahr,
Und wenn's köstlich gewesen ist, so ist's Mühe und Arbeit gewesen,
Denn es fähret schnell dahin, als flögen wir davon«.

Ein von Luther bei feierlicher Rede häufig angewandtes weiteres Stilmittel bildet die Voranziehung des Verbs.[372a]) Beispielsweise lauten im Gespräch mit Nikodemus die Worte Christi: »Wahrlich, wahrlich ich sage dir, es sei denn, daß jemand geboren werde aus dem Wasser und Geist, so kann er nicht in das Reich Gottes kommen« (Joh. 3,5), oder es heißt bei der Bestellung der sieben Almosenpfleger: »Darum, ihr lieben Brüder, sehet unter euch nach sieben Männern, ... welche wir bestellen mügen zu dieser Notdurft. Wir aber wollen anhalten am Gebet und am Amt des Worts« (Apg. 6,3 f.).

Alle von außen kommenden Hilfen, wie sie dem Reformator von seiten seiner gelehrten Freunde – sei es bei der gemeinsamen Durchsicht des jeweiligen Übersetzungsmanuskriptes, sei es bei den verschiedenen Revisionsunternehmen – zuteil wurden, vermögen, so bedeutsam sie auch im Einzelnen waren, in keiner Weise die Tatsache zu schmälern, daß die Bibelübersetzung – aufs Ganze gesehen – doch sein ureigenstes Werk darstellt. Seine überragende Sprachkunst wie auch seine hohe dichterische Begabung waren es, die jener eine besondere und einmalige Prägung verliehen, der gegenüber alle zeitgenössischen gleichartigen Versuche[373]) verblassen mußten, und keine einzige

372a Vgl. dazu E. Hirsch, Lutherstudien Bd. 2 (Gütersloh 1954), S. 258–260.

373 Vgl. dazu W. Walther, Die ersten Konkurrenten des Bibelübersetzers Luther (Leipzig 1917). Über die Züricher Bibel, die – zunächst von Luther abhängig – vor allem infolge des Abendmahlsstreites ihre eigenen Wege ging, vgl. J. J. Mezger, Geschichte der Deutschen Bibelübersetzungen

von ihnen erwies sich als so lebenskräftig wie die die Jahrhunderte überdauernde, auch durch keine spätere Übertragung auch nur entfernt erreichte Lutherbibel. Man darf daher wohl mit Fug und Recht sagen, daß es in der gesamten Weltliteratur kein einziges Beispiel dafür gibt, daß ein aus so ferner Zeit und aus einem so völlig anders gearteten Kulturkreis stammendes Werk wie die Bibel eine derart vollkommene Übersetzung erfahren hat, daß es ein für allemal zu der klassischen Literatur desjenigen Volkes, in dessen Sprache es übertragen ist, gehört.

## Die Verbreitung der Lutherbibel und deren Auswirkung.

Dje Aufnahme der Lutherbibel

In einem unaufhaltsamen Siegeszug fand Luthers Bibelübersetzung bei allen Schichten des deutschen Volkes Eingang. Wie stark der Einfluß dieser Verdeutschung schon in den allerersten Jahren nach ihrem Erscheinen war, zeigt beispielsweise die Tatsache, daß von den 455 im Hinblick auf diese Frage untersuchten reformationsfreundlichen wie auch gegnerischen deutschen Flugschriften, die in den Jahren 1523/25 veröffentlicht wurden, in nicht weniger als 287 – d.h. in fast zwei Dritteln – die Bibelstellen in Luthers Fassung zitiert sind[374]); daß sich auch die Altgläubigen notgedrungen der Verdeutschung des ketzerischen Mönches bedienten, darf angesichts der übergroßen Mängel der vorlutherischen Übersetzung nicht wundernehmen – erklärte doch selbst der katholische Geistliche Hieronymus Emser im Jahre 1523, daß des Reformators Arbeit im Vergleich zu jener alten Bibelübertragung »etwas zierlicher und süßlautender« sei, »derhalben auch das gemein Volk mehr Lust hat, darin zu le-

in der schweizerisch-reformirten Kirche von der Reformation bis zur Gegenwart (Basel 1876); J.C. Gasser, Vierhundert Jahre Zwingli-Bibel 1524–1924 (Zürich 1924); W. Hadorn, Die deutsche Bibel in der Schweiz (Frauenfeld-Leipzig 1925); P.H. Vogel, Europäische Bibeldrucke des 15. und 16. Jahrhunderts in den Volkssprachen, S. 47–51.

374 Vgl. die Untersuchung von H. Zerener, Studien über das beginnende Eindringen der Lutherischen Bibelübersetzung in die deutsche Literatur nebst einem Verzeichnis über 681 Drucke – hauptsächlich Flugschriften – der Jahre 1522–1525 (Leipzig 1911).

sen, und unter den süßen Worten den Angel schluckt, ehe sie des gewahr werden«.[375]) Auch Johannes Cochläus, einer der heftigsten Luther- und Reformationsgegner, mußte sich – wenn auch widerwillig – zu dem Eingeständnis bequemen[376]): »Luthers Neues Testament wurde durch die Buchdrucker dermaßen gemehrt und in so großer Anzahl ausgesprengt, also daß auch Schneider und Schuster, ja Weiber und andere einfältige Laien, soviel deren dies neue lutherische Evangelium angenommen, wenn sie auch nur ein wenig Deutsch auf einem Pfefferkuche lesen gelernt hatten, dieses gleich als einen Bronnen aller Wahrheit mit höchster Begierde lasen. Etliche trugen dasselbe mit sich im Busen herum und lernten es auswendig«. Cochläus' Worte über die begeisterte Aufnahme und außerordentlich starke Verbreitung der Lutherübersetzung – zunächst in Gestalt von Teilausgaben und Separatdrucken einzelner biblischer Bücher sowie dann seit 1534 auch der Vollbibeln – werden vollauf bestätigt durch die große Zahl der zu des Reformators Lebzeiten in Wittenberg erschienenen Ausgaben und der diese noch um ein Mehrfaches übersteigenden Menge auswärtiger Nachdrucke.

Druck und Verbreitung der Lutherbibel bis 1546

In Wittenberg kamen bis zu Luthers Tod in dem Vierteljahrhundert von 1522 bis 1546 neben 10 Vollbibeln etwa 80 hochdeutsche biblische Teil- und Separatausgaben heraus[377]), denen im gleichen Zeitraum insgesamt rund 260 auswärtige Nachdrucke gegenüberstanden. Bei der Herstellung der letzteren spielte – ebenso wie bereits bei dem Druck der vorlutherischen deutschen Bibelübersetzung während der Jahre 1475/1518 – die Stadt Augsburg (gefolgt von Straßburg, Nürnberg und [allerdings nur bis 1526] Basel) die führende Rolle, während im mitteldeutschen Raum die beiden Städte Erfurt und Leipzig im Hinblick

375 H. Emser, Auß was grund vnnd vrsach Luthers dolmatschung vber das nawe testament dem gemeinen man billich vorbotten worden sey (Leipzig 1523), Bl. 157b.

376 J. Cochläus, Commentaria de Actis et Scriptis Martini Lutheri Saxonis (Mainz 1549), S. 55; in deutscher Übersetzung bei K. Kaulfuß-Diesch, Das Buch der Reformation. Geschrieben von Mitlebenden (5. Aufl. Leipzig 1917), S. 309.

377 Vgl. Volz, Hundert Jahre Wittenberger Bibeldruck, S. 149–151.

auf den (dort zahlenmäßig allerdings weit geringeren) Nachdruck an der Spitze standen. Innerhalb der Jahre 1522/46 stellt, was die Menge der biblischen Nachdrucke anlangt, das in dieser Beziehung weder vor- noch nachher erreichte Jahr 1524 mit nicht weniger als 37 (gegenüber nur 7 Wittenberger Drucken) einen absoluten Höhepunkt dar[378]). Außerdem kamen während jenes Vierteljahrhunderts im mittel- und niederdeutschen Raum (neben Wittenberg vor allem in Erfurt und Magdeburg), ohne daß Luther jedoch an ihnen unmittelbar beteiligt war, 5 Vollbibeln und etwa 90 Einzelausgaben in niederdeutscher Sprache heraus[379]) – war diese doch im 16. Jahrhundert noch durchaus eine eigenständige Literatursprache.

Außer in diesen hohen Absatzzahlen dokumentiert sich Luthers überragende Leistung als Übersetzer in der erstaunlichen Tatsache, daß seine Gegner – katholische Theologen wie Hieronymus Emser (1527) und Johann Dietenberger (1534) sowie (wenn auch nur indirekt auf dem Weg über Emsers Verdeutschung) Johann Eck (1537) – seiner Übersetzung nichts eigenes Gleichwertiges entgegenzustellen vermochten und sie daher (mit Korrekturen auf Grund des Vulgatatextes) mehr oder minder wörtlich übernahmen.[380])

378 Vgl. H. Volz, Die Druckorte der Bibelübersetzung Luthers von 1522 bis 1546 (Deutscher Kulturatlas Bd. 3, Karte 236a); E. Zimmermann, Die Verbreitung der Lutherbibel zur Reformationszeit (in: Luther. Vierteljahrsschrift der Luthergesellschaft Bd. 16 [1934], S. 81–87); dens., Zur Bibliographie der Lutherbibel (in: 4. Bericht des Deutschen Bibel-Archivs Hamburg [Potsdam 1934], S. 11–13). Die von P. Pietsch in der Weimarer Lutherausgabe Bibel Bd. 2 (1909), S. 201–727 erstellte ausführliche Bibliographie der hochdeutschen biblischen Drucke der Jahre 1522–1546 ist in Einzelheiten ergänzt und berichtigt von O. Albrecht und H. Volz in den Einleitungen zu den Bibelbänden 7–12 (1931–1961).

379 Für die niederdeutschen biblischen Drucke bis 1546 vgl. vorläufig C. Borchling und B. Claußen, Niederdeutsche Bibliographie Bd. 1 und 2 (Neumünster 1931/36) nebst den Nachträgen in Bd. 3$^{1}$ (ebd. 1957) sowie P.H. Vogel, Europäische Bibeldrucke des 15. und 16. Jahrhunderts in den Volkssprachen (Baden-Baden 1962), S. 36f. und 40 (Ausgaben der Vollbibel und des Neuen Testaments bis 1546). Eine vervollständigte, ausführliche Bibliographie der niederdeutschen biblischen Drucke bis 1546 wird der in Arbeit befindliche WA-Nachtragsband 59 enthalten.

380 Vgl. dazu Vogel a.a.O., S. 42–45 und J. Erben, Luther und die neuhochdeutsche Schriftsprache (in: F. Mau-

Luthers Sirachverdeutschung von 1533 erlebte aber nicht nur wegen der Schwerverständlichkeit des Vulgatatextes eine von dem Wittenberger Theologen Justus Jonas im Jahr 1538 veranstaltete, für Schulzwecke wie auch für Ausländer bestimmte und häufig wieder aufgelegte lateinische Übersetzung[381]), sondern jene wurde außerdem – ebenso wie des Reformators Übertragung der Weisheit Salomonis – vom dänischen Theologen Peter Tidemand 1541 in das Dänische übersetzt.[382]) Auch sonst wirkte die Lutherbibel weit über die deutschen Grenzen hinaus, als sie damals (neben den Urtexten oder der Vulgata oder der Erasmusübersetzung des Neuen Testamentes) Übertragungen in fremde Landessprachen zugrundegelegt bzw. bei ihnen mitbenutzt wurde.[383])

Druck der Lutherbibel nach 1546

Die große Nachfrage nach Luthers Bibelübersetzung brach aber keineswegs mit seinem Tode ab, sondern bis 1626 erschienen allein in Wittenberg, das für ein volles Jahrhundert den Mittelpunkt des deutschen Bibeldruckes bildete, noch weitere 75 hochdeutsche Bibeln, so daß man die Zahl der dort insgesamt hergestellten und bis nach Krain und Kärnten gelieferten Bibeln auf rund 200000 Exemplare schätzen darf.[384]) Dazu kamen noch die vielen Wittenberger Einzelausgaben – neben denen des Neuen Testamentes und des Psalters auch die der im 16. Jahrhundert sehr beliebten biblischen Spruchsammlungen der Sprüche Salomonis und des Jesus Sirach.[385]) Zu erwähnen ist aber auch die Masse damaliger aus-

rer und F. Stroh, Deutsche Wortgeschichte [2. Aufl. Berlin 1959], S. 477–480). Zu Eck vgl. H. Volz, Vom Spätmittelhochdeutschen zum Frühneuhochdeutschen (Tübingen 1963), S. XX–XXIII; zu Emsers Plagiat vgl. oben S. 84* und Anm. 189 sowie Volz, Hundert Jahre Wittenberger Bibeldruck, S. 40 und Anm. 122.

381 Vgl. WA Bibel Bd. 12, S. XXXVIII–XLIII und Anm. 55.

382 Vgl. WA Bibel Bd. 12, S. XXX Anm. 33.

383 Vgl. dazu Vogel a. a. O., S. 55 ff. und Erben a. a. O., S. 485 f.

384 Vgl. Volz, Hundert Jahre Wittenberger Bibeldruck, S. 135 und 153–167; über die Wittenberger niederdeutschen Ausgaben der Bibel und des Neuen Testamentes aus der zweiten Hälfte des 16. Jahrhunderts vgl. ebd. S. 168 und Vogel a. a. O., S. 35 und 38 f.

385 Über Wittenberger Sirach-Ausgaben nach 1546 vgl. WA Bibel Bd. 12, S. XXXIV Anm. 52.

wärtiger Nachdrucke[386]) – bildete doch für zahllose Familien jener Zeit und auch noch späterer Jahrhunderte die (dann vielfach als kostbarer Besitz von Generation zu Generation vererbte) Bibel oder wenigstens das Neue Testament und der Psalter neben Katechismus und Gesangbuch den einzigen Lesestoff. War die Führung im deutschen Bibeldruck nach 1626 von Wittenberg zunächst an Lüneburg, Nürnberg und Frankfurt a. M. übergegangen[387]), so erzielte dann die 1710 gegründete Cansteinsche Bibelanstalt in Halle, die durch Verzicht auf privaten Gewinn und durch Einführung des Stehsatzes den Kaufpreis für eine Bibel entscheidend senken konnte, eine weitere Absatzsteigerung[388]), durch die dann die infolge ihres bisherigen hohen Preises für viele noch unerschwingliche vollständige Lutherbibel erst zu einem wirklichen Volksbuch wurde.

Einfluß von Luthers Bibelsprache

Wie tief die Bibel im deutschen Volksleben wurzelte, bezeugen eindrucksvoll nicht nur die vielen – besonders gerne dem Psalter oder den Spruchsammlungen Salomonis und Jesus Sirachs entnommenen – Inschriften an alten Fachwerkhäusern, sondern auch die überaus zahlreichen »geflügelten Worte«, die aus der Lutherübersetzung herrühren, ohne daß man sich bei vielen dieser Wendungen überhaupt noch ihres biblischen Ursprunges bewußt ist – so etwa, wenn man von einem »Dorn im Auge« (4. Mos. 33,55), von »krummen Wegen« (Richt. 5,6), vom »Fallstrick« (Luk. 21,35), von »einem Herz und einer Seele« (Apg. 4,32), von »dienstbaren Geistern« (Hebr. 1,14) oder von einem »Buch mit sieben Siegeln« (Off. 5,1) spricht oder »sich einen Namen macht« (1. Mos. 11,4), »im Dunkeln tappt« (5. Mos. 28,29), »sein Herz ausschüttet« (1. Sam. 1,15), »seine Hände in Unschuld wäscht« (Ps. 26,6)

386 Über auswärtige hochdeutsche Bibeldrucke vgl. G. W. Panzer, Entwurf einer vollständigen Geschichte der deutschen Bibelübersezung D. Martin Luthers vom Jahr 1517 an, bis 1581 (2. Aufl. Nürnberg 1791), S. 464–512; Vogel a.a.O., S. 27 und 31; speziell über die Frankfurter Nachdrucke vgl. Volz, Hundert Jahre Wittenberger Bibeldruck, S. 99–104. Über auswärtige niederdeutsche Ausgaben der Bibel und des Neuen Testamentes nach 1546 vgl. Vogel a.a.O., S. 35 und 38–41.

387 Vgl. Volz, Hundert Jahre Wittenberger Bibeldruck, S. 136–140.

388 Vgl. ebd. S. 140f.

jemanden »auf Händen trägt« (Ps. 91,12), »den Staub von den Füßen schüttelt« (Matth. 10,14) oder »die Schale des Zornes ausgießt« (Off. 16,1).

Beträchtlich ist aber auch die Zahl der evangelischen Kirchenlieder, die auf Worten der Lutherbibel fußen; so liegt beispielsweise dem Liede: »Macht hoch die Tür, das Tor macht weit« der 24. Psalm, Paul Gerhardts »Befiehl du deine Wege« Ps. 37 v. 5, dem Choral: »Nun danket alle Gott« Sir. Kap. 50 und dem von Luthers Zeitgenossen Hermann Bonnus gedichteten Lied: »Mein Seel, o Herr, muß loben dich« der Lobgesang Mariä in Luk. 1,46–55 zugrunde.[389])

Abgesehen vom religiösen Leben des deutschen Volkes wurde aber auch dessen Sprache von der Lutherbibel, die sich gegenüber aller staatlichen Zersplitterung in den vergangenen Jahrhunderten als einigendes sprachliches Band bewährte, nachhaltig beeinflußt. Hat man auch das früher sehr beliebte und weit verbreitete Schlagwort von Luther als dem »Schöpfer der neuhochdeutschen Schriftsprache« als den tatsächlichen Verhältnissen nicht entsprechend schon seit langem fallen lassen, so bleibt doch die Tatsache unerschüttert bestehen, daß der Reformator einen wesentlichen Faktor im Bildungsprozeß unserer Schriftsprache darstellt. Keines seiner vielen sonstigen schriftstellerischen Werke hat aber in dieser Hinsicht auch nur entfernt einen so starken und nachhaltigen Einfluß auf Zeitgenossen und Nachwelt ausgeübt wie gerade seine Bibelübersetzung; daher ist es auch durchaus kein Zufall, daß die dortige Verwendung mancher eigenen Wortprägung (»Denkzettel« [Matth, 23,5]; »Feuereifer« [Hebr. 10,27]; »gottselig« [Apg. 10,2 u. ö.]; »Gottseligkeit« [1. Tim. 2,2]; »Rüstzeug« [Apg. 9, 15]; »Schauplatz« [Apg. 19,29.31] = sämtlich aus dem Septembertestament von 1522) oder aber einer von ihm gewählten Wortform mittel- oder niederdeutscher Herkunft (wie »beben, fühlen, haschen, tadeln, täuschen. – Almosen, Hain, Hügel, Kahn, Kehrich[t], Kot, Lippe, Motte, Peitsche, Schleuder, Splitter, Stoppel, Stufe. – bange, fett, lüstern«) entscheidend zu deren Einbürgerung in die neuhochdeutsche Schriftsprache

389 Evangelisches Kirchengesangbuch, Nr. 6. 294. 228. 200.

und den gemeindeutschen Sprachschatz beigetragen hat.[390]) In diesen fand aber auch die Umprägung des (ursprünglich »Berufung« bedeutenden) Wortes »Beruf« (1. Kor. 7,20) Aufnahme, dem Luther einen ganz neuen, nunmehr auf den Laien bezogenen religiösen Inhalt gegeben hatte: in der Arbeit des Berufes Gott wohlgefällig leben.[391]) Auf einen Einfluß der Lutherbibel ist es aber auch zurückzuführen, daß seit der Reformationszeit in evangelischen Gebieten bei den Vornamen an die Stelle katholischer Heiligennamen alttestamentliche Namen (wie Daniel, David, Jesajas, Jeremias, Joel, Jonas, Tobias u.a.) traten.

Luthers meisterhafte Beherrschung der deutschen Sprache, wie sie in seiner Bibelübersetzung zutage tritt, war dann auch für den Grammatiker Johann Clajus (1535/92) die Veranlassung, seiner 1578 in lateinischer Sprache erschienenen deutschen Grammatik (»Grammatica germanicae linguae«) die Lutherbibel von 1545, die er im Verein mit dessen Schriften als unbedingtes sprachliches Vorbild hinstellte, zugrundezulegen. »Die deutsche Sprache«, so heißt es in seinem Vorwort[392]), »brachte ich in diesem Buche in grammatische Regeln, geschöpft aus der Bibel und anderen Büchern Luthers, die mir nicht als Schriften eines Menschen, sondern vielmehr als des heiligen Geistes, der durch Menschen geredet hat, erschienen, und ich halte dafür, daß der heilige Geist, der durch Moses und die übrigen Propheten rein hebräisch und durch die Apostel griechisch geredet hat, auch deutsch gesprochen hat durch sein auserwähltes Werkzeug Martin Luther. Es wäre sonst nicht möglich gewesen, daß ein Mensch so rein, so eigentümlich und fein hätte reden können ohne jemandes Anleitung und Hilfe, da unsere deutsche Sprache für so schwer und allen grammatischen Regeln widerstrebend gehalten wird.«

390 Vgl. dazu Erben a.a.O., S. 472–477.

391 Vgl. K. Holl, Gesammelte Aufsätze zur Kirchengeschichte Bd. 3 (Tübingen 1928), S. 217; zu der Wandlung des Begriffs: »Arbeit« (ursprünglich = Mühsal) vgl. Luther-Jahrbuch Bd. 13 (1931), S. 83–113, bes. 101 ff.

392 Vgl. Luther. Vierteljahrsschrift der Luthergesellschaft Bd. 16 (1934), S. 74.

## ZEITTAFEL ZU LUTHERS BIBELÜBERSETZUNG.

| | |
|---|---|
| *1517* | |
| April | Als erste biblische Übersetzung Luthers erscheinen »Die sieben Bußpsalmen mit deutscher Auslegung« (Wittenberg, Johann Rhau-Grunenberg). |
| *1518* | |
| 27. Januar | Erscheinen des letzten hochdeutschen vorlutherischen Bibeldrucks (Augsburg, Silvan Otmar). |
| *1521* | |
| Mitte Dezember | Nach seinem kurzen Besuch in Wittenberg beginnt Luther auf der Wartburg auf Melanchthons Anregung die Übersetzung des Neuen Testamentes aus dem Urtext. |
| *1522* | |
| 6. März | Luther kehrt mit der fertigen Niederschrift seiner Übersetzung des Neuen Testamentes nach Wittenberg zurück; anschließend gemeinsame Manuskriptdurchsicht mit Melanchthon. |
| Mai | Beginn der Drucklegung des Neuen Testamentes. |
| Sommer | Luther beginnt mit der Übersetzung des Alten Testamentes aus dem Urtext, deren erste Niederschrift er anschließend mit Melanchthon und dem Hebraisten Aurogallus einer genauen Durchsicht unterzieht. |
| ca. 21. September | Erscheinen des »Newen Testaments Deutzsch« (Septembertestament) (Wittenberg, Melchior Lotther d. J.). – In den Jahren 1522/46 erscheinen in Wittenberg 21 Drucke des Neuen Testamentes. |
| Dezember | Erscheinen der zweiten, bereits von Luther verbesserten Auflage des Septembertestamentes (Dezembertestament). Erscheinen des ersten (Baseler) Nachdruckes (Adam Petri) des Neuen Testamentes. – Im Jahr 1522 kommen in Basel (7), Augsburg (3), Grimma und Leipzig (je 1) insgesamt 12 Nachdrucke heraus. |
| *1523* | |
| ca. Juli | Erscheinen des ersten Teils des »Allten Testaments deutsch« (5 Bücher Mose) (Wittenberg, Melchior Lotther d. J.). – In den Jahren 1523/28 erscheinen in Wittenberg 7 Drucke des Alten Testamentes Teil 1. |
| 24. Oktober | Erscheinen des ersten datierten (Augsburger) Nachdruckes (Silvan Otmar) des Ersten Teils des Alten Testamentes. |
| *1524* | |
| ca. Januar | Erscheinen des »Andern teyls des alten testaments« (Historische Bücher Josua–Esther) (Wittenberg, Cranach–Döring). – In den Jahren 1524/27 erscheinen in Wittenberg 3 Drucke des Alten Testamentes Teil 2. |

| | |
|---|---|
| 26. April | Erscheinen des ersten datierten (Augsburger) Nachdruckes (Silvan Otmar) des Zweiten Teils des Alten Testamentes. |
| Ende September | Erscheinen der ersten Sonderausgabe des »Psalters deutsch« (Wittenberg, Cranach-Döring). – In den Jahren 1524/44 erscheinen in Wittenberg 12 Drucke des Psalters. |
| Anfang Oktober | Erscheinen des »Dritten teyls des allten Testaments« (Hiob–Hoheslied) (Wittenberg, Cranach-Döring). – In den Jahren 1524/25 erscheinen in Wittenberg 2 Drucke des Alten Testamentes Teil 3 und 1535/46 5 Sonderausgaben der Bücher Salomonis. |
| 29. November | Erscheinen des ersten datierten (Erfurter) Nachdrukkes (Johann Loersfelt) des Dritten Teils des Alten Testamentes. |
| *1526* | |
| ca. März | Erscheinen des Propheten Jona (mit Auslegung) (Wittenberg, Michael Lotther). – Insgesamt erscheinen in Wittenberg 2 Drucke des Jona. |
| Juni | Erscheinen des Propheten Habakuk (mit Auslegung) (Wittenberg, Michael Lotther). – Insgesamt erscheinen in Wittenberg 2 Drucke des Habakuk. |
| *1527* | |
| Februar | Beginn der Jesaja-Übersetzung. |
| 13. April | Erscheinen der Erstausgabe der »Wormser Propheten«, übersetzt von Ludwig Hetzer und Hans Denck (Worms, Peter Schöffer). – In den Jahren 1527/31 erscheinen in Worms, Augsburg und Hagenau 12 Ausgaben dieser (von Luther bei seiner Verdeutschung herangezogenen) Prophetenübersetzung. |
| nach 1. August | Erscheinen von Hieronymus Emsers Plagiat von Luthers Übersetzung des Neuen Testamentes (Dresden, Wolfgang Stöckel). – In den Jahren 1527/39 erscheinen in katholischen Gebieten (Dresden, Leipzig, Köln, Freiburg/Br.) 12 Ausgaben von Emsers Neuem Testament. |
| *1528* | |
| Januar | Erscheinen des Propheten Sacharja (mit Auslegung) (Wittenberg, Michael Lotther). – In Wittenberg erscheint nur dieser eine Druck des Sacharja. |
| Anfang Oktober | Erscheinen des Propheten Jesaja (Wittenberg, Hans Lufft). – In Wittenberg erscheint nur dieser eine Druck des Jesaja. |
| – | Erscheinen des von Luther allein revidierten »New deudsch Psalters« mit neuer Vorrede (Wittenberg, Hans Lufft). |

| | |
|---|---|
| | Seit diesem Jahr stellt Lufft alle Wittenberger biblischen Erstdrucke her. |
| *1529* | |
| Ende Juni | Erscheinen der Weisheit Salomonis (Wittenberg, Hans Lufft). – In Wittenberg erscheint nur diese eine Ausgabe der Weisheit Salomonis. |
| ca. Juni–Dezember | Luther und Melanchthon revidieren das Neue Testament, das mit diesen Verbesserungen und einer neuen Vorrede zur Offenbarung Johannis im *Frühjahr 1530* erscheint (Wittenberg, Hans Lufft). |
| *1530* | |
| ca. April | Erscheinen des in der Vorrede ausführlich kommentierten Propheten Daniel (Wittenberg, Hans Lufft). – In Wittenberg erscheint nur dieser eine Druck des Daniel. |
| 24. April – 4. Oktober | Während seines Aufenthaltes auf der Coburg übersetzt Luther (mit Ausnahme eines Teils des Hesekiel?) die restlichen Propheten. |
| ca. Juni | Erscheinen des von Luther kommentierten »38. und 39. Capitel Hesechiel vom Gog« (Wittenberg, Nikolaus Schirlentz). – In Wittenberg erscheint nur dieser eine Druck des 38./39. Kap. Hesekiel. |
| *1531* | |
| Januar – 15. März | Luther revidiert zusammen mit seinen Freunden (Melanchthon, Cruciger, Aurogallus u. a.) durchgreifend den Psalter, der jetzt seine endgültige Gestalt erhält. |
| Anfang April | Erscheinen der auf dieser Revision beruhenden Ausgabe: »Der Deudsch Psalter« (Wittenberg, Hans Lufft). |
| *1532* | |
| Mitte März | Erscheinen der »Propheten alle Deudsch« (Wittenberg, Hans Lufft). – In Wittenberg erscheint nur dieser eine Druck der Gesamtausgabe der Propheten. |
| 17. Mai | Erscheinen des ersten datierten (Augsburger) Nachdruckes (Heinrich Steiner) der Gesamtausgabe der Propheten. |
| *1533* | |
| Anfang Januar | Erscheinen des Jesus Sirach (Wittenberg, Hans Lufft). – In den Jahren 1533/45 erscheinen in Wittenberg 12 Ausgaben des Jesus Sirach. |
| ? | Erscheinen des 1. Makkabäerbuches (in Melanchthons Übersetzung) (Wittenberg, Hans Lufft), in der 2. Auflage (ebd.) um die »Historia von der Susanna vnd Daniel« sowie »Von dem Bel vnd Drachen zu Babel« vermehrt. – In Wittenberg erscheinen nur diese beiden Drucke des 1. Makkabäerbuches. |

*1534*

| | |
|---|---|
| 24. Januar –? | Luther revidiert zusammen mit seinen Freunden die Bibel (mit Ausnahme des Psalters, der meisten Propheten und des Neuen Testamentes). |
| 1. April | Erscheinen der ersten Lutherbibel in niederdeutscher Übertragung (darin Erstdruck der meisten Wittenberger [hauptsächlich von Melanchthon und Jonas hergestellten] Apokryphenübersetzungen) (Lübeck, Ludwig Dietz). |
| 6. August | Unbefristetes Privileg des sächsischen Kurfürsten Johann Friedrich für die drei Verleger (Goltze, Vogel und Schramm) der ersten Wittenberger Vollbibel. |
| ca. September | Erscheinen der ersten Wittenberger Vollbibel (mit dem hochdeutschen Erstdruck der meisten Apokryphen) (Wittenberg, Hans Lufft). – Weitere Ausgaben: *1535. 1536. Frühjahr 1539* (1539/38). *Frühjahr 1540* (zweispaltig). In den Jahren 1534/45 erscheinen in Wittenberg insgesamt elf (von Lufft hergestellte) hochdeutsche Bibelausgaben. |

*1535*

| | |
|---|---|
| 16. Februar | Erscheinen des ersten datierten (Augsburger) Nachdruckes (Heinrich Steiner) der Vollbibel. |

*1539/41*

| | |
|---|---|
| 17. Juli 1539 bis ca. August 1541 | Luther revidiert mit seinen Freunden die ganze Bibel (mit Ausnahme der Apokryphen). |

*1541*

| | |
|---|---|
| Frühjahr | Erscheinen der revidierten Bibel (mit Teilergebnissen der Revision): »Auffs new zugericht« (Wittenberg 1541/40, Hans Lufft). |
| August | Erscheinen der ersten Wittenberger Bibel in niederdeutscher Übertragung (Wittenberg, Hans Lufft). – In den Jahren 1541/1607 erscheinen in Wittenberg 11 niederdeutsche Bibelausgaben. |
| September | Erscheinen der revidierten Bibel (mit vollem Ertrag der Revision) in Medianformat mit neuem Titelblatt (Wittenberg, Hans Lufft). – Weitere Ausgaben: *Frühjahr 1543* (43¹). *Anfang 1544* (43²: zweispaltig). |

*1544*

| | |
|---|---|
| Spätherbst | Luther revidiert mit seinen Freunden den Anfang der paulinischen Briefe (erst in der Bibel vom Sommer 1546 [s.u.] berücksichtigt). |

*1545*

| | |
|---|---|
| Frühjahr | Erscheinen der letzten Wittenberger Bibelausgabe zu Luthers Lebzeiten (in Medianformat) (Wittenberg 1544/45, Hans Lufft). |

*1546*

Sommer — Erscheinen der Bibelausgabe, die als erste die Revisionsergebnisse vom Spätherbst 1544 (Röm. Kap. 1 bis 2. Kor. Kap. 3) enthält (Wittenberg, Hans Lufft).

## PERSONENREGISTER.

(Nicht berücksichtigt sind hier die biblischen Namen und Luther.)


A

Altdorfer, Erhard: 108*.
Amsdorf, Nikolaus von: 51*.
Anhalt, Fürst Adolf (Bischof von Merseburg): 60*.
–, Fürst Georg, Joachim, Johann und Wolfgang: 109*.
Aurifaber, Johann: 49*. 120*. 128*.
Aurogallus, Matthäus: 64*. 65*. 67*. 71*. 72*. 75*. 89*. 105*. 123*. 128*. 139*. 141*.
AW (Monogrammist): 82*. 86*. 100*. 104*. 108*.

B

Bonnus, Hermann: 136*.
Brosamer, Hans: 104*.
Bucer, Martin: 65*.
Bugenhagen, Johann: 41*. 71*. 72*. 79*. 105*.

C

Camerarius, Joachim: 72*. 128*.
Clajus, Johann: 137*.
Cochläus, Johann: 132*.
Corvinus, Antonius: 102*.
Cranach, Lukas d.Ä.: 54*. 57*. 58*. 60*. 64*. 69*. 70*. 81*. 82*. 93*. 98*. 100*. 108*. 109*. 139*. 140*.
–, Lukas d.J.: 107*. 108*. 110*. 111*.
Cronberg, Hartmut von: 51*.
Cruciger, Caspar: 55*. 75*. 78*. 89*. 105*. 141*.

D

Denck, Hans: 76*. 77*. 127*. 140*.
Dietenberger, Johann: 133*.
Dietrich, Veit: 78*. 84*. 88*.
Dietz, Ludwig: 79*. 142*.
Döring, Christian: 54*. 58*. 60*. 64*. 69*. 70*. 75*. 93*. 94*. 100*. 139*. 140*.
Dürer, Albrecht: 58*. 82*.

E

Eck, Johann: 35*. 36*. 40*. 133*. 134*.
Egenolff, Christian: 77*.
Eggestein, Heinrich: 37*. 38*.
Emser, Hieronymus: 40*. 84*. 131*–134*. 140*.
Erasmus, Desiderius: 44*. 50*. 52*. 56*. 71*. 127*. 128*. 134*.

F

Felix Pratensis: 127*.
Feyerabend, Sigmund: 67*.
Forster, Johann: 128*.
Frisner, Andreas: 37*.
Froschauer, Christoph: 76*. 77*.

G

Gerbel, Nikolaus: 44*. 121*.
Gerhardt, Paul: 136*.
Goltze, Moritz: 94*. 108*. 109*. 142*.
Grünewald (Schaffnaburgensis), Matthias: 93*.
Grüninger, Johann: 37*.
Gutenberg, Johann: 34*. 35*.

H

H (Monogrammist): 108*.
Hausmann, Nikolaus: 66*. 85*.

HB (Monogrammist): 58*.
Hetzer, Ludwig: 76*. 77*. 127*. 140*.
Hieronymus (Kirchenvater): 36*. 52*. 56*.
Holbein, Hans d.J.: 62*.
Homer: 44*.

J

Jakob ben Chajim: 105*.
Jonas, Justus: 78.* 79*. 89*. 92*. 95*. 105*. 134*. 142*.
Jud, Leo: 76*. 77*.

K

Karl der Große (Kaiser): 33*.
Karl V. (Kaiser): 112*.
Klug, Joseph: 70*.
Koberger, Anton: 36*. 37*. 39*. 47*.
Köpfel, Wolfgang: 77*.

L

Lang, Johann: 43*–45*. 50*. 51*. 71*.
Lemberger, Georg: 57*. 81*. 82*. 86*. 100*. 104*.
Link, Wenzeslaus: 51*. 71*–73*. 120*.
Loersfelt, Johann: 69*. 140*.
Lotther, Melchior d.Ä.: 54*. 81*.
–, Melchior d.J.: 54*. 57*. 58*. 60*. 64*. 69*. 70*. 81*. 100*. 139*.
–, Michael: 70*. 71*. 104*. 140*.
Lufft, Hans: 72*. 75*. 78*. 84*. 86*. 88*. 94*. 97*. 99*. 100*. 104*. 106*. 108*. 111*. 114*. 140*–143*.

M

Mathesius, Johann: 104*. 105*. 117*.
Maximilian I. (Kaiser): 120*.
MB (Monogrammist): 58*.
Melanchthon, Philipp: 44*. 45*. 49*–51*. 54*. 55*. 64*. 67*. 70*–72*. 75*. 78*. 79*. 84*. 85*. 88*. 89*. 91*. 92*. 95*. 102*. 103* 105*. 116*. 123*. 125*. 128*. 139*. 141*. 142*.
Mentelin, Johann: 34*. 35*. 37*. 38*.
MS (Monogrammist): 91*. 93*. 97*–100*. 103*. 104*. 111*.
Münster, Sebastian: 127*.

N

Nikolaus von Lyra: 81*. 107*.

O

Otmar, Hans: 37*. 39*.
–, Silvan: 37*. 39*. 40*. 47*. 61*. 65*. 139*. 140*.

P

Pagninus, Santes: 127*.
Pellikan, Konrad: 43*.
Petri, Adam: 61*. 121*. 139*.
Pflanzmann, Jodokus: 36*–38*.
Philo: 95*. 96*.
Pommer, Johann: s. Bugenhagen.

R

Ratzeberger, Matthäus: 42*.
Reuchlin, Johann: 42*. 43*.
Reyneck, Johann: 55*.
Rhau-Grunenberg, Johann: 139*.
Rörer, Georg: 84*. 89*. 94*. 105*. 106*. 111*. 113*–118*. 143*.
Roth, Stephan: 106*.

S

Sachse, Melchior: 104*. 108*.
Sachsen, Kurfürst Friedrich der Weise: 98.* 120*.
–, Herzog Georg: 59*–62*. 84*. 99*.
–, Herzog Heinrich: 60*.
–, Kurfürst Johann der Beständige: 98*.
–, Kurfürst Johann Friedrich der Großmütige: 93*. 98*. 100*. 110*. 112*. 113*. 142*.
Schaffner, Martin: 93*.
Schirlentz, Nikolaus: 93*. 100*. 141*.
Schleinitz, Johann VII. von (Bischof von Meißen): 60*.
Schnabel, Tilemann: 45*.
Schöffer, Peter d.Ä.: 76*.
–, Peter d.J.: 76*. 77*. 140*.

Schön(e), Martin: 93*.
Schönsperger, Johann d.Ä.: 37*.
–, Johann d.J.: 62*.
Schramm, Christoph: 94*. 108*. 109*. 142*.
Schreiber, Moritz: 93*.
Schwarzenberg, Melchior: 93*.
Sensenschmidt, Johann: 37*.
Sorg, Anton: 37*.
Spalatin, Georg: 39*. 54*. 55*. 64*–66*. 121*.
Spengler, Lazarus: 101*. 102*.
Staupitz, Johann von: 42*.
Steiner, Heinrich: 101*. 141*. 142*.
Stöckel, Wolfgang: 61*. 140*.
Stuchs, Lorenz: 40*.
Sturtz, Georg: 55*.

T

Tidemand, Peter: 134*.
Trutebul, Ludwig: 40*.

V

Vogel, Bartholomäus: 94*. 108*. 109*. 142*.

W

Walther, Christoph: 67*. 68*. 99*. 111*. 114*.
Wolff, Thomas: 62*. 121*.
Wolrab, Nikolaus: 107*. 108*.

Z

Zainer, Günther: 36*–38*. 57*. 126*.
Zütphen, Heinrich von: 60*.

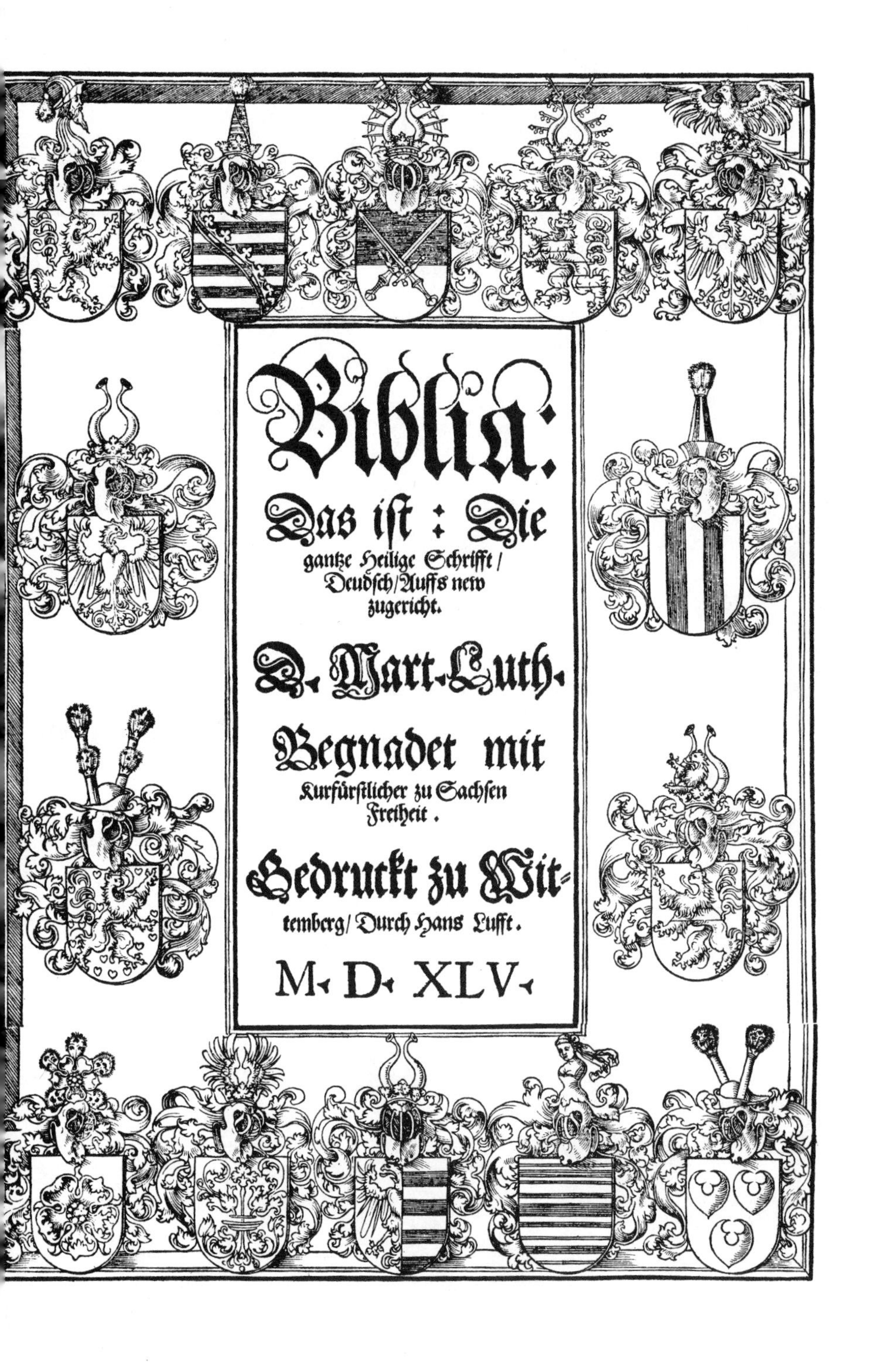
Biblia:
Das ist : Die
gantze Heilige Schrifft /
Deudsch / Auffs new
zugericht.
D. Mart. Luth.
Begnadet mit
Kurfürstlicher zu Sachsen
Freiheit.
Gedruckt zu Wit-
temberg / Durch Hans Lufft.
M. D. XLV.

VERBVM DOMINI MANET IN ÆTERNVM.

**Das wort Gottes bleibt ewiglich.**

❧ Von Gottes gnaden Johannes
Friedrich: Hertzog zu Sachſſen:
Des heiligen Romiſchen Reichs
Ertzmarſchalh vnd Churfürſt:
Landgraff in Doringen: Marg-
graff zu Meiſſen: vnd Burg-
graff zu Magdeburg.

VON GOTTES GNADEN
JOHANS FRIDRICH:
HERTZOG ZU SACHSEN
VND CHURFÜRST ETC.

Allen vnd jglichen vnsern Prelaten / Grauen / Herrn / denen von der Ritterschafft vnd Adel / Landuögten / Heubtleuten / Amptleuten / Amptsuerwesern / Schössern / Gleitsleuten / Reten der Stedte / vnd sonst allen andern / vnsern Vnterthanen vnd Verwandten / Entbieten wir vnsern grus / gnad / vnd alles guts / zuuor.

Ehrwirdige / wolgeborne vnd Edle / lieben Getrewen / Wir geben euch zu erkennen / Das wir auff beschehens ansuchen / auch anzeigung bewegender Vrsachen / bewilliget / vnd den dreien Buchhendelern zu Wittemberg / Moritzen Goltz / Barteln Vogel / vnd Christoffeln Schrammen / solche Befreihung / gegeben / Das sie / vnd niemands mehr / die nachbenante Bücher / nemlich die gantze Biblia Deudsch / den Psalter mit den Summarien / New Testament klein / Jesus Syrach / Auch D. Martini Luthers Postillen / in vnsern Fürstenthumen vnd Landen / mügen drücken / feilhaben /vnd verkeuffen lassen.

Vnd ob die selben Bücher / an andern Orten nachgedrückt würden / So sollen sie doch in vnsern Fürstenthumen vnd Landen / weder heimlich noch öffentlich verkaufft / oder feil gehabt werden / Bey Peen hundert gülden / Halb den Gerichtsheldern jedes Orts / da die Vbertretter befunden / Vnd die andere helffte jnen den bemelten dreien Buchhendlern / verfallen zu sein.

Begern demnach an euch alle / vnd einen jeden in sonderheit darob zu sein / Damit in ewer jedes zustendigen auch vnsern Ampts vnd Stadgerichten / obbemelte Bücher / zu drücken / noch andern feil zu haben / oder zu verkeuffen / Der oder die selben theten es denn / mit benanter Dreier wissen / willen vnd scheinliche zulassung / nicht verstattet. Sonderlich so jemands dawider gethan hette / oder thete / gegen dem oder den selbigen / wollet euch auff benanter dreier Buchverkeuffer / oder jrer Befelhaber ansuchen / mit einbringung vorberürter straffe ernstlich vnd vnnachleslich erzeigen / Wolten wir euch nicht vnuermeldet lassen / Vnd geschicht daran / bey vermeidung vnser selbs ernsten straffe / vnsere gentzliche meinung. Zu Vrkund mit vnserm zu rugk auffgedrucktem Secret besiegelt / Vnd gegeben zu Torgaw / Donnerstags nach Petri Kettenfeier / Anno. M.D. XXXiiij.

S. Paulus spricht: Der Geitz ist ein wurtzel alles Vbels. Solchen Spruch erfaren wir in dieser vnser schendlichen bösen zeit so gewaltig / als man nicht wol des gleichen in allen Historien findet.

DEnn sihe allein das grewliche / schreckliche / wesen vnd vbel an / das der Geitz durch den leidigen Wucher treibt / Das auch etliche feine / vernünfftige / dapffere Leute mit diesem Geitzteufel vnd Wucherteufel also besessen sind / das sie wissentlich vnd wolbedachtes verstands / den erkandten Wucher treiben / vnd also williglich vnd bey guter vernunfft den Abgott Mammon / mit grosser grewlicher verachtung göttlicher Gnaden vnd Zorns / anbeten / vnd drüber ins Hellische fewr vnd ewiges Verdamnis sehend vnd hörend gleich lauffen vnd rennen.

DEr selbige verfluchte Geitz / hat vnter allen andern Vbeln / so er treibt / sich auch an vnsere Erbeit gemacht / darin seine bosheit vnd schaden zu vben. Denn nach dem vns allhie zu Wittemberg / der barmhertzige Gott seine vnaussprechliche gnade gegeben hat / Das wir sein heiliges Wort / vnd die heilige Biblia hell vnd lauter in die deudsche Sprache bracht haben / Daran wir (wie das ein jglicher Vernünfftiger wol dencken kan) treffliche grosse Erbeit (doch alles durch Gottes gnaden) gethan.

SO feret der Geitz zu / vnd thut vnsern Buchdrückern diese schalckheit vnd büberey / Das andere flugs balde hernach drücken / Vnd also der unsern Erbeit vnd Vnkost berauben zu jrem Gewin / Welchs eine rechte grosse öffentliche Reuberey ist / die Gott auch wol straffen wird / vnd keinem ehrlichen Christlichen Menschen wol anstehet. Wiewol meinet halben daran nichts gelegen / Denn ich habs vmb sonst empfangen / vmb sonst hab ichs gegeben / vnd begere auch dafur nichts / Christus mein HErr hat mirs viel hundert tausentfeltig vergolten.

ABer das mus ich klagen vber den Geitz / Das die geitzigen Wenste vnd reubische Nachdrücker mit vnser Erbeit vntrewlich vmbgehen. Denn weil sie allein jren Geitz suchen / fragen sie wenig darnach / wie recht oder falsch sie es hin nachdrücken / Vnd ist mir offt widerfaren / das ich der Nachdrücker druck gelesen / also verfelschet gefunden /

das ich meine eigen Erbeit / an vielen Orten nicht gekennet / auffs newe habe müssen bessern. Sie machens hin rips raps / Es gilt gelt. So doch (wo sie anders rechte Drücker weren) wol wissen vnd erfaren solten haben / Das kein vleis gnugsam sein kan in solcher Erbeit / als die Drückerey ist / Des wird mir Zeugnis geben / wer jemals versucht hat / was vleisses hie zugehöret.

DERhalben / ob jemand diese vnser newe gebesserte Biblia fur sich selbs / oder auff eine Librarey begert zu haben / der sey von mir hiemit trewlich gewarnet / das er zusehe / was vnd wo er keuffe / vnd sich anneme vmb diesen Druck der von den vnsern corrigirt wird / vnd hie ausgehet Denn ich gedencke nicht so lange zu leben / das ich die Biblia noch ein mal müge vberlauffen. Auch ob ich so lange leben müste / bin ich doch nu mehr zu schwach zu solcher Erbeit.

VND wündsche das ein jglicher bedencken wolt / das nicht leichtlich jemand anders solcher ernst sey an der Biblia / als vns allhie zu Wittemberg / als denen zum ersten die gnade gegeben ist / Gottes wort wider an den tag vngefelscht / vnd wol geleutert / zubringen. Hoffen auch / vnser Nachkomen werden in jrem nachdrücken / eben den selben vleis dran wenden / Da mit vnser Erbeit rein vnd völlig erhalten werde.

SO haben wirs auch / on allen Geitz / nutz vnd genies (das können wir rhümen in Christo) trewlich vnd reichlich / allen Christen dar gethan vnd mitgeteilet. Vnd was wir darüber gelidden / gethan / vnd dran gewand / das sol niemand erkennen / denn des die Gaben sind / vnd der durch vns vnwirdige / elende / arme Werckgezeug solchs gewirckt hat. Dem sey allein die Ehre / Lob vnd Danck in ewigkeit / A M E N.

## VORREDE AUFF DAS ALTE TESTAMENT

WIE ETLICHE vom alten Testament vrteilen.

DAs Alte Testament halten etliche geringe / Als das dem Jüdischen volck alleine gegeben / vnd nu fort aus sey / vnd nur von vergangenen Geschichten schreibe / Meinen / sie haben gnug am newen Testament / vnd geben fur eitel geistliche sinn im alten Testament zu suchen / Wie auch Origenes / Hieronymus vnd viel hoher Leute mehr gehalten haben. Aber Christus spricht Joh. v. Forschet in der Schrifft / denn dieselbige gibt zeugnis von mir. Vnd S. Paulus gebeut Timotheo / Er solle anhalten mit lesen der Schrifft. Vnd rhümet Rom. j. wie das Euangelium sey von Gott in der Schrifft verheissen. Vnd j. Cor. xv. sagt er / Christus sey nach laut der Schrifft von Dauids geblüte komen / gestorben vnd vom Tod aufferstanden. So weiset vns auch S. Petrus mehr denn ein mal enhinder in die Schrifft.

CHRISTUS VND die Apostel Petrus vnd Paulus weisen vns in das alte Testament.

Joh. 5. — 1. Tim. 4. — Rom. 1. — 1. Cor. 15.

DA mit sie vns je leren / die Schrifft des alten Testaments nicht zu verachten sondern mit allem vleis zu lesen / weil sie selbs das newe Testament so mechtiglich gründen vnd beweren / durchs alte Testament / vnd sich drauff beruffen. Wie auch S. Lucas Act. xvij. schreibt / Das die zu Thessalonich teglich forscheten die Schrifft / Ob sichs so hielte / wie Paulus lerete. So wenig nu des newen Testaments grund vnd beweisung zu verachten ist / So thewr ist auch das alte Testament zu achten. Vnd was ist das newe Testament anders / denn ein öffentliche predigt vnd verkündigung von Christo / durch die Sprüche im alten Testament gesetzt / vnd durch Christum erfüllet.

DAS ALTE Testament sol man nicht verachten / sondern vleissig lesen. NEWE Testament.

Act. 17.

DAs aber die jenigen / so es nicht besser wissen / ein anleitung vnd vnterricht haben / nützlich drinnen zu lesen / Habe ich diese Vorrede nach meinem vermügen / so viel mir Gott gegeben gestellet. Bitte vnd warne trewlich einen jglichen fromen Christen / Das er sich nicht stosse an der einfeltigen Rede vnd Geschicht / so jm offt begegnen wird / Sondern zweiuele nicht dran / wie schlecht es jmer sich ansehen lesst / es seien eitel Wort / Werck / Gericht vnd Geschicht der hohen göttlichen Maiestet / macht vnd weisheit. Denn dis ist die Schrifft / die alle Weisen vnd Klugen zu Narren macht / Vnd allein den Kleinen vnd Albern offen stehet / wie Christus sagt Matth. xj. Darumb

NIEMAND SOL sich ergern an der einfeltigen rede der Schrifft.

DIE SCHRIFFT macht die weisen zu Narren / vnd stehet den Albern offen.

Matt. 11.

las dein dünckel vnd fülen faren / vnd halte von dieser Schrifft / als von dem allerhöhesten / edlesten Heiligthum / als von der allerreichsten Fundgruben / die nimer mehr gnug ausgegründet werden
5 mag. Auff das du die Göttliche weisheit finden mügest / welche Gott hie so alber vnd schlecht furlegt / das er allen hohmut dempffe. Hie wirstu die Windeln vnd die Krippen finden / da Christus innen ligt / Da hin auch der Engel die Hirten wei-
10 set. Schlecht vnd geringe Windel sind es / Aber
Luc. 2. thewr ist der schatz Christus / der drinnen ligt.

SO WISSE NU / DAS DIS BUCH EIN GESETZBUCH IST / das da leret / was man thun vnd lassen sol. Vnd da neben anzeigt Exempel vnd Geschichte / wie
15 solch Gesetze gehalten oder vbertretten sind. Gleich wie das newe Testament / ein Euangelium oder Gnadenbuch ist / vnd leret / wo mans nemen sol / das das Gesetz erfüllet werde. Aber gleich wie im newen Testament / neben der Gnadenlere / auch
20 viel andere Lere gegeben werden / die da Gesetz vnd Gebot sind / das Fleisch zu regieren / sintemal in diesem leben der Geist nicht volkomen wird / noch eitel gnade regieren kan. Also sind auch im alten Testament / neben den Gesetzen / etliche
25 Verheissung vnd Gnadensprüche da mit die heiligen Veter vnd Propheten vnter dem Gesetz im glauben Christi / wie wir / erhalten sind. Doch wie des newen Testaments eigentliche Heubtlere ist / gnade vnd friede durch vergebung der sünden in
30 Christo verkündigen / Also ist des alten Testaments eigentliche Heubtlere / Gesetze leren vnd Sünde anzeigen / vnd guts foddern. Solches wisse im alten Testament zu warten.

ALTE TESTAment ist ein Gesetzbuch.

NEW TESTAment ist ein Gnadebuch.

Gesetz vnd Gebot im newen Testament Verheissunge im alten Testament.

I.
WAS MOSES in seinem ersten Buch lere.

VND DAS WIR ZU ERST AUFF MOSES BÜCHER KO-
35 men / Der leret in seinem ersten Buch / wie alle Creatur geschaffen sind / Vnd (das seines schrei-
|| IVa bens meiste || vrsach ist) Wo die Sünde vnd der Tod her komen sey / nemlich / durch Adams fall / aus des Teufels bosheit. Aber bald darauff / ehe denn
40 Moses gesetz kompt / leret er / Wo her die Hülffe wider komen solt / die Sünde vnd Tod zu vertreiben. nemlich / nicht durch Gesetz noch eigen werck / weil noch kein Gesetz war / Sondern durch des Weibes samen / Christum / Adam vnd Abraham
45 verheissen. Auff das also der glaube von anfang der Schrifft durch vnd durch gepreiset werde / vber alle werck / Gesetz vnd verdienst. Also hat das

Wo Sünde vnd Tod herkomen.

Hülffe wider Sünde vnd Tod.

Verheissung ist vor dem Gesetze.

erste buch Mose fast eitel exempel des glaubens vnd vnglaubens / vnd was glaube vnd vnglaube fur früchte tragen / vnd ist fast ein Euangelisch buch.

II. DARNACH IM ANDERN BUCH / DA DIE WELT NU vol vnd in der blindheit versuncken war / das man schier nicht mehr wuste / was Sünde war / oder wo Tod her komen sey / bringet Gott Mosen erfur mit dem Gesetz / Vnd nimpt ein besonders Volck an / die Welt an jnen wider zu erleuchten / vnd durchs Gesetz die sunde wider zu eröffenen. Vnd verfasset also das Volck mit allerley Gesetzen / vnd sondert sie von allen andern Völckern. Lesst sie eine Hütten bawen / vnd richtet einen Gottesdienst an / Bestellet Fürsten vnd Amptleute / vnd versorget also sein Volck beide mit Gesetzen vnd Leuten auffs allerfeinest / wie sie / beide leiblich fur der welt / vnd geistlich fur Gott / sollen regiert werden.

JÜDEN GOTTES Volck.

III. JM DRITTEN BUCH / WIRD IN SONDERHEIT DAS PRIESTERTHUM verordnet mit seinen Gesetzen vnd Rechten / dar nach die Priester thun / vnd das Volck leren sollen. Da sihet man / wie ein Priesterlichampt nur vmb der Sünde willen wird eingesetzt / das es dieselbige sol dem Volck kund machen vnd fur Gott versünen. Also / das alle sein werck ist / mit sunden vnd Söndern vmbgehen. Derhalben auch den Priestern kein zeitlich Gut gegeben / noch leiblich zu regieren befolhen oder zugelassen wird / Sondern allein des Volcks zu pflegen in den sünden. jnen zugeeigent wird.

BRAUCH DES Priesterlichen Ampts.

IIII. JM VIERDEN / DA NU DIE GESETZE GEGEBEN / PRIESTER vnd Fürsten eingesetzt sind / die Hütten vnd Gottesdienst angericht sind / vnd alles bereit ist / was zum volck Gottes gehöret / Hebt sich das werck vnd vbung an / vnd wird versucht / wie solche Ordnung gehen vnd sich schicken wil. Darumb schreibt das selb Buch von so viel vngehorsam vnd plagen des Volcks. Vnd werden etliche Gesetz verkleret vnd gemehret. Denn also findet sichs alle zeit / das Gesetze bald zu geben sind / Aber wenn sie sollen angehen vnd in den schwang komen / da begegent nicht mehr denn eitel hindernis / vnd wil nirgend fort / wie das Gesetz foddert. Das dis Buch ein mercklich Exempel ist / wie gar es nichts ist / mit Gesetzen die Leute from machen / Sondern wie S. Paulus sagt / Das Gesetze nur sünde vnd zorn anrichte.

GESETZ IST bald geben / Aber mit dem halten wils nirgend fort.

Leute mit Gesetzen wollen from machen etc.

JM FÜNFFTEN / DA NU DAS VOLK VMB SEINEN VNGEhorsam gestrafft ist / vnd Gott sie mit gnaden ein wenig gelockt hatte / das sie aus wolthat / da er jnen die zwey Königreich gab / bewegt wurden sein 5 Gesetz mit lust vnd liebe zuhalten / widerholet Mose das gantz Gesetz mit allen Geschichten / so jnen begegent war (on was das Priesterthum betrifft) vnd verkleret also von newen an alles / was beide zum leiblichen vnd geistlichen Regiment 10 eines Volcks gehört. Das also Mose / wie ein volkomener Gesetzlerer allenthalben seinem Ampt gnug thet / vnd das Gesetz nicht alleine gebe / sondern auch da bey were / da mans thun solt / vnd wo es feilet / verkleret vnd wider anrichtet. Aber diese 15 verklerung im fünfften Buch / helt eigentlich nichts anders innen / denn den glauben zu Gott / vnd die liebe zum Nehesten / Denn da hin langen alle gesetze Gottes. Darumb wehret Mose mit seinem verkleren / alle dem / das den glauben an Gott ver- 20 derben mag / bis hin an in das xx. Cap. Vnd alle dem / das die Liebe hindert / bis an des Buches ende.

V.

Das gantze Gesetz wird widerholet im 5. Buch Mose.

INHALT DER verklerung des Gesetzes. Wo hin alle Gesetz gelangen.

HJE BEY IST NU ZU MERCKEN AUFFS ERSTE / DAS Mose das Volck so genaw mit Gesetzen verfasset / das er keinen raum lesst der Vernunfft jrgend 25 ein werck zu erwelen oder eigen Gottesdienst erfinden. Denn er leret nicht allein Gott fürchten / trawen vnd lieben / Sondern gibt auch so mancherley weise eusserlichs Gottesdiensts / mit opffern / geloben / fasten / casteien etc / Das niemand not sey / 30 etwas anders zu erwelen. Jtem er leret auch pflantzen / bawen / freien / streitten / Kinder / Gesind vnd Haus regieren / keuffen vnd verkeuffen / borgen vnd lösen / vnd alles was eusserlich vnd innerlich zu thun sey / So gar / das etliche Satzungen gleich || IVb nerrisch vnd vergeblich an zusehen sind. ||

Warumb Moses das Jüdische Volck so genaw mit Gesetzen verfasset hat.

LJeber / warumb thut Gott dass? Endlich darumb / Er hat sich des Volcks vnterwunden / das es sein eigen sein solt / vnd er wolt jr Gott sein / darumb wolt er sie also regieren / das alle jr Thun 40 gewis were / das es fur jm recht were. Denn wo jemand etwas thut / da Gottes wort nicht zuuor auff gegeben ist / das gilt fur Gott nicht vnd ist verlorn. Denn er verbeut auch am iiij. vnd xiij. Cap. im v. Buch / das sie nichts sollen zuthun zu seinen 45 Gesetzen. Vnd im xij. spricht er / Sie sollen nicht thun was sie recht dünckt. Auch der Psalter vnd alle Propheten drob schreien / Das das Volck gute

Selberwelete werck gefallen Gott nicht.

werck thet / die sie selbs erweleten / vnd von Gott nicht geboten waren. Denn er wil vnd kans nicht leiden / das die seinen etwas furnemen zu thun / das er nicht befolhen hat / es sey wie gut es jmer sein kan / Denn gehorsam ist aller werck adel vnd güte / der an Gottes worten hanget. 5

Dis Leben kan nicht on eusserlichen Gottesdienst sein.

WEil denn nu dis Leben nicht kan on eusserlich Gottesdienst vnd Weise sein / hat er jnen furgelegt solch mancherley Weise / vnd mit seinem Gebot verfasset. Auff das / ob sie ja müsten oder auch wolten Gott jrgend einen eusserlichen Dienst thun / das sie dieser einen angriffen / vnd nicht ein eigen erdechten / Da mit sie gewis vnd sicher weren das solch jr werck in Gottes wort vnd gehorsam gienge. Also ist jnen allenthalben gewehret / eigener Vernunfft vnd Freiem willen zu folgen / guts zu thun vnd wol zu leben / Vnd doch vbrig gnug / raum / stete / zeit / Person / werck vnd weise bestimpt vnd furgelegt / das sie nicht klagen dürffen / noch frembder Gottesdienst Exempel nachfolgen müssen. 10 15 20

Gesetze dreierley art.

AVFFS ANDER IST ZU MERCKEN / DAS DIE GESETZ dreierley art sind. Etliche die nur von zeitlichen gütern sagen / Wie bey vns die Keiserlichen gesetze thun. Diese sind von Gott allermeist vmb der Bösen willen gesetzt / das sie nichts ergers theten. Darumb sind solche Gesetze nur Wehrgesetz / mehr denn Leregesetz. Als da Mose gebeut ein Weib mit einem Scheidebrieff von sich zu lassen. Jtem / das ein Man sein Weib mit einem Eiueropffer treiben / vnd ander Weiber mehr nemen mag / Solchs sind alles weltliche Gesetze. 25 30

Gesetze von zeitlichen Gütern. Wehrgesetz.

Von eusserlichen Gottesdienst.

ETliche aber sind / die von eusserlichen Gottesdienst leren / wie droben gesagt ist.

Von Glaube vnd Liebe.

VBer diese beide gehen nu die Gesetze vom glauben vnd von der Liebe / also / das alle ander Gesetz müssen vnd sollen jr mas haben vom Glauben vnd von der Liebe / das sie gehen sollen / wo jre werck also geraten / das sie nicht wider den glauben vnd die Liebe gehen / Wo sie aber wider den Glauben vnd Liebe geraten / sollen sie schlecht ab sein. 35 40

DA her lesen wir / das Dauid den mörder Joab nicht tödtet / so er doch zwey mal den tod verdienet hatte. Vnd ij. Reg. xiiij. gelobt er dem weibe von Thekoa / jr Son solle nicht sterben / ob er wol seinen Bruder erwürget hatte. Jtem / Absalom tödtet er auch nicht. Jtem / er selbs Dauid ass von dem heiligen Brot der Priester j. Reg. xxj. Jtem Thamar 45

meinet / der König möchte sie geben Amnon jrem Stieffbruder zur Ehe. Aus dieser vnd der gleichen Geschichten / sihet man wol / das die Könige / Priester vnd Obersten haben offt frisch ins Gesetze
5 gegriffen / wo es der Glaube vnd die Liebe haben gefoddert. Das also der Glaube vnd die Liebe sol aller Gesetz Meisterin sein / vnd sie alle in jrer macht haben. Denn sintemal alle Gesetz auff den Glauben vnd Liebe treiben / sol keins nicht mehr
10 gelten noch ein Gesetze sein / wo es dem Glauben oder der Liebe wil zu wider geraten.

Glaube vnd Liebe meistern alle Gesetze.

DErhalben jrren die Jüden noch heutiges tags fast seer / das sie so strenge vnd hart vber etlichen gesetzen Mose halten / vnd viel ehe Liebe vnd
15 Friede liessen vntergehen / ehe sie mit vns essen oder trüncken / oder der gleichen theten / Vnd sehen des Gesetzes meinung nicht recht an / Denn dieser verstand ist von nöten allen die vnter Gesetzen leben / nicht allein den Jüden. Denn also sagt auch
20 Christus Matth. xij. Das man den Sabbath brechen möcht / wo ein Ochs in eine gruben gefallen war / vnd jm er aushelffen / Welchs doch nur ein zeitliche not vnd schaden war. Wie viel mehr sol man frisch allerley Gesetz brechen / wo es Leibs not foddert /
25 so anders dem Glauben vnd der Liebe nichts zu wider geschicht. Wie Christus sagt / Das Dauid gethan hat / da er die heiligen Brot ass / Mar. iij.

Jüden verstehen des Gesetzs meinung nicht.

WAS IST ABER / DAS MOSE DIE GESETZE SO VNORdig vnternander wirfft? Warumb setzt er nicht
30 die Weltlichen auff einen hauffen / die Geistlichen auch auff einen hauffen / vnd den Glauben vnd Liebe auch auff einen? Da zu widerholet er zu weilen ein Gesetz so offt / vnd treibt einerley wort so
|| Va viel mal / das || gleich verdrossen ist zu lesen vnd zu
35 hören? Antwort Mose schreibt / wie sichs treibt / Das sein Buch ein bild vnd Exempel ist des Regiments vnd Lebens. Denn also gehet es zu / wenn es im schwang gehet / das jtzt dis werck / jtzt jenes gethan sein mus. Vnd kein Mensch sein Leben also
40 fassen mag (so es anders Göttlich sein sol) das er diesen tag eitel geistlich / den andern eitel weltlich Gesetze vbe / Sondern Gott regiert also alle Gesetze vnternander / wie die Stern am Himel / vnd die Blumen auff dem Felde stehen / Das der
45 Mensch mus alle stunde zum jglichen bereit sein / vnd thun welchs jm am ersten fur die hand kompt / Also ist Mose Buch auch vnternander gemenget.

Moses Gesetze sind vnördig vnternander geworffen.

Bilde eins Regiments so im schwang gehet.

Warumb Moses einerley Gesetz so offt widerholet.

DAs er aber so fast treibt vnd offt einerley widerholet / Da ist auch seines Ampts art angezeiget. Denn wer ein Gesetzuolck regieren sol / der mus jmer anhalten / jmer treiben / vnd sich mit dem Volck / wie mit Eseln / blewen / Denn kein Gesetzwerck gehet mit lust vnd liebe abe / es ist alles erzwungen vnd abgenötiget. Weil nu Mose ein Gesetzlerer ist / mus er mit seinem treiben anzeigen / wie Gesetzwerck gezwungen werck sind / vnd das Volck müde machen / Bis es durch solch treiben erkenne seine kranckheit vnd vnlust zu Gottes gesetz / vnd nach der Gnade trachte / wie folget. 5 10

Gesetz werck sind gezwungen werck.

Gesetz offenbart die sünde.

AVFFS DRITTE / JST DAS DIE RECHTE MEINUNG Mose / Das er durchs Gesetz die sünde offenbare vnd alle vermessenheit menschlichs vermügens zuschanden mache. Denn da her nennet in S. Paulus Gal. ij. einen Amptman der sünde vnd sein Ampt ein ampt des Tods ij. Cor. iij. Vnd Rom. iij. vnd vij. spricht er / Durchs Gesetze kome nicht mehr denn erkentnis der sünde. Vnd Rom. iij. Durchs Gesetzs werck wird niemand from fur Gott. Denn Mose kan durchs Gesetz nicht mehr thun / weder anzeigen was man thun vnd lassen sol. Aber krafft vnd vermügen solches zu thun vnd zu lassen / gibt er nicht / vnd lesst vns also in der sünde stecken. 15 20 25

Moses ampt.

Gal. 2.

2. Corin. 3

Rom. 3.7.

WEnn wir denn in der sünde stecken / so dringet der Tod also bald auff vns / als eine rache vnd straffe vber die sunde. Da her nennet S. Paulus die Sünde / des Tods stachel / Das der Tod durch die sunde alle sein Recht vnd macht an vns hat. Aber wo das Gesetze nicht were / so were auch keine sünde. Darumb ists alles Mose ampts schuld / der reget vnd rüget die sunde durchs Gesetze / so folget der Tod auff die sünde mit gewalt. Das Mose ampt billich vnd recht ein ampt der sunde vnd des todes von S. Paulo genennet wird / Denn er bringet nichts auff vns durch sein Gesetz geben / denn sunde vnd tod. 30 35

1. Cor. 15.

Sündeampt Mose ist nütz vnd gut. Verstockte Blindheit menschlicher vernunfft etc.

ABer doch ist solch Sündeampt vnd Todampt gut / vnd fast von nöten / Denn wo Gottes gesetz nicht ist / da ist alle menschliche Vernunfft so blind / das sie die sunde nicht mag erkennen. Denn kein menschlich Vernunfft weis / das vnglaube vnd an Gott verzweiueln sünde sey / Ja sie weis nichts dauon / das man Gott gleuben vnd trawen sol / Gehet also da hin in jrer blindheit verstockt / vnd fület solche sunde nimer mehr. Thut dieweil sonst etwa gute werck / vnd füret ein eusserlich erbars 40 45

Leben. Da meinet sie denn / sie stehe wol / vnd sey der sachen gnung geschehen. Wie wir sehen in den Heiden vnd Heuchlern / wenn sie auff jr bestes leben. Jtem / so weis sie auch nicht / das böse neigung des Fleischs / vnd hass wider die Feinde / sünde sey / sondern weil sie sihet vnd fület / das alle Menschen so geschickt sind / achtet sie solchs fur natürlich vnd recht gut ding / Vnd meinet / es sey gnug / wenn man nur eusserlich den wercken wehret. Also gehet sie da hin / vnd achtet jre kranckheit fur stercke / jre sünde fur recht / jr böses fur gut / vnd kan nicht weiter.

Moses ampt ist not vnd nütz etc.

SJhe / diese blindheit vnd verstockte vermessenheit zu vertreiben / ist Mose ampt not. Nu kan er sie nicht vertreiben / er mus sie offenbaren vnd zu erkennen geben. Das thut er durchs Gesetz / da er leret / Man solle Gott fürchten / trawen / gleuben vnd lieben. Dazu keine böse lust noch hass zu einigem Menschen tragen oder haben. Wenn nu die Natur solchs recht höret / so mus sie erschrecken / Denn sie befindet gewis / weder trawen noch glauben / weder furcht noch liebe zu Gott. Jtem weder liebe noch reinigkeit gegen dem Nehesten / Sondern eitel vnglauben / zweiueln / verachtung vnd hass zu Gott / vnd eitel bösen willen vnd lust zum Nehesten. Wenn sie aber solchs findet / so ist der Tod also bald fur augen / der solchen Sünder fressen / vnd in die Helle wil verschlingen.

Lere des Gesetzes.

Sünde des Tods stachel / Gesetz der sünd krafft.

SJhe / Das heisst den Tod durch die Sünde auff vns dringen / vnd durch die sunde vns tödten. Das heisst durch das Gesetz die sunde regen / vnd fur die augen setzen / vnd alle vnser vermessenheit in ein verzagen / vnd zittern vnd verzwei‖ueln treiben. Das der Mensch nicht mehr kan thun / denn mit den Propheten schreien / Jch bin von Gott verworffen / Oder / wie man auff Deudsch sagt / Jch bin des Teufels / Jch kan nimer mehr selig werden. Das heisst recht in die Helle gefurt. Das meinet S. Paulus mit kurtzen worten. j. Corin. xv. Der stachel des Tods ist die sünde / Aber das Gesetz ist der sünden krafft. Als solt er sagen / Das der Tod sticht vnd vns erwürget / macht die Sünde / die an vns gefunden wird / des tods schüldig. Das aber die Sünde an vns funden wird / vnd so mechtig vns dem Tod gibt / macht das Gesetz / welchs vns die Sünde offenbart vnd erkennen leret / die wir zuuor nicht kandten / vnd sicher waren.

‖ Vb

1. Cor. 15.

NV SIHE / MIT WELCHER GEWALT MOSE SOLCHS sein Ampt treibet vnd ausrichtet / Denn das er ja die Natur auffs allerhöhest schende / gibt er nicht allein solche Gesetz / die von natürlichen vnd warhafftigen Sünden sagen / als da sind die zehen Gebot / Sondern macht auch sünde / da von natur sonst keine sünde ist / vnd dringet vnd drücket auff sie mit hauffen sünden. Denn vnglaube vnd böse lust ist von art sunde vnd des todes werd. Aber das man nicht sol gesewert Brot essen auff Ostern / vnd kein vnrein Thier essen / kein Zeichen an dem Leib machen / vnd alles was das Leuitisch Priesterthum mit sünden schaffet / das ist nicht von art sünde vnd böse / sondern wird allein darumb sunde / das durchs Gesetz verboten ist / welchs Gesetz wol kan absein. Aber die zehen Gebot mügen nicht also absein / Denn da ist sunde / ob schon die Gebot nicht weren / oder nicht erkennet weren. Gleich wie der Heiden vnglaube sunde ist / ob sie es wol nicht wissen noch achten / das sunde sey.

Etliche Gesetz im Mose machen sünde / die sonst von art nicht sünde sind.

Zehen Gebot mügen nicht absein.

ALso sehen wir / das solche vnd so mancherley gesetze Mose / nicht allein darumb gegeben sind / das niemand etwas eigens dürffte erwelen guts zuthun / vnd wol zu leben / wie droben gesagt ist. Sondern viel mehr darumb / das der sunden nur viel würden / vnd sich vber die mass heufften / das gewissen zu beschweren. Auff das die verstockte blindheit sich erkennen müste / vnd jr eigen vnuermügen vnd nichtigkeit zum guten müste fülen / Vnd also durchs Gesetz genötiget vnd gedrungen würde etwas weiters zu suchen / denn das Gesetz vnd eigen vermügen / nemlich / Gottes gnade in künfftigen Christum verheissen. Denn es ist je alles gesetz Gottes gut vnd recht / wenn er auch gleich hiesse nur Mist tragen / oder Strohalm auffheben. So mus aber der ja nicht from noch gutes hertzen sein / der solch gut Gesetz nicht helt / oder vngerne helt. So vermag alle Natur nicht anders / denn vngerne halten / Darumb mus sie hie am guten gesetz Gottes / jre bosheit erkennen vnd fülen / vnd nach der hülff göttlicher gnaden seufftzen vnd trachten in Christo.

Warumb so mancherley Gesetz geben seien.

Gottes Gesetz ist recht vnd gut.

Natur vermag nicht Gottes Gesetz zu halten.

DARUMB / WO NU CHRISTUS KOMPT / DA HÖRET DAS Gesetz auff / sonderlich das Leuitische / welchs sunde macht / da sonst von art keine sunde ist / wie gesagt ist. So hören auch die zehen Gebot auff / Nicht also / das man sie nicht halten noch erfüllen

Wenn Christus kompt / höret Moses Ampt auff.

solt / sondern Moses ampt höret drinnen auff / das es nicht mehr durch die zehen Gebot die sünde starck macht / vnd die sünde nicht mehr des tods stachel ist. Denn durch Christum ist die sünde vergeben / Gott versünet / vnd das hertz hat angefangen dem Gesetz hold zu sein / das es Moses ampt nicht mehr kan straffen vnd zu sunden machen / als hette es die Gebot nicht gehalten / vnd were des tods schüldig / Wie es thet vor der gnade / vnd ehe denn Christus da war.

Wie die Zehen Gebot auffhören.

2. Cor. 3.

DAs leret S. Paulus ij. Corin. iij. da er spricht / Das die klarheit im angesicht Mose auffhöret / vmb der klarheit willen im angesichte Jhesu Christi. Das ist / das ampt Mose / das vns zu sunden vnd schanden macht / mit dem glantz der erkentnis vnser bosheit vnd nichtigkeit / Thut vns nicht mehr weh / schrecket vns auch nicht mehr mit dem tod. Denn wir haben nu die klarheit im angesicht Christi. Das ist / das Ampt der gnaden / dadurch wir Christum erkennen / mit welches Gerechtigkeit / Leben vnd Stercke / wir das Gesetze erfüllen / Tod vnd Helle vberwinden. Wie auch die drey Apostel auff dem berge Thabor / Mosen vnd Eliam sahen / vnd doch nicht fur jnen erschracken / vmb der lieblichen klarheit willen im angesichte Christi. Aber Exod. xxxiiij. da Christus nicht gegenwertig war / kundten die kinder Jsrael die klarheit vnd glentzen in Mose angesicht nicht erleiden / drumb muste er eine Decke dafur thun.

Christi klarheit vertreibet Mose klarheit.

Matt. 17. Luc. 9.

Apostel auff dem Berg Thabor.

Exod. 34.

DEnn es sind dreierley Schüler des gesetzes / Die ersten / die das Gesetz hören vnd verachten / füren ein ruchlos Leben on furcht / Zu diesen kompt das Ge‖setz nicht. Vnd sind bedeut / durch die Kalbdiener in der wüsten / vmb welcher willen Mose die Tafeln entzwey warff / vnd das Gesetz nicht zu jnen bracht.

Dreierley Schüler des Gesetzes.

‖ VI a

DJe andern / die es angreiffen mit eigener krafft zu erfüllen on gnade. Die sind bedeut durch die / so Mose andlitz nicht sehen kundten / da er zum andern mal die Tafeln bracht. Zu diesen kompt das Gesetz / aber sie leidens nicht. Darumb machen sie eine Decke drüber / vnd füren ein heuchlisch Leben mit eusserlichen wercken des Gesetzes / welchs doch das Gesetz alles zu sünden macht / wo die Decke abgethan wird / Denn das Gesetz erweiset / das vnser vermügen nichts sey / on Christus gnade.

II.

DJe dritten sind / die Mosen klar on Decke sehen. Das sind sie / die des Gesetzes meinung verstehen / wie es vmmüglich ding foddere. Da gehet die sünde in der krafft / da ist der Tod mechtig / da ist des Goliaths spies wie ein Weberbawm / vnd sein stachel hat sechs hundert sekel Ertz / das alle kinder Jsrael fur jm fliehen / On der einige Dauid Christus vnser HErr erlöset vns von dem allen. Denn wo nicht Christus klarheit neben solcher klarheit Mose keme / kündte niemand solche glentze des Gesetzes der Sünd vnd des Tods schrecken ertragen. Diese fallen abe von allen wercken vnd vermessenheit / vnd lernen am Gesetze nicht mehr / denn allein sünde erkennen / vnd nach Christo zu seufftzen / Welchs auch das eigentlich ampt Mose vnd des Gesetzs art ist.

III.

Goliaths spies.

Eigentlich Ampt des Gesetzes.

ALso hat Mose auch selbs angezeigt / das sein Ampt vnd Lere solt wehren bis auff Christum / vnd als denn auffhören / da er spricht / Deut. xviij. Einen Propheten wird dir der HERR dein Gott erwecken / aus deinen Brüdern / wie mich / Den soltu hören etc. Dis ist der edlest Spruch vnd freilich der kern im gantzen Mose / welchen auch die Apostel hoch gefurt vnd starck gebraucht haben / das Euangelium zu bekrefftigen / vnd das Gesetz abzuthun / vnd alle Propheten / gar viel draus gezogen. Denn weil Gott hie einen andern Mose verheisset / den sie hören sollen / zwinget sichs / das er etwas anders leren würde / denn Mose / vnd Mose seine macht jm vbergibt vnd weicht / das man jenen hören solle. So kan je der selb Prophet nicht Gesetz leren / denn das hat Mose auffs allerhöhest ausgericht / vnd were kein not vmbs Gesetzs willen einen andern Propheten zu erwecken / Darumb ists gewis von der Gnadenlere vnd Christo gesagt.

Moses ampt waret bis auff Christum.

Deut. 18.

DArumb nennet auch S. Paulus Mose gesetz / das alte Testament / Christus auch / da er das newe Testament einsetzet. Vnd ist darumb ein Testament / das Gott darinnen verhies vnd beschied dem volck Jsrael das land Canaan / wo sie es halten würden. Vnd gabs auch jnen / vnd ward bestetiget durch Scheps vnd Bocks tod vnd blut. Aber weil solch Testament nicht auff Gottes gnaden / sondern auff Menschen wercken stund / must es alt werden vnd auffhören / vnd das verheissen Land wider verloren werden / darumb / das durch wercke das

Gesetz ist das alt Testament.

Alte Testament must auffhören.

Gesetze nicht kan erfüllet werden. Vnd must ein ander Testament komen / das nicht alt würde / auch nicht auff vnserm thun / sondern auff Gottes wort vnd wercke stünde / auff das es ewiglich
5 wehret. Darumb ists auch durch einer ewigen Person tod vnd blut bestetiget / vnd ein ewiges Land verheissen vnd gegeben. Das sey nu von Mose Bücher vnd Ampt geredt.

Newe Testament wehret ewiglich.

WAS SIND ABER NU DIE ANDER BÜCHER DER PRO-
10 pheten vnd der Geschichten? Antwort / nichts anders / denn was Mose ist / Denn sie treiben alle sampt Moses ampt / vnd wehren den falschen Propheten / das sie das Volck nicht nicht auff die werck füren / sondern in dem rechten ampt Mose vnd
15 erkentnis des Gesetzes bleiben lassen. Vnd halten fest drob das sie durch des Gesetzes rechten verstand / die Leute in jrer eigen vntüchtigkeit behalten vnd auff Christum treiben / wie Mose thut. Darumb streichen sie auch weiter aus / was Mose
20 von Christo gesagt hat / Vnd zeigen an beiderley Exempel / dere / die Mose recht haben / vnd dere / die jn nicht recht haben / vnd aller beider straff vnd lohn. Also / das die Propheten nichts anders sind / denn handhaber vnd zeugen Mose vnd seines
25 Ampts / das sie durchs Gesetze jederman zu Christo bringen.

Was in den Propheten vnd andern des alten Testaments Büchern in Summa geleret wird.

AVFFS LETZT / SOLT ICH AUCH WOL DIE GEISTliche Deutung anzeigen / so durch das Leuitisch Gesetz vnd Priesterthumb Mose furgelegt. Aber
30 es ist sein zu viel zu schreiben / es wil raum vnd zeit haben / vnd mit lebendiger stimme ausgelegt sein. Denn freilich Mose ein Brun ist aller weisheit vnd verstands / dar aus gequollen ist alles / was alle Propheten gewust vnd gesagt haben. Dazu auch
35 das || newe Testament er aus fleusst vnd drein gegründet ist / wie wir gehört haben. Aber doch ein kleins kurtzes Grifflin zu geben / den jenigen / so gnade vnd verstand haben / weiter darnach zu trachten / sey das mein Dienst.

Geistliche deutung etc.

Moses ein Brun aller weisheit etc.

|| VIb

40 WEnn du wilt wol vnd sicher deuten / So nim Christum fur dich / Denn das ist der Man / dem es alles vnd gantz vnd gar gilt. So mache nu aus dem Hohenpriester Aaron niemand denn Christum alleine / wie die Epistel an die Ebreer
45 thut / welche fast alleine gnugsam ist / alle figurn Mose zu deuten. Also ists auch gewis / das Christus selbs das Opffer ist / ja auch der Altar / der sich

Christus ist der rechte Hohepriester / Opffer / Altar etc.

selbs mit seinem eigen Blut geopffert hat / Wie auch die selb Epistel meldet. Wie nu der Leuitische Hohepriester / durch solch Opffer nur die gemachten sunde wegnam / die von natur nicht sunde waren / Also hat vnser Hohepriester Christus / 5 durch sein selbs Opffer vnd Blut / die rechte sunde / die von natur sunde ist / weggenomen. Vnd ist ein mal durch den Vorhang gegangen zu Gott / das er vns versüne. Also / das du alles / was vom Hohenpriester geschrieben ist / auff Christum persönlich / vnd sonst auff niemand deutest. 10

Söne des Hohenpriesters.

ABer des Hohenpriesters Söne / die mit dem teglichen Opffer vmbgehen / soltu auff vns Christen deuten / die wir fur vnserm Vater Christo im Himel sitzend hie auff Erden mit dem leibe wonen / vnd 15 nicht hin durch sind bey jm / on mit dem glauben geistlich. Derselben Ampt / wie sie schlachten vnd opffern / bedeut nichts anders / denn das Euangelium predigen / Durch welchs der alte Mensch getödtet vnd Gott geopffert / durchs fewr der liebe / 20 im heiligen Geist verbrand vnd verzeret wird / Welchs gar wol reucht fur Gott / das ist / es macht ein gut / rein / sicher Gewissen fur Gott. Diese deutung trifft S. Paulus Rom. xij. da er leret / wie wir vnsere Leibe sollen opffern Gott zum lebendi- 25 gen / heiligen / angenemen Opffer. Welchs wir thun (wie gesagt) durch stettige vbung des Euangelium beide mit predigen vnd gleuben. Das sey dis mal gnug zur kurtzen anleitung / Christum vnd das Euangelium zu suchen im alten Testament. 30

Deutung des schlachtens vnd opffers im alten Testament.

## BÜCHER DES ALTEN TESTAMENTS.

### XXIIII.

| | | |
|---|---|---|
| I. | Das erste Buch Mose. | Genesis. |
| II. | Das ander buch Mose. | Exodus. |
| III. | Das dritte buch Mose. | Leuiticus. |
| IIII. | Das vierde buch Mose. | Numeri. |
| V. | Das fünffte buch Mose. | Deuteronomium. |
| VI. | Josua. | |
| VII. | Der Richter. | Judicum. |
| VIII. | Ruth. | |
| IX. | Samuel. | Regum. j. ij. |
| X. | Der König. | Regum. iij. iiij. |
| XI. | Chronica. | Paralipomenon. j. ij. |
| XII. | Esra. | |
| XIII. | Nehemia. | |
| XIIII. | Esther. | |
| XV. | Hiob. | |
| XVI. | Psalter. | |
| XVII. | Sprüche Salomonis. | Prouerbiorum. |
| XVIII. | Prediger Salomonis. | Ecclesiastes. |
| XIX. | Hohelied Salomonis. | Canticum Canticorum. |
| XX. | Jesaia. | |
| XXI. | Jeremia. | |
| XXII. | Hesekiel. | |
| XXIII. | Daniel. | |
| XXIIII. | Zwelff kleine Propheten / mit namen. | |
| j. | Hosea. | |
| ij. | Joel. | |
| iij. | Amos. | |
| iiij. | Obad Ja. | |
| v. | Jona. | |
| vj. | Micha. | |
| vij. | Nahum. | |
| viij. | Habacuc. | |
| ix. | Zephanja. | |
| x. | Haggai. | |
| xj. | Sacharja. | |
| xij. | Maleachi. | |

Apocrypha.

Judith.
Das Buch der Weisheit.
Tobia.
Jesus Syrach.
Baruch.
Maccabeorum.
Stücke in Esther vnd Daniel.

# DAS ERSTE BUCH MOSE.

## I.

Joh. 1.
Col. 1.
Ebre. 11.
Psal. 33.

AM ANFANG SCHUFF GOTT HIMEL VND ERDEN. [2]Vnd die Erde war wüst vnd leer / vnd es war finster auff der Tieffe / Vnd der Geist Gottes schwebet auff dem Wasser.

(Geist) Wind ist da zumal noch nicht gewest / darumb mus es den heiligen Geist deuten.

LIECHT.

VND Gott sprach / Es werde Liecht / Vnd es ward Liecht. [4]Vnd Gott sahe / das das Liecht gut war / Da scheidet Gott das Liecht vom Finsternis / [5]vnd nennet das liecht / Tag / vnd die finsternis / Nacht. Da ward aus abend vnd morgen der erste Tag.

(Gut) Das ist / nütz / fein / köstlich.

I.

FESTE.

VND Gott sprach / Es werde eine Feste zwischen den Wassern / vnd die sey ein Vnterscheid zwischen den Wassern. [7]Da machet Gott die Feste / vnd scheidet das wasser vnter der Festen / von dem wasser vber der Festen / Vnd es geschach also. [8]Vnd Gott nennet die Festen / Himel. Da ward aus abend vnd morgen der ander Tag.

HIMEL.

II.

VND Gott sprach / Es samle sich das Wasser vnter dem Himel / an sondere Orter / das man das Trocken sehe / Vnd es geschach also. [10]Vnd Gott nennet das trocken / Erde / vnd die samlung der Wasser nennet er / Meer. Vnd Gott sahe das es gut war.

ERDE.

MEER.

[11]VND Gott sprach / Es lasse die Erde auffgehen Gras vnd Kraut / das sich besame / vnd fruchtbare Bewme / da ein jglicher nach seiner art Frucht trage / vnd habe seinen eigen Samen bey jm selbs / auff Erden / Vnd es geschach also. [12]Vnd die Erde lies auffgehen / Gras vnd Kraut / das sich besamet / ein jglichs nach seiner art / vnd Bewme die da Frucht trugen / vnd jren eigen Samen bey sich selbs hatten / ein jglicher nach seiner art. Vnd Gott sahe das es gut war. [13]Da ward aus abend vnd morgen der dritte Tag.

GRAS.
KRAUT.
BEWME.

III.

VND Gott sprach / Es werden Liechter an der Feste des Himels / vnd scheiden tag vnd nacht / vnd geben / Zeichen / Zeiten / Tage vnd Jare / [15]vnd seien Liechter an der Feste des Himels / das sie scheinen auff Erden / Vnd es geschach also. [16]Vnd Gott machet zwey grosse Liechter / ein gros Liecht / das den Tag regiere / vnd ein klein Liecht / das die Nacht regiere / dazu auch Sternen. [17]Vnd Gott setzt sie an die Feste des Himels / das sie schienen auff die Erde [18]vnd den Tag vnd die Nacht

SONN.
MOND.
STERNE.

(Zeiten) Lentz. Sommer. Herbst. Winter.

regierten / vnd scheideten Liecht vnd Finsternis. Vnd Gott sahe das es gut war. [19]Da ward aus abend vnd morgen der vierde Tag.

IIII.

FISCH. VOGEL.

VND Gott sprach / Es errege sich das Wasser mit webenden vnd lebendigen Thieren / vnd mit Geuogel / das auff Erden vnter der Feste des Himels fleuget. [21]Vnd Gott schuff grosse Walfische vnd allerley Thier / das da lebt vnd webt / vnd vom Wasser erreget ward / ein jglichs nach seiner art / vnd allerley gefidderts Geuogel / ein jglichs nach seiner art / Vnd Gott sahe das es gut war. [22]Vnd Gott segenet sie / vnd sprach / Seid fruchtbar vnd mehret euch vnd erfüllet das Wasser im Meer / Vnd das Geuogel mehre sich auff Erden. [23]Da ward aus abend vnd morgen der fünffte Tag.

V.

VIEH. GEWÜRM. THIER auff Erden.

[24]VND Gott sprach / Die Erde bringe erfür lebendige Thier / ein jglichs nach seiner art / Vieh / Gewürm vnd Thier auff Erden / ein jglichs nach seiner art / Vnd es geschach also. [25]Vnd Gott machet die Thier auff Erden / ein jglichs ‖ nach seiner art / vnd das Vieh nach seiner art / vnd allerley Gewürm auff Erden / nach seiner art. Vnd Gott sahe das es gut war.

‖ 1 b

MENSCH

VND GOTT SPRACH / LASST VNS MENSCHEN MACHEN / EIN BILD / DAS VNS GLEICH SEY / Die da herrschen vber die Fisch im Meer / vnd vber die Vogel vnter dem Himel / vnd vber das Vieh / vnd vber die gantzen Erde / vnd vber alles Gewürm das auff Erden kreucht.

[27]VND GOTT SCHUFF DEN MENSCHEN JM ZUM BILDE / ZUM BILDE GOTTES SCHUFF ER JN / VND SCHUFF SIE EIN MENLIN VND FREWLIN. [28]Vnd Gott segenet sie / vnd sprach zu jnen / SEID FRUCHTBAR VND MEHRET EUCH VND FÜLLET DIE ERDEN / vnd macht sie euch vnterthan. Vnd herrschet vber Fisch im Meer / vnd vber Vogel vnter dem Himel / vnd vber alles Thier das auff Erden kreucht.

Matt. 19.

(Vnterthan) Was jr bawet vnd erbeitet auff dem Lande / das sol ewr eigen sein / vnd die Erde sol euch hierin dienen / tragen vnd geben.

[29]VND Gott sprach / Sehet da / Jch hab euch gegeben allerley Kraut / das sich besamet auff der gantzen Erden / vnd allerley fruchtbare Bewme / vnd Bewme die sich besamen / zu ewr Speise / [30]vnd aller Thiere auff Erden / vnd allen Vogeln vnter dem Himel / vnd allem Gewürm das das Leben hat auff Erden / das sie allerley grün Kraut essen / Vnd es geschach also. [31]Vnd Gott sahe an alles was er gemacht hatte / Vnd sihe da / es war seer gut. Da ward aus abend vnd morgen der sechste Tag.

SPEISE fur den Menschen vnd Thier etc.

VI.

II.

ALso ward volendet Himel vnd Erden mit jrem gantzen Heer. [2]Vnd also volendet Gott am siebenden tage seine Werck die er machet / vnd rugete am siebenden tage / von allen seinen Wercken die er machet. [3]Vnd segnete den siebenden Tag vnd heiliget jn / darumb / das er an dem selben geruget hatte von allen seinen Wercken / die Gott schuff vnd machet.

SABBATH.
Ebre. 4.

[4]ALso ist Himel vnd Erden worden / da sie geschaffen sind / Zu der zeit / da Gott der HERR Erden vnd Himel machte / [5]vnd alerley Bewme auff dem Felde / die zuuor nie gewest waren auff Erden / Vnd allerley Kraut auff dem Felde / das zuuor nie gewachsen war. Denn Gott der HERR hatte noch nicht regenen lassen auff Erden / vnd war kein Mensch der das Land bawete / [6]Aber ein Nebel gieng auff von der Erden / vnd feuchtet alles Land.

ADAM.

VND GOTT DER HERR MACHET DEN MENSCHEN aus dem Erdenklos / vnd er blies jm ein den lebendigen Odem in seine Nasen / Vnd also ward der Mensch eine lebendige Seele.

1. Cor. 15.

PARADIS.

VND Gott der HERR pflantzet einen Garten in Eden / gegen dem morgen / vnd setzet den Menschen drein / den er gemacht hatte. [9]Vnd Gott der HERR lies auffwachsen aus der Erden allerley Bewme / lüstig an zusehen / vndgut zu essen / Vnd den Bawm des Lebens mitten im Garten / vnd den Bawm des Erkentnis gutes vnd böses.

[10]VND es gieng aus von Eden ein Strom zu wessern den Garten / vnd teilet sich da selbs in vier Heubtwasser. [11]Das erst heisst [a]Pison / das fleusset vmb das gantze Land Heuila / Vnd daselbs findet man gold / [12]vnd das gold des Lands ist köstlich / vnd da findet man Bedellion vnd den eddelstein Onix. [13]Das ander wasser heisst [b]Gihon / das fleusst vmb das gantze Morenland. [14]Das dritte wasser heisst [c]Hidekel / das fleusst fur Assyrien. Das vierde wasser ist der [d]Phrath.

a (PISON) Jst das grosse wasser in Jndia / das man Ganges heisset / denn Heuila ist Jndienland.

b (GIHON) Jst das wasser in Egypten / das man Nilus heisst.

c (HIDEKEL) Jst das wasser in Assyria / das man Tygris heisst.

d (PHRATH) Aber ist das nehest wasser in Syria / das man Euphrates heisst.

VND Gott der HERR nam den Menschen vnd satzt jn in den garten Eden / das er jn bawet vnd bewaret. [16]Vnd Gott der HERR gebot dem Menschen / vnd sprach / DU SOLT ESSEN VON ALLERLEY BEWME IM GARTEN. [17] ABER || VON DEM BAWM DES ERKENTNIS GUTES VND BÖSES SOLTU NICHT

Gebot Gottes Adam gegeben.

|| 2 a

ESSEN DENN WELCHES TAGES DU DA VON ISSEST / WIRSTU DES TODES STERBEN.

VND GOTT DER HERR SPRACH / ES IST NICHT GUT DAS DER MENSCH ALLEIN SEY / JCH WIL JM EIN GEHÜLFFEN MACHEN / DIE VMB JN SEY [19]Denn als Gott der HERR gemacht hatte von der Erden allerley Thier auff dem Felde / vnd allerley Vogel vnter dem Himel / bracht er sie zu dem Menschen / das er sehe / wie er sie nennet / Denn wie der Mensch allerley lebendige Thier nennen würde / so solten sie heissen. [20]Vnd der Mensch gab einem jglichen Vieh / vnd Vogel vnter dem Himel / vnd Thier auff dem felde / seinen namen / Aber fur den Menschen ward kein Gehülffe funden / die vmb jn were.

(Vmb jn sey) Das ist / Kein Thier nam sich des Menschen an vmb jn zu sein / das jm hülffe sich mehren vnd neeren etc.

[21]DA lies Gott der HERR einen tieffen Schlaff fallen auff den Menschen / vnd er entschlieff. Vnd nam seiner Rieben eine / vnd schlos die stet zu mit Fleisch. [22]Vnd Gott der HERR bawet ein Weib aus der Riebe / die er von dem Menschen nam / vnd bracht sie zu jm. [23]Da sprach der Mensch / Das ist doch Bein von meinen Beinen / vnd Fleisch von meinem fleisch / Man wird sie Mennin heissen / darumb / das sie vom Manne genomen ist. [24]DARUMB / WIRD EIN MAN SEINEN VATER VND SEINE MUTTER VERLASSEN / VND AN SEINEM WEIBE HANGEN VND SIE WERDEN SEIN EIN FLEISCH. [25]Vnd sie waren beide nacket / der Mensch vnd sein Weib / vnd [a]schemeten sich nicht.

HEUA. 1. Tim. 2.

EHESTAND. Matt. 19. Ephe. 5. 1. Cor. 6.

a Jd est / Dürfften sich nicht schemen.

## III.

VND DIE SCHLANGE WAR LISTIGER DENN ALLE Thier auff dem felde / die Gott der HERR gemacht hatte / vnd sprach zu dem Weibe / Ja / solt Gott gesagt haben / Jr solt nicht essen von allerley Bewme im Garten?

2. Cor. 11.

[2]DA sprach das Weib zu der Schlangen / Wir essen von den früchten der bewme im Garten. [3]Aber von den früchten des Bawms mitten im Garten hat Gott gesagt / Esset nicht da von / rürets auch nicht an / Das jr nicht sterbet. [4]Da sprach die Schlang zum Weibe / Jr werdet mit nicht des tods sterben / [5]Sondern Gott weis / das / welchs tags jr da von esset / so werden ewre augen auff gethan / vnd werdet sein wie Gott / vnd wissen was gut vnd böse ist.||

Schlange verfüret Heuam 2. Cor. 11.

|| 2b

Fall Heue vnd Ade. 1. Tim. 2.

[6]VND das Weib schawet an / das von dem Bawm gut zu essen were / vnd lieblich anzusehen / das ein lüstiger Bawm were / weil er klug mechte / Vnd nam von der Frucht / vnd ass / vnd gab jrem Man auch da von / Vnd er ass. [7]Da wurden jr beider Augen auffgethan / vnd wurden gewar / das sie nacket waren / Vnd flochten Feigenbletter zusamen / vnd machten jnen Schürtze.

Adam vnd Heua fliehen fur Gott etc.

VND sie höreten die stimme Gottes des HERRN / der im Garten gieng / da der [a]tag küle worden war. Vnd [b]Adam versteckt sich mit seinem Weibe / fur dem angesicht Gottes des HERRN vnter die bewme im Garten. [9]Vnd Gott der HERR rieff Adam / vnd sprach zu jm / Wo bistu? Vnd er sprach / [10]Jch hörete deine stimme im Garten / vnd furchte mich / Denn ich bin nacket / darumb verstecket ich mich. [11]Vnd er sprach / Wer hat dirs gesagt / das du nacket bist? Hastu nicht gessen von dem Bawm / da von ich dir gebot / Du soltest nicht da von essen? [12]Da sprach Adam / Das Weib / das du mir zugesellet hast / gab mir von dem Bawm / vnd ich ass. [13]Da sprach Gott der HERR zum Weibe / warumb hastu das gethan? Das Weib sprach / Die Schlange betrog mich also / das ich ass.

Gen. 2.

Schlange wird verflucht.

DA sprach Gott der HERR zu der Schlangen / Weil du solches gethan hast / Seistu verflucht fur allem Vieh vnd fur allen Thieren auff dem felde / Auff deinem Bauch soltu gehen / vnd erden essen dein leben lang / [15]VND JCH WILL FEINDSCHAFT SETZEN ZWISCHEN DIR VND DEM WEIBE / VND ZWISCHEN DEINEM SAMEN VND JREM SAMEN / [c]DER

Christus verheissen.

a (Tag küle war) Das war vmb den abend / wenn die hitze vergangen ist. Bedeut / das nach gethaner Sünde / das Gewissen angst leidet. Bis das Gottes gnedige stim kome vnd wider küle vnd erquicke das hertze. Wie wol sich auch die blöde Natur entsetzt vnd fleucht fur dem Euangelio / weil es das creutz vnd sterben leret.

b (Adam) Adam heisst auf Ebreisch Mensch / darumb mag man mensch sagen / wo Adam stehet / vnd widerumb.

c (Der selb) Dis ist das erst Euangelium vnd Verheissung von Christo geschehen auff Erden / Das er solt / Sünd / Tod vnd Helle vberwinden vnd vns von der Schlangen gewalt selig machen. Daran Adam gleubet mit allen seinen Nachkomen / Dauon er Christen vnd selig worden ist von seinem Fall.

SELB SOL DIR DEN KOPFF ZUTRETTEN / VND DU WIRST JN IN DIE VERSCHEN [d]STECHEN.

d (Stechen) Plagen creutzigen vnd martern. Denn so gehets auch Christus zutritt dem Teufel seinen Kopff (das ist / sein Reich des Todes / Sünd vnd Helle) So sticht jn der Teufel in die Verschen (das ist / er tödtet vnd martert jn vnd die seinen leiblich.)

VND zum Weibe sprach er / Jch wil dir viel schmertzen schaffen wenn du schwanger wirst / Du solt mit schmertzen Kinder geberen / Vnd dein wille sol deinem Man vnterworffen sein / Vnd Er sol dein Herr sein.

Straffe vnd Creutz vber Heua vnd Adam.

VND zu Adam sprach er / Die weil du hast gehorchet der stimme deines Weibes / Vnd gessen von dem Bawm da von ich dir gebot / vnd sprach / Du solt nicht da von essen / Verflucht sey der Acker vmb deinen willen / mit kummer soltu dich drauff neeren dein Leben lang / [18]Dorn vnd Disteln sol er dir tragen / vnd solt das Kraut auff dem felde essen. [19]Jm schweis deines Angesichts soltu dein Brot essen / Bis das du wider zu Erden werdest / da von du genomen bist / Denn du bist Erden / vnd solt zu Erden werden.

e (Heua) Hai / heisst Leben / Da her kompt Heua oder Haua / leben oder lebendige.

VND Adam hies sein Weib [e]Heua / darumb / das sie eine Mutter ist aller Lebendigen. [21]Vnd Gott der HERR machet Adam vnd seinem weibe Röcke von Fellen / vnd zog sie an.

VND Gott der HERR sprach / Sihe / Adam ist worden als vnser einer / vnd weis was gut vnd böse ist / Nu aber / das er nicht ausstrecke seine hand / vnd breche auch von dem Bawm des Lebens / vnd esse vnd lebe ewiglich.

[23]DA lies jn Gott der HERR aus dem garten Eden / das er das Feld bawet / da von er genomen ist / [24]Vnd treib Adam aus / vnd lagert fur den garten Eden den Cherubim mit einem blossen hawenden Schwert / zu bewaren den weg zu dem Bawm des Lebens.

ADAM vnd Heua aus dem Paradis getrieben.

IIII.

VND ADAM ERKANDTE SEIN WEIB HEUA / VND sie ward schwanger / vnd gebar den Kain / vnd sprach. Jch habe [f]den Man des HERRN. [2]Vnd sie fur fort / vnd gebar Habel seinen bruder / Vnd Habel ward ein Schefer / Kain aber ward ein Ackerman.

f Ey Gott sey gelobt / Da hab ich den HERRN den Man / den Samen / der dem Satan oder Schlangen den Kopff zutretten sol / Der wirds thun.

KAIN.

HABEL

ES begab sich aber nach etlichen tagen / das Kain dem HERRN Opffer bracht von den Früchten des feldes / [4]Vnd Habel bracht auch von den Erstlingen seiner Herde vnd von jrem fetten. Vnd der HERR sahe gne||diglich an Habel vnd sein Opffer / [5]Aber Kain vnd sein Opffer sahe er nicht gnedig-

Ebre. 11.

|| 3a

(Thür) Ebreisch lautet Thür / so viel als das offenstehet / oder auffgethan wird / Mar. vij. Hephethah / thu dich auff etc / vnd ist die meinung / Die sünde ligt vnd ruget / wie ein Ochslin ligt vnd ruget. Aber sie ligt in der Thür / das ist / Sie wird offen stehen / oder offenbar werden / ob der Sünder wol eine zeit lang sicher da hin gehet als schlaffe die sünde oder sey tode:

lich an / Da ergrimmet Kain seer vnd sein geberde verstellet sich. [6]Da sprach der HERR zu Kain / Warumb ergrimmestu? vnd warumb verstellet sich dein Geberde? [7]Jsts nicht also? Wenn du from bist / so bistu angeneme / Bistu aber nicht from / So ruget die Sünde fur der thür / Aber las du jr nicht jren willen / sondern herrsche vber sie. [8]Da [a]redet Kain mit seinem bruder Habel.

a (Redet mit Habel) Das ist / Scham halben must er sich eusserlich stellen vnd reden mit seinem Bruder / weil er gestrafft ward / Ob er wol im hertzen jn zu tödten gedacht. Also ist Kain aller Heuchler vnd falscher Heiligen vater.

VND es begab sich / da sie auff dem Felde waren / erhub sich Kain wider seinen bruder Habel / vnd schlug jn tod. [9]Da sprach der HERR zu Kain / Wo ist dein bruder Habel? Er aber sprach / Jch weis nicht / Sol ich meines bruders Hüter sein? [10]Er aber sprach / Was hastu gethan? Die stim deines Bruders blut schreiet zu mir von der Erden / [11]Vnd nu verflucht seistu auff der Erden / die jr maul hat auffgethan / vnd deines Bruders blut von deinen henden empfangen. [12]Wenn du den Acker bawen wirst / sol er dir fort sein vermügen nicht geben / Vnstet vnd flüchtig soltu sein auff Erden.

KAIN schlegt Habel tod. 1. Joh. 3.

[13]KAin aber sprach zu dem HERRN / Meine Sünde ist grösser / denn das sie mir vergeben werden müge. [14]Sihe / Du treibest mich heute aus dem Lande / vnd mus mich fur deinem Angesicht verbergen / vnd mus vnstet vnd flüchtig sein auff Erden / So wird mirs gehen / das mich todschlage wer mich findet. [15]Aber der HERR sprach zu jm / Nein / Sondern wer Kain todschlegt / das sol siebenfeltig gerochen werden. Vnd der HERR macht ein Zeichen an Kain / das jn niemand erschlüge / wer jn fünde. [16]Also gieng Kain von dem Ange-

sicht des HERRN / vnd wonet im Lande Nod / jenseid Eden gegen dem morgen.

KAINS Geschlecht.

VND Kain erkandte sein Weib / die ward schwanger vnd gebar den Hanoch. Vnd er bawete eine Stad / die nennet er nach seins Sons namen / Hanoch. [18]Hanoch aber zeugete Jrad. Jrad zeugete Mahuiael. Mahuiael zeugete Methusael. Methusael zeugete Lamech.

LAMECH.

LAmech aber nam zwey Weiber / eine hies Ada / die ander Zilla. [20]Vnd Ada gebar Jabal / Von dem sind her komen die in Hütten woneten vnd vieh zogen / [21]Vnd sein Bruder hies Jubal / Von dem sind herkomen die Geiger vnd Pfeiffer. Die Zilla aber gebar auch / nemlich / den Thubalkain den Meister in al||lerley ertz vnd eisenwerck / Vnd die Schwester des Thubalkain / war Naema.

|| 3b

[23]VND Lamech sprach zu seinen weibern Ada vnd Zilla / Jr weiber Lamech höret meine rede / vnd merckt was ich sage. Jch hab einen Man erschlagen mir zur wunden / vnd einen Jüngling mir zur beulen. [24]Kain sol sieben mal gerochen werden / Aber Lamech sieben vnd siebenzig mal.

ADAM ERKANDTE ABER MAL SEIN WEIB / VND SIE GEbar einen Son den hies sie Seth / Denn Gott hat mir (sprach sie) einen andern samen gesetzt fur Habel den Kain erwürget hat. [26]Vnd Seth zeuget auch einen Son / vnd hies jn Enos / Zu derselbigen zeit fieng man an zu predigen von des HERRN Namen.

SETH.

ENOS.

(Fieng man an) Nicht das zuuor nicht auch Gottes Name were geprediget / Sondern nach dem durch Kains bosheit der Gottesdienst gefallen war / ward er dazu mal wider auffgericht / vnd jrgend ein Altarlin gebawet / dahin sie sich versamleten / das Gotteswort zuhören vnd zubeten.

## V.

DJS IST DAS BUCH VON DES MENSCHEN GEschlecht / Da Gott den Menschen schuff / machet er jn nach dem gleichnis Gottes / [2]Vnd schuff sie ein Menlin vnd Frewlin / vnd segenet sie / vnd hies jren namen Mensch / zur zeit da sie geschaffen wurden.

VND Adam war hundert vnd dreissig jar alt / vnd zeuget einen Son / der seinem Bild ehnlich war / vnd hies jn Seth. [4]Vnd lebet darnach acht hundert jar / vnd zeuget Söne vnd Töchtere / [5]Das sein gantzes Alter ward neunhundert vnd dreissig jar / Vnd starb.

LINEA Christi. Luc. 3.

ADAM hat gelebet 930. jar. 1. Par. 1.

SEth war hundert vnd funff jar alt / vnd zeuget Enos. [7]Vnd lebet darnach acht hundert vnd sieben jar / vnd zeuget Söne vnd Töchtere / [8]Das sein

SETH 912.

gantzes Alter ward neunhundert vnd zwelff jar / Vnd starb.

ENos war neunzig jar alt / vnd zeuget Kenan. [10]Vnd lebet darnach acht hundert vnd funffzehen jar / vnd zeuget Söne vnd Töchtere / [11]Das sein gantzes Alter ward neun hundert vnd funff jar / Vnd starb.

ENOS 905.

KEnan war siebenzig jar alt / vnd zeuget Mahalaleel. [13]Vnd lebet darnach acht hundert vnd vierzig jar / vnd zeuget Söne vnd Töchtere / [14]Das sein gantzes Alter ward / neunhundert vnd zehen jar / Vnd starb.

KENAN 910.

MAhalaleel war funff vnd sechzig jar alt / vnd zeuget Jared. [16]Vnd lebet darnach acht hundert vnd dreissig jar / vnd zeuget Söne vnd Töchtere / [17]Das sein gantzes Alter ward / acht hundert funff vnd neunzig jar / Vnd starb.

MAHA. 895.

JAred war hundert vnd zwey vnd sechzig jar alt / vnd zeuget Henoch. [19]Vnd lebet darnach acht hundert jar / vnd zeuget Söne vnd Töchtere / [20]Das sein gantzes Alter ward / neunhundert zwey vnd sechzig jar / Vnd starb.

JARED 962.

HENOCH NAM Gott hinweg da er.365.jar alt war.

HEnoch war funff vnd sechzig jar alt / vnd zeuget Methusalah. [22]Vnd nach dem er Methusalah gezeuget hatte / bleib er in eim göttlichen Leben drey hundert jar / vnd zeuget Söne vnd Töchtere / [23]Das sein gantzes Alter ward / drey hundert funff vnd sechzig jar. [24]VND DIE WEIL ER EIN GÖTTLICH LEBEN FÜHRET / NAM JN GOTT HIN WEG / VND WARD NICHT MEHR GESEHEN.

(Göttlichen leben) Das ist / Er wird mit Gottes wort fur andern vleissig vmbgangen / vnd ein Prophet gewest sein / der allenthalben den leuten Gottes furcht gepredigt / vnd die straffe (so die Sindflut hernach thet) verkündigt / vnd viel drüber gelidden vnd gethan hat.

Ebre. 11.

MEthusalah war hundert sieben vnd achzig jar alt / vnd zeuget Lamech. [26]Vnd lebet darnach sieben hundert zwey vnd achzig jar / vnd zeuget Söne vnd Töchtere / [27]Das sein gantzes Alter ward / neunhundert neun vnd sechzig jar / Vnd starb.

METHU. 969.

LAmech war hundert zwey vnd achzig jar alt / vnd zeuget einen Son / [29]vnd· hies jn Noah / vnd sprach / Der wird vns trösten in vnser mühe vnd erbeit auff Erden / die der HERR verflucht hat. [30]Darnach lebet er funffhundert funff vnd neunzig jar / vnd zeuget Söne vnd Töchtere / [31]Das sein gantzes Alter ward / sieben hundert sieben vnd siebenzig jar / Vnd starb.

LAMECH 777.

NOah war funff hundert jar alt / vnd zeuget Sem / Ham vnd Japheth. ||

|| 4a

VI.

DA SICH ABER DIE MENSCHEN BEGUNDEN ZU mehren auff Erden / vnd zeugeten jnen Töchtere / [2]Da sahen die kinder Gottes nach den töchtern der Menschen / wie sie schön waren / vnd namen zu Weibern / welche sie wolten. [3]Da sprach der HERR / Die Menschen wöllen sich [a]meinen Geist nicht mehr straffen lassen / denn sie sind Fleisch / Jch wil jnen noch frist geben hundert vnd zwenzig jar.

(Kinder Gottes) Das waren der heiligen Veter kinder / die in Gottes furcht aufferzogen darnach erger denn die andern worden / vnter dem namen Gottes. Wie alle zeit der Heiligen Nachkomen / die ergesten Tyrannen vnd verkertesten zu letzt worden sind.

[4]ES waren auch zu den zeiten Tyrannen auff Erden / Denn da die kinder Gottes die töchter der Menschen beschlieffen vnd jnen Kinder zeugeten / wurden dar aus gewaltige in der Welt vnd berhümbte Leute.

DA ABER DER HERR SAHE / DAS DER MENSCHEN BOSHEIT GROS WAR AUFF ERDEN / VND ALLES TICHTEN VND TRACHTEN JRES HERTZEN NUR BÖSE WAR JMER DAR / [6]Da rewet es jn / das er die Menschen gemacht hatte auff Erden / vnd es bekümert jn in seinem Hertzen / [7]vnd sprach / Jch wil die Menschen / die ich geschaffen habe vertilgen / von der Erden / von den Menschen an bis auff das Vieh / vnd bis auff das Gewürme / vnd bis auff die Vogel vnter dem Himel / Denn es rewet mich / das ich sie gemacht habe. [8]Aber Noah fand Gnade fur dem HERRN.

a (Meinen Geist) Das ist / Es ist vmb sonst / was ich durch meinen Geist / jnen predigen / sagen / vnd straffen lasse / Sie sind zu gar fleischlich worden / verachten vnd lestern meines Geistes wort. Darumb sol er auff hören / vnd ich wil sie lassen faren / vnd nicht mehr mich mit jnen zancken vnd straffen.

Gen. 8.

NOAH Söne.

DIS ist das Geschlecht Noah. Noah war ein from Man vnd on wandel / vnd füret ein göttlich Leben zu seinen zeiten. [10]Vnd zeuget drey Söne / Sem / Ham / Japheth. [11]Aber die Erde war verderbet fur Gottes augen / vnd vol freuels. [12]Da sahe Gott auff Erden / vnd sihe / sie war verderbet / Denn alles Fleisch hatte seinen weg verderbet auff Erden. [13]DA sprach Gott zu Noah / Alles Fleisches ende ist fur mich komen / Denn die Erde ist vol freuels von jnen / Vnd sihe da / Jch wil sie verderben mit der Erden.

NOAH Kasten.

MAche dir einen Kasten von tennen Holtz / vnd mache Kammern drinnen / vnd verpiche sie mit Bech inwendig vnd auswendig / [15]Vnd mache jn also. Drey hundert Ellen sey die lenge / funffzig ellen die weite / vnd dreissig ellen die höhe. [16]Ein Fenster soltu dran machen oben an / einer ellen gros. Die Thür soltu mitten in seine seiten setzen. Vnd sol drey Boden haben / Einen vnten / den andern in der mitte / den dritten in der höhe. [17]Denn sihe / Jch wil eine Sindflut mit wasser komen lassen auff Erden / zu verderben alles Fleisch / darin ein lebendiger Odem ist / vnter dem Himel / Alles was auff Erden ist / sol vntergehen.

[18]ABer mit dir wil ich einen Bund auffrichten / Vnd du solt in den Kasten gehen / mit deinen Sönen / mit deinem Weibe / vnd mit deiner söne Weibern. [19]Vnd du solt in den Kasten thun allerley Thier von allem Fleisch / ja ein par / Menlin vnd Frewlin / das sie lebendig bleiben bey dir. [20]Von den Vogeln nach jrer art / von dem Vieh nach seiner art / vnd von allerley Gewürm auff erden nach seiner art. Von den allen sol je ein Par zu dir hinein gehen / das sie leben bleiben. [21]Vnd du solt allerley Speise zu dir nemen / die man isset / vnd solt sie bey dir samlen / das sie dir vnd jnen zur Narung da seien. [22]Vnd Noah thet alles was jm Gott gebot.

VII.

VND DER HERR SPRACH ZU NOAH / GEHE IN DEN Kasten / du vnd dein gantz Haus / Denn dich hab ich Gerecht ersehen fur mir zu dieser zeit [2]Aus allerley reinem Vieh nim zu dir / ja sieben vnd sieben / das Menlin vnd sein Frewlin. Von dem vnreinen Vieh aber je ein Par / das Menlin vnd sein Frewlin. [3]Des selben gleichen von den Vogeln vnter dem Himel / ja sieben vnd sieben / das Menlin vnd sein Frewlin / Auff das same lebendig bleibe auff dem gantzen Erdboden. [4]Denn noch vber sieben tage wil ich regen lassen auff Erden / vierzig tag vnd vierzig nacht / || vnd vertilgen von dem Erdboden alles was das wesen hat / das ich gemacht habe.

|| 4b

VND Noah thet alles was jm der HERR gebot. [6]Er war aber sechshundert jar alt / da das wasser der Sindflut auff Erden kam. [7]Vnd er gieng in den Kasten mit seinen Sönen / Weibe / vnd seiner Söne Weibern / fur dem gewesser der Sindflut. [8]Von dem reinen Vieh vnd von dem vnreinen / von den Vogeln / vnd von allem Gewürm auff erden / [9]giengen zu jm in den Kasten bey paren / ja ein Menlin vnd Frewlin / wie jm der HERR geboten hatte. [10]Vnd da die sieben tage vergangen waren / kam das gewesser der Sindflut auff Erden.

Mat. 24.
Luc. 17.
1. Pet. 3.

JN dem sechshunderten jar des alters Noah / am siebenzehenden tag des andern Monden / das ist der tag / da auffbrachen alle Brünne der grossen Tieffen / vnd theten sich auff die Fenster des Himels / [12]vnd kam ein Regen auff Erden vierzig tag vnd vierzig nacht.

NOAH GEHET in den Kasten etc.

[13]EBen am selben tage gieng Noah in den Kasten mit Sem / Ham vnd Japheth seinen Sönen / vnd mit seinem Weibe vnd seiner Söne dreien Weibern. [14]Da zu allerley Thier nach seiner art / allerley Vieh nach seiner art / allerley Gewürm das auff Erden kreucht / nach seiner art / vnd allerley Vogel nach jrer art / Alles was fliegen kund / vnd alles was fittich hatte / [15]das gieng alles zu Noah in den Kasten bey Paren / von allem Fleisch / da ein lebendiger Geist innen war / [16]vnd das waren Menlin vnd Frewlin von allerley Fleisch / vnd giengen hin ein / wie denn Gott jm geboten hatte. Vnd der HERR schlos hinder jm zu.

DA kam die Sindflut vierzig tage auff Erden / vnd die Wasser wuchsen / vnd huben den Kasten auff / vnd trugen jn empor vber der Erden. [18]Also nam das Gewesser vberhand / vnd wuchs seer auff Erden / das der Kaste auff dem gewesser fuhr. [19]Vnd das gewesser nam vberhand vnd wuchs so seer auff Erden / das alle hohe Berge vnter dem gantzen Himel bedeckt wurden / [20]funffzehen Ellen hoch gieng das gewesser vber die Berge / die bedeckt wurden.

[21]DA gieng alles Fleisch vnter / das auff Erden kreucht / an Vogeln / an Vieh / an Thieren / vnd an allem das sich reget auff Erden / vnd an allen Menschen / [22]Alles was einen lebendigen Odem

Mat. 24.
2. Pet. 3.

|| 5a

hatte im Trocken / das starb. [23]Also || ward vertilget alles was auff dem Erdboden war / vom Menschen an bis auff das Vieh / vnd auff das Gewürm / vnd auff die Vogel vnter dem Himel / das ward alles von der Erden vertilget / Allein Noah bleib vber / vnd was mit jm in dem Kasten war. [24]Vnd das Gewesser stund auff Erden hundert vnd funffzig tage.

1. Pet. 3. Gewesser ist gestandten. 150. tage.

VIII.

DA GEDACHTE GOTT AN NOAH / VND AN ALLE Thier / vnd an alles Vieh / das mit jm in dem Kasten war / Vnd lies Wind auff Erden komen / Vnd die Wasser fielen / [2]vnd die Brünne der tieffen wurden verstopffet sampt den Fenstern des Himels / vnd dem Regen vom Himel ward gewehret / [3]Vnd das Gewesser verlieff sich von der Erden jmer hin / vnd nam abe / nach hundert vnd funffzig tagen.

AM siebenzehenden tag des siebenden Monden / lies sich der Kaste nider auff das gebirge Ararat. [5]Es verlieff aber das Gewesser fort an vnd nam abe / bis auff den zehenden Mond / Am ersten tag des zehenden Monds / sahen der Berge spitzen erfür.

ARARAT.

NAch vierzig tagen / thet Noah das Fenster auff an dem Kasten / das er gemacht hatte / [7]vnd lies einen Raben ausfliegen / Der flog jmer hin vnd wider her / Bis das Gewisser vertrocket auff Erden.

RABE.

DARnach lies er eine Tauben von sich ausfliegen / Auff das er erfüre / ob das Gewesser gefallen were auff Erden. [9]Da aber die Taube nicht fand / da jr fuss rugen kund / kam sie wider zu jm in den Kasten / Denn das Gewesser war noch auff dem gantzen Erdboden / Da thet er die hand er aus / vnd nam sie zu sich in den Kasten.

TAUBE.

DA harret er noch ander sieben tage / vnd lies aber mal eine Taube fliegen aus dem Kasten / [11]Die kam zu jm vmb Vesperzeit / Vnd sihe / ein Oleblat hatte sie abgebrochen / vnd trugs in jrem Munde / Da vernam Noah / das das Gewesser gefallen were auff Erden. [12]Aber er harret noch ander sieben tage / vnd lies eine Taube ausfliegen / die kam nicht wider zu jm.

(Oleblat) Das blat bedeut das Euangelium / das der heilige Geist in die Christenheit hat predigen lassen / Denn Ole bedeut barmhertzigkeit vnd friede / dauon das Euangelium leret.

JM sechshundersten vnd einem jar des alters Noah / am ersten tage des ersten Monden / vertrockte das Gewesser auff Erden. Da thet Noah das dach von dem Kasten / vnd sahe / das der Erdboden trocken war. [14]Also ward die Erde gantz trocken am sieben vnd zwentzigsten Tage des andern Monden.

DA REDET GOTT MIT NOAH / VND SPRACH / [16]GEHE aus dem Kasten du vnd dein weib / deine Söne vnd deiner söne weiber mit dir. [17]Allerley Thier das bey dir ist / von allerley Fleisch / an Vogeln / an Vieh / vnd an allerley Gewürm / das auff erden kreucht / das gehe er aus mit dir / Vnd reget euch auff Erden / vnd seid fruchtbar vnd mehret euch auff Erden. [18]Also gieng Noah er aus mit seinen Sönen vnd mit seinem Weib vnd seiner sönen Weibern. [19]Da zu allerley Thier / allerley Gewürm / allerley Vogel / vnd alles was auff erden kreucht / das gieng aus dem Kasten / ein jglichs zu seines Gleichen.

NOah aber bawet dem HERRN einen Altar / vnd nam von allerley reinem Vieh / vnd von allerley reinem Geuogel / vnd opffert Brandopffer auff dem Altar. [21]Vnd der HERR roch den lieblichen Geruch / vnd sprach in seinem hertzen / JCH WIL HIN FURT NICHT MEHR DIE ERDE VERFLUCHEN VMB DER MENSCHEN WILLEN / DENN DAS TICHTEN DES MENSCHLICHEN HERTZEN IST BÖSE VON JUGENT AUFF / Vnd ich wil hinfurt nicht mehr schlahen alles was da lebet / wie ich gethan habe. [22]So lange die Erden stehet / sol nicht auffhören / Samen vnd Ernd / Frost vnd Hitz / Sommer vnd Winter / Tag vnd Nacht. ‖

Jesa. 54.

Gen. 1.

‖ 5 b

## IX.

VND GOTT SEGENET NOAH VND SEINE SÖNE / vnd sprach / Seid fruchtbar vnd mehret euch / vnd erfüllet die Erde. [2]Ewerfurcht vnd schrecken sey vber alle Thier auff Erden / vber alle Vogel vnter dem Himel / vnd vber alles was auff dem Erdboden kreucht / vnd alle Fisch im Meer seien in ewer hende gegeben. [3]Alles was sich reget vnd lebet / das sey ewre Speise / wie das grüne Kraut / hab ichs euch alles gegeben.

[4]ALleine esset das Fleisch nicht / das noch lebt in seinem Blut / [5]Denn ich wil auch ewrs Leibs blut rechen / vnd wils an allen Thieren rechen / vnd wil des Menschen leben rechen an einem jglichen Menschen / als der sein Bruder ist.

(Durch Menschen) Hie ist das weltlich Schwert eingesetzt / Das man die Mörder tödten sol.

[6]WER MENSCHEN BLUT VERGEUSSET / DES BLUT SOL AUCH DURCH MENSCHEN VERGOSSEN WERDEN / Denn Gott hat den Menschen zu seinem Bilde ge-

Weltlich Schwert Matt. 26.

macht. [7]Seid fruchtbar vnd mehret euch / vnd reget euch auff Erden / das ewer viel drauff werden.

VND Gott sagt zu Noah vnd seinen Sönen mit jm / [9]Sihe / Jch richte mit euch einen Bund auff / vnd mit ewrem Samen nach euch / [10]vnd mit allem lebendigen Thier bey euch / an Vogel / an Vieh / vnd an allen Thieren auff Erden bey euch / von allem das aus dem Kasten gegangen ist / waserley Thier es sind auff Erden. [11]Vnd richte meinen Bund also mit euch auff / Das hinfurt nicht mehr alles Fleisch verderbet sol werden / mit dem wasser der Sindflut / vnd sol hinfurt keine Sindflut mehr komen / die die Erde verderbe.

Gottes Bunde nach der Sindflut mit Noah etc.

[12]VND Gott sprach / Das ist das Zeichen des Bunds / den ich gemacht habe zwischen mir vnd euch / vnd allem lebendigen Thier bey euch hin furt ewiglich. [13]Meinen Bogen hab ich gesetzt in die wolcken / der sol das Zeichen sein des Bunds / zwischen Mir vnd der Erden. [14]Vnd wenn es kompt / das ich wolcken vber die Erden füre / So sol man meinen Bogen sehen / in den wolcken / [15] Als denn wil ich gedencken an meinen Bund / zwischen Mir vnd euch / vnd allem lebendigen Thier / in allerley Fleisch / Das nicht mehr hin furt eine Sind||flut kome / die alles Fleisch verderbe. [16]Darumb sol mein Bogen in den wolcken sein / das ich jn ansehe / vnd gedencke an den ewigen Bund zwischen Gott vnd allem lebendigen Thier in allem Fleisch / das auff Erden ist. [17]Daselb saget Gott auch zu Noah / Dis sey das Zeichen des

REGENBOGEN.

|| 6a

Bunds / den ich auffgerichtet habe zwischen Mir vnd allem Fleisch auff Erden.

NOAH Söne.

DJE söne Noah / die aus dem Kasten giengen / sind diese / Sem / Ham / Japheth / Ham aber ist der Vater Canaan. [19]Das sind die drey söne Noah / von denen ist alles Land besetzt.

NOAH truncken.

NOah aber fieng an vnd ward ein Ackerman / vnd pflantzte Weinberge. [21]Vnd da er des Weins tranck / ward er truncken / vnd lag in der Hütten auffgedeckt. [22]Da nu Ham / Canaans vater / sahe seines Vaters scham / saget ers seinen beiden Brüdern draussen. [23]Da nam Sem vnd Japheth ein Kleid / vnd legten es auff jre beide Schulder / vnd giengen rücklings hin zu / vnd deckten jres Vaters scham zu / Vnd jr angesicht war abgewand / das sie jres Vaters scham nicht sahen.

FLUCH vber Canaan.

[24]ALS nu Noah erwacht von seinem Wein / vnd erfur / was jm sein kleiner Son gethan hatte / [25]sprach er / Verflucht sey Canaan / vnd sey ein Knecht aller knecht vnter seinen Brüdern. [26]Vnd sprach weiter / Gelobet sey Gott der HERR des Sems / Vnd Canaan sey sein Knecht. [27]Gott breite Japheth aus / vnd las jn wonen in den Hütten des Sems / Vnd Canaan sey sein Knecht.

NOAH ALTER. 950. jar.

NOah aber lebet nach der Sindflut drey hundert vnd funffzig jar / [29]Das sein gantz Alter ward / neunhundert vnd funffzig jar / Vnd starb.

## X.

1. Par. 1.

DJS IST DAS GESCHLECHT DER KINDER NOAH / Sem / Ham / Japheth / Vnd sie zeugeten Kinder nach der Sindflut. [2]Die kinder Japheth sind diese / Gomer / Magog / Madai / Jauan / Thubal / Mesech / vnd Thiras. [3]Aber die kinder von Gomer sind diese / Ascenas / Riphath / vnd Thogarma. [4]Die kinder von Jauan sind diese / Elisa / Tharsis / Kithim / vnd Dodanim. [5]Von diesen sind ausgebreitet die Jnsulen der Heiden in jren Lendern / jgliche nach jrer Sprach / Geschlecht vnd Leuten.

JAPHETHS Geschlecht.

HAMS Geschlecht.

DJe kinder von Ham sind diese / Chus / Mizraim / Put / vnd Canaan. [7]Aber die kinder von Chus / sind diese / Seba / Heuila / Sabtha / Raema / vnd Sabtecha. Aber die kinder von Raema sind diese / Scheba vnd Dedan. [8]Chus aber zeuget den Nimrod / Der fieng an ein gewaltiger Herr zu sein auff Erden. [9]Vnd war ein gewaltiger Jeger fur dem HERRN / Da her spricht man / Das ist ein gewalti-

NIMROD.

ger Jeger fur dem HERRN / wie Nimrod. [10]Vnd der anfang seins Reichs war / Babel / Erech / Acad vnd Chalne im land Sinear. [11]Von dem Land ist darnach komen der Assur / vnd bawete Niniue vnd RehobothJr vnd Calah / [12]da zu Ressen zwischen Niniue vnd Calah / Dis ist eine grosse Stad. [13]Mizraim zeuget Ludim / Anamim / Leabim / Naphtuhim / [14]Pathrusim / vnd Casluhim / Von dannen sind komen die Philistim vnd Caphthorim.

BABEL.

ASSUR.

NINIUE.

[15]CAnaan aber zeuget Zidon seinen ersten son / vnd Heth / [16]Jebusi / Emori / Girgosi / [17]Hiui / Arki / Sini / [18]Aruadi / Zemari / vnd Hamathi. Da her sind ausgebreitet die Geschlecht der Cananiter. [19]Vnd jre Grentze waren von Zidon an / durch Gerar / bis gen Gasa / bis man kompt gen Sodoma / Gomorra / Adama / Zeboim / vnd bis gen Lasa. [20]Das sind die kinder Ham in jren Geschlechten / Sprachen / Lendern / vnd Leuten.

CANANITER.

SEM ABER / JAPHETHS DES GRÖSSERN BRUDER / zeuget auch Kinder / der ein Vater ist aller kinder von Eber. [22]Vnd dis sind seine Kinder / Elam / Assur / Arphachsad / Lud vnd Aram. [23]Die kinder aber von Aram sind diese / Vz / ‖ Hul / Gether vnd Mas. [24]Arphachsad aber zeuget Salah. Salah zeuget Eber. [25]Eber zeuget zween Söne / einer hies Peleg / darumb / das zu seiner zeit / die Welt zurteilet ward / des Bruder hies Jaketan. [26]Vnd Jaketan zeuget Almodad / Saleph / Hazarmaueth / Jarah / [27]Hadoram / Vsal / Dikela / [28]Obal / Abimael / Seba / [29]Ophir / Heuila / vnd Jobab / Das sind alle Kinder von Jaketan. [30]Vnd jr Wonung war von Mesa an / bis man kompt gen Sephar / an den Berg gegen dem morgen. [31]Das sind die Kinder von Sem / in jren Geschlechten / Sprachen / Lendern vnd Leuten. [32]Das sind nu die Nachkomen der Kinder Noah / in jren Gschlechten vnd Leuten / Von denen sind ausgebreittet die Leute auff Erden nach der Sindflut.

SEMS Geschlecht.

‖ 6 b

(PELEG) Auff Deudsch / Ein zurteilung.

## XI.

ES HATTE ABER ALLE WELT EINERLEY ZUNGEN VND sprache. [2]Da sie nu zogen gen Morgen / funden sie ein eben Land / im lande Sinear / vnd woneten daselbs. [3]Vnd sprachen vnternander / Wolauff / lasst vns Ziegel streichen vnd brennen / Vnd namen ziegel zu stein / vnd thon zu kalck / [4]vnd sprachen / Wolauff / Lasst vns eine Stad vnd Thurn bawen /

SINEAR.

THURN zu Babel.

des spitze bis an den Himel reiche / das wir vns einen namen machen / Denn wir werden vieleicht zerstrewet in alle Lender.

[5]DA fur der HERR ernider / das er sehe die Stad vnd Thurn / die die Menschenkinder baweten. [6]Vnd der HERR sprach / Sihe / Es ist einerley Volck vnd einerley Sprach vnter jnen allen / vnd haben das angefangen zu thun / sie werden nicht ablassen von allem das sie furgenomen haben zu thun. [7]Wolauff / lasst vns ernider faren / vnd jre Sprache da selbs verwirren / das keiner des andern sprache verneme. [8]Also zerstrewet sie der HERR von dannen in alle Lender / das sie musten auffhören die Stad zu bawen / [9]Da her heisst jr name Babel / das der HERR daselbs verwirret hatte aller Lender sprache / vnd sie zerstrewet von dannen in alle Lender.

Verwirrung der sprachen.

(BABEL) Auff Deudsch / Ein vermischung oder verwirrung.

SEMS Geschlecht / der. 600. jar gelebt hat.

LINEA Christi. 1. Par. 1.

DJS SIND DIE GESCHLECHT SEM / SEM WAR HUNdert jar alt / vnd zeuget Arphachsad / zwey jar nach der Sindflut / [11]Vnd lebet darnach funffhundert jar / vnd zeuget Söne vnd Töchter.

ARPHACHSAD 438.

ARphachsad ward funff vnd dreissig jar alt / vnd zeugete Salah / [13]Vnd lebet darnach vierhundert vnd drey jar / vnd zeuget Söne vnd Töchter.

SALAH 433.

SAlah war dreissig jar alt / vnd zeuget Eber / [15]Vnd lebet darnach vier hundert vnd drey jar / vnd zeugete Söne vnd Töchter.

EBER 464.

EBer war vier vnd dreissig jar alt / vnd zeuget Peleg / [17]Vnd lebet darnach vier hundert vnd dreissig jar / vnd zeuget Söne vnd Töchter.

PELEG 239.

PEleg war dreissig jar alt / vnd zeuget Regu / [19]Vnd lebet darnach zwey hundert vnd neun jar / vnd zeuget Söne vnd Töchter.

REGU 239.

REgu war zwey vnd dreissig jar alt / vnd zeuget Serug / [21]Vnd lebet darnach zwey hundert vnd sieben jar / vnd zeuget Söne vnd Töchter.

SERUG 230.

SErug war dreissig jar alt / vnd zeuget Nahor / [23]Vnd lebet darnach zwey hundert jar / vnd zeuget Söne vnd Töchter.

NAHOR 148.

NAhor war neun vnd zwenzig jar alt / vnd zeuget Tharah / [25]Vnd lebet darnach hundert vnd neunzehen jar / vnd zeuget Söne vnd Töchter.

THARAH.

THArah war siebenzig jar alt / vnd zeuget / Abram / Nahor / vnd Haran.

THARAH Geschlecht.

DJS SIND DIE GESCHLECHT THARAH / THARAH zeuget Abram / Nahor / vnd Haran / Aber Haran zeuget Lot. [28]Haran aber starb vor seinem

Vater Tharah in seinem Vaterland zu Vr in Chaldea. [29]Da namen Abram vnd Nahor weiber / Abrams weib hies Sarai / vnd Nahors weib Milca Harans || tochter / der ein Vater war der Milca / vnd der Jisca / [30]Aber Sarai war vnfruchtbar / vnd hatte kein Kind.

ABRAM. SARAI.

|| 7a

[31]DA nam Tharah seinen son Abram / vnd Lot seines sons Harans son / vnd seine schnur Sarai / seines sons Abrams weib / vnd füret sie von Vr aus Chaldea / das er ins land Canaan zöge / Vnd sie kamen gen Haran / vnd woneten daselbs. [32]Vnd Tharah ward zwey hundert vnd funff jar alt / vnd starb in Haran.

THARAH alter 205.

## XII.

Acto. 7. Ebre. 11.

VND DER HERR SPRACH ZU ABRAM / GEHE AUS deinem Vaterland / vnd von deiner Freundschafft / vnd aus deines Vatershause / Jn ein Land / das ich dir zeigen wil. [2]Vnd ich wil dich zum grossen Volck machen / vnd wil dich segenen / vnd dir einen grossen Namen machen / vnd solt ein Segen sein / [3]Jch wil segenen die dich segenen / Vnd verfluchen die dich verfluchen. VND IN DIR SOLLEN GESEGENET WERDEN ALLE GESCHLECHT AUFF ERDEN.

ABRAM

Gal. 3.

DA zoch Abram aus / wie der HERR zu jm gesagt hatte / vnd Lot zoch mit jm / Abram aber war funff vnd siebenzig jar alt / da er aus Haran zoch. [5]Also nam Abram sein weib Sarai / vnd Lot seines Bruders son / mit aller jrer Habe / die sie gewonnen hatten / vnd Seelen die sie gezeuget hatten in Haran / vnd zogen aus zu reisen in das land Canaan. Vnd als sie komen waren in dasselbige Land / [6]zog Abram durch / bis an die stet Sichem / vnd an den hayn More / Denn es woneten zu der zeit die Cananiter im Lande.

CANANITER.

[7]DA erschein der HERR Abram / vnd sprach / Deinem Samen wil ich dis Land geben. Vnd er bawet daselbs dem HERRN einen Altar / der jm erschienen war. [8]Darnach brach er auff von dannen an einen Berg / der lag gegen dem Morgen der stad BethEl / vnd richtet seine Hütten auff / das er BethEl gegen abend / vnd Ai gegen dem morgen hatte. Vnd bawet daselbs dem HERRN einen Altar / vnd predigte von dem Namen des HERRN. [9]Darnach weich Abram ferner / vnd zoch aus gegen dem mittag.

ABRAM wird das Land Canaan hie erstlich verheissen.

THEWRUNG ZU Abrams zeiten.

ES kam aber eine Thewrung in das Land. Da zoch Abram hin ab in Egypten / das er sich daselbs / als ein Frembdling / enthielte / Denn die Thewrung war gros im Lande. [11]Vnd da er nahe bey Egypten kam / sprach er zu seinem weibe Sarai / Sihe / Jch weis / das du ein schön Weib von angesicht bist / [12]Wenn dich nu die Egypter sehen werden / so werden sie sagen / Das ist sein Weib / Vnd werden mich erwürgen vnd dich behalten. [13]Lieber so sage doch / Du seist meine Schwester / Auff das mirs deste bas gehe vmb deinen willen / vnd meine Seele bey dem Leben bleibe vmb deinen willen.

[14]ALs nu Abram in Egypten kam / sahen die Egypter das Weib / das sie fast schön war. [15]Vnd die Fürsten des Pharao sahen sie / vnd preiseten sie fur jm. Da ward sie in des Pharao haus bracht / [16]Vnd er thet Abram guts / vmb jren willen / vnd er hatte schafe / rinder / esel / Knecht vnd Megde / eselin vnd kameel. [17]Aber der HERR plaget den Pharao mit grossen Plagen vnd sein Haus / vmb Sarai Abrams weibs willen.

[18]DA rieff Pharao Abram zu sich / vnd sprach zu jm / Warumb hastu mir das gethan? Warumb sagestu mirs nicht / das dein Weib were? [19]Warumb sprachstu denn / sie were deine Schwester? Derhalben ich sie mir zum Weibe nemen wolt. Vnd nu sihe / Da hastu dein weib / nim sie vnd zeuch hin. [20]Vnd Pharao befalh seinen Leuten vber jm / das sie jn geleiten vnd sein Weib vnd alles was er hatte.

## XIII.

ABRAM ZICHET wider aus Egypten in Canaan.

ALSO ZOCH ABRAM ER AUFF AUS EGYPTEN MIT SEInem Weibe vnd mit allem das er hatte / vnd Lot auch mit jm / gegen dem Mittag. [2]Abram aber war seer Reich von vieh / silber / vnd gold. [3]Vnd er zoch jmer fort von Mittag / bis gen BethEl / an die stet / da am ersten seine Hütten war / zwischen BethEl vnd Ai / [4]eben an den Ort / da er vorhin den Altar gemacht hatte / Vnd er predigt alda den Namen des HERRN.

‖ 7b

Gen. 12.

LOT.

LOt aber der mit Abram zoch / der hatte auch schaf vnd rinder vnd Hütten / [6]Vnd das Land mochts nicht ertragen / das sie bey einander woneten / Denn jr Habe war gros / vnd kundten nicht bey ein ander wonen. [7]Vnd war jmer zanck zwischen den Hirten vber Abrams vieh / vnd zwischen den Hirten vber Lots vieh / So woneten auch zu der zeit die Cananiter vnd Pheresiter im Lande.

CANANITER. PHERESITER.

[8]DA sprach Abram zu Lot / Lieber las nicht zanck sein zwischen mir vnd dir / vnd zwischen meinen vnd deinen Hirten / denn wir sind Gebrüder. [9]Stehet dir nicht alles Land offen? Lieber scheide dich von mir / Wiltu zur Lincken / so wil ich zur rechten / Oder wiltu zur rechten / so wil ich zur lincken. [10]Da hub Lot seine augen auff / vnd besahe die gantze Gegend am Jordan / Denn ehe der HERR Sodoma vnd Gomorra verderbet / war sie wasserreich / bis man gen Zoar kompt / als ein Garten des HERRN / gleich wie Egyptenland.

Gegend am Jordan.

[11]DA erwelet jm Lot / die gantze Gegend am Jordan / vnd zoch gegen Morgen. Also scheidet sich ein Bruder von dem andern / [12]das Abram wonet im lande Canaan / vnd Lot in den stedten der selben Gegend / vnd setzt seine Hütten gen Sodom / [13]Aber die Leute zu Sodom waren böse / vnd sundigeten seer wider den HERRN.

SODOMITER. Ezech. 16.

DA nu Lot sich von Abram gescheiden hatte / sprach der HERR zu Abram / Heb deine Augen auff / vnd sihe von der stet an da du wonest / gegen Mitternacht / gegen dem Mittag / gegen dem Morgen / vnd gegen dem Abend / [15]Denn alle das Land / das du sihest / wil ich dir geben vnd deinem Samen ewiglich. [16]Vnd wil deinen Samen machen wie den staub auff erden / Kan ein Mensch den staub auff erden zelen / der wird auch deinen Samen zelen. [17]Darumb so mach dich auff / vnd zeuch durch das Land / in die lenge vnd breite / denn dir wil ichs geben. [18]Also erhub Abram seine Hütten / kam vnd wonet im Hayn Mamre / der zu Hebron ist / Vnd bawet daselbs dem HERRN einen Altar.

Gen. 12.

HAIN MAMRE.

## XIIII.

VND ES BEGAB SICH ZU DER ZEIT DES KÖNIGES Amraphel von Sinear Arioch des königes von Elassar / KedorLaomor des königes von Elam / vnd Thideal des königes der Heiden / [2]Das sie kriegten mit Bera dem könige von Sodom / vnd mit Birsa dem könige von Gomorra / vnd mit Sineab dem könige von Adama / vnd mit Semeber dem könige von Zeboim / vnd mit dem könige von Bela / die heisst Zoar.

[3]DJese kamen alle zusamen in das tal Siddim / da nu das Saltzmeer ist / [4]Denn sie waren zwelff jar

vnter dem könige KedorLaomor gewesen / vnd im dreizehenden jar waren sie von jm abgefallen. [5]Darumb kam KedorLaomor vnd die Könige die mit jm waren / im vierzehenden jar / vnd schlugen die Risen zu AstarothKarnaim / vnd die Susim zu Ham / vnd die Emim in dem felde Kiriathaim / [6]vnd die Horiter auff jrem gebirge Seir / bis an die breite Pharan / welche an die wüsten stösst. [7]Darnach wandten sie vmb / vnd kamen an den born Mispat / das ist Kades / vnd schlugen das gantze Land der Amalekiter / dazu die Amoriter / die zu HazezonThamar woneten.‖

RISEN.
SVSIM.
EMIM.
HORITER.

‖ 8 a

DA zogen aus der könig von Sodom / der könig von Gomorra / der könig von Adama / der könig von Zeboim / vnd der könig von Bela / die Zoar heisst / vnd rüsten sich zu streiten / im tal Siddim / [9]mit KedorLaomor / dem könige von Elam / vnd mit Thideal dem könige der Heiden / vnd mit Amraphel dem könige von Sinear / vnd mit Arioch dem könige von Elassar / vier Könige mit fünffen / [10]Vnd das tal Siddim hatte viel Thongruben.

ABer der König von Sodom vnd Gomorra wurden daselbs in die Flucht geschlagen vnd nidergelegt / vnd was vberbleib / flohe auff das Gebirge. [11]Da namen sie alle habe zu Sodom vnd Gomorra vnd alle speise / vnd zogen da von. [12]Sie namen auch mit sich Lot Abrams bruder son vnd seine habe / Denn er wonete zu Sodom / vnd zogen da von.

LOT
gefangen.

DA kam einer der entrunnen war / vnd sagets Abram an dem auslender / der da wonet im hayn Mamre des Amoriter / welcher ein Bruder war Escol vnd Aner / Diese waren mit Abram im Bund. [14]Als nu Abram höret / das sein Bruder gefangen war / wapnet er seine Knechte / drey hundert vnd achzehen / in seinem Hause geborn / vnd jaget jnen nach bis gen Dan / [15]Vnd teilet sich / Fiel des nachts vber sie mit seinen Knechten / vnd schlug sie / vnd jaget sie bis gen Hoba / die zur lincken der stad Damascus ligt. [16]Vnd bracht alle Habe wider / dazu auch Lot seinen Bruder mit seiner Habe / auch die Weiber vnd das Volck.

MAMRE
ESCOL.
ANER.

ABRAM
schlegt vier
Könige.

[17]ALs er nu widerkam von der schlacht des KedorLaomor vnd der Könige mit jm / giengen jm entgegen der könig von Sodom / in das feld das Königstal heisst.

MELCHISEDECH. EBRE. 7.

ABer Melchisedech der König von Salem / trug brot vnd wein erfur. Vnd er war ein Priester Gottes des höhesten / [19]Vnd segnet jn / vnd sprach / Gesegnet seistu Abram dem höhesten Gott / der Himel vnd Erden besitzt / [20]Vnd gelobet sey Gott der höhest / der deine Feinde in deine hand beschlossen hat. Vnd dem selben gab Abram den Zehenden von allerley.

(Trug brot) Nicht das ers opfferte / sondern das er die Geste speiset vnd ehret / Dadurch Christus bedeut ist / der die Welt mit dem Euangelio speiset.

[21]DA sprach der könig von Sodom zu Abram / Gib mir die Leute / die Güter behalt dir. [22]Aber Abram sprach zu dem könige von Sodom / Jch hebe meine hende auff zu dem HERRN / dem höhesten Gott / der Himel vnd Erden besitzt / [23]Das ich von allem das dein ist / nicht einen faden noch einen schuchrimen nemen wil / Das du nicht sagest / du habest Abram reich gemacht. [24]Ausgenomen was die Jünglinge verzehret haben / vnd die menner Aner / Escol vnd Mamre / die mit mir gezogen sind / die las jr Teil nemen.

## XV.

NACH DIESEN GESCHICHTEN BEGAB SICHS / DAS zu Abram geschach das wort des HERRN im Gesicht / vnd sprach / Fürchte dich nicht Abram / Jch bin dein Schilt / vnd dein seer grosser Lohn. [2]Abram sprach aber / HErr HERR / Was wiltu mir geben? Jch gehe dahin on Kinder / vnd mein Hausuogt hat einen Son / dieser Elieser von Damasco. [3]Vnd Abram sprach weiter / Mir hastu keinen Samen gegeben / Vnd sihe / der Son meines gesinds / sol mein Erbe sein.

[4]VND sihe / der HERR sprach zu jm / Er sol nicht dein Erbe sein / Sondern der von deinem Leibe komen wird / der sol dein Erbe sein. [5]Vnd er hies jn hin aus gehen / vnd sprach / Sihe gen Himel / vnd zele die sterne / Kanstu sie zelen? Vnd sprach zu jm / ALSO SOL DEIN SAME WERDEN / [6]ABRAM GLEUBTE DEM HERRN / VND DAS RECHENT ER JM ZUR GERECHTIGKEIT.

Gen. 17.

Rom. 4. Gal. 3. Ebre. 11.

ABRAM WIRD ein Son verheissen etc. Gen. 17.

VND er sprach zu jm / Jch bin der HERR / der dich von Vr aus Chaldea gefurt hat / das ich dir dis Land zu besitzen gebe. [8]Abram aber sprach || HErr HERR / Wo bey sol ichs mercken / das ichs besitzen werde? [9]Vnd er sprach zu jm / Bringe mir eine dreyierige Kue / vnd ein dreyierige Zigen / vnd ein dreyierigen Wider / vnd eine Dordeltauben / vnd eine Jungetauben. [10]Vnd er bracht jm

|| 8b

(Geuogel) Das geuogel / vnd der rauchend ofen vnd der fewrige brand / bedeuten die Egypter / die Abrahams kinder verfolgen solten. Aber Abram scheucht sie dauon das ist / Gott erlöset sie vmb der verheissung willen / Abram versprochen. Das aber er nach der Sonnen vntergang erschrickt / bedeut / Das Gott seinen Samen eine zeit verlassen wolt / das sie verfolget würden / wie der HERR selbs hie deutet. Also gehet es auch allen Gleubigen / das sie verlassen / vnd doch erlöset werden.

solchs alles / vnd zurteilet es mitten von ander / vnd leget ein teil gegen das ander vber / aber die Vogel zurteilet er nicht. [11]Vnd das Geuogel fiel auff die ass / Aber Abram scheuchet sie dauon.

[12]DA nu die Sonne vnter gegangen war / fiel ein tieffer Schlaff auff Abram / Vnd sihe / schrecken vnd grosse finsternis vberfiel jn. [13]Da sprach er zu Abram / Das soltu wissen / Das dein Same wird frembd sein in einem Lande das nicht sein ist / vnd da wird man sie zu dienen zwingen vnd plagen vier hundert jar. [14]Aber ich wil richten das Volck / dem sie dienen müssen. Darnach sollen sie ausziehen mit grossem Gut. [15]Vnd du solt faren zu deinen Vetern mit frieden / vnd in gutem Alter begraben werden / [16]Sie aber sollen nach vier Mansleben wider hieher komen / Denn die missethat der Amoriter ist noch nicht alle. [17]Als nu die Sonne vntergegangen / vnd finster worden war / Sihe / da rauchete ein Ofen / vnd ein Fewerflammen fuhr zwisschen den stücken hin.

Act. 7.

Exod. 12.

AN dem tage machte der HERR einen Bund mit Abram / vnd sprach / Deinem Samen wil ich dis Land geben / von dem wasser Egypti an / bis an das grosse wasser Phrat / [19]die Keniter / die Kinisiter / die Kadmoniter / [20]die Hithiter / die Pheresiter / die Risen / [21]die Amoriter / die Cananiter / die Gergesiter / die Jebusiter.

Einwoner Canaan.

## XVI.

SARAI ABRAMS WEIB GEBAR JM NICHTS / SIE HATTE aber eine Egyptische magd / die hies Hagar. [2]Vnd sie sprach zu Abram / Sihe / der HERR hat mich verschlossen / das ich nichts geberen kan / Lieber / lege dich zu meiner Magd / ob ich doch vieleicht aus jr mich bawen müge. Abram der gehorcht der stimme Sarai. [3]Da nam Sarai Abrams weib jr Egyptische magd Hagar / vnd gab sie Abram jrem Man zum Weibe / nach dem sie zehen jar im lande Canaan gewonet hatten.

SARAI GIBT Abram Hagar zum weibe etc.

HAGAR.

(Bawen) Das ist / kinder kriegen. Psal. 127. Exo. 2.

[4]VND er legt sich zu Hagar / die ward schwanger. Als sie nu sahe / das sie schwanger war / achtet sie jr Frawen geringe gegen sich. [5]Da sprach Sarai zu Abram / Du thust vnrecht an mir / Jch hab meine Magd dir beygelegt / Nu sie aber sihet / das sie schwanger worden ist / mus ich geringe geachtet sein gegen jr / Der HERR sey Richter zwischen mir vnd dir. [6]Abram aber sprach zu Sarai / Sihe /

Deine Magd ist vnter deiner gewalt / thue mit jr wie dirs gefelt.

DA sie nu Sarai wolt demütigen flohe sie von jr. [7]Aber der Engel des HERRN fand sie bey einem Wasserbrun in der wüsten / nemlich / bey dem Brun am wege zu Sur / [8]der sprach zu jr / Hagar Sarai magd / wo komstu her? vnd wo wiltu hin? Sie sprach / Jch bin von meiner Frawen Sarai geflohen. [9]Vnd der Engel des HERRN sprach zu jr / Kere vmb wider zu deiner Frawen / vnd demütige dich vnter jre hand.

HAGAR fliehet von Sarat.

[10]VND der Engel des HERRN sprach zu jr / Jch wil deinen Samen also mehren / das er fur grosser menge nicht sol gezelet werden. [11]Weiter sprach der Engel des HERRN zu jr / Sihe / Du bist schwanger worden / vnd wirst einen Son geberen / des namen soltu Jsmael heissen / Darumb / das der HERR dein elend erhöret hat. [12]Er wird ein wilder Mensch sein / Seine hand wider jderman / vnd jedermans hand wider jn / vnd wird gegen allen seinen Brüdern wonen.

(ISMAEL) Heist Gott erhöret.

[13]VND sie hies den Namen des HERRN / der mit jr redet / Du Gott ‖ sihest mich / denn sie sprach / Gewislich hie hab ich gesehen den / der mich hernach angesehen hat / [14]Darumb hies sie den Brunnen / ein brunnen des Lebendigen / der mich angesehen hat / welcher Brun ist zwischen Kades vnd Bared.

‖ 9a

VND Hagar gebar Abram einen son / vnd Abram hies den Son / den jm Hagar gebar / Jsmael. [16]Vnd Abram war sechs vnd achzig jar alt / da jm Hagar den Ismael gebar.

ISMAEL geborn im. 86. jar Abrams.

## XVII.

ALS NU ABRAM NEUN VND NEUNZIG JAR ALT WAR / erschein jm der HERR / vnd sprach zu jm / Jch bin der allmechtige Gott / wandele fur mir / vnd sey from. [2]Vnd ich wil meinen Bund zwischen mir vnd dir machen / vnd wil dich fast seer mehren. [3]Da fiel Abram auff sein angesicht.

VND Gott redet weiter mit jm / vnd sprach / [4]Sihe / Jch bins / vnd hab meinen Bund mit dir / Vnd du solt ein Vater vieler Völcker werden / [5]Darumb soltu nicht mehr [a]Abram heissen / sondern Abraham sol dein name sein / DENN JCH HABE DICH GEMACHT / VIELER VÖLCKER VATER. [6]Vnd wil dich fast seer fruchtbar machen / vnd wil von dir

Rom. 4.

a ABRAM HEISST hoher Vater ABRAHAM aber der Hauffen Vater wiewol die selben hauffen nur mit einem Buchstaben angezeigt werden in seinem namen / nicht on vrsach.

Völcker machen / vnd sollen auch Könige von dir komen.

BUND GOTTES mit Abraham auffgericht. (Nachkomen) Ledorotham / das ist so lang jr ding wehren wird / Denn Mose hie mit deutet / das jr ding solle endlich auffhören / vnd ein anders komen.

[7]VND ich wil auffrichten meinen Bund / zwischen mir vnd dir / vnd deinem Samen nach dir / bey jren Nachkomen / das es ein ewiger Bund sey / Also das ich dein Gott sey / vnd deines Samens nach dir. [8]Vnd wil dir vnd deinem Samen nach dir geben das Land da du ein Frembdling innen bist / nemlich / das gantze land Canaan / zu ewiger besitzung / Vnd wil jr Gott sein.

VND Gott sprach zu Abraham / So halt nu meinen Bund / du vnd dein Same nach dir / bey jren Nachkomen. [10]Das ist aber mein Bund den jr halten solt zwischen mir vnd euch / vnd deinem Samen nach dir / Alles was Menlich ist vnter euch / sol beschnitten werden. [11]Jr solt aber die vorhaut an ewrem Fleisch beschneiten / Dasselb sol ein Zeichen sein / des Bunds / zwischen mir vnd euch. [12]Ein jglichs Kneblin wens acht tag alt ist / solt jr beschneiten bey ewern Nachkomen. Desselben gleichen auch alles was Gesinds da heim geborn / oder erkaufft ist von allerley frembden / die nicht ewrs Samens sind / [13]Also sol mein Bund an ewrem Fleisch sein zum ewigen bund. [14]Vnd wo ein Kneblin nicht wird beschnitten / an der vorhaut seines Fleischs / Des Seele sol ausgerottet werden aus seinem Volck / darumb / das es meinen Bund vnterlassen hat.

BESCHNEITUNG. Act. 7.

Luc. 2.

VND Gott sprach abermal zu Abraham / Du solt dein weib Sarai / nicht mehr Sarai heissen / sondern Sara sol jr namen sein / [16]Denn ich wil sie segenen. Vnd von jr wil ich dir einen Son geben / Denn ich wil sie segenen / vnd Völcker sollen aus jr werden / vnd Könige vber viel Völcker. [17]Da fiel Abraham auff sein angesicht vnd lachet / vnd sprach in seinem hertzen / sol mir hundert jar alt ein Kind geboren werden / vnd Sara neunzig jar alt geberen?

SARA.

Gen. 18.21.

VND Abraham sprach zu Gott / Ah das Jsmael leben solt fur dir. [19]Da sprach Gott / Ja / Sara dein Weib sol dir einen Son geberen / den soltu Jsaac heissen / DENN MIT JM WIL ICH MEINEN EWIGEN BUND AUFFRICHTEN / VND MIT SEINEM SAMEN NACH JM. [20]Dazu vmb Jsmael habe ich dich auch erhöret / Sihe / Jch habe jn gesegnet / vnd wil jn fruchtbar machen / vnd mehren fast seer / Zwelff Fürsten wird er zeugen / vnd wil jn zum

JSAAC.

ISMAEL.

Rom. 9.

grossen Volck machen. [21]ABER MEINEN BUND WIL ICH AUFFRICHTEN MIT JSAAC / DEN DIR SARA GEBEREN SOL / VMB DIESE ZEIT IM ANDERN JAR. [22]Vnd er höret auff mit jm zu reden / vnd Gott fuhr auff von Abraham. ||

|| 9b

DA nam Abraham seinen son Jsmael / vnd alle Knechte die da heim geboren / vnd alle die erkaufft / vnd alles was Mans namen war in seinem Hause / vnd beschneit die vorhaut an jrem Fleisch eben desselbigen tages / wie jm Gott gesagt hatte. [24]Vnd Abraham war neun vnd neunzig jar alt / da er die Vorhaut an seinem Fleisch beschneit. [25]Jsmael aber sein Son war dreizehen jar alt / da seines Fleischs vorhaut beschnitten ward. [26]Eben auff einen tag / worden sie alle beschnitten / Abraham / sein son Jsmael / [27]vnd was Mans namen in seinem Hause war / daheim geborn / vnd erkaufft von frembden / Es ward alles mit jm beschnitten.

## XVIII.

Ebre. 13.

VND DER HERR ERSCHEIN JM IM HAYN MAMRE / da er sas an der thür seiner Hütten / da der tag am heissesten war. [2]Vnd als er seine augen auffhub / vnd sahe / da stunden drey Menner gegen jm. Vnd da er sie sahe / lieff er jnen entgegen / von der thür seiner Hütten / vnd bücket sich nider auff die Erden / [3]vnd sprach / HERR Hab ich gnade funden fur deinen Augen / So gehe nicht fur deinem Knecht vber. [4]Man sol euch wenig Wassers bringen / vnd ewre Füsse wasschen / vnd lehnet euch vnter den Bawm. [5]Vnd ich wil euch ein bissen Brots bringen / das jr ewr Hertz labet / darnach solt jr fort gehen / Denn darumb seid jr zu ewrem Knecht komen. Sie sprachen / Thu / wie du gesagt hast.

(Nider) Fur einem felt er nider / vnd redet auch als mit einem / vnd doch mit dreien. Da ist die Dreifaltigkeit in Gott angezeigt.

Math. 13.

[6]ABraham eilet in die hütten zu Sara / vnd sprach / Eile vnd menge drey mas Semelmelh / knete / vnd backe Kuchen. [7]Er aber lieff zu den Rindern / vnd holet ein zart gut Kalb / vnd gabs dem Knaben / Der eilet vnd bereitets zu. [8]Vnd er trug auff Butter vnd Milch / vnd von dem Kalbe das er zubereit hatte / vnd satzts jnen fur / vnd trat fur sie vnter dem Bawm / vnd sie assen.

DA sprachen sie zu jm / Wo ist dein weib Sara? Er antwortet / Drinnen in der Hütten. [10]Da sprach er / Jch wil wider zu dir komen / so ich lebe / Sihe / so sol Sara dein weib einen Son haben. Das höret Sara / hinder jm / hinder der thür der Hütten.

[11]Vnd sie waren beide / Abraham vnd Sara alt vnd wol betaget / Also das es Sara nicht mehr gieng / nach der Weiber weise. [12]Darumb lachet sie bey sich selbs / vnd sprach / Nu ich alt bin / sol ich noch wollust pflegen / vnd mein Herr auch alt ist.

1. Pet. 3.

[13]DA sprach der HERR zu Abraham / Warumb lachet des Sara / vnd spricht / Meinstu das war sey / das ich noch geberen werde / so ich doch alt bin? [14]Solt dem HERRN etwas vmmüglich sein? VMB DIESE ZEIT WIL ICH WIDER ZU DIR KOMEN [a]SO ICH LEBE / SO SOL SARA EINEN SON HABEN. [15]Da leugnete Sara / vnd sprach / Jch habe nicht gelachet / Denn sie furcht sich / Aber er sprach / Es ist nicht also / du hast gelacht.

4. Reg. 4.
Rom. 9.

a (So ich lebe) Gott redet als ein Mensch / Gene. 3. Adam / Wo bistu? Jtem Gen. xj. Jch wil hin ab fahren vnd sehen. Gen. 19. Jch wil sehen / obs so sey. Denn dis wort (So ich lebe) setze es wo du wilt so lauts doch nicht. Als wenn er von der Frucht / oder Eltern wolt sagen / Du solt einen Son haben / so er lebet / oder / so jr lebet. Meinstu er wisse nicht ob der Son oder die Eltern leben werden Ja wo sie nichtigewis leben würden was were die verheissung?

DA STUNDEN DIE MENNER AUFF VON DANNEN / vnd wandten sich gegen Sodom / Vnd Abraham gieng mit jnen / das er sie geleitet. [17]Da sprach der HERR / Wie kan ich Abraham verbergen / was ich thu? [18]Sintemal er ein gros vnd mechtiges Volck sol werden / vnd alle Völcker auff Erden in jm gesegnet werden sollen. [19]Denn ich weis / er wird befelhen seinen Kindern / vnd seinem Hause nach jm / das sie des HERRN wege halten / vnd thun was recht vnd gut ist / Auff das der HERR auff Abraham komen lasse / was er jm verheissen hat.

[20]VND der HERR sprach / Es ist ein geschrey zu Sodom vnd Gomorra / das ist gros / vnd jre Sünde sind fast schwere. [21]Darumb wil ich hin abfaren / vnd sehen / Ob sie alles gethan haben / nach dem geschrey das fur mich komen ist / Oder obs nicht also sey / das ichs wisse. [22]Vnd die Menner wandten jr angesicht / vnd giengen gen Sodom. ‖

Ezech. 16.

‖ 10a

ABer Abraham bleib stehen fur dem HERrn / [23]vnd trat zu jm / vnd sprach / Wiltu denn den Gerechten mit den Gottlosen vmbbringen? [24]Es möchten vieleicht funffzig Gerechten in der stad sein / Woltestu die vmbbringen / vnd dem Ort nicht vergeben vmb funffzig Gerechter willen / die drinnen weren? [25]Das sey ferne von dir / das du das thust / vnd tödtest den Gerechten mit den Gottlosen / das der Gerechte sey gleich wie der Gottlose / Das sey ferne von dir / der du aller welt Richter bist / Du wirst so nicht richten. [26]Der HERR sprach / Finde ich funffzig Gerechten zu Sodom in der stad / so wil ich vmb jrer willen alle den Orten vergeben.

[27]ABraham antwortet / vnd sprach / Ah sihe / Jch hab mich vnterwunden / zu reden mit dem HErrn / wiewol ich Erde vnd Asschen bin / [28]Es möchten vieleicht fünff weniger / denn funffzig Gerechten drinnen sein / Woltestu denn die gantze Stad verderben vmb der funffe willen? Er sprach / Finde ich drinnen fünff vnd vierzig / So wil ich sie nicht verderben. [29]Vnd er fuhr weiter mit jm zu reden / vnd sprach / Man möcht vieleicht vierzig drinnen finden. Er aber sprach / Jch wil jnen nichts thun / vmb vierziger willen.

[30]ABraham sprach / Zürne nicht HErr / das ich noch mehr rede / Man möcht vieleicht dreissig drinnen finden. Er aber sprach / Finde ich dreissig drinnen / So wil ich jnen nichts thun. [31]Vnd er sprach / Ah sihe / Jch habe mich vnterwunden mit dem HErrn zu reden / Man möcht vieleicht zwenzig drinnen finden. Er antwortet / Jch wil sie nicht verderben vmb der zwenzig willen. [32]Vnd er sprach / Ah zürne nicht HErr / das ich nur noch ein mal rede / Man möchte vieleicht zehen drinnen finden. Er aber sprach / Jch wil sie nicht verderben / vmb der zehen willen.

[33]VND der HERR gieng hin / da er mit Abraham ausgeredt hatte / Vnd Abraham keret wider hin an seinen Ort.

## XIX.

Ebre. 13.

DJe zween Engel kamen gen Sodom des abends. Lot aber sas zu Sodom vnter dem thor / Vnd da er sie sahe / stund er auff jnen entgegen / vnd bücket sich mit seinem angesicht auff die erden. [2]Vnd sprach / Sihe / HErr / Keret doch ein zum hause ewers Knechts / vnd bleibet vber nacht / Lasset ewr Füsse wasschen / So stehet jr morgens früe auff / vnd ziehet ewr strasse. Aber sie sprachen / Nein / Sondern wir wollen vber nacht auff der gassen bleiben. [3]Da nötiget er sie fast / Vnd sie kereten zu jm ein / vnd kamen in sein Haus. Vnd er macht jnen ein Mal / vnd buch vngeseurte Kuchen / vnd sie assen.

Lot.

ABer ehe sie sich legten / kamen die Leute der stad Sodom / vnd vmbgaben das Haus / jung vnd alt / das gantze Volck aus allen enden. [5]Vnd fodderten Lot / vnd sprachen zu jm / Wo sind die Menner / die zu dir komen sind diese nacht? Füre sie eraus zu vns / das wir sie erkennen.

[6]LOt gieng eraus zu jnen fur die thür / vnd schlos die thür hinder jm zu / [7]vnd sprach / Ah lieben Brüder / Thut nicht so vbel. [8]Sihe / ich habe zwo Töchter / die haben noch keinen Man erkennet / die wil ich eraus geben vnter euch / vnd thut mit jnen / was euch gefellet / Alleine diesen Mennern thut nichts / Denn darumb sind sie vnter die schatten meines dachs eingegangen. [9]Sie aber sprachen / Kom hie her / Da sprachen sie / Du bist der einiger Frembdling hie / vnd wilt regieren / Wolan / wir wollen dich bas plagen denn jene.

VND sie drungen hart auff den man Lot / Vnd da sie hinzu lieffen / vnd wolten die thür auffbrechen / [10]griffen die Menner hinaus / vnd zogen Lot hin ein zu jnen ins Haus / vnd schlossen die thür zu. [11]Vnd die Menner fur der thür am Hause / worden mit Blindheit geschlagen / beide klein vnd gros / bis sie müde wurden / vnd die thür nicht finden kundten. ||

2. Pet. 2.

|| 10b

VND die Menner sprachen zu Lot / Hastu noch jrgend hie einen Eidam vnd Söne vnd Töchter / vnd wer dich angehöret in der Stad / den füre aus dieser stet / [13]Denn wir werden diese stet verderben / Darumb das jr geschrey gros ist fur dem HERRN / der hat vns gesand sie zuuerderben. [14]Da gieng Lot hinaus / vnd redet mit seinen Eidam / die seine Töchter nemen solten / Machet euch auff / vnd gehet aus diesem Ort / Denn der HERR wird diese Stad verderben / Aber es war jnen lecherlich.

DA nu die Morgenröte auffgieng / hiessen die Engel den Lot eilen / vnd sprachen / Mach

dich auff / nim dein Weib vnd deine zwo Töchter / die furhanden sind / Das du nicht auch vmbkomest in der missethat dieser Stad. [16]Da er aber verzog / ergriffen die Menner jn / vnd sein Weib / vnd seine zwo Töchter bey der hand / darumb das der HERR sein verschonet / vnd füreten jn hin aus vnd liessen jn aussen fur der Stad.

[17]VND als er jn hatte hin aus gebracht / sprach er / Errette deine Seele / vnd sihe nicht hinder dich / auch stehe nicht in dieser gantzen gegend / Auff dem Berge errette dich / das du nicht vmbkomest. [18]Aber Lot sprach zu jnen / Ah nein HErr / [19]Sihe / die weil dein Knecht gnade funden hat fur deinen Augen / So woltestu deine Barmhertzigkeit gros machen / die du an mir gethan hast / das du meine Seele bey dem leben erhieltest / Jch kan mich nicht auff dem Berge erretten / es möcht mich ein vnfal ankomen / das ich stürbe. [20]Sihe / da ist eine Stad / nahe / dar ein ich fliehen mag / vnd ist klein / daselbs wil ich mich erretten / Jst sie doch klein / das meine Seele lebendig bleibe.

(Zoar) Heisst klein.

[21]DA sprach er zu jm / Sihe / Jch hab auch in diesem stück dich angesehen / das ich die Stad nicht vmbkere / da von du geredt hast. [22]Eile vnd errette dich daselbs / Denn ich kan nichts thun / bis das du hin ein komest / Da her ist diese stad genennet / Zoar. [23]Vnd die Sonne war auffgegangen auff erden / da Lot gen Zoar einkam.

Luc. 17. 2. Pet. 2.

[24]DA lies der HERR Schwebel vnd Fewr regenen von dem HERRN vom Himel erab / auff Sodom vnd Gomorra / [25]vnd keret die Stedte vmb / die gantze gegend / vnd alle Einwoner der stedte / vnd was auff dem Lande gewachsen war. [26]Vnd sein Weib sahe hinder sich / vnd ward zur Saltzseule. ||

|| 11a

LOTS weib wird zur Saltzseulen.

ABraham aber macht sich des morgens früe auff an den Ort / da er gestanden war / fur dem HERRN / [28]Vnd wand sein angesicht gegen Sodom vnd Gomorra / vnd alles Land der gegend / vnd schawet / Vnd sihe / da gieng ein Rauch auff vom Lande / wie ein rauch vom ofen. [29]Denn da Gott die Stedte in der gegend verderbet / gedachte er an Abraham / vnd geleitet Lot aus den stedten die er vmbkeret / darin Lot wonete.

Lot.

VND LOT ZOCH AUS ZOAR / AN BLEIB AUFF DEM Berge mit seinen beiden Töchtern / Denn er furchte sich zu Zoar zu bleiben / vnd bleib also in einer Höle mit seinen beiden Töchtern. [31]Da sprach die Elteste zu der Jüngsten / Vnser Vater ist alt / vnd ist kein Man mehr auff erden / der vns beschlaffen müge / nach aller Welt weise. [32]So kom / las vns vnserm Vater wein zu trincken geben / vnd bey jm schlaffen / das wir Samen von vnserm Vater erhalten. [33]Also gaben sie jrem Váter wein zu trincken in der selben nacht. Vnd die Erste gieng hin ein / vnd legt sich zu jrem Vater / vnd er wards nicht gewar / da sie sich leget / noch da sie auffstund.

[34]DES morgens sprach die Elteste zu der Jüngsten / Sihe / ich hab gestern bey meinem Vater gelegen / Las vns jm diese nacht auch Wein zu trincken geben / das du hin eingehest / vnd legest dich zu jm / das wir Samen von vnserm Vater erhalten. [35]Also gaben sie jrem Vater die nacht auch Wein zu trincken. Vnd die Jüngest macht sich auch auff / vnd leget sich zu jm / Vnd er wards nicht gewar / da sie sich leget noch da sie auffstund.

[36]ALso wurden die beide töchter Lots schwanger von jrem Vater / [37]Vnd die Elteste gebar einen Son / den hies sie Moab / Von dem komen her die Moabiter / bis auff diesen heutigen tag. [38]Vnd die Jüngste gebar auch einen Son / den hies sie / das kind Ammi / Von dem komen die kinder Ammon bis auff den heutigen tag.

MOAB.

BENAMMI.

## XX.

ABRAHAM
ein Frembdling
zu Gerar.

ABRAHAM ABER ZOCH VON DANNEN INS LAND gegen Mittag / vnd wonete zwischen Kades vnd Sur / vnd ward ein Frembdling zu Gerar. [2]Vnd sprach von seinem weibe Sara / Es ist meine Schwester. Da sandte Abimelech der König zu Gerar nach jr / vnd lies sie holen.

GERAR.
ABIMELECH.

[3]ABer Gott kam zu Abimelech des nachts im Trawm / vnd sprach zu jm / Sihe da / du bist des tods / vmb des Weibs willen / das du genomen hast / Denn sie ist eines Mannes eheweib. [4]Abimelech aber hatte sie nicht berüret / vnd sprach / HErr / Wiltu denn auch ein gerecht Volck erwürgen? [5]Hat er nicht zu mir gesagt / sie ist meine Schwester? Vnd sie hat auch gesagt / er ist mein Bruder? Hab ich doch das gethan mit einfeltigem hertzen vnd vnschüldigen henden.

[6]VND Gott sprach zu jm im traum / Jch weis auch / das du mit einfeltigem hertzen das gethan hast / Darumb hab ich dich auch behut / das du

nicht wider mich sündigetest / vnd habs dir nicht zugegeben / das du sie berürtest. [7]So gib nu dem Man sein Weib wider / denn er ist ein Prophet / Vnd las jn fur dich bitten / so wirstu lebendig bleiben. Wo du aber sie nicht wider gibst / so wisse / Das du des tods sterben must / vnd alles was dein ist.

Psal. 105

DA stund Abimelech des morgens frűe auff / vnd rieff allen seinen Knechten / vnd saget jnen dieses alles fur jren ohren / Vnd die Leute furchten sich seer. [9]Vnd Abimelech rieff Abraham auch / vnd sprach zu jm / Warumb hastu vns das gethan? Vnd was habe ich an dir gesundiget / das du so eine grosse sunde woltest auff mich vnd mein Reich bringen? Du hast mit mir gehandelt / nicht wie man handeln sol. [10]Vnd Abimelech sprach weiter zu Abraham / Was hastu [a]gesehen / das du solchs gethan hast? ‖

‖ 11 b

[11]ABraham sprach / Jch dacht / Vieleicht ist kein Gottes furcht an diesen Orten / vnd werden mich vmb meines Weibs willen erwürgen. [12]Auch ist sie warhafftig meine Schwester / denn sie ist meines Vaters tochter / aber nicht meiner Mutter tochter / vnd ist mein Weib worden. [13]Da mich aber Gott ausser meines Vaters hause wandern hies / sprach ich zu jr / Die barmhertzigkeit thu an mir / das / wo wir hin komen / du von mir sagest / Jch sey dein Bruder.

Gen. 12.

[14]DA nam Abimelech schafe vnd rinder / Knecht vnd Megde / vnd gab sie Abraham / vnd gab jm wider sein weib Sara / [15]Vnd sprach / Sihe da / mein Land stehet dir offen / wone wo dirs wolgefellet. [16]Vnd sprach zu Sara / Sihe da / Jch habe deinem Bruder tausent silberlinge gegeben / Sihe / das sol dir eine Decke der augen sein / fur allen die bey dir sind / vnd allenthalben / Vnd das war jre straffe.

[17]ABraham aber betet zu Gott / Da heilete Gott Abimelech vnd sein Weib vnd seine megde / das sie Kinder gebaren / [18]Denn der HERR hatte zuuor hart verschlossen alle Mütter des hauses Abimelech / vmb Sara Abrahams weibs willen.

a (Gesehen) Weil du ein Prophet bist / magstu was gesehen haben / das ichs verdienet habe / mit meinen sunden.

(Wandern) Gott hiessen mich in die jrre ziehen / als werens viel / vnd doch ein Gott.

(Jre straffe) Die Heiligen werden seuberlich vnd mit gewinst gestrafft. Als hie Sara wird gestrafft / das sie Abraham hatte Bruder genennet / vnd kriegt grosse wolthat.

## XXI.

VND DER HERR SUCHT HEIM SARA / WIE ER geredt hatte / vnd thet mir jr / wie er geredt hatte. [2]Vnd Sara ward schwanger / vnd gebar Abraham einen Son in seinem Alter / vmb die zeit /

Ebre. 11.

JSAAC geborn.

die jm Gott geredt hatte. [3]Vnd Abraham hies seinen Son / der jm geborn war / Jsaac / den jm Sara gebar. [4]Vnd beschneit jn am achten tage / wie jm Gott geboten hatte / [5]Hundert jar war Abraham alt / da jm sein son Jsaac geborn ward.

Gen. 18. Math. 1. Luc. 3. Gen. 17.

[6]VND Sara sprach / Gott hat mir ein lachen zugericht / Denn wer es hören wird / der wird mein lachen. [7]Vnd sprach / Wer dürfft von Abraham sagen / das Sara kinder seuget / vnd hette jm einen Son geborn in seinem alter? Vnd das Kind wuchs vnd ward entwenet / Vnd Abraham macht ein gros Mal am tage / da Jsaac entwenet ward.

ISMAEL ein Spötter.

VND Sara sahe den son Hagar der Egyptischen / den sie Abraham geborn hatte / das er ein Spötter war / [10]Vnd sprach zu Abraham / Treibe diese Magd aus mit jrem Son / Denn dieser magd Son sol nicht erben mit meinem son Jsaac. [11]Das wort gefiel Abraham seer vbel / vmb seines sons willen. [12]Aber Gott sprach zu jm / Las dirs nicht vbel gefallen des Knaben vnd der Magd halben / Alles was Sara dir gesagt hat / dem gehorche. DENN IN JSAAC SOL DIR DER SAME GENENNET WERDEN. [13]Auch wil ich der magd Son zum Volck machen / Darumb das er deines Samens ist.

Gal. 4. Rom. 9. Gen. 16.

DA stund Abraham des morgens früe auff / vnd nam Brot vnd eine Flassche mit wasser / vnd legts Hagar auff jre schulder / vnd den Knaben mit / vnd lies sie aus. Da zog sie hin / vnd gieng in der wüsten jrre bey Bersaba. [15]Da nu das Wasser in der Flasschen aus war / warff sie den Knaben vnter einen Bawm / [16]vnd gieng hin vnd satzte sich gegen vber von ferns eins Bogenschos weit / Denn sie sprach / Jch kan nicht zusehen / des Knabens sterben. Vnd sie satzte sich gegen vber / vnd hub jre stimme auff vnd weinet.

[17]DA erhöret Gott die stimme des Knabens. Vnd der Engel Gottes rieff vom Himel der [a]Hagar / vnd sprach zu jr / Was ist dir Hagar? Fürchte dich nicht / denn Gott hat erhöret die stim des Knabens / da er ligt. [18]Stehe auff / nim den Knaben / vnd füre jn an deiner hand / Denn ich wil jn zum grossen Volck machen. [19]Vnd Gott thet jr die augen auff / das sie einen Wasserbrun sahe / Da gieng sie hin / vnd füllet die Flassche mit wasser / vnd trenckt den knaben. [20]Vnd Gott war mit dem Knaben / der wuchs vnd wonet in der wüsten / ‖ vnd ward ein guter Schütze / [21]vnd wonet in der

a (HAGAR) Mercke hie auff Hagar / wie die des Gesetzes vnd glaubloser werk Figur ist / Gal. 4. vnd dennoch sie Gott zeitlich belohnet vnd gros macht auff erden.

‖ 12a

wüsten Pharan. Vnd seine Mutter nam jm ein Weib aus Egyptenland.

Gen. 26.

ZV der selbigen zeit redet Abimelech vnd Phichol sein Feldheubtman mit Abraham / vnd sprach / Gott ist mit dir in allem das du thust / [23]So schwere mir nu bey Gott / Das du mir / noch meinen Kindern / noch meinen Neffen / kein vntrewe erzeigen wollest / Sondern die Barmhertzigkeit / die ich an dir gethan habe / an mir auch thust / vnd an dem Lande / da du ein Frembdling innen bist. [24]Da sprach Abraham / Jch wil schweren.

[25]VND Abraham strafft Abimelech vmb des Wassersbrunnen willen / den Abimelechs knechte hatten mit gewalt genomen. [26]Da antwortet Abimelech / Jch habs nicht gewust / wer das gethan hat / auch hastu mirs nicht angesagt / Dazu hab ichs nicht gehöret / denn heute.

[27]DA nam Abraham schafe vnd rinder / vnd gab sie Abimelech / vnd machten beide einen Bund mit einander / [28]Vnd Abraham stellet dar sieben Lemmer besonders. [29]Da sprach Abimelech zu Abraham / Was sollen die sieben Lemmer die du besonders dar gestellet hast? [30]Er antwortet / Sieben lemmer soltu von meiner hand nemen / das sie mir zum Zeugnis seien / das ich diesen Brun gegraben habe. [31]Da her heisst die stet BerSaba / das sie beide miteinander da geschworen haben / [32]Vnd also machten sie den Bund zu BerSaba.

BUND ZWISCHEN Abraham vnd Abimelech.

DA machten sich auff Abimelech vnd Phichol sein Feldheubtman / vnd zogen wider in der Philisterland. [33]Abraham aber pflantzt bewme zu BerSaba / vnd predigt daselbs von dem Namen des HERRN des ewigen Gottes / [34]Vnd war ein Frembdling in der Philisterlande eine lange zeit.

(BERSABA) Heisst auff Deudsch / Schwerbrun oder Eidbrun / Möcht auch wol siebenbrun heissen.

## XXII.

NACH DIESEN GESCHICHTEN / VERSUCHTE GOTT Abraham / vnd sprach zu jm / Abraham / Vnd er antwortet / Hie bin ich. [2]Vnd er sprach / Nim Jsaac deinen einigen Son / den du lieb hast / vnd gehe hin in das land [a]Morija / vnd opffere jn da selbs zum Brandopffer auff einem Berge / den ich dir sagen werde.

Judit. 8. Ebre. 11.

[3]DA stund Abraham des morgens frühe auff / vnd gürtet seinen Esel / vnd || nam mit sich zween Knaben / vnd seinen son Jsaac / vnd spaltet holtz zum Brandopffer / Macht sich auff / vnd gieng hin an

|| 12b

a (MORIJA) Morija heisst Gottes furcht / reuerentia Dei / cultus Dei Denn die Altueter / Adam / Noah /

Sem / auff demselben Berge Gott geehret / gefurcht / gedienet / haben / Wir Deudschen hiessen es vieleicht den heiligen Berg oder da man Gott dienet mit loben / beten vnd dancken.

den Ort / da von jm Gott gesagt hatte. [4]Am dritten tage hub Abraham seine augen auff / vnd sahe die stet von ferne / [5]Vnd sprach zu seinen Knaben / Bleibt jr hie mit dem Esel / Jch vnd der Knabe wollen dort hin gehen / Vnd wenn wir angebetet haben / wollen wir wider zu euch komen.

[6]VND Abraham nam das holtz zum Brandopffer / vnd legets auff seinen son Jsaac / Er aber nam das Fewr vnd Messer in seine hand / Vnd giengen die beide miteinander. [7]Da sprach Jsaac zu seinem Vater Abraham / Mein vater. Abraham antwortet / Hie bin ich / mein Son. Vnd er sprach / Sihe / Hie ist fewr vnd holtz / Wo ist aber das schaf zum Brandopffer? [8]Abraham antwortet / mein Son / Gott wird jm ersehen ein schaf zum Brandopffer. Vnd giengen die beide miteinander.

(Ersehen) Gott sihet vnd weis wol wo das Schaf sey / las jn da fur sorgen / er sihets besser denn wir.

VND als sie kamen an die stet / die jm Gott saget / bawet Abraham daselbs einen Altar / vnd legt das holtz drauff / Vnd band seinen son Jsaac / legt jn auff den Altar oben auff das holtz / [10]Vnd recket seine Hand aus / vnd fasset das Messer / das er seinen Son schlachtet.

Ebre. 11.

[11]DA rieff jm der Engel des HERRN vom Himel / vnd sprach / Abraham / Abraham / Er antwortet / Hie bin ich. [12]Er sprach / Lege deine hand nicht an den Knaben / vnd thu jm nichts / Denn nu weis ich / das du Gott fürchtest vnd hast deines einigen Sons nicht verschonet / vmb meinen willen. [13]Da hub Abraham seine augen auff / vnd sahe einen Wider hinder jm / in der Hecken mit seinen Hörnern hangen / Vnd gieng hin / vnd nam den Wider / vnd opffert jn zum Brandopffer an seines Sons stat.

[14]Vnd Abraham hies die stet / Der HERR [a]sihet / Da her man noch heutiges tages sagt / Auff dem Berge / da der HERR sihet.

[15]VND der Engel des HERRN rieff Abraham abermal vom Himel / [16]vnd sprach / Jch habe bey mir selbs geschworen / spricht der HERR / Die weil du solchs gethan hast / vnd hast deines einigen Sons nicht verschonet / [17]Das ich deinen Samen segenen vnd mehren wil / wie die Stern am Himel / vnd wie den Sand am vfer des Meers / Vnd dein Same sol besitzen die Thor seiner Feinde / [18]VND DURCH DEINEN SAMEN SOLLEN ALLE VÖLCKER AUFF ERDEN GESEGENET WERDEN / Darumb / das du meiner stimme [b]gehorcht hast. [19]Also keret Abraham wider zu seinen Knaben / Vnd machten sich auff / vnd zogen miteinander gen BerSaba / vnd wonet daselbs.

Ebre. 6.

Gen. 12. Act. 3. Gal. 3.

NAch diesen Geschichten begab sichs / das Abraham angesagt ward / Sihe / Milca hat auch Kinder geborn deinem bruder Nahor / [21]nemlich / Vz den erstgebornen / vnd Bus seinen Bruder / vnd Kemuel / von dem die Syrer komen / [22]vnd Chesed / vnd Haso / vnd Pildas / vnd Jedlaph / vnd Bethuel. [23]Bethuel aber zeuget Rebeca. Diese acht gebar Milca dem Nahor Abrahams bruder. [24]Vnd sein Kebsweib mit namen Rehuma gebar auch / nemlich den Thebah / Gaham / Thahas vnd Maacha.

NAHORS Geschlecht. Hiob. 1. 32

REBECA.

## XXIII.

SARA WARD HUNDERT SIEBEN VND ZWENZIG JAR alt / [2]vnd starb in der Heubtstad die heisst [c]Hebron im lande Canaan. Da kam Abraham / das er sie klaget vnd beweinet.

SARA alter 127. jar.

[3]DArnach stund er auff von seiner Leich / vnd redet mit den kindern Heth / vnd sprach / [4]Jch bin ein Frembder vnd einwoner bey euch / gebt mir ein Erbbegrebnis bey euch / das ich meinen Todten begrabe der fur mir ligt. [5]Da antworten Abraham die kinder Heth / vnd sprachen zu jm / [6]Höre vns / lieber Herr / du bist ein fürst Gottes vnter vns / Begrabe deinen || Todten in vnser ehrlichsten Grebern / Kein Mensch sol dir vnter vns wehren / das du in seinem Grabe nicht begrabest deinen Todten.

Gen. 10.

|| 13a

DA stund Abraham auff vnd bücket sich fur dem volck des Lands / nemlich / fur den kindern Heth / [8]Vnd er redet mit jnen / vnd sprach / Gefellet es euch / das ich meinen Todten / der fur mir

a (Sihet) Ebrei dicunt / Dominus videbitur / Sed nos Hieronymum secuti / Rabinos Grammaticos cum suis punctis et Cammetz hoc loco negligimus / et sine punctis dicimus. Der HERR sihet / das ist / Gott sorget fur alles vnd wachet. Etiamsi sensus ille / Dominus videbitur / sit plus valde / quod Deus apparet / vbi verbum eius docetur / quod Rabini Grammatici non intelligunt.

b (Gehorcht) Hie wird Abraham nicht gerecht durch seinen glauben fur sich / sondern verdienet solche herrligkeit seines Samens / denn er zuuor gerecht ist. vt supra.

c (HEBRON) Hebron ist KiriathArba (spricht Mose) das ist / Die Vierstad / Denn die hohen Heubtstedte waren vor zeiten / alle Arba / das ist in vier teil geteilet / wie Rom / Jerusalem / vnd Babylon auch.

ligt / begrabe / So höret mich / vnd bittet fur mich gegen Ephron dem son Zohar / [9]Das er mir gebe seine zwifache Höle / die er hat am ende seines Ackers / Er gebe mir sie vmb geld / so viel sie werd ist / vnter euch zum Erbbegrebnis / [10]Denn Ephron wonete vnter den kindern Heth.

EPHRON.

DA antwortet Ephron der Hethiter Abraham / das zuhöreten die kinder Heth / fur allen die zu seiner Stadthor aus vnd eingiengen / vnd sprach / [11]Nein / mein Herr / sondern höre mir zu / Jch schencke dir den Acker / vnd die Höle drinnen dazu / vnd vbergebe dirs fur den augen der Kinder meines Volcks / zu begraben deinen Todten.

[12]DA bückt sich Abraham fur dem volck des Lands / [13]vnd redet mit Ephron / das zuhörete das volck des Lands / vnd sprach / Wiltu mir jn lassen / so bitte ich / Nim von mir das geld fur den Acker / das ich dir gebe / so wil ich meinen Todten daselbs begraben. [14]Ephron antwortet Abraham vnd sprach zu jm / [15]Mein Herr / höre doch mich / Das feld ist vierhundert Sekel silbers werd / Was ist das aber zwischen mir vnd dir? Begrab nur deinen Todten.

(Sekel) Sekel ist ein gewichte / an der müntze / ein ortes gülden / Denn vor zeiten man das geld so wug / wie man jtzt mit gold thut.

[16]Abraham gehorcht Ephron / vnd wug jm das Geld dar / das er gesagt hatte / das zuhöreten die kinder Heth / nemlich / vierhundert Sekel silbers / das im kauff geng vnd gebe war. [17]Also ward Ephrons acker / darin die zwifache Höle ist gegen Mamre vber / Abraham zum eigen Gut bestetiget / mit der Höle darinnen / vnd mit allen bewmen auff dem Acker vmb her / [18]das die kinder Heth zusahen / vnd alle die zu seiner Stadthor aus vnd ein giengen.

Act. 7.

SARA begraben etc.

DARnach begrub Abraham Sara sein weib / in der Höle des ackers / die zwifach ist / gegen Mamre vber / das ist Hebron / im lande Canaan. [20]Also ward bestetiget der Acker vnd die Höle darinnen / Abraham zum Erbbegrebnis von den kindern Heth.

## XXIIII.

ABRAHAM WAR ALT VND WOL BETAGET / VND DER HERR hatte jn gesegnet allenthalben. [2]Vnd sprach zu seinem eltesten Knecht seines Hauses / der allen seinen gütern furstund / Lege deine Hand vnter meine Hüffte / [3]vnd schwere mir bey dem HERRN dem Gott des Himels vnd der Erden / Das du meinem son kein Weib nemest von den

ABRAHAM schickt sein eltesten Knecht aus seinem son zu freien.

Töchtern der Cananiter / vnter welchen ich wone / [4]Sondern das du ziehest in mein Vaterland / vnd zu meiner Freundschafft / vnd nemest meinem son Jsaac ein Weib.

[5]DEr Knecht sprach / Wie / wenn das Weib mir nicht wolt folgen in dis Land / Sol ich denn deinen Son widerbringen in jenes Land / daraus du gezogen bist? [6]Abraham sprach zu jm / Da hüt dich fur / das du meinen son nicht wider dahin bringest. [7]Der HERR der Gott des Himels / der mich von meines Vaters hause genomen hat / vnd von meiner heimat / Der mir geredt hat vnd mir auch geschworen hat / vnd gesagt / Dis Land wil ich deinem Samen geben / Der wird seinen Engel fur dir her senden / das du meinem son daselbst ein Weib nemest. [8]So aber das Weib dir nicht folgen wil / so bistu dieses Eides quit / Alleine bringe meinen Son nicht wider dorthin. [9]Da legt der Knecht seine hand vnter die hüffte Abraham seines Herrn / vnd schwur jm solchs.

Gen. 12. 15

ENGEL helffen auch Ehestifften. Tob. 7.

ALso nam der Knecht zehen Kamel / von den kamelen seines Herrn / vnd zoch hin / vnd hatte mit sich allerley Güter / seines Herrn / vnd macht sich auff vnd zoch gen Mesopotamian zu der stad Nahor. [11]Da lies er die Ka||mel sich lagern / aussen fur der Stad / bey einem Wasserbrun / des abends vmb die zeit / wenn die Weiber pflegten eraus zu gehen / vnd wasser zuscheptffen / [12]vnd sprach.

|| 13 b

HERR du Gott meines herrn Abrahams / begegen mir heute / vnd thu Barmhertzigkeit an meinem herrn Abraham. [13]Sihe / Jch stehe hie bey dem Wasserbrun / vnd der Leute töchter in dieser Stad werden er aus komen wasser zu schepffen. [14]Wenn nu eine Dirne kompt / zu der ich spreche / Neige deinen Krug / vnd las mich trincken / Vnd sie sprechen wird / Trincke / Jch wil deine Kamel auch trencken / Das sie die sey / die du deinem diener Jsaac bescheret habst / Vnd ich daran erkenne / das du Barmhertzigkeit an meinem Herrn gethan hast.

GEBET des Knechts Abrahe.

VND ehe er aus geredt hatte / Sihe / da kam eraus Rebeca Bethuels tochter / der ein Son der Milka war / welche Nahors Abrahams bruder Weib war / vnd trug einen Krug auff jrer achseln / [16]Vnd sie war ein seer schöne Dirne von angesicht / noch eine Jungfraw / vnd kein Man hatte sie erkand / Die steig hin ab zum Brunnen vnd füllet den Krug / vnd steig er auff. [17]Da lieff jr der Knecht entgegen /

Gen. 22.

REBECA Bethuels Tochter.

vnd sprach / Las mich ein wenig wassers aus deinem Kruge trincken. [18]Vnd sie sprach / Trinck mein Herr / Vnd eilend lies sie den Krug ernider auff jre hand / vnd gab jm zu trincken / [19]Vnd da sie jm zu trincken gegeben hatte / sprach sie / Jch wil deinen Kamelen auch schepffen / bis sie alle getrincken / [20]Vnd eilet vnd goss den Krug aus in die trencke / vnd lieff aber zum Brun zu scheppffen / vnd schepffete allen seinen Kamelen.

[21]DEr Man aber wundert sich jr / vnd schweig stille / bis er erkennete / Ob der HERR zu seiner reise gnad gegeben hette / oder nicht. [22]Da nu die Kamel alle getruncken hatten / nam er eine gülden Spangen eins halben sekels schweer / vnd zween Armringe an jre Hende / zehen sekel golds schweer / [23]vnd sprach / Meine tochter / Wem gehörestu an? das sage mir doch / Haben wir auch raum in deines Vaters hause zu herbergen? [24]Sie sprach zu jm / Jch bin Bethuels tochter / des sons Milca / den sie dem Nahor geborn hat / [25]Vnd sagt weiter zu jm / Es ist auch viel stro vnd futter bey vns / vnd raums gnug zu herbergen.

ABRAHAMS knecht dancket Gott etc.

[26]DA neiget sich der Man vnd betet den HERRN an / [27]vnd sprach / Gelobet sey der HERR der Gott meines herrn Abraham / der seine Barmhertzigkeit vnd seine Warheit nicht verlassen hat an meinem Herrn / Denn der HERR hat mich den weg gefüret zu meines Herrn Bruders haus. [28]Vnd die Dirne lieff vnd saget solchs alles an in jrer Mutter hause.

LABAN Rebeca Bruder.

VND Rebeca hatte einen Bruder der hies Laban / vnd Laban lieff zu dem Man draussen bey dem Brun. [30]Vnd als er sahe die spangen und armringe an seiner schwester hende / vnd höret die wort Rebeca seiner Schwester / das sie sprach / Also hat mir der Man gesagt / kam er zu dem Man / vnd sihe / Er stund bey den Kamelen am Brun. [31]Vnd sprach / Kom er ein du gesegneter des HERRN / Warumb stehestu draussen? Jch habe das haus gereumet / vnd für die Kamel auch raum gemacht. [32]Also füret er den Man ins haus vnd zeumet die Kamel ab / vnd gab jnen stro vnd futter / Vnd wasser zu wasschen seine füsse vnd der Menner die mit jm waren / [33]vnd satzte jm essen fur.

ER sprach aber / Jch wil nicht essen / bis das ich zuuor meine Sache geworben habe. Sie antworten / sage her. [34]Er sprach / Jch bin Abrahams knecht / [35]vnd der HERR hat meinen herrn reichlich gesegnet / vnd ist gros worden / vnd hat jm schaf vnd ochsen / silber vnd gold / Knecht vnd Megde / kamel vnd esel gegeben / [36]Dazu hat Sara meines Herrn weib einen Son geborn meinem Herrn in seinem alter / dem hat er alles gegeben was er hat.

Gen. 21

[37]VND mein Herr hat einen Eid von mir genomen / vnd gesagt / Du solt meinem Son kein Weib nemen von den töchtern der Cananiter / in der Land ich wone. [38]Sondern zeuch hin zu meines Vaters hause vnd zu meinem Ge||schlecht / daselbs nim meinem son ein Weib. [39]Jch sprach aber zu meinem herrn / Wie / Wenn mir das weib nicht folgen wil? [40]Da sprach er zu mir / Der HERR fur dem ich wandele / wird seinen Engel mit dir senden / vnd gnad zu deiner reise geben / das du meinem Son ein Weib nemest / von meiner Freundschafft vnd meines Vaters hause. [41]Als denn soltu meines Eides quit sein / wenn du zu meiner Freundschafft komst / Geben sie dir nicht / so bistu meines Eides quit.

|| 14a

[42]ALso kam ich heute zum Brun / vnd sprach / HERR Gott meines herrn Abraham / Hastu gnad zu meiner Reise gegeben / daher ich gereiset bin / [43]Sihe / so stehe ich hie bey dem wasserbrun / Wenn nu ein Jungfraw eraus kompt zu schepffen / vnd ich zu jr spreche / Gib mir ein wenig wasser zu trincken aus deinem Krug / [44]vnd sie wird sagen / Trincke du / Jch wil deinen Kamelen auch schepffen / Das die sey das Weib / das der HERR meines Herrn Son bescheret hat.

[45]EHe ich nu solche wort ausgeredt hatte in meinem hertzen / Sihe / da kompt Rebeca eraus mit einem Krug auff jrer achseln / vnd gehet hinab zum Brun vnd schepffet. Da sprach ich zu jr / Gib mir zu trincken. [46]Vnd sie nam eilend den Krug von jrer achseln / vnd sprach / Trincke / vnd deine Kamel wil ich auch trencken / Also tranck ich / vnd sie trencket die Kamel auch.

[47]VND ich fraget sie / vnd sprach / Wes tochter bistu? Sie antwortet / Jch bin Bethuels tochter des sons Nahor / den jm Milca geborn hat. Da henget ich ein [a]Spangen an jre stirn / vnd Armringe an jre hende. [48]Vnd neiget mich vnd betet den HERRN an / vnd lobet den HERRN den Gott meines herrn Abraham / der mich den rechten weg gefüret hat /

a (Spangen) Diese gülden Spange ist gewest ein halber Cirkel auff der Stirn / bis zu beiden Ohren / darumb heisst ers jtzt Ohrenring / jtzt Stirnspangen. Vnd sihet / als habens beide Man vnd Weibsbilde getragen zum schmuck. vt Jnfra cap. 35. Prouer 11. Circulus aureus in naribus suis. Das sagen wir Deudschen / Die Saw gekrönet. Jnde diadema Regum et lamina summi Sacerdotis in fronte etc.

das ich seinem Son / meines Herrn bruder tochter neme.

SEid jr nu die / so an meinem Herrn freundschafft vnd trewe beweisen wolt / So [b]sage mirs. Wo nicht / so sagt mirs aber / Das ich mich wende zur rechten oder zur lincken.

b (Sagt mirs) Er handelt zuuor mit Mutter vnd Brüdern vmb die Braut. Darans man sihet / das heimliche verlöbnis on vorwissen der Eltern nicht recht ist.

50DA antwortet Laban vnd Bethuel / vnd sprachen / Das kompt vom HERRN / darumb können wir nichts wider dich reden / weder böses noch guts. 51Da ist Rebeca fur dir / nim sie vnd zeuch hin / das sie deines Herrn Son weib sey / wie der HERR geredt hat.

52DA diese wort höret Abrahams knecht / bücket er sich dem HERRN zu der erden / 53Vnd zoch erfur silber vnd gülden Kleinod vnd Kleider / vnd gab sie Rebeca / Aber jrem Bruder vnd der Mutter gab er [c]Würtze. 54Da ass vnd tranck er / sampt den Mennern die mit jm waren / vnd bleib vber nacht alda.

c (Würtze) Köstliche früchte.

DEs morgens aber stund er auff / vnd sprach / Lasst mich ziehen zu meinem Herrn. 55Aber jr Bruder vnd Mutter sprachen / Las doch die Dirne einen tag oder zehen bey vns bleiben / darnach soltu ziehen. 56Da sprach er zu jnen / Haltet mich nicht auff / Denn der HERR hat gnade zu meiner reise gegeben / Lasst mich / das ich zu meinem Herrn ziehe.

57DA sprachen sie / Lasst vns die [d]Dirne ruffen / vnd fragen / Was sie da zu sagt. 58Vnd rieffen der Rebeca / vnd sprachen zu jr / Wiltu mit diesem Man ziehen? Sie antwortet / Ja / ich wil mit jm. 59Also liessen sie Rebeca jre Schwester ziehen mit jrer Ammen sampt Abrahams knecht / vnd seinen Leuten. 60Vnd sie segneten Rebeca / vnd sprachen zu jr / Du bis vnser Schwester / Wachse in viel tausent mal tausent / vnd dein Same besitze die Thor seiner Feinde. 61Also macht sich Rebeca auff mit jren Dirnen / vnd setzt sich auff die Kamel / vnd zogen dem Manne nach. Vnd der Knecht nam Rebeca an vnd zoch hin.

d (Dirne) Die Braut sol vngezwungen zur Ehe gegeben sein von den Eltern / da zu auch gefragt werden vmb jren willen.

JSaac aber kam vom brunnen des Lebendigen vnd Sehenden / Denn er wonete im Lande / gegen mittag / 63vnd war ausgegangen zu beten auff dem Felde vmb den abend. Vnd hub seine augen auff / vnd sahe das Kamel daher kamen. 64Vnd Rebeca hub jre augen auff / vnd sahe Jsaac / da fiel sie vom Kamel. 65Vnd sprach zu dem Knecht / Wer ist der

|| 14b

Man / der vns ent||gegen kompt auff dem felde? Der Knecht sprach / Das ist mein Herr / Da nam sie den Mantel vnd verhüllet sich. [66]Vnd der Knecht erzelet Jsaac alle sache die er ausgerichtet hatte. [67]Da füret sie Jsaac in die hütten seiner mutter Sara / Vnd nam die Rebeca / vnd sie ward sein weib / vnd gewan sie lieb / Also ward Jsaac getröstet vber seiner Mutter.

XXV.

KETURA. 1. Par. 1.

ABRAHAMS kinder von der Ketura.

ABRAHAM NAM WIDER EIN WEIB / DIE HIES Ketura / [2]Die gebar jm Simron vnd Jaksan / Medan vnd Midian / Jesbak vnd Suah. [3]Jaksan aber zeuget Seba vnd Dedan. Die Kinder aber von Dedan waren / Assurim / Latusim vnd Leumim. [4]Die kinder Midian waren / Epha / Epher / Hanoch / Abida / vnd Eldaa. Diese sind alle kinder der Ketura.

[5]VNd Abraham gab alle sein gut Jsaac / [6]Aber den Kindern / die er von den kebsweibern hatte / gab er Geschencke / vnd lies sie von seinem son Jsaac ziehen / weil er noch lebet / gegen dem auffgang in das Morgenland.

ABRAHAMS Alter 175. jar.

DAS ist aber Abrahams alter / das er gelebet hat / hundert vnd fünff vnd siebentzg jar / [8]vnd nam ab / vnd starb / in einem rügigem alter / da er alt vnd lebens sat war / Vnd ward zu seinem Volck gesamlet. [9]Vnd es begruben jn seine söne Jsaac vnd Jsmael / in der zwifachen höle auff dem acker Ephron / des sons Zohar des Hethiters / die da ligt gegen Mamre / [10]in dem felde / das Abraham von den kindern Heth gekaufft hatte / Da ist Abraham begraben mit Sara seinem Weibe.

Gen. 23.

Gen. 16.

VND nach dem tod Abraham segnete Gott Jsaac seinen Son / Vnd er wonete bey dem brun des Lebendigen vnd Sehenden.

ISMAELS Geschlecht.

DJs ist das geschlecht Jsmaels Abrahams son / den jm Hagar gebar / die magd Sara aus Egypten / [13]vnd das sind die namen der kinder Jsmael / dauon jre geschlecht genennet sind. Der Erstegeborn son Jsmaels / Nebaioth / Kedar / Adbeel / Mibsam / [14]Misina / Duma / Masa / [15]Hadar / Thema / Jetur / Naphis vnd Kedma. [16]Dis sind die kinder Jsmael mit jren namen in jren Höfen vnd stedten / zwelff Fürsten vber jre Leute. [17]Vnd das ist das alter Jsmaels / hundert vnd sieben vnd dreissig jar / vnd nam ab / vnd starb / vnd ward

JSMAELS Alter / 137 jar.

gesamlet zu seinem Volck / [18]Vnd sie woneten von Heuila an / bis gen Sur gegen Egypten / wenn man gen Assyria gehet / [a]Er fiel aber fur allen seinen Brüdern.

a (Er fiel) Mancherley deutung kan hie sein. Meine ist diese / Das Jsmael ein herrlich Mann gewest sey / das zu seinem Ende komen sind alle seine Brüder vnd Freunde / vnd ist fur den selben ehrlich vnd löblich gestorben.

DJS IST DAS GESCHLECHTE JSAACS ABRAHAMS SON / Abraham zeuget Jsaac. [20]Jsaac aber war vierzig jar alt / da er Rebeca zum weibe nam / die tochter Bethuel des Syrers von Mesopotamia / Labans des Syrers schwester.

1. Par. 1.

JSaac aber bat den HERRN fur sein Weib / denn sie war vnfruchtbar / Vnd der HERR lies sich erbitten / vnd Rebeca sein weib ward schwanger / [22]Vnd die kinder stiessen sich miteinander in jrem Leib. Da sprach sie / Da mirs also solt gehen / Warumb bin ich schwanger worden? Vnd sie gieng hin den HERRN zu fragen. [23]Vnd der HERR sprach zu jr / Zwey Volck sind in deinem Leibe / vnd zweierley Leute werden sich scheiden aus deinem Leibe / vnd ein Volck wird dem andern vberlegen sein / VND DER GRÖSSER WIRD DEM KLEINEN DIENEN.

JSAACS Geschlecht.

Mal. 1. Rom. 9.

[24]DA nu die zeit kam / das sie geberen solt / sihe / da waren zwilling in jrem Leibe. [25]Der erst der eraus kam / war rötlicht / gantz rauch wie ein fell / Vnd sie nenneten jn Esau. [26]Zu hand darnach kam er aus sein Bruder / der hielt mit seiner Hand die fersen des Esau / Vnd hiessen jn Jacob. Sechzig jar alt war Jsaac da sie geborn wurden. [27]Vnd da nu die Knaben gros wurden / Ward Esau ein Jeger vnd ein Ackerman / Jacob aber ein from Man / vnd bleib in den Hütten. [28]Vnd Jsaac hatte Esau lieb / vnd ass gerne von seinem Weidwerg / Rebeca aber hatte Jacob lieb. ‖

ESAV.

JACOB.

‖ 15 a

VND Jacob kocht ein gerichte / Da kam Esau vom feld / vnd war müde / [30]vnd sprach zu Jacob / Las mich kosten das rote gericht / denn ich bin müde / Daher heisst er Edom. [31]Aber Jacob sprach / Verkeuffe mir heute deine Erstgeburt. [32]Esau antwortet / Sihe / Jch mus doch sterben / was sol mir denn die Erstgeburt? [33]Jacob sprach / So schwere mir heute / Vnd er schwur jm / vnd verkaufft also Jacob seine Erstgeburt. [34]Da gab jm Jacob brot vnd das Linsengericht / Vnd er ass vnd tranck / vnd stund auff vnd gieng dauon / Also verachtet Esau seine Erstgeburt.

(EDOM) Heisst Rötlicht.

Ebre. 12.

ESAV verkaufft seine Erstgeburt.

XXVI.

Thewrung zu Jsaacs zeiten.

ES kam aber ein Thewrung ins Land / vber die vorige / so zu Abrahams zeiten war. Vnd Jsaac zoch zu Abimelech der Philister könig gen Gerar.

[2]DA erschein jm der HERR / vnd sprach / Zeuch nicht hin ab in Egypten / sondern bleibe in dem Lande / das ich dir sage / [3]Sey ein Frembdling in diesem Lande / vnd ich wil mit dir sein / vnd dich segenen / Denn dir vnd deinem Samen wil ich alle diese Lender geben / [4]vnd wil meinen Eid bestetigen / den ich deinem vater Abraham geschworen habe. Vnd wil deinen Samen mehren / wie die Sterne am Himel / vnd wil deinem Samen alle diese lender geben / Vnd durch deinen Samen sollen alle Völcker auff erden gesegnet werden. [5]Darumb / das Abraham meiner stimme gehorsam gewesen ist / vnd hat gehalten meine Rechte / meine Gebot / meine weise vnd mein gesetz.

Gen. 12. 13. 15.

Christus Jsaac verheissen.

[6]ALso wonet Jsaac zu Gerar. [7]Vnd wenn die Leute am selben ort fragten von seinem Weibe / so sprach er / Sie ist meine Schwester / Denn er furchtet sich zu sagen / sie ist mein weib / Sie möchten mich erwürgen / vmb Rebeca willen / Denn sie war schön von angesicht.

ALS er nu eine zeitlang da war / sahe Abimelech der Philister König durchs fenster / vnd ward gewar / das Jsaac schertzet mit seinem weibe Rebeca. [9]Da rieff Abimelech dem Jsaac / vnd sprach / Sihe / es ist dein weib / Wie hastu denn gesagt / sie ist meine Schwester? Jsaac antwortet jm / Jch gedacht / Jch möchte vieleicht sterben müssen vmb jren willen. [10]Abimelech sprach / Warumb hastu denn vns das gethan? Es were leicht geschehen / das jemand vom Volck sich zu deinem Weibe gelegt hette / vnd hettest also eine schuld auff vns bracht. [11]Da gebot Abimelech allem Volck / vnd sprach / Wer diesen Man oder sein Weib antastet der sol des tods sterben.

VND Jsaac seete in dem Lande / vnd kriegt desselben jars hundertfeltig / Denn der HERR segenet jn. [13]Vnd er ward ein grosser Man / gieng vnd nam zu / bis er fast gros ward / [14]das er viel guts hatte an kleinem vnd grossem vieh / vnd ein gros Gesinde. Darumb neideten jn die Philister /

[15]vnd verstopfften alle Brünne die seines Vaters knechte gegraben hatten / zur zeit Abraham seines Vaters / vnd fülleten sie mit erden / [16]Das auch Abimelech zu jm sprach / Zeuch von vns / Denn du bist vns zu mechtig worden.

DA zoch Jsaac von dannen / vnd schlug sein Gezelt auff im grunde Gerar / vnd wonet alda. [18]Vnd lies die Wasserbrünne wider auffgraben / die sie zu Abrahams zeiten seines Vaters gegraben hatten / welche die Philister verstopffet hatten nach Abrahams tod / Vnd nennet sie mit den selben namen da sie sein Vater mit genant hatte. [19]Auch gruben Jsaacs knechte im grunde / vnd funden daselbs einen Brun lebendiges wassers. [20]Aber die Hirten von Gerar zanckten mit den hirten Jsaacs / vnd sprachen / Das wasser ist vnser / Da hies er den brun / [a]Eseck / Darumb / das sie jm da vnrecht gethan hatten. [21]Da gruben sie einen andern Brun / Da zanckten sie auch vber / darumb hies er jn [b]Sitna. [22]Da macht er sich von dannen / vnd grub einen andern Brun / da zanck||ten sie sich nicht vber / darumb hies er jn / Rehoboth / vnd sprach / Nu hat vns der HERR raum gemacht / vnd vns wachsen lassen im Lande.

a (ESECK) Heisst vnrecht / wenn man jemand gewalt vnd vnrecht thut.

b (SITNA) Heisst widerstand. Daher der Teufel Satan heisst / ein Widerwertiger.

|| 15 b (REHOBOTH) heisst raum oder breite / das nicht enge ist.

DARnach zoch er von dannen gen BerSaba. [24]Vnd der HERR erschein jm in der selben nacht / vnd sprach / Jch bin deines vaters Abraham Gott Fürcht dich nicht / Denn ich bin mit dir / vnd wil dich segenen / vnd deinen Samen mehren vmb meines knechts Abrahams willen. [25]Da bawet er einen Altar daselbs / vnd prediget von dem Namen des HERRN / Vnd richtet daselbs seine Hütten auff / vnd seine Knecht gruben daselbs einen Brun.

VND Abimelech gieng zu jm von Gerar / vnd Ahusath sein freund / vnd Phichol sein Feldheubtman. [27]Aber Jsaac sprach zu jnen / Warumb kompt jr zu mir? Hasset jr mich doch / vnd habt mich von euch getrieben. [28]Sie sprachen / Wir sehen mit sehenden augen / das der HERR mit dir ist / darumb sprachen wir / Es sol ein Eid zwischen vns vnd dir sein / vnd wollen einen Bund mit dir machen / [29]das du vns keinen schaden thust / Gleich wie wir dich nicht angetastet haben / vnd wie wir dir nichts denn alles guts gethan haben / vnd dich mit frieden ziehen lassen / Du aber bist nu der gesegnete des HERRN. [30]Da macht er

Gen. 21.

BUND zwischen Jsaac vnd Abimelech.

jnen ein Mal / vnd sie assen vnd truncken. [31]Vnd des morgens früe stunden sie auff / vnd schwur einer dem andern / Vnd Jsaac lies sie gehen / vnd sie zogen von jm mit frieden.

[32]DEsselben tages kamen Jsaacs knechte / vnd sagten jm an von dem brun / den sie gegraben hatten / vnd sprachen zu jm / Wir haben wasser funden. [33]Vnd er nant jn / Saba / Da her heisst die stad BerSaba / bis auff den heutigen tag.

(SEBA) Heisst ein Eid / oder schwur / oder die fülle. (BER) Aber heisst ein Brun.

DA Esau vierzig jar alt war / nam er zum Weibe / Judith / die tochter Beri des Hethiters / vnd Basmath die tochter Elon des Hethiters / [35]Die machten beide Jsaac vnd Rebeca eitel hertzeleid.

ESAV nimpt zwey Heidnische Weiber.

## XXVII.

VND ES BEGAB SICH / DA JSAAC ALT WAR WORDEN / das seine augen tunckel worden zu sehen / rieff er Esau seinem grössern Son / vnd sprach zu jm / Mein son / Er aber antwortet jm / Hie bin ich. [2]Vnd er sprach / Sihe / Jch bin alt worden / vnd weis nicht wenn ich sterben sol. [3]So nim nu deinen zeug / köcher vnd bogen / vnd gehe auffs feld / vnd fahe mir ein Wildbret / [4]vnd mach mir ein essen / wie ichs gern habe / vnd bring mirs erein das ich esse / Das dich meine Seele segene / ehe ich sterbe. [5]Rebeca aber höret solche wort / die Jsaac zu seinem son Esau sagt / Vnd Esau gieng hin auffs feld / das er ein Wildbret jaget vnd heim brechte.

DA sprach Rebeca zu Jacob jrem son / Sihe / Jch hab gehöret deinen Vater reden mit Esau deinem Bruder / vnd sagen / [7]Bringe mir ein Wildbret / vnd mach mir essen / das ich esse / vnd dich segene fur dem HERRN ehe ich sterbe / [8]So höre nu mein Son meine stimme / was ich dich heisse. [9]Gehe hin zu der Herd / vnd hole mir zwey gute Böcklin / das ich deinem Vater ein essen dauon mache / wie ers gerne hat / [10]das soltu deinem Vater hin ein tragen / das er esse / Auff das er dich segene fur seinem tod.

[11]JAcob aber sprach zu seiner mutter Rebeca / Sihe / Mein bruder Esau ist rauch / vnd ich glat / [12]So möchte vieleicht mein Vater mich begreiffen / vnd würde fur jm geacht / als ich jn betriegen wolt / vnd brechte vber mich einen Fluch / vnd nicht

einen Segen. [13]Da sprach seine Mutter zu jm / Der Fluch sey auff mir / mein Son / Gehorche nur meiner Stimme / gehe vnd hole mir.

[14]DA gieng er hin vnd holet / vnd bracht seiner Mutter / Da machet seine Mutter ein essen / wie sein Vater gerne hatte. [15]Vnd nam Esaus jres grössern Sons köstliche Kleider / die sie bey sich im Hause hatte / vnd zoch sie Jacob an / jrem kleinern Son. [16]Aber die fell von den Böcklin thet sie jm vmb seine Hende / || vnd wo er glat war am halse / [17]Vnd gab also das essen mit brot / wie sie es gemacht hatte / in Jacobs hand jres Sons.

|| 16a

[18]VND er gieng hinein zu seinem Vater / vnd sprach / Mein vater / Er antwortet / Hie bin ich. Wer bistu mein son? [19]Jacob sprach zu seinem vater / Jch bin Esau dein erstgeborner Son / Jch hab gethan / wie du mir gesagt hast / Stehe auff / setze dich / vnd iss von meinem Wildbret / auff das mich deine seele segene. [20]Jsaac aber sprach zu seinem Son / Mein son / wie hastu so bald funden? Er antwortet / Der HERR dein Gott bescheret mirs. [21]Da sprach Jsaac zu Jacob / Trit er zu / mein Son / das ich dich begreiffe / ob du seiest mein son Esau oder nicht. [22]Also trat Jacob zu seinem vater Jsaac / vnd da er jn begriffen hatte / sprach er / Die stim ist Jacobs stim / Aber die hende sind Esaus hende. [23]Vnd erkand jn nicht / denn seine hende waren rauch / wie Esaus seins Bruders hende / Vnd segenet jn.

Jsaac segenet Jacob an Esaus stat etc.

[24]VND sprach zu jm / Bistu mein son Esau? Er antwortet / Ja ich bins. [25]Da sprach er / So bringe mir her / mein son / zu essen von deinem Wildbret / das dich meine seele segene / Da bracht ers jm / vnd er ass / Vnd trug jm auch Wein hin ein / vnd er tranck. [26]Vnd Jsaac sein Vater sprach zu jm / Kom her vnd küsse mich / mein Son. [27]Er trat hin zu vnd küsset jn / Da roch er den geruch seiner Kleider / Vnd segnet jn / vnd sprach.

SJhe / der geruch meins Sons ist wie ein geruch des Feldes / das der HERR gesegnet hat. [28]Gott gebe dir vom taw des Himels / vnd von der fertigkeit der Erden / vnd Korn vnd Weins die fülle. [29]Völcker müssen dir dienen / vnd Leute müssen dir zu fusse fallen. Sey ein Herr vber deine Brüder / vnd deiner Mutterkinder müssen dir zu fusse fallen. Verflucht sey / wer dir flucht / Gesegnet sey / wer dich segnet.

Ebre. 11.

ALS nu Jsaac volendet hatte den Segen vber Jacob / vnd Jacob kaum hin aus gegangen war von seinem vater Jsaac / Da kam Esau sein Bruder von seiner jaget / [31]vnd macht auch ein essen / vnd trugs hin ein zu seinem vater / vnd sprach zu jm / Stehe auff mein Vater / vnd iss von dem Wildbret deines Sons / das mich deine Seele segene. [32]Da antwortet jm Jsaac sein vater / Wer bistu? Er sprach / Jch bin Esau dein Erstgeborner Son. [33]Da entsatzt sich Jsaac vber die mas seer / vnd sprach / Wer? Wo ist denn der Jeger / der mir bracht hat / vnd ich hab von allem gessen / ehe du kamest / vnd hab jn gesegnet? Er wird auch gesegnet bleiben.

[34]ALS Esau diese Rede seines Vaters höret / schrey er laut / vnd ward vber die mas seer betrübt / vnd sprach zu seinem vater / Segene mich auch mein vater. [35]Er aber sprach / Dein Bruder ist komen mit list / vnd hat deinen Segen hinweg. [36]Da sprach er / Er heisst wol Jacob / denn er hat mich nu zwey mal [a]vntertretten / Meine Erstgeburt hat er da hin / Vnd sihe / nu nimpt er auch meinen Segen. Vnd sprach / Hastu mir denn keinen Segen vorbehalten?

[37]JSaac antwortet / vnd sprach zu jm / Jch habe jn zum Herrn vber dich gesetzt / vnd alle seine Brüder hab ich jm zu Knechte gemacht / Mit korn vnd wein hab ich jn versehen / Was sol ich doch dir nu thun / mein Son? [38]Esau sprach zu seinem vater / Hastu denn nur einen Segen mein vater? Segene mich auch / mein vater / Vnd hub auff seine stimme / vnd weinet. [39]Da antwortet Jsaac sein vater / vnd sprach zu jm. Sihe da / Du wirst eine fette Wonung haben auff Erden / vnd vom taw des Himels von oben her. [40]Deins Schwerts wirstu du dich neeren / vnd deinem Bruder dienen. Vnd es wird geschehen / das du auch ein Herr / vnd sein Joch von deinem halse reissen wirst.

a (Vntertretten) (EKEB) Ekeb heisst ein Fussol / daher komet Jakob oder Jacob / ein vntertretter / oder der mit Füssen tritt. Vnd bedeut alle Gleubigen / die durch das Euangelium die Welt / das Fleisch / vnd den Teufel mit sünde vnd Tod vnter sich tretten / durch Christum etc.

VND Esau war Jacob gram vmb des Segens willen / da mit jn sein Vater gesegnet hatte / Vnd sprach in seinem hertzen / Es wird die zeit bald komen / das mein Vater leide tragen mus / Denn ich wil meinen bruder Jacob erwürgen. [42]Da wurden Rebeca angesagt diese wort jres grössern sons Esau / || Vnd schickt hin / vnd lies Jacob jrem kleinern Son ruffen / vnd sprach zu jm / Sihe / Dein bruder Esau drewet dir / das er dich erwürgen wil.

|| 16b

43VND nu höre meine stim / mein Son / Mach dich auff vnd fleuch zu meinem bruder Laban in Haran / 44vnd bleib eine weile bey jm / Bis sich der grim deines Bruders wende / 45vnd bis sich sein zorn wider dich von dir wende / vnd vergesse was du an jm gethan hast / So wil ich darnach schicken / vnd dich von dannen holen lassen / Warumb solt ich ewr beider beraubt werden einen tag?

VND Rebeca sprach zu Jsaac / Mich verdreusst zu leben fur den Töchtern Heth / Wo Jacob ein Weib nimpt von den töchtern Heth / die da sind wie die Töchter dieses Lands / was sol mir das leben?

## XXVIII.

DA RIEFF JSAAC SEINEM SON JACOB / VND SEGENET jn / vnd gebot jm / vnd sprach zu jm / Nim nicht ein Weib von den töchtern Canaan / 2sondern mach dich auff / vnd zeuch in Mesopotamian zu Bethuel / deiner mutter Vater haus / vnd nim dir ein Weib daselbs von den töchtern Laban deiner mutter Bruder. 3Aber der Allmechtige Gott segene dich / vnd mache dich fruchtbar / vnd mehre sich / das du werdest ein hauffen völcker / 4Vnd gebe dir den segen Abraham / dir vnd deinem samen mit dir / Das du besitzest das Land da du frembdling innen bist / das Gott Abraham gegeben hat. 5Also fertiget Jsaac den Jacob / das er in Mesopotamian zog zu Laban Bethuels son in Syrien / dem bruder Rebeca seiner vnd Esau mutter.

Osee. 12.

ALS nu Esau sahe / das Jsaac Jacob gesegnet hatte / vnd abgefertiget in Mesopotamian / das er daselbs ein Weib neme / Vnd das / in dem er jn gesegnet / jm gebot / vnd sprach / Du solt nicht ein Weib nemen von den töchtern Canaan / 7Vnd das Jacob seinem Vater vnd seiner Mutter gehorchet / vnd in Mesopotamian zoch / 8Sahe auch / das Jsaac sein Vater nicht gern sahe die töchter Canaan / 9Gieng er hin zu Jsmael / vnd nam vber die Weiber / die er zu uor hatte / Mahalath / die tochter Jsmael / des sons Abrahams / die schwester Nebaioth / zum weibe. ‖

MAHALATH Esaus weib.

‖ 17a

ABer Jacob zoch aus von BerSaba / vnd reiset gen Haran. 10Vnd kam an einen Ort / da bleib er vber nacht / denn die Sonne war vntergegangen / Vnd er nam einen Stein des orts / vnd legt jn zu seinen Heubten / vnd leget sich an dem selbigen

Ort schlaffen. [12]Vnd jm trewmet / Vnd sihe / eine Leiter stund auff erden / die rüret mit der spitzen an den Himel / Vnd sihe / die Engel Gottes stiegen dran auff vnd nider.

Joh. 1.

[13]VND der HERR stund oben drauff / vnd sprach / Jch bin der HERR / Abrahams deines vaters Gott / vnd Jsaacs Gott / Das Land da du auff ligest / wil ich dir / vnd deinem Samen geben. [14]Vnd dein Same sol werden wie der staub auff Erden / Vnd du solt ausgebreitet werden / gegen dem Abend / Morgen / Mitternacht vnd Mittag. VND DURCH DICH VND DEINEN SAMEN SOLLEN ALLE GESCHLECHT AUFF ERDEN GESEGNET WERDEN. [15]Vnd sihe / Jch bin mit dir / vnd wil dich behüten / wo du hin zeuchst / vnd wil dich wider her bringen in dis Land / Denn ich wil dich nicht lassen / bis das ich thu / alles was ich dir geredt habe.

CHRISTUS Jacob verheissen.

[16]DA nu Jacob von seinem Schlaff auffwachte / sprach er / Gewislich ist der HERR an diesem Ort / vnd ich wusts nicht. [17]Vnd furchte sich / vnd sprach Wie [a]heilig ist diese Stet / Hie ist nichts anders denn Gotteshause / Vnd hie ist die Pforte des Himels. [18]Vnd Jacob stund des morgens früe auff / vnd nam den Stein / den er zu seinen Heubten gelegt hatte / vnd richtet jn auff zu einem Mal / vnd gos öle oben drauff / [19]Vnd hies die stet BethEl / vorhin hies sonst die stad Lus.

BETHEL LUS. Gen. 35.

VND Jacob thet ein Gelübd / vnd sprach / So Gott wird mit mir sein / vnd mich behüten auff dem wege / den ich reise / vnd Brot zu essen geben / vnd Kleider an zu ziehen / [21]vnd mich mit frieden wider heim zu meinem Vater bringen / So sol der

(Deinem samen) Hie wird dem dritten Patriarchen / Christus verheissen / der Heiland aller Welt / vnd das künfftige Euangelium von Christo in allen Landen zu predigen / durch die Engel auff der Leiter furgebildet.

a (Heilig) Heilig heisst hie metuendus / terribilis / Nota / da man Gott fürchten vnd ehren solle / als der daselbs wil gefürchtet vnd geehret sein. Daher auch der selbberg Morija / timor / reuerentia / cultus Dei heisst. Sup. cap. 22. Denn Gottes furcht ist der höchste Gottesdienst. Vnd ist hie angezeigt / Wo Gottes wort ist / (wie Jacob hie höret) da ist Gottes Hause / da stehet der Himel offen mit allen gnaden etc.

HERR [b]mein Gott sein. [22]Vnd dieser Stein / den ich auff gerichtet habe zu einem Mal / sol ein Gottes haus werden / Vnd alles was du mir gibst / des wil ich dir den Zehenden geben.

b (Mein Gott sein) Nicht das er vor hin nicht sein Gott gewesen sei / Sondern er gelobt ein Gottesdienst auff zurichten / da man predigen vnd beten solt / Da wil er den Zehenden zugeben / den Predigern. Wie Abraham dem Melchisedeck den Zehenden gab.

## XXIX.

DA HUB JACOB SEINE FÜSSE AUFF / VND GIENG IN das Land das gegen Morgen ligt. [2]Vnd sahe sich vmb / vnd sihe / da war ein Brun auff dem felde / vnd sihe / drey Herde schafe lagen da bey / Denn von dem Brunne pflegten sie die herde zu trencken / vnd lag ein grosser Stein fur dem loch des Bruns. [3]Vnd sie pflegten die Herd alle daselbs zuuersamlen / vnd den stein von dem Brunloch zu weltzen / vnd die schafe trencken / vnd thaten als denn den stein wider fur das loch an seine stet.

[4]VND Jacob sprach zu jnen / Lieben brüder / Wo seid jr her? Sie antworten / Wir sind von Haran. [5]Er sprach zu jnen / Kennet jr auch Laban den son Nahor? Sie antworten / Wir kennen jn wol. [6]Er sprach / Gehet es jm auch wol? Sie antworten / Es gehet jm wol / Vnd sihe / da kompt seine tochter Rahel mit den Schafen. [7]Er sprach / Es ist noch hoch tag / vnd ist noch nicht zeit das Vieh ein zutreiben / Trencket die schafe / vnd gehet hin vnd weidet sie. [8]Sie antworten / Wir können nicht / bis das alle Herde zusamen gebracht werden / vnd wir den stein von des Brunnenloch waltzen / vnd also die schafe trencken.

[9]ALs er noch mit jnen redet / kam Rahel mit den schafen jres Vaters / denn sie hütet der schafe. [10]Da aber Jacob sahe Rahel die tochter Labans seiner mutter Bruder / vnd die schafe Labans seiner mutter bruder / trat er hinzu / vnd waltzet den stein von dem loch des Brunnen / vnd trencket die schafe Labans seiner muter Bruder / [11]Vnd küsset Rahel vnd weinet laut / [12]vnd saget jr an / das er jres Vaters bruder were / vnd Rebeca son / Da lieff sie / vnd sagets jrem Vater an.

[13]DA aber Laban höret von Jacob seiner schwester Son / lieff er jm entge‖gen / vnd hertzet vnd küsset jn / vnd füret jn in sein Haus / Da erzelet er dem Laban alle diese sache. [14]Da sprach Laban zu jm / Wolan / du bist mein bein vnd fleisch. Vnd da er nu ein Mond lang bey jm gewest war / [15]sprach Laban zu Jacob / Wiewol du mein Bruder

‖ 17b

bist / soltestu mir darumb vmb sonst dienen? Sage an / Was sol dein lohn sein?

LAban aber hatte zwo Töchter die elteste hies Lea / vnd die jüngeste Rahel / [17]Aber Lea hatte ein Blöde gesicht / Rahel war hubsch vnd schön. [18]Vnd Jacob gewan die Rahel lieb / vnd sprach / Jch wil dir siben jar vmb Rahel deine jüngeste Tochter dienen. [19]Laban antwortet / Es ist besser / ich gebe dir sie / denn einem andern / Bleib bey mir.

LEA. RAHEL Labans Tochter.

[20]ALso dienete Jacob vmb Rahel sieben jar / vnd dauchten jn als werens einzele tage / so lieb hatte er sie. [21]Vnd Jacob sprach zu Laban / Gib mir nu mein Weib / denn die zeit ist hie / das ich beylige. [22]Da lud Laban alle Leute des orts / vnd machte ein Hochzeit mal. [23]Des abends aber nam er seine tochter Lea / vnd brachte sie zu jm hin ein / Vnd er lag bey jr. [24]Vnd Laban gab seiner tochter Lea seine magd Silpa zur magd.

LEA JACOBS weib.

[25]DEs morgens aber / Sihe / da war es Lea / Vnd er sprach zu Laban / Warumb hastu mir das gethan? Habe ich dir nicht vmb Rahel gedienet? warumb hastu mich denn betrogen? [26]Laban antwortet / Es ist nicht sitte in vnserm Lande / das man die Jüngste ausgebe vor der Eltesten. [27]Halte mit dieser die wochen aus / so wil ich dir diese auch geben / vmb den Dienst / den du bey mir noch ander sieben jar dienen solt. [28]Jacob thet also / vnd hielt die wochen aus / Da gab jm Laban Rahel seine tochter zum Weibe. [29]Vnd gab seiner tochter Rahel seine magd Bilha zur magd. [30]Also lag er auch bey mit Rahel / Vnd hatte Rahel lieber denn Lea / Vnd dienet bey jm fürder die andern sieben jar.

RAHEL Jacobs weib.

DA aber der HERR sahe / das Lea vnwerd war / macht er sie fruchtbar vnd Rahel vnfruchtbar. [32]Vnd Lea ward schwantzer / vnd gebar einen Son / den hies sie Ruben / vnd sprach / Der HERR hat angesehen mein elende / Nu wird mich mein Man lieb haben. [33]Vnd ward abermal schwanger / vnd gebar einen Son / vnd sprach / Der HERR hat gehöret / das ich vnwerd bin / vnd hat mir diesen auch gegeben / vnd hies jn Simeon. [34]Aber mal ward sie schwanger / vnd gebar einen Son / vnd sprach / Nu wird sich mein Man wider zu mir thun / denn ich hab jm drey Söne geborn / Darumb hies sie jn Leui. [35]Zum vierden ward sie schwanger / vnd gebar einen Son / vnd sprach / Nu wil ich dem

(RUBEN) Heisst ein Schawkind.

(SIMEON) Heisst ein Hörer.

(LEUI) Heisst zugethan.

(JUDA) Heisst ein Bekenner oder Dancksager.

HERRN dancken / darumb hies sie jn Juda / Vnd höret auff Kinder zugeberen.

XXX.

DA RAHEL SAHE / DAS SIE DEM JACOB NICHTS gebar / neidet sie jre schwester / vnd sprach zu Jacob / Schaffe mir Kinder / Wo nicht / so sterbe ich. [2]Jacob aber ward seer zornig auff Rahel / vnd sprach / Bin ich doch nicht Gott / der dir deines Leibes früchte nicht geben wil. [3]Sie aber sprach / sihe / Da ist meine magd Bilha / Lege dich zu jr / das sie auff meinen Schos gebere / vnd ich doch durch sie erbawet werde. [4]Vnd sie gab jm also Bilha jre magd zum Weibe.

RAHEL gibt Bilha jre magd Jacob zum weib. Gen. 16.

VND Jacob leget sich zu jr / [5]Also ward Bilha schwanger / vnd gebar Jacob einen Son. [6]Da sprach Rahel / Gott hat meine sache gerichtet / vnd meine stim erhöret / vnd mir einen Son gegeben / Darumb hies sie jn [a]Dan. [7]Abermal ward Bilha Rahels magd schwanger / vnd gebar Jacob den andern son. [8]Da sprach Rahel / Gott hat es gewand mit mir vnd meiner Schwester / vnd ich werds jr zuuor thun / Vnd hies jn [b]Naphthali.

a (DAN) Heisst gerich.

b (NAPHTHALI) Heisst verwechselt vmbgewand / vmbgekeret / wenn man das widerspiel thut / Psal. 18. Mit den verkerten verkerestu dich.

DA nu Lea sahe / das sie auff gehöret hatte zu geberen / nam sie jre magd Silpa / vnd gab sie Jacob zum weibe. [10]Also gebar Silpa Lea magd / Ja||cob einen Son. [11]Da sprach Lea / Rüstig / Vnd hies jn Gad. [12]Darnach gebar Silpa Lea magd / Jacob den andern Son. [13]Da sprach Lea / Wol mir / Denn mich werden selig preisen die Töchter / Vnd hies jn Asser.

LEA GIBT SILPA jre magd Jacob zum weib.

|| 18 a

(GAD) Heisst rüstig zum streit.

(ASSER) Heisst selig.

RVben gieng aus zur zeit der Weitzenernd / vnd fand [a]Dudaim auff dem felde / vnd bracht sie heim seiner mutter Lea. Da sprach Rahel zu Lea / Gib mir der Dudaim deines Sons ein teil. [15]Sie antwortet / Hastu nicht gnug / das du mir meinen Man genomen hast / vnd wilt auch die Dudaim meines Sons nemen? Rahel sprach / Wolan / las jn diese nacht bey dir schlaffen vmb die Dudaim deines Sons.

a (DUDAIM) Frage du selbs was Dudaim sind. Es sollen Lilien / Es sollen Beer sein / vnd niemand weis / was es sein sollen. Es heissens etliche Jüden Kirschen / die in der Weitzenernd reiff sind etc.

[16]DA nu Jacob des abends vom felde kam / gieng jm Lea hinaus entgegen vnd sprach / Bey mir soltu ligen / Denn ich habe dich erkaufft vmb die Dudaim meines Sons. Vnd er schlieff die nacht bey jr / [17]Vnd Gott erhöret Lea / vnd sie ward schwanger / vnd gebar Jacob den fünfften Son / [18]vnd sprach / Gott hat mir gelohnet / das ich meine

magd meinem Manne gegeben habe / Vnd hies jn [b]Jsaschar. [19]Abermal ward Lea schwanger / vnd gebar Jacob den sechsten Son / [20]vnd sprach / Gott hat mich wol beraten / Nu wird mein Man wider bey mir wonen / Denn ich habe jm sechs Söne geboren / Vnd hies jn [c]Sebulon. [21]Darnach gebar sie eine Tochter / die hies sie [d]Dina.

DEr HERR gedacht aber an Rahel / vnd erhöret sie / vnd macht sie fruchtbar. [23]Da ward sie schwanger / vnd gebar einen Son / vnd sprach / Gott hat meine schmach von mir genomen / [24]Vnd hies jn [e]Joseph / Vnd sprach / Der HERR wolte mir noch einen Son dazu geben.

DA NU RAHEL DEN JOSEPH GEBORN HATTE / SPRACH Jacob zu Laban / Las mich ziehen vnd reisen an meinen Ort vnd in mein Land / [26]Gib mir meine Weiber vnd meine Kinder / darumb ich dir gedienet habe / das ich ziehe / Denn du weissest / wie ich dir gedienet habe. [27]Laban sprach zu jm / Las mich gnade fur deinen augen finden / Jch spüre / das mich der HERR segenet vmb deinen willen / [28]Stimme das Lohn das ich dir geben sol.

[29]ER aber sprach zu jm / Du weissest / wie ich dir gedienet habe / vnd was du fur Vieh hast vnter mir. [30]Du hattest wenig ehe ich her kam / Nu aber ists ausgebreitet in die menge / vnd der HERR hat dich gesegenet durch [f]meinen fus / Vnd nu / Wenn sol ich auch mein Haus versorgen? [31]Er aber sprach / Was sol ich dir denn geben? Jacob sprach / Du solt mir nichts vberal geben / Sondern so du mir thun wilt / das ich sage / So wil ich widerumb weiden vnd hüten deiner Schafe.

ICH wil heute durch alle deine Herde gehen / vnd aussondern alle fleckete vnd bundte schafe / vnd alle schwartze schafe vnter den lemmern / vnd die bundten vnd [g]flecketen ziegen / Was nu bund vnd flecket fallen wird / das sol mein Lohn sein. [33]So wird mir mein gerechtigkeit zeugen heute oder morgen / wenn es kompt / das ich meinen Lohn von dir nemen sol / Also / das / was nicht flecket oder bund / oder nicht schwartz sein wird vnter den lemmern / vnd ziegen / das sey ein Diebstal bey mir.

[34]DA sprach Laban / Sihe da / es sey wie du gesagt hast. [35]Vnd sonderte des tages die sprenckliche vnd bundte böcke / vnd alle fleckete vnd bundte ziegen / Wo nur was weisses daran war /

b (JSASCHAR) Heisst Lohn.

c (SEBULON) Heisst bey wonung.

d (DINA) Heisst eine sache oder gericht.

e (JOSEPH) Heisst zunemung.

f (Meinen fus) Das ist / Jch hab müssen lauffen vnd rennen durch dünne vnd dicke / das du so Reich würdest / Mein Fus hats müssen thun. Jnde pedes Euangelisantium pacem/ et cursus verbi seu ministerij.

g Du must hie dich nicht jrren / das Moses / das kleine vieh / jtzt ziegen / jtzt lemmer / jtzt böcke heisset / wie dieser sprache art ist / Denn er wil so viel sagen / Das Jacob habe alles weis vieh behalten /

vnd alles bundte vnd schwartze Laban gethan. Was nu bund von dem einferbigen vieh keme / das solte sein lohn sein. Des ward Laban fro / vnd hatte die natur fur sich / das von einferbigen nicht viel bundte natürlich komen. Aber Jacob halff der natur mit kunst / das die einferbigen viel bundte trugen.

vnd alles was schwartz war vnter den lemmern / vnd thats vnter die hand seiner Kinder / 36vnd macht raum dreier Tagereise weit zwisschen jm vnd Jacob / Also weidet Jacob die vbrigen herde Laban.

37JAcob aber nam stebe von grünen Papelnbawm / Haseln / vnd Castaneen / vnd schelet weisse streiffe daran / das an den steben das weisse blos ward vnd legt die stebe / die er geschelet hatte / in die Trenckrinnen / fur die Herde / die da komen musten zu trincken / das sie empfangen solten / wenn sie zu trinck||en kemen. 39Also empfiengen die Herde vber den steben / vnd brachten sprenckliche / fleckete vnd bundte. 40Da scheidet Jacob die lemmer / vnd thet die abgesonderte Herde zu den flecketen vnd schwartzen in der Herde Labans / vnd macht jm ein eigen Herde / die thet er nicht zu der herde Labans. 41Wenn aber der Laufft der früelinge Herde war / legte er diese stebe in die Rinnen fur die augen der Herde / das sie vber den steben empfiengen / 42Aber in der Spetlinger laufft / leget er sie nicht hinein. Also wurden die Spetlinge des Labans / aber die Früelinge des Jacobs / 43Da her ward der Man vber die mas reich / das er viel schafe / megde vnd knechte / kamel vnd esel hatte.

|| 18b

## XXXI.

VND ES KAMEN FUR JN DIE REDEN DER KINDER Laban / das sie sprachen / Jacob hat alle vnsers vaters gut zu sich gebracht. Vnd von vnsers Vaters gut / hat er solche Reichthum zu wegen gebracht.

[2]Vnd Jacob sahe an das angesicht Laban / Vnd sihe / es war nicht gegen jm / wie gestern vnd ehegestern. VND der HERR sprach zu Jacob / Zeuch wider in deiner Veter land / vnd zu deiner Freundschafft / Jch wil mit dir sein. [4]Da sandte Jacob hm / vnd lies ruffen Rahel vnd Lea auffs feld bey seine Herde / [5]vnd sprach zu jnen / Jch sehe ewrs Vaters angesicht / das es nicht gegen mir ist / wie gestern vnd ehegestern / Aber der Gott meines Vaters ist mit mir gewesen.

[6]VND jr wisset / das ich aus allen meinen krefften ewrem Vater gedienet habe / [7]Vnd er hat mich geteuscht / vnd nu zehen mal mein lohn verendert / Aber Gott hat jm nicht gestattet / das er mir schaden thet. [8]Wenn er sprach / die bundten sollen dein Lohn sein / so trug die gantze Herd bundte / Wenn er aber sprach / Die sprenckliche sollen dein Lohn sein / so trug die gantze Herd sprenckliche. [9]Also hat Gott die güter ewers Vaters jm entwand / vnd mir gegeben.

[10]DEnn wenn die zeit des Lauffs kam / hub ich meine Augen auff / vnd sahe im trawm / vnd sihe / die Böcke sprungen auff die sprenckliche / fleckete / vnd bundte Herde. [11]Vnd der Engel Gottes sprach zu mir im traum / Jacob / Vnd ich antwortet / Hie bin ich. [12]Er aber sprach / heb auff deine augen / vnd siehe / ‖ Die Böcke springen auff die sprenckliche / fleckete vnd bundte Herde / Denn ich habe alles gesehen / was dir Laban thut. [13]Jch bin der Gott zu BethEl / da du den stein gesalbet hast / vnd mir daselbs ein Gelübde gethan. Nu mach dich auff / vnd zeuch aus diesem Lande / vnd zeuch wider in das Land deiner freundschafft.

‖ 19a

Gen. 28.

[14]DA antwortet Rahel vnd Lea / vnd sprachen zu jm / Wir haben doch kein Teil noch Erbe mehr in vnsers Vaters hause / [15]Hat er vns doch gehalten als die frembden / Denn er hat vns verkaufft / vnd vnser Lohn verzehret. [16]Darumb hat Gott vnserm Vater entwand seinen Reichthum zu vns vnd vnsern Kindern / Alles nu was Gott dir gesagt hat / das thu.

ALso machet sich Jacob auff / vnd lud seine Kinder vnd Weiber auff Kamelen / [18]vnd füret weg alle sein Vieh / vnd alle seine Habe / die er zu Mesopotamia erworben hatte / das er keme zu Jsaac seinem Vater ins land Canaan [19](Laban aber war gangen seine Herde zu scheren) Vnd

JACOB zeucht widerumb in Canaan etc.

(Stal das hertz) Hertz stelen ist Ebreisch geredt / so viel / als etwas thun hinder eines andern wissen.

Rahel stal jres Vaters Götzen. [20]Also stal Jacob dem Laban zu Syrien das hertz / da mit / das er jm nicht ansaget / das er flohe. [21]Also flohe er vnd alles was sein war / machte sich auff / vnd fuhr vber das wasser / vnd richt sich nach dem berge Gilead.

LABAN jaget Jacob nach.

AM dritten tage wards Laban angesagt / das Jacob flöhe / [23]Vnd er nam seine Brüder zu sich / vnd jaget jm nach sieben Tagereise / vnd ereilet jn auff dem berge Gilead. [24]Aber Gott kam zu Laban dem Syrer im traum des nachts / vnd sprach zu jm / Hüte dich / das du mit Jacob nicht anders redest denn freundlich. [25]Vnd Laban nahet zu Jacob / Jacob aber hatte seine Hütten auffgeschlagen auff dem Berge / Vnd Laban mit seinen Brüdern schlug seine hütten auch auff / auff dem berge Gilead.

[26]DA sprach Laban zu Jacob / Was hastu gethan / das du mein hertz gestolen hast / vnd hast meine Töchter entfüret / als die durchs Schwert gefangen weren? [27]Warumb hastu heimlich geflohen / vnd hast dich weggestolen / vnd hast mirs nicht angesagt / das ich dich hette geleitet mit freuden / mit singen / mit Paucken vnd Harffen? [28]vnd hast mich nicht lassen meine Kinder vnd Töchter küssen / Nu du hast thörlich gethan. [29]Vnd ich hette / mit Gottes hülffe / wol so viel macht / das ich euch künd vbels thun / Aber ewrs vaters Gott hat gestern zu mir gesagt / Hüte dich / das du mit Jacob nicht anders denn freundlich redest.

VND weil du denn ja woltest ziehen / vnd sehnetest dich so fast nach deines vaters hause / Warumb hastu mir meine Götter gestolen? [31]Jacob antwortet / vnd sprach zu Laban / Jch furchte mich vnd dachte / du würdest deine Töchter von mir reissen. [32]Bey welchem aber du deine Götter findest / der sterbe hie fur vnsern Brüdern / Süche das deine bey mir / vnd nims hin (Jacob wuste aber nicht / das sie Rahel gestolen hatte) [33]Da gieng Laban in die hütten Jacob / vnd Lea / vnd der beide Megde / vnd fand nichts. Vnd gieng aus der hütten Lea in die hütten Rahel / [34]Da nam Rahel die Götzen vnd legt sie vnter die strew der Kamel / vnd satzte sich drauff. Laban aber betastet die gantze Hütte / vnd fand nichts. [35]Da sprach sie zu jrem Vater / Mein Herr / zürne nicht / Denn ich kan nicht auffstehen gegen dir / Denn es gehet mir nach der Frawen weise. Also fand er die Götzen nicht / wie fast er sucht.

VND Jacob ward zornig / vnd schalt Laban / vnd sprach zu jm / Was hab ich misgehandelt oder gesundiget / das du so auff mich erhitzt bist? [37]Du hast alle mein Hausrat betastet / Was hastu deines hausrats funden? Lege das dar / fur meinen vnd deinen Brüdern / das sie zwischen vns beiden richten. [38]Diese zwenzig jar bin ich bey dir gewesen / deine schafe vnd ziegen sind nicht vnfruchtbar gewesen / die wider deiner Herde hab ich nie gessen. [39]Was die Thier zurissen / bracht ich dir nicht / ich must es bezalen / du fodderst es von meiner hand / es were mir des tages oder des nachts gestolen. [40]Des tages ver||schmacht ich fur hitze / vnd des nachts fur frost / vnd kam kein Schlaff in meine augen.

|| 19b

[41]ALso habe ich diese zwenzig jar in deinem Hause gedienet / vierzehen vmb deine Töchter / vnd sechs vmb deine Herde / vnd hast mir mein Lohn zehen mal verendert. [42]Wo nicht der Gott meines Vaters / der Gott Abraham / vnd die Furcht Jsaac / auff meiner seiten gewesen were / du hettest mich leer lassen ziehen. Aber Gott hat mein elend vnd mühe angesehen / vnd hat dich gestern gestrafft.

(Furcht) Jacob nennet hie Gott Jsaacs furcht / darumb / das Jsaac Gottfürchtig war vnd Gottes Diener.

LAban antwortet / vnd sprach zu Jacob / Die Töchter sind meine töchter / vnd die Kinder sind meine kinder / vnd die Herde sind meine herde / vnd alles was du sihest / ist mein / Was kan ich meinen Töchtern heut / oder jren Kindern thun / die sie geboren haben? [44]So kome nu / vnd las vns einen Bund machen / ich vnd du / der ein Zeugnis sey zwischen mir vnd dir. [45]Da nam Jacob einen stein / vnd richtet jn auff zu einem Mal / [46]vnd sprach zu seinen Brüdern / Leset steine auff. Vnd sie namen steine / vnd machten einen hauffen / vnd assen auff dem selben hauffen / [47]Vnd Laban hies jn Jegar Sahadutha / Jacob aber hies jn Gilead.

BUND zwischen Jacob vnd Laban etc.

Acceruus Testimonij.

[48]DA sprach Laban / Der hauffe sey heute Zeuge zwischen mir vnd dir (Daher heisst man jn Gilead) [49]vnd sey eine Warte / Denn er sprach / Der HERR sehe dar ein zwischen mir vnd dir / wenn wir von einander komen / [50]wo du meine Töchter beleidigest / oder andere Weiber dazu nimpst vber meine Töchter. Es ist hi kein Mensch mit vns / sihe aber / Gott ist der Zeuge / zwischen mir vnd dir. [51]Vnd

(GILEAD) Gilead heisst ein Zeugehauffe / Vnd bedeut die Schrifft da viel zeugnis von Gott heuffig innen sind.

Laban sprach weiter zu Jacob / Sihe / das ist der Hauff / vnd das ist das Mal / das ich auffgerichtet hab zwischen mir vnd dir. [52]Der selb hauff sey zeuge / vnd das mal sey auch zeuge / wo ich her-über fare zu dir / oder du herüber ferest zu mir vber diesen hauffen vnd mal zu bescheidigen. [53]Der Gott Abraham / vnd der Gott Nahor / vnd der Gott jrer veter sey Richter zwischen vns.

[54]VND Jacob schwur jm bey der Furcht seines vaters Jsaac. Vnd Jacob opfferte auff dem Berge / vnd lud seine Brüder zum essen / Vnd da sie gessen hatten / blieben sie auff dem Berge vber nacht. [55]Des morgens aber stund Laban früe auff / küsset seine Kinder vnd Töchter / vnd segenete sie / vnd zoch hin / vnd kam wider an seinen ort.

JAcob aber zoch seinen weg / Vnd es begegneten jm die Engel Gottes. [2]Vnd da er sie sahe / sprach er / Es sind Gottes Heere / Vnd hies die selbige stet / Mahanaim.

Psal. 34.

MAHANAIM Heisst Heer-lager.

## XXXII.

JACOB ABER SCHICKET BOTEN FUR JM HER / ZU seinem Bruder Esau ins land Seir / in der gegend Edom / [4]vnd befalh jnen / vnd sprach / Also sagt meinem herrn Esau / Dein knecht Jacob lesst dir sagen / Jch bin bis daher bey Laban lange aussen gewest / [5]vnd habe rinder vnd esel / schafe / Knecht vnd Megde / Vnd habe ausgesand dir meinem Herrn an zusagen / das ich gnade fur deinen augen fünde.

DJe Boten kamen wider zu Jacob / vnd sprachen / Wir kamen zu deinem bruder Esau / vnd er zeucht dir auch entgegen mit vier hundert Man. Da furcht sich Jacob seer / vnd jm ward bange / Vnd teilet das Volck das bey jm war / vnd die schafe / vnd die rinder / vnd die kamel / in zwey Heere / [8]vnd sprach / So Esau kompt auff das eine Heer / vnd schlegt es / so wird das vbrige entrinnen. [9]Weiter sprach Jacob.

JACOB betet zu Gott in seiner angst etc.

GOtt meines vaters Abraham / vnd Gott meines vaters Jsaac / HERR / der du zu mir gesagt hast / Zeuch wider in dein Land / vnd zu deiner Freundschafft / Jch wil dir wolthun / [10]Jch bin zu geringe aller barmhertzigkeit || vnd aller trewe / die du an deinem Knechte gethan hast (Denn ich hatte nicht mehr weder diesen Stab / da ich vber diesen Jordan gieng / vnd nu bin ich zwey Heere

|| 20a

worden) [11]Errette mich von der hand meines Bruders / von der hand Esau / Denn ich fürchte mich fur jm / das er nicht kome / vnd schlage mich / die Mütter sampt den Kindern. [12]Du hast gesagt / Jch wil dir wolthun / vnd deinen Samen machen / wie den sand am meer / den man nicht zelen kan fur der menge.

Gen. 31.

VND er bleib die nacht da / Vnd nam von dem das er fur handen hatte / Geschenck seinem bruder Esau / [14]zwey hundert ziegen / zwenzig böcke / zweyhundert schafe / zwenzig wider / [15]vnd dreissig seugende kamel mit jren füllen / vierzig küe / vnd zehen farren / zwenzig eselin mit zehen füllen. [16]Vnd thet sie vnter die hand seiner Knechte / ja eine Herde sonderlich / vnd sprach zu jnen / Gehet vor mir hin / vnd lasset raum zwischen einer Herde nach der andern / [17]Vnd gebot dem Ersten / vnd sprach.

WEnn dir mein bruder Esau begegnet vnd dich fraget / Wen gehörestu an / vnd wo wiltu hin / vnd wes ists / das du fur dir treibest? [18]Soltu sagen / Es gehöret deinem knechte Jacob zu / der sendet Geschenck seinem herrn Esau / vnd zeucht hinder vns hernach. [19]Also gebot er auch dem Andern / vnd dem Dritten / vnd allen die den Herden nach giengen / vnd sprach / Wie ich euch gesagt habe / so saget zu Esau / wenn jr jm begegnet. [20]Vnd saget ja auch / sihe / Dein knecht Jacob ist hinder vns / Denn er gedacht / Jch wil jn versünen mit dem Geschenck / das vor mir her gehet / darnach wil ich jn sehen / vieleicht wird er mich annemen.

[21]ALso gieng das Geschenck vor jm her / Aber er bleib die selbe nacht beim Heer. [22]Vnd stund auff in der nacht / vnd nam seine zwey Weiber / vnd die zwo Megde / vnd seine eilff Kinder / vnd zoch an den furt Jacob / [23]nam sie vnd füret sie vber das Wasser / das hinüber kam was er hatte / [24]Vnd bleib allein.

DA [a]rang ein Man mit jm bis die morgenröte anbrach. [25]Vnd da er sahe / das er jn nicht vbermocht / rüret er das Gelenck seiner hüfft an / Vnd das gelenck seiner hüfft ward vber dem ringen mit jm / verrenckt. [26]Vnd er sprach / Las mich gehen / denn die morgenröte bricht an / Aber er antwortet / Jch las dich nicht / du segenest mich denn. [27]Er sprach / Wie heissestu? Er antwor||tet / Jacob. [28]Er sprach / Du solt nicht mehr Jacob

|| 20b

a (Rang) Jm Ebreischen kompt ringen vom staub her / Als wenn Zween miteinander ringen / das der staub sich erhebt vnd dicke vmb sie wird. Vnd lautet so viel / Es steubet ein Man mit jm / das ist / Ein hefftiger Kampff war es / das sol niemand verstehen / denn die Erfarung.

(JSRAEL) Jsrael kompt von Sara / das heisset kempffen oder vberweldigen / Da her auch Sar ein Fürst oder Herr / vnd Sara ein Fürstin oder Fraw heisst / vnd Jsrael ein Fürst oder Kempffer Gottes / das ist / der mit Gott ringet vnd angewinnet. Welchs geschicht durch den glauben der so fest an Gottes wort helt / bis er Gottes zorn vberwindet / vnd Gott zu eigen erlanget zum gnedigen Vater.

heissen / sondern JsraEl / Denn du hast mit Gott vnd mit Menschen gekempfft / vnd bist obgelegen.

[29]VND Jacob fraget jn / vnd sprach / Sage doch / wie heissestu? Er aber sprach / Warumb fragestu / wie ich heisse? Vnd er segenete jn daselbs. [30]Vnd Jacob hies die stet [a]Pniel / Denn ich habe Gott von angesicht gesehen / vnd meine Seele ist genesen. [31]Vnd als er fur Pnuel vber kam / gieng jm die Sonne auff / Vnd er hincket an seiner Hüfft / [32]daher essen die kinder Jsrael keine spanader auff dem gelenck der hüfft / bis auff den heutigen tag / Darumb / das die spanader an dem gelenck der hüfft Jacob gerüret ward.

JSRAEL. Gen. 35.

a (PNIEL) Pniel oder Pnuel / heisst Gottes angesicht oder erkentnis. Denn durch den glauben im streit des Creutzes lernet man Gott recht erkennen vnd erfaren / So hats denn keine Not mehr, so gehet die Sonne auff.

## XXXIII.

JACOB HUB SEINE AUGEN AUFF / VND SAHE SEINEN bruder Esau komen mit vierhundert Man. Vnd teilet seine Kinder zu Lea / vnd zu Rahel / vnd zu beiden Megden / [2]Vnd stellet die megde mit jren Kindern forne an / vnd Lea mit jren Kindern hernach / vnd Rahel mit Joseph zu letzt. [3]Vnd er gieng fur jnen her / vnd neigete sich sieben mal auff die Erden / bis er zu seinem Bruder kam.

ESAV begegnet Jacob etc.

[4]ESau aber lieff jm entgegen / vnd hertzet jn / vnd fiel jm vmb den hals / vnd küsset jn / Vnd sie weineten. [5]Vnd hub seine augen auff / vnd sahe die Weiber mit den Kindern / vnd sprach / Wer sind diese bey dir? Er antwortet / Es sind Kinder / die Gott deinem Knecht bescheret hat. [6]Vnd die Megde traten erzu mit jren Kindern / vnd neigten sich fur jm. [7]Lea trat auch erzu mit jren Kindern /

vnd neigeten sich fur jm. Darnach trat Joseph vnd Rahel erzu / vnd neigeten sich auch fur jm.

[8]VNd er sprach / Was wiltu mit alle dem Heere / dem ich begegnet bin? Er antwortet / Das ich gnade fünde fur meinem Herrn. [9]Esau sprach / Jch habe gnug / mein Bruder / behalt was du hast. [10]Jacob antwortet / Ah nicht / Hab ich gnade funden fur dir / so nim mein Geschencke von meiner hand / Denn ich sahe dein angesicht / als sehe ich Gottes angesicht / vnd las dirs wolgefallen von mir / [11]Nim doch den Segen von mir an / den ich dir zubracht habe / Denn Gott hat mirs bescheret / vnd ich habe alles gnug / Also nötiget er jn / das ers nam.

VND er sprach / Las vns fort ziehen vnd reisen / ich wil mit dir ziehen. [13]Er aber sprach zu jm / Mein Herr / du erkennest / das ich zarte Kinder bey mir habe / dazu vieh vnd seugende küe / Wenn sie einen tag vbertrieben würden / würde mir die gantze Herde sterben. [14]Mein Herr ziehe vor seinem Knechte hin / Jch wil [b]meilich hanach treiben / darnach das vieh vnd die Kinder gehen können / bis das ich kome zu meinem Herrn / in Seir.

b (Meilich) Merck / das recht Gleubigen vnd werckheiligen nicht können mit einander wandeln. Denn die Gleubigen faren seuberlich mit stillem geist / Aber die Werckheiligen faren starck mit vermessenheit jrer werck in Gottes Gesetzen.

[15]ESau sprach / So wil ich doch bey dir lassen etliche vom Volck / das mit mir ist. Er antwortet / Was ists von nöten? Las mich nur gnade für meinem Herrn finden. [16]Also zoch des tages Esau widerumb seines wegs gen Seir. [17]Vnd Jacob zoch gen Suchoth / vnd bawet jm ein Haus / vnd machet seinem Vieh hütten / Da her heisst die stet Suchoth.

SUCHOTH.

SALEM Sichems stad.

[18]DArnach zoch Jacob gegen Salem / zu der stad des Sichem / die im lande Canaan ligt / nach dem er aus Mesopotamia komen war / vnd machet sein Lager fur der stad. [19]Vnd kaufft ein stück Ackers / von den kindern Hemor des vaters Sichem / vmb hundert [c]grosschen / Daselbs richtet er seine Hütten auff. [20]Vnd richtet daselbs einen Altar zu / vnd rieff an den Namen des starcken Gottes Jsrael.

c Oder schafe.

## XXXIIII.

DJNA ABER LEA TOCHTER / DIE SIE JACOB GEBORN hatte / gieng heraus / die Töchter des Landes zu sehen. [2]Da die sahe Sichem Hemors son des Heuiters / der des landes Herr war / nam er sie / vnd beschlieff sie / vnd schwechet sie. [3]Vnd sein hertz hieng an jr / vnd hatte die || Dirne lieb / vnd

DINA Jacobs Tochter wird geschendet.

|| 21 a

redet freundlich mit jr. [4]Vnd Sichem sprach zu seinem vater Hemor / Nim mir das Meidlin zum weibe.

[5]VNd Jacob erfur / das seine tochter Dina geschendet war / Vnd seine Söne waren mit dem vieh auff dem felde / vnd Jacob schweig bis das sie kamen. [6]Da gieng Hemor Sichems vater heraus zu Jacob / mit jm zu reden / [7]Jn des kamen die söne Jacob vom felde / vnd da sie es höreten / verdros die Menner / vnd wurden seer zornig / das er ein narrheit an Jsrael begangen / vnd Jacobs tochter beschlaffen hatte / denn so solts nicht sein.

DA redet Hemor mit jnen / vnd sprach / Meines sons Sichems hertz sehnet sich nach ewer Tochter / Lieber / gebt sie jm zum Weibe. [9]Befreundet euch mit vns / Gebt vns ewre Töchter / vnd nemet jr vnsere Töchter / [10]vnd wonet bey vns / das Land sol euch offen sein / wonet vnd werbet vnd gewinnet drinnen. [11]Vnd Sichem sprach zu jrem Vater vnd Brüdern / Lasst mich gnade bey euch finden / Was jr mir sagt / das wil ich geben / [12]fordert nur getrost von mir Morgengabe vnd Geschenck / ich wils geben / wie jr heisschet / Gebt mir nur die Dirne zum weibe.

DA antworten Jacobs söne dem Sichem vnd seinem vater Hemor betrieglich / Darumb / das jre schwester Dina geschendet war / [14]vnd sprachen zu jnen / Wir können das nicht thun / das wir vnser Schwester einem vnbeschnitten Man geben / Denn das were vns eine schande. [15]Doch denn wöllen wir euch zu willen sein / so jr vns gleich werdet / vnd alles was menlich vnter euch ist / beschnitten werde / [16]Denn wollen wir vnser Töchter euch geben / vnd ewer Töchter vns nemen / vnd bey euch wonen vnd ein Volck sein. [17]Wo jr aber nicht willigen wollet euch zubeschneiten / So wöllen wir vnsere Töchter nemen vnd davon ziehen.

[18]DJe Rede gefiel Hemor vnd seinem Son wol / [19]Vnd der Jüngling verzoch nicht solchs zu thun / denn er hatte lust zu der tochter Jacob / Vnd er war herrlich gehalten vber allen in seines Vaters hause.

DA kamen sie nu / Hemor vnd sein son Sichem vnter der Stadthor / vnd redten mit den Bürgern der stad / vnd sprachen / [21]Diese Leute sind friedsam bey vns / vnd wöllen im Lande wonen vnd werben / So ist nu das Land weit gnug für sie / wir wollen vns jre Töchter zu weiber nemen / vnd jnen vnser Töchter geben. [22]Aber denn wöllen sie vns zu willen sein / das sie bey vns wonen / vnd ein Volck mit vns werden / wo wir alles was menlich vnter vns ist / beschneiten / gleich wie sie beschnitten sind. [23]Jr Vieh vnd Güter vnd alles was sie haben / wird vnser sein / So wir nur jnen zu willen werden / das sie bey vns wonen.

[24]VND sie gehorchten dem Hemor vnd Sichem seinem son / alle die zu seiner Stadthor aus vnd eingiengen / vnd beschnitten alles was menlich war / das zu seiner Stad aus vnd eingieng.

VND am dritten tage / da sie es schmertzet / namen die zween söne Jacob / Simeon vnd Leui / der Dina brüder / ein jglicher sein schwert / vnd giengen in die Stad thürstiglich / vnd erwürgeten alles was menlich war / [26]vnd erwürgeten auch Hemor vnd seinen son Sichem mit der scherffe des schwerts. Vnd namen jre schwester Dina aus dem hause Sichem / vnd giengen dauon.

SIMEON vnd Leui thürstige That etc.

[27]DA kamen die söne Jacob vber die Erschlagene / vnd plünderten die Stad / Darumb / das sie hatten jre Schwester geschendet. [28]Vnd namen jre schafe / rinder / esel vnd was in der Stad vnd auff dem Felde war / [29]Vnd alle jre Habe / alle Kinder vnd Weiber namen sie gefangen / vnd plünderten alles was in den Heusern war.

[30]VNd Jacob sprach zu Simeon vnd Leui / Jr habt mir vnglück zugericht / das ich stincke fur den Einwonern dieses Lands / den Cananitern vnd Pheresitern / vnd ich bin ein geringer Hauffe / Wenn sie sich nu versamlen vber mich / so werden sie mich schlahen / Also werde ich vertilget sampt meinem Hause. [31]Sie ‖ antworteten aber / Solten sie denn mit vnser Schwester / als mit einer Huren / handeln?

‖ 21 b

## XXXV.

VND GOTT SPRACH ZU JACOB / MACH DICH AUFF / vnd zeuch gen BethEl / vnd wone daselbs / vnd mache daselbs einen Altar dem Gott / der dir erschein / da du flohest fur deinem bruder Esau.

BETHEL Gen. 28.

DA sprach Jacob zu seinem Hause vnd zu allen die mit jm waren / Thut von euch die frembden Götter / so vnter euch sind / vnd reiniget euch / vnd endert ewre Kleider / [3]Vnd lasst vns auff sein /

vnd gen BethEl ziehen / Das ich daselbs einen Altar mache dem Gott / der mich erhöret hat / zur zeit meines trübsals / vnd ist mit mir gewesen auff dem wege / den ich gezogen bin.

(Ohrenspangen) Lunulas / das man heisst gülden Harband. Nu sinds Perlenporten worden. Prou. xj. Circulus aureus in naribus suis / vt Sup. cap. xxiiij.

[4]DA gaben sie jm alle frembde Götter / die vnter jren henden waren / vnd jre Ohrenspangen / Vnd er vergrub sie vnter eine Eiche / die neben Sichem stund / [5]vnd sie zogen aus. Vnd es kam die furcht Gottes vber die Stedte die vmb sie her lagen / das sie den sönen Jacob nicht nachiageten. [6]Also kam Jacob gen Lus im lande Canaan / die da BethEl heisst / sampt alle dem Volck / das mit jm war / [7]Vnd bawet daselbs einen Altar / vnd hies die stet [a]ElBethEl / Darumb / das jm daselbs Gott offenbart war / da er flohe fur seinem Bruder.

a (ELBETHEL) Das ist / Gott zu BethEl.

DEBORA

DA starb Debora der Rebeca amme / vnd ward begraben vnter BethEl / vnter der Eichen / vnd ward genennet die Klageiche.

JSRAEL.

Gen. 32.

VND Gott erschein Jacob aber mal / nach dem er aus Mesopotamia komen war / vnd segenet jn / [10]vnd sprach zu jm / Du heissest Jacob / Aber du solt nicht mehr Jacob heissen / sondern Jsrael soltu heissen / Vnd also heisset man jn Jsrael. [11]Vnd Gott sprach zu jm / Jch bin der allmechtige Gott / Sey fruchtbar vnd mehre dich / Völcker vnd völcker hauffen sollen von dir komen / vnd Könige sollen aus deinen Lenden komen. [12]Vnd das Land / das ich Abraham vnd Jsaac gegeben habe / wil ich dir geben / vnd wils deinem Samen nach dir geben. [13]Also fuhr Gott auff von jm / von dem Ort / da er mit jm geredt hatte. [14]Jacob aber richtet ein steinern Mal auff an dem ort / da er mit jm geredt hatte / vnd gos Tranckopffer drauff / vnd begos jn mit öle / [15]Vnd Jacob hies den ort / da Gott mit jm geredt hatte / BethEl.

(Tranckopffer) Das war wein wie das in den folgenden Büchern gnugsam gesehen wird.

VND sie zogen von BethEl / Vnd da noch ein Feldwegs war von Ephrath / da gebar Rahel / [17]Vnd es kam sie hart an vber der geburt. Da es jr aber so sawr ward in der geburt / sprach die Wehmutter zu jr / Fürchte dich nicht / denn diesen Son wirstu auch haben. [18]Da jr aber die Seele ausgieng / das sie sterben muste / hies sie jn BenOni / Aber sein Vater hies jn BenJamin. [19]Also starb Rahel / vnd ward begraben an dem wege gen Ephrath / die nu heisst BethLehem. [20]Vnd Jacob richtet ein Mal auff vber jrem Grab / dasselb ist das grabmal Rahel bis auff diesen tag.

RAHEL stirbt.

(BENJAMIN) Heisst der rechten Son.

(BENONI) Heisset meines schmertzen Son.

VNd Jsrael zoch aus / vnd richtet eine Hütten auff jenseid dem thurn Eder. 22Vnd es begab sich / das Jsrael im lande wonet / Gieng Ruben hin / vnd schlieff bey Bilha seines vaters Kebsweibs / Vnd das kam fur Jsrael.

RUBEN schlieff bey Bilha etc.

ES hatte aber Jacob zwelff Söne. 23Die söne Lea waren diese / Ruben der erstgeboren son Jacob / Simeon / Leui / Juda / Jsaschar / vnd Sebulon. 24Die Söne Rahel waren / Joseph vnd BenJamin 25Die söne Bilha Rahels magd / Dan vnd Naphthali. 26Die söne Silpa Lea magd / Gad vnd Asser. Das sind die söne Jacob / die jm geboren sind in Mesopotamia.

XII. sone Jacobs.

VND Jacob kam zu seinem vater Jsaac gen Mamre in die Heubtstad / die da heisst Hebron / da Abraham vnd Jsaac frembdlinge innen gewesen sind. 28Vnd Jsaac ward hundert vnd achzig jar alt / 29vnd nam ab / vnd starb / Vnd ward versamlet zu seinem Volck / alt vnd des lebens sat / Vnd seine söne Esau vnd Jacob begruben jn. ||

JSAACS alter. 180. jar.

|| 22a

## XXXVI.

DJS IST DAS GESCHLECHT ESAU / DER DA HEISST Edom. 2Esau nam Weiber von den töchtern Canaan / Ada die tochter Elon des Hethiters / vnd Ahalibama die tochter des Ana / die neffe Zibeons des Heuiters / 3Vnd Basmath Jsmaels tochter / Nebaioths schwester. 4Vnd Ada gebar dem Esau / Eliphas / Aber Basmath gebar Reguel. 5Ahalibama gebar Jehus / Jaelam vnd Korah / Das sind Esau kinder / die jm geboren sind im lande Canaan.

ESAVS Weiber.

VND Esau nam seine Weiber / Söne vnd Töchter / vnd alle Seelen seines hauses / seine Habe vnd alles vieh mit allen gütern / so er im lande Canaan erworben hatte / vnd zoch in ein Land von seinem bruder Jacob / 7Denn jre Habe war zu gros / das sie nicht kundten bey einander wonen / vnd das Land / darin sie Frembdlinge waren / mocht sie nicht ertragen fur der menge jres Viehs. 8Also wonet Esau auff dem gebirge Seir / Vnd Esau ist der Edom.

Gen. 13.

DJS ist das geschlechte Esau / von dem die Edomiter her komen auff dem gebirge Seir / 10vnd so heissen die kinder Esau. Eliphas der son Ada Esaus weib. Reguel der son Basmath Esaus weib.

1. Par. 1.

ESAVS Geschlecht.

[11]Eliphas söne aber waren diese / Theman / Omar / Zepho / Gaetham vnd Kenas. [12]Vnd Thimna war ein kebsweib Eliphas Esaus son / die gebar jm Amalek. Das sind die kinder von Ada Esaus weib. [13]Die kinder aber Reguel sind diese / Nahath / Serah / Samma / Misa. Das sind die kinder von Basmath Esaus weib. [14]Die kinder aber von Ahalibama Esaus weib / der tochter des Ana der neffe Zibeons / sind diese / die sie dem Esau gebar / Jeus / Jaelam / vnd Korah.

[15]DAS sind die Fürsten vnter den kindern Esau / Die kinder Eliphas / des ersten sons Esau waren diese / der fürst Theman / der fürst Omar / der fürst Zepho / der fürst Kenas / [16]der fürst Korah / der fürst Gaetham / der fürst Amalek. Das sind die Fürsten von Eliphas im lande Edom / vnd sind kinder von der Ada. [17]Vnd das sind die kinder Reguel Esaus son / Der fürst Nahath / der fürst Serah / der fürst Samma / der fürst Misa. Das sind die Fürsten von Reguel im lande der Edomiter / vnd sind kinder von der Basmath Esaus weib. [18]Das sind die kinder Ahalibama Esaus weib / Der fürst Jeus / der fürst Jaelam / der fürst Korah. Das sind die Fürsten von Ahalibama der tochter des Ana Esaus weib. [19]Das sind die kinder / vnd jre Fürsten / Er ist der Edom.

KINDER von Seir des Horiten.

1. Par. 1.

DJE Kinder aber von Seir des Horiten / der im Lande wonete / sind diese / Lothan / Sobal / Zibeon / Ana / Dison / Ezer vnd Disan / [21]Das sind die Fürsten der Horiten / kinder des Seir im lande Edom. [22]Aber des Lothans kinder waren diese / Hori vnd Heman / Vnd Lothans schwester hies Thimna. [23]Die kinder von Sobal waren diese / Alwan / Manahath / Ebal / Sepho vnd Onam. [24]Die kinder von Zibeon waren / Aia / vnd Ana / Das ist der Ana / der in der wüsten Maulpferde erfand / da er seines vaters Zibeon esel hütet. [25]Die kinder aber Ana waren / Dison vnd Ahalibama / das ist die tochter Ana. [26]Die kinder Dison waren / Hemdan / Esban / Jethran / vnd Charan. [27]Die kinder Ezer waren / Bilhan / Sawan / vnd Akan. [28]Die kinder Disan waren / Vz vnd Aran.

[29]DJS sind die Fürsten der Horiten / Der fürst Lothan / der fürst Sobal / der fürst Zibeon / der fürst Ana / [30]der fürst Dison / der fürst Ezer / der fürst Disan / Das sind die Fürsten der Horiten / die regiert haben im lande Seir.

1. Par. 1.

KONIGE in Edom etc.

DJE Könige aber / die im lande Edom regiert haben / ehe denn die kinder Jsrael Könige hatten / sind diese. [32]Bela war könig in Edom ein son Beor vnd seine Stad hies Dinhaba. [33]Vnd da Bela starb / ward König an seine stat Jobab ein son Serah von Bazra. [34]Da Jobab starb / ward an seine stat könig Husam / aus der Themaniter lande. [35]Da Husam starb / ward König || an seine stat Hadad / ein son Bedad / der die Midianiter schlug auff der Moabiter felde / vnd seine Stad hies Awith. [36]Da Hadad starb / regiert Samla von Masrek. [37]Da Samla starb / ward Saul könig von Rehoboth am wasser. [38]Da Saul starb / ward an seine stat könig Baal Hanan / der son Achbor. [39]Da Baal Hanan Achbors son starb / ward an seine stat könig Hadar / vnd seine Stad hies Pagu / vnd sein Weib hies Mehetabeel eine tochter Matred die Mesahab tochter war.

|| 22b

ALso heissen die Fürsten von Esau / in jren Geschlechten / Ortern vnd Namen / Der fürst Thimna / der fürst Alwa / der fürst Jetheth / [41]der fürst Ahalibama / der fürst Ela / der fürst Pinon / [42]der fürst Kenas / der fürst Theman / der fürst Mibzar / [43]der fürst Magdiel / der fürst Jram / Das sind die Fürsten in Edom / wie sie gewonet haben in jrem Erblande / Vnd Esau ist der Vater der Edomiter.

## XXXVII.

JACOB ABER WONET IM LANDE / DA SEIN VATER ein Frembdling innen gewest war / nemlich / im lande Canaan. [2]Vnd das sind die Geschlechte Jacob. Joseph war siebenzehen jar alt / da er ein Hirte des viehs ward mit seinen Brüdern / Vnd dei Knabe war bey den kindern Bilha vnd Silpa seines Vaters weibern / vnd bracht fur jren Vater / wo ein böse Geschrey wider sie war.

JOSEPH.

JSrael aber hatte Joseph lieber denn alle seine Kinder / darumb das er jn im Alter gezeuget hatte / Vnd machet jm einen bundten Rock. [4]Da nu seine Brüder sahen / das jn jr Vater lieber hatte denn alle seine Brüder / waren sie jm feind / vnd kundten jm kein freundlich wort zusprechen.

Act. 7.

DA zu hatte Joseph ein mal einen Traum / vnd saget seinen Brüdern dauon / Da wurden sie jm noch feinder. [6]Denn er sprach zu jnen / Höret / lieber / was mir doch getreumet hat / [7]Mich

JOSEPHS ij. Treume.

dauchte / wir bunden Garben auff dem Felde / vnd meine Garbe richtet sich auff vnd stund / vnd ewre Garben vmbher neigeten sich gegen meiner Garben. [8]Da sprachen seine Brüder zu jm / Soltestu vnser König werden / vnd vber vns herrschen? Vnd wurden jm noch feinder vmb seines Traums vnd seiner Rede willen.

VND er hatte noch einen andern Traum / den erzelet er seinen Brüdern / vnd sprach / Sihe / Jch habe noch einen Traum gehabt / Mich dauchte / die Sonne vnd der Mond vnd eilff Sternen neigten sich fur mir. [10]Vnd da das seinem Vater vnd seinen Brüdern gesagt ward / straffet jn sein Vater / vnd sprach zu jm / Was ist das fur ein Traum / der dir getreumet hat? Sol ich vnd deine Mutter vnd deine Brüder komen / vnd dich anbeten? [11]Vnd seine Brüder neideten jn / Aber sein Vater behielt diese wort.

DA nu seine Brüder hin giengen zu weiden das vieh jres Vaters in Sichem / [13]sprach Jsrael zu Joseph / Hüten nicht deine Brüder des viehs in Sichem? Kom / ich wil dich zu jnen senden / Er aber sprach / Hie bin ich. [14]Vnd er sprach / Gehe hin vnd sihe / obs wol stehe vmb deine Brüder / vnd vmb das vieh / vnd sage mir wider / wie sichs helt / Vnd er sandte jn aus dem tal Hebron / das er gen Sichem gienge.

[15]DA fand jn ein Man / das er jrre gieng auff dem Felde / der fraget jn / vnd sprach / Wen suchestu? [16]Er antwortet / Jch suche meine Brüder / Lieber sage mir an / wo sie hüten. [17]Der Man sprach / Sie sind von dannen gezogen / Denn ich hörte / das sie sagten / Lasst vns gen Dothan gehen / Da folget Joseph seinen Brüdern nach / vnd fand sie zu Dothan.

JOSEPH wollen seine Brüder tödten.

ALs sie jn nu sahen von ferne / ehe denn er nahe bey sie kam / schlugen sie an / das sie jn tödten / [19]vnd sprachen vnternander / Sehet / der Treumer kompt daher / [20]So kompt nu / vnd lasset vns jn erwürgen / vnd in eine gruben werffen / Vnd sagen / Ein böses Thier habe jn gefressen / So wird man sehen / was seine Treume sind. ‖

‖ 23a Gen. 42.

RUBEN errettet Joseph etc.

[21]DA das Ruben höret / wolt er jn aus jren henden erretten / vnd sprach / Lasset vns jn nicht tödten. [22]Vnd weiter sprach Ruben zu jnen / Vergiesset nicht Blut / sondern werffet jn in die Gruben / die in der wüsten ist / vnd legt die hand nicht

an jn / Er wolt jn aber aus jrer hand erretten / das er jn seinem Vater widerbrechte.

[23]ALs nu Joseph zu seinen Brüdern kam / zogen sie jm seinen Rock mit dem Bundtenrock aus / den er an hatte / [24]vnd namen jn / vnd worffen jn in eine Gruben / Aber die selbige grube war leer vnd kein wasser drinnen / [25]Vnd satzten sich nider zu essen. Jn des huben sie jre augen auff / vnd sahen einen hauffen Jsmaeliter komen von Gilead / mit jren Kamelen / die trugen Würtz / Balsam / vnd Myrrhen / vnd zogen hin ab in Egypten.

DA sprach Juda zu seinen Brüdern / Was hilffts vns / das wir vnsern Bruder erwürgen vnd sein Blut verbergen? [27]Kompt / lasset vns jn den Jsmaeliten verkeuffen / das sich vnser hende nicht an jm vergreiffen / denn er ist vnser Bruder / vnser fleisch vnd blut / Vnd sie gehorchten jm. [28]Vnd da die Midianiter die Kauffleute fur vber reiseten / zogen sie jn heraus aus der Gruben / vnd verkaufften jn den Jsmaeliten vmb zwenzig Silberling / die brachten jn in Egypten.

Act. 7.

JOSEPH von seinen Brüdern verkaufft etc.

ALS nu Ruben wider zur gruben kam / vnd fand Joseph nicht dar innen / zureis er sein Kleid / [30]vnd kam wider zu seinen Brüdern / vnd sprach / Der Knabe ist nicht da / Wo sol ich hin? [31]Da namen sie Josephs rock / vnd schlachten ein Ziegenbock / vnd tunckten den Rock im blut / [32]vnd schickten den Bundten rock hin / vnd liessen jn jrem Vater bringen / vnd sagen / Diesen haben wir funden / Sihe / Obs deines Sons rock sey oder nicht?

[33]ER kennet jn aber / vnd sprach / Es ist meines Sons rock / Ein böses Thier hat jn gefressen / Ein reissend Thier hat Joseph zurissen. [34]Vnd Jacob zureis seine Kleider / vnd leget einen Sack vmb seine Lenden / vnd trug leide vmb seinen Son lange zeit. [35]Vnd alle seine Söne vnd Töchter traten auff / das sie jn trösten / Aber er wolt sich nicht trösten lassen / Vnd sprach / Jch werde mit leide hinunter faren in die gruben / zu meinem Son / Vnd sein Vater beweinet jn.

(Vater) Das war Jsaac.

Psal. 105.

[36]ABer die Midianiter verkaufften jn in Egypten dem Potiphar / des Pharao kemerer vnd hofemeister.

JOSEPH Potiphar verkaufft etc.

## XXXVIII.

ES BEGAB SICH VMB DIE SELBIGE ZEIT / DAS JUDA hinab zoch von seinen Brüdern / vnd thet sich zu einem Man / von Odollam / der hies Hira. [2]Vnd Juda sahe daselbs eines Cananiters mans Tochter / der hies Suha / vnd nam sie. Vnd da er sie beschlieff / [3]ward sie schwanger / vnd gebar einen Son den hies er Ger. [4]Vnd sie ward aber schwanger vnd gebar einen Son / den hies sie Onan. [5]Sie gebar abermal einen Son / den hies sie Sela / vnd sie war zu Chesib / da sie jn gebar.

1. Par. 2.

JUDA SÖNE.

VND Juda gab seinem ersten Son / Ger / ein weib / die hies Thamar. [7]Aber er war böse fur dem HERRN / darumb tödtet jn der HERR. [8]Da sprach Juda zu Onan / Lege dich zu deines Bruders weib / vnd nim sie zur Ehe / das du deinem Bruder samen erweckest. [9]Aber da Onan wuste / das der Same nicht sein eigen sein solt / wenn er sich zu seines Bruders weib leget / lies ers auff die erden fallen / vnd verderbts / auff das er seinem Bruder nicht samen gebe. [10]Da gefiel dem HERRN vbel / das er thet / vnd tödtet jn auch.

THAMAR.

Num. 26.

Deu. 25.
Mat. 22.

[11]DA sprach Juda zu seiner schnur Thamar / Bleibe eine Widwen in deines Vaters hause / bis mein son Sela gros wird / Denn er gedachte / Vieleicht möcht er auch sterben / wie seine Brüder / Also gieng Thamar hin / vnd bleib in jres Vaters hause.

DA nu viel tage verlauffen waren / starb des Suha tochter Juda weib. Vnd nach dem Juda ausgetrauret hatte / gieng er hinauff seine schafe || zu scheren gen Thimnath / mit seinem hirten Hira von Odollam. [13]Da ward der Thamar angesagt / Sihe / dein Schweher gehet hinauff gen Thimnath seine schafe zu scheren. [13]Da leget sie die Widwenkleider von sich / die sie trug / decket sich mit einem Mantel vnd verhüllet sich / vnd satzte sich für die thür heraus an dem wege gen Thimnath / Denn sie sahe / das Sela war gros worden / vnd sie war jm nicht zum Weibe gegeben.

|| 23 b

(Hirten) Mag auch heissen (Freund) darnach die Puncta im Ebreischen sich setzen lassen / Denn Judas hat ja müssen weide haben / vielleicht auch eines Freundes nicht geraten mügen. Puncta künnen so wol feilen als treffen / vt Jesa. vij. et sepe alias etc.

[15]DA sie nu Juda sahe / meinet er / es were eine Hure / Denn sie hatte jr angesicht verdecket / [16]vnd macht sich zu jr am wege / vnd sprach / Lieber / las mich bey dir ligen / denn er wuste nicht / das seine Schnur were. Sie antwortet / Was wiltu mir geben / das du bey mir ligest? [17]Er sprach / Jch

wil dir einen Ziegenbock von der herde senden. Sie antwortet / So gib mir ein Pfand / bis das du mirs sendest. [18]Er sprach / Was wiltu fur ein Pfand / das ich dir gebe? Sie antwortet / Deinen Ring / vnd deine Schnur / vnd deinen Stab / den du in den henden hast. Da gab ers jr / vnd lag bey jr / Vnd sie ward von jm schwanger. [19]Vnd sie macht sich auff vnd gieng hin / vnd legt den Mantel ab / vnd zoch jre Widwenkleider wider an.

[20]JVda aber sandte den Ziegenbock durch seinen [b]Hirten von Odollam / das er das Pfand widerholet von dem Weibe / vnd er fand sie nicht. [21]Da fraget er die Leute desselbigen orts / vnd sprach / Wo ist die Hure / die aussen am wege sas? Sie antworten / Es ist keine Hure da gewesen. [22]Vnd er kam wider zu Juda / vnd sprach / Jch habe sie nicht funden / Dazu sagen die Leute desselben orts / es sey keine Hure da gewesen. [23]Juda sprach / Sie habs jr / Sie kan vns doch ja nicht schande nachsagen / Denn ich hab den Bock gesand / so hastu sie nicht funden.

b Oder / Freunde / welchs du wilt.

VBer drey monden ward Juda angesagt / Deine schnur Thamar hat gehuret / Dazu sihe / sie ist von Hurerey schwanger worden. Juda sprach / Bringet sie herfur / das sie verbrand werde. [25]Vnd da man sie herfur bracht / schicket sie zu jrem Schweher / vnd sprach / Von dem Man bin ich schwanger / des dis ist. Vnd sprach / Kennestu auch / wes dieser Ring / vnd diese Schnur / vnd dieser Stab ist? [26]Juda erkands / vnd sprach / Sie ist gerechter denn ich / denn ich habe sie nicht gegeben meinem son Sela / Doch beschlieff er sie nicht mehr.

1. Par. 2. Matt. 1.

VND da sie geberen solt / worden Zwilling in jrem Leibe erfunden. [28]Vnd als sie jtzt gebar / that sich eine Hand heraus / Da nam die Wehmutter vnd band einen roten Faden darumb / vnd sprach / Der wird der erste heraus komen. [29]Da aber der seine hand wider hinein zoch / kam sein Bruder heraus / Vnd sie sprach / Warumb hastu vmb deinen willen solchen Riss gerissen? Vnd man hies jn Perez. [30]Darnach kam sein Bruder heraus / der den roten Faden vmb seine Hand hatte / Vnd man hies jn Serah.

PEREZ Perez ein Zureisser.
SERAH Heisst Auffgang.

## XXXIX.

Joseph verkaufft dem Potiphar / von den Jsmaeliten etc.

Joseph ward hin ab in Egypten gefüret / vnd Potiphar ein Egyptischer man / des Pharao kamerer vnd hofemeister / kaufft jn von den Jsmaeliten / die jn hinab brachten. [2]Vnd der HERR war mit Joseph / das er ein glückseliger Man ward / vnd war in seines Herrn des Egypters hause. [3]Vnd sein Herr sahe / das der HERR mit jm war / denn alles was er thet / da gab der HERR glück zu durch jn. [4]Also / das er gnade fand fur seinem Herrn / vnd sein Diener ward / der setzt jn vber sein Haus / vnd alles was er hatte / thet er vnter seine hende. [5]Vnd von der zeit an / da er jn vber sein Haus vnd alle seine Güter gesetzt hatte / segenete der HERR des Egypters haus / vmb Josephs willen / vnd war eitel Segen des HERRN in allem / was er hatte zu Hause vnd zu Felde. [6]Darumb lies ers alles vnter Josephs henden / was er hatte / Vnd er nam sich keins || dings an / weil er jn hatte / denn das er ass vnd tranck. Vnd Joseph war schön vnd hübsch von angesicht.

Psal. 105.

|| 24a

VND es begab sich nach diesem geschicht / das seines Herrn weib jre augen auff Joseph warff / vnd sprach / Schlaffe bey mir. [8]Er wegert sichs aber / vnd sprach zu jr / Sihe / Mein Herr nimpt sich nichts an fur mir / was im Hause ist / vnd alles was er hat / das hat er vnter meine hende gethan / [9]Vnd hat nichts so gros in dem Hause / das er fur mir verholen habe / On dich / in dem du sein Weib bist. Wie solt ich denn nu ein solch gros vbel thun / vnd wider Gott sündigen? [10]Vnd sie treibe solche wort gegen Joseph teglich / Aber er gehorcht jr nicht / das er nahe bey jr schlieff / noch vmb sie were.

(Jn dem du) Sonst must er auch die Frawen versorgen / eben so wol als das gantze Hause / On das er nicht bey jr schlaffen solt.

ES begab sich der tage einen / das Joseph in das Haus gieng / sein Geschefft zu thun / vnd war kein Mensch vom gesinde des hauses dabey / [12]Vnd sie erwischt jn bey seinem Kleid / vnd sprach / Schlaffe bey mir. Aber er lies das Kleid in jrer Hand / vnd flohe / vnd lieff zum hause heraus. [13]Da sie nu sahe / das er sein Kleid in jrer hand lies / vnd hin aus entflohe / [14]rieff sie dem Gesinde im hause / vnd sprach zu jnen / Sehet / Er hat vns den ebreischen Man herein gebracht / das er vns zuschanden mache. Er kam zu mir herein / vnd wolt bey mir schlaffen. Jch rieff aber mit lauter stim / [15]Vnd da er höret / das ich ein geschrey machte vnd

rieff / da lies er sein Kleid bey mir / vnd flohe / vnd lieff hinaus.

[16]VND sie leget sein Kleid neben sich / bis sein Herr heim kam / [17]vnd saget zu jm eben die selben wort / vnd sprach / Der Ebreische knecht / den du vns herein gebracht hast / kam zu mir herein / vnd wolt mich zuschanden machen. [18]Da ich aber ein geschrey machte / vnd rieff / da lies er sein Kleid bey mir / vnd flohe hin aus. [19]Als sein Herr höret die rede seines Weibes / die sie jm saget / vnd sprach / Also hat mir dein Knecht gethan / ward er seer zornig.

Joseph ins Gefengnis gelegt.

DA nam jn sein Herr / vnd legt jn ins Gefengnis / da des Königs gefangene inne lagen / Vnd er lag alda im gefengnis. [21]Aber der HERR war mit jm vnd neiget sein Hulde zu jm / vnd lies jn gnade finden fur dem Amptman vber das Gefengnis / [22]Das er jm vnter seine hand befalh alle Gefangenen im gefengnis / auff das alles was da geschach / durch jn geschehen muste. [23]Denn der Amptman vber das Gefengnis / nam sich keines dings an / denn der HERR war mit Joseph / Vnd was er thet / da gab der HERR glück zu. ||

Psal. 105. Sap. 10.

|| 24b

## XL.

VND ES BEGAB SICH DARNACH / DAS SICH DER Schenck des Königes in Egypten vnd der Becker versündigten an jrem Herrn / dem könige in Egypten. [2]Vnd Pharao ward zornig vber seine beide Kemerer / vber den Amptman vber die Schencken / vnd vber den Amptman vber die Becker / [3]vnd lies sie setzen in des Hofemeisters haus ins Gefengnis / da Joseph gefangen lag. [4]Vnd der Hofemeister setzet Joseph vber sie / das er jnen dienete / Vnd sassen etliche tage im Gefengnis.

VND es treumet jnen beiden / dem Schencken vnd Becker des königs zu Egypten / in einer nacht / einem jglichen ein eigen Traum / vnd eines jglichen Traum hatte seine bedeutung. [6]Da nu des morgens Joseph zu jnen hinein kam / vnd sahe / das sie traurig waren / [7]Fraget er sie / vnd sprach / Warumb seid jr heute so traurig? [8]Sie antworten / Es hat vns getreumet / vnd haben niemand / der es vns auslege. Joseph sprach / Auslegen gehöret Gott zu / doch erzelet mirs.

[9]DA erzelet der öberst Schenck seinen traum Joseph / vnd sprach zu jm / Mir hat getreumet / Das ein Weinstock fur mir were / [10]der hatte drey Reben / vnd er grünete / wuchs vnd blüete / vnd seine Drauben worden reiff / [11]Vnd ich hatte den becher Pharao in meiner hand / vnd nam die Beer vnd zudruckt sie in den Becher / vnd gab den becher Pharao in die hand.

JOSEPH deutet dem öbersten Schencken vnd Becker des Pharao jre Treume.

[12]JOseph sprach zu jm / Das ist seine deutung. Drey Reben / sind drey tage / [13]Vber drey tage wird Pharao dein Heubt erheben / vnd dich wider an dein Ampt stellen / das du jm den Becher in die hand gebest / nach der vorigen weise / da du sein Schenck warest. [14]Aber gedenck meiner / wenn dirs wol gehet / vnd thu Barmhertzigkeit an mir / das du Pharao erinnerst / das er mich aus diesem hause füre / [15]Denn ich bin aus dem Lande der Ebreer heimlich gestolen / Dazu hab ich auch allhie nichts gethan / das sie mich eingesetzt haben.

DA der öberst Becker sahe / das die deutung gut war / sprach er zu Joseph / Mir hat auch getreumet / Jch trüge drey weisse Körbe auff meinem Heubt / [17]vnd im öbersten korbe allerley gebacken Speise dem Pharao / Vnd die Vogel assen aus dem korbe auff meinem Heubt. [18]Joseph antwortet / vnd sprach / Das ist seine deutung. Drey Körbe / sind drey tage / [19]Vnd nach dreien tagen wird dir Pharao dein Heubt erheben / vnd dich an Galgen hengen / vnd die Vogel werden dein Fleisch von dir essen.

[20]VND es geschach des dritten tages / da begieng Pharao seinen Jartag / vnd er macht eine Malzeit allen seinen Knechten. Vnd erhub das

Heubt des öbersten Schencken / vnd das Heubt des öbersten Beckers vnter seinen Knechten / [21]Vnd setzet den öbersten Schencken wider zu seinem Schenckampt / das er den Becher reichet in Pharao hand / [22]Aber den öbersten Becker lies er hencken / wie jnen Joseph gedeutet hatte. [23]Aber der öberste Schenck gedacht nicht an Joseph / sondern vergas sein.

A.

## XLI.

Treume Pharao.

VND NACH ZWEIEN JAREN HATTE PHARAO EINEN Trawm / Wie er stünde am wasser / [2]vnd sehe aus dem wasser steigen sieben schöne fette Küe / vnd giengen an der weide im grase. [3]Nach diesen / sahe er ander sieben küe aus dem wasser auffsteigen / die waren heslich vnd mager / vnd traten neben die Küe an das vfer am wasser / [4]Vnd die heslichen vnd magere frassen die sieben schönen fette Küe / Da erwacht Pharao.

[5]VND er schlieff wider ein / vnd jm treumet abermal / vnd sahe / Das sieben Ehern wuchsen aus einem Halm vol vnd dicke. [6]Darnach sahe er sieben || dünne vnd versengete Ehern auffgehen / [7]Vnd die sieben mager Ehern verschlungen die sieben dicke vnd volle Ehern. Da erwachet Pharao / vnd merckt / das ein Traum war. [8]Vnd da es morgen ward / war sein Geist bekümmert / vnd schicket aus / vnd lies ruffen alle Warsager in Egypten vnd alle Weisen / vnd erzelet jnen seine Treume / Aber da war keiner / der sie dem Pharao deuten kundte.

|| 25 a

DA redet der öberste Schencke zu Pharao / vnd sprach / Jch gedencke heute an meine sünde / [10]Da Pharao zornig ward vber seine Knechte / vnd mich mit dem öbersten Becker ins Gefengnis legt / ins Hofemeisters hause / [11]Da treumet vns beiden in einer nacht einem jglichen sein Traum / des deutung jn betraff. [12]Da war bey vns ein ebreischer Jüngling / des Hofemeisters knecht / dem erzeleten wirs / Vnd er deutet vns vnsere Treume / einem jglichen nach seinem Traum. [13]Vnd wie er vns deutet / so ists ergangen / Denn ich bin wider an mein Ampt gesetzt / vnd jener ist gehenckt.

JOSEPH wird aus dem Gefengnis los.

Psal. 105.

DA sandte Pharao hin / vnd lies Joseph ruffen / Vnd liessen jn eilend aus dem Loch / Vnd er lies sich bescheren / vnd zoch andere Kleider an / vnd kam hin ein zu Pharao. [15]Da sprach Pharao zu jm / Mir hat ein Traum getreumet / vnd ist niemand / der jn deuten kan / Jch hab aber gehöret von dir sagen / wenn du einen Traum hörest / so kanstu jn deuten. [16]Joseph antwortet Pharao / vnd sprach / Das stehet bey mir nicht / Gott wird doch Pharao gutes weissagen.

(Bey mir nicht) Wil sagen / Jch bins nicht / der die Treume gedeutet hat / oder könne / Gott ists / der es durch mich gethan hat / kan dirs auch thun. Dat gloriam Deo / nec tamen negat ministerium suum.

Treume des Pharao.

[17]PHArao saget an zu Joseph / Mir treumete / Jch stunde am vfer bey dem Wasser / [18]vnd sahe aus dem wasser steigen sieben schöne fette Küe / vnd giengen an der weide im grase. [19]Vnd nach jnen / sahe ich andere sieben dürre / seer hesliche vnd magere Kühe her aus steigen / Jch hab in gantz Egyptenland nicht so hesliche gesehen. [20]Vnd die sieben magere vnd hesliche Küe / frassen auff die sieben ersten fette Küe. [21]Vnd da sie die hinein gefressen hatten / mercket mans nicht an jnen / das sie die gefressen hatten / vnd waren heslich gleich wie vorhin / Da wachet ich auff.

[22]VND sahe aber mal in meinem Traum / sieben Ehern auff einem Halm wachsen / vol vnd dicke. [23]Darnach giengen auff sieben dürre Ehern / dünne vnd versenget / [24]Vnd die sieben dünne Ehern verschlungen die sieben dicke Ehren / || Vnd ich habs den Warsagern gesagt / Aber die können mir nicht deuten.

|| 25 b

JOSEPH deutet Pharao sein Treume.

JOseph antwortet Pharao / Beide treume Pharao sind einerley / Denn Gott verkündiget Pharao / was er fur hat. [26]Die sieben schöne Küe / sind sieben jar / Vnd die sieben gute Ehern / sind auch die sieben jar / Es ist einerley Traum. [27]Die sieben magere vnd hesliche Küe / die nach jenen auffgestigen sind / das sind sieben jar / Vnd die sieben magere vnd versengete Ehren / sind sieben jar Thewre zeit. [28]Das ist nu / das ich gesagt habe zu Pharao / Das Gott Pharao zeiget / was er fur hat.

[29]SJhe / sieben reiche jar werden komen in gantz Egyptenlande. [30]Vnd nach den selben werden sieben jar Thewrezeit komen / das man vergessen wird aller solcher fülle in Egyptenlande / Vnd die Thewrezeit wird das Land verzehren / [31]das man nichts wissen wird von der fülle im Lande / fur der Thewrenzeit / die her nach kompt / denn sie wird fast schweer sein. [32]Das aber dem Pharao zum andern mal getreumet hat / bedeut / Das solchs Gott gewislich vnd eilend thun wird.

NV sehe Pharao nach einem verstendigen vnd weisen Man / den er vber Egyptenland setze / [34]vnd schaffe / das er Amptleute verordne im Lande / vnd neme den Fünfften in Egyptenlande / in den sieben reichen jaren / [35]vnd samle alle Speise der guten Jare / die komen werden / Das sie Getreide auffschütten in Pharao kornheuser zum Vorrat in den Stedten / vnd verwarens / [36]Auff das man Speise verordnet finde dem Lande in den sieben thewren Jaren / die vber Egyptenland komen werden / das nicht das Land fur Hunger verderbe.

DJE REDE GEFIEL PHARAO VND ALLEN SEINEN Knechten wol. [38]Vnd Pharao sprach zu seinen knechten / Wie kündten wir einen solchen Man finden / in dem der geist Gottes sey? [39]Vnd sprach zu Joseph / Weil dir Gott solches alles hat kund gethan / ist keiner so verstendig vnd weise als du. [40]Du solt vber mein Haus sein / vnd deinem wort sol alle mein Volck gehorsam sein / Alleine des königlichen Stuels wil ich höher sein denn du.

[41]VND weiter sprach Pharao zu Joseph / Sihe / Jch habe dich vber gantz Egyptenland gesetzt. [42]Vnd that seinen Ring von seiner Hand / vnd gab jn Joseph an seine Hand / vnd kleidet jn mit weisser Seiden / vnd hieng jm ein gülden Keten an seinen Hals. [43]Vnd lies jn auff seinem andern Wagen fahren / vnd lies vor jm her ausruffen / Der ist des Landesuater. Vnd setzt jn vber gantz Egyptenland. [44]Vnd Pharao sprach zu Joseph / Jch bin Pharao / on dein willen sol niemand seine Hand oder seinen Fus regen in gantz Egyptenland. [45]Vnd nennet jn / den heimlichen Rat / Vnd gab jm ein weib Asnath die tochter Potiphera des Priesters zu On.

JOSEPH wird hoch erhaben vnd geehret / nach seinem grossen vnglück vnd leide.

(ABRECH) Was Abrech heisse / lassen wir die Zencker suchen bis an den Jüngstentage / wollens die weil verstehen / wie es gedeudscht ist.

ASNATH Josephs weib.

Also zog Joseph aus / das land Egypten zu besehen / [46]Vnd er war dreissig jar alt / da er fur Pharao stund / dem könige in Egypten / Vnd fuhr aus von Pharao / vnd zoch durch gantz Egyptenland. [47]Vnd das Land thet also die sieben reichen Jar / [48]vnd samleten alle Speise der sieben jar / so im lande Egypten waren / vnd theten sie in die Stedte. Was fur Speise auff dem felde einer jglichen Stad vmbher wuchs / das theten sie hinein / [49]Also schüttet Joseph das Getreide auff / vber die mas viel / wie sand am meer / also / das er auffhöret zu zelen / denn man kunds nicht zelen.

VND Joseph wurden zween Söne geboren / ehe denn die Thewrezeit kam / welche gebar jm Asnath / Potiphera des Priesters zu On tochter. [51]Vnd hies den ersten Manasse / Denn Gott (sprach er) hat mich lassen vergessen alles meines vnglücks / vnd alle meines Vaters hauses. [52]Den andern hies er / Ephraim / Denn Gott (sprach er) hat mich lassen wachsen in dem lande meines elends.

(MANASSE) Heisst vergessen.

(EPHRAIM) Heisst gewachsen.

DA nu die sieben reiche Jar vmb waren im lande Egypten / [54]Da fiengen an die sieben thewre Jar zu komen / da Joseph von gesagt hatte. Vnd ‖ es ward eine Thewrung in allen Landen / Aber in gantz Egyptenland war Brot. [55]Da nu das gantze Egyptenland auch hunger leid / schrey das volck zu Pharao vmb brot. Aber Pharao sprach zu allen Egyptern / Gehet hin zu Joseph / Was euch der saget / das thut. [56]Als nu im gantzen lande Thewrung war / thet Joseph allenthalben Kornheuser auff / vnd verkauffte den Egyptern / Denn die Thewrung ward je lenger je grösser im Lande. [57]Vnd alle Land kamen in Egypten zu keuffen bey Joseph / Denn die Thewrung war gros in allen Landen.

THEWRUNG 7. jar lang zu Jacobs zeiten.

‖ 26a

## XLII.

DA ABER JACOB SAHE / DAS GETREIDE IN EGYPTEN veil war / sprach er zu seinen Sönen / Was sehet jr euch lang vmb? [2]Sihe / Jch höre / es sey in Egypten getreide veil / Zihet hinab / vnd keufft vns getreid / das wir leben vnd nicht sterben. [3]Also zogen hinab zehen Brüder Joseph / das sie in Egypten getreide keufften. [4]Aber BenJamin Josephs bruder lies Jacob nicht mit seinen Brüdern ziehen / Denn er sprach / Es möchte jm ein vnfal begegnen.

JACOBS 10. Söne ziehen in Egypten getreide zu keuffen. Act. 7.

[5]Also kamen die kinder Jsrael getreide zu keuffen / sampt andern / die mit jnen zogen / Denn es war im lande Canaan auch thewr.

ABER JOSEPH WAR DER REGENT IM LANDE / VND verkeufft getreide allem Volck im Lande. Da nu seine Brüder zu jm kamen / fielen sie fur jm nider zur Erden auff jr andlitz. [7]Vnd er sahe sie an / vnd kandte sie / vnd stellet sich frembd gegen sie / vnd redet hart mit jnen / vnd sprach zu jnen / Woher kompt jr? Sie sprachen / Aus dem lande Canaan / speise zu keuffen. [8]Aber wiewol er sie kennet / kandten sie jn doch nicht.

Gen. 37.

[9]VND Joseph gedacht an die Treume / die jm von jnen getreumet hatten / vnd sprach zu jnen / Jr seid Kundschaffer / vnd seid komen zu sehen / wo das Land offen ist. [10]Sie antworten jm / Nein / mein Herr / Deine knechte sind komen Speise zu keuffen. [11]Wir sind alle eins Mans söne / wir sind redlich / vnd deine knechte sind nie Kundschaffer gewesen. [12]Er sprach zu jnen / Nein / Sondern jr seid komen zu besehen / wo das Land offen ist. [13]Sie antworten jm / Wir deine knechte sind zwelff Brüder eins mans Söne im lande Canaan / vnd der Jüngste ist noch bey vnserm Vater / Aber der eine ist nicht mehr furhanden.

[14]JOseph sprach zu jnen / Das ists / das ich euch gesagt habe / Kundschaffer seid jr. [15]Daran wil ich euch prüfen / bey dem leben Pharaonis / Jr solt nicht von dannen komen / es kome denn her ewer jüngster Bruder. [16]Sendet einen vnter euch hin / der ewrn Bruder hole / Jr aber solt gefangen sein. Also wil ich prüfen ewer rede / ob jr mit warheit vmbgehet oder nicht / Denn wo nicht / so seid jr / bey dem leben Pharaonis / Kundschaffer. [17]Vnd lies sie bey samen verwaren drey tage lang.

[18]AM dritten tage aber sprach er zu jnen / Wolt jr leben / so thut also / denn ich fürchte Gott. [19]Seid jr redlich / so lasst ewer Brüder einen gebunden liegen in ewrem Gefengnis / Jr aber ziehet hin / vnd bringet heim was jr gekaufft habt fur den Hunger / [20]Vnd bringet ewren jüngsten Bruder zu mir / So wil ich ewren worten gleuben / das jr nicht sterben müsset / Vnd sie theten also.

SJE aber sprachen vnternander / Das haben wir an vnserm Bruder verschuldet / das wir sahen die angst seiner Seelen / da er vns flehet / vnd wir wolten jn nicht erhören / Darumb kompt nu diese trübsal vber vns. [22]Ruben antwortet jnen / vnd sprach / Sagt ich euchs nicht / da ich sprach / Versündiget euch nicht an dem Knaben / vnd jr woltet nicht hören? Nu wird sein Blut gefoddert. [23]Sie wusten aber nicht das Joseph verstund / Denn er redet mit jnen durch einen Dolmetscher / [24]Vnd er wand sich von jnen / vnd weinet. Da er nu sich wider zu jnen wand / vnd mit jnen redet / Nam er aus jnen Simeon / vnd band jn fur jren augen. ‖

Gen. 37.

‖ 26b

VND Joseph thet befelh / das man jre Secke mit getreide füllet / vnd jr Geld widergebe / einem jglichen in seinen sack / Dazu auch Zerung auff den weg / Vnd man thet jnen also. [26]Vnd sie luden jre Wahr auff jre Esel / vnd zogen von dannen. [27]Da aber einer seinen Sack auffthet / das er seinem Esel futter gebe in der Herberge / ward er gewar seines Gelds / das oben im sack lag / [28]vnd sprach zu seinen Brüdern / Mein geld ist mir wider worden / sihe / in meinem sack ist es. Da entfiel jnen jr hertz / vnd erschrocken vnternander / vnd sprachen / Warumb hat vns Gott das gethan?

Jacob.

DA SIE NU HEIM KAMEN ZU JREM VATER JACOB INS land Canaan / sagten sie jm alles / was jnen begegnet war / vnd sprachen / [30]Der Man / der im lande Herr ist / redet hart mit vns / vnd hielt vns fur Kundschaffer des Lands. [31]Vnd da wir jm antworten / Wir sind redlich / vnd nie Kundschaffer gewesen / [32]sondern zwelff Brüder vnsers Vaters söne / Einer ist nicht mehr fur handen / vnd der Jüngst ist noch bey vnserm Vater im lande Canaan / [33]Sprach der Herr im Lande zu vns / Daran wil ich mercken ob jr redlich seid / Einen ewer Brüder lasset bey mir / vnd nemet die Notdurfft fur ewer Haus / vnd ziehet hin / [34]vnd bringet ewern jüngsten Bruder zu mir / So mercke ich / das jr nicht Kundschaffer / sondern redlich seid / So wil ich euch auch ewren Bruder geben / vnd mügt im Lande werben.

[35]VND da sie die Secke ausschutten / fand ein jglicher sein Bündlin gelds in seinem sack. Vnd da sie sahen / das es Bündlin jres gelds waren / sampt jrem Vater erschracken sie.

DA sprach Jacob jr Vater zu jnen / Jr beraubt mich meiner Kinder. Joseph ist nicht mehr fur handen / Simeon ist nicht mehr fur handen / BenJamin wolt jr hin nemen / Es gehet alles vber mich. [37]Ruben antwortet seinem Vater / vnd sprach /

Wenn ich dir jn nicht wider bringe / so erwürge meine zween Söne / Gib jn nur in meine Hand / ich wil jn dir wider bringen. Er sprach / [38]Mein Son sol nicht mit euch hinabziehen / denn sein Bruder ist tod / vnd er ist allein vberblieben / Wenn jm ein vnfal auff dem wege begegnete / da jr auff reiset / würdet jr meine grawe Har mit hertzeleide in die Gruben bringen.

## XLIII.

DJe Thewrung aber druckte das Land. [2]Vnd da es verzeret war / was sie fur Getreide aus Egypten gebracht hatten / sprach jr Vater zu jnen / Ziehet wider hin / vnd keufft vns ein wenig speise. [3]Da antwortet jm Juda / vnd sprach / Der Man band vns das hart ein / vnd sprach / Jr solt mein angesicht nicht sehen / es sey denn ewr Bruder mit euch. [4]Jsts nu / das du vnsern Bruder mit vns sendest / So wöllen wir hinab ziehen / vnd dir zu essen keuffen. [5]Jsts aber / das du jn nicht sendest / So ziehen wir nicht hinab / Denn der Man hat gesagt zu vns / Jr solt mein angesicht nicht sehen / ewer Bruder sey denn mit euch.

[6]JSrael sprach / Warumb habt jr so vbel an mir gethan / das jr dem Man ansaget / wie jr noch einen Bruder habt? [7]Sie antworten / Der Man forschet so genaw nach vns vnd vnser Freundschafft / vnd sprach / Lebt ewr Vater noch? Habt jr auch noch einen Bruder? Da sagten wir jm / wie er vns fraget. Wie kundten wir so eben wissen / das er sagen würde / Bringet ewren Bruder mit hernider?

DA sprach Juda zu Jsrael seinem Vater / Las den Knaben mit mir ziehen / das wir vns auffmachen vnd reisen / vnd leben / vnd nicht sterben / beide wir vnd du vnd vnser Kindlin / [9]Jch wil Bürge für jn sein / von meinen henden soltu jn foddern. Wenn ich dir jn nicht wider bringe vnd fur deine augen stelle / So wil ich mein leben lang die schuld tragen / [10]Denn wo wir nicht hetten verzogen / weren wir schon wol zwey mal wider komen. ‖

‖ 27a

[11]DA sprach Jsrael jr Vater zu jnen / Mus es denn ja also sein / so thuts. Vnd nemet von des Landes besten Früchten in ewer secke / vnd bringet dem Manne geschencke hinab / ein wenig Balsam / vnd Honig / vnd Würtz / vnd Myrrhen / vnd Datteln / vnd Mandeln. [12]Nemet auch andere Geld mit euch /

Diese namen der Früchte sind noch bis her vngewis / auch bey den Jüden selbs.

Vnd das geld / das euch oben in ewern secken wider worden ist / bringet auch wider mit euch / Vieleicht ist ein jrthum da geschehen. [13]Da zu nemet ewren Bruder / macht euch auff / vnd komet wider zu dem Manne. [14]Aber der allmechtige Gott / gebe euch barmhertzigkeit fur dem Manne / das er euch lasse ewern andern Bruder vnd Ben Jamin / Jch aber mus sein / wie einer / der seiner Kinder gar beraubt ist.

Jacobs Söne ziehen zum andern mal in Egypten etc.

DA NAMEN SIE DIESE GESCHENKE / VND DAS GELD zwifeltig mit sich / vnd Ben Jamin / machten sich auff / zogen in Egypten / vnd traten fur Joseph. [16]Da sahe sie Joseph mit Ben Jamin / vnd sprach zu seinem Haushalter / Füre diese Menner zu hause / vnd schlachte vnd richte zu / Denn sie sollen zu mittag mit mir essen. [17]Vnd der Man thet / wie jm Joseph gesaget hatte / Vnd füret die Menner in Josephs haus.

SJe furchten sich aber / das sie in Josephs haus gefurt wurden / vnd sprachen / Wir sind her ein gefurt vmb des Gelds willen / das wir in vnsern secken vor hin wider funden haben / das ers auff vns bringe / vnd felle ein Vrteil vber vns / da mit er vns neme zu eigen Knechten / sampt vnsern eseln. [19]Darumb tratten sie zu Josephs haushalter / vnd redten mit jm fur der Hausthür / [20]vnd sprachen / Mein Herr / Wir sind vorhin herab gezogen speise zukeuffen / [21]Vnd da wir in die Herberge kamen / vnd vnsere Secke aufftheten / sihe / da war eines jglichen Geld oben in seinem sack mit volligem gewicht / Darumb haben wirs wider mit vns bracht. [22]Haben auch ander Geld mir vns herab bracht / speise zu keuffen / Wir wissen aber nicht, wer vns vnser Geld in vnser secke gesteckt hat.

Gen. 42.

[23]ER aber sprach / Gehabt euch wol / fürcht euch nicht / ewer Gott vnd ewers vaters Gott hat euch einen Schatz gegeben in ewer secke / Ewer geld ist mir worden. Vnd er füret Simeon zu jnen heraus / [24]vnd füret sie in Josephs haus / gab jnen wasser / das sie jre Füsse wusschen / vnd gab jren eseln futter. [25]Sie aber bereiten das Geschencke zu / bis das Joseph kam auff den mittag / Denn sie hatten gehöret / das sie daselbs das Brot essen solten.

DA nu Joseph zum Hause eingieng / brachten sie jm zu hause das Geschencke in jren henden / vnd fielen fur jm nider zur Erden. [27]Er aber grüsset sie freundlich / vnd sprach / Gehet es ewrem

Vater dem alten wol / von dem jr mir sagetet? Lebet er noch? [28]Sie antworten / Es gehet deinem Knechte vnserm Vater wol / vnd lebet noch / vnd neigeten sich / vnd fielen fur jm nider.

[29]VND er hub seine augen auff / vnd sahe seinen bruder BenJamin seiner mutter Son / vnd sprach / Jst das ewer jüngster Bruder / da jr mir von sagetet? Vnd sprach weiter / Gott sey dir gnedig mein Son. [30]Vnd Joseph eilete / denn sein hertz entbrand jm gegen seinem Bruder / vnd sucht / wo er weinete / vnd gieng in seine Kammer / vnd weinete daselbs. [31]Vnd da er sein angesicht gewasschen hatte / gieng er heraus / vnd hielt sich fest / vnd sprach / Legt brot auff.

[32]VND man trug jm besonders auff / vnd jenen auch besonders / vnd den Egyptern die mit jm assen / auch besonders / Denn die Egypter thüren nicht brot essen mit den Ebreern / Denn es ist ein grewel fur jnen. [33]Vnd man satzt sie gegen jm / den Erstgebornen nach seiner Erstengeburt / vnd den Jüngsten nach seiner jugent / Des verwunderten sie sich vnternander. [34]Vnd man trug jnen essen fur / von seinem tisch / Aber dem BenJamin ward fünff mal mehr denn den andern / Vnd sie truncken / vnd wurden truncken mit jm.

## XLIIII.

|| 27b

VND JOSEPH BEFALH SEINEM HAUSHALTER / VND sprach / Fülle den Mennern jre secke mit speise / so viel sie füren mügen / vnd lege jglichem sein Geld oben in seinen sack. [2]Vnd meinen silbern Becher lege oben in des Jüngsten sack / mit dem gelde fur das getreide / Der thet / wie jm Joseph hatte gesagt.

DES morgens / da es liecht ward / liessen sie die Menner ziehen mit jren eseln. [4]Da sie aber zur Stad hin aus waren / vnd nicht ferne komen / sprach Joseph zu seinem Haushalter / Auff / vnd jage den Mennern nach / Vnd wenn du sie ergreiffest / so sprich zu jnen / Warumb habt jr gutes mit bösem vergolten? [5]Jsts nicht das / da mein Herr aus trincket / vnd da mit er weissaget? Jr habt vbel gethan. [6]Vnd als er sie ergreiff / redet er mit jnen solche wort.

[7]SJE antworten jm / Warumb redet mein Herr solche wort? Es sey ferne von deinen Knechten ein solchs zu thun. [8]Sihe / Das geld / das wir fun-

den oben in vnsern secken / haben wir widerbracht zu dir aus dem lande Canaan / Vnd wie solten wir denn aus deines Herrn hause gestolen haben silber oder gold? [9]Bey welchem er funden wird vnter deinen Knechten / der sey des tods / Dazu wöllen auch wir meines Herrn Knechte sein. [10]Er sprach / Ja / es sey / wie jr geredt habt / Bey welchem er funden wird / der sey mein Knecht / Jr aber solt ledig sein.

[11]VND sie eileten / vnd legt ein jglicher seinen Sack abe / auff die erden / vnd ein jglicher thet seinen sack auff. [12]Vnd er suchte / vnd hub am Grössesten an bis auff den Jüngsten / da fand sich der Becher in BenJamins sack. [13]Da zu rissen sie jre Kleider / vnd lud ein jglicher auff seinen Esel / vnd zogen wider in die Stad.

VND Juda gieng mit seinen Brüdern in Josephs haus / denn er war noch daselbs / Vnd sie fielen fur jm nider auff die erden. [15]Joseph aber sprach zu jnen / Wie habt jr das thun dürffen? Wisset jr nicht das ein solcher Man / wie ich bin / erraten künde? [16]Juda sprach / Was sollen wir sagen meinem Herrn / oder wie sollen wir reden? Vnd was können wir vns rechtfertigen? Gott hat die missethat deiner Knechte funden. Sihe da / Wir vnd der / bey dem der Becher funden ist / sind meines Herrn knechte. [17]Er aber sprach / Das sey ferne von mir solchs zu thun / Der Man bey dem der Becher funden ist / sol mein Knecht sein / Jr aber ziehet hinauff mit frieden zu ewrem Vater.

DA trat Juda zu jm / vnd sprach / Mein Herr / las deinen Knecht ein wort reden fur deinen ohren / mein Herr / vnd dein zorn ergrimme nicht vber deinen knecht / denn du bist wie Pharao. [19]Mein Herr fraget seine Knechte / vnd sprach / Habt jr auch einen Vater oder Bruder? [20]Da antworten wir / Wir haben einen Vater der ist alt / vnd einen jungen Knaben in seinem alter geborn / vnd sein Bruder ist tod / vnd er ist allein vberblieben von seiner Mutter / vnd sein Vater hat jn lieb. [21]Da sprachstu zu deinen Knechten / Bringet jn herab zu mir / ich wil jm gnade erzeigen. [22]Wir aber antworten meinem Herrn / Der Knab kan nicht von seinem Vater komen / Wo er von jm keme / würde er sterben. [23]Da sprachstu zu deinen Knechten / Wo ewr jüngster Bruder nicht mit euchher kompt / solt jr mein angesicht nicht mehr sehen.

[24]Da zogen wir hinauff zu deinem Knecht / meinem Vater / vnd sagten jm an meins Herrn rede. [25]Da sprach vnser Vater / Ziehet wider hin / vnd keufft vns ein wenig speise. [26]Wir aber sprachen / Wir können nicht hinab ziehen / Es sey denn vnser jüngster Bruder mit vns / so wöllen wir hinab ziehen / Denn wir können des Mans angesicht nicht sehen / wo vnser jüngster Bruder nicht mit vns ist. [27]Da sprach dein Knecht / mein Vater / zu vns / Jr wisset / das mir mein Weib zween geboren hat / [28]Einer gieng hin aus von mir / vnd man saget / Er ist zurissen / vnd hab jn nicht gesehen bis her. [29]Werdet jr diesen auch von || mir nemen / vnd jm ein Vnfal widerferet / So werdet jr meine grawe Har / mit jamer hinunter in die Gruben bringen.

Gen. 37.
|| 28 a

[30]NV so ich heim keme zu deinem Knecht / meinem Vater / vnd der Knabe were nicht mit vns / weil seine Seele an dieses seele hanget / [31]So wirds geschehen / wenn er sihet / das er Knabe nicht da ist / das er stirbt / So würden wir deine Knechte / die grawen har deines Knechts / vnsers Vaters / mit hertzenleide in die Gruben bringen. [32]Denn ich / dein Knecht / bin Bürge worden fur den Knaben gegen meinem Vater / vnd sprach / Bringe ich jn dir nicht wider / So wil ich mein lebenlang die schuld tragen. [33]Darumb las deinen Knecht hie bleiben / an des Knaben stat / zum Knecht meines Herrn / vnd den Knaben mit seinen Brüdern hin auff ziehen. [34]Denn wie sol ich hin auff ziehen zu meinem Vater / wenn der Knabe nicht mit mir ist? Jch würde den jamer sehen müssen / der meinem Vater begegnen würde.

Gene. 43.

## XLV.

Act. 7.

Joseph bekennet sich mit seinen Brüdern.

DA KUND SICH JOSEPH NICHT LENGER ENTHALten / fur allen die vmb jn her stunden / vnd er rieff / Lasst jederman von mir hin aus gehen / Vnd stund kein Mensch bey jm / da sich Joseph mit seinen Brüdern bekennete. [2]Vnd er weinet laut / das es die Egypter vnd das gesinde Pharao höreten / [3]Vnd sprach zu seinen Brüdern / Jch bin Joseph / Lebet mein Vater noch? Vnd seine Brüder kundten jm nicht antworten / so erschracken sie fur seinem angesicht.

[4]ER sprach aber zu seinen Brüdern / Trett doch her zu mir / Vnd sie traten erzu / vnd er sprach /

Jch bin Joseph ewr Bruder / den jr in Egypten verkaufft habt. [5]Vnd nu bekümmert euch nicht / vnd denckt nicht / das ich darümb zürne / das jr mich hie her verkaufft habt / Denn vmb ewrs Lebens willen / hat mich Gott für euch her gesand. [6]Denn dis sind zwey jar / das thewr im Lande ist / vnd sind noch fünff jar / das kein pflügen noch kein Erndten sein wird. [7]Aber Gott hat mich fur euch her gesand / das er euch vberig behalte auff Erden / vnd ewr Leben errette durch eine grosse Errettunge. [8]Vnd nu / jr habt mich nicht her gesand / sondern Gott / der hat mich Pharao zum Vater gesetzt / vnd zum Herrn vber alle sein Haus / vnd einen Fürsten in gantz Egyptenland.

EJlet nu vnd ziehet hinauff zu meinem Vater / vnd sagt jm / Das lesst dir Joseph dein Son sagen / Gott hat mich zum Herrn in gantz Egypten gesetzt / Kom herab zu mir / seume dich nicht / [10]Du solt im lande Gosen wonen / vnd nahe bey mir sein / du vnd deine Kinder / vnd deine Kindskinder / dein klein vnd gros Vieh / vnd alles was du hast / [11]Jch wil dich daselbs versorgen. Denn es sind noch fünff jar der Thewrung / Auff das du nicht verderbest mit deinem Hause / vnd allem das du hast. [12]Sihe / Ewer augen sehen / vnd die augen meines Bruders Ben Jamin / das ich mündlich mit euch rede. [13]Verkündiget meinem Vater alle meine herrligkeit in Egypten / vnd alles was jr gesehen habt / Eilet vnd kompt hernider mit meinem Vater hie her.

[14]VND er fiel seinem bruder Ben Jamin vmb den Hals / vnd weinet / Vnd Ben Jamin weinet auch an seinem halse. [15]Vnd küsset alle seine Brüder / vnd weinet vber sie. Darnach redten seine Brüder mit jm.

VND da das geschrey kam in Pharao haus / das Josephs brüder komen weren / gefiel es Pharao wol / vnd allen seinen Knechten. [17]Vnd Pharao sprach zu Joseph / Sage deinen brüdern / Thut jm also / beladet ewr thiere / ziehet hin / [18]Vnd wenn jr komet ins land Canaan / so nemet ewrn Vater / vnd ewr Gesinde / vnd kompt zu mir / Jch wil euch Güter geben in Egypten||land / das jr essen solt das marck im Lande. [19]Vnd gebeut jnen / Thut jm also / Nemet zu euch aus Egyptenland / wagen zu ewrn Kindern vnd Weibern / vnd füret ewrn Vater / vnd kompt. [20]Vnd sehet ewrn Hausrat nicht an / Denn die güter des gantzen landes Egypten sollen ewr sein.

Act. 7.

|| 28 b

Lasst euch ewren Hausrat nicht hindern / Was jr nicht verkeuffen künd / in solcher thewerzeit / das lasst hinder euch.

Jacob ziehet in Egypten

[21]DJE kinder Jsrael theten also. Vnd Joseph gab jnen Wagen / nach dem befelh Pharao / vnd Zerung auff den weg / [22]Vnd gab jnen allen / einem jglichen ein Feierkleid / Aber Ben Jamin gab er drey hundert Silberling vnd fünff Feierkleider. [23]Vnd seinem Vater sandte er da bey zehen Esel mit Gut aus Egypten beladen / vnd zehen Eselin mit Getreide / vnd brot vnd speise seinem Vater auff den weg. [24]Also lies er seine Brüder / vnd sie zogen hin / Vnd sprach zu jnen / Zancket nicht auff dem wege.

ALSO ZOGEN SIE HIN AUFF VON EGYPTEN / VND kamen ins Land Canaan zu jrem vater Jacob / [26]vnd verkündigeten jm / vnd sprachen / Joseph lebet noch / vnd ist ein Herr im gantzen Egyptenlande. Aber sein [a]hertz dacht gar viel anders / denn er gleubet jnen nicht. [27]Da sagten sie jm alle wort Joseph / die er zu jnen gesagt hatte. Vnd da er sahe die Wagen / die jm Joseph gesand hatte jn zu füren / ward der geist Jacob jres Vaters lebendig. [28]Vnd Jsrael sprach / Jch hab gnug das mein son Joseph noch lebet / Jch wil hin vnd jn sehen / ehe ich sterbe.

a רַיָּפָג לִבֹּר Heisst eigentlich / anders thun / anders werden / Threno. 2. vnd 3. Jch kan nicht anders / Fleio et non despugath tibi / neque quiescat pupilla oculi tui. Weine vnd las deine augen nichts anders thun. Lex Tapug / Haba. 1. Es gehet anders denn recht / Recht gehet anders / gilt nichts. Sic Jacob longe aliud sentit / quam illi narrant.

## XLVI.

JSRAEL ZOCH HIN MIT ALLEM DAS ER HATTE. VND DA er gen BerSeba kam / opfferte er Opffer dem Gott seines vaters Jsaac. [2]Vnd Gott sprach zu jm des nachts im gesicht / Jacob / Jacob. Er sprach / Hie bin ich. [3]Vnd er sprach / Jch bin Gott / der Gott deines vaters / Fürcht dich nicht in Egypten hinab zu ziehen / Denn daselbs wil ich dich zum grossen Volck machen. [4]Jch wil mit dir hinab in Egypten ziehen / vnd wil auch dich erauff füren / Vnd Joseph sol seine hende auff deine augen legen.

[5]DA macht sich Jacob auff von BerSaba / vnd die kinder Jsrael füreten Jacob jren Vater mit jren Kindlin vnd Weibern auff den wagen die Pharao gesand hatte jn zufüren. [6]Vnd namen jr Vieh vnd habe / die sie im lande Canaan erworben hatten / vnd kamen also in Egypten / Jacob vnd alle sein Same mit jm / [7]seine Kinder vnd seine Kindskinder mit jm / seine Töchter vnd seiner Kinds töchter / vnd alle sein Same / die bracht er mit sich in Egypten.

JACOBS Geschlecht.

DJS SIND DIE NAMEN DER KINDER JSRAEL DIE IN Egypten kamen. Jacob vnd seine Söne. Der erstgeborne Jacobs son / Ruben. [9]Die kinder Ruben / Hanoch / Pallu / Hezron vnd Charmi. [10]Die kinder

Simeon / Jemuel / Jamin / Ohad / Jachin / Zohar / vnd Saul der son von dem Cananischen weibe. [11]Die kinder Leui / Gerson / Cahath vnd Merari. [12]Die kinder Juda / Ger / Onan / Sela / Perez vnd Serah. Aber Ger vnd Onan waren gestorben im lande Canaan. Die kinder aber Perez / Hezron vnd Hamul. [13]Die kinder Jsaschar / Thola / Phua / Job vnd Semrom. [14]Die kinder Sebulon / Sered / Elon vnd Jahleel. [15]Das sind die kinder von Lea / die sie Jacob gebar in Mesopotamia / mit seiner tochter Dina / die machen allesampt mit Sönen vnd Töchtern / drey vnd dreissig Seelen.

Gen. 38.

KINDER von Lea. 33.

[16]DJE kinder Gad / Ziphion / Haggi / Suni / Ezbon / Eri / Arodi vnd Areli. Die kinder Asser / Jemna / Jesua / Jesui / Bria / vnd Serah jre Schwester. Aber die kinder Bria / Heber vnd Malchiel. [18]Das sind die kinder von Silpa / die Laban gab Lea seiner Tochter / vnd gebar Jacob diese sechzehen Seelen.

KINDER von Silpa. 16.

[19]DJe kinder Rahel Jacobs weib / Joseph vnd Ben Jamin. [20]Vnd Joseph wurden geboren in Egyptenland / Manasse vnd Ephraim / die jm gebar Asnath die tochter Potiphera / des Priesters zu On. [21]Die kinder Ben Jamin / ‖ Bela / Becher / Asbel / Gera / Naaman / Ehi / Ros / Mupim / Hupim vnd Ard. [22]Das sind kinder von Rahel / die Jacob geboren sind / allesampt vierzehen Seelen.

‖ 29a

KINDER von Rahel. 14.

[23]DJe kinder Dan / Husim. [24]Die kinder Naphthali / Jahzeel / Guni / Jezer vnd Sillem. [25]Das sind die kinder Bilha die Laban seiner tochter Rahel gab / vnd gebar Jacob die sieben seelen. [26]Alle seelen die mit Jacob in Egypten kamen / die aus seinen Lenden komen waren (ausgenomen die weiber seiner Kinder) sind alle zusamen sechs vnd sechzig seelen. [27]Vnd die kinder Joseph die in Egypten geboren sind / waren zwo Seelen / Also das alle seelen des hauses Jacob / die in Egypten kamen / waren siebenzig.

KINDER Bilha. 7.

VND ER SANDTE JUDA FUR JM HIN ZU JOSEPH / DAS er jn anweiset zu Gosen / vnd kamen in das land Gosen. [29]Da spannet Joseph seinen Wagen an / vnd zoch hin auff seinem vater Jsrael entgegen gen Gosen / Vnd da er jn sahe / fiel er vmb seinen Hals / vnd weinet lange an seinem halse. [30]Da sprach Jsrael zu Joseph / Jch wil nu gerne sterben / nach dem ich dein angesicht gesehen habe / das du noch lebest.

31 JOseph sprach zu seinen Brüdern vnd seines Vaters hause / Jch wil hin auff ziehen / vnd Pharao ansagen vnd zu jm sprechen / Meine brüder vnd meines Vaters haus ist zu mir komen aus dem lande Canaan / 32 vnd sind Viehhirten / Denn es sind Leute die mit vieh vmbgehen / Jre klein vnd gros Vieh / vnd alles was sie haben / haben sie mit bracht. 33 Wenn euch nu Pharao wird ruffen / vnd sagen / Was ist ewr narung? 34 So solt jr sagen / Deine knechte sind Leute die mit Vieh vmbgehen / von vnser Jugent auff bisher / beide wir vnd vnsere Veter / Auff das jr wonen mügt im lande Gosen / Denn was Viehhirten sind / das ist den Egyptern ein grewel.

## XLVII.

Act. 7.

DA KAM JOSEPH VND SAGETS PHARAO AN / VND sprach / Mein Vater / vnd meine Brüder / jr klein vnd gros Vieh / vnd alles was sie haben / sind komen aus dem lande Canaan / Vnd sihe / sie sind im lande Gosen. 2 Vnd er nam seiner jüngsten Brüder fünff / vnd stellet sie fur Pharao. 3 Da sprach Pharao zu seinen Brüdern / Was ist ewr narung? Sie antworten / Deine knechte sind Viehhirten / wir vnd vnsere Veter.

4 VND sagten weiter zu Pharao / Wir sind komen bey euch zu wonen im Lande / Denn deine Knechte haben nicht weide fur jr Vieh / so hart drückt die Thewrung das land Canaan / So las doch nu deine knechte im land Gosen wonen. 6 Pharao sprach zu Joseph / Es ist dein Vater / vnd sind deine Brüder / die sind zu dir komen / Das land Egypten stehet dir offen / Las sie am besten ort des Lands wonen / las sie im lande Gosen wonen. Vnd so du weissest / das Leute vnter jnen sind / die tüchtig sind / So setze sie vber mein Vieh.

(Wonen) Zur herberge / Gast sein / frembdling sein / Non ciues aut domestici huius mundi.

JOSEPH BRACHT AUCH SEINEN VATER JACOB HIN EIN / vnd stellet jn fur Pharao. Vnd Jacob segenet den Pharao. 8 Pharao aber fraget Jacob / Wie alt bistu? 9 Jacob sprach zu Pharao / Die zeit meiner Walfart ist hundert vnd dreissig jar / wenig vnd böse ist die zeit meines Lebens / vnd langet nicht an die zeit meiner Veter in jrer walfart / 10 Vnd Jacob segenet den Pharao / vnd gieng eraus von jm.

11 ABer Joseph schafft seinem Vater vnd seinen Brüdern wonung / vnd gab jnen ein Gut in Egyptenlande / am besten ort des Lands / nemlich /

im lande Raemses / wie Pharao geboten hatte. [12]Vnd er versorget seinen Vater vnd seine Brüder / vnd das gantze haus seines Vaters / einem jglichen nach dem er [a]Kinder hatte. || || 29b

a (Kinder) Quia nos senes mali propter pueros omnibus bonis fruimur. Wir alten Narren essen mit den Kindern / nicht sie mit vns. Jpsi Domini / nos procuratores.

ES WAR ABER KEIN BROT IN ALLEN LANDEN / DENN die Thewrung war fast schweer / das das land Egypten vnd Canaan verschmachten fur der Thewrung. [14]Vnd Joseph bracht alles Geld zusamen / das in Egypten vnd Canaan funden ward / vmb das Getreide das sie kaufften / Vnd er thet alles geld in das haus Pharao.

[15]DA nu geld gebrach im lande Egypten vnd Canaan / kamen alle Egypter zu Joseph / vnd sprachen / Schaff vns brot / Warumb lessestu vns fur dir sterben / darumb / das wir on geld sind? [16]Joseph sprach / Schafft ewr Vieh her so wil ich euch vmb das vieh geben / weil jr on geld seid. [17]Da brachten sie Joseph jr vieh / Vnd er gab jnen brot vmb jre pferd / schafe / rinder vnd esel. Also erneeret er sie mit Brot das jar vmb alle jre Vieh.

[18]DA das jar vmb war / kamen sie zu jm andern jar / vnd sprachen zu jm / Wir wöllen vnserm Herrn nicht verbergen / das nicht allein das Geld / sondern auch alles Vieh dahin ist / zu vnserm Herrn / vnd ist nichts mehr vberigs fur vnserm Herrn / denn nur vnser Leibe / vnd vnser Feld. [19]Warumb lessestu vns fur dir sterben vnd vnser Feld? Keuffe vns vnd vnser Land vmbs Brot / das wir vnd vnser land Leibeigen seien dem Pharao / Gib vns Samen das wir leben vnd nicht sterben / vnd das Feld nicht verwüste.

[20]ALso kaufft Joseph dem Pharao das gantz Egypten / Denn die Egypter verkaufften / ein jglicher seinen Acker / Denn die Thewrung war zu starck vber sie / Vnd ward also das land Pharao eigen. [21]Vnd er teilet das Volck aus in die Stedte / von einem ort Egypten bis ans ander. [22]Ausgenomen der Priester feld / das kaufft er nicht / Denn es war von Pharao fur die Priester verordnet / das sie sich neeren solten / von dem benanten / das er jnen gegeben hatte / darumb durfften sie jr Feld nicht verkeuffen.

[23]DA sprach Joseph zu dem volck / Sihe / ich hab heut gekaufft / euch vnd ewr feld dem Pharao / Sihe / da habt jr samen vnd beseet das feld / [24]Vnd von dem getreide solt jr den Fünfften Pharao geben / Vier teil sollen ewr sein / zu beseen das Feld / zu

ewr speise / vnd fur ewr haus vnd Kinder. [25]Sie sprachen / Las vns nur leben vnd gnade fur dir vnserm Herrn finden / wir wöllen gerne Pharao Leibeigen sein. [26]Also macht Joseph jnen ein Gesetz bis auff disen tag / vber der Egypter feld / den Fünfften Pharao zu geben / Ausgenomen der Priester feld / das ward nicht eigen Pharao.

Gesetz vom Fünfften.

ALSO WONETE JSRAEL IN EGYPTEN / IM LANDE Gosen / vnd hattens innen / vnd wuchsen vnd mehreten sich seer. [28]Vnd Jacob lebet siebenzehen jar in Egyptenland / Das sein gantz alter ward hundert vnd sieben vnd vierzig jar.

JACOBS Alter 147. jar.

DA nu die zeit erbey kam / das Jsrael sterben solt / rieff er seinem son Joseph / vnd sprach zu jm / Hab ich gnade fur dir funden / So lege deine Hand vnter meine Hüfften / das du die liebe vnd trew an mir thust / vnd begrabest mich nicht in Egypten / [30]Sondern ich wil ligen bey meinen Vetern / Vnd du solt mich aus Egypten füren / vnd in jrem Begrebnis begraben. [31]Er sprach / Jch wil thun / wie du gesagt hast. Er aber sprach / So schwere mir / Vnd er schwur jm / Da neiget sich Jsrael auff dem bette zun Heubten.

Gene. 24.

Ebre. 11.

(Neiget) Er lag im bette kranck / richtet sich doch auff / neiget sich zun heubten / betet vnd dancket Gott / dieweil thet Joseph den Eid.

## XLVIII.

DARNACH WARD JOSEPH GESAGT / SIHE / DEIN Vater ist kranck / Vnd er nam mit sich seine beide Söne / Manasse vnd Ephraim. [2]Da wards Jacob angesagt / Sihe / dein son Joseph kompt zu dir / Vnd Jsrael macht sich starck / vnd satzte sich im Bette / [3]vnd sprach zu Joseph.

DER allmechtige Gott erschein mir zu Lus im lande Canaan / vnd segenet mich / [4]vnd sprach zu mir / Sihe / Jch wil dich wachsen lassen vnd mehren / ‖ vnd wil dich zum hauffen Volcks machen / vnd wil dis Land zu eigen geben / deinem Samen nach dir ewiglich. [5]So sollen nu deine zween Söne Ephraim vnd Manasse / die dir geborn sind in Egyptenland / ehe ich her ein komen bin zu dir / mein sein / gleich wie Ruben vnd Simeon. [6]Welche du aber nach jnen zeugest / sollen dein sein vnd genent werden / wie jre Brüder in jrem Erbteil.

Gene. 35.

‖ 30a

[7]VND da ich aus Mesopotamia kam / starb mir Rahel im land Canaan / auff dem weg / da noch ein Feldwegs war gen Ephrath / Vnd ich begrub sie daselbs an dem wege Ephrath / die nu Bethlehem heisst.

RAHEL. Gene. 35.

VND Jsrael sahe die söne Joseph / vnd sprach / Wer sind die? [9]Joseph antwort seinem Vater / Es sind meine Söne / die mir Gott hie gegeben hat. Er sprach / Bringe sie her zu mir / das ich sie segene / [10]Denn die augen Jsrael waren tunckel worden fur alter / vnd kund nicht wol sehen / Vnd er bracht sie zu jm. Er aber küsset sie vnd hertzet sie / [11]vnd sprach zu Joseph / Sihe / Jch hab dein Angesicht gesehen / des ich nicht gedacht hette / vnd sihe / Gott hat mich auch deinen Samen sehen lassen. [12]Vnd Joseph nam sie von seinem schos / vnd neiget sich zur erden / gegen sein angesicht.

[13]Da nam sie Joseph beide / Ephraim in seine rechte hand / gegen Jsraels lincke hand / vnd Manasse in seine lincke hand / gegen Jsraels rechte hand / vnd bracht sie zu jm. [14]Aber Jsrael streckt seine rechte hand aus / vnd legte sie auff Ephraims des Jüngsten heubt / vnd seine lincke auff Manasses heubt / vnd thet wissend also mit seinen henden / denn Manasse war der Erstgeborne. [15]Vnd er segenet Joseph / vnd sprach / Gott / fur dem meine veter Abraham vnd Jsaac / gewandelt haben / Gott / der mich mein lebenlang erneeret hat / bis auff disen tag / [16]DER ENGEL DER MICH ERLÖSET HAT VON ALLEM VBEL / Der segene die Knaben / das sie nach meinem / vnd nach meiner veter / Abraham vnd Jsaac / namen genennet werden / das sie wachsen / vnd viel werden auff Erden.

Ebre. 11.

Christus mittendus Deus esse/ hic significatur.

DA aber Joseph sahe / das sein Vater die rechte hand auff Ephraim heubt legt / gefiel es jm vbel / vnd fasset seines Vaters hand / das er sie von Ephraims heubt auff Manasses heubt wendet. [18]Vnd sprach zu jm / Nicht so / mein Vater / Dieser ist der Erstgeborner / Lege deine rechte hand auff sein heubt. [19]Aber sein Vater wegert sich / vnd sprach / Jch weis wol / mein Son / ich weis wol. Dieser sol auch ein Volck werden / vnd wird gros sein / Aber sein jüngster Bruder wird grösser denn er werden / vnd sein Same wird ein gros Volck werden. [20]Also segenet er sie des tages / vnd sprach / Wer in Jsrael wil jemand segenen / der sage / Gott setze dich wie Ephraim vnd Manasse / Vnd setze also Ephraim Manasse vor.

VND Jsrael sprach zu Joseph / Sihe / Jch sterbe / vnd Gott wird mit euch sein / vnd wird euch wider bringen in das Land ewr Veter. [22]Jch habe dir ein [a]stück Landes gegeben ausser deinen Brü-

a (Stück) Heisst im Ebreischen / Sichem / Vnd die selbe Stad meinet er hie.

Johan. 4. Gene. 34.

dern / das ich mit meinem Schwert vnd Bogen aus der hand der Amoriter genomen habe.

## XLIX.

VND JACOB BERIEFF SEINE SÖNE / VND SPRACH / Versamlet euch das ich euch verkündige / was euch begegnen wird in künfftigen zeiten. [2]Kompt zu hauff / vnd höret zu jr Kinder Jacob / vnd höret ewren Vater Jsrael.

Gene. 29.

[3]bRVben mein erster Son / Du bist meine krafft / vnd meine erste macht / der öberst im Opffer / vnd der öberst im Reich. [4]Er fuhr leichtfertig da hin / wie wasser / Du solt nicht der Oberst sein / Denn du bist auff deines Vaters lager gestiegen / daselbs hastu mein Bette besudelt mit dem auffsteigen.

Gene. 35.

[5]DJe brüder Simeon vnd Leui / Jre Schwerter sind mordische woffen. [6]Meine Seele kome nicht in jren Rat / vnd meine Ehre sey nicht in jrer Kirchen / ‖ Denn in jrem zorn haben sie den Man erwürget / vnd in jrem mutwillen / haben sie den Ochsen verderbet. [7]Verflucht sey jr zorn / das er so hefftig ist / vnd jr grim das er so störrig ist / Jch wil sie zurteilen in Jacob / vnd zerstrewen in Jsrael.

Gene. 34.

‖ 30b

JVda / Du bists / Dich werden deine Brüder loben / Deine hand wird deinen Feinden auff dem halse sein / Fur dir werden deines Vaterskinder sich neigen. [9]Juda ist ein junger Lewe / Du bist hoch komen / mein Son / durch grosse Sieg / Er hat nider gekniet / vnd sich gelagert wie ein Lewe / vnd wie ein Lewin / Wer wil sich wider jn auff lehnen?

[10]ES WIRD DAS aSCEPTER VON JUDA NICHT ENTWENDET WERDEN / NOCH EIN MEISTER VON SEINEN FÜSSEN / BIS DAS DER HELT KOME / VND DEM SELBEN WERDEN DIE VÖLCKER ANHANGEN. [11]ER WIRD SEIN FÜLLEN AN DEN WEINSTOCK BINDEN / VND SEINER ESELIN SON AN DEN EDLEN REBEN / ER WIRD SEIN KLEID IM WEIN WASSCHEN / VND SEINEN MANTEL IN WEINBEER BLUT. [12]SEINE AUGEN SIND RÖTLICHER DENN WEIN / VND SEINE ZEENE WEISSER DENN MILCH.

[13]SEbulon wird am anfurt des Meers wonen / vnd am anfurt der Schiffe / vnd reichen an Sidon.

[14]JSaschar wird ein beinern Esel sein / vnd sich lagern zwischen die Grentzen. [15]Vnd er sahe die ruge / das sie gut ist / vnd das Land / das es lüstig

b (RUBEN) Solt der Erstegeburt wirde haben nemlich das Priesterthum vnd Königreich. Nu aber wird beides von jm genomen / vnd Leui das Priesterthum / vnd Juda das Königreich geben. Hie ist bedeut die Synagoga / die das Bette Jacob / das ist / die Schrifft besudelt mit falscher lere / darüber sie verloren hat Priesterthum vnd Königreich.

a Hie fehet an der Segen von Christo / der von Juda geborn solt werden. Vnd heisst jn Silo / das ist / der Glückselig sein / vnd frisch durchdringen solt / mit geist vnd glauben das zuuor durch werck saur vnd vnselig ding war. Darumb nennen wir Silo / ein Helt. Denn das vorige teil dis Segens / betrifft den König Dauid / Vnd ist sonst in allen segen nichts mehr von Christo / Sondern alles ander

b
Den Segen Dan hat Simson erfüllet / Jud. 12.

c
Gad hat seinen Segen ausgericht da sie fur Jsrael her zogen / Josu. 1.

d
Asser hat gut getreide Land innen gehabt.

e
Naphthali Segen ist erfüllet durch Debora vnd Barac / Jud. 5.

f
Der segen Joseph gehet auff das Königreich Jsrael / vnd ist gantz von leiblichem Regiment gesagt / Das die Töchter (das ist / die Stedte im Lande) wol regieret worden zeitlich vnd viel Propheten vnd grosse Leute zu Ecksteinen hatten. Vnd wiewol sie offt angefochten worden / gewonnen sie doch. Vnd dis Königreich war im geschlecht Ephraim. Also bleibt der geistlich Segen vnd Reich auff Juda / vnd das leibliche Reich auff Ephraim.

ist / Er hat aber seine Schuldern geneigt zu tragen / vnd ist ein zinsbar Knecht worden.

[16] [b]DAN wird Richter sein in seinem Volck / wie ein ander Geschlecht in Jsrael. [17]Dan wird eine Schlange werden auff dem wege / vnd ein Otter auff dem steige / vnd das Pferd in die ferssen beissen / das sein Reuter zu rücke falle. [18]HERR ich warte auff dein Heil.

[19] [c]GAD / Gerüst / wird das Heer füren / vnd wider herumb füren.

[20]VON [d]Asser kompt sein fett Brot / Vnd er wird den Königen zugefallen thun.

[21] [e]NAphthali ist ein schneller Hirs / Vnd gibt schöne rede.

JOseph wird wachsen / Er wird wachsen / wie an einer quelle / Die Töchter tretten ein her im Regiment. [23]Vnd wiewol jn die schützen erzürnen / vnd wider jn kriegen / vnd verfolgen / [24]so bleibt doch sein Boge fest / vnd die Arm seiner hende starck / durch die hende des mechtigen in Jacob / Aus jnen sind komen Hirten / vnd Steine in Jsrael. [25]Von deines vaters Gott / ist dir geholffen / vnd von dem Allmechtigen bistu gesegnet / mit segen oben von Himel erab / mit segen von der tieffe die unden ligt / mit segen an brüsten vnd beuchen. [26]Die Segen deines Vaters gehen stercker denn die segen meiner Voreltern (nach wundsch der Hohen in der welt) vnd sollen kommen auff das heubt Joseph / vnd auff die scheitel des Nasir vnter seinen Brüdern.

[27] [g]BEnJamin / ist ein reissender Wolff / Des morgens wird er Raub fressen / Aber des abends wird er den Raub austeilen.

DAS SIND DIE ZWELFF STEMME JSRAEL ALLE / VND das ists das jr Vater mit jnen geredt hat / da er sie segenet / einen jglichen mit einem sondern Segen.

[29]VND er gebot jnen / vnd sprach zu jnen / Jch werde versamlet zu meinem volck / Begrabt mich bey meine Veter / in der Höle auff dem acker Ephron des Hethiters / [30]in der zwifachen höle die gegen Mamre ligt / im lande Canaan / die Abraham kauffte sampt dem acker / von Ephron dem Hethiter zum Erbbegrebnis. [31]Daselbs haben sie Abraham begraben / vnd Sara sein Weib. Daselbs haben sie auch Jsaac begraben / vnd Rebeca sein Weib. Daselbs hab ich auch Lea begraben / [32]in dem

ist von zeitlichem heil / das den kindern Jsrael gegeben ist. Als das Sebulon solt am meer wonen bis gen Sidon. Vnd Jsaschar mitten im Land vom meer wonen / vnd doch zinsbar gewesen ist / den Königen von Assyrien.

g
BenJamin segen hat erfüllet / der könig Saul vnd die bürger zu Gaba / Jud. 20.

Gen. 23.

Acker vnd der Höle / die von den kindern Heth gekaufft ist.

33VND da Jacob volendet hatte die gebot an seine Kinder / thet er seine Füsse zu samen auffs bette / vnd verschied / vnd ward versamlet zu seinem Volck. 1Da fiel Joseph auff seines Vaters angesicht / vnd weinet vber jm / vnd küsset jn. ||

|| 31a

## L.

VND Joseph befalh seinen Knechten den Ertzten / das sie seinen Vater salbeten / Vnd die Ertzte salbeten Jsrael / 3bis das vierzig tage vmb waren / Denn so lange weren die Salbetage / Vnd die Egypter beweineten jn siebenzig tage.

DA nu die Leidetage auswaren / redet Joseph mit Pharao gesinde / vnd sprach / hab ich gnade fur euch funden / so redet mit Pharao / vnd sprecht 5Mein Vater hat einen Eid von mir genomen / vnd gesagt / Sihe / ich sterbe / Begrabe mich in meinem Grabe / das ich mir im lande Canaan gegraben habe. So wil ich nu hin auff ziehen / vnd meinen Vater begraben / vnd widerkomen. 6Pharao sprach / Zeuch hin auff / vnd begrabe deinen Vater / wie du jm geschworen hast.

7ALso zoch Joseph hinauff / seinen Vater zu begraben / vnd es zogen mit jm alle knechte Pharao / die Eltesten seines Hauses / vnd alle Eltesten des lands Egypten. 8Dazu das gantze gesinde Josephs / vnd seine brüder / vnd das gesinde seines Vaters / Alleine jre Kinder / schafe vnd ochsen liessen sie im Lande Gosen. 9Vnd zogen auch mit jm hin auff Wagen vnd Reisigen / vnd war ein fast grosses Heer.

10DA sie nu an die tennen Atad kamen / die jenseid dem Jordan ligt / da hielten sie ein seer grosse vnd bittere Klage / Vnd er trug vber seinem Vater leide sieben tage. 11Vnd da die Leute im lande / die Cananiter / die Klage bey der tennen Atad sahen / sprachen sie / Die Egypter halten da grosse Klage / Daher heisst man den Ort / der Egypter klage / welcher ligt jenseid dem Jordan.

12VND seine Kinder theten wie er jnen befolhen hatte / 13vnd füreten jn ins land Canaan / vnd begruben jn in der zwifachen Höle des ackers / die Abraham erkaufft hatte / mit dem acker / zum Erbbegrebnis / von Ephron dem Hethiter gegen

Jacob im Land Canaan begraben etc.

Mamre. [14]Als sie jn nu begraben hatten / zoch Joseph wider in Egypten mit seinen Brüdern / vnd mit allen die mit jm hinauff gezogen waren / seinen Vater zu begraben.

DJe Brüder aber Joseph furchten sich / da jr Vater gestorben war / vnd sprachen / Joseph möcht vns gram sein / vnd vergelten alle bosheit die wir an jm gethan haben. [16]Darumb liessen sie jm sagen / Dein Vater befalh fur seinem tod / vnd sprach / [17]Also solt jr Joseph sagen / Lieber / vergib deinen Brüdern die missethat vnd jre sünde / das sie so vbel an dir gethan haben. Lieber / So vergib nu diese missethat vns den Dienern des Gottes deines Vaters / Aber Joseph weinet / da sie solchs mit jm redten. [18]Vnd seine Brüder giengen hin / vnd fielen fur jm nider / vnd sprachen / Sihe / Wir sind deine Knechte. [19]Joseph sprach zu jnen / Fürchtet euch nicht / Denn ich bin vnter Gott. [20]Jr gedachtets böse mit mir zumachen / Aber Gott gedachts gut zu machen / das er thet / wie es jtzt am tage ist / zu erhalten viel volcks. [21]So fürchtet euch nu nicht / Jch wil euch versorgen vnd ewre Kinder / Vnd er tröstet sie / vnd redet freundlich mit jnen.

JOSEPH Alter 110. jar.

ALso wonet Joseph in Egypten mit seines Vaters hause / Vnd lebete hundert vnd zehen jar. [23]Vnd sahe Ephraims kinder bis ins dritte Gelied. Desselbigen gleichen die kinder Machir / Manasses son / zeugeten auch Kinder auff Josephs schos.

[24]VND Joseph sprach zu seinen Brüdern / Jch sterbe / vnd Gott wird euch heimsuchen / vnd aus diesem Lande füren / in das Land das er Abraham / Jsaac vnd Jacob geschworen hat. [25]Darumb nam er einen Eid von den kindern Jsrael / vnd sprach / Wenn euch Gott heimsuchen wird / So füret mein Gebeine von dannen. [26]Also starb Joseph / da er war hundert vnd zehen jar alt / Vnd sie salbeten jn / vnd legten jn in eine Lade in Egypten.

Ebre. 11.

Ende des Ersten Buchs Mose. ‖

‖ 31b

# DAS ZWEITE BUCH MOSE.

## I.

Gen. 46.

DJS SIND DIE NAMEN DER KINDER JSRAEL / DIE mit Jacob in Egypten kamen / Ein jglicher kam mit seinem Hause hinein. [2]Ruben / Simeon / Leui / Juda / [3]Jsaschar / Sebulon / BenJamin / [4]Dan / Naphthali / Gad / Asser. [5]Vnd aller Seelen die aus den lenden Jacob komen waren / der waren siebenzig. Joseph aber war zuuor in Egypten. [6]Da nu Joseph gestorben war / vnd alle seine Brüder / vnd alle die zu der zeit gelebt hatten / [7]wuchsen die kinder Jsrael / vnd zeugeten Kinder / vnd mehreten sich / vnd worden jr seer viel / das jr das Land vol ward.

Act. 7.

NEW KÖNIG in Egypten / ist den Kindern Jsrael gram / vnd gedenckt sie mit list vnter zu drucken.

DA kam ein newer König auff in Egypten / der wuste nichts von Joseph. [9]Vnd sprach zu seinem volck / Sihe / des Volcks der kinder Jsrael ist viel vnd mehr denn wir / [10]Wolan / wir wollen sie mit listen dempffen / das jr nicht so viel werden / Denn wo sich ein Krieg erhübe / möchten sie sich auch zu vnsern Feinden schlahen / vnd wider vns streiten / vnd zum Lande ausziehen.

Act. 7.

Psal. 105. Act. 7.

[11]VND man setzte Fronuögte vber sie / die sie mit schweren Diensten drucken solten / Denn man bawete dem Pharao die stedte Pithon vnd Raemses zu Schatzheusern. [12]Aber je mehr sie das Volck druckten / je mehr sich es mehret vnd ausbreitet / Vnd sie hielten die kinder Jsrael wie ein Grewel. [13]Vnd die Egypter zwungen die kinder Jsrael zu dienst mit vnbarmhertzigkeit / [14]vnd machten jnen jr Leben saur / mit schwerer erbeit im Thon vnd Zigeln / vnd mit allerley frönen auff dem Felde / vnd mit allerley erbeit / die sie jnen aufflegten mit vnbarmhertzigkeit.

Sap. 18.

PHARAO gebeut / Das man alle Menlin der Ebreer tödten sol.

VND der König in Egypten sprach zu den Ebreischen Wehmüttern / der eine hies Siphra / vnd die ander Pua / [16]Wenn jr den Ebreischen weibern helfft / vnd auff dem stuel sehet / das ein Son ist / so tödtet jn / Jsts aber eine Tochter / so lasst sie leben. [17]Aber die Wehmütter furchten Gott / vnd theten nicht / wie der König zu Egypten jnen gesagt hatte / sondern liessen die Kinder leben.

[18]DA rieff der König in Egypten den Wehmüttern / vnd sprach zu jnen / Warumb thut jr das / das jr die Kinder leben lasset? [19]Die Wehmütter antworten Pharao / Die Ebreischen weiber sind nicht

wie die Egyptischen / denn sie sind harte weiber / ehe die Wehmutter zu jnen kompt / haben sie geborn. [20]Darumb thet Gott den Wehmüttern guts / Vnd das Volck mehret sich / vnd ward seer viel. [21]Vnd weil die Wehmütter Gott furchten / bawet er jnen Heuser.

[22]DA gebot Pharao alle seinem Volck / vnd sprach / Alle Söne die geborn werden / werfft ins wasser / vnd alle Töchter lasst leben.

## II.

Mose wird geborn.

Exod. 6. Sap. 18. Act. 7. Ebre. 11.

VND ES GIENG HIN EIN MAN VOM HAUSE LEUI / vnd nam eine tochter Leui / [2]Vnd das Weib ward schwanger / vnd gebar einen Son / Vnd da sie sahe / das ein fein Kind war / verbarg sie jn drey monden. [3]Vnd da sie jn nicht lenger verbergen kund / macht sie ein kestlin von rhor / vnd verkleibets mit thon vnd pech / vnd legt das Kind drein / vnd legt jn in den schilff am vfer des wassers. [4]Aber seine schwester stund von ferne / das sie erfaren wolt / wie es jm gehen würde.

[5]VND die tochter Pharao gieng ernider / vnd wolt baden im wasser / vnd ‖ jre Jungfrawen giengen an dem rande des wassers. Vnd da sie das Kestlin im schilff sahe / sand sie jre Magd hin / vnd lies es holen / [6]Vnd da sie es auffthet sahe sie das Kind / vnd sihe das Kneblin weinet / Da jamert es sie / vnd sprach / Es ist der Ebreischen kindlin eins.

‖ 32a

Act. 7. Ebre. 11.

[7]DA sprach seine Schwester zu der tochter Pharao / Sol ich hin gehen / vnd der Ebreischen weiber eine ruffen die da seuget / das sie dir das Kindlin seuge? [8]Die tochter Pharao sprach zu jr / Gehe hin. Die Jungfraw gieng hin / vnd rieff des Kindes mutter. [9]Da sprach Pharao tochter zu jr / Nim hin das Kindlin / vnd seuge mirs / ich wil dir lohnen. Das weib nam das Kind vnd seuget es. [10]Vnd da das Kind gros ward / bracht sie es der tochter Pharao / vnd es ward jr Son / vnd hies jn Mose / Denn sie sprach / Jch habe jn aus dem wasser gezogen.

(MASA) Heisst ziehen / daher heisst Mose gezogen / nemlich aus dem wasser.

Act. 7.

ZV DEN ZEITEN / DA MOSE WAR GROS WORDEN / gieng er aus zu seinen Brüdern / vnd sahe jre Last / Vnd ward gewar / das ein Egypter schlug seiner Brüder der Ebreischen einen. [12]Vnd er wand sich hin vnd her / vnd da er sahe / das kein

Mensch da war / erschlug er den Egypter / vnd bescharret jn in den sand. [13]Auff einen andern tag gieng er auch aus / vnd sahe zween Ebreische menner sich mit einander zancken / vnd sprach zu dem vngerechten / Warumb schlehestu deinen Nehesten? [14]Er aber sprach / Wer hat dich zum Obersten oder Richter vber vns gesetzt? Wiltu mich auch erwürgen / wie du den Egypter erwürget hast? Da furcht sich Mose / vnd sprach / Wie ist das laut worden? [15]Vnd es kam fur Pharao / der trachtet nach Mose / das er jn erwürget. Aber Mose floh fur Pharao / vnd hielt sich im lande Midian / vnd wonete bey einem Brunnen.

MOSE FLEUHET fur Pharao etc.

DER Priester aber in Midian hatte sieben Töchter / die kamen wasser zu schepffen / vnd fülleten die Rinnen / das sie jres Vaters schafe trencketen. [17]Da kamen die Hirten vnd stiessen sie dauon. Aber Mose macht sich auff vnd halff jnen / vnd trencket jre Schafe. [18]Vnd da sie zu jrem vater Reguel kamen / sprach er / Wie seid jr heute so bald komen? [19]Sie sprachen / Ein Egyptischer man errettet vns von den Hirten / vnd schepffete vns / vnd trencket die schafe. [20]Er sprach zu seinen töchtern / Wo ist er? Warumb habt jr den Man gelassen / das jr jn nicht ludet mit vns zu essen?

[21]VND Mose bewilliget bey dem Man zu bleiben / Vnd er gab Mose seine tochter Zipora / [22]Die gebar einen Son / vnd er hies jn Gersom / Denn er sprach / Jch bin ein Frembdling worden im frembden Lande. [a](Vnd sie gebar noch einen Son / den hies er Elieser / vnd sprach / Der Gott meins Vaters ist mein Helffer / vnd hat mich von der hand Pharao errettet.)

(GERSOM) Heisst ein Frembder oder Auslender.

(ELIESER) Heisst Gott mein Helffer.

ZIPORA Mose weib.

a Non est in Ebreo.

LAnge zeit aber darnach starb der König in Egypten. Vnd die kinder Jsrael suffzeten vber jre erbeit / vnd schrien / vnd jr schreien vber jre erbeit kam fur Gott. [24]Vnd Gott erhöret jr wehklagen / vnd gedacht an seinen Bund mit Abraham / Jsaac vnd Jacob / [25]Vnd er sahe drein / vnd nam sich jrer an.

## III.

MOSE ABER HÜTET DER SCHAFE JETHRO SEINS Schwehers / des Priesters in Midian / vnd treib die Schafe enhinder in die wüsten / vnd kam an den berg Gottes Horeb.

VND der Engel des HERRN erschein jm in einer fewrigen Flammen aus dem Pusch / Vnd er sahe / das der Pusch mit fewr brandte / vnd ward doch nicht verzeret / [3]Vnd sprach / Jch wil dahin / vnd besehen dis gros Gesicht / warumb der Pusch nicht verbrennet. [4]Da aber der HERR sahe / das er hin gieng zu sehen / rieff jm Gott aus dem Pusch / vnd sprach / Mose / Mose. Er antwortet hie bin ich. [5]Er sprach / Trit nicht herzu / zeuch deine schuch aus von deinen Füssen / Denn der Ort / da du auffstehest / || ist ein heilig land. [6]Vnd sprach weiter / JCH BIN DER GOTT DEINES VATERS / DER GOTT ABRAHAM / DER GOTT JSAAC / VND DER GOTT JACOB. Vnd Mose verhüllet sein angesicht / Denn er furchte sich Gott an zu schawen.

Act. 7.
|| 32 b
Mat. 22.
Mar. 12.
Luc. 20.
Ebre. 11.

VND der HERR sprach / Jch hab gesehen das Elend meins Volcks in Egypten / vnd habe jr geschrey gehöret vber die / so sie treiben / Jch hab jr Leid erkand / [8]vnd bin ernider gefahren / das ich sie errette von der Egypter hand / vnd sie ausfüre aus diesem Lande / in ein gut vnd weit Land / Jn ein land / darinnen milch vnd honig fleusst / nemlich / an den ort der Cananiter / Hethiter / Amoriter / Pheresiter / Heuiter / vnd Jebusiter. [9]Weil denn nu das geschrey der kinder Jsrael fur mich komen ist / vnd hab auch dazu gesehen jr angst / wie sie die Egypter engsten / [10]So gehe nu hin / Jch wil dich zu Pharao senden / das du mein Volck / die kinder Jsrael aus Egypten fürest.

Act. 7.

[11]MOse sprach zu Gott / Wer bin ich / das ich zu Pharao gehe / vnd füre die kinder Jsrael aus Egypten? [12]Er sprach / Jch wil mit dir sein. Vnd das sol dir das Zeichen sein / das ich dich gesand habe / Wenn du mein Volck aus Egypten gefüret hast / werdet jr Gott opffern auff diesem Berge. [13]Mose sprach zu Gott / Sihe / wenn ich zu den kindern Jsrael kome / vnd spreche zu jnen / Der Gott ewer Veter hat mich zu euch gesand / Vnd sie mir sagen werden / wie heisst sein Name? Was sol ich jnen sagen? [14]Gott sprach zu Mose / JCH WERDE SEIN DER ICH SEIN WERDE. Vnd sprach / Also soltu zu den kindern Jsrael sagen / JCH WERDS SEIN / DER HAT MICH ZU EUCH GESAND.

(Jch werds sein) Wenn jr dahin kompt / so wil ich bey euch sein / vnd mich so erzeigen / Das jr erkennen solt / das ichs sey.

[15]VND Gott sprach weiter zu Mose / Also soltu zu den kindern Jsrael sagen / Der HERR ewr veter Gott / der Gott Abraham / der Gott Jsaac / der Gott Jacob / hat mich zu euch gesand / Das ist

mein Name ewiglich / da bey man mich nennen sol fur vnd fur. [16]Darumb so gehe hin / vnd versamle die Eltesten in Jsrael / vnd sprich zu jnen / Der HERR ewr veter Gott ist mir erschienen / der Gott Abraham / der Gott Jsaac / der Gott Jacob / vnd hat gesagt / Jch hab euch heimgesucht / vnd gesehen was euch in Egypten widerfaren ist / [17]vnd hab gesagt / Jch wil euch aus dem elende Egypti füren / in das land der Cananiter / Hethiter / Amoriter / Pheresiter / Heuiter / vnd Jebusiter / Jn das Land darinne milch vnd honig fleusst.

[18]VND wenn sie deine stimme hören / so solt du / vnd die Eltesten in Jsrael hin ein gehen / zum Könige in Egypten / vnd zu jm sagen / Der HERR der Ebreer Gott / hat vns geruffen / So las vns nu gehen drey Tagereise in die wüsten das wir opffern dem HERRN / vnserm Gott. [19]Aber ich weis / Das euch der könig in Egypten nicht wird ziehen lassen / On durch eine starcke Hand. [20]Denn ich werde meine Hand ausstrecken / vnd Egypten schlahen mit allerley Wunder / die ich drinnen thun werde / Darnach wird er euch ziehen lassen.

[21]VND ich wil diesem Volck gnade geben fur den Egyptern / das / wenn jr ausziehet / nicht leer ausziehet / [22]Sondern ein jglich Weib / sol von jrer Nachbarin vnd Hausgenossen fordern / silbern vnd gülden Gefess / vnd kleider / die solt jr auff ewr Söne vnd Töchter legen / vnd den Egyptern entwenden.

Exo. 11. 12.

## IIII.

MOSE ANTWORTET / VND SPRACH / SIHE / SIE werden mir nicht gleuben / noch meine stimme hören / sondern werden sagen / Der HERR ist dir nicht erschienen. [2]Der HERR sprach zu jm / Was ist / das du in deiner Hand hast? Er sprach / Ein Stab. [3]Er sprach / wirff jn von dir auff die erden / Vnd er warff jn von sich / Da ward er zur Schlangen / vnd Mose floh fur jr. [4]Aber der HERR sprach zu jm / Strecke deine hand aus / vnd erhassche sie bey dem schwantz / Da strecket er aus / vnd hielt sie / vnd sie ward zum Stab in seiner hand. [5]Darumb werden ‖ sie gleuben / das dir erschienen sey der HERR / der Gott jrer Veter / der Gott Abraham / der Gott Jsaac / der Gott Jacob.

‖ 33a

Beruff.

VND der HERR sprach weiter zu jm / Stecke deine hand in deinen bosen. Vnd er steckt sie in seinen bosen / vnd zoch sie eraus / Sihe / da war sie aussetzig wie schnee. [7]Vnd er sprach / Thu sie wider in den bosen / Vnd er thet sie wider in den bosen / vnd zoch sie eraus / Sihe / da ward sie wider wie sein ander fleisch. [8]Wenn sie dir nu nicht werden gleuben / noch deine stim hören bey einem Zeichen / So werden sie doch gleuben deiner stim bey dem andern zeichen.

WEnn sie aber diesen zweien Zeichen nicht gleuben werden / noch deine stimme hören / So nim des Wassers aus dem Strom / vnd geuss es auff das trocken land / So wird dasselb wasser / das du aus dem strom genomen hast / Blut werden / auff dem trocken land.

Mose Sprache vnd Zunge etc.

MOse aber sprach zu dem HERRN / Ah mein HErr / Jch bin je vnd je nicht wol beredt gewest / sint der zeit / du mit deinem Knecht geredt hast / Denn ich hab eine schwere Sprache / vnd eine schwere Zungen. [11]Der HERR sprach zu jm / Wer hat dem Menschen den mund geschaffen? Oder wer hat den Stummen / oder Tauben / oder Sehenden / oder Blinden gemacht? Hab ichs nicht gethan / der HERR? [12]So gehe nu hin / Jch wil mit deinem Mund sein / vnd dich leren / was du sagen solt.

[13]MOse sprach aber / Mein HErr / sende welchen du senden wilt. [14]Da ward der HERR seer zornig vber Mose / vnd sprach / Weis ich denn nicht / das dein bruder Aaron / aus dem stam Leui / beredt ist? Vnd sihe / er wird eraus gehen dir entgegen / vnd wenn er dich sihet / wird er sich von hertzen frewen. [15]Du solt zu jm reden / vnd die wort in seinen mund legen / Vnd ich wil mit deinem vnd seinem Munde sein / vnd euch leren was jr thun solt / [16]vnd er sol fur dich zum Volck reden / Er sol dein mund sein / vnd du solt sein Gott sein. [17]Vnd diesen Stab nim in deine hand / damit du Zeichen thun solt.

Act. 7.

MOse gieng hin / vnd kam wider zu Jethro / seinem schweher / vnd sprach zu jm / Lieber las mich gehen / das ich wider zu meinen Brüdern kome / die in Egypten sind / vnd sehe / ob sie noch leben. Jethro sprach zu jm / Gehe hin mit frieden. [19]Auch sprach der HERR zu jm in Midian / Gehe hin / vnd zeuch wider in Egypten / Denn die Leute sind tod / die nach deinem Leben stunden. [20]Also nam Mose sein Weib / vnd seine Söne / vnd füret sie auff einem Esel / vnd zoch wider in Egyptenland / vnd nam den stab Gottes in seine hand.

[21]VND der HERR sprach zu Mose / Sihe zu / wenn du wider in Egypten kompst / das du alle die Wunder thust fur Pharao / die ich dir in deine hand gegeben habe / Jch aber wil sein hertz verstocken / das er das Volck nicht lassen wird. [22]Vnd solt zu jm sagen / So saget der HERR / Jsrael ist mein erstgeborner Son / [23]Vnd ich gebiete dir / das du meinen Son ziehen lassest / das er mir diene / Wirstu dich des wegen / So wil ich deinen erstgebornen Son erwürgen.

VND als er vnter wegen in der Herberge war / kam jm der HERR entgegen / vnd wolt jn tödten. [24]Da nam Zipora einen stein / vnd beschneit jrem Son die vorhaut / Vnd rüret jm seine füsse an / vnd sprach / Du bist mir ein [a]Blutbreutigam / Da lies er von jm ab / Sie sprach aber Blutbreutgam / vmb der Beschneidung willen.

a (Blutbreutgam) Das ist / Sie ward zornig / vnd sprach / Es kost blut / das du mein Man bist / vnd mus mein Kind beschneiten / welches sie vngerne thet / als das ein schand war vnter den Heiden. Bedeut aber des Gesetzs volck / welchs gern wolt Gott haben / Aber es wil das Creutze nicht leiden noch den alten Adam beschneiten lassen bis es thun mus.

VND der HERR sprach zu Aaron / Gehe hin Mose entgegen in die wüsten. Vnd er gieng hin / vnd begegnet jm am berge Gottes / vnd küsset jn. [28]Vnd Mose sagt Aaron alle wort des HERRN / der jn gesand hatte / vnd alle Zeichen die er jm befolhen hatte. [29]Vnd sie giengen hin / vnd versamleten alle Eltesten von den kindern Jsrael. [30]Vnd Aaron redet alle wort /die der HERR mit Mose geredt hatte / vnd thet die Zeichen fur dem Volck. [31]Vnd das volck || gleubete / Vnd da sie höreten / das der HERR die kinder Jsrael heimgesucht / vnd jr Elend angesehen hette / neigeten sie sich / vnd beten an.

|| 33b

## V.

DARNACH GIENG MOSE VND AARON HIN EIN / vnd sprachen zu Pharao So sagt der HERR / der Gott Jsrael / Las mein Volck ziehen / das mirs ein Fest halte in der wüsten. [2]Pharao antwortet / Wer ist der HERR des stimme ich hören müsse / vnd Jsrael ziehen lassen? Jch weis nichts von dem HERRN / wil auch Jsrael nicht lassen ziehen.

[3]SJe sprachen / Der Ebreer Gott hat vns geruffen / So las vns nu hin ziehen drey Tagereise in die wüsten / vnd dem HERRN vnserm Gott opffern / das vns nicht widerfare Pestilentz oder

wegert sich das Volck Jsrael zu lassen

Schwert. [4]Da sprach der König in Egypten zu jnen / Du Mose vnd Aaron / Warumb wolt jr das Volck von seiner erbeit frey machen? Gehet hin an ewre Dienst. [5]Weiter sprach Pharao / Sihe / des Volcks ist schon zu viel im Lande / vnd jr wolt sie noch feiren heissen / von jrem Dienst.

DArumb befalh Pharao desselben tages den Vögten des Volcks / vnd jren Amptleuten / vnd sprach / [7]Jr solt dem Volck nicht mehr Stro samlen vnd geben / das sie Ziegel brennen / wie bis anher / Lasst sie selbs hin gehen / vnd stro zusamen lesen. [8]Vnd die zal der Ziegel / die sie bisher gemacht haben / solt jr jnen gleichwol aufflegen / vnd nichts mindern / Denn sie gehen müssig / drümb schreien sie vnd sprechen / Wir wollen hin ziehen / vnd vnserm Gott opffern. [9]Man drücke die Leute mit arbeit / das sie zuschaffen haben / vnd sich nicht keren an falsche rede. [10]Da giengen die Vögte des Volcks / vnd jre Amptleute aus / vnd sprachen zum volck / So spricht Pharao / Man wird euch kein stro geben / [11]Gehet jr selbs hin / vnd samlet euch stro / wo jrs findet / Aber von ewr erbeit sol nichts gemindert werden.

[12]DA zustrewet sich das Volck ins gantze land Egypten / das es stoppeln samlet / da mit sie stro hetten. [13]Vnd die Vögte trieben sie / vnd sprachen / Erfüllet ewr Tagwerck gleich als da jr stro hattet. [14]Vnd die Amptleute der kinder Jsrael / welche die Vögte Pharao vber sie gesetzt hatten / wurden geschlagen / vnd ward zu jnen gesagt / Warumb habt jr weder heute noch gestern ewr gesatzt Tagwerck gethan / wie vor hin?

DA giengen hin ein die Amptleute der kinder Jsrael / vnd schrien zu Pharao Warumb wiltu mit deinen Knechten also faren? Man gibt deinen Knechten kein stro / vnd sollen die Zigel machen / die vns bestimpt sind / Vnd sihe / deine Knechte werden geschlagen / vnd dein Volck mus [a]Sünder sein. [17]Pharao sprach / Jr seid müssig / müssig seid jr / Darumb sprecht jr / Wir wollen hin ziehen / vnd dem HERRN opffern. [18]So gehet nu hin vnd frönet / Stro sol man euch nicht geben / Aber die anzal Ziegel solt jr reichen.

[19]DA sahen die Amptleute der kinder Jsrael / das erger ward / weil man sagt / Jr solt nichts mindern von dem Tagwerck an den Ziegeln / [20]Vnd da sie von Pharao giengen / begegneten sie Mose

a
Das ist / Dein arme Leute müssen vnrecht haben vnd Sünder sein / Man süchet schulde zu deinem Volck.

Pharao wegert sich das Volck Jsrael zu lassen.

vnd Aaron / vnd tratten gegen sie / [21]vnd sprachen zu jnen / Der HERR sehe auff euch / vnd richte es / das jr vnsern Geruch habt stincken gemacht fur Pharao / vnd seinen knechten / vnd habt jnen das Schwert in jre hende gegeben / vns zu tödten.

MOse aber kam wider zu dem HERRN / vnd sprach / HERR / Warumb thustu so vbel an diesem Volck? Warumb hastu mich her gesand? [23]Denn sint dem / das ich hin ein bin gangen zu Pharao / mit jm zu reden in deinem Namen / hat er das Volck noch herter geplagt / vnd du hast dein Volck nicht errettet. [1]Der HERR sprach zu Mose / Nu soltu sehen / was ich Pharao thun werde / Denn durch eine starcke Hand / mus er sie lassen ziehen / Er mus ‖ sie noch durch eine starcke Hand aus seinem Lande von sich treiben.

Exod. 12.

‖ 34a

VI.

VND GOTT REDET MIT MOSE / VND SPRACH ZU jm / Jch bin der HERR [3]vnd bin erschienen Abraham / Jsaac / vnd Jacob / das ich jr allmechtiger Gott sein wolt / Aber mein Name / HERR / ist jnen nicht offenbart worden. [4]Auch hab ich meinen Bund mit jnen auffgericht / das ich jnen geben wil das land Canaan / das Land jrer Walfart / darinnen sie Frembdling gewesen sind. [5]Auch hab ich gehöret die Wehklage der kinder Jsrael / welche die Egypter mit frönen beschweren / vnd hab an meinen Bund gedacht.

(Nicht offenbart) Die Patriarchen haben Gott wol erkand / Aber ein solch öffentlich gemeine Predigte war zu der zeit von Gott noch nicht auffgangen / wie durch Mose vnd Christum geschehen ist.

[6]DARumb sage den kindern Jsrael / Jch bin der HERR / vnd wil euch ausfüren von ewrn lasten in Egypten / vnd wil euch erretten von ewrem frönen / vnd wil euch erlösen durch einen ausgereckten Arm vnd grosse Gerichte. [7]Vnd wil euch annemen zum Volck / vnd wil ewr Gott sein / Das jrs erfaren solt / das ich der HERR bin ewr Gott / der euch ausgefüret hab von der last Egypti / [8]Vnd euch bracht in das Land / darüber ich habe meine Hand gehaben / das ichs gebe Abraham / Jsaac vnd Jacob / das wil ich euch geben zu eigen / Jch der HERR. [9]Mose sagt solchs den kindern Jsrael / Aber sie höreten jn nicht fur seufftzen vnd angst vnd harter erbeit.

(Meine Hand gehaben) Das ist / geschworen / vt supra / Gen. 22.

[10]DA redet der HERR mit Mose / vnd sprach / [11]Gehe hin ein vnd rede mit Pharao dem Könige in Egypten / das er die kinder Jsrael aus seinem Lande lasse. [12]Mose aber redet fur dem HERRN /

vnd sprach / Sihe / Die kinder Jsrael hören mich nicht / Wie solt mich denn Pharao hören? Dazu bin ich von vnbeschnitten Lippen. [13]Also redet der HERR mit Mose vnd Aaron / vnd thet jnen befelh an die kinder Jsrael vnd Pharao den könig in Egypten / das sie die kinder Jsrael aus Egypten füreten.

Exod. 4.

DJS sind die Heubter in jglichem geschlecht der Veter. Die kinder Ruben des ersten sons Jsrael / sind diese / Hanoch / Pallu / Hezron / Charmi / Das sind die geschlechte von Ruben. [15]Die kinder Simeon sind diese / Jemuel / Jamin / Ohad / Jachin / Zohar vnd Saul / der Son des Cananischen weibs / Das sind Simeons geschlechte.

Gen. 46. Num. 26. 1. Par. 5.

LEUI Geschlecht.

LEUI ALTER 137. jar.

DJS sind die namen der kinder Leui / in jren geschlechten / Gerson / Kahath / Merari / Aber Leui ward hundert vnd sieben vnd dreissig jar alt. [17]Die kinder Gerson sind diese / Libni vnd Simei in jren geschlechten. [18]Die kinder Kahath sind diese / Amram / JeZear / Hebron / Vsiel / Kahath aber ward hundert vnd drey vnd dreissig jar alt. [19]Die kinder Merari sind diese / Maheli vnd Musi / Das sind die geschlechte Leui in jren Stemmen.

Gen. 46. Nu. 3. 26. 1. Par. 6. 23.

AMRAM Aaron vnd Mose vater lebt 137. jar.

[20]VND Amram nam seine Mume Jochebed zum weibe / Die gebar jm Aaron vnd Mose / Aber Amram ward hundert vnd sieben vnd dreissig jar alt. [21]Die kinder JeZear sind diese / Korah / Nepheg / Sichri. [22]Die kinder Vsiel sind diese / Misael / Elzaphan / Sithri.

Num. 26.

ELISEBA / Aarons weib.

ELEASAR

PINEHAS.

[23]AAron nam zum weibe Eliseba die tochter Amminadab / Nahassons Schwester / die gebar jm Nadab / Abihu / Eleasar / Jthamar. [24]Die kinder Korah sind diese / Assir / Elkana / Abiassaph / Das sind die geschlechte der Koriter. [25]Eleasar aber Aarons Son / der nam von den töchtern Putiel ein Weib / die gebar jm den Pinehas / Das sind die Heubter vnter den Vetern der Leuiter geschlechten.

Act. 7.

[26]DAs ist der Aaron vnd Mose / zu den der HERR sprach / Füret die kinder Jsrael aus Egyptenland mit jrem Heer. [27]Sie sinds die mit Pharao dem könige in Egypten redten / das sie die kinder Jsrael aus Egypten furten / nemlich Mose vnd Aaron. [28]Vnd des tages redet der HERR mit Mose in Egyptenland / [29]vnd sprach zu jm / Jch bin der HERR / Rede mit Pharao dem könige in || Egypten / alles was ich mit dir rede. [30]Vnd er antwortet fur dem HERRN / Sihe / ich bin von vnbeschnitten Lippen / Wie wird mich denn Pharao hören.

|| 34b

I. Plage
Wasser in blut verwandelt.

## VII.

Exod. 4.

DER HERR sprach zu Mose / Sihe / Jch hab dich einen Gott gesetzt vber Pharao / vnd Aaron dein bruder sol dein Prophet sein. [2]Du solt reden alles was ich dir gebieten werde / Aber Aaron dein bruder sols fur Pharao reden / Das er die kinder Jsrael aus seinem Lande lasse. [3]Aber ich wil Pharao hertz verherten / das ich meiner Zeichen vnd Wunder viel thu in Egyptenland. [4]Vnd Pharao wird euch nicht hören / Auff das ich meine Hand in Egypten beweise / vnd füre mein Heer / mein Volck / die kinder Jsrael / aus Egyptenland durch grosse Gerichte. [5]Vnd die Egypter sollens innen werden / das ich der HERR bin / wenn ich nu meine Hand ausstrecken vber Egypten / vnd die kinder Jsrael von jnen wegfüren werde.

MOse vnd Aaron thaten / wie jnen der HERR geboten hatte. [7]Vnd Mose war achzig jar alt / vnd Aaron drey vnd achzig jar alt / da sie mit Pharao redten. [8]Vnd der HERR sprach zu Mose vnd Aaron / [9]Wenn Pharao zu euch sagen wird / Beweiset ewre Wunder / So soltu zu Aaron sagen / Nim deinen Stab / vnd wirff jn fur Pharao / das er zur Schlangen werde.

DA giengen Mose vnd Aaron hin ein zu Pharao / vnd theten / wie jnen der HERR geboten hatte. Vnd Aaron warff seinen Stab fur Pharao vnd fur seinen Knechten / vnd er ward zur Schlangen. [11]Da foddert Pharao die Weisen vnd Zeuberer / Vnd die egyptischen Zeuberer theten auch also mit jrem beschweren. [12]Ein jglicher warff seinen Stab von sich / da wurden Schlangen draus / Aber Aarons stab verschlang jre stebe. [13]Also ward das hertz pharao verstockt / vnd höret sie nicht / wie denn der HERR geredt hatte.

2. Tim. 3.

MOSE STAB wird zur Schlangen.

VND der HERR sprach zu Mose / Das hertz Pharao ist hart / er wegert sich das Volck zu lassen. [15]Gehe hin zu Pharao morgen / Sihe / er wird ans Wasser gehen / So trit gegen jm an das vfer des wassers / vnd nim den Stab in deine Hand / der zur Schlangen ward / [16]vnd sprich zu jm / Der HERR der Ebreer Gott / hat mich zu dir gesand / vnd lassen sagen / Las mein Volck / das mirs diene in der wüste / Aber du hast bisher nicht wollen hören. [17]Darumb spricht der HERR also / Daran soltu erfaren / das ich der HERR bin / Sihe / Jch wil mit dem Stabe / den ich in meiner hand habe / das Wasser schlahen / das in dem strom ist / Vnd es sol in Blut verwandelt werden / [18]das die Fisch im strom sterben sollen / vnd der strom stincken / Vnd den Egyptern wird ekeln zu trincken des Wassers aus dem strom.

[19]VND der HERR sprach zu Mose / Sage Aaron / Nim deinen Stab / vnd recke deine hand aus vber die Wasser in Egypten / vber jre beche vnd ströme vnd see / vnd vber alle wassersümpffe / das sie Blut werden / vnd sey blut in gantz Egyptenland / beide in hültzern vnd steinern gefessen. [20]Mose vnd Aaron thaten wie jnen der HERR geboten hatte / vnd hub den stab auff / vnd schlug ins Wasser / das im strom war / fur Pharao vnd seinen knechten / Vnd alles wasser im strom war in Blut verwandelt. [21]Vnd die fische im strom storben / vnd der strom ward stinckend / das die Egypter nicht trincken kundten des wassers aus dem strom / Vnd ward Blut in gantz Egyptenland.

I. PLAGE
Wasser in Blut verwandelt

Psal. 78.

[22]VND die Egyptischen Zeuberer theten auch also mit jrem beschweren. Also ward das hertz Pharao verstockt / vnd höret sie nicht / wie denn der HERR geredt hatte. [23]Vnd Pharao wand sich / vnd gieng heim / vnd nams nicht zu hertzen. [24]Aber alle Egypter gruben nach wasser vmb den strom her / zu trincken / Denn des wassers aus dem strom kundten sie nicht trincken / [25]Vnd das weret sieben tage lang / das der HERR den strom schlug. ‖

Sap. 17.

‖ 35 a

## VIII.

DER HERR SPRACH ZU MOSE / GEHE HIN EIN ZU Pharao / vnd sprich zu jm / So sagt der HERR / Las mein volck / das mirs diene. [2]Wo du dich des wegerst / Sihe / so wil ich alle deine Grentze mit Fröschen plagen / [3]das der strom sol von Fröschen wimmeln / Die sollen erauff kriechen / vnd komen in dein haus / in deine kamer / auff dein lager / auff dein bette / Auch in die heuser deiner Knechte / vnter dein Volck / in deine backöfen / vnd in deine teige / [4]Vnd sollen die Frösche auff dich / vnd auff dein Volck / vnd auff alle deine Knechte kriechen.

(Frösche)
Oder Kröten.

[5]VND der HERR sprach zu Mose / sage Aaron / Recke dein hand aus mit deinem Stabe vber die

Psal. 78. 105.

beche / vnd ströme / vnd see / vnd las Frösche vber Egyptenland komen. [6]Vnd Aaron recket sein hand vber die Wasser in Egypten / vnd kamen Frösche erauff / das Egyptenland bedeckt ward. [7]Da theten die Zeuberer auch also / mit jrem beschweren / vnd liessen Frösche vber Egyptenland komen.

Sap. 17.

DA fodert Pharao Mose vnd Aaron / vnd sprach / Bittet den HERRN fur mich / das er die Frösche von mir / vnd von meinem Volck neme / so wil ich das volck lassen / das es dem HERRN opffere. [9]Mose sprach / Hab du die ehre fur mir / vnd stimme mir / wenn ich fur dich / fur deine Knechte / vnd fur dein volck bitten sol / das die Frösche von mir / vnd von deinem Haus vertrieben werden / vnd allein im strom bleiben. [10]Er sprach / Morgen / Er sprach / Wie du gesagt hast / Auff das du erfarest / das niemand ist / wie der HERR vnser Gott / [11]So sollen die Frösche von dir / von deinem hause / von deinen knechten / vnd von deinem volck genomen werden / vnd allein im strom bleiben.

[12]ALso gieng Mose vnd Aaron von Pharao / vnd Mose schrey zu dem HERRN / der Frösche halben / wie er Pharao hatte zugesaget. [13]Vnd der HERR that wie Mose gesagt hatte / Vnd die Frösche storben in den heusern / in den höfen / vnd auff dem felde. [14]Vnd sie heuffeten sie zusamen / hie einen hauffen / vnd da einen hauffen / Vnd das Land stanck dauon. [15]Da aber Pharao sahe / das er lufft kriegt hatte / ward sein hertz verhertet / vnd höret sie nicht wie denn der HERR geredt hatte.

VND der HERR sprach zu Mose / Sage Aaron / Recke deinen Stabe aus / vnd schlag in den Staub auff erden / das Leuse werden in gantz Egyptenland. [17]Sie theten also / Vnd Aaron recket seine hand aus mit seinem Stabe / vnd schlug in den staub auff erden / Vnd es worden Leuse an den Menschen vnd an dem Vieh / Aller staub des Lands ward Leuse in gantz Egyptenlande. [18]Die Zeuberer theten auch also mit jrem beschweren / das sie Leuse eraus brechten / Aber sie kundten nicht. Vnd die Leuse waren beide an Menschen vnd an Vieh. [19]Da sprachen die Zeuberer zu Pharao / Das ist Gottes finger. Aber das hertz Pharao ward verstockt vnd höret sie nicht / wie denn der HERR gesagt hatte.

III. PLAGE / Leuse.

Luc. 11.

vnzifer.

VND der HERR sprach zu Mose / Mach dich morgen früe auff / vnd trit fur Pharao / Sihe / er wird ans wasser gehen / vnd sprich zu jm / So sagt der HERR / Las mein Volck / das mir es diene. [21]Wo nicht / Sihe / so wil ich allerley [a]Vnzifer lassen komen vber dich / deine knechte / dein volck / vnd dein haus / Das aller Egypter heuser / vnd das feld / vnd was drauff ist / vol Vnzifer werden sollen. [22]Vnd wil des tages ein sonders thun mit dem lande Gosen / da sich mein Volck enthelt / das kein Vnzifer da sey / Auff das du innen werdest / das ich der HERR bin auff Erden allenthalben. [23]Vnd wil eine Erlösung setzen zwisschen meinem vnd deinem Volck / Morgen sol das Zeichen geschehen.

a (Vnzifer) Das die Griechen heissen / Kynomyia / ist alle böse würm / so da schaden thun im felde / Raupen / Fliegen / Zwifalter / Emmeisse / Kefer / Brenner / Vnd der gleichen Geschmeis / das Beume vnd Gewechse verderbet.

[24]VND der HERR that also / Vnd es kam viel Vnzifers in Pharao haus / ‖ in seiner knechte heuser / vnd vber gantz Egyptenland / Vnd das Land ward verderbet von dem Vnzifer. [25]Da foddert Pharao Mose vnd Aaron / vnd sprach / Gehet hin opffert ewrem Gotte / hie im Land. [26]Mose sprach / Das taug nicht / das wir also thun / Denn wir würden der Egypter grewel opffern / vnserm Gotte dem HERRN / Sihe / wenn wir denn der Egypter grewel fur jren augen opfferten / würden sie vns nicht steinigen? [27]Drey Tagereise wöllen wir gehen in die wüsten / vnd dem HERRN vnserm Gott opffern / wie er vns gesagt hat.

Sap. 16.
‖ 35 b

[28]PHarao sprach / Jch wil euch lassen / das jr dem HERRN ewrem Gott opffert in der wüsten / Allein das jr nicht ferner ziehet / vnd bittet fur mich. [29]Mose sprach / Sihe / wenn ich hinaus von dir kome / so wil ich den HERRN bitten / das dis Vnzifer von Pharao / vnd seinen knechten / vnd seinem volck genomen werde / morgen des tages / Allein teusche mich nicht mehr / das du das Volck nicht lassest dem HERRN zu opffern. [30]Vnd Mose gieng hin aus von Pharao / vnd bat den HERRN / [31]Vnd der HERR that wie Mose gesagt hatte / vnd schaffte das Vnzifer weg von Pharao / von seinen knechten / vnd von seinem volck / das nicht eines vberbleib. [32]Aber Pharao verhertet sein hertz auch dasselbe mal vnd lies das Volck nicht.

IX.

DER HERR SPRACH ZU MOSE / GEHE HIN EIN ZU Pharao / vnd sprich zu jm / Also sagt der HERR / der Gott der Ebreer / Las mein Volck / das sie mir dienen. [2]Wo du dich des wegerst / vnd sie weiter auffheltest / [3]Sihe / so wird die Hand des HERRN sein / vber dein Vieh auff dem felde / vber pferde / vber esel / vber kamel / vber ochsen / vber schafe / mit einer fast schweren Pestilentz. [4]Vnd der HERR wird ein besonders thun / zwisschen dem Vieh der Jsraeliter / vnd der Egypter / das nichts sterbe aus allem / das die kinder Jsrael haben. [5]Vnd der HERR bestimpt eine zeit / vnd sprach / Morgen wird der HERR solchs auff Erden thun.

V. PLAGE / Pestilentz.

[6]VND der HERR that solchs des morgens / Vnd starb allerley vieh der Egypter / Aber des Viehs der kinder Jsrael starb nicht eins. [7]Vnd Pharao sandte darnach / vnd sihe / es war des viehs Jsrael nicht eins gestorben. Aber das hertz Pharao ward verstockt / vnd lies das Volck nicht.

DA sprach der HERR zu Mose vnd Aaron / Nemet ewre feuste vol Russ aus dem ofen / vnd Mose sprenge jn gegen Himel fur Pharao / [9]das vber gantz Egyptenland steube / vnd böse schwartze blattern auffaren / beide an Menschen vnd an Vieh / in gantz Egyptenland. [10]Vnd sie namen Russ aus dem ofen / vnd tratten fur Pharao / vnd Mose sprenget jn gen Himel. Da furen auff böse schwartze Blattern / beide an Menschen vnd an Vieh / [11]Also / das die Zeuberer nicht kundten fur Mose stehen / fur den bösen blattern / Denn es waren an den Zeuberern eben so wol böse blattern als an allen Egyptern. [12]Aber der HERR verstocket das hertz Pharao / das er sie nicht höret / wie denn der HERR zu Mose gesagt hatte.

VI. PLAGE / Böse schwartze blattern.

DA sprach der HERR zu Mose / Mach dich morgen früe auff / vnd trit fur Pharao / vnd sprich zu jm / So sagt der HERR der Ebreer Gott / Las mein Volck / das mirs diene / [14]Jch wil anders dis mal alle meine Plage vber dich selbs senden / vber deine knechte / vnd vber dein volck / Das du innen werden solt / das meins gleichen nicht ist in allen Landen. [15]Denn ich wil jtzt meine Hand ausrecken / vnd dich vnd dein volck mit Pestilentz schlahen / das du von der erden solt vertilget werden. [16]VND ZWAR DARUMB HAB ICH DICH ERWECKT

Rom. 9.

DAS MEINE KRAFFT AN DIR ERSCHEINE / VND MEIN NAME VERKÜNDIGT WERDE IN ALLEN LANDEN. ‖ ‖ 36a

[17]DV trittest mein Volck noch vnter dich / vnd wilts nicht lassen / [18]Sihe / Jch wil morgen vmb diese zeit / einen seer grossen Hagel regen lassen / des gleich in Egypten nicht gewesen ist / sint der zeit sie gegründet ist / bis her. [19]Vnd nu sende hin / vnd verware dein Vieh / vnd alles was du auff dem Felde hast / Denn alle Menschen vnd Vieh / das auff dem felde funden wird / vnd nicht in die Heuser versamlet ist / so der Hagel auff sie fellet / werden sterben. [20]Wer nu vnter den knechten Pharao des HERRN wort fürchtet / der lies seine Knechte vnd Vieh in die heuser fliehen / [21]Welcher hertz aber sich nicht keret an des HERRN wort / liessen jre knechte vnd vieh auff dem felde.

VII. PLAGE / Hagel etc.

[22]DA sprach der HERR zu Mose / Recke deine Hand auff gen Himel / das es hagele vber gantz Egyptenland / vber Menschen / vber Vieh / vnd vber alles kraut auff dem felde in Egyptenland. [23]Also recket Mose seinen Stab gen Himel / Vnd der HERR lies donnern vnd hageln / das das fewr auff die erden schos. Also lies der HERR hagel regen vber Egyptenland / [24]das Hagel vnd Fewr vnternander furen so grausam / das des gleichen in gantz Egyptenland nie gewesen war / sint der zeit Leute drinnen gewesen sind. [25]Vnd der Hagel schlug in gantz Egyptenland / alles was auff dem felde war / beide Menschen vnd Vieh / vnd schlug alles kraut auff dem felde / vnd zubrach alle bewme auff dem felde. [26]On allein im lande Gosen / da die kinder Jsrael waren / da hagelts nicht.

DA schickt Pharao hin / vnd lies Mose vnd Aaron ruffen / vnd sprach zu jnen / Jch hab das mal mich versundiget / Der HERR ist gerecht / Jch aber vnd mein volck sind Gottlosen. [28]Bittet aber den HERRN / das auffhöre solch donnern vnd hageln Gottes / So wil ich euch lassen / das jr nicht lenger hie bleibet. [29]Mose sprach zu jm / Wenn ich zur Stad hin aus kome / wil ich meine Hende ausbreiten gegen dem HERRN / so wird der Donner auffhören / vnd kein Hagel mehr sein / Auff das du innen werdest / das die Erde des HERRN sey. [30]Jch weis aber / Das du vnd deine knechte euch noch nicht fürchtet fur Gott dem HERRN. [31]Also ward geschlagen der Flachs vnd die Gersten / Denn die gersten hatte geschosset /

vnd der flachs knoten gewonnen. [32]Aber der weitze vnd rocken ward nicht geschlagen / denn es war spat Getreide.

[33]SO gieng nu Mose vnd Pharao zur Stad hin aus / vnd breitet seine Hende gegen dem HERRN / Vnd der Donner vnd Hagel höreten auff / vnd der regen troff nicht mehr auff Erden. [34]Da aber Pharao sahe / das der regen vnd donner vnd hagel auff höret / versündiget er sich weiter / vnd verhertet sein hertz / er vnd seine knechte. [35]Also ward des Pharao hertz verstockt / das er die kinder Jsrael nicht lies / Wie denn der HERR geredt hatte durch Mose.

X.

VND DER HERR SPRACH ZU MOSE / GEHE HINEIN zu Pharao / Denn ich hab sein / vnd seiner knechte / hertz verhertet / auff das ich diese meine Zeichen vnter jnen thu. [2]Vnd das du verkündigst fur den ohren deiner Kinder vnd deiner Kinds-kinder / was ich in Egypten ausgericht habe / vnd wie ich meine Zeichen vnter jnen beweiset habe / Das jr wisset / Jch bin der HERR.

[3]ALso giengen Mose vnd Aaron hin ein zu Pharao / vnd sprachen zu jm / So spricht der HERR / der Ebreer Gott / Wie lange wegerstu dich fur mir zu demütigen / das du mein Volck lassest mir zu dienen? [4]Wegerstu dich mein Volck zu lassen / Sihe / so wil ich morgen Heuschrecken komen lassen an allen örten / [5]das sie das Land bedecken / Also das man das Land nicht sehen könne / Vnd sollen fressen was euch vberig vnd errettet ist fur dem Hagel / vnd sollen alle ewre grünende Bewme fressen auff dem felde. [6]Vnd sollen erfüllen dein haus / aller deiner knechte heuser / vnd aller Egypten heuser / Des gleichen nicht || gesehen haben deine Veter vnd deiner veter veter / sint der zeit sie auff Erden gewesen / bis auff diesen tag / Vnd er wand sich / vnd gieng von Pharao hinaus.

Sap. 16.

|| 36b

[7]DA sprachen die knechte Pharao zu jm / Wie lange sollen wir da mit geplagt sein? Las die Leute ziehen / das sie dem HERRN jrem Gott dienen / Wiltu zuuor erfahren / das Egypten vntergangen sey? [8]Mose vnd Aaron worden wider zu Pharao bracht / der sprach zu jnen / Gehet hin vnd dienet dem HERRN ewrem Gott. Welche sind sie aber / die hin ziehen sollen? [9]Mose sprach / Wir wollen

ziehen mit jung vnd alt / mit Sönen vnd Töchtern / mit schafen vnd rindern / Denn wir haben ein Fest des HERRN. Er sprach zu jnen / [10]Awe ja / der HERR sey mit euch / Solt ich euch vnd ewre Kinder dazu ziehen lassen? Sehet da / ob jr nicht böses furhabt? [11]Nicht also / Sondern jr Menner ziehet hin / vnd dienet dem HERRN / denn das habt jr auch gesucht. Vnd man sties sie heraus von Pharao.

VIII. PLAGE Hewschrecken.

Die Hewschrecken heissen hie nicht Hagab auff Ebreisch / wie an etlichen orten / sondern Arbe. Es sind aber vierfüssige / fliegende Thier / vnd rein zu essen / wie Hagab Leui. 11. Aber vns vnbekand / On das sie Heuschrecken gleich sind.

[12]DA sprach der HERR zu Mose / Recke deine hand vber Egyptenland / vmb die Heuschrecken / das sie auff Egyptenland komen / vnd fressen alles Kraut im Lande auff / sampt alle dem / das dem Hagel vberblieben ist. [13]Mose recket seinen Stab vber Egyptenland / Vnd der HERR treib einen Ostwind ins Land den gantzen tag vnd die gantze nacht / Vnd des morgens füret der Ostwind die Heuschrecken her. [14]Vnd sie kamen vber gantz Egyptenland / vnd liessen sich nider an allen örten in Egypten / so seer viel / das zuuor des gleichen nie gewesen ist / noch hinfurt sein wird / [15]Denn sie bedeckten das Land vnd verfinstertens. Vnd sie frassen alles Kraut im Lande auff / vnd alle früchte auff den Bewmen / die dem Hagel waren vberblieben / vnd liessen nichts grünes vbrig an den bewmen / vnd am kraut auff dem felde in gantz Egyptenland.

[16]DA foddert Pharao eilend Mose vnd Aaron / vnd sprach / Jch habe mich versundigt an dem HERRN ewerm Gott / vnd an euch / [17]Vergebt mir meine sunde dis mal auch / vnd bittet den HERRN ewrn Gott / das er doch nur diesen Tod von mir wegneme / [18]Vnd er gieng aus von Pharao / vnd bat den HERRN. [19]Da wendet der HERR ein seer starcken Westwind / vnd hub die Heuschrecken auff / vnd warff sie ins Schilffmeer / das nicht eine vberig bleib / an allen örten Egypti. [20]Aber der HERR verstockt Pharao hertz / das er die kinder Jsrael nicht lies.

Rom. 7.

IX. PLAGE / Finsternis.

Sap. 17. 18.

DER HERR sprach zu Mose / Recke deine hand gen Himel / das so finster werde in Egyptenland / das mans greiffen mag. [22]Vnd Mose recket seine hand gen Himel / Da ward ein dick Finsternis in gantz Egyptenland drey tage / [23]das niemand den andern sahe / noch auffstund von dem Ort da er war / in dreien tagen. Aber bey allen kindern Jsrael / war es liecht in jren Wonungen.

[24]DA foddert Pharao Mosen / vnd sprach / Ziehet hin vnd dienet dem HERRN / Allein ewr schafe vnd rinder lasst hie / Lasst auch ewre Kindlin mit euch ziehen. [25]Mose sprach / Du must vns auch Opffer vnd Brandopffer geben / das wir vnserm Gott dem HERRN thun mügen. [26]Vnser Vieh sol mit vns gehen / vnd nicht eine Klawe da hinden bleiben / Denn von dem Vnsern werden wir nemen zum Dienst vnsers Gottes des HERRN / Denn wir wissen nicht womit wir dem HERRN dienen sollen / bis das wir dahin komen. [27]Aber der HERR verstockt das hertz Pharao / das er sie nicht lassen wolt.

[28]VND Pharao sprach zu jm / Gehe von mir / vnd hüte dich / das du nicht mehr fur meine augen kompst / Denn welchs tages du fur meine augen kompst soltu sterben. [29]Mose antwortet / Wie du gesagt hast / Jch wil nicht mehr fur deine augen komen. ‖

‖ 37a

XI.

VND DER HERR SPRACH ZU MOSE / JCH WIL noch eine Plage vber Pharao vnd Egypten komen lassen / Darnach wird er euch lassen von hinnen / vnd wird nicht allein alles lassen euch auch von hinnen treiben. [2]So sage nu fur dem Volck / Das ein jglicher von seinem Nehesten / vnd eine jgliche von jrer Nehestin silbern vnd gülden Gefess fordere / [3]Denn der HERR wird dem Volck gnade geben fur den Egyptern. Vnd Mose war seer ein grosser Mann in Egyptenland / fur den knechten Pharao / vnd fur dem volck.

Exo. 3. 12.

(Grosser man) Das sagt er darumb / das es wunder ist / wie er nicht getödtet ist von den Egyptern. Sie haben sich müssen eines ergern vnd Auffrhurs fürchten.

VND Mose sprach / So sagt der HERR / Jch wil zu Mitternacht ausgehen in Egyptenland / [5]vnd alle Erstegeburt in Egyptenland sol sterben / von dem ersten son Pharao an / der auff seinem Stuel sitzt / bis an den ersten Son der magd / die hinder der Müle ist / vnd alle Erstegeburt vnter dem Vieh. [6]Vnd wird em gros geschrey sein in gantz Egyptenland / des gleichen nie gewesen ist / noch werden wird. [7]Aber bey allen kindern Jsrael sol nicht ein Hund mucken / beide vnter Menschen vnd Vieh / Auff das jr erfaret / wie der HERR Egypten vnd Jsrael scheide. [8]Denn werden zu mir erab komen alle diese deine Knechte / vnd mir zu fussen fallen / vnd sagen / Zeuch aus du vnd alles Volck das vnter dir ist / Darnach wil ich ausziehen. Vnd er gieng von Pharao mit grimmigem zorn.

[9]DER HERR aber sprach zu Mose / Pharao höret euch nicht / auff das viel Wunder geschehen in Egyptenland. [10]Vnd Mose vnd Aaron haben diese Wunder alle gethan fur Pharao / Aber der HERR verstockt jm sein hertz / das er die kinder Jsrael nicht lassen wolt aus seinem Lande.

XII.

DER HERR ABER SPRACH ZU MOSE VND AARON in Egyptenland / [2]Dieser Mond sol bey euch der erst mond sein / vnd von jm solt jr die mond des jars anheben. [3]Sagt der gantzen gemeine Jsrael / vnd sprecht / Am zehenden tag dieses monden / neme ein jglicher ein Lamb / wo ein Hausuater ist / ja ein Lamb zu einem haus. [4]Wo jr aber in einem Hause zum Lamb zu wenig sind / So neme ers / vnd sein Nehester Nachbar an seinem hause / bis jr so viel wird / das sie das Lamb auffessen mögen.

OSTERLAMB der Jüden.

[5]JR solt aber ein solch Lamb nemen / da kein feil an ist / ein Menlin / vnd eins jars alt / Von den lemmern vnd zigen solt jrs nemen. [6]Vnd solts behalten bis auff den vierzehenden tag des monden / Vnd ein jglichs Heufflin im gantzen Jsrael sols schlachten zwisschen abends. [7]Vnd solt seins Bluts nemen / vnd beide Pfosten an der Thür / vnd die öberste Schwelle da mit bestreichen / an den Heusern / da sie es innen essen. [8]Vnd solt also Fleisch essen in der selben Nacht / am fewr gebraten / vnd vngesewrt Brot / vnd solt es mit bitter Salsen essen. [9]Jr solts nicht roh essen / noch mit wasser gesotten / sondern am fewr gebraten / sein Heubt / mit seinen Schenckeln vnd Eingeweide. [10]Vnd solt nichts dauon vberlassen bis morgen / Wo aber etwas vberbleibt bis morgen / solt jrs mit fewr verbrennen.

Was das Osterlamb bedeut / leret S. Paulus. 1. Cor. 5. da er spricht / Vnser Osterlamb ist Christus / der für vns geopffert ist.

[11]ALso solt jrs aber essen / Vmb ewr Lenden solt jr gegürtet sein / vnd ewre schuch an ewren Füssen haben / vnd stebe in ewren Henden / vnd solts essen / als die hinweg eilen / Denn es ist des HERRN Passah. [12]Denn ich wil in der selbigen Nacht durch Egyptenland gehen / vnd alle Erstegeburt schlahen in Egyptenland / beide vnter Menschen vnd Vieh / Vnd wil meine straffe beweisen an allen Göttern der Egypter / Jch der HERR. [13]Vnd das Blut sol ewr Zeichen sein / an den Heusern darin jr seid / das / wenn ich das Blut sehe / fur euch

Psal. 136.

Ebre. 11.

vbergehe / vnd euch nicht die Plage widerfare die euch verderbe / wenn ich Egyptenland schlahe. ||

|| 37b

Ex. 23. 34.

VND solt diesen Tag haben zum gedechtnis / vnd solt jn feiren dem HERRN zum Fest / jr vnd alle ewre Nachkomen / zur ewigen weise. [15]Sieben tage solt jr vngesewrt Brot essen / nemlich / Am ersten tag / solt jr auffhören mit gesewrtem Brot in ewrn heusern. Wer gesewrt Brot isset / vom ersten tag an / bis auff den siebenden / des Seele sol ausgerottet werden von Jsrael. [16]Der erste Tag sol heilig sein / das jr zusamen kompt / vnd der siebend sol auch heilig sein / das jr zusamen kompt / Kein erbeit solt jr drinnen thun / On was zur Speise gehöret fur allerley Seelen / das selb allein mügt jr fur euch thun.

(Zusamen kompt) Das ist / Sie sollen predigen / das Benedicite vnd Gratias beten fur das Passah vnd Erlösung aus Egypten. Darumb braucht er des wörtlins / kara / welches heisst predigen / lesen in der versamlung.

Leuit. 23. Num. 28.

[17]VND haltet ob dem vngesewrten Brot / Denn eben an dem selben tage / hab ich ewr Heer aus Egyptenlande gefüret / Darumb solt jr diesen Tag halten / vnd alle ewr Nachkomen zur ewigen weise. [18]Am vierzehenden tage des monden / des abends solt jr vngesewrt Brot essen / bis an den ein vnd zwenzigsten tag des monden an den abend / [19]Das man sieben tage kein gesewrt Brot finde in ewrn Heusern. Denn wer gesewrt Brot isset / des Seele sol ausgerottet werden von der gemeine Jsrael / es sey ein Frembdlinger oder Einheimischer im Lande. [20]Darumb so esset kein gesewrt Brot / sondern eitel vngesewrt Brot / in allen ewrn Wonungen.

VND Mose foddert alle Eltesten in Jsrael / vnd sprach zu jnen / Leset aus / vnd nemet Schafe / jederman für sein Gesinde / vnd schlachtet das Passah. [22]Vnd nemet ein püsschel Jsopen / vnd tuncket in das Blut in dem becken / vnd berüret da mit die Vberschwelle / vnd die zween Pfosten / Vnd gehe kein Mensch zu seiner Hausthür eraus / bis an den morgen / [23]Denn der HERR wird vmbher gehen / vnd die Egypter plagen. Vnd wenn er das Blut sehen wird an der Vberschwelle / vnd an den zween Pfosten / wird er fur der Thür vbergehen / vnd den Verderber nicht in ewr Heuser komen lassen zu plagen. [24]Darumb so halt diese Weise fur dich vnd deine Kinder ewiglich.

PASSAHOPFFER.

[25]VND wenn jr ins Land komet / das euch der HERR geben wird / wie er geredt hat / so haltet diesen Dienst. [26]Vnd wenn ewr Kinder werden zu euch sagen / Was habt jr da fur einen Dienst?

kinder Jsrael / so aus Egypten gezogen sind. Num. 31.

[27]Solt jr sagen / Es ist das Passahopffer des HERRN / der für den kindern Jsrael vbergieng in Egypten / da er die Egypter plaget / vnd vnser Heuser errettet. Da neiget sich das Volck vnd bücket sich. [28]Vnd die kinder Jsrael giengen hin / vnd theten / wie der HERR Mose vnd Aaron geboten hatte.

X. PLAGE.

VND zur Mitternacht schlug der HERR alle Erstgeburt in Egyptenland / von dem ersten son Pharao an / der auff seinem Stuel sass / bis auff den ersten Son des Gefangenen im gefengnis / vnd alle Erstgeburt des viehs.

Psal. 78. 135. Sap. 18.

DA stund Pharao auff / vnd alle seine knechte in der selben nacht / vnd alle Egypter / vnd ward ein gros geschrey in Egypten / Denn es war kein Haus da nicht ein Todter innen were. [31]Vnd er foddert Mose vnd Aaron in der nacht / vnd sprach / Macht euch auff / vnd ziehet aus von meinem Volck / jr vnd die kinder Jsrael / Gehet hin / vnd dienet dem HERRN / wie jr gesagt habt. [32]Nemet auch mit euch ewr schaf vnd rinder / wie jr gesagt habt / Gehet hin vnd segenet mich auch. [33]Vnd die Egypter drungen das Volck / das sie es eilend aus dem Lande trieben / Denn sie sprachen / Wir sind alle des tods.

[34]VND das Volck trug den rohen Teig / ehe denn er versewret war / zu jrer Speise / gebunden in jren Kleidern / auff jren achseln. [35]Vnd die kinder Jsrael hatten gethan / wie Moses gesagt hatte / vnd von den Egyptern gefordert silbern vnd gülden Gerete / vnd Kleider. [36]Dazu hatte der HERR dem Volck gnad gegeben fur den Egyptern / das sie jnen leiheten / vnd entwandtens den Egyptern. ‖

Exo. 3. 11.

‖ 38a

ALso zogen aus die kinder Jsrael von Raemses gen Suchoth / sechs hundert tausent Man zu fuss / on die Kinder. [38]Vnd zoch auch mit jnen viel Pöbeluolck / vnd schaf / vnd rinder / vnd fast viel Viehs. [39]Vnd sie buchen aus dem rohen teig / den sie aus Egypten brachten / vngesewrte Kuchen / Denn es war nicht gesewrt / weil sie aus Egypten gestossen wurden / vnd kundten nicht verziehen / vnd hatten jnen sonst keine Zerung zubereitet.

Num. 31.

[40]DJE zeit aber / die die kinder Jsrael in Egypten gewonet haben / ist vier hundert vnd dreissig jar / [41]Da die selben vmb waren / gieng das gantze Heer des HERRN auff einen tag aus Egyptenland. [42]Darumb wird diese Nacht dem HERRN gehal-

ten / das er sie aus Egyptenland gefüret hat / Vnd die kinder Jsrael sollen sie dem HERRN halten / sie vnd jre Nachkomen.

VND der HERR sprach zu Mose vnd Aaron / Dis ist die weise Passah zu halten / Kein Frembder sol dauon essen. [44]Aber wer ein erkaufter Knecht ist / den beschneite man / vnd denn esse er dauon. [45]Ein Hausgenos vnd Miedling sollen nicht dauon essen. [46]Jn einem Hause sol mans essen / Jr solt nichts von seinem Fleisch hinaus fur das Haus tragen / Vnd solt kein Bein an jm zubrechen. [47]Die gantze gemeine Jsrael sol solchs thun.

Johan. 19.

[48]SO aber ein Frembdling bey dir wonet / vnd dem HERRN das Passah halten wil / der beschneite alles was menlich ist / Als denn mache er sich erzu / das er solchs thu / vnd sey wie ein einheimischer des lands / Denn kein Vnbeschnitter sol dauon essen. [49]Einerley Gesetz sey dem Einheimischen / vnd dem Frembdlingen der vnter euch wonet. [50]Vnd alle kinder Jsrael theten / wie der HERR Mose vnd Aaron hatte geboten. [51]Also füret der HERR auff einen tag die kinder Jsrael aus Egyptenland mit jrem Heer.

WEISE DAS Passah zu halten.

(PASSAH) Passah heisset eingang / Darumb / das der HERR durch Egyptenland des nachts gieng / vnd schlug alle Erstegeburt tod. Bedeut aber Christus sterben vnd aufferstehen / da mit er von dieser welt gangen ist vnd in dem selben Sünde / Tod / vnd Teufel geschlagen vnd vns aus dem rechten Egypten gefürt hat zum Vater / Das ist vnser Passah oder Ostern.

## XIII.

VND DER HERR REDET MIT MOSE / VND SPRACH / [2]Heilige mir alle Erstegeburt / die allerley Mutter bricht bey den kindern Jsrael / beide vnter den Menschen vnd dem Vieh / denn sie sind mein.

GESETZ von allerley Erstegeburt. Exo. 22. 34. Num. 8. Luce 2.

DA sprach Mose zum volck / Gedencket an diesen tag / an dem jr aus Egypten / aus dem Diensthause gegangen seid / das der HERR euch mit mechtiger Hand von hinnen hat ausgefüret / Darumb soltu nicht Sawrteig essen. [4]Heute seid jr ausgangen in dem mond [a]Abib. [5]Wenn dich nu der HERR bringen wird in das Land der Cananiter / Hethiter / Amoriter / Heuiter vnd Jebusiter / das er deinen Vetern geschworen hat / dir zu geben / ein Land / da milch vnd honig innen fleusst / So soltu diesen Dienst halten in diesem mond. [6]Sieben tage soltu [b]vngesewrt Brot essen / vnd am siebenden tage ist des HERRN Fest / [7]Darumb soltu sieben tage vngesewrt Brot essen / das bey dir kein Sawrteig noch gesewrt Brot gesehen werde / an allen deinen Orten.

Exo. 12. 34.

1. Corin. 5.

a (ABIB) Abib ist der mond den wir April heissen / denn die Ebreer heben jr New jar an nach der natur / wenn alle ding wider new grünet / vnd wechset / vnd sich zichtiget. Darumb heisset er auch Mensis nouorum / das denn alles new wird.

b (Vngesewrt brot) So hart wird der Sawrteig verboten / das man ja das lauter Euangelium vnd Gottes gnade / nicht vnser

der kinder Jsrael aus Egypten.

[8]VND solt ewren Sönen sagen / an dem selbigen tage (Solchs halten wir) vmb des willen / das vns der HERR gethan hat / da wir aus Egypten zogen. [9]Darumb sol dirs sein ein Zeichen in deiner Hand / vnd ein Denckmal fur deinen augen / Auff das des HERRN Gesetz sey in deinem munde / das der HERR dich mit mechtiger Hand aus Egypten gefüret hat / [10]Darumb halt diese Weise zu seiner zeit jerlich.

werck vnd Gesetz sol predigen / nach der aufferstehung Christi. Wie S. Paulus. j. Cor. 5. auch zeigt / Vnd ist solch essen nichts anders / denn gleuben an Christum.

WEnn dich nu der HERR ins Land der Cananiter bracht hat / wie er dir vnd deinen Vetern geschworen hat / vnd dirs gegeben / [12]So soltu aussondern dem HERRN / alles was die mutter bricht / vnd Erstegeburt vnter dem Vieh / das ein menlin ist. [13]Die Erste geburt vom Esel soltu lösen mit einem schaf / Wo du es aber nicht lösest / so brich jm das genick / Aber alle erste Menschen geburt vnter deinen Kindern soltu lösen.

Alle Erstegeburt dem HERRN heilig.

[14]VND wenn dich heute oder morgen dein Kind wird fragen / Was ist ‖ das? Soltu jm sagen / Der HERR hat vns mit mechtiger Hand aus Egypten / von dem Diensthause gefüret. [15]Denn da Pharao hart war vns los zu lassen / Erschlug der HERR alle Erstegeburt in Egyptenland / von der Menschen erstegeburt an / bis an die erstegeburt des Viehs. Darumb opffer ich dem HERRN alles was die mutter bricht / das ein menlin ist / Vnd die erstegeburt meiner Kinder löse ich. [16]Vnd das sol dir ein Zeichen in deiner Hand sein / vnd ein Denckmal fur deinen augen / das vns der HERR hat mit mechtiger Hand aus Egypten gefüret.

‖ 38b

DA NU PHARAO DAS VOLCK GELASSEN HATTE / füret sie Gott nicht auff der strasse / durch der Philister land / die am nehesten war / Denn Gott gedacht / Es möcht das Volck gerewen / wenn sie den streit sehen / vnd wider in Egypten vmbkeren. [18]Darumb füret er das Volck vmb auff die strasse durch die wüste am [a]Schilffmeer / Vnd die kinder Jsrael zogen [b]gerüstet aus Egyptenland. [19]Vnd Moses nam mit sich das gebeine Joseph / Denn er hatte einen Eid von den kindern Jsrael genomen / vnd gesprochen / Gott wird euch heimsuchen / So füret meine Gebeine mit euch von hinnen.

JOSEPHS gebeine. Gen. 50. Josu. 24.

[20]ALso zogen sie aus von Suchoth / vnd lagerten sich in Etham / forn an der wüsten. [21]Vnd der HERR zoch fur jnen her / Des tages in einer Wolckseulen / das er sie den rechten weg füret / Vnd des

Num. 33. Num. 14. 1. Cor. 10.

a (Schilffmeer) Die Griechen heissen es das Rotemeer / von dem roten sand vnd boden. Aber die Ebreer heissen es Schilffmeer / von dem schilff.

WOLCK vnd Fewrseulen.

b (Gerüstet) Ebreisch gefünfftet. Was das sey / lassen wir andere suchen / Obs sey / das sie bey fünff hauffen gezogen / oder bey fünffen neben ander gangen sind / oder was solch fünffe sey. Denn von der fünfften Rieben / so das Harnisch erreicht am Leibe (wie die Jüden hie klügeln) verstehen wir nichts.

Jsrael gehen durchs Rote meer.

nachts in einer Fewrseulen / das er jnen leuchtet / zu reisen tag vnd nacht / [22]Die Wolckseule weich nimer von dem Volck des tages / noch die Fewrseule des nachts.

## XIIII.

VND DER HERR REDET MIT MOSE / VND SPRACH / [2]Rede mit den kindern Jsrael / vnd sprich / das sie sich rumb lencken / vnd sich lagern gegen dem tal Hiroth / zwisschen Migdol vnd dem Meer / gegen Baal Zephon / vnd daselbs gegen vber sich lagern ans meer. [3]Denn Pharao wird sagen von den kindern Jsrael / Sie sind verirret im Lande / die wüste hat sie beschlossen. [4]Vnd ich wil sein hertz verstocken / das er jnen nachiage / vnd wil an Pharao / vnd an alle seiner Macht ehre einlegen / Vnd die Egypter sollen innen werden / das ich der HERR bin / Vnd sie theten also.

VND da es dem könige in Egypten ward angesagt / das das Volck war geflohen / ward sein hertz verwandelt vnd seiner knechte gegen dem Volck / vnd sprachen / Warumb haben wir das gethan / das wir Jsrael haben gelassen / das sie vns nicht dieneten? [6]Vnd er spannet seinen Wagen an / vnd nam sein Volck mit jm / [7]vnd nam sechs hundert ausserlesen Wagen / vnd was sonst von wagen in Egypten war / vnd die Heubtleute vber alle sein Heer. [8]Denn der HERR verstockt das hertz Pharao des königes in Egypten / das er den kindern Jsrael nachiaget. Aber die kinder Jsrael waren durch eine hohe Hand ausgegangen. [9]Vnd die Egypter jagten jnen nach / vnd ereileten sie (da sie sich gelagert hatten am meer) mit Rossen vnd Wagen vnd Reutern vnd allem Heer des Pharao / im tal Hiroth gegen BaalZephon.

1. Mac. 4.

VND da Pharao nahe zu jnen kam / huben die kinder Jsrael jre augen auff / Vnd sihe / die Egypter zogen hinder jnen her / Vnd sie furchten sich seer / vnd schrien zu dem HERRN. [11]Vnd sprachen zu Mose / Waren nicht Greber in Egypten / das du vns mustest wegfüren / das wir in der wüsten sterben? Warumb hastu vns das gethan / das du vns aus Egypten gefüret hast? [12]Jst nicht das / das wir dir sagten in Egypten / Höre auff / vnd las vns den Egyptern dienen? Denn es were vns je besser den Egyptern dienen / den in der wüsten sterben. [13]Mose sprach zum Volck /

JSRAEL MURRET wider Mose etc.

Jsrael gehen durchs Rote meer.

Fürchtet euch nicht / stehet fest / vnd sehet zu / was fur ein [c] Heil der HERR heute an euch thun wird / Denn diese Egypter || die jr heute sehet / werdet jr nimermehr sehen ewiglich / [14] Der HERR wird fur euch streiten / vnd jr werdet still sein.

c Hülffe.

|| 40 a

[15] DEr HERR sprach zu Mose / Was schreiestu zu mir? Sage den kindern Jsrael / das sie ziehen. [16] Du aber heb deinen Stab auff / vnd recke deine Hand vber das Meer / vnd teile es von einander / das die kinder Jsrael hinein gehen / mitten hin durch auff dem trocken. [17] Sihe / Jch wil das hertz der Egypter verstocken / das sie euch nachfolgen / So wil ich Ehre einlegen an dem Pharao / vnd an aller seiner Macht / an seinen Wagen vnd Reutern. [18] Vnd die Egypter sollens innen werden / das ich der HERR bin / wenn ich Ehre eingelegt habe an Pharao / vnd an seinen Wagen vnd Reutern.

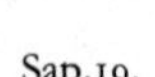

Sap. 19.

(Was schreiestu) Mercke hie ein trefflich Exempel wie der Glaube kempffet / zappelt vnd schreiet in nöten vnd ferligkeit / Vnd wie er sich an Gottes wort blos helt / vnd von Gott Trost empfehet / vnd vberwindet.

DA erhub sich der Engel Gottes / der fur dem Heer Jsrael her zoch / vnd macht sich hinder sie / Vnd die Wolckseule macht sich auch von jrem angesicht / vnd trat hinder sie / [20] vnd kam zwisschen das Heer der Egypter vnd das Heer Jsrael. Es war aber ein finster Wolcken / vnd erleuchtet die nacht / das sie die gantze nacht / diese vnd jene / nicht zusamen komen kundten.

Engel

Psal. 78. 105.

(Erleuchtet) Das ist / Es war ein wetterleuchten in der dicken wolcken.

[21] DA nu Mose seine Hand recket vber das meer / lies es der HERR hin weg faren / durch einen starcken Ostwind die gantze nacht / vnd macht das meer trocken / Vnd die Wasser teileten sich von einander. [22] Vnd die kinder Jsrael giengen hin

Psal. 78. 106.

Kinder Jsrael gehen durchs Rote Meer.

erseufft mit seinem Volck im Roten meer.

ein / mitten ins Meer auffm trucken / vnd das Wassar war jnen fur Mauren / zur rechten vnd zur lincken. [23]Vnd die Egypter folgeten / vnd giengen hin ein jnen nach alle ross Pharao / vnd wagen vnd Reuter mitten ins meer.

Ebre. 11.

ALS nu die Morgenwache kam / schawet der HERR auff der Egypter Heer / aus der Fewrseulen vnd Wolcken / Vnd macht ein schrecken in jrem Heer / [25]vnd sties die reder von jren wagen / stürtzet sie mit vngestüm. Da sprachen die Egypter / Lasst vns fliehen von Jsrael / Der HERR streitet fur sie wider die Egypter. [26]Aber der HERR sprach zu Mose / Recke deine hand aus vber das Meer / das das wasser wider her falle vber die Egypter / vber jre wagen vnd Reuter. [27]Da recket Mose seine Hand aus vber das Meer / Vnd das meer kam wider fur morgens in seinen strom / vnd die Egypter flohen jm entgegen. Also stürtzet der HERR mitten ins meer / [28]das das wasser wider kam / || vnd bedecket Wagen vnd Reuter / vnd alle Macht des Pharao / die jnen nachgefolget waren ins Meer / das nicht einer aus jnen vberbleib.

|| 40 b

Psal. 106.

[29]ABer die kinder Jsrael giengen trocken durchs Meer / vnd das Wasser war jnen fur Mauren zur rechten vnd zur lincken. [30]Also halff der HERR Jsrael an dem tage / von der Egypter hand. Vnd sie sahen die Egypter tod am vfer des Meers / [31]vnd die grosse Hand / die der HERR an den Egyptern erzeigt hatte. Vnd das Volck fürchtet den HERRN / vnd gleubten jm / vnd seinem knecht Mose.

## XV.

Mose Liede.

DA SANG MOSE VND DIE KINDER JSRAEL DIS LIED dem HERRN / vnd sprachen.

JCh wil dem HERRN singen / Denn er hat ein herrliche That gethan / Ross vnd wagen hat er ins Meer gestürtzt.

Psal. 118. Jesa. 12. Sap. 18.

[2]DER HERR ist mein stercke vnd Lobsang / Vnd ist mein Heil.

DAs ist mein Gott / Jch wil jn preisen / Er ist meines vaters Gott / Jch wil jn erheben.

[3]DEr HERR ist der rechte Kriegsman / HERR ist sein Namen / [4]Die wagen Pharao vnd seine Macht warff er ins Meer.

SEine ausserweleten Heubtleute versuncken im Schilffmeer / [5]Die tieffe hat sie bedeckt / Sie fielen zu grund wie die steine.

Lied.

[6]HERR deine rechte Hand thut grosse Wunder / HERR deine rechte Hand hat die Feinde zuschlagen.

[7]VND mit deiner grossen Herrligkeit hastu deine Widerwertigen gestürtzet / Denn da du deinen grim ausliessest / verzeret er sie wie stoppeln.

[8]DVrch dein Blasen theten sich die Wasser auff / vnd die Flut stunden auff hauffen / Die Tieffe wallet von einander mitten im Meer.

[9]DEr Feind gedacht / Jch wil jnen nachiagen vnd erhasschen / Vnd den Raub austeilen / Vnd meinen mut an jnen külen.

JCh wil mein Schwert ausziehen / Vnd mein Hand sol sie verderben.

[10]DA liessestu deinen Wind blasen / Vnd das Meer bedecket sie / vnd suncken vnter wie bley im mechtigen Wasser.

[11]HERR / Wer ist dir gleich vnter den Göttern? Wer ist dir gleich / der so mechtig / heilig / schrecklich / löblich vnd wunderthetig sey?

[12]DA du deine rechte Hand ausrecktest / Verschlang sie die Erde.

[13]DV hast geleitet durch deine Barmhertzigkeit dein Volck / das du erlöset hast / Vnd hast sie gefüret durch deine Stercke zu deiner heiligen Wonung.

[14]DA das die Völcker höreten / erbebeten sie / Angst kam die Philister an.

[15]DA erschracken die Fürsten Edom / Zittern kam die gewaltigen Moab an / Alle einwoner Canaan wurden feig. Josu. 2.

[16]LAs vber sie fallen erschrecken / vnd furcht durch deinen grossen Arm / das sie erstarren wie die steine / Bis dein Volck HERR hin durch kome / Bis das volck hin durch kome / das du erworben hast.

[17]BRinge sie hin ein vnd pflantze sie auff dem Berge deines Erbteils / den du HERR dir zur Wonung gemacht hast / Zu deinem Heiligthumb HERR / das deine Hand bereitet hat.

[18]DEr HERR wird König sein jmer vnd ewig / [19]Denn Pharao zoch hin ein ins Meer mit rossen vnd wagen vnd Reutern / Vnd der HERR lies das Meer wider vber sie fallen.

ABer die kinder Jsrael giengen trocken mitten durchs Meer.

VNd MirJam die Prophetin / Aarons schwester / nam eine Paucken in jre hand / vnd alle Weiber folgeten jr nach hin aus mit paucken am Reigen. || [21]Vnd Mir Jam sang jnen fur / Lasst vns dem HERRN singen / Denn er hat eine herrliche That gethan / Man vnd Ross hat er ins Meer gestürtzt.

||41 a

MOSE LIES DIE KINDER JSRAEL ZIEHEN VOM Schilffmeer hinaus zu der Wüsten Sur / vnd sie wanderten drey tage in der wüsten / das sie kein wasser funden. [23]Da kamen sie gen Mara / Aber sie kundten des wassers zu Mara nicht trincken / denn es war fast bitter / Da her hies man den ort Mara. [24]Da murret das Volck wider Mose / vnd sprach / Was sollen wir trincken? [25]Er schrey zu dem HERRN / vnd der HERR weiset jm einen Bawm / den thet er ins wasser / da ward es süss.

Num. 33.

SUR.

(MARA) Heisst bitter / Vnd bedeut leiden vnd anfechtung / welche durch das creutz Christi im glauben auch süsse werden / Matth. 11. Mein Joch ist süs.

MARA. Hie gehet bereit auff solche grosse herrliche vnd wunderbarliche Erlösung das murren an.

DAselbs stellet er jnen ein Gesetze vnd ein Recht / vnd versucht sie / [26]vnd sprach / Wirstu der stim des HERRN deines Gottes gehorchen / vnd thun was recht ist fur jm / vnd zu ohren fassen seine Gebot / vnd halten alle seine Gesetz / So wil ich der Kranckheit keine auff dich legen / die ich auff Egypten gelegt habe / Denn ich bin der HERR dein Artzt.

## XVI.

VND SIE KAMEN IN ELIM / DA WAREN ZWELFF Wasserbrunnen / vnd siebenzig Palmbewme / vnd lagerten sich daselbs ans wasser. [1]Von Elim zogen sie / vnd kam die gantze gemeine der kinder Jsrael in die wüsten Sin / die da ligt zwisschen Elim vnd Sinai / am funffzehenden tage des andern monden / nach dem sie aus Egypten gezogen waren.

Num. 33.

ELIM.

SIN.

VND es murret die gantze gemeine der kinder Jsrael wider Mosen vnd Aaron in der wüsten / [3]vnd sprachen / Wolt Gott / wir weren in Egypten gestorben / durch des HERRN Hand / da wir bey den Fleischtöpffen sassen / vnd hatten die fülle Brot zu essen / Denn jr habt vns darumb ausgefürt in diese wüsten / das jr diese gantze Gemeine hungers sterben lasset.

Murren des Volcks.

[4]DA sprach der HERR zu Mose / Sihe / Jch wil euch Brot vom Himel regenen lassen / vnd das Volck sol hin aus gehen / vnd samlen teglich was es des tages darff / das ichs versuche / obs in meinem Gesetze wandele oder || nicht. [5]Des sechsten tags aber sollen sie sich schicken / das sie zwifeltig eintragen / weder sie sonst teglich samlen.

||41 b

[6]MOse vnd Aaron sprachen zu allen kindern Jsrael / Am abend solt jr innen werden / das euch der HERR aus Egyptenland gefüret hat / [7]vnd des morgens werdet jr des HERRN Herrligkeit sehen / Denn er hat ewr murren wider den HERRN gehöret. Was sind wir / das jr wider vns murret? [8]Weiter sprach Mose / Der HERR wird euch am abend Fleisch zu essen geben / vnd am morgen Brots die fülle / Darumb das der HERR ewr murren gehöret hat / das jr wider jn gemurret habt / Denn was sind wir? Ewer murren ist nicht wider vns / sondern wider den HERRN.

Num. 11.

[9]VND Mose sprach zu Aaron / Sage der gantzen gemeine der kinder Jsrael / Kompt er bey fur den HERRN / denn er hat ewr murren gehöret. [10]Vnd da Aaron also redet zu der gantzen Gemeine der kinder Jsrael / wandten sie sich gegen der wüsten / Vnd sihe / die Herrligkeit des HERRN erschien in einer wolcken. [11]Vnd der HERR sprach zu Mose / [12]Jch hab der kinder Jsrael murren gehöret / Sage jnen / Zwisschen abend solt jr Fleisch zu essen haben / vnd am morgen Brots sat werden / vnd innen werden / das ich der HERR ewr Gott bin.

VND am abend kamen Wachteln erauff / vnd bedeckten das Heer. Vnd am morgen lag der taw vmb das Heer her / [14]vnd als der taw weg war / Sihe / da lags in der wüsten rund vnd klein / wie der Reiffe auff dem lande. [15]Vnd da es die kinder Jsrael sahen / sprachen sie vnternander / Das ist Man / Denn sie wusten nicht was es war. Mose aber sprach zu jnen / Es ist das Brot / das euch der

(MAN) Heisst auff Ebreisch eine gabe. Bedeut das vns das Euangelium / on vnser verdienst vnd gedancken / aus lauter gnaden vom Himel gegeben wird / wie dis Man auch gegeben ward.

MAN
Num. 11.
Psal. 78.
Sap. 16.
Johan. 6.
1. Cor. 10.

HERR zu essen gegeben hat. [16]Das ists aber das der HERR geboten hat / Ein jglicher samle des / so viel er fur sich essen mag / vnd neme ein Gomor auff ein jglich heubt / nach der zal der Seelen in seiner Hütten.

[17]VND die kinder Jsrael theten also / vnd samleten / einer viel der ander wenig. [18]Aber da mans mit dem Gomor mas / fand er nicht drüber der viel gesamlet hatte / vnd der nicht drunter der wenig gesamlet hatte / Sondern ein jglicher hatte gesamlet / so viel er fur sich essen mocht. [19]Vnd Mose sprach zu jnen / Niemand lasse etwas dauon vber bis morgen [20]Aber sie gehorchten Mose nicht / Vnd etliche liessen dauon vber bis morgen / da wuchsen Würme drinnen vnd ward stinckend / Vnd Mose ward zornig auff sie. [21]Sie samleten aber desselben alle morgen / so viel ein jglicher fur sich essen mocht / Wenn aber die Sonne heis schien / verschmeltzt es.

2. Cor. 8.

VND des sechsten tags samleten sie des Brots zwifeltig / ja zwey Gomor fur einen / Vnd alle Obersten der Gemeine kamen hinein vnd verkündigetens Mose. [23]Vnd er sprach zu jnen / Das ists / das der HERR gesagt hat / Morgen ist der Sabbath der heiligen ruge des HERRN / Was jr backen wolt das backet / vnd was jr kochen wolt das kochet / Was aber vbrig ist / das lasset bleiben / das es behalten werde bis morgen. [24]Vnd sie liessens bleiben bis morgen / wie Mose geboten hatte / da wards nicht stinckend / vnd war auch kein wurm drinnen. [25]Da sprach Mose / Esset das heute / denn es ist heute der Sabbath des HERRN / jr werdets heute nicht finden auff dem felde. [26]Sechs tage solt jr samlen / Aber der siebend tag ist der Sabbath / darinnen wirds nicht sein.

SABBATH.

[27]ABer am siebenden tage giengen etliche vom Volck hin aus zusamlen / vnd funden nichts. [28]Da sprach der HERR zu Mose / Wie lange wegert jr euch / zu halten mein Gebot vnd Gesetz? [29]Sehet / der HERR hat euch den Sabbath gegeben / darumb gibt er euch am sechsten tage zweier tage brot / So bleibe nu ein jglicher in dem seinen / vnd niemand gehe er aus von seinem ort des siebenden tages. [30]Also feierete das Volck des siebenden tags. [31]Vnd das haus Jsrael hies es Man / Vnd es war wie Coriander samen vnd weis / vnd hatte einen schmack / wie semel mit honig. ||

MAN.

|| 41 a

behalten etc.

VND Mose sprach / Das ists / das der HERR geboten hat / Fülle ein Gomor dauon / zu behalten auff ewr Nachkomen / Auff das man sehe das Brot / da mit ich euch gespeiset habe in der wüsten / da ich euch aus Egyptenlande fürete. [33]Vnd Mose sprach zu Aaron / Nim ein Krüglin / vnd thu ein Gomor vol Man drein / vnd las es fur dem HERRN zu behalten auff ewre Nachkomen / [34]wie der HERR Mose geboten hat / Also lies es Aaron daselbs fur dem Zeugnis zu behalten.

(Zeugnis) Das ist / An dem ort / da man opffert vnd betet / vnd der Predigstuel war / ehe die Hütten waren gemacht.

[35]VND die kinder Jsrael assen Man vierzig jar / bis das sie zu dem Lande kamen / da sie wonen solten / Bis an die grentze des lands Canaan assen sie Man. [36]Ein Gomor aber / ist das zehende teil eins Epha.

JSRAEL hat 40. jar Man gessen. Josu. 5.

GOMOR.

XVII.

VND DIE GANTZE GEMEINE DER KINDER JSRAEL / zoch aus der wüsten Sin / jre Tagereise / wie jnen der HERR befalh / vnd lagerten sich in Raphidim / Da hatte das Volck kein wasser zu trincken. [2]Vnd sie zanckten mit Mose / vnd sprachen / Gebt vns wasser / das wir trincken. Mose sprach zu jnen / Was zancket jr mit mir? Warumb versucht jr den HERRN? [3]Da aber das volck daselbs dürstet nach wasser / murreten sie wider Mose / vnd sprachen / Warumb hastu vns lassen aus Egypten ziehen / das du vns / vnser Kinder / vnd vieh / durst sterben liessest?

RAPHIDIM.

Jsrael murret das nicht wasser hat etc.

Num. 20.

MOse schrey zum HERRN / vnd sprach / Wie sol ich mit dem Volck thun? Es feilet nicht weit / sie werden mich noch steinigen. [5]Der HERR sprach zu jm / Gehe vorhin fur dem volck / vnd nim etliche Eltesten von Jsrael mit dir / vnd nim deinen Stab in deine hand / da mit du das wasser schlugest / vnd gehe hin / [6]Sihe / Jch wil daselbs stehen fur dir auff einem Fels in Horeb / da soltu den Fels schlahen / so wird wasser er aus lauffen / das das Volck trincke. Mose thet also fur den Eltesten von Jsrael / [7]Da hies man den ort / Massa vnd Meriba / vmb des Zancks willen der kinder Jsrael / Vnd das sie den HERRN versucht vnd gesagt hatten / Jst der HERR vnter vns oder nicht.

(MASSA) Heisst versuchung.

(MERIBA) Heisst zanck.

Num. 20. Psal. 78. 95. 1. Cor. 10.

DA KAM AMALEK / VND STREIT WIDER JSRAEL IN Raphidim. [9]Vnd Mose sprach zu Josua / Erwele vns Menner / zeuch aus vnd streit wider Amalek / Morgen wil ich auff des hügels spitzen stehen /

AMALEK streit wider Jsrael / vnd wird geschlagen etc.

vnd den stab Gottes in meiner hand haben. [10]Vnd Josua thet wie Mose jm saget / das er wider Amalek stritte. Mose aber vnd Aaron vnd Hur giengen auff die spitzen des Hügels / [11]Vnd die weil Mose seine hende empor hielt / siegte Jsrael / Wenn er aber seine hende nider lies / siegte Amalek. [12]Aber die hende Mose waren schweer / darumb namen sie einen Stein / vnd legten jn vnter jn / das er sich drauff satzt. Aaron aber vnd Hur vnterhielten jm seine hende / auff jglicher seiten einer / Also blieben seine hende steiff / bis die Sonne vntergieng. [13]Vnd Josua dempffet den Amalek vnd sein volck / durch des schwerts scherpffe.

MOSE HENDE schweer.

[14]VND der HERR sprach zu Mose / Schreibe das zum gedechtnis in ein Buch / vnd befilhs in die ohren Josua / Denn ich wil den Amalek vnter den Himel austilgen / das man sein nicht mehr gedencke. [15]Vnd Mose bawet einen Altar / vnd hies jn / der HERR / Nissi / [16]Denn er sprach / Es ist ein Malzeichen bey dem Stuel des HERRN / das der HERR streiten wird wider Amalek von Kind zu Kindskind. ‖

Num. 24. 3. Reg. 15.

(NISSI) Das heisst / mein Panir.

‖ 41 b

## XVIII.

VND DA JETHRO DER PRIESTER IN MIDIAN MOSES Schweher höret alles was Gott gethan hatte mit Mose / vnd seinem volck Jsrael / das der HERR Jsrael hette aus Egypten gefürt / [2]Nam er Zipora Moses Weib / die er hatte zu rück gesand / [3]sampt jren zween Sönen / Der einer hies Gersom / denn er sprach / Jch bin ein Gast worden in frembden Lande / [4]Vnd der ander Elieser / denn er sprach / Gott meines vaters ist mein Hülffe gewesen / vnd hat mich errettet von dem schwert Pharao.

Exod. 2.

DA nu Jethro Moses schweher vnd seine Söne vnd sein Weib zu jm kamen in die wüsten / an den berg Gottes / da er sich gelagert hatte / [6]lies er Mose sagen / Jch Jethro dein Schweher bin zu dir komen / vnd dein Weib / vnd jre beide Söne mit jr. [7]Da gieng jm Mose entgegen hinaus / vnd neigt sich fur jm / vnd küsset jn. Vnd da sie sich vnternander gegrüsset hatten / giengen sie in die Hütten. [8]Da erzelet Mose seinem Schweher alles was der HERR Pharao vnd den Egyptern gethan hatte Jsraels halben / vnd alle die mühe / die jnen auff dem wege begegnet war / vnd das sie der HERR errettet hette.

Mose Schweher.

[9]JEthro aber frewet sich alle des Guten / das der HERR Jsrael gethan hatte / das er sie errettet hatte von der Egypter hand. [10]Vnd Jethro sprach / Gelobt sey der HERR / der euch errettet hat von der Egypter vnd Pharao hand / der weis sein Volck von Egypten hand zu erretten. [11]Nu weis ich / das der HERR grösser ist denn alle Götter / darumb das sie hohmut an jnen geübt haben. [12]Vnd Jethro Moses schweher nam Brandopffer / vnd opfferte Gott / Da kam Aaron vnd alle Eltesten in Jsrael mit Moses schweher das Brot zu essen fur Gott.

DES ANDERN MORGENS SATZT SICH MOSE / DAS Volck zu richten / Vnd das volck stund vmb Mose her / von morgen an bis zu abend. [14]Da aber sein Schweher sahe alles was er mit dem Volck thet / sprach er / Was ist das du thust mit dem volck? Warumb sitzest du allein / vnd alles Volck stehet vmb dich her von morgen an bis zu abend? [15]Mose antwortet jm / Das volck kompt zu mir / vnd fragen Gott vmb rat / [16]Denn wo sie was zu schaffen haben / komen sie zu mir / das ich richte zwisschen einem jglichen vnd seinem Nehesten / vnd zeige jnen Gottes Recht vnd seine Gesetz.

[17]SEin Schweher sprach zu jm / Es ist nicht gut das du thust / [18]du machest dich zu müde / da zu das Volck auch das mit dir ist / Das gescheffte ist dir zu schweer / du kansts allein nicht ausrichten. [19]Aber gehorche meiner stim / ich wil dir raten / vnd Gott wird mit dir sein. Pflege du des volcks fur Gott / vnd bringe die gescheffte fur Gott / Vnd stelle jnen Rechte vnd Gesetze / das du sie lerest den weg darin zu wandeln / vnd die werck die sie thun sollen.

JETHRO RAT.

Deut. 1.

[21]SJhe dich aber vmb vnter allem Volck nach redlichen Leuten / die Gott fürchten / warhafftig / vnd dem Geitz feind sind / die setze vber sie / Etliche vber tausent / vber hundert / vber funffzig / vnd vber zehen / [22]das sie das Volck allezeit richten. Wo aber eine grosse Sache ist / das sie die selb an dich bringen / vnd sie alle geringe sachen richten / So wird dirs leichter werden / vnd sie mit dir tragen. [23]Wirstu das thun / so kanstu ausrichten was dir Gott gebeut / vnd alle dis Volck kan mit frieden an seinen Ort komen.

[24]MOse gehorcht seines Schwehers wort / vnd thet alles was er saget / [25]Vnd erwelet redliche Leute aus gantzem Jsrael / vnd macht sie zu Heub-

Jsrael kompt in die wüsten Sinai.

ter vber das volck / Etliche vber tausent / vber hundert / vber funffzig / vnd vber zehen / [26]das sie das volck alle zeit richten / Was aber schwere Sachen weren / zu Mose brechten / vnd die kleinen sachen sie richten. [27]Also lies Mose seinen Schweher in sein Land ziehen. ||

|| 42a

## XIX.

JM DRITTEN MOND NACH DEM AUSGANG DER KINder Jsrael aus Egyptenland / kamen sie dieses tages in die wüsten Sinai / [2]Denn sie waren ausgezogen von Raphidim / vnd wolten in die wüsten Sinai / vnd lagerten sich in der wüsten daselbs / gegen dem Berg / [3]Vnd Mose steig hin auff zu Gott.

Num. 33. — Sinai.

VND der HERR rieff jm vom Berge / vnd sprach / So soltu sagen zu dem hause Jacob / vnd verkündigen den kindern Jsrael. [4]Jr habt gesehen / was ich den Egyptern gethan habe / vnd wie ich euch getragen habe auff Adeler flügeln / vnd hab euch zu mir bracht. [5]Werdet jr nu meiner stimme gehorchen / vnd meinen Bund halten / So solt jr mein Eigenthum sein fur allen Völckern / denn die gantze Erde ist mein / [6]Vnd jr solt mir ein priesterlich Königreich / vnd ein heiliges Volck sein. Das sind die wort / die du den kindern Jsrael sagen solt.

1. Pet. 2.

[7]MOse kam / vnd foddert die Eltesten im volck / vnd legt jnen alle diese wort fur / die der HERR geboten hatte. [8]Vnd alles volck antwortet zu gleich / vnd sprachen / Alles was der HERR geredt hat / wöllen wir thun / Vnd Mose sagt die rede des Volcks dem HERRN wider. [9]Vnd der HERR sprach zu Mose / Sihe / Jch wil zu dir komen in einer dicken wolcken / Auff das dis volck meine wort höre / die ich mit dir rede / vnd gleube dir ewigklich / Vnd Mose verkündigt dem HERRN die rede des volcks.

DER HERR sprach zu Mose / Gehe hin zum volck / Vnd heilige sie heute vnd morgen / das sie jre Kleider wasschen / [11]vnd bereit seien auff den dritten tag / Denn am dritten tage wird der HERR fur allem Volck erab fahren auff den berg Sinai. [12]Vnd mache dem volck ein Gehege vmbher / vnd sprich zu jnen / Hütet euch / das jr nicht auff den Berg steiget noch sein ende anrüret / Denn wer den Berg anrüret / sol des tods sterben. [13]Keine

Ebre. 12.

hand sol jn anrüren / sondern er sol gesteinigt oder mit Geschos erschossen werden / es sey ein Thier oder Mensch / so sol er nicht leben / Wenn es aber lange dohnen wird / denn sollen sie an den Berg gehen. [14]Mose steig vom Berge zum Volck / vnd heiliget sie / vnd sie wusschen jre Kleider. [15]Vnd er sprach zu jnen / Seid bereit auff den dritten tag / vnd keiner nahe sich zum Weibe.

ALS nu der dritte tag kam / vnd morgen war / Da hub sich ein donnern vnd blitzen / vnd ein dicke wolcken auff dem Berge / vnd ein dohn einer seer starcken Posaunen / Das gantz Volck aber das im Lager war / erschrack. [17]Vnd Mose füret das Volck aus dem Lager / Gott entgegen / Vnd sie traten vnten an den Berg. [18]Der gantz berg aber Sinai rauchet / darumb das der HERR erab auff den Berge fure mit fewr / Vnd sein Rauch gieng auff / wie ein rauch vom ofen / das der gantze Berg seer bebete / [19]Vnd der Posaunen dohn ward jmer stercker. Mose redet / vnd Gott antwortet jm laut.

Deut. 4.

[20]ALS nu der HERR ernider komen war auff den berg Sinai / oben auff seine spitzen / foddert er Mose / oben auff die spitze des Bergs / Vnd Mose steig hin auff. [21]Da sprach der HERR zu jm / Steig hin ab / vnd zeuge dem Volck / das sie nicht erzu brechen zum HERRN / das sie jn sehen / vnd viel aus jnen fallen. [22]Dazu die Priester die zum HERRN nahen / sollen sich heiligen / das sie der HERR nicht zuschmettere.

[23]MOse aber sprach zum HERRN / Das volck kan nicht auff den berg Sinai steigen / Denn du hast vns bezeuget / vnd gesagt / Mache ein gehege vmb den Berg / vnd heilige jn. [24]Vnd der HERR sprach zu jm / Gehe hin / steige hinab / Du vnd Aaron mit dir / solt herauff steigen / Aber die Priester vnd das Volck sollen nicht her zu brechen / das sie hinauff steigen zu dem HERRN / das er sie nicht zuschmettere. [25]Vnd Mose steig hervnter zum Volck / vnd sagts jnen. ‖

‖ 42 b

XX.

VND GOTT REDETE ALLE DIESE WORT. [2]JCH BIN DER HERR / DEIN GOTT / der ich dich aus Egyptenland / aus dem Diensthause gefürt habe. [3]DV SOLT KEIN ANDERE GÖTTER NEBEN MIR HABEN. [4]Du solt dir kein Bildnis noch jrgend ein Gleichnis machen / weder des das oben im Himel / noch des

Deut. 5.
Psal. 81.

das vnten auff Erden / oder des das im Wasser vnter der erden ist. [5]Bete sie nicht an / vnd diene jnen nicht / DENN ICH DER HERR DEIN GOTT / BIN EIN EIUERIGER GOTT / DER DA HEIMSUCHT DER VETER MISSETHAT AN DEN KINDERN / BIS IN DAS DRITTE VND VIERDE GLIED / DIE MICH HASSEN. [6]VND THU BARMHERTZIGKEIT AN VIELEN TAUSETEN / DIE MICH LIEB HABEN / VND MEINE GEBOT HALTEN.

[7]DV SOLT DEN NAMEN DES HERRN DEINES GOTTES NICHT MISBRAUCHEN / DENN DER HERR WIRD DEN NICHT VNGESTRAFFT LASSEN / DER SEINEN NAMEN MISBRAUCHT.

Exo. 23. 34. 35. Ezech. 20.

[8]GEDENCKE DES SABBATHS TAGS / DAS DU JN HEILIGEST. [9]Sechs tage soltu erbeiten / vnd alle [a]dein ding beschicken. [10]Aber am siebenden tage ist der Sabbath des HERRN deines Gottes / Da soltu kein werck thun / noch dein Son / noch dein Tochter / noch dein Knecht / noch dein Magd / noch dein Vieh / noch dein Frembdlinger / der in deinen thoren ist. [11]Denn sechs tage hat der HERR Himel vnd Erden gemacht / vnd das Meer / vnd alles was drinnen ist / vnd rugete am siebenden tage / Darumb segenet der HERR den Sabbath tag / vnd heiliget jn.

[a] Das ist / was du zu thun hast.

Ephe. 6. Matt. 15.

DV SOLT DEINEN VATER VND DEINE MUTTER EHREN / AUFF DAS DU LANG LEBEST IM LANDE / DAS DIR DER HERR DEIN GOTT GIBT.

Mat. 5. 19.

[13]DV SOLT NICHT TÖDTEN.

[14]DV SOLT NICHT EHEBRECHEN.

[15]DV SOLT NICHT STELEN.

[16]DV SOLT KEIN FALSCH ZEUGNIS REDEN WIDER DEINEN NEHESTEN.

[17]LAS DICH NICHT GELÜSTEN DEINES NEHESTEN HAUS.

LAS DICH NICHT GELÜSTEN DEINES NEHESTEN WEIBS / NOCH SEINES KNECHTS / NOCH SEINER MAGD / NOCH SEINES OCHSEN / NOCH SEINES ESELS / NOCH ALLES DAS DEIN NEHESTER HAT.

Werck vnd Ampt des Gesetzes.

Rom. 3. 4. 5. 7. etc.

VND alles Volck sahe den donner vnd blitz / vnd den dohn der Posaunen vnd den Berg rauchen. Da sie aber solches sahen / flohen sie vnd traten von ferne / [19]vnd sprachen zu Mose / Rede du mit vns / wir wöllen gehorchen / vnd las Gott nicht mit vns reden / wir möchten sonst sterben. [20]Mose aber sprach zum volck / FÜRCHTET EUCH NICHT / DENN GOTT IST KOMEN / DAS ER EUCH VER-

SUCHTE / VND DAS SEINE FURCHT EUCH FUR AUGEN WERE / DAS JR NICHT SÜNDIGET. [21]Also trat das volck von ferne / Aber Mose macht sich hinzu ins tunckel / da Gott innen war.

[22]VND der HERR sprach zu jm / Also soltu den kindern Jsrael sagen / Jr habt gesehen / das ich mit euch vom Himel geredt habe / [23]darumb solt jr nichts neben mir machen / silbern vnd güldene Götter solt jr nicht machen. [24]Einen Altar von Erden mache mir / darauff du dein Brandopffer vnd Danckopffer / deine schaf vnd rinder opfferst. DENN AN WELCHEM ORT ICH MEINES NAMENS GEDECHTNIS STIFFTEN WERDE / DA WIL ICH ZU DIR KOMEN / VND DICH SEGENEN / [25]Vnd so du mir einen steinern Altar wilt machen / soltu jn nicht von gehawen steinen bawen / Denn wo du mit deinem Messer drüber ferest / so wirstu jn entweihen. [26]Du ‖ solt auch nicht auff stuffen zu meinem Altar steigen / das nicht deine Schame auffgedeckt werde fur jm.

ALTAR von Erden.

‖ 43 a

## XXI.

Leu. 25. Deut. 15. Jer. 34.

DJS SIND DIE RECHTE DIE DU JNEN SOLT FURLEGEN.

SO du einen ebreischen Knecht keuffest / der sol dir sechs jar dienen / Jm siebenden jar sol er frey ledig ausgehen. [3]Jst er on weib komen / so sol er auch on weib ausgehen / Jst er aber mit weib komen / so sol sein Weib mit jm ausgehen. [4]Hat jm aber sein Herr ein Weib gegeben / vnd hat Söne oder Töchter gezeuget / So sol das weib vnd die kinder seines Herrn sein / er aber sol on weib ausgehen. [5]Spricht aber der Knecht / Jch hab meinen Herrn lieb / vnd mein weib vnd kind / ich wil nicht frey werden / [6]So bring jn sein Herr fur die Götter / vnd halt jn an die thür oder pfosten / vnd bore jm mit einer Pfrimen durch seine ohre / vnd er sey sein Knecht ewig.

VERkeufft jemand seine Tochter zur magd / So sol sie nicht ausgehen wie die Knechte. [8]Gefellet sie aber jrem Herrn nicht / vnd wil jr nicht zur Ehe helffen / so sol er sie zu lösen geben / Aber vnter ein frembd Volck sie zuuerkeuffen hat er nicht macht / weil er sie verschmehet hat. [9]Vertrawet er sie aber seinem Son / so sol er Tochterrecht an jr thun. [10]Gibt er jm aber ein andere / so sol er jr an jrem Futter / Decke vnd Eheschuld nicht abbrechen. [11]Thut er diese drey nicht / so sol sie frey ausgehen / on Lösegeld.

Gen. 9.

WEr einen Menschen schlegt das er stirbt / Der sol des tods sterben. [13]Hat er jm aber nicht nachgestellet / sondern Gott hat jn lassen on gefehr in seine hende fallen / So wil ich dir einen Ort bestimmen / da hin er fliehen sol. [14]Wo aber jemand an seinem Nehesten freuelt / vnd jn mit list erwürget / So soltu den selben von meinem Altar nemen / das man jn tödte.

Leui. 24.
Num. 35.
Deut. 19.

WEr seinen Vater oder Mutter schlegt / Der sol des Tods sterben.

Deut. 24.

[16]WEr einen Menschen stilet vnd verkeufft / das man jn bey jm findet / Der sol des tods sterben.

Leu. 20.
Deut. 21. 27.
Math. 15.
Mar. 7.

WEr Vater vnd Mutter flucht / Der sol des Tods sterben.

[18]WEnn sich Menner mit einander haddern / vnd einer schlegt den andern mit einem stein oder mit einer faust / das er nicht stirbt / sondern zu bette ligt / [19]Kompt er auff / das er ausgehet an seinem stabe / So sol der jn schlug / vnschüldig sein / On das er jm bezale / was er verseumet hat / vnd das Artztgeld gebe.

WEr seinen Knecht oder Magd schlegt mit einem stabe / das er stirbt vnter seinen henden / Der sol darumb gestrafft werden. [21]Bleibt er aber einen oder zween tage / so sol er nicht darumb gestrafft werden / denn es ist sein geld.

WEnn sich Menner haddern vnd verletzen ein schwanger Weib / das jr die Frucht abgehet / vnd jr kein schade widerferet / So sol man jn vmb geld straffen / wie viel des weibs Man jm auff legt / vnd sols geben nach der Teidingsleute erkennen. [23]Kompt jr aber ein schaden draus / So sol er lassen / Seele vmb seele / [24]Auge vmb auge / Zan vmb zan / Hand vmb hand / Fus vmb fus / [25]Brand vmb brand / Wund vmb wunde / Beule vmb beule.

Leu. 24.
Deut. 19.
Math. 5.

WEnn jemand seinen Knecht oder seine Magd in ein Auge schlegt vnd verderbts / der sol sie frey los lassen / vmb das auge. [27]Desselbigen gleichen / wenn er seinem Knecht oder Magd ein Zan ausschlegt / sol er sie frey los lassen vmb den zan.

WEnn ein Ochse einen Man oder Weib stösset / das er stirbt / So sol man den Ochsen steinigen / vnd sein fleisch nicht essen / so ist der Herr des ochsen vnschüldig. [29]Jst aber der Ochs vorhin stössig gewesen / vnd seinem Herrn ists angesagt / vnd er jn nicht verwaret hat / vnd tödtet darüber einen || man oder weib / So sol man den ochsen steinigen / vnd sein Herr sol sterben. [30]Wird man aber ein Geld auff jn legen / So sol er geben sein Leben zu lösen / was man jm auff legt. [31]Desselbigen gleichen sol man mit jm handeln / wenn er Son oder Tochter stösset. [32]Stösset er aber einen Knecht oder Magd / so sol er jrem Herrn dreissig silbern Sekel geben / vnd den Ochsen sol man steinigen. || 43 b

SO jemand eine Gruben auffthut / oder grebt eine grube / vnd decket sie nicht zu / vnd fellet darüber ein Ochs oder Esel hin ein / [34]So sols der Herr der gruben mit geld dem andern wider bezalen / Das Ass aber sol sein sein.

WEnn jemands Ochse eins andern ochsen stösset das er stirbt / So sollen sie den lebendigen ochsen verkeuffen / vnd das geld teilen / vnd das Ass auch teilen. [36]Jsts aber kund gewesen / das der ochs stössig vorhin gewesen ist / vnd sein Herr hat jn nicht verwaret / So sol er einen ochsen vmb den andern vergelten / vnd das Ass haben.

XXII.

WENN JEMAND EINEN OCHSEN ODER SCHAF stilet / vnd schlachts oder verkeuffts / Der sol fünff ochsen fur einen ochsen wider geben / vnd vier schaf fur ein schaf.

WEnn ein Dieb ergrieffen wird / das er einbricht vnd wird drob geschlagen / das er stirbt / So sol man kein Blutgericht vber jenen lassen gehen. [3]Jst aber die Sonne vber jn auffgangen / So sol man das Blutgericht gehen lassen.

ES sol aber ein Dieb widerstatten / Hat er nichts / so verkeuff man jn vmb seinen Diebstal. [4]Findet man aber bey jm den Diebstal lebendig / es sey ochse / esel oder schaf / so sol ers zwifeltig wider geben.

WEnn jemand einen Acker oder Weinberg beschedigt / das er sein Vieh lesset schaden thun / in eines andern Acker / Der sol von dem besten auff seinem acker vnd weinberge widerstatten.

WEnn ein Fewr auskompt / vnd ergreifft die dornen / vnd verbrend die garben oder Getreide das noch stehet / oder den Acker / Sol der widerstatten / der das fewr angezündet hat.

WEnn jemand seinem Nehesten gelt oder gerete zu behalten thut / vnd wird dem selbigen aus seinem Hause gestolen / Findet man den Dieb / So sol ers zwifeltig wider geben. [8]Findet man aber den Dieb nicht / So sol man den Hauswirt fur die Götter bringen / ob er nicht seine hand hab an seines Nehesten habe gelegt.

WO einer den andern schüldigt vmb einicherley vnrecht / es sey vmb ochsen oder esel / oder schaf / oder kleider / oder allerley das verloren ist / So sollen beider sache fur die Götter komen / Welchen die Götter verdamnen / Der sols zwifeltig seinem Nehesten widergeben.

WEnn jemand seinem Nehesten ein esel oder ochsen / oder schaf oder jrgend ein Vieh zu behalten thut / vnd stirbt jm / oder wird beschedigt / oder wird jm weggetrieben / das niemand sihet / [11]So sol mans vnter jnen auff einen Eid bey dem HERRN komen lassen / ob er nicht habe seine hand / an seines Nehesten habe gelegt / Vnd des guts Herr sols annemen / das jener nicht bezalen müsse. [12]Stilets jm aber ein Dieb / so sol ers seinem Herrn bezalen. [13]Wird es aber zurissen / sol er zeugnis dauon bringen / vnd nicht bezalen.

Joh. 10.

(GÖTTER) Heissen die Richter / darumb das sie an Gottes stat / nach Gottes Gesetz vnd wort / nicht nach eigen dünckel richten vnd regirn musten / wie Christus zeuget / Joh. 10.

WEnn jemand von seinem Nehesten entlehnet / vnd wird beschedigt oder stirbt / das sein Herr nicht da bey ist / so sol ers bezalen. [15]Jst aber sein Herr da bey / sol ers nicht bezalen / weil ers vmb sein gelt gedingt hat.

Deut. 22.

WEnn jemand eine Jungfraw beredt / die noch nicht vertrawet ist / vnd beschlefft sie / Der sol jr geben jre Morgengab / vnd sie zum weibe haben. [17]Wegert sich aber jr Vater sie jm zu geben / Sol er gelt dar wegen / wie viel einer Jungfrawen zur Morgengabe gebürt. ||

|| 44a

Leui. 20. Deut. 27.

DJE Zeuberinnen soltu nicht leben lassen. [19]Wer ein Vieh beschlefft / der sol des tods sterben. [20]Wer den Göttern opffert / on dem HERRN allein / der sey verbannet.

Le. 19. 29. Zach. 7. Deut. 24.

DJE frembdlingen soltu nicht schinden / noch vnterdrücken / Denn jr seid auch frembdlinge in Egyptenlande gewesen.

JR solt kein Widwen vnd Waisen beleidigen / [23]Wirstu sie beleidigen / so werden sie zu mir schreien / vnd ich werde jr schreien erhören. [24]So wird mein zorn ergrimmen / das ich euch mit dem schwert tödte / vnd ewre weiber widwen / vnd ewre kinder Waisen werden.

WEnn du Geld leihest meinem Volck das arm ist bey dir / Soltu jn nicht zu schaden [a]dringen / vnd keinen Wucher auff jn treiben. Leui. 25. Deut. 23. Deut. 24.

WEnn du von deinem Nehesten ein Kleid zum pfande nimpst / Soltu es jm widergeben / ehe die Sonne vntergehet / [27]Denn sein Kleid ist sein einige decke seiner haut / darin er schlefft. Wird er aber zu mir schreien / So werde ich jn erhören / Denn ich bin gnedig.

DEn Göttern soltu nicht fluchen / Vnd den Obersten in deinem Volck soltu nicht lestern. Act. 23. [29]Deine fülle [b]vnd [c]Threnen soltu nicht verziehen.

DEinen ersten Son soltu mir geben. [30]So soltu auch thun mit deinem Ochsen vnd schafe / Sieben tag las es bey seiner Mutter sein / Am achten tage / soltu mirs geben. Exod. 13.

JR solt heilige Leute fur mir sein / Darumb solt jr kein fleisch essen / das auff dem felde von Thieren zurissen ist / sondern fur die Hunde werffen. Leui. 22. Eze. 44.

a (Dringen) Dringen vnd wuchern sind zweierley. Dringen ist wenn du deinen Nehesten zwingest zu bezalen mit deinem vorteil vnd seinem nachten Wuchern weis man wol was sey

b (FÜLLE) Heisset er alle harte Früchte / Als da sind / korn / gersten / epffel / birn / da man speise von machet.

c (THRENEN) Heisst er alle weiche Früchte / da man safft vnd tranck von machet / Als da sind / weindrauben / öle.

## XXIII.

DV SOLT FALSCHER ANKLAGE NICHT GLEUBEN / Das du einem Gottlosen bey stand thust / vnd ein falscher Zeuge seiest.

[2]DV solt nicht folgen der Menge zum bösen / vnd nicht antworten fur Gericht / das du der Menge nach / vom Rechten weichest. [3]DV solt den geringen nicht schmücken in seiner Sache. Leui. 19.

WEnn du deines feindes ochsen oder esel begegnest / das er jrret / So soltu jm denselben wider zufüren. [5]Wenn du des / der dich hasset / esel sihest vnter seiner last ligen / Hüt dich vnd las jn nicht / sondern verseume gern das deine vmb seinen willen. Deut. 22.

DV solt das Recht deines Armen nicht beugen in seiner Sache. [7]Sey ferne von falschen Sachen. Den Vnschüldigen vnd Gerechten soltu nicht erwürgen / Denn ich las den Gottlosen nicht recht haben.

DV solt nicht geschencke nemen / Denn geschencke machen die sehenden blind / vnd verkeren die sachen der Gerechten. Deut. 16.

DJE Frembdlingen solt jr nicht vnterdrücken / Denn jr wisset vmb der Frembdlingen hertz / die weil jr auch seid Frembdlinge in Egyptenland gewesen. Exod. 22. Leui. 20.

Leui. 25.

SEchs jar soltu dein Land beseen / vnd seine Früchte einsamlen / [11]Jm siebenden jar soltu es rugen vnd ligen lassen / das die Armen vnter deinem Volck dauon essen / Vnd was vberbleibt / las das Wild auff dem felde essen. Also soltu auch thun mit deinem Weinberge vnd Oleberge.

KIRCHEN Rechte. Exod. 20. 34. 35. Deut. 5.

SEchs tage soltu deine erbeit thun / Aber des siebenden tags soltu feiren / Auff das dein ochs vnd esel rugen / vnd deiner Magd son vnd Frembdling sich erquicken. [13]Alles was ich euch gesagt habe / das haltet. Vnd anderer Götter namen solt jr nicht [d]gedencken / Vnd aus ewrem munde sollen sie nicht gehöret werden.

Leui. 23. Deu. 16. Ex. 12. 13. || 44b

DRey [e]mal solt jr mir Fest halten im jar / nemlich / [15]das Fest der vngesewrten Brot soltu halten / Das du sieben tage vngesewrt brot essest (wie ich || dir geboten habe) vmb die zeit des monden Abib / Denn in demselbigen bistu aus Egypten gezogen / Erscheinet aber nicht leer fur mir. [16]Vnd das Fest der ersten Erndten / der Frücht die du auff dem felde geseet hast / Vnd das Fest der einsamlung im ausgang [a]des jars / wenn du deine erbeit einsamlet hast vom felde.

Exo. 34. Deut. 16.

DRey mal im jar sollen erscheinen fur dem HERRN dem Herrscher / alle deine Mansbilde. [18]Du solt [b]das blut meines Opffers nicht neben dem Sawerteig opffern / Vnd das fette von meinem Fest / sol nicht bleiben bis auff morgen.

Exo. 34. Deut. 26.

DAs erstling / von der ersten Frucht auff deinem felde / soltu bringen in das Haus des HERRN deines Gottes / Vnd solt das Böcklin nicht kochen / dieweil es an seiner mutter milch ist.

ENGEL fur den kindern Jsrael her gesand. Exod. 13. 32. 33.

SJhe / Jch sende einen Engel fur dir her / der dich behüte auff dem wege / vnd bringe dich an den Ort den ich bereit habe. [21]Darumb hüte dich fur seinem Angesicht / vnd gehorche seiner stimme / vnd erbittere jn nicht / Denn er wird ewer vbertreten nicht vergeben / vnd mein Name ist in jm. [22]Wirstu aber seine stimme hören / vnd thun alles was ich dir sagen werde / So wil ich deiner feinde Feind / vnd deiner widerwertigen Widerwertiger sein.

[23]WEnn nu mein Engel fur dir hergehet / vnd dich bringet an die Amoriter / Hethiter / Pheresiter / Cananiter / Heuiter vnd Jebusiter / vnd ich sie vertilge / [24]So soltu jre Götter nicht anbeten / noch jnen dienen / vnd nicht thun / wie sie thun / Son-

d (Gedencken) Jr solt von keinen Heiligen predigen als von Göttern die euch helffen / noch da fur dancken / sondern Gott allein. Denn gedencken heisst hie so viel als predigen / rhümen / dancken / Gottesdienst pflegen / vt / Hoc facite in mei commemorationem.

e (Drey mal) Das ist / das Osterfest im April. Pfingsten im Brachmond / vnd das Lauberhütten fest im Weinmond / Dauon lise am 23. Ca. des 3. Buchs.

a Des jars ausgang heisst er den Weinmond / Das als denn aus ist mit frucht wachsen vnd samlen.

b Das blut etc. Das ist / Du solt das Osterlamb nicht opffern / ehe denn alles gesewrt brot aus deinem hause kompt.

dern du solt jre Götzen vmbreissen vnd zubrechen. [25]Aber dem HERRN ewrm Gott solt jr dienen / So wird er dein Brot vnd dein Wasser segenen / Vnd ich wil alle Kranckheit von dir wenden. [26]Vnd sol nichts vntrechtig noch vnfruchtbars sein in deinem Lande / vnd wil dich lassen alt werden.

Deu. 7. 31.

JCh wil mein schrecken fur dir her senden / vnd alles Volck verzagt machen / dahin du kompst / vnd wil dir geben alle deine Feinde in die flucht. [28]Jch wil Hornissen fur dir her senden / die fur dir eraus jagen die Heniter / Cananiter / vnd Hethiter. [29]Jch wil se nicht auff ein jar ausstossen fur dir / auff das nicht das Land wüst werde / vnd sich wilde Thier wider dich mehren / [30]Einzelen nach ein ander / wil ich sie fur dir er aus stossen / bis das du wechsest / vnd das Land besitzest.

Deut. 7.

GRENTZE DES gelobten Landes.

VND wil deine Grentze setzen / das Schilffmeer / vnd das Philister meer / vnd die wüsten bis an das Wasser / Denn ich wil dir in deine hand geben die Einwoner des Lands / das du sie solt ausstossen fur dir her. [32]Du solt mit jnen oder mit jren Göttern keinen Bund machen / [33]Sondern las sie nicht wonen in deinem Lande / das sie dich nicht verfüren wider mich / Denn wo du jren Göttern dienest / wird dirs zum ergernis geraten.

Exo. 34. Deut. 7.

## XXIIII.

VND ZU MOSE SPRACH ER / STEIG ERAUFF ZUM HERRN / du vnd Aaron / Nadab vnd Abihu / vnd die siebenzig Eltesten Jsrael / vnd betet an von ferne / [2]Aber Mose alleine nahe sich zum HERRN / vnd las jene sich nicht erzu nahen / vnd das Volck kome auch nicht mit jm erauff.

MOse kam vnd erzelet dem Volck alle wort des HERRN / vnd alle Rechte / Da antwortet alles Volck mit einer stim / vnd sprachen / Alle wort / die der HERR gesagt hat / wollen wir thun. [4]Da schreib Mose alle wort des HERRN / vnd macht sich des morgens früe auff / vnd bawet einen Altar vnten am Berge / mit zwelff Seulen / nach den zwelff stemmen Jsrael. [5]Vnd sandte hin Jüngling aus den kindern Jsrael / das sie Brandopffer drauff opfferten / vnd Danckopffer dem HERRN von Farren.

Exo. 19.

[6]VND Mose nam die helffte des Bluts / vnd thets in ein becken / Die an||der helfft sprenget er auff den Altar. [7]Vnd nam das buch des Bunds / vnd las

|| 45 a

es fur den ohren des volcks / Vnd da sie sprachen / Alles was der HERR gesagt hat / wollen wir thun vnd gehorchen / 8Da nam Mose das Blut vnd sprenget das Volck damit / vnd sprach / Sehet / Das ist blut des Bunds / den der HERR mit euch macht / vber allen diesen worten.

DA stiegen Mose / Aaron / Nadab vnd Abihu / vnd die siebenzig Eltesten Jsrael hin auff / 10vnd sahen den Gott Jsrael. Vnter seinen Füssen war es / wie ein schöner Saphir / vnd wie die gestalt des Himels / wens klar ist. 11Vnd er lies seine Hand nicht vber die selben Obersten in Jsrael / Vnd da sie Gott geschawet hatten assen vnd truncken sie.

(Seine Hand) Er schrecket sie nicht / mit donner vnd blitz / wie zuuor das Volck erschrekket ward / Cap. 20.

12VND der HERR sprach zu Mose / Kom er auff zu mir auff den Berg / vnd bleib da selbs / das ich dir gebe steinern Taffeln / vnd Gesetz / vnd Gebot / die ich geschrieben habe / die du sie leren solt. 13Da macht sich Mose auff / vnd sein diener Josua / vnd steig auff den berg Gottes / 14vnd sprach zu den Eltesten / Bleibt hie / bis wir wider zu euch komen / Sihe / Aaron vnd Hur sind bey euch / Hat jemand eine Sache der kome fur die selben.

15DA nu Mose auff den Berg kam / bedeckt eine wolcke den berg / 16Vnd die Herligckeit des HERRN wonete auff dem berge Sinai / vnd decket jn mit der wolcken sechs tage / vnd rieff Mose am siebenden tage aus der wolcken. 17Vnd das ansehen der herrligkeit des HERRN war wie ein verzerend fewr / auff der spitze des Bergs / fur den kindern Jsrael. 18vnd Mose gieng mitten in die wolcken / vnd steig auff den Berg / vnd bleib auff dem berge viertzig tage vnd viertzig nacht.

MOSES bleibt auffm Berge 40. tage. Ex. 34. 35.

## XXV.

VND DER HERR REDET MIT MOSE / VND SPRACH / 2Sage den Kindern Jsrael / das sie mir ein Hebopffer geben / Vnd nemet die selben von jederman / der es williglich gibt. 3Das ist aber das Hebopffer / das jr von jnen nemen solt / Gold / silber / ertz / 4gele seiden / scharlacken / rosinrot / weisse seiden / zigenhar / 5rötlicht widerfel / dachsfel / foernholtz / 6öle zur lampen / specerey zur Salben vnd gutem Reuchwerg / 7Onychstein vnd eingefaste steine zum Leibrock / vnd zum Schiltlin. ||

HEBOPFFER.

|| 45 b

8VND sie sollen mir ein Heiligthum machen / Das ich vnter jnen wone. 9WIE ICH DIR EIN FUR-

sampt jrem Gerete.

(Furbilde). Dis ist der Heubtsprüch einer / darin Mose zeuget / das sein Regiment solle auffhören / vnd nicht das rechte endlich wesen / sondern ein Fürbilde vnd Furspiel sein des Reichs Christi. Vnd on allen zweiuel hat hie von Christus mit den zween Jüngern zu Emaus geredt / Luc. xxiiij.

BILDE DER WONUNGE / VND ALLES SEINES GERETES ZEIGEN WERDE / SO SOLT JRS MACHEN.

LADE. Exod. 37.

MAchet eine Lade von foern holtz / Drithalb ellen sol die lenge sein / anderthalb ellen die breite / vnd anderhalb ellen die höhe. [11]Vnd solt sie mit feinem gold vberziehen / inwendig vnd auswendig / Vnd mache einen gülden Krantz oben vmbher. [12]Vnd geus vier gülden Rincken / vnd mache sie an jre vier Ecken / also / das zween rincken seien auff einer seiten / vnd zween auff der ander seiten. [13]Vnd mache Stangen von foern holtz / vnd vberzeuch sie mit golde / [14]vnd steck sie in die rincken an der Laden seiten / das man sie da bey trage / [15]Vnd sollen in den rincken bleiben / vnd nicht heraus gethan werden. [16]Vnd solt in die Lade das Zeugnis legen / das ich dir geben werde.

Exod. 40.

GNADENSTUEL.

DV solt auch einen Gnadenstuel machen von feinem golde / Drithalb ellen sol seine lenge sein / vnd anderthalb ellen seine breite. [18]Vnd solt zween Cherubim machen von tichtem golde / zu beiden enden des Gnadenstuels / [19]das ein Cherub sey an diesem ende / der ander an dem andern ende / Vnd also zween Cherubim seien an des Gnadenstuels enden. [20]Vnd die Cherubim sollen jre Flügel ausbreiten oben vber her / das sie mit jren flügeln den Gnadenstuel bedecken / vnd eins jglichen Andlitz gegen dem andern stehe / Vnd jre Andlitz sollen auff den Gnadenstuel sehen. [21]Vnd solt den Gnadenstuel oben auff die Lade thun / Vnd in die Lade das Zeugnis legen / das ich dir geben werde. [22]VON DEM ORT WIL ICH DIR ZEUGEN VND MIT DIR

(Dir zeugen) Das ist / Da bey als bey eim gewissen Zeichen vnd Zeugnis / wil ich dich wissen lassen das ich da bin gegenwertig / das ich daselbs redenwerdeetc.

Exod. 29.

REDEN / NEMLICH / VON DEM GNADENSTUEL ZWISSCHEN DEN ZWEEN CHERUBIM / DER AUFF DER LADEN DES ZEUGNIS IST / ALLES WAS ICH DIR GEBIETEN WIL AN DIE KINDER JSRAEL.

TISCH.

DV solt auch einen Tisch machen von foern holtz / Zwo ellen sol seine lenge sein / vnd ein elle seine breite / vnd anderthalb ellen seine höhe. [24]Vnd solt jn vberziehen mit feinem golde / Vnd einen gülden Krantz vmb her machen / [25]vnd eine Leisten vmb her / einer handbreit hoch / vnd einen gülden Krantz vmb die leisten her. [26]Vnd solt vier gülden Ringe dran machen / an die vier ort an seinen vier füssen / [27]hart vnter der leisten sollen die ringe sein / das man Stan‖gen drein thu / vnd den Tisch trage / [28]Vnd solt die stangen von foernholtz machen / vnd sie mit golde vberziehen / das der Tisch da mit getragen werde. [29]Du solt auch seine Schüsseln / Becher / Kannen Schalen / aus feinem golde machen / da mit man aus vnd einschencke. [30]Vnd solt auff den Tisch allezeit Schawbrot legen fur mir.

‖ 46a

Exo. 37.

LEUCHTER.

DV solt auch einen Leuchter von feinem tichten golde machen / daran sol der schafft mit röhren / schalen / kneuffen / vnd blumen sein. [32]Sechs röhren sollen aus dem Leuchter zun seiten ausgehen / aus jglicher seiten drey röhren / [33]ein jgliche röhre sol drey offen schalen / kneuffe vnd blumen haben / Das sollen sein die sechs röhren aus dem Leuchter. [34]Aber der schafft am Leuchter / sol vier offen schalen mit kneuffen vnd blumen haben / [35]Vnd ja einen knauff vnter zwo röhren /

sampt jrem Gerete.

welcher sechs aus dem Leuchter gehen. [36]Denn beide jre kneuffe vnd röhren sollen aus jm gehen / alles ein ticht lauter gold.

7. Lampen.

[37]VND solt sieben Lampen machen oben auff / das sie gegen ander leuchten / [38]vnd Leucht-schneutzen vnd Lesschnepffe von feinem golde / [39]aus einem [a]Centner feines golds soltu das machen / mit allem diesem Geret. [40]Vnd sihe zu / Das du es machest nach jrem Bilde / das du auff dem Berge gesehen hast.

a (Centner) xxx. pfund golds.

Ebre. 8. Act. 7.

Er widerholets hie zum andern mal / das er droben in diesem Cap. sagt / Es solle alles eitel Furbilde vnd Figur sein mit Mose / Auff das es zwey mal gesagt / ja gewislich gegleubt werde.

## XXVI.

WONUNG. Exod. 36.

DJE WONUNG SOLTU MACHEN VON ZEHEN TEPPIchen / von weisser gezwirnter seiden / von geler seiden / von scharlacken vnd rosinrot / Cherubim soltu dran machen künstlich. [2]Die lenge eins Teppichs sol acht vnd zwenzig ellen sein / die breite vier ellen / vnd sollen alle zehen gleich sein / [3]vnd sollen ja funff zusamen gefüget sein / eine an die andern. [4]Vnd solt Schleufflin machen von geler seiden an jglichs teppichs orten / da sie sollen zusamen gefugt sein / das ja zween vnd zween an jren orten zusamen gehefft werden / [5]funffzig schleufflin an jglichem teppich / das einer den andern zusamen fasse. [6]Vnd solt funffzig güldene Heffte machen damit man die teppich zusamen heffte / einen an den andern / auff das es eine Wonung werde.

DECKE VON 11. Teppichen.

DV solt auch eine Decke aus zigenhar machen / zur Hütten vber die Wo‖nunge / von eilff teppichen. [8]Die lenge eins teppichs sol dreissig ellen

‖ 46 b

sein / die breite aber vier ellen / vnd sollen alle eilffe gleich gros sein. [9]Fünffe soltu an einander fügen / vnd sechse auch an einander / das du den sechsten teppich zwifeltig machest forn an der Hütten. [10]Vnd solt an einem jglichen teppich funffzig Schleufflin machen an jren orten / das sie aneinander bey den enden gefüget werden. [11]Vnd solt funffzig eherne Heffte machen / vnd die heffte in die Schleufflin thun / das die Hütte zusamen gefüget / vnd eine hütte werde. [12]Aber das vberlenge an den teppichen der Hütten / soltu die helfft lassen vberhangen an der Hütten / [13]auff beiden seiten eine ellen lang / das das vbrige sey an der hütten seiten / vnd auff beiden seiten sie bedecke. [14]Vber diese Decke soltu eine decke machen / von rötlichen Widerfellen / Dazu vber sie / eine decke von Dachsfellen.

Exod. 36. BRETER.

DV solt auch Bretter machen zu der Wonung von foern holtz die stehen sollen / [16]Zehen ellen lang sol ein Bret sein / vnd anderhalb ellen breit. [17]Zween Zapffen sol ein bret haben / das eins an das ander müge gesetzt werden / Also soltu alle bretter der Wonunge machen. [18]Zwenzig sollen jr stehen gegen dem mittag / [19]die sollen vierzig silbern Füsse vnten haben / ja zween füsse vnter jglichem bret / an seine zween zapffen. [20]Also auff der andern seiten / gegen mitternacht / sollen auch zwenzig bret stehen / [21]vnd vierzig silbern füsse / ja zween füsse vnter jglichem bret. [22]Aber hinden an der Wonung / gegen dem Abend soltu sechs bret machen / [23]dazu zwey bret hinden an die

zwo ecken der Wonung / [24]das ein jglichs der beider sich mit seinem ortbret von vnten auff geselle / vnd oben am heubt gleich zusamen kome mit einem klammer / [25]Das acht breter seien mit jren silbern füssen / der sechzehen sein / ja zween vnter einem bret.

RIEGEL.

VND solt Riegel machen von foern holtz / funffe zu den breten auff einer seiten der Wonunge / [27]vnd funffe zu den breten auff der ander seiten der wonunge / vnd funff zu den breten / hinden an der wonunge gegen dem abend. [28]Vnd solt die Riegel mitten an den breten durch hin stossen / vnd alles zusamen fassen / von einem ort zu dem andern. [29]Vnd solt die Bret mit golde vberziehen / vnd jre Rincken von gold machen / das man die Riegel drein thu / [30]Vnd die riegel soltu mit gold vberziehen. Vnd also soltu denn die Wonung auffrichten / nach der weise / wie du gesehen hast auff dem Berge. ‖ ‖ 47a

FURHANG.

VND solt einen Furhang machen von geler seiden / scharlacken vnd rosinrot / vnd gezwirnter weisser seiden / vnd solt Cherubim dran machen künstlich / [32]Vnd solt jn hengen an vier Seulen von foern holtz / die mit gold vberzogen sind / vnd güldene Kneuffe / vnd vier silberne Füsse haben. [33]Vnd solt den Furhang mit Hefften anhefften / vnd die Lade des Zeugnis inwendig des Furhangs setzen / das er euch ein vnterscheid sey zwisschen dem Heiligen vnd dem Allerheiligsten.

LADE.

GNADENSTUEL. TISCH. LEUCHTER.

[34]VND solt den Gnadenstuel thun auff die Lade des Zeugnis in dem Allerheiligsten. [35]Den Tisch aber setze ausser dem Furhang / vnd den Leuchter gegen dem Tisch vber / zu mittag werts der Wonunge / das der Tisch stehe gegen mitternacht.

[36]VND solt ein Tuch machen in die Thür der Hütten / gewirckt von geler seiden / rosinrot / scharlacken vnd gezwirnter weisser seiden. [37]Vnd solt dem selben Tuch funff Seulen machen von foern holtz mit gold vberzogen / mit gülden kneuffen / vnd solt jnen funff ehrnen füsse giessen.

## XXVII.

(Hörner) Das ist / Auffgerichte kleine Seulen / oben mit kneuffen oder blumen.

BRANDOPFFERS Altar. Exod. 38.

VND SOLT EINEN ALTAR MACHEN VON FOERN holtz / funff ellen lang vnd breit / das er gleich vierecket sey / vnd drey ellen hoch / [2]Hörner soltu auff seinen vier Ecken machen / vnd solt jn mit ertz vberziehen. [3]Mache auch Asschentöpffe /

Schauffeln / Becken / Krewel / Kolpfannen / alle sein Gerete soltu von ertz machen. [4]Du solt auch ein ehern Gitter machen / wie ein Netz / vnd vier eherne Ringe an seine vier ort / [5]Du solts aber von vnten auff vmb den Altar machen / das das Gitter reiche bis mitten an den Altar. [6]Vnd solt auch Stangen machen zu dem Altar von foern holtz / mit ertz vberzogen / [7]vnd solt die Stangen in die ringe thun / das die Stangen seien an beiden seiten des Altars / da mit man jn tragen möge. [8]Vnd solt jn also von Brettern machen / das er inwendig hol sey / Wie dir auff dem Berge gezeigt ist.

Exod. 38.

HOFE mit seinen vmbhengen.

DV solt auch der Wonung einen Hof machen / einen Vmbhang / von gezwirnter weisser seiden / Auff einer seiten hundert ellen lang / gegen dem Mittag / [10]vnd zwenzig Seulen / auff zwenzig ehern füssen / vnd ehrne || kneuffe mit jren reiffen

|| 47b

von silber. [11]Also auch gegen Mitternacht sol sein ein Vmbhang / hundert ellen lang / zwenzig Seulen auff zwenzig eheren füssen / vnd jre Kneuffe mit jren reiffen von silber. [12]Aber gegen dem Abend sol die breite des Hofs haben einen Vmbhang / funffzig ellen lang / zehen Seulen auff zehen Füssen. [13]Gegen dem Morgen aber sol die breite des Hofs haben funffzig ellen. [14]Also / das der vmbhang habe auff einer seiten funffzehen ellen / dazu drey Seulen auff dreien Füssen / [15]Vnd aber funffzehen ellen auff der andern seiten / dazu drey Seulen auff dreien Füssen.

ABer in dem thor des Hofs / sol ein Tuch sein zwenzig ellen breit / gewircket von geler seiden / scharlacken / rosinrot / vnd gezwirnter weisser seiden / Dazu vier Seulen auff jren vier Füssen. [17]Alle seulen vmb den Hof her / sollen silbern reiffe vnd silbern kneuffe vnd eherne füsse haben. [18]Vnd die lenge des Hofs sol hundert ellen sein / die breite funffzig ellen / die höhe funff ellen / von gezwirnter weisser seiden / vnd seine füsse sollen ehern sein. [19]Auch alle Gerete der Wonung zu allerley Ampt / vnd alle seine Negel / vnd alle Negel des Hofs sollen ehern sein.

OLE ZUR Leuchten.

GEbeut den kindern Jsrael / das sie zu dir bringen das allerreinest lauter öle von Olebawmen gestossen zur Leuchten / das man allezeit oben in die Lampen thue / [21]in der Hütten des [a]Stiffts / ausser dem Vorhang / der fur dem Zeugnis hangt. Vnd Aaron vnd seine Söne / sollen sie zurichten / beide des morgens vnd des abends fur dem HERRN / Das sol euch ein ewige Weise sein auff ewre Nachkomen / vnter den kindern Jsrael.

a (MOED) Das Ebreisch wort Moed / haben wir nicht anders wissen noch wollen deudschen. Es sol aber so viel heissen / als ein gewisser ort oder stete / wie eine Pfarrkirche oder Stifft / Dahin das Volck Jsrael komen vnd Gottes wort hören solten / Da mit sie nicht jrer eigen andacht nach / hin vnd widerlieffen / auff Bergen / in Gründen vnd andern Orten / Gott zu opffern.

## XXVIII.

Exod. 39.

VND SOLT AARON DEINEN BRUDER VND SEINE Söne zu dir nemen / aus den kindern Jsrael / das er mein Priester sey / nemlich / Aaron vnd seine söne / Nadab / Abihu / Eleasar / vnd Jthamar. [2]Vnd solt Aaron deinem Bruder heilige Kleider machen / die herrlich vnd schön seien. [3]Vnd solt reden mit allen die eins weisen hertzen sind / die ich mit dem Geist der weisheit erfüllet habe / das sie Aaron kleider machen zu seiner Weihe / das er mein Priester sey.

Exod. 39.

[4]DAS sind aber die Kleider die sie machen sollen / Das Schiltlin / Leib||rock / Seidenrock /

|| 48 a

Engenrock / Hut vnd Gürtel. Also sollen sie heilige Kleider machen deinen bruder Aaron / vnd seinen Sönen / das er mein Priester sey. [5]Dazu sollen sie nemen gold / gele seiden / scharlacken / rosinrot / vnd weisse seiden.

Exod. 39.

LEIBROCK.

DEN Leibrock sollen sie machen von gold / geler seiden / scharlacken / rosinrot / vnd gezwirnter weisser seiden / künstlich / [7]Das er auff beiden achseln zusamen gefügt / vnd an beiden seiten zusamen gebunden werde. [8]Vnd seine Gurt drauff / sol derselben kunst vnd wercks sein / von gold / geler seiden / scharlacken / rosinrot / vnd gezwirnter weisser seiden.

[9]VND solt zween Onicherstein nemen / vnd drauff graben die Namen der kinder Jsrael / [10]auff jglichen sechs namen / nach dem orden jrs Alters. [11]Das soltu thun durch die Steinschneiter / die da Siegel graben / also / das sie mit gold vmbher gefasset werden. [12]Vnd solt sie auff die schultern des Leibrocks hefften / das es Steine seien zum Gedechtnis fur die kinder Jsrael / Das Aaron jre namen auff seinen beiden schultern trage fur dem HERRN zum Gedechtnis.

[13]VND solt güldene Spangen machen / [14]vnd zwo Keten von feinem golde mit zwey enden / aber die gelied in einander hengend / vnd solt sie an die Spangen thun.

Exod. 39.

AMPTSCHILTLIN

DAS Amptschiltlin soltu machen nach der kunst / wie den Leibrock / von gold / geler seiden / scharlacken / rosinrot vnd gezwirnter weisser seiden. [16]Vier ecket sol es sein vnd zwifach / eine hand breit sol seine lenge sein / vnd eine handbreit seine breite. [17]Vnd solts füllen mit vier rigen vol Stein / Die erste rige sey / ein Sarder / Topaser / Smaragd. [18]Die ander / ein Rubin / Saphir / Demand. [19]Die dritte / ein Lyncurer / Achat / Amethist. [20]Die vierde / ein Türkis / Onich / Jaspis. Jn gold sollen sie gefasset sein in allen rigen / [21]vnd sollen nach den zwelff Namen der kinder Jsrael stehen / gegraben vom Steinschneiter / ein jglicher seines namens nach den zwelff Stemmen.

[22]VND solt Keten zu dem Schiltlin machen / mit zwey enden / Aber die gelied in einander hengend / von feinem golde / [23]vnd zween gülden Ringe an das Schiltlin / Also / das du die selben zween ringe hefftest an zwo ecken des Schiltlins / [24]vnd die zwo gülden Keten / in die selben zween ringe an

vnd seiner söne kleider vnd schmuck.

den beiden ecken des Schiltlins thust. [25]Aber die zwey ende der zwo keten / soltu in zwo Spangen thun / vnd sie hefften auff die schultern am Leibrock gegenander vber.

[26]VND solt zween ander gülden Ringe machen / vnd an die zwo ander ecken des Schiltlins hefften an seinem ort / inwendig gegen dem Leibrock. [27]Vnd solt aber zween gülden Ringe machen / vnd an die zwo ecken vnten am Leibrock gegen ander hefften / da der Leibrock zusamen gehet oben an den Leibrock künstlich. [28]Vnd man sol das Schiltlin mit seinen Ringen / mit einer gelen Schnur an die ringe des Leibrocks knüpffen / das es auff dem künstlich gemachtem Leibrock hart anlige / vnd das Schiltlin sich nicht von dem Leibrock los mache.

(Liecht) Was das gewesen sey / weis man jtzt nicht mehr / Ebreisch heissts / Vrim vnd Thumim.

[29]ALso sol Aaron die Namen der kinder Jsrael tragen in dem Amptschiltlin / auff seinem hertzen / wenn er in das Heilige gehet / zum gedechtnis fur dem HERRN allezeit. [30]Vnd solt in das Amptschiltlin thun Liecht vnd Recht / das sie auff dem hertzen Aarons seien / wenn er eingehet fur den HERRN / vnd trage das Ampt der kinder Jsrael auff seinem hertzen / fur dem HERRN alle wege.

VRIM. THUMIM. Num. 27.

SEIDENROCK.

DV solt auch den Seidenrock vnter den Leibrock machen / gantz von geler seiden. [32]Vnd oben mitten in / sol ein Loch sein / vnd ein borte vmb das loch her zusamen gefalten / das nicht zureisse. [33]Vnd vnten an seinem Saum / soltu Granatepffel machen von geler seiden / scharlacken / rosinrot / vmb vnd vmb / Vnd zwisschen die selben / güldene Schellen / auch vmb vnd vmb / [34]das || ein gülden Schelle sey / darnach ein Granatapffel / vnd aber ein gülden schelle / vnd wider ein Granatapffel / vmb vnd vmb / an dem saum desselben Seidenrocks. [35]Vnd Aaron sol jn anhaben wenn er dient / das man seinen klang höre / wenn er aus vnd ein gehet in das Heilige fur dem HERRN / auff das er nicht sterbe.

|| 48 b

Eccl. 45.

STIRNBLAT.

DV solt auch ein Stirnblat machen von feinem golde / vnd ausgraben / wie man die Siegel ausgrebt / die Heiligkeit des HERRN. [37]Vnd solts hefften an eine gele Schnur / fornen an den Hut [38]auff der stirn Aaron / Das also Aaron trage die missethat des Heiligen / das die kinder Jsrael heiligen in allen Gaben jrer heiligung / Vnd es sol

vnd seiner söne kleider.

alle weg an seiner Stirn sein / das er sie versüne fur dem HERRN.

DV solt auch den Engenrock machen von weisser seiden / vnd einen Hut von weisser seiden machen / vnd einen gestickten Gürtel.

ENGEROCK.

VND den Sönen Aaron soltu Röcke / Gürtel vnd Hauben machen / die herrlich vnd schön seien. 41Vnd solt sie deinem bruder Aaron sampt seinen Sönen anziehen / Vnd solt sie salben / vnd jre hende füllen / vnd sie weihen / das sie meine Priester seien. 42Vnd solt jnen leinen Niderkleid machen / zu bedecken das fleisch der scham / von den lenden bis an die hüfften. 43Vnd Aaron vnd seine Söne sollen sie anhaben / wenn sie in die Hütten des Stiffts gehen / oder hin zu tretten zum Altar / das sie dienen in dem Heiligthum / das sie nicht jre missethat tragen / vnd sterben müssen / Das sol jm vnd seinem Samen nach jm ein ewige Weise sein.

Leui. 8.

(Füllen) Dis füllen ist ein Ebreische sprach / der man mus gewonen. Vnd war das / wie im folgenden Capitel stehet / Das in der weihe den Priestern die hende mit Opffer gefüllet wurden fur dem HERRN.

## XXIX.

DAS ISTS AUCH / DAS DU JNEN THUN SOLT / DAS sie mir zu Priester geweihet werden. Nim einen jungen Farren / vnd zween Wider on wandel / 2vngesewrt Brot vnd vngesewrte Kuchen mit öle gemenget / vnd vngesewrte Fladen mit öle gesalbet / Von weitzen melh soltu solchs alles machen / 3Vnd solts in einen Korb legen / vnd in dem korbe erzu bringen / sampt dem Farren vnd den zween Widern.

4VND solt Aaron vnd seine Söne fur die thür der Hütten des Stiffts füren / vnd mit wasser

wasschen / [5]Vnd die Kleider nemen / vnd Aaron anziehen || den Engenrock / vnd den Seidenrock / vnd den Leibrock / vnd das Schiltlin zu dem Leibrock. Vnd solt jn gürten aussen auff den Leibrock / [6]vnd den Hut auff sein Heubt setzen / vnd die heilige Kron an den Hut. [7]Vnd solt nemen das Salböle / vnd auff sein heubt schütten / vnd jn salben. [8]Vnd seine Söne soltu auch erzu füren / vnd den Engenrock jnen anziehen / [9]vnd beide Aaron vnd auch sie mit Gürteln gürten / vnd jnen die Hauben auffbinden / das sie das Priesterthum haben zu ewiger weise.

|| 49a

VND solt Aaron vnd seinen Sönen die hende füllen / [10]vnd den Farren erzu füren / für die Hütte des Stiffts / Vnd Aaron sampt seinen Sönen sollen jr hende auff des Farren heubt legen. [11]Vnd solt den Farren schlachten fur dem HERRN / fur der thür der Hütten des Stiffts / [12]Vnd solt seines Bluts nemen / vnd auff des Altars hörner thun / mit deinem finger / vnd alles ander blut an des Altars boden schütten. [13]Vnd solt alles fett nemen am eingeweide / vnd das netze vber der lebber / vnd die zwo nieren / mit dem fett das drüber ligt / vnd solts auff dem Altar anzünden. [14]Aber des Farren fleisch / fell vnd mist soltu aussen fur dem Lager mit Fewr verbrennen / denn es jst ein Sündopffer.

Leui. 1.

Leui. 3.

ABer den einen Wider soltu nemen / vnd Aaron sampt seinen Sönen sollen jre hende auff sein heubt legen. [16]Denn soltu jn schlachten / vnd seines Bluts nemen / vnd auff den Altar sprengen rings rumb. [17]Aber den Wider soltu zulegen in stück / vnd sein eingeweide wasschen vnd schenckel / vnd solts auff seine stück vnd heubt legen / [18]vnd den gantzen Wider anzünden auff dem Altar / Denn es ist dem HERRN ein Brandopffer / ein süsser geruch / ein fewr des HERRN.

Leui. 8.

(Ein fewr des HERRN) Das wort (Ein fewr des HERRN) braucht Mose seer viel / Vnd wir sollens gewonen / das es so viel heisse / als ein Opffer des HERRN. Als wenn du von fernen ein fewr sehest vnd fragtest / Was ist das? So spreche man / Es ist Gottes fewr / das ist / man opffert daselbs Gott. Per Synecdochen / vel aliam figuram.

DEn andern Wider aber soltu nemen / vnd Aaron sampt seinen Sönen / sollen jre hende auff sein Heubt legen / [20]vnd solt jn schlachten / vnd sein Bluts nemen / vnd Aaron vnd seinen Sönen auff den rechten Ohrknorbel thun / vnd auff den Daumen jrer rechten hand / vnd auff den grossen Zehe jres rechten fusses / Vnd solt das blut auff den Altar sprengen rings rumb. [21]Vnd solt das blut auff dem Altar nemen vnd Salböle / vnd Aaron vnd seine kleider / seine Söne vnd jre kleider besprengen / So wird er vnd seine kleider / seine Söne vnd jre kleider geweihet.

[22]DArnach soltu nemen das fett von dem Wider / den schwantz / vnd das fett am eingeweide / das netz vber der lebber / vnd die zwo nieren mit dem fett drüber / vnd die rechte schulder (denn es ist ein Wider der fülle) [23]vnd ein brot / vnd ein ölekuchen / vnd einen fladen aus dem korbe des vngesewrten brots / der fur dem HERRN stehet / [24]Vnd legs alles auff die hende Aaron vnd seiner Söne / vnd webe es dem HERRN. [25]Darnach nims von jren Henden / vnd zünde es an auff dem Altar zum Brandopffer / zum süssen geruch fur dem HERRN / Denn das ist ein fewr des HERRN.

[26]VNd solt die brust nemen vom Wider der fülle Aarons / vnd solts fur dem HERRN weben / das sol dein Teil sein. [27]Vnd solt also heiligen die Webebrust / vnd die Hebeschulder / die gewebet vnd gehebet sind von dem Wider der fülle Aarons vnd seiner Söne / [28]Vnd sol Aarons vnd seiner Söne sein / ewiger weise / von den kindern Jsrael / Denn es ist ein Hebopffer / vnd die Hebopffer sollen des HERRN sein / von den kindern Jsrael an jren Danckopffern vnd Hebopffern.

ABer die heiligen kleider Aaron sollen seine Söne haben nach jm / das sie darinnen gesalbet / vnd jre hende gefüllet werden. [30]Welcher vnter seinen Sönen / an seine stat Priester wird / der sol sie sieben tage anziehen / das er gehe in die Hütten des Stiffts / zu dienen im Heiligen.

Leui. 8.

DV solt aber nemen den Wider der Füllung / vnd sein fleisch an eim heiligen ort kochen. [32]Vnd Aaron mit seinen Sönen / sol des selben Widers fleisch || essen / sampt dem Brot im korbe / fur der thür der Hütten des Stiffts / [33]Denn es ist versünung da mit geschehen / zu füllen jre hende / das sie geweihet werden / Kein ander sol es essen / Denn es ist heilig. [34]Wo aber etwas vberbleibt von dem Fleisch der füllung / vnd von dem Brot / bis an den morgen / das soltu mit fewr verbrennen / vnd nicht essen lassen / Denn es ist heilig.

|| 49 b

[35]VND solt also mit Aaron vnd seinen Sönen thun alles was ich dir geboten habe / Sieben tage soltu jre hende füllen / [36]vnd teglich einen Farren zum Sündopffer schlachten zur versünunge. Vnd solt den Altar entsündigen / wenn du jn versünest / vnd solt jn salben das er geweihet werde. [37]Sieben

(Entsündigen) Das ist / Absoluiren vnd los sprechen / wie Psalm. 51. Asperges me Jsopo / das ist / Entsündige vnd absoluire mich mit Jsopen.

tage soltu den Altar versünen / vnd jn weihen / das er sey ein Altar das Allerheiligste / Wer den Altar anrüren wil / der sol geweihet sein.

TEGLICH Brandopffer.

Num. 28.

VND das soltu mit dem Altar thun / zweyierige Lemmer soltu alle wege des tages drauff opffern / [39]Ein lamb des morgens / das ander zwisschen abends. [40]Vnd zu einem Lamb ein zehenden semelmels gemenget mit eim vierteil von eim Hin gestossen öles / vnd ein vierteil vom Hin weins / zum Tranckopffer. [41]Mit dem andern Lamb zwisschen abends soltu thun / wie mit dem Speisopffer vnd Tranckopffer des morgens / zu süssem geruch / ein fewr dem HERRN. [42]Das ist das tegliche Brandopffer bey ewren Nachkomen fur der thür der Hütten des Stiffts fur dem HERRN / DA ICH EUCH ZEUGEN / VND MIT DIR REDEN WIL / [43]DASELBS WIL ICH DEN KINDERN JSRAEL ERKANDT VND GEHEILIGET WERDEN IN MEINER HERRLIGKEIT / [44]Vnd wil die Hütten des Stiffts mit dem Altar heiligen / vnd Aaron vnd seine Söne mir zu Priester weihen. [45]Vnd wil vnter den kindern Jsrael wonen / vnd jr Gott sein / [46]Das sie wissen sollen / Jch sey der HERR jr Gott / der sie aus Egyptenland füret / das ich vnter jnen wone / Jch der HERR jr Gott.

Leui. 26. 2. Cor. 6.

## XXX.

REUCHALTAR. Dieser Altar ist haussen fur dem Furhang im Heiligen / vnd nicht hinder dem Furhang im Allerheiligsten gestanden.

Exod. 27.

DV SOLT AUCH EINEN REUCHALTAR MACHEN ZU reuchern von foern holtz / [2]einer ellen lang vnd breit / gleich vierecket / vnd zwo ellen hoch / mit seinen Hörnern. [3]Vnd solt jn mit feinem golde vberziehen / sein Dach vnd seine Wende ringes vmbher / vnd seine Hörner. Vnd solt einen Krantz von gold vmbher machen / [4]vnd zween gülden Ringe vnter dem krantz zu beiden seiten / das man Stangen drein thue / vnd jn da mit trage. [5]Die stangen soltu auch von foern holtz machen / vnd mit gold vberziehen. [6]Vnd solt jn setzen fur den Furhang / der fur der Laden des Zeugnis hangt / vnd fur dem Gnadenstuel der auff dem Zeugnis ist / Von dannen ich dir werde zeugen.

[7]VND Aaron sol drauff reuchern gut Reuchwerg / alle morgen / wenn er die Lampen zuricht / [8]Desselben gleichen wenn er die Lampen anzündet zwisschen abends / sol er solch geruch auch reuchern / Das sol das teglich Gereuch sein fur dem HERRN bey ewrn Nachkomen. [9]Jr solt kein frembd Gereuch drauff thun / auch kein Brand-

TEGLICH Gereuch.

opffer / noch Speisopffer / vnd kein Tranckopffer drauff opffern. [10]Vnd Aaron sol auff seinen Hörnern versünen ein mal im jar / mit dem blut des Sündopffers zur versünung / Solch versünung sol jerlich ein mal geschehen bey ewrn Nachkomen / Denn das ist dem HERRN das allerheiligst.

Leui. 16. Ebre. 9.

VND der HERR redet mit Mose vnd sprach / [12]Wenn du die Heubt der kinder Jsrael zelest / so sol ein jglicher dem HERRN geben die versünung seiner Seele auff das jnen nicht eine Plage widerfare / wenn sie gezelet werden. [13]Es sol aber ein jglicher der mit in der zal ist / ein halben Sekel geben / nach dem sekel des Heiligthums / Ein sekel gilt zwenzig [a]Gera / Solcher halber sekel sol das Hebopffer des HERRN sein. [14]Wer in der zal ist / von zwenzig || jaren vnd drüber / der sol solch Hebopffer dem HERRN geben. [15]Der Reiche sol nicht mehr geben / vnd der Arme nicht weniger an dem halben sekel / den man dem HERRN zur Hebe gibt / fur die versünung jrer Seelen. [16]Vnd du solt solch Geld der versünung nemen von den kindern Jsrael / vnd an den Gottesdienst der Hütten des Stiffts legen / das es sey den kindern Jsrael ein Gedechtnis fur dem HERRN / das er sich vber jre Seele versünen lasse.

Num. 1. 2.

Leui. 27. Num. 3. Ezech. 45.

|| 50a

SEKEL.

a (GERA) Gilt bey vns drey Lewen pfennige / oder ein drey grösschlin.

VND der HERR redet mit Mose / vnd sprach / [18]Du solt auch ein ehrn Handfas machen mit eim ehrn fus / zu wasschen. Vnd solts setzen zwisschen der Hütten des Stiffts vnd dem Altar / vnd wasser drein thun / [19]das Aaron vnd seine Söne jre hende vnd füsse draus wasschen / [20]wenn sie in die Hütten des Stiffts gehen oder zum Altar / das sie dienen mit reuchen / einem fewr des HERRN / [21]auff das sie nicht sterben. Das sol ein ewige Weise sein jm vnd seinem Samen bey jren Nachkomen.

Exo. 38. 40.

HANDFAS.

VND der HERR redet mit Mose / vnd sprach / [23]Nim zu dir die besten Specerey / die edlesten Myrrhen / funffhundert (sekel) vnd Cynnamet die helfft so viel / zwey hundert vnd funffzig / vnd Kalmes auch zwey hundert vnd funffzig / [24]vnd Casien funff hundert / nach dem sekel des Heiligthums / vnd Ole von ölebawm ein Hin / [25]vnd mache ein heiliges Salböle / nach der Apoteker kunst.

SALBÖLE.

[26]VND solt da mit salben die Hütten des Stiffts / vnd die Laden des Zeugnis / [27]den Tisch mit alle

seinem gerete / den Leuchter mit seinem gerete / den Reuchaltar / [28]den Brandopffersaltar mit alle seinem gerete / vnd das Handfas mit seinem fus. [29]Vnd solt sie also weihen / das sie das Allerheiligst seien / Denn wer sie anrüren wil / der sol geweihet sein. [30]Aaron vnd seine Söne soltu auch salben / vnd sie mir zu Priester weihen. [31]Vnd solt mit den kindern Jsrael reden / vnd sprechen / Dis Ole sol mir eine heilige Salbe sein bey ewren Nachkomen. [32]Auff Menschenleib sols nicht gegossen werden / Solt auch seines gleichen nicht machen / denn es ist heilig / darumb sols euch heilig sein. [33]Wer ein solchs macht / oder einem andern dauon gibt / Der sol von seinem Volck ausgerottet werden.

REUCHWERG.

VND der HERR sprach zu Mose / Nim zu dir Specerey / Balsam / Stacten / Galben vnd reinen Weyrauch / eins so viel als des andern / [35]vnd mache Reuchwerg draus / nach Apoteker kunst / gemengt / das es rein vnd heilig sey. [36]Vnd solts zu puluer stossen / vnd solt desselben thun fur das Zeugnis in der Hütten des Stiffts / Von dannen ich dir zeugen werde / Das sol euch das Allerheiligst sein. [37]Vnd dis gleichen Reuchwerg solt jr auch nicht machen / sondern es sol dir heilig sein dem HERRN. [38]Wer ein solchs machen wird / das er da mit reuche / Der wird ausgerottet werden von seinem Volck.

## XXXI.

BEZALEEL.

VND DER HERR REDET MIT MOSE VND SPRACH / [2]Sihe / Jch hab mit namen beruffen Bezaleel / den son Vri / des sons Hur / vom stam Juda / [3]vnd hab jn erfüllet mit dem geist Gottes / mit weisheit vnd verstand vnd erkentnis / vnd mit allerley werck [4]künstlich zu erbeiten am gold / silber / ertz / [5]künstlich stein zu schneiten / vnd einzusetzen / vnd künstlich zimmern am holtz / zu machen allerley werck. [6]Vnd sihe / Jch hab jm zugegeben Ahaliab den son Ahisamach / vom stam Dan / Vnd hab allerley Weisen die weisheit ins hertz gegeben / das sie machen sollen alles was ich dir geboten habe. [7]Die Hütte des Stiffts / die Lade des Zeugnis / den Gnadenstuel drauff / vnd alle gerete der Hütten. [8]Den Tisch vnd seine gerete / den feinen Leuchter vnd alle sein gerete. Den Reuchaltar / [9]den Brandopffersaltar / mit alle seinem gerete / das Handfas mit seinem fus. [10]Die Amptskleider / vnd

AHALIAB.

Exo. 35. 39.

die heiligen Kleider des Priesters Aarons / vnd die kleider seiner Söne zum ‖ Priesterthum. [11]Das Salböle / vnd das Reuchwerg von specerey zum Heilthum. Alles was ich dir geboten habe / werden sie machen.

‖ 50b

VND der HERR redet mit Mose / vnd sprach / [13]Sage den kindern Jsrael / vnd sprich / Haltet meinen Sabbath / Denn derselb ist ein Zeichen zwisschen mir vnd euch / auff ewre Nachkomen / das jr wisset / das ich der HERR bin / der euch heiliget. [14]Darumb so haltet meinen Sabbath / denn er sol euch heilig sein. Wer jn entheiliget / Der sol des tods sterben / Denn wer ein erbeit drinnen thut / des Seel sol ausgerottet werden von seinem Volck. [15]Sechs tage sol man erbeiten / Aber am siebenden tag ist Sabbath / die heilige Ruge des HERRN / Wer ein erbeit thut am Sabbath tage / Sol des tods sterben. [16]Darumb sollen die kinder Jsrael den Sabbath halten / das sie jn auch bey jren Nachkomen halten zum ewigen Bund. [17]Er ist ein ewig Zeichen zwisschen mir vnd den kindern Jsrael. Denn sechs tage machte der HERR Himel vnd Erden / Aber am siebenden tage ruget er / vnd erquicket sich.

Exod. 20.

Exo. 20.
Gen. 2.

VND da der HERR ausgeredt hatte mit Mose auff dem berge Sinai / Gab er jm zwo Tafeln des Zeugnis / die waren steinern / vnd geschrieben mit dem finger Gottes.

Deut. 9.
II. Tafeln.

## XXXII.

DA ABER DAS VOLCK SAHE / DAS MOSE VERZOG / von dem Berge zu komen / samlet sichs wider Aaron / vnd sprach zu jm / Auff / vnd mach vns Götter / die fur vns her gehen / Denn wir wissen nicht was diesem Man Mose widerfaren ist / der vns aus Egyptenland gefüret hat. [2]Aaron sprach zu jnen / Reisset ab die gülden Ohrenringe an den ohren ewr Weiber / ewr Sönen vnd ewr Töchtern / vnd bringt sie zu mir. [3]Da reiss alles Volck seine gülden Ohrenringe von jren ohren / vnd brachten sie zu Aaron. [4]Vnd er nam sie von jren henden / vnd [a]entwarffs mit eim griffel / Vnd machte ein gegossen Kalb / vnd sie sprachen / Das sind deine Götter Jsrael / die dich aus Egyptenlande gefüret haben.

Act. 7.
Psal. 106.

AARONS FALL.

KALB.
Psal. 106.

[5]DA das Aaron sahe / bawet er einen Altar fur jm / vnd lies ausruffen vnd sprach / Morgen ist

(Verzog) Das redet Moses mit einem wort also / als hab er das Volck verlassen mit schanden / vnd sey geflohen / das sie nicht wissen / wie sie nu thun sollen. Gleich als wenn vns Gott eine kleine zeit verlesst / dencken wir / Er lasse vns in schanden stecken / müssen anderswo hülffe suchen / Da wird denn solch Kalb vnser Gott.

a (Entwarff) Das ist / Er malet es jnen fur / was sie fur ein Bilde machen solten. Das bedeut / das menschen lere dem volck furbilden / was sie fur werck thun sollen / da mit sie Gott dienen. Denn hie sihestu das die in diesem Kalbe vermeinet haben / dem rechten Gott zu dienen weil Aaron ruffen lesst / Es sey des HERRN Fest / vnd bawet jm einen Altar.

des HERRN Fest. [6]Vnd stunden des morgens früe auff / vnd opfferten Brandopffer / vnd brachten dazu Danckopffer / Darnach satzt sich das Volck zu essen vnd zu trincken / vnd stunden auff zu spielen. ‖

1. Cor. 10.

‖ 51 a

DER HERR SPRACH ABER ZU MOSE / GEHE / STEIG hinab / Denn dein Volck / das du aus Egyptenland gefüret hast / hats verderbt. [8]Sie sind schnel von dem wege getretten / den ich jnen geboten habe / Sie haben jnen ein gegossen Kalb gemacht /

vnd habens angebetet / vnd jm geopffert / vnd gesagt / Das sind deine Götter Jsrael / die dich aus Egyptenland gefüret haben. [9]Vnd der HERR sprach zu Mose / Jch sehe das ein halsstarrig Volck ist / [10]Vnd nu las mich / Das mein zorn vber sie ergrimme / vnd sie auffresse / So wil ich dich zum grossen Volck machen.

3. Reg. 12.
Exo. 33.

MOSE Gebet fur das Volck.

[11]Mose aber flehet fur dem HERRN seinem Gott / vnd sprach / Ah HERR / Warumb wil dein zorn ergrimmen vber dein Volck / das du mit grosser Krafft vnd starcker Hand hast aus Egyptenland gefüret? [12]Warumb sollen die Egypter sagen / vnd sprechen / Er hat sie zu jrem vnglück ausgefürt / Das er sie erwürget im Gebirge / vnd vertilget sie von dem Erdboden. Kere dich von dem grim deines zorns / vnd sey gnedig vber die bosheit deines Volcks. [13]Gedenck an deine diener Abraham / Jsaac / vnd Jsrael / denen du bey dir selbs geschworen / vnd jnen verheissen hast / Jch wil ewrn Samen mehren / wie die Stern am Himel /

Gen. 15. 22.

vnd alles Land das ich verheissen habe / wil ich ewrem Samen geben / vnd sollens besitzen ewiglich. [14]Also gerewet den HERRN das vbel / das er drewete seinem Volck zu thun.

MOse wand sich / vnd steig vom Berge / vnd hatte zwo Tafeln des Zeugnis in seiner hand / die waren geschrieben auff beiden seiten / [16]Vnd Gott hatte sie selbs gemacht / vnd selber die schrifft drein gegraben. [17]Da nu Josua höret des Volcks geschrey / das sie jauchzeten / sprach er zu Mose / Es ist ein geschrey im Lager wie im streit. [18]Er antwortet / Es ist nicht ein geschrey gegenander / dere die obligen vnd vnterligen / sondern ich höre ein geschrey eins Singentantzs.

[19]ALs er aber nahe zum Lager kam / vnd das Kalb vnd den Reigen sahe / ergrimmet er mit zorn / vnd warff die Tafeln aus seiner hand / vnd zubrach sie vnten am berge. [20]Vnd nam das Kalb / das sie gemacht hatten / vnd verbrands mit fewr / vnd zumalmets zu puluer / Vnd steubts auffs wasser / vnd gabs den kindern Jsrael zu trincken.

MOSE zubricht die 2. Tafeln.

VNd sprach zu Aaron / Was hat dir das Volck gethan / das du so eine grosse sünde vber sie bracht hast? [22]Aaron sprach / Mein Herr las seinen zorn nicht ergrimmen / Du weisst das dis Volck böse ist. [23]Sie sprachen zu mir / Mache vns Götter / die fur vns her gehen / Denn wir wissen nicht / wie es diesem Man Mose gehet / der vns aus Egyptenland gefüret hat. [24]Jch sprach zu jnen / Wer hat gold / der reiss es abe vnd gebs mir / Vnd ich warffs ins fewr / daraus ist das Kalb worden.

[25]DA nu Mose sahe / das das Volck [a]los worden war (Denn Aaron hatte sie los gemacht / durch ein Geschwetz / da mit er sie fein wolt anrichten) [26]trat er in das thor des Lagers / vnd sprach / Her zu mir wer den HERRN angehört / Da samleten sich zu jm alle kinder Leui. [27]Vnd er sprach zu jnen / So spricht der HERR der Gott Jsrael / Gürte ein jglicher sein Schwert auff seine Lenden / vnd durchgehet hin vnd wider / von einem thor zum andern im Lager / Vnd erwürge ein jglicher seinen Bruder / Freund vnd Nehesten. [28]Die kinder Leui theten wie jnen Mose gesagt hatte / Vnd fiel des tages vom volck drey tausent Man. [29]Da sprach Mose / Füllet heute ewre hende dem HERRN / ein jglicher an seinem Son vnd Bruder / das heute vber euch der Segen gegeben werde.

[a] Das wort Phrea / lautet vnd heisst schier dem Deudschen gleich / Frey / Wil so sagen / Aaron hatte das Volck frey / blos / ledig gemacht von Gottes wort vnd gehorsam / Wie die Menschen lere thut / macht das Volck wilde / frey / los vnd bereit zu aller Abgötterey. Vnd thuts noch der meinung / als wolt sie den Leuten auff helffen vnd besser machen. Vnd ist doch ein Schemetz a schama / ein Gehör oder Geschwetz / da nichts hinder ist.

DEs morgens sprach Mose zum volck / Jr habt eine grosse sünde gethan / Nu wil ich hin auff steigen zu dem HERRN / ob ich vieleicht ewre sünde versünen müge. [31]Als nu Mose wider zum HERRN kam / sprach er / Ah / das Volck hat eine grosse sünde gethan / vnd haben jnen güldene Götter gemacht. [32]Nu vergib jnen jre sünde / Wo nicht / so tilge mich auch aus deinem Buch / das du geschrieben hast. ‖ ‖ 51b

[33]DER HERR sprach zu Mose / Was? Jch wil den aus meinem Buch tilgen / der an mir sündiget. [34]So gehe nu hin / vnd füre das Volck / da hin ich dir gesagt habe / Sihe / mein Engel sol fur dir her gehen. [a]Jch werde jre sünde wol heimsuchen / wenn mein zeit kompt heim zu suchen. [35]Also straffte der HERR das Volck / das sie das Kalb hatten gemacht / welchs Aaron gemacht hatte.

ENGEL. Ex. 13. 23.

b Nemo euadet poenam peccati sui.

XXXIII.

DEr HERR sprach zu Mose / Gehe / zeuch von dannen du vnd das Volck / das du aus Egyptenland gefüret hast / ins Land / das ich Abraham / Jsaac vnd Jacob geschworen habe / vnd gesagt / Deinem Samen wil ichs geben. [2]Vnd wil fur dir her senden einen Engel / vnd Ausstossen die Cananiter / Amoriter / Hethiter / Pheresiter / Heuiter vnd Jebusiter / [3]Jns land da milch vnd honig innen fleusst. Jch wil nicht mit dir hin auff ziehen / Denn du bist ein halsstarrig Volck / Jch möcht dich vnter wegen auffressen. [4]Da das Volck diese böse Rede höret / trugen sie leide / vnd niemand trug seinen Schmuck an jm.

ENGEL. Ex. 23. 32. Deut. 7. Josu. 24.

[5]VND der HERR sprach zu Mose / Sage zu den kindern Jsrael / Jr seid ein halsstarrig Volck / Jch werde ein mal plötzlich vber dich komen / vnd dich vertilgen / Vnd nu lege deinen Schmuck von dir / das ich wisse was ich dir thun sol. [6]Also theten die kinder Jsrael jren schmuck von sich fur dem Berge Horeb.

MOse aber nam die Hütten / vnd schlug sie auff / aussen ferne fur dem Lager / vnd hies sie eine Hütten des Stiffts / vnd wer den HERRN fragen wolt / muste er aus gehen zur Hütten des Stiffts fur das Lager. [8]Vnd wenn Mose ausgieng zur Hütten / so stund alles Volck auff / vnd trat ein jglicher in seiner hütten thür / vnd sahen jm nach / bis er in die Hütte kam. [9]Vnd wenn Mose in die

HÜTTEN des Stiffts

Hütten kam / so kam die Wolckenseule ernider / vnd stund in der Hütten thür / vnd redet mit Mose. [10]Vnd alles volck sahe die Wolckenseule in der Hütten thür stehen / vnd stunden auff / vnd neigten sich ein jglicher in seiner Hütten thür. [11]Der HERR aber redet mit Mose / von angesicht zu angesicht / wie ein Man mit seinem Freunde redet / Vnd wenn er widerkeret zum Lager / so weich sein diener Josua / der son Nun / der Jüngling nicht aus der Hütten.

Num. 12.

Den rucken Mose sehen alle Werckheiligen / die das Gesetz nicht verstehen / noch vnter augen komen.

VND Mose sprach zu dem HERRN / Sihe / du sprichst zu mir / Füre das Volck hin auff / vnd lesst mich nicht wissen / wen du mit mir senden wilt / So du doch gesagt hast / Jch kenne dich mit namen / vnd hast Gnade fur meinen augen funden. [13]Hab ich denn gnade fur deinen augen funden / So las mich deinen weg wissen / da mit ich dich kenne / vnd gnade fur deinen Augen finde / Vnd sihe doch / das dis volck dein Volck ist.

[14]ER sprach / Mein Angesicht sol gehen / da mit wil ich dich leiten. [15]Er aber sprach zu jm / Wo nicht dein Angesicht gehet / so füre vns nicht von dannen hin auff / [16]Denn wo bey sol doch erkandt werden / das ich vnd dein Volck fur deinen Augen gnade funden haben / On wenn du mit vns gehest? Auff das ich vnd dein Volck gerhümet werden fur allem volck das auff dem Erdboden ist. [17]Der HERR sprach zu Mose / Was du jtzt geredt hast / wil ich auch thun / Denn du hast gnade fur meinen Augen funden / vnd ich kenne dich mit namen.

(Angesicht) Heisst hie die Wolcken vnd Fewrige seulen / darin Gott gegenwertig war.

(Mein angesicht) Hie heisst Gottes angesicht / nicht die Wolcken noch Seule / sondern er selber / Wie er spricht / Der Mensch wird nicht leben / so mich sihet. Aber es ist alles von Christo gesaget / welcher solt erscheinen in der Menschheit / hernach wenn Moses Reich ein ende hette. Jn des sol Mose im Fels stehen / vnd den verheissen Christum sehen vnd predigen / bis er kome / Das also Jsrael Gottes wort jmer habe / bis auff Christum etc.

[18]ER aber sprach / So las mich deine Herrligkeit sehen. [19]Vnd er sprach / JCH WIL FUR DEINEM ANGESICHT HER ALLE MEINE GÜTE GEHEN LASSEN / VND WIL LASSEN PREDIGEN DES HERRN NAMEN FUR DIR / WEM ICH ABER GNEDIG BIN / DEM BIN ICH GNEDIG / VND WES ICH MICH ERBARME / DES ERBARME ICH MICH. [20]Vnd sprach weiter / || Mein Angesicht kanstu nicht sehen / Denn kein Mensch wird leben / der mich sihet. [21]Vnd der HERR sprach weiter / Sihe / Es ist ein raum bey mir / da soltu auff dem Fels stehen / [22]Wenn denn nu mein Herrligkeit fur vbergehet / wil ich dich in der Felsklufft lassen stehen / Vnd meine Hand sol ob dir halten / bis ich fur vbergehe. [23]Vnd wenn ich meine Hand von dir thue / wirstu mir hinden nach sehen / Aber mein Angesicht kan man nicht sehen.

Rom. 9.

|| 52a

## XXXIIII.

VND DER HERR SPRACH ZU MOSE / HAWE DIR zwo steinern Tafeln / wie die ersten waren / das ich die wort darauff schreibe / die in den ersten Tafeln waren / welche du zubrochen hast. [2]Vnd sey morgen bereit / das du früe auff den berg Sinai steigest / vnd daselbs zu mir tretest auff des Berges spitzen. [3]Vnd las niemand mit dir hin auff steigen / das niemand gesehen werde vmb den gantzen Berg her / Auch kein schaf noch rind las weiden gegen diesem Berg.

Deut. 10.

II. STEINERN Tafeln.

[4]VND Mose hieb zwo steinern Tafeln / wie die ersten waren. Vnd stund des morgens früe auff / vnd steig auff den berg Sinai / wie jm der HERR geboten hatte / vnd nam die zwo steinern Tafeln in seine hand. [5]Da kam der HERR ernider in einer Wolcken / vnd trat daselbs bey jn / vnd prediget von des HERRN Namen. [6]Vnd da der HERR fur seinem angesicht vbergieng / rieff er / HERR / HERR / Gott barmhertzig vnd gnedig / vnd gedültig / vnd von grosser gnad vnd trew / [7]Der du beweisest gnade in tausent Gelied / vnd vergibst missethat / vbertretung vnd sünde. Vnd fur welchem niemand vnschüldig ist / Der du die missethat der Veter heimsuchest auff Kinder vnd Kinds kinder / bis ins dritte vnd vierde Gelied.

(Prediget) Mose beschreibet hie das Geheimnis / Das Christus der HERR sey / der fur jm (das ist fur dem Volck des Gesetzes) werde vbergehen / vnd predigen / das alle Welt sündig / allein aus gnaden selig müsse werden / wie er droben Ca. 33. sagt / Wem ich gnedig bin / dem bin ich gnedig / das ist / Es sol mir keiner mit wercken abuerdienen / Es sol gnade sein vnd kein anders etc. Wie denn des Euangelij predigt gleich also leret.

MOSE GEBET. Psal. 86. 103. 145.

Psal. 143.

[8]VND Mose neiget sich eilend zu der erden / vnd betet jn an / [9]vnd sprach / Hab ich HERR gnade fur deinen augen funden / So gehe der HERR mit vns / Denn es ist ein halsstarrig Volck / Das du vnser missethat vnd sünden gnedig seiest / vnd lassest vns dein Erbe sein.

VND er sprach / Sihe / Jch wil einen Bund machen fur alle deinem Volck / vnd wil Wunder thun / der gleichen nicht geschaffen sind in allen Landen / vnd vnter allen Völckern / vnd alles Volck / dar vnter du bist / sol sehen des HERRN werck / Denn wunderbarlich sols sein / das ich bey dir thun werde.

HAlt / was ich dir heute gebiete / Sihe / Jch wil fur dir her ausstossen die Amoriter / Cananiter / Hethiter / Pheresiter / Heuiter / vnd Jebusiter. [12]Hüt dich / das du nicht einen Bund machest mit den Einwonern des Lands / da du ein kompst / das sie dir nicht ein Ergernis vnter dir werden. [13]Sondern jre Altar soltu vmbstürtzen / vnd jre Götzen

Exo. 23. Deut. 7.

KIRCHEN Rechte.

zubrechen / vnd jre Haine ausrotten. [14]Denn du solt kein andern Gott anbeten / Denn der HERR heisst ein Eiuerer / darumb das er ein eiueriger Gott ist / [15]Auff das / wo du ein Bund mit des landes Einwonern machest / vnd wenn sie huren jren Göttern nach / vnd opffern jren Göttern / das sie dich nicht laden / vnd du von jrem Opffer essest / [16]vnd nemest deinen Sönen jre Töchter zu Weibern / vnd dieselben denn huren jren Göttern nach / vnd machen deine Söne auch jren Göttern nachhuren.

Num. 25.

DV solt dir keine gegossen Götter machen. [18]Das Fest der vngesewrten Brot soltu halten / Sieben tage soltu vngesewrt Brot essen / wie ich dir geboten habe / vmb die zeit des monds Abib / Denn in dem mond Abib / bistu aus Egypten gezogen.

Ex. 21. 23.

ALles was seine Mutter am ersten bricht / ist mein / Was menlich sein wird / in deinem Vieh das seine mutter bricht / es sey Ochsen oder Schaf. [20]Aber den Erstling des esels / soltu mit eim schaf lösen / Wo du es aber nicht lösest / so brich jm das genick. Alle Erstegeburt deiner Söne soltu lösen / Vnd das niemand fur mir lehr erscheine. ||

Ex. 13. 22. Num. 18.

|| 52b

SEchs tage soltu erbeiten / am siebenden tage soltu feiren / beide mit pflügen vnd mit erndten. [22]Das Fest der wochen soltu halten mit den Erstlingen der Weitzenerndte / Vnd das Fest der Einsamlung / wenn das jar vmb ist.

Exo. 20. 23. 35.

DRey mal im jar sol alle Mansnamen erscheinen fur dem Herrscher / dem HERRN vnd Gott Jsrael. [24]Wenn ich die Heiden fur dir ausstossen / vnd deine Grentze weitern werde / sol niemand deines Landes begeren / die weil du hin auff gehest drey mal im jar zu erscheinen fur dem HERRN deinem Gott.

DV solt das blut meines Opffers nicht opffern auff dem gesewrten brot / Vnd das opffer des Osterfests / sol nicht vber nacht bleiben bis an den morgen.

Exo. 23.

DAs Erstling von den ersten Früchten deines Ackers soltu in das Haus des HERRN deines Gottes bringen. Du solt das Böcklin nicht kochen / wens noch an seiner mutter milch ist.

Exo. 23. Deut. 14. 26.

VND der HERR sprach zu Mose / Schreib diese wort / Denn nach diesen worten / hab ich mit dir vnd mit Jsrael einen Bund gemacht. [28]Vnd er war alda bey dem HERRN vierzig tage vnd vierzig

Exo. 24.

Mose angesicht glentzet.

nacht / vnd ass kein brot / vnd tranck kein wasser. Vnd er schreib auff die Tafeln solchen Bund / die zehen wort.

DA NU MOSE VOM BERGE SINAI GIENG / HATTE er die zwo Tafeln des Zeugnis in seiner hand / vnd wuste nicht das die haut seines Angesichts glentzet / dauon das er mit jm geredt hatte. [30]Vnd da Aaron vnd alle kinder Jsrael sahen / das die haut seines Angesichts glentzet / furchten sie sich zu jm zu nahen. [31]Da rieff jnen Mose / Vnd sie wandten sich zu jm / beide Aaron vnd alle Obersten der gemeine / vnd er redte mit jnen. [32]Darnach naheten alle kinder Jsrael zu jm / Vnd er gebot jnen alles / was der HERR mit jm geredt hatte auff dem berge Sinai. [33]Vnd wenn er solchs alles mit jnen redte / legt er eine Decke auff sein angesicht. [34]Vnd wenn er hin ein gieng fur den HERRN / mit jm zu reden / thet er die Decke abe / bis er wider eraus gieng / Vnd wenn er eraus kam / vnd redet mit den kindern Jsrael was jm geboten war / [35]so sahen denn die kinder Jsrael sein angesicht an / wie das die haut seines Angesichts glentzet / So thet er die Decke wider auff sein angesicht / bis er wider hin ein gieng / mit jm zu reden.

2. Cor. 3.

## XXXV.

Was Gott droben vom 25. Cap. an / bis auffs 32. Mose befolhen hat / von der Wonung vnd alle jrem Gerete zu machen / das helt Mose in diesem Capitel dem Volck fur etc.

VND MOSE VERSAMLET DIE GANTZE GEMEINE der kinder Jsrael / vnd sprach zu jnen / Das ists das der HERR geboten hat / das jr thun solt. [2]Sechs tage solt jr erbeiten / den siebenden tag aber solt jr heilig halten / ein Sabbath der ruge des HERRN / Wer drinnen erbeit / Sol sterben. [3]Jr solt kein Fewr anzünden am Sabbath tag / in allen ewren Wonungen.

SABBATH. Exo. 20. 23. 34.

VND Mose sprach zu der gantzen Gemeine der kinder Jsrael / Das ists / das der HERR geboten hat. [5]Gebt vnter euch Hebeopffer dem HERRN / also / das das Hebeopffer des HERRN ein jglicher williglich bringe / gold / silber / ertz / [6]Gele seiden / scharlacken / rosinrot / weisse seiden / vnd zigenhar / [7]Rötlich widderfell / dachsfell / vnd foern holtz / [8]Ole zur Lampen / vnd specerey zur Salben / vnd zu gutem Reuchwerg / [9]Onich vnd eingefasste Steine zum Leibrock / vnd zum Schiltlin.

Exo. 25.

[10]VND wer vnter euch verstendig ist / der kom vnd mache / was der HERR geboten hat / [11]nem-

Wonung sampt jrem Gerete.

lich / die Wonung mit jrer Hütten / vnd decken / rincken / bretter / rigel / seulen vnd füssen. [12]Die Lade mit jren stangen / den Gnadenstuel vnd Furhang. [13]Den Tisch mit seinen stangen / vnd alle seinem gerete / || vnd die Schaubrot. [14]Den Leuchter zu leuchten / vnd sein gerete / vnd seine Lampen / vnd das Ole zum liecht. [15]Den Reuchaltar mit seinen stangen / Die Salbe vnd specerey zum Reuchwerg / Das tuch fur der Wonunge thür. [16]Den Brandopffersaltar mit seinem ehrne gitter / stangen vnd alle seinem gerete / Das Handfas mit seinem fusse. [17]Den vmbhang des Vorhofs / mit seinen seulen vnd füssen / vnd das Tuch des thors am Vorhof. [18]Die negel der Wonung vnd des Vorhofs mit jren seulen. [19]Die Kleider des Ampts zum dienst im Heiligen / die heiligen kleider Aarons des Priesters / mit den kleidern seiner Söne zum Priesterthum.

|| 53a

DA gieng die gantze Gemeine der kinder Jsrael aus von Mose. [21]Vnd alle die es gerne vnd williglich gaben / kamen vnd brachten das Hebopffer dem HERRN / zum werck der Hütten des Stiffts / vnd zu alle seinem dienst / vnd zu den heiligen Kleidern. [22]Es brachten aber beide Man vnd Weib wers williglich thet / heffte / ohrrincken / ringe vnd spangen / vnd allerley gülden gerete / Dazu bracht jederman gold zur [a]Webe dem HERRN. [23]Vnd wer bey jm fand gele seiden / scharlacken / rosinrot / weisse seiden / zigenhar / rötlicht widderfell / vnd dachsfell / der bracht es. [24]Vnd wer silber vnd ertz hub / der brachts zur Hebe dem HERRN / Vnd wer foern holtz bey jm fand / der brachts zu allerley werck des Gottesdiensts.

[25]VNd welche verstendige Weiber waren / die wirckten mit jren henden vnd brachten jr werck von geler seiden / scharlacken / rosinrot / vnd weisser seiden / [26]vnd welche Weiber solche erbeit kundten / vnd willig dazu waren / die wirckten zigenhar. [27]Die Fürsten aber brachten Onych / vnd eingefasste Steine zum Leibrock vnd zum Schiltlin / [28]Vnd Specerey vnd Ole zun Liechtern vnd zur Salbe / vnd zu gutem Reuchwerg. [29]Also brachten die kinder Jsrael williglich / beide Man vnd Weib / zu allerley werck / das der HERR geboten hatte durch Mose / das mans machen solt.

a HEBEN / WEBEN. Diese zwey wort / Heben vnd Weben / müssen wir lernen brauchen vnd verstehen / Denn ein Opffer oder gabe zu Gottesdienst / heisst darumb ein Hebe oder Hebeopffer / das man es dem HERRN stracke empor hub. Webe aber heisst es / das mans hin vnd her zoch in vier örter / gegen morgen / abend / mittag / vnd mitternacht.

sampt jrem Gerete.

BEZALEEL.

Exo. 31.

VND Mose sprach zu den kindern Jsrael / Sehet / der HERR hat mit namen beruffen den Bezaleel / den son Vri / des sons Hur / vom stam Juda / [31]vnd hat jn erfüllet mit dem geist Gottes / das er weise / verstendig / geschickt sey zu allerley Werck / [32]künstlich zu erbeiten am gold / silber vnd ertz / [33]eddelstein schneiten vnd einsetzen / holtz zimmern / zu machen allerley künstlich erbeit. [34]Vnd hat jm sein hertz vnterweiset / sampt Ahaliab dem son Ahisamach vom stam Dan. [35]Er hat jr hertz mit weisheit erfüllet / zu machen allerley werck zu schneiten / wircken vnd zu sticken / mit geler seiden / scharlacken / rosinrot / vnd weisser seiden / vnd mit weben / das sie machen allerley werck / vnd künstliche erbeit erfinden.

AHALIAB.

## XXXVI.

Hie gehet nu das Werck an.

DA ERBEITEN BEZALEEL VND AHALIAB VND ALLE weise Menner / denen der HERR weisheit vnd verstand gegeben hatte zu wissen / wie sie allerley werck machen solten zum dienst des Heiligthums / nach allem das der HERR geboten hatte. [2]Vnd Mose rieff dem Bezaleel vnd Ahaliab vnd alle weisen Mennern / denen der HERR weisheit gegeben hatte in jr hertz / nemlich / alle die sich willig dar erboten vnd hinzu traten / zu erbeiten an dem wercke. [3]Vnd sie namen zu sich von Mose alle Hebe / die die kinder Jsrael brachten zu dem wercke des diensts des Heiligthums / das es gemacht würde / Denn sie brachten alle morgen jre willige Gabe zu jm.

[4]DA kamen alle Weisen die am werck des Heiligthums. Da höret das Volck auff zu bringen / [7]Denn sie machten / [5]vnd sprachen zu Mose / Das Volck bringt zu viel / mehr denn zum werck dieses Diensts not ist / das der HERR zu machen geboten hat. [6]Da gebot Mose / das man ruffen lies durchs Lager / Niemand thu ‖ mehr zur Hebe des Heiligthums. Da höret das Volck auff zu bringen / [7]Denn des dings war gnug zu allerley werck das zu machen war / vnd noch vbrig.

‖ 53 b

X. Teppiche.

Exo. 26.

ALso machten alle weise Menner vnter den Erbeitern am werck / die Wonung / zehen Teppiche von gezwirnter weisser seiden / geler seiden / scharlacken / rosinrot / Cherubim künstlich. [9]Die lenge eines Teppichs war acht vnd zwenzig ellen / vnd die breit vier ellen / Vnd waren alle in einer

Wonung sampt jrem Gerete.

mas. [10]Vnd er hefftet ja funff Teppich zusamen / einen an den andern. [11]Vnd machet gele Schleufflin an eines jglichen Teppichs ort / da sie zusamen gefügt werden / [12]ja funffzig schleufflin an einem Teppich / da mit einer den andern fasset. [13]Vnd machet funffzig gülden Hecklin / vnd füget die Teppich mit den Hecklin einen an den andern zusamen / das eine Wonung würde.

XI. Teppiche.

VND er machet eilff Teppich von zigenharen / zur Hütten vber die Wonung. [15]Dreissig ellen lang / vnd vier ellen breit / alle in einer mas. [16]Vnd füget jr funff zusamen auff ein teil / vnd sechs zusamen auffs ander teil. [17]Vnd macht ja funffzig Schleufflin an jglichen Teppich am ort / da mit sie zusamen gehefftet würden / [18]vnd machet ja funffzig ehrne Hecklin / da mit die Hütte zusamen in eins gefüget würde. [19]Vnd macht eine Decke vber die Hütten von rötlichten widderfellen / Vnd vber die / noch eine Decke von dachsfellen.

BRETTER.

VND machet Bretter zur Wonung von foern holtz / die stehen sollen. [21]Ein jglichs zehen ellen lang / vnd anderhalb ellen breit. [22]Vnd an jglichem zween Zapffen / da mit eins an das ander gesetzt würde. Also macht er alle Bretter zur Wonung / [23]das der selben bretter / zwenzig gegen Mittag stunden. [24]Vnd macht vierzig silbern Füsse drunter / vnter jglich bret zween füsse / an seine zween Zapffen. [25]Also zur andern seiten der Wonung / gegen Mitternacht / macht er auch zwenzig bretter [26]mit vierzig silbern füssen / vnter jglich bret zween füsse. [27]Aber hinden an der Wonung gegen dem Abend / macht er sechs bretter / [28]vnd zwey ander hinden an den zwo ecken der Wonung / [29]das ein jglichs der beider / sich mit seinem ortbret von vnten auff gesellet / vnd oben am heubt zusamen keme mit einer klamer / [30]Das der bret acht würden / vnd sechzehen silbern füsse / vnter jglichem zween füsse.

VND er machet Riegel von foern holtz / funffe zu den Brettern auff der einen seiten der Wonung / [32]vnd funffe auff der andern seiten / vnd funff hinden an gegen dem Abend. [33]Vnd machet die Riegel / das sie mitten an den bretten durch hin gestossen würden / von einem ende zum andern. [34]Vnd vberzog die bretter mit golde / Aber jre Rincken macht er von gold zu den Riegeln / vnd vberzog die Riegel mit golde.

VND machet den Furhang mit den Cherubim dran / künstlich mit geler seiden / scharlacken / rosinrot / vnd gezwirnter weisser seiden. [36]Vnd machte zu dem selben vier Seulen von foern holtz / vnd vberzog sie mit gold / vnd jre köpffe von golde / vnd gos dazu vier silbern füsse. [37]Vnd machet ein Tuch in der thür der Hütten von geler seiden / scharlacken / rosinrot vnd gezwirnter weisser seiden gestickt / [38]vnd funff seulen dazu mit jren köpffen / Vnd vberzog jre köpffe vnd reiffe mit golde / vnd funff ehrne füsse dran.

## XXXVII.

LADE. — Exo. 25.

VND BEZALEEL MACHET DIE LADE VON FOERN holtz / drithalb ellen lang / anderhalb ellen breit vnd hoch. [2]Vnd vberzog sie mit feinem golde / inwendig vnd auswendig / Vnd macht jr einen gülden Krantz vmbher. [3]Vnd gos vier gülden Rincken an jre vier Ecken / auff jglicher seiten zween. [4]Vnd machet Stangen von foern holtz / vnd vberzog sie mit golde / [5]vnd thet sie in die Rincken an der Laden seiten / das man sie tragen kund. ‖ ‖ 54a

GNADENSTUEL.

VND machet den Gnadenstuel von feinem golde / drithalb ellen lang / vnd anderhalb ellen breit / [7]Vnd machet zween Cherubim / von tichtem golde / an die zwey ende des Gnadenstuels / [8]Einen Cherub an diesem ende / den andern an jenem ende. [9]Vnd die Cherubim breiten jre Flügel aus / von oben her / vnd deckten da mit den Gnadenstuel. Vnd jre Andlitz stunden gegen ander / vnd sahen auff den Gnadenstuel.

TISCH.

VND er macht den Tisch von foern holtz / zwo ellen lang / eine elle breit / vnd anderhalb ellen hoch / [11]vnd vberzog jn mit feinem golde / Vnd macht jm einen gülden Krantz vmbher. [12]Vnd macht jm eine Leisten vmbher einer hand breit hoch / vnd macht einen gülden Krantz vmb die Leisten her. [13]Vnd gos dazu vier gülden Rincken / vnd thet sie an die vier Ort / an seinen vier Füssen / [14]hart an der Leisten / das die Stangen drinnen weren / da mit man den Tisch trüge. [15]Vnd macht die Stangen von foern holtz / vnd vberzog sie mit gold / das man den Tisch da mit trüge. [16]Vnd macht auch von feinem golde das gerete auff den Tisch / Schüsseln / Becher / Kannen vnd Schalen / da mit man aus vnd einschencket.

LEUCHTER.

VND macht den Leuchter von feinem tichtem golde / Daran waren / der schafft mit rhören / schalen / kneuffen vnd blumen. [18]Sechs Rhören giengen zu seinen seiten aus / zu jglicher seiten drey rhören / [19]drey Schalen waren an jglichem rhor mit Kneuffen vnd Blumen. [20]An dem Leuchter aber waren vier schalen mit kneuffen vnd blumen / [21]ja vnter zwo rhören ein knauff / Das also sechs rhören aus jm giengen / [22]vnd jre kneuffe vnd rhören daran / Vnd war alles aus tichtem feinem gold. [23]Vnd macht die sieben Lampen / mit jren Liechtschneutzen / vnd Lesschnepffen von feinem gold / [24] Aus einem Centner feines golds macht er jn / vnd alle sein Gerete.

VII. Lampen.

Exo. 30.

REUCHALTAR.

ER macht auch den Reuchaltar von foern holtz / ein ellen lang vnd breit / gleich vierecket / vnd zwo ellen hoch / mit seinen Hörnern. [26]Vnd vberzog jn mit feinem golde / sein dach vnd seine wende rings vmbher / vnd seine Hörner. Vnd macht jm ein Krantz vmb her von golde / [27]vnd zween gülden Rincken vnter dem krantz / zu beiden seiten / Das man Stangen drein thet / vnd jn da mit trüge / [28]Aber die stangen macht er von foern holtz / vnd vberzog sie mit golde. [29]Vnd macht die heilige Salbe / vnd Reuchwerg von reiner specerey / nach Apoteker kunst.

## XXXVIII.

Exo. 27. 2. Para. 1.

BRANDOPFFERSALTAR.

VND MACHTE DEN BRANDOPFFERSALTAR VON foern holtz / fünff ellen lang vnd breit / gleich vierecket / vnd drey ellen hoch. [2]Vnd machte vier Hörner die aus jm giengen / auff seinen vier ecken / vnd vberzog jn mit ertz. [3]Vnd macht allerley gerete zu dem Altar / Aschentöpffe / schauffeln / becken / kreuel / kolpfannen / alles von ertz. [4]Vnd macht am Altar ein Gitter / wie ein netze / von ertz vmbher / von vnten auff bis an die helfft des Altars. [5]Vnd gos vier Rincken / an die vier ort des ehrnen gitters zu stangen / [6]Die selben macht er von foern holtz / vnd vberzog sie mit ertz / [7]vnd thet sie in die rincken an den seiten des Altars / das man jn da mit trüge. Vnd machet jn inwendig hol.

HANDFAS. Exo. 30.

VND macht das Handfas von ertz / vnd seinen Fus auch von ertz / gegen den [a]Weibern / die fur der thür der Hütten des Stiffts dieneten.

a (WEIBERN) Diese Weiber waren die andechtigen Widwen vnd Weiber / die mit fasten vnd beten fur der Hütten Gott dienten / Wie 1. Reg. 2. zeiget. Vnd Paulus 1. Tim. 5. beschreibet. Wie auch S. Lucas die heilige Prophetin Hanna rhümet / Luc. 2.

sampt jrem Gerete.
VORHOF MIT seinen vmbhengen.

VND er machte einen Vorhof gegen Mittag mit einem vmbhang / hundert ellen lang / von gezwirnter weisser seiden / [10]mit jren zwenzig seulen / vnd zwenzig füssen von ertz / aber jre kneuffe vnd reiffe von silber. [11]Des selben gleichen gegen Mitternacht hundert ellen / mit zwenzig seulen / vnd zwenzig füssen / von ertz / aber jre kneuffe vnd reiffe von silber. [12]Gegen dem Abend aber funffzig ellen / mit zehen seulen / vnd zehen füssen / aber jre kneuffe vnd reiffe von silber. ‖ [13]Gegen dem Morgen aber funffzig ellen / [14] [15]Funffzehen ellen auff jglicher seiten des thors am Vorhof / ja mit drey seulen / vnd dreien füssen. [16]Das alle vmbheng des Vorhofs waren von gezwirneter weisser seiden / [17]vnd die füsse der seulen von ertz / vnd jre kneuffe vnd reiffe von silber / also / das jre köpffe vberzogen waren mit silber / Aber jre reiffe waren silbern an allen seulen des Vorhofs.

Exo. 27.

‖ 54b

VND das Tuch in dem thor des Vorhofs / macht er gestick von geler seiden / scharlacken / rosinrot vnd gezwirneter weisser seiden / zwentzig ellen lang / vnd fünff ellen hoch / nach der mas der Vmbhenge des Vorhofs. [19]Da zu vier seulen / vnd vier füsse von ertz / vnd jre kneuffe von silber / vnd jre köpffe vberzogen / vnd jre reiffe silbern. [20]Vnd alle negel der Wonung vnd des Vorhofs rings rumb waren von ertz.

Exo. 27.

DAS ist nu die summa zu der Wonung des Zeugnis / die erzelet ist / wie Mose gesagt hat / zum Gottesdienst der Leuiten / vnter der hand Jthamar Aarons des Priesters son. [22]Die Bezaleel der son Vri / des sons Hur / vom stam Juda machte / alles wie der HERR Mose geboten hatte / [23]Vnd mit jm Ahaliab / der son Ahisamach / vom stam Dan / ein Meister zu schneiten / zu wircken / vnd zu sticken mit geler seiden / scharlacken / rosinrot / vnd weisser seiden.

Summa des golds / silbers / vnd ertz das in diesem werck vererbeitet ist.

[24]ALes Golde / das vererbeit ist in diesem gantzen Werck des Heiligthums / das zur Webe gegeben ward / ist neun vnd zwentzig Centner / sieben hundert vnd dreissig Sekel / nach dem sekel des Heiligthums. [25]Des Silbers aber / das von der Gemeine kam / war hundert Centner / tausent sieben hundert fünff vnd sechzig Sekel / nach dem sekel des Heiligthums. [26]So manch Heubt / so manch halber sekel / nach dem sekel des Heiligthums / von allen die gezelet wurden / von zwentzig

jaren an vnd drüber / Sechs hundert mal tausent / drey tausent / fünff hundert vnd funffzig.

27AVs den hundert Centnern silbers / gos man die füsse des Heiligthums / vnd die füsse des Furhangs / hundert füsse aus hundert Centner / ja einen Centner zum fus. 28Aber aus den tausent / sieben hundert / vnd fünff vnd siebenzig Sekel / wurden gemacht der seulen kneuffe / vnd jre köpffe vberzogen / vnd jre reiffe.

29DJe Webe aber des Ertzs war / siebenzig Centner / zwey tausent vnd vier hundert Sekel. 30Daraus wurden gemacht die füsse / in der thür der Hütten des Stiffts. Vnd der ehrne Altar / vnd das ehrne Gitter dran / vnd alles gerete des Altars. 31Dazu die füsse des Vorhofs rings rumb / vnd die füsse des thors am Vorhofe / alle negel der Wonung / vnd alle negel des Vorhofs rings rumb.

XXXIX.

Exo. 28.

AARONS kleider.

ABER VON DER GELEN SEIDEN / SCHARLACKEN vnd rosinrot / machten sie Aaron Amptkleider / zu dienen im Heiligthum / Wie der HERR Mose geboten hatte.

LEIBROCK.

VND er macht den Leibrock mit Golde / geler seiden / scharlacken / rosinrot / vnd gezwirneter weisser seiden. 3Vnd schlug das gold / vnd schneits zu faden / das mans künstlich wircken kundte / vnter die gele seiden / scharlacken / rosinrot vnd weisse seiden / 4Das mans auff beiden achseln zusamen fügt / vnd an beiden seiten zusamen bünde. 5Vnd seine Gurt war nach der selben kunst vnd werck / von gold / geler seiden / scharlacken / rosinrot / vnd gezwirneter weisser seiden / Wie der HERR Mose geboten hatte. 6Vnd sie machten zween Onicherstein / vmbher gefasset mit gold / gegraben durch die Steinschneiter / mit dem namen der kinder Jsrael. 7Vnd hefftet sie auff die schultern des Leibrocks / das es steine seien zum Gedechtnis der kinder Jsrael / Wie der HERR Mose geboten hatte. ‖

‖ 55 a

SCHILTLIN.

VND sie machten das Schiltlin nach der kunst / vnd werck des Leibrocks von gold / geler seiden / scharlacken / rosinrot / vnd gezwirnter weisser seiden / 9das es vierecket vnd zwifach war / einer hand lang vnd breit. 10Vnd fülleten es mit vier riegen steinen / Die erste riege war / ein Sarder / Topaser vnd Smaragd. 11Die ander / ein

Rubin / Saphir / vnd Demant. [12]Die dritte / ein Lyncurer / Achat / vnd Amethist. [13]Die vierde / ein Türckis / Onicher vnd Jaspis / vmbher gefasset mit gold in allen riegen. [14]Vnd die Steine stunden nach den Zwelff namen der kinder Jsrael / gegraben durch die Steinschneiter / ein jglicher seines namens / nach den zwelff Stemmen.

[15]VNd sie machten am Schiltlin Ketten mit zwey enden von feinem gold / [16]vnd zwo gülden Spangen / vnd zween gülden Ringe / vnd hefften die zween ringe auff die zwo ecken des Schiltlins / [17]vnd die zwo gülden ketten theten sie in die zween ringe auff den ecken des Schiltlins / [18]Aber die zwey ende der ketten theten sie an die zwo spangen / vnd hefften sie auff die ecken des Leibrocks gegen ander vber.

[19]VND machten zween ander gülden Ringe / vnd hefften sie an die zwo ander ecken des Schiltlins an seinen ort / das es fein anlege auff dem Leibrock. [20]Vnd machten zween ander gülden Ringe / die theten sie an die zwo ecken / vnten am Leibrock / gegen ander vber / da der Leibrock vnten zusamen gehet / [21]das das Schiltlin mit seinen ringen an die ringe des Leibrocks geknüpfft würde / mit einer gelen Schnur / das es auff dem Leibrock hart anlag / vnd nicht von dem Leibrock los würde / Wie der HERR Mose geboten hatte.

SEIDENROCK.

VND er macht den Seidenrock zum Leibrock / gewirckt / gantz von geler seiden / [23]vnd sein Loch oben mitten inne / vnd ein borte vmbs loch her gefalten / das er nicht zurisse. [24]Vnd sie machten an seinem Saum Granatepffel von geler seiden / scharlacken / rosinrot / vnd gezwirnter weisser seiden / [25]vnd machten Schellen von feinem golde / die theten sie zwisschen die Granatepffel rings vmbher am saum des Seidenrocks / [26]ja ein granatapffel vnd eine schelle vmb vnd vmb am saum / darin zu dienen / Wie der HERR Mose geboten hatte.

Exo. 28.

ENGEROCK.

VND machten auch die Engenröck / von weisser seiden / gewirckt / Aaron vnd seinen Sönen / [28]vnd den Hut von weisser seiden / vnd die schönen Hauben von weisser seiden / vnd Niderkleid von gezwirntem weissem linwad / [29]vnd den gestickten Gürtel von gezwirnter weisser seiden / geler seiden / scharlacken / rosinrot / Wie der HERR Mose geboten hatte.

Exo. 28.

Exod. 28.

SJE machten auch das Stirnblat / nemlich die heilige Krone von feinem gold / vnd gruben Schrifft drein / Die heiligkeit des HERRN. 31Vnd bunden eine gele Schnur dran / das sie an den Hut von oben her geheftet würde / Wie der HERR Mose geboten hatte.

STIRNBLAT.

ALso ward vollendet das gantze werck der Wonung / der Hütten des Stiffts. Vnd die kinder Jsrael theten alles / was der HERR Mose geboten hatte. 33Vnd brachten die Wonung zu Mose / die Hütten vnd alle jre Gerete / hecklin / bretter / riegel / seulen / füsse. 34Die Decke von rötlichten Widerfellen / die Decke von dachsfellen / vnd den Furhang. 35Die Lade des Zeugnis mit jren stangen / den Gnadenstuel. 36Den Tisch vnd alle sein gerete / vnd die Schawbrot. 37Den schönen Leuchter mit den Lampen zubereit / vnd alle seinem gerete / vnd öle zu liechten. 38Den gülden Altar / vnd die Salbe vnd gut Reuchwerg / das Tuch in der Hütten thür. 39Den ehrnen Altar / vnd sein ehrne Gitter mit seinen stangen / vnd alle seinem gerete / Das Handfas mit seinem fuss. 40Die vmbhenge des Vorhofs mit seinen seulen vnd füssen / Das Tuch im thor des Vorhofs mit seinen seilen vnd negel / vnd allem gerete zum dienst der Wonung der Hütten des Stiffts. 41Die Amptkleider des Priesters Aaron / zu dienen im Heiligthum / vnd die Kleider seiner Söne / das sie Priesterampt theten. 42Alles ‖ wie der HERR Mose geboten hatte / theten die kinder Jsrael / an allem diesem dienst. 43Vnd Mose sahe an alle dis Werck / das sie es gemacht hatten / wie der HERR geboten hatte / vnd segenet sie.

Nu ist das gantze werck der wonung volendet.

‖ 55 b

XL.

VND DER HERR REDET MIT MOSE / VND SPRACH / 2Du solt die Wonung der Hütten des Stiffts auffrichten / am ersten tage / des ersten monden. 3Vnd solt dar ein setzen die Laden des Zeugnis / vnd fur die Laden den Furhang hengen. 4Vnd solt den Tisch dar bringen / vnd jn zubereiten / vnd den Leuchter dar stellen / vnd die Lampen drauff setzen. 5Vnd solt den gülden Reuchaltar setzen fur die Lade des Zeugnis / vnd das Tuch in der thür der Wonung auff hengen. 6Den Brandopffersaltar aber soltu setzen her aus fur die thür der Wonung der Hütten des Stiffts. 7Vnd das Handfas

Hie befilhet nu Gott Mose die Wonung auffzurichten / vnd ein jglichs fein ordenlich an sein ort zu setzen.

auffgerichtet etc.

zwisschen der Hütten des Stiffts vnd dem Altar / vnd wasser drein thun. [8]Vnd den Vorhof stellen vmbher / vnd das Tuch in der thür des Vorhofs auffhengen.

[9]VND solt die Salbe nemen / vnd die Wonung / vnd alles was drinnen ist / salben / vnd solt sie weihen mit alle jrem Gerete / das sie heilig sey. [10]Vnd solt den Brandopffersaltar salben mit alle seinem Gerete / vnd weihen / das er allerheiligst sey. [11]Solt auch das Handfas vnd seinen fuss salben vnd weihen.

Exod. 30.

[12]VND solt Aaron vnd seine Söne fur die thür der Hütten des Stiffts füren / vnd mit wasser wasschen. [13]Vnd Aaron die heilige Kleider anziehen / vnd salben vnd weihen das er mein Priester sey. [14]Vnd seine Söne auch erzu füren / vnd jnen die Engeröcke anziehen / [15]vnd sie salben / wie du jren Vater gesalbet hast / das sie meine Priester seien / Vnd diese Salbung sollen sie haben zum ewigen Priesterthum bey jren Nachkomen. [16]Vnd Mose thet alles wie jm der HERR geboten hatte.

Exod. 29.

ALso ward die Wonung auffgerichtet im andern jar am ersten tage des ersten monds. [18]Vnd da Mose sie auffrichtet / setzet er die Füsse vnd die Bretter / vnd Rigel / vnd richtet die seulen auff. [19]Vnd breitet die Hütten aus zur Wonung / vnd leget die Decken der Hütten oben drauff / Wie der HERR jm geboten hatte. [20]Vnd nam das Zeugnis / vnd legts in die Laden vnd thet die stangen an die Laden / vnd thet den Gnadenstuel / oben auff die Lade. [21]Vnd bracht die Lade in die Wonung / vnd hieng den Furhang fur die Lade des Zeugnis / Wie jm der HERR geboten hatte. [22]Vnd setzet den Tisch in die Hütte des Stiffts / in den winckel der Wonung gegen Mitternacht / haussen fur dem Furhang. [23]Vnd bereitet Brot drauff fur dem HERRN / Wie jm der HERR geboten hatte. [24]Vnd setzet den Leuchter auch hin ein gegen dem Tisch vber / in den winckel der Wonung gegen Mittag / [25]Vnd thet Lampen drauff fur den HERRN / Wie jm der HERR geboten hat.

Ebre. 9.

[26]VND setzt den Güldenaltar hin ein / fur den Furhang / [27]Vnd reucherte drauff mit gutem Reuchwerg / Wie jm der HERR geboten hatte. [28]Vnd hieng das Tuch in die thür der Wonung. [29]Aber den Brandopffers altar setzet er fur die thür der Wonung der Hütten des Stiffts / vnd opfferte

drauff Brandopffer vnd Speisopffer / Wie jm der HERR geboten hatte. [30]Vnd das Handfas setzet er zwisschen der Hütten des Stiffts vnd dem Altar / vnd thet wasser drein zu wasschen. [31]Vnd Mose / Aaron vnd seine Söne wusschen jre hende vnd füsse draus / [32]Denn sie müssen sich wasschen / wenn sie in die Hütten des Stiffts gehen / oder hin zu treten zum Altar / Wie jm der HERR geboten hatte. [33]Vnd er richtet den Vorhof auff / vmb die Wonung vnd vmb den Altar her / vnd hieng den Furhang in das thor des Vorhofs / Also volendet Mose das gantze werck. ‖

‖ 57a

DA bedeckt eine Wolcke die Hütte des Stiffts / vnd die Herrligkeit des HERRN füllet die Wonung. [35]Vnd Mose kund nicht in die Hütten des Stiffts gehen / weil die Wolcken drauff bleib / vnd die Herrligkeit des HERRN die Wonung füllet. [36]Vnd wenn die Wolcke sich auffhub von der Wonung / so zogen die kinder Jsrael / so offt sie reiseten. [37]Wenn sich aber die Wolcke nicht auffhub / so zogen sie nicht / bis an den tag / das sie sich auffhub. [38]Denn die Wolcke des HERRN war des tages auff der Wonung / vnd des nachts war sie fewrig / fur den augen des gantzen haus Jsrael / so lange sie reiseten.

Ende des Andern Buchs Mose.

## DAS DRITTE BUCH MOSE.

### I.

VND DER HERR RIEFF MOSE / VND REDET MIT jm von der Hütten des Stiffts / vnd sprach. [2]Rede mit den kindern Jsrael / vnd sprich zu jnen / Welcher vnter euch dem HERRN ein Opffer thun wil / der thue es von dem Vieh / von rindern / vnd schafen.

BRANDOPFFER von Rindern.

WJL er ein Brandopffer thun von rindern / So opffer er ein Menlin das on wandel sey / fur der thür der Hütten des Stiffts / das es dem HERRN angeneme sey von jm. [4]Vnd lege seine hand auff des Brandopffers heubt / So wird es angeneme sein / vnd jn versünen. [5]Vnd sol das jung Rind schlachten fur dem HERRN / vnd die Priester / Aarons söne / sollen das Blut erzu bringen / vnd auff den Altar vmbher sprengen / der fur der thür der Hütten des Stiffts ist. [6]Vnd man sol dem Brandopffer die haut abziehen / vnd es sol in stück zuhawen werden. [7]Vnd die söne Aarons des Priesters sollen ein fewr auff den Altar machen / vnd holtz oben drauff legen / [8]vnd sollen die stück / nemlich / den Kopff vnd das Fett auff das holtz legen / das auff dem fewr auff dem Altar ligt. [9]Das Eingeweide aber vnd die Schenckel sol man mit wasser wasschen / vnd der Priester sol das alles anzünden auff dem Altar zum Brandopffer / Das ist ein Fewr zum süssen geruch dem HERRN.

Von schafen vnd zigen.

WJL er aber von schafen oder zigen ein Brandopffer thun / So opffer er ein Menlin das on wandel sey. [11]Vnd sol es schlachten zur seiten des Altars gegen Mitternacht fur dem HERRN / vnd die Priester / Aarons söne / sollen sein Blut auff den Altar vmbher sprengen. [12]Vnd man sol es in stücke zuhawen / vnd der Priester sol den Kopff vnd das Fett auff das holtz vnd fewr das auff dem Altar ist / legen. [13]Aber das Eingeweide vnd die Schenckel sol man mit wasser wasschen / Vnd der Priester sol es alles opffern vnd anzünden auff dem Altar zum Brandopffer / Das ist ein Fewr zum süssen geruch dem HERRN.

Von vogeln.

WJL er aber von Vogeln dem HERRN ein Brandopffer thun / so thue ers von Dorteltauben oder von Jungentauben. [15]Vnd der Priester sols zum Altar bringen / vnd jm den Kopff abkneipen / das es auff dem Altar angezündet werde / vnd sein Blut ausbluten lassen an der wand des Altars. [16]Vnd || seinen Kropff mit seinen feddern sol man neben dem Altar gegen dem morgen auff den asschen hauffen werffen / [17]vnd sol seine Flügel spalten / aber nicht abbrechen / Vnd also sols der Priester auff dem Altar anzünden auff dem holtz auffm fewr zum Brandopffer / Das ist ein Fewr zum süssen geruch dem HERRN. || 57b

II.

SPEISOPFFER.

WENN EINE SEELE DEM HERRN EIN SPEISopffer thun wil / So sol es von Semelmelh sein / vnd sol Ole drauff giessen / vnd Weyrauch drauff legen / [2]vnd also bringen zu den Priestern Aarons sönen. Da sol der Priester seine hand vol nemen von demselben Semelmelh vnd Ole / sampt dem gantzen Weyrauch / vnd anzünden zum Gedechtnis auff dem Altar / Das ist ein Fewr zum süssen geruch dem HERRN. [3]Das vbrige aber vom Speisopffer sol Aarons vnd seiner Söne sein / Das sol das Allerheiligst sein von den Fewrn des HERRN.

WJl er aber sein Speisopffer thun vom gebacken im ofen / So neme er Kuchen von Semelmelh vngesewrt / mit Ole gemenget / vnd vngesewrte Fladen mit öle bestrichen. [5]Jst aber dein Speisopffer etwas vom gebacken in der pfannen / So sols von vngesewrtem Semelmelh / mit öle gemenget sein / [6]Vnd solts in stück zuteilen / vnd öle darauff giessen / so ists ein Speisopffer. [7]Jst aber dein Speisopffer etwas auff dem rost geröstet / So soltu es von Semelmelh mit öle machen / [8]Vnd solt das Speisopffer / das du von solcherley machen wilt dem HERRN / zu dem Priester bringen / der sols zu dem Altar bringen / [9]vnd desselben Speisopffer Heben zum Gedechtnis / vnd anzünden auff dem Altar / Das ist ein Fewr zum süssen geruch dem HERRN. [10]Das vbrige aber sol Aarons vnd seiner Söne sein / Das sol das Allerheiligst sein von den Fewrn des HERRN.

ALle Speisopffer / die jr dem HERRN opffern wolt / solt jr on sawrteig machen / Denn kein sawrteig / noch Honig sol drunter dem HERRN zum Fewr angezündet werden. [12]Aber zum Erstling solt jr sie dem HERRN bringen / Aber auff keinen Altar sollen sie komen zum süssen geruch. [13]Alle deine Speisopffer soltu saltzen / vnd dein Speisopffer sol nimer on saltz des Bundes deines Gottes sein / Denn in alle deinem Opffer soltu saltz opffern.

Marc. 9.

WJltu aber ein Speisopffer dem HERRN thun von den ersten früchten / Soltu die Sangen am fewr gederret klein zustossen / vnd also das Speisopffer deiner ersten Früchte opffern / [15]vnd solt Ole drauff thun / vnd Weyrauch drauflegen / so ists ein Speisopffer. [16]Vnd der Priester sol von dem zustossen / vnd vom öle mit dem gantzen weyrauch / anzünden zum Gedechtnis / Das ist ein Fewr dem HERRN.

## III.

JST ABER SEIN OPFFER EIN DANCKOPFFER / VON Rindern / es sey ein ochs oder kue / Sol ers opffern fur dem HERRN / das on wandel sey. [2]Vnd sol seine hand auff desselben heubt legen / vnd schlachten fur der thür der Hütten des Stiffts. Vnd

DANCKOPFFER von Rindern.

die Priester / Aarons söne / sollen das Blut auff den Altar vmb her sprengen. [3]Vnd sol von dem Danckopffer dem HERRN opffern / nemlich / alles fett am eingeweide / [4]vnd die zwo nieren / mit dem fett das dran ist an den lenden / vnd das netz vmb die lebber / an den nieren abgerissen. [5]Vnd Aarons söne sollens anzünden auff dem Altar zum Brandopffer / auff dem holtz das auff dem fewr ligt / Das ist ein Fewr zum süssen geruch dem HERRN.

Von kleinem Vieh

WJl er aber dem HERRN ein Danckopffer von kleinem Vieh thun / es sey ein scheps oder schaf / so sols on wandel sein. [7]Jsts ein Lemblin / sol || ers fur den HERRN bringen / [8]vnd sol seine hand auff desselben heubt legen / vnd schlachten fur der Hütten des Stiffts / Vnd die söne Aarons sollen sein Blut auff den Altar vmbher sprengen. [9]Vnd sol also von dem Danckopffer dem HERRN opffern zum fewr / nemlich / sein fett / den gantzen schwantz / von dem rücken abgerissen / vnd alles fett am eingeweide / [10]die zwo nieren mit dem fett das dran ist an den lenden / vnd das netz vmb die lebber / an den nieren abgerissen. [11]Vnd der Priester sols anzünden auff dem Altar / zur speise des Fewrs dem HERRN.

|| 58a

(Speise) Das vom fewr auffgefressen wird.

JST aber sein Opffer ein Zige / vnd bringts fur den HERRN / [13]Sol er seine hand auff jr heubt legen / vnd sie schlachten fur der Hütten des Stiffts / Vnd die söne Aarons sollen das Blut auff den Altar vmbher sprengen. [14]Vnd sol dauon opffern ein Opffer dem HERRN / nemlich / das fett am eingeweide / [15]die zwo nieren mit dem fett das dran ist an den lenden / vnd das netz vber der lebber / an den nieren abgerissen. [16]Vnd der Priester sols anzünden auff dem Altar zur speise des Fewrs zum süssen geruch.

Fett vnd blut verboten zu essen.

ALles fett ist des HERRN / [17]Das sey ein ewiger Sitte bey ewren Nachkomen / in allen ewren Wonungen / das jr kein Fett noch Blut esset.

Leui. 7. Gen. 9. Le. 17. 19.

## IIII.

(Ergert) Das ist / mit leren oder leben ongefehr zur sünd vnd schuld vrsache gebe.

VND DER HERR REDET MIT MOSE / VND SPRACH / [2]Rede mit den kindern Jsrael / vnd sprich. Wenn eine Seele sündigen würde aus versehen / an jrgent einem Gebot des HERRN / das sie nicht thun solt. [3]Nemlich / so ein Priester der gesalbet ist / sündigen würde / das er das Volck ergert / Der sol fur seine sünde / die er gethan hat einen jungen Farren bringen der on wandel sey / dem HERRN zum Sündopffer. [4]Vnd sol den Farren fur die thür der Hütten des Stiffts bringen fur den HERRN / vnd seine hand auff des selben heubt legen / vnd schlachten fur dem HERRN. [5]Vnd der Priester der gesalbet ist / sol des Farren bluts nemen / vnd in die Hütten des Stiffts bringen / [6]Vnd sol seinen finger in das Blut tuncken / vnd da mit sieben mal sprengen fur dem HERRN / fur dem Furhang im Heiligen. [7]Vnd sol des selben bluts thun auff die hörner des Reuchaltars / der fur dem HERRN in der Hütten des Stiffts stehet / vnd alles Blut giessen an den boden des Brandopffersaltars / der fur der hütten thür des Stiffts stehet. [8]Vnd alles fett des Sündopffers sol er Heben / nemlich / das fett am eingeweide / [9]die zwo nieren / mit dem fett das dran ist an den lenden / vnd das netz vber der lebber / an den nieren abgerissen / [10]Gleich wie ers Hebt vom ochsen im Danckopffer / vnd sols anzünden auff dem Brandopffersaltar. [11]Aber das fell des Farren / mit allem fleisch sampt dem kopff / vnd schenckeln / vnd das eingeweide / vnd den mist / [12]das sol er alles hin aus füren ausser dem Lager / an eine reine stete / da man die Asschen hin schüttet / vnd sols verbrennen auff dem holtz mit fewr.

SÜNDOPFFER.

Leui. 9.
Num. 15.

WEns eine gantze Gemeine in Jsrael versehen würde / vnd die that fur jren augen verborgen were / das sie jrgent wider ein Gebot des HERRN gethan hetten / das sie nicht thun solten / vnd sich also verschuldeten / [14]Vnd darnach jrer sunde innen würden / die sie gethan hetten / Sollen sie einen jungen Farren dar bringen zum Südopffer / vnd fur die thür der Hütten des Stiffts stellen. [15]Vnd die Eltesten von der Gemeine sollen jre hende auff sein heubt legen fur dem HERRN / vnd den Farren schlachten fur dem HERRN. [16]Vnd der Priester der gesalbet ist / sol des bluts vom Farren in die hütten des Stiffts bringen / [17]vnd mit seinem finger drein tuncken / vnd sieben mal sprengen fur dem HERRN / fur dem Furhang. [18]Vnd sol des bluts auff die hörner des Altars thun / der fur dem HERRN stehet in der Hütten des Stiffts.Vnd alles ander blut an den boden des Brandopffersaltar giessen / der fur der || thür der Hütten des Stiffts stehet. [19]Alles sein fett aber sol er Heben / vnd auff dem Altar anzünden. [20]Vnd sol mit dem Farren thun / wie er mit

|| 58b

dem farren des Sündopffers gethan hat / Vnd sol also der Priester sie versünen / so wirds jnen vergeben. [21]Vnd sol den Farren ausser dem Lager füren vnd verbrennen / wie er den vorigen Farren verbrand hat / das sol das Sündopffer der Gemeine sein.

WEnn aber ein Fürst sundiget / vnd jrgent wider des HERRN / seins Gottes gebot thut / das er nicht thun solt / vnd versihets / das er sich verschuldet / [23]vnd wird seiner sünde innen die er gethan hat. Der sol zum Opffer bringen / einen Zigenbock on wandel / [24]vnd seine hand auff des Bocks heubt legen / vnd jn schlachten an der stat / da man die Brandopffer schlachtet fur dem HERRN Das sey sein Sündopffer. [25]Da sol denn der Priester des bluts von dem Sündopffer nemen mit seinem finger / vnd auff die hörner des Brandopffersaltar thun / vnd das ander blut an den boden des Brandopffersaltar giessen. [26]Aber alles sein fett sol er auff dem Altar anzünden / gleich wie das fett des Danckopffers / Vnd sol also der Priester seine Sunde versünen / so wirds jm vergeben.

WEns aber eine Seele vom gemeinen Volck versihet vnd sündiget / das sie jrgent wider der Gebot des HERRN eines thut / das sie nicht thun solt / vnd sich also verschuldet / [28]vnd jrer sünde innen wird / die sie gethan hat / Die sol zum Opffer eine Zigen bringen on wandel / fur die sünde die sie gethan hat / [29]Vnd sol jre hand auff des Sündopffers heubt legen / vnd schlachten an der stete des Brandopffers. [30]Vnd der Priester sol des bluts mit seinem finger nemen / vnd auff die hörner des Altars des Brandopffers thun / vnd alles blut an des Altars boden giessen. [31]Alle sein fett aber sol er abreissen / wie er das fett des Danckopffers abgerissen hat / vnd sols anzünden auff dem Altar zum süssen geruch dem HERRN / Vnd sol also der Priester sie versünen / so wirds jr vergeben.

WJrd er aber ein schaf zum Sündopffer bringen / so bringe er das eine Sie ist / on wandel / [33]Vnd lege seine hand auff des Sündopffers heubt vnd schlacht es zum Sündopffer / an der stete / da man die Brandopffer schlachtet. [34]Vnd der Priester sol des bluts mit seinem finger nemen / vnd auff die hörner des Brandopffersaltar thun / vnd alles blut an den boden des Altars giessen. [35]Aber alle sein fett sol er abreissen / wie er das fett vom Schaf des Danckopffers abgerissen hat / vnd sols auff dem Altar anzünden / zum Fewr dem HERRN / vnd sol also der Priester versünen seine Sünde die er gethan hat / so wirds jm vergeben.

V.

WEnn eine Seele sundigen würde / das er einen Fluch höret vnd er des Zeuge ist / oder gesehen oder erfaren hat / vnd nicht angesagt / der ist einer missethat schüldig. [2]Oder wenn eine Seele etwas vnreines anrüret / es sey ein Ass eines vnreinen Thiers oder Viehs / oder Gewürmes / vnd wüste es nicht / der ist vnrein / vnd hat sich verschuldet. [3]Oder wenn er einen vnreinen Menschen anrüret / in waserley vnreinigkeit / der Mensch vnrein werden kan / Vnd wüste es nicht / vnd wirds innen / der hat sich verschuldet. [4]Oder wenn eine Seele schweret / das jm aus dem mund entferet / schaden oder guts zu thun / wie denn einem Menschen ein Schwur entfaren mag / ehe ers bedecht / vnd wirds innen / der hat sich an der einem verschuldet.

[5]WEns nu geschicht / das er sich der eines verschuldet / vnd erkennet sich das er daran gesündiget hat / [6]So sol er fur seine schuld dieser seiner sunde die er gethan hat / dem HERRN bringen von der Herd / ein schaf oder zigenmutter / zum Sündopffer / So sol jm der Priester seine sunde versünen. ||

|| 58 c

VErmag er aber nicht ein schaf / So bringe er dem HERRN fur seine schuld die er gethan hat / zwo Dordeltauben / oder zwo Jungetauben / Die erste zum Sündopffer / die ander zum Brandopffer. [8]Vnd bringe sie dem Priester / Der sol die erste zum Sündopffer machen / vnd jr den Kopff abkneipen hinder dem genick / vnd nicht abbrechen / [9]Vnd sprenge mit dem blut des Sündopffers / an die seite des Altars / vnd lasse das vbrige blut ausbluten / an des Altars boden / Das ist das Sündopffer. [10]Die ander aber sol er zum Brandopffer machen / nach seinem Recht / Vnd sol also der Priester jm seine Sunde versünen / die er gethan hat / so wirds jm vergeben.

[11]VErmag er aber nicht zwo Dordeltauben / oder zwo Jungetauben / So bringe er fur seine sunde sein Opffer / ein zehenden teil Ephi semelmelh zum Sündopffer / Er sol aber kein öle drauff legen / noch

weyrauch drauff thun / denn es ist ein Sündopffer. [12]Vnd sols zum Priester bringen / Der Priester aber sol ein hand vol dauon nemen zum gedechtnis / vnd anzünden auff dem Altar zum Fewr dem HERRN / das ist ein Sündopffer. [13]Vnd der Priester sol also seine sünde die er gethan hat / jm versünen / so wirds jm vergeben / Vnd sol des Priesters sein / wie ein Speisopffer.

VND der HERR redet mit Mose / vnd sprach / [15]Wenn sich eine Seele vergreifft / das sie es versihet / vnd sich versündigt / an dem / das dem HERRN geweihet ist / Sol sie jr Schuldopffer dem HERRN bringen / einen Widder on wandel von der Herd / der zween sekel silbers werd sey / nach dem sekel des Heiligthums / zum Schuldopffer. [16]Da zu was er gesündiget hat an dem geweiheten / sol er widergeben / vnd das fünffte teil darüber geben / vnd sols dem Priester geben / Der sol jn versünen / mit dem Widder des Schuldopffers / so wirds jm vergeben.

WEnn eine Seele sundigt / vnd thut wider jrgent ein Gebot des HERRN das sie nicht thun solt / vnd hats nicht gewust / die hat sich verschuldet / vnd ist einer missethat schüldig. [18]Vnd sol bringen einen Widder von der Herd on wandel / der eines Schuldopffers werd ist / zum Priester / Der sol jm seine vnwissenheit versünen / die er gethan hat / vnd wuste es nicht / so wirds jm vergeben. [19]Das ist das Schuldopffer / das er dem HERRN verfallen ist.

VND der HERR redet mit Mose / vnd sprach / [2]Wenn eine Seele sündigen würde / vnd sich an dem HERRN vergreiffen / das er seinem neben Menschen verleugnet / was er jm befolhen hat / Oder das jm zu trewer hand gethan ist / Oder das er mit gewalt genomen / Oder mit vnrecht zu sich bracht / [3]Oder das verloren ist / funden hat / vnd leugnet solchs mit einem falschen Eid / wie es der eines ist / darin ein Mensch wider seinen Nehesten sunde thut. [4]Wens nu geschicht / das er also sundiget / vnd sich verschuldet / So sol er wider geben / was er mit gewalt genomen / oder mit vnrecht zu sich bracht / oder was jm befolhen ist / oder was er funden hat / [5]oder wor vber er den falschen Eid gethan hat / das sol er alles gantz widergeben / Dazu das fünffte teil drüber geben / dem des gewest ist / des tages / wenn er sein Schuldopffer gibt.

Num. 5.

[6]Aber fur seine schuld sol er dem HERRN zu dem Priester einen Widder / von der Herd on wandel bringen / der eines Schuldopffers werd ist / [7]So sol jn der Priester versünen fur dem HERRN / so wirds jm vergeben / alles was er gethan hat / daran er sich verschuldet hat.

VI.

Gesetz des Brandopffers.

VND der HERR redet mit Mose / vnd sprach / [9]Gebeut Aaron vnd seinen Sönen / vnd sprich / Dis ist das Gesetz des Brandopffers. Das Brandopffer sol brennen auff dem Altar / die gantze nacht bis an den morgen / Es sol aber allein des Altars || fewr drauff brennen. [10]Vnd der Priester sol seinen leinen Rock anziehen / vnd die leinen Niderwad an seinen Leib / vnd sol die Asschen auffheben / die das fewr des Brandopffers auff dem Altar gemacht hat / vnd solt sie neben den Altar schütten [11]Vnd sol seine Kleider darnach ausziehen / vnd ander kleider anziehen / vnd die Asschen hin aus tragen / ausser dem Lager an eine reine stete.

|| 58 d

[12]DAs Fewr auff dem Altar sol brennen / vnd nimer verlesschen / Der Priester sol alle morgen Holtz drauff anzünden / vnd oben drauff das Brandopffer zurichten / vnd das fette der Danckopffer drauff anzünden. [13]Ewig sol das Fewr auff dem Altar brennen / vnd nimer verlesschen.

Gesetz des Speisopffers.

VND das ist das Gesetz des Speisopffers / das Aarons söne opffern sollen fur dem HERRN auff dem Altar. [15]Es sol einer Heben seine hand vol semelmelhs vom Speisopffer / vnd des öles / vnd den gantzen weyrauch der auff dem Speisopffer ligt / vnd sols anzünden auff dem Altar zum süssen geruch / ein gedechtnis dem HERRN. [16]Das vbrige aber sollen Aaron vnd seine Söne verzehren / vnd sols vngesewrt essen / an heiliger stete / im Vorhof der Hütten des Stiffts. [17]Sie sollen nichts mit sawrteig backen / Denn es ist jr teil / das ich jnen gegeben habe von meinem Opffer / Es sol jnen das Allerheiligst sein / gleich wie das Sündopffer vnd Schuldopffer / [18]Was menlich ist vnter den kindern Aaron / sollens essen. Das sey ein ewiges Recht ewrn Nachkomen / an den Opffern des HERRN / Es sol sie niemand anrüren / er sey denn geweihet.

Gesetz des Sündopffers.

VND der HERR redet mit Mose / vnd sprach / [20]Das sol das Opffer sein / Aarons vnd seiner Söne / das sie dem HERRN opffern sollen am tage seiner salbunge / Das zehende teil Ephi von semelmelh des teglichen Speisopffers / eine helfft des morgens / die ander helfft des abends. [21]Jn der Pfannen mit öle soltu es machen / vnd geröstet darbringen / vnd in stücken gebacken / soltu solchs opffern / zum süssen geruch dem HERRN / [22]Vnd der Priester / der vnter seinen Sönen an seine stat gesalbet wird / sol solchs thun. Das ist ein ewiges Recht dem HERRN / Es sol gantz verbrand werden / [23]Denn alle Speisopffer eins Priesters / sol gantz verbrand / vnd nicht gessen werden.

VND der HERR redet mit Mose / vnd sprach / [25]Sage Aaron vnd seinen Sönen / vnd sprich / Dis ist das Gesetz des Sündopffers. An der stet / da du das Brandopffer schlachtest / soltu auch das Sündopffer schlachten fur dem HERRN / das ist das allerheiligst. [26]Der Priester der das Sündopffer thut / sols essen an heiliger stet / im vorhof der Hütten des Stiffts. [27]Niemand sol seines fleischs anrüren / er sey denn geweihet. Vnd wer von seinem blut ein Kleid besprenget / der sol das besprengte stück wasschen an heiliger stet. [28]Vnd das töpffen / darin es gekochet ist / sol man zubrechen. Jsts aber ein ehern topff so sol man jn schewren / vnd mit wasser spülen. [29]Was menlich ist vnter den Priestern / sollen dauon essen / Denn es ist das allerheiligste. [30a]Aber alle das Sündopffer / des blut in die Hütten des Stiffts bracht wird / zuuersünen Heiligen / sol man nicht essen / sondern mit fewr verbrennen.

a (Aber alle das) Hie sihestu / das Moses klerlich zweierley Sündopffer / oder zweierley brauch des Sündopffers setzt. Eins / da man das blut nicht in das Heilige bringet zuuersünen / Solchs mochten sie essen. Das ander / Da man das blut in das Heilige bringt zuuersünen / Solches muste man nicht essen / sondern ausser dem Lager alles verbrennen. Dauon in der Epistel an die Ebre. 13. Quorum animalium sanguis. Et supra Cap. 4.

## VII.

GESETZ DES Schuldopffers.

VND DIS IST DAS GESETZ DES SCHULDOPFFERS / vnd das ist das allerheiligst. [2]An der stet / da man das Brandopffer schlachtet / sol man auch das Schuldopffer schlachten / vnd seines bluts auff den Altar vmbher sprengen. [3]Vnd alle sein fett sol man opffern / den schwantz vnd das fett am eingeweide / [4]die zwo nieren / mit dem fett das dran ist an den lenden / vnd das netz vber der lebber an den nieren abgerissen. [5]Vnd der Priester sols auff dem Altar anzünden zum Fewr dem HERRN / Das ist ein Schuldopffer. ‖

‖ 59 a

[6]WAs menlich ist vnter den Priestern sollen das essen / an heiliger stet / Denn es ist das allerheiligst. [7]Wie das Sündopffer / also sol auch das Schuld-

opffer sein / aller beider sol einerley Gesetz sein / Vnd sol des Priesters sein / der dadurch versünet. [8]Welcher Priester jemands Brandopffer opffert / des sol des selben Brandopffers fell sein / das er geopffert hat. [9]Vnd alles Speisopffer das im ofen / oder auff dem rost / oder in der pfannen gebacken ist / sol des Priesters sein / der es opffert. [10]Vnd alle Speisopffer das mit öle gemengt oder treuge ist / sol aller Aarons kinder sein / eines wie des andern.

GESETZ DES danckopffers.

VND dis ist das Gesetz des Danckopffers / das man dem HERRN opffert. [12]Wollen sie ein Lobopffer thun / so sollen sie vngesewrte Kuchen opffern mit öle gemenget / vnd vngesewrte Fladen mit öle bestrichen / vnd geröstet Semelkuchen mit öle gemenget. [13]Sie sollen aber solchs Opffer thun / auff einen Kuchen vom gesewrten brot / zum Lobopffer seines Danckopffers. [14]Vnd sol einen von den allen dem HERRN zur Hebe opffern / vnd sol des Priesters sein / der das blut des Danckopffers sprenget. [15]Vnd das fleisch des Lobopffers in seinem Danckopffer / sol desselben tages geessen werden / da es geopffert ist / vnd nichts vbergelassen werden / bis an den morgen.

(Lobopffer / Danckopffer) Diese zwey opffer sind in ein opffer gerechnet / danckopffer heisst wenn sie schaf / ochsen / etc. geschlacht haben. Lobopffer / wenn sie fladen vnd kuchen (wie ein Speisopffer) dazu gethan haben. Vnd nennet also eins das ander / das es heisst Fleisch des Lobopffers das ist (neben dem Lobopffer) Jtem / Lobopffer des Danckopffers.

VND es sey ein Gelübd oder freiwillig Opffer / So sol es desselben tags / da es geopffert ist / gessen werden / So aber etwas vberbleibt auff den andern tag / sol mans doch essen. [17]Aber was von geopffertem Fleisch vberbleibt am dritten tage / sol mit fewr verbrennet werden. [18]Vnd wo jemand am dritten tage wird essen von dem geopfferten fleisch seines Danckopffers / so wird er nicht angeneme sein / der es geopffert hat / Es wird jm auch nicht zugerechnet werden / sondern es wird ein Grewel sein / Vnd welche Seele dauon essen wird / die ist einer missethat schüldig.

VND das Fleisch / das etwas vnreines anrüret / Sol nicht gessen / sondern mit fewr verbrennet werden. Wer reines Leibs ist / sol des fleischs essen / Vnd welche Seele essen wird von dem fleisch des Danckopffers / das dem HERRN zugehöret / der selben vnreinigkeit sey auff jr / vnd sie wird ausgerottet werden von jrem volck. [21]Vnd wenn eine Seele etwas vnreines anrüret / es sey vnrein Mensch / Vieh / oder was sonst grewlich ist / vnd vom fleisch des Danckopffers isset das dem HERRN zugehöret / die wird ausgerottet werden von jrem volck.

Fett vnd Blut sol man nicht essen.

VND der HERR redet mit Mose / vnd sprach / [23]Rede mit den kindern Jsrael / vnd sprich / Jr solt kein Fett essen vom Ochsen / Lemmer vnd Zigen. [24]Aber das fett vom Ass / vnd was vom Wild zurissen ist / macht euch zu allerley nutz / Aber essen solt jrs nicht. [25]Denn wer das fett isset vom Vieh / das dem HERRN zum Opffer gegeben ist / dieselb Seel sol ausgerottet werden von jrem Volck. [26]Jr solt auch kein Blut essen / weder vom Vieh noch von Vogeln / wo jr wonet / [27]Welche Seele würde jrgent ein Blut essen / die sol ausgerottet werden von jrem Volck.

Leui. 3.

Gen. 9. Leui. 3. 17. 19. Deut. 12.

VND der HERR redet mit Mose / vnd sprach / [29]Rede mit den kindern Jsrael / vnd sprich. Wer dem HERRN sein Danckopffer thun wil / der sol auch mit bringen was zum Danckopffer dem HERRN gehört. [30]Er sols aber mit seiner hand herzu bringen zum Opffer des HERRN / nemlich / Das fett an der brust sol er bringen / sampt der Brust / das sie ein Webe werden fur dem HERRN. [31]Vnd der Priester sol das Fett anzünden auff dem Altar / vnd die Brust sol Aaron vnd seiner Söne sein / [32]Vnd die rechte Schuldern sollen sie dem Priester geben zur Hebe von jren Danckopffern. [33]Vnd welcher vnter Aaron sönen das blut der Danckopffer opffert vnd das fett / des sol die rechte Schulder sein zu seinem teil. [34]Denn die Webebrust / vnd die Hebeschuldern / hab ich genomen vnd den kindern Jsrael von jren Danckopffern / vnd hab sie dem Priester Aaron vnd seinen Sönen gegeben / zum ewigem Recht. ‖

‖ 59b

[35]DJS ist die salbung Aarons vnd seiner Söne / vnd den Opffern des HERRN / des tages / da sie vberantwortet worden Priester zu sein dem HERRN / [36]Da der HERR gebot am tage da er sie salbet / das jm gegeben werden solt von den kinder Jsrael / zum ewigen Recht / allen jren Nachkomen. [37]Vnd dis ist das gesetze des Brandopffers / des Speisopffers / des Sündopffers / des Schuldopffers / der Fülleopffer / vnd der Danckopffer / [38]das der HERR Mose gebot auff dem berge Sinai / des tages da er jm gebot an die kinder Jsrael / zu opffern jr Opffer dem HERRN in der wüsten Sinai.

VIII.

VND DER HERR REDET MIT MOSE / VND SPRACH / [2]Nim Aaron vnd seine Söne mit jm / sampt jren

Exod. 28.

Kleidern / vnd das Salböle / vnd einen farren zum Sündopffer / zween widder vnd einen korb mit vngesewrtem Brot / [3]vnd versamle die gantze Gemeine fur die thür der Hütten des Stiffts. [4]Mose thet wie jm der HERR gebot / vnd versamlet die Gemeine fur die thür der Hütten des Stiffts / [5]vnd sprach zu jnen / Das ists das der HERR geboten hat zu thun.

Exo. 28. 29.

VND nam Aaron vnd seine Söne / vnd wussch sie mit wasser. [7]Vnd legt jm den Leinenrock an / vnd gürtet jn mit dem Gürtel / vnd zoch jm den Seidenrock an / vnd thet jm den Leibrock an / vnd gürtet jn vber den Leibrock her. [8]Vnd thet jm das Schiltlin an / vnd in das Schiltlin Liecht vnd Recht. [9]Vnd setzt jm den Hut auff sein Heubt / vnd setzt an den Hut oben an seiner stirn das gülden Blat der heiligen Kron / Wie der HERR Mose geboten hatte.

AARON vnd seiner söne weihe.

Exo. 30.

[10]VND Mose nam das Salböle / vnd salbet die wonung / vnd alles was drinnen war / vnd weihet es / [11]Vnd sprenget da mit sieben mal auff den Altar / vnd salbet den altar / mit alle seinem gerete / das Handfas mit seinem fus / das es geweihet würde. [12]Vnd gos des Salböles auff Aarons heubt / vnd salbt jn das er geweihet würde. [13]Vnd bracht erzu Aarons söne / vnd zoch jnen leinen Röcke an / vnd gürtet sie mit dem Gürtel / vnd band jnen Hauben auff / wie jm der HERR geboten hatte.

Exo. 29.

VND lies erzu füren einen Farren zum Sündopffer / vnd Aaron mit seinen Sönen / legten jre hende auff sein heubt / [15]da schlachtet man es. Vnd Mose nam des bluts / vnd thets auff die hörner des Altars vmb her / mit seinem finger / vnd entsündiget den Altar / vnd gos das blut an des Altars boden / vnd weihet jn / das er jn versünet. [16]Vnd nam alles fett am eingeweide / das netz vber der lebber / vnd die zwo nieren mit dem fett daran / vnd zündets an auff dem Altar. [17]Aber den Farren mit seinem fell / fleisch vnd mist / verbrand er mit fewr ausser dem Lager / wie jm der HERR geboten hatte.

VND bracht er zu einen Widder zum Brandopffer / vnd Aaron mit seinen Sönen legten jre hende auff sein heubt / [19]da schlacht man jn. Vnd Mose sprenget des bluts auff den Altar vmb her / [20]zehieb den Widder in stücke / vnd zündet an das heubt / die stücke vnd den strumpff / [21]vnd wussch

Aarons vnd seiner Söne.

die eingeweide vnd schenckel mit wasser / vnd zündet also den gantzen Widder an auff dem Altar / Das war ein Brandopffer zum süssen geruch / ein Fewr dem HERRN / wie jm der HERR geboten hatte.

ER bracht auch erzu den andern Widder des Fülleopffers / Vnd Aaron mit seinen Sönen legten jre hende auff sein heubt / [23]da schlachtet man jn. Vnd Mose nam seines bluts / vnd thets Aaron auff den knörbel seines rechten ohrs / vnd auff den daumen seiner rechten hand / vnd auff den grossen zehe seines rechten fusses. [24]Vnd bracht erzu Aarons söne / vnd thet des bluts auff den knörbel jres rechten ohr / vnd auff den daumen jrer rechten hand / vnd auff den grossen zehe jres rechten fusses. Vnd sprenget das blut auff den Altar vmb her. ‖

Exo. 29.

‖ 60 a

[25]VND nam das fett vnd den schwantz / vnd alles fett am eingeweide / vnd das netz vber der lebber / die zwo nieren mit dem fett daran / vnd die rechte schulder. [26]Da zu nam er von dem korb des vngesewrten Brots fur dem HERRN / einen vngesewrten Kuchen / vnd ein Kuchen geöltes brots / vnd ein Fladen / vnd legts auff das fette / vnd auff die rechten schulder / [27]Vnd gab das alle sampt auff die hende Aaron vnd seiner Söne / vnd webds zur Webe fur dem HERRN. [28]Vnd nams alles wider von jren henden / vnd zundets an auff dem Altar / oben auff dem Brandopffer / Denn es ist ein Fülleopffer zum süssen geruch / ein Fewr dem HERRN. [29]Vnd Mose nam die brust vnd webd ein Webe fur dem HERRN / von dem widder des Fülleopffers / die ward Mose zu seinem teil / wie jm der HERR geboten hatte.

VND Mose nam des Salböles / vnd des bluts auff dem Altar / vnd sprenget auff Aaron vnd seine kleider / auff seine Söne / vnd auff jre kleider / vnd weihet also Aaron vnd seine kleider / seine söne vnd jre kleider mit jm. [31]Vnd sprach zu Aaron vnd seinen Sönen / Kochet das fleisch fur der thür der Hütten des Stiffts / vnd esset es daselbs. Dazu auch das brot im korbe des Füllopffers / wie mir geboten ist / vnd gesagt / das Aaron vnd seine Söne sollens essen. [32]Was aber vberbleibt vom fleisch vnd brot / das solt jr mit fewr verbrennen.

[33]VND solt in sieben tagen nicht ausgehen / von der thür der Hütten des Stiffts / bis an den tag / da

die tage ewrs Fülleopffers aus sind / Denn sieben tage sind ewr hende gefüllet / [34]wie es an diesem tage geschehen ist / Der HERR hats geboten zu thun / auff das jr versünet seiet. [35]Vnd solt fur der Hütten des Stiffts tag vnd nacht bleiben sieben tage lang / Vnd solt auff die hut des HERRN warten / das jr nicht sterbet / Denn also ist mirs geboten. [36]Vnd Aaron mit seinen Sönen theten alles das der HERR geboten hatte durch Mose.

## IX.

VND AM ACHTEN TAGE RIEFF MOSE AARON VND seinen Sönen vnd den Eltesten in Jsrael / [2]vnd sprach zu Aaron. Nim zu dir ein Jungkalb zum Sündopffer / vnd einen wider zum Brandopffer / beide on wandel / vnd bring sie fur den HERRN. [3]Vnd rede mit den kindern Jsrael vnd sprich / Nemet einen zigenbock zum Sündopffer / vnd ein kalb vnd ein schaf / beide eines jars alt / vnd on wandel / zum Brandopffer / [4]vnd einen ochsen vnd einen wider zum Danckopffer / das wir fur dem HERRN opffern / vnd ein Speisopffer mit öle gemengt / Denn heute wird euch der HERR erscheinen.

[5]VND sie namen was Mose geboten hatte / fur der thür der Hütten des Stiffts / vnd trat erzu die gantze Gemeine / vnd stund fur dem HERRN. [6]Da sprach Mose / Das ists / das der HERR geboten hat / das jr thun solt / So wird euch des HERRN Herrligkeit erscheinen. [7]Vnd Mose sprach zu Aaron / Trit zum Altar / vnd mache dein Sündopffer vnd dein Brandopffer vnd versüne dich vnd das volck / Darnach mache des volcks Opffer / vnd versüne sie auch / wie der HERR geboten hat.

AARONS erste Opffer fur sich vnd das Volck.

VNd Aaron trat zum Altar / vnd schlachtet das Kalb zu seinem Sündopffer. [9]Vnd seine Söne brachten das blut zu jm / vnd er tuncket mit seinem finger ins blut / vnd thets auff die hörner des Altars / vnd gos das blut an des Altars boden. [10]Aber das fett vnd die nieren / vnd das netz von der lebber am Sündopffer / zündet er an auff dem Altar / wie der HERR Mose geboten hatte. [11]Vnd das Fleisch / vnd das Fell verbrand er mit fewr ausser dem Lager.

[12]DArnach schlachtet er das Brandopffer / Vnd Aarons söne brachten das blut zu jm / vnd er sprenget es auff den Altar vmbher. [13]Vnd sie brachten das Brandopffer zu jm zustücket vnd den

kopff / Vnd er zündets an auff dem Altar / [14]vnd er wussch das eingeweide vnd die schenckel / vnd zündets an / oben auff dem Brandopffer auff dem Altar. ‖ ‖ 60b

[15]DArnach bracht er erzu des volcks Opffer / vnd nam den bock das Sündopffer des volcks / vnd schlachtet jn / vnd macht ein Sündopffer draus wie das vorige / [16]Vnd bracht das Brandopffer erzu / vnd that jm sein recht. [17]Vnd bracht er zu das Speisopffer / vnd nam seine hand vol / vnd zündets an auff dem Altar / ausser des morgens Brandopffer.

[18]DArnach schlachtet er den Ochsen vnd Wider zum Danckopffer des Volcks / Vnd seine Söne brachten jm das blut / das sprenget er auff den Altar vmb her. [19]Aber das fett vom ochsen / vnd vom widder den schwantz / vnd das fett am eingeweide / vnd die nieren / vnd das netze vber der lebber / [20]alles solchs fett legten sie auff die brust / vnd zündet das fett an auff dem Altar. [21]Aber die brust / vnd die rechte schulter webd Aaron zur Webe fur dem HERRN / wie der HERR Mose geboten hatte.

VND Aaron hub seine Hand auff zum volck / vnd segenet sie / vnd steig er ab da er das Sündopffer / Brandopffer vnd Danckopffer gemacht hatte. [23]Vnd Mose vnd Aaron giengen in die Hütten des Stiffts / vnd da sie wider eraus giengen / segeneten sie das volck. Da erschein die herligkeit des HERRN allem volck / [24]Denn das fewr kam aus von dem HERRN / vnd verzeret auff dem Altar das Brandopffer vnd das fett / Da das alles volck sahe / frolocketen sie / vnd fielen auff jr andlitz.

## X.

NADAB VND Abihu verzehret das Fewr.

Leui. 16. Num. 16.

VND DIE SÖNE AARONS / NADAB VND ABIHU / namen ein jglicher seinen Napff / vnd theten fewr drein / vnd legten Reuchwerg drauff / vnd brachten das frembd fewr fur den HERRN / das er jnen nicht geboten hatte. [2]Da fuhr ein fewr aus von dem HERRN / vnd verzehret sie / das sie sturben fur dem HERRN. [3]Da sprach Mose zu Aaron / Das ists / das der HERR gesagt hat / Jch werde geheiliget werden an denen die zu mir nahen / vnd fur allem Volck / werde ich herrlich werden / Vnd Aaron schweig stille.

[4]MOse aber rieff Misael vnd Elzaphan den sönen Vsiel / Aarons vettern vnd sprach zu jnen / Trett hinzu / vnd traget ewre Brüder von dem Heiligthum hin aus fur das Lager. [5]Vnd sie tratten hinzu / vnd trugen sie hin aus / mit jren leinen röcken fur das Lager / wie Mose gesagt hatte.

[6]Da sprach Mose zu Aaron vnd seinen sönen Eleazar vnd Jthamar / Jr solt ewre Heubter nicht blössen / noch ewre Kleider zureissen / das jr nicht sterbet / vnd der zorn vber die gantze Gemeine kome / Lasst ewre Brüder des gantzen hauses Jsrael weinen vber diesen Brand / den der HERR gethan hat. [7]Jr aber solt nicht ausgehen von der thür der Hütten des Stiffts / jr möchtet sterben / Denn das Salböle des HERRN ist auff euch / Vnd sie theten / wie Mose sagt.

Eze. 44. 1. Tim. 3. Tit. 1.

DER HERR aber redet mit Aaron / vnd sprach / [9]Du vnd deine Söne mit dir / solt keinen Wein noch starck Getrencke trincken / wenn jr in die Hütten des Stiffts gehet / auff das jr nicht sterbet / Das sey ein ewiges Recht / allen ewren Nachkomen. [10]Auff das jr künd vnterscheiden / was heilig vnd vnheilig / was vnrein vnd rein ist / [11]Vnd das jr die kinder Jsrael leret alle Rechte / die der HERR zu euch geredt hat durch Mose.

VND Mose redet mit Aaron / vnd mit seinen vbrigen sönen Eleazar vnd Jthamar. Nemet das vberblieben ist vom Speisopffer / an den opffern des HERRN / vnd essets vngesewrt bey dem Altar / denn es ist das allerheiligst. [13]Jr solts aber an heiliger stete essen / Denn das ist dein Recht / vnd deiner Söne recht / an den opffern des HERRN / Denn so ist mirs geboten. [14]Aber die Webebrust / vnd die Hebeschulder / soltu vnd deine Söne vnd deine Töchter mit dir essen an reiner stete / Denn solch Recht ist dir vnd deinen Kin||dern gegeben / an den Danckopffern der kinder Jsrael. [15]Denn die Hebeschulter vnd die Webebrust zu den opffern des fetts / werden gebracht / das sie zur Webe gewebd werden fur dem HERRN / Darumb ists dein vnd deiner Kinder zum ewigen Recht / wie der HERR geboten hat.

|| 61 a

VNd Mose suchte den Bock des Sündopffers / vnd fand jn verbrand / vnd er ward zornig vber Eleazar vnd Jthamar Aarons söne / die noch vbrig waren / vnd sprach. [17]Warumb habt jr das Sündopffer nicht gessen an heiliger stete / denn es das

(Sein blut) Weil sein blut nicht ins Heilige bracht ist / solt es nicht verbrand / sondern geessen worden sein. Welchs blut aber hinein gebracht ward must man nicht essen / sondern alles verbrennen / Su. 4. et. 6. etc. Jnf. 16.

allerheiligste ist / Vnd er hats euch gegeben / das jr die missethat der Gemeine tragen solt / das jr sie versünet fur dem HERRN? [18]Sihe / sein blut ist nicht komen in das Heilige hinein / jr solts im Heiligen gessen haben / wie mir geboten ist. [19]Aaron aber sprach zu Mose / Sihe / Heute haben sie jr Sündopffer vnd jr Brandopffer fur dem HERRN geopffert / vnd es ist mir also gangen / wie du sihest / vnd ich solte essen heute vom Sündopffer / solte das dem HERRN gefallen? [20]Da das Moses höret / lies ers jm gefallen.

## XI.

Deut. 14.

VND DER HERR REDET MIT MOSE VND AARON / vnd sprach zu jnen / [2]Redet mit den kindern Jsrael / vnd sprecht / Das sind die Thier die jr essen solt vnter allen thieren auff Erden. [3]Alles was die klawen spaltet / vnd wider kewet vnter den Thieren / das solt jr essen. [4]Was aber widerkewet / vnd hat klawen / vnd spaltet sie doch nicht / als das Kamel / Das ist euch vnrein / vnd solts nicht essen. [5]Die Caninichen widerkewen wol / aber sie spalten die Klawen nicht / Darumb sind sie vnrein. [6]Der Hase widerkewet auch / aber er spaltet die klawen nicht / Darumb ist er euch vnrein. [7]Vnd ein Schwein spaltet wol die klawen / aber es widerkewet nicht / Darumb sols euch vnrein sein. [8]Von dieser fleisch solt jr nicht essen / noch jr Ass anrüren / Denn sie sind euch vnrein.

REINE VND vnreine Thier bey den Jüden.

[9]DJS solt jr essen vnter dem das in wassern ist. Alles was Flosfeddern vnd Schuppen hat in wassern / im meer vnd bechen / solt jr essen. [10]Alles aber was nicht Flosfeddern vnd Schuppen hat / im meer vnd bechen / vnter allem das sich reget in wassern / vnd allem was lebt im wasser / sol euch eine Schew sein / [11]das jr von jrem fleisch nicht esset / vnd fur jrem Ass euch schewet. [12]Denn alles was nicht flosfeddern vnd schupen hat in Wassern / solt jr schewen.

REINE VND vnreine Fisch.

[13]VND dis solt jr schewen vnter den Vogeln / das jrs nicht esset / Den Adeler / den Habicht / den Fischar / [14]den Geyer / den Weihe / vnd was seiner art ist. [15]Vnd alle Raben mit jrer art / [16]den Straus / die Nachteule / den Kuckuc / den Sperber mit seiner art. [17]Das Kützlin / den Schwan / den Huhu / [18]die Fleddermaus / die Rordomel / [19]den Storck /

VNREINE Vogel.

den Reiger / den Heher mit seiner art / die Widhop / vnd die Schwalbe. [20]Alles auch was sich reget vnter den Vogeln / vnd gehet auff vier füssen / das sol euch eine Schew sein.

REINE VOGEL.

[21]DOch das solt jr essen von Vogeln / das sich reget vnd gehet auff vier Füssen / vnd nicht mit zweien Beinen auff erden hüpffet / [22]von den selben müget jr essen / als da ist / Arbe mit seiner art / vnd Selaam mit seiner art / vnd Hargol mit seiner art / vnd Hagab mit jrer art. [23]Alles aber was sonst vier füsse hat vnter den Vogeln / sol euch eine schew sein / [24]vnd solt sie vnrein achten. Wer solcher Ass anrüret / der wird vnrein sein / bis auff den abend. [25]Vnd wer dieser Ass eines tragen wird / sol seine kleider wasschen / vnd wird vnrein sein / bis auff den abend.

Diese vier Thier sind in vnsern landen nicht / wie wol gemeiniglich Arbe vnd Hagab fur Hewschrecken gehalten werden / die auch vierfüssig vogel sind. Aber es ist gewisser diese Ebreische namen zu brauchen / wie wir mit Haleluia vnd andern frembder sprach namen thun.

Vnreine Thier.

DArumb alles Thier das klawen hat / vnd spaltet sie nicht / vnd widerkewet nicht / das sol euch vnrein sein / Wer es anrüret wird vnrein sein. [27]Vnd alles was auff tappen gehet / vnter den Thieren die auff vier füssen gehen / sol euch vnrein sein / Wer jr Ass anrüret / wird vnrein sein bis auff ‖ den abend. [28]Vnd wer jr Ass tregt / sol seine kleider wasschen / vnd vnrein sein / bis auff den abend / Denn solche sind euch vnrein.

‖ 61 b

[29]DJese sollen euch auch vnrein sein vnter den Thieren / die auff erden kriechen / Die Wisel / die Maus / die Kröte / ein jglichs mit seiner art. [30]Der Jgel / der Molch / die Aydex / der Blindschleich / vnd der Maulworff. [31]Die sind euch vnrein vnter allem das da kreucht / Wer jr Ass anrüret / der wird vnrein sein / bis an den abend. [32]Vnd alles worauff ein solch tod Ass fellet / das wird vnrein / es sey allerley hültzen gefess / oder kleider / oder fell / oder sack / vnd alles gerete / da mit man etwas schaffet / sol man ins wasser thun / vnd ist vnrein / bis auff den abend / als denn wirds rein.

[33]ALlerley erden gefess / wo solcher Ass eines drein fellet / wird alles vnrein was drinnen ist / vnd solts zubrechen. [34]Alle speise die man isset / so solch wasser drein kompt / ist vnrein. Vnd aller tranck den man trinckt / in allerley solchem gefess / ist vnrein. [35]Vnd alles worauff ein solch Ass fellet / wird vnrein / es sey ofen oder kessel / so sol mans zubrechen / denn es ist vnrein / vnd sol euch vnrein sein. [36]Doch die Brünne vnd kolke / vnd teiche sind rein. Wer aber jr Ass anrüret ist vnrein.

[37]VND ob ein solch Ass fiel auff Samen den man geseet hat / so ist er doch rein. [38]Wenn man aber wasser vber den Samen gösse / vnd fiele darnach ein solch Ass drauff / so würde er euch vnrein.

[39]WEnn ein Thier stirbt / das jr essen müget / wer das Ass anrüret / der ist vnrein bis an den abend. [40]Wer von solchem Ass isset / der sol sein kleid wasschen / vnd wird vnrein sein bis an den abend. Also / wer auch tregt ein solch Ass / sol sein kleid wasschen / vnd wird vnrein sein bis an den abend.

[41]WAs auff erden schleicht / das sol euch eine Schew sein / vnd man sols nicht essen. [42]Vnd alles was auff dem Bauch kreucht / vnd alles was auff vier oder mehr füssen gehet / vnter allem das auff erden schleicht / solt jr nicht essen / Denn es sol euch eine schew sein. [43]Macht ewre Seelen nicht zum schewsal / vnd verunreiniget euch nicht an jnen / das jr euch besuddelt.

[44]DEnn ich bin der HERR ewr Gott / Darumb solt jr euch heiligen / das jr heilig seid / denn ich bin Heilig. Vnd solt nicht ewer Seelen verunreinigen an jrgent einem kriechenden Thier / das auff erden schleicht / [45]Denn ich bin der HERR / der euch aus Egyptenland gefüret hat / das ich ewr Gott sey / Darumb solt jr heilig sein / denn ich bin Heilig.

Leui. 19. 1. Pet. 1.

[46]DJs ist das Gesetz von den Thieren vnd Vogeln / vnd allerley kriechenden Thieren im wasser / vnd allerley thieren die auff Erden schleichen / [47]Das jr vnterscheiden kündet / was vnrein vnd rein ist / Vnd welchs Thier man essen / vnd welchs man nicht essen sol.

XII.

GESETZ FUR die / so ein Kneblin oder Meidlin gebirt.

VND DER HERR REDET MIT MOSE / VND SPRACH / [2]Rede mit den kindern Jsrael / vnd sprich / Wenn ein Weib besamet wird / vnd gebirt ein Kneblin / So sol sie sieben tage vnrein sein / so lange sie jre kranckheit leidet. [3]Vnd am achten tage sol man das Fleisch seiner Vorhaut beschneiten. [4]Vnd sie sol da heim bleiben drey vnd dreissig tage / im blut jrer reinigung / Kein heiliges sol sie anrüren / vnd zum Heiligthum sol sie nicht komen / bis das die tage jrer reinigung aus sind. [5]Gebirt sie aber ein Meidlin / So sol sie zwo wochen vnrein sein / so lange sie jre kranckheit leidet / Vnd sol sechs vnd sechzig tage da heim bleiben in dem blut jrer reinigung.

Luc. 2.

VND wenn die tage jrer reinigung aus sind / fur den Son oder fur die Tochter / Sol sie ein jerig Lamb bringen zum Brandopffer / vnd eine Jungetaube / oder Dordeltauben zum Sündopffer / dem Priester fur die thür der || Hütten des Stiffts / [7]Der sol es opffern fur dem HERRN / vnd sie versünen / so wird sie rein von jrem blutgang / Das ist das Gesetz fur die / so ein Kneblin oder Meidlin gebirt.

|| 62a

[8]VErmag aber jre hand nicht ein Schaf / so neme sie zwo Dorteltauben oder zwo Jungetauben / eine zum Brandopffer / die ander zum Sündopffer / So sol sie der Priester versünen / das sie rein werde.

Luc. 2.

## XIII.

VND der HERR redet mit Mose vnd Aaron / vnd sprach / [2]Wenn einem Menschen an der haut seines fleisches etwas aufferet / oder schebicht oder eiterweis wird / als wolt ein Aussatz werden / an der haut seines fleischs / Sol man jn zum Priester Aaron füren / oder zu seiner Söne einem vnter den Priestern. [3]Vnd wenn der Priester das mal an der haut des fleischs sihet / das die har in weis verwandelt sind / vnd das ansehen an dem ort tieffer ist / denn die ander haut seines fleischs / So ists gewis der Aussatz / Darumb sol jn der Priester besehen / vnd fur vnrein vrteilen.

Aussatz der Menschen.

[4]WEnn aber etwas eiterweis ist an der haut seines fleischs / vnd doch das ansehen nicht tieffer / denn die ander haut des fleischs / vnd die har nicht in weis verwandelt sind / So sol der Priester den selben verschliessen sieben tage / [5]vnd am siebenden tage besehen. Jsts das das mal bleibt wie ers vor gesehen hat / vnd hat nicht weiter gefressen an der haut / [6]So sol jn der Priester abermal sieben tage verschliessen. Vnd wenn er jn zum andern mal am siebenden tage besihet / vnd findet das das mal verschwunden ist / vnd nicht weiter gefressen hat an der haut / So sol er jn rein vrteilen / denn es ist grind / Vnd er sol seine Kleider wasschen / so ist er rein. [7]Wenn aber der grind weiter frisst in der haut / nach dem er vom Priester besehen / vnd rein gesprochen ist / vnd wird nu zum andern mal vom Priester besehen / [8]Wenn denn da der Priester sihet / das der grind weiter gefressen hat in der haut / Sol er jn vnrein vrteilen / denn es ist gewis Aussatz.

Hie ists offenbar / das Moses Aussatz heisst allerley grind vnd blatern oder mal / da Aussatz aus werden kan / oder dem Aussatz gleich ist.

[9]WEnn ein mal des Aussatzs am Menschen sein wird / den sol man zum Priester bringen. [10]Wenn derselb sihet vnd findet / das weis auffgefaren ist an der haut / vnd die har weis verwandelt / vnd roh fleisch im geschwür ist / [11]So ists gewis ein alter Aussatz in der haut seines fleischs. Darumb sol jn der Priester vnrein vrteilen / vnd nicht verschliessen / denn er ist schon vnrein.

(Die gantze haut) Dieser Aussatz heisset rein / Denn es ist ein gesunder Leib der sich also selbs reiniget / als mit bocken / masern / vnd kretze geschicht / da durch den gantzen Leib / das böse her aus schlegt / Wie wir Deudschen sagen / Es sey gesund etc.

[12]WEnn aber der Aussatz blühet in der haut / vnd bedeckt die gantze haut / von dem heubt an bis auff die füsse / alles was dem Priester fur augen sein mag / [13]Wenn denn der Priester besihet vnd findet / das der Aussatz das gantze fleisch bedeckt hat / So sol er den selben rein vrteilen / die weil es alles an jm in weis verwandelt ist / denn er ist rein. [14]Jst aber roh fleisch da / des tages wenn er besehen wird / So ist er vnrein. [15]Vnd wenn der Priester das roh fleisch besihet / sol er jn vnrein vrteilen / denn er ist vnrein / vnd es ist gewis Aussatz. [16]Verkeret sich aber das roh fleisch wider / vnd verwandelt sich in weis / So sol er zum Priester komen / [17]Vnd wenn der Priester besihet vnd findet / das das mal ist in weis verwandelt / sol er jn rein vrteilen / denn er ist rein.

[18]WEnn in jemands fleisch an der haut eine Drüs wird / vnd wider heilet / [19]Darnach an demselben ort etwas weis aufferet oder rötlich eiterweis wird / sol er vom Priester besehen werden. [20]Wenn denn der Priester sihet / das das ansehen tieffer ist / denn die ander haut / vnd das har in weis verwandelt / So sol er jn vnrein vrteilen / denn es ist gewis ein Aussatzmal aus der Drüs worden. [21]Sihet aber der Priester vnd findet / das die har nicht weis sind / vnd ist nicht tieffer / denn die ander haut / vnd ist verschwunden / So sol er jn sieben tage verschliessen. [22]Frisset es weiter in der haut / So sol er jn vnrein vrteilen / denn es ist || gewis ein Aussatzmal. [23]Bleibt aber das eiterweis also stehen / vnd frisset nicht weiter / so ists die narbe von der drüs / Vnd der Priester sol jn rein vrteilen. || 62 b

[24]WEnn sich jemands an der haut am fewr brennet / vnd das Brandmal rötlicht oder weis ist / [25]Vnd der Priester jn besihet / vnd findet das har in weis verwandelt / an dem brandmal / vnd das ansehen tieffer / denn die ander haut / So ists gewis Aussatz / aus dem brandmal worden / Darumb sol

jn der Priester vnrein vrteilen / denn es ist ein Aussatzmal. [26]Sihet aber der Priester vnd findet / das die har am brandmal nicht in weis verwandelt / vnd nicht tieffer ist denn die ander haut / vnd ist dazu verschwunden / Sol er jn sieben tage verschliessen / [27]vnd am siebenden tage sol er jn besehen / Hats weiter gefressen an der haut / So sol er jn vnrein vrteilen / denn es ist Aussatz. [28]Jsts aber gestanden an dem brandmal / vnd nicht weiter gefressen an der haut / vnd ist dazu verschwunden / so ists ein geschwür des brandmals / Vnd der Priester sol jn rein vrteilen / denn es ist eine narbe des brandmals.

[29]WEnn ein Man oder Weib auff dem heubt oder am bart schebicht wird [30]vnd der Priester das mal besihet / vnd findet das das ansehen tieffer ist denn die ander haut / vnd das har daselbs gülden vnd dünne / So sol er jn vnrein vrteilen / denn es ist aussetziger Grind des heubts oder des barts. [31]Sihet aber der Priester / das der grind nicht tieffer an zusehen ist denn die haut / vnd das har nicht falb ist / Sol er denselben sieben tage verschliessen. [32]Vnd wenn er am siebenden tage besihet vnd findet / das der grind nicht weiter gefressen hat / vnd kein gülden har da ist / vnd das ansehen des grinds nicht tieffer ist denn die ander haut / [33]Sol er sich bescheren / doch das er den grind nicht beschere. Vnd sol jn der Priester abermal sieben tage verschliessen / [34]Vnd wenn er jn am siebenden tage besihet vnd findet / das der grind nicht weiter gefressen hat in der haut / vnd das ansehen ist nicht tieffer denn die ander haut / So sol jn der Priester rein sprechen / vnd er sol seine Kleider wasschen / denn er ist rein. [35]Frisset aber der grind weiter an der haut nach dem er rein gesprochen ist / [36]Vnd der Priester besihet vnd findet / das der grind also weiter gefressen hat an der haut / So sol er nicht mehr darnach fragen / ob die har gülden sind / denn er ist vnrein. [37]Jst aber fur augen der grind still gestanden / vnd falb har daselbst auffgangen ist / so ist der grind heil / vnd er rein / Darumb sol jn der Priester rein sprechen.

[38]WEnn einem Man oder Weib an der haut jres fleischs etwas eiterweis ist / [39]Vnd der Priester sihet daselbs / das das eiterweis schwindet / das ist ein weisser grind / in der haut auffgangen / vnd er ist rein.

[40]WEnn einem Man die heubthar ausfallen / das er kalh wird / der ist rein / [41]fallen sie jm fornen am heubt aus / vnd wird eine glatze / so ist er rein. [42]Wird aber an der glatzen oder da er kalh ist / ein weis oder rötlicht mal / So ist jm Aussatz an der glatze oder am kalhkopff auffgangen / [43]Darumb sol jn der Priester besehen. Vnd wenn er findet / das weis oder rötlicht mal auffgelauffen an seiner glatzen oder kalhkopff / das es siehet wie sonst der Aussatz an der haut / [44]So ist er aussetzig vnd vnrein / Vnd der Priester sol jn vnrein sprechen / solchs mals halben auff seinem heubt.

[45]Wer nu aussetzig ist / des Kleider sollen zurissen sein / vnd das Heubt blos / vnd die Lippen verhüllet / vnd sol aller ding vnrein genennet werden. [46]Vnd so lange das mal an jm ist / sol er vnrein sein / alleine wonen / vnd seine Wonung sol ausser dem Lager sein.

WEnn an einem Kleid eines Aussatzs mal sein wird / es sey wüllen oder leinen / [48]am werfft oder am eintracht / es sey leinen oder wüllen / oder an einem fell / oder an allem das aus fellen gemacht wird / [49]Vnd wenn das mal bleich oder rötlicht ist / am kleid oder am fell / oder am werfft / oder am eintracht / oder an einigerley ding das von fellen gemacht ist / das ist gewis ein || mal des aussatzs. Darumb sols der Priester besehen / [50]vnd wenn er das mal sihet / sol ers einschliessen sieben tage. [51]Vnd wenn er am siebenden tage sihet / das das mal hat weiter gefressen / am kleid / am werfft / oder am eintracht / am fell / oder an allem das man aus fellen macht / So ists ein fressend mal des aussatzs / vnd ist vnrein. [52]Vnd sol das kleid verbrennen / oder den werfft oder den eintracht / es sey wüllen oder leinen / oder allerley fellwerg / darin solch mal ist / Denn es ist ein mal des Aussatzs / vnd solts mit fewr verbrennen.

|| 63 a

[53]WJrd aber der Priester sehen / das das mal nicht weiter gefressen hat am kleid / oder am werfft / oder am eintracht / oder an allerley fellwerg / [54]So sol er gebieten / das mans wassche darin das mal ist / vnd sols einschliessen ander sieben tage. [55]Vnd wenn der Priester sehen wird nach dem das mal gewasschen ist / das das mal nicht verwandelt ist fur seinen augen / vnd auch nicht weiter gefressen hat / So ists vnrein / vnd solts mit fewr verbrennen / denn es ist tieff eingefressen / vnd hats

vber den Aussetzigen / wenn er sol gereiniget werden.

beschaben gemacht. [56]Wenn aber der Priester sihet / das das mal verschwunden ist nach seinem wasschen / So sol ers abreissen vom kleid / vom fell / vom werfft / oder vom eintracht. [57]Wirds aber noch gesehen am kleid / am werfft / am eintracht / oder allerley fellwerg / so ists ein fleck / vnd solts mit fewr verbrennen darin solch mal ist. [58]Das kleid aber / oder werfft / oder eintracht / oder allerley fellwerg das gewasschen ist / vnd das mal von jm gelassen hat / sol man zum andern mal wasschen / so ists rein. [59]Das ist das Gesetz vber die mal des Aussatzs an kleidern / sie seien wüllen oder leinen / am werfft vnd am eintracht vnd allerley fellwerg / rein oder vnrein zu sprechen.

## XIIII.

Math. 8. Mar. 1. Luc. 5. 17.

Reinigung des Aussetzigen.

VND DER HERR REDET MIT MOSE / VND SPRACH / [2]Das ist das Gesetz vber den Aussetzigen / wenn er sol gereiniget werden. Er sol zum Priester komen / [3]Vnd der Priester sol aus dem Lager gehen / vnd besehen / wie das mal des aussatzs am Aussetzigen heil worden ist. [4]Vnd sol gebieten / dem / der zu reinigen ist / das er zween lebendige Vogel neme / die da rein sind / vnd Cedern holtz / vnd rosinfarb wolle vnd Jsop. [5]Vnd sol gebieten / den einen Vogel zu schlachten in einem erden gefess am fliessenden wasser. [6]Vnd sol den lebendigen Vogel nemen mit dem Cedern holtz / rosinfarb wolle vnd Jsop / vnd in des geschlachten vogels blut tuncken am fliessenden wasser / [7]vnd besprengen den / der vom aussatz zu reinigen ist / sieben mal / Vnd reinige jn also / vnd lasse den lebendigen Vogel ins frey feld fliegen.

[8]DEr Gereinigte aber sol seine Kleider wasschen / vnd alle seine Har abscheren / vnd sich mit wasser baden / so ist er rein. Darnach gehe er ins Lager / Doch sol er ausser seiner Hütten sieben tage bleiben. [9]Vnd am siebenden tage sol er alle seine Har abscheren auff dem heubt / am bart / an den augbrunen / das alle har abgeschoren seien / Vnd sol seine kleider wasschen vnd sein fleisch im wasser baden / so ist er rein.

VND am achten tag sol er zwey Lemmer nemen on wandel / vnd ein jerig Schaf on wandel / vnd drey zehenden semelmelh zum Speisopffer / mit öle gemenget / vnd ein Log öles. [11]Da sol der Priester denselben Gereinigten / vnd diese ding

(LOG) Log ist ein klein meslin / auff Ebreisch also genennet Aber noch vngewis wie gros es sey.

vber den Aussetzigen / wenn er sol gereiniget werden.

stellen fur den HERRN / fur der thür der Hütten des Stiffts. [12]Vnd sol das eine Lamb nemen / vnd zum Schuldopffer opffern / mit dem Log öle / vnd sol solchs fur dem HERRN Weben / [13]vnd darnach das Lamb schlachten / da man das Sündopffer vnd Brandopffer schlachtet / nemlich / an heiliger stet / Denn wie das Sündopffer / also ist auch das Schuldopffer des Priesters / Denn es ist das allerheiligst.

[14]VND der Priester sol des bluts nemen vom Schuldopffer / vnd dem Gereinigten auff den knörbel des rechten ohrs thun / vnd auff den daumen seiner || rechten hand / vnd auff den grossen zehe seines rechten fusses. [15]Darnach sol er des öles aus dem Log nemen / vnd in seine (des Priesters) lincke hand giessen / [16]vnd mit seinem rechten finger in das öle tuncken / das in seiner lincken hand ist / vnd sprengen mit seinem finger das öle sieben mal fur dem HERRN. [17]Das vbrige öle aber in seiner hand sol er dem Gereinigten auff den knörbel des rechten ohrs thun / vnd auff den rechten daumen / vnd auff den grossen zehe seines rechten fusses / oben auff das blut des Schuldopffers. [18]Das vbrige öle aber in seiner hand sol er auff des Gereinigten heubt thun / vnd jn versünen fur dem HERRN. [19]Vnd sol das Sündopffer machen / vnd den Gereinigten versünen seiner vnreinigkeit halben. Vnd sol darnach das Brandopffer schlachten / [20]vnd sol es auff dem Altar opffern / sampt dem Speisopffer vnd jn versünen / so ist er rein.

|| 63 b

JST er aber Arm / vnd mit seiner hand nicht so viel erwirbt / So neme er ein Lamb zum Schuldopffer zu Weben / jn zuuersünen / vnd ein zehenden Semelmelh mit öle gemengt zum Speisopffer / vnd ein Log öle / [22]vnd zwo Dordeltauben / oder zwo Jungetauben / die er mit seiner hand erwerben kan / Das eine sey ein Sündopffer / die ander ein Brandopffer. [23]Vnd bring sie am achten tage seiner reinigung zum Priester / fur der thür der Hütten des Stiffts / fur dem HERRN.

[24]DA sol der Priester das Lamb zum Schuldopffer nemen / vnd das Log öle / vnd sols alles Weben fur dem HERRN / [25]vnd das Lamb des Schuldopffers schlachten. Vnd des bluts nemen von dem selben Schuldopffer / vnd dem Gereinigten thun auff den knörbel seines rechten ohrs / vnd auff den daumen seiner rechten hand / vnd auff den

grossen zehe seines rechten fusses / [26]Vnd des öles in seine (des Priesters) lincke hand giessen / [27]vnd mit seinem rechten finger / das öle das in seiner lincken hand ist / sieben mal sprengen fur dem HERRN.

[28]DEs vbrigen aber in seiner hand / sol er dem Gereinigten auff den knörbel seines rechten ohrs / vnd auff den daumen seiner rechten hand / vnd auff den grossen zehe seins rechten Fusses thun / oben auff das blut des Schuldopffers. [29]Das vbrige öle aber in seiner hand sol er dem Gereinigten auff das heubt thun / jn zuuersünen fur dem HERRN. [30]Vnd darnach aus der einen Dordeltauben oder Jungentauben / wie seine hand hat mügen erwerben / [31]ein Sündopffer / Aus der andern ein Brandopffer machen / sampt dem Speisopffer / vnd sol der Priester den Gereinigten also versünen fur dem HERRN. [32]Das sey das Gesetz fur den Aussetzigen / der mit seiner hand nicht erwerben kan / was zu seiner reinigung gehört.

Aussatz der heuser.

VND DER HERR REDET MIT MOSE VND AARON / vnd sprach / [34]Wenn jr ins land Canaan kompt / das ich euch zur Besitzung gebe / vnd werde jrgent in einem Hause ewr besitzung ein Aussatzmal geben / [35]So sol der komen / des das haus ist / dem Priester ansagen / vnd sprechen / Es sihet mich an / als sey ein aussetzig mal an meim hause. [36]Da sol der Priester heissen / das sie das haus ausreumen / ehe denn der Priester hin ein gehet / das mal zu besehen / auff das nicht vnrein werde alles was im hause ist / Darnach sol der Priester hinein gehen / das haus zu besehen.

[37]WEnn er nu das mal besihet / vnd findet / das an der wand des hauses / gele oder rötliche grüblin sind / vnd jr ansehen tieffer / denn sonst die wand ist / [38]So sol er zum haus zur thür er aus gehen / vnd das haus sieben tage verschliessen. [39]Vnd wenn er am siebenden tag widerkompt / vnd sihet das das mal weiter gefressen hat / an des hauses wand / [40]So sol er die steine heissen ausbrechen / darm das mal ist / vnd hin aus fur die Stad / an einen vnreinen ort werffen. [41]Vnd das haus sol man inwendig rings rumb schaben / vnd sollen den abgeschabenen leimen hin aus fur die Stad an einen vnreinen ort schütten. [42]Vnd || andere steine nemen vnd an jener stat thun / vnd andern leimen nemen / vnd das haus bewerffen.

|| 64a

[43]WEnn denn das mal widerkompt / vnd ausbricht am hause / nach dem man die steine ausgerissen / vnd das haus anders beworffen hat / [44]So sol der Priester hin ein gehen. Vnd wenn er sihet / das das mal weiter gefressen hat am hause / so ists gewis ein fressender Aussatz am hause / vnd ist vnrein. [45]Darumb sol man das haus abbrechen / stein vnd holtz / vnd allen leimen am hause / vnd sols hin aus füren fur die Stad an einen vnreinen ort. [46]Vnd wer in das haus gehet / so lang es verschlossen ist / der ist vnrein bis an den abend. [47]Vnd wer drinnen ligt oder drinnen isset / der sol seine Kleider wasschen.

[48]WO aber der Priester / wenn er hin ein gehet / sihet / das dis mal nicht weiter am hause gefressen hat / nach dem das haus beworffen ist / So sol ers rein sprechen / denn das mal ist heil worden. [49]Vnd sol zum Sündopffer fur das haus nemen zween Vogel / Cedern holtz / vnd rosinfarbe wolle vnd Jsop. [50]Vnd den einen Vogel schlachten in einem erden gefess an einem fliessenden wasser. [51]Vnd sol nemen das Cedern holtz / die rosinfarbe wolle / den Jsop / vnd den lebendigen Vogel / vnd in des geschlachten Vogels blut tuncken / an dem fliessenden wasser / vnd das haus sieben mal besprengen. [52]Vnd sol also das haus entsündigen mit dem blut des Vogels / vnd mit fliessendem wasser / mit dem lebendigen Vogel / mit dem Cedern holtz / mit Jsopen vnd mit rosinfarbe wolle. [53]Vnd sol den lebendigen Vogel lassen hin aus fur die Stad ins frey feld fliegen / vnd das haus versünen / so ists rein.

[54]DAs ist das Gesetz vber allerley mal des Aussatzs vnd Grinds [55]vber den Aussatz der kleider / vnd der heuser / [56]vber die beulen / gnetz vnd eiter weis / [57]Auff das man wisse / wenn etwas vnrein oder rein ist / Das ist das Gesetz vom Aussatz.

## XV.

FLUS.

VND DER HERR REDET MIT MOSE VND AARON / vnd sprach / [2]Redet mit den kindern Jsrael / vnd sprecht zu jnen. Wenn ein Man an seinem fleisch einen flus hat / der selb ist vnrein / [3]Denn aber ist er vnrein an diesem flus / wenn sein fleisch vom flus eitert oder verstopfft ist / [4]Alle lager darauff er ligt / vnd alles darauff er sitzt / wird vnrein werden. [5]Vnd wer sein lager anrüret / der sol

FLUS AM fleisch etc.

seine kleider wasschen vnd sich mit wasser baden / vnd vnrein sein bis auff den abend.

[6]VND wer sich setzt / da er gesessen ist / der sol seine kleider wasschen / vnd sich mit wasser baden / Vnd vnreine sein bis auff den abend. [7]Wer sein fleisch anrüret / der sol seine kleider wasschen / vnd sich mit wasser baden / vnd vnreine sein bis auff den abend. [8]Wenn er seinen speichel wirfft auff den der rein ist / der sol seine kleider wasschen / vnd sich mit wasser baden / vnd vnrein sein bis auff den abend. [9]Vnd der sattel darauff er reitet / wird vnrein werden. [10]Vnd wer anrüret jrgent etwas / das er vnter sich gehabt hat / Der wird vnrein sein bis auff den abend. Vnd wer solchs tregt / der sol seine kleider waschen / vnd sich mit wasser baden / vnd vnrein sein bis auff den abend. [11]Vnd welchen er anrüret ehe er die hende wesscht / der sol seine kleider wasschen / vnd sich mit wasser baden / vnd vnrein sein bis auff den abend. [12]Wenn er ein erden gefess anrüret / das sol man zubrechen / Aber das hültzen fass sol man mit wasser spülen.

VND wenn er rein wird von seinem flus / So sol er sieben tage zelen / nach dem er rein worden ist / vnd seine kleider wasschen / vnd sein fleisch mit fliessendem wasser baden / so ist er rein. [14]Vnd am achten tage sol er zwo Dordeltauben oder zwo Jungetauben nemen / vnd fur den HERRN bringen fur der thür der Hütten des Stiffts / vnd dem Priester geben. [15]Vnd der Priester sol aus einer ein Sündopffer / aus der andern ein Brandopffer machen / vnd jn versünen fur dem HERRN seines flus halben. ||

|| 64b

BLUTFLUS.

[16]WEnn einem Man im schlaff der Samen entgehet / der sol sein gantzes fleisch mit wasser baden / vnd vnrein sein bis auff den abend. [17]Vnd alles kleid vnd alles fell / das mit solchem samen befleckt ist / sol er wasschen mit wasser / vnd vnrein sein bis auff den abend. [18]Ein Weib / bey welchem ein solcher ligt / die sollen sich mit wasser baden / vnd vnrein sein bis auff den abend.

WEnn ein Weib jrs leibs Blutflus hat / die sol sieben tag bey seit gethan werden / Wer sie anröret / der wird vnrein sein bis auff den abend. [20]Vnd alles worauff sie ligt / so lang sie jre zeit hat / wird vnrein sein / vnd worauff sie sitzt / wird vnrein sein. [21]Vnd wer jr lager anrüret / der sol seine kleider wasschen / vnd sich mit wasser baden / vnd vnrein sein bis auff den abend. [22] [23]Vnd wer anrüret jrgent was / darauff sie gesessen hat / sol seine kleider wasschen / vnd sich mit wasser baden / vnd vnrein sein bis auff den abend. [24]Vnd wenn ein Man bey jr ligt / vnd es kompt sie jre zeit an bey jm / der wird sieben tage vnrein sein / vnd das Lager darauff er gelegen ist wird vnrein sein.

[25]WEnn aber ein Weib jren Blutflus eine lange zeit hat / nicht allein zur gewönlicher zeit / sondern auch vber die gewönlichen zeit / So wird sie vnrein sein / so lange sie fleusst / Wie zur zeit jrer absonderung / So sol sie auch hie vnrein sein. [26]Alles lager darauff sie ligt die gantze zeit jrs flus / sol sein wie das lager jrer absonderung. Vnd alles worauff sie sitzt / wird vnrein sein / gleich der vnreinigkeit jrer absonderung. [27]Wer der etwas anrüret / der wird vnrein sein / Vnd sol seine kleider wasschen / vnd sich mit wasser baden / vnd vnrein sein bis auff den abend.

[28]WJrd sie aber rein von jrem flus / So sol sie sieben tage zelen / darnach sol sie rein sein. [29]Vnd am achten tage sol sie zwo Dordeltauben oder zwo Junge tauben nemen / vnd zum Priester bringen / fur die thür der Hütten des Stiffts. [30]Vnd der Priester sol aus einer machen ein Sündopffer / aus der andern ein Brandopffer / vnd sie versünen fur dem HERRN vber dem flus jrer vnreinigkeit. [31]So solt jr die kinder Jsrael warnen fur jrer vnreinigkeit / das sie nicht sterben in jrer vnreinigkeit / wenn sie meine Wonunge verunreinigen / die vnter euch ist.

[32]DAS ist das Gesetz vber den / der einen Flus hat / vnd dem der Same im schlaff entgehet / das er vnrein dauon wird. [33]Vnd vber die die jren Blutflus hat. Vnd wer einen Flus hat / es sey Man oder Weib / Vnd wenn ein Man bey einer vnreinen ligt.

## XVI.

VND DER HERR REDET MIT MOSE (NACH DEM die zween söne Aarons gestorben waren / da sie fur dem HERRN opfferten) [2]vnd sprach / Sage deinem bruder Aaron / Das er nicht allerley zeit in das inwendige Heiligthum gehe hinder dem Furhang / fur dem Gnadenstuel der auff der Laden ist / das er nicht sterbe / Denn ich wil in einer Wolcken erscheinen auff dem Gnadenstuel.

Leui. 10.

[3]SOndern da mit sol er hin ein gehen / Mit einem jungen Farren zum Sündopffer / vnd mit einem

Wider zum Brandopffer. [4]Vnd sol den heiligen leinen Rock anlegen / vnd leinen Niderwad an seinem Fleisch haben / vnd sich mit einem leinen Gürtel gürten / vnd den leinen Hut auff haben / Denn das sind die heiligen Kleider / Vnd sol sein Fleisch mit wasser baden / vnd sie anlegen. [5]Vnd sol von der Gemeine der kinder Jsrael zween Zigenböck nemen zum Sündopffer / vnd einen Wider zum Brandopffer.

[6]VNd Aaron sol den Farren sein Sündopffer erzu bringen / vnd sich vnd sein haus versünen. [7]Vnd darnach die zween Böck nemen / vnd fur den HERRN stellen fur der thür der Hütten des Stiffts. [8]Vnd sol das Los werffen vber zween Böck / ein los dem HERRN / vnd das ander dem ledigen Bock. [9]Vnd || sol den Bock / auff welchen des HERRN los fellet / opffern zum Sündopffer. [10]Aber den Bock / auff welchen das los des ledigen fellet / sol er lebendig fur den HERRN stellen / das er jn versüne / vnd lasse den ledigen Bock in die wüste. [11]Vnd also sol er denn den Farren seins Sündopffers erzu bringen / vnd sich vnd sein haus versünen / vnd sol jn schlachten.

Ledig bock.

|| 65 a

[12]VND sol einen Napff vol glut vom Altar nemen / der fur dem HERRN stehet / vnd die hand vol zustossens Reuchwergs / vnd hin ein hinder den Furhang bringen. [13]Vnd das Reuchwerg auffs fewr thun fur dem HERRN / das der nebel vom Reuchwerg den Gnadenstuel bedecke / der auff dem Zeugnis ist / das er nicht sterbe. [14]Vnd sol des bluts vom Farren nemen / vnd mit seinem finger gegen dem Gnadenstuel sprengen fornen an / Sieben mal sol er also fur dem Gnadenstuel mit seinem finger vom blut sprengen.

Ebr. 9. 10.

[15]DARnach sol er den Bock / des volcks Sündopffer / schlachten / vnd seines Bluts hin ein bringen hinder den Furhang / vnd sol mit seinem blut thun / wie er mit des Farren blut gethan hat / vnd da mit auch sprengen forne gegen den Gnadenstuel. [16]Vnd sol also versünen das Heiligthum von der vnreinigkeit der kinder Jsrael / vnd von jrer vbertrettung / in allen jren sünden / Also sol er thun der Hütten des Stiffts / denn sie sind vnrein die vmb her ligen.

Luc. 1. Ebre. 9.

[17]KEin Mensch sol in der Hütten des Stiffts sein / wenn er hin ein gehet zu versünen im Heiligthum / bis er er ausgehe / Vnd sol also versünen sich vnd

(Vnrein) Das ist / gantz Jsrael ist vnrein vnd in sünden / vnd Gott wonet doch mitten vnter eitel Sündern / vnd heiliget sie / Das ist / Seiner heiligkeit geniessen sie / vnd heissen heilig vmb seinen willen / Sonst ist alles vnrein vnd sunde mit jnen / Das ist Christus in seinem Volck etc.

sein haus / vnd die gantze gemeine Jsrael. [18]Vnd wenn er eraus gehet zum Altar der fur dem HERRN stehet / sol er jn versünen / Vnd sol des bluts vom Farren vnd des bluts vom Bock nemen / vnd auff des Altars hörner vmb her thun. [19]Vnd sol mit seinem finger vom blut drauff sprengen sieben mal / vnd jn reinigen vnd heiligen von der vnreinigkeit der kinder Jsrael.

[20]VND wenn er volnbracht hat das versünen des Heiligthums / vnd der Hütten des Stiffts / vnd des Altars / so sol er den lebendigen Bock er zu bringen. [21]Da sol denn Aaron seine beide hende auff sein heubt legen / vnd bekennen auff jn alle missethat der kinder Jsrael / vnd alle jre vbertrettung / in alle jren sunden / vnd sol sie dem Bock auff das Heubt legen / vnd jn durch einen Man der furhanden ist / in die wüsten lauffen lassen / [22]Das also der Bock alle jre missethat auff jm in eine wildnis trage / vnd lasse jn in die wüste.

VND Aaron sol in die Hütten des Stiffts gehen / vnd ausziehen die leinen Kleider / die er anzog / da er in das Heiligthum gieng / vnd sol sie da selbs lassen. [24]Vnd sol sein Fleisch mit wasser baden an heiliger stete / vnd sein eigen Kleider anthun. Vnd eraus gehen / vnd sein Brandopffer vnd des volcks Brandopffer machen / vnd beide sich vnd das Volck versünen / [25]Vnd das fett vom Sündopffer auff dem Altar anzünden. [26]Der aber den ledigen Bock hat ausgefürt / sol seine Kleider wasschen / vnd sein Fleisch mit wasser baden / vnd darnach ins Lager komen.

[27]DEn Farren des Sündopffers vnd den Bock des Sündopffers / welcher blut in das Heiligthum zu versünen gebracht wird / sol man hin aus führen fur das Lager / vnd mit fewr verbrennen / beide jr haut / fleisch vnd mist. [28]Vnd der sie verbrennet / sol seine Kleider wasschen / vnd sein Fleisch mit wasser baden / vnd darnach ins Lager komen.

FEST DER versünung.

Leui. 23. Deut. 16.

AVch sol euch das ein ewigs Recht sein / Am zehenden tage des siebenden monden solt jr ewrn Leib casteien / vnd kein werck thun / er sey Einheimisch oder Frembder vnter euch. [30]Denn an diesem tage geschicht ewr Versünung / das jr gereinigt werdet / von allen ewrn sünden werdet jr gereinigt fur dem HERRN. [31]Darumb sols euch der grösste Sabbath sein / vnd jr solt ewrn Leib demütigen / Ein ewig Recht sey das.

[32]ES sol aber solche Versünung thun ein Priester / den man geweihet vnd des hand man gefüllet hat zum Priester an seins vaters stat. Vnd sol die leinen || Kleider anthun / nemlich / die heiligen Kleider / [33]vnd sol also versünen das heilige Heiligthum / vnd die Hütten des Stiffts / vnd den Altar / vnd die Priester vnd alles volck der Gemeine. [34]Das sol euch ein ewigs Recht sein das jr die kinder Jsrael versünet von allen jren sunden / im jar ein mal / Vnd Mose thet / wie jm der HERR geboten hatte.

Ebre. 9.

## XVII.

VND DER HERR REDET MIT MOSE / VND SPRACH / [2]Sage Aaron vnd seinen Sönen / vnd allen kindern Jsrael / vnd sprich zu jnen / Das ists / das der HERR geboten hat. [3]Welcher aus dem haus Jsrael ein ochsen oder lamb / oder zigen schlacht in dem Lager oder aussen fur dem Lager / [4]vnd nicht fur die thür der Hütten des Stiffts bringet / das dem HERRN zum Opffer gebracht werde fur der Wonunge des HERRN / Der sol des bluts schüldig sein / als der blut vergossen hat / Vnd solcher Mensch sol ausgerottet werden aus seinem Volck.

[5]DArumb sollen die kinder Jsrael jre Opffer / die sie auff dem freien feld opffern wollen / fur den HERRN bringen / fur die thür der Hütten des Stiffts / zum Priester / vnd alda jre Danckopffer dem HERRN opffern. [6]Vnd der Priester sol das blut auff den Altar des HERRN sprengen / fur der thür der Hütten des Stiffts / vnd das fett anzünden zum süssen geruch dem HERRN. [7]Vnd mit nicht jre Opffer hinfort den Feldteufeln opffern / mit den sie huren / Das sol jnen ein ewiges Recht sein bey jren Nachkomen. [8]Darumb soltu zu jnen sagen / Welcher Mensch aus dem hause Jsrael / oder auch ein Frembdlinger der vnter euch ist / der ein Opffer oder Brandopffer thut / [9]vnd bringts nicht fur die thür der Hütten des Stiffts / das ers dem HERR thue Der sol ausgerottet werden von seinem Volck.

(Schüldig) Da sihestu / das er nicht wil eigen vnd selb erweleten Gottesdienst haben / ausser seinem geordenten Gottesdienst. Darumb nennet er einen solchen Opfferer / einen Mörder wie Jesa. 66. auch thut.

(Priester) Nicht sie selbs aus eigener walh vnd andacht.

VND welcher Mensch / er sey vom haus Jsrael oder ein Frembdlinger vnter euch / jrgent Blut isset / wider den wil ich mein Andlitz setzen / vnd wil jn mitten aus seinem volck rotten. [11]Denn des Leibs leben ist im blut / vnd ich habs euch zum Altar gegeben / das ewre Seelen damit versünet werden / Denn das blut ist die versünung furs

Act. 15. Leui. 3. Deut. 12.

leben. [12]Darumb hab ich gesagt den kindern Jsrael / Keine Seele vnter euch sol blut essen / auch kein Frembdlinger der vnter euch wonet.

[13]VND welcher Mensch / er sey vom haus Jsrael oder ein Frembdlinger vnter euch / der ein Thier oder Vogel fehet auff der jaget / das man isset / der sol desselben blut vergiessen vnd mit erden zuscharren. [14]Denn des Leibs leben ist in seinem blut / so lang es lebet / Vnd ich hab den kindern Jsrael gesagt / Jr solt keins leibs blut essen / Denn des leibs leben ist in seinem blut / Wer es isset / Der sol ausgerottet werden. [15]Vnd welche Seele ein Ass oder was vom Wild zürissen ist / isset / er sey ein Einheimischer oder Frembdlinger / der sol sein kleid wasschen / vnd sich mit wasser baden / vnd vnrein sein bis auff den abend / so wird er rein. [16]Wo er seine kleider nicht wasschen noch sich baden wird / So sol er seiner missethat schüldig sein.

## XVIII.

VND DER HERR REDET MIT MOSE / VND SPRACH / [2]Rede mit den kindern Jsrael / vnd sprich zu jnen / Jch bin der HERR ewr Gott. [3]Jr solt nicht thun nach den wercken des Lands Egypten / darinnen jr gewonet habt / Auch nicht nach den wercken des Lands Canaan / dar ein ich euch füren wil. Jr solt auch euch nach jrer weise nicht halten / [4]Sondern nach meinen Rechten solt jr thun / vnd meine Satzung solt jr halten / das jr drinnen wandelt / Denn ich bin der HERR ewr Gott. [5]Darumb solt jr meine Satzunge halten vnd meine Rechte / Denn || welcher Mensch dieselben thut / der wird da durch leben / Denn ich bin der HERR.

|| 66a
Rom. 10.
Galt. 3.

NJemand sol sich zu seiner nehesten Blutfreundin thun / jre Schambd zu blössen / Denn ich bin der HERR. [7]Du solt deines Vaters vnd deiner Mutter schambd nicht blössen / Es ist deine Mutter / darumb soltu jre schambd nicht blössen. [8]Du solt deines Vaters weibes schambd nicht blössen / denn es ist deines Vaters schambd. [9]Du solt deiner Schwester schambd / die deines Vaters oder deiner Mutter tochter ist / da heim oder draussen geborn / nicht blössen. [10]Du solt deines sons oder deiner Tochter tochter schambd nicht blössen denn es ist deine schambd. [11]Du solt der tochter deines Vaters weibs / die deinem Vater geborn ist / vnd deine schwester ist / schamd nicht blössen. [12]Du solt deines Vatern schwester schambd nicht blössen / denn es ist deines Vatern neheste Blutfreundin. [13]Du solt deiner Mutter schwester schambd nicht blössen / denn es ist deiner Mutter neheste Blutfreundin.

[14]DV solt deines Vatern bruder schambd nicht blössen / das du sein Weib nemest / denn sie ist deine Wase. [15]Du solt deiner Schnur schambd nicht blössen / denn es ist deines Sons weib / darumd soltu jre schambd nicht blössen. [16]Du solt deines Bruders weibs schambd nicht blössen / Denn sie ist deines Bruders schambd. [17]Du solt deines Weibs sampt jr Tochter schambd nicht blössen / noch jrs Sons tochter oder Tochter tochter nemen / jre schambd zu blössen / denn es ist jre neheste Blutfreundin / vnd ist ein laster. [18]Du solt auch deines weibes Schwester nicht nemen neben jr jre schambd zublössen / jr zu wider / weil sie noch lebt.

[19]DV solt nicht zum Weibe gehen / weil sie jre Kranckheit hat / in jrer vnreinigkeit / jre schambd zu blössen.

[20]DV solt auch nicht bey deines Nehesten weib ligen / sie zubesamen da mit du dich an jr verunreinigst.

Leui. 20. 1. Reg. 18.

[21]DV solt auch deines samens nicht geben / das es dem Molech verbrand werde / Das du nicht entheiligst den Namen deines Gottes / Denn ich bin der HERR.

Exod. 26.

[22]DV solt nicht bey Knaben ligen / wie beim Weibe / Denn es ist ein grewel. [23]Du solt auch bey keinem Thier liegen / das du mit jm verunreinigt werdest. Vnd kein Weib sol mit eim Thier zuschaffen haben / Denn es ist ein grewel.

JR solt euch in dieser keinem verunreinigen / Denn in diesem allen haben sich verunreiniget die Heiden / die ich fur euch her wil ausstossen / [25]Vnd das Land da durch verunreinigt ist / Vnd ich wil jre missethat an jnen heimsuchen / das das Land seine Einwoner ausspeie. [26]Darumb haltet meine Satzung vnd rechte / vnd thut dieser Grewel keine / weder der Einheimische noch der Frembdling vnter euch. [27]Denn alle solche grewel haben die leute dieses lands gethan / die vor euch waren / vnd haben das Land verunreinigt / [28]auff das euch nicht auch das Land ausspeie / wenn jr es verunreinigt / gleich wie es die Heiden hat ausgespeiet / die vor

(MOLECH) War ein Abgott / dem sie jre eigen Kinder zu dienst verbranten. Wie Manasse that / der König Juda / vnd meineten Gott damit zu dienen / wie Abraham / da er Jsaac seinen son opffert. Aber weil jnen das Gott nicht befolhen hatte wie Abraham / war es vnrecht. Darumb spricht hie Gott / das sein Name da durch entheiliget werde / Denn es geschach vnter Gottes namen / vnd war doch Teufelisch. Wie auch jtzt Klöster gelübde / vnd andere menschen auffsetze viel Leute verderben / vnter Göttlichem Namen / als sey es Gottesdienst.

euch waren. [29]Denn welche diese Grewel thun dere Seelen sollen ausgerottet werden von jrem volck. [30]Darumb haltet meine satzunge / das jr nicht thut nach den grewlichen sitten / die vor euch waren / das jr nicht damit verunreinigt werdet / Denn ich bin der HERR ewr Gott.

## XIX.

Leui. 11. 1. Pet. 1.

VND DER HERR REDET MIT MOSE / VND SPRACH / [2]Rede mit der gantzen Gemeine der kinder Jsrael / vnd sprich zu jnen / Jr solt heilig sein / denn ich bin heilig / der HERR ewr Gott. [3]Ein jglicher fürchte seine Mutter vnd seinen Vater. Haltet meine Feiertage / Denn ich bin der HERR ewr Gott. [4]Jr solt euch nicht zu den Götzen wenden / vnd solt euch keine gegossene Götter machen / Denn ich bin der HERR ewr Gott. ‖

‖ 66 b

(Gefallen künde) Das ist / machts / wie es gebeut / nicht wie es euch dünckt oder gefelt nach eigener andacht. Denn er wil schlecht keine selb erwelete noch eigen erdachte weise haben. Darumb sehet zu / das jr also opffert / das jm gefalle / vnd nicht weiter erzürnet werde / durch ewr eigene weise etc.

[5]VND wenn jr dem HERRN wolt Danckopffer thun / So solt jr opffern / das jm gefallen künde / [6]Aber jr solt es desselben tages essen / da jrs opffert / vnd des andern tages / Was aber auff den dritten tag vberbleibt / sol man mit fewr verbrennen. [7]Wird aber jemand am dritten tage da von essen / So ist er ein grewel / vnd wird nicht angeneme sein / [8]vnd derselbe Esser wird seine missethat tragen / das er das Heiligthum des HERRN entheiliget / vnd solche Seele wird ausgerottet werden von jrem volck.

WELTLICH Rechte. Le. 23. Deut. 24.

WEnn du dein Land einerntest / soltu es nicht an den enden vmbher abschneiten / auch nicht alles gnaw auffsamlen. [10]Also auch soltu deinen Weinberg nicht genaw lesen / noch die abgefallen Beer auff lesen / Sondern dem Armen vnd Frembdlingen soltu es lassen / Denn ich bin der HERR ewr Gott.

Exo. 20. 1. The. 4. Math. 5.

[11]JR solt nicht stelen / noch liegen / noch felschlich handeln einer mit dem andern. [12]Jr solt nicht falsch schweren bey meinem Namen / vnd entheiligen den Namen deines Gottes / Denn ich bin der HERR.

Deut. 24.

[13]DV solt deinem Nehesten nicht vnrecht thun / noch berauben. Es sol des Taglöners lohn nicht bey dir bleiben / bis an den morgen.

Exod. 23.

[14]DV solt dem Tauben nicht fluchen. Du solt fur dem Blinden kein Anstos setzen / Denn du solt dich fur deinem Gott fürchten / Denn ich bin der HERR.

[15]JR solt nicht vnrecht handeln am Gericht / vnd solt nicht furziehen den Geringen / noch den Grossen ehren / Sondern du solt deinen Nehesten recht richten.

[16]DV solt kein Verleumbder sein vnter deinem Volck / Du solt auch nicht stehen wider deines Nehesten blut / Denn ich bin der HERR.

Math. 18.

[17]DV solt deinen Bruder nicht hassen in deinem hertzen / Sondern du solt deinen Nehesten straffen / Auff das du nicht seinet halben schuld tragen müssest.

[18]DV solt nicht Rachgirig sein / noch zorn halten gegen die Kinder deines Volcks.

Rom. 13. Gal. 5.

DU SOLT DEINEN NEHESTEN LIEBEN / WIE DICH SELBS / DENN ICH BIN DER HERR.

Deut. 22.

[19]MEine Satzung solt jr halten / Das du dein Vieh nicht lassest mit anderley Thier zu schaffen haben. Vnd dein Feld nicht beseest mit mancherley Samen. Vnd kein Kleid an dich kome / das mit wolle vnd lein gemenget ist.

WEnn ein Man bey einem weibe ligt / vnd sie beschlefft / die eine Leibeigen magd / vnd von dem Man verschmecht ist / doch nicht erlöset / noch Freiheit erlanget hat / das sol gestrafft werden / Aber sie sollen nicht sterben / denn sie ist nicht frey gewesen. [21]Er sol aber fur seine schuld dem HERRN fur die thür der Hütten des Stiffts einen widder zum Schuldopffer bringen. [22]Vnd der Priester sol jn versünen mit dem Schuldopffer fur dem HERRN vber der sünden die er gethan hat / so wird jm Gott gnedig sein vber seine sünde die er gethan hat.

WEnn jr ins Land kompt / vnd allerley Bewme pflantzet / da von man isset / Solt jr der selben vorhaut beschneiten vnd jre früchte. Drey jar solt jr sie vnbeschnitten achten / das jr sie nicht esset. [24]Jm vierden jar aber sollen alle jre Früchte heilig vnd gepreiset sein dem HERRN. [25]Jm fünfften jar aber solt jr die Früchte essen vnd sie einsamlen / Denn ich bin der HERR ewr Gott.

(Vorhaut) Beschneiten ist hie so viel / als drey jar harren / wie er selbs deutet / vnd spricht / Drey jar solt jr sie achten fur onbeschnitten etc.

Leui. 17. Leui. 24.

[26]JR solt nichts mit Blut essen. Jr solt nicht auff Vogel geschrey achten / noch tage welen. [27]Jr solt ewr har am Heubt nicht rund vmbher abschneiten / noch ewrn Bard gar abscheren.

[28]JR solt kein mal vmb eins Todten willen an ewrem Leibe reissen / Noch buchstaben an euch pfetzen / Denn ich bin der HERR.

[29]DV solt deine Töchter nicht zur Hurerey halten / Das nicht das Land hurerey treibe / vnd werde voll lasters. ‖

‖ 67a

[30]MEine Feire haltet / vnd fürchtet euch fur meinem Heiligthum / Denn ich bin der HERR.

[31]JR solt euch nicht wenden zu den Warsagern / vnd forschet nicht von den Zeichendeutern / das jr nicht an jnen verunreiniget werdet / Denn ich bin der HERR ewr Gott.

Leui. 20.

[32]FVr eim grawen Heubt soltu auffstehen / vnd die Alten ehren / Denn du solt dich fürchten fur deinem Gott / Denn ich bin der HERR.

[33]WEnn ein Frembdling bey dir in ewrem Lande wonen wird / den solt jr nicht schinden. [34]Er sol bey euch wonen / wie ein Einheimischer vnter euch/ Vnd solt jn lieben wie dich selbs / Denn jr seid auch Frembdling gewesen in Egyptenland / Jch bin der HERR ewer Gott.

Ex. 22. 23.

[35]JR solt nicht vngleich handeln / am Gericht / mit der ellen / mit gewicht / mit mas. [36]Rechte wage / rechte pfund / rechte scheffel / rechte kanden sol bey euch sein / Denn ich bin der HERR ewr Gott / der euch aus Egyptenland gefürt hat / [37]Das jr alle meine Satzung / vnd alle meine Recht haltet vnd thut / Denn ich bin der HERR.

Deut. 25.

## XX.

VND DER HERR REDET MIT MOSE / VND SPRACH. [2]Sage den kindern Jsrael / Welcher vnter den kindern Jsrael / oder ein Frembdlinger der in Jsrael wonet / seines [a]samens dem Molech gibt / Der sol des tods sterben / das volck im Lande sol jn steinigen. [3]Vnd ich wil mein Andlitz setzen wider solchen Menschen / vnd wil jn aus seinem Volck rotten / das er dem Molech seines samens gegeben / vnd mein Heiligthum verunreinigt / vnd meinen heiligen Namen entheiliget hat. [4]Vnd wo das volck im Lande / durch die finger sehen würde / dem Menschen / der seins samens dem Molech gegeben hat / das es jn nicht tödtet / [5]So wil doch ich mein Andlitz wider den selben Menschen setzen / vnd wider sein Geschlecht / vnd wil jn vnd alle die jm nach gehuret haben mit dem Molech / aus jrem Volck rotten.

Leui. 18.
Psal. 106.

MOLECH

a
Das ist / seiner kinder.

[6]WEnn eine Seele sich zu den Warsagern vnd Zeichendeuter wenden wird / das sie jnen nachhuret / So wil ich mein Andlitz wider dieselben

Leui. 19.

Seele setzen / vnd wil sie aus jrem Volck rotten. [7]Darumb heiliget euch vnd seid heilig / Denn ich bin der HERR ewr Gott / [8]Vnd haltet meine Satzung / vnd thut sie / Denn ich bin der HERR der euch heiliget.

Exo. 21. Prou. 10. Matt. 15.

[9]WEr seinem Vater oder seiner Mutter fluchet / der sol des tods sterben / Sein blut sey auff jm / das er seinem Vater oder Mutter geflucht hat.

Deut. 22. Matt. 5. Johan. 8.

WEr die Ehe bricht mit jemands Weibe / der sol des tods sterben / beide Ehebrecher vnd Ehebrecherin / Darumb / das er mit seines Nehesten weib die Ehe gebrochen hat.

Leui. 18. Deut. 27.

[11]WEnn jemands bey seines Vaters weib schlefft / das er seins Vaters schambd geblösset hat / Die sollen beide des tods sterben / Jr blut sey auff jnen.

[12]WEnn jemand bey seiner Schnur schlefft / So sollen sie beide des tods sterben / denn sie haben eine schande begangen / Jr blut sey auff jnen.

[13]WEnn jemand beim Knaben schlefft / wie beim Weibe / die haben einen Grewel gethan / Vnd sollen beide des tods sterben / Jr blut sey auff jnen.

[14]WEnn jemand ein Weib nimpt / vnd jre Mutter dazu / der hat ein laster verwirckt / Man sol jn mit Fewr verbrennen / vnd sie beide auch / das kein laster sey vnter euch.

Exo. 22.

WEnn jemand beim Vieh ligt / der sol des Tods sterben / Vnd das Vieh sol man erwürgen.

[16]WEnn ein Weib sich jrgent zu einem Vieh thut / das sie mit jm zuschaffen hat / Die soltu tödten / vnd das Vieh auch / Des tods sollen sie sterben / Jr blut sey auff jnen. ||

|| 67b

WEnn jemand seine Schwester nimpt / seins Vaters tochter oder seiner Mutter tochter / vnd jre schambd beschawet / vnd sie wider seine schambd / Das ist ein blutschande / Die sollen ausgerottet werden fur den Leuten jres volcks / Denn er hat seiner Schwester schambd entblösset / er sol seine missethat tragen.

[18]WEnn ein Man beim Weibe schlefft zur zeit jrer Kranckheit / vnd entblösset jre schambd / vnd deckt jren brun auff / vnd sie entblösset den brun jrs bluts / Die sollen beide aus jrem Volck gerottet werden.

Leui. 18.

DEiner Mutter schwester schambd / vnd deines Vaters schwester schambd soltu nicht blössen / Denn ein solcher hat seine neheste Blutfreundin auffgedeckt / vnd sie sollen jre missethat tragen.

[20]WEnn jemand bey seines Vatern bruders weib schlefft / der hat seines Vettern schambd geblösset / Sie sollen jre sünde tragen / on Kinder sollen sie sterben.

[21]WEnn jemand seines Bruders weib nimpt / das ist eine schendliche that / Sie sollen on Kinder sein / darumb / das er hat seines Bruders schambd geblösset.

SO haltet nu alle meine Satzung vnd meine Rechte/ vnd thut darnach / auff das euch nicht das Land ausspeie / dar ein ich euch füre / das jr drinnen wonet. [23]Vnd wandelt nicht in den Satzungen der Heiden / die ich fur euch her werde ausstossen / Denn solchs alles haben sie gethan / vnd ich hab einen Grewel an inen gehabt.

[24]EVch aber sage ich / Jr solt jener Land besitzen / Denn ich wil euch ein Land zum Erbe geben / darin milch vnd honig fleusst. Jch bin der HERR ewr Gott / der euch von den Völckern abgesondert hat / [25]das jr auch absondern solt / das reine Vieh / vom vnreinen / vnd vnreine Vogel von den reinen / vnd ewre Seelen nicht verunreiniget am Vieh / an Vogeln / vnd an allem das auff Erden kreucht / das ich euch abgesondert habe / das es vnreine sey. [26]Darumb solt jr mir heilig sein / Denn ich der HERR bin heilig / der euch abgesondert hat von den Völckern / das jr mein weret.

Leui. 11.

Leu. 11. 19.
Deut. 14.

[27]WEnn ein Man oder Weib ein Warsager oder Zeichendeuter sein wird / Die sollen des tods sterben / man sol sie steinigen / Jr blut sey auff jnen.

Deut. 18.

## XXI.

VND DER HERR SPRACH ZU MOSE / SAGE DEN Priestern Aarons Sönen / vnd sprich zu jnen. Ein Priester sol sich an keinem Todten seins Volcks verunreinigen / [2]on an seinem Blutfreunde / der jn am nehesten angehört / Als an seiner Mutter / an seinem Vater / an seinem Sone / an seiner Tochter / an seinem Bruder / [3]vnd an seiner Schwester / die noch eine Jungfraw / vnd noch bey jm ist / vnd keins Mans weib gewesen ist / an der mag er sich verunreinigen. [4]Sonst sol er sich nicht verunreinigen an jrgent einem der jm zugehört vnter seinem volck / das er sich entheilige.

[5]ER sol auch keine Platten machen auff seinem heubt / noch seinen bart abscheren / vnd an jrem Leibe kein mal pfetzen. [6]Sie sollen jrem Gott

heilig sein / vnd nicht entheiligen den namen jres Gottes / Denn sie opffern des HERRN opffer / das brot jres Gottes / Darumb sollen sie heilig sein.

[7] SJe sollen keine Hure nemen / noch keine Geschwechte / oder die von jrem Man verstossen ist / denn er ist heilig seinem Gott. [8] Darumb soltu jn helig halten / denn er opffert das brot deines Gottes / Er sol dir heilig sein / Denn ich bin Heilig der HERR der euch heiliget.

[9] WEnn eines Priesters Tochter anfehet zu huren / die sol man mit fewr verbrennen / Denn sie hat jren Vater geschendet. ‖

‖ 68 a

Num. 6.

WElcher Hoherpriester ist vnter seinen Brüdern / auff des heubt das Salböle gegossen vnd seine hand gefüllet ist / das er angezogen würde mit den Kleidern / der sol sein heubt nicht blössen / vnd seine Kleider nicht zuschneiten. [11] Vnd sol zu keinem Todten komen / vnd sol sich weder vber Vater noch vber Mutter verunreinigen. [12] Aus dem Heiligthum sol er nicht gehen / das er nicht entheilige das Heiligthum seines Gottes / Denn die heilige [a] Krone / das salböle seines Gottes ist auff jm / Jch bin der HERR.

[13] EJne Jungfraw sol er zum Weibe nemen / [14] aber keine Widwe / noch Verstossene / noch geschwechte / noch Hure / sondern eine Jungfraw seines volcks sol er zum weibe nemen / [15] Auff das er nicht seinen samen entheilige vnter seinem volck / Denn ich bin der HERR der jn heiliget.

VND der HERR redet mit Mose / vnd sprach / [17] Rede mit Aaron / vnd sprich / Wenn an jemands deines Samens in ewren Geschlechten ein Feil ist / der sol nicht erzu tretten / das er das brot seines Gottes opffere. [18] Denn keiner an dem ein Feil ist / sol erzu tretten / er sey blind / lahm / mit einer seltzamen nasen / mit [b] vngewönlichem gelied / [19] oder der an einem fus oder hand gebrechlich ist / [20] oder höckericht ist / oder ein fell auff dem auge hat / oder scheel ist / oder grindicht / oder schebicht / oder der gebrochen ist.

1. Tim. 3.
Tit. 1.

[21] WElcher nu von Aarons des Priesters samen einen Feil an jm hat / der sol nicht erzu tretten / zu opffern die opffer des HERRN / Denn er hat einen Feil / darumb sol er zu den broten seins Gottes nicht nahen / das er sie opffere. [22] Doch sol er das brot seins Gottes essen / beide von dem Heiligen vnd vom Allerheiligsten / [23] Aber doch zum Fur-

a (Krone) Auff Ebreisch Nezer / Hie von die Nazarei heissen / das sie sich enthielten vnd sonderten von etlicher speise Nu. 6. Vnd Samson von Mutterleibe ein Nazareus heisset / Jud. 13. Vnd vnser HERR Christus auch daher der rechte Nazareus heisst von Nazareth Mat. 2. Als der von aller sünde rein vnd heilig / vnd kein vnheiliges noch vngeweihets an jm ist. Wiewol die Jüden aus neid vnd bosheit jn nicht Nazri / sondern Notzri / das ist / den Verderbeten oder Verstöreten / wie einen Schecher / nennen / selbs die rechten Notzrim sind / in aller welt zurstrewet vnd verstöret. Vnd

mich düncket / das sich S. Paul. Rom. 1. einen Nazareum nenne / da er sich einen Ausgesonderten rhümet zum Euangelio / vom Gesetz etc.
b (Vngewönliche vnd seltzam) Das sind allerley vngestalt / Als so die Nasen zu gros zu klein / zu krum / breit Jtem / das Maul / krum / schartig / blecket /etc. Das einen fur andern verstellen.
c (Enthalten) Das ist / wie die Nazarei sich heiliglich abhalten vnd meiden / Nasaru etc. Nemlich / das sie nicht essen sollen vom Opffer sie seien denn gantz rein vnd heilig.

hang sol er nicht komen / noch zum Altar nahen / weil der Feil an jm ist / das er nicht entheilige mein Heiligthum / Denn ich bin der HERR der sie heiliget. [24]Vnd Mose redet solchs zu Aaron vnd zu seinen Sönen / vnd zu allen kindern Jsrael.

## XXII.

VND DER HERR REDET MIT MOSE / VND SPRACH / [2]Sage Aaron vnd seinen Sönen / das sie sich [c]enthalten von dem Heiligen den kinder Jsrael / welchs sie mir heiligen / vnd meinen heiligen Namen nicht entheiligen / Denn ich bin der HERR. [3]So sage nu jnen auff jre Nachkomen / Welcher ewrs samens erzu tritt zu dem heiligen / das die kinder Jsrael dem HERRN heiligen / vnd verunreinigt sich also vber dem selben / des Seele sol ausgerottet werden fur meinem Andlitz / Denn ich bin der HERR.

[4]WElcher des samens Aarons aussetzig ist / oder einen flus hat / Der sol nicht essen von dem Heiligen / bis er rein werde. Wer etwa einen vnreinen Leib anrüret / Oder welchem der Same entgehet im schlaff / [5]Vnd welcher jrgent ein Gewürm anrüret das jm vnrein ist / Oder einen Menschen der jm vnrein ist / vnd alles was jn verunreinigt / [6]welche Seele der eins anrüret / die ist vnrein bis auff den abend. Vnd sol von dem Heiligen nicht essen / sondern sol zuuor seinen Leib mit wasser baden / [7]Vnd wenn die Sonne vntergangen / vnd er rein worden ist / denn mag er daruon essen / denn es ist seine narung. [8]Ein Ass / vnd was von wilden Thieren zurissen ist / sol er nicht essen / auff das er nicht vnrein dran werde / Denn ich bin der HERR. [9]Darumb sollen sie meine Satze halten / Das sie nicht sünde auff sich laden vnd dran sterben / wenn sie sich entheiligen / Denn ich bin der HERR der sie heiliget.

[10]KEin ander sol von dem Heiligen essen / noch des Priesters hausgenos / noch taglöner. [11]Wenn aber der Priester eine Seele vmb sein geld kaufft / der mag dauon essen / Vnd was jm in seinem Hause geborn wird / das mag auch von seinem brot essen. [12]Wenn aber des Priesters tochter eins Frembden weib wird / die sol nicht von der heiligen Hebe essen. [13]Wird sie aber eine Widwen ‖ oder ausgestossen / vnd hat keinen Samen / vnd kompt / wider zu jrs Vaters hause / So sol sie essen von jrs

‖ 68 b

Vaters brot / als da sie noch eine Magd war. Aber kein Frembdlinger sol dauon essen.

[14]WErs versihet vnd sonst von dem Heiligen isset / der sol das fünffte teil dazu thun / vnd dem Priester geben sampt dem Heiligen / [15]auff das sie nicht entheiligen das Heilige der kinder Jsrael / das sie dem HERRN Heben / [16]Auff das sie sich nicht mit missethat vnd schuld beladen / wenn sie jr Geheiligtes essen / Denn ich bin der HERR der sie heiliget.

VND der HERR redet mit Mose / vnd sprach / [18]Sage Aaron vnd seinen Sönen / vnd allen kindern Jsrael / Welcher Jsraeliter oder Frembdlinger in Jsrael sein Opffer thun wil / es sey jrgent jr gelübd oder von freiem willen / das sie dem HERRN ein Brandopffer thun wöllen / das jm von euch angeneme sey / [19]Das sol ein Menlin vnd on wandel sein / von rindern oder lemmern oder zigen. [20]Alles was einen Feil hat / solt jr nicht opffern / Denn es wird fur euch nicht angeneme sein.

Deut. 15. 17.
Mala. 1.
Eccl. 35.

(Feil) Vber dis stück klaget Malach j. seer hart / Denn was nicht taug noch gut ist / das gibt man Gott vnd seinen Dienern / vnd wils alda erkargen. Er aber doch solchs hie / als vnangeneme / verdampt / Denn er hat lieb einen frölichen Geber.

[21]VNd wer ein Danckopffer dem HERRN thun wil / ein sonderlich gelübd / oder von freiem willen / von rindern oder schafen / das sol on wandel sein / das es angeneme sey / Es sol keinen feil haben. [22]Jsts blind oder gebrechlich / oder geschlagen / oder dürre / oder reudicht / oder schebicht / So solt jr solchs dem HERRN nicht opffern / vnd dauon kein Opffer geben auff den Altar des HERRN.

[23]EJn ochsen oder schaf / das vngewönlich gelied / oder [a]wandelbar gelied hat / magstu von freiem willen opffern / Aber angeneme mags nicht sein zum gelübd. [24]Du solt auch dem HERRN kein zustossens / oder zuriebens / oder zurissens / oder das verwund ist / opffern / vnd solt in ewrem Lande solchs nicht thun. [25]Du solt auch solcher keins von eines Frembdlingen hand / neben dem brot ewrs Gottes / opffern / Denn es taug nicht / vnd hat einen feil / Darumb wirds nicht angeneme sein fur euch.

a (Wandelbar) Als das nur ein ohr oder keins / das ein auge oder keins / das eins oder mehr füsse mangelt / oder sonst vngestalt vnd vngeschaffen ist / Es heisst / Wer geben wil / der gebe was guts / oder lasse es anstehen.

[26]VND der HERR redet mit Mose / vnd sprach / [27]Wenn ein ochs oder lamb oder zige geboren ist / So sol es sieben tage bey seiner mutter sein / vnd am achten tage / vnd darnach mag mans dem HERRN opffern / so ists angeneme. [28]Es sey ein ochs oder lamb / So sol mans nicht mit seinem Jungen auff einen tag schlachten.

[29]WEnn jr aber wolt dem HERRN ein Lobopffer thun / das fur euch angeneme sey / [30]So solt jrs desselben tages essen / vnd solt nichts vbrigs bis auff den morgen behalten / Denn ich bin der HERR. [31]Darumb haltet mein Gebot / vnd thut darnach / Denn ich bin der HERR / [32]das jr meinen heiligen Namen nicht entheiliget / vnd ich geheiliget werde vnter den kindern Jsrael / Denn ich bin der HERR der euch heiliget / [33]der euch aus Egyptenland gefürt hat / das ich ewr Gott were / Jch der HERR.

## XXIII.

SABBATH.

VND DER HERR REDET MIT MOSE / VND SPRACH / [2]Sage den kindern Jsrael / vnd sprich zu jnen. Dis sind die Feste des HERRN / die jr heilig vnd meine Feste heissen solt / da jr zusamen kompt. [3]Sechs tage soltu erbeiten / Der siebende tag aber ist der grosse heilige Sabbath / da jr zusamen kompt / Keine erbeit solt jr drinnen thun / Denn es ist der Sabbath des HERRN / in allen ewren Wonungen.

Exo. 23. Deut. 5.

FESTE DER JÜDEN.

PASSAH.

DJS sind aber die Feste des HERRN / die jr heilige Feste heissen solt / da jr zusamen kompt. [5]Am vierzehenden tage des ersten monden / zwischen abends ist des HERRN Passah / [6]Vnd am funffzehenden desselben monden ist das Fest der vngesewrten Brot des HERRN / Da solt jr sie|| ben tage vngesewrt Brot essen. [7]Der erste tag sol heilig vnter euch heissen / da jr zusamen kompt / Da solt jr keine Dienstberbeit thun / [8]vnd dem HERRN opffern sieben tage / Der siebende tag sol auch heilig heissen / da jr zusamen kompt / da solt jr auch kein Diensterbeit thun.

Exo. 23. Num. 28. Deut. 16.

|| 69a

(Diensterbeit) Das sind die werck / so man an den werckeltagen thut / narung zu suchen / da man Gesinde vnd Vieh zu braucht. Aber hausgeschefft vnd Gottesdienst ist nicht verboten / als kochen / keren / kleiden etc.

VND der HERR redet mit Mose / vnd sprach / [10]Sage den kindern Jsrael / vnd sprich zu jnen. Wenn jr ins Land kompt / das ich euch geben werde / vnd werdets erndten / So solt jr eine Garben der erstlinge ewr erndten zu dem Priester bringen. [11]Da sol die garbe Gewebd werden fur dem HERRN / das von euch angeneme sey / Solchs sol aber der Priester thun des andern tags nach dem Sabbath. [12]Vnd solt des tages / da ewr garben Gewebd wird / ein Brandopffer dem HERRN thun / von einem lamb / das on wandel vnd jerig sey / [13]sampt dem Speisopffer / zwo zehenden Semelmelh mit öle gemengt / zum opffer dem HERRN eins süssen geruchs / Dazu das Tranckopffer ein vierteil Hin weins. [14]Vnd solt kein new brot noch sangen noch korn zuuor essen / bis auff den tag / da jr ewrem Gott opffer bringet / Das sol ein Recht sein ewren Nachkomen / in allen ewren Wonungen.

PFINGSTEN.

DARnach solt jr zelen vom andern tage des Sabbaths / da jr die Webegraben brachtet / sieben gantzer Sabbath / [16]bis an den andern tag des siebenden Sabbaths / nemlich / funffzig tage solt jr zelen / vnd new Speisopffer dem HERRN opffern / [17]Vnd solts aus allen ewren Wonungen opffern / nemlich / zwey Webebrot von zwo zehenden Semelmelh gesewrt vnd gebacken / zu erstlingen dem HERRN. [18]Vnd solt erzu bringen neben ewrem Brot / sieben jerige lemmer on wandel / vnd einen jungen farren / vnd zween widder / Das sol des HERRN Brandopffer / Speisopffer vnd Tranckopffer sein / Das ist ein Opffer eins süssen geruchs dem HERRN.

[19]DAzu solt jr machen einen zigenbock zum Sündopffer / vnd zwey jerige lemmer zum Danckopffer / [20]Vnd der Priester sols Weben sampt dem brot der Erstlinge fur dem HERRN vnd den zweien lemmern / Vnd sol dem HERRN heilig / vnd des Priesters sein. [21]Vnd solt diesen tag ausruffen / denn er sol vnter euch heilig heissen / da jr zusamen komet / Keine diensterbeit solt jr thun / Ein ewigs Recht sol das sein bey ewren Nachkomen in allen ewren Wonungen.

Leui. 19. Deut. 24.

[22]WEnn jr aber ewr Land erndtet / solt jrs nicht gar auff dem felde einschneiten / auch nicht alles gnaw aufflesen / Sondern solts den Armen vnd Frembdlingen lassen / Jch bin der HERR ewr Gott.

SABBATH des blasens. Num. 29.

VND der HERR redet mit Mose / vnd sprach / [24]Rede mit den kindern Jsrael / vnd sprich / Am ersten tage des siebenden monden / solt jr den heiligen Sabbath des blasens zum gedechtnis halten / da jr zusamen kompt / [25]Da solt jr keine Diensterbeit thun / vnd solt dem HERRN opffern.

(Blasens zum gedechtnis) Solch blasen mit einem Horn geschach / das man damit Gottes vnd seiner Wunder gedacht / wie er sie erlöset hatte / dauon predigte vnd danckte. Wie bey vns durchs Euangelium / Christi vnd seiner Erlösung gedacht vnd gepredigt wird.

VERSÜNETAG. Leui. 16. Num. 29.

VND der HERR redet mit Mose / vnd sprach / [27]Des zehenden tages in diesem siebenden monden / ist der Versünetag / der sol bey euch heilig heissen / das jr zusamen kompt / da solt jr ewren Leib casteien / vnd dem HERRN opffern. [28]Vnd solt keine Erbeit thun an diesem tag / denn es ist der Versünetag / das jr versünet werdet fur dem HERRN ewrem Gott. [29]Denn wer seinen Leib nicht casteiet an diesem tage / Der sol aus seinem volck gerottet werden. [30]Vnd wer dieses tages jrgent eine erbeit thut / den wil ich vertilgen aus seinem volck / [31]Darumb solt jr keine erbeit thun / Das sol ein ewigs Recht sein ewrn Nachkomen / in allen ewren Wonungen. [32]Es ist ewr grosser Sabbath / das jr ewre Leibe casteiet / Am neunden tage des monden zu abend solt jr diesen Sabbath halten / von abend an bis wider zu abend.

LAUBHÜTTEN-FESTE.

VND der HERR redet mit Mose / vnd sprach / [34]Rede mit den kindern Jsrael / vnd sprich / Am funffzehenden tage dieses siebenden mondes ist das Fest der Laubhütten sieben tage dem HERRN. [35]Der erste tag sol heilig || heissen / das jr zusamen kompt / keine Diensterbeit solt jr thun. [36]Sieben tage solt jr dem HERRN opffern / Der achte tag sol auch heilig heissen / das jr zusamen kompt / vnd solt ewr Opffer dem HERRN thun / denn es ist der Versammlung tag / keine Diensterbeit solt jr thun.

Num. 29.

|| 69b

[37]DAS sind die Feste des HERRN / die jr solt für heilig halten / das jr zusamen kompt / vnd dem HERRN opffer thut / Brandopffer / Speisopffer / Tranckopffer vnd ander Opffer / ein jglichs nach seinem tage / [38]On was der Sabbath des HERRN / vnd ewre Gaben / vnd Gelübden vnd freywillige Gaben sind / die jr dem HERRN gebt.

[39]SO solt jr nu am funffzehenden tage des siebenden mondens / wenn jr das einkomen vom Lande eingebracht habt / das Fest des HERRN halten sieben tage lang. Am ersten tage ist es Sabbath / vnd am achten tage ist es auch Sabbath. [40]Vnd solt am ersten tage Früchte nemen von schönen Bewmen / Palmenzweige / vnd Meyen von dichten Bewmen vnd Bachweiden / vnd sieben tage frölich sein fur dem HERRN ewrem Gott / [41]vnd solt also dem HERRN / des jars das Fest halten sieben tage. Das sol ein ewigs Recht sein bey ewrn Nachkomen / das sie im siebenden monden also feiren. [42]Sieben tage solt jr in Laubhütten wonen / Wer einheimisch ist in Jsrael / der sol in Laubhütten wonen. [43]Das ewre Nachkomen wissen / wie ich die kinder Jsrael hab lassen in Hütten wonen / da ich sie aus Egiptenland füret / Jch bin der HERR ewr Gott. [44]Vnd Mose saget den kindern Jsrael solche Feste des HERRN.

XXIIII.

Exod. 27.

VND DER HERR REDET MIT MOSE / VND SPRACH. [2]Gebeut den kindern Jsrael / das sie zu dir bringen gestossen lauter Bawmöle zu Liechten / das oben in die Lampen teglich gethan werde / [3]haussen fur dem furhang des Zeugnis in der Hütten des Stiffts. Vnd Aaron sols zurichten des abends vnd des morgens fur dem HERRN teglich / Das sey ein ewiges Recht ewrn Nachkomen / [4]Er sol aber die Lampen auff dem feinen Leuchter zurichten fur dem HERRN teglich.

Exod. 25.

SCHAWBROT.

VND solt Semelmelh nemen / vnd dauon zwelff Kuchen backen / zwo zehende sol ein kuche haben / [6]Vnd solt sie legen ja sechs auff eine schicht auff den feinen Tisch fur dem HERRN. [7]Vnd solt auff die selben legen reinen Weyrauch / das es seien Denckbrot zum [a]Fewr dem HERRN. [8]Alle Sabbath für vnd für / sol er sie zurichten fur dem HERRN / von den kindern Jsrael / zum ewigen Bund. [9]Vnd sollen Aarons vnd seiner Söne sein / die sollen sie essen an heiliger Stete / Denn das ist sein allerheiligsts von den Opffern des HERRN zum ewigen Recht.

a Das ist / Opffer.

(Denckbrot) Das sind die Schauwbrot / welche hie Kuchen heissen / darumb das sie breit waren wie kuchen. Vnd sind Denckbrot / darumb / das sie damit Gottes gedencken vnd von jm predigen sollen / Gleich wie Christus vns befilhet / das wir sein gedencken / Das ist seinen Tod verkündigen vnd predigen sollen.

ES GIENG ABER AUS EINES JSRAELISCHEN WEIBS Son / der eines Egyptischen mans Kind war vnter den kindern Jsrael / vnd zancket sich im Lager mit einem Jsraelischen man / [11]Vnd lestert den Namen vnd fluchet. Da brachten sie jn zu Mose (Seine mutter aber hies Selomith / eine tochter Dibri vom stam Dan) [12]vnd legten jn gefangen / bis jnen klar antwort würde durch den Mund des HERRN.

[13]VNd der HERR redet mit Mose / vnd sprach / [14]Füre den Flucher hin aus fur das Lager / vnd las alle / die es gehöret haben / jre hende auff sein Heubt legen / vnd las jn die gantze Gemeine steinigen. [15]Vnd sage den kindern Jsrael / Welcher seinem Gott fluchet / Der sol seine sünde tragen / [16]Welcher des HERRN Namen lestert / Der sol des todes sterben / die gantze Gemeine sol jn steinigen / Wie der Frembdlinge / so sol auch der Einheimische sein / Wenn er den Namen lestert / So sol er sterben.

Exod. 21.

[17]WEr jrgent einen Menschen erschlegt / Der sol des todes sterben / [18]Wer aber || ein Vieh erschlegt / Der sols bezalen / Leib vmb leib. [19]Vnd wer seinen Nehesten verletzt / Dem sol man thun /

|| 70a

wie er gethan hat / [20]Schade vmb schade / Auge vmb auge / Zaan vmb zaan / Wie er hat einen Menschen verletzt / So sol man jm wider thun. [21]Also / das wer ein Vieh erschlegt / der sols bezalen / Wer aber einen Menschen erschlegt / der sol sterben. [22]Es sol einerley Recht vnter euch sein / dem Frembdlingen wie dem Einheimischen / Denn ich bin der HERR ewer Gott.

Deut. 19. Matt. 5.

[23]MOse aber sagets den kindern Jsrael / Vnd füreten den Flucher aus fur das Lager / vnd steinigeten jn / Also theten die kinder Jsrael / wie der HERR Mose geboten hatte.

## XXV.

Feiriar des Landes.

VND der HERR redet mit Mose auff dem berge Sinai / vnd sprach / [2]Rede mit den kindern Jsrael / vnd sprich zu jnen. Wenn jr ins Land kompt / das ich euch geben werde / So sol das Land seine Feire dem HERRN feiren / [3]Das du sechs jar dein Feld beseest / vnd sechs jar deinen Weinberg beschneitest / vnd samlest die früchte ein. [4]Aber im siebenden jar / sol das Land seine grosse Feier dem HERRN feiren / darin du dein Feld nicht beseen / noch deinen Weinberg beschneiten solt.

[5]WAs aber von jm selber nach deiner Erndten wechst / soltu nicht erndten / vnd die Drauben / so on deine erbeit wachsen / soltu nicht lesen / die weil es ein Feiriar ist des Lands. [6]Sondern die Feir des Lands solt jr darumb halten / das du dauon essest / dein Knecht / deine Magd / dein Taglöhner / dein Hausgenos / dein Frembdlinger bey

dir / [7]dein Vieh / vnd die Thier in deinem lande / Alle früchte sollen speise sein.

(Speise) Das ist / Gemeine sein / vnd nicht einsamlen noch auffschütten etc.

VND du solt zelen solcher Feiriar sieben / das sieben jar sieben mal gezelet werden / vnd die zeit der sieben Feiriar / mache neun vnd vierzig jar. [9]Da soltu die Posaunen lassen blasen durch alle ewer Land / am zehenden tage des siebenden monden / eben am tage der versünunge. [10]Vnd jr solt das Funffzigst jar heiligen / vnd solts ein Erlasiar heissen im Lande / allen die drinnen wonen / denn es ist ewr Halliar / Da sol ein jglicher bey euch wider zu seiner Habe / vnd zu seinem Geschlecht komen / [11]Denn das funffzigst jar ist ewr Halliar. Jr solt nicht seen / auch was von jm selber wechst / nicht erndten / auch || was on erbeit wechst im Weinberge nicht lesen. [12]Denn das Halliar sol vnter euch heilig sein / Jr solt aber essen was das Feld tregt. [13]Das ist das Halliar / da jederman wider zu dem seinen komen sol.

ERLASIAR.

Deut. 15.

|| 70b

WEnn du nu etwas deinem Nehesten verkeuffest / oder jm etwas abkeuffest / sol keiner seinen Bruder vberforteilen. [15]Sondern nach der zal vom Halliar an / soltu es von jm keuffen / vnd was die jare hernach tragen mügen / so hoch sol er dirs verkeuffen. [16]Nach der menge der jar soltu den Kauff steigern / vnd nach der wenige der jar soltu den Kauff ringern / denn er sol dirs / nach dem es tragen mag / verkeuffen. [17]So vberforteile nu keiner seinen Nehesten / sondern fürchte dich fur deinem Gott / Denn ich bin der HERR ewr Gott. [18]Darumb thut nach meinen Satzungen / vnd haltet meine Rechte / das jr darnach thut / Auff das jr im Lande sicher wonen mügt / [19]Denn das Land sol euch seine Früchte geben / das jr zu essen gnug habt / vnd sicher darinnen wonet.

[20]VND ob du würdest sagen / Was sollen wir essen im siebenden jar? Denn wir seen nicht / so samlen wir auch kein Getreide ein. [21]Da wil ich meinem Segen vber euch im sechsten jar gebieten / das er sol dreier jar Getreide machen / [22]Das jr seet im achten jar / vnd von dem alten getreide esset / bis in das neunde jar / das jr vom alten esset / bis wider new getreide kompt. [23]Darumb solt jr das Land nicht verkeuffen ewigklich / Denn das Land ist mein / vnd jr seid Frembdlinge vnd Geste fur mir / [24]Vnd solt in alle ewrem Lande / das land zu lösen geben.

WEnn dein Bruder verarmet / vnd verkeufft dir seine Habe / vnd sein nehester Freund kompt zu jm / das ers löse / So sol ers lösen / was sein Bruder verkaufft hat. [26]Wenn aber jemand keinen Löser hat / vnd kan mit seiner hand so viel zuwegen bringen / das ers ein teil löse / [27]So sol man rechen von dem jar / da ers hat verkaufft / vnd dem Verkeuffer die vbrigen jar wider einreumen / das er wider zu seiner Habe kome. [28]Kan aber seine hand nicht so viel finden / das eins teils jm wider werde / So sol das er verkaufft hat in der hand des keuffers sein / bis zum Halliar / Jn dem selben sol es ausgehen / vnd er wider zu seiner Habe kommen.

WEr ein Wonhaus verkeufft in der Stadtmauren / der hat ein gantz jar frist / dasselbe wider zulösen / Das sol die zeit sein / darinnen er es lösen mag. [30]Wo ers aber nicht löset / ehe denn das gantze jar vmb ist / So sols der Keuffer ewiglich behalten vnd seine Nachkomen / vnd sol nicht los ausgehen im Halliar. [31]Jsts aber ein Haus auff dem Dorffe / da keine maur vmb ist / Das sol man dem feld des lands gleich rechen / vnd sol los werden / vnd im Halliar ledig ausgehen.

DJe Stedte der Leuiten vnd die Heuser in den stedten / da jre Habe innen ist / mügen jmerdar gelöset werden. [33]Wer etwas von den Leuiten löset / der sols verlassen im Halliar / es sey haus oder stad / das er besessen hat / Denn die heuser in stedten der Leuiten sind jre habe vnter den kindern Jsrael. [34]Aber das Feld vor jren Stedten sol man nicht verkeuffen / Denn das ist jr Eigenthum ewiglich.

Exod. 22.

WEnn dein Bruder verarmet vnd neben dir abnimpt / So soltu jn auffnemen als einen Frembdlingen oder Gast / das er lebe neben dir / [36]Vnd solt nicht wucher von jm nemen noch vbersatz / sondern solt dich fur deinem Gott fürchten / Auff das dein Bruder neben dir leben künne. [37]Denn du solt jm dein geld nicht auff wucher thun / noch deine speise auff vbersatz austhun / [38]Denn ich bin der HERR ewr Gott / der euch aus Egyptenland gefüret hat / das ich euch das land Canaan gebe vnd ewr Gott were.

(Vbersatz) Wucher heisst er so mit Geld geschicht. Vbersatz wenn der arm man mus keuffen oder annemen die tegliche wahr so thewer der Geitzhals wil / weil ers haben mus zur not.

WEnn dein Bruder verarmet neben dir / vnd verkeufft sich dir / So soltu jn nicht lassen dienen als einen Leibeigen / [40]Sondern wie ein Taglöhner vnd Gast sol er bey dir sein / vnd bis

Exo. 21. Deut. 15.

|| 71a

an das Halliar bey dir dienen. [41]Denn sol er || von dir los ausgehen / vnd seine Kinder mit jm / vnd sol wider komen zu seinem Geschlecht vnd zu seiner Veter habe. [42]Denn sie sind meine Knechte / die ich aus Egyptenland gefürt habe / Darumb sol man sie nicht auff Leibeigen weise verkauffen. [43]Vnd solt nicht mit der strenge vber sie herrschen / Sondern dich fürchten fur deinem Gott.

[44]WJltu aber leibeigen Knechte vnd Megde haben / So soltu sie keuffen von den Heiden / die vmb euch her sind / [45]von den gesten / die frembdlinge vnter euch sind / vnd von jren Nachkomen die sie bey euch in ewrem Lande zeugen. Die selben solt jr zu eigen haben / [46]vnd solt sie besitzen vnd ewre Kinder nach euch / zum eigenthum fur vnd fur / die solt jr leibeigen Knechte sein lassen. Aber vber ewr Brüder die kinder Jsrael / sol keiner des andern herrschen mit der strenge.

WEnn jrgend ein Frembdling oder Gast bey dir zunimpt / vnd dein Bruder neben jm verarmet / vnd sich dem Frembdlingen oder Gast bey dir / oder jemand von seinem stam verkeufft / [48]So sol er nach seinem verkeuffen recht haben / wider los zu werden. Vnd es mag jn jemand vnter seinen Brüdern lösen / [49]oder sein Vetter oder vetters Son / oder sonst sein nehester Blutfreund seines Geschlechts / oder so seine selbs hand so viel erwirbt / so sol er sich lösen. [50]Vnd sol mit seinem Keuffer rechen vom jar an / da er sich verkaufft hatte / bis auffs Halliar / Vnd das geld sol nach der zal der jar seines verkeuffens gerechnet werden / vnd sol sein taglohn der gantzen zeit mit einrechen. [51]Sind noch viel jar bis an das Halliar / So sol er nach den selben deste mehr zu lösen geben / darnach er gekaufft ist. [52]Sind aber wenig jar vbrig bis ans Halliar / So sol er auch darnach widergeben zu seiner lösung / [53]vnd sol sein Taglohn von jar zu jar mit einrechen / Vnd solt nicht lassen mit der strenge vber jn herrschen fur deinen augen. [54]Wird er aber auff diese weise sich nicht lösen / So sol er im Halliar los ausgehen / vnd seine Kinder mit jm. [55]Denn die kinder Jsrael sind meine Knechte / die ich aus Egyptenland gefürt habe / Jch bin der HERR ewr Gott.

Exod. 20. Deut. 5. Psal. 96.

JR solt euch keinen Götzen machen noch Bilde / vnd solt euch keine Seulen auff richten / noch keinen Malstein setzen in ewrem Lande / das jr

heissung des Gesetzs.

dafur anbetet / Denn ich bin der HERR ewr Gott. [2]Haltet meine Sabbath / vnd fürchtet euch fur meinem Heiligthum / Jch bin der HERR.

XXVI.

Verheissung des Gesetzs.

Werdet jr in meinen Satzungen wandeln / vnd meine gebot halten vnd thun / [4]So wil ich euch Regen geben zu seiner zeit / vnd das Land sol sein gewechs geben / vnd die Bewme auff dem felde jre früchte bringen. [5]Vnd die Dresschezeit sol reichen bis zur Weinerndten / vnd die weinerndte sol reichen bis zur zeit der saat / Vnd sollet Brots die fülle haben / vnd solt sicher in ewrem Lande wonen. [6]Jch wil Fried geben in ewrem Lande / das jr schlaffet vnd euch niemand schrecke. Jch wil die bösen Thier aus ewrem Lande thun / vnd sol kein Schwert durch ewr Land gehen.

Deut. 28.

[7]JR solt ewr Feinde jagen / vnd sie sollen fur euch her ins schwert fallen. [8]Ewer fünffe sollen hundert jagen / vnd ewr hundert sollen zehen tausent jagen / Denn ewre Feinde sollen fur euch her fallen ins schwert. [9]Vnd ich wil mich zu euch wenden / vnd wil euch wachsen vnd mehren lassen / vnd wil meinen Bund euch halten. [10]Vnd solt von dem Firnen essen / vnd wenn das Newe kompt / das firnen wegthun. [11]Jch wil meine Wonung vnter euch haben / vnd meine Seele sol euch nicht verwerfen. [12]Vnd wil vnter euch wandeln / vnd wil ewr Gott sein / so solt jr mein Volck sein. [13]Denn ich bin der HERR ewr Gott / der euch aus Egyptenland gefüret hat / das jr nicht jre Knechte weret / Vnd hab ewr Joch zubrochen / vnd hab euch auffgericht wandeln lassen. ‖

2. Cor. 6.

‖ 71 b

Drewung vnd Fluch des Gesetzs etc.

Werdet jr aber mir nicht gehorchen / vnd nicht thun diese Gebote alle / [15]vnd werdet meine Satzunge verachten / vnd ewre Seele meine Rechte verwerffen / das jr nicht thut alle meine Gebot / vnd werdet meinen Bund lassen anstehen. [16]So wil ich euch auch solchs thun / Jch wil euch heimsuchen mit schrecken / schwulst vnd fieber / das euch die Angesicht verfallen / vnd der Leib verschmachte. Jr solt vmb sonst ewren Samen seen / vnd ewre Feinde sollen jn fressen. [17]Vnd ich wil mein Andlitz wider euch stellen / vnd solt geschlagen werden fur ewren Feinden / vnd die euch hassen / sollen vber euch herrschen / Vnd solt fliehen da euch niemand jagt.

Deut. 28.
Thre. 2.
Mal. 2.

Schrecken etc.

[18]SO jr aber vber das noch nicht mir gehorchet / So wil ichs noch sieben mal mehr machen / euch zu straffen vmb ewre sünde / [19]das ich ewrn stoltz vnd halsstarrigkeit breche. Vnd wil ewrn Himel wie Eisen / vnd ewre Erden wie Ertz machen / [20]Vnd ewr mühe vnd erbeit sol verloren sein / Das ewr Land sein gewechs nicht gebe / vnd die Bewme im Lande jre früchte nicht bringen.

[21]VNd wo jr mir entgegen wandelt vnd mich nicht hören wolt / So wil ichs noch sieben mal mehr machen / auff euch zu schlahen vmb ewre sünde willen. [22]Vnd vil wilde Thier vnter euch senden / die sollen ewr Kinder fressen / vnd ewr Vieh zureissen / vnd ewr weniger machen / vnd ewr strassen sollen wüste werden.

[23]WErdet jr euch aber da mit noch nicht von mir züchtigen lassen vnd mir entgegen wandeln / [24]So wil ich euch auch entgegen wandeln / vnd wil euch noch sieben mal mehr schlahen vmb ewr sünde willen / [25]Vnd wil ein Rachschwert vber euch bringen / das meinen Bund rechen sol. Vnd ob jr euch in ewre Stedte versamlet / wil ich doch die Pestilentz vnter euch senden / vnd wil euch in ewr Feinde hende geben. [26]Denn wil ich euch den vorrat des Brots verderben / Das zehen Weiber sollen ewr brot in einem ofen backen / vnd ewr brot sol man mit gewicht auswegen / vnd wenn jr esset / solt jr nicht sat werden.

[27]WErdet aber jr da durch mir noch nicht gehorchen / vnd mir entgegen wandeln / [28]So wil ich auch euch im grim entgegen wandeln / vnd wil euch sieben mal mehr straffen vmb ewre sünde / [29]Das jr solt ewer Söne vnd Töchter fleisch fressen. [30]Vnd wil ewre Höhen vertilgen / vnd ewre Bilder ausrotten / vnd wil ewre Leichnam auff ewre Götzen werffen / vnd meine Seele wird an euch ekel haben / [31]Vnd wil ewre Stedte wüste machen / vnd ewrs Heiligthums kirchen einreissen / vnd wil ewren süssen Geruch nicht riechen.

ALso wil ich das Land wüste machen / das ewre Feinde / so drinnen wonen / sich da fur entsetzen werden. [33]Euch aber wil ich vnter die Heiden strewen / vnd das Schwert ausziehen hinder euch her / das ewr Land sol wüste sein vnd ewre Stedte verstöret. [34]Als denn wird das Land jm seine Feire gefallen lassen / so lange es wüste ligt / vnd jr in der Feinde land seid / Ja denn wird das Land feieren / vnd jm seine Feier gefallen lassen / [35]so lange es wüste ligt / Darumb / das es nicht feieren kund / da jrs soltet feieren lassen / da jr drinnen wonetet.

[36]VND denen / die von euch vberbleiben / wil ich ein feig Hertz machen in jrer Feinde land / das sie sol ein rausschend Blat jagen / Vnd sollen fliehen da fur / als jaget sie ein Schwert / vnd fallen / da sie niemand jaget. [37]Vnd sol einer [a]ver den andern hin fallen / gleich als fur dem Schwert / vnd doch sie niemand jagt. Vnd jr solt euch nicht aufflehnen thüren wider ewre Feinde / [38]vnd jr solt vmbkomen vnter den Heiden / vnd ewer feinde Land sol euch fressen.

a (Vber den andern hin) Wie es geschicht in der flucht / furcht vnd schrecken.

WElche aber von euch vberbleiben / Die sollen in jrer Missethat verschmachten / in der feinde Land / auch in jrer Veter missethat sollen sie verschmachten. [40]Da werden sie denn bekennen jre missethat vnd jrer Veter missethat / da mit sie sich an mir versündiget / vnd mir entgegen gewandelt haben. [41]Darumb wil ich auch jnen entgegen wandeln / vnd wil sie in jrer feinde || Land wegtreiben / Da wird sich ja jr vnbeschnittens hertz demütigen / Vnd denn werden sie jnen die straffe jrer missethat [b]gefallen lassen.

|| 72 a

[42]VND ich werde gedencken an meinen Bund mit Jacob / vnd an meinen bund mit Jsaac / vnd an meinen bund mit Abraham / vnd werde an das Land gedencken / [43]das von jnen verlassen ist / vnd jm seine Feier gefallen lesst / die weil es wüste von jnen ligt / vnd sie jnen die straffe jrer missethat gefallen lassen / Darumb / das sie meine Rechte verachtet / vnd jre Seele an meinen Satzungen ekel gehabt hat. [44]Auch wenn sie schon in der feinde Land sind / habe ich sie gleichwol nicht verworffen / vnd ekelt mich jr nicht also / das mit jnen aus sein solt / vnd mein Bund mit jnen solt nicht mehr gelten / Denn ich bin der HERR jr Gott. [45]Vnd wil vber sie an meinen ersten Bund gedencken / da ich sie aus Egyptenland füret / fur den augen der Heiden / das ich jr Gott were / Jch der HERR.

b (Gefallen) Das ist / Gleich wie sie lust an jren sünden / vnd ekel an meinen Rechten hatten / Also werden sie widerumb / lust vnd gefallen haben an der straffe / vnd sagen / Ah / wie recht ist vns geschehen / Danck hab vnser verfluchte sünde / Das haben wir nu dauon / O recht Lieber Gott / O recht. Vnd das sind gedancken vnd wort einer ernsten Rew

[46]DJS sind die Satzunge vnd Recht vnd Gesetz / die der HERR zwisschen jm vnd den kindern Jsrael gestellet hat / auff dem berge Sinai / durch die hand Mose.

## XXVII.

GELÜBDE.

VND DER HERR REDET MIT MOSE / VND SPRACH / [2]Rede mit den kindern Jsrael / vnd sprich zu jnen. Wenn jemand dem HERRN ein besonder Gelübde thut / das er seinen Leib schetzet / [3]so sol das die schetzung sein. Ein Mansbilde zwenzig jar alt / bis ins sechzigst jar / soltu schetzen auff funffzig silbern Sekel / nach dem sekel des Heiligthums. [4]Ein Weibsbilde auff dreissig sekel. [5]Von fünff jaren bis auff zwenzig jar / soltu jn schetzen auff zwenzig sekel / wens ein Mansbilde ist / ein Weibsbilde aber auff zehen sekel. [6]Von einem monden an bis auff fünff jar / soltu jn schetzen auff fünff silbern sekel / wens ein Mansbilde ist / ein Weibsbilde aber auff drey silbern sekel. [7]Jst er aber sechzig jar alt / vnd drüber / So soltu jn schetzen auff funffzehen sekel / wens ein Mansbilde ist / ein Weibsbilde aber auff zehen sekel. [8]Jst er aber zu arm zu solcher schetzung / So sol er sich fur den Priester stellen / vnd der Priester sol jn schetzen / Er sol jn aber schetzen nach dem seine hand / des / der gelobd hat / erwerben kan.

JSts aber ein Vieh / das man dem HERRN opffern kan / alles was man des dem HERRN gibt / ist heilig. [10]Man sols nicht wechseln noch wandeln / ein guts vmb ein böses / oder ein böses vmb ein guts. Wirds aber jemand wechseln / ein Vieh vmb das ander / so sollen sie beide dem HERRN heilig sein. [11]Jst aber das Thier vnrein / das mans dem HERRN nicht opffern thar / So sol mans fur den Priester stellen / [12]vnd der Priester sols schetzen / obs gut oder böse sey / vnd es sol bey des Priesters schetzen bleiben. [13]Wils aber jemand lösen / der sol den fünfften vber die schetzung geben.

WEnn jemand sein Haus heiliget / das dem HERRN heilig sey / das sol der Priester schetzen / obs gut oder böse sey / vnd darnach es der Priester schetzet / so sols bleiben. [15]So es aber der / so es geheiliget hat / wil lösen / So sol er den fünfften teil des gelds / vnber das es geschetzt ist / drauff geben / so sols sein werden.

WEnn jemand ein stück Ackers von seinem Erbgut dem HERRN heiliget / So sol er geschetzt werden nach dem er tregt / Tregt er ein Homor gersten / so sol er funffzig sekel silbers gelten. [17]Heiliget er aber seinen Acker vom Halliar an / so sol er nach seiner werde gelten.

vnd Busse / die sich selbs aus hertzen grund hassen vnd anspeien leret / Pfu dich / was hab ich gethan. Das gefellet denn Gott das er wider gnedig wird. Darumb haben wir das wort (Missethat) verdeudscht die straffe der missethat / solchen verstand zu geben / Sonst lautets / als solten sie gefallen an der missethat haben. Eben so ists auch zuuerstehen / Dem Lande gefellet seine Feire / Das ist / Es spricht / Gott habe recht in der straffe das es wüste ligen mus / vmb des Volcks willen / nach dem es sich sehnet. Solcher weise redet auch Jesa. 40. Dimissa est iniquitas / id est placita et accepta poena pro iniquitate eius / id est / per Christum est satisfactum pro ea.

[18]Hat er jn aber nach dem Halliar geheiliget / So sol jn der Priester rechen nach den vbrigen jaren zum Halliar / vnd darnach geringer schetzen. [19]WJl aber der / so jn geheiliget hat / den Acker lösen / So sol er den fünfften teil des gelds / vber das er geschetzt ist / drauff geben / so sol er sein werden. [20]Wil er || jn aber nicht lösen / sondern verkeufft jn einem andern / So sol er jn nicht mehr lösen / [21]sondern der selb Acker / wenn er im Halliar los ausgehet / sol dem HERRN heilig sein / wie ein verbannet Acker / vnd sol des Priesters Erbgut sein. || 72 b

[22]WEnn aber jemand einen Acker dem HERRN heiliget / den er gekaufft hat / vnd nicht sein Erbgut ist / [23]So sol jn der Priester rechen / was er gilt bis an das Halliar / vnd er sol desselben tages solche schetzung geben / das er dem HERRN heilig sey. [24]Aber im Halliar sol er wider gelangen an den selben / von dem er jn gekaufft hat / das er sein Erbgut im lande sey. [25]Alle wirderung sol geschehen nach dem sekel des Heiligthums / Ein sekel aber macht zwentzig Gera.

DJe Erstengeburt vnter dem Vieh / die dem HERRN sonst gebürt / sol niemand dem HERRN heiligen / es sey ein ochs oder schaf / denn es ist des HERRN. [27]Jst aber an dem Vieh etwas vnreines / so sol mans lösen nach seiner wirde / vnd drüber geben den fünfften / Wil ers nicht lösen / so verkeuffe mans nach seiner wirde.

MAn sol kein Verbantes verkauffen / noch lösen / das jemand dem HERRN verbannet / von allem das sein ist / es sey Menschen / Vieh / oder Erbacker / Denn alles verbante ist das allerheiligst dem HERRN. [29]Man sol auch keinen verbanten Menschen lösen / sondern er sol des todes sterben.

[30]ALle Zehenden im Lande / beide von samen des lands vnd früchten der bewme / sind des HERRN / vnd sollen dem HERRN heilig sein. [31]Wil aber jemand seinen Zehenden lösen / der sol den fünfften drüber geben / [32]Vnd alle Zehenden von rinden vnd schafen / vnd was vnter der ruten gehet / das ist ein heiliger Zehende dem HERRN / [33]Man sol nicht fragen obs gut oder böse sey / man sols auch nicht wechseln / Wirds aber jemand wechseln / so sols beides heilig sein / vnd nicht gelöset werden.

[34]DJs sind die Gebot / die der HERR Mose gebot an die kinder Jsrael / auff dem berge Sinai.

Ende des Dritten Buchs Mose.

Summa der kinder Jsrael.

# DAS VIERDE BUCH MOSE.

## I.

Summa der kinder Jsrael.

VND der HERR redet mit Mose in der wüsten Sinai / in der Hütten des Stiffts am ersten tage des andern monden / im andern jar / da sie aus Egyptenland gegangen waren / vnd sprach. [2]Nemet die Summa der gantzen Gemeine der kinder Jsrael / nach jren Geschlechten / vnd jrer Veter heuser vnd namen / Alles was nemlich ist von heubt zu heubt / [3]von zwenzig jaren an vnd drüber / was ins Heer zu ziehen taug in Jsrael / Vnd solt sie zelen nach jren Heeren / du vnd Aaron / [4]vnd solt zu euch nemen ja vom Geschlecht einen Heubtman vber seins Vaters haus.

Namen der xij. Fürsten Jsrael.

DJS sind aber die namen der Heubtleute / die neben euch stehen sollen. Von Ruben sey Elizur der son Zedeur. [6]Von Simeon sey Selumiel der son ZuriSadai. [7]Von Juda sey Nahesson der son Amminadab. [8]Von Jsaschar sey Nethaneel der son Zuar. [9]Von Sebulon sey Eliab der son Helon. ‖ [10]Von den kindern Joseph von Ehpraim sey Elisama der son Amihud. Von Manasse sey Gamliel der son PedaZur. [11]Von BenJamin sey Abidan der son Gideoni. [12]Von Dan sey Ahieser der son AmmiSadai. [13]Von Asser sey Pagiel der son Ochran. [14]Von Gad sey Elisaph der son Deguel. [15]Von Naphthali sey Ahira der son Enan.

‖ 73 a

[16]DAS sind die Fürnemesten der Gemeine / die Heubtleute vnter den Stemmen jrer Veter / die da Heubter vnd Fürsten in Jsrael waren. [17]Vnd Mose vnd Aaron namen sie zu sich / wie sie da mit namen genennet sind. [18]Vnd sameleten auch die gantzen Gemeine / am ersten tage des andern monden / vnd rechneten sie nach jrer Geburt / nach jren Geschlechten / vnd Veter heuser vnd namen / von zwenzig jaren an vnd drüber / vnd heubt zu heubt / [19]Wie der HERR Mose geboten hatte / vnd zeleten sie in der wüsten Sinai.

Stam Ruben.

DER kinder Ruben des ersten sons Jsrael / nach jrer Geburt / Geschlechte / jrer Veter heuser vnd namen / vnd heubt zu heubt / alles was menlich war / von zwenzig jaren vnd drüber / vnd ins Heer zu ziehen tuchte / [21]wurden gezelet zum stam Ruben / sechs vnd vierzig tausent vnd fünff hundert.

Summa der kinder Jsrael.

SIMEON.

[22]DER kinder Simeon nach jrer Geburt / Geschlechte / jrer Veter heuser zal vnd namen / von heubt zu heubt / alles was menlich war / von zwenzig jaren vnd drüber / vnd ins Heer zu ziehen tuchte / [23]wurden gezelet zum stam Simeon neun vnd funffzig tausent vnd drey hundert.

GAD.

[24]DER kinder Gad nach ihrer Geburt / Geschlechte / jrer Veter heuser vnd namen / von zwenzig jaren vnd drüber / was ins Heer zu ziehen tuchte / [25]wurden gezelet zum stam Gad / fünff vnd vierzig tausent / sechs hundert vnd funffzig.

JUDA.

[26]DER kinder Juda nach jrer Geburt / Geschlechte / jrer Veter heuser vnd namen / von zwenzig jaren vnd drüber / was ins Heer zu ziehen tuchte / [27]worden gezelet zum stam Juda / vier vnd siebenzig tausent vnd sechs hundert.

JSASCHAR.

[28]DER kinder Jsaschar nach jrer Geburt / Geschlechte / jrer Veter heuser vnd namen / von zwenzig jaren vnd drüber / was ins Heer zu ziehen tuchte / [29]wurden gezelet zum stam Jsaschar / vier vnd funffzig tausent vnd vier hundert.

SEBULON.

[30]DER kinder Sebulon nach jrer Geburt / Geschlechte / jrer Veter heuser vnd namen / von zwenzig jaren vnd drüber / was ins Heer zu ziehen tuchte / [31]wurden gezelet zum stam Sebulon / sieben vnd funffzig tausent vnd vier hundert.

EPHRAIM.

[32]DER kinder Joseph von Ephraim nach jrer Geburt / Geschlechte / jrer Veter heuser vnd namen / von zwenzig jaren vnd drüber / was ins Heer zu ziehen tuchte / [33]wurden gezelet zum stam Ephraim / vierzig tausent vnd fünffhundert.

MANASSE.

[34]DER kinder Manasse nach jrer Geburt / Geschlechte / jrer Veter heuser vnd namen / von zwenzig jaren vnd drüber / was ins Heer zu ziehen tuchte / [35]wurden zum stam Manasse gezelet / zwey vnd dreissig tausent vnd zwey hundert.

BENJAMIN.

[36]DER kinder BenJamin nach jrer Geburt / Geschlechte / jrer Veter heuser vnd namen / von zwenzig jaren vnd drüber / was ins Heer zu ziehen tuchte / wurden zum stam BenJamin gezelet / fünff vnd dreissig tausent vnd vier hundert.

DAN.

[38]DER kinder Dan nach jrer Geburt / Geschlechte / jrer Veter heuser vnd namen / von zwenzig jaren vnd drüber / was ins Heer zu ziehen tuchte / [39]wurden gezelet zum stam Dan / zwey vnd sechzig tausent vnd sieben hundert.

ASSER.

[40]DER kinder Asser nach jrer Geburt / Geschlechte / jrer Veter heuser vnd namen / von zwenzig jaren vnd drüber / was ins Heer zu ziehen tuchte / [41]wurden zum stam Asser gezelet / ein vnd vierzig tausent vnd fünff hundert.

NAPHTHALI.

|| 73 b

[42]DER kinder Naphthali nach jrer Geburt / Geschlechte / jrer Veter heuser || vnd namen / von zwenzig jaren vnd drüber / was ins Heer zu ziehen tuchte / [43]wurden zum stam Naphthali gezelet / drey vnd funffzig tausent vnd vier hundert.

Exod. 12.

[44]DJS sind / die Mose vnd Aaron zeleten sampt den zwelff Fürsten Jsrael / der ja einer vber ein Haus jrer Veter war. [45]Vnd die summa der kinder Jsrael nach jrer Veter heuser / von zwenzig jaren vnd drüber / was ins Heer zu ziehen tuchte in Jsrael / [46]der war sechs mal hundert tausent vnd drey tausent / funff hundert vnd funffzig. [47]Aber die Leuiten nach jrer Veter stam wurden nicht mit vnter gezelet.

STAM LEUI.

VND der HERR redet mit Mose / vnd sprach. [49]Den stam Leui soltu nicht zelen / noch jre summa nemen vnter den kindern Jsrael. [50]Sondern du solt sie ordenen zur Wonung bey dem Zeugnis / vnd zu allem Gerete vnd allem was dazu gehöret / Vnd sie sollen die Wonung tragen vnd alles Gerete / vnd sollen sein pflegen / vnd vmb die Wonung her sich lagern. [51]Vnd wenn man reisen sol / So sollen die Leuiten die Wonung abnemen / Wenn aber das Heer zu lagern ist / sollen sie die Wonung auffschlahen / Vnd wo ein Frembder sich da zu machet / der sol sterben. [52]Die kinder Jsrael sollen sich lagern ein jglicher in sein Lager vnd bey das Panir seiner Schar. [53]Aber die Leuiten sollen sich vmb die Wonung des Zeugnis her lagern / Auff das nicht ein zorn vber die Gemeine der kinder Jsrael kome / Darumb sollen die Leuiten der Hut warten an der Wonung des Zeugnis. [54]Vnd die kinder Jsrael theten alles / wie der HERR Mose geboten hatte.

## II.

LAGER DER Stemme Jsrael.

VND DER HERR REDET MIT MOSE VND AARON / vnd sprach. [2]Die kinder Jsrael sollen für der Hütten des Stiffts vmb her sich lagern / ein jglicher vnter seinem Panir vnd Zeichen / nach jrer Veter haus.

GEgen Morgen sol sich lagern Juda mit seinem Panir vnd Heer / Jr Heubtman Nahesson der son Amminadab / [4]vnd sein Heer an der summa / vier vnd siebenzig tausent vnd sechs hundert. [5]Neben jm sol sich lagern der stam Jsaschar / Jr Heubtman Nethaneel der son Zuar / [6]vnd sein Heer an der summa / vier vnd funffzig tausent vnd vier hundert. [7]Da zu der stam Sebulon / Jr Heubtman Eliab der son Helon / [8]sein Heer an der summa / sieben vnd funffzig tausent vnd vier hundert. [9]Das alle / die ins lager Juda gehören / seien an der summa / hundert vnd sechs vnd achzig tausent / vnd vier hundert / die zu jrem Heer gehören / Vnd sollen forn anziehen.

GEgen Mittag sol ligen das gezelt vnd panir Ruben mit jrem Heer / Jr Heubtman EliZur der son Sedeur / [11]vnd sein Heer an der summa / sechs vnd vierzig tausent / fünff hundert. [12]Neben jm sol sich lagern der stam Simeon / Jr Heubtman Selumiel der son ZuriSadai / [13]vnd sein Heer an der summa / neun vnd funffzig tausent / drey hundert. [14]Da zu der stam Gad / Jr Heubtman Eliasaph der son [a]Reguel / [15]vnd sein Heer an der summa / fünff vnd vierzig tausent / sechs hundert vnd funffzig. [16]Das alle / die ins lager Ruben gehören / seien an der summa / hundert vnd ein vnd funffzig tausent / vier hundert vnd funffzig / die zu jrem Heer gehören / Vnd sollen die andern im ausziehen sein.

a Sup. 10. Deguel.

LAGER der Leuiten.

DARnach sol die Hütten des Stiffts ziehen mit dem Lager der Leuiten mitten vnter den Lagern / Vnd wie sie sich lagern / so sollen sie auch ziehen / ein jglicher an seinem Ort vnter seinem Panir.

GEgen Abend sol ligen das gezelt vnd panir Ehpraim mit jrem Heer / Jr Heubtman sol sein Elisama der son Amihud / [19]vnd sein Heer an der summa / vierzig tausent vnd fünff hundert. [20]Neben jm sol sich lagern der stam || Manasse / Jr Heubtman Gamliel der son PedaZur / [21]sein Heer an der summa zwey vnd dreissig tausent vnd zwey hundert. [22]Da zu der stam BenJamin / Jr Heubtman Abidan der son Gideoni / [23]sein Heer an der summa / fünff vnd dreissig tausent vnd vier hundert. [24]Das alle / die ins lager Ephrahim gehören seien an der summa / hundert vnd acht tausent vnd ein hundert / die zu seinem Heer gehören / Vnd sollen die dritten im ausziehen sein.

Psal. 80.

|| 74a

GEgen Mitternacht sol ligen das gezelt vnd panir Dan / mit jrem Heer / Jr Heubtman Ahieser der son AmmiSadai / [26]sein Heer an der summa / zwey vnd sechzig tausent vnd sieben hundert. [27]Neben jm sol sich lagern der stam Asser / Jr Heubtman Pagiel der son Ochran / [28]sein Heer an der summa / ein vnd vierzig tausent vnd fünff hundert. [29]Da zu der stam Naphthali / Jr Heubtman Ahira der son Enan / [30]sein Heer an der summa / drey vnd funffzig tausent vnd vierhundert. [31]Das alle / die ins Lager Dan gehören / seien an der summa hundert sieben vnd funffzig tausent vnd sechs hundert / Vnd sollen die letzten sein im ausziehen mit jrem Panir.

Summa der kinder Jsrael.

[32]DAS ist die summa der kinder Jsrael nach jrer Veter heuser vnd Lager mit jren Heeren / Sechs hundert tausent vnd drey tausent / fünff hundert vnd funffzig. [33]Aber die Leuiten wurden nicht in die summa vnter die kinder Jsrael gezelet / wie der HERR Mose geboten hatte. [34]Vnd die kinder Jsrael theten alles / wie der HERR Mose geboten hatte / vnd lagerten sich vnter jre Panir / vnd zogen aus / ein jglicher in seinem Geschlecht nach jrer Veter haus.

## III.

Exod. 6.

AARONS SÖNE.

DJS IST DAS GESCHLECHT AARON VND MOSE / zu der zeit / da der HERR mit Mose redet auff dem berge Sinai / [2]vnd dis sind die namen der söne Aaron. Der Erstgeborne Nadab / darnach Abihu / Eleazar vnd Jthamar. [3]Das sind die namen der söne Aaron / die zu Priester gesalbet waren vnd jre hende gefüllet zum Priesterthum. [4]Aber Nadab vnd Abibu storben fur dem HERRN / da sie frembd Fewr opfferten fur dem HERRN in der wüsten Sinai / vnd hatten keine söne. Eleaser aber vnd Jthamar pflegten des Priesterampts vnter jrem vater Aaron.

Leui. 10. 1. Par. 24.

Ampt der Leuiten.

[5]VNd der HERR redet mit Mose vnd sprach / [6]Bringe den stam Leui erzu / vnd stelle sie fur den Priester Aaron / das sie jm dienen / [7]vnd seiner vnd der gantzen Gemeine hut warten / für der Hütten des Stiffts / vnd dienen am dienst der Wonunge / [8]vnd warten alles Gerets der Hütten des Stiffts / vnd der hut der kinder Jsrael / zu dienen am dienst der Wonunge. [9]Vnd solt die Leuiten Aaron vnd seinen sönen zuordnenen zum ge-

der Leuiten etc.

schenck von den kindern Jsrael. [10]Aaron aber vnd seine Söne soltu setzen / das sie jres Priesterthums warten / Wo ein Frembder sich erzu thut / Der sol sterben.

[11]VND der HERR redet mit Mose / vnd sprach / [12]Sihe / Jch habe die Leuiten genomen vnter den kindern Jsrael / fur alle Erstegeburt / die da mutter brechen vnter den kindern Jsrael / also / das die Leuiten sollen mein sein. [13]Denn die ersten Geburt sind mein sint der zeit ich alle Erstegeburt schlug in Egyptenland / da heiliget ich mir alle Erstegeburt in Jsrael / von Menschen an bis auff das Vieh / das sie mein sein sollen / Jch bin der HERR.

Num. 8.

Exod. 13.

KINDER LEUI.

VND der HERR redet mit Mose in der wüsten Sinai / vnd sprach / [15]Zele die kinder Leui nach jrer Veter heuser vnd geschlechten / alles was menlich ist eins monden alt vnd drüber. [16]Also zelet sie Mose nach dem wort des HERRN / wie er geboten hatte / [17]Vnd waren dis die kinder Leui mit namen / Gerson / Kahath / Merari. [18]Die namen aber der kinder Gerson in jrem Geschlecht waren / Libni vnd Simei. [19]Die kinder Kahath in jrem Geschlecht waren / Amram / Jezehar / Hebrom vnd Vsiel. [20]Die kinder Merari in jrem Ge- ‖ schlecht waren / Maheli vnd Musi / Dis sind die geschlecht Leui nach jrer Veter hause.

Exod. 6.

‖ 74b

GERSONITER.

[21]DJS sind die geschlechte von Gerson / Die Libniter vnd Simeiter / [22]Dere summa war an der zall funden / sieben tausent vnd fünff hundert / alles was menlich war / eins monden alt vnd drüber. [23]Vnd dasselb geschlecht der Gersoniter sollen sich lagern hinder der Wonunge gegen dem Abend. [24]Jr Oberster sey Eliasaph der son Lael. [25]Vnd sie sollen warten an der Hütten des Stiffts / nemlich / der Wonung vnd der Hütten vnd jrer Decken / vnd des Tuchs in der thür der Hütten des Stiffts / [26]des Vmbhangs am Vorhoff / vnd des Tuchs in der thür des Vorhoffs / welcher vmb die Wonung vnd vmb den Altar her gehet / vnd seiner Seile / vnd alles was zu seinem dienst gehöret.

KAHATHITER.

DJS sind die geschlechte von Kahath / Die Amramiten / die Jezehariten die Hebroniten vnd Vsieliten / [28]was menlich war eins monden alt vnd drüber / An der zal acht tausent vnd sechs hundert / die der hut des Heiligthums warten. [29]Vnd sollen sich lagern an die seiten der Wonung gegen Mittag. [30]Jr Oberster sey Elizaphan der son Vsiel. [31]Vnd sie sollen warten der Laden / des Tischs / des Leuchters / des Altars / vnd alles Gerets des Heiligthums / dar an sie dienen / vnd des Tuchs vnd was zu seinem dienst gehört. [32]Aber der Oberst vber alle Obersten der Leuiten sol Eleasar sein / Aarons son des Priesters / vber die verordnet sind zu warten der hut des Heiligthums.

MERARITER.

DJS sind die geschlechte Merari / die Maheliter vnd Musiter / [34]Die an der zal waren / sechs tausent vnd zwey hundert / alles was menlich war / eins monden alt vnd drüber. [35]Jr Oberster sey Zuriel der son Abihail. Vnd sollen sich lagern an die seiten der Wonung gegen Mitternacht. [36]Vnd jr Ampt sol sein zu warten der bret vnd rigel / vnd seulen / vnd füsse der Wonung / vnd alles seins Gerets vnd seins diensts / [37]Da zu der seulen vmb den Vorhof her / mit den füssen vnd negeln vnd seilen.

ABer fur der Wonung vnd fur der Hütten des Stiffts / gegen Morgen sollen sich lagern Mose vnd Aaron vnd seine Söne / das sie des Heiligthums warten / vnd der kinder Jsrael / Wenn sich ein Frembder erzu thut / Der sol sterben. [39]Alle Leuiten in der summa / die Mose vnd Aaron zeleten / nach jren Geschlechten / nach dem wort des HERRN / eitel Menlin eins monden alt vnd drüber / waren zwey vnd zwenzig tausent.

Summa aller Leuiten.

VND der HERR sprach zu Mose / Zele alle Erstgeburt / was menlich ist vnter den kindern Jsrael / eins monden alt vnd drüber / vnd nim die zal jrer namen. [41]Vnd solt die Leuiten mir / dem HERRN / aussondern fur alle Erstegeburt der kinder Jsrael / vnd der Leuiten vieh fur alle Erstegeburt vnter dem vieh der kinder Jsrael. [42]Vnd Mose zelet / wie jm der HERR geboten hatte / alle Erstegeburt vnter den kindern Jsrael / [43]Vnd fand sich an der zal der namen aller Erstegeburt was menlich war eins monden alt vnd drüber / in jrer summa zwey vnd zwenzig tausent / zwey hundert vnd drey vnd siebenzig.

[44]VND der HERR redet mit Mose / vnd sprach / [45]Nim die Leuiten fur alle Erstegeburt vnter den kindern Jsrael / vnd das vieh der Leuiten fur jr vieh / das die Leuiten / mein / des HERRN seien. [46]Aber das Lösegeld von den zwey hundert drey vnd siebenzig vberlengen Erstengeburten der kinder Jsrael / vber der Leuiten zal / [47]soltu ja fünff

sekel nemen von heubt zu heubt / nach dem sekel des Heiligthums (Zwenzig Gera gilt ein sekel) [48]vnd solt das selb geld / das vberleng ist vber jre zal / geben Aaron vnd seinen Sönen. [49]Da nam Mose das Lösegeld / das vberlenge war vber der Leuiten zal [50]von den Erstengeburten der kinder Jsrael tausent drey hundert vnd fünff vnd sechzig sekel / nach dem sekel des Heiligthums / [51]vnd gabs Aaron vnd seinen Sönen / nach dem wort des HERRN / wie der HERR Mose geboten hatte.

Exo. 30. Leui. 27. Ezech. 45.

|| 75a

## IIII.

VND DER HERR REDET MIT MOSE VND AARON / vnd sprach. [2]Nim die summa der kinder Kahath aus den kindern Leui / nach jrem Geschlecht vnd Veter heuser / [3]von dreissig jar an vnd drüber / bis ins funffzigst jar / alle die zum Heer tügen / das sie thun die werck in der Hütten des Stiffts. [4]Das sol aber das Ampt der kinder Kahath in der Hütten des Stiffts sein / das das Allerheiligst ist.

AARON vnd seine Söne etc.

WEnn das Heer auffbricht / so sol Aaron vnd seine Söne hin ein gehen vnd den Furhang abnemen / vnd die Lade des Zeugnis drein winden / [6]vnd drauff thun die Decke von dachsfellen / vnd oben drauff ein gantz geele Decke breiten / vnd seine stangen dazu legen. [7]Vnd vber den Schawtisch auch eine geele decke breiten / vnd dazu legen die schüssel / leffel / schalen vnd kannen aus vnd ein zu gissen / vnd das tegliche Brot sol da bey ligen / [8]Vnd sollen drüber breiten ein rosinrote Decke / vnd dasselb bedecken mit einer Decke von dachsfellen / vnd seine stangen da zu legen.

(Geele decke) Hieraus scheinets das die innersten Teppiche sind nicht bund / sondern ein iglicher hat jr eigen farbe alleine gehabt / Welche geel ist / die ist gantz geel gewest / vnd welche weis / gantz weis etc.

[9]VND sollen eine geele Decke nemen / vnd drein winden den Leuchter des liechts / vnd seine Lampen mit seinen schneutzen vnd nepffen / vnd alle öle gefess die zum Ampt gehören / [10]vnd sollen vmb das alles thun eine Decke von dachsfellen / vnd sollen sie auff stangen legen. [11]Also sollen sie auch vber den gülden Altar eine geele Decke breiten / vnd die selb bedecken mit der Decke von dachsfellen / vnd seine stangen dazu thun. [12]Alle Gerete / da mit sie schaffen im Heiligthum / sollen sie nemen / vnd geele Decke drüber thun / vnd mit einer Decke von dachsfellen decken / vnd auff stangen legen. [13]Sie sollen auch die asschen vom Altar fegen / vnd eine scharlacken Decke drüber

breiten / [14]Vnd alle sein Gerete da zu legen / da mit sie drauff schaffen / kolpfannen / krewel / schaufeln / becken / mit allem gerete des Altars / vnd sollen drüber breiten eine Decke von dachsfellen / vnd seine stangen dazu thun.

KAHATHITER.

WEnn nu Aaron vnd seine Söne solchs ausgericht haben / vnd das Heiligthum vnd alle sein Gerete bedeckt / wenn das Heer auffbricht / Darnach sollen die kinder Kahath hin ein gehen / das sie es tragen / vnd sollen das Heiligthum nicht anrüren / das sie nicht sterben / Dis sind die Last der kinder Kahath an der Hütten des Stiffts. [16]Vnd Eleaser Aarons des Priesters son / sol das Ampt haben / das er ordene das öle zum Liecht / vnd die specerey zum Reuchwerg / vnd das teglich Speisopffer vnd das Salböle / Das er beschicke die gantze Wonung / vnd alles was drinnen ist / im Heiligthum vnd seinem gerete.

ELEASAR.

[17]VND der HERR redet mit Mose vnd mit Aaron / vnd sprach / [18]Jr solt den stam des geschlechts der Kahathiter nicht lassen sich verderben vnter den Leuiten / [19]Sondern das solt jr mit jnen thun / das sie leben vnd nicht sterben / wo sie würden anrüren das Allerheiligst. Aaron vnd seine Söne sollen hinein gehen / vnd ein jglichen stellen zu seinem Ampt vnd Last / [20]Sie aber sollen nicht hinein gehen zu schawen vnbedackt das Heiligthum / das sie nicht sterben.

GERSONITER.

VND der HERR redet mit Mose / vnd sprach / [22]Nim die summa der kinder Gerson auch / nach jrer Veter haus vnd Geschlechte / [23]von dreissig jaren an vnd drüber / bis ins funffzigst jar / vnd ordne sie alle / die da zum Heer tüchtig sind / das sie ein Ampt haben in der Hütten des Stiffts. [24]Das sol aber des geschlechts der Gersoniter Ampt sein / das sie schaffen vnd tragen. [25]Sie sollen die Teppich der Wonung vnd der Hütten des Stiffts tragen / vnd seine Decke vnd die Decke von dachsfellen / die oben drüber ist / vnd das Tuch in der thür der Hütten des Stiffts / [26]vnd die vmbhenge des Vorhoffs / vnd das Tuch in der thür des thors am Vorhoff / welcher vmb die Wonung vnd Altar her gehet / vnd jre seile vnd alle Gerete jrs ampts / vnd alles was zu jrem Ampt || gehört. [27]Nach dem wort Aaron vnd seiner Söne / sol alles Ampt der kinder Gerson gehen alles was sie tragen vnd schaffen sollen / vnd jr solt zusehen / das sie

|| 75 b

aller jrer Last warten. [28]Das sol das Ampt des geschlechts der kinder der Gersoniter sein in der Hütten des Stiffts / Vnd jr hut sol vnter der hand Jthamar sein des sons Aarons des Priesters.

MERARITER.

DJE kinder Merari / nach jrem Geschlecht vnd Vater hause / soltu auch ordnen / [30]von dreissig jar an vnd drüber / bis ins funffzigst jar / alle die zum Heer tügen / das sie ein Ampt haben in der Hütten des Stiffts. [31]Auff diese Last aber sollen sie warten nach alle jrem Ampt in der Hütten des Stiffts / das sie tragen die breter der Wonung vnd riegel vnd seulen vnd füsse. [32]Da zu die seulen des Vorhoffs vmb her / vnd füsse vnd negel vnd seile mit alle jrem gerete / nach alle jrem ampt / Einem jglichen solt jr sein teil der Last am gerete zu warten verordenen. [33]Das sey das Ampt der geschlechte der kinder Merari / alles das sie schaffen sollen in der Hütten des Stiffts / vnter der hand Jthamar des Priesters Aarons son.

SUMMA der Kahathiter.

VND Mose vnd Aaron sampt den Heubtleuten der Gemeine zeleten die kinder der Kahathiter nach jren Geschlechten vnd Veter heuser / [35]von dreissig jaren vnd drüber bis ins funffzigst / alle die zum Heer tuchten / das sie Ampt in der Hütten des Stiffts hetten / [36]vnd die summa war zwey tausent sieben hundert vnd funffzig. [37]Das ist die summa der geschlecht der Kahathiter / die alle zuschaffen hatten in der Hütten des Stiffts die Mose vnd Aaron zeleten nach dem wort des HERRN durch Mose.

DER Gersoniter.

[38]DJE kinder Gerson wurden auch gezelet in jren Geschlechten vnd Veter heuser / [39]von dreissig jaren vnd drüber / bis ins funffzigst / alle die zum Heer tuchten / das sie Ampt in der Hütten des Stiffts hetten / [40]vnd die summa war zwey tausent sechs hundert vnd dreissig. [41]Das ist die summa der geschlechte der kinder Gerson / die alle zuschaffen hatten in der Hütten des Stiffts / welche Mose vnd Aaron zeleten nach dem wort des HERRN.

DER Merariter.

[42]DJE kinder Merari wurden auch gezelet nach jren Geschlechten vnd Veter heuser / [43]von dreissig jaren vnd drüber / bis ins funffzigst / alle die zum Heer tuchten / das sie Ampt in der Hütten des Stiffts hetten / [44]vnd die summa war / drey tausent vnd zwey hundert. [45]Das ist die summa der geschlechte der kinder Merari / die Mose vnd Aaron zeleten nach dem wort des HERRN durch Mose.

DJE summa aller Leuiten die Mose vnd Aaron sampt den Heubtleuten Jsrael zeleten / nach jren Geschlechten vnd Veter heuser / [47]von dreissig jaren vnd drüber bis ins funffzigst / aller die eingiengen zu schaffen / ein jglicher sein Ampt / zu tragen die last in der Hütten des Stiffts / [48]war acht tausent / fünff hundert vnd achzig / [49]die gezelet wurden nach dem wort des HERRN durch Mose / ein jglicher zu seinem Ampt vnd Last / wie der HERR Mose geboten hatte.

SUMMA aller Leuiten.

V.

Leui. 13.

VND DER HERR REDET MIT MOSE / VND SPRACH / [2]Gebeut den kindern Jsrael / das sie aus dem Lager thun alle Aussetzigen / vnd alle die Eitterflüsse haben / vnd die an den Todten vnrein worden sind / [3]beide Man vnd Weib sollen sie hin aus thun fur das Lager / das sie nicht jre Lager verunreinigen / darinnen ich vnter jnen wone. [4]Vnd die kinder Jsrael theten also / vnd theten sie hin aus fur das Lager / wie der HERR zu Mose geredt hatte.

Leui. 5.

|| 76a

VND der HERR redet mit Mose / vnd sprach / [6]Sage den kindern Jsrael / vnd sprich zu jnen / Wenn ein Man oder Weib jrgend eine sünde wider einen Menschen thut / vnd sich an dem HERRN da mit versündiget / So hat die || Seele eine schuld auff jr. [7]Vnd sie sollen jre Sünde bekennen / die sie gethan haben / vnd sollen jre schuld versünen mit der Heubtsumma / vnd darüber das fünffte teil da zu thun / vnd dem geben / an dem sie sich verschuldiget haben. [8]Jst aber niemand da / dem mans bezalen solte / So sol mans dem HERRN geben fur dem Priester / vber den Widder der versünung / da mit er versünet wird. [9]Desgleichen sol alle Hebe / von allem das die kinder Jsrael heiligen vnd dem Priester opffern / sein sein / [10]Vnd wer etwas heiliget sol auch sein sein / Vnd wer etwas dem Priester gibt / das sol auch sein sein.

EIUEROPFFER.

VND der HERR redet mit Mose / vnd sprach / [12]Sage den kindern Jsrael vnd sprich zu jnen / Wenn jrgend eins Mans weib sich verlieff / vnd sich an jm versündigt / [13]vnd jemand sie fleischlich beschlefft / vnd würde doch dem Man verborgen fur seinen augen / vnd würde verdeckt / das sie vnrein worden ist / vnd kan sie nicht vberzeugen / denn sie ist nicht drinne begriffen / [14]Vnd der

Eiuergeist entzündet jn / das er vmb sein Weib eiuert / sie sey vnrein oder nicht vnrein. [15]So sol er sie zum Priester bringen / vnd ein Opffer vber sie bringen / den zehenden Epha gersten melhs / vnd sol kein Ole drauff giessen noch Weyrauch drauff thun / Denn es ist ein Eiueropffer vnd Rügeopffer / das missethat rüget.

[16]DA sol sie der Priester erzu füren vnd für den HERRN stellen / [17]vnd des heiligen Wassers nemen in ein erden Gefess / vnd staub vom boden der Wonung ins wasser thun. [18]Vnd sol das Weib fur den HERRN stellen / vnd jr Heubt entblössen / vnd das Rügeopffer / das ein Eiueropffer ist / auff jr hand legen. Vnd der Priester sol in seiner Hand bitter verflucht Wasser haben / [19]vnd sol das Weib beschweren / vnd zu jr sagen / Hat kein Man dich beschlaffen / vnd hast dich nicht von deinem Man verlauffen / das du dich verunreiniget hast / So sollen dir diese bitter verfluchte Wasser nicht schaden.

[20]WO du aber dich von deinem Man verlauffen hast / das du vnrein bist vnd hat jemand dich beschlaffen / ausser deinem Man. [21]So sol der Priester das Weib beschweren mit solchem Fluche / vnd sol zu jr sagen / Der HERR setze dich zum Fluch vnd zum Schwur vnter deinem volck / das der HERR deine hüffte schwinden / vnd deinen bauch schwellen lasse. [22]So gehe nu das verfluchte Wasser in deinen Leib / das dein bauch schwelle vnd deine hüffte schwinde / Vnd das Weib sol sagen / Amen / Amen.

[23]ALso sol der Priester diese Flüche auff einen Zedel schreiben vnd mit dem bittern Wasser abwasschen / [24]vnd sol dem Weibe von dem bittern verfluchten Wasser zu trincken geben. Vnd wenn das verfluchte bitter wasser in sie gegangen ist / [25]sol der Priester von jrer hand das Eiueropffer nemen / vnd zum Speisopffer fur dem HERRN Weben / vnd auff dem Altar opffern / nemlich / [26]Sol er eine hand vol des Speisopffers nemen zu jrem Rügeopffer / vnd auff dem Altar anzünden / vnd darnach dem Weibe das wasser zu trincken geben. [27]Vnd wenn sie das wasser getruncken hat / Jst sie vnrein vnd hat sich an jrem Man versündigt / So wird das verfluchte Wasser in sie gehen / vnd jr bitter sein / das jr der bauch schwellen vnd die hüffte schwinden wird / vnd wird das Weib

ein Fluch sein vnter jrem volck. [28]Jst aber ein solch Weib nicht verunreinigt / sondern rein / So wirds jr nicht schaden / das sie kan schwanger werden.

[29]DJS ist das Eiuergesetz / wenn ein Weib sich von jrem Man verleufft vnd vnreine wird. [30]Oder wenn ein Man der Eiuergeist entzünd / das er vmb sein Weib eiuert / Das ers stelle fur den HERRN / vnd der Priester mit jr thu alles nach diesem Gesetze. [31]Vnd der man sol vnschüldig sein an der missethat / Aber das Weib sol jr missethat tragen.

## VI.

VND DER HERR REDET MIT MOSE / VND SPRACH / [2]Sage den kindern Jsrael / vnd sprich zu jnen / Wenn ein Man oder Weib ein sonderlich gelübd thut dem HERRN sich zu enthalten / [3]Der sol sich Weins vnd starcks Getrencks enthalten / weinessig oder starcks getrancks essig sol er auch nicht trincken / auch nichts das aus Weinbeeren gemacht wird / Er sol weder frissche noch dürre weinbeer essen / [4]so lange solch sein gelübd weret / Auch sol er nichts essen / das man vom Weinstock macht / weder weinkern noch hülsen.

Auff Ebreisch heisset dis Neser / vnd wer sie helt / heisst Nasir / Welchem nach / auch vnser HERR Jhesus Christus Nazarenus heisset / Vnd er der recht Nasir ist.

[5]SO lange die zeit solchs seines gelübds weret / sol kein Schermesser vber sein Heubt faren / bis das die zeit aus sey / die er dem HERRN gelobt hat / Denn er ist heilig / vnd sol das har auff seinem Heubt lassen frey wachsen. [6]Die gantze zeit vber / die er dem HERRN gelobt hat / sol er zu keinem Todten gehen. [7]Er sol sich auch nicht verunreinigen an dem tod seines Vaters / seiner Mutter / seines Bruders oder seiner Schwester / Denn das gelübd seines Gottes ist auff seinem Heubt / [8]vnd die gantze zeit vber seines gelübds / sol er dem HERRN heilig sein.

Act. 18. 21.

[9]VNd wo jemand fur jm vnuersehens plötzlich stirbt / Da wird das Heubt seines gelübds verunreiniget / Darumb sol er sein Heubt bescheren am tage seiner reinigung / das ist am siebenden tage. [10]Vnd am achten tage sol er zwo Dordeltauben bringen oder zwo Jungetauben zum Priester für die thür der Hütten des Stiffts. [11]Vnd der Priester sol eine zum Sündopffer / vnd die ander zum Brandopffer machen / vnd jn versünen / das er sich an einem Todten versündiget hat / vnd also sein Heubt desselben tages heiligen [12]das er dem

HERRN die zeit seines gelübds aushalte / Vnd sol ein jerig Lamb bringen zum Schuldopffer. Aber die vorigen tage sollen vmb sonst sein / Darumb das sein gelübd verunreiniget ist.

DJS ist das gesetz des Verlobten / Wenn die zeit seines gelübds aus ist / So sol man jn bringen für die thür der Hütten des Stiffts. [14]Vnd er sol bringen sein Opffer dem HERRN / ein jerig lamb on wandel zum Brandopffer / vnd ein jerig schaf on wandel zum Sündopffer / vnd ein widder on wandel zum Danckopffer / [15]vnd einen korb mit vngesewrten Kuchen von semelmelh mit öle gemenget / vnd vngesewrte Fladen mit öle bestrichen / vnd jr Speisopffer vnd Tranckopffer.

[16]VNd der Priester sols für den HERRN bringen / vnd sol sein Sündopffer vnd sein Brandopffer machen. [17]Vnd den widder sol er zum Danckopffer machen dem HERRN / sampt dem korbe mit dem vngesewrten Brot / Vnd sol auch sein Speisopffer vnd sein Tranckopffer machen. [18]Vnd sol dem Verlobten das heubt seines gelübds bescheren fur der thür der Hütten des Stiffts vnd sol das Heubthar seines gelübds nemen vnd auffs fewr werffen / das vnter dem Danckopffer ist. [19]Vnd sol den gekochten bug nemen von dem widder / vnd einen vngesewrten Kuchen aus dem korbe / vnd einen vngesewrten Fladen / vnd sols dem Verlobten auff seine hende legen / nach dem er sein gelübd abgeschoren hat / [20]vnd sols fur dem HERRN Weben / Das ist heilig dem Priester / sampt zu der Webebrust vnd der Hebeschuldern / Darnach mag der Verlobter wein trincken. [21]Das ist das gesetz des Verlobten / der sein Opffer dem HERRN gelobt / von wegen seines gelübds / ausser dem / was er sonst vermag / Wie er gelobet hat / sol er thun nach dem Gesetz seins gelübds.

Act. 18. 21.

VND der HERR redet mit Mose / vnd sprach / [23]Sage Aaron vnd seinen Sönen / vnd sprich / Also solt jr sagen zu den kindern Jsrael / wenn jr sie segenet.

Eccle. 36.

[24]DER HERR SEGENE DICH / VND BEHÜTE DICH.

[25]DER HERR LASSE SEIN ANGESICHT LEUCHTEN VBER DIR / VND SEY DIR GNEDIG.

[26]DER HERR HEBE SEIN ANGESICHT VBER DICH / VND GEBE DIR FRIEDE. [27]Denn jr solt meinen Namen auff die kinder Jsrael legen / das ich sie segene.

‖ 77a

## VII.

Exod. 36.

VND DA MOSE DIE WONUNG AUFFGERICHTET hatte / vnd sie gesalbet vnd geheiliget mit alle jrem Gerete / dazu auch den Altar mit alle seinem gerete gesalbet vnd geheiliget. [2]Da opfferten die Fürsten Jsrael / die Heubter waren in jrer Veter heuser / Denn sie waren die Obersten vnter den Stemmen / vnd stunden oben an vnter denen die gezelet waren. [3]Vnd sie brachten jre Opffer fur den HERRN / sechs bedeckete wagen vnd zwelff rinder / ja ein wagen fur zween Fürsten / vnd ein Ochsen fur einen / vnd brachten sie fur die Wonung:

OPFFER der 12. Fürsten Jsrael.

[4]VND der HERR sprach zu Mose / [5]Nims von jnen / das es diene zum dienst der Hütten des Stiffts / vnd gibs den Leuiten / einem jglichen nach seinem Ampt. [6]Da nam Mose die wagen vnd rinder / vnd gabe sie den Leuiten / [7]Zween wagen vnd vier rinder gab er den kindern Gerson nach jrem Ampt / [8]Vnd vier wagen vnd acht ochsen gab er den kindern Merari nach jrem Ampt / vnter der hand Jthamar Aarons des Priesters son. [9]Den kindern aber Kahath gab er nichts / Darumb / das sie ein heilig Ampt auff jnen hatten / vnd auff jren achseln tragen musten.

[10]VND die Fürsten opfferten zur einweihung des Altars an dem tage da er geweihet ward / vnd opfferten jre Gabe fur dem Altar. [11]Vnd der HERR sprach zu Mose / Las einen jglichen Fürsten an seinem tage sein Opffer bringen zur einweihung des Altars.

AM ersten tage opfferte seine gabe Nahesson der son Amminadab des stams Juda. [13]Vnd seine Gabe war / eine silberne Schüssel / hundert vnd dreissig sekel werd / eine silberne Schale / siebenzig sekel werd / nach dem sekel des Heiligthums / beide vol semelmelh mit öle gemenget zum Speisopffer. [14]Dazu einen gülden Leffel / zehen sekel golds werd / vol Reuchwergs. [15]Einen farren aus den rindern / einen widder / ein jerig lamb zum Brandopffer / [16]einen zigenbock zum Sündopffer. [17]Vnd zum Danckopffer zwey rinder / fünff widder / fünff böcke / vnd fünff jerige lemmer. Das ist die gabe Nahesson / des sons Amminadab.

NAHESSON

Leffel oder ein Köpfflin / oder sonst inwendig rund / wie die Saltzsirichen.

[18]AM andern tage opfferte Nethaneel der son Zuar der Fürst Jsaschar. [19]Seine gabe war / eine silberne Schüssel / hundert vnd dreissig sekel werd / eine silberne Schale / siebenzig sekel werd / nach

NETHANEEL.

der 12. Fürsten Jsrael.

dem sekel des Heiligthums / beide vol semelmelh mit öle gemenget zum Speisopffer. [20]Da zu einen gülden Leffel / zehen sekel golds werd / vol Reuchwergs. [21]Einen farren aus den rindern / einen widder / ein jerig lamb zum Brandopffer / [22]einen zigenbock zum Sündopffer. [23]Vnd zum Danckopffer zwey rinder / fünff widder / fünff böcke / vnd fünff jerige lemmer. Das ist die gabe Nethaneel des sons Zuar.

ELIAB.

[24]AM dritten tage der Fürst der kinder Sebulon / Eliab der son Helon. [25]Seine gabe war eine silberne Schüssel / hundert vnd dreissig sekel werd / eine silberne Schale / siebenzig sekel werd / nach dem sekel des Heiligthums / beide vol semelmelh mit öle gemenget zum Speisopffer. [26]Einen gülden Leffel / zehen sekel golds werd / vol Reuchwergs. [27]Einen farren aus den rindern / einen widder / ein jerig lamb zum Brandopffer / [28]einen zigenbock zum Sündopffer. [29]Vnd zum Danckopffer zwey rinder / fünff widder / fünff böcke / vnd fünff jerige lemmer. Das ist die gabe Eliab des sons Helon.

ELIZUR.

[30]AM vierden tage der Fürst der kinder Ruben / EliZur der son Sedeur. [31]Seine gabe war / eine silberne Schüssel / hundert vnd dreissig sekel werd / eine silberne Schale / siebenzig sekel werd / nach dem sekel des Heiligthums / beide || vol semelmelh mit öle gemenget zum Speisopffer. [32]Einen gülden Leffel / zehen sekel golds werd / vol Reuchwergs. [33]Einen farren aus den rindern / einen widder / ein jerig lamb zum Brandopffer / [34]einen zigenbock zum Sündopffer. [35]Vnd zum Danckopffer zwey rinder / fünff widder / fünff böcke / vnd fünff jerige lemmer. Das ist die gabe EliZur des sons Sedeur.

|| 77b

SELUMIEL.

[36]AM fünfften tage der Fürst der kinder Simeon / Selumiel der son ZuriSadai. [37]Seine gabe war / eine silberne Schüssel / hundert vnd dreissig sekel werd / eine silberne Schale / siebenzig sekel werd / nach dem sekel des Heiligthums / beide vol semelmelh mit öle gemenget zum Speisopffer. [38]Einen gülden Leffel zehen sekel golds werd vol Reuchwergs. [39]Einen farren aus den rindern / einen widder / ein jerig lamb zum Brandopffer / [40]einen zigenbock zum Sündopffer. [41]Vnd zum Danckopffer zwey rinder / fünff widder / fünff böcke / vnd fünff jerige lemmer. Das ist die gabe Selumiel des sons HuriSadai.

[42]AM sechsten tage der Fürst der kinder Gad / Eliasaph der son [a]Deguel. [43]Seine gabe war / eine silberne Schüssel / hundert vnd dreissig sekel werd / eine silberne Schale / siebenzig sekel werd / nach dem sekel des Heiligthums / beide vol semelmelh mit öle gemenget zum Speisopffer. [44]Einen gülden Leffel / zehen sekel golds werd vol Reuchwergs. [45]Einen farren aus den rindern / einen widder / ein jerig lamb zum Brandopffer / [46]einen zigenbock zum Sündopffer. [47]Vnd zum Danckopffer zwey rindern / fünff widder / fünff böcke / fünff jerige lemmer. Das ist die gabe Eliasaph des sons Deguel.

ELIASAPH.

a
Sup. 2.
Reguel.

[48]AM siebenden tage der Fürst der kinder Ephraim / Elisama der son Amihud. [49]Seine gabe war / eine silberne Schüssel / hundert vnd dreissig sekel werd / eine silberne Schale / siebenzig sekel werd / nach dem sekel des Heiligthums / beide vol semelmelh mit öle gemenget zum Speisopffer. [50]Einen gülden Leffel / zehen sekel golds werd vol Reuchwergs. [51]Einen farren aus den rindern / einen widder / ein jerig lamb zum Brandopffer / [52]einen zigenbock zum Sündopffer. [53]Vnd zum Danckopffer zwey rinder / fünff widder / fünff böcke / fünff jerige lemmer. Das ist die gabe Elisama des sons Amihud.

ELISAMA.

[54]AM achten tage der Fürst der kinder Manasse / Gamliel der son PedaZur. [55]Seine gabe war / eine silberne Schüssel / hundert vnd dreissig sekel werd / eine silberne Schale / siebenzig sekel werd / nach dem sekel des Heiligthums / beide vol semelmelh mit öle gemenget zum Speisopffer. [56]Einen gülden Leffel / zehen sekel golds werd vol Reuchwergs. [57]Einen farren aus den rindern / einen widder / ein jerig lamb zum Brandopffer / [58]einen zigenbock zum Sündopffer. [59]Vnd zum Danckopffer zwey rinder / fünff widder / fünff böcke / fünff jerige lemmer. Das ist die gabe Gamliel des sons PedaZur.

GAMLIEL.

[60]AM neunden tage der Fürst der kinder BenJamin / Abidan der son Gideoni. [61]Seine gabe war / eine silberne Schüssel / hundert vnd dreissig sekel werd / eine silberne Schale / siebenzig sekel werd nach dem sekel des Heiligthums / beide vol semelmelh mit öle gemenget zum Speisopffer. [62]Einen gülden Leffel / zehen sekel golds werd vol Reuchwergs. [63]Einen farren aus den rindern / einen widder / ein jerig lamb zum Brandopffer /

ABIDAN.

[64]einen zigenbock zum Sündopffer. [65]Vnd zum Danckopffer zwey rinder / fünff widder / fünff böcke / fünff jerige lemmer. Das ist die gabe Abidan des sons Gideoni.

AHIESER.

[66]AM zehenden tage der Fürst der kinder Dan / AhiEser der son AmmiSadai. [67]Seine gabe war / eine silberne Schüssel hundert vnd dreissig sekel werd / eine silberne Schale / siebenzig sekel werd / nach dem sekel des Heiligthums / beide vol semelmelh mit öle gemenget zum Speisopffer. [68]Einen gülden Leffel / zehen sekel golds werd vol Reuchwergs. [69]Einen farren aus den rindern / einen widder / ein jerig lamb zum Brandopffer / [70]einen zigenbock zum Sündopffer. [71]Vnd zum Danckopffer zwey rinder / fünff widder / fünff böcke / fünff jerige lemmer. Das ist die gabe AhiEser des sons AmmiSadai. ‖

‖ 78 a

PAGIEL.

[72]AM eilfften tage der Fürst der kinder Asser / Pagiel der son Ochran. [73]Seine gabe war ein silbern Schüssel / hundert vnd dreissig sekel werd / eine silberne Schale / siebenzig sekel werd / nach dem sekel des Heiligthums / beide vol semelmelh mit öle gemengt zum Speisopffer. [74]Einen gülden Leffel / zehen sekel golds werd vol Reuchwergs. [75]Einen farren aus den rindern / einen widder / ein jerig lamb zum Brandopffer / [76]einen zigenbock zum Sündopffer. [77]Vnd zum Danckopffer zwey rinder / fünff widder / fünff böcke / fünff jerige lemmer. Das ist die gabe Pagiel des sons Ochran.

AHIRA.

[78]AM zwelfften tage der Fürst der kinder Naphthali / Ahira der son Enan. [79]Seine gabe war / eine silberne Schüssel / hundert vnd dreissig sekel werd / eine silberne Schale / siebenzig sekel werd / nach dem sekel des Heiligthums / beide vol semelmelh mit öle gemenget / zum Speisopffer. [80]Einen gülden Leffel / zehen sekel goldes werd vol Reuchwergs. [81]Einen farren aus den rindern / einen widder / ein jerig lamb zum Brandopffer / [82]einen zigenbock zum Sündopffer. [83]Vnd zum Danckopffer zwey rinder / fünff widder / fünff böcke / fünff jerige lemmer. Das ist die gabe Ahira des sons Enan.

DAs ist die Einweihung des Altars / zur zeit da er geweihet ward / Da zu die Fürsten Jsrael opfferten / diese zwelff silberne Schüssel / zwelff silberne Schalen / zwelff gülden Leffel. [85]Also das ja eine Schüssel hundert vnd dreissig sekel silbers /

Einweihung des Altars etc.

vnd ja eine Schale siebenzig sekel hatte. Das die summa alles Silbers am gefess trug / zwey tausent / vier hundert sekel nach dem sekel des Heiligthums. [86]Vnd der zwelff güldene Leffel vol Reuchwergs / hatte ja einer zehen sekel nach dem sekel des Heiligthums / Das die summa Golds an den Leffeln trug / hundert vnd zwenzig sekel.

[87]DJE summa der rinder zum Brandopffer war / zwelff farren / zwelff widder / zwelff jerige lemmer / sampt jren Speisopffern / vnd zwelff zigenböcke zum Sündopffer. [88]Vnd die summa der rinder zum Danckopffer war / vier vnd zwenzig farren / sechzig widder / sechzig böcke / sechzig jerige lemmer. Das ist die Einweihung des Altars / da er geweihet ward.

Exod. 25.

[89]VND wenn Mose in die Hütten des Stiffts gieng / das mit jm geredt würde / So höret er die stimme mit jm reden von dem Gnadenstuel / der auff der Laden des Zeugnis war zwisschen den zweien Cherubim / von dannen ward mit jm geredt.

## VIII.

VND DER HERR REDET MIT MOSE / VND SPRACH. [2]Rede mit Aaron / vnd sprich zu jm / Wenn du die Lampen auffsetzest / soltu sie also setzen / das sie alle sieben fürwerts dem Leuchter scheinen. [3]Vnd Aaron thet also / vnd setzt die Lampen auff fürwerts dem Leuchter zu scheinen / wie der HERR Mose geboten hatte. [4]Der Leuchter aber war tichte gold / beide sein schafft vnd seine blumen / nach dem Gesicht / das der HERR Mose gezeigt hatte / Also macht er den Leuchter.

(Fürwerts) Das ist / Die zedten oder schnaussen an den Lampen sol er gegen den Vorhang richten / das es fur dem Leuchter oder zwischen dem Leuchter vnd Vorhang liecht sey.

REINIGUNG der Leuiten.

VND der HERR redet mit Mose / vnd sprach / [6]Nim die Leuiten aus den kindern Jsrael vnd reinige sie. [7]Also soltu aber mit jnen thun das du sie reinigest / Du solt Sündwasser auff sie sprengen / vnd sollen alle jre Hare rein abscheren / vnd jre Kleider wasschen / so sind sie rein.

(Sündwasser) Entsündigen ist so viel / als absoluiren oder los sprechen / Daher das wasser / damit sie absoluirt wurden / heisst Sündwasser.

[8]DEnn sollen sie nemen einen jungen farren / vnd sein Speisopffer semelmelh mit öle gemenget / Vnd einen andern jungen farren soltu zum Sündopffer nemen. [9]Vnd solt die Leuiten für die Hütten des Stiffts bringen / vnd die gantze Gemeine der kinder Jsrael versamlen / [10]vnd die Leuiten fur den HERRN bringen. Vnd die kinder Jsrael sollen jre hende auff die Leuiten legen / [11]vnd

Aaron sol die Leuiten fur dem HERRN Weben von den kindern Jsrael / Auff das sie dienen mügen an dem Ampt des HERRN. ‖ ‖ 78 b

[12]VND die Leuiten sollen jre hende auffs heubt der farren legen / vnd einer sol zum Sündopffer / der ander zum Brandopffer dem HERRN gemacht werden / die Leuiten zuuersünen. [13]Vnd solt die Leuiten für Aaron vnd seine Söne stellen vnd fur dem HERRN Weben / [14]vnd solt sie also sondern von den kindern Jsrael / das sie mein seien / [15]Darnach sollen sie hin ein gehen / das sie dienen in der Hütten des Stiffts. Also soltu sie reinigen vnd Weben / [16]denn sie sind mein Geschenck von den kindern Jsrael / vnd hab sie mir genomen fur alles das seine Mutter bricht / nemlich / fur die Erstengeburt aller kinder Jsrael.

[17]DEnn alle Erstegeburt vnter den kindern Jsrael ist mein / beide der Menschen vnd des Viehes / sint der zeit ich alle Erstegeburt in Egyptenland schlug vnd heiligete sie mir / [18]Vnd nam die Leuiten an fur alle Erstegeburt vnter den kindern Jsrael / [19]vnd gab sie zum geschencke Aaron vnd seinen Sönen aus den kindern Jsrael / das sie dienen am Ampt der kinder Jsrael in der Hütten des Stiffts / die kinder Jsrael zuuersünen / Auff das nicht vnter den kindern Jsrael sey eine Plage / so sie sich nahen wolten zum Heiligthum.

Num. 3. Exod. 13.

[20]VND Mose mit Aaron / sampt der gantzen Gemeine der kinder Jsrael theten mit den Leuiten alles / wie der HERR Mose geboten hatte. [21]Vnd die Leuiten entsündigeten sich vnd wusschen jre Kleider / vnd Aaron Webet sie fur dem HERRN / vnd versünet sie / das sie rein wurden. [22]Darnach giengen sie hin ein / das sie jr Ampt theten in der Hütten des Stiffts / fur Aaron vnd seinen Sönen / Wie der HERR Mose geboten hatte vber die Leuiten / also theten sie mit jnen.

[23]VND der HERR redet mit Mose / vnd sprach / [24]Das ists / das den Leuiten gebürt / Von fünff vnd zwenzig jaren vnd drüber / tügen sie zum Heer vnd dienst in der Hütten des Stiffts. [25]Aber von dem funffzigsten jar an sollen sie ledig sein vom Ampt des diensts / vnd sollen nicht mehr dienen / [26]sondern auff den dienst jrer Brüder warten in der Hütten des Stiffts / Des Ampts aber sollen sie nicht pflegen. Also soltu mit den Leuiten thun / das ein jglicher seiner Hut warte.

IX.

Num. 28.
Exod. 12.
Leui. 23.
Deut. 16.

PASSAH.

VND DER HERR REDET MIT MOSE IN DER WÜSTEN Sinai / im andern jar / nach dem sie aus Egyptenland gezogen waren / im ersten monden / vnd sprach. [2]Las die kinder Jsrael Passah halten zu seiner zeit / [3]am vierzehenden tage dieses monden zwisschen abends / Zu seiner zeit sollen sie es halten / nach aller seiner Satzung vnd Recht. [4]Vnd Mose redet mit den kindern Jsrael / das sie das Passah hielten. [5]Vnd sie hielten Passah am vierzehenden tage des ersten monden zwisschen abends / in der wüsten Sinai / Alles wie der HERR Mose geboten hatte / so theten die kinder Jsrael.

DA waren etliche Menner vnrein vber einem todten Menschen / das sie nicht kundten Passah halten des tages / die traten fur Mose vnd Aaron desselbigen tages / [7]vnd sprachen zu jm / Wir sind vnrein vber einem todten Menschen / Warumb sollen wir geringer sein / das wir vnsere Gabe dem HERRN nicht bringen müssen zu seiner zeit vnter den kindern Jsrael? [8]Mose sprach zu jnen / Harret / ich wil hören / was euch der HERR gebeut. [9]Vnd der HERR redet mit Mose / vnd sprach / [10]Sage den kindern Jsrael / vnd sprich / Wenn jemand vnrein vber einem Todten / oder ferne von euch vber feld ist / oder vnter ewrn Freunden / der sol dennoch dem HERRN Passah halten. [11]Aber doch im andern monden am vierzehenden tage zwisschen abends / vnd sols neben vngesewrtem Brot vnd Salsen essen / [12]Vnd sollen nichts dran vberlassen bis morgen / Auch kein Bein dran zubrechen / vnd sollens nach aller weise des Passah halten.

Exod. 12.
Joha. 19.

‖ 79a

[13]WER aber rein vnd nicht vber feld ist / vnd lesst anstehen das Passah zu ‖ halten / Des Seele sol ausgerottet werden von seinem Volck / darumb das er seine Gabe dem HERRN nicht gebracht hat zu seiner zeit / Er sol seine sünde tragen. [14]Vnd wenn ein Frembdlinger bey euch wonet / der sol auch dem HERRN Passah halten / vnd sols halten nach der Satzung vnd Recht des Passah. Diese Satzung sol euch gleich sein / dem Frembden / wie des lands Einheimischen.

Exo. 40.

VND des tages / da die Wonung auffgerichtet ward / bedeckt sie seine Wolcken auff der Hütten des Zeugnis / vnd des abends bis an den morgen / war vber der Wonung eine gestalt des Fewrs.

[16]Also geschachs jmerdar / das die Wolcke sie bedeckte / vnd des nachts die gestalt des Fewrs. [17]Vnd nach dem sich die Wolcke auffhub von der Hütten / so zogen die kinder Jsrael / Vnd an welchem ort die Wolcke bleib / da lagerten sich die kinder Jsrael. [18]Nach dem wort des HERRN zogen die kinder Jsrael / vnd nach seinem wort lagerten sie sich. So lange die Wolcke auff der Wonung bleib / so lange lagen sie stille / [19]Vnd wenn die Wolcke viel tage verzoch auff der Wonung / so warten die kinder Jsrael auff die Hut des HERRN vnd zogen nicht.

[20]VND wens war / das die wolcke auff der Wonunge war / etliche anzal der tage / So lagerten sie sich nach dem wort des HERRN / vnd zogen nach dem wort des HERRN. [21]Wenn die wolcke da war / von abend bis an den morgen / vnd sich denn erhub / so zogen sie / Oder wenn sie sich des tags oder des nachts erhub / so zogen sie auch. [22]Wenn sie aber zween tage / oder einen monden / oder etwa lange auff der Wonung bleib / so lagen die kinder Jsrael vnd zogen nicht / Vnd wenn sie sich denn erhub / so zogen sie. [23]Denn nach des HERRN Mund lagen sie / vnd nach des HERRN Mund zogen sie / Das sie auff des HERRN Hut warten / nach des HERRN wort durch Mose.

## X.

II. Drometen.

VND DER HERR REDET MIT MOSE / VND SPRACH / [2]Mache dir zwo Drometen von tichtem silber / das du jr brauchest / die Gemeine zu beruffen / vnd wenn das Heer auffbrechen sol. [3]Wenn man mit beiden schlecht bleset / sol sich zu dir versamlen die gantze Gemeine fur die thür der Hütten des Stiffts. [4]Wenn man nur mit einer schlecht bleset / so sollen sich zu dir versamlen die Fürsten vnd die Obersten vber die tausent in Jsrael. [5]Wenn jr aber drometet / so sollen die Lager auffbrechen die gegen Morgen ligen. [6]Vnd wenn jr zum andermal drometet / so sollen die Lager auffbrechen die gegen mittag ligen / Denn wenn sie reisen sollen / so solt jr drometen. [7]Wenn aber die Gemeine zu versamlen ist / solt jr schlecht blasen vnd nicht drometen. [8]Es sollen aber solch blasen mit den Drometen die söne Aarons die Priester thun / Vnd sol ewr Recht sein ewiglich bey ewrn Nachkomen.

WEnn jr in einen Streit ziehet in ewrem Lande wider ewre Feinde die euch beleidigen / so solt jr drometen mit den Drometen / das ewr gedacht werde fur dem HERRN ewrem Gott / vnd erlöst werdet von ewren Feinden. [10]Desselbigen gleichen / wenn jr frölich seid / an ewren Festen vnd in ewren Newmonden / solt jr mit den Drometen blasen vber ewr Brandopffer vnd Danckopffer / das es sey euch zum gedechtnis fur ewrem Gott / Jch bin der HERR ewr Gott.

AM zwenzigsten tage im andern monden des andern jars / erhub sich die Wolcke von der Wonung des Zeugnis. [12]Vnd die kinder Jsrael brachen auff vnd zogen aus der wüsten Sinai / vnd die Wolcke bleib in der wüsten Paran. [13]Es brachen aber auff die ersten / nach dem wort des HERRN durch Mosen / [14]nemlich das panir des Lagers der kinder Juda zoch am ersten mit jrem Heer / vnd vber jr heer war Nahesson der son Amminadab. [15]Vnd ‖ vber das Heer des stams der kinder Jsaschar war Nethaneel der son Zuar. [16]Vnd vber das Heer des stams der kinder Sebulon war Eliab der son Helon. [17]Da zu legt man die Wonung / vnd zogen die kinder Gerson vnd Merari / vnd trugen die Wonung.

PARAN.

‖ 79b

[18]DARnach zoch das panir des Lagers Ruben mit jrem Heer / vnd vber jr Heer war Elizur der son Sedeur. [19]Vnd vber das Heer des stams der kinder Simeon war Selumiel der son ZuriSadai. [20]Vnd Eliasaph der son Deguel vber das Heer des stams der kinder Gad. [21]Da zogen auch die Kahathiten vnd trugen das Heiligthum / Vnd jene richteten die Wonung auff / bis diese hernach kamen.

[22]DArnach zoch das panir des Lagers der kinder Ephraim mit jrem Heer vnd vber jr heer war Elisama der son Ammihud. [23]Vnd Gamliel der son PedaZur vber das Heer des stams der kinder Manasse. [24]Vnd Abidan der son Gideoni vber das Heer des stams der kinder BenJamin.

[25]DArnach zoch das panir des Lagers der kinder Dan / mit jrem Heer vnd so waren die Lager alle auff / vnd AhiEser der son AmmiSadai war vber jr heer. [26]Vnd Pagiel der son Ochran vber das Heer des stams der kinder Asser. [27]Vnd Ahira der son Enan vber das Heer des stams der kinder Naphthali. [28]So zogen die kinder Jsrael mit jrem Heer.

(Richten auff) Jndes die Kahathiten das Heiligthum hernach trugen / waren die weil vor hin die Gersoniter vnd Merariter / vnd richteten die Wonung auff / das die Kahathiten mit der Lade / die Wonung bereit funden.

HOBAB.

VND Mose sprach zu seinem schwager Hobab dem son Reguel aus Midian / Wir ziehen da hin an die Stet / dauon der HERR gesagt hat / Jch wil sie euch geben / So kom nu mit vns / so wollen wir das beste bey dir thun / Denn der HERR hat Jsrael guts zugesagt. [30]Er aber antwortet / Jch wil nicht mit euch / sondern in mein Land zu meiner Freundschafft ziehen. [31]Er sprach / Lieber verlas vns nicht / denn du weissest wo wir in die wüsten vns lagern sollen / vnd solt vnser Auge sein. [32]Vnd wenn du mit vns zeuchst / was der HERR guts an vns thut / das wollen wir an dir thun.

[33]ALso zogen sie von dem Berge des HERRN drey Tagreise / vnd die Lade des Bunds des HERRN zoch fur jnen her die drey Tagreise / jnen zu weisen wo sie rugen solten. [34]Vnd die Wolcke des HERRN war des tages vber jnen / wenn sie aus dem Lager zogen.

[35]VND wenn die Lade zoch / so sprach Mose / HERR / Stehe auff / Las deine Feinde zurstrewet / Vnd die dich hassen / flüchtig werden fur dir / [36]Vnd wenn sie ruget / so sprach er / Kom wider HERR zu der menge der tausent Jsrael.

Psal. 68.
Psal. 132.

XI.

MVRREN des Volcks.

VND DA SICH DAS VOLCK VNGEDÜLTIG MACHT / gefiel es vbel fur den ohren des HERRN / Vnd als der HERR hörete / ergrimmet sein zorn vnd zündet das fewr des HERRN vnter jnen an / das verzeret die eussersten Lager. [2]Da schrey das volck zu Mose / vnd Mose bat den HERRN. Da verschwand das fewr. [3]Vnd man hies die stet Tabeera / darumb / das sich vnter jnen des HERRN fewr angezündet hatte.

TABEERE.

[4]DEnn das Pöbeluolck vnter jnen war lüstern worden / vnd sassen vnd weineten sampt den kindern Jsrael / vnd sprachen / Wer wil vns Fleisch zu essen geben? [5]Wir gedencken der Fissche / die wir in Egypten vmb sonst assen / vnd der körbis / pfeben / lauch / zwibel vnd knoblauch / [6]Nu aber ist vnser seele matt / Denn vnser augen sehen nichts denn das Man.

FLEISCH.

MAN.

[7]ES war aber Man wie Coriander samen / vnd anzusehen wie Bedellion. [8]Vnd das volck lieff hin vnd her / vnd samlete vnd sties mit mülen / vnd zureibs in mörsern vnd kochets in töpffen / vnd machet jm asschen Kuchen || draus / vnd es hatte

Exod. 16.
Psal. 78.
Joh. 6.

|| 80a

einen schmack wie ein ölekuche. [9]Vnd wenn des nachts der thaw vber die Lager fiel / so fiel das Man mit drauff.

DA nu Mose das volck höret weinen vnter jren Geschlechten einen jglichen in seiner Hütten thür / da ergrimmet der zorn des HERRN seer / vnd Mose ward auch bange. [11]Vnd Mose sprach zu dem HERRN / Warumb bekümerstu deinen Knecht? vnd warumb finde ich nicht gnade fur deinen Augen / das du die Last dieses gantzen Volcks auff mich legest? [12]Hab ich nu alles volck empfangen oder geborn / das du zu mir sagen magst / Trag es in deinen Armen (wie eine Amme ein Kind tregt) in das Land / das du jren Vetern geschworen hast? [13]Wo her sol ich Fleisch nemen / das ich alle diesem volck gebe? Sie weinen fur mir / vnd sprechen / Gib vns Fleisch / das wir essen. [14]Jch vermag das volck nicht allein alles ertragen / denn es ist mir zu schweer. [15]Vnd wiltu also mit mir thun / so erwürge mich lieber / habe ich anders gnade fur deinen Augen funden / das ich nicht mein vnglück so sehen müsse.

MOSE IST IN engsten vnd murret etc.

VND der HERR sprach zu Mose / Samle mir siebenzig Menner vnter den eltesten Jsrael / die du weist / das die Eltesten im volck vnd seine Amptleute sind / vnd nim sie fur die Hütten des Stiffts / vnd stelle sie daselbs fur dich. [17]So wil ich ernider komen vnd mit dir daselbs reden / vnd deines Geists / der auff dir ist / nemen / vnd auff sie legen / das sie mit dir die Last des volcks tragen / das du nicht allein tragest.

VND zum Volck soltu sagen / Heiliget euch auff morgen / das jr Fleisch esset / Denn ewr weinen ist fur die Ohren des HERRN komen / die jr sprecht / Wer gibt vns Fleisch zu essen / Denn es gieng vns wol in Egypten? Darumb wird euch der HERR fleisch geben / das jr esset / [19]nicht einen tag / nicht zween / nicht fünffe / nicht zehen / nicht zwenzig tage lang / [20]sondern einen monden lang / bis das euch zur nasen ausgehe / vnd euch ein ekel sey / Darumb / das jr den HERRN verworffen habt / der vnter euch ist / vnd fur jm geweinet / vnd gesagt / Warumb sind wir aus Egypten gegangen?

[21]VND Mose sprach / Sechs hundert tausent Man / fusuolcks ist des dar vnter ich bin / vnd du sprichst / Jch wil euch Fleisch geben / das jr esset einen monden lang. [22]Sol man schaf vnd rinder

MOSE zweiuelt.

schlachten / das jnen gnug sey? Oder wer den sich alle fische des Meers erzu versamlen / das jnen gnug sey? [23]Der HERR aber sprach zu Mose / Jst denn die Hand des HERRN verkürtzet? Aber du solt jtzt sehen / ob meine wort können dir etwas gelten oder nicht. — Jesa. 59.

VND Mose gieng er aus / vnd saget dem volck des HERRN wort / Vnd versamlet die siebenzig Menner vnter den Eltesten des volcks / vnd stellet sie vmb die Hütten her. [25]Da kam der HERR ernider in der Wolcken / vnd redet mit jm. Vnd nam des Geists der auff jm war / vnd legt jn auff die seibenzig eltesten Menner / Vnd da der Geist auff jnen rugete / weissagten sie / vnd höreten nicht auff.

ELDAD. MEDAD.

ES waren aber noch zween Menner im Lager blieben / der eine hies Eldad / der ander Medad / vnd der Geist ruget auff jnen / Denn sie waren auch angeschrieben / vnd doch nicht hin aus gegangen zu der Hütten / vnd sie weissagten im Lager. [27]Da lieff ein Knabe hin vnd sagts Mose an / vnd sprach / Eldad vnd Medad weissagen im Lager. [28]Da antwortet Josua der son Nun / Mose diener / den er erwelet hatte / vnd sprach / Mein Herr Mose were jnen. [29]Aber Mose sprach zu jm / Bistu der Eiuerer fur mich? Wolt Gott / das alle das volck des HERRN weissaget / vnd der HERR seinen Geist vber sie gebe. [30]Also samlet sich Mose zum Lager vnd die Eltesten Jsrael.

WACHTELN. — Psal. 78. Exod. 16.

DA fuhr aus der wind von dem HERRN / vnd lies Wachteln komen vom Meer / vnd strewet sie vber das Lager / hie ein Tagereise lang / da eine Tagereise lang / vmb das Lager her / zwo ellen hoch vber der erden. [32]Da macht sich das Volck auff / denselben gantzen tag vnd die gantze nacht / vnd den andern || gantzen tag / vnd samleten Wachteln / vnd welcher am wenigsten samlet der samlet zehen Homor / vnd hengeten sie auff vmb das Lager her. — || 80b

[33]DA aber das Fleisch noch vnter jren zeenen war / vnd ehe es auff war / da ergrimmet der zorn des HERRN vnter dem Volck / vnd schlug sie mit einer seer grossen Plage. [34]Da her die selbige Stete heisst / Lustgreber / darumb / das man daselbs begrub das lüstern Volck. [35]Von den Lustgreben aber zoch das Volck aus gen Hazeroth / Vnd blieben zu Hazeroth.

LUSTGREBER. HAZEROTH.

XII.

VND MIRJAM VND AARON REDET WIDER MOSE / vmb seines Weibes willen der Morinnen die er genomen hatte / darumb / das er eine Morinne zum weibe genomen hatte / [2]vnd sprachen / Redet denn der HERR alleine durch Mose? Redet er nicht auch durch vns? Vnd der HERR hörets. [3]Aber Mose war ein seer geplagter Mensch vber alle Menschen auff Erden.

(Geplagter) Elender / der viel leiden muste / Psal. 132. Gedencke Dauids vnd alle seins leidens. Psal. 18. Prouer. 18. Ante gloriam passio.

VND plötzlich sprach der HERR zu Mose vnd zu Aaron vnd zu MirJam / Gehet er aus jr drey zu der Hütten des Stiffts / Vnd sie giengen alle drey eraus. [5]Da kam der HERR ernider in der Wolckenseule / vnd trat in der Hütten thür / vnd rieff Aaron vnd MirJam / Vnd die beide giengen hinaus. [6]Vnd er sprach / Höret meine wort / Jst jemand vnter euch ein Prophet des HERRN / dem wil ich mich kund machen in einem Gesicht / oder wil mit jm reden in einem Trawm. [7]Aber nicht also mein knecht Mose / der in meinem gantzen Hause trew ist / [8]Mündlich rede ich mit jm / vnd er sihet den HERRN in seiner gestalt / nicht durch tunckel wort oder gleichnis. Warumb habt jr euch denn nicht gefürchtet / wider meinen Knecht Mose zu reden?

Ebre. 3.

[9]VND der zorn des HERRN ergrimmet vber sie / vnd wand sich weg / [10]Dazu die Wolcke weich auch von der Hütten. Vnd sihe / da war MirJam aussetzig wie der schnee. Vnd Aaron wand sich zu MirJam vnd wird gewar / das sie aussetzig ist / [11]vnd sprach zu Mose / Ah mein Herr / las die sunde nicht auff vns bleiben / da mit wir nerrisch gethan vnd vns versündiget haben / [12]Das diese nicht sey wie ein Todes / das von seiner Mutterleibe kompt / Es hat schon die helfft jrs Fleischs gefressen.

MIRJAM aussetzig.

[13]MOSe aber schrey zu dem HERRN / vnd sprach / Ah Gott / heile sie. [14]Der HERR sprach zu Mose / Wenn jr Vater jr ins angesicht gespeiet hette / Solt sie nicht sieben tage sich schemen? Las sie verschliessen sieben tage ausser dem Lager / Darnach las sie wider auffnemen. [15]Also ward MirJam sieben tage verschlossen ausser dem Lager / Vnd das volck zoch nicht fürder / bis MirJam auffgenomen ward. [1]Darnach zoch das Volck von Hazeroth / vnd lagert sich in die wüste Paran.

PARAN.

XIII.

XII. Menner erkunden das Land.

Deut. 1.

VND DER HERR REDET MIT MOSE / VND SPRACH / [3]Sende Menner aus / die das land Canaan erkunden / das ich den kindern Jsrael geben wil / Aus jglichem stam jrer veter einen fürnemlichen Man. [4]Mose der sandte sie aus der wüste Paran nach dem wort des HERRN / die alle fürnemliche Menner waren vnter den kindern Jsrael / [5]vnd hiessen also.

NAMEN DERE / so das Land erkunden sollen.

SAmmua der son Zacur des stams Ruben. [6]Saphat der son Hori des stams Simeon. [7]Caleb der son Jephunne des stams Juda. [8]Jgeal der son Joseph des stams Jsaschar. [9]Hosea der son Nun des stams Ephraim. [10]Palti der son Raphu des stams Ben-Jamin. [11]Gadiel der son Sodi des stams Sebulon. [12]Gaddi der son Susi des stams Joseph von Manasse. [13]Ammiel der son Gemalli des stams Dan. [14]Sethur der son Michael des stams Asser. [15]Nahebi der son || Vaphsi des stams Naphthali. [16]Guel der son Machi des stams Gad. [17]Das sind die namen der Menner / die Mose aussand zu erkunden das Land / Aber den Hosea den son Nun nante Mose Josua.

|| 81 a

DA sie nu Mose sandte das land Canaan zu erkunden / sprach er zu jnen / Ziehet hin auff an den Mittag / vnd gehet auff das Gebirge [19]vnd besehet das Land / wie es ist / vnd das Volck das drinnen wonet / obs starck oder schwach / wenig oder viel ist. [20]Vnd was fur ein Land ist darinnen sie wonen / obs gut oder böse sey / vnd was fur Stedte sind darinnen sie wonen / ob sie in Gezelten oder Festungen wonen. [21]Vnd was fur Land sey / obs fett oder mager sey / vnd ob Bewme drinne sind oder nicht / Seid getrost / vnd nemet der früchten des lands / Es war aber eben vmb die zeit der ersten weindrauben.

SJe giengen hin auff vnd erkundeten das Land / von der wüsten Zin / bis gen Rehob / da man gen Hamath gehet. [23]Sie giengen auch hin auff gegen dem Mittag / vnd kamen bis gen Hebron / da war Ahiman / Sesai vnd Thalmai / die kinder Enak / Hebron aber war sieben jar gebawet vor Zoan in Egypten. [24]Vnd sie kamen bis an bach Escol / vnd schnitten daselbs eine Reben ab mit einer Weindrauben / vnd liessen sie Zweene auff einem stecken tragen / dazu auch Granatepffel vnd Feigen. [25]Der ort heisst bach Escol / vmb des Draubens willen / den die kinder Jsrael daselbs abschnitten.

ENAKS KINDER.

(ESCOL) Heisst eine Drauben / daraus wird der draubenbach.

VND sie kereten vmb da sie das Land erkundet hatten nach vierzig tagen / [27]giengen hin / vnd kamen zu Mose vnd Aaron vnd zu der gantzen Gemeine der kinder Jsrael in die wüsten Paran gen Kades / vnd sagten jnen wider vnd der gantzen Gemeine / wie es stünde / Vnd liessen sie die Früchte des Landes sehen. [28]Vnd erzeleten jnen / vnd sprachen / Wir sind ins Land komen / da hin jr vns sandtet / da milch vnd honig innen fleusst / vnd dis ist jre Frucht. [29]On das starck Volck drinnen wonet / vnd seer grosse vnd feste Stedte sind / vnd sahen auch Enaks kinder daselbs. [30]So wonen die Amalekiter im Lande gegen mittag / die Hethiter vnd Jebusiter vnd Amoriter wonen auff dem Gebirge / die Cananiter aber wonen am Meer vnd vmb den Jordan.

[31]CAleb aber stillet das volck gegen Mose / vnd sprach / Lasst vns hin auff ziehen vnd das Land einnemen / denn wir mügen es vberweldigen. [32]Aber die Menner / die mit jm waren hin auff gezogen / sprachen / Wir vermügen nicht hin auff zu ziehen gegen das Volck / denn sie sind vns zu starck. [33]Vnd machten dem Lande das sie erkundet hatten / ein böse geschrey vnter den kindern Jsrael / vnd sprachen / Das Land da durch wir gegangen sind zu erkunden / frisset seine Einwoner / vnd alles Volck das wir drinnen sahen sind Leute von grosser lenge. [34]Wir sahen auch Rysen daselbs / Enaks kinder von den Rysen / vnd wir waren fur vnsern augen als die Hewschrecken / vnd also waren wir auch fur jren augen.

## XIIII.

Deut. 1. Psal. 106.

DA FUHR DIE GANTZE GEMEINE AUFF VND schrey / vnd das volck weinete die nacht. [2]Vnd alle kinder Jsrael murreten wider Mosen vnd Aaron / vnd die gantze Gemeine sprach zu jnen / Ah / das wir in Egyptenland gestorben weren / oder noch stürben in dieser wüsten / [3]Warumb füret vns der HERR in dis Land / das vnsere Weiber durchs schwert fallen / vnd vnser Kinder ein raub werden? Jsts nicht besser / wir ziehen wider in Egypten? [4]Vnd einer sprach zu dem andern / Last vns einen Heubtman auffwerffen / vnd wider in Egypten ziehen.

MURREN der kinder Jsrael etc.

MOse aber vnd Aaron fielen auff jr angesicht fur der gantzen versamlung der Gemeine der kinder Jsrael. [6]Vnd Josua der son Nun / vnd Caleb

Josua. Caleb.

vnd Josua ermanen Jsrael das Land einzunemen etc.

der son Jephunne / die auch das Land erkundet hatten / zurissen jre Kleider / [7]vnd sprachen zu der gantzen Gemeine der kinder Jsrael / Das Land / das wir durch || wandelt haben zu erkunden / ist seer gut. [8]Wenn der HERR vns gnedig ist / so wird er vns in das selbe Land bringen vnd vns geben / das ein Land ist / da milch vnd honig innen fleusst. [9]Fallet nicht ab vom HERRN / vnd furchtet euch fur dem Volck dieses Landes nicht / Denn wir wollen sie wie Brot fressen / Es ist jrer Schutz von jnen gewichen / Der HERR aber ist mit vns / fürchtet euch nicht fur jnen.

|| 81 b

DA sprach das gantze Volck / man solt sie steinigen. DA erschein die herrligkeit des HERRN in der Hütten des Stiffts allen kindern Jsrael. [11]Vnd der HERR sprach zu Mose / Wie lang lestert mich das Volck? Vnd wie lange wollen sie nicht an mich gleuben durch allerley Zeichen / die ich vnter jenen gethan habe? [12]So wil ich sie mit Pestilentz schlahen vnd vertilgen / vnd dich zum grössern vnd mechtigern Volck machen / denn dis ist.

MOse aber sprach zu dem HERRN / So werdens die Egypter hören / Denn du hast dis Volck mit deiner Krafft mitten aus jnen gefürt / [14]Vnd man wird sagen zu den Einwonern dieses Lands / die da gehöret haben / das du HERR vnter diesem volck seiest / das du von angesicht gesehen werdest / vnd deine Wolcke stehe vber jnen / vnd du HERR gehest fur jnen her in der Wolckenseule des tages / vnd Fewrseulen des nachts / [15]Vnd würdest dis Volck tödten wie einen Man / So würden die Heiden sagen / die solch geschrey von dir höreten / vnd sprechen / [16]Der HERR kundte mit nichten das volck ins Land bringen / das er jnen geschworen hatte / Darumb hat er sie geschlachtet in der wüsten.

Deut. 9.

Exod. 13.

MOSES GEBET fur das Volck.

[17]SO las nu die krafft des HERRN gros werden / wie du gesagt hast / vnd gesprochen / [18]Der HERR ist gedültig vnd von grosser Barmhertzigkeit vnd vergibt missethat vnd vbertrettung / vnd lesst niemand vngestrafft / Sondern heimsucht die missethat der Veter vber die Kinder / ins dritte vnd vierde Gelied. [19]So sey nu gnedig der missethat dieses Volcks nach deiner grossen Barmhertzigkeit / Wie du auch vergeben hast diesem volck aus Egypten / bis hie her.

Exod. 34.

VND der HERR sprach / Jch habs vergeben / wie du gesagt hast. [21]Aber so war als ich lebe /

schaffer des Landes sterben alle / on Caleb vnd Josua. Num. 26. Deut. 1. 2. Psal. 95.

so sol alle Welt der Herrligkeit des HERRN vol werden. [22]Denn alle die Menner die meine Herrligkeit vnd meine Zeichen gesehen haben / die ich gethan habe in Egypten / vnd in der Wüsten / vnd mich nu zehen mal versucht / vnd meiner stimme nicht gehorchet haben / [23]Der sol keiner das Land sehen / das ich jren Vetern geschworen habe / Auch keiner sol es sehen / der mich verlestert hat. [24]Aber meinen Knecht Caleb / darumb das ein ander Geist mit jm ist / vnd hat mir trewlich nachgefolget / den wil ich in das Land bringen / dar ein er komen ist / vnd sein Same sol es einnemen / [25]Da zu die Amalekiter vnd Cananiter die im grunde wonen / Morgen wendet euch vnd ziehet in die Wüsten auff dem wege zum Schilffmeer.

Josu. 14.

CALEB.

VND der HERR redet mit Mose vnd Aaron / vnd sprach / [27]Wie lange murret diese böse Gemeine wider mich? Denn ich habe das murren der kinder Jsrael / das sie wider mich gemurret haben / gehöret. [28]Darumb sprich zu jnen / So war ich lebe / spricht der HERR / Jch wil euch thun / wir jr fur meinen Ohren gesagt habt. [29]Ewre Leibe sollen in dieser wüsten verfallen / vnd alle die jr gezelet seid / von zwenzig jaren vnd drüber / die jr wider mich gemurret habt / [30]solt nicht in das Land komen / darüber ich meine Hand gehebt habe / das ich euch drinnen wonen liesse / On Caleb der son Jephunne / vnd Josua der son Nun.

Deut. 1. Psal. 106.

Josu. 5.

[31]EWre Kinder dauon jr sagetet / Sie werden ein Raub sein / die wil ich hinein bringen / das sie erkennen sollen das Land / das jr verwerfft / [32]Aber jr sampt ewren Leiben sollen in dieser wüsten verfallen. [33]Vnd ewre Kinder sollen || Hirten sein in der wüsten vierzig jar / vnd ewer Hurerey tragen / bis das ewre Leibe alle werden in der wüsten. [34]Nach der zal der vierzig tagen darin jr das Land erkundet habt / Ja / ein tag sol ein jar gelten / das sie vierzig jar ewr missethat tragen / Das jr innen werdet / was sey / wenn ich die Hand abziehe. [35]Jch der HERR habs gesagt / das wil ich auch thun aller dieser bösen Gemeine / die sich wider mich empöret hat / in dieser wüsten sollen sie all werden vnd daselbs sterben.

|| 82a

Psal. 95.

ALso storben durch die Plage fur dem HERRN alle die Menner / die Mose gesand hatte das Land zu erkunden / vnd widerkomen waren / vnd da wider murren machten die gantze Gemeine /

schaffer des Landes sterben alle / on Caleb vnd Josua.

[37]da mit / das sie dem Lande ein geschrey machten / das es böse were. [38]Aber Josua der son Nun / vnd Caleb der son Jephunne blieben lebendig aus den Mennern die gegangen waren das Land zu erkunden.

Deut. 1.

VNd Mose redet diese wort zu allen kindern Jsrael / Da trawret das volck seer. [40]Vnd machten sich des morgens frűe auff / vnd zogen auff die höhe des Gebirgs / vnd sprachen / Hie sind wir / vnd wollen hin auffziehen an die stet / dauon der HERR gesagt hat / denn wir haben gesündiget. [41]Mose aber sprach / Warumb vbergehet jr also das wort des HERRN? Es wird euch nicht gelingen. [42]Ziehet nicht hin auff / denn der HERR ist nicht vnter euch / das jr nicht geschlagen werdet fur ewren Feinden. [43]Denn die Amalekiter vnd Cananiter sind fur euch daselbs / vnd jr werdet durchs Schwert fallen / darumb / das jr euch vom HERRN gekeret habt / vnd der HERR wird nicht mit euch sein.

[44]ABer sie waren störrig hin auff zu ziehen auff die höhe des Gebirges / Aber die Lade des Bunds des HERRN vnd Mose kamen nicht aus dem Lager. [45]Da kamen die Amalekiter vnd Cananiter die auff dem Gebirge woneten erab vnd schlugen vnd zuschmissen sie bis gen Horma.

## XV.

KIRCHEN Rechte.

VND DER HERR REDET MIT MOSE / VND SPRACH / [2]Rede mit den kindern Jsrael / vnd sprich zu jnen. Wenn jr ins Land ewer Wonung kompt / das ich euch geben werde / [3]vnd wolt dem HERRN Opffer thun / es sey ein Brandopffer oder ein Opffer zum besondern Gelübd / oder ein freiwillig Opffer / oder ewer Festeopffer / auff das jr dem HERRN ein süssen geruch machet / von rindern oder von schafen.

[4]WEr nu seine Gabe dem HERRN opffern wil / der sol das Speisopffer thun / ein zehenden semelmelhs gemenget mit öle eins vierden teils vom Hin / [5]vnd wein zum Tranckopffer auch eins vierden teils vom Hin / zum Brandopffer oder sonst zum Opffer / da ein Lamb geopffert wird. [6]Da aber ein widder geopffert wird / soltu das Speisopffer machen zween zehenden semelmelhs / mit öle gemenget eins dritten teils vom Hin / [7]vnd wein zum Tranckopffer auch des dritten teils vom

Leui. 2. 6.

Hin / das soltu dem HERRN zum süssen geruch opffern.

[8]WJltu aber ein rind zum Brandopffer / oder zum besondern Gelübdopffer / oder zum Danckopffer dem HERRN machen / [9]So soltu zu dem rinde ein Speisopffer thun / drey zehenden semelmelhs gemenget mit öle eins halben Hin / [10]vnd wein zum Tranckopffer / auch ein halb Hin / Das ist ein Opffer dem HERRN zum süssen geruch. [11]Also soltu thun mit einem ochsen / mit einem widder / mit einem schaf von lemmern vnd zigen / [12]Darnach die zal ist dieser Opffer / darnach sol auch die zal der Speisopffer vnd Tranckopffer sein.

[13]WER ein Einheimischer ist / der sol solchs thun / das er dem HERRN || opffere ein Opffer zum süssen geruch. [14]Vnd ob ein Frembdlinger bey euch wonet oder vnter euch bey ewren Freunden ist / vnd wil dem HERRN ein Opffer zum süssen geruch thun / der sol thun / wie sie thun. [15]Der gantzen Gemeine sey eine Satzunge / beide euch vnd den Frembdlingen / Ein ewige Satzunge sol das sein ewren Nachkomen / das fur dem HERRN der Frembdling sey / wie jr. [16]Ein Gesetze / ein Recht sol euch vnd dem Frembdlingen sein der bey euch wonet.

|| 82b

VND der HERR redet mit Mose / vnd sprach / [18]Rede mit den kindern Jsrael / vnd sprich zu jnen / Wenn jr ins Land komet / darein ich euch bringen werde / [19]das jr esset des brots im Lande / Solt jr dem HERRN ein Hebe geben / [20]nemlich / ewers Teigs erstling solt jr einen Kuchen zur Hebe geben / Wie die Hebe von der scheunen / [21]also solt jr auch dem HERRN ewrs Teigs erstling zur Hebe geben bey ewrn Nachkomen.

Deut. 8. Exod. 23.

VND wenn jr durch vnwissenheit dieser Gebot jrgend eins nicht thut / die der HERR zu Mose geredt hat / [23]vnd alles was der HERR euch durch Mose geboten hat / von dem tage an / da er anfieng zu gebieten auff ewre Nachkomen / [24]Wenn nu die Gemeine etwas vnwissend thet / So sol die gantze Gemeine einen jungen Farren aus den rindern zum Brandopffer machen / zum süssen geruch dem HERRN / sampt seinem Speisopffer vnd Tranckopffer / wie es recht ist / vnd ein zigenbock zum Sündopffer. [25]Vnd der Priester sol also die gantze Gemeine der kinder Jsrael versünen / so wirds jnen vergeben sein / denn es ist ein vnwissen-

Leui. 4.

heit / Vnd sie sollen bringen solch jre gaben zum opffer dem HERRN / vnd jre Sündopffer fur den HERRN vber jre vnwissenheit / [26]so wirds vergeben der gantzen Gemeine der kinder Jsrael / Da zu auch dem Frembdlingen der vnter euch wonet / weil das gantze volck ist in solcher vnwissenheit.

[27]WEnn aber eine Seele durch vnwissenheit sündigen wird / die sol eine jerige zige zum Sündopffer bringen. [28]Vnd der Priester sol versünen solche vnwissende Seele mit dem Sündopffer / fur die vnwissenheit fur dem HERRN / das er sie versüne / so wirds jr vergeben werden. [29]Vnd es sol ein Gesetz sein das jr fur die vnwissenheit thun solt / beide dem Einheimischen vnter den kindern Jsrael / vnd dem frembdlingen der vnter euch wonet. ‖ ‖ 83a

(Freuel) Das ist die sünde so nicht wil sünde sein / sondern recht haben. Wie der Ketzer vnd Rotten sünde / welche Gottes wort vnd Gesetz endert vnd nach jrem willen deutet.

[30]WEnn aber eine Seele aus freuel etwas thut / es sey ein Einheimischer oder Frembdlinger / der hat den HERRN geschmecht / Solche seele sol ausgerottet werden aus jrem volck / [31]denn sie hat des HERRN wort verachtet vnd sein Gebot lassen faren / Sie sol schlecht ausgerottet werden / Die schuld sey jr.

MAN DER AM Sabbath holtz lase / gesteiniget.

ALS nu die kinder Jsrael in der wüsten waren / funden sie einen Man holtz lesen am Sabbath tage. [33]Vnd die jn drob funden hatten / da er holtz las / brachten jn zu Mose vnd Aaron / vnd fur die gantze Gemeine. [34]Vnd sie legten jn gefangen / Denn es war nicht klar ausgedruckt / was man mit jm thun solte. [35]Der HERR aber sprach zu Mose / Der Man sol des tods sterben / Die gantze Gemeine sol jn steinigen ausser dem Lager. [36]Da füret die gantze Gemeine jn hin aus fur das Lager / vnd steinigeten jn das er starb / wie der HERR Mose gebotten hatte.

Deut. 22. Mat. 23.

VND der HERR sprach zu Mose / [38]Rede mit den kindern Jsrael / vnd sprich zu jnen / das sie jnen Lepplin machen an den fittigen jrer Kleider vnter alle ewren Nachkomen / vnd gele Schnürlin auff die Lepplin an die fittig thun. [39]Vnd sollen euch die Lepplin da zu dienen / das jr sie ansehet / vnd gedenckt aller Gebot des HERRN / vnd thut sie / das jr nicht ewrs hertzen duncken nachrichtet / noch ewren augen nachhuret. [40]Darumb solt jr gedencken vnd thun alle meine Gebot / vnd heilig sein ewrem Gott / [41]Jch der HERR ewr Gott / der euch aus Egyptenland gefürt hat / das ich ewr Gott were / Jch der HERR ewr Gott.

## XVI.

Eccl. 45.

Korah vnd seine Rotte.

VND Korah der son Jezehar / des sons Kahath / des sons Leui / sampt Dathan vnd Abiram den sönen Eliab / vnd On / dem son Peleth / den sönen Ruben / [2]Die empöreten sich wider Mose / sampt etlichen Mennern vnter den kindern Jsrael / zwey hundert vnd funffzig / furnemesten in der Gemeine / Ratsherrn vnd ehrliche Leute. [3]Vnd sie versamleten sich wider Mosen vnd Aaron / vnd sprachen zu jnen / Jr machts zu viel / Denn die gantze Gemeine ist vber all heilig / vnd der HERR ist vnter jnen / Warumb erhebt jr euch vber die Gemeine des HERRN?

[4]DA das Mose höret / fiel er auff sein angesicht / [5]vnd sprach zu Korah vnd zu seiner gantzen Rotte / Morgen wird der HERR kund thun / wer sein sey / wer heilig sey / vnd jm opffern sol / Welchen er erwelet / der sol jm opffern. [6]Das thut / nemet euch pfannen / Korah vnd seine gantze Rotte / [7]vnd legt fewr drein vnd thut Reuchwerg drauff fur dem HERRN / morgen / welchen der HERR erwelet / der sey heilig / Jr machts zu viel jr kinder Leui.

[8]VND Mose sprach zu Korah / Lieber höret doch jr kinder Leui / [9]Jsts euch zu wenig / das euch der Gott Jsrael ausgesondert hat von der gemeine Jsrael / das jr jm opffern sollet / das jr dienet im Ampt der Wonung des HERRN / vnd fur die Gemeine trettet jr zu dienen? [10]Er hat dich vnd alle deine Brüder die kinder Leui sampt dir

Korah vnd seiner Rotten.

zu sich genomen / Vnd jr sucht nu auch das Priesterthum / [11]Du vnd deine gantze Rotte macht ein Auffrhur wider den HERRN / Was ist Aaron / das jr wider jn murret?

VND Mose schickt hin vnd lies Dathan vnd Abiram ruffen die söne Eliab. Sie aber sprachen / Wir komen nicht hin auff. [13]Jsts zu wenig / das du vns aus dem Lande gefürt hast / da milch vnd honig innen fleusst / das du vns tödtest in der wüsten / Du must auch noch vber vns herrschen? [14]Wie fein hastu vns bracht in ein Land da milch vnd honig innen fleusst / vnd hast vns Ecker vnd Weinberge zu Erbteil gegeben / Wiltu den Leuten auch die Augen ausreissen? Wir komen nicht hin auff.

[15]DA ergrimmet Mose seer / vnd sprach zu dem HERRN / Wende dich || nicht zu jrem Speisopffer. Jch habe nicht einen Esel von jnen genomen / vnd habe jr keinem nie kein leid gethan. [16]Vnd er sprach zu Korah / Du vnd deine gantze Rotte solt morgen fur dem HERRN sein / Du / sie auch / vnd Aaron. [17]Vnd ein jglicher neme seine pfanne / vnd lege Reuchwerg drauff / vnd trettet erzu fur den HERRN / ein jglicher mit seiner pfanne / das sind zwey hundert vnd funffzig pfannen. [18]Vnd ein jglicher nam seine pfanne / vnd legte fewr drein / vnd thet Reuchwerg drauff / vnd tratten für die thür der Hütten des Stiffts / vnd Mose vnd Aaron auch. [19]Vnd Korah versamlet wider sie die gantze Gemeine für der thür der Hütten des Stiffts.

|| 83b

1. Reg. 12.

ABer die herrligkeit des HERRN erschein fur der gantzen Gemeine. [20]Vnd der HERR redet mit Mose vnd Aaron / vnd sprach / [21]Scheidet auch von dieser Gemeine / das ich sie plötzlich vertilge. [22]Sie fielen aber auff jr angesicht / vnd sprachen / Ah Gott / der du bist ein Gott der geister alles fleischs / Ob ein Man gesundiget hat / wiltu drumb vber die gantze Gemeine wüten?

VND der HERR redet mit Mose / vnd sprach / [24]Sage der Gemein / vnd sprich / Weichet rings rumb von der wonung Korah vnd Dathan vnd Abiram. [25]Vnd Mose stund auff vnd gieng zu Dathan vnd Abiram / Vnd die Eltesten Jsrael folgeten jm nach / [26]vnd redet mit der gemeine / vnd sprach / Weichet von den Hütten dieser gottlosen Menschen / vnd rüret nichts an was jr ist / das jr nicht vieleicht vmbkomet in jrgent jrer sünden eine. [27]Vnd sie giengen er auff von der wonunge Korah / Dathan vnd Abiram. Dathan aber vnd Abiram giengen eraus vnd tratten an die thür jrer Hütten / mit jren Weibern vnd Sönen vnd Kindern.

[28]VNd Mose sprach / Da bey solt jr mercken / das mich der HERR gesand hat / das ich alle diese werck thet / vnd nicht aus meinem hertzen / [29]Werden sie sterben / wie alle Menschen sterben / oder heimgesucht wie alle menschen heimgesucht werden / So hat mich der HERR nicht gesand. [30]Wird aber der HERR etwas newes schaffen / Das die Erde jren mund auffthut / vnd verschlinget sie mit allem das sie haben / das sie lebendig hinunter in die Helle faren / So werdet jr erkennen / das diese Leute den HERRN gelestert haben.

VND als er diese wort hatte alle ausgeredt / zureis die Erden vnter jnen / [32]vnd thet jren mund auff / vnd verschlang sie / mit jren Heusern / mit allen Menschen die bey Korah waren / vnd mit aller jrer Habe / [33]vnd fuhren hinunter lebendig in die Helle / mit allem das sie hatten / vnd die Erde decket sie zu / vnd kamen vmb aus der Gemeine. [34]Vnd gantz Jsrael / das vmb sie her war / floh fur jrem geschrey / Denn sie sprachen / Das vns die erde nicht auch verschlinge. [35]Da zu fuhr das fewr aus von dem HERRN / vnd frass die zwey hundert vnd funffzig Menner / die das Reuchwerg opfferten.

Num. 26.
Psal. 106.
Deut. 11.

VND der HERR redet mit Mose / vnd sprach / [37]Sage Eleasar dem son Aaron des Priesters / das er die pfannen auffhebe aus dem brand / vnd strewe das fewr hin vnd her. [38]Denn die pfannen solcher Sünder sind geheiliget / durch jre Seele / das man sie zu breiten Blech schlahe / vnd den Altar da mit behenge / Denn sie sind geopffert fur dem HERRN vnd geheiliget / vnd sollen den kindern Jsrael zum Zeichen sein.

[39]VND Eleasar der Priester / nam die ehernen Pfannen / die die verbranten geopffert hatten / vnd schlug sie zu blechen / den Altar zu behengen. [40]Zum Gedechtnis der kinder Jsrael / das nicht jemands frembds sich erzu mache der nicht ist des samens Aaron / zu opffern Reuchwerg fur dem HERRN / Auff das jm nicht gehe / wie Korah vnd seiner Rotte / wie der HERR jm geredt hatte durch Mose.

MURREN der kinder Jsrael etc.

DES andern morgens aber murrete die gantze Gemeine der kinder Jsrael wider Mosen vnd Aaron / vnd sprachen / Jr habt des HERRN || volck getödtet. [42]Vnd da sich die Gemeine versamlet wider Mose vnd Aaron / wandten sie sich zu der Hütten des Stiffts / Vnd sihe / da bedecket es die Wolcken / vnd die Herrligkeit des HERRN erschein. [43]Vnd Mose vnd Aron giengen hin ein zu der Hütten des Stiffts. [44]Vnd der HERR redet mit Mose / vnd sprach / [45]Hebt euch aus dieser Gemeine / Jch wil sie plötzlich vertilgen / Vnd sie fielen auff jr angesicht.

[46]VNd Mose sprach zu Aaron / Nim die Pfanne / vnd thu fewr drein vom Altar / vnd lege Reuchwerg drauff / vnd gehe eilend zu der Gemeine / vnd versüne sie / Denn das wüten ist von dem HERRN ausgegangen / vnd die plage ist angangen. [47]Vnd Aaron nam / wie jm Mose gesagt hatte / vnd lieff mitten vnter die Gemeine (vnd sihe / die Plage war angangen vnter dem volck) vnd reucherte vnd versünet das volck / [48]vnd stund zwisschen den Todten vnd lebendigen / da ward der Plage gewehret. [49]Der aber / die an der Plage gestorben waren / war vierzehen tausent vnd sieben hundert / On die so mit Korah storben. [50]Vnd Aaron kam wider zu Mose fur die thür der Hütten des Stiffts / Vnd der Plage ward gewehret.

Sap. 18.

Psal. 106.

14700 komen vmb etc.

## XVII.

VND DER HERR REDET MIT MOSE / VND SPRACH / [2]Sage den kindern Jsrael / vnd nim von jnen zwelff Stecken / von jglichem Fürsten seins vaters Haus einen / vnd schreib eins jglichen namen auff seinen stecken. [3]Aber den namen Aaron soltu schreiben auff den stecken Leui / Denn ja fur ein heubt jrer Veterhaus sol ein stecke sein. [4]Vnd lege sie in die Hütten des Stiffts / fur dem Zeugnis da ich euch zeuge. [5]Vnd welchen ich erwelen werde / des stecke wird grünen / Das ich das murren der kinder Jsrael / das sie wider euch murren / stille.

[6]MOse redet mit den kindern Jsrael / Vnd alle jre Fürsten gaben jm zwelff Stecken / ein jglicher Fürst einen stecken / nach dem Hause jrer veter / vnd der stecke Aaron war auch vnter jren stecken. [7]Vnd Mose legt die stecken fur den HERRN in der Hütten des Zeugnis. [8]Des morgens aber da Mose in die Hütten des Zeugnis gieng / fand er

den stecken Aaron des hauses Leui grunen / vnd die blüet auffgangen vnd mandeln tragen. [9]Vnd Mose trug die Stecken alle er aus von dem HERRN fur alle kinder Jsrael / das sie es sahen / vnd ein jglicher nam seinen stecken.

AARONS stecke grünet.

[10]DEr HERR sprach aber zu Mose / Trage den stecken Aaron wider fur das Zeugnis / das er verwaret werde / zum Zeichen den vngehorsamen Kindern / das jr murren von mir auffhöre / das sie nicht sterben. [11]Mose thet / wie jm der HERR geboten hatte. [12]Vnd die kinder Jsrael sprachen zu Mose / Sihe / wir verderben vnd komen vmb / wir werden alle vertilget vnd komen vmb / [13]Wer sich nahet zu der Wonung des HERRN / der stirbt / Sollen wir denn gar vntergehen?

## XVIII.

VND DER HERR SPRACH ZU AARON / Du vnd deine Söne vnd deines Vaters haus mit dir / solt die missethat des Heiligthums tragen / vnd du vnd deine Söne mit dir sollet die missethat ewrs Priesterthums tragen. [2]Aber deine Brüder des stams Leui / deins vaters / soltu zu dir nemen / das sie bey dir seien vnd dir dienen / Du aber vnd deine Söne mit dir fur der Hütten des Zeugnis. [3]Vnd sie sollen deins diensts / vnd des diensts der gantzen Hütten warten / Doch zu dem gerete des Heiligthums vnd zu dem Altar sollen sie sich nicht machen / das nicht beide sie vnd jr sterbet / [4]Sondern sie sollen bey dir sein / das sie des diensts warten an der Hütten des Stiffts in allem ampt der Hütten / Vnd kein Frembder sol sich zu euch thun. ||

Ampt der Leuiten.

|| 84b

[5]SO wartet nu des diensts des Heiligthums / vnd des diensts des Altars. Das fort nicht mehr ein wüten kome vber die kinder Jsrael. [6]Denn sihe / ich habe die Leuiten ewre Brüder genomen aus den kindern Jsrael / vnd euch gegeben / dem HERRN zum geschenck / das sie des ampts pflegen an der Hütten des Stiffts. [7]Du aber vnd deine Söne mit dir / solt ewrs Priesterthums warten / das jr dienet in allerley geschefft des Altars / vnd inwendig hinder dem Furhang / Denn ewr Priesterthum gebe ich euch zum Ampt zum geschencke / Wenn ein Frembder sich erzu thut / Der sol sterben.

VND der HERR sagt zu Aaron / Sihe / Jch habe dir gegeben meine Hebopffer von allem das die kinder Jsrael heiligen / fur dein priesterlich Ampt

WAS DIE Priester vnd Leuiten fur jren Dienst haben sollen. Leui. 6.

Priester vnd Leuiten fur jren Dienst haben sollen etc.

vnd deinen Sönen / zum ewigen Recht. [9]Das soltu haben von dem Allerheiligsten das sie opffern / alle jre Gabe mit alle jrem Speisopffer / vnd mit alle jrem Sündopffer / vnd mit alle jrem Schuldopffer / das sie mir geben / das sol dir vnd deinen Sönen das allerheiligst sein / [10]Am allerheiligsten Ort soltu es essen / Was menlich ist / sol dauon essen / denn es sol dir heilig sein.

[11]JCH hab auch das Hebopffer jrer Gabe an allen Webeopffern der kinder Jsrael / dir vnd deinen Sönen vnd deinen Töchtern gegeben / sampt dir zum ewigen Recht / Wer rein ist in deinem Hause / sol dauon essen. [12]Alles beste öle / vnd allen besten most / vnd korn jrer Erstling / die sie dem HERRN geben hab ich dir gegeben. [13]Die erste Frucht alle des / das in jrem Lande ist / das sie dem HERRN bringen / sol dein sein / Wer rein ist in deinem Hause / sol dauon essen.

[14]ALles verbannete in Jsrael sol dein sein. [15]Alles das seine mutter bricht vnter allem Fleisch / das sie dem HERRN bringen / es sey Mensch oder Vieh / sol dein sein. Doch das du die erste Menschen frucht lösen lassest / vnd die erste frucht eins vnreinen Viehs auch lösen lassest. [16]Sie sollens aber lösen / wens eins monden alt ist / Vnd solts zu lösen geben vmb geld / vmb funff Sekel / nach dem sekel des Heiligthums / der gilt zwenzig Gera. [17]Aber die erste frucht eins ochsen oder lambs / oder zigen soltu nicht zu lösen geben / denn sie sind heilig / Jr blut soltu sprengen auff den Altar / vnd jr Fett soltu anzünden zum Opffer des süssen geruchs dem HERRN. [18]Jr Fleisch sol dein sein / wie auch die Webebrust vnd die rechte Schulder dein ist. [19]Alle Hebopffer die die kinder Jsrael heiligen dem HERRN / habe ich dir gegeben vnd deinen Sönen vnd deinen Töchtern sampt dir zum ewigen Recht / Das sol ein vnuerwesenlich [a]Bund sein ewig fur dem HERRN / dir vnd deinem Samen sampt dir.

Exo. 34.

2. Par. 13.

[a] Jm Ebreischen heisst es ein Saltzbund / das / wie das Saltz erhelt das Fleisch vnuerweslich / Also sol auch dieser Bund vnuerrücklich sein. So redet die schrifft auch. 2. Par. 13. Gott hat das Reich Dauid gegeben vnd den seinen mit eim Saltzbund.

VND der HERR sprach zu Aaron / Du solt in jrem Lande nichts besitzen auch kein Teil vnter jnen haben / Denn ich bin dein Teil / vnd dein Erbgut vnter den kindern Jsrael. [21]Den kindern aber Leui hab ich alle Zehenden gegeben in Jsrael zum Erbgut / fur jr Ampt das sie mir thun an der Hütten des Stiffts. [22]Das hinfurt die kinder Jsrael nicht zur Hütten des Stiffts sich thun / sunde auff

LEUITEN sollen kein Erbgut besitzen vnter den kindern Jsrael etc.

Deut. 18. Josu. 13.

Priester vnd Leuiten fur jren Dienst haben sollen etc.

sich zu laden / vnd sterben. [23]Sondern die Leuiten sollen des Ampts pflegen an der Hütten des Stiffts / vnd sie sollen jener missethat tragen zu ewigem Recht bey ewrn Nachkomen. Vnd sie sollen vnter den kindern Jsrael kein Erbgut besitzen / [24]Denn den Zehenden der kinder Jsrael / den sie dem HERRN Heben / hab ich den Leuiten zum Erbgut gegeben / Darumb hab ich zu jnen gesagt / das sie vnter den kindern Jsrael kein Erbgut besitzen sollen.

VND der HERR redet mit Mose / vnd sprach / [26]Sage den Leuiten / vnd sprich zu jnen / Wenn jr den Zehenden nempt von den kindern Jsrael / die ich euch von jnen gegeben habe zu ewrem Erbgut / So solt jr dauon ein Hebeopffer dem HERRN thun / ja den Zehenden von dem zehenden / [27]vnd solt solch ewr Hebopffer achten / als gebt jr Korn aus der scheunen / vnd [b]Fülle aus der kelter. [28]Also solt auch jr das Hebopffer dem HERRN geben von allen || ewrn Zehenden / die jr nempt von den kindern Jsrael / das jr solchs Hebeopffer des HERRN dem Priester Aaron gebet. [29]Von allem das euch gegeben wird / solt jr dem HERRN allerley Hebeopffer geben / von allem besten das dauon geheiliget wird.

LEUITEN sollen den Zehenden opffern etc.

|| 85 a

b (Fülle) Das ist / Most / Wein / öle vnd der gleichen.

[30]VND sprich zu jnen / Wenn jr also das beste dauon Hebt / so sols den Leuiten gerechnet werden / wie ein einkomen der Scheunen / vnd wie einkomen der Kelter. [31]Vnd mügets essen an allen steten / jr vnd ewre Kinder / denn es ist ewr lohn fur ewr Ampt in der Hütten des Stiffts. [32]So werdet jr nicht sunde auff euch laden an dem selben / wenn jr das beste dauon Hebt / vnd nicht entweihen das geheiligete der kinder Jsrael / vnd nicht sterben.

(besten) Ebreisch heisst es das fette / Da her auch die Reichen / die fetten heissen / das ist / die besten im Volck / Psal. 17. vnd. 77.

## XIX.

VND DER HERR REDET MIT MOSE VND AARON / vnd sprach / [2]Diese weise sol ein Gesetz sein / das der HERR geboten hat vnd gesagt Sage den kindern Jsrael / das sie zu dir furen ein rötliche Kue on wandel / an der kein feil sey / vnd auff die noch nie kein Joch komen ist. [3]Vnd gebet sie dem Priester Eleasar / der sol sie hin aus fur das Lager füren / vnd daselbs fur jm schlachten lassen.

RÖTLICHE Kue zu asschen verbrand etc.

Ebre. 9.

[4]VND Eleasar der Priester sol jrs Bluts mit seinem Finger nemen / vnd stracks gegen die Hütten des Stiffts sieben mal sprengen / [5]vnd die Kue fur

Spreng-wasser aus der asschen der verbranten rötlichen Kue etc.

jm verbrennen lassen / beide jr fell vnd jr fleisch / dazu jr blut sampt jrem mist. [6]Vnd der Priester sol Cedern holtz vnd Jsopen vnd rosinrote wollen nemen / vnd auff die brennende Kue werffen. [7]Vnd sol seine Kleider wasschen / vnd seinen Leib mit wasser baden / vnd darnach ins Lager gehen / vnd vnreine sein bis an den Abend. [8]Vnd der sie verbrant hat / sol auch seine Kleider mit wasser wasschen / vnd seinen Leib in wasser baden / vnd vnreine sein bis an den Abend.

[9]VNd ein reiner Man sol die asschen von der Kue auffraffen / vnd sie schütten ausser dem Lager an eine reine stete / das sie da selbs verwaret werde / fur die Gemeine der kinder Jsrael / zum Sprengwasser / denn es ist ein Sündopffer. [10]Vnd derselbe / der die asschen der Kue auffgerafft hat / sol seine Kleider wasschen / vnd vnreine sein bis an den abend / Dis sol ein ewigs Recht sein den kindern Jsrael vnd den Frembdlingen die vnter euch wonen.

WEr nu jrgend einen todten Menschen anrüret / der wird sieben tage vnreine sein. [12]Der sol sich hie mit entsündigen / am dritten tage vnd am siebenden tage / so wird er rein / Vnd wo er sich nicht am dritten tage vnd am siebenden tage entsündiget / So wird er nicht rein werden. [13]Wenn aber jemand jrgend einen todten Menschen anrüret / vnd sich nicht entsündigen wolt / Der verunreiniget die Wonunge des HERRN / vnd solche Seele sol ausgerottet werden aus Jsrael / darumb das das Sprengwasser nicht vber jn gesprenget ist / So ist er vnreine / so lange er sich nicht dauon reinigen lesst.

[14]DAS ist das Gesetz / wenn ein Mensch in der Hütten stirbt / Wer in die Hütten gehet / vnd alles was in der Hütten ist / sol vnreine sein sieben tage. [15]Vnd alles offen gerete / das kein deckel noch band hat / ist vnreine. [16]Auch wer anrüret auff dem felde einen Erschlagenen mit dem schwert / oder einen Todten / eins Menschen bein / oder Grab / der ist vnreine sieben tage.

SO sollen sie nu fur den Vnreinen nemen der aschen dieses verbranten Sündopffers / vnd fliessend Wasser drauff thun in ein gefess. [18]Vnd ein reiner Man sol Jsopen nemen vnd ins wasser tuncken / vnd die Hütten besprengen vnd alle gerete / vnd alle Seelen die drinnen sind / Also auch den der eins Todten bein / oder Erschlagenen / oder Todten / oder Grab angerüret hat. [19]Es sol aber der Reine den Vnreinen am dritten tage vnd am siebenden tage besprengen vnd jn am siebenden tage entsündigen / Vnd sol seine Kleider wasschen vnd sich im wasser baden / so wird er am abend rein. ||

|| 85b

[20]WElcher aber vnrein sein wird / vnd sich nicht entsündigen wil / des Seele sol ausgerottet werden aus der Gemeine / Denn er hat das Heiligthum des HERRN verunreinigt / vnd ist mit Sprengwasser nicht besprenget / darumb ist er vnreine. [21]Vnd dis sol jnen ein ewiges Recht sein. Vnd der auch / der mit dem Sprengwasser gesprenget hat / sol seine Kleider wasschen. Vnd wer das Sprengwasser anrüret / der sol vnrein sein bis an den abend. [22]Vnd alles was er anrüret / wird vnreine werden / Vnd welche Seele er anrüren wird / sol vnreine sein bis an den abend.

## XX.

VND DIE KINDER JSRAEL KAMEN MIT DER GANTZEN Gemeine in die wüsten Zin / im ersten monden / vnd das volck lag zu Kades / Vnd MirJam starb daselbs / vnd ward daselbs begraben.

Zin. MirJam stirbt etc.

VND die Gemeine hatte kein Wasser / vnd versamleten sich wider Mosen vnd Aaron. [3]Vnd das volck haddert mit Mose / vnd sprachen / Ah / das wir vmbkomen weren da vnsere Brüder vmbkamen fur dem HERRN. [4]Warumb habt jr die Gemeine des HERRN in diese Wüste bracht / das wir hie sterben mit vnserm Vieh? [5]Vnd warumb habt jr vns aus Egypten gefürt an diesen bösen Ort / da man nicht seen kan / da noch Feigen noch Weinstöcke / noch Granatepffel sind / vnd ist dazu kein Wasser zu trincken.

Exod. 17.

Jsrael murret wider Mosen etc.

MOse vnd Aaron giengen von der Gemeine zur thür der Hütten des Stiffts / vnd fielen auff jr angesicht / vnd die Herrligkeit des HERRN erschein jnen [7]Vnd der HERR redet mit Mose vnd sprach / [8]Nim den stab / vnd versamle die Gemeine du vnd dein bruder Aaron / vnd redet mit dem Fels fur jren augen / der wird sein Wasser geben / Also soltu jnen Wasser aus dem Fels bringen / vnd die Gemeine trencken vnd jr Vieh.

Exod. 17. 1. Cor. 10.

[9]DA nam Mose den stab fur dem HERRN / wie er jm geboten hatte. [10]Vnd Mose vnd Aaron ver-

samleten die Gemeine fur den Fels / vnd sprach zu jnen / Höret jr vngehorsamen / Werden wir euch auch wasser bringen aus diesem Fels? [11]Vnd Mose hub seine hand auff / vnd schlug den Fels mit dem Stab zwey [a]mal / Da gieng viel wassers er aus / das die Gemeine tranck vnd jr Vieh.

MOSE zweiuelt etc.

a Quia debuit semel percutere.

b Dubitatio est peccatum / Sed significat mysterium / quod populus legis non potest per suum doctorem saluus fieri / Et / quod sub Christi tempus / Moses incredulus / id est / populus corruit.

Psal. 78.

DEr HERR aber sprach zu Mose vnd Aaron / Darumb das jr nicht an mich [b]gegleubt habt / das jr mich heiligetet fur den kindern Jsrael / solt jr diese Gemeine nicht ins Land bringen / das ich jnen geben werde. [13]Das ist das Hadderwasser / darüber die kinder Jsrael mit dem HERRN hadderten / vnd er geheiliget ward an jnen.

Deut. 1. 31.

HADDERWASSER.

VND MOSE SANDTE BOTSCHAFFT AUS KADES ZU DEM Könige der Edomiter / Also lesst dir dein bruder Jsrael sagen / Du weist alle die mühe / die vns betretten hat / [15]Das vnser Veter in Egypten hin ab gezogen sind / vnd wir lange zeit in Egypten gewonet haben / Vnd die Egypter handelten vns vnd vnser Veter vbel. [16]Vnd wir schrien zu dem HERRN / der hat vnser stimme erhöret / vnd einen Engel gesand / vnd aus Egypten gefürt / Vnd sihe / wir sind zu Kades in der Stad an deinen grentzen. [17]Las vns durch dein Land ziehen / Wir wollen nicht durch ecker noch weinberge gehen / auch nicht wasser aus den Brunnen trincken / die Landstrasse wollen wir ziehen / weder zur Rechten noch zur Lincken weichen / bis wir durch deine Grentze komen.

Jud. 11.
Exod. 17.

EDOM wil Jsrael nicht durch jre Grentze lassen ziehen.

[18]D Je Edomiter aber sprachen zu jnen / Du solt nicht durch mich ziehen / oder ich wil dir mit dem schwert entgegen ziehen. [19]Die kinder Jsrael sprachen zu jm / Wir wollen auff der gebeenten strasse ziehen / Vnd so wir deins wassers trincken / wir vnd vnser vieh / so wollen wirs bezalen / wir wollen nichts denn || nur zu fusse hin durch ziehen. [20]Er aber sprach / Du solt nicht her durch ziehen / Vnd die Edomiter zogen aus / jnen entgegen mit mechtigem Volck vnd starcker hand. [21]Also wegerten die Edomiter Jsrael zuuergönnen durch jre Grentze zu ziehen / Vnd Jsrael weich von jnen.

|| 86a

VND DIE KINDER JSRAEL BRACHEN AUFF VON KAdes / vnd kamen mit der gantzen gemeine gen Hor am gebirge. [23]Vnd der HERR redet mit Mose vnd Aaron zu Hor am gebirge / an den grentzen des Landes der Edomiter / vnd sprach. [24]Las sich Aaron samlen zu seinem Volck / Denn er sol nicht

HOR.

stirbt / vnd Eleasar wird Hoherpriester an seine stat. Num. 27.

in das Land komen / das ich den kindern Jsrael gegeben habe / Darumb / das jr meinem Munde vngehorsam gewest seid / bey dem Haderwasser. [25]Nim aber Aaron vnd seinen son Eleasar / vnd füre sie auff Hor am gebirge / [26]Vnd zeuch Aaron seine Kleider aus / vnd zeuch sie Eleasar an seinem sone / Vnd Aaron sol sich daselbs samlen vnd sterben.

[27]DA thet Mose wie jm der HERR geboten hatte / vnd stiegen auff Hor am gebirge fur der gantzen Gemeine. [28]Vnd Mose zog Aaron seine Kleider aus / vnd zog sie Eleasar an seinem sone. Vnd Aaron starb daselbs oben auff dem Berge. Mose aber vnd Eleasar stiegen erab vom Berge. [29]Vnd da die gantze Gemeine sahe / das Aaron da hin war / beweineten sie jn dreissig tage / das gantze haus Jsrael.

AARON stirbet vnd Eleasar kompt an seine stat.

Num. 33.

## XXI.

Deut. 34.

VND DA DER CANANITER / DER KÖNIG ARAD / der gegen Mittag wonet / hörete / das Jsrael her einkompt durch den weg der Kundschaffer / streit er wider Jsrael / vnd füret etliche gefangen. [2]Da gelobt Jsrael dem HERRN ein Gelübd / vnd sprach / Wenn du dis volck vnter meine hand gibst / so wil ich jre Stedte verbannen. [3]Vnd der HERR erhöret die stimme Jsrael / vnd gab die Cananiter / vnd verbanten sie sampt jren Stedten / Vnd hies die stet Harma.

ARAD.

DA zogen sie von Hor am gebirge auff dem wege vom Schilffmeer / das sie vmb der Edomiter land hin zogen. Vnd das Volck ward verdrossen

HARMA heisset ein Bann.

MURREN des volcks.

auff dem wege / [5]vnd redet wider Gott vnd wider Mosen / Warumb || hastu vns aus Egypten gefürt / das wir sterben in der wüsten? Denn es ist kein Brot noch Wasser hie / vnd vnser Seele ekelt vber dieser losen Speise.

|| 86b

Num. 11.

(Fewrige) Darumb heissen sie fewrige / das die Leute von jnen gebissen / durch jre gifft / fewrrot wurden / vnd fur hitze storben / wie an der Pestilentz oder Carbunkel etc.

[6]DA sandte der HERR fewrige Schlangen vnter das Volck / die bissen das volck / das ein gros volck in Jsrael starb. [7]Da kamen sie zu Mose / vnd sprachen / Wir haben gesündigt / das wir wider den HERRN vnd wider dich geredt haben / Bitte den HERRN / das er die Schlangen von vns neme / Mose bat fur das volck.

1. Cor. 10.

[8]DA sprach der HERR zu Mose / Mache dir eine ehrne Schlange / vnd richte sie zum Zeichen auff / Wer gebissen ist / vnd sihet sie an / der sol leben. [9]Da macht Mose eine ehrne Schlange / vnd richtet sie auff zum Zeichen / Vnd wenn jemand eine Schlange beis / so sahe er die Eherne schlange an / vnd bleib leben.

Joh. 3.

REISE der kinder Jsrael etc.

VND die kinder Jsrael zogen aus vnd lagerten sich in Oboth. [11]Vnd von Oboth zogen sie aus vnd lagerten sich in Jim am gebirge Abarim / in der wüsten gegen Moab vber / gegen der Sonnen auffgang. [12]Von dannen zogen sie vnd lagerten sich am bach Sared. [13]Von dannen zogen sie vnd lagerten sich disseid am Arnon / welcher ist in der wüsten / vnd eraus reicht von der grentze der Amoriter / Denn Arnon ist die grentze Moab / zwisschen Moab vnd den Amoritern. [14]Daher spricht man in dem Buch von den streiten des HERRN / Das Vaheb in Supha / vnd die beche am Arnon / [15]vnd die quelle der beche / welche reicht hin an zur stad Ar / vnd lencket sich vnd ist die grentze Moab.

Num. 33.

(ARNON) Jst derselbe hohe Fels / der in Besapha / das ist / in wolcken / winden vnd wetter stehet. Vnten fliessen Beche / vnd er an denselben seinen bechen hin wehret bis gen Ar.

[16]VND von dannen zogen sie zum Brunnen / das ist der brun / da von der HERR zu Mose sagt / Samle das volck / Jch wil jnen wasser geben. [17]Da sang Jsrael dieses Lied / vnd sungen vmb einander vber dem Brunnen / [18]Das ist der brun / den die Fürsten gegraben haben / die Edlen im volck haben jn gegraben / durch den Lerer vnd jre [a]Stebe. Vnd von dieser wüsten zogen sie gen Mathana / [19]Vnd von Mathana gen Nahaliel / Vnd von Nahaliel gen Bamoth / [20]Vnd von Bamoth in das Tal das im felde Moab ligt / zu dem hohen berge Pisga / der gegen die wüsten sihet.

PISGA.

a (Stebe) Mügen hie heissen die Fürsten selbs wie im Jesaia der König in Egypten ein

Stab heisst Darumb / das sie das volck regieren wie ein Hirte das vieh mit seinem stabe.

VND JSRAEL SANDTE BOTEN ZU SIHON DEM KÖNIGE der Amoriter / vnd lies jm sagen. [22]Las mich durch dein Land ziehen / Wir wollen nicht weichen in die ecker noch in die weingarten / wollen auch des Brunwassers nicht trincken / die Landstrassen wollen wir ziehen / bis wir durch deine Grentze komen. [23]Aber Sihon gestattet den kindern Jsrael den zug nicht durch seine grentze Sondern samlet alle sein Volck / vnd zoch aus Jsrael entgegen in die wüsten / Vnd als er gen Jachza kam / streit er wider Jsrael.

SIHON.

[24]JSrael aber schlug jn mit der scherffe des Schwerts / vnd nam sein Land ein von Arnon an bis an den Jabok / vnd bis an die kinder Ammon / Denn die grentze der kinder Ammon waren feste. [25]Also nam Jsrael alle diese Stedte / vnd wonete in allen stedten der Amoriter / zu Hesbon vnd allen jr Töchtern. [26]Denn Hesbon die stad war Sihons des königes der Amoriter / vnd er hatte zuuor mit dem könige der Moabiter gestritten / vnd jm alle sein Land angewonnen / bis gen Arnon.

JSRAEL nimpt Sihons Land ein.

Deut. 2.

Jud. 11.

Psal. 135.

(Töchter) Das ist / die Dörffer vnd Flecken vmb die Stad her ligend.

[27]DAher sagt man im Sprichwort / Kompt gen Hesbon / das man die stad Sihon bawe vnd auffrichte. [28]Denn fewr ist aus Hesbon gefaren / ein flamme von der stad Sihon / die hat gefressen Ar der Moabiter / vnd die Bürger der höhe Arnon. [29]Weh dir Moab / du volck Camos bis verloren / Man hat seine Söne in die flucht geschlagen / vnd seine Töchter gefangen gefürt Sihon dem könige der Amoriter. [30]Jre herrligkeit ist zu nicht worden / von Hesbon bis gen Dibon / Sie ist verstöret bis gen Nopha / die da langet bis gen Medba. [31]Also wonete Jsrael im Lande der Amoriter.

Amos. 2.

|| 87a

VND Mose sandte aus Kundschaffer gen Jaeser / vnd gewonnen jre Töchter / vnd namen die Amoriter ein die drinnen waren. [33]Vnd wandten sich vnd zogen hin auff des weges zu Basan / Da zoch aus jnen entgegen Og der könig zu Basan mit alle seinem Volck zu streiten in Edrei. [34]Vnd der HERR sprach zu Mose / Fürcht dich nicht fur jm / denn ich hab jn / in deine hand gegeben mit Land vnd Leuten / Vnd solt mit jm thun / wie du mit Sihon dem könige der Amoriter gethan hast / der zu Hesbon wonete. [35]Vnd sie schlugen jn vnd seine Söne vnd alle sein Volck bis das keiner vberbleib / Vnd namen das Land ein. [1]Darnach

OG.

JSRAEL nimpt Ogs Land ein.

Deu. 3. 29.

Bileam ziehet zu Balak dem könig der Moabiter etc.

zogen die kinder Jsrael vnd lagerten sich in das gefilde Moab jenseid dem Jordan gegen Jeriho.

XXII.

BALAK.

VND DA BALAK DER SON ZIPOR SAHE / ALLES WAS Jsrael gethan hatte den Amoritern / Vnd das sich die Moabiter seer furchten fur dem Volck / das so gros war / vnd das den Moabitern grawet fur den kindern Jsrael / [4]Vnd sprachen zu den Eltesten der Midianiter / Nu wird dieser Hauffe auffretzen was vmb vns ist / wie ein Ochs kraut auff dem felde aufffretzet. Balak aber der son Zipor war zu der zeit könig der Moabiter.

[5]VND er sandte Boten aus zu Bileam dem son Beor / [a]gen Pethor / der wonet an dem wasser im Lande der kinder seines volcks / das sie jn fodderten / vnd lies jm sagen / Sihe / es ist ein Volck aus Egypten gezogen / das bedeckt das angesicht der Erden vnd ligt gegen mir. [6]So kom nu vnd verfluch mir das Volck / denn es ist mir zu mechtig / Ob ichs schlahen möchte / vnd aus dem Lande vertreiben / Denn ich weis / das / welchen du segnest / der ist gesegenet / vnd welchen du verfluchest / der ist verflucht.

Josua. 24.

a Jd Petrus dicit et Bojor. 2. Pet. 2.

VND die Eltesten der Moabiter giengen hin mit den Eltesten der Midianiter / vnd hatten das Lohn des Warsagens in jren henden / vnd giengen zu Bileam ein / vnd sagten jm die wort Balak. [8]Vnd er sprach zu jnen / Bleibt hie vber nacht / so wil ich euch wider sagen / wie mir der HERR sagen wird / Also blieben die fürsten der Moabiter bey Bileam.

BILEAM.

[9]VND Gott kam zu Bileam / vnd sprach / Wer sind die Leute / die bey dir sind? [10]Bileam sprach zu Gott / Balak der son Zipor der Moabiter könig hat zu mir gesand / [11]Sihe / Ein volck ist aus Egypten gezogen / vnd bedeckt das angesicht der Erden / So kom nu vnd fluch jm / ob ich mit jm streiten müge vnd sie vertreiben. [12]Gott aber sprach zu Bileam / Gehe nicht mit jnen / verfluch das Volck auch nicht / denn es ist gesegnet. [13]Da stund Bileam des morgens auff / vnd sprach zu den fürsten Balak / Gehet hin in ewr Land / denn der HERR wils nicht gestatten / das ich mit euch ziehe.

VND die Fürsten der Moabiter machten sich auff / kamen zu Balak / vnd sprachen / Bileam wegert sich mit vns zu ziehen. [15]Da sandte Balak

ziehet zu Balak dem könig der Moabiter etc.

noch grösser vnd herrlicher Fürsten denn jene waren. [16]Da die zu Bileam kamen / sprachen sie zu jm / Also lesst dir sagen Balak der son Zipor / Lieber were dich nicht zu mir zu ziehen / [17]Denn ich wil dich hoch ehren / vnd was du mir sagest das wil ich thun / Lieber kom vnd fluche mir diesem Volck.

Num. 24.

[18]BJleam antwortet / vnd sprach zu den dienern Balak / Wenn mir balak sein Haus vol silbers vnd golds gebe / So künd ich doch nicht vbergehen / das wort des HERRN meines Gottes / kleines oder grosses zu thun. [19]So bleibt doch nu hie auch jr diese nacht / das ich erfare / was der HERR weiter mit mir reden werde. [20]Da kam Gott des nachts zu Bileam / vnd sprach zu jm / Sind die Menner komen dir zu ruffen / So mach dich auff vnd zeuch mit jnen. Doch was ich dir sagen werde / soltu thun. ||

|| 87b

DA stund Bileam des morgens auff / vnd sattelt seine Eselin / vnd zoch mit den Fürsten der Moabiter. [22]Aber der zorn Gottes ergrimmet das er hin zoch / Vnd der Engel des HERRN trat in den weg / das er jm widerstünde / Er aber reit auff seiner Eselin / vnd zween Knaben waren mit jm. [23]Vnd die Eselin sahe den Engel des HERRN im wege stehen / vnd ein blos Schwert in seiner hand / Vnd die Eselin weich aus dem wege vnd gieng auff dem felde / Bileam aber schlug sie / das sie in den weg solt gehen.

[24]DA trat der Engel des HERRN in den pfad bey den Weinbergen / da auff beiden seiten wende waren. [25]Vnd da die Eselin den Engel des HERRN sahe / drenget sie sich an die wand / vnd klemmet Bileam den fus an der wand / Vnd er schlug sie noch mehr. [26]Da gieng der Engel des HERRN weiter vnd trat an einen engen Ort / da kein weg war zu weichen / weder zur rechten noch zur lincken. [27]Vnd da die Eselin den Engel des HERRN sahe / fiel sie auff jre knie vnter dem Bileam / Da ergrimmet der zorn Bileam / vnd schlug die Eselin mit dem stabe.

2. Pet. 2.

Bileams Eselin redet.

DA thet der HERR der Eselin den mund auff / vnd sie sprach zu Bileam / Was hab ich dir gethan / das du mich geschlagen hast nu drey mal? [29]Bileam sprach zur Eselin / Das du mich hönest / Ah / das ich jtzt ein schwert in der hand hette / ich wolt dich erwürgen. [30]Die Eselin sprach zu Bileam / Bin ich nicht dein Eselin darauff du geritten hast / zu deiner zeit bis auff diesen tag? Hab ich auch je gepflegt dir also zu thun? Er sprach / Nein.

[31]DA öffnete der HERR Bileam die augen / das er den Engel des HERRN sahe im wege stehen / vnd ein blos Schwert in seiner hand / vnd neiget vnd bücket sich mit seinem angesicht. [32]Vnd der Engel des HERRN sprach zu jm / Warumb hastu deine Eselin geschlagen nu drey mal? Sihe / Jch bin ausgegangen das ich dir widerstehe / denn der weg ist fur mir verkeret. [33]Vnd die Eselin hat mich gesehen / vnd mir drey mal gewichen / Sonst wo sie nicht fur mich gewichen hette / so wolt ich dich auch jtzt erwürget / vnd die Eselin lebendig behalten haben. [34]Da sprach Bileam zu dem Engel des HERRN / Jch hab gesündiget / denn ich habs nicht gewust / das du mir entgegen stundest im wege / Vnd nu so dirs nicht gefellet / wil ich wider vmbkeren. [35]Der Engel des HERRN sprach zu jm / Zeuch hin mit den Mennern / Aber nichts anders / denn was ich zu dir sagen werde / soltu reden / Also zoch Bileam mit den fürsten Balak.

DA Balak hörete / das Bileam kam / zoch er aus jm entgegen in die stad der Moabiter / die da ligt an der grentze Arnon / welcher ist an der eussersten grentze / [37]vnd sprach zu jm / Hab ich nicht zu dir gesand / vnd dich foddern lassen? Warumb bistu denn nicht zu mir komen? Meinstu / ich künde nicht dich ehren? [38]Bileam antwortet jm / Sihe / ich bin komen zu dir / Aber wie kan ich etwas anders reden / denn das mir Gott in den mund gibt / das mus ich reden? [39]Also zoch Bileam mit Balak / vnd kamen in die gassenstad. [40]Vnd Balak opfferte rinder vnd schaf / vnd sandte nach Bileam vnd nach den Fürsten die bey jm waren.

## XXIII.

VND DES MORGENS NAM BALAK DEN BILEAM / vnd füret jn hin auff die [a]höhe Baal / das er von dannen sehen kundte / bis zu ende des Volcks. [1]Vnd Bileam sprach zu Balak / Bawe mir hie sieben Altar / vnd schaff mir her sieben farren vnd sieben farren vnd sieben widder. [2]Balak thet wie jm Bileam sagt / Vnd beide Balak vnd Bileam opfferten / ja auff ein Altar einen farren vnd einen widder. [3]Vnd Bileam sprach zu Balak / Tritt bey dein

a Kirchen Baal.

Brandopffer / Jch wil hin gehen / ob vieleicht mir der [b]HERR begegene / Das ich dir ansage / was er mir zeiget / Vnd gieng hin eilend. ||

|| 88 a

[4]VND Gott begegnet Bileam / Er aber sprach zu jm / Sieben Altar hab ich zugericht / vnd ja auff einen Altar einen farren vnd einen widder geopffert. [5]Der HERR aber gab das wort dem Bileam in den mund / vnd sprach / Gehe wider zu Balak vnd rede also. [6]Vnd da er wider zu jm kam / Sihe / da stund er bey seinem Brandopffer / sampt allen Fürsten der Moabiter.

b (HERR) Hie leuget Bileam / das er wil zum HERRN gehen / welcher jm bereit gesagt hatte / das er nicht solt fluchen / Sondern er gehet zu seinen Zeuberern vnter des HERRN Namen.

BILEAMS segen vnd Weissagung.

[7]DA hub er an seinen Spruch / vnd sprach / Aus Syrien hat mich Balak der Moabiter könig holen lassen / von dem Gebirge gegen dem auffgang / Kom / verfluche mir Jacob / kom / schilt Jsrael. [8]Wie sol ich fluchen dem Gott nicht fluchet? Wie sol ich schelten den der HERR nicht schilt? [9]Denn von der höhe der Felsen sehe ich jn wol / vnd von den Hügeln schawe ich jn. SIHE / DAS VOLCK WIRD BESONDERS WONEN / VND NICHT VNTER DIE HEIDEN GERECHNET WERDEN. [10]Wer kan zelen den staub Jacob / vnd die zal des vierden teils Jsrael? Meine Seele müsse sterben des tods der Gerechten / vnd mein Ende werde wie dieser ende.

(SPRUCH) Heisst hie oracula das ist / solche wort die er nicht von jm selbs redet. Sondern die jm Gott in den mund gab. Als wenn ein Gottloser / den text des worts Gottes spricht / das wider jn selbs vnd die seinen ist.

DA sprach Balak zu Bileam / Was thustu an mir? Jch hab dich holen lassen zu fluchen meinen Feinden / vnd sihe / du segenest. [12]Er antwortet vnd sprach / Mus ich nicht das halten vnd reden / das mir der HERR in den mund gibt: [13]Balak sprach zu jm / Kom doch mit mir an einen andern Ort / von dannen du sein ende sehest / vnd doch nicht gantz sehest / vnd fluche mir jm daselbs.

[14]VND er füret jn auff einen freien Platz auff der höhe Pisga / vnd bawete sieben Altar / vnd opfferte ja auff einem Altar einen Farren vnd einen widder. [15]Vnd sprach zu Balak / Tritt also bey dein Brandopffer / ich wil dort warten. [16]Vnd der HERR begegnet Bileam / vnd gab jm das wort in seinen mund / vnd sprach / Gehe wider zu Balak vnd rede also. [17]Vnd da er wider zu jm kam / Sihe / da stund er bey seinem Brandopffer / sampt den Fürsten der Moabiter / Vnd Balak sprach zu jm / Was hat der HERR gesagt.

PISGA.

[18]VND er hub an seinen Spruch / vnd sprach / Stehe auff Balak vnd höre nim zu ohren was ich sage du son Zipor. [19]Gott ist nicht ein [a]Mensch das er liege / noch ein menschen Kind / das jn etwas

a Menschen liegen / vnd müssen auch zu weilen feilen / das sie nicht halten können / denn sie sind selbs jrs lebens vngewis.

gerewe. Solt er etwas sagen vnd nicht thun? Solt er etwas reden vnd nicht halten? [20]Sihe / zu segenen bin ich her bracht / Jch segene vnd kans nicht wenden. [21]MAN SIHET KEINE [b]MÜHE IN JACOB / VND KEINE ERBEIT IN JSRAEL / DER HERR SEIN GOTT IST BEY JM / VND DAS [c]DROMETEN DES KÖNIGS VNTER JM. [22]Gott hat sie aus Egypten gefüret / seine freidigkeit ist wie eins Einhorns. [23]Denn es ist kein Zeuberer in Jacob / vnd kein Warsager in Jsrael. Zu seiner zeit wird man von Jacob sagen vnd von Jsrael / welche wunder Gott thut. [24]Sihe / das Volck wird auffstehen wie ein junger Lewe / vnd wird sich erheben wie ein Lewe / Es wird sich nicht legen / bis es den Raub fresse / vnd das blut der Erschlagenen sauffe.

b Mühe vnd Erbeit heisst die Schrifft Abgötterey oder falschen Gottesdienst / vnd was on glauben geschicht. Psal. 10. Vnter seiner Zungen ist Mühe vnd Erbeit.

c Drometen des Königes / das ist / Die leiblichen drameten Gottes jres Königs / der sie zu machen befolhen hatte / darumb sie vnüberwindlich waren im streit. Mag auch wol heissen / das wort Gottes / so in diesem Volck lauter vnd öffentlich geleret ward.

DA sprach Balak zu Bileam / Du solt jm weder fluchen noch segenen. [26]Bileam antwortet / vnd sprach zu Balak / Hab ich dir nicht gesagt / Alles was der HERR reden würde / das würde ich thun? [27]Balak sprach zu jm / Kom doch ich wil dich an einen andern Ort füren / obs vieleicht Gott gefalle / das du daselbs mir sie verfluchest. [28]Vnd er füret jn auff die höhe des berges Peor / welcher gegen die wüsten sihet. [29]Vnd Bileam sprach zu Balak / Bawe mir hie sieben Altar / vnd schaffe mir sieben farren vnd sieben widder. [30]Balak thet wie Bileam sagt / vnd opffert ja auff einen Altar einen farren vnd einen widder. ‖

PEOR.

‖ 88 b

## XXIIII.

DA NU BILEAM SAHE / DAS ES DEM HERRN gefiel / das er Jsrael segenet / Gieng er nicht hin / wie vormals / nach den Zeuberern / Sondern richtet sein angesicht stracks zu der wüsten / [2]hub auff seine augen vnd sahe Jsrael / wie sie lagen nach jren Stemmen. Vnd der geist Gottes kam auff jn / [3]vnd er hub an seinen Spruch vnd sprach / Es saget Bileam der son Beor / Es saget der Man / dem die augen geöffnet sind / [4]Es saget der Hörer göttlicher rede / der des Allmechtigen offenbarung sihet / dem die augen geöffnet werden / wenn er nider kniet.

Hieraus mercket man / das Bileam droben allezeit sey zu zeuberey gegangen / vnter Gottes Namen / Aber der HERR ist jm jmer begegnet vnd hat die zeuberey gehindert / das er hat müssen das recht Gotts wort fassen an stat der zeuberey.

[5]WIE FEIN SIND DEINE HÜTTEN JACOB / VND DEINE wonung Jsrael. [6]Wie sich die Beche ausbreiten / wie die Garten an den wassern / wie die Hütten die der HERR pflantzt / wie die Cedern an den wassern. [8]Es wird wasser aus seinem Eimer fliessen / vnd

sein Same wird ein gros wasser werden / Sein König wird höher werden denn Agag / vnd sein Reich wird sich erheben. Gott hat jn aus Egypten gefüret / Seine fredigkeit ist wie eins Einhorns. Er wird die Heiden / seine Verfolger / fressen / vnd jre gebeine zumalmen / vnd mit seinen pfeilen zuschmettern. [9]Er hat sich nidergelegt wie ein Lewe / vnd wie ein junger Lewe / Wer wil sich wider jn auff lehnen? Gesegenet sey der dich segenet / Vnd verflucht der dir flucht.

DA ergrimmet Balak im zorn wider Bileam / vnd schlug die hende zusamen / vnd sprach zu jm / Jch hab dich gefoddert / Das du meinen Feinden fluchen soltest / vnd sihe / du hast sie nu drey mal gesegnet. [11]Vnd nu heb dich an deinen ort / Jch gedacht / ich wolt dich ehren / Aber der HERR hat dir die ehre verwehret.

[12]BJleam antwortet jm / Hab ich nicht auch zu deinen Boten gesagt / die du zu mir sandtest / vnd gesprochen? [13]Wenn mir Balak sein Haus vol silber vnd gold gebe / so künd ich doch fur des HERRN wort nicht vber / böses oder guts zu thun nach meinem hertzen / Sondern was der HERR reden würde / das würde ich auch reden? [14]Vnd nu sihe / wenn ich zu meinem Volck ziehe / so kom / So wil ich dir raten / was dis Volck deinem volck thun wird zur letzten zeit.

VND er hub an seinen Spruch / vnd sprach / Es sagt Bileam der son Beor. Es sagt der Man dem die augen geöffnet sind / [16]Es sagt der Hörer göttlicher rede / vnd der die erkentnis hat des Höhesten / der die offenbarung des Allmechtigen sihet / vnd dem die augen geöffnet werden / wenn er nider kniet. [17]Jch werde jn sehen / aber jtzt nicht / Jch werde jn schawen / aber nicht von nahe. Es WIRD EIN STERN AUS JACOB AUFFGEHEN / VND EIN SCEPTER AUS JSRAEL AUFFKOMEN / vnd wird zuschmettern die Fürsten der Moabiter / vnd verstören alle kinder Seth. [18]Edom wird er einnemen / vnd Seir wird seinen Feinden vnterworffen sein / Jsrael aber wird sieg haben. [19]Aus Jacob wird der Herrscher komen / vnd vmbbringen / was vbrig ist von den Stedten.

[20]VND da er sahe die Amalekiter / hub er an seinen Spruch / vnd sprach / [a]Amalek die ersten vnter den Heiden / Aber zu letzt wirstu gar vmbkomen.

a (AMALEK) War der erste vnter den Heiden / so die kinder Jsrael anfochten / Exo. 17. Aber durch Saul vertilget. 1. Reg. 15.

AMALEKITER.
1. Reg. 15.
KENITER.

[21]VND da er sahe die Keniter / hub er an seinen Spruch / vnd sprach / Fest ist deine Wonung / vnd hast dein Nest in einen Fels gelegt / [22]Aber o Kain du wirst verbrand werden / wenn Assur dich gefangen wegfüren wird.

[23]VND hub abermal an seinen Spruch / vnd sprach / Ah / Wer wird leben / wenn Gott solchs thun wird? [24]Vnd schiffe aus [b]Chithim werden verderben den Assur vnd Eber / Er aber wird auch vmbkomen.

[25]Vnd Bileam macht sich auff vnd zoch hin / vnd kam wider an seinen Ort. Vnd Balak zoch seinen weg. ||

b (CHITHIM) Sind die aus Europa / Als der grosse Alexander vnd Römer / welche auch zu letzt vntergehen. Vnd zeigt hie die Weissagung / das alle Königreich auff Erden eins nach dem andern vntergehen müssen / neben dem volck Jsrael / welchs ewig bleibet / vmb Christus willen.

|| 89a

## XXV.

SITTIM.

VND JSRAEL WONET IN SITTIM / VND DAS VOLCK hub an zu huren mit der Moabiter töchter / [2]welche luden das volck zum Opffer jrer Götter / Vnd das volck ass vnd betet jre Götter an / [3]vnd Jsrael hengete sich an den BaalPeor. Da ergrimmet des HERRN zorn vber Jsrael / [4]vnd sprach zu Mose / Nim alle Obersten des Volcks / vnd henge sie dem HERRN an die Sonne / auff das der grimmige zorn des HERRN von Jsrael gewand werde. [5]Vnd Mose sprach zu den Richtern Jsrael / Erwürge ein jglicher seine Leute / die sich an den BaalPeor gehenget haben.

BAALPEOR.

VND sihe / ein Man aus den kindern Jsrael kam / vnd bracht vnter seine Brüder eine Midianitin / vnd lies Mose zusehen / vnd die gantze Gemeine der kinder Jsrael / die da weineten fur der Thür der Hütten des Stiffts. [7]Da das sahe Pinehas der son Eleasar des sons Aaron des Priesters stund er auff aus der Gemeine / vnd nam einen Spies in seine hand / [8]vnd gieng dem Jsraelischen man nach hin ein in den Hurenwinckeln / vnd durch stach sie beide den Jsraelischen man / vnd das Weib durch jren bauch / Da höret die Plage auff von den kindern Jsrael. [9]Vnd es wurden getödtet in der Plage vier vnd zwenzig tausent.

PINEHAS.

Psal. 106.
1. Cor. 10.

VND der HERR redet mit Mose / vnd sprach / [11]Pinehas der son Eleasar / des sons Aaron des Priesters hat meinen grim von den kindern Jsrael gewendet / durch seinen Eiuer vmb mich / das nicht ich in meinem Einer die kinder Jsrael vertilgete. [12]Darumb sage / Sihe / Jch gebe jm meinen Bund des friedes / [13]vnd er sol haben vnd sein Same nach jm den Bund eins ewigen Priesterthums / darumb / da er fur seinen Gott geeiuert / vnd die kinder Jsrael versünet hat.

SIMRI. CASBI.

[14]DEr Jsraelische man aber der erschlagen ward mit der Midianitin hies Simri / der son Salu / ein Fürst im hause des vaters der Simeoniter. [15]Das Midianitisch weib / das auch erschlagen ward / hies Casbi / eine tochter Zur / der ein Fürst war eines Geschlechts vnter den Midianitern.

Num. 31.

VND der HERR redet mit Mose / vnd sprach / [17]Thut den Midianitern schaden / vnd schlahet sie / [18]Denn sie haben euch schaden gethan mit jrem List / den sie euch gestellet haben durch den Peor / vnd durch jre schwester Casbi / die tochter des Fürsten der Midianiter / die erschlagen ist am tage der Plage vmb des Peors willen / [1]vnd die plage darnach kam.

## XXVI.

VND DER HERR SPRACH ZU MOSE VND ELEASAR dem son des Priesters Aaron. [2]Nim die summa der gantzen Gemeine der kinder Jsrael / von zwenzig jaren vnd drüber / nach jrer Veter heuser / alle die ins Heer zu ziehen tügen in Jsrael. [3]Vnd Mose redet mit jnen sampt Eleasar dem Priester / in dem gefilde der Moabiter / an dem Jordan gegen Jeriho / [4]die zwenzig jar alt waren vnd drüber / wie der HERR Mose geboten hatte / vnd den kindern Jsrael / die aus Egypten gezogen waren.

Gen. 46. 1. Par. 5. Num. 1.

KINDER Ruben.

RVben der Erstgeborner Jsrael. Die kinder aber Ruben waren / Hanoch von dem das geschlecht der Hanochiter kompt. Pallu / von dem das geschlecht der Palluiter kompt. [6]Hezron / von dem das geschlecht der Hezroniter kompt. Charmi / von dem das geschlecht der Charmiter kompt. [7]Das sind die geschlecht von Ruben / Vnd jre zal war / drey vnd vierzig tausent / sieben hundert vnd dreissig.

Num. 16.

DATHAN.

[8]ABer der kinder Pallu / waren Eliab / [9]vnd die kinder Eliab waren / Nemuel vnd Dathan vnd Abiram. Das ist der Dathan vnd Abiram die furnemlichen in der Gemeine / die sich wider Mosen vnd Aaron aufflehneten in der rotten Korah / da sie sich wider den HERRN aufflehneten. [10]Vnd die Erde jren ‖ mund auffthet / vnd sie verschlang mit Korah / da die Rotte starb / da das fewr zwey hundert vnd funffzig Menner frass / vnd worden

‖ 89b

ein Zeichen. [11]Aber die kinder Korah storben nicht.

(Zeichen) Ein Schreckzeichen / daran sie gedechten / vnd sich fur gleicher sünde hüteten.

SIMEON.

[12]DJE kinder Simeon in jren geschlechten waren / Nemuel / Da her kompt das geschlecht der Nemueliter. Jamin / daher kompt das geschlecht der Jaminiter. Jachin / daher das geschlecht der Jachiniter kompt. [13]Serah / daher das geschlecht der Serahiter kompt. Saul / daher das geschlecht der Sauliter kompt. [14]Das sind die geschlecht von Simeon / zwey vnd zwenzig tausent vnd zwey hundert.

GAD.

[15]DJE kinder Gad in jren geschlechten waren / Ziphon / daher das geschlecht der Ziphoniter kompt. Haggi / daher das geschlecht der Haggiter kompt. Suni / daher das geschlecht der Suniter kompt. [16]Osni / daher das geschlecht der Osniter kompt. Eri / daher das geschlecht der Eriter kompt. [17]Arod daher das geschlecht der Aroditer kompt. Ariel / daher das geschlecht der Arieliter kompt. [18]Das sind die geschlechte der kinder Gad / an jrer zal / vierzig tausent vnd funffff hundert.

JUDA.

[19]DJE kinder Juda / Ger vnd Onan / welche beide storben im lande Canaan. [20]Es waren aber die kinder Juda in jren geschlechten / Sela / daher das geschlechte der Selaniter kompt. Perez / daher das geschlecht der Pereziter kompt. Serah / daher das geschlecht der Serahiter kompt. [21]Aber die kinder Perez waren / Hezron / daher das geschlecht der Hezroniter kompt. Hamuel / daher das geschlecht der Hamuliter kompt. [22]Das sind die geschlechte Juda an jrer zal sechs vnd siebenzig tausent vnd funffhundert.

Gen. 38.

JSASCHAR.

[23]DJE kinder Jsaschar in jren geschlechten waren / Thola / daher das geschlecht der Tholaiter kompt. Phuua / daher das geschlecht der Phuuaniter kompt. [24]Jasub / daher das geschlecht der Jasubiter kompt. Simron / daher das geschlecht der Simroniter kompt. [25]Das sind die geschlechte Jsaschar / an der zal / vier vnd sechzig tausent drey hundert.

SEBULON.

[26]DJE kinder Sebulon in jren geschlechten waren / Sered / daher das geschlecht der Sarditer kompt. Elon / daher das geschlecht der Eloniter kompt. Jahelel / daher das geschlecht der Jaheleliter kompt. [27]Das sind die geschlechte Sebulon / an jrer zal / sechzig tausent vnd funffhundert.

DJE kinder Joseph / in jren Geschlechten waren / Manasse vnd Ephraim. Die kinder aber Manasse waren / Machir / daher kompt das geschlecht der Machiriter. Machir zeugete Gilead / daher kompt das geschlecht der Gileaditer. [30]Dis sind aber die kinder Gilead / Hieser / daher kompt das geschlecht der Hieseriter. Helek daher kompt das geschlecht der Helekiter. [31]Asriel / daher kompt das geschlecht der Asrieliter. Sichem / daher kompt das geschlecht der Sichimiter. [32]Smida / daher kompt das geschlecht der Smiditer. Hepher / daher kompt das geschlecht der Hepheriter. [33]Zelaphehad aber war Hepher son / vnd hatte keine Söne / sondern Töchter die hiessen Mahela / Noa / Hagla / Milca vnd Thirza. [34]Das sind die geschlechte Manasse / an jrer zal / zwey vnd funffzig tausent vnd sieben hundert.

MANASSE.

Num. 27.

[35]DJE kinder Ephraim in jren geschlechten waren / Suthelah / daher kompt das geschlecht der Suthelahiter. Becher / daher kompt das geschlecht der Becheriter. Thahan / daher kompt das geschlecht der Thahaniter. [36]Die kinder aber Suthelah waren / Eran / daher kompt das geschlecht der Eraniter. [37]Das sind die geschlecht der kinder Ephraim / an jrer zal / zwey vnd dreissig tausent vnd funff hundert / Das sind die kinder Joseph in jren Geschlechten.

EPHRAIM.

[38]DJE kinder BenJamin in jren geschlechten waren / Bela / daher kompt das geschlecht der Belaiter. Asbel / daher kompt das geschlecht der Asbeliter. Ahiram / daher kompt das geschlecht der Ahiramiter. [39]Supham / daher kompt das geschlecht der Suphamiter. Hupham / daher kompt das ge||schlecht der Huphamiter. [40]Die kinder aber Bela waren / Ard vnd Naeman / daher kompt das geschlecht der Arditer vnd Naemaniter. [41]Das sind die kinder BenJamin in jren geschlechten / an der zal funff vnd vierzig tausent vnd sechs hundert.

BENJAMIN.

|| 90a

[42]DJE kinder Dan in jren geschlechten waren / Suham / daher kompt das geschlecht der Suhamiter. [43]Das sind die geschlechte Dan in jren geschlechten / vnd waren alle sampt an der zal / vier vnd sechzig tausent / vnd vier hundert.

DAN.

[44]DJE kinder Asser in jren geschlechten waren / Jemna / da her kompt das geschlecht der Jemniter. Jeswi / daher kompt das geschlecht der Jeswiter. Bria / daher kompt das geschlecht der

ASSER.

Brijter. [45]Aber die kinder Bria waren / Heber / daher kompt das geschlecht der Hebriter. Melchiel / da her kompt das geschlecht der Melchieliter. [46]Vnd die tochter Asser hies Sarah. [47]Das sind die geschlecht der kinder Asser / an jrer zal / drey vnd funffzig tausent vnd vier hundert.

NAPHTHALI.

[48]DJE kinder Naphthali in jren geschlechten waren / Jaheziel / daher kompt das geschlecht der Jahezieliter. Guni / da her kompt das geschlecht der Guniter. [49]Jezer / da her kompt das geschlecht der Jezeriter. Sillem / daher kompt das geschlecht der Sillemiter. [50]Das sind die geschlechte von Naphthali / an jrer zal / funff vnd vierzig tausent vnd vier hundert. [51]Das ist die summa der kinder Jsrael / sechs mal hundert tausent / ein tausent / sieben hundert vnd dreissig.

SUMMA DER kinder Jsrael.

Num. 1.

[52]VND der HERR redet mit Mose / vnd sprach / [53]Diesen soltu das Land austeilen zum Erbe / nach der zal der namen / [54]Vielen soltu viel zum Erbe geben / vnd wenigen wenig / Jglichen sol man geben nach jrer zal. [55]Doch man sol das Land durchs Los teilen / nach den namen der stemme jrer Veter sollen sie Erbe nemen / [56]Denn nach dem Los soltu jr Erbe austeilen / zwisschen den vielen vnd wenigen.

VND das ist die summa der Leuiten in jren geschlechten / Gerson / da her das geschlecht der Gersoniter. Kahath / daher das geschlecht der Kahathiter. Merari / daher das geschlecht der Merariter. [58]Dis sind die geschlechte Leui / Das geschlecht der Libniter / das geschlecht der Hebroniter / das geschlecht der Maheliter / das geschlecht der Musiter / das geschlecht der Korahiter.

Num. 3. Exod. 6.

KAhath zeuget Amram / [59]vnd Amrams weib hies Jochebed eine tochter Leui / die jm geboren ward in Egypten / Vnd sie gebar dem Amram Aaron vnd Mosen / vnd jre schwester MirJam. [60]Dem Aaron aber ward geborn Nadab / Abihu / Eleasar vnd Jthamar. [61]Nadab aber vnd Abihu storben / da sie frembde Fewr opfferten fur dem HERRN. [62]Vnd jr summa war / drey vnd zwenzig tausent alle Menlin / von einem monden an vnd drüber. Denn sie worden nicht gezelet vnter die kinder Jsrael / denn man gab jnen kein Erbe vnter den kindern Jsrael.

Leui. 10. 1. Par. 24.

SUMMA DER Leuiten.

[63]DAS ist die summa der kinder Jsrael / die Mose vnd Eleasar der Priester zeleten im gefilde der Moa-

biter / an dem Jordan gegen Jeriho. [64]Vnter welchen war keiner aus der summa / da Mose vnd Aaron der Priester die kinder Jsrael zeleten in der wüsten Sinai / [65]Denn der HERR hatte jnen gesagt / Sie solten des tods sterben in der wüsten / vnd bleib keiner vber / On Caleb der son Jephunne / vnd Josua der son Nun.

Num. 14.

## XXVII.

TÖCHTER Zelaphehad.

VND DIE TÖCHTER ZELAPHEHAD DES SONS Hepher / des sons Gilead / des sons Machir / des sons Manasse / vnter den geschlechten Manasse / des sons Joseph / mit namen Mahela / Noa / Hagla / Milca vnd Thirza / kamen erzu [2]vnd tratten fur Mose vnd fur || Eleasar den Priester / vnd fur die Fürsten vnd gantze Gemeine / fur der thür der Hütten des Stiffts / vnd sprachen. [3]Vnser Vater ist gestorben in der wüsten / vnd war nicht mit vnter der Gemeine / die sich wider den HERRN empöreten in der Rotten Korah / sondern ist an seiner sünde gestorben / vnd hatte keine Söne / [4]Warumb sol denn vnsers Vaters name vnter seinem geschlecht vntergehen / ob er wol keinen Son hat? Gebet vns auch ein Gut vnter vnsers vaters Brüdern.

|| 90b

Num. 16.

[5]MOse bracht jre sache fur den HERRN. [6]Vnd der HERR sprach zu jm / [7]Die töchter Zelaphehad haben recht geredt / Du solt jnen ein Erbgut vnter jres vaters brüdern geben / vnd solt jrs vaters Erbe jnen zuwenden. [8]Vnd sage den kindern Jsrael / Wenn jemand stirbt vnd hat nicht Söne / so solt jr sein Erbe seiner Tochter zuwenden. [9]Hat er keine tochter / solt jrs seinen Brüdern geben. [10]Hat er keine Brüder / solt jrs seinen Vettern geben. [11]Hat er nicht vettern / solt jrs seinen nehesten Freunden geben / die jn angehören in seinem Geschlecht das sie es einnemen. Das sol den kindern Jsrael ein Gesetz vnd Recht sein / wie der HERR Mose geboten hat.

VND der HERR sprach zu Mose / Steig auff dis gebirge Abarim / vnd besihe das Land / das ich den kindern Jsrael geben werde. [13]Vnd wenn du es gesehen hast / soltu dich samlen zu deinem Volck / wie dein bruder Aaron versamlet ist. [14]Die weil jr meinem wort vngehorsam gewesen seid in der wüsten Zin / vber dem hadder der Gemeine / da jr mich heiligen soltet / durch das wasser fur

Num. 20.
Deut. 32.

ABARIM.

jnen / Das ist das Hadderwasser zu Kades in der wüsten Zin. [15]Vnd Mose redet mit dem HERRN / vnd sprach / [16]Der HERR der Gott vber alles lebendigs Fleischs / wolt einen Man setzen vber die Gemeine / [17]der fur jnen heraus vnd ein gehe / vnd sie aus vnd einfüre / Das die Gemeine des HERRN nicht sey / wie die schafe on Hirten.

VND der HERR sprach zu Mose / Nim Josua zu dir den son Nun / der ein Man ist in dem der Geist ist / vnd lege deine hende auff jn / [19]Vnd stelle jn fur den Priester Eleasar / vnd fur die gantze Gemeine / Vnd gebeut jm fur jren augen / [20]vnd lege [a]deine Herrligkeit auff jn / das jm gehorche die gantze Gemeine der kinder Jsrael. [21]Vnd er sol treten fur den Priester Eleasar / der sol fur jn rat fragen / durch die weise [b]des Liechts fur dem HERRN. Nach des selben mund sollen aus vnd ein ziehen / beide er vnd alle kinder Jsrael mit jm / vnd die gantze Gemeine.

[22]MOse thet wie jm der HERR geboten hatte / vnd nam Josua vnd stellet jn fur den Priester Eleasar / vnd fur die gantze Gemeine / [23]vnd legt seine hand auff jn / vnd gebot jm / wie der HERR mit Mose geredt hatte.

JOSUA. Deut. 3.

Exod. 28.

Rechte.

a (Deine Herrligkeit) Das wird vieleicht eine sondere weise gewest sein / das Mose dem Josua / den Stab oder die Hand auffs heubt gelegt hat. Gleich wie man die Könige zusalben / oder wie man die Lehen zu emfahen pflegt / welchs alles mus eine weise vnd geprenge haben.

b (Des Liechts) Das ist das Liecht auff der brust des Hohenpriesters Exo. 28. Da her sagen etliche / wenn Gott habe auffs Priesters frage geantwort / das hat sollen / ja sein / so habe das Liecht glentze von sich gegeben. Es habens aber hernach die Könige also gebraucht / wenn sie Gott vmb Rat fragten / Als. 1. Re. 28. vnd 30.

## XXVIII.

VND DER HERR REDET MIT MOSE / VND SPRACH / [2]Gebeut den kindern Jsrael / vnd sprich zu jnen / Die Opffer meines Brots / welches mein Opffer des süssen geruchs ist / solt jr halten zu seinen zeiten / das jr mirs opffert. [3]Vnd sprich zu jnen / Das sind die Opffer / die jr dem HERRN opffern solt / Jerige Lemmer / die on wandel sind / teglich zwey zum teglichen Brandopffer / [4]ein Lamb des morgens / das ander zwisschen abends / [5]Dazu ein zehenden Epha semelmelhs zum Speisopffer / mit öle gemenget das gestossen ist / eins vierden teils vom Hin. [6]Das ist ein teglich Brandopffer / das jr am berge Sinai opffertet / zum süssen geruch ein Fewr dem HERRN. [7]Da zu sein Tranckopffer / ja zu einem Lamb ein vierteil vom Hin / Jm Heiligthum sol man den [c]Wein des Tranckopffers opffern dem HERRN. [8]Das ander Lamb soltu zwisschen abends machen / wie das Speisopffer des morgens vnd sein Tranckopffer zum Opffer des süssen geruchs dem HERRN.

TEGLICH Opffer.

c (Wein) Jst hie Sicera / hoc est / inebriatiuum / id est / purum non dilutum / sed merum et efficax. Quia verbum purum / inebriat vere animas etc.

‖ 91 a

AM Sabbath tag aber zwey jerige Lemmer on wandel / vnd zwo zehenden semelmelhs zum Speisopffer / mit öle gemenget / vnd sein Tranckopffer. [10]Das ist das Brandopffer eins jglichen Sabbaths / vber das tegliche Brandopffer sampt seinem Tranckopffer.

ABer des ersten tags ewr monden solt jr dem HERRN ein Brandopffer opffern / zween junge farren einen widder / sieben jerige lemmer on wandel. [12]Vnd ja drey zehenden semelmelhs zum Speisopffer mit öle gemenget zu einem farren / vnd zwo zehenden semelmelhs zum Speisopffer mit öle gemenget zu einem widder. [13]Vnd ja ein zehenden semelmelhs zum Speisopffer mit öle gemenget / zu einem lamb / Das ist das Brandopffer des süssen geruchs ein opffer dem HERRN. [14]Vnd jr Tranckopffer sol sein / ein halb Hin weins zum farren ein dritteil Hin zum widder / ein vierteil Hin zum lamb. Das ist das brandopffer eines jglichen monden im jar. [15]Da zu sol man einen zigenbock zum Sündopffer dem HERRN machen / vber das tegliche Brandopffer / vnd sein Tranckopffer.

ABer am vierzehenden tag des ersten monden / ist das Passah dem HERRN / [17]Vnd am funffzehenden tag desselben monden / ist Fest / Sieben tage sol man vngesewrt brot essen. [18]Der erste tag sol heilig heissen / das jr zusamen kompt / Kein diensterbeit solt jr drinnen thun. [19]Vnd solt dem HERRN Brandopffer thun / zween junge farren / einen widder / sieben jerige lemmer on wandel. Sampt jren Speisopffern / drey zehenden semelmelhs mit öle gemenget zu einem farren / vnd zwo zehenden zu dem widder / [21]vnd ja ein zehenden auff ein Lamb vnter den sieben lemmern. [22]Dazu einen bock zum Sündopffer / das jr versünet werdet / [23]Vnd solt solchs thun am morgen / vber das Brandopffer / welchs ein teglich Brandopffer ist. [24]Nach dieser weise solt jr alle tage die sieben tage lang / das Brot opffern zum opffer des süssen geruchs dem HERRN / vber das tegliche Brandopffer / da zu sein Tranckopffer. [25]Vnd der siebende tag sol bey euch heilig heissen / das jr zusamen kompt / kein Diensterbeit solt jr drinnen thun.

Exod. 12. Leui. 23. Deut. 16.

Leui. 23.

VND der tag der Erstlingen / wenn jr opffert das newe Speisopffer dem HERRN / wenn ewer Wochen vmb sind / sol heilig heissen / das jr zusamen kompt / kein diensterbeit solt jr drinnen thun. [27]Vnd solt dem HERRN Brandopffer thun zum süssen geruch zween junge farren / einen widder / sieben jerige lemmer / [28]Sampt jrem Speisopffer / drey zehenden semelmelhs mit öle gemenget zu einem farren / zwo zehenden zu dem widder / [29]Vnd ja ein zehenden zu eim lamb der sieben lemmer / [30]Vnd einen zigenbock euch zu versünen. [31]Dis solt jr thun / vber das tegliche Brandopffer mit seinem Speisopffer / on wandel sols sein / dazu jre Tranckopffer.

XXIX.

Fest des 7. Mondens etc.

VND der erste tag des siebenden Monden / sol bey euch heilig heissen / das jr zusamen kompt / kein diensterbeit solt jr drinnen thun / Es ist ewr drometen tag. [2]Vnd solt Brandopffer thun zum süssen geruch dem HERRN / einen jungen farren / einen widder / sieben jerige lemmer on wandel. [3]Dazu jr Speisopffer / drey zehenden semelmelhs mit öle gemenget zu dem farren / zwo zehenden zu dem widder / [4]Vnd ein zehenden auff ein jglich lamb der siebenden lemmer. [5]Auch einen zigenbock zum Sündopffer / euch zu versünen / [6]vber das Brandopffer des monden vnd sein Speisopffer / vnd vber das tegliche Brandopffer mit seinem Speisopffer / vnd mit jrem Tranckopffer / nach jrem Rechten zum süssen geruch / Das ist ein opffer dem HERRN.

[7]DER zehende tag dieses siebenden monden / sol bey euch auch heilig heissen / das jr zusamen kompt / vnd solt ewre Leibe casteien / vnd kein erbeit drin||nen thun / [8]Sondern Brandopffer dem HERRN zum süssen geruch opffern / Einen jungen farren / einen widder / sieben jerige lemmer on wandel. [9]Mit jren Speisopffern / drey zehenden semelmelhs mit öle gemengt zu dem farren / zwo zehenden zu dem widder / [10]vnd ein zehenden ja zu einem der sieben lemmer. [11]Da zu einen zigenbock zum Sündopffer / vber das Sündopffer der versünung vnd das tegliche Brandopffer / mit seinem Speisopffer / vnd mit jrem Tranckopffer.

|| 91b

[12]DER funffzehende tag des siebenden monden / sol bey euch heilig heissen / das jr zusamen kompt / Kein diensterbeit solt jr drinnen thun / vnd solt dem HERRN sieben tage feiren. [13]Vnd solt dem HERRN Brandopffer thun / zum opffer des süssen geruchs dem HERRN / Dreizehen junge Farren / zween Widder / vierzehen jerige Lemmer on wan-

Leui. 23.

Fest des 7. Mondens etc.

del. [14]Sampt jrem Speisopffer / drey zehenden semelmelhs mit öle gemenget / ja zu einem der dreyzehen farren / zween zehenden / ja zu einem der zweien widder / [15]vnd ein zehenden / ja zu einem der vierzehen lemmer. [16]Da zu einen zigenbock zum Sündopffer / vber das tegliche Brandopffer mit seinem Speisopffer / vnd seinem Tranckopffer.

[17]AM andern tag / zwelff junge farren / zween widder / vierzehen jerige lemmer on wandel / [18]Mit jrem Speisopffer vnd Tranckopffer zu den farren / zu den widdern / vnd zu den lemmern / in jrer zal nach dem Recht. [19]Da zu einen zigenbock zum Sündopffer / vber das tegliche Brandopffer / mit seinem Speisopffer / vnd mit jrem Tranckopffer.

[20]AM dritten tage / eilff Farren / zween Widder / vierzehen jerige Lemmer on wandel / [21]Mit jren Speisopffern vnd Tranckopffern / zu den farren / zu den widdern / vnd zu den lemmern / in jrer zal nach dem Recht. [22]Da zu einen bock zum Sündopffer / vber das tegliche Brandopffer / mit seinem Speisopffer vnd seinem Tranckopffer.

[23]AM vierden tage / zehen Farren / zween Widder / vierzehen jerige Lemmer on wandel / [24]Sampt jren Speisopffern vnd Tranckopffern / zu den farren / zu den widdern / vnd zu den lemmern in jrer zal nach dem Recht. [25]Da zu einen zigenbock zum Sündopffer / vber das tegliche Brandopffer / mit seinem Speisopffer vnd seinem Tranckopffer.

[26]AM fünfften tage / neun Farren / zween Widder / vierzehen jerige Lemmer on wandel / [27]Sampt jren Speisopffern vnd Tranckopffern zu den farren / zu den widdern / vnd zu den lemmern / in jrer zal nach dem Recht. [28]Da zu einen zigenbock zum Sündopffer / vber das tegliche Brandopffer / mit seinem Speisopffer vnd seinem Tranckopffer.

[29]AM sechsten tage / acht Farren / zween Widder / vierzehen jerige Lemmer on wandel / [30]Sampt jren Speisopffern vnd Tranckopffern zu den farren / zu den widdern / vnd zu den lemmern in jrer zal nach dem Recht. [31]Da zu einen bock zum Sündopffer / vber das tegliche Brandopffer / mit seinem Speisopffer vnd seinem Tranckopffer.

[32]AM siebenden tage / sieben Farren / zween Widder / vierzehen jerige Lemmer on wandel /

[33]Sampt jren Speisopffern vnd Tranckopffern zu den farren / zu den widdern / vnd zu den lemmern / in jrer zal / nach dem Recht. [34]Da zu einen bock zum Sündopffer / vber das tegliche Brandopffer / mit seinem Speisopffer vnd seinem Tranckopffer.

[35]AM achten / sol der tag der [a]Versamlung sein / kein Diensterbeit solt jr drinnen thun. [36]Vnd solt Brandopffer opffern / zum opffer des süssen geruchs dem HERRN / Einen Farren / einen Widder / sieben jerige Lemmer on wandel / [37]Sampt jren Speisopffern vnd Tranckopffern / zu den farren / zu den widdern / vnd zu den lemmern / in jrer zal / nach dem Recht. [38]Da zu einen bock zum Sündopffer / vber das tegliche Brandopffer / mit seinem Speisopffer vnd seinem Tranckopffer. ‖

a (EZERETH) Versamlung / als auffm Kirchoff versamlet vnd beschlossen / vt liceat audire maledictiones etc. Deut. 28.

‖ 92a

[39]SOlchs solt jr dem HERRN thun auff ewr Fest / ausgenomen / was jr gelobd vnd freiwillig gebt zu Brandopffern / Speisopffern / Tranckopffern vnd Danckopffern. [1]Vnd Mose sagt den kindern Jsrael alles / was jm der HERR geboten hat.

## XXX.

VND MOSE REDET MIT DEN FÜRSTEN DER STEMME der kinder Jsrael / vnd sprach / Das ists / das der HERR geboten hat. [3]Wenn jemand dem HERRN ein Gelübde thut / oder einen Eid schweret / das er seine Seele verbindet / Der sol sein wort nicht schwechen / sondern alles thun / wie es zu seinem munde ist ausgegangen.

Deut. 23.

[4]WEnn ein Weibsbilde dem HERRN ein Gelübde thut / vnd sich verbindet / weil sie in jrs Vaters hause vnd im Magdthum ist. [5]Vnd jr gelübde vnd verbündnis das sie thut vber jre Seele / kompt fur jren Vater / vnd er schweigt da zu / So gilt alle jr gelübd vnd alle jre verbündnis / des sie sich vber jre Seele verbunden hat. [6]Wo aber jr Vater wehret des tags wenn ers höret / So gilt kein gelübd noch verbündnis / des sie sich vber jre Seele verbunden hat / Vnd der HERR wird jr gnedig sein / weil jr Vater jr gewehret hat.

(Jre Seele) Das ist / Wenn sie sich verbünde zu fasten / oder sonst was zu thun mit jrem leibe Gott zu dienst / Das Seele hie heisse / so viel / als der lebendige leib wie die Schrifft allenthalben braucht.

[7]HAt sie aber einen Man / vnd hat ein gelübd auff jr / oder entferet jr aus jren lippen ein verbündnis vber jre Seele / [8]vnd der Man hörets / vnd schweiget desselben tages stille / So gilt jr gelübd vnd verbündnis / des sie sich vber jre Seele verbunden hat. [9]Wo aber jr Man wehret des tages wenn ers höret / So ist jr gelübd los das sie auff jr

hat / vnd das verbündnis das jr aus jren lippen entfaren ist vber jre Seele / Vnd der HERR wird jr genedig sein.

[10]DAs gelübd einer Widwen vnd Verstossenen / alles wes sie sich verbindet vber jre Seele / das gilt auff jr.

WEnn jemands Gesinde gelobd oder sich mit einem Eide verbindet vber seine Seele / [12]Vnd der Hausherr hörets vnd schweiget dazu vnd wehrets nicht / So gilt alle dasselb gelübd vnd alles wes sie sich verbunden hat vber seine Seele. [13]Machts aber der Hausherr des tags los / wenn ers höret / So gilts nichts was aus seinen lippen gegangen ist / das es gelobd oder sich verbunden hat vber seine Seele / denn der Hausherr hats los gemacht / Vnd der HERR wird jm gnedig sein. [14]Vnd alle gelübd vnd eide zu verbinden den leib zu casteien / mag der Hausherr krefftigen oder schwechen / also / [15]Wenn er da zu schweigt von einem tage zum andern / So bekrefftiget er alle sein gelübd vnd verbündnis / die es auff jm hat / darumb das er geschwigen hat des tages / da ers höret. [16]Wird ers aber schwechen nach dem ers gehöret hat / So sol er die missethat tragen.

[17]DAs sind die Satzunge / die der HERR Mose geboten hat / zwisschen Man vnd Weib / zwisschen Vater vnd Tochter / weil sie noch eine Magd ist in jrs Vater hause.

## XXXI.

Num. 25.

Jsrael siegt wider die Midianiter etc.

VND DER HERR REDET MIT MOSE / VND SPRACH / [2]Reche die kinder Jsrael an den Midianitern / das du darnach dich samlest zu deinem Volck. [3]Da redet Mose mit dem Volck / vnd sprach / Rüstet vnter euch Leute zum Heer wider die Midianiter / das sie den HERRN rechen an den Midianitern / [4]Aus jglichem Stam tausent / das jr aus allen stemmen Jsrael in das Heer schickt. [5]Vnd sie namen aus den tausenten Jsrael / ja tausent eins stams / zwelff tausent gerüstet zum Heer. [6]Vnd Mose schickt sie mit Pinehas dem son Eleasar des Priesters ins Heer / vnd die heilige Kleider / vnd die Halldrometen in seine hand.

[7]VND sie füreten das Heer wider die Midianiter / wie der HERR Mose geboten hatte / vnd erwürgeten alles was menlich war. [8]Da zu die Könige der ‖ Midianiter erwürgen sie sampt jren erschlagenen /

‖ 92b

KÖNIGE DER Midianiter etc.

BILEAM erwürget.

nemlich / Eui / Rekem / Zur / Hur vnd Reba / die fünff Könige der Midianiter / Bileam den son Beor erwürgeten sie auch mit dem schwert. [9]Vnd die kinder Jsrael namen gefangen die Weiber der Midianiter vnd jre Kinder / alle jr Vieh / alle jre Habe / vnd alle jre Güter raubten sie. [10]Vnd verbranten mit fewr alle jre Stedte jrer wonung vnd alle Bürge.

[11]VND namen allen Raub / vnd alles was zu nemen war / beide Menschen vnd Vieh / [12]vnd brachtens zu Mose vnd zu Eleasar dem Priester / vnd zu der Gemeine der kinder Jsrael / nemlich / die Gefangenen / vnd das genomen Vieh / vnd das geraubt Gut / ins Lager auff der Moabiter gefilde / das am Jordan ligt gegen Jeriho. [13]Vnd Mose vnd Eleasar der Priester vnd alle Fürsten der gemeine giengen jnen entgegen hin aus fur das Lager.

VND Mose ward zornig vber die Heubtleute des Heers / die Heubtleute vber tausent vnd hundert waren / die aus dem Heer vnd streit kamen / [15]vnd sprach zu jnen / Warumb habt jr alle Weiber leben lassen? [16]Sihe / haben nicht die selben die kinder Jsrael / durch Bileams rat abgewendet sich zuuersündigen am HERRN vber dem Peor / vnd widerfuhr eine Plage der Gemeine des HERRN? [17]So erwürget nu alles was menlich ist vnter den Kindern / vnd alle Weiber die Menner erkand vnd beygelegen haben. [18]Aber aller kinder die Weibsbilde sind vnd nicht Menner erkand noch beygelegen haben / die lasst fur euch leben. [19]Vnd lagert euch ausser dem Lager sieben tage / alle die jemand erwürget oder die Erschlagene angerürt haben / das jr euch entsündiget / am dritten vnd siebenden tage / sampt denen die jr gefangen genomen habt. [20]Vnd alle Kleider vnd alle Gerete von fellen / vnd alles peltzwerck / vnd alles hültzen Gefess / solt jr entsündigen.

BILEAMS rat.

Num. 25.

[21]VND Eleasar der Priester sprach zu dem Kriegsuolck / das in streit gezogen war / Das ist das Gesetz / welchs der HERR Mose geboten hat. [22]Gold / silber / ertz / eisen / zihn vnd bley / [23]vnd alles was das fewr leidet / solt jr durchs fewr lassen gehen / vnd reinigen / das mit dem Sprengwasser entsündiget werde. Aber alles was nicht fewr leidet / solt jr durchs wasser gehen lassen / [24]vnd solt ewre Kleider wasschen am siebenden tage / so werdet jr rein / Darnach solt jr ins Lager komen.

VND der HERR redet mit Mose / vnd sprach / [26]Nim die summa des raubs der Gefangen / beide an Menschen vnd Vieh / du vnd Eleasar der Priester / vnd die öbersten Veter der gemeine. [27]Vnd gib die Helffte / denen / die ins Heer ausgezogen sind / vnd die schlacht gethan haben / vnd die ander helffte der Gemeine. [28]Vnd solt dem HERRN Heben von den Kriegsleuten die ins Heer gezogen sind / ja von fünff hunderten eine Seele beide an Menschen / rindern / eseln vnd schafen / [29]von jrer Helffte soltu es nemen / vnd dem Priester Eleasar geben zur Hebe dem HERRN. [30]Aber von der Helffte der kinder Jsrael / soltu ja von funffzigen nemen ein stück guts / beide an Menschen / rindern / eseln vnd schafen / vnd von allem Vieh / vnd solts den Leuiten geben / die der Hut warten der wonung des HERRN.

[31]VNd Mose vnd Eleasar der Priester theten wie der HERR Mose geboten hatte. [32]Vnd es war der vbrigen Ausbeute / die das Kriegsuolck geraubet hatte / sechs mal hundert vnd fünff vnd siebenzig tausent schafe / [33]zwey vnd siebenzig tausent rinder / [34]ein vnd sechzig tausent esel. [35]Vnd der Weibsbilde die nicht Menner erkand noch beygelegen hatten / zwey vnd dreissig tausent seelen.

AUSBEUTE.

[36]VND die Helffte / die denen / so ins Heer gezogen waren / gehort / war an der zal drey hundert mal vnd sieben vnd dreissig tausent vnd fünff hundert schafe / [37]Dauon wurden dem HERRN sechs hundert fünff vnd siebenzig schafe. [38]Jtem / sechs vnd dreissig tausent rinder / Dauon wurden dem HERRN zwey vnd siebenzig. [39]Jtem / dreissig tausent vnd fünff hundert esel / Dauon wur||den dem HERRN ein vnd sechzig. [40]Jtem / Menschen seelen / sechzehen tausent seelen / Dauon wurden dem HERRN zwo vnd dreissig. [41]Vnd Mose gab solch Hebe des HERRN dem Priester Eleasar / wie jm der HERR geboten hatte.

|| 93a

[42]ABer die ander Helffte die Mose den kindern Jsrael zuteilet von den Kriegsleuten / [43]nemlich / die helffte der Gemeine zustendig / war auch drey hundert mal vnd sieben vnd dreissig tausent / fünff hundert schafe / [44]Sechs vnd dreissig tausent rinder / [45]Dreissig tausent vnd fünff hundert esel / [46]Vnd sechzehen tausent Menschen seelen. [47]Vnd Mose nam von dieser Helffte der kinder Jsrael / ja ein stück von funffzigen / beide des Viehs vnd

der Menschen / vnd gabs den Leuiten die der Hut warteten an der Wonunge des HERRN / wie der HERR Mose geboten hatte.

VND es tratten erzu die Heubtleute vber die tausent des Kriegsuolcks / nemlich / die vber tausent vnd vber hundert waren / zu Mose / [49]vnd sprachen zu jm. Deine Knechte haben die summa genomen der Kriegsleute / die vnter vnsern henden gewesen sind / vnd feilet nicht einer. [50]Darumb bringen wir dem HERRN geschencke / was ein jglicher funden hat von güldenem gerete / keten / armgeschmeide / ringe / ohrenrincken vnd spangen / das vnser Seelen versünet werden fur dem HERRN.

[51]VNd Mose nam von jnen / sampt dem Priester Eleasar / das gold allerley gerets. [52]Vnd alles golds Hebe / das sie dem HERRN huben / war sechzehen tausent vnd sieben hundert vnd funffzig Sekel / von den Heubtleuten vber tausent vnd hundert / [53]Denn die Kriegsleute hatten geraubt ein jglicher fur sich. [54]Vnd Mose mit Eleasar dem Priester nam das gold von den Heubtleuten vber tausent vnd hundert / vnd brachtens in die Hütten des Stiffts / zum gedechtnis der kinder Jsrael fur dem HERRN.

## XXXII.

RUBENITER vnd Gadditer bitten vmb das Land Gilead etc.

DJE KINDER RUBEN VND DIE KINDER GAD HATTEN seer viel vieh / vnd sahen das land Jaeser vnd Gilead an fur bequeme stet zu jrem vieh / Vnd kamen / [2]vnd sprachen zu Mose vnd dem Priester Eleasar vnd zu den Fürsten der gemeine. [3]Das land Atroth / Dibon / Jaeser / Nimra / Hesbon / Eleale / Seban / Nebo vnd Beon / [4]das der HERR geschlagen hat fur der gemeine Jsrael / ist bequeme zum Vieh / vnd wir deine Knechte haben vieh. [5]Vnd sprachen weiter / Haben wir gnade fur dir funden / So gib dis Land deinen Knechten zu eigen / so wöllen wir nicht vber den Jordan ziehen.

MOse sprach zu jnen / Ewre Brüder sollen in streit ziehen / vnd jr wolt hie bleiben? [7]Warumb macht jr der kinder Jsrael hertzen wendig / das sie nicht hinüber ziehen in das Land / das jnen der HERR geben wird? [8]Also theten auch ewre Veter / da ich sie aussandte von Kades Barnea das Land zu schawen / [9]Vnd da sie hin auff komen waren bis an den bach Escol / vnd sahen das Land /

Num. 13.

gibt die König-reich Sihons vnd Ogs den Rubenitern etc.

machten sie das hertz der kinder Jsrael wendig / das sie nicht in das Land wolten / das jnen der HERR geben wolt.

Num. 14.

[10]VNd des HERRN zorn ergrimmet zur selbigen zeit / vnd schwur / vnd sprach / [11]Diese Leute die aus Egypten gezogen sind von zwenzig jaren vnd drüber / sollen ja das Land nicht sehen / das ich Abraham / Jsaac vnd Jacob geschworen habe / darumb / das sie mir nicht trewlich nachgefolget haben. [12]Ausgenomen Caleb den son Jephunne des Kenisiters / vnd Josua den son Nun / Denn sie haben dem HERRN trewlich nachgefolget. [13]Also ergrimmet des HERRN zorn vber Jsrael / vnd lies sie hin vnd her in der wüsten ziehen vierzig jar / Bis das ein ende ward alle des Geschlechts / das vbel gethan hatte fur dem HERRN. [14]Vnd sihe / Jr seid auffgetreten an ewr Veter stat / das der Sündiger deste mehr seien / vnd jr auch den zorn vnd grim des HERRN noch || mehr macht wider Jsrael. [15]Denn wo jr euch von jm wendet / so wird er auch noch lenger sie lassen in der wüsten / Vnd jr werdet dis Volck alles verderben.

|| 93 b

DA tratten sie erzu / vnd sprachen / Wir wöllen nur schafhürten hie bawen fur vnser Vieh / vnd stedte fur vnser Kinder. [17]Wir aber wöllen vns rüsten forn an fur die kinder Jsrael / bis das wir sie bringen an jren Ort. Vnser Kinder sollen in den verschlossen Stedten bleiben / vmb der Einwoner willen des lands. [18]Wir wöllen nicht heim keren / bis die kinder Jsrael einnemen ein jglicher sein Erbe. [19]Denn wir wöllen nicht mit jnen erben jenseid des Jordans / Sondern vnser Erbe sol vns disseid des Jordans gegen dem morgen gefallen sein.

Josu. 1. 4.

MOse sprach zu jnen / Wenn jr das thun wolt / das jr euch rüstet zum streit fur dem HERRN / [21]So ziehet vber den Jordan fur dem HERRN / wer vnter euch gerüst ist / bis das er seine Feinde austreibe von seinem Angesicht / [22]vnd das Land vnterthan werde fur dem HERRN / Darnach solt jr vmbwenden vnd vnschüldig sein dem HERRN vnd fur Jsrael / vnd solt dis Land also haben zu eigen fur dem HERRN. [23]Wo jr aber nicht also thun wolt / Sihe / so werdet jr euch an dem HERRN versündigen / vnd werdet ewr sünden innen werden / wenn sie euch finden wird. [24]So bawet nu

Mose gibt die Königreich Sihons vnd Ogs den Rubenitern etc.

stedte fur ewre Kinder / vnd hürten fur ewr Vieh / vnd thut was jr geredt habt.

[25]DJe kinder Gad / vnd die kinder Ruben sprachen zu Mose / Deine Knechte sollen thun / wie mein Herr geboten hat. [26]Vnser Kinder / Weiber / Habe / vnd alle vnser Vieh / sollen in den stedten Gilead sein / [27]Wir aber deine Knechte wöllen alle gerüst zum Heer in den streit ziehen fur dem HERRN / wie mein Herr geredt hat.

[28]DA gebot Mose jrer halben dem Priester Eleasar vnd Josua dem son Nun / vnd den öbersten Vetern der stemme der kinder Jsrael / [29]vnd sprach zu jnen. Wenn die kinder Gad / vnd die kinder Ruben mit euch vber den Jordan ziehen alle gerüst zum streit fur dem HERRN / vnd das Land euch vnterthan ist / So gebet jnen das land Gilead zu eigen. [30]Ziehen sie aber nicht mit euch gerüst / So sollen sie mit euch erben im lande Canaan. [31]Die kinder Gad vnd die kinder Ruben antworten / vnd sprachen / Wie der HERR redet zu deinen Knechten / so wöllen wir thun / [32]Wir wöllen gerüst ziehen fur dem HERRN ins land Canaan / vnd vnser Erbgut besitzen disseid des Jordans.

Josu. 4.

ALso gab Mose den kindern Gad / vnd den kindern Ruben / vnd dem halben stam Manasse des sons Joseph / das königreich Sihon / des königes der Amoriter / vnd das königreich Og / des königes zu Basan / das Land sampt den Stedten in der gantzen grentze vmb her. [34]Da baweten die kinder Gad / Dibon / Atharoth / Aroer / [35]Atroth / Sophan / Jaeser / Jegabeha / [36]Bethnimra / vnd Betharan verschlossen Stedte / vnd Schafhürten. [37]Die kinder Ruben baweten / Hesbon / Eleale / Kiriathaim / [38]Nebo / BaalMeon / vnd enderten die namen / vnd Sibama / vnd gaben den Stedten namen die sie baweten.

Deut. 3. Josu. 22.

MACHIR.

[39]VND die kinder Machir des sons Manasse / giengen in Gilead vnd gewonnens / vnd vertrieben die Amoriter die drinnen waren. [40]Da gab Mose dem Machir / dem son Manasse / Gilead / vnd er wonet drinnen. [41]Jair aber der son Manasse gieng hin vnd gewan jre Dörffer / vnd hies sie Hauoth Jair. [42]Nobah gieng hin vnd gewan Knath mit jren Töchtern / vnd hies sie Nobah / nach seinem namen.

JAIR.

NOBAH.

Jsrael reisen aus Egypten ins gelobt Land.

## XXXIII.

Die Reisen aus Egypten ins gelobt Land.

DAS SIND DIE REISEN DER KINDER JSRAEL / DIE aus Egyptenland gezogen sind nach jrem Heer / durch Mose vnd Aaron. [2]Vnd Mose beschrieb jren Auszug / wie sie zogen / nach dem befelh des HERRN / vnd sind nemlich dis die Reisen jres zugs. [3]Sie zogen aus von || Raemses am funffzehenden tag des ersten monden / des andern tages der Ostern / durch eine hohe Hand / das alle Egypter sahen / [4]Vnd begruben eben die Erstegeburt die der HERR vnter jnen geschlagen hatte / Denn der HERR hatte auch an jren Göttern gerichte geübt.

Nu. 20. 21.

|| 94a

Exod. 12.
Exod. 13.

[5]ALS sie von Raemses auszogen / lagerten sie sich in Suchoth. [6]Vnd zogen aus von Suchoth / vnd lagerten sich in Etham / welchs ligt an dem ende der wüsten. [7]Von Etham zogen sie aus / vnd blieben im grund Hahiroth / welchs ligt gegen Baal Zephon / vnd lagerten sich gegen Migdol. [8]Von Hahiroth zogen sie aus / vnd giengen mitten durchs Meer in die wüsten / vnd reiseten drey Tagreise in der wüsten Etham / vnd lagerten sich in Marah. [9]Von Marah zogen sie aus vnd kamen gen Elim / Darin waren zwelff Wasserbrunnen / vnd siebenzig Palmen / vnd lagerten sich daselbs.

Exod. 14. 15.

Exod. 16.

Exod. 17.

[10]VOn Elim zogen sie aus vnd lagerten sich an das Schilffmeer. [11]Von dem Schilffmeer zogen sie aus vnd lagerten sich in der wüsten Sin. [12]Von der wüsten Sin zogen sie aus / vnd lagerten sich in Daphka. [13]Von Daphka zogen sie aus / vnd lagerten sich in Alus. [14]Von Alus zogen sie aus / vnd lagerten sich in Raphidim / Daselbs hatte das volck kein Wasser zu trincken. [15]Von Raphidim zogen sie aus / vnd lagerten sich in der wüsten Sinai.

Exod. 19.
Num. 10. 11. 12.

[16]VOn Sinai zogen sie aus / vnd lagerten sich in die Lustgreber. [17]Von den Lustgrebern zogen sie aus / vnd lagerten sich in Hazeroth. [18]Von Hazeroth zogen sie aus / vnd lagerten sich in Rithma. [19]Von Rithma zogen sie aus / vnd lagerten sich in Rimon Parez. [20]Von Rimon Parez zogen sie aus / vnd lagerten sich in Libna. [21]Von Libna zogen sie aus / vnd lagerten sich in Rissa. [22]Von Rissa zogen sie aus / vnd lagerten sich in Kehelatha. [23]Von Kehelatha zogen sie aus / vnd lagerten sich im gebirge Sapher. [24]Vom gebirge Sapher zogen sie aus / vnd lagerten sich in Harada. [25]Von Ha-

Jsrael reisen aus Egypten ins gelobt Land.

rada zogen sie aus / vnd lagerten sich in Makeheloth.

[26]VOn Makeheloth zogen sie aus / vnd lagerten sich in Tahath. [27]Von Tahath zogen sie aus / vnd lagerten sich in Tharah. [28]Von Tharah zogen sie aus / vnd lagerten sich in Mithka. [29]Von Mithka zogen sie aus / vnd lagerten sich in Hasmona. [30]Von Hasmona zogen sie aus / vnd lagerten sich in Moseroth. [31]Von Moseroth zogen sie aus / vnd lagerten sich in BneJaekon. [32]Von BneJaekon zogen sie aus / vnd lagerten sich in Horgidgad. [33]Von Horgidgad zogen sie aus / vnd lagerten sich in Jathbatha. [34]Von Jathbatha zogen sie aus / vnd lagerten sich in Abrona. [35]Von Abrona zogen sie aus / vnd lagerten sich in Ezeongaber. [36]Von Ezeongaber zogen aus vnd lagerten sich in der wüsten Zin / das ist Kades.

Deut. 10.

Num. 20.

[37]VOn Kades zogen sie aus / vnd lagerten sich an dem berge Hor / an der grentze des lands Edom. [38]Da gieng der Priester Aaron auff den berg Hor / nach dem befelh des HERRN / vnd starb daselbs im vierzigsten jar des auszugs der kinder Jsrael aus Egyptenland im ersten tag des fünfften monden / [39]Da er hundert vnd drey vnd zwenzig jar alt war. [40]Vnd Arad der könig der Cananiter / der da wonet gegen Mittag des lands Canaan / hörete das die kinder Jsrael kamen.

Num. 20.

AARONS alter 123. jar.

Num. 21.

[41]VNd von dem berge Hor zogen sie aus / vnd lagerten sich in Zalmona. [42]Von Zalmona zogen sie aus / vnd lagerten sich in Phunon. [43]Von Phunon zogen sie aus / vnd lagerten sich in Oboth. [44]Von Oboth zogen sie aus / vnd lagerten sich in Jgim / am gebirge Abarim in der Moabiter grentze. [45]Von Jgim zogen sie aus / vnd lagerten sich in DibonGad. [46]Von DibonGad zogen sie aus / vnd lagerten sich in AlmonDiblathaim. [47]Von AlmonDiblathaim zogen sie aus / vnd lagerten sich in dem gebirge Abarim gegen Nebo. [48]Von dem gebirge Abarim zogen sie aus / vnd lagerten sich in das gefilde der Moabiter an dem Jordan gegen Jeriho. [49]Sie lagerten sich aber ‖ von Beth Jesimoth / bis an die breite Sittim des gefildes der Moabiter.

Num. 21.

‖ 94b

Num. 25.

VND der HERR redet mit Mose in dem gefilde der Moabiter an dem Jordan gegen Jeriho / vnd sprach / [51]Rede mit den kindern Jsrael / vnd sprich zu jnen. Wenn jr vber den Jordan gegangen seid in das land Canaan / [52]So solt jr alle Einwoner

Deut. 7.

des Lands / sol Jsrael vertreiben etc. Josu. 16.

vertreiben fur ewrem angesicht / vnd alle jre Seulen vnd alle jre gegossene Bilder vmbbringen / vnd alle jre Höhe vertilgen / [53]Das jr also das Land einnemet vnd drinnen wonet / Denn euch hab ich das Land gegeben / das jrs einnemet. [54]Vnd solt das Land austeilen durchs los vnter ewre Geschlechte / Denen der viel ist / solt jr deste mehr zuteilen / vnd denen der wenig ist / solt jr deste weniger zuteilen / Wie das Los einem jglichen daselbs felt / so sol ers haben / nach den stemmen jrer Veter.

Num. 26. Josu. 14.

[55]WErdet jr aber die Einwoner des Lands nicht vertreiben fur ewrem angesicht / So werden euch die / so jr vberbleiben lasst / zu dornen werden in ewren augen / vnd zu stachel in ewrn seiten / vnd werden euch drengen auff dem Lande / da jr innen wonet. [56]So wirds denn gehen / das ich euch gleich thun werde / was ich gedacht jnen zu thun.

## XXXIIII.

Grentze des lands Canaan.

VND DER HERR REDET MIT MOSE / VND SPRACH / [2]Gebeut den kindern Jsrael / vnd sprich zu jnen. Wenn jr ins lande Canaan kompt / so sol das Land das euch zum Erbteil fellet im lande Canaan / seine Grentze haben. [3]Die ecke gegen Mittag sol anfahen an der wüsten Zin bey Edom / das ewr grentze gegen Mittag sey vom ende des Saltzmeers / das gegen Morgen ligt. [4]Vnd das dieselb grentze sich lende von Mittag hin auff gen Akrabbim / vnd gehe durch Zinna / vnd sein ende von Mittag bis gen KadesBarnea / vnd gelange am dorff Adar / vnd gehe durch Azmon / [5]Vnd lende sich von Azmon an den bach Egypti / vnd sein ende sey an dem Meer.

Josu. 15.

[6]ABer die grentze gegen dem Abend / sol diese sein / nemlich / Das grosse Meer / Das sey ewr grentze gegen dem Abend.

[7]DJe grentze gegen Mitternacht sol diese sein / Jr solt messen von dem grossen Meer / an den berg Hor / [8]vnd von dem berge Hor messen bis man kompt gen Hamath / das sein ausgang sey die grentze Zedada / [9]vnd desselben grentze ende gen Siphron / vnd sey sein ende am dorff Enan / Das sey ewr grentze gegen Mitternacht.

[10]VND solt euch messen die grentze gegen Morgen / vom dorff Enan gen Sepham / [11]Vnd die

dere / so das Land solten austeilen.

grentze gehe erab von Sepham gen Ribla zu Ain von morgen werts / Darnach gehe sie erab vnd lencke sich auff die seiten des Meers Cinereth gegen dem Morgen / [12]vnd kom erab an den Jordan / das sein ende sey das Saltzmeer / Das sey ewr Land mit seiner grentze vmb her.

VND Mose gebot den kindern Jsrael / vnd sprach / Das ist das Land / das jr durchs Los vnter euch teilen solt / das der HERR geboten hat den neun Stemmen vnd dem halben stam zu geben. [14]Denn der stam der kinder Ruben des hauses jres Vaters / vnd der stam der kinder Gad des hauses jrs Vaters / vnd der halbe stam Manasse haben jr Teil genomen. [15]Also haben die zween stemme vnd der halbe stam jr Erbteil da hin / disseid des Jordans gegen Jeriho gegen dem morgen.

Num. 38.

NAMEN DERE / so das Land sollen austeilen etc.

VND der HERR redet mit Mose / vnd sprach / [17]Das sind die namen der Menner / die das Land vnter euch teilen sollen / Der Priester Eleasar / vnd Josua der son Nun. [18]Da zu solt jr nemen eines jglichen stams Fürsten das Land aus zu teilen. [19]Vnd das sind der Menner namen / Caleb der son Jephunne des stams Juda. [20]Semuel der son Ammihud des stams Simeon. [21]Elidad der son Chislon des stams BenJamin. [22]Buki der son Jagli fürst des stams der || kinder Dan. [23]Haniel der son Ephod fürst des stams der kinder Manasse von den kindern Joseph. [24]Kemuel der son Siphtan fürst des stams der kinder Ephraim. [25]Elizaphan der son Parnach fürst des stams der kinder Sebulon. [26]Paltiel der son Asan fürst des stams der kinder Jsaschar. [27]Ahihud der son Selomi fürst des stams der kinder Asser. [28]Pedahel der son Ammihud fürst des stams der kinder Naphthali. [29]Dis sind sie / denen der HERR gebot / das sie den kindern Jsrael Erbe austeileten im lande Canaan.

Josu. 14.

|| 95 a

## XXXV.

VND DER HERR REDET MIT MOSE AUFF DEM gefilde der Moabiter / am Jordan gegen Jeriho / vnd sprach. [2]Gebeut den kindern Jsrael / das sie den Leuiten stedte geben von jren Erbgütern / das sie wonen mügen / [3]Dazu die vorstedte vmb die stedte her solt jr den Leuiten auch geben / Das sie in den Stedten wonen / vnd in den Vorstedten jr vieh / vnd gut vnd allerley thier haben.

Josu. 21.

STEDTE der Leuiten.

[4]DJe weite aber der Vorstedte / die sie den Leuiten geben / sol tausent ellen ausser der Stadmauren vmb her haben. [5]So solt jr nu messen aussen an der Stad von der ecken gegen dem Morgen zwey tausent ellen / Vnd von der ecken gegen Mittag zwey tausent ellen / Vnd von der ecken gegen dem Abend zwey tausent ellen / Vnd von der ecken gegen Mitternacht zwey tausent ellen / das die Stad im mittel sey / Das sollen jre Vorstedte sein.

(Messen) Das ist Geometrica proportione geredt / nemlich / Die Vorstad / sol rings vmb her an der Stad / tausent ellen weit sein / vnd eine jgliche seite der Stad / zwey tausent ellen lang. Das heisst auff Deudsch / die Vorstad sol halb so weit sein / als eine seite der stad lang ist / Sie sey vierecket / rund / dreyecket oder wie sie kan / So sol man sie messen vnd in vier seiten teilen / Vnd darnach sie gros oder klein ist / wird die Vorstad auch gros oder klein / vt sic.

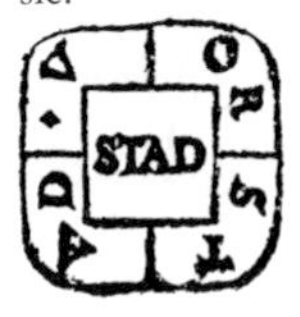


FREYSTEDTE.

[6]VND vnter den Stedten / die jr den Leuiten geben werdet / sollet jr sechs Freistedte geben / das da hin ein fliehe / wer einen Todschlag gethan hat. Vber dieselben solt jr noch zwo vnd vierzig Stedte geben / [7]Das alle stedte / die jr den Leuiten gebt / seien acht vnd vierzig mit jren Vorstedten. [8]Vnd solt der selben deste mehr geben / von denen / die viel besitzen vnter den kindern Jsrael / vnd deste weniger von denen / die wenig besitzen / Ein jglicher nach seinem Erbteil / das jm zugeteilet wird / sol stedte den Leuiten geben.

Deut. 4. Josu. 21.

VND der HERR redet mit Mose / vnd sprach / [10]Rede mit den kindern Jsrael / vnd sprich zu jnen / Wenn jr vber den Jordan ins land Canaan kompt / [11]solt jr Stedte auswelen / das Freistedte seien / da hin fliehe / der einen Todschlag vnuersehens thut. [12]Vnd sollen vnter euch solche Freistedte sein fur dem Blutrecher / das der nicht sterben müsse / der einen Todschlag gethan hat / Bis das er fur der Gemeine fur gericht gestanden sey. [13]Vnd der Stedte / die jr geben werdet / sollen sechs Freistedte sein / [14]Drey solt jr geben disseid des Jordans / vnd drey im lande Canaan. [15]Das sind die sechs Freistedte / beide den kindern Jsrael vnd den Frembdlingen vnd den Hausgenossen vnter euch / das da hin fliehe / wer einen Todschlag gethan hat vnuersehens.

Deut. 19. Josu. 20.

TODSCHLEGER.

WEr jemand mit einem Eisen schlecht das er stirbt / der ist ein Todschleger / vnd sol des tods sterben. [17]Wirfft er jn mit einem Stein (da mit jemand mag getödtet werden) das er dauon stirbt / so ist er ein Todschleger / vnd sol des tods sterben. [18]Schlegt er jn aber mit einem Holtz (damit jemand mag tod geschlagen werden) das er stirbet / so ist er ein Todschleger / vnd sol des tods sterben. [19]Der Recher des bluts sol den Todschleger zum tod bringen / Wie er geschlagen hat / sol man jn wider

Exod. 21.

tödten. [20]Stösset er jn aus hass / Oder wirfft etwas auff jn aus list / das er stirbet / [21]Oder schlegt jn durch feindschafft mit seiner hand / das er stirbt / So sol er des tods sterben der jn geschlagen hat / denn er ist ein Todschleger / Der Recher des bluts sol jn zum tod bringen.

[22]WEnn er jn aber on gefehr stösset on feindschafft / Oder wirffet jrgend etwas auff jn vnuersehens / [23]Oder jrgend einen Stein (dauon man sterben mag / vnd hats nicht gesehen) auff jn wirfft das er stirbt / vnd er ist nicht sein feind / hat jm auch kein vbels gewolt / [24]So sol die Gemeine richten zwischen dem der geschlagen hat / vnd dem Recher des bluts in diesem gericht. [25]Vnd die Ge-‖ meine sol den Todschleger erretten von der hand des Blutrechers / vnd sol jn widerkomen lassen zu der Freistad / dahin er geflohen war / Vnd sol daselbs bleiben bis das der Hohepriester sterbe / den man mit dem heiligen Ole gesalbet hat.

Deut. 19.

‖ 95 b

[26]WJrd aber der Todschleger aus seiner Freienstad grentze gehen / da hin er geflohen ist / [27]vnd der Blutrecher findet jn ausser der grentzen seiner Freienstad / vnd schlecht jn tod / der sol des bluts nicht schüldig sein. [28]Denn er solt in seiner Freienstad bleiben / Bis an den tod des Hohenpriesters / vnd nach des Hohenpriesters tod wider zum Lande seines Erbguts komen. [29]Das sol euch ein Recht sein bey ewren Nachkomen / wo jr wonet.

DEn Todschleger sol man tödten nach dem mund zweier Zeugen / Ein Zeuge sol nicht antworten vber eine Seele zum tode. [31]Vnd jr solt keine versünung nemen vber die seele des Todschlegers / denn er ist des tods schüldig / vnd er sol des tods sterben. [32]Vnd solt keine versünung nemen vber dem / der zur Freistad geflohen ist / das er widerkome zu wonen im Lande / Bis der Priester sterbe.

Deut. 17. 19.

[33]VND schendet das Land nicht / darinnen jr wonet / Denn wer blut schüldig ist / der schendet das Land / vnd das Land kan vom blut nicht versünet werden / das drinnen vergossen wird / On durch das blut des / der es vergossen hat. [34]Verunreiniget das Land nicht / darinnen jr wonet / darinnen ich auch wone / Denn ich bin der HERR / der vnter den kindern Jsrael wonet.

XXXVI.

VND DIE ÖBERSTEN VETER DER GESCHLECHTE der kinder Gilead / des sons Machir / der Manasse son war / von dem geschlecht der kinder Joseph / tratten erzu vnd redten fur Mose / vnd fur den Fürsten / den öbersten Vetern der kinder Jsrael / [2]vnd sprachen. Lieber Herr der HERR hat geboten / das man das Land zum Erbteil geben solt durchs Los den kindern Jsrael / Vnd du mein Herr hast geboten durch den HERRN / das man das Erbteil Zelaphehad vnsers Bruders / seinen Töchtern geben sol. [3]Wenn sie jemand aus den stemmen Jsrael zu weiber nimpt / so wird vnsers Vaters erbteil weniger werden / Vnd so viel sie haben / wird zu dem Erbteil komen des Stams da hin sie komen / Also wird das Los vnsers erbteils geringert. [4]Wenn denn nu das Halliar der kinder Jsrael kömpt / so wird jr erbteil zu dem erbteil des Stams komen / da sie sind / Also wird vnsers Vaters erbteil geringert / so viel sie haben.

ZELAPHEHAD Töchter.

Josu. 14. Num. 27. Josu. 17.

MOse gebot den kindern Jsrael nach dem befelh des HERRN / vnd sprach / Der stam der kinder Joseph hat recht geredt. [6]Das ists / das der HERR gebeut den töchtern Zelaphehad / vnd spricht / Las sie freien / wie es jnen gefelt / Allein das sie freien vnter dem Geschlecht des stams jrs Vaters / [7]Auff das nicht die Erbteil der kinder Jsrael fallen von einem Stam zum andern / Denn ein jglicher vnter den kindern Jsrael sol anhangen an dem Erbe des stams seines vaters. [8]Vnd alle Töchter die erbteil besitzen vnter den stemmen der kinder Jsrael / sollen freien einen von dem geschlecht des Stams jrs vaters / Auff das ein jglicher vnter den kindern Jsrael seines Vaters erbe behalte / [9]vnd nicht ein erbteil von einem stam falle auff den andern / sondern ein jglicher hange an seinem erbe vnter den stemmen der kinder Jsrael.

Non commiscendae tribus.

[10]WJe der HERR Mose geboten hatte / so theten die töchter Zelaphehad / [11]Mahela / Thirza / Hagla / Milca vnd Noa / vnd freieten den kindern jrer vettern / [12]des geschlechts der kinder Manasse des sons Joseph / Also bleib jr erbteil an dem stam des geschlechts jres Vaters. [13]Das sind die Gebot vnd Rechte die der HERR gebot durch Mose den kindern Jsrael / auff dem gefilde der Moabiter / am Jordan gegen Jeriho.

|| 96a

Ende des Vierden Buchs Mose.||

Mose
widerholet die vorigen Geschicht etc.

# DAS FÜNFFTE BUCH MOSE.

## I.

DAS SIND DIE WORT: DIE MOSE REDET ZUM gantzen Jsrael jenseid dem Jordan / in der Wüsten auff dem gefilde / gegen dem Schilffmeer / zwisschen Paran vnd Thophel / Laban / Hazeroth / vnd Disahab / [2]Eilff tagereise von Horeb / durch den weg des gebirges Seir / bis gen Kades Barnea. [3]Vnd es geschach im vierzigsten jar am ersten tage / des eilfften monden / da redet Mose mit den kindern Jsrael / alles wie jm der HERR an sie geboten hatte / [4]Nach dem er Sihon den könig der Amoriter geschlagen hatte / der zu Hesbon wonete / Dazu Og den könig zu Basan / der zu Astharoth zu Edrei wonete / [5]Jenseid des Jordans im lande der Moabiter fieng an Mose auszulegen dis Gesetz / vnd sprach.

SIHON. — Num. 21.

OG.

DER HERR vnser Gott redet mit vns am berge Horeb / vnd sprach / Jr seid lang gnug an diesem Berge gewesen / [7]wendet euch vnd ziehet hin / das jr zu dem gebirge der Amoriter kompt / vnd zu allen jren Nachbarn im / gefilde / auff bergen / vnd in gründen / gegen Mittag vnd gegen den anfurt des Meers / im lande Canaan / vnd zum berge Libanon / bis an das grosse wasser Phrath. [8]Sihe da / Jch habe euch das Land / das da fur euch ligt gegeben / Gehet hin ein vnd nempts ein / das der HERR ewrn vetern Abraham / Jsaac vnd Jacob geschworen hat / das ers jnen vnd jrem Samen nach jnen geben wolt.

Gen. 15. 17.

DA sprach ich zu derselben zeit zu euch / Jch kan euch nicht allein ertragen / [10]Denn der HERR ewr Gott hat euch gemehret / das jr heuts tages seid wie die menge der stern am Himel [11](Der HERR ewr veter Gott mache ewr noch viel tausent mehr / vnd segene euch / wie er euch geredt hat) [12]Wie kan ich allein solche mühe vnd last vnd hadder von euch ertragen? [13]Schaffet her / weise / verstendige vnd erfarene Leute / vnter ewren Stemmen / die wil ich vber euch zu Heubter setzen.

Exod. 18.

Welche man zu Regenten erwelen sol.

[14]DA antwortet jr mir / vnd spracht / Das ist ein gut ding / dauon du sagest / das du es thun wilt. [15]Da nam ich die Heubter ewr stemme / weise vnd erfarene Menner / vnd satzt sie vber euch zu Heubter / vber tausent / vber hundert / vber funffzig / vnd vber zehen / vnd Amptleute

Exod. 18.

Mose widerholet die vorigen Geschichten.

vnter ewren stemmen. [16]Vnd gebot ewrn Richtern zur selben zeit / vnd sprach / Verhöret ewre Brüder / vnd richtet recht zwisschen jederman vnd seinem Bruder vnd dem Frembdlinge. [17]KEINE PERSON SOLT JR IM GERICHT ANSEHEN / SONDERN SOLT DEN KLEINEN HÖREN WIE DEN GROSSEN / VND FUR NIEMANDS PERSON EUCH SCHEWEN / DENN DAS GERICHTAMPT IST GOTTES. Wird aber euch eine Sache zu hart sein / die lasset an mich gelangen / das ich sie höre. [18]Also gebot ich euch zu der zeit alles was jr thun solt.

2. Par. 19. Exod. 18. Leui. 19. Deut. 16.

DA zogen wir aus von Horeb vnd wandelten durch die gantze wüsten / (die gros vnd grausam ist / wie jr gesehen habt) auff der strasse zum gebirge der Amoriter / wie vns der HERR vnser Gott geboten hatte / vnd kamen bis gen KadesBarnea. [20]Da sprach ich zu euch / Jr seid an das gebirge der Amoriter komen / das vns der HERR vnser Gott geben wird / [21]Sihe da das Land fur dir / das der HERR dein Gott dir gegeben hat / Zeuch hin auff ‖ vnd nims ein / wie der HERR deiner veter Gott dir geredt hat / Fürchte dich nicht / vnd las dir nicht grawen.

‖ 96b

Num. 13.

DA kamet jr zu mir alle / vnd spracht / Lasst vns Menner fur vns hin senden die vns das Land erkunden / vnd vns wider sagen / durch welchen weg wir hin ein ziehen sollen / vnd die Stedte / da wir ein komen sollen. [23]Das gefiel mir wol / vnd nam aus euch zwelff Menner / von jglichem Stam einen. [24]Da dieselbigen weg giengen vnd hinauff zogen auff das Gebirge / vnd an den bach Escol kamen / da besahen sie es. [25]Vnd namen der Früchte des Lands mit sich / vnd brachten sie erab zu vns vnd sagten vns wider / vnd sprachen / Das Land ist gut / das der HERR vnser Gott vns gegeben hat.

[26]ABer jr woltet nicht hin auff ziehen / vnd wordet vngehorsam dem munde des HERRN ewrs Gottes / [27]vnd murretet in ewren Hütten / vnd spracht / Der HERR ist vns gram / Darumb hat er vns aus Egyptenland gefüret / das er vns in der Amoriter hende gebe zuuertilgen. [28]Wo sollen wir hin auff? Vnser Brüder haben vnser hertz verzagt gemacht / vnd gesagt / Das Volck sey grösser vnd höher denn wir / die Stedte seien gros / vnd bis an den Himel vermauret / Da zu haben wir die kinder Enakim daselbs gesehen.

widerholet die vorigen Geschichten.

[29]JCH sprach aber zu euch / Entsetzet euch nicht / vnd fürchtet euch nicht für jnen. [30]Der HERR ewr Gott zeucht fur euch hin / vnd wird fur euch streiten / wie er mit euch gethan hat in Egypten fur ewren augen / [31]vnd in der Wüsten / Da du gesehen hast / wie dich der HERR dein Gott getragen hat / wie ein Man seinen Son tregt / durch allen weg / daher jr gewandelt habt / bis jr an diesen Ort komen seid. [32]Aber das galt nichts bey euch / das jr an den HERRN ewren Gott hettet gegleubt / [33]der fur euch her gieng / euch die Stet zu weisen / wo jr euch lagern soltet / Des nachts in Fewr / das er euch den weg zeigete / darinnen jr gehen soltet / vnd des tags in der Wolcken.

Exo. 13.

ALS aber der HERR ewr geschrey höret / ward er zornig / vnd schwur vnd sprach / [35]Es sol keiner dieses bösen Geschlechts / das gute Land sehen / das ich jren Vetern zu geben geschworen habe. [36]On Caleb der son Jephunne der sol es sehen / Vnd jm wil ich geben das Land darauff er getretten hat / vnd seinen Kindern / darumb / das er trewlich dem HERRN gefolget hat. [37]Auch ward der HERR vber mich zornig vmb ewr willen / vnd sprach / Du solt auch nicht hin ein komen. [38]Aber Josua der son Nun / der dein Diener ist / der sol hin ein komen / Denselben stercke / denn er sol Jsrael das Erbe austeilen. [39]Vnd ewre Kinder / dauon jr sagetet / Sie würden ein Raub werden / vnd ewre Söne die heuts tags weder guts noch böses verstehen / die sollen hin ein komen / denselben wil ichs geben / vnd sie sollens einnemen. [40]Jr aber wendet euch vnd ziehet nach der wüsten den weg zum Schilffmeer.

Num. 14. 26.
Deut. 2.
Josu. 14.
Deut. 3. 34.
Num. 20. 27.
Num. 34.
Num. 14.

DA antwortet jr / vnd spracht zu mir / Wir haben an dem HERRN gesündiget / Wir wöllen hin auff / vnd streiten / wie vns der HERR vnser Gott geboten hat. Da jr euch nu rüstet ein jglicher mit seinem Harnisch / vnd ward an dem / das jr hin auff zöget auffs gebirge / [42]sprach der HERR zu mir / Sage jnen / das sie nicht hin auff ziehen / auch nicht streiten / Denn ich bin nicht vnter euch / Auff das jr nicht geschlagen werdet fur ewren Feinden. [43]Da ich euch das sagete / Gehorchtet jr nicht / vnd wordet vngehorsam dem munde des HERRN / vnd ward vermessen / vnd zoget hin auffs gebirge. [44]Da zogen die Amoriter aus / die auff dem gebirge woneten / euch entgegen / vnd

Num. 14.

jagten euch / wie die Bienen thun / vnd schlugen euch zu Seir / bis gen Harma. [45]Da jr nu wider kamet vnd weinetet fur dem HERRN / wolt der HERR ewr stim nicht hören / vnd neiget seine ohren nicht zu euch. [46]Also bliebet jr in Kades eine lange zeit. ||

Num. 20.
|| 97a

II.

DA WANDTEN WIR VNS VND ZOGEN AUS ZUR Wüsten auff der strassen zum Schilffmeer / wie der HERR zu mir sagete / vnd vmbzogen das gebirge Seir eine lange zeit. Vnd der HERR sprach zu mir / [3]Jr habt dis gebirge nu gnug vmbzogen / wendet euch gegen Mitternacht. [4]Vnd gebeut dem Volck / vnd sprich / Jr werdet durch die grentze ewr Brüder der kinder Esau ziehen / die da wonen zu Seir / vnd sie werden sich fur euch fürchten. Aber verwaret euch mit vleis / [5]das jr sie nicht bekrieget / Denn ich werde euch jres Lands nicht einen fusbreit geben / Denn das gebirge Seir hab ich den kindern Esau zu besitzen gegeben. [6]Speise solt jr vmb geld von jnen keuffen das jr esset / vnd Wasser solt jr vmbs geld von jnen keuffen / das jr trincket. [7]Denn der HERR dein Gott hat dich gesegnet in allen wercken deiner hende / Er hat dein Reisen zu hertzen genomen / durch diese grosse Wüsten / Vnd ist vierzig jar der HERR dein Gott bey dir gewesen / das dir nichts gemangelt hat.

Num. 21.
Num. 20.
Gen. 36.

DA wir nu durch vnser Brüder die kinder Esau gezogen waren / die auff dem gebirge Seir woneten / auff dem wege des gefildes von Elath vnd Ezeongaber / wandten wir vns vnd giengen durch den weg der wüsten der Moabiter. [9]Da sprach der HERR zu mir / Du solt die Moabiter nicht beleidigen noch bekriegen / Denn ich wil dir jrs Lands nichts zu besitzen geben / Denn ich habe Ar den kindern Lot zu besitzen geben. [10]Die Emim haben vor zeiten drinnen gewonet / das war ein gros / starck vnd hoch Volck / wie die Enakim / [11]Man hielt sie auch fur Risen / gleich wie Enakim / vnd die Moabiter heissen sie auch Emim. [12]Auch woneten vor zeiten in Seir die Horiter / vnd die kinder Esau vertrieben vnd vertilgeten sie fur jnen / vnd woneten an jr stat / Gleich wie Jsrael dem Land seiner besitzung thet / das jnen der HERR gab.

MOABITER.
LANDE der Moabiter etc.
EMIM.
ENAKIM.
Gen. 14.
Gen. 36.

[13]SO macht euch nu auff vnd ziehet durch den bach Sared / Vnd wir zogen erdurch. [14]Die zeit

Num. 21.

reich Sihons vnd Ogs nimpt Jsrael ein.

aber / die wir von Kades Barnea zogen / bis wir durch den bach Sared kamen / war acht vnd dreissig jar / Auff das alle die Kriegsleute sturben im Lager / wie der HERR jnen geschworen hatte. [15]Da zu war auch die Hand des HERRN wider sie / das sie vmbkemen aus dem Lager / bis das jr ein ende würde.

Num. 14. 26.

VND da alle der Kriegsleute ein ende war / das sie storben vnter dem volck / [17]redet der HERR mit mir / vnd sprach. [18]Du wirst heute durch die grentze der Moabiter ziehen bey Ar / [19] vnd wirst nahe komen gegen die kinder Ammon / die soltu nicht beleidigen noch bekriegen / Denn ich wil dir des Lands der kinder Ammon nichts zu besitzen geben / denn ich habs den kindern Lot zu besitzen gegeben. [20]Es ist auch geschetzt fur der Risenland / vnd haben auch vor zeiten Risen darinnen gewonet / vnd die Ammoniter heissen sie Sammesumim. [21]Das war ein gros / starck vnd hoch Volck / wie die Enakim / vnd der HERR vertilget sie fur jnen / vnd lies sie dieselben besitzen / das sie an jrer stat da woneten. [22]Gleich wie er gethan hat mit den kindern Esau / die auff dem gebirge Seir wonen / da er die Horiter fur jnen vertilget / vnd lies sie dieselben besitzen / das sie da an jrer stat woneten / bis auff diesen tag. [23]Vnd die Caphthorim zogen aus Caphthor vnd vertilgeten die Auim / die zu Hazerim woneten / bis gen Gaza / vnd woneten an jrer stat daselbs.

Jud. 11.

AMMONITER.

LANDE der Ammoniter.

SAMMESUMMIM.

Gen. 36.

[24]MAcht euch auff / vnd ziehet aus / vnd gehet vber den bach bey Arnon / Sihe / ich habe Sihon den könig der Amoriter zu Hesbon in deine hende gegeben mit seinem Lande / Heb an einzunemen vnd streite wider jn. [25]Heuts tags wil ich anheben / das sich fur dir fürchten vnd erschrecken sollen alle Völcker vnter allen Himeln / das / wenn sie von dir hören / jnen bange vnd weh werden sol fur deiner zukunfft.

DA sandte ich Boten aus der wüsten von Morgenwerts zu Sihon dem könige zu Hesbon mit friedlichen worten / vnd lies jm sagen. [27]Jch wil ‖ durch dein Land ziehen / vnd wo die strasse gehet / wil ich gehen / Jch wil weder zur Rechten noch zur Lincken ausweichen. [28]Speise soltu mir vmbs geld verkeuffen / das ich esse / vnd Wasser soltu mir vmbs geld geben / das ich trincke / Jch wil nur zu fuss durch hin gehen. [29]Wie mir die

Num. 21.

Deut. 20.

‖ 97b

Num. 20.

ij. Königreich Sihons vnd Ogs nimpt Jsrael ein.

kinder Esau gethan haben / die zu Seir wonen / vnd die Moabiter / die zu Ar wonen / Bis das ich kome vber den Jordan / ins Land / das vns der HERR vnser Gott geben wird.

Num. 21.

[30]ABer Sihon der könig zu Hesbon wolte vns nicht durch ziehen lassen / Denn der HERR dein Gott verhertet seinen mut vnd verstockt jm sein hertz / auff das er jn in deine hende gebe / wie es jtzt ist am tage. [31]Vnd der HERR sprach zu mir / Sihe / Jch hab angefangen zu geben fur dir den Sihon mit seinem Lande / hebt an einzunemen vnd zu besitzen sein land. [32]Vnd Sihon zoch aus vns entgegen mit alle seinem Volck zum streit gen Jahza. [33]Aber der HERR vnser Gott gab jn fur vns / das wir jn schlugen mit seinen Kindern vnd seinem gantzen Volck.

Num. 21. Deut. 29.

[34]DA gewonnen wir zu der zeit alle seine Stedte / vnd verbanneten alle stedte / beide Menner / Weiber vnd Kinder / vnd liessen niemand vberbleiben. [35]On das Vieh raubeten wir fur vns / vnd die Ausbeute der Stedte / die wir gewonnen [36]von Aroer an / die am vfer des bachs bey Arnon ligt / vnd von der Stad am Wasser / bis gen Gilead / Es war keine Stad die sich fur vns schützen kund / der HERR vnser Gott gab vns alles fur vns. [37]On zu dem Lande der kinder Ammon kamestu nicht / noch zu allem das am bach Jabok war / noch zu den Stedten auff dem gebirge / noch zu allem das vns der HERR vnser Gott verboten hatte.

## III.

Num. 21. Deut. 29.

VND WIR WANDTEN VNS / VND ZOGEN HIN AUFF den weg zu Basan / Vnd Og der könig zu Basan zoch aus vns entgegen mit alle seinem volck zu streiten / bey Edrei. [2]Aber der HERR sprach zu mir / Fürchte dich nicht fur jm / Denn ich hab jn vnd alle sein Volck mit seinem Lande in deine hende gegeben / Vnd solt mit jm thun / wie du mit Sihon dem könige der Amoriter gethan hast / der zu Hesbon sas. [3]Also gab der HERR vnser Gott auch den könig Og zu Basan in vnser hende mit alle seinem Volck / das wir jn schlugen bis das jm nichts vberbleib.

Deut. 20.

[4]DA gewonnen wir zu der zeit alle seine Stedte / vnd war keine stad die wir jm nicht namen / sechzig Stedte / die gantze gegend Argob im königreich

von Mose geben zur wonung den Rubenitern etc.

Og zu Basan. [5]Alle diese Stedte waren fest / mit hohen mauren / thoren vnd rigeln / On andere seer viel Flecken on mauren / [6]Vnd verbanneten sie / gleich wie wir mit Sihon dem könige zu Hesbon thaten. Alle Stedte verbanneten wir / beide mit Mennern / Weibern vnd Kindern / [7]Aber alles Vieh vnd Raub der stad / raubeten wir fur vns.

Deut. 20.

ALso namen wir zu der zeit das Land / aus der hand der zween Könige der Amoriter / jenseid dem Jordan / von dem bach bey Arnon an / bis an den berg Hermon / [9]welchen die Zidoniter / Sirion heissen / aber die Amoriter heissen in Senir. [10]Alles stedte auff der ebene / vnd das gantze Gilead / vnd das gantze Basan / bis gen Salcha vnd Edrei / die stedte des königreichs Og zu Basan. [11]Denn allein der könig Og zu Basan / war noch vbrig von den Risen / Sihe / sein eisern bette ist alhie zu Rabbath der kinder Ammon / neun ellen lang vnd vier ellen breit / nach eins Mans ellenbogen.

HERMON.

Ogs bette 9 ellen lang etc.

SOlch Land namen wir ein zu der selben zeit / von Aroer an / die am bach bey Arnon ligt / Vnd ich gab das halbe gebirge Gilead mit seinen Stedten / den Rubenitern vnd Gadditern. [13]Aber das vbrige Gilead vnd das gantze Basan des königreichs Og / gab ich dem halben stam Manasse / die gantze gegend Argob zum gantzen Basan / das heisst der Risenland. [14]Jair der son Manasse nam ‖ die gantze gegend Argob / bis an die grentze Gessuri vnd Maachathi / vnd hies das Basan nach seinem namen Hauoth Jair / bis auff den heutigen tag. [15]Machir aber gab ich Gilead. [16]Vnd den Rubenitern vnd Gadditern gab ich des Gileads ein teil / bis an den bach bey Arnon / mitten im bach der die grentze ist / vnd bis an den bach Jabok / der die grentze ist der kinder Ammon. [17]Dazu das gefilde / vnd den Jordan (der die grentze ist) von Cinereth an bis an das Meer am gefilde / nemlich / das Saltzmeer / vnten am berge Pisga gegen dem Morgen.

Josu. 12.

Num. 32.
Deut. 29.

‖ 98a

HAUOTH Jair.

VND gebot euch zu der selbigen zeit / vnd sprach / Der HERR ewr Gott hat euch dis Land gegeben einzunemen / So ziehet nu gerüstet fur ewrn Brüdern den kindern Jsrael her / was streitbar ist. [19]On ewr Weiber vnd Kinder vnd Vieh (denn ich weis das jr viel vieh habt) lasst in ewrn Stedten bleiben / die ich euch gegeben habe. [20]Bis

Num. 32.

von Mose geben zur wonung den Rubenitern etc.

das der HERR ewr Brüder auch zu ruge bringe / wie euch / das sie auch das Land einnemen / das jnen der HERR ewr Gott geben wird / jenseid dem Jordan / So solt jr denn wider keren zu ewr Besitzung / die ich euch gegeben habe.

Num. 27.

Josua.

VND Josua gebot ich zur selben zeit / vnd sprach / Deine augen haben gesehen / alles was der HERR ewr Gott diesen zween Königen gethan hat / Also wird der HERR auch allen Königreichen thun / da du hin zeuchst. [22]Fürchtet euch nicht fur jnen / Denn der HERR ewr Gott streitet fur euch.

Mose kompt nicht ins gelobt Land.

VND ich bat den HERRN zu der selben zeit / vnd sprach / HERR HERR / Du hast angehaben zu erzeigen deinem Knecht deine Herrligkeit vnd deine starcke Hand / Denn wo ist ein Gott in Himel vnd Erden / der es deinen wercken vnd deiner Macht künde nachthun? [25]Las mich gehen vnd sehen das gute Land jenseid dem Jordan / dis gute gebirge vnd den Libanon. [26]Aber der HERR war erzürnet auff mich vmb ewer willen / vnd erhöret mich nicht / Sondern sprach zu mir / Las gnung sein / sage mir dauon nicht mehr. [27]Steige auff die höhe des bergs Pisga / vnd hebe deine augen auff gegen dem Abend / vnd gegen Mitternacht / vnd gegen Mittag / vnd gegen dem Morgen / vnd sihe es mit augen / Denn du wirst nicht vber diesen Jordan gehen. [28]Vnd gebeut dem Josua / das er getrost vnd vnuerzagt sey / Denn er sol vber den Jordan ziehen fur dem Volck her / vnd sol jnen das Land austeilen / das du sehen wirst. [29]Also blieben wir im tal gegen dem hause Peor.

Num. 27. Deut. 34.

Deut. 1. 4. Deut. 31.

(Hause) Kirchen oder Tempel.

## IIII.

VND nu höre Jsrael die Gebot vnd Rechte / die ich euch lere / das jr sie thun solt / Auff das jr lebet / vnd hinein komet / vnd das Land einnemet / das euch der HERR ewr veter Gott gibt. [2]Jr solt nichts dazu thun / das ich euch gebiete / Vnd solt auch nichts dauon thun / Auff das jr bewaren mügt die Gebot des HERRN ewrs Gottes / die ich euch gebiete. [3]Ewre augen haben gesehen / was der HERR gethan hat wider den BaalPeor / Denn alle die dem BaalPeor folgeten / hat der HERR dein Gott vertilget vnter euch. [4]Aber jr / die jr dem HERRN ewrem Gott anhienget / lebet

Ermanung zu halten das Gesetz etc.

Num. 25.

BaalPeor.

des ersten Gebots. (Bewaren) Denn Menschen lere hindert Gottes Gebot / vnd füret von der warheit. Titum 1.

alle heuts tages. [5]Sihe / ich hab euch geleret Gebot vnd Rechte / wie mir der HERR mein Gott geboten hat / das jr also thun solt im Lande / darein jr komen werdet / das jrs einnemet.

[6]SO behaltets nu vnd thuts / Denn das wird ewr weisheit vnd verstand sein bei allen Völckern / wenn sie hören werden alle diese Gebot / das sie müssen sagen / Ey / welch weise vnd verstendige Leute sind das / vnd ein herrlich Volck. [7]Denn wo ist so ein herrlich Volck / zu dem Götter also nahe sich thun / als der HERR vnser Gott / so offt wir jn anruffen? [8]Vnd wo ist so ein herrlich Volck / das so gerechte Sitten vnd Gebot habe / als alle dis Gesetz / das ich euch heuts tags fürlege?||

Psal. 147.

|| 98b

HVt dich nu vnd beware deine Seele wol / das du nicht vergessest der Geschicht / die deine Augen gesehen haben / vnd das sie nicht aus deinem Hertzen komen alle dein lebenlang. Vnd solt deinen Kindern vnd Kindskindern kund thun [10]den tag / da du fur dem HERRN deinem Gott stundest an dem berge Horeb / da der HERR zu mir sagt / Versamle mir das Volck / das sie meine wort hören / vnd lernen mich fürchten alle jr lebetag auff Erden / vnd leren jre Kinder.

Exod. 19.

[11]VND jr trattet erzu / vnd stundet vnten an dem Berge / Der berg brandte aber bis mitten an den Himel / vnd war da finsternis / wolcken vnd tunckel. [12]Vnd der HERR redet mit euch mitten aus dem Fewr / Die stim seiner wort höretet jr / Aber kein Gleichnis sahet jr ausser der stim. [13]Vnd verkündigt euch seinen Bund / den er euch gebot zu thun / nemlich / die zehen wort / vnd schreib sie auff zwo steinern Tafeln. [14]Vnd der HERR gebot mir zur selbigen zeit / das ich euch leren solt / Gebot vnd Rechte / das jr darnach thetet im Land darein jr ziehet / das jrs einnemet.

Exod. 19.

Exo. 34.

BILDER verboten zu machen so man anbeet etc.

[15]SO bewaret nu ewr Seelen wol / Denn jr habt kein Gleichnis gesehen des tages / da der HERR mit euch redet aus dem Fewr auff dem berge Horeb. [16]Auff das jr euch nicht verderbet / vnd macht euch jrgend ein Bilde / das gleich sey einem Man / oder Weib / [17]oder Vieh auff erden / oder Vogel vnter dem Himel / [18]oder Gewürm auff dem lande / oder fisch im wasser vnter der erden. [19]Das du auch nicht deine augen auffhebest gen Himel / vnd sehest die Sonne vnd den Mond / vnd die Sterne / das gantze Heer des Himels / vnd fallest ab / vnd bettest

Exod. 20.

des ersten Gebots.

sie an vnd dienest jnen / welche der HERR dein Gott verordent hat / allen Völckern vnter dem gantzen Himel.

[20]EVch aber hat der HERR angenomen / vnd aus dem eisern Ofen / nemlich / aus Egypten gefüret / das jr sein Erbuolck solt sein / wie es ist an diesem tag. [21]Vnd der HERR war so erzürnet vber mich / vmb ewrs thuns willen / Das er schwur / ich solt nicht vber den Jordan gehen / noch in das gute Land komen / das dir der HERR dein Gott zum Erbteil geben wird / [22]Sondern ich mus in diesem Lande sterben / vnd werde nicht vber den Jordan gehen / Jr aber werdet hinüber gehen / vnd solch gut Land einnemen.

Deut. 1. 3.

Num. 20.

Deut. 34.

[23]SO hütet euch nu / das jr des Bunds des HERRN ewrs Gottes nicht vergesset / den er mit euch gemacht hat / vnd nicht Bilder machet einicher gleichnis / wie der HERR dein Gott geboten hat. [24]DENN DER HERR DEIN GOTT IST EIN VERZEHREND FEWR / VND EIN EIUERIGER GOTT.

Ebre. 12.

WEnn jr nu Kinder zeuget vnd Kindskinder / vnd im Lande wonet / vnd verderbet euch / vnd machet euch Bilder einicherley gleichnis / das jr vbel thut fur dem HERRN ewrn Gott / vnd jr jn erzürnet. [26]So ruffe ich heuts tages vber euch zu zeugen Himel vnd Erden / Das jr werdet bald vmbkomen von dem Lande / in welchs jr gehet vber den Jordan / das jrs einnemet / Jr werdet nicht lange drinnen bleiben / sondern werdet vertilget werden. [27]Vnd der HERR wird euch zustrewen vnter die Völcker / vnd werdet ein geringe Pöbel vbrig sein vnter den Heiden / dahin euch der HERR treiben wird. [28]Daselbs wirstu dienen den Göttern / die Menschen hende werck sind / holtz vnd stein / die weder sehen noch hören / noch essen / noch riechen.

Leui. 26.
Deut. 28.

[29]WEnn du aber daselbs den HERRN deinen Gott suchen wirst / So wirstu jn finden / wo du jn wirst von gantzem Hertzen vnd von gantzer Seelen suchen. [30]Wenn du geengstet sein wirst / vnd dich treffen werden alle diese ding in den letzten tagen / So wirstu dich bekeren zu dem HERRN deinem Gott / vnd seiner stimme gehorchen. [31]Denn der HERR dein Gott ist ein barmhertziger Gott / Er wird dich nicht lassen noch verderben / wird auch nicht vergessen des Bundes den er deinen Vetern geschworen hat.||

|| 99a

des ersten Gebots.

DEnn frage nach den vorigen zeiten / die vor dir gewesen sind / von dem tage an / da Gott den Menschen auff erden geschaffen hat / von einem ende des Himels zum andern / Ob je ein solch gros ding geschehen / oder desgleichen je gehört sey / [33]Das ein volck Gottes stimme gehört habe aus dem Fewr reden / wie du gehört hast / vnd dennoch lebest? [34]Oder ob Gott versucht habe hinein zugehen / vnd jm ein Volck mitten aus einem Volck zu nemen / durch versuchung / durch zeichen / durch wunder / durch streit / vnd durch eine mechtige Hand vnd durch einen ausgereckten Arm / vnd durch seer schreckliche Thatten / wie das alles der HERR ewr Gott [a]für euch gethan hat in Egypten fur deinen augen?

a Das ist / vmb ewren willen.

Exo. 19.

[35]DV hasts gesehen / Auff das du wissest / das der HERR allein Gott ist / vnd keiner mehr. [36]Vom Himel hat er dich seine stimme hören lassen / das er dich züchtiget / Vnd auff erden hat er dir gezeiget sein grosses Fewr / vnd seine Wort hastu aus dem Fewr gehöret / [37]Darumb / das er deine Veter geliebet vnd jren Samen nach jnen erwelet hat. Vnd hat dich ausgefürt mit seinem [b]Angesicht / durch seine grosse krafft aus Egypten / [38]Das er vertriebe fur dir her grosse Völcker / vnd stercker / denn du bist / Vnd dich hinein brechte / das er dir jr Land gebe zum Erbteil / wie es heuts tages stehet.

Exo. 19.

b Faciebus suis scilicet nube et columna.

[39]SO soltu nu heuts tags wissen vnd zu hertzen nemen / das der HERR ein Gott ist oben im Himel / vnd vnten auff Erden / vnd keiner mehr. [40]Das du haltest seine Rechte vnd Gebot / die ich dir heute gebiete / So wird dirs vnd deinen Kindern nach dir wolgehen / das dein leben lange were in dem Lande / das dir der HERR dein Gott gibt ewiglich.

Drey Freystedte.

DA sonderte Mose drey Stedte aus jenseid dem Jordan / gegen der Sonnen auffgang / [42]Das daselbs hin flöhe / wer seinen Nehesten tod schlegt vnuersehens / vnd jm vorhin nicht feind gewesen ist / der sol in der Stedte eine fliehen / das er lebendig bleibe. [43]Bezer in der wüsten im eben Lande vnter den Rubenitern / vnd Ramoth in Gilead vnter den Gadditern / vnd Golan in Basan vnter den Manassitern.

Num. 35. Deut. 19. Josu. 20.

DAS ist das Gesetz / das Mose den kindern Jsrael furlegete / [45]Das ist das Zeugnis vnd Gebot vnd Rechte / die Mose den kindern Jsrael sagte / da sie aus Egypten gezogen waren / [46]Jenseid dem Jordan im tal gegen dem hause Peor / Jm lande Sihon des königs der Amoriter der zu Hesbon sas / den Mose vnd die kinder Jsrael schlugen / da sie aus Egypten gezogen waren / [47]vnd namen sein Land ein. Da zu das land Og des königs zu Basan / der zweier könige der Amoriter / die jenseid dem Jordan waren gegen der Sonnen auffgang / [48]Von Aroer an / welche an dem vfer ligt des bachs bey Arnon / bis an den berg Sion / das ist der Hermon. [49]Vnd alles blachfeld jenseid dem Jordan gegen dem Auffgang der sonnen / bis an das Meer im blachfeld vnten am berge Pisga.

Num. 21.

## V.

VND MOSE RIEFF DEM GANTZEN JSRAEL / VND sprach zu jnen / Höre Jsrael die Gebot vnd Rechte / die ich heute fur ewren ohren rede / vnd lernet sie vnd behaltet sie / das jr darnach thut. [2]Der HERR vnser Gott hat einen Bund mit vns gemacht zu Horeb / [3]Vnd hat nicht mit vnsern Vetern diesen Bund gemacht / sondern mit vns / die wir hie sind heuts tags / vnd alle leben. [4]Er hat von Angesicht mit vns aus dem Fewr auff dem Berge geredt. [5]Jch stund zu der selben zeit zwisschen dem HERRN vnd euch / das ich euch ansagete des HERRN wort / Denn jr furchtet euch fur dem Fewr / vnd gienget nicht auff den Berg / Vnd er sprach.

Exo. 19.

JCH BIN DER HERR DEIN GOTT / DER DICH AUS EGYPTENLAND GEFÜRET HAT AUS DEM DIENSTHAUSE. [7]DU SOLT KEIN ANDER GÖTTER HABEN FUR MIR. [8]Du solt || dir kein Bildnis machen einicher gleichnis / weder oben im Himel / noch vnten auff Erden / noch im Wasser vnter der Erden / [9]Du solt sie nicht anbeten / noch jnen dienen. DENN ICH BIN DER HERR DEIN GOTT / EIN EIUERIGER GOTT / DER DIE MISSETHAT DER VETER HEIMSUCHT VBER DIE KINDER / INS DRITTE VND VIERDE GLIEDE / DIE MICH HASSEN. [10]VND BARMHERTZIGKEIT ERZEIGE IN VIEL TAUSENT / DIE MICH LIEBEN VND MEINE GEBOT HALTEN.

Exo. 20.

|| 99b

Zehen Gebot.

[11]DV SOLT DEN NAMEN DES HERRN DEINES GOTTES / NICHT MISBRAUCHEN / DENN DER HERR WIRD DEN NICHT VNGESTRAFFT LASSEN / DER SEINEN NAMEN MISBRAUCHET.

[12]DEN SABBATHTAG SOLTU HALTEN / DAS DU JN HEILIGEST / WIE DIR DER HERR DEIN GOTT GEBOTEN HAT. [13]Sechs tage soltu erbeiten vnd alle deine werck thun. [14]Aber am siebenden tag ist der Sabbath des HERRN deines Gottes / Da soltu kein erbeit thun / noch dein Son / noch deine Tochter / noch dein Knecht / noch deine Magd / noch dein ochse / noch dein esel / noch alle dein vieh / noch der Frembdling der in deinen thoren ist / Auff das dein knecht vnd deine magd ruge / gleich wie du. [15]Denn du solt gedencken / Das du auch Knecht in Egyptenland warest / Vnd der HERR dein Gott dich von dannen ausgefüret hat mit einer mechtigen Hand vnd ausgerecktem Arm / Darumb hat dir der HERR dein Gott geboten / das du den Sabbathtag halten solt.

[16]DV SOLT DEINEN VATER VND DEINE MUTTER EHREN / WIE DIR DER HERR DEIN GOTT GEBOTEN HAT / AUFF DAS DU LANGE LEBEST / VND DAS DIRS WOLGEHE / IN DEM LANDE / DAS DIR DER HERR DEIN GOTT GEBEN WIRD.

Exod. 20. Ephe. 6.

[17]DV SOLT NICHT TÖDTEN.

Matt. 5.

[18]DV SOLT NICHT EHEBRECHEN.

[19]DV SOLT NICHT STELEN.

[20]DV SOLT KEIN FALSCH ZEUGNIS REDEN WIDER DEINEN NEHESTEN.

[21]LAS DICH NICHT GELÜSTEN DEINES NEHESTEN WEIB.

DV SOLT NICHT BEGEREN DEINES NEHESTEN HAUS / ACKER / KNECHT / MAGD / OCHSEN / ESEL / NOCH ALLES WAS SEIN IST.

[22]DAS sind die wort / die der HERR redet zu ewr gantzen Gemeine / auff dem Berge / aus dem Fewr vnd der wolcken vnd tunckel mit grosser stim / Vnd thet nichts dazu / vnd schreib sie auff zwo steinern Tafeln / vnd gab sie mir.

DA jr aber die stim aus der finsternis höret / vnd den Berg mit fewr brennen / trattet jr zu mir / alle Obersten vnter ewrn stemmen vnd ewer Eltesten / [24]vnd spracht / Sihe / der HERR vnser Gott hat vns lassen sehen / seine Herrligkeit vnd seine Maiestet / vnd wir haben seine stimme aus dem Fewr gehöret / Heuts tages haben wir gesehen / das Gott mit Menschen redet / vnd sie lebendig bleiben. [25]Vnd nu / warumb sollen wir sterben / das vns dis grosse fewr verzehre? Wenn wir des HERRN vnsers Gottes stimme mehr hören / so

Exo. 20.

Gottes Gebot zu halten etc.

müssen wir sterben. [26]Denn was ist alles Fleisch das es hören müge die stimme des lebendigen Gottes aus dem fewr reden / wie wir / vnd lebendig bleibe? [27]Trit du hin zu / vnd höre alles was der HERR vnser Gott saget / vnd sags vns / Alles was der HERR vnser Gott mit dir reden wird / das wöllen wir hören vnd thun.

[28]DA aber der HERR ewre wort höret / die jr mit mir redet / sprach er zu mir / Jch hab gehöret die wort dieses Volcks / die sie mit dir geredt haben / Es ist alles gut / was sie geredt haben. [29]Ah / das sie ein solch Hertz hetten / mich zufürchten / vnd zuhalten alle meine Gebot / jr leben lang / Auff das jnen wol gienge vnd jren Kindern ewiglich. [30]Gehe hin vnd sage jnen / Gehet heim in ewre Hütten / [31]Du aber solt hie fur mir stehen / das ich mit dir rede alle Gesetz ‖ vnd Gebot vnd Rechte / die du sie leren solt / Das sie darnach thun im Lande / das ich jnen geben werde einzunemen.

‖ 100a

[32]SO behaltet nu das jr thut / wie euch der HERR ewr Gott geboten hat vnd weicht nicht weder zur Rechten noch zur Lincken. [33]Sondern wandelt in allen wegen / die euch der HERR ewr Gott geboten hat / Auff das jr leben müget / vnd euch wolgehe / vnd lange lebet im Lande / das jr einnemen werdet.

## VI.

DJS SIND ABER DIE GESETZ VND GEBOT VND Rechte / die der HERR ewr Gott geboten hat / das jr sie lernen vnd thun solt im Lande / da hin jr ziehet dasselb ein zunemen. [2]Das du den HERRN deinen Gott fürchtest / vnd haltest alle seine Rechte vnd Gebot / die ich dir gebiete / Du vnd deine Kinder vnd deine Kindskinder / alle ewr lebtage / Auff das jr lange lebet. [3]Jsrael du solt hören vnd behalten / das du es thust / Das dirs wolgehe vnd seer vermehret werdest / Wie der HERR deiner veter Gott dir geredt hat / ein Land da milch vnd honig innen fleusst.

HORE JSRAEL / DER HERR VNSER GOTT IST EIN EINIGER HERR. [5]VND SOLT DEN HERRN DEINEN GOTT / LIEBHABEN / VON GANTZEM HERTZEN / VON GANTZER SEELE / VON ALLEM VERMÜGEN. [6]Vnd diese wort / die ich dir heute gebiete / soltu zu hertzen nemen / [7]vnd solt sie deinen Kindern scherffen / vnd dauon reden / Wenn du in deinem

Matt. 4. 22.

Deut. 11.

(Scherffen) Jmer treiben vnd üben / das sie nicht verrosten noch vertunckeln / sondern stets in gedechtnis vnd wort / als new vnd helle bleiben. Denn je mehr man Gottes wort handelt / je heller vnd newer es wird / vnd heisst billich / je lenger je lieber. Wo mans aber nicht treibt / so wirds bald vergessen vnd vnkrefftig etc.

Hause sitzest / oder auff dem wege gehest / Wenn du dich niderlegest oder auffstehest. [8]Vnd solt sie binden zum Zeichen auff deine hand / vnd sollen dir ein Denckmal fur deinen augen sein / [9]Vnd solt sie vber deins Hauses pfosten schreiben vnd an die thore.

WEnn dich nu der HERR dein Gott in das Land bringen wird / das er deinen vetern Abraham / Jsaac vnd Jacob geschworen hat dir zu geben / grosse vnd feine Stedte / die du nicht gebawet hast / [11]vnd Heuser alles Guts vol / die du nicht gefüllet hast / vnd ausgehawene Brünnen / die du nicht ausgehawen hast / vnd Weinberge vnd Oleberge / die du nicht gepflantzt hast / das du essest vnd sat wirst / [12]So hüte dich / das du nicht des HERRN vergessest / der dich aus Egyptenland aus dem Diensthaus gefüret hat. [13]Sondern solt den HERRN deinen Gott fürchten vnd jm dienen / vnd bey seinem Namen schweren. [14]Vnd solt nicht andern Göttern nachfolgen der Völcker / die vmb euch her sind. [15]Denn der HERR dein Gott ist ein eiueriger Gott vnter dir / Das nicht der zorn des HERRN deines Gottes vber dich ergrimme / vnd vertilge dich von der Erden.

Josu. 24.

Matt. 4.

[16]Jr solt den HERRN ewrn Gott nicht versuchen / wie jr jn versuchtet zu Massa. [17]Sondern solt halten die Gebot des HERRN ewrs Gottes / vnd seine Zeugnis vnd seine Rechte / die er geboten hat / [18]Das du thust was recht vnd gut ist fur den augen des HERRN / Auff das dirs wolgehe / vnd eingehest vnd einnemest das gute Land / das der HERR geschworen hat deinen Vetern / [19]Das er veriage alle deine Feinde fur dir / wie der HERR geredt hat.

Exod. 17.
Num. 20.

WEnn nu dich dein Son heute oder morgen fragen wird / vnd sagen / Was sind das fur Zeugnis / Gebot vnd Rechte / die euch der HERR vnser Gott geboten hat? [21]So soltu deinem son sagen / Wir waren knechte des Pharao in Egypten / vnd der HERR füret vns aus Egypten mit mechtiger Hand / [22]Vnd der HERR thet grosse vnd böse Zeichen vnd Wunder vber Egypten vnd Pharao / vnd alle seinem Hause fur vnsern augen. [23]Vnd füret vns von dannen / Auff das er vns einfüret vnd gebe vns das Land / das er vnsern Vetern geschworen hatte. [24]Vnd hat vns geboten der HERR zu thun nach allen diesen Rechten / das wir den

sol kein Bund mit den Heiden machen.

HERRN vnsern Gott fürchten / Auff das vns wolgehe || alle vnser lebtage / wie es gehet heuts tages. || 100b [25]Vnd es wird vnser gerechtigkeit sein fur dem HERRN vnserm Gott / So wir halten vnd thun alle diese Gebot / wie er vns geboten hat.

## VII.

WENN DICH DER HERR DEIN GOTT INS LAND bringet / darein du komen wirst dasselb ein zunemen / vnd ausrottet viel Völcker fur dir her / die Hethiter / Girgositer / Amoriter / Cananiter / Pheresiter / Heuiter vnd Jebusiter / sieben Völcker die grösser vnd stercker sind denn du / [2]vnd wenn sie der HERR dein Gott fur dir gibt / das du sie schlechst / So soltu sie verbannen / das du keinen Bund mit jnen machest / noch jnen gonst erzeigest. [3]Vnd solt dich mit jnen nicht befreunden / Ewr Töchter soltu nicht geben jren Sönen / vnd jre Töchter solt jr nicht nemen ewren Sönen. [4]Denn sie werden ewre Söne mir abfellig machen / das sie andern Göttern dienen / So wird denn des HERRN zorn ergrimmen vber euch vnd euch bald vertilgen.

Exo. 23. 34. Josu. 23.

[5]SOndern also solt jr mit jnen thun / Jre Altar solt jr zureissen / jre Seulen zubrechen / jre Hayne abhawen / vnd jre Götzen mit fewr verbrennen. [6]Denn du bist ein heilig Volck Gott deinem HERRN / Dich hat Gott dein HERR erwelet zum volck des Eigenthums / aus allen Völckern die auff Erden sind. [7]Nicht hat euch der HERR angenomen vnd euch erwelet / das ewr mehr were denn alle Völcker / Denn du bist das wenigst vnter allen völckern. [8]Sondern das er euch geliebet hat / vnd das er seinen Eid hielte / den er ewren Vetern geschworen hat / hat er euch ausgefüret mit mechtiger Hand / vnd hat dich erlöset von dem Hause des diensts / aus der hand Pharao des königes in Egypten.

Exo. 19.

SO soltu nu wissen / das der HERR dem Gott ein Gott ist / ein trewer Gott / der den Bund vnd Barmhertzigkeit helt / denen / die jn lieben vnd seine Gebot halten / in tausent Glied. [10]Vnd vergilt denen die jn hassen / fur seim Angesicht / das er sie vmbbringe / vnd seumet sich nicht / das er denen vergelte fur seinem Angesicht / die jn hassen. [11]So behalte nu die Gebot / vnd Gesetz / vnd Rechte / die ich dir heute gebiete / das du darnach thust.

Exo. 20. 34. Deut. 13.

GESETZS verheissunge.

Jsrael sol kein Bund mit den Heiden machen.

[12]VND wenn jr diese Rechte höret vnd haltet sie vnd darnach thut / So wird der HERR dein Gott auch halten den Bund vnd Barmhertzigkeit / die er deinen Vetern geschworen hat / [13]vnd wird dich lieben vnd segenen vnd mehren. Vnd wird die Frücht deines Leibs segenen / vnd die Frücht deines Landes / dein getreide / most vnd öle / die frücht deiner Kühe / vnd die frücht deiner Schafe / auff dem Lande / das er deinen Vetern geschworen hat dir zu geben. [14]Gesegnet wirstu sein vber allen Völckern / Es wird niemand vnter dir vnfruchtbar sein noch vnter deinem Vieh. [15]Der HERR wird von dir thun alle Kranckheit / vnd wird keine böse Seuche der Egypter dir aufflegen / die du erfaren hast / vnd wird sie allen deinen Hessern aufflegen. [16]Du wirst alle Völcker fressen / die der HERR dein Gott dir geben wird / Du solt jr nicht schonen / vnd jren Göttern nicht dienen / denn das würde dir ein Strick sein.

Exo. 23. Leui. 26. Deut. 28.

WJrstu aber in deinem hertzen sagen / Dieses volcks ist mehr denn ich bin / Wie kan ich sie vertreiben? [18]So fürcht dich nicht fur jnen / Gedenck was der HERR dein Gott Pharao vnd allen Egyptern gethan hat / [19]durch grosse Versuchung / die du mit augen gesehen hast / vnd durch Zeichen vnd Wunder / durch eine mechtige Hand vnd ausgerecktem Arm / da mit dich der HERR dein Gott ausfüret. Also wird der HERR dein Gott allen Völckern thun fur denen du dich fürchtest.

[20]DA zu wird der HERR dein Gott Hornissen vnter sie senden / bis vmbbracht werde / was vberig ist / vnd sich verbirget fur dir. [21]Las dir nicht grawen fur jnen / Denn der HERR dein Gott ist vnter dir / der grosse vnd schreckliche || Gott. [22]Er der HERR dein Gott wird diese Leute ausrotten fur dir / einzelen nach einander / Du kanst sie nicht eilend vertilgen / Auff das sich nicht wider dich sich mehren die Thier auff dem felde. [23]Der HERR dein Gott wird sie fur dir geben / vnd wird sie mit grosser Schlacht erschlagen / bis er sie vertilge. [24]Vnd wird dir jre Könige in deine hende geben / vnd solt jren namen vmbbringen vnter dem Himel / Es wird dir niemand widerstehen / bis du sie vertilgest.

Ex. 23. 33. Josu. 24.

|| 101 a

Josu. 10. 11.

Josu. 12.

[25]DJe Bilde jrer Götter soltu mit fewr verbrennen / vnd solt nicht begeren des silbers oder golds das dran ist / oder zu dir nemen / das du dich nicht

Deut. 13.

des ersten Gebots.

drinnen verfehest. Denn solchs ist dem HERRN deinem Gott ein grewel / [26]Darumb soltu nicht in dein Haus den grewel bringen / das du nicht verbannet werdest / wie das selb ist / Sondern du solt einen ekel vnd grewel daran haben / denn es ist verbannet.

VIII.

ALLE GEBOT / DIE ICH DIR HEUTE GEBIETE / SOLT jr halten / das jr darnach thut / Auff das jr lebet vnd gemehret werdet / vnd einkomet vnd einnemet das Land / das der HERR ewrn Vetern geschworen hat. [2]Vnd gedenckest alle des wegs / durch den dich der HERR dein Gott geleitet hat / diese vierzig jar in der wüsten / Auff das er dich demütigte / vnd versüchte / Das kund würde / was in deinem hertzen were / Ob du sein Gebot halten würdest oder nicht. [3]Er demütiget dich vnd lies dich hungern / vnd speiset dich mit Man / das du vnd deine Veter nie erkand hattest / Auff das er dir kund thet / DAS DER MENSCH NICHT LEBET VOM BROT ALLEIN / SONDERN VON ALLEM DAS AUS DEM MUND DES HERRN GEHET. [4]Deine Kleider sind nicht veraltet an dir / vnd deine Füsse sind nicht geschwollen diese vierzig jar. [5]So erkennestu je in deinem hertzen / das der HERR dein Gott dich gezogen hat / wie ein Man seinen Son zeucht.

Exo. 16.

Num. 11.

Matt. 4.

Deut. 29.

SO halt nu die Gebot des HERRN deines Gottes / das du in seinen wegen wandelst vnd fürchtest jn. [7]Denn der HERR dein Gott füret dich in ein gut Land / ein land da beche vnd brünnen vnd seen innen sind / die an den Bergen vnd in den Awen fliessen / [8]Ein Land da weitzen / gersten / weinstöcke / Feigenbewm / vnd Granatepffel innen sind. Ein Land da Olebewm vnd honig innen wechst / [9]Ein Land da du Brot gnug zu essen hast / da auch nichts mangelt / Ein Land / des steine eisen sind / da du ertz aus den bergen hawest. [10]Vnd wenn du gessen hast vnd sat bist / Das du den HERRN deinen Gott lobest / für das gute Land / das er dir gegeben hat.

[11]SO hüte dich nu / das du des HERRN deines Gottes nicht vergessest / damit / das du seine Gebot / vnd seine Gesetz vnd Rechte / die ich dir heute gebiete / nicht haltest. [12]Das / wenn du nu gessen hast vnd sat bist / vnd schöne Heuser erbawest / vnd drinnen wonest / [13]vnd deine rinder vnd schafe /

des ersten Gebots.

vnd silber vnd gold / vnd alles was du hast / sich mehret / [14]Das denn dein Hertz sich nicht erhebe vnd vergessest des HERRN deines Gottes / der dich aus Egyptenland gefüret hat / aus dem Diensthause. [15]Vnd hat dich geleitet durch die grosse vnd grawsame Wüsten / da fewrige Schlangen / vnd Scorpion / vnd eitel dürre / vnd kein wasser war / Vnd lies dir wasser aus dem harten Felsen gehen / [16]Vnd speiset dich mit Man in der wüsten / von welchem deine Veter nichts gewust haben / Auff das er dich demütiget vnd versüchet / das er dir hernach wolthet. [17]Du möchtest sonst sagen in deinem hertzen / Meine kreffte vnd meiner hende stercke haben mir dis vermügen ausgericht. [18]Sondern das du gedechtest an den HERRN deinen Gott / Denn er ists / der dir kreffte gibt / solch mechtige Thatten zu thun / Auff das er hielte seinen Bund / den er deinen Vetern geschworen hat / wie es gehet heuts tages.||

Num. 21.

Exod. 17.

|| 101 b

WJrstu aber des HERRN deines Gottes vergessen / vnd andern Göttern nachfolgen / vnd jnen dienen / vnd sie anbeten / So bezeuge ich heute vber euch / das jr vmbkomen werdet. [20]Eben wie die Heiden / die der HERR vmbbringet fur ewrem angesicht / So werdet jr auch vmbkomen / Darumb das jr nicht gehorsam seid der stimme des HERRN ewres Gottes.

## IX.

HORE JSRAEL / DU WIRST HEUTE VBER DEN JORdan gehen / das du einkomest einzunemen die Völcker / die grösser vnd stercker sind denn du / grosse Stedte / vermauret bis in den Himel / [2]Ein gros / hoch Volck / die kinder Enakim / die du erkand hast von denen du auch gehöret hast / Wer kan wider die kinder Enak bestehen? [3]So soltu wissen heute / das der HERR dein Gott / gehet fur dir her / ein verzehrend Fewr / Er wird sie vertilgen / vnd wird sie vnterwerffen fur dir her / vnd wird sie vertreiben vnd vmbbringen bald / wie dir der HERR geredt hat.

Deut. 4.

Deut. 4.

[4]WEnn nu der HERR dein Gott sie ausgestossen hat fur dir her / So sprich nicht in deinem hertzen / Der HERR hat mich er eingefüret das Land ein zunemen / vmb meiner gerechtigkeit willen / So doch der HERR diese Heiden vertreibt fur dir her / vmb jres Gottlosen wesens willen. [5]Denn du kompst

gibt Jsrael das gelobt Land nicht vmb seiner Gerechtigkeit etc.

nicht er ein jr Land ein zunemen / vmb deiner gerechtigkeit vnd deines auffrichtigen hertzens willen. Sondern der HERR dein Gott vertreibt diese Heiden vmb jres Gottlosen wesens willen / Das er das wort halte / das der HERR geschworen hat deinen vetern / Abraham / Jsaac vnd Jacob.

Mose erinnert Jsrael seines vngehorsams etc.

So wisse nu / das der HERR dein Gott dir nicht vmb deiner gerechtigkeit willen dis gute Land gibt ein zunemen / Sintemal du ein halsstarrig Volck bist. [7]Gedencke vnd vergis nicht / wie du den HERRN deinen Gott erzürnetest in der wüsten. Von dem tage an / da du aus Egyptenland zogest / bis jr komen seid an diesen Ort / seid jr vngehorsam gewesen dem HERRN. [8]Denn in Horeb erzürnetet jr den HERRN / also / das er fur zorn euch vertilgen wolt / [9]Da ich auff den Berg gegangen war / die steinern Tafeln zu empfahen / die tafeln des Bunds / den der HERR mit euch machet / vnd ich vierzig tag vnd vierzig nacht auff dem berge bleib / vnd kein brot ass / vnd kein wasser tranck. [10]Vnd mir der HERR die zwo steinern Tafeln gab / mit dem finger Gottes beschrieben / vnd darauff alle wort / Wie der HERR mit euch aus dem Fewr auff dem Berge geredt hatte / am tage der versamlunge.

Exo. 32. Exo. 24. Exo. 19.

VND nach den vierzig tagen vnd vierzig nachten / gab mir der HERR die zwo steinern tafeln des Bunds / [12]vnd sprach zu mir / Mach dich auff / Gehe eilend hin ab von hinnen / Denn dein Volck / das du aus Egypten gefürt hast / hats verderbt / Sie sind schnell getretten von dem wege / den ich jnen geboten habe / Sie haben jnen ein gegossen Bild gemacht. [13]Vnd der HERR sprach zu mir / Jch sehe / das dis Volck ein halsstarrig volck ist / [14]Las ab von mir / das ich sie vertilge / vnd jren namen austilge vnter dem Himel / Jch wil aus dir ein stercker vnd grösser Volck machen denn dis ist.

Deut. 4. Exo. 32.

[15]VND als ich mich wandte / vnd von dem Berge gieng / der mit fewr brandte / vnd die zwo tafeln des Bunds auff meinen beiden henden hatte. [16]Da sahe ich / vnd sihe / Da hattet jr euch an dem HERRN ewrem Gott versündiget / das jr euch ein gegossen Kalb gemacht / vnd bald von dem wege getreten waret / den euch der HERR geboten hatte. [17]Da fasset ich beide Tafeln / vnd warff sie aus beiden henden / vnd zubrach sie fur ewrn augen. [18]Vnd fiel fur den HERRN / wie zu erst /

gibt Jsrael das gelobt Land nicht vmb seiner Gerechtigkeit etc.

vierzig tage vnd vierzig nacht / vnd ass kein brot / vnd tranck kein wasser / vmb alle ewr sünde willen / die jr gethan hattet / da jr solchs vbel thetet fur dem HERRN / jn zu erzürnen. [19]Denn ich furchte mich fur dem zorn vnd grim / da mit der HERR vber euch erzürnet war / das er euch vertilgen wolt / Aber der HERR erhöret mich das mal auch. || || 102a

AVch war der HERR seer zornig vber Aaron / das er jn vertilgen wolt / Aber ich bat auch fur Aaron zur selbigen zeit. [21]Aber ewr sünde / das Kalb / das jr gemacht hattet / nam ich vnd verbrands mit fewr / vnd zuschlug es vnd zumalmet es / bis es staub ward / vnd warff den staub in den bach der vom Berge fleusst.

Exod. 32.

KALB.

AVch so erzürnetet jr den HERRN zu Thabeera vnd zu Massa vnd bey den Lustgrebern. [23]Vnd da er euch aus Kades Barnea sandte / vnd sprach / Gehet hin auff vnd nemet das Land ein / das ich euch gegeben habe / Ward jr vngehorsam des HERRN mund ewres Gottes / vnd gleubtet an jn nicht / vnd gehorchtet seiner stim nicht. [24]Denn jr seid vngehorsam dem HERRN gewest / so lang ich euch gekand habe.

Nu. 11. 13.
Exod. 17.

MOSE GEBET.

[25]DA fiel ich fur den HERRN vierzig tage vnd vierzig nacht / die ich da lag / Denn der HERR sprach / Er wolt euch vertilgen. [26]Jch aber bat den HERRN / vnd sprach / HErr HERR / verderbe dein Volck vnd dein Erbteil nicht / das du durch deine grosse Krafft erlöset / vnd mit mechtiger Hand aus Egypten gefüret hast. [27]Gedenck an deine knechte Abraham / Jsaac vnd Jacob / Sihe nicht an die hertigkeit vnd das Gottlos wesen vnd sünde dis volcks / [28]Das nicht das Land sage / daraus du vns gefüret hast / Der HERR kund sie nicht ins Land bringen / das er jnen geredt hatte / Vnd hat sie darumb ausgefüret / das er jnen gram war / das er sie tödtet in der wüsten. [29]Denn sie sind dein Volck vnd dein Erbteil / das du mit deinen grossen Krefften / vnd mit deinem ausgereckten Arm hast ausgefüret.

Exo. 32.
Exo. 34.
Num. 14.

## X.

ZV DER SELBEN ZEIT SPRACH DER HERR ZU MIR / Hawe dir zwo steinern Tafeln / wie die ersten / vnd kom zu mir auff den Berg / vnd mache dir eine hültzen Laden / [2]So wil ich auff die Tafeln schrei-

Exod. 34.

ZWO STEINERN Tafele.

erzelet Jsrael / wie from sie je vnd je gewest seien etc.
Exod. 32.
Deut. 9.

ben die wort / die auff den ersten waren / die du zubrochen hast / vnd solt sie in die Laden legen. [3]Also macht ich eine Laden von foern holtz / vnd hieb zwo steinern Tafeln / wie die erstern waren / vnd gieng auff den Berg vnd hatte die zwo Tafeln in meinen henden.

Exo. 34.

[4]DA schreib er auff die Tafeln / wie die erste schrifft war / die zehen Wort / die der HERR zu euch redet aus dem fewr auff dem Berge / zur zeit der versamlung / vnd der HERR gab sie mir. [5]Vnd ich wand mich vnd gieng vom Berge / vnd legt die Tafeln in die Lade / die ich gemacht hatte / das die daselbs weren / wie mir der HERR geboten hatte.

Nu. 20. 33.

VND die kinder Jsrael zogen aus von Beroth Bne-Jakan gen Moser (Daselbs starb Aaron / vnd ist daselbs begraben / Vnd sein son Eleasar ward fur jn Priester) [7]Von dannen zogen sie aus gen Gudegoda. Von Gudegoda gen Jathbath ein land da Beche sind. [8]Zur selben zeit sondert der HERR den stam Leui aus / die Lade des Bunds des HERRN zutragen / vnd zustehen fur dem HERRN / jm zu dienen vnd seinen Namen zu loben / bis auff diesen tag. [9]Darumb sollen die Leuiten kein teil noch erbe haben mit jren Brüdern / Denn der HERR ist jr erbe / wie der HERR dein Gott jnen geredt hat.

Num. 3.
Num. 4. 18.
Josu. 18.

[10]JCH aber stund auff dem Berge / wie vor hin / vierzig tage vnd vierzig nacht / vnd der HERR erhöret mich auch das mal / vnd wolt dich nicht verderben. [11]Er sprach aber zu mir / Mach dich auff / vnd gehe hin / das du fur dem Volck her ziehest / das sie einkomen / vnd das Land einnemen / das ich jren Vetern geschworen hab jnen zu geben.

Deut. 9.

ERKLERUNG des ersten Gebots.

NV Jsrael / was foddert der HERR dein Gott von dir? Denn das du den HERRN deinen Gott fürchtest / das du in alle seinen wegen wandelst / vnd liebest jn / vnd dienest dem HERRN deinem Gott / von gantzem hertzen / vnd von gantzer Seelen / [13]Das du die Gebot des HERRN haltest vnd || seine Rechte / die ich dir heute gebiete / Auff das dirs wol gehe. [14]Sihe / Himel vnd aller himel himel vnd Erden / vnd alles was drinnen ist / das ist des HERRN deines Gottes / [15]Noch hat er allein zu deinen Vetern lust gehabt / das er sie liebet / vnd hat jren Samen erwelet nach jnen / Euch / vber alle Völcker / wie es heuts tags stehet.

|| 102b

des ersten Gebots.

[16]SO beschneitet nu ewrs Hertzen vorhaut / vnd seid forder nicht halsstarrig / [17]Denn der HERR ewr Gott ist ein Gott aller Götter / vnd Herr vber alle Herrn / ein grosser Gott / mechtig vnd schrecklich / der keine Person achtet / vnd kein geschenck nimpt / [18]vnd schafft Recht dem Waisen vnd Widwen / vnd hat die Frembdlingen lieb / das er jnen speis vnd kleider gebe / [19]Darumb solt jr auch die Frembdlingen lieben / Denn jr seid auch Frembdlinge gewesen in Egyptenland.

Deut. 30.

[20]DEn HERRN deinen Gott soltu fürchten / jm soltu dienen / jm soltu anhangen / vnd bey seinem Namen schweren. [21]Er ist dein Rhum vnd dein Gott / der bey dir solche grosse vnd schreckliche ding gethan hat / die deine Augen gesehen haben. [22]Deine Veter zogen hinab in Egypten mit siebenzig Seelen / Aber nu hat dich der HERR dein Gott gemehret / wie die stern am Himel.

Gen. 46.

## XI.

Wolthat / so Jsrael von Gott in Egypten vnd in der Wüsten empfangen hat.

SO SOLTU NU DEN HERRN DEINEN GOTT LIEBEN / vnd sein Gesetz / seine Weise / seine Rechte vnd seine Gebot halten dein lebenlang. [2]Vnd erkennet heute / das ewr Kinder nicht wissen noch gesehen haben / nemlich / die Züchtigung des HERRN ewrs Gottes / seine Herrligkeit / dazu seine mechtige Hand vnd ausgereckten Arm / [3]vnd seine Zeichen vnd Werck / die er gethan hat vnter den Egyptern / an Pharao dem könig in Egypten / vnd an alle seinem Lande. [4]Vnd was er an der macht der Egypter gethan hat / an jren Rossen vnd Wagen / Da er das wasser des Schilffmeers vber sie füret / da sie euch nachiagten / vnd sie der HERR vmbbracht / bis auff diesen tag. [5]Vnd was er euch gethan hat in der Wüsten / bis jr an diesen ort komen seid. [6]Was er Dathan vnd Abiram gethan hat den kindern Eliab / des sons Ruben / Wie die Erde jren mund auffthet / vnd verschlang sie / mit jrem Gesinde / vnd Hütten vnd alle jrem Gut / [a]das sie erworben hatten / mitten vnter dem gantzen Jsrael.

Exo. 14.

Num. 16. 26.

a Jn pedibus eorum / Jch hab gelauffen vnd gerant / das ichs zusamen bracht / Non sterti nec otiosus fui. Jst mir saur worden / eriagt / erarnt / erlauffen.

DEnn ewre augen haben die grossen Werck des HERRN gesehen / die er gethan hat / [8]Darumb solt jr alle die Gebot halten / die ich dir heute gebiete / Auff das jr gesterckt werdet ein zu komen / vnd das Land einzunemen / dahin jr ziehet das jrs einnemet. [9]Vnd das du lange lebest auff dem

helt Jsrael fur beide Segen vnd Fluch des Gesetzes.

Lande / das der HERR ewern Vetern geschworen hat jnen zu geben / vnd jrem Samen / ein Land da milch vnd honig innen fleusst.

LANGE LEBEN. GELOBT LAND.

[10]DEnn das Land da du hinkomest / das einzunemen / ist nicht wie Egyptenland / dauon jr ausgezogen seid / Da du deinen Samen seen / vnd selbs trencken mustest / wie ein Kolgarten. [11]Sondern es hat Berge vnd Awen / die der Regen von Himel trencken mus / [12]Auff welch Land der HERR dein Gott acht hat / vnd die Augen des HERRN deines Gottes jmerdar drauff sehen / von anfang des jars bis ans ende.

Deut. 8.

[13]WErdet jr nu meine Gebot hören / die ich euch heute gebiete / das jr den HERRN ewrn Gott liebet vnd jm dienet / von gantzem Hertzen / vnd von gantzer Seelen / [14]So wil ich ewrm Lande regen geben zu seiner zeit / Früeregen vnd Spatregen / das du einsamlest dein getreide / deinen most / vnd dein öle. [15]Vnd wil deinem Vieh gras geben auff deinem felde / das jr esset vnd sat werdet.

Deut. 28.

FRÜE VND spat regen.

[16]HVtet euch aber das sich ewr Hertz nicht vberreden lasse / das jr abtrettet vnd dienet andern Göttern / vnd betet sie an. [17]Vnd das denn der zorn des || HERRN ergrimme vber euch / vnd schliesse den Himel zu / das kein regen kome / vnd die Erde jr gewechse nicht gebe / vnd bald vmbkomet von dem gutem Lande / das euch der HERR gegeben hat.

|| 103 a

SO fasset nu diese Wort zu hertzen vnd in ewre seele / vnd bindet sie zum Zeichen auff ewre Hand / das sie ein Denckmal fur ewren Augen seien. [19]Vnd leret sie ewre Kinder / das du dauon redest / wenn du in deinem Hause sitzest / oder auff dem Wege gehest / wenn du dich niderlegest / vnd wenn du auffstehest / [20]Vnd schreibe sie an die pfosten deines Hauses / vnd an deine thor. [21]Das du vnd deine Kinder lange lebest / auff dem Lande / das der HERR deinen Vetern geschworen hat jnen zu geben / So lange die tage von Himel auff erden weren.

Deut. 6.

[22]DEnn wo jr diese Gebot alle werdet halten / die ich euch gebiete / das jr darnach thut / das jr den HERRN ewrn Gott liebet / vnd wandelt in allen seinen Wegen / vnd jm anhanget / [23]So wird der HERR alle diese Völcker fur euch her vertreiben / das jr grösser vnd stercker Völcker einnemet denn jr seid. [24]Alle örter / darauff ewr fussolen trit / sol

Josu. 1. Num. 34.

helt Jsrael fur beide Segen vnd Fluch des Gesetzes.

ewr sein / von der Wüsten an / vnd von dem berge Libanon / vnd von dem wasser Phrath / bis ans eusserste Meer sol ewr grentze sein. [25]Niemand wird euch widerstehen mügen / Ewr furcht vnd schrecken wird der HERR vber alle Land komen lassen / darin jr reiset / wie er euch geredt hat.

SEGEN. FLUCH.

SJhe / Jch lege euch heute fur den Segen vnd den Fluch. [27]Den Segen / so jr gehorchet den Geboten des HERRN ewrs Gottes / die ich euch heute gebiete. [28]Den Fluch aber / so jr nicht gehorchen werdet den Geboten des HERRN ewrs Gottes / vnd abtrettet von dem wege / den ich euch heute gebiete / das jr andern Göttern nachwandelt / die jr nicht kennet.

Deut. 28.

[29]WEnn dich der HERR dein Gott in das Land bringet / da du einkomest / das du es einnemest / So soltu den Segen sprechen lassen auff dem berge Grisim / Vnd den Fluch auff dem berge Ebal / [30]welche sind jenseid dem Jordan / der strassen nach gegen der Sonnen nidergang / im Lande der Cananiter / die auff dem Blachfelde wonen gegen Gilgal vber / bey dem Hain More. [31]Denn du wirst vber den Jordan gehen / das du einkomest das Land einzunemen / das euch der HERR ewr Gott gegeben hat / das jrs einnemet / vnd drinnen wonet. [32]So haltet nu / das jr thut nach allen Geboten vnd Rechten / die ich euch heute furlege.

Deut. 27.

HERSIM. EBAL.

## XII.

DAS SIND DIE GEBOT VND RECHTE / DIE JR HALten solt / das jr darnach thut im Lande / das der HERR deiner veter Gott dir gegeben hat einzunemen / so lange jr auff Erden lebt.

VErstöret alle Ort / da die Heiden (die jr einnemen werdet) jren Göttern gedienet haben / Es sey auff hohen Bergen / auff Hügeln oder vnter grünen Bewmen. [3]Vnd reisst vmb jre Altar / vnd zubrecht jre Seulen / vnd verbrennet mit fewr jre Hayne / vnd die Götzen jrer Götter thut ab / vnd vertilget jren namen aus dem selben Ort.

Deut. 7.

JR SOLT DEM HERRN EWRM GOTT NICHT ALSO THUN / [5]SONDERN AN DEM ORT / DEN DER HERR EWR GOTT ERWELEN WIRD AUS ALLEN EWRN STEMMEN / DAS ER SEINEN NAMEN DASELBS LESSET WONEN / SOLT JR FORSCHEN VND DAHIN KOMEN. [6]Vnd ewre Brand opffer / vnd ewr ander Opffer / vnd

3. Reg. 8.
2. Par. 7.

ewr Zehenden / vnd ewr hende Hebe / vnd ewr Gelübde / vnd ewr freywillige Opffer / vnd die Erstengeburt ewr rinder vnd schafe / dahin bringen. [7]Vnd solt daselbs fur dem HERRN ewrem Gott essen vnd frölich sein / vber allem das jr vnd ewr Haus bringet / darinnen dich der HERR dein Gott gesegnet hat. ||

|| 103 b

JR SOLT DER KEINS THUN / DAS WIR HEUTE ALHIE THUN / EIN JGLICHER WAS JN RECHT DÜNCKET. [9]Denn jr seid bisher noch nicht zu Ruge komen noch zu dem Erbteil / das dir der HERR dein Gott geben wird. [10]Jr werdet aber vber den Jordan gehen / vnd im Lande wonen / das euch der HERR ewr Gott wird zum Erbe austeilen / vnd wird euch ruge geben von allen ewern Feinden vmb euch her / vnd werdet sicher wonen.

[11]WEnn nu der HERR dein Gott einen Ort erwelet / das sein Name daselbs wone / Solt jr daselbs hin bringen / alles was ich euch gebiete / ewr Brandopffer / ewr ander Opffer / ewr Zehenden / ewr hende Hebe / vnd alle ewre freie Gelübde / die jr dem HERRN geloben werdet. [12]Vnd solt frölich sein fur dem HERRN ewrem Gott / jr vnd ewr Söne / vnd ewr Töchter / vnd ewr Knechte / vnd ewr Megde / Vnd die Leuiten / die in ewren Thoren sind / Denn sie haben kein teil noch erbe mit euch.

Deut. 10.

HVt dich / das du nicht deine Brandopffer opfferst an allen Orten die du sihest / [14]Sondern an dem Ort / den der HERR erwelet in jrgend einem deiner Stemme / da soltu dein Brandopffer opffern / vnd thun alles was ich dir gebiete. [15]Doch magstu schlachten vnd Fleisch essen in allen deinen Thoren / nach aller lust deiner Seelen / nach dem segen des HERRN deines Gottes / den er dir gegeben hat / Beide der Reine vnd der Vnreine mügens essen / wie ein Rehe oder Hirss. [16]On das Blut soltu nicht essen / sondern auff die erde giessen wie wasser.

Leuit. 3. 7. 19.

[17]DV magst aber nicht essen in deinen Thoren vom Zehenden deines getreids / deins mosts / deins öles / noch von der Erstengeburt deiner rinder / deiner schaf / oder von jrgend einem deiner Gelübden / die du gelobet hast / oder von deinem freywilligen Opffer / oder von deiner hand Hebe. [18]Sondern fur dem HERRN deinem Gott soltu solchs essen / an dem Ort / den der HERR dein

Deut. 16.

Gott erwelet / Du vnd deine Söne / deine Töchter / deine Knechte / deine Megde / vnd der Leuit / der in deinem Thor ist / Vnd solt frölich sein fur dem HERRN deinem Gott vber allem das du bringest. [19]Vnd hüt dich / das du den Leuiten nicht verlassest / so lang du auff Erden lebest.

Deut. 14.

WEnn aber der HERR dein Gott deine grentze weitern wird / wie er dir geredt hat / vnd sprichst / Jch wil Fleisch essen / weil deine Seele fleisch zu essen gelüstet / So iss fleisch nach aller lust deiner Seele. [21]Jst aber die Stet fern von dir / die der HERR dein Gott erwelet hat / das er seinen Namen daselbs wonen lasse / So schlachte von deinen rindern oder schafen / die der HERR gegeben hat / wie ich dir geboten hab / vnd iss es in deinen Thoren nach aller lust deiner Seelen / [22]Wie man Rehe oder Hirss isset / magstu es essen / beide der Reine vnd der Vnrein mügens zu gleich essen. [23]Allein mercke / das du das Blut nicht essest / Denn das blut ist die Seele / Darumb soltu die seele nicht mit dem fleisch essen / [24]sondern solts auff die erden giessen wie wasser. [25]Vnd solts darumb nicht essen / das dirs wolgehe / vnd deinen Kindern nach dir / das du gethan hast / was recht ist fur dem HERRN.

[26]ABer wenn du etwas heiligen wilt von dem deinen / oder geloben / So soltu es auffladen vnd bringen an den Ort / den der HERR erwelet hat. [27]Vnd dein Brandopffer mit fleisch vnd blut thun auff dem Altar des HERRN deines Gottes. Das blut deines Opffers soltu giessen auff den Altar des HERRN deines Gottes / vnd das fleisch essen. [28]Sihe zu vnd höre alle diese wort die ich dir gebiete / Auff das dirs wolgehe / vnd deinen Kindern nach dir ewiglich / Das du gethan hast / was recht vnd gefellig ist fur dem HERRN deinem Gott.

Deut. 18.
Josu. 23.

WEnn der HERR dein Gott fur dir her die Heiden ausrottet / das du hin komest sie einzunemen / vnd sie eingenomen hast / vnd in jrem Lande wonest / [30]So hüt dich / das du nicht in den Strick fallest jnen nach / nach dem sie || vertilget sind fur dir / vnd nicht fragest nach jren Göttern / vnd sprechest / Wie diese Völcker haben jren Göttern gedienet / Also wil ich auch thun. [31]Du solt nicht also an dem HERRN deinem Gott thun. Denn sie haben jren Göttern gethan alles was dem HERRN ein grewel ist / vnd das er hasset / Denn

|| 104a

Psal. 116.

sie haben auch jre Söne vnd Töchter mit fewr verbrant jren Göttern.

[32]ALles was ich euch gebiete / das solt jr halten / das jr darnach thut / Jr solt nicht dazu thun / noch dauon thun.

## XIII.

WEnn ein Prophet oder Trewmer vnter euch wird auffstehen / vnd gibt dir ein Zeichen oder Wunder / [2]vnd das zeichen oder wunder kompt / dauon er dir gesagt hat / Vnd spricht / Las vns andern Göttern folgen / die jr nicht kennet / vnd jnen dienen. [3]So soltu nicht gehorchen den worten solches Propheten oder Trewmers / Denn der HERR ewr Gott versücht euch / Das er erfare / ob jr jn von gantzem Hertzen / vnd von gantzer Seelen / lieb habt. [4]Denn jr solt dem HERRN ewerm Gott folgen vnd jn fürchten / vnd seine Gebot halten vnd seiner stim gehorchen / vnd jm dienen vnd jm anhangen. [5]Der Prophet aber oder der Trewmer sol sterben / darumb / das er euch von dem HERRN ewerm Gott (der euch aus Egyptenland gefüret / vnd dich von dem Diensthaus erlöset hat) ab zufallen geleret / vnd dich aus dem wege verfüret hat / den der HERR dein Gott geboten hat drinnen zu wandeln / Auff das du den Bösen von dir thuest.

(Andern) Dieser Prophet leret wider die alte vnd bestetigte lere vnd wil (wie er saget / andere Götter) die erste nicht lassen bleiben. Welchem sol man nicht gleuben / wenn er gleich Zeichen thet. Aber im 18. Cap. wird der Prophet verdampt / der nicht wider die erste / sondern newe lere furgibt / Der sol Zeichen thun / oder nicht gehöret werden.

WEnn dich dein Bruder / deiner Mutter son / oder dein Son oder deine Tochter / oder das Weib in deinen armen / oder dein Freund / der dir ist wie dein Hertz / vberreden würde heimlich / vnd sagen / Las vns gehen vnd andern Göttern dienen / die du nicht kennest noch deine Veter / [7]die vnter den Völckern vmb euch her sind / sie seien dir nahe oder ferne / von einem ende der Erden bis an das ander / [8]So bewillige nicht / vnd gehorche jm nicht. Auch sol dein auge seiner nicht schonen / vnd solt dich seiner nicht erbarmen / noch jn verbergen / [9]Sondern solt jn erwürgen / Deine hand sol die erste vber jm sein / das man jn tödte / vnd darnach die hand des gantzen Volcks. [10]Man sol jn zu tode steinigen / Denn er hat dich wöllen verfüren von dem HERRN deinem Gott / der dich aus Egyptenland / von dem Diensthaus gefürt hat. [11]Auff das gantze Jsrael höre vnd fürchte sich / vnd nicht mehr solch vbel fürneme vnter euch.

(Erbarmen) Das heisst Gott vber alles lieben.

Straffe eines Falschen Propheten.

WEnn du hörest von jrgend einer Stad / die dir der HERR dein Gott gegeben hat drinnen zu wonen / das man sagt / [13]Es sind etliche kinder Belial ausgangen vnter dir / vnd haben die Bürger jrer Stad verfürt / vnd gesagt / Last vns gehen vnd andern Göttern dienen / die ir nicht kennet / [14]So soltu vleissig suchen / forschen vnd fragen. Vnd so sich findet die warheit / das gewis also ist / das der Grewel vnter euch geschehen ist / [15]So soltu die Bürger der selben Stad schlahen mit des schwerts scherffe / vnd sie verbannen mit allem das drinnen ist / vnd jr Vieh mit der scherffe des schwerts. [16]Vnd allen jren Raub / soltu samlen mitten auff die Gassen / vnd mit fewr verbrennen / beide Stad vnd alle jren Raub mit einander / dem HERRN deinem Gott / Das sie auff einem hauffen lige ewiglich / vnd nimer gebawet werde. [17]Vnd las nichts von dem Bann an deiner hand hangen / Auff das der HERR von dem grimmen seines zorns abgewendet werde / vnd gebe dir Barmhertzigkeit / vnd erbarme sich deiner / vnd mehre dich / wie er deinen Vetern geschworen hat. [18]Darumb das du der stim des HERRN deines Gottes gehorchet hast / zu halten alle seine Gebot / die ich dir heute gebiete / das du thust was recht ist fur den Augen des HERRN deines Gottes. ‖

‖ 104b

## XIIII.

JR SEID KINDER DES HERRN EWRES GOTTES / Jr solt euch nicht Mal stechen / noch Kalh scheren vber den augen / vber einem Todten / [2]Denn du bist ein heilig Volck dem HERRN deinem Gott. Vnd der HERR hat dich erwelet / das du sein Eigenthum seiest / aus allen Völckern die auff Erden sind.

Leuit. 19.

Exo. 19.

DV solt keinen Grewel essen. [3]Dis ist aber das Thier das jr essen solt / Ochsen / Schaf / Zigen / [5]Hirs / Rehe / Püffel / Steinbock / Tendlen / Vrochs / vnd Elend. [6]Vnd alles Thier / das seine klawen spaltet vnd widerkewet / solt jr essen. [7]Das solt jr aber nicht essen / das widerkewet / vnd die klawen nicht spaltet. Das Camel / der Hase / vnd Caninchen / die da widerkewen / vnd doch die klawen nicht spalten / sollen euch vnrein sein. [8]Das Schwein / ob es wol die klawen spaltet / so widerkewet es doch nicht / sol euch vnrein sein / Jrs

Leui. 11.

fleischs solt jr nicht essen / vnd jr Ass solt jr nicht anrüren.

[9]DAs ist / das jr essen solt von allem das in wassern ist / Alles was flosfeddern vnd schupen hat / solt jr essen. [10]Was aber kein flosfeddern noch schupen hat / solt jr nicht essen / Denn es ist euch vnrein.

FISSCH.

[11]ALle reine Vogel esset. [12]Das sind sie aber die jr nicht essen solt / Der Adler / der Habicht / der Fisschar / [13]der Teucher / der Weihe / der Geier mit seiner art. [14]Vnd alle Raben mit jrer art. [15]Der Straus / die Nachteule / der Kuckuc / der Sperber mit seiner art. [16]Das Kützlin / der Vhu / die Fledermaus. [17]Die Rohrdomel / der Storck / der Schwan / [18]der Reiger / der Heher mit seiner art / der Widhop / die Schwalbe. [19]Vnd alles Geuögel das kreucht sol euch vnrein sein / vnd solts nicht essen. [20]Das reine Geuogel solt jr essen.

VOGEL.

Exo. 22.

[21]JR solt kein Ass essen / Dem Frembdlingen in deinem thor magstus geben / das ers esse / oder verkeuff es einem Frembden / Denn du bist ein heilig Volck dem HERRN deinem Gott. Du solt das Böcklin nicht kochen / weil es noch seine mutter seuget.

Exo. 23.

Leui. 27.

DV solt alle jar den Zehenden absondern alles Einkomens deiner saat / das aus deinem Acker kompt. [23]VND SOLTS ESSEN FUR DEM HERRN DEINEM GOTT / AN DEM ORT DEN ER ERWELET / DAS SEIN NAME DASELBS WONE / nemlich / vom Zehenden deines getreides / deines mosts / deines öles / vnd der Erstengeburt deiner rinder vnd deiner schaf / Auff das du lernest fürchten den HERRN deinen Gott / dein leben lang.

ZEHENDE.

[24]WEnn aber des weges dir zu viel ist / das du solchs nicht hin tragen kanst / darumb / Das der Ort dir zu ferne ist / den der HERR dein Gott erwelet hat / das er seinen Namen daselbs wonen lasse (denn der HERR dein Gott hat dich gesegnet) [25]So gibs vmb gelt / vnd fass das gelt in deine hand / vnd gehe an den Ort / den der HERR dein Gott erwelet hat / [26]Vnd gibs gelt vmb alles / was deine seele gelüstet / es sey vmb rinder / schaf / wein / starkken tranck / oder vmb alles das deine seele wündschet / Vnd iss daselbs fur dem HERRN deinem Gott / vnd sey frolich / du / vnd dein haus / [27]vnd der Leuit der in deinem thor ist / Du solt jn nicht verlassen / denn er hat kein teil noch erbe mit dir.

Num. 18.

[28]Vber drey jar / soltu aussondern alle Zehenden deines Einkomens desselben jars / vnd solts lassen in deinem Thor. [29]So sol komen der Leuit der kein teil noch erbe mit dir hat / vnd der Frembdling / vnd der Waise / vnd die Widwen die in deinem Thor sind / vnd essen vnd sich settigen / Auff das dich der HERR dein Gott segene / in allen wercken deiner hand die du thust.

Deut. 26.

## XV.

VBER SIEBEN JAR / SOLTU EIN ERLASIAR HALTEN / [2]Also sols aber zugehen mit dem Erlasiar. Wenn einer seinem Nehesten etwas borget / der sols jm erlassen / vnd sols nicht einmanen von seinem Nehesten / oder von seinem Bruder / Denn es heisst das Erlasiar dem HERRN. [3]Von einem Frembden magstu es einmanen / Aber dem der dein Bruder ist / soltu es erlassen.

|| 105 a

Leuit. 25.

ES sol aller dinge kein [a]Bettler vnter euch sein / Denn der HERR wird dich segenen im Lande / das dir der HERR dein Gott geben wird zum Erbe ein zu nemen. [5]Allein das du der stim des HERRN deines Gottes gehorchest / vnd haltest alle diese Gebot / die ich dir heute gebiete / das du darnach thust. [6]Denn der HERR dein Gott wird dich segenen / wie er dir geredt hat / So wirstu vielen Völckern leihen / vnd du wirst von niemand borgen / Du wirst vber viel Völcker herrschen / vnd vber dich wird niemand herrschen.

[a] Hausarme.

Deut. 28.

WEnn deiner Brüder jrgend einer arm ist / in jrgend einer Stad in deinem Lande / das der HERR dein Gott dir geben wird / So soltu dein hertz nicht verherten / noch deine hand zuhalten / gegen deinem armen Bruder / [8]Sondern solt sie jm auffthun / vnd jm leihen nach dem er mangelt. [9]Hüt dich / das nicht in deinem hertzen ein Belial tück sey / das da spreche / Es nahet erzu das siebende jar / das Erlasiar / vnd sehest deinen armen Bruder vnfreundlich an / vnd gebest jm nicht / So wird er vber dich zu dem HERRN ruffen / so wirstus sünde haben. [10]Sondern du solt jm geben / vnd dein hertz nicht verdriessen lassen / das du jm gibst / Denn vmb solchs willen wird dich der HERR dein Gott segenen / in allen deinen wercken / vnd was du furnimbst. [11]Es werden alle zeit Armen sein im Lande / Darumb gebiete ich dir / vnd

Leuit. 25.

Matt. 26.

sage / Das du deine hand auffthust deinem Bruder / der bedrenget vnd arm ist / in deinem Lande.

Exod. 21. Leuit. 25. Jere. 34.

WEnn sich dein Bruder ein Ebreer oder Ebrerin verkeufft / So sol er dir sechs jar dienen / Jm siebenden jar soltu jn frey los geben. [13]Vnd wenn du jn frey los gibest / soltu jn nicht leer von dir gehen lassen / [14]Sondern solt jm aufflegen von deinen Schafen / von deiner Tennen / von deiner Kelter / das du gebest von dem / das dir der HERR dein Gott gesegenet hat. [15]Vnd gedencke / das du auch Knecht warest in Egyptenland / vnd der HERR dein Gott dich erlöset hat / Darumb gebiete ich dir solchs heute.

[16]WJrd er aber zu dir sprechen / Jch wil nicht ausziehen von dir / denn ich hab dich vnd dein haus lieb (weil jm wol bey dir ist) [17]So nim eine Pfrime / vnd bore jm durch sein Ohr an der Thür / vnd las jn ewiglich deinen Knecht sein / Mit deiner Magd soltu auch also thun. [18]Vnd las dichs nicht schwer düncken / das du jn frey los gibst / Denn er hat dir / als ein zwifeltig Taglöner sechs jar gedienet / So wird der HERR dein Gott dich segenen / in allem was du thust.

Exod. 13. Num. 3.

ALle Erstegeburt / die vnter deinen rindern vnd schafen geborn wird / das ein Menlin ist / soltu dem HERRN deinem Gott heiligen. Du solt nicht ackern mit dem Erstling deiner Ochsen / vnd nicht bescheren die Erstling deiner schaf / [20]Fur dem HERRN deinem Gott soltu sie essen jerlich / an der Stet / die der HERR erwelet / du vnd dein haus. [21]Wens aber einen Feil hat / das hincket oder blind ist / oder sonst jrgend ein bösen feil / so soltu es nicht opffern dem HERRN deinem Gott. [22]Sondern in deinem thor soltu es essen (du seist vnrein oder rein) wie ein Rehe vnd Hirss / [23]Allein / das du seines Bluts nicht essest / sondern auff die erden giessest / wie wasser. ||

Deut. 17. Leuit. 22.

|| 105 b

## XVI.

Ex. 12. 23. Leuit. 23. Nu. 9. 28.

Passah.

HALT DEN MOND ABIB / DAS DU PASSAH HALTEST dem HERRN deinem Gott / Denn im mond Abib hat dich der HERR dein Gott aus Egypten gefüret / bey der nacht. [2]Vnd solt dem HERRN deinem Gott das Passah schlachten / schaf vnd rinder / an der Stete die der HERR erwelen wird / das sein Name daselbs wone. [3]Du solt kein Geseurts auff das Fest essen / Sieben tage soltu vngeseurt Brot des elends essen / Denn mit furcht bistu aus Egyptenland gezogen / Auff das du des tages deines auszugs aus Egyptenland gedenckest dein leben lang. [4]Es sol in sieben tagen kein geseurts gesehen werden / in all deinen Grentzen. Vnd sol auch nichts vom Fleisch / das des abends am ersten tage geschlachtet ist / vber nacht bleiben / bis an den morgen.

[5]DV kanst nicht Passah schlachten in jrgend deiner Thor einem / die dir der HERR dein Gott gegeben hat. [6]Sondern an der Stet / die der HERR dein Gott erwelen wird / das sein Name daselbs wone / da soltu das Passah schlachten / des abends / wenn die Sonne ist vntergegangen / zu der zeit als du aus Egyptenland zogest. [7]Vnd solts kochen vnd essen an der Stet / die dir der HERR dein Gott erwelen wird / vnd darnach dich wenden des morgens / vnd heim gehen in deine Hütten. [8]Sechs tage soltu vngeseurts essen / vnd am siebenden tag ist die Versamlung des HERRN deines Gottes / Da soltu kein erbeit thun.

2. Par. 35.

PFINGSTEN.

SJeben Wochen soltu dir zelen / vnd anheben zu zelen / wenn man anfehet mit der sichel in der saat. [10]Vnd solt halten das Fest der Wochen dem HERRN deinem Gott / Das du ein freiwillige Gabe deiner hand gebest / nach dem dich der HERR dein Gott gesegenet hat. [11]Vnd solt frölich sein fur Gott deinem HERRN / du / vnd dein Son / deine Tochter / dein Knecht / deine Magd / vnd der Leuit der in deinem Thor ist / der Frembdling / der Waise vnd die Widwen / die vnter dir sind / an der Stet die der HERR dein Gott erwelet hat / das sein Name da wone. [12]Vnd gedenck / das du Knecht in Egypten gewesen bist / das du haltest vnd thust nach diesen Geboten.

LAUBHÜTTEN FESTE.

DAs Fest der Laubhütten soltu halten sieben tage / wenn du hast eingesamlet von deiner Tennen vnd von deiner Kelter. [14]Vnd solt frölich sein auff dein Fest / du vnd dein Son / deine Tochter / dein Knecht / deine Magd / der Leuit / der Frembdling / der Waise / vnd die Widwe / die in deinem Thor sind. [15]Sieben tage soltu dem HERRN deinem Gott das Fest halten / an der Stet / die der HERR erwelen wird / Denn der HERR dein Gott wird dich segenen in alle deinem einkomen / vnd in allen wercken deiner hende / Darumb soltu frölich sein.

Straffer der Abgöttischen. Exo. 23. 34.

DRey mals des jars sol alles was Menlich ist vnter dir / fur dem HERRN deinem Gott erscheinen / an der Stet / die der HERR erwelen wird / Auffs Fest der vngeseurten Brot / auffs Fest der Wochen / vnd auffs Fest der Laubhütten. Es sol aber nicht leer fur dem HERRN erscheinen / [17]Ein jglicher nach der Gabe seiner hand / nach dem segen / den dir der HERR dein Gott gegeben hat.

Leuit. 23.

## XVII.

RJchter vnd Amptleute soltu dir setzen in allen deinen Thoren / die dir der HERR dein Gott geben wird / vnter deinen Stemmen / das sie das Volck richten mit rechtem Gericht. [19]Du solt das Recht nicht beugen / vnd solt auch kein Person ansehen / noch Geschenck nemen / Denn die Geschenck machen die Weisen blind / vnd verkeren die sachen der gerechten. [20]Was recht ist / dem soltu nachiagen / Auff das du leben vnd einnemen mügest das Land / das dir der HERR dein Gott geben wird. ||

Exo. 23. Leuit. 19.

|| 106a

DV solt keinen Hayn von Bewmen pflantzen bey den Altar des HERRN deines Gottes / den du dir machest. [22]Du solt dir keine Seule auffrichten / welche der HERR dein Gott hasset.

[1]DV solt dem HERRN deinem Gott kein ochsen oder schaf opffern / das einen feil oder jrgend etwas böses an jm hat / Denn es ist dem HERRN deinem Gott ein Grewel.

Deut. 15. Leui. 22.

WEnn vnter dir in der Thor einem / die der HERR dein Gott geben wird / funden wird ein Man oder Weib / der da vbels thut fur den augen des HERRN deines Gottes / das er seinen Bund vbergehet / [3]Vnd hin gehet vnd dienet andern Göttern / vnd betet sie an / es sey Sonn oder Mond / oder jrgend ein Heer des Himels / das ich nicht geboten habe / [4]vnd wird dir angesagt vnd hörest es / So soltu wol darnach fragen. Vnd wenn du findest das gewis war ist / das solcher Grewel in Jsrael geschehen ist / [5]So soltu den selben Man / oder dasselb Weib ausfüren / die solchs vbel gethan haben / zu deinem Thor / vnd solt sie zu tod steinigen. [6]Auff zwey oder dreien Zeugen mund sol sterben / wer des tods werd ist / Aber auff eines Zeugen mund sol er nicht sterben. [7]Die hand der Zeugen sol die erste sein jn zu tödten / vnd darnach

Deut. 19. Num. 35.

die hand alles volcks / Das du den Bösen von dir thuest.

Deut. 21.

WEnn eine Sach fur Gericht dir zu schwer sein wird / zwisschen blut vnd blut / zwisschen handel vnd handel / zwisschen schaden vnd schaden / vnd was zenckische sachen sind in deinen Thoren / So soltu dich auffmachen vnd hin auff gehen zu der Stet / die dir der HERR dein Gott erwelen wird / [9]Vnd zu den Priestern / den Leuiten / vnd zu dem Richter / der zur zeit sein wird / komen vnd fragen / Die sollen dir das Vrteil sprechen. [10]Vnd du solt thun nach dem / das sie dir sagen / an der Stet / die der HERR erwelet hat / vnd solts halten / das du thust nach allem das sie dich leren werden. [11]Nach dem Gesetz das sie dich leren / vnd nach dem Recht das sie dir sagen / soltu dich halten / das du von demselben nicht abweichest / weder zur rechten noch zur lincken. [12]Vnd wo jemand vermessen handlen würde / das er dem Priester nicht gehorchet / der daselbs in des HERRN deines Gottes ampt stehet / oder dem Richter / Der sol sterben / vnd solt den Bösen aus Jsrael thun / [13]Das alles Volck höre vnd fürchte sich / vnd nicht mehr vermessen sey.

WALHE eines Königs

WENN DU INS LAND KOMPST / DAS DIR DER HERR dein Gott geben wird / vnd nimest es ein / vnd wonest drinnen / vnd wirst sagen / Jch wil einen König vber mich setzen / wie alle Völcker vmb mich her haben / [15]So soltu den zum Könige vber dich setzen / den der HERR dein Gott erwelen wird. Du solt aber aus deinen Brüdern einen zum König vber dich setzen / Du kanst nicht jrgend einen Frembden / der nicht dein Bruder ist / vber dich setzen. [16]Allein / das er nicht viel Rösser halte / vnd füre das Volck nicht wider in Egypten / vmb der rösser menge willen / weil der HERR euch gesagt hat / das jr fort nicht wider durch diesen weg komen solt. [17]Er sol auch nicht viel Weiber nemen das sein hertz nicht abgewand werde / Vnd sol auch nicht viel silber vnd gold samlen.

1. Reg. 8.

[18]VND wenn er nu sitzen wird auff dem stuel seines Königreichs / Sol er dis ander Gesetz von den Priestern / den Leuiten nemen / vnd auff ein Buch schreiben lassen. [19]Das sol bey jm sein / vnd sol drinnen lesen sein leben lang / Auff das er lerne fürchten den HERRN seinen Gott / das er halte alle wort dieses Gesetzes vnd diese Rechte / das er

darnach thu. [20]Er sol sein hertz nicht erheben vber seine Brüder / vnd sol nicht weichen von dem Gebot / weder zur rechten noch zur lincken / Auff das er seine tage verlenge auff seinem Königreich / er vnd seine kinder in Jsrael.

XVIII.

|| 106b Num. 18. Deut. 10. 12. 14. 1. Cor. 9.

DJE PRIESTER / DIE LEUITEN DES GANTZEN stams Leui sollen nicht Teil noch Erbe haben mit Jsrael / Die opffer des HERRN vnd sein erbteil sollen sie essen. [2]Darumb sollen sie kein Erbe vnter jren Brüdern haben / das der HERR jr Erbe ist / wie er jnen geredt hat. [3]Das sol aber das Recht der Priester sein an dem volck vnd an denen / die da opffern / es sey ochs oder schafe / Das man dem Priester gebe den Arm vnd beide Backen vnd den Wanst. [4]Vnd das Erstling deines korns / deines mosts / vnd deines öles / Vnd das erstling von der schur deiner schafe. [5]Denn der HERR dein Gott hat jn erwelet aus allen deinen Stemmen / das er stehe am dienst im Namen des HERRN / er vnd seine Söne ewiglich.

WEnn ein Leuit kompt / aus jrgend einer deiner Thoren / oder sonst jrgend aus gantz Jsrael / da er ein Gast ist / vnd kompt nach aller lust seiner seele an den Ort / den der HERR erwelet hat / [7]Das er diene im Namen des HERRN seines Gottes / wie alle seine Brüder die Leuiten / die daselbs fur dem HERRN stehen / [8]Die sollen gleichen Teil zu essen haben / vber das er hat von dem verkaufften gut seiner Veter.

Leu. 18. 20. Deu. 12. 17.

WEnn du in das Land kompst / das dir der HERR dein Gott geben wird / So soltu nicht lernen thun / die Grewel dieser Völcker. [10]Das nicht vnter dir funden werde / der sein Son oder Tochter durchs fewr gehen lasse / oder ein Weissager / oder ein Tageweler / oder der auff Vogel geschrey achte / oder ein Zeuberer / [11]oder Beschwerer / oder Warsager / oder ein Zeichendeuter / oder der die Todten frage. [12]Denn wer solchs thut / der ist dem HERRN ein Grewel / vnd vmb solcher grewel willen vertreibt sie der HERR dein Gott fur dir her. [3]Du aber solt on wandel sein mit dem HERRN deinem Gott. [14]Denn diese Völcker / die du einnemen wirst / gehorchen den Tagewelern vnd Weissagern / Aber du solt dich nicht also halten gegen dem HERRN deinem Gott.

a Hie wird klerlich ein ander Predigt verheissen / denn Moses predigt / welche kan nicht das Gesetz sein / das gnugsam durch Mose gegeben / Drumb mus es das Euangelium sein / Vnd dieser Prophet niemand / denn Jhesus Christus selbs ist / der solch newe predigt auff Erden bracht hat. CHRISTUS verheissen etc.

(Vermessenheit) Hie redet Mose von den Propheten / so newe lere vber die alte vnd vorige lere furgeben. Solchen sol man on Zeichen nicht gleuben / Denn Gott alle zeit sein new wort mit newen Zeichen bestetigt. Aber droben cap. 13. redet er von den Propheten / so wider die alte bestetigte lere predigen / Diesen sol man nicht gleuben wenn sie gleich Zeichen thun / vt supra.

Act. 3. 7.

EJNEN PROPHETEN [a]WIE MICH / WIRD DER HERR DEIN GOTT DIR ERWECKEN / AUS DIR VND AUS DEINEN BRÜDERN / DEM SOLT JR GEHORCHEN. [16]Wie du denn von dem HERRN deinem Gott gebeten hast zu Horeb / am tage der versamlung / vnd sprachst / Jch wil fort nicht mehr hören die stim des HERRN meines Gottes / vnd das grosse Fewr nicht mehr sehen / das ich nicht sterbe. [17]Vnd der HERR sprach zu mir / Sie haben wol geredt / [18]JCH WIL JNEN EINEN PROPHETEN / WIE DU BIST / ERWECKEN AUS JREN BRÜDERN / VND MEINE WORT IN SEINEN MUND GEBEN / DER SOL ZU JNEN REDEN / ALLES WAS ICH JM GEBIETEN WERDE. [19]VND WER MEINE WORT NICHT HÖREN WIRD / DIE ER IN MEINEM NAMEN REDEN WIRD / VON DEM WIL ICHS FODDERN.

Exo. 20.

DOch wenn ein Prophet vermessen ist zu reden in meinem Namen / das ich jm nicht geboten habe zu reden / Vnd welcher redet in dem namen anderer Götter / der selb Prophet sol sterben. [21]Ob du aber in deinem hertzen sagen würdest / Wie kan ich mercken welchs wort der HERR nicht geredt hat? [22]Wenn der Prophet redet in dem Namen des HERRN / vnd wird nichts draus vnd kompt nicht / Das ist das wort / das der HERR nicht geredt hat / Der Prophet hats aus [b]vermessenheit geredt / darumb schew dich nicht fur jm.

## XIX.

FREYSTEDTE.

WEnn der HERR dein Gott die Völcker ausgerottet hat / welcher Land dir der HERR dein Gott geben wird / das du sie einnemest / vnd in jren Stedten vnd Heusern wonest / [2]Soltu dir drey Stedte aussondern im Lande / das dir der HERR dein Gott geben wird einzunemen. [3]Vnd solt gelegene Ort welen / vnd die grentze || deins Lands / das dir der HERR dein Gott austeilen wird / in drey Kreis scheiden / Das da hin fliehe / wer einen Todschlag gethan hat. [4]Vnd das sol die sache sein / das da hin fliehe der einen Todschlag gethan hat / das er lebendig bleibe.

Deut. 4. Josu. 20. Num. 35.

|| 107a

TODSCHLEGER.

WEnn jemand seinen Nehesten schlegt / nicht fürsetzlich / vnd hat vor hin keinen hass auff jn gehabt / [5]Sondern / als wenn jemand mit seinem Nehesten in den wald gienge / holtz zu hawen / vnd holet mit der hand die Axt aus / das holtz abzuhawen / vnd das Eisen füre vom stiel / vnd treffe seinen Nehesten / vnd er stürbe. Der sol in dieser Stedte eine fliehen / das er lebendig bleibe / [6]Auff das nicht der Blutrecher dem Todschleger nachiage / weil sein hertz erhitzt ist / vnd ergreiffe jn / weil der weg so ferne ist / vnd schlage jm seine Seele· / So doch kein vrteil des tods an jm ist / weil er keinen hass vor hin zu jm getragen hat. [7]Darumb gebiete ich dir / das du drey Stedte aussonderst.

[8]VND so der HERR dein Gott deine Grentze weitern wird / wie er deinen Vetern geschworen hat / vnd gibt dir alles Land / das er geredt hat deinen Vetern zu geben [9](So du anders alle diese Gebot halten wirst / das du darnach thust / die ich dir heute gebiete / das du den HERRN deinen Gott liebest / vnd in seinen wegen wandelst / dein leben lang) So soltu noch drey Stedte thun zu diesen dreien / [10]Auff das nicht vnschüldig blut in deinem Lande vergossen werde / das dir der HERR dein Gott gibt zum Erbe / vnd kome Blutschulden auff dich.

WEnn aber jemand hass tregt wider seinen Nehesten / vnd lauret auff jn / vnd macht sich vber jn / vnd schlegt jm seine Seele tod / vnd fleucht in dieser Stedte eine / [12]So sollen die Eltesten in seiner Stad hin schicken / vnd von dannen holen lassen / vnd jn in die hende des Blutrechers geben / das er sterbe. [13]Dein augen sollen sein nicht verschonen / vnd solt das vnschüldig blut aus Jsrael thun / das dirs wolgehe.

[14]DV solt deines Nehesten grentze nicht zu rücke treiben / die die vorigen gesetzt haben in deinem Erbteil / das du erbest im Lande / das dir der HERR dein Gott gegeben hat einzunemen.

Deut. 17.

ES sol kein einzeler Zeuge wider jemand aufftretten / vber jrgend einer missethat oder sünde / es sey welcherley sünde es sey / die man thun kan / Sondern in dem Mund zweier oder dreier Zeugen sol die sache bestehen.

Matt. 18.
2. Cor. 13.

[16]WEnn ein freueler Zeuge wider jemand aufftritt / vber jn zu bezeugen eine vbertrettung. [17]So sollen die beide Menner / die eine sach mit einander haben / fur dem HERRN / fur den Priestern vnd Richtern stehen / die zur selben zeit sein werden. [18]Vnd die Richter sollen wol forschen / Vnd wenn der falsche Zeuge hat ein falsch zeugnis wider sei-

FALSCHER ZEUGE.

nen Bruder gegeben / [19]So sollet jr jm thun wie er gedacht seinem Bruder zu thun / das du den Bösen von dir weg thust. [20]Auff das die andern hören / sich fürchten vnd nicht mehr solche böse stück furnemen zu thun vnter dir. [21]Dein auge sol sein nicht schonen / Seel vmb seel / Auge vmb auge / Zan vmb zan / Hand vmb hand / Fus vmb fus.

Exo. 21. Leuit. 24. Matt. 9.

## XX.

Weltlich Rechte.

WENN DU IN EINEN KRIEG ZEUCHST WIDER deine Feinde / vnd sihest ross vnd wagen des Volcks / das grösser sey / denn du / So fürchte dich nicht fur jnen / Denn der HERR dein Gott / der dich aus Egyptenland gefüret hat / ist mit dir. [2]Wenn jr nu hin zu komet zum streit / So sol der Priester herzu tretten / vnd mit dem Volck reden / [3]vnd zu jnen sprechen / Jsrael höre zu / Jr gehet heut in den streit wider ewr Feinde / Ewr hertze verzage nicht / fürchtet euch nicht / vnd erschreckt nicht / vnd last euch nicht grawen fur jnen / [4]Denn der HERR ewr Gott gehet mit euch / das er fur euch streite mit ewren Feinden / euch zu helffen.‖

‖ 107b

ABer die Amptleute sollen mit dem Volck reden vnd sagen / Welcher ein new Haus gebawet hat / vnd hats noch nicht eingeweihet / Der gehe hin vnd bleib in seinem hause / Auff das er nicht sterbe im krieg / vnd ein ander weihe es ein. [6]Welcher einen Weinberg gepflantzt hat / vnd hat jn noch nicht gemein gemacht / Der gehe hin vnd bleibe da heime / das er nicht im kriege sterbe / vnd ein ander mache jn gemeine. [7]Welcher ein Weib jm vertrawet hat / vnd hat sie noch nicht heim geholet / Der gehe hin vnd bleibe daheime / das er nicht im kriege sterbe / vnd ein ander hole sie heim.

[8]VND die Amptleute sollen weiter mit dem Volck reden / vnd sprechen / Welcher sich fürchtet vnd ein verzagts hertz hat / der gehe hin vnd bleib da heime / Auff das er nicht auch seiner Brüder hertz feige mache / wie sein hertz ist. [9]Vnd wenn die Amptleute ausgeredt haben mit dem Volck / So sollen sie die Heubtleute fur das Volck an die spitzen stellen.

Jud. 7.

WEnn du fur eine Stad zeuchst sie zu bestreiten / so soltu jr den friede anbieten. [11]Antwortet sie dir friedlich vnd thut dir auff / So sol alle das Volck / das drinnen finden wird / dir zinsbar vnd vnterthan sein. [12]Wil sie aber nicht friedlich mit

Num. 21.

dir handeln / vnd wil mit dir kriegen / So belegere sie. [13]Vnd wenn sie der HERR dein Gott dir in die hand gibt / So soltu alles was menlich drinnen ist / mit des schwerts scherffe schlahen. [14]On die Weiber / Kinder vnd Vieh / vnd alles was in der Stad ist / vnd allen Raub soltu vnter dich aus teilen / Vnd solt essen von der Ausbeut deiner Feinde / die dir der HERR dein Gott gegeben hat. [15]Also soltu allen Stedten thun / die seer ferne von dir ligen / vnd nicht hie von den Stedten sind dieser Völcker.

ABer in den Stedten dieser Völcker / die dir der HERR dein Gott zum Erbe geben wird / soltu nichts leben lassen / was den odem hat. [17]Sondern solt sie verbannen / nemlich / die Hethiter / Amoriter / Cananiter / Pheresiter / Heuiter vnd Jebusiter / wie dir der HERR dein Gott geboten hat. [18]Auff das sie euch nicht leren thun alle die Grewel / die sie jren Göttern thun / vnd jr euch versündigt an dem HERRN ewrem Gott.

WEnn du fur einer Stad lange zeit ligen must / wider die du streitest sie zu erobern / So soltu die Bewme nicht verderben / das du mit Exten dran farest / Denn du kanst dauon essen / darumb soltu sie nicht ausrotten / Jsts doch holtz auff dem felde / vnd nicht Mensch / das es fur dir ein Bolwerg sein müge. [20]Welchs aber Bewme sind / die du weist das man nicht dauon isset / Die soltu verderben vnd ausrotten / vnd Bolwerg draus bawen wider die Stad / die mit dir krieget / bis das du jr mechtig werdest.

(Jsts doch holtz) Was wiltu dich wider die bewme legen vnd hawen als wer es ein Mensch oder Bolwerg fur dir / Es ist holtz auff dem felde / vnd nicht in der Stad / Es thut dir nichts / vnd ist dir nütz. Hic sensus congruit Allegoriae / Non esse pugnandum contra eos / qui non sunt contra nos / sed pro nobis.

## XXI.

WENN MAN EINEN ERSCHLAGENEN FINDET IM Lande / das dir der HERR dein Gott geben wird einzunemen / vnd ligt im Felde / vnd man nicht weis / wer jn geschlagen hat. [2]So sollen deine Eltesten vnd Richter hin aus gehen / vnd von dem Erschlagenen messen an die Stedte die vmbher ligen. [3]Welche Stad die nehest ist / derselben Eltesten sollen eine junge Kue von den rindern nemen / da mit man nicht geerbeitet hat / noch am Joch gezogen hat / [4]Vnd sollen sie hin ab füren in einen kiesichten Grund / der weder geerbeitet noch beseet ist / vnd daselbs im grund jr den Hals abhawen.

[5]DA sollen erzu komen die Priester / die kinder Leui (Denn der HERR dein Gott hat sie erwelet /

das sie jm dienen vnd seinen Namen loben / vnd nach jrem Mund sollen alle sachen vnd alle scheden gehandelt werden) [6]Vnd alle Eltesten derselben Stad sollen erzu tretten zu dem Erschlagenen / vnd jre hende wasschen vber die junge Kue / der im grund der hals abgehawen ist / [7]Vnd sollen antworten / vnd sagen / Vnser hende haben dis Blut nicht vergossen / so || habens auch vnser augen nicht gesehen. [8]Sey gnedig deinem volck Jsrael / das du der HERR erlöset hast / lege nicht das vnschüldige blut auff dein volck Jsrael / So werden sie vber dem blut versünet sein. [9]Also soltu das vnschüldige blut von dir thun / das du thust was recht ist fur den Augen des HERRN.

|| 108 a

WEnn du in einen streit zeuchst wider deine Feinde / vnd der HERR dein Gott gibt dir sie in deine hende / das du jre Gefangen wegfürest. [11]Vnd sihest vnter den gefangenen ein schön Weib / vnd hast lust zu jr / das du sie zum weibe nemest / [12]So füre sie in dein Haus / vnd las jr das Har abscheren / vnd jre Negel beschneiten / [13]vnd die Kleider ablegen / darinnen sie gefangen ist / vnd las sie sitzen in deinem Hause / vnd beweinen einen mond lang jren Vater vnd jre Mutter / Darnach schlaff bey jr vnd nim sie zu der Ehe / vnd las sie dein weib sein. [14]Wenn du aber nicht lust zu jr hast / so soltu sie auslassen / wo sie hin wil / vnd nicht vmb gelt verkeuffen noch versetzen / Darumb das du sie gedemütiget hast.

WEnn jemand zwey Weiber hat / Eine die er lieb hat / vnd eine die er hasset / vnd sie jm Kinder geberen / beide die Liebe vnd die Feindselige / das der Erstgeborner der Feindseligen ist / [16]Vnd die zeit kompt / das er seinen Kindern das Erbe austeile / So kan er nicht den Son der Liebesten zum erstgebornen Son machen / fur den erstgebornen Son der Feindseligen. [17]Sondern er sol den Son der Feindseligen fur den ersten Son erkennen / das er jm zweifeltig gebe / alles das furhanden ist / Denn derselbe ist seine erste Krafft / vnd der ersten geburt Recht ist sein.

WEnn jemand einen eigenwilligen vnd vngehorsamen Son hat / der seiner Vater vnd Mutter stim nicht gehorcht / vnd wenn sie jn züchtigen / jnen nicht gehorchen wil. [19]So sol jn sein Vater vnd Mutter greiffen / vnd zu den Eltesten der stad füren / vnd zu dem Thor desselben orts / [20]vnd zu den Eltesten der stad sagen / Dieser vnser Son ist eigenwillig vnd vngehorsam / vnd gehorcht vnser stim nicht / vnd ist ein Schlemmer vnd Truncken-bolt. [21]So sollen jn steinigen / alle Leute der selbigen stad / das er sterbe / Vnd solt also den Bösen von dir thun / das es gantz Jsrael höre vnd sich fürchte.

WEnn jemand eine Sünde gethan hat / die des Tods wirdig ist / vnd wird also getödt / das man jn an ein Holtz henget. [23]So sol sein Leichnam nicht vber nacht an dem holtz bleiben / Sondern solt jn desselben tags begraben / DENN EIN GEHENCKTER IST VERFLUCHT BEY GOTT / Auff das du dein Land nicht verunreinigst / das dir der HERR dein Gott gibt zum Erbe.

Gal. 3.

XXII.

Exo. 23.

WENN DU DEINES BRUDERS OCHSEN ODER SCHAF sihest irre gehen / So soltu dich nicht entziehen von jnen / sondern solt sie wider zu deinem Bruder füren. [2]Wenn aber dein Bruder dir nicht nahe ist / vnd kennest jn nicht / So soltu sie in dein Haus nemen / das sie bey dir seien / bis sie dein Bruder süche / vnd denn jm wider gebest. [3]Also soltu thun mit seinem esel / mit seinem kleid / vnd mit allem verlornen / das dein Bruder verleuret vnd du es findest / du kanst dich nicht entziehen.

Matt. 12.
Luc. 14.

WEnn du deines Bruders esel oder ochsen sihest fallen auff dem wege / So soltu dich nicht von jm entziehen / sondern solt jm auffhelffen.

EJn Weib sol nicht Mans gerete tragen / vnd ein Man sol nicht Weiberkleider anthun / Denn wer solchs thut / der ist dem HERRN deinem Gott ein Grewel.

WEnn du auff dem wege findest ein Vogelnest / auff einem bawm oder auff der erden / mit Jungen oder mit Eiern / vnd das die Mutter auff den Jungen oder auff den Eiern sitzt / So soltu nicht die mutter mit den jungen nemen / [7]Sondern solt die mutter fliegen lassen / vnd die jungen nemen / Auff das dirs wolgehe / vnd lange lebest.||

|| 108 b

WEnn du ein new Haus bawest / so mache ein Lehnen drumb auff deinem Dache / Auff das du nicht Blut auff dem haus ladest / wenn jemand er ab fiele.

DV solt deinen Weinberg nicht mit mancherley beseen / das du nicht zur Fülle heiligest solchen samen (den du geseet hast) neben dem einkomen des Weinbergs. [10]Du solt nicht ackern zu gleich mit einem ochsen vnd esel. [11]Du solt nicht anziehen ein Kleid von wollen vnd leinen zu gleich gemenget. [12]Du solt dir Leplin machen an den vier fittigen deines mantels / damit du dich bedeckest.

Leui. 19.

Num. 15.

WEnn jemand ein Weib nimpt / vnd wird jr gram / wenn er sie beschlaffen hat / [14]vnd legt jr was schendlichs auff / vnd bringet ein böse geschrey vber sie aus / vnd spricht / Das weib hab ich genomen / vnd da ich mich zu jr thet / fand ich sie nicht Jungfraw. [15]So sollen der vater vnd mutter / der Dirnen / sie nemen / vnd fur die Eltesten der stad in dem Thor / erfur bringen der Dirnen jungfrawschafft. [16]Vnd der Dirnen vater sol zu den Eltesten sagen / Jch hab diesem Man meine Tochter zum weibe gegeben / Nu ist er jr gram worden / [17]vnd legt ein schendlich ding auff sie / vnd spricht / Jch habe deine Tochter nicht Jungfraw funden / Hie ist die jungfrawschafft meiner Tochter / Vnd sollen die Kleider fur den Eltesten der stad ausbreiten. [18]So sollen die Eltesten der stad den Man nemen / vnd züchtigen / [19]vnd vmb hundert sekel silbers büssen vnd dieselben der Dirnen vater geben / Darumb das er ein jungfraw in Jsrael berüchtiget hat / vnd sol sie zum Weibe haben / das er sie sein Leben lang nicht lassen müge. [20]Jsts aber die warheit / das die Dirne nicht ist jungfraw funden / [21]So sol man sie er aus fur die thür jres vaters haus füren / vnd die Leute der stad sollen sie zu tod steinigen / Darumb / das sie eine torheit in Jsrael begangen hat / vnd in jres vaters hause gehuret hat / Vnd solt das böse von dir thun.

Num. 5.

WEnn jemand erfunden wird / der bey einem Weibe schlefft / die einen Eheman hat / So sollen sie beide sterben / der Man vnd das Weib / bey dem er geschlaffen hat / Vnd solt das böse von Jsrael thun.

Leui. 20.

WEnn eine Dirne jemand vertrawet ist / vnd ein Man krieget sie in der Stad / vnd schlefft bey jr. [24]So solt jr sie alle beide zu der Stadthor ausfüren / vnd solt sie beide steinigen / das sie sterben / Die Dirne darumb / das sie nicht geschrien hat / weil sie in der Stad war / Den Man darumb /

das er seines Nehesten weib geschendet hat / Vnd solt das böse von dir thun.

WEnn aber jemand eine vertrawete Dirne auff dem felde krieget / vnd ergreifft sie vnd schlefft bey jr / So sol der Man alleine sterben / der bey jr geschlaffen hat / [26]vnd der Dirne soltu nichts thun / Denn sie hat keine sünde des tods werd gethan. Sondern gleich wie jemand sich wider seinen Nehesten erhübe / vnd schlüge seine seele tod / So ist dis auch / [27]Denn er fand sie auff dem felde / vnd die vertrawete Dirne schrey / vnd war niemand der jr halff.

Exo. 22.

WEnn jemand an eine Jungfraw kompt / die nicht vertrawet ist / vnd ergreiffet sie vnd schlefft bey jr / vnd findet sich also / [29]So sol der sie beschlaffen hat jrem Vater fünffzig sekel silbers geben / vnd sol sie zum Weibe haben / Darumb / das er sie geschwecht hat / Er kan sie nicht lassen sein leben lang. [30]Niemand sol seines vaters Weib nemen / vnd nicht auffdecken seines vaters decke.

Leui. 18.
Deut. 27.

## XXIII.

Welche in die Gemeine des HERRN komen sollen / welche nicht.

ES SOL KEIN ZESTOSSENER NOCH VERSCHNITTENER in die Gemeine des HERRN komen. [2]Es sol auch kein Hurkind in die Gemeine des HERRN komen / auch nach dem zehenden Gelied / sondern sol schlecht nicht in die Gemeine des HERRN komen.

DJe Ammoniter vnd Moabiter sollen nicht in die Gemeine des HERRN komen / auch nach dem zehenden Gelied / sondern sie sollen nimer || mehr hin ein komen. Darumb / das sie euch nicht zuuor kamen mit Brot vnd Wasser / auff dem wege / da jr aus Egypten zoget / Vnd dazu wider euch dingeten den Bileam den son Beor / von Pethor aus Mesopotamia / das er dich verfluchen solte. [5]Aber der HERR dein Gott wolt Bileam nicht hören / vnd wandelt dir den fluch in den segen / Darumb / das dich der HERR dein Gott lieb hatte. [6]Du solt jnen weder glück noch guts wündschen / dein lebenlang ewiglich.

|| 109a

Num. 22.
Josu. 24.

DJe Edomiter soltu nicht fur Grewel halten / Er ist dein bruder. Den Egypter soltu auch nicht fur Grewel halten / Denn du bist ein Frembdling in seinem Lande gewesen. [8]Die Kinder die sie im

Gen. 25.

dritten Gelied zeugen / sollen in die Gemeine des HERRN komen.

WEnn du aus dem Lager gehest / wider deine Feinde / So hüte dich fur allem bösen.

(Bösen) Das du selbs nicht strefflich seiest / vnd also den Sieg zur straffe / verlierest vnd geschlagen werdest / Wie zur zeit Eli / vnd Saul geschach.

[10]WEnn jemand vnter dir ist / der nicht rein ist / das jm des nachts was widerfaren ist / Der sol hin aus fur das Lager gehen / vnd nicht wider hin ein komen / [11]Bis er fur abends / sich mit wasser bade / Vnd wenn die Sonn vntergangen ist / sol er wider ins Lager gehen.

[12]VND du solt aussen fur dem Lager einen Ort haben / da hin du zur not hinaus gehest. [13]Vnd solt ein Scheufflin haben / vnd wenn du dich draussen setzen wilt / soltu da mit graben / vnd wenn du gesessen bist / soltu zuscharren was von dir gangen ist. [14]Denn der HERR dein Gott wandelt vnter deinem Lager / das er dich errette / vnd gebe deine Feinde fur dir / Darumb sol dein Lager heilig sein / das kein schand vnter dir gesehen werde / vnd er sich von dir wende.

[15]DV solt den Knecht nicht seinem Herrn vberantworten / der von jm zu dir sich entwand hat. [16]Er sol bey dir bleiben an dem Ort / den er erwelet in deiner Thor einem / jm zu gut / Vnd solt jn nicht schinden.

ES sol kein Hure sein vnter den töchtern Jsrael / Vnd kein Hurer vnter den sönen Jsrael.

Num. 25.

[18]DV solt kein Hurnlohn noch Hundgelt in das haus Gottes deines HERRN bringen / aus jrgend einem Gelübd / Denn das ist dem HERRN deinem Gott beides ein Grewel.

DV solt an deinem Bruder nicht wuchern / weder mit geld noch mit speise / noch mit allem da mit man wuchern kan. [20]An dem Frembden magstu wuchern / aber nicht an deinem bruder / Auff das dich der HERR dein Gott segene / in allem das du furnimpst / im Lande / dahin du komest dasselb ein zunemen.

Exod. 22. Leui. 25. 2. Esd. 5.

WEnn du dem HERRN deinem Gott ein Gelübd thust / so soltu es nicht verziehen zu halten / Denn der HERR dein Gott wirds von dir foddern / vnd wird dir sunde sein. [22]Wenn du das geloben vnterwegen lessest / so ist dirs kein sunde / [23]Aber was zu deinen lippen ausgangen ist / soltu halten vnd darnach thun / wie du dem HERRN deinem Gott freiwillig gelobd hast das du mit deinem mund geredt hast.

Num. 30.

WEnn du in deines Nehesten Weinberg gehest / So magstu der Drauben essen nach deinem willen / bis du sat habest / Aber du solt nichts in dein gefess thun.

[25]WEnn du in die Saat deines Nehesten gehest / so magstu mit der hand Ehren abrupffen / Aber mit der sicheln soltu nicht drinnen hin vnd her faren.

## XXIIII.

WENN JEMAND EIN WEIB NIMPT VND EHELICHT sie / vnd sie nicht gnade findet fur seinen augen / vmb etwa einer vnlust willen / So sol er ein Scheidebrieff schreiben / vnd jr in die hand geben / vnd aus seinem hause lassen. [2]Wenn sie denn aus seinem hause gangen ist / || vnd hin gehet / vnd wird eins andern weib / [3]Vnd der selbe ander Man jr auch gram wird / vnd einen Scheide brieff schreibt / vnd jr in die hand gibt / vnd sie aus seinem hause lesst / Oder so derselb ander Man stirbt / der sie jm zum weibe genomen hatte / [4]So kan sie jr erster Man / der sie auslies / nicht widerumb nemen / das sie sein weib sey / nach dem sie ist vnrein / denn solchs ist ein Grewel fur dem HERRN / Auff das du das Land nicht zu sünden machest / das dir der HERR dein Gott zum Erbe gegeben hat.

Mat. 5. 19.

SCHEIDEBRIEFF.

|| 109b

WEnn jemand newlich ein Weib genomen hat / der sol nicht in die Heerfart ziehen / vnd man sol jm nichts aufflegen. Er sol frey in seinem hause sein ein jarlang / Das er frölich sey mit seinem Weibe das er genomen hat.

Deut. 20.

DV solt nicht zu Pfande nemen den vntersten vnd öbersten Mulstein / Denn er hat dir die Seele zu pfand gesetzt.

WEnn jemand funden wird / der aus seinen Brüdern eine Seele stilet aus den kindern Jsrael / vnd versetzt oder verkeufft sie / Solcher dieb sol sterben / das du das böse von dir thust.

Exod. 21.
1. Tim. 1.

HVte dich fur der plage des Aussatzs / das du mit vleis haltest vnd thust / alles das dich die Priester / die Leuiten leren / Vnd wie sie euch gebieten / das solt jr halten / vnd darnach thun. [9]Bedenckt / was der HERR dein Gott thet mit MirJam auff dem wege / da jr aus Egypten zoget.

Leu. 13. 14.

Num. 12.

WEnn du deinem Nehesten jrgend eine schuld borgest / so soltu nicht in sein haus gehen / vnd jm ein Pfand nemen / [11]Sondern du solt haussen stehen / vnd er dem du borgest / sol sein pfand zu dir er aus bringen. [12]Jst er aber ein Dürfftiger / so soltu dich nicht schlaffen legen vber seinem pfand / [13]Sondern solt jm sein pfand widergeben / wenn die Sonne vntergehet / das er in seinem Kleide schlaffe / vnd segene dich / Das wird dir fur dem HERRN deinem Gott eine gerechtigkeit sein.

DV solt dem Dürfftigen vnd Armen seinen Lohn nicht vorhalten / er sey von deinen Brüdern oder Frembdlingen / der in deinem Land vnd in deinem Thor ist. [15]Sondern solt jm seinen Lohn des tages geben / das die Sonne nicht drüber vntergehe / Denn er ist dürfftig / vnd erhelt seine Seele damit / Auff das er nicht wider dich den HERRN anruffe / vnd sey dir sünde.

Leu. 19.

DJE Veter sollen nicht fur die Kinder / noch die Kinder fur die Veter sterben / Sondern ein jglicher sol fur seine sünde sterben. [17]Du solt das Recht des Frembdlingen vnd des Waisen nicht beugen / Vnd solt der Widwe nicht das Kleid zum pfand nemen. [18]Denn du solt gedencken / das du Knecht in Egypten gewesen bist / vnd der HERR dein Gott dich von dannen erlöset hat / Darumb gebiete ich dir / das du solchs thust.

Ezech. 18.

WEnn du auff deinem Acker geerndtet hast / vnd einer Garben vergessen hast auff dem acker / So soltu nicht vmbkeren dieselben zu holen / Sondern sie sol des Frembdlingen / des Waisen / vnd der Widwen sein / Auff das dich der HERR dein Gott segene / in allen wercken deiner hende. [20]Wenn du deine Olebaum hast geschüttelt / so soltu nicht nachschütteln / Es sol des Frembdlingen / des Waisen / vnd der Widwen sein. [21]Wenn du deinen Weinberg gelesen hast / so soltu nicht nachlesen / Es sol des Fremblingen / des Waisen vnd der Widwen sein. [22]Vnd solt gedencken / das du Knecht in Egyptenland gewesen bist / Darumb gebiete ich dir / das du solchs thust.

Leu. 19. 23.

## XXV.

WENN EIN HADDER IST ZWISSCHEN MENNERN / So sol man sie fur Gericht bringen vnd sie richten / vnd den Gerechten rechtsprechen / vnd den Gottlosen verdamnen. [2]Vnd so der Gottlose schlege verdienet hat / Sol jn der Richter heissen niderfallen / vnd sollen jn fur jm schlahen / nach der mas vnd zal seiner missethat. [3]Wenn man jm || vierzig Schlege gegeben hat / sol man nicht mehr schlahen / Auff das nicht / so man mehr schlege gibt / er zu viel geschlagen werde / vnd dein Bruder scheuslich fur deinen augen sey.

|| 110a
2. Cor. 11.

DV SOLT DEM OCHSEN DER DA DRISSCHET / NICHT das Maul verbinden.

1. Cor. 9.
1. Tim. 5.

WEnn Brüder bey einander wonen / vnd einer stirbt on Kinder / So sol des verstorbenen Weib nicht einen frembden Man draussen nemen / sondern jr Schwager sol sie beschlaffen / vnd zum weibe nemen vnd sie ehelichen / [6]Vnd den ersten Son den sie gebirt / sol er bestetigen nach dem namen seines verstorbenen Bruders / das sein name nicht vertilget werde aus Jsrael.

Mat. 22.
Ruth. 4.

[7]GEfellet aber dem Man nicht / das er seine Schwegerin neme / So sol sie / seine Schwegerin / hin auff gehen vnter das thor fur die Eltesten / vnd sagen / Mein Schwager wegert sich seinem Bruder einen namen zu erwecken in Jsrael / vnd wil mich nicht ehelichen. [8]So sollen jn die Eltesten der Stad foddern vnd mit jm reden / Wenn er denn stehet vnd spricht / Es gefellet mir nicht sie zu nemen / [9]So sol sein Schwegerin zu jm tretten fur den Eltesten / vnd jm einen Schuch ausziehen von seinen füssen vnd jn anspeien / vnd sol antworten / vnd sprechen / Also sol man thun einem jederman / der seins Bruders haus / nicht erbawen wil. [10]Vnd sein name sol in Jsrael heissen / des Barfussers haus.

WEnn sich zween Menner mit einander haddern / vnd des einen Weib leufft zu / das sie jren Man errette von der hand des der jn schlegt / Vnd streckt jre hand aus / vnd ergreifft jn bey seiner Scham / [12]So soltu jr die hand abhawen / vnd dein auge sol jr nicht verschonen.

DV solt nicht zweierley Gewicht in deinem sack / gros vnd klein haben. [14]Vnd in deinem hause sol nicht zweierley Scheffel / gros vnd klein sein. [15]Du solt ein vollig vnd recht Gewicht / vnd einen völligen vnd rechten Scheffel haben / Auff das dein leben lang were in dem Lande / das dir der HERR dein Gott geben wird. [16]Denn wer solchs thut / der ist dem HERRN deinem Gott ein Grewel / wie alle die vbel thun.

Leu. 19.

Erste früchte des Landes dem HERRN zu bringen etc.

GEdenck / was dir die Amalekiter thetten / auff dem wege / da jr aus Egypten zoget / [18]Wie sie dich angriffen auff dem wege / vnd schlugen deine Hindersten / alle die schwachen die dir hinden nach zogen / da du müde vnd matt warest / vnd furchten Gott nicht. [19]Wenn nu der HERR dein Gott dich zu ruge bringt von allen deinen Feinden vmbher / im Lande / das dir der HERR dein Gott gibt zum Erbe einzunemen / So soltu das gedechtnis der Amalekiter austilgen vnter dem Himel. Das vergis nicht.

Exo. 17. 1. Reg. 15.

## XXVI.

Erste früchte dem HERRN zu bringen.

WEnn du ins Land kompst / das dir der HERR dein Gott zum Erbe geben wird / vnd nimpsts ein / vnd wonest drinnen / [2]So soltu nemen allerley ersten Früchte des Lands / die aus der erden komen / die der HERR dein Gott dir gibt / vnd solt sie in einen Korb legen / vnd hin gehen an den Ort / den der HERR dein Gott erwelen wird / das sein Name daselbs wone. [3]Vnd solt zu dem Priester komen / der zu der zeit da ist / vnd zu jm sagen / Jch bekenne heute dem HERRN deinem Gott / das ich komen bin in das Land / das der HERR vnsern Vetern geschworen hat vns zu geben.

Deut. 16.

[4]VND der Priester sol den Korb nemen von deiner Hand / vnd vor dem Altar des HERRN deines Gottes nidersitzen. [5]Da soltu antworten / vnd sagen fur dem HERRN deinem Gott / Die Syrer wolten meinen Vater vmbbringen / Der zoch hinab in Egypten / vnd war daselbs ein Frembdling mit geringem Volck / vnd ward daselbs ein gros / starck vnd viel Volck. [6]Aber die Egypter handelten vns vbel vnd zwungen vns / vnd legten einen harten Dienst auff vns. ‖

‖ 110b

[7]DA schrien wir zu dem HERRN dem Gott vnser veter / Vnd der HERR erhöret vnser schreien / vnd sahe vnser elend / angst vnd not / [8]vnd füret vns aus Egypten / mit mechtiger Hand vnd ausgerecktem Arm / vnd mit grossem schrecken / durch Zeichen vnd Wunder / [9]vnd bracht vns an diesen Ort / vnd gab vns dis Land / da milch vnd honig innen fleusst. [10]Nu bringe ich die ersten Früchte des Lands / die du HERR mir gegeben hast. Vnd solt sie lassen fur dem HERRN deinem Gott / vnd anbeten fur dem HERRN deinem Gott /

früchte des Landes dem HERRN zu bringen etc.

[11]vnd frölich sein vber allem Gut / das dir der HERR dein Gott gegeben hat / vnd deinem hause / du vnd der Leuit / vnd der Frembdling der bey dir ist.

Deut. 14.

WEnn du alle Zehenden deines einkomens zusamen bracht hast im dritten jar / das ist ein Zehenden har / So soltu dem Leuiten / dem Frembdlingen / dem Waisen / vnd den Widwen geben / das sie essen in deinem Thor vnd sat werden. [13]Vnd solt sprechen fur dem HERRN deinem Gott / Jch hab bracht / das geheiliget ist aus meinem Hause / vnd habs gegeben den Leuiten / den Frembdlingen / den Waisen vnd den Widwen / nach alle deinem Gebot / das du mir geboten hast / Jch hab deine Gebot nicht vbergangen / noch vergessen. [14]Jch hab nicht dauon gessen in meinem leide / vnd hab nicht dauon gethan in vnreinigkeit / Jch hab nicht zu den Todten dauon gegeben. Jch bin der stim des HERRN meines Gottes gehorsam gewest / vnd habe gethan alles / wie du mir geboten hast. [15]Sihe erab von deiner heiligen Wonung vom Himel / vnd segene dein volck Jsrael / vnd das Land / das du vns gegeben hast / wie du vnsern Vetern geschworen hast / ein Land da milch vnd honig innen fleusst.

(Leide) Gottes Opffer sol frölich / rein vnd heilig sein / Darumb sol nichts in traurigkeit dauon gegessen / nichts in vnreinigkeit dauon genomen / nichts den Götzen oder todten dauon gegeben sein.

Deut. 7.

[16]HEutes tages gebeut dir der HERR dein Gott / das du thust nach allen diesen Geboten vnd Rechten / das du sie haltest / vnd darnach thust von gantzem hertzen / vnd von gantzer seelen. [17]Dem HERRN hastu heute geredt / das er dein Gott sey / das du in alle seinen wegen wandelst / vnd haltest seine Gesetz / Gebot vnd Recht / vnd seiner stimme gehorchest. [18]Vnd der HERR hat dir heute geredt / das du sein eigen Volck sein solt / wie er dir geredt hat / Das du alle seine Gebot haltest / [19]vnd er dich das höhest mache / vnd du gerhümet / gepreiset vnd geehret werdest vber alle Völcker / die er gemacht hat / Das du dem HERRN deinem Gott ein heilig Volck seiest / wie er geredt hat.

## XXVII.

VND MOSE GEBOT SAMPT DEN ELTESTEN JSRAEL dem volck / vnd sprach / Behaltet alle Gebot / die ich euch heute gebiete. [2]Vnd zu der zeit / wenn jr vber den Jordan gehet ins Land / das dir der HERR / dein Gott geben wird / Soltu grosse Steine auffrichten / vnd sie mit kalck tünchen / [3]Vnd drauff schreiben alle wort dieses Gesetzs wenn du hinüber komest / Auff das du komest ins Land / das der HERR dein Gott dir geben wird / ein Land / da milch vnd honig innen fleusst / Wie der HERR deiner veter Gott dir geredt hat.

[4]WEnn jr nu vber den Jordan gehet / So solt jr solche Steine auffrichten (dauon ich euch heute gebiete) auff dem berge Ebal / vnd mit kalck tünchen. [5]Vnd solt daselbs dem HERRN deinem Gott ein steinern Altar bawen / darüber kein Eisen feret / [6]von gantzen Steinen soltu diesen Altar dem HERRN deinem Gott bawen / vnd Brandopffer drauff opffern dem HERRN deinem Gott. [7]Vnd solt Danckopffer opffern / vnd daselbs essen vnd frölich sein fur dem HERRN deinem Gott. [8]Vnd solt auff die Steine alle wort dieses Gesetzs schreiben klar vnd deutlich.

Exod. 20. Josu. 8.

[9]VND Mose sampt den Priestern den Leuiten redeten mit dem gantzen Jsrael / vnd sprachen / Merck vnd höre zu Jsrael / Heute dieses tages bistu ein Volck worden des HERRN deines Gottes / [10]Das du der stim des HERRN || deines Gottes gehorsam seiest / vnd thust nach seinen Geboten vnd Rechten / die ich dir heute gebiete.

VND Mose gebot dem Volck desselben tages / vnd sprach. [12]Diese sollen stehen auff dem berge Grisim zu segen das Volck / wenn jr vber den Jordan gangen seid / Simeon / Leui / Juda / Jsaschar / Joseph / vnd BenJamin. [13]Vnd diese sollen stehen auff dem berge Ebal zu fluchen / Ruben / Gad / Asser / Sebulon / Dan vnd Naphthali. [14]Vnd die Leuiten sollen anheben / vnd sagen zu jederman von Jsrael mit lauter stimme.

FLUCH.

[15]VErflucht sey / wer ein Götzen oder gegossen Bild macht / einen Grewel des HERRN / ein werck der Werckmeister hende / vnd setzt es verborgen / Vnd alles volck sol antworten vnd sagen / Amen.

[16]VErflucht sey / wer seim Vater oder Mutter flucht / Vnd alles volck sol sagen / Amen.

Leui. 20. Math. 15.

[17]VErflucht sey / wer seines Nehesten grentze engert / Vnd alles volck sol sagen / Amen.

[18]VErflucht sey / wer einen Blinden jrren macht auff dem wege / Vnd alles volck sol sagen / Amen.

[19]VErflucht sey / wer das Recht des Frembdlingen / des Waisen / vnd der Widwen beuget / Vnd alles volck sol sagen / Amen.

[20]VErflucht sey / wer bey seines Vaters weibe ligt / das er auffdecke den fittich seines Vaters / Vnd alles volck sol sagen / Amen.

[21]VErflucht sey / wer jrgend bey einem Vieh ligt / Vnd alles volck sol sagen / Amen.

[22]VErflucht sey / wer bey seiner Schwester ligt / die seines vaters oder seiner mutter tochter ist / Vnd alles volck sol sagen / Amen.

[23]VErflucht sey / wer bey seiner Schwieger ligt / Vnd alles volck sol sagen / Amen.

[24]VErflucht sey / wer seinen Nehesten heimlich schlegt / Vnd alles volck sol sagen / Amen.

[25]VErflucht sey / wer Geschenck nimpt / das er die Seele des vnschüldigen bluts schlegt / Vnd alles volck sol sagen / Amen.

Gal. 3.

[26]VErflucht sey / wer nicht alle wort dieses Gesetzes erfüllet / das er darnach thue / Vnd alles volck sol sagen / Amen.

## XXVIII.

VND WENN DU DER STIM DES HERRN DEINES Gottes gehorchen wirst / das du haltest vnd thust alle seine Gebot / die ich dir heute gebiete / So wird dich der HERR dein Gott das höhest machen vber alle Völcker auff Erden. [2]Vnd werden vber dich komen alle diese Segen / vnd werden dich treffen / Darumb das du der stim des HERRN deines Gottes bist gehorsam gewest. [3]Gesegnet wirstu sein in der Stad / gesegnet auff dem Acker. [4]Gesegnet wird sein die Frucht deines Leibs / die frucht deines Lands / vnd die frucht deins Viehs / vnd die früchte deiner ochsen / vnd die früchte deiner schaf. [5]Gesegenet wird sein dein Korb vnd dein vbriges. [6]Gesegenet wirstu sein / wenn du eingehest / gesegenet / wenn du ausgehest.

SEGEN des Gesetzs.

(Korb) Das ist / alles was du gegenwertiglich brauchest / vnd was du beseit legest zubehalten.

[7]VND der HERR wird deine Feinde / die sich wider dich aufflehnen / fur dir schlahen / Durch einen weg sollen sie ausziehen wider dich / vnd durch sieben wege fur dir fliehen. [8]Der HERR wird gebieten dem Segen / das er mit dir sey in deinem Keller vnd in allem das du furnimpst / vnd wird dich segenen / in dem Land das dir der HERR dein Gott gegeben hat.

[9]DEr HERR wird dich jm zum heiligen Volck auffrichten / wie er dir geschworen hat / darumb das du die Gebot des HERRN deines Gottes hel- ||

|| 111b

test / vnd wandelst in seinen wegen. [10]Das alle Völcker auff Erden werden sehen / das du nach dem Namen des HERRN genennet bist / vnd werden sich fur dir fürchten. [11]Vnd der HERR wird machen / das du vberflus an Güttern haben wirst / an der Frucht deines Leibs / an der frucht deines Viehs / vnd an der frucht deines Ackers / auff dem Land / das der HERR deinen Vetern geschworen hat dir zu geben.

[12]VND der HERR wird dir seinen guten Schatz auffthun / den Himel / das er deinem Land Regen gebe zu seiner zeit / vnd das er segene alle werck deiner hende. Vnd du wirst vielen Völckern leihen / Du aber wirst von niemand borgen. [13]Vnd der HERR wird dich zum Heubt machen / vnd nicht zum Schwantz / vnd wirst oben schweben / vnd nicht vnten ligen / Darumb / das du gehorsam bist den Geboten des HERRN deines Gottes / die ich dir heute gebiete zuhalten vnd zu thun. [14]Vnd das du nicht weichest / von jrgent einem wort das ich euch heute gebiete / weder zur rechten noch zur lincken / damit du andern Göttern nachwandeltest jnen zu dienen.

Leui. 26.

WENN DU ABER NICHT GEHORCHEN WIRST DER stim des HERRN deines Gottes / das du haltest vnd thust alle seine Gebot vnd Rechte / die ich dir heute gebiete / So werden alle diese Flüche vber dich komen vnd dich treffen. [16]Verflucht wirstu sein in der Stad / verflucht auff dem Acker. [17]Verflucht wird sein dein Korb vnd dein vbrigs. [18]Verflucht wird sein die Frucht deines Leibs / die frucht deines Lands / die frucht deiner ochsen / vnd die frucht deiner schaf. [19]Verflucht wirstu sein / wenn du eingehest / verflucht / wenn du ausgehest.

[20]DEr HERR wird vnter dich senden vnfal / vnrat vnd vnglück in allem das du fur die hand nimpst / das du thust / Bis du vertilget werdest / vnd bald vntergehest / vmb deines bösen wesens willen / das du mich verlassen hast. [21]Der HERR wird dir die Sterbedrüse anhengen / bis das er dich vertilge / in dem Lande da hin du komest dasselbe einzunemen. [22]Der HERR wird dich schlahen mit Schwulst / Fiber / Hitze / Brunst / Durre / gifftiger Lufft / vnd Geelsucht / vnd wird dich verfolgen / bis er dich vmbbringe.

[23]DEin Himel der vber deinem heubt ist / wird ehrnen sein / vnd die Erden vnter dir eisern. [24]Der

HERR wird deinem Lande / staub vnd asschen fur Regen geben vom Himel auff dich / bis du vertilget werdest. [25]Der HERR wird dich fur deinen Feinden schlahen / Durch einen weg wirstu zu jnen ausziehen / vnd durch sieben wege wirstu fur jnen fliehen / vnd wirst zustrewet werden vnter alle Reich auff Erden. [26]Dein Leichnam wird ein speise sein allem Geuögel des Himels / vnd allem Thier auff Erden / vnd niemand wird sein der sie scheucht.

Exod. 9.

[27]DEr HERR wird dich schlahen mit Drüsen Egypti / mit Feigwartzen / mit Grind vnd Kretz / das du nicht kanst heil werden. [28]Der HERR wird dich schlahen mit Wahnsin / Blindheit vnd Rasen des hertzen / [29]vnd wirst tappen im Mittag / wie ein Blinder tappet im tunckeln / vnd wirst auff deinem wege kein glück haben.

Rom. 1.

VND wirst gewalt vnd vnrecht leiden müssen dein leben lang / vnd niemand wird dir helffen. [30]Ein Weib wirstu dir vertrawen lassen / Aber ein ander wird bey jr schlaffen. Ein Haus wirstu bawen / Aber du wirst nicht drinnen wonen. Einen Weinberg wirstu pflantzen / Aber du wirst jn nicht gemein machen. [31]Dein ochse wird fur deinen augen geschlachtet werden / Aber du wirst nicht dauon essen. Dein esel wird fur deinem angesichte mit gewalt genomen / Vnd dir nicht wider gegeben werden. Dein schaf wird deinen Feinden gegeben werden / Vnd niemand wird dir helffen.

[32]DEine Söne vnd deine Töchter werden einem andern Volck gegeben werden / das deine augen zusehen vnd verschmachten vber jnen teglich / Vnd wird keine stercke in deinen henden sein. [33]Die Früchte deines Lands / vnd alle || deine Erbeit wird ein Volck verzeren / das du nicht kennest / vnd wirst vnrecht leiden / vnd zustossen werden dein lebenlang. [34]Vnd wirst vnsinnig werden fur dem das deine augen sehen müssen.

|| 112a

[35]DEr HERR wird dich schlahen mit einer bösen Drüs an den knien vnd waden / Das du nicht kanst geheilet werden / von den fussolen an / bis auff die scheitel.

[36]DEr HERR wird dich vnd deinen König den du vber dich gesetzt hast / treiben vnter ein Volck / das du nicht kennest noch dein Veter / vnd wirst daselbs dienen andern Göttern / holtz vnd steinen. [37]Vnd wirst ein Schewsal / vnd ein Sprichwort vnd

Spot sein vnter allen Völckern / da dich der HERR hin getrieben hat.

[38]DV wirst viel Samens ausfüren auff das feld / vnd wenig einsammelen / Denn die Hewschrecken werdens abfressen. [39]Weinberge wirstu pflantzen vnd bawen / Aber keinen Wein trincken noch lesen / Denn die Würme werdens verzeren. [40]Olebewm wirstu haben in allen deinen Grentzen / Aber du wirst dich nicht salben mit Ole / denn dein Olebawm wird ausgerissen werden. [41]Söne vnd Töchter wirstu zeugen / vnd doch nicht haben / Denn sie werden gefangen weggefürt werden. [42]Alle deine Bewme / vnd Früchte deines Lands wird das Vnzifer fressen.

Mich. 6. Hag. 2.

[43]DEr Frembdling der bey dir ist / wird vber dich steigen vnd jmer oben schweben / Du aber wirst erunter steigen / vnd jmer vnterligen. [44]Er wird dir leihen / Du aber wirst jm nicht leihen / Er wird das Heubt sein / Vnd du wirst der Schwantz sein.

[45]VND werden alle diese Flüche vber dich komen vnd dich verfolgen vnd treffen / bis du vertilget werdest / Darumb / das du der stim des HERRN deines Gottes nicht gehorchet hast / das du seine Gebot vnd Rechte hieltest / die er dir geboten hat. [46]Darumb werden Zeichen vnd Wunder an dir sein / vnd an deinem Samen ewiglich / [47]Das du dem HERRN deinem Gott nicht gedienet hast mit freude vnd lust deines hertzen / da du allerley gnug hattest. [48]Vnd wirst deinem Feinde / den dir der HERR zuschicken wird / dienen in hunger vnd durst / in blösse vnd allerley mangel / Vnd wird ein eisern Joch auff deinen Hals legen / bis das er dich vertilge.

[49]DEr HERR wird ein Volck vber dich schicken / von ferne von der Welt ende / wie ein Adeler fleugt / des sprache du nicht verstehest / [50]ein frech Volck / das nicht ansihet die person des Alten / noch schonet der Jünglingen. [51]Vnd wird verzehren die frucht deines Viehs / vnd die frucht deines Landes / bis du vertilget werdest / Vnd wird dir nichts vberlassen an Korn / most / öle / an Früchten der ochsen vnd schafen / bis das dichs vmbbringe. [52]Vnd wird dich engsten in alle deinen Thoren / bis das es niderwerffe deine hohe vnd feste Mauren / darauff du dich verlessest / in alle deinem Lande / Vnd wirst geengstet werden in allen deinen Thoren / in

deinem gantzen Lande / das dir der HERR dein Gott gegeben hat.

4. Reg. 6.
Thre. 4.

DV wirst die Frucht deines Leibs fressen / das fleisch deiner Söne vnd deiner Töchter / die dir der HERR dein Gott gegeben hat / in der angst vnd not / da mit dich dein Feind drengen wird. [54]Das ein Man der zuuor seer zertlich vnd in lüsten gelebt hat vnter euch / wird seinem Bruder / vnd dem Weib in seinen armen / vnd dem Son der noch vbrig ist von seinen Sönen / vergönnen [55]zu geben jmand vnter jnen von dem fleisch seiner Söne / das er frisset / Sintmal jm nichts vbrig ist von allem gut / in der angst vnd not / da mit dich dein feind drengen wird in allen deinen Thoren.

[56]EJn Weib vnter euch / das zuuor zertlich / vnd in lüsten gelebet hat / das sie nicht versucht hat jre Fussolen auff die erden zusetzen fur zertligkeit vnd wollust / Die wird dem Man in jren armen / vnd jrem son vnd jrer Tochter ver|| gönnen / [57]die [a]Affterburt die zwisschen jr eigen Beinen sind ausgangen / dazu jre Söne / die sie geboren hat / Denn sie werden sie fur allerley mangel heimlich essen / in der angst vnd not / damit dich dein Feind drengen wird in deinen Thoren.

|| 112b

a Alij Jnfantes / recens natos.

WO du nicht wirst halten / das du thust alle wort dieses Gesetzs / die in diesem Buch geschrieben sind / das du fürchtest diesen herrlichen vnd schrecklichen Namen / den HERRN deinen Gott / [59]So wird der HERR wünderlich mit dir vmbgehen / mit plagen auff dich vnd deinen Samen / mit grossen vnd langwerigen Plagen / mit bösen vnd langwerigen Kranckheiten. [60]Vnd wird dir zuwenden alle Seuche Egypti / da fur du dich fürchtest / vnd werden dir anhangen. [61]Dazu alle Kranckheit vnd alle Plage / die nicht geschrieben sind in dem Buch dieses Gesetzs / wird der HERR vber dich komen lassen / bis du vertilget werdest. [62]Vnd wird ewr wenig Pöbels vberbleiben / die jr vorhin gewesen seid / wie die Stern am Himel nach der menge / Darumb das du nicht gehorchet hast der stim des HERRN deines Gottes.

[63]VND wie sich der HERR vber euch zuuor frewete / das er euch guts thet vnd mehret euch / Also wird er sich vber euch frewen / das er euch vmbbringe vnd vertilge / Vnd werdet verstöret werden von dem Land da du einzeuchst jtzt einzunemen. [64]Denn der HERR wird dich zustrewen

Mose an Jsrael vor seim ende etc.

vnter alle Völcker / von eim ende der Welt bis ans ander / Vnd wirst daselbs andern Göttern dienen / die du nicht kennest / noch deine Veter / holtz vnd steinen.

[65]DAzu wirstu vnter den selben Völckern kein bleibend wesen haben / vnd deine Fussolen werden keine ruge haben. Denn der HERR wird dir daselbs ein bebendes Hertz geben / vnd verschmachte Augen / vnd verdorrete Seele / [66]das dein Leben wird fur dir schweben. Nacht vnd tag wirstu dich fürchten / vnd deines Lebens nicht sicher sein. [67]Des morgens wirstu sagen / Ah / das ich den abend erleben möchte / Des abends wirstu sagen / Ah / das ich den morgen erleben möchte / fur furcht deines Hertzen / die dich schrecken wird / vnd fur dem das du mit deinen Augen sehen wirst.

[68]VND der HERR wird dich mit Schiff vol wider in Egypten füren / durch den weg / dauon ich gesagt hab / Du solt jn nicht mehr sehen. Vnd jr werdet daselbs ewrn Feinden zu Knechten vnd Megden verkaufft werden / vnd wird kein Keuffer da sein.

## XXIX.

DJS SIND DIE WORT DES BUNDS / DEN DER HERR Mose geboten hat / zu machen mit den kindern Jsrael in der Moabiter land / zum andern mal / nach den er den selben mit jnen gemacht hatte in Horeb. [2]Vnd Mose rieff dem gantzen Jsrael / vnd sprach zu jnen / Jr habt gesehen alles was der HERR gethan hat in Egypten fur ewern augen / Dem Pharao mit alle seinen Knechten / vnd seinem gantzen Lande / [3]Die grossen versuchungen / die deine augen gesehen haben / das es grosse Zeichen vnd Wunder waren. [4]Vnd der HERR hat euch bis auff diesen heutigen tag noch nicht gegeben ein hertz / das verstendig were / Augen die da sehen / vnd Ohren die da höreten.

Jesa. 6.

[5]ER hat euch vierzig jar in der Wüsten lassen wandeln / Ewer Kleider sind an euch nicht veraltet / vnd dein Schuch ist nicht veraltet an deinen fussen. [6]Jr habt kein Brot gessen / vnd keinen Wein getruncken noch starcke Getrencke / Auff das du wissest / das ich der HERR ewer Gott bin.

Deut. 8.

[7]VND da jr kamet an diesen Ort / zoch aus der könig Sihon zu Hesbon / vnd der könig Og zu Basan / vns entgegen mit vns zu streiten. Vnd wir ha-

Num. 21. Deut. 3.

Mose an Jsrael vor seim ende etc.

ben sie geschlagen / [8]vnd jr Land eingenomen / vnd zum Erbteil gegeben den Rubenitern vnd Gadditern / vnd dem halben stam der Manassiter. [9]So haltet || nu die wort dieses Bunds vnd thut darnach / Auff das jr weislich handeln müget in alle ewrem thun.

|| 113a

(Ewrem thun) On Gottes wort ist alle vnser thun narrheit.

JR stehet heute alle fur dem HERRN ewrem Gott / die Obersten ewer stemmen / ewer Eltesten / ewr Amptleute / ein jederman in Jsrael / [11]ewer Kinder / ewer Weiber / dein Frembdling der in deinem Lager ist / beide dein Holtzhewer vnd deine Wasserschepffer / [12]Das du ein her gehen solt in dem Bund des HERRN deines Gottes / vnd in dem Eide / den der HERR dein Gott heute mit dir macht. [13]Auff das er dich heute jm zum Volck auffrichte / vnd er dein Gott sey / Wie er dir geredt hat / vnd wie er deinen vetern Abraham / Jsaac vnd Jacob geschworen hat.

[14]DEnn ich mache diesen Bund vnd diesen Eid nicht mit euch alleine / [15]Sondern beide mit euch / die jr heute hie seid / vnd mit vns stehet fur dem HERRN vnserm Gott / vnd mit denen / die heute nicht mit vns sind. [16]Denn jr wisset / wie wir in Egyptenland gewonet haben / vnd mitten durch die Heiden gezogen sind / Durch welche jr zoget / [17]vnd sahet jre Grewel vnd jre Götzen holtz vnd stein / silber vnd gold / die bey jnen waren.

DAs nicht vieleicht ein Man / oder ein Weib / oder ein Gesind / oder ein Stam vnter euch sey / des hertz heute sich von dem HERRN vnserm Gott gewand habe / das es hin gehe vnd diene den Göttern dieser Völcker / vnd werde vieleicht eine wurtzel vnter euch / die da galle vnd wermut trage. [19]Vnd ob er schon höre die wort dieses Fluchs / dennoch sich segene in seinem hertzen / vnd spreche / Es gehet mir wol / [a]weil ich wandel / wie es mein hertz dünckt / Auff das die Trunckene mit der Dürstigen da hin faren.

Act. 8. Ebre. 12.

(Es gehet mir wol) Das ist der ruchlosen Leute wort vnd gedancken / Ey die Helle ist nicht so heiss / Es hat nicht not / Der Teufel ist nicht so grewlich als man jn malet. Welchs alle Werckheiligen frech vnd thürstiglich thun / Ja noch lohn im Himel gewarten.

a (Weil ich wandel) Das ist / Weil ich so thu vnd meine Abgötterey treibe / so ist eitel glück da / Wer Gott dienet / dem gehets nimer mehr wol.

[20]DA wird der HERR dem nicht gnedig sein / Sondern denn wird sein zorn vnd einer rauchen vber solchen Man / vnd werden sich auff jn legen alle Flüche die in diesem Buch geschrieben sind. Vnd der HERR wird seinen namen austilgen vnter dem Himel / [21]vnd wird jn absondern zum vnglück / aus allen stemmen Jsrael / lauts aller Flüche des Bunds / der in dem Buch dieses Gesetzs geschrieben ist.

Mose an Jsrael vor seim ende etc.

SO werden denn sagen die Nachkomen ewr Kinder / die nach euch auff komen werden / vnd die Frembden / die aus fernen Landen komen / so sie die Plagen dieses Landes sehen / vnd die Kranckheiten / da mit sie der HERR beladen hat / [23]Das er alle jr Land mit schwefel vnd saltz verbrand hat / das sie nicht beseet werden mag / noch wechset / noch kein kraut drinnen auffgehet / Gleich wie Sodom / Gomorra / Adama vnd Zeboim vmbgekeret sind / die der HERR in seinem zorn vnd grim vmbgekeret hat / [24]So werden alle Völcker sagen / Warumb hat der HERR diesem Land also gethan? Was ist das fur so grosser grimmiger zorn?

Gen. 19.

3. Reg. 9.
Jere. 22.

[25]SO wird man sagen / Darumb / Das sie den Bund des HERRN jrer veter Gott / verlassen haben / den er mit jnen machet / da er sie aus Egyptenland füret / [26]Vnd sind hin gegangen vnd haben andern Göttern gedienet / vnd sie angebetet / solche Götter die sie nicht kennen / vnd die jnen nichts gegeben haben. [27]Darumb ist des HERRN zorn ergrimmet vber dis Land das er vber sie hat komen lassen alle Flüche / die in diesem Buch geschrieben stehen / [28]Vnd der HERR hat sie aus jrem Lande gestossen / mit grossem zorn / grim vnd vngnaden / vnd hat sie in ein ander Land geworffen / wie es stehet heutiges tages.

[29]DAS Geheimnis des HERRN vnsers Gottes ist offenbart / vns vnd vnsern Kindern ewiglich / das wir thun sollen alle wort dieses Gesetzs.

Psal. 147.

(Das Geheimnis) Wil so sagen / Vns Jüden hat Gott fur allen Völckern auff Erden / seinen willen offenbart / vnd was er im sinn hat. Darumb sollen wir auch deste vleissiger sein.

## XXX.

WEnn nu vber dich komet dis alles / es sey der Segen / oder der fluch / die ich dir furgelegt habe / vnd in dein hertz gehest / wo du vnter den Heiden bist / da dich der HERR dein Gott hin verstossen || hat / [2]Vnd bekerest dich zu dem HERRN deinem Gott / das du seiner stim gehorchest / du vnd deine Kinder von gantzem Hertzen / vnd von gantzer Seele / in allem das ich dir heute gebiete / [3]So wird der HERR dein Gott deine Gefengnis wenden / vnd sich deiner erbarmen / vnd wird dich wider versamlen aus allen Völckern / da hin dich der HERR dein Gott verstrewet hat.

|| 113b

Psal. 106.

[5]WEnn du bis an der Himel ende verstossen werest / So wird dich doch der HERR dein Gott von dannen samlen / vnd dich von dannen holen.

Mose tröstet Jsrael das sie wider zu gnaden sollen komen etc.
Rom. 2.
Jere. 4.

[5]Vnd wird dich in das Land bringen / das deine Veter besessen haben / vnd wirst es einnemen / vnd wird dir guts thun / vnd dich mehren vber deine Veter. [6]Vnd der HERR dein Gott wird dein Hertz beschneiten / vnd das hertz deines Samens / Das du den HERRN deinen Gott liebest von gantzem Hertzen / vnd von gantzer Seelen / auff das du leben mügest. [7]Aber diese flüche wird der HERR dein Gott alle auff deine Feinde legen / vnd auff die dich hassen vnd verfolgen.

[8]DV aber wirst dich bekeren vnd der stim des HERRN gehorchen / das du thust alle seine Gebot / die ich dir heute gebiete / [9]Vnd der HERR dein Gott wird dir glück geben in allen wercken deiner hende / An der Frucht deines Leibs / an der frucht deines Viehs / an der frucht deines Lands / das dirs zu gut kome. Denn der HERR wird sich wenden / das er sich vber dir frewe / dir zu gut / wie er sich vber deinen Vetern gefrewet hat / [10]Darumb / das du der stim des HERRN deines Gottes gehochest / zu halten seine Gebot vnd Rechte / die geschrieben stehen im Buch dieses Gesetzes / So du dich wirst bekeren zu dem HERRN deinem Gott / von gantzem Hertzen / vnd von gantzer Seele.

(Zu gut) Denn die Gottlosen haben auch wol ehre vnd gut / offt mehr denn die Heiligen / Aber zu jrem vnd andern verderben etc.

DENN DAS GEBOT DAS ICH DIR HEUTE GEBIETE / IST dir nicht verborgen / noch zu ferne / [12]noch im Himel / Das du möchtest sagen / Wer wil vns in den Himel faren / vnd vns holen / das wirs hören vnd thun? [13]Es ist auch nicht jenseid des Meers / Das du möchtest sagen / Wer wil vns vber das Meer faren / vnd vns holen / das wirs hören vnd thun? [14]Denn es ist das wort fast nahe bey dir / in deinem Munde / vnd in deinem Hertzen / das du es thust.

Rom. 10.

SJhe / Jch hab dir heute furgelegt / das Leben vnd das Gute / den Tod vnd das Böse / [16]der ich dir heute gebiete / das du den HERRN deinen Gott liebest / vnd wandelst in seinen Wegen / vnd seine Gebot / Gesetz vnd Rechte haltest / vnd leben mügest / vnd gemehret werdest / vnd dich der HERR dein Gott segene im Lande / da du einzeuchst / dasselb einzunemen.

[17]WEndestu aber dein hertz / vnd gehorchest nicht / sondern lessest dich verfüren / das du andere Götter anbetest vnd jnen dienest / [18]So verkündige ich euch heute / Das jr vmbkomen werdet / vnd nicht lange in dem Lande bleiben / da du hin einzeuchst vber den Jordan / dasselbe einzunemen.

Mose vor seim Tod an Jsrael.

[19]JCH neme Himel vnd Erden heute vber euch zu Zeugen / Jch habe euch Leben vnd Tod / Segen vnd Fluch furgelegt / Das du das Leben erwelest / vnd du vnd dein Samen leben mügest. [20]Das jr den HERRN ewern Gott liebet vnd seiner stimme gehorchet vnd jm anhanget / Denn das ist dein Leben vnd dein langs Alter / das du im Lande wonest / das der HERR deinen vetern Abraham / Jsaac vnd Jacob geschworen hat jnen zu geben.

## XXXI.

VND Mose gieng hin / vnd redet diese wort mit dem gantzen Jsrael / [2]vnd sprach zu jnen / Jch bin heute hundert vnd zwenzig jar alt / Jch kan nicht mehr aus vnd eingehen / Dazu hat der HERR zu mir gesagt / Du solt nicht vber diesen Jordan gehen. [3]Der HERR dein Gott wird selber fur dir her gehen / Er wird ‖ selber diese Völcker fur dir her vertilgen / das du sie einnemest / Josua der sol fur dir hin vber gehen / wie der HERR geredt hat. [4]Vnd der HERR wird jnen thun / wie er gethan hat Sihon / vnd Og den königen der Amoriter vnd jrem Lande / welche er vertolget hat / [5]Wenn sie nu der HERR fur euch geben wird / So solt jr jnen thun nach allem Gebot / das ich euch geboten habe.

De. 32. De. 34. Num. 20. Deut. 3. ‖ 114a Num. 21.

[6]SEid getrost vnd vnuerzagt / fürchtet euch nicht / vnd last euch nicht fur jnen grawen / Denn der HERR dein Gott wird selber mit dir wandeln / vnd wird die Hand nicht abthun noch dich verlassen.

Deut. 7.

VND Mose rieff Josua / vnd sprach zu jm / fur den augen des gantzen Jsrael / Sey getrost vnd vnuerzagt / Denn du wirst dis Volck ins Land bringen / das der HERR jren Vetern geschworen hat jnen zu geben / vnd du wirst es vnter sie austeilen. [8]Der HERR aber / der selber fur euch her gehet / der wird mit dir sein / vnd wird die hand nicht abthun noch dich verlassen / Fürchte dich nicht vnd erschrick nicht.

Deut. 3. Num. 27.

VND Mose schreib dis Gesetz / vnd gabs den Priestern / den kindern Leui / die die Lade des Bunds des HERRN trugen / vnd allen eltesten Jsrael. [10]Vnd gebot jnen / vnd sprach / Ja vber sieben jar / zur zeit des Erlasjars / am Fest der Laubhütten / [11]wenn das gantze Jsrael kompt zu erscheinen fur dem HERRN deinem Gott / an dem

Mose vor seim Tod an Jsrael.

Ort / den er erwelen wird / soltu dis Gesetz fur dem gantzen Jsrael ausruffen lassen / fur jren ohren / [12]nemlich / fur der versamlung des Volcks / beide der Menner vnd Weiber / Kinder vnd deines Frembdlings der in deinem Thor ist / Auff das sie hören vnd lernen / da mit sie den HERRN jren Gott fürchten / vnd halten / das sie thun alle wort dieses Gesetzs / [13]Vnd das jre kinder / die es nicht wissen / auch hören vnd lernen / da mit sie den HERRN ewrn Gott fürchten / alle ewr lebtage / die jr auff dem Lande lebet / darein jr gehet vber den Jordan einzunemen.

VND der HERR sprach zu Mose / Sihe / Deine zeit ist erbey komen / das du sterbest / Ruffe Josua / vnd trettet in die Hütten des Stiffts / das ich jm befelh thue. Mose gieng hin mit Josua / vnd tratten in die Hütten des Stiffts / [15]Der HERR aber erschein in der Hütten / in einer Wolckenseule / vnd dieselb Wolckenseule stund in der Hütten thür.

[16]VND der HERR sprach zu Mose / Sihe / du wirst schlaffen mit deinen Vetern / Vnd dis Volck wird auffkomen / vnd wird frembden Göttern nachhuren des Lands / darein sie komen / vnd wird mich verlassen / vnd den Bund faren lassen / den ich mit jm gemacht habe. [17]So wird mein zorn ergrimmen vber sie zur selben zeit / vnd werde sie verlassen / vnd mein Andlitz fur jnen verbergen/ das sie verzeret werden. Vnd wenn sie denn viel vnglück vnd angst treffen wird / werden sie sagen / Hat mich nicht dis vbel alles betretten / weil mein Gott nicht mit mir ist? [18]Jch aber werde mein Andlitz verbergen zu der zeit / vmb alles bösen willen / das sie gethan haben / das sie sich zu andern Göttern gewand haben.

[19]SO schreibet euch nu dis Lied / vnd leret es die kinder Jsrael / vnd legets in jren mund / das mir das Lied ein Zeuge sey vnter den kindern Jsrael / [20]Denn ich wil sie ins Land bringen / das ich jren Vetern geschworen habe / da milch vnd hönig innen fleusst. Vnd wenn sie essen vnd sat vnd fett werden / So werden sie sich wenden zu andern Göttern vnd jnen dienen / vnd mich lestern / vnd meinen Bund fahren lassen. [21]Vnd wenn sie denn viel vnglück vnd angst betretten wird / So sol dis Lied jnen antworten zum zeugnis / Denn es sol nicht vergessen werden aus dem mund jres Samens. Denn ich weis jr gedancken / damit sie schon jtzt

Mose vor seim Tod an Jsrael.

vmbgehen / ehe ich sie ins land bringe / das ich geschworen habe.

22ALso schreib Mose dis Lied zur selbigen zeit / vnd leret es die kinder Jsrael. 23Vnd befalh Josua dem son Nun / vnd sprach / Sey getrost vnd vnuerzagt / Denn du solt die kinder Jsrael ins Land füren / das ich jnen geschworen habe / Vnd ich wil mit dir sein. ‖

‖ 114b

DA nu Mose die wort dieses Gesetzs gantz ausgeschrieben hatte in ein Buch / 25gebot er den Leuiten / die die Laden des Zeugnis des HERRN trugen / vnd sprach / 26Nempt das Buch dieses Gesetzs / vnd legt es in die seite der Laden des Bunds des HERRN ewrs Gottes / das es daselbs ein Zeuge sey wider dich / 27Denn ich kenne deinen vngehorsam vnd halstarrigkeit. Sihe / weil ich noch heute mit euch lebe / seid jr vngehorsam gewest wider den HERRN / Wie viel mehr nach meinem tode.

28SO versamlet nu fur mich alle Eltesten ewr stemme vnd ewr Amptleute / das ich diese wort fur jren ohren rede / vnd Himel vnd Erden wider sie zu Zeugen neme. 29Denn ich weis / das jrs nach meinem tode verderben werdet / vnd aus dem wege tretten / den ich euch geboten habe / So wird euch denn vnglück begegen hernach / darumb / das jr vbel gethan habt fur den augen des HERRN / das jr jn erzürnet durch ewr hende werck. 30Also redet Mose die wort dieses Lieds gantz aus fur den ohren der gantzen gemeine Jsrael.

## XXXII.

Mose Lied.

MErckt auff jr Himel / ich wil reden / vnd die Erde höre die Rede meins Munds.

2Meine Lere trieffe wie der Regen / Vnd meine Rede fliesse wie Thaw.

Wie der Regen auff das gras / vnd wie die tropffen auff das kraut.

3DEnn ich wil den Namen des HERRN preisen / Gebt vnserm Gott allein die Ehre.

(Allein) Last vnsern Gott allein Gott sein / vnd alle Ehre haben / vnd keinen andern.

4Er ist ein [a]Fels / seine werck sind vnstrefflich / Denn alles was er thut das ist recht.

Trew ist Gott vnd kein böses an jm / [b]Gerecht vnd from ist er.

DJe verkerete vnd böse Art fellet von jm ab / Sie sind schandflecken / vnd nicht seine Kinder.

a (Felsen) Die Ebreische sprach heist Gott einen Fels / das ist ein trotz / trost / hort vnd sicherung / allen die sich auff jn verlassen vnd jm vertrawen.

b (Gerecht) Bey den Gottlosen mus Gott jmer vnrecht haben / vnd sich meistern lassen / Math. 11. Die weisheit mus sich lassen rechtfertigen von iren kindern / Die wissen alles besser / wie es Gott macht / so taugs nicht.

[6]DAnckestu also dem HERRN deinem Gott / du tol vnd töricht Volck? Jst er nicht dein Vater / vnd dein Herr? Jsts nicht er allein der dich gemacht vnd bereitet hat.

GEdenck der vorigen zeit bis da her / vnd betrachte was er gethan hat an den alten Vetern / Frage deinen Vater / der wird dirs verkündigen / deine Eltesten / die werden dirs sagen.

[8]Da der allerhöhest die Völcker zerteilet / vnd zerstrewet der Menschen kinder.

Da setzt er die grentzen der Völcker / Nach der zal der kinder Jsrael.

Exo. 19.

[9]Denn des HERRN teil ist sein Volck / Jacob ist die schnur seines Erbs.

[10]ER fand jn in der wüsten / in der dürren Einöde / da es heulet.

Er füret jn vnd gab jm das Gesetz / Er behütet jn wie sein Augapffel.

[11]Wie ein Adeler ausfüret seine Jungen / vnd vber jnen schwebet.

ER breitet seine fittich aus / vnd nam jn / vnd trug sie auff seinen flügeln.

[12]Der HERR allein leitet jn / Vnd war kein frembder Gott mit jm.

[13]ER lies jn hoch her faren auff Erden Vnd neeret jn mit den Früchten des feldes.

Vnd lies jn Honig saugen aus den felsen / Vnd Ole aus den harten steinen.

[14]Butter von den Kühen / vnd milch von schafen sampt dem fetten von den Lemmern.

Vnd feiste Wider vnd Böcke mit fetten nieren / vnd Weitzen / Vnd trencket jn mit guten Draubenblut.

Da er aber fett vnd satt ward / ward er geil. Er ist fett vnd dick vnd starck worden. ||

|| 115 a

Vnd hat den Gott faren lassen / der jn gemacht hat / Er hat den Fels seins Heils geringe geachtet.

[16]Vnd hat jn zu Eiuer gereitzet durch Frembde / Durch die Grewel hat er jn erzürnet.

[17]Sie haben den Feldteufeln geopffert / vnd nicht jrem Gott / den Göttern die sie nicht kenneten / Den newen / die vor nicht gewest sind / die ewr Veter nicht geehret haben.

Rom. 10.

(Nicht kenneten) Dauon sie keinen befelh noch Gottes wort haben / Sondern erwelen aus eigener andacht newe Gottesdienst.

[18]Deinen Fels der dich gezeuget hat / hastu aus der acht gelassen / Vnd hast vergessen Gottes / der dich gemacht hat.

VND da es der HERR sahe / Ward er zornig vber seine Söne vnd Töchter.

[20]Vnd er sprach / Jch wil mein Andlitz fur jnen verbergen / wil sehen was jnen zu letzt widerfaren wird / Denn es ist ein verkerete Art / Es sind vntrewe Kinder.

[21]Sie haben mich gereitzt an dem / das nicht Gott ist / Mit jrer Abgötterey haben sie mich erzürnet.

Vnd ich wil sie wider reitzen an dem / das nicht ein Volck ist / An eim nerrichten Volck wil ich sie erzürnen.

Rom. 10.

[22]DEnn das Fewr ist angangen durch meinen zorn / Vnd wird brennen / bis in die vntersten Hell.

Vnd wird verzehren das Land mit seinem Gewechs / Vnd wird anzünden die Grundfest der berge.

[23]Jch wil alles Vnglück vber sie heuffen / Jch wil alle meine Pfeile in sie schiessen.

[24]Fur Hunger sollen sie verschmachten / vnd verzeret werden vom Fiber / vnd jehem Tod. Jch wil der Thier zeene vnter sie schicken / vnd Schlangengifft.

[25]Auswendig wird sie das Schwert berauben / vnd inwendig das Schrecken / Beide Jünglinge vnd Jungfrawen / die Seuglinge mit dem grawen Man.

(Berauben / Schrecken) Das ist / Aussen sollen sie Widwen vnd Waisen werden / durchs Schwert vnd gefengnis der kinder / menner / weiber / beraubt. Was aber innen bleibt / sol durch schrecken / das ist / durch Hunger / Pestilentz / Auffrhur / jemerlich vmbkomen.

[26]Jch wil sagen / Wo sind sie? Jch werde jr gedechtnis auffheben vnter den Menschen.

[27]WEnn ich nicht den zorn der Feinde schewete / das nicht jre Feinde stoltz würden / vnd möchten sagen / Vnser macht ist hoch / vnd der HERR hat nicht solchs alles gethan.

[28]Denn es ist ein Volck da kein [a]Rat in ist / Vnd ist kein verstand in jnen.

a (Rat) Sie achten Gottes wort nicht / wissens wol besser.

[29]O das sie weise weren vnd vernemen solchs / Das sie verstünden / was jnen hernach begegen wird.

[30]Wie gehets zu / das einer wird jr tausent jagen / Vnd zween werden zehen tausent flüchtig machen:

Jsts nicht also / das sie jr Fels verkaufft hat? Vnd der HERR hat sie vbergeben.

[31]Denn vnser Fels ist nicht wie jrer Fels / Des sind vnser Feinde selbs Richter.

[32]Denn jr Weinstock ist des weinstocks zu Sodom / vnd von dem acker Gomorra / Jre Drauben sind gall / Sie haben bittere beere.

[33]Jr wein ist Trachengifft / Vnd wütiger Ottern gall.

[34]Jst solchs nicht bey mir verborgen? Vnd [b]versiegelt in meinen schetzen?

b (Versiegelt) Sie gleubens nicht bis sie es erfaren / denn es ist fur jren augen verborgen.

Rom. 12. Ebre. 10.

[35]DJE RACHE IST MEIN / JCH WIL VERGELTEN / Zu seiner zeit sol jr fuss gleitten / Denn die zeit jres vnglücks ist nahe / vnd jr künfftiges eilete erzu.

DEnn der HERR wird sein Volck richten / Vnd vber seine Knechte wird er sich erbarmen.

Denn er wird ansehen / das jre Macht da hin ist / Vnd beide das [c]verschlossen vnd verlassen weg ist. ||

|| 115b

c Custoditum et neglectum / id est / seruatam rem et contemptam / quia tempore pacis contemptum est / quod tempore malo libenter colligeres / si adesset / preciosum et vile.

[37]Vnd man wird sagen / Wo sind jre Götter? Jr Fels darauff sie traweten?

[38]Von welcher Opffer sie fett assen / vnd trancken den wein jres Tranckopffers / Last sie auffstehen vnd euch helffen / vnd euch schützen.

[39]SEhet jr nu / das Jchs allein bin / Vnd ist kein Gott neben mir?

1. Reg. 2.

Jch kan tödten vnd lebendig machen / Jch kan schlagen vnd kan heilen / Vnd ist niemand der aus meiner Hand errette.

[40]Denn ich wil meine Hand in den Himel heben / Vnd wil sagen / Jch lebe ewiglich.

[41]Wenn ich den blitz meines Schwerts wetzen werde / Vnd meine Hand zur straffe greiffen wird.

So wil ich mich wider rechen an meinen Feinden / Vnd denen die mich hassen / vergelten.

[42]Jch wil meine Pfeil mit blut truncken machen / Vnd mein Schwert sol fleisch fressen.

Vber dem blut der Erschlagenen / vnd vber dem gefengnis / Vnd vber dem entblösseten heubt des Feindes.

(Vber dem blut) Das sind drey straffen des schwerts / Die erste / das jr viel erschlagen wird. Die ander / das sie gefangen gefürt werden. Die dritte / das jr heubt blos solt werden / das ist / Jr Königreich vnd Priesterthum solt von jnen genomen werden / Welche durchs Har auff dem heubt bedeut ist.

[43]JAUCHTZET ALLE / DIE JR SEIN VOLCK SEID / DENN ER WIRD DAS BLUT SEINER KNECHTE RECHEN.

Vnd wird sich an seinen Feinden rechen / Vnd gnedig sein dem Lande seines Volcks.

VND Mose kam vnd redet alle wort dieses Liedes / fur den ohren des Volcks / er vnd Josua der son Nun. [45]Da nu Mose solchs alles ausgeredt hatte zum gantzen Jsrael / [46]sprach er zu jnen / Nemet zu hertzen alle wort / die ich euch heute bezeuge / das jr ewren Kindern befehlt / das sie halten vnd thun alle wort dieses Gesetzs. [47]Denn es ist nicht ein vergeblich wort an euch / sondern es ist ewr leben / Vnd solch wort wird ewr Leben verlengen auff dem Lande / da jr hin gehet vber den Jordan / das jrs einnemet.

segenet fur seinem tod die zwelff stemme Jsrael.

VND der HERR redet mit Mose desselben tages / vnd sprach / [49]Gehe auff das gebirge Abarim auff den berg Nebo / der da ligt im Moabiter land / gegen Jeriho vber / vnd besihe das land Canaan / das ich den kindern Jsrael zum eigenthum geben werde. [50]Vnd stirb auff dem Berg / wenn du hin auff komen bist / vnd versamle dich zu deinem Volck / Gleich wie dein bruder Aaron starb auff dem berge Hor / vnd sich zu seinem Volck versamlet / [51]Darumb / das jr euch an mir versündigt habt vnter den kindern Jsrael / bey dem Hadderwasser zu Kades in der wüsten Zin / das jr mich nicht heiligetet vnter den kindern Jsrael. [52]Denn du solt das Land gegen dir sehen / das ich den kindern Jsrael gebe / Aber du solt nicht hinein komen.

Num. 27. Num. 33. Num. 20.

## XXXIII.

SEGEN Mose.

DJS IST DER SEGEN / DA MIT MOSE DER MAN Gottes die kinder Jsrael / vor seinem tod segenet / [2]Vnd sprach / Der HERR ist von Sinai komen / vnd ist jnen auffgangen von Seir / Er ist erfur gebrochen von dem berge Paran / vnd ist komen mit viel tausent Heiligen. Zu seiner rechten Hand ist ein fewrigs Gesetz an sie. [3]Wie hat er die Leute so lieb / Alle seine Heiligen sind in deiner hand / Sie werden sich setzen zu deinen füssen / vnd werden lernen von deinen worten. [4]Mose hat vns das Gesetz geboten / dem Erbe der gemeine Jacob. [5]Vnd er verwaltet das [a]Ampt eines Königes / vnd hielt zusamen die Heubter des volcks sampt den stemmen Jsrael.

RVben lebe vnd sterbe nicht / Vnd sein Pöbel sey gering.

Gen. 49.

[7]DJs ist der segen Juda / Vnd er sprach / HERR erhöre die stim Ju||da / mache jn zum Regenten in seinem Volck / vnd las seine macht gros werden. Vnd jm müsse wider seine Feinde geholffen werden.

|| 116a

[8]VND zu Leui sprach er / Dein Recht vnd dein Liecht bleibe bey deinem heiligen Man / den du versucht hast zu Massa / da jr haddertet am Hadderwasser. [9]Wer zu seinem Vater vnd zu seiner Mutter spricht / Jch sehe jn nicht / vnd zu seinem Bruder / Jch kenne jn nicht / vnd zu seinem Son / Jch weis nicht / die halten deine Rede vnd bewaren deinen Bund. [10]Die werden Jacob deine Rechte

a (Ampt) Er war nicht König / hatte auch nichts dauon / vnd hielt doch das Volck zusamen / als das es ein Heubt hette / wie einen König / vnd nicht zustrewet in der jrre gienge.

(Recht) Das ist / wie Exo. 28. stehet das Heiligthum auff dem Brustlatzen. Wil also sagen / Dein priesterlich Ampt sey glückselig fur Gott vnd den Menschen / mit beten vnd leren.

Mose segenet fur seinem tod die zwelff stemme Jsrael.

leren / vnd den Jsrael dein Gesetze / Die werden Reuchwerg fur deine Nasen legen / vnd gantze Opffer auff deinen Altar. [11]HERR segene sein vermügen / vnd las dir gefallen die werck seiner hende / Zuschlage den rücken dere / die sich wider jn aufflehnen / vnd dere die jn hassen / das sie nicht auffkomen.

[12]VND zu BenJamin sprach er / Das liebliche des HERRN wird sicher wonen / Alle zeit wird er vber jm halten / vnd wird zwisschen seinen Schuldnern wonen.

(Liebliche) Das ist / Der Tempel vnd Jerusalem vnd Königreich war in BenJamin.

[13]VND zu Joseph sprach er / Sein Land ligt im Segen des HERRN / Da sind edle Früchte vom Himel / vom taw / vnd von der tieffen die hunden ligt. [14]Da sind edle früchte von der Sonnen / vnd edle reiffe früchte der Monden. [15]Vnd von den hohen Bergen gegen morgen / vnd von den Hügeln fur vnd fur / [16]Vnd edlen früchten von der Erden / vnd was drinnen ist. Die gnade des der in dem Busch wonete / kome auff das heubt Joseph / vnd auff den scheitel des Nasir vnter seinen Brüdern. [17]Seine herrligkeit ist wie ein erstgeborner Ochse / vnd seine Hörner sind wie Einhörners hörner / Mit den selben wird er die Völcker stossen zu hauff / bis an des Lands ende / Das sind die tausent Ephraim / vnd die tausent Manasse.

(Edle früchte) Das ist vom Königreich Jsrael gesagt / welchs hoch gesegenet ward mit allein das / Himel / Sonn / Mond / Erden / Berg / Tal / Wasser vnd alles zeitlich Gut trug vnd gab / Dazu auch Propheten vnd heilige Regenten hatte.

[18]VND zu Sebulon sprach er / Sebulon frew dich deines auszogs. Aber Jsaschar frew dich deiner Hütten. [19]Sie werden die Völcker auff den Berg ruffen / vnd daselbs opffern Opffer der gerechtigkeit. Denn sie werden die menge des Meers saugen / vnd die versenckte Schetz im sande.

(Auszogs) Dis hat Dibora vnd Barac gethan Jud. 5.

[20]VND zu Gad sprach er / Gad sey gesegenet der Raummacher / Er ligt wie ein Lew / vnd raubet den arm vnd die scheitel. [21]Vnd er sahe das jm ein Heubt gegeben war / ein Lerer der verborgen ist / welcher kam mit den Obersten des Volcks / vnd verschafft die Gerechtigkeit des HERRN / vnd seine Rechte an Jsrael.

Den Segen Gad hat der König Jehu ausgericht. 4. Reg. 10. da er Baal vertilget / vnd das volck wider zu rechte bracht / vnd schlug zween Könige tod / dazu auch Jsebel. Vnd der Lerer ist Elia der Prophet der in den Himel genomen vnd verborgen /

[22]VND zu Dan sprach er / Dan ein junger Lewe / Er wird fliessen von Basan.

[23]VND zu Naphthali sprach er / Naphthali wird gnug haben / was er begerd / vnd wird vol Segens des HERRN sein / Gegen abend vnd mittag wird sein Besitz sein.

[24]VND zu Asser sprach er / Asser sey gesegenet mit Sönen / Er sey angenem seinen Brüdern /

alter. 120. jar.

Denn er war ein Bürger aus Gilead / im stam Gad.

vnd tuncke seinen fus in öle / 25Eisen vnd ertz sey an seinen schuhen / Dein alter sey wie deine jugent.

ES ist kein Gott / als der Gott des Gerechten / Der im Himel sitzt der sey deine hülffe / Vnd des herrligkeit in wolcken ist / 27Das ist die Wonung Gottes von anfang / vnd vnter den Armen ewiglich. Vnd er wird fur dir her deinen Feind austreiben / vnd sagen / Sey vertilget. 28Jsrael wird sicher alleine wonen / Der brun Jacob wird sein auff dem Lande da korn vnd most ist / dazu sein Himel wird mit taw trieffen. 29Wol dir Jsrael / wer ist dir gleich? O Volck / das du durch den HERRN selig wirst / der deiner hülffe Schilt / vnd das schwert deines Siegs ist / Deinen Feinden wirds feilen / Aber du wirst auff jrer Höhe einher tretten. ‖ ‖ 116b

Gottes wonung ist im volck Jsrael von anfang / vnter welcher sie bleiben ewiglich / als die Hünlin vnter den Armen oder Flügeln der Hennen.

## XXXIIII.

VND MOSE GIENG VON DEM GEFILDE DER MOABITER / auff den berg Nebo / auff die spitze des gebirgs Pisga / gegen Jeriho vber / Vnd der HERR zeiget jm das gantze land Gilead bis gen Dan / 2vnd das gantze Naphthali / vnd das land Ephraim vnd Manasse / vnd das gantze land Juda / bis an das eusserste Meer / 3vnd gegen Mittag / vnd die Gegend der breite Jeriho der Palmenstad bis gen Zoar. 4Vnd der HERR sprach zu jm / Dis ist das Land / das ich Abraham / Jsaac vnd Jacob geschworen habe / vnd gesagt / Jch wil es deinem Samen geben / Du hast es mit deinen augen gesehen / Aber du solt nicht hin vber gehen.

Deut. 3.

Ge. 12. 15.

MOSE stirbt.

ALso starb Mose der knecht des HERRN daselbs / im Lande der Moabiter / nach dem wort des HERRN. 6Vnd er begrub jn im Tal im Lande der Moabiter / gegen dem hause Peor / vnd hat niemand sein Grab erfahren / bis auff diesen heutigen tag. 7Vnd Mose war hundert vnd zwenzig jar alt / da er starb / Seine augen waren nicht tunckel worden / vnd seine krafft war nicht verfallen. 8Vnd die kinder Jsrael beweineten Mose im gefilde der Moabiter / dreissig tage / vnd wurden volendet die tage des weinens vnd klagens vber Mose.

MOSE ALTER. 120. jar.

Deut. 31.

JOsua aber der son Nun ward erfüllet mit dem Geist der weisheit / Denn Mose hatte seine hende auff jn gelegt / Vnd die kinder Jsrael gehorchten jm / vnd thaten wie der HERR Mose geboten hatte.

[10]Vnd es stund hin furt kein Prophet in Jsrael auff / wie Mose / den der HERR erkennet hette von angesicht / [11]zu allerley Zeichen vnd Wunder / dazu jn der HERR sandte / das er sie thete in Egyptenland / an Pharao vnd an allen seinen Knechten / vnd an allen seinem Lande / [12]vnd zu aller dieser mechtiger Hand vnd grossen [a]Gesichten / die Mose thet fur den augen des gantzen Jsraels.

a Alij / Schrecken.

Ende der Bücher Mose.

# DAS BUCH JOSUA.

|| 117a

## I.

Gott stercket vnd tröstet Josua etc.

NACH DEM TOD MOSE DES KNECHTS DES HERRN / sprach der HERR zu Josua / dem son Nun / Moses diener. 2Mein knecht Mose ist gestorben / So mach dich nu auff / vnd zeuch vber diesen Jordan / du vnd dis gantz Volck / in das Land / das ich jnen / den kindern Jsrael / gegeben habe. 3Alle stet darauff ewr fussolen tretten werden / hab ich euch gegeben / wie ich Mose geredt habe. 4Von der wüsten an vnd diesem Libano / bis an das grosse wasser Phrath / Das gantze Land der Hethiter / bis an das grosse Meer gegen dem abend / sollen ewer Grentze sein.

Deut. 11.

5ES sol dir niemand widerstehen dein lebenlang / Wie ich mit Mose gewesen bin / Also wil ich auch mit dir sein / Jch wil dich nicht verlassen noch von dir weichen. 6Sey getrost vnd vnuerzagt / denn du solt diesem Volck das Land austeilen / das ich jren Vetern geschworen habe / das ichs jnen geben wolt. 7Sey nur getrost vnd seer freidig / das du haltest vnd thust aller ding nach || dem Gesetz / das dir Mose mein knecht geboten hat. Weiche nicht dauon weder zur rechten noch zur lincken / Auff das du weislich han-

Ebre. 13.

|| 117b

deln mügest / in allem das du thun solt. [8]Vnd las das Buch dieses Gesetzs nicht von deinem munde komen / sondern betracht es tag vnd nacht / Auff das du haltest vnd thust aller ding nach dem / das drinnen geschrieben stehet. Als denn wird dir gelingen / in allem das du thuest / vnd wirst weislich handeln können. [9]Sihe / Jch hab dir geboten das du getrost vnd freidig seiest / Las dir nicht grawen vnd entsetze dich nicht / Denn der HERR dein Gott ist mit dir / in allem das du thun wirst.

Wer nach Gottes wort sich richtet / der handelt weislich vnd glücklich. Wer nach seinem Kopff feret / der handelt vnweislich vnd vergeblich.

DA gebot Josua den Heubtleuten des volcks / vnd sprach / [11]Gehet durch das Lager / vnd gebietet dem volck / vnd sprecht / Schaffet euch vorrat / Denn vber drey tage werdet jr vber diesen Jordan gehen / Das jr hin einkomet / vnd das Land einnemet / das euch der HERR ewer Gott / geben wird.

VND zu den Rubenitern / Gadditern / vnd dem halben stam Manasse / sprach Josua / [13]Gedencket an das wort das euch Mose der knecht des HERRN sagt / vnd sprach / Der HERR ewr Gott hat euch zu ruge bracht / vnd dis Land gegeben. [14]Ewre weiber vnd kinder vnd vieh lasst im Land bleiben / das euch Mose gegeben hat disseid des Jordans / Jr aber solt fur ewrn Brüdern her ziehen gerüstet / was streitbar Menner sind / vnd jnen helffen. [15]Bis das der HERR ewr Brüder auch zu ruge bringt / wie euch / das sie auch einnemen das Land / das jnen der HERR ewr Gott geben wird / Als denn solt jr widerumb keren in ewr Land / das euch Mose der knecht des HERRN eingegeben hat zu besitzen / disseid des Jordans gegen der Sonnen auffgang.

Num. 32.

[16]VND sie antworten Josua / vnd sprachen / Alles was du vns geboten hast / das wollen wir thun / vnd wo du vns hin sendest / da wollen wir hin gehen. [17]Wie wir Mose gehorsam sind gewesen / So wollen wir dir auch gehorsam sein / Allein das der HERR dein Gott nur mit dir sey / wie er mit Mose war. [18]Wer deinem mund vngehorsam ist / vnd nicht gehorcht deinen worten in allem das du vns gebeutest / Der sol sterben / Sey nur getrost vnd vnuerzagt.

## II.

JOSUA ABER DER SON NUN / HATTE ZWEEN KUNDschaffer heimlich ausgesand von Sittim / vnd jnen gesagt / Gehet hin / besehet das Land vnd Jeriho. Die giengen hin / vnd kamen in das haus einer Huren / die hies Rahab / vnd kereten zu jr ein.

KUNDSCHAFFER ausgesand / das Land zuerkunden.

RAHAB.

DA ward dem Könige zu Jeriho gesagt / Sihe / es sind in dieser nacht Menner her ein komen von den kindern Jsrael / das Land zu erkunden. [3]Da sandte der König zu Jeriho zu Rahab / vnd lies jr sagen / Gib die Menner heraus / die zu dir in dein haus komen sind / Denn sie sind komen das gantze Land zu erkunden. [4]Aber das Weib verbarg die zween Menner / vnd sprach also / Es sind ja Menner zu mir herein komen / Aber ich wuste nicht von wannen sie waren. [5]Vnd da man die Thor wolt zuschließen / da es finster war / giengen sie hinaus / das ich nicht weis / wo sie hin gangen sind / Jaget jnen eilend nach / denn jr werdet sie ergreiffen. [6]Sie aber lies sie auff das Dach steigen / vnd verdecket sie vnter die flachsstengel / den sie jr auff dem dach ausgebreitet hatte. [7]Aber die Menner jagten jnen nach auff dem wege zum Jordan / bis an die Furt / vnd man schlos das thor zu / da die hin aus waren / die jnen nachiagten.

VND ehe denn die Menner sich schlaffen legten / steig sie zu jnen hin auff auff das Dach / [9]vnd sprach zu jnen / Jch weis das der HERR euch das Land gegeben hat / Denn ein schrecken ist vber vns gefallen fur euch / vnd alle Einwoner des Lands sind fur ewr zukunfft feig worden. [10]Denn wir haben || gehört / wie der HERR hat das wasser im Schilffmeer ausgetrocknet fur euch her / da jr aus Egypten zoget / Vnd was jr den zween Königen der Amoriter Sihon vnd Og / jenseid dem Jordan gethan habt / wie jr sie verbannet habt. [11]Vnd sint wir solchs gehöret haben / ist vnser hertz verzagt / vnd ist kein mut mehr in jemands fur ewer zukunfft / Denn der HERR ewr Gott / ist ein Gott / beide oben im Himel / vnd vnten auff Erden.

Ebre. 11.

|| 118a

Exo. 14.

Num. 21.

[12]SO schweret mir nu bey dem HERRN / das / weil ich an euch barmhertzigkeit gethan habe / das jr auch an meines Vaters hause barmhertzigkeit thut / Vnd gebt mir ein gewis Zeichen [13]das jr leben lasset meinen Vater / meine Mutter / meine Brüder vnd meine Schwester / vnd alles was sie haben / vnd erretet vnser Seelen von dem tode. [14]Die Menner sprachen zu jr / Thun wir nicht barmhertzigkeit vnd trew an dir / wenns vns der HERR das Land gibt / So sol vnser seele fur euch des tods sein / So fern du vnser Gescheffт nicht verrhetest.

[15]DA lies sie die selben am seil durchs Fenster ernider / denn jr Haus war an der Stadmaure / vnd sie wonet auch auff der mauren. [16]Vnd sie sprach

zu jnen Gehet auff das Gebirge / das euch nicht begegen die euch nachiagen / vnd verberget euch daselbs drey tage / bis das die widerkomen / die euch nachiagen / Darnach gehet ewre strasse.

DJe Menner aber sprachen zu jr / Wir wollen aber des Eids los sein / den du von vns genomen hast / [18]Wenn wir komen ins Land / vnd du nicht dis rote Seil in das fenster knüpffest / da mit du vns ernider gelassen hast / vnd zu dir ins haus versamlest / deinen Vater / deine Mutter / deine Brüder vnd deins Vaters gantzes haus. [19]Vnd wer zur thür deins hauses eraus gehet / des blut sey auff seim heubt / vnd wir vnschüldig. Aber aller die in deinem hause sind / so eine hand an sie gelegt wird / So sol jr blut auff vnserm heubt sein. [20]Vnd so du etwas von diesem vnsern Geschefft wirst nachsagen / so wollen wir des Eids los sein / den du von vns genomen hast. [21]Sie sprach / Es sey wie jr sagt / vnd lies sie gehen / Vnd sie giengen hin / Vnd sie knüpfft das rote Seil ins fenster.

SJE aber giengen hin vnd kamen auffs Gebirge / vnd blieben drey tage daselbs / bis das die widerkamen / die jnen nachiagten / Denn sie hatten sie gesucht auff allen strassen / vnd doch nicht funden. [23]Also kereten die zween Menner wider / vnd giengen vom Gebirge / vnd furen vber / vnd kamen zu Josua dem son Nun / vnd erzeleten jm alles / wie sie es funden hatten / [24]vnd sprachen zu Josua / Der HERR hat vns alles Land in vnser hende gegeben / Auch so sind alle Einwoner des Landes feig fur vns.

## III.

VND JOSUA MACHT SICH FRÜE AUFF / VND SIE zogen aus Sittim vnd kamen an den Jordan / er vnd alle kinder Jsrael / vnd blieben daselbs vber nacht / ehe sie hinüber zogen. [2]Nach dreien tagen aber giengen die Heubtleute durchs Lager / [3]vnd geboten dem volck / vnd sprachen / Wenn jr sehen werdet die Lade des Bunds des HERRN ewrs Gottes / vnd die Priester aus den Leuiten sie tragen / So ziehet aus von ewrem Ort / vnd folget jr nach. [4]Doch das zwisschen euch vnd jr raum sey bey zwey tausent ellen / Jr solt nicht zu jr nahen / auff das jr wisset auff welchem wege jr gehen sollet / Denn jr seid den weg vor hin nicht gegangen.

JOSUA kompt mit dem Volck an Jordan etc.

Jsrael gehet trucken durch den Jordan.

VND Josua sprach zum volck / Heiliget euch / denn morgen wird der HERR ein Wunder vnter euch thun. [6]Vnd zu den Priestern sprach er / Tragt die Lade des Bunds / vnd gehet fur dem volck her / Da trugen sie die Laden des Bunds / vnd giengen fur dem volck her. [7]Vnd der HERR sprach zu Josua / Heute wil ich anfahen dich grôs zu machen fur dem gantzen Jsrael / das sie wissen / wie ich mit Mose gewesen bin / also auch mit dir sey. [8]Vnd du gebeut || den Priestern / die die Laden des Bunds tragen / vnd sprich / Wenn jr komet forn ins wasser des Jordans / so stehet stille.

|| 118b

[9]VND Josua sprach zu den kindern Jsrael / Erzu / vnd höret die wort des HERRN / ewrs Gottes. [10]Vnd sprach / Dabey solt jr mercken / das ein lebendiger Gott vnter euch ist / vnd das er fur euch austreiben wird die Cananiter / Hethiter / Heuither / Pheresiter / Gergositer / Amoriter vnd Jebusiter. [11]Sihe / die Lade des Bunds des Herrschers vber alle Welt / wird fur euch hergehen in den Jordan. [12]So nemet nu zwelff Menner aus den stemmen Jsrael / aus jglichem Stam einen. [13]Wenn denn die fussolen der Priester / die des HERRN Laden / des Herrschers vber alle Welt / tragen / in des Jordans wasser sich lassen / So wird sich das wasser / das von oben erab fleusst / im Jordan abreissen / das vber einem hauffen stehen bleibe.

Diese Geschicht bedeut / Das vns Christus / durch die Apostel furgetragen / im Euangelio leitet ins Himelreich / durch den trocken Jordan / der doch dazu mal am füllesten war. Das ist / das Gesetz / das vns mit wercken engstet vnd treibt / höret auff durch das Euangelium / das vnser Gewissen frey / frölich vnd sicher fur jm sind / vnd allein Christo im glauben folgen.

JSRAEL gehet durch den Jordan etc.

DA nu das volck auszog aus seinen Hütten / das sie vber den Jordan giengen / vnd die Priester die Laden des Bunds fur dem volck her trugen / [15]vnd an den Jordan kamen / vnd jre füsse forn ins wasser tuncketen (Der Jordan aber war vol an allen

seinen vfern / die gantzen zeit der erndten) [16]Da stund das wasser das von oben ernider kam / auffgericht vber einem hauffen / seer ferne von den Leuten der Stad / die zur seiten Zarthan ligt / Aber das wasser das zum Meer hinunter lieff zum Saltzmeer / das nam abe vnd verflos / Also gieng das volck hinüber gegen Jeriho / [17]Vnd die Priester / die die Laden des Bunds des HERRN trugen / stunden also im trocken mitten im Jordan / Vnd gantz Jsrael gieng trocken durch / bis das gantze volck alles vber den Jordan kam.

## IIII.

VND DER HERR SPRACH ZU JOSUA / [2]NEMET euch zwelff Menner / aus jglichem Stam einen / [3]vnd gebietet jnen / vnd sprecht / Hebt auff aus dem Jordan zwelff steine / von dem ort da die füsse der Priester [a]also stehen / vnd bringet sie mit euch hinüber / das jr sie in der Herberge lasset / da jr diese nacht herbergen werdet.

XII. steine etc.

a (Also) Das ist / die Priester / so die Laden trugen / stunden wie sie geordnet waren / vnd theten nichts anders.

[4]DA rieff Josua zwelff Mennern / die vorordnet waren von den kindern Jsrael / aus jglichem Stam einen / [5]vnd sprach zu jnen / Gehet hinüber fur die || Laden des HERRN ewrs Gottes mitten in den Jordan / vnd hebe ein jglich er einen stein auff seine achseln / nach der zal der Stemme der kinder Jsrael / [6]Das sie ein Zeichen seien vnter euch. Wenn ewer Kinder hernach mals jre Veter fragen werden / vnd sprechen / Was thun diese Steine da? [7]Das jr denn jnen saget / Wie das wasser des Jordans abgerissen sey fur der Lade des Bunds des HERRN / da sie durch den Jordan gienge / Das diese Steine den kindern Jsrael ein ewig Gedechtnis seien.

|| 119a

[8]DA thatten die kinder Jsrael wie jnen Josua geboten hatte / vnd trugen zwelff Steine mitten aus dem Jordan / wie der HERR zu Josua gesagt hatte / nach der zal der Stemme der kinder Jsrael / vnd brachten sie mit sich hinüber in die Herberge / vnd liessen sie daselbs. [9]Vnd Josua richtet zwelff Steine auff mitten im Jordan / da die füsse der Priester gestanden waren / die die Lade des Bunds trugen / vnd sind noch daselbs bis auff diesen tag. [10]Denn die Priester die die Lade trugen / stunden mitten im Jordan / bis das alles ausgericht ward / das der HERR Josua geboten hatte dem Volck zu

sagen / wie denn Mose Josua geboten hatte. Vnd das volck eilete vnd gieng hinüber.

11 DA nu das volck gantz hinüber gegangen war / Da gieng die Lade des HERRN auch hinüber / vnd die Priester fur dem volck her. 12 Vnd die Rubeniter vnd Gadditer / vnd der halbe stam Manasse giengen gerüstet fur den kindern Jsrael her / wie Mose zu jnen geredt hatte / 13 bey vierzig tausent gerüster zum Heer / giengen fur dem HERRN zum streit auff das gefilde Jeriho. 14 An dem tage machte der HERR Josua gros fur dem gantzen Jsrael / vnd furchten jn / wie sie Mose furchten / sein leben lang.

Num. 32.

VND der HERR sprach zu Josua / 16 Gebeut den Priestern / die die Laden des Zeugnis tragen / das sie aus dem Jordan erauff steigen. 17 Also gebot Josua den Priestern / vnd sprach / Steiget erauff aus dem Jordan. 18 Vnd da die Priester / die die Lade des Bunds des HERRN trugen aus dem Jordan erauff stiegen / vnd mit jren fussolen auffs trocken tratten / kam das wasser des Jordans wider an seine stet / vnd flos wie vor hin an allen seinen vfern. 19 Es war aber der zehende tag des ersten monden / da das volck aus dem Jordan erauff steig / vnd lagerten sich in Gilgal gegen dem Morgen der stad Jeriho.

Wasser des Jordans kompt wider an sein Ort.

20 VND die zwelff Steine / die sie aus dem Jordan genomen hatten / richtet Josua auff zu Gilgal / 21 vnd sprach zu den kindern Jsrael / Wenn ewre Kinder hernach mals jre Veter fragen werden / vnd sagen / Was sollen diese steine? 22 So solt jrs jnen kund thun / vnd sagen / Jsrael gieng trocken durch den Jordan / 23 da der HERR ewr Gott / das wasser des Jordans vertrockete fur euch bis jr hinüber gienget. Gleich wie der HERR ewr Gott thet in dem Schilffmeer / das er fur vns vertrocknete / bis wir hin durch giengen / 24 Auff das alle Völcker auff Erden / die Hand des HERRN erkennen / wie mechtig sie ist / Das jr den HERRN ewrn Gott fürchtet allezeit.

JOSUA richtet. 12. steine auff zum ewigen gedechtnis etc.

Exo. 14.

## V.

DA NU ALLE KÖNIGE DER AMORITER / DIE JENseid des Jordans gegen Abend woneten / vnd alle Könige der Cananiter am Meer höreten / wie der HERR das wasser des Jordans hatte ausgetrocknet fur den kindern Jsrael / bis das sie hinüber

so in wüsten geboren / wird beschnitten etc. Deut. 11.

giengen / verzagt jr hertz / vnd war kein mut mehr in jnen fur den kindern Jsrael.

ZV der zeit sprach der HERR zu Josua / Mache dir [a]steinern Messer / vnd beschneit wider die kinder Jsrael zum andern mal. [3]Da macht jm Josua steinern Messer / vnd beschneit die kinder Jsrael auff dem hügel Araloth. [4]Vnd das ist die sache darumb Josua beschneit alles volck / das aus Egypten || gezogen war / Mansbilde / Denn alle Kriegsleute waren gestorben in der Wüsten auff dem wege / da sie aus Egypten zogen / [5]Denn alles volck das auszoch war beschnitten. Aber alles volck das in der Wüsten geborn war / auff dem wege da sie aus Egypten zogen / das war nicht beschnitten. [6]Denn die kinder Jsrael wandelten vierzig jar in der Wüsten / bis das das gantze volck der Kriegsmenner / die aus Egypten gezogen waren / vmbkamen / Darumb das sie der stimme des HERRN nicht gehorcht hatten / Wie denn der HERR jnen geschworen hatte / Das sie das Land nicht sehen solten / welchs der HERR jren Vetern geschworen hatte / vns zu geben / ein Land da milch vnd honig inne fleusst. [7]Derselben Kinder / die an jre stat waren auffkomen / beschneit Josua / Denn sie hatten Vorhaut / vnd waren auff dem wege nicht beschnitten. [8]Vnd da das gantze volck beschnitten war / blieben sie an jrem ort im Lager / bis sie heil worden.

ARALOTH

|| 119b

a (Steinern messer) Scharff als am stein gewetzt / Psa. 89. Auertisti Petram gladij eius / die scherffe seines schwerts / das nicht schneit.

Num. 14.

[9]VND der HERR sprach zu Josua / Heute hab ich die schande Egypti von euch gewendet / Vnd die selbe stet ward Gilgal genennet / bis auff diesen tag.

GILGAL.

VND als die kinder Jsrael also in Gilgal das Lager hatten / hielten sie Passah / am vierzehenden tage des monds am abend / auff dem gefilde Jeriho. [11]Vnd assen vom getreide des Lands / am andern tag Passah / nemlich / vngeseurt Brot / vnd Sangen / eben desselben tags. [12]Vnd das Man höret auff des andern tags / da sie des Lands getreide assen / das die kinder Jsrael kein Man mehr hatten / Sondern sie assen des Getreids vom lande Canaan / von dem selben jar.

PASSAH gehalten.

(Sangen) Versengete ehren / tostas spicas.

MAN höret auff.

VND ES BEGAB SICH / DA JOSUA BEY JERIHO WAR / das er seine augen auffhub vnd ward gewar / das ein Man gegen jm stund / vnd hatte ein blos Schwert in seiner hand / Vnd Josua gieng zu jm / vnd sprach zu jm / Gehörstu vns an / oder vnser

JOSUA erscheinet ein Man etc.

Feinde? [14]Er sprach / Nein / sondern ich bin ein Fürst vber das Heer des HERRN / vnd bin jtzt komen. Da fiel Josua auff sein angesicht zur erden / vnd betet an / vnd sprach zu jm / Was saget mein HERR seinem Knecht? [15]Vnd der Fürst vber das Heer des HERRN sprach zu Josua / Zeuch deine schuch aus von deinen füssen / denn die stet / darauff du stehest ist heilig. Vnd Josua thet also.

VI.

Jeriho.

JERIHO ABER WAR VERSCHLOSSEN VND VERWARET fur den kindern Jsrael / das niemand aus oder einkomen kundte. [2]Aber der HERR sprach zu Josua / Sihe da / Jch hab Jeriho sampt jrem Könige vnd Kriegsleuten in deine hand gegeben. [3]Las alle Kriegsmenner rings vmb die Stad her gehen ein mal / vnd thu sechs tage also. [4]Am siebenden tage aber / las die Priester sieben Posaunen des Halliars nemen / fur der Laden her / vnd gehet desselben siebenden tages / sieben mal vmb die Stad / vnd las die Priester die Posaunen blasen. [5]Vnd wenn man das Halliars horn bleset vnd denet / das jr die Posaunen höret / So sol das gantze volck ein gros Feldgeschrey machen / So werden der Stadmauren vmbfallen / Vnd das volck sol hinein fallen / ein jglicher stracks fur sich.

DA rieff Josua der son Nun den Priestern / vnd sprach zu jnen / Traget die Lade des Bunds / vnd sieben Priester lasset sieben Halliars posaunen tragen fur der Lade des HERRN. [7]Zum volck aber sprach er / Ziehet hin / vnd gehet vmb die stad / vnd wer gerüst ist / gehe fur der Laden des HERRN her. [8]Da Josua solchs dem volck gesagt hatte / Trugen die sieben Priester sieben Halliars posaunen fur der Laden des HERRN her / vnd giengen vnd bliesen die Posaunen / vnd die Lade des Bunds des HERRN folgete jnen || nach / [9]Vnd wer gerüst war gieng fur den Priestern her / die die Posaunen bliesen / vnd der Hauffe folgete der Laden nach / vnd blies Posaunen. [10]Josua aber gebot dem volck / vnd sprach / Jr solt kein Feldgeschrey machen / noch ewr stimme hören lassen / noch ein wort aus ewrem mund geben / bis auff den tag wenn ich zu euch sagen werde / Macht ein Feldgeschrey / so macht denn ein Feldgeschrey.

|| 120a

[11]ALso gieng die Lade des HERRN rings vmb die Stad ein mal / vnd kamen in das Lager / vnd

blieben drinnen. [12]Denn Josua pflegte sich des morgens früe auff zu machen / vnd die Priester trugen die Lade des HERRN. [13]So trugen die sieben Priester die sieben Halliars posaunen fur der Lade des HERRN her / vnd giengen vnd bliesen Posaunen / Vnd wer gerüst war / gieng fur jnen her / Vnd der Hauffe folget der Laden des HERRN / vnd blies Posaunen. [14]Des andern tages giengen sie auch ein mal vmb die Stad / vnd kamen wider ins Lager / Also theten sie sechs tage.

AM siebenden tage aber / da die Morgenröte auffgieng / machten sie sich früe auff / vnd giengen nach der selben weise / sieben mal vmb die stad / das sie desselben einigen tags sieben mal vmb die Stad kamen. [16]Vnd am siebenden mal / da die Priester die Posaunen bliesen / sprach Josua zum volck / Machet ein Feldgeschrey / Denn der HERR hat euch die Stad gegeben. [17]Aber diese stad vnd alles was drinnen ist / sol dem HERRN verbannet sein / Alleine die Hure Rahab sol leben bleiben / vnd alle die mit jr im hause sind / Denn sie hat die Boten verborgen / die wir aussandten. [18]Allein hütet euch fur dem Verbanten / das jr euch nicht verbannet / so jr des verbanten etwas nemet / vnd machet das Lager Jsrael verbannet / vnd bringts in vnglück. [19]Aber alles Silber vnd Gold / sampt dem ehrnen vnd eisern Gerete / sol dem HERRN geheiliget sein / das zu des HERRN schatz kome.

Josu. 2.

[20]DA machet das volck ein Feldgeschrey / vnd bliesen Posaunen / Denn als das volck den hal der Posaunen höret / macht es ein gros Feldgeschrey / Vnd die mauren fielen vmb / Vnd das volck ersteig

die Stad / ein jglicher stracks fur sich. Also gewonnen sie die Stad / [21]vnd verbanten alles was in der Stad war / mit der scherffe des schwerts / beide Man vnd Weib / jung vnd alt / ochsen / schafe vnd esel. ‖ ‖ 120b

ABER JOSUA SPRACH ZU DEN ZWEEN MENNERN / die das Land verkundschafft hatten / Gehet in das haus der Huren / vnd füret das Weib von dannen eraus mit allem das sie hat / wie jr geschworen habt. [23]Da giengen die Jünglinge die Kundschaffer hin ein / vnd füreten Rahab eraus / sampt jrem Vater vnd Mutter / vnd Brüdern / alles was sie hatte / vnd alle jr Geschlecht / vnd liessen sie haussen ausser dem Lager Jsrael.

RAHAB. — Josu. 2.

[24]ABer die Stad verbranten sie mit fewr / vnd alles was drinnen war / Allein das Silber vnd Gold / vnd ehern vnd eisern Gerete theten sie zum Schatz in das Haus des HERRN. [25]Rahab aber die Hure / sampt dem hause jres Vaters / vnd alles was sie hatte / lies Josua leben / Vnd sie wonet in Jsrael / bis auff diesen tag / Darumb das sie die Boten verborgen hatte / die Josua zu verkundschaffen gesand hatte gen Jeriho.

RAHAB.

ZV der zeit schwur Josua / vnd sprach / Verflucht sey der Man fur dem HERRN / der diese stad Jeriho auffrichtet vnd bawet. Wenn er jren Grund legt / das koste jn seinen ersten Son / vnd wenn er jr thor setzt / das koste jn seinen jüngsten Son. [27]Also war der HERR mit Josua / das man von jm saget in allen Landen.

3. Reg. 16.

## VII.

ABER DIE KINDER JSRAEL VERGRIFFEN SICH AN dem Verbanten / Denn Achan der son Charmi / des sons Sabdi / des sons Serah / vom stam Juda / nam des verbanten etwas / Da ergrimmet der zorn des HERRN vber die kinder Jsrael.

ACHAN.

DA NU JOSUA MENNER AUSSAND VON JERIHO GEN Ai / die bey BethAuen ligt / gegen dem morgen fur BethEl / vnd sprach zu jnen / Gehet hin auff / vnd verkundschafft das Land. Vnd da sie hin auff gegangen waren / vnd Ai verkundschafft hatten / [3]kamen sie wider zu Josua / vnd sprachen zu jm / Las nicht das gantze volck hin auffziehen / Sondern bey zwey oder drey tausent Man / das sie hinauff ziehen / vnd schlahen Ai / das nicht das gantz volck sich daselbs bemühe / Denn jr ist wenig.

AI.

4Also zogen hinauff des volcks bey drey tausent man / Vnd die flohen fur den Mennern zu Ai / 5Vnd die von Ai schlugen jr bey sechs vnd dreissig Man / vnd jagten sie fur dem thor bis gen Sabarim / vnd schlugen sie den weg erab / Da ward dem volck das hertz verzagt / vnd ward zu wasser.

JOsua aber zureis seine Kleider / vnd fiel auff sein Angesicht zu erden / fur der Laden des HERRN / bis auff den abend / sampt den Eltesten Jsrael / vnd worffen staub auff jre heubter. 7Vnd Josua sprach / Ah HErr HERR / Warumb hastu dis volck vber den Jordan gefürt / das du vns in die hende der Amoriter gebest vns vmb zubringen? O das wir weren jenseid des Jordans blieben / wie wir angefangen hatten. 8Ah mein HErr / Was sol ich sagen / weil Jsrael seinen Feinden den rück keret? 9Wenn das die Cananiter vnd alle einwoner des Landes hören / So werden sie vns vmbgeben / vnd auch vnsern namen ausrotten von der Erden / Was wiltu denn bey deinem grossen Namen thun?

Josua
ist in engsten.

10DA sprach der HERR zu Josua / Stehe auff / Warumb ligstu also auff deinem angesicht? 11Israel hat sich versündiget / vnd haben meinen Bund vbergangen / den ich jnen geboten habe / Da zu haben sie des Verbanten genomen vnd gestolen vnd verleugnet / vnd vnter jre Gerete gelegt. 12Die kinder Jsrael mügen nicht stehen fur jren Feinden / sondern müssen jren Feinden den rücken keren / Denn sie sind im Bann / Jch werde fort nicht mit euch sein / wo jr nicht den Bann aus euch vertilget.

|| 121a

13STehe auff vnd heilige das volck / vnd sprich / Heiliget euch auff mor||gen / Denn also sagt der HERR der Gott Jsrael / Es ist ein Bann vnter dir Jsrael / Darumb kanstu nicht stehen fur deinen Feinden / bis das jr den Bann von euch thut. 14Vnd sollet euch früe erzu machen / ein Stam nach dem andern Vnd welchen stam der HERR treffen wird / der sol sich erzu machen / ein Geschlecht nach dem andern / Vnd welch Geschlecht der HERR treffen wird / das sol sich erzu machen / ein Haus nach dem andern / Vnd welch haus der HERR treffen wird / das sol sich erzu machen / ein Hauswirt nach dem andern. 15Vnd welcher erfunden wird im Bann / den sol man mit Fewr verbrennen mit allem das er hat / Darumb / das er den Bund des HERRN vberfahren / vnd eine torheit in Jsrael begangen hat.

gesteiniget vnd mit Fewr verbrennet.

DA macht sich Josua des morgens frūe auff / vnd bracht Jsrael erzu / einen Stam nach dem andern / vnd ward getroffen der stam Juda. [17]Vnd da er die Geschlecht in Juda erzu bracht ward getroffen das geschlecht der Serahiter. Vnd da er das geschlecht der Serahiter erzu bracht ein Hauswirt nach dem andern / ward Sabdi getroffen. [18]Vnd da er sein Haus erzu bracht / ein Wirt nach dem andern / ward getroffen Achan der son Charmi / des sons Sabdi / des sons Serah / aus dem stam Juda.

ACHAN.

[19]VND Josua sprach zu Achan / Mein son / gib dem HERRN dem Gott Jsrael die Ehre / vnd gib jm das Lob / vnd sage mir an / Was hastu gethan? vnd leugne mir nichts. [20]Da antwortet Achan Josua / vnd sprach / Warlich / ich hab mich versündigt an dem HERRN / dem Gott Jsrael / Also vnd also hab ich gethan. [21]Jch sahe vnter dem Raub einen köstlichen Babylonischen Mantel / vnd zwey hundert sekel silbers / vnd eine güldene [a]Zunge / funffzig sekel werd am gewichte / des gelüstet mich / vnd nam es / Vnd sihe / es ist verschorren in die erden / in meiner Hütten / vnd das Silber drunder.

[a] Spangen / wie ein Zunge gestalt.

[22]DA sandte Josua boten hin / die lieffen zur Hütten / vnd sihe / Es war verschorren in seiner hütten / vnd das silber drunder. [23]Vnd sie namens aus der hütten / vnd brachtens zu Josua vnd zu allen kindern Jsrael / vnd schuttens fur den HERRN. [24]Da nam Josua vnd das gantze Jsrael mit jm / Achan den son Serah / sampt dem Silber / Mantel / vnd gülden Zunge / seine Söne vnd Töch-

ter / seine ochsen vnd esel vnd schafe / seine Hütten / vnd alles was er hatte / vnd füreten sie hin auff ins tal Achor. [25]Vnd Josua sprach / Weil du vns || betrübt hast / So betrübe dich der HERR an diesem tage / Vnd das gantze Jsrael steinigeten jn / vnd verbranten sie mit fewr. Vnd da sie sie gesteiniget hatten / [26]machten sie vber sie ein grossen Steinhauffen / der bleibt bis auff diesen tag. Also keret sich der HERR von dem grim seines zorns / Daher heisst der selb Ort / das tal Achor / bis auff diesen tag.

|| 121 b

TAL ACHOR.

VIII.

VND DER HERR SPRACH ZU JOSUA / FÜRCHTE dich nicht / vnd zage nicht / Nim mit dir alles Kriegsuolck / vnd mache dich auff / vnd zeuch hin auff gen Ai / Sihe da / Jch hab den König Ai / sampt seinem Volck in seiner stad vnd Land / in deine hende gegeben. [2]Vnd solt mit Ai vnd jrem Könige thun / wie du mit Jeriho vnd jrem Könige gethan hast / On das jr jren Raub / jr vieh vnter euch teilen solt / Aber bestelle einen Hinderhalt hinder der Stad.

Josu. 6.

AI.

DA macht sich Josua auff vnd alles Kriegsuolck / hin auff zu ziehen gen Ai / Vnd Josua erwelet dreissig tausent streitbar Man / vnd sandte sie aus bey der nacht / [4]vnd gebot jnen / vnd sprach. Sehet zu / Jr solt der Hinderhalt sein hinder der Stad / Macht euch aber nicht all zuferne von der stad / vnd seid alle sampt bereit / [5]Jch aber vnd alles Volck das mit mir ist / wollen vns zu der stad machen. Vnd wenn sie vns entgegen eraus fahren / wie vor hin / So wollen wir fur jnen fliehen / [6]das sie vns nachfolgen eraus / bis das wie sie eraus von der Stad reissen / Denn sie werden gedencken / wir fliehen fur jnen / wie vor hin. Vnd weil wir fur jnen fliehen / [7]solt jr euch auffmachen aus dem Hinderhalt / vnd die Stad einnemen / Denn der HERR ewr Gott wird sie in ewer hende geben. [8]Wenn jr aber die stad eingenomen habt / So steckt sie an mit fewr / vnd thut nach dem wort des HERRN / Sihe / ich habs euch geboten.

[9]ALso sandte sie Josua hin / vnd sie giengen hin auff den Hinderhalt / vnd hielten zwischen BethEl vnd Ai / gegen abend werts an Ai. Josua aber bleib die nacht vnter dem volck / [10]Vnd macht sich des morgens früe auff / vnd ordnet das Volck / vnd

zoch hin auff / mit den eltesten Jsrael / fur dem volck her gen Ai. [11]Vnd alles Kriegsuolck das bey jm war zoch hinauff / vnd tratten erzu / vnd kamen gegen die Stad / vnd lagerten sich gegen Mitternacht fur Ai / das nur ein tal war zwisschen jm vnd Ai. [12]Er hatte aber bey funff tausent Man genomen / vnd auff den Hinderhalt gestellet zwisschen BethEl vnd Ai / gegen Abend werts der stad. [13]Vnd sie stelleten das volck des gantzen Lagers / das gegen Mitternacht der stad war / das sein letztes reichet gegen den Abend der stad. Also gieng Josua hin in der selbigen nacht mitten in das Tal.

ALS aber der König zu Ai das sahe / Eileten sie / vnd machten sich früe auff / vnd die Menner der Stad eraus / Jsrael zubegegenen zum streit / mit alle seinem volck / an einen bestimpten ort fur dem gefilde / Denn er wuste nicht / das ein Hinderhalt auff jm war hinder der stad. [15]Josua aber vnd gantzes Jsrael stelleten sich als würden sie geschlagen fur jnen / vnd flohen auff dem wege zur wüsten. [16]Da schrey das gantze Volck in der Stad / das man jnen solt nachiagen. [17]Vnd sie jagten auch Josua nach / vnd rissen sich von der Stad eraus / das nicht ein Man vberbleib in Ai vnd BethEl / der nicht ausgezogen were Jsrael nach zu jagen / vnd liessen die Stad offen stehen / das sie Jsrael nachiagten.

[18]DA sprach der HERR zu Josua / Recke aus die Lantzen in deiner hand gegen Ai / Denn ich wil sie in deine hand geben. Vnd da Josua die Lantzen in seiner hand gegen der Stad ausreckt / [19]da brach der Hinderhalt auff eilend aus seinem Ort / vnd lieffen / nach dem er seine hand ausreckt / vnd kamen in die Stad vnd gewonnen sie / vnd eileten / vnd steckten sie mit fewr an. [20]Vnd die || Menner von Ai wandten sich / vnd sahen hinder sich / vnd sahen den rauch der stad auffgehen gen Himel / vnd hatten nicht raum zu fliehen weder hin noch her / Vnd das volck das zur wüsten floch / keret sich vmb / jnen nach zu jagen.

|| 122a

[21]DEnn da Josua vnd das gantz Jsrael sahe / das der Hinderhalt die stad gewonnen hatte / weil der stad rauch auffgieng / kereten sie widerumb / vnd schlugen die Menner von Ai. [22]Vnd die in der Stad kamen auch eraus jnen entgegen / das sie mitten vnter Jsrael kamen von dort her / vnd von hie her / vnd schlugen sie bis das niemand vnter jnen vberbleib / noch entrinnen kundte / [23]Vnd griffen den

König zu Ai lebendig vnd brachten jn zu Josua. 24Vnd da Jsrael alle Einwoner zu Ai hatte erwürget auff dem felde vnd in der wüsten / die jnen nachgeiagt hatten / vnd fielen alle durch die scherffe des Schwerts / bis das sie alle vmbkamen / Da keret sich gantz Jsrael zu Ai / vnd schlugen sie mit der scherffe des schwerts. 25Vnd alle die des tages fielen beide Man vnd Weiber / der waren zwelff tausent / alles Leute von Ai.

26JOsua aber zoch nicht wider ab seine hand / damit er die Lantze ausreckt / bis das verbannet wurden alle einwoner Ai. 27On das Vieh / vnd den Raub der stad teilete Jsrael aus vnter sich / nach dem wort des HERRN / das er Josua geboten hatte. 28Vnd Josua brandte Ai aus / vnd macht einen hauffen daraus ewiglich / der noch heute da ligt. 29Vnd lies den König zu Ai an einen Baum hengen / bis an den abend / Da aber die Sonne war vnter gegangen / gebot er das man seinen Leichnam vom baum thet / Vnd worffen jn vnter der stadthor vnd machten ein grossen Steinhauffen auff jn / der bis auff diesen tag da ist.

Deut. 21.

DA BAWETE JOSUA DEM HERRN DEM GOTT JSrael einen Altar auff dem berge Ebal 31(wie Mose der knecht des HERRN geboten hatte den kindern Jsrael / Als geschrieben stehet im Gesetzbuch Mose / Einen Altar von gantzen steinen / die mit keinem Eisen behawen waren) vnd opfferte dem HERRN drauff Brandopffer vnd Danckopffer. 32Vnd schreib daselbs auff die Steine das ander Gesetz / das Mose den kindern Jsrael furgeschrieben hatte.

Deut. 27.
Exod. 20.

33VND das gantze Jsrael mit seinen Eltesten vnd Amptleuten / vnd Richtern stunden zu beiden seiten der Laden / gegen den Priestern aus Leui / die die Lade des Bunds des HERRN trugen / die Frembdlingen so wol als die Einheimischen / Eine helfft neben dem berge Grisim / vnd die ander helfft neben dem berge Ebal / wie Mose der knecht des HERRN vorhin geboten hatte / zu segen das volck Jsrael. 34Darnach lies er ausruffen alle wort des Gesetzs vom Segen vnd Fluch / wie es geschrieben stehet im Gesetzbuch. 35Es war kein wort das Mose geboten hatte / das Josua nicht hette lassen ausruffen fur der gantzen gemeine Jsrael / vnd fur den Weibern vnd Kindern vnd Frembdlingen / die vnter jnen wandelten.

GRISIM.
EBAL.

Deut. 27.

mit den von Gibeon gemacht etc.

## IX.

DA NU DAS HÖRETEN ALLE KÖNIGE / DIE JENSEID des Jordans waren auff den Gebirgen / vnd in den Gründen / vnd an allen Anfurten des grossen Meers / auch die neben dem berge Libanon waren / nemlich / die Hethiter / Amoriter / Cananiter / Pheresiter / Heuiter / vnd Jebusiter / [2]samleten sie sich eintrechtiglich zu hauff / das sie wider Josua vnd wider Jsrael stritten.

LIST DER Gibeoniter.

ABER DIE BÜRGER ZU GIBEON / DA SIE HÖRETEN was Josua mit Jeriho vnd Ai gethan hatte / erdachten sie eine List [4]Giengen hin / vnd schickten eine Botschafft / vnd namen alte Secke auff jre Esel / [5]vnd alte zurissen geflickte Weinschleuch / vnd alte geflickte Schuch an jre füsse / vnd zogen alte Kleider an / vnd alles Brot das sie mit sich namen / war hart vnd schimlicht. [6]Vnd giengen || zu Josua ins Lager gen Gilgal / vnd sprachen zu jm vnd zum gantzen Jsrael / Wir komen aus fernen landen / So macht nu einen Bund mit vns. [7]Da sprach das gantz Jsrael zu dem Heuiter / Vieleicht möchtestu vnter vns wonen werden / Wie künde ich denn einen Bund mit dir machen.

GIBEONITER begeren frieden etc.

|| 122b

[8]SJE aber sprachen zu Josua / Wir sind deine Knechte. Josua sprach zu jnen / Wer seid jr / vnd von wannen kompt jr? [9]Sie sprachen / Deine Knechte sind aus seer fernen Landen komen / vmb des Namens willen des HERRN deines Gottes. Denn wir haben sein gerücht gehöret / vnd alles was er in Egypten gethan hat / [10]vnd alles was er den zweien Königen der Amoriter jenseid dem Jordan gethan hat / Sihon dem Könige zu Hesbon / vnd Og dem könige zu Basan / der zu Astharoth wonet. [11]Darumb sprachen vnsere Eltesten vnd alle Einwoner vnsers Lands / Nemet Speise mit euch auff die Reise / vnd gehet hin jnen entgegen / vnd sprecht zu jnen / Wir sind ewre Knechte / So macht nu einen Bund mit vns. [12]Dis vnser Brot / das wir aus vnsern Heusern zu vnser speise namen war noch frisch / da wir auszogen zu euch / Nu aber sihe / ist es hart vnd schimlicht. [13]Vnd diese Weinschleuche fülleten wir new / vnd sihe / sie sind zu rissen / Vnd diese vnser Kleider vnd Schuch sind alt worden / vber der seer langen Reise. [14]Da namen die Heubtleute jre speise an / vnd fragten den Mund des HERRN nicht. [15]Vnd Josua macht

Num. 21.

mit den von Gibeon gemacht etc.

frieden mit jnen / vnd richtet einen Bund mit jnen auff / das sie leben bleiben solten / Vnd die Obersten der gemeine schwuren jnen.

ABer vber drey tage / nach dem sie mit jnen ein Bund gemacht hatten / kam es fur sie / das jene nahe bey jnen waren / vnd würden vnter jnen wonen. [17]Denn da die kinder Jsrael fort zogen / kamen sie des dritten tags zu jren Stedten / die hiessen Gibeon / Caphira / Beeroth / vnd Kiriath Jearim. [18]Vnd schlugen sie nicht / darumb / das jnen die Obersten der gemeine geschworen hatten bey dem HERRN / dem Gott Jsrael.

DA aber die gantze gemeine wider die Obersten murret / [19]sprachen alle Obersten der gantzen gemeine / Wir haben jnen geschworen bey dem HERRN dem Gott Jsrael / darumb können wir sie nicht antasten. [20]Aber das wollen wir thun / Lasst sie leben / das nicht ein zorn vber vns kome / vmb des Eides willen den wir jnen gethan haben. [21]Vnd die Obersten sprachen zu jnen / Lasst sie leben das sie Holtzhawer vnd Wassertreger seien der gantzen Gemeine / wie jnen die Obersten gesagt haben.

DA rieff jnen Josua vnd redet mit jnen / vnd sprach / Warumb habt jr vns betrogen / vnd gesagt / Jr seid seer ferne von vns / So jr doch vnter vns wonet? [23]Darumb solt jr verflucht sein / das vnter euch nicht auffhören / Knechte die holtz hawen vnd wasser tragen zum Hause meines Gottes. [24]Sie antworten Josua / vnd sprachen / Es ist deinen knechten angesagt / das der HERR dein Gott / Mose seinem Knecht geboten habe / das er euch das gantze Land geben / vnd fur euch her alle Einwoner des Landes vertilgen wolle / Da furchten wir vnsers Lebens fur euch seer / vnd haben solchs gethan. [25]Nu aber sihe / wir sind in deinen henden / Was dich gut vnd recht dünckt vns zu thun / das thu.

[26]VND er thet jnen also / vnd errettet sie von der kinder Jsrael hand / das sie sie nicht erwürgeten. [27]Also macht sie Josua desselben tags zu Holtzhewern vnd Wassertregern der Gemeine / vnd zum Altar des HERRN / bis auff diesen tag / an dem Ort / den er erwelen würde.

X.

ADONIZEDEK.

DA ABER ADONI ZEDEK DER KÖNIG ZU JERUSAlem höret / das Josua Ai gewonnen vnd sie verbannet hatte / vnd Ai sampt jrem Könige gethan hatte / gleich wie er Jeriho vnd jrem Könige gethan

Josua rettet die Gibeoniter etc.

hatte / Vnd das die zu Gibeon friede mit Jsrael gemacht hatten / vnd || vnter sie komen waren / [2]furchten sie sich seer (Denn Gibeon war eine grosse stad / wie ein königliche Stad / vnd grösser denn Ai / vnd alle jre Bürger streitbar) [3]Sandte er zu Hoham dem könige zu Hebron / vnd zu Piream dem könige zu Jarmuth / vnd zu Japhia dem könige zu Lachis / vnd zu Debir dem könige zu Eglon / vnd lies jnen sagen / [4]Kompt erauff zu mir vnd helfft mir / das wir Gibeon schlahen / Denn sie hat mit Josua vnd den kindern Jsrael frieden gemacht.

|| 123a

GIBEON.

[5]DA kamen zu hauff vnd zogen hinauff die fünff Könige der Amoriter / der könig zu Jerusalem / der könig zu Hebron / der könig zu Jarmuth / der könig zu Lachis / der könig zu Eglon / mit alle jrem Heerlager / vnd belegten Gibeon vnd stritten wider sie.

ABer die zu Gibeon sandten zu Josua ins Lager gen Gilgal / vnd liessen jm sagen / Zeuch deine hand nicht abe von deinen Knechten / Kom zu vns erauff eilend / rette vnd hilff vns / Denn es haben sich wider vns zusamen geschlagen alle Könige der Amoriter / die auff dem Gebirge wonen.

JOsua zoch hinauff von Gilgal / vnd alles Kriegsuolck mit jm / vnd alle streitbar Menner. [8]Vnd der HERR sprach zu Josua / FÜRCHT DICH NICHT FUR JNEN / DENN JCH HABE SIE IN DEINE HENDE GEGEBEN / NIEMAND VNTER JNEN WIRD FUR DIR STEHEN KÖNNEN. [9]Also kam Josua plötzlich vber sie / Denn die gantze nacht zoch er erauff von Gilgal. [10]Aber der HERR schreckt sie fur Jsrael / das sie eine grosse Schlacht schlugen zu Gibeon / vnd jagten jnen nach den weg hinan zu BethHoron / vnd schlugen sie bis gen Aseka vnd Makeda.

JOSUA rettet die Gibeoniter / vnd schlegt .5. Könige.

[11]VND da sie fur Jsrael flohen den weg erab zu BethHoron / lies der HERR einen grossen Hagel vom Himel auff sie fallen bis gen Aseka / das sie storben / Vnd viel mehr storben jr von dem Hagel / denn die kinder Jsrael mit dem schwert erwürgeten.

Grosser Hagel.

DA redet Josua mit dem HERRN des tags / da der HERR die Amoriter vbergab fur den kindern Jsrael / vnd sprach fur gegenwertigem Jsrael Sonne stehe stille zu Gibeon / vnd Mond im tal Aialon. [13]Da stund die Sonne vnd der Mond stille / bis das sich das volck an seinen Feinden rechete. Jst dis nicht geschrieben im buch des Fromen?

SONNE stehet stille.

Eccl. 46.

von Josua geschlagen etc.

Also stund die Sonne mitten am Himel / vnd verzog vnter zugehen einen gantzen tag. [14]Vnd war kein tag diesem gleich weder zuuor noch darnach / da der HERR der stimme eines Mans gehorchet / Denn der HERR streit fur Jsrael.

Jesa. 38.

JOsua aber zoch wider ins Lager gen Gilgal / vnd das gantz Jsrael mit jm. [16]Aber diese fünff Könige waren geflohen / vnd hatten sich versteckt in die Höle zu Makeda. [17]Da ward Josua angesagt / Wir haben die fünff Könige gefunden verborgen in der Höle zu Makeda. [18]Josua sprach / So waltzet grosse Steine fur das loch der Höle / vnd bestellet Menner da fur die jr hütten. [19]Jr aber stehet nicht stille / sondern jaget ewern Feinden nach / vnd schlahet jre hindersten / vnd lasst sie nicht in jre Stedte komen / Denn der HERR ewr Gott hat sie in ewr hende gegeben. [20]Vnd da Josua vnd die kinder Jsrael volendet hatten diese seer grosse Schlacht an jnen / vnd gar geschlagen / Was vberbleib von jnen / das kam in die festen Stedte.

ALso kam alles volck wider ins Lager zu Josua gen Makeda mit friede / vnd thurft niemand fur den kindern Jsrael seine zungen regen. [22]Josua aber sprach / Macht auff das loch der Höle / vnd bringet erfür die fünff Könige zu mir. [23]Sie theten also vnd brachten die fünff Könige zu jm aus der Höle / den könig zu Jerusalem / den könig zu Hebron / den könig zu Jarmuth / den könig zu Lachis / den könig zu Eglon.

[24]DA aber die fünff Könige zu jm eraus bracht waren / rieff Josua dem gantzen Jsrael / vnd sprach zu den Obersten des Kriegsuolcks die mit jm zogen ‖ Kompt erzu / vnd trettet diesen Königen mit füssen auff die Helsse. Vnd sie kamen erzu / vnd tratten mit füssen auff jre Helse. [25]Vnd Josua sprach zu jnen / Fürchtet euch nicht / vnd erschreckt nicht / seid getrost vnd vnuerzagt / Denn also wird der HERR allen ewern Feinden thun / wider die jr streitet.

‖ 123 b

[26]VND Josua schlug sie darnach / vnd tödtet sie / vnd hieng sie auff fünff Bewme / Vnd sie hiengen an den bewmen bis zu abend. [27]Da aber die Sonne war vntergangen / gebot er / das man sie von den bewmen neme vnd würffe sie in die Höle / darinnen sie sich verkrochen hatten / Vnd legten grosse steine fur der Höle loch / die sind noch da auff diesen tag.

MAKEDA.

DEsselben tags gewan Josua auch Makeda / vnd schlug sie mit der scherffe des schwerts / Dazu jren König / vnd verbannet sie / vnd alle Seelen die drinnen waren / vnd lies niemand vberbleiben. Vnd thet dem Könige zu Makeda / wie er dem Könige zu Jeriho gethan hatte.

LIBNA.

29DA zoch Josua vnd das gantze Jsrael mit jm von Makeda gen Libna / vnd streit wider sie. 30Vnd der HERR gab dieselbige auch in die hand Jsrael / mit jrem Könige / Vnd er schlug sie mit der scherffe des schwerts / vnd alle Seelen die drinnen waren / vnd lies niemand drinnen vberbleiben. Vnd thet jrem Könige / wie er dem Könige zu Jeriho gethan hatte.

LACHIS.

31DArnach zoch Josua vnd das gantz Jsrael mit jm von Libna gen Lachis vnd belegten vnd bestritten sie. 32Vnd der HERR gab Lachis auch in die hende Jsrael / das sie sie des andern tags gewonnen / Vnd schlugen sie mit der scherffe des schwerts / vnd alle Seelen die drinnen waren / aller ding / wie er Libna gethan hatte. 33Zu derselbigen zeit zoch Horam der könig zu Geser hin auff Lachis zu helffen / Aber Josua schlug jn mit alle seinem Volck / bis das niemand drinnen vberbleib.

HORAM.

EGLON.

34VND Josua zoch von Lachis sampt dem gantzen Jsrael gen Eglon vnd belegt vnd bestreit sie / 35vnd gewan sie desselbigen tags / vnd schlug sie mit der scherffe des schwerts / vnd verbannet alle Seelen die drinnen waren / desselben tags / aller ding / wie er Lachis gethan hatte.

HEBRON.

36DArnach zoch Josua hinauff sampt dem gantzen Jsrael von Eglon gen Hebron / vnd bestreit sie

[37]vnd gewan sie / Vnd schlug sie mit der scherffe des schwerts / vnd jren König / mit allen jren Stedten / vnd alle Seelen die drinnen || waren / vnd lies niemand vberbleiben / Aller ding / wie er Eglon gethan hatte / vnd verbannet sie vnd alle Seelen die drinnen waren.

|| 124a

[38]DA keret Josua widerumb sampt dem gantzen Jsrael gen Debir / vnd bestreit sie / [39]vnd gewan sie / sampt jrem Könige / vnd alle jre Stedte. Vnd schlugen sie mit der scherffe des schwerts / vnd verbanneten alle Seelen die drinnen waren / vnd lies niemand vberbleiben. Wie er Hebron gethan hatte / so thet er auch Debir / vnd jrem Könige / vnd wie er Libna vnd jrem Könige gethan hatte.

DEBIR.

ALso schlug Josua alles Land auff dem Gebirge / vnd gegen Mittag / vnd in den Gründen / vnd an den Bechen / mit allen jren Königen / vnd lies niemand vberbleiben / vnd verbannet alles was odem hatte / wie der HERR der Gott Jsrael geboten hatte. [41]Vnd schlug sie von Kades Barnea an / bis gen Gasa / vnd das gantze land Gosen / bis gen Gibeon / [42]vnd gewan alle diese Könige mit jrem Lande / auff ein mal / Denn der HERR der Gott Jsrael streit fur Jsrael. [43]Vnd Josua zoch wider ins Lager gen Gilgal / mit dem gantzen Jsrael.

## XI.

DA ABER JABIN DER KÖNIG ZU HAZOR SOLCHS höret / sandte er zu Jobab dem könige zu Madon / vnd zum könige zu Simron / vnd zum könig zu Achsaph / [2]vnd zu den Königen / die gegen mitternacht auff dem Gebirge / vnd auff dem Gefilde gegen mittag Cinneroth / vnd in den Gründen / vnd in NaphothDor am meer / woneten / [3]Die Cananiter gegen dem morgen vnd abend / die Amoriter / Hethiter / Pheresiter / vnd Jebusiter / auff dem Gebirge / dazu die Heuiter vnten am berge Hermon im lande Mizpa. [4]Diese zogen aus mit alle jrem Heer / ein gros Volck so viel als des sands am Meer / vnd seer viel Ros vnd Wagen. [5]Alle diese Könige versamleten sich / vnd kamen vnd lagerten sich zuhauffe / an das wasser Merom / zu streiten mit Jsrael.

VND der HERR sprach zu Josua / Fürchte dich nicht fur jnen / Denn morgen vmb diese zeit wil ich sie alle erschlagen geben / fur den kindern Jsrael / jre Rosse soltu verlemen / vnd jre Wagen

Canaan von Josua eingenomen etc.

mit fewr verbrennen. [7]Vnd Josua kam plötzlich vber sie / vnd alles Kriegsuolck mit jm am wasser Merom / vnd vberfielen sie. [8]Vnd der HERR gab sie in die hende Jsrael / vnd schlugen sie vnd jagten sie bis gen grossen Zidon / vnd bis an die Warmewasser / vnd bis an die breite zu Mizpe gegen dem morgen / vnd schlugen sie / bis das niemand vnter jnen vberbleib.

DA thet jnen Josua / wie der HERR jm gesagt hatte / vnd verlemet jre Rosse / vnd verbrant jre wagen. [10]Vnd keret vmb zu derselbigen zeit / vnd gewan Hazor / vnd schlug jren König mit dem schwert (Denn Hazor war vorhin die Heubstad aller dieser Königreich) [11]vnd schlugen alle Seelen / die drinnen waren / mit der scherffe des schwerts / vnd verbanten sie / vnd lies nichts vberbleiben / das den odem hatte / vnd verbrant Hazor mit fewr. [12]Dazu alle Stedte dieser könige gewan Josua mit jren Königen / vnd schlug sie mit der scherffe des schwerts / vnd verbannet sie / Wie Mose der knecht des HERRN geboten hatte.

HAZOR.

[13]DOch verbranten die kinder Jsrael keine Stedte die auff Hügeln stunden / sondern Hazor alleine verbrante Josua. [14]Vnd allen Raub dieser Stedte vnd das Vieh teileten die kinder Jsrael vnter sich / Aber alle Menschen schlugen sie mit der scherffe des schwerts / bis sie die vertilgeten / vnd liessen nichts vberbleiben / das den odem hatte / [15]Wie der HERR Mose seinem knecht / vnd Mose Josua geboten hatte / So thet Josua / das nicht feilet an allem das der HERR Mose geboten hatte.||

Deut. 7.

|| 124b

ALso nam Josua alle dis Land ein auff dem Gebirge / vnd alles was gegen Mittag ligt / vnd alles land Gosen / vnd die gründe vnd felder / vnd das gebirge Jsrael mit seinen gründen / [17]von dem gebirge an / das das Land hin auff gen Seir scheidet / bis gen BaalGad / in der breite des berges Libanon vnten am berge Hermon / Alle jre Könige gewan er / vnd schlug sie / vnd tödtet sie. [18]Er streit aber eine lange zeit mit diesen Königen.

[19]ES war aber keine Stad / die sich mit frieden ergebe den kindern Jsrael (ausgenomen die Heuiter / die zu Gibeon woneten) sondern sie gewonnen sie alle mit streit. [20]Vnd das geschach also von dem HERRN / das jr hertz verstockt würde / mit streit zu begegnen den kindern Jsrael / Auff das sie verbannet würden / vnd jnen keine gnade widerfüre /

Josua. 9.

sondern vertilget würden / wie der HERR Mose geboten hatte.

ZV der zeit kam Josua vnd rottet aus die Enakim von dem Gebirge / von Hebron / von Debir / von Anab / von allem gebirge Juda / vnd von allem gebirge Jsrael / vnd verbannet sie mit jren Stedten. [22]Vnd lies keinen Enakim vberbleiben im Lande der kinder Jsrael / on zu Gasa / zu Gath / zu Asdod / da blieben jr vber.

[23]ALso nam Josua alles Land ein / aller ding / wie der HERR zu Mose geredt hatte / vnd gab sie Jsrael zum Erbe / einem jglichen Stam sein teil / Vnd das Land höret auff zu kriegen.

## XII.

DJS SIND DIE KÖNIGE DES LANDES / DIE [a]DIE KINder Jsrael schlugen / vnd namen ir Land ein / jenseid des Jordans / gegen der Sonnen auffgang / von dem wasser bey Arnon an / bis an den berg Hermon / vnd das gantze gefilde gegen dem morgen. [2]Sihon der könig der Amoriter / der zu Hesbon wonet / vnd herrschet von Aroer an die am vfer ligt des wassers bey Arnon / vnd mitten im wasser vnd vber das halbe Gilead / bis an das wasser Jabok / der die grentze ist der kinder Ammon / [3]vnd vber das gefilde / bis an das meer Cinneroth gegen morgen / vnd bis an das meer im gefilde / nemlich / das Saltzmeer gegen morgen / des weges gen Beth Jesimoth / vnd von mittag vnten an den Bechen des gebirges Pisga.

a Alij Die Josua schluge

Num. 21.

SIHON.

Gen. 32.

[4]DAzu die grentze des königes Og zu Basan / der noch von den Risen vbrig war / vnd wonete zu Astaroth vnd Edrei / [5]vnd herrschete vber den berg Hermon / vber Salcha / vnd vber gantz Basan / bis an die grentze Gesuri vnd Maachati / vnd des halben Gilead / welchs die grentze war Sihon des königes zu Hesbon. [6]Mose der knecht des HERRN vnd die kinder Jsrael schlugen sie / Vnd Mose der knecht des HERRN gab sie einzunemen den Rubenitern / Gadditern / vnd dem halben stam Manasse.

OG.

DJs sind die Könige des Lands die Josua schlug / vnd die kinder Jsrael / disseid des Jordans gegen dem abend / von BaalGad an / auff der breite des berges Libanon / bis an den Berg / der das Land hin auff gen Seir scheidet vnd das Josua den stemmen Jsrael einzunemen gab / Eim jglichen sein

XXXI. Könige geschlagen von Josua.

Land vberig noch einzunemen.

Teil / [8]was auff den gebirgen / gründen / gefilden / an bechen / in der wüsten vnd gegen mittag war / die Hethiter / Amoriter / Cananiter / Pheresiter / Heuiter vnd Jebusiter.

[9]DEr könig zu Jeriho / der könig zu Ai / die zur seiten an BethEl ligt / [10]der könig zu Jerusalem / der könig zu Hebron / [11]der könig zu Jarmuth / der könig zu Lachis / [12]der könig zu Eglon / der könig zu Geser / [13]der könig zu Debir / der könig zu Geder / [14]der könig zu Harma / der könig zu Arad / [15]der könig zu Libna / der könig zu Adullam / [16]der könig zu Makeda / der könig zu BethEl / [17]der könig zu Thapuah / der könig zu Hepher / [18]der könig zu Aphek / der könig ‖ zu Lasaron / [19]der könig zu Madon / der könig zu Hazor / [20]der könig zu Simron-Meron / der könig zu Achsaph / [21]der könig zu Thaenach / der könig zu Megiddo / [22]der könig zu Kedes / der könig zu Jakneam am Charmel / [23]der könig zu NaphotDor / der könig der Heiden zu Gilgal / [24]der könig zu Tirza / Das sind ein vnd dreissig könige.

‖ 125 a

## XIII.

DA NU JOSUA ALT WAR VND WOLBETAGET / sprach der HERR zu jm / Du bist alt worden vnd wolbetaget / vnd des Lands ist noch fast viel vbrig einzunemen / [2]nemlich / das gantze Galilea der Philister / vnd gantz Gessuri / [3]von Sihor an / der fur Egypten fleust bis an die grentze Ekron gegen mitternacht / die den Cananitern zugerechnet wird / fünff Herrn der Philister / nemlich / der Gasiter / der Asdoditer / der Askloniter / der Gethiter / der Ekroniter vnd die Auiter. [4]Von mittag an aber ist das gantz Land der Cananiter / vnd Meara der Zidonier bis gen Aphek / bis an die grentze der Amoriter. [5]Da zu das Land der Gibliter / vnd der gantze Libanon / gegen der Sonnen auffgang / von BaalGad an / vnter dem berge Hermon / bis man kompt gen Hamath. [6]Alle die auff dem Gebirge wonen / von Libanon an / bis an die Warmewasser / vnd alle Zidonier / Jch wil sie vertreiben fur den kindern Jsrael / Losse nu drumb sie aus zuteilen vnter Jsrael / wie ich dir geboten habe.

SO teile nu dis Land zum Erbe vnter die neun Stemme / vnd vnter den halben stam Manasse. [8]Denn die Rubeniter vnd Gadditer haben mit dem andern halben Manasse jr Erbteil empfangen / das

Num. 32. Deut. 3. Josu. 1. 18.

vberig noch einzunemen.

jnen Mose gab jenseid dem Jordan gegen dem auffgang / wie jnen dasselb Mose der knecht des HERRN gegeben hat / [9]von Aroer an / die am vfer des wassers bey Arnon ligt / vnd von der Stad mitten im wasser / vnd alle gegend Medba bis gen Dibon. [10]Vnd alle stedte Sihon des königes der Amoriter / der zu Hesbon sas / bis an die grentze der kinder Ammon. [11]Dazu Gilead vnd die grentze an Gessuri vnd Maachathi vnd den gantzen berg Hermon / vnd das gantze Basan / bis gen Salcha. [12]Das gantze Reich Og zu Basan / der zu Astharoth vnd Edrej sas / welcher noch ein vberiger war von den Risen / Mose aber schlug sie vnd vertreib sie.

SIHON.

OG.

[13]DJe kinder Jsrael vertrieben aber die zu Gessur vnd zu Maachath nicht sondern es wonet beide Gessur vnd Maachath vnter den kindern Jsrael / bis auff diesen tag. [14]Aber dem stam der Leuiten gab er kein Erbteil / Denn das Opffer des HERRN des Gottes Jsrael ist jr Erbteil / wie er jnen geredt hat.

Num. 18.

ERBTEIL der kinder Ruben.

ALso gab Mose dem stam der kinder Ruben nach jren Geschlechten / [16]Das jre Grentze waren / von Aroet die am vfer des wassers bey Arnon ligt / vnd die Stad mitten im wasser / mit allem eben felde / bis gen Medba. [17]Hesbon vnd alle jre Stedte die im eben felde ligen / Dibon / BamothBaal / vnd BethBaalMeon. [18]Jahza / Kedemoth / Mephaath. [19]Kiriathaim / Sibma / ZerethSahar / auff dem gebirge im tal [20]BethPeor / die Beche am Pisga / vnd BethJesimoth / [21]vnd alle Stedte auff der eben. Vnd das gantze Reich Sihon des königs der Amoriter / der zu Hesbon sass / den Mose schlug / sampt den Fürsten Midian / Eui / Rekem / Zur / Hur / vnd Reba / die gewaltigen des königes Sihon / die im Lande woneten. [22]Dazu Bileam den son Beor / den Weissager erwürgeten die kinder Jsrael mit dem schwert / sampt den erschlagenen. [23]Vnd die grentze der kinder Ruben war der Jordan. Das ist das Erbteil der kinder Ruben vnter jren Geschlechten / Stedten vnd Dörffern.

Num. 31.

BILEAM.

GAD.

DEM stam der kinder Gad vnter jren Geschlechten gab Mose [25]das jre Grentze waren Jaeser vnd alle Stedte in Gilead / vnd das halbe Land der kinder Ammon / bis gen Aroer / welche ligt fur Rabbah. [26]Vnd von Hesbon bis gen RamathMizpe vnd Betonim / vnd von Mahanaim bis an die grentze || Debir. [27]Jm tal aber Betharam / Beth-Nimra / Sucoth vnd Zaphon / die vbrig war von dem Reich Sihon des königes zu Hesbon / das der Jordan die grentze war / bis ans ende des meers Cinnereth / disseid des Jordans gegen dem auffgang. [28]Das ist das Erbteil der kinder Gad in jren Geschlechten / Stedten vnd Dörffern.

|| 125 b

Manasse

DEm halben stam der kinder Manasse nach jren Geschlechten gab Mose / [30]das jr Grentze waren von Mahanaim an / das gantze Basan / das gantze Reich Og des königes zu Basan / vnd alle flecken Jair die in Basan ligen / nemlich sechzig Stedte. [31]Vnd das halbe Gilead / Astharoth / Edrei / die stedte des königreichs Ogs zu Basan / gab er den kindern Machir des sons Manasse das ist / der helfft der kinder Machir nach jren Geschlechten.

[32]DAs ist / das Mose ausgeteilet hat in dem gefilde Moab jenseid des Jordans fur Jeriho / gegen dem auffgang. [33]Aber dem stam Leui gab Mose kein Erbteil / Denn der HERR der Gott Jsrael ist jr Erbteil / wie er jnen geredt hat.

## XIIII.

DJs ist aber / das die kinder Jsrael eingenomen haben im lande Canaan / das vnter sie ausgeteilet haben / der Priester Eleasar vnd Josua der son Nun / vnd die öbersten Veter vnter den Stemmen der kinder Jsrael / [2]Sie teileten es aber durchs Los vnter sie / wie der HERR durch Mose geboten hatte zu geben den zehendhalben Stemmen. [3]Denn den zweien vnd dem halben Stam / hatte Mose erbteil gegeben jenseid dem Jordan / Den Leuiten aber hatte er kein Erbteil vnter jnen gegeben / [4]Denn der kinder Joseph worden zween stemme / Manasse vnd Ephraim / Darumb gaben sie den Leuiten kein teil im lande / sondern Stedte / drinnen zu wonen / vnd Vorstedte fur jr vieh vnd habe. [5]Wie der HERR Mose geboten hatte / So theten die kinder Jsrael / vnd teileten das Land.

Calebs Erbteil.

DA tratten erzu die kinder Juda zu Josua zu Gilgal / vnd Caleb der son Jephunne der Kenisiter sprach zu jm / Du weissest / was der HERR zu Mose dem man Gottes sagete von meinen vnd deinen wegen in KadesBarnea. [7]Jch war vierzig jar alt / das mich Mose der knecht des HERRN aussandte von KadesBarnea / das Land zuuerkundschaffen / vnd ich jm widersagt / nach meinem ge-

Num. 14.

wissen. [8]Aber meine Brüder / die mit mir hinauff gegangen waren / machten dem Volck das hertz verzagt / Jch aber folgete dem HERRN meinem Gott trewlich. [9]Da schwur Mose desselben tages / vnd sprach / Das Land / darauff du mit deinem fuss getretten hast / sol dein vnd deiner kinder Erbteil sein ewiglich / Darumb das du dem HERRN meinem Gott trewlich gefolget hast.

[10]VND nu sihe / der HERR hat mich leben lassen / wie er geredt hat. Es sind nu fünff vnd vierzig jar / das der HERR solchs zu Mose sagt / die Jsrael in der wüsten gewandelt hat / Vnd nu sihe / Jch bin heute fünff vnd achzig jar alt / [11]vnd bin noch heutes tages so starck / als ich war des tages / da mich Mose aussandte / Wie meine krafft war dazumal / Also ist sie auch jtzt zu streiten / vnd aus vnd ein zugehen. [12]So gib mir nu dis Gebirge / dauon der HERR geredt hat an jenem tage / denn du hast gehört am selben tage / Denn es wonen die Enakim droben / vnd sind grosse vnd feste Stedte / Ob der HERR mit mir sein wolt / das ich sie vertriebe / wie der HERR geredt hat.

Eccl. 46.

[13]DA segenet jn Josua / vnd gab also Hebron Caleb dem son Jephunne zum Erbteil. [14]Daher ward Hebron Calebs / des sons Jephunne des Kenisiters erbteil / bis auff diesen tag / darumb / das er dem HERRN dem Gott Jsrael trewlich gefolget hatte. [15]Aber Hebron hies vorzeiten [a]KiriathArba / der ein grosser Mensch war vnter den Enakim / Vnd das Land hatte auffgehöret mit kriegen. ||

Josua. 21.

|| 126a

a Von solchem Arba heisst die Stad KiriathArba / das ist / Arbastad Wie wir Deudschen sagen / Karlstad / Arnstad etc.

## XV.

Erbteil des stams Juda.

DAS LOS DES STAMS DER KINDER JUDA VNTER jren Geschlechten / war die grentze Edom an der wüsten Zin / die gegen mittag stösst an der ecken der mittags Lender / [2]Das jr mittags grentze waren von der ecken an dem Saltzmeer / das ist / von der zungen die gegen mittag werts gehet / [3]Vnd kompt hinaus von dannen hinauff zu Akrabbim / vnd gehet durch Zin / vnd gehet aber hinauff von mittag werts gegen KadesBarnea / vnd gehet durch Hezron / vnd gehet hinauff gen Adar vnd lencket sich vmb Karkaa / [4]vnd gehet durch Azmon / vnd kompt hinaus an den bach Egypti / das das ende der grentze das Meer wird / Das sey ewr grentze gegen Mittag.

Num. 34.

[5]ABer die Morgen grentze ist von dem Saltzmeer an / bis an des Jordans ende.

DJE grentze gegen Mitternacht ist von der zungen des Meers die am ort des Jordans ist / [6]vnd gehet erauff gen BethHagla / vnd zeucht sich von mitternacht werts gen BethAraba / vnd kompt erauff zum stein Bohen des sons Ruben. [7]Vnd gehet erauff gen Debir vom tal Achor / vnd von dem mitternachts ort / der gegen Gilgal sihet / welche ligt gegen vber zu Adumim hinauff / die vom mittag werts am wasser ligt / Darnach gehet sie zu dem wasser EnSemes / vnd kompt hinaus zum brun Rogel. [8]Darnach gehet sie erauff zum tal des sons Hinnam / an der seiten her des Jebusiters / der von mittag werts wonet / das ist Jerusalem / vnd kompt erauff auff die spitze des berges / der fur dem tal Hinnam ligt von abend werts / welcher stösst an die ecke des tals Raphaim gegen mitternacht zu. [9]Darnach kompt sie von desselben berges spitzen zu dem wasser brun Nephthoah / vnd kompt eraus zu den stedten des gebirges Ephron / vnd neiget sich gen Baala / das ist KiriathJearim. [10]Vnd lencket sich erumb von Baala gegen dem abend zum gebirge Seir / vnd gehet an der seiten her des gebirges Jearim von mitternacht werts / das ist Chessalon / vnd kompt erab gen BethSemes / vnd gehet durch Thimna / [11]Vnd bricht eraus an der seiten Ekron her gegen mitternacht werts / vnd zeucht sich gen Sichron / vnd gehet vber den berg Baala / vnd kompt eraus gen Jabneel / das jr letzts ist das Meer.

[12]DJE grentze aber gegen Abend ist das grosse Meer / Das ist die grentze der kinder Juda vmbher in jren Geschlechten.

Calebs
Erbteil.

CAleb aber dem son Jephunne ward sein Teil gegeben vnter den kindern Juda / nach dem der HERR Josua befalh / nemlich / die KiriathArba / des vaters Enak / das ist Hebron. [14]Vnd Caleb vertreib von dannen die drey söne Enak / Sesai / Ahiman / vnd Thalmai / geboren von Enak. [15]Vnd zoch von dannen hinauff zu den einwonern Debir / Debir aber hies vorzeiten KiriathSepher. [16]Vnd Caleb sprach / Wer KiriathSepher schlegt vnd gewinnet / dem wil ich meine tochter Achsa zum weibe geben. [17]Da gewan sie Athniel der son Kenas des Bruders Caleb / Vnd er gab jm seine tochter Achsa zum weibe.

Achsa.

Jud. 1.

[18]VND es begab sich da sie einzoch / ward jr geraten einen Acker zu foddern von jrem Vater / vnd sie fiel vom Esel. Da sprach Caleb zu jr / Was ist dir? [19]Sie sprach / Gib mir einen Segen / denn du hast mir ein mittags Land gegeben / Gib mir auch Wasserquelle / Da gab er jr quelle oben vnd vnten. [20]Dis ist das Erbteil des stams der kinder Juda vnter jren Geschlechten.

STEDTE der stemme Juda.

VND die stedte des stams der kinder Juda / von einer ecken zu der andern / an der grentze der Edomiter gegen mittag / waren diese / Kapzeel / Eder / Jagur / [22]Kina / Dimona / AdAda / [23]Kedes / Hazor / Jthnan / [24]Siph / Telem / Bealoth / [25]HazorHadata / Kirioth Hezron / das ist / Hazor. [26]Amam / Sema / Molada / [27]HazarGadda / Hesinon / BethPalet / [28]HazarSual / BeerSeba / Bis- || iothJa / [29]Baela / Jijm / Azem / [30]Eldolad / Chesil / Harma / [31]Ziklag / Madmanna / SanSanna / [32]Lebaoth / Silhim / Ain / Rimon / Das sind neun vnd zwenzig Stedte vnd jre dörffer.

|| 126b

[33]JN den Gründen aber war / Esthaol / Zarea / Asna / [34]Sanoah / EnGanim Thapuah / Enam / [35]Jarmuth / Adullam / Socho / Aseka / [36]Saeraim / Adithaim Gedera / Giderothaim / Das sind vierzehen Stedte vnd jre dörffer.

[37]ZEnan / Hadasa / MigdalGad / [38]Dilean / Mizpe / Jakthiel / [39]Lachis / Bazekath / Eglon / [40]Chabon / Lahmam / Cithlis / [41]Gederoth / BethDagon / Naema / Makeda / Das sind sechzehen Stedte vnd jre dörffer.

[42]LJbna / Ether / Asan / [43]Jephthah / Asna / Nezib / [44]Regila / Achsib / Maresa / Das sind neun stedte vnd jre dörffer. [45]Ekron mit jren töchtern vnd dörffern. [46]Von Ekron vnd ans Meer / alles was an Asdod langet vnd jre dörffer. [47]Asdod mit jren töchtern vnd dörffern. Gasa mir jren töchtern vnd dörffern / bis an das wasser Egypti / vnd das grosse meer ist seine grentze.

[48]AVff dem Gebirge aber war Samir / Jathir / Socho / [49]Danna / KiriathSanna / das ist Debir / [50]Anab / Esthemo / Anim / [51]Gosen / Holon / Gilo / Das sind eilff Stedte vnd jre dörffer.

[52]ARab / Duma / Esean / [53]Janum / BethThapuah / Apheka / [54]Humta / KiriathArba / das ist / Hebron / Zior / Das sind neun stedte vnd jre dörffer. [55]Maon / Carmel / Siph / Juta / [56]Jesreel / Jakdeam / Sanoah / [57]Kain / Gibea / Thimna / Das sind

zehen stedte vnd jre dörffer. [58]Halhul / Bethzur / Gedor / [59]Maarath / BethAnoth / Elthekon / Das sind sechs Stedte vnd jre dörffer [60]KiriathBaal das ist KiriathJearim / Harabba / zwo Stedte vnd jre dörffer.

[61]JN der wüsten aber war BethAraba / Middin / Sechacha / [62]Nibsan vnd die Saltzstad / vnd Engeddi / Das sind sechs Stedte vnd jre dörffer.

JEBUSITER.

[63]DJe Jebusiter aber woneten zu Jerusalem / vnd die kinder Juda kundten sie nicht vertreiben / [a]Also blieben die Jebusiter mit den kindern Juda zu Jerusalem bis auff diesen tag.

2. Reg. 5.

a DAUID hats ernach vertrieben. 2. Sam. 5.

## XVI.

ERBTEIL der kinder Joseph

VND DAS LOS FIEL DEN KINDERN JOSEPH VOM Jordan gegen Jeriho / bis zum wasser bey Jeriho vom auffgang werts / vnd die wüsten die er auffgehet von Jeriho durch das gebirge BethEl [2]vnd kompt von BethEl eraus gen Lus / vnd gehet durch die grentze ArchiAtharoth / [3]Vnd zeucht sich ernider gegen abend werts zu der grentze Japhleti / bis an die grentze des nidern BethHoron / vnd bis gen Gaser / vnd das ende ist am meer / [4]Das haben zum Erbteil genomen die kinder Joseph / Manasse vnd Ephraim.

ERBTEIL der kinder Ephraim etc.

[5]DJE grentze der kinder Ephraim vnter jren Geschlechten jres Erbteils von auffgang werts / war AtarothAdar bis gen öbern BethHoron / [6]vnd gehet aus gegen abend bey Michmethath / die gegen mitternacht ligt / daselbs lenckt sie sich erumb gegen dem auffgang der stad ThaenathSilo / vnd gehet dadurch vom auffgang werts gen Janoha. [7]Vnd kompt erab von Janoha gen Ataroth vnd Naaratha / vnd stösset an Jeriho / vnd gehet aus am Jordan. [8]Von Thapuah gehet sie gegen abend werts gen NahalKana / vnd jr ende ist am Meer.

DAS ist das Erbteil des Stams der kinder Ephraim vnter jren Geschlechten. [9]Vnd alle Grenzstedte / sampt jren dörffern der kinder Ephraim / waren gemenget vnter dem Erbteil der kinder Manasse. [10]Vnd sie vertrieben die Cananiter nicht / die zu Gaser woneten / Also blieben die Cananiter vnter Ephraim / bis auff diesen tag / vnd wurden zinsbar.

CANANITER.

## XVII.

|| 127a
Num. 26.

VND DAS LOS FIEL DEM STAM MANASSE / DENN er ist Josephs erster Son / vnd fiel auff Machir den ersten son Manasse den vater Gilead / Denn er war ein streitbar Man / darumb ward jm Gilead vnd Basan. [2]Den andern kindern aber Manasse vnter jren Geschlechten fiel es auch / nemlich den kindern Abieser / den kindern Helek / den kindern Asriel / den kindern Sechem / den kindern Hepher / vnd den kindern Semida / Das sind die kinder Manasse des sons Joseph / Mansbilder vnter jren Geschlechten.

Num. 27. 36.

ZELAPHEHAD.

[3]ABer Zelaphehad der son Hepher / des sons Gilead / des sons Machir / des sons Manasse / hatte keine Söne / sondern Töchter / vnd jr namen sind diese / Mahala / Noa / Hagla / Milca / Tirza. [4]Vnd tratten fur den Priester Eleasar vnd fur Josua den son Nun / vnd fur die Obersten / vnd sprachen / Der HERR hat Mose geboten / das er vns sol Erbteil geben vnter vnsern Brüdern. Vnd man gab jnen Erbteil vnter den brüdern jres Vaters / nach dem befelh des HERRN.

[5]ES fielen aber auff Manasse zehen schnüre ausser dem lande Gilead vnd Basan / das jenseid dem Jordan ligt. [6]Denn die Töchter Manasse namen Erbteil vnter seinen Sönen / vnd das land Gilead ward den andern kindern Manasse.

[7]VND die grentze Manasse war von Asser an gen Michmethath / die fur Sechem ligt / vnd langet zur rechten an die von EnThapuah / [8]Denn das land Thapuah ward Manasse / vnd ist die grentze Manasse an die kinder Ephraim. [9]Darnach kompt sie erab gen NahalKana / gegen Mittag werts / zun Bachstedten / die Ephraims sind vnter den stedten Manasse. Aber von Mitternacht ist die grentze Manasse am bach / vnd endet sich am Meer / [10]Dem Ephraim gegen mittag / vnd dem Manasse gegen mitternacht / vnd das Meer ist seine grentze / Vnd sol stossen an Asser von mitternacht / vnd an Jsaschar von morgen.

[11]SO hatte nu Manasse vnter Jsaschar vnd Asser / BethSean vnd jre töchter / Jeblaam vnd jre töchter / vnd die zu Dor vnd jre töchter / vnd die zu EnDor vnd jre töchter / vnd die zu Taanach vnd jre töchter / vnd die zu Megiddo vnd jre töchter / vnd das dritte teil Napheth. [12]Vnd die kinder Ma-

CANANITER.

nasse kundten diese Stedte nicht einnemen / sondern die Cananiter fiengen an zu wonen in dem selbigen Lande. [13]Da aber die kinder Jsrael mechtig worden / machten sie die Cananiter zinsbar / vnd vertrieben sie nicht.

DA redeten die kinder Joseph mit Josua / vnd sprachen / Warumb hastu mir nur ein Los vnd eine schnur des Erbteils gegeben? vnd ich bin doch ein gros Volck / wie mich der HERR so gesegenet hat? [15]Da sprach Josua zu jnen / Weil du ein gros Volck bist / so gehe hinauff in den wald / vnd hawe vmb daselbs im Lande der Pheresiter vnd Risen / weil dir das gebirge Ephraim zu enge ist.

[16]DA sprachen die kinder Joseph / Das Gebirge werden wir nicht erlangen / Denn es sind eisern Wagen bey allen Cananitern / die im tal des Landes wonen / bey welchen ligt BethSean vnd jre töchter / vnd Jesreel im tal. [17]Josua sprach zum hause Joseph / zu Ephraim vnd Manasse / Du bist ein gros Volck / vnd weil du so gros bist / mustu nicht ein Los haben / [18]sondern das Gebirge sol dein sein / da der wald ist / den hawe vmb / So wird er deines Los ende sein / wenn du die Cananiter vertreibst / die eisern Wagen haben / vnd mechtig sind.

## XVIII.

Hütten des Stiffts auffgericht zu Silo.

VND ES VERSAMLET SICH DIE GANTZE GEMEINE der kinder Jsrael gen Silo / vnd richten daselbs auff die Hütten des Stiffts / vnd das Land war jnen vnterworffen. [2]Vnd waren noch sieben Stemme der kinder Jsrael / denen sie jr Erbteil nicht ausgeteilet hatten. || [3]Vnd Josua sprach zu den kindern Jsrael / Wie lange seid jr so lass das jr nicht hingehet das Land ein zu nemen / das euch der HERR ewr Gott gegeben hat? [4]Schafft euch aus jglichem stam drey Menner / das ich sie sende / vnd sie sich auffmachen / vnd durchs Land gehen / vnd beschreibens nach jren Erbteilen / vnd komen zu mir.

|| 127b

[5]TEilet das Land in sieben teil / Juda sol bleiben auff seiner grentze von mittag her / vnd das haus Joseph sol bleiben auff seiner grentze von mitternacht her. [6]Jr aber beschreibt das Land der sieben Teil / vnd bringet sie zu mir hie her / So wil ich euch das Los werffen fur dem HERRN vnserm Gott. [7]Denn die Leuiten haben kein Teil vnter euch / Sondern das Priesterthum des HERRN ist jr Erbteil. Gad aber vnd Ruben / vnd der halbe

Num. 3. Deut. 18.

stam Manasse / haben jr Teil genomen jenseid dem Jordan / gegen dem morgen / das jnen Mose der knecht des HERRN gegeben hat.

DA machten sich die Menner auff / das sie hin giengen / Vnd Josua gebot jnen / das sie hin wolten gehen das Land zu beschreiben / vnd sprach / Gehet hin vnd durchwandelt das Land / vnd beschreibt es / Vnd kompt wider zu mir / das ich euch hie das Los werffe fur dem HERRN zu Silo. [9]Also giengen die Menner hin / vnd durchzogen das Land / vnd beschriebens auff einen Brieue / nach den stedten / in sieben Teil / vnd kamen zu Josua ins Lager gen Silo. [10]Da warff Josua das Los vber sie zu Silo fur dem HERRN / vnd teilet daselbs das Land aus vnter die kinder Jsrael / einem jglichen sein Teil.

Erbteil der kinder BenJamin.

VND das Los des stams der kinder BenJamin fiel nach jren Geschlechten / vnd die grentze jres Los gieng aus zwisschen den kindern Juda vnd den kindern Joseph. [12]Vnd jre Grentze war an der ecken gegen mitternacht vom Jordan an / vnd gehet erauff an der seiten Jeriho / von mitternacht werts / vnd kompt auffs Gebirge gegen abend werts / vnd gehet aus an der wüsten BethAauen. [13]Vnd gehet von dannen gen Lus / an der seiten her an Lus gegen mittag werts / das ist / Bethel / vnd kompt hin ab gen AtarothAdar an dem berge / der vom mittag ligt an dem nidern BethHoron. [14]Darnach neiget sie sich vnd lencket sich vmb zur ecken des abends gegen mittag von dem berge / der fur BethHoron gegen mittag werts ligt / vnd endet sich an KiriathBaal / das ist KiriathJearim / die stad der kinder Juda / Das ist die ecke gegen abend.

[15]ABer die ecke gegen mittag ist von KiriathJearim an / vnd gehet aus gegen abend / vnd kompt hin aus zum Wasserbrunnen Nephthoah. [16]Vnd gehet erab an des berges ande / der fur dem tal des sons Hinnam ligt / welchs im grunde Raphaim gegen mitternacht ligt / vnd gehet erab durchs tal Hinnam / an der seiten der Jebusiter am mittage / vnd kompt hinab zum brun Rogel / [17]Vnd zeucht sich von mitternacht werts / vnd kompt hinaus gen EnSemes / vnd kompt hinaus zu den hauffen die gegen Adumim hin auff ligen / vnd kompt erab zum stein Bohen des sons Ruben. [18]Vnd gehet zur seiten hin neben dem gefilde / das gegen mitternacht ligt / vnd kompt hinab auffs gefilde. [19]Vnd

gehet an der seiten BethHagla / die gegen mitternacht ligt / vnd ist sein ende an der zunge des Saltzmeers / gegen mitternacht an dem ort des Jordans gegen mittag / Das ist die mittags grentze.

[20]ABer die ecke gegen morgen sol der Jordan enden / Das ist das Erbteil der Kinder BenJamin in jren grentzen vmbher / vnter jren Geschlechten.

DJe Stedte aber des stams der kinder BenJamin vnter jren Geschlechten sind diese / Jeriho / BethHagla / EmekKeziz / [22]BethAraba / Zemaraim / BethEl / [23]Auim / Hapara / Ophra / [24]CapharAmonai / Aphni / Gaba / Das sind zwelff Stedte vnd jre Dörffer. [25]Gibeon / Rama / Beeroth / [26]Mizpe / Caphira / Moza / [27]Rekem / Jerpeel / Thareala / [28]Zela / Eleph / vnd die Jebusiter / das ist Jerusalem / Gibeath / Kiriath / vierzehen Stedte vnd jre Dörffer / Das ist das Erbteil der kinder BenJamin in jren Geschlechten. ‖

‖ 128 a

## XIX.

Erbteil der kinder Simeon.

DAR NACH FIEL DAS ANDER LOS DES STAMS DER kinder Simeon / nach jren Geschlechten / vnd jr Erbteil war vnter dem erbteil der kinder Juda. [2]Vnd es ward jnen zum Erbteil / BeerSeba / Seba / Molada / [3]HazarSual / Bala / Azem / [4]ElTholad / Bethul / Harma / [5]Ziklag / BethMarcaboth / HazarSussa / [6]BethLebaoth / Saruhen / Das sind dreyzehen Stedte vnd jre dörffer. [7]Ain / Rimon / Ether / Asan / Das sind vier Stedte vnd jre dörffer. [8]Dazu alle dörffer / die vmb diese Stedte ligen / bis gen BaalathBeerRamath gegen mittag. Das ist das erbteil des stams der kinder Simeon in jren Geschlechten / [9]Denn der kinder Simeon erbteil ist vnter der schnur / der kinder Juda / Weil das erbteil der kinder Juda jnen zu gros war / darumb erbeten die kinder Simeon vnter jrem Erbteil.

Erbteil der kinder Sebulon.

DAS dritte Los fiel auff die kinder Sebulon nach jren Geschlechten / Vnd die grentze jres erbteils war bis gen Sarid / [11]Vnd gehet hinauff zum Abend werts / gen Mareala / vnd stösset an Dabaseth / vnd stösset an den bach der fur Jakneam fleusst. [12]Vnd wendet sich von Sarid gegen der Sonnen auffgang / bis an die grentze CislothThabor / vnd kompt hinaus gen Dabrath / vnd langet hinauff gen Japhia. [13]Vnd von dannen gehet sie gegen dem auffgang durch Githa / Hepher / Jtha /

Kazin / vnd kompt hinaus gen Rimon Mithoar vnd Nea. [14]Vnd lencket sich rumb von mitternacht gen Nathon / vnd endet sich im tal JaphthahEl / [15]Katath / Nahalal / Simron / Jedeala vnd BethLehem / Das sind zwelff Stedte vnd jre dörffer. [16]Das ist das Erbteil der kinder Sebulon in jren Geschlechten / das sind jre Stedte vnd dörffer.

Erbteil
der kinder
Jsaschar.

DAS vierde Los fiel auff die kinder Jsaschar / nach jren Geschlechten / [18]Vnd jre grentze war / Jesreel / Chesulloth / Sunem / [19]Hapharaim / Sion / Anaharath / [20]Rabith / Kiseon / Abez / [21]Remeth / EnGannem / Enhada / BethPazez. [22]Vnd stösset an Thabor / Sahazima / BethSemes / vnd jr ende ist am Jordan / Sechzehen Stedte vnd jre dörffer. [23]Das ist das Erbteil des stams der kinder Jsaschar in jren Geschlechten / Stedten vnd dörffern.

Erbteil
der kinder
Asser.

DAS fünffte Los fiel auff den stam der kinder Asser / nach jren Geschlechten / [25]Vnd jre grentze war Helkath / Hali / Beten / Achsaph / [26]AlaMelech / Amead / Miseal. Vnd stösset an den Carmel am Meer / vnd an SihorLibnath / [27]vnd wendet sich gegen der Sonnen auffgang / gen BethDagon / vnd stösset an Sebulon / vnd an das tal JephthahEl an die mitternacht / BethEmek / Negiel / vnd kompt hinaus zu Cabul zur lincken / [29]Ebron / Rebob / Hamon / Kana / bis an gros Zidon. [30]Vnd wendet sich gen Rama / bis zu der festen Stad Zor / Vnd wendet sich gen Hossa / vnd endet sich am Meer / der schnur nach gen Achsib / [31]Vma / Aphek / Rehob / Zwo vnd zwenzig Stedte vnd jre dörffer. Das ist das erbteil des stams der kinder Asser in jren Geschlechten / Stedten vnd dörffern.

Erbteil
der kinder
Naphthali.

DAS sechste Los fiel auff die kinder Naphthali / in jren Geschlechten / [33]Vnd jre grentze waren von Heleph / Elon / durch Zaenannim / AdamiNekeb / JabneEl / bis gen Lakum / vnd endet sich am Jordan. [34]Vnd wendet sich zum abend gen AsnothThabor / vnd kompt von dannen hinaus gen Hukok / Vnd stösset an Sebulon gegen Mittag / vnd an Asser gegen Abend / vnd an Juda am Jordan gegen der Sonnen auffgang / [35]Vnd hat feste stedte / Zidim / Zer / Hamath / Rakath / Chinnareth / [36]Adama / Rama / Hazor / [37]Kedes / Edrei / EnHazor / [38]Jereon / MigdalEl / Harem / BethAnath / BethSames / Neunzehen Stedte vnd jre dörffer. [39]Das ist das Erbteil des Stams der kinder

Naphthali / in jren Geschlechten / Stedten vnd dörffern. || || 128b

DAS siebende Los fiel auff den stam der kinder Dan / nach jren Geschlechten / [41]Vnd die grentze jrs erbteils waren / Zarea / Esthaol / Jrsames / [42]Saelabin / Aialon / Jethla / [43]Elon / Thimnatha / Ekron / [44]Eltheke / Gibethon / Baalath / [45]Jehud / BneBarak / GathRimon / [46]Me Jarkon / Rakon / mit den grentzen neben Japho / [47]Vnd an denselben endet sich die grentze der kinder Dan. Vnd die kinder Dan zogen hinauff vnd stritten wider Lesem / vnd gewonnen vnd schlugen sie mit der scherffe des Schwerts / vnd namen sie ein / vnd woneten drinnen / vnd nenneten sie Dan / nach jres Vaters namen. [48]Das ist das Erbteil des stams der kinder Dan / in jren Geschlechten / Stedten vnd dörffern.

LESEM.

JOSUA Erbteil.

VND da sie das Land gar ausgeteilet hatten mit seinen Grentzen / gaben die kinder Jsrael Josua dem son Nun ein Erbteil vnter jnen / [50]vnd gaben jm nach dem befelh des HERRN die Stad / die er foddert / nemlich ThimnathSerah / auff dem gebirge Ephraim. Da bawete er die Stad / vnd wonet drinnen.

[51]DAS sind die Erbteil / die Eleasar der Priester / vnd Josua der son Nun / vnd die Obersten der veter vnter den Geschlechten / durchs Los den kindern Jsrael austeileten zu Silo fur dem HERRN / fur der thür der Hütten des Stiffts / vnd volendeten also das austeilen des Lands.

## XX.

FREYSTEDTE.

VND DER HERR REDET MIT JOSUA / VND SPRACH / [2]Sage den kindern Jsrael / Gebt vnter euch Freistedte / dauon ich durch Mose euch gesagt habe / [3]Dahin fliehen möge ein Todschleger / der eine Seele vnuersehens vnd vnwissend schlegt / das sie vnter euch frey seien fur dem Blutrecher. [4]Vnd der da fleucht zu der Stedte eine / sol stehen aussen fur der Stadthor / vnd fur den Eltesten der stad seine sache ansagen / So sollen sie jn zu sich in die stad nemen / vnd jm raum geben / das er bey jnen wone.

Num. 35. Deut. 19.

[5]VND wenn der Blutrecher jm nachiaget / Sollen sie den Todschleger nicht in seine hende vbergeben / weil er vnwissend seinen Nehesten geschlagen hat / vnd ist jm zuuor nicht feind gewesen.

[6]So sol er in der Stad wonen / bis das er stehe fur der Gemeine fur gericht / bis das der Hohepriester sterbe / der zur selben zeit sein wird / Als denn sol der Todschleger wider komen in seine Stad / vnd in sein Haus / zur stad / dauon er geflohen ist.

DA heiligeten sie Kedes in Galilea auff dem gebirge Naphthali / vnd Sechem auff dem gebirge Ephraim / vnd KiriathArba / das ist Hebron / auff dem gebirge Juda. [8]Vnd jenseid des Jordans da Jeriho ligt gegen dem auffgang / gaben sie Bezer in der wüsten auff der ebene aus dem stam Ruben / vnd Ramoth in Gilead aus dem stam Gad / vnd Golan in Basan aus dem stam Manasse. [9]Das waren die Stedte bestimpt allen kindern Jsrael / vnd den Frembdlingen die vnter jnen woneten / das dahin fliehe / wer eine Seele vnuersehens schlegt / Das er nicht sterbe durch den Blutrecher / bis das er fur der Gemeine gestanden sey.

## XXI.

DA TRATTEN ERZU DIE ÖBERSTEN VETER VNTER den Leuiten / zu dem Priester Eleasar vnd Josua dem son Nun / vnd zu den öbersten Vetern vnter den Stemmen der kinder Jsrael / [2]vnd redten mit jnen zu Silo im lande Canaan / vnd sprachen. Der HERR hat geboten durch Mose / das man vns Stedte geben solle zu wonen / vnd derselben Vorstedte zu vnserm vieh. [3]Da gaben die kinder Jsrael den Leuiten von jren Erbteilen / nach dem befelh des HERRN / diese Stedte vnd jre Vorstedte. ||

Num. 35.

|| 129a

[4]VNd das Los fiel auff das geschlechte der Kahathiter / vnd wurden den kindern Aaron des Priesters aus den Leuiten / durchs Los dreizehen Stedte / von dem stam Juda / von dem stam Simeon / vnd von dem stam BenJamin. [5]Den andern kindern aber Kahath desselben Geschlechts / wurden durchs Los zehen Stedte von dem stam Ephraim / von dem stam Dan / vnd von dem halben stam Manasse.

KAHATH.

[6]ABer den kindern Gerson desselben Geschlechts / wurden durchs Los dreizehen Stedte / von dem stam Jsaschar / von dem stam Asser / vnd von dem stam Naphthali / vnd von dem halben stam Manasse zu Basan.

GERSON.

[7]DEn kindern Merari / jrs Geschlechts / wurden zwelff Stedte / von dem stam Ruben / von dem stam Gad / vnd von dem stam Sebulon.

MERARI.

ALso gaben die kinder Jsrael den Leuiten durchs Los diese Stedte vnd jre Vorstedte / wie der HERR durch Mose geboten hatte. [9]Von dem stam der kinder Juda / vnd von dem stam der kinder Simeon / gaben sie diese Stedte / die sie mit jren namen nenneten / [10]den kindern Aaron des geschlechts der Kahathiter / aus den kindern Leui / denn das erste Los war jr. [11]So gaben sie jnen nu KiriathArba / die des vaters Enak war / das ist Hebron auff dem gebirge Juda / vnd jre Vorstedte vmb sie her. [12]Aber den acker der Stad vnd jr dörffer gaben sie Caleb dem son Jephunne / zu seinem Erbe.

Josu. 14. 15.

[13]ALso gaben sie den kindern Aaron des Priesters / die Freistad / der Todschleger / Hebron vnd jre vorstedte / Libna vnd jre vorstedte / [14]Jathir vnd jr vorstedte / Esthmoa vnd jr vorstedte / [15]Holon vnd jr vorstedte / Debir vnd jr vorstedte / [16]Ain vnd jr vorstedt / Juta vnd jr vorstedte / BethSemes vnd jr vorstedte / Neun Stedte von diesen zween Stemmen. [17]Von dem stam BenJamin aber gaben sie vier Stedte / Gibeon vnd jr vorstedte / Geba vnd jr vorstedte / [18]Anathoth vnd jr vorstedte / Almon vnd jr vorstedte. [19]Das alle Stedte der kinder Aaron des Priesters / waren dreizehen mit jren vorstedten.

KAHATH.

[20]DEn Geschlechten aber der andern kindern Kahath den Leuiten / wurden durch jr Los vier Stedte von dem stam Ephraim / [21]vnd gaben jnen die Freistad der Todschleger / Sechem vnd jr vorstedte / auff dem gebirge Ephraim / Geser vnd jr vorstedte / [22]Kibzaim vnd jr vorstedte / BethHoron vnd jr vorstedte. [23]Von dem stam Dan vier Stedte / Eltheke vnd jr vorstedte / Gibthon vnd jr vorstedte / [24]Aialon vnd jr vorstedte / GathRimon vnd jr vorstedte. [25]Von dem halben stam Manasse zwo stedte / Thaenach vnd jr vorstedte / GathRimon vnd jr vorstedte. [26]Das alle Stedte der andern kinder des geschlechts Kahath / waren zehen mit jren vorstedten.

GERSON.

[27]DEn kindern aber Gerson aus den geschlechten der Leuiten wurden gegeben / von dem halben stam Manasse zwo Stedte / die Freistad fur die Todschleger / Golan in Basan vnd jr vorstedte / Beesthra vnd jr vorstedte. [28]Von dem stam Jsaschar vier stedte / Kision vnd jr vorstedte / Dabrath vnd jr vorstedte / [29]Jarmuth vnd jr vorstedte /

EnGannim vnd jr vorstedte. [30]Von dem stam Asser vier stedte / Miseal vnd jr vorstedte / Abdon vnd jr vorstedte / [31]Helkath vnd jr vorstedte / Rehob vnd jr vorstedte. [32]Von dem stam Naphthali drey stedte / die Freistad Kedes / fur die Todschleger in Galilea vnd jr vorstedte / HamothDor vnd jr vorstedte / Karthan vnd jr vorstedte. [33]Das alle Stedte des geschlechts der Gersoniter waren dreizehen mit jren vorstedten.

MERARI.

[34]DEn Geschlechten aber der kinder Merari / den andern Leuiten wurden gegeben / Von dem stam Sebulon vier Stedte / Jakneam vnd jr vorstedte / Kartha vnd jr vorstedte / [35]Dimna vnd jr vorstedte / Nahalal vnd jr vorstedte. [36]Von dem stam Ruben vier stedte / Bezer vnd jr vorstedte / Jahza vnd jr vorstedte / [37]Kedemoth vnd jr vorstedte / Mephaath vnd jr vorstedte. [38]Von dem stam Gad / vier stedte / die Freistad fur die Todschleger / Ramoth in Gilead vnd jr vorstedte / [39]Mahanaim vnd jr vorstedte / Hesbon vnd jr vorstedte / Jae‖ser vnd jr vorstedte. [40]Das aller Stedte der kinder Merari vnter jren geschlechten / der andern Leuiten nach jrem Los waren zwelffe. [41]Aller stedte der Leuiten vnter dem Erbe der kinder Jsrael / waren acht vnd viertzig mit jren vorstedten. [42]Vnd ein jgliche dieser Stedte hatte jr vorstad vmb sich her / eine wie die ander.

‖ 129b

48. Stedte der Leuiten.

ALso gab der HERR dem Jsrael alles Land / das er geschworen hatte jren Vetern zu geben / vnd sie namens ein vnd woneten drinnen. [44]Vnd der HERR gab jnen ruge von allen vmbher / wie er jren Vetern geschworen hatte / vnd stund jr Feinde keiner wider sie / Sondern alle jre Feinde gab er in jre hende. [45]Vnd es feilet nichts an allem Guten / das der HERR dem hause Jsreal geredt hatte / es kam alles.

Gen. 13. 15. 28.

## XXII.

DA RIEFF JOSUA DIE RUBENITER VND GADDITER / vnd den halben stam Manasse / [2]vnd sprach zu jnen / Jr habt alles gehalten / was euch Mose der knecht des HERRN geboten hat / vnd gehorcht meiner stim in allem das ich euch geboten habe. [3]Jr habt ewr Brüder nicht verlassen eine lange zeit her / bis auff diesen tag / vnd habt gehalten an dem Gebot des HERRN ewrs Gottes. [4]Weil nu der HERR ewr Gott / hat ewre Brüder zu ruge bracht /

wie er jnen geredt hat / So wendet euch nu vnd ziehet hin in ewre hütten im Lande ewrs Erbes / das euch Mose der knecht des HERRN gegeben hat jenseid dem Jordan. Num. 32.

[5]HAltet aber nur an mit vleis / das jr thut nach dem Gebot vnd Gesetze / das euch Mose der knecht des HERRN geboten hat / Das jr den HERRN ewrn Gott liebet / vnd wandelt auff allen seinen Wegen / vnd seine Gebot haltet / vnd jm anhanget / vnd jm dienet von gantzem hertzen / vnd von gantzer seelen. [6]Also segnet sie Josua / vnd lies sie gehen / Vnd sie giengen zu jren Hütten.

DEm halben stam Manasse hatte Mose gegeben zu Basan / die ander helfft gab Josua vnter jren Brüdern disseid dem Jordan gegen abend. Vnd da er sie lies gehen zu jren Hütten / vnd sie gesegenet hatte / [8]sprach er zu jnen / Jr kompt wider heim mit grossem Gut zu ewren Hütten / mit seer viel viehs / silber / gold / ertz / eisen vnd kleidern / So teilet nu den Raub ewrer Feinde aus / vnter ewre Brüder. [9]Also jereten vmb die Rubeniter / Gadditer / vnd der halbe stam Manasse / vnd giengen von den kindern Jsrael aus Silo / die im lande Canaan ligt / das sie ins land Gilead zögen / zum Lande jres Erbes / das sie erbten aus befelh des HERRN durch Mose. Josu. 17. Num. 32.

ALTAR gebawet von den Rubenitern etc.

VND DA SIE KAMEN AN DIE HAUFFEN AM JORDAN / die im lande Canaan ligen / baweten dieselben Rubeniter / Gadditer / vnd der halbe stam Manasse / daselbs am Jordan einen grossen schönen Altar. [11]Da aber die kinder Jsrael höreten sagen / Sihe / die kinder Ruben / die kinder Gad / vnd der halbe stam Manasse / haben einen Altar gebawet gegen das land Canaan / an den hauffen am Jordan disseid der kinder Jsrael / [12]Da versamleten sie sich mit der gantzen Gemeine zu Silo / das sie wider sie hinauff zögen mit einem Heer. [13]Vnd sandten zu jnen ins land Gilead / Pinehas den son Eleasar des Priesters / [14]vnd mit jm zehen öberste Fürsten / vnter den heusern jrer Veter / aus jglichem stam Jsreal einen / [15]Vnd da sie zu jnen kamen ins land Gilead / redten sie mit jnen / vnd sprachen / [16]So lesst euch sagen die gantze Gemeine des HERRN.

PINEHAS.

WJe versündigt jr euch also an dem Gott Jsrael? das jr euch heute keret von dem HERRN / da mit das jr euch einen Altar bawet / das jr abfallet von dem HERRN. [17]Jsts vns zu wenig an der

gebawet von den Rubenitern etc.

missethat Peor? von welcher wir noch auff diesen tag nicht gereinigt sind / vnd kam ein Plage vnter die Gemeine des HERRN. [18]Vnd jr wendet euch heute von dem HERRN weg / vnd ‖ seid heute abtrünnig worden von dem HERRN / das er heute oder morgen vber die gantze gemeine Jsrael erzürne. [19]Duncket euch das Land ewrs Erbes vnreine / So kompt er vber ins Land das der HERR hat / da die Wonung des HERRN stehet / vnd erbet vnter vns / vnd werdet nicht abtrünnig von dem HERRN / vnd von vns / das jr euch einen Altar bawet / ausser dem Altar des HERRN vnsers Gottes. [20]Versündiget sich nicht Achan der son Serah am Verbanten / Vnd der zorn kam vber die gantze gemeine Jsrael / vnd er gieng nicht alleine vnter vber seiner missethat?

Num. 25.

‖ 130a

Josu. 7.

DA antworten die kinder Ruben vnd die kinder Gad vnd der halbe stam Manasse / vnd sagten zu den Heubtern vnd Fürsten Jsrael. [22]Der starcke Gott der HERR / der starcke Gott der HERR weis / So weis Jsrael auch / Fallen wir abe oder sündigen wider den HERRN / so helffe er vns heute nicht. [23]Vnd so wir darumb den Altar gebawet haben / das wir vns von dem HERRN wenden wolten / Brandopffer oder Speisopffer drauff opffern / oder Danckopffer drauff thun dem HERRN / So foddere er es. [24]Vnd so wirs nicht viel mehr aus sorge des dings gethan haben / vnd sprachen / Heut oder morgen möchten ewre Kinder zu vnsern Kindern sagen / Was gehet euch der HERR der Gott Jsrael an? [25]Der HERR hat den Jordan zur Grentze gesetzt zwischen vns vnd euch kindern Ruben vnd Gad / jr habt kein teil am HERRN Da mit würden ewr kinder vnser kinder / von der furcht des HERRN weisen.

[26]DArumb sprachen wir / Last vns einen Altar bawen / nicht zum Opffer / noch zum Brandopffer / [27]Sondern das er ein Zeuge sey zwisschen vns vnd euch vnd vnsern Nachkomen / das wir dem HERRN dienst thun mögen für jm / mit vnsern Brandopffern / Danckopffern vnd andern Opffern / Vnd ewr kinder heut oder morgen nicht sagen dürffen zu vnsern kindern / Jr habt kein Teil an dem HERRN. [28]Wenn sie aber also zu vns sagen würden / oder zu vnsern Nachkomen heut oder morgen / So künden sie sagen / Sehet die gleichnis des Altars des HERRN / den vnser Veter gemacht haben / nicht

gebawet von den Rubenitern etc.

zum Opffer / noch zum Brandopffer / Sondern zum Zeugen zwisschen vns vnd euch. [29]Das sey ferne von vns / das wir abtrünnig werden von dem HERRN / das wir vns heute wolten von jm wenden / vnd einen Altar bawen / zum Brandopffer / vnd zum Speisopffer / vnd andern Opffern / ausser dem Altar des HERRN vnsers Gottes / der fur seiner Wonung stehet.

DA aber Pinehas der Priester vnd die Obersten der Gemeine / die Fürsten Jsrael / die mit jm waren / höreten diese wort / die die kinder Ruben / Gad vnd Manasse sagten / gefielen sie jnen wol. [31]Vnd Pinehas der son Eleasar des Priesters sprach zu den kindern Ruben / Gad vnd Manasse / Heute erkennen wir / das der HERR vnter vns ist / das jr euch nicht an dem HERRN versündigt habt in dieser that / Nu habt jr die kinder Jsrael errettet aus der Hand des HERRN.

[32]DA zoch Pinehas / der son Eleasar des Priesters / vnd die Obersten / aus dem land Gilead / von den kindern Ruben vnd Gad wider ins Land Canaan zu den kindern Jsrael / vnd sagtens jnen an. [33]Das gefiel den kindern Jsrael wol / vnd lobten den Gott der kinder Jsrael / Vnd sagten nicht mehr / das sie hinauff wolten ziehen / mit einem Heer wider sie / zuuerderben das Land / da die kinder Ruben vnd Gad innen woneten. [34]Vnd die kinder Ruben vnd Gad hiessen den Altar / Das er Zeuge sey zwisschen vns / vnd / Das der HERR Gott sey.

## XXIII.

Ermanung Josua an Jsrael etc.

Josu. 21.

VND NACH LANGER ZEIT / DA DER HERR HATTE Jsrael zu ruge bracht / fur alle jren Feinden vmbher / vnd Josua nu alt vnd wol betaget war / [2]Berieff er das gantz Jsrael vnd jre eltesten Heubter / Richter vnd Amptleute / vnd sprach zu jnen. Jch bin alt vnd wol || betaget / [3]Vnd jr habt gesehen alles was der HERR ewr Gott Gethan hat / an allen diesen Völckern fur euch her / Denn der HERR ewr Gott hat selber fur euch gestritten. [4]Sehet / Jch hab euch die vbrige Völcker durchs Los zugeteilet / einem jglichen Stam sein Erbteil vom Jordan an / vnd alle Völcker die ich aus gerottet habe / vnd am grossen Meer gegen der Sonnen vntergang / [5]Vnd der HERR ewr Gott wird sie ausstossen fur euch / vnd von euch vertreiben / das

|| 130b

Josua an Jsrael vor seinem tod.

jr jr Land einnemet / Wie euch der HERR ewr Gott geredt hat.

SO seid nu seer getrost / das jr haltet vnd thut alles was geschrieben stehet im Gesetzbuch Mose / Das jr nicht dauon weichet / weder zur rechten noch zur lincken / [7]Auff das jr nicht vnter diese vbrige Völcker kompt / die mit euch sind / Vnd nicht gedenckt noch schwerer bey dem namen jrer Götter / noch jnen dienet noch sie anbetet / [8]Sondern dem HERRN ewrem Gott anhanget / wie jr bis auff diesen tag gethan habt. [9]So wird der HERR fur euch her vertreiben grosse vnd mechtige Völcker / vnd niemand hat euch widerstanden / bis auff diesen tag. [10]Ewer einer wird tausent jagen / Denn der HERR ewr Gott streitet fur euch / wie er euch geredt hat. [11]Darumb so behütet auffs vleissigst ewr Seelen / das jr den HERRN ewren Gott lieb habet.

Exo. 23.

Lev. 26.
Deut. 28.

WO jr euch aber vmbwendet / vnd diesen vberigen Völckern anhanget / vnd euch mit jnen verheiratet / das jr vnter sie / vnd sie vnter euch komen / [13]So wisset / das der HERR ewr Gott / wird nicht mehr alle diese Völcker fur euch vertreiben / Sondern sie werden euch zum strick vnd netz / vnd zum geissel in ewer seiten werden / vnd zum stachel in ewren augen / Bis das er euch vmbbringe von dem guten Land / das euch der HERR ewr Gott gegeben hat.

SJhe / Jch gehe heute dahin / wie alle welt / Vnd jr solt wissen von gantzem Hertzen / vnd von gantzer Seele / das nicht ein wort gefeilet hat / an alle dem Guten / das der HERR ewr Gott euch geredt hat / Es ist alles komen vnd keins verblieben. [15]Gleich wie nu alles Gutes komen ist / das der HERR ewr Gott euch geredt hat / Also wird der HERR auch vber euch komen lassen alles böse / bis er euch vertilge / von diesem guten Lande / das euch der HERR ewr Gott gegeben hat / [16]wenn jr vbertrettet den Bund des HERRN ewrs Gottes / den er euch geboten hat / Vnd hingehet vnd andern Göttern dienet / vnd sie anbetet / das der zorn des HERRN vber euch ergrimmet / vnd euch bald vmbbringet von dem guten Land / das er euch gegeben hat.

Josua an Jsrael vor seinem tod.

XXIIII.

SICHEM

JOSUA VERSAMLET ALLE STEMME JSRAEL GEN Sichem / vnd berieff die Eltesten von Jsrael / die Heubter / Richter / vnd Amptleut. Vnd da sie fur Gott getretten waren / [2]sprach er zum gantzen Volck / So sagt der HERR der Gott Jsrael / Ewer Veter woneten vor zeiten jenseid dem wasser / Tharah / Abrahams vnd Nahors vater / vnd dieneten andern Göttern. [3]Da nam ich ewrn vater Abraham jenseid des wassers / vnd lies jn wandern im gantzen land Canaan / vnd mehret jm seinen Samen / Vnd gab jm Jsaac. [4]Vnd Jsaac gab ich Jacob vnd Esau / Vnd gab Esau das gebirge Seir zu besitzen / Jacob aber vnd seine Kinder zogen hinab in Egypten.

Gen. 11.
Gen. 21. 25. 36.
Gen. 46.

[5]DA sandte ich Mosen vnd Aaron / vnd plaget Egypten / wie ich vnter jnen gethan habe. [6]Darnach füret ich euch / vnd ewr Veter aus Egypten / Vnd da jr ans Meer kamet / vnd die Egypter ewrn Vetern nachiagten mit wagen vnd reuttern ans Schilffmeer / [7]Da schrien sie zum HERRN / der setzt ein Finsternis zwisschen euch vnd den Egyptern / vnd füret das Meer vber sie / vnd bedecket sie. Vnd ewr augen haben gesehen / was ich in Egypten gethan habe / Vnd jr habet gewonet in der Wüsten eine lange zeit. [8]Vnd ich hab euch bracht in das Land der Amoriter / die jenseid dem Jordan woneten / Vnd da sie wider || euch stritten / gab ich sie in ewre hende / das jr jr Land besasset / vnd vertilget sie fur euch her.

Exo. 3.
Exo. 12.
Exo. 14.
Num. 21.
|| 131a

[9]DA macht sich auff Balak der son Zipor / der Moabiter könig / vnd streit wider Jsrael / Vnd sandte hin vnd lies ruffen Bileam dem son Beor / das er euch verfluchet. [10]Aber ich wolte jn nicht hören / vnd er segenet euch / vnd ich errettet euch aus seinen henden. [11]Vnd da jr vber den Jordan gienget vnd gen Jeriho kamet / stritten wider euch die bürger von Jeriho / die Amoriter / Pheresiter / Cananiter / Hethiter / Girgositer / Heuiter vnd Jebusiter / Aber ich gab sie in ewre hende. [12]Vnd sandte Hornissen fur euch her / die trieben sie aus fur euch her die zween Könige der Amoriter / Nicht durch dein schwert noch durch deinen bogen. [13]Vnd hab euch ein Land gegeben daran jr nicht geerbeitet habt / vnd Stedte die jr nicht gebawet habt / das jr drinnen wonet vnd esset von

Num. 22.
Josu. 3. 6. 11.
Deut. 7.
Exod. 23.

Ermanung Josua an Jsrael vor seinem tod.

Weinbergen vnd Olebergen / die jr nicht gepflantzet habt.

SO fürchtet nu den HERRN / vnd dienet jm trewlich vnd rechtschaffen vnd last fahren die Götter / den ewer Veter gedienet haben jenseid dem Wasser / vnd in Egypten / vnd dienet dem HERRN. [15]Gefellet es euch aber nicht / das jr dem HERRN dienet / So erwelet euch heute / welchem jr dienen wolt / dem Gott dem ewr Veter gedienet haben jenseid dem Wasser / Oder den Göttern der Amoriter / in welcher Land jr wonet / Jch aber vnd mein Haus wöllen dem HERRN dienen.

DA antwortet das Volck / vnd sprach / Das sey ferne von vns / das wir den HERRN verlassen / vnd andern Göttern dienen / [17]Denn der HERR vnser Gott / hat vns vnd vnser Veter aus Egyptenland gefürt / aus dem Diensthause / Vnd hat fur vnsern augen solche grosse Zeichen gethan / vnd vns behüt auff dem gantzen wege / den wir gezogen sind / vnd vnter allen Völckern / durch welche wir gegangen sind. [18]Vnd hat ausgestossen fur vns her / alle Völcker der Amoriter / die im Lande woneten / Darumb wöllen wir auch dem HERRN dienen / Denn er ist vnser Gott.

JOsua sprach zum Volck / Jr künd dem HERRN nicht dienen / Denn er ist ein heiliger Gott / ein eiueriger Gott / der ewer vbertrettung vnd sünde nicht schonen wird. [20]Wenn jr aber den HERRN verlasset vnd eim frembden Gott dienet / So wird er sich wenden / vnd euch plagen / vnd euch vmbbringen / nach dem er euch Guts gethan hat. [21]Das volck aber sprach zu Josua / Nicht also / Sondern wir wöllen dem HERRN dienen.

DA sprach Josua zum volck / Jr seid Zeugen vber euch / das jr den HERRN euch erwelet hab / das jr jm dienet. Vnd sie sprachen / Ja. [23]So thut nu von euch die frembden Götter / die vnter euch sind / vnd neiget ewer hertz zu dem HERRN / dem Gott Jsrael. [24]Vnd das volck sprach zu Josua / Wir wöllen dem HERRN vnserm Gott dienen / vnd seiner stimme gehorchen. [25]Also macht Josua desselben tags einen Bund mit dem volck / vnd legt jnen Gesetz vnd Recht fur / zu Sichem.

[26]VNd Josua schreib dis alles ins Gesetzbuch Gottes / Vnd nam einen grossen Stein / vnd richtet jn auff daselbs vnter einer Eiche / die bey dem Heiligthum des HERRN war / [27]vnd sprach zum

Josua gebein begraben etc.

gantzen Volck. Sihe / dieser Stein sol Zeuge sein zwisschen vns / Denn er hat gehöret alle rede des HERRN / die er mit vns geredt hat / vnd sol ein Zeuge vber euch sein / das jr ewrn Gott nicht verleucket. [28]Also lies Josua das Volck / einen jglichen in sein Erbteil.

JOSUA alter 110. jar.

VND es begab sich nach diesem Geschicht / das Josua der son Nun / der knecht des HERRN starb / da er hundert vnd zehen jar alt war / [30]Vnd man begrub jn in der grentze seines Erbteils zu TimnathSerah / die auff dem gebirge Ephraim ligt / von Mitternacht werts / am berge Gaas. [31]Vnd Jsrael dienete dem HERRN / so lange Josua lebt vnd die Eltesten / welche lange zeit lebten nach Josua / die alle werck des HERRN wusten / die er an Jsrael gethan hatte. ‖

GAAS. Jud. 2.

‖ 131b

Josephs gebeine. Gen. 33.

DJe gebeine Joseph / welche die kinder Jsrael hatten aus Egypten bracht / begruben sie zu Sichem / in dem Stück feldes / das Jacob kaufft von den kindern Hemor / des vaters Sichem / vmb hundert grosschen / vnd ward der kinder Joseph Erbteil.

Eleasar. stirbet.

ELeasar der son Aaron starb auch / vnd sie begruben jn zu Gibea seines sons Pinehas / die jm gegeben war auff dem gebirge Ephraim.

Ende des Buchs Josua.

# DAS BUCH DER RICHTER.

## I.

NACH DEM TOD JOSUA FRAGTEN DIE KINDER Jsrael den HERRN / vnd sprachen / Wer sol vnter vns den Krieg füren wider die Cananiter? [2]Der HERR sprach / Juda sol jn füren / Sihe / Jch hab das Land in seine hand gegeben. [3]Da sprach Juda zu seinem bruder Simeon / Zeuch mit mir hinauff in meinem Los / vnd las vns wider die Cananiter streiten / So wil ich wider mit dir ziehen in deinem los / Also zoch Simeon mit jm.

DA nu Juda hinauff zoch / gab jm der HERR die Cananiter vnd Pheresiter in jre hende / vnd schlugen zu Besek zehen tausent Man. [5]Vnd funden den AdoniBesek / zu Besek / vnd stritten wider jn / vnd schlugen die Cananiter vnd Pheresiter. [6]Aber AdoniBesek flohe / vnd sie jagten jm nach / Vnd da sie jn ergriffen / verhieben sie jm die daumen an seinen henden vnd füssen. [7]Da sprach AdoniBesek / Siebenzig Könige mit verhawenen daumen jrer hende vnd füsse lasen auff vnter meinem Tisch / Wie ich nu gethan habe / so hat mir Gott wider vergolten. Vnd man bracht jn gen Jerusalem / daselbs starb er.

ADONIBESEK

Josu. 10. 15.

ABer die kinder Juda stritten wider Jerusalem / vnd gewonnen sie / Vnd schlugen sie mit der scherffe des schwerts / vnd zundten die Stad an. [9]Darnach zogen die kinder Juda erab zu streiten wider die Cananiter / die auff dem Gebirge vnd gegen mittag vnd in den gründen woneten.

JERUSALEM eröbert.

Josu. 15.

VNd Juda zoch hin wider die Cananiter / die zu Hebron woneten (Hebron aber hies vor zeiten KiriathArba) vnd schlugen den Sesai vnd Ahiman vnd Thalmai / [11]Vnd zoch von dannen wider die einwoner zu Debir (Debir aber hies vor zeiten KiriathSepher.) [12]Vnd Caleb sprach / Wer KiriathSepher schlegt vnd gewinnet / dem wil ich meine tochter Achsa zum Weibe geben. [13]Da gewan sie Athniel / der son Kenas des Calebs jüngster bruder / Vnd er gab jm seine tochter Achsa zum weibe. [14]Vnd es begab sich / da sie einzoch ward jr geraten / das sie fordern solt einen Acker von jrem Vater / Vnd fiel vom esel. Da sprach Caleb zu jr / Was ist dir? [15]Sie sprach / Gib mir einen Segen / Denn du hast mir ein Mittagsland gegeben / Gib mir auch ein wesserigs. Da gab er jr ein wesseriges oben vnd vnten.

CALEB.

ACHSA.

ATHNIEL.

hat die Heiden nicht alle vertreiben künnen etc.

VND die kinder des Keniters Mose schwager zogen erauff aus der Palmenstad / mit den kindern Juda in die wüsten Juda / die da ligt gegen mittag der stad Arad / vnd gieng hin vnd wonet vnter dem Volck. ‖

Num. 10. Exo. 18.

‖ 132a

VND Juda zoch hin mit seinem bruder Simeon / vnd schlugen die Cananiter zu Zephath / vnd verbanneten sie / vnd nenneten die stad Harma. [18]Dazu gewan Juda Gaza mit jrer zugehör / vnd Asklon mit jrer zugehör / vnd Ekron mit jrer zugehör. [19]Vnd der HERR war mit Juda / das er das Gebirge einnam / Denn er kund die Einwoner im grunde nicht einnemen / darumb / das sie eisern Wagen hatten. [20]Vnd sie gaben dem Caleb Hebron / wie Mose gesagt hatte / Vnd er vertreib draus die drey Söne des Enak.

Josu. 15.

[21]ABer die kinder BenJamin vertrieben die Jebusiter nicht / die zu Jerusalem woneten / Sondern die Jebusiter woneten bey den kindern BenJamin zu Jerusalem bis auff diesen tag.

DEsselben gleichen zogen auch die kinder Josephs hinauff gen BethEl / vnd der HERR war mit jnen. [23]Vnd das haus Joseph verkunschafften BethEl (die vorhin Lus hies) [24]Vnd die Wechter sahen einen Man aus der Stad gehen / vnd sprachen zu jm / Weise vns / wo wir in die Stad komen / so wöllen wir barmhertzigkeit an dir thun. [25]Vnd da er jnen zeiget wo sie in die Stadt kemen / schlugen sie die Stad mit der scherffe des schwerts / Aber den Man vnd alle sein Geschlecht liessen sie gehen. [26]Da zoch der selb Man ins land der Hethiter / vnd bawete eine Stad / vnd hies sie Lus / die heisst noch heutes tages also.

LUS.

VND Manasse vertreib nicht BethSean mit jren töchtern / noch Thaenach mit jren töchtern / noch die Einwoner zu Dor mit jren töchtern / noch die einwoner zu Jebleam mit jren töchtern / noch die Einwoner zu Megiddo mit jren töchtern / Vnd die Cananiter fiengen an zu wonen in dem selben Lande. [28]Da aber Jsrael mechtig ward / macht er die Cananiter zinsbar / vnd vertreib sie nicht.

[29]DEsgleichen vertreib auch Ephraim die Cananiter nicht / die zu Gaser woneten / Sondern die Cananiter woneten vnter jnen zu Gaser.

[30]SEbulon vertreib auch nicht die einwoner zu Kitron vnd Nahalol / Sondern die Cananiter woneten vnter jnen / vnd waren zinsbar.

Jsrael hat die Heiden nicht alle vertreiben künnen etc.

[31]ASer vertreib die einwoner zu Ako nicht / noch die einwoner zu Zidon / zu Ahelab / zu Achsib / zu Helba / zu Aphik vnd zu Rehob / [32]Sondern die Asseriter woneten vnter den Cananitern / die im Land woneten / denn sie vertrieben sie nicht.

[33]NAphthali vertreib die einwoner nicht zu BethSemes / noch zu BethAnath / Sondern wonet vnter den Cananitern / die im Lande woneten / Aber die zu BethSemes vnd zu BethAnath wurden zinsbar.

VND die Amoriter drungen die kinder Dan auffs gebirge / vnd liessen nicht zu / das sie erunter in den grund kemen / [35]Vnd die Amoriter fiengen an zu wonen auff dem gebirge Heres / zu Aialon vnd zu Saalbim. Doch ward jnen die hand des hauses Joseph zu schweer / vnd wurden zinsbar. [36]Vnd die grentze der Amoriter war / da man gen Akrabbim hinauff gehet / vnd von dem fels vnd von der höhe.

## II.

ES KAM ABER DER ENGEL DES HERRN ERAUFF von Gilgal gen Bochim / vnd sprach / Jch hab euch aus Egypten er auff gefurt / vnd ins Land bracht / das ich ewrn Vetern geschworen hab / vnd sprach / Jch wolt meinen Bund mit euch nicht nachlassen ewiglich / [2]das jr nicht soltet einen Bund machen mit den Einwonern dieses Lands / vnd jre Altar zubrechen / Aber jr habt meiner stimme nicht gehorchet / Warumb habt jr das gethan? [3]Da sprach ich auch / Jch wil sie nicht vertreiben fur euch / das sie euch zum stricke werden / vnd jre Götter zum netze [4]Vnd da der Engel des HERRN solche wort geredt hatte zu allen kindern || Jsrael / Hub das volck seine stimme auff / vnd weineten. [5]Vnd hiessen die stet Bochim / vnd opfferten daselbst dem HERRN.

(ENGEL) Der Priester Pinehas.

Deut. 7. Num. 33.

|| 132b

BOCHIM Heisst die weinende.

DEnn als Josua das Volck von sich gelassen hatte / vnd die kinder Jsrael hin gezogen waren / ein jglicher in sein Erbteil / das Land einzunemen / dienete das volck dem HERRN / so lange Josua lebet vnd die Eltesten / die lange nach Josua lebten / vnd alle die grossen werck des HERRN gesehen hatten / die er Jsrael gethan hatte. [8]Da nu Josua der son Nun gestorben war / der Knecht des HERRN / als er hundert vnd zehen jar alt war / [9]begruben sie jn in den grentzen seins erbteils zu

Josu. 24.

todt versündigt sich Jsrael an dem HERRN.

Thimnath Heres / auff dem gebirge Ephraim von mitternacht werts am berge Gaas.

GAAS.

DA auch alle die zu der zeit gelebt hatten / zu jren Vetern versamlet worden / Kam nach jnen ein ander Geschlecht auff / das den HERRN nicht kennet / noch die werck die er an Jsrael gethan hatte. [11]Da theten die kinder Jsrael vbel fur dem HERRN / vnd dieneten Baalim / [12]Vnd verliessen den HERRN jrer veter Gott / der sie aus Egyptenland gefüret hatte vnd folgeten andern Göttern nach / auch den Göttern der völcker / die vmb sie her woneten / vnd betten sie an / vnd erzürneten den HERRN / [13]Denn sie verliessen je vnd je den HERRN / vnd dieneten Baal vnd Astharoth.

BAAL. ASTHAROTH.

[14]SO ergrimmet denn der zorn des HERRN vber Jsrael / vnd gab sie in hand dere / die sie raubten / das sie sie beraubten / vnd verkaufft sie in die hende jrer Feinde vmbher. Vnd sie kundten nicht mehr jren Feinden widerstehen / [15]Sondern wo sie hinaus wolten / so war des HERRN Hand wider sie zum vnglück / Wie denn der HERR jnen gesagt vnd geschworen hatte / vnd wurden hart gedrenget.

Leuit. 26. Deut. 28.

WEnn denn der HERR Richter aufferwecket / die jnen holffen aus der Reuber hand / [17]so gehorchten sie den Richtern auch nicht / Sondern hureten andern Göttern nach vnd betten sie an / vnd wichen bald von dem wege / da jre Veter auffgegangen waren / des HERRN Geboten zu gehorchen / vnd theten nicht wie dieselben.

[18]WEnn aber der HERR jnen Richter erwecket / So war der HERR mit dem Richter / vnd halff jnen aus jrer Feinde hand / so lang der Richter lebet / Denn es jamert den HERRN jr wehklagen / vber die so sie zwungen vnd drengeten. [19]Wenn aber der Richter gestarb / so wandten sie sich / vnd verderbeten es mehr denn jre Veter / das sie andern Göttern folgeten / jnen zu dienen vnd sie anzubeten / Sie fielen nicht von jrem furnemen / noch von jrem halsstarrigen wesen.

[20]DARumb ergrimmet denn des HERRN zorn vber Jsrael / das er sprach / Weil dis volck meinen Bund vbergangen hat / den ich jren Vetern geboten hab / vnd gehorchen meiner stimme nicht / [21]So wil ich auch hinfurt die Heiden nicht vertreiben / die Josua hat gelassen / da er starb / [22]Das ich Jsrael an jnen versuche / ob sie auff den wegen des HERRN

bleiben / das sie drinnen wandeln / wie jre Veter geblieben sind / oder nicht. [23]Also lies der HERR diese Heiden / das er sie nicht bald vertreib / die er nicht hatte in Josua hand vbergeben.

III.

DJS SIND DIE HEIDEN / DIE DER HERR LIES BLEIben / Das er an jnen Jsrael versuchete / die nicht wusten vmb die kriege Canaan / [2]vnd das die Geschlechter der kinder Jsrael wüsten vnd lerneten streiten / die vorhin nichts drumb wusten / [3]nemlich die fünff Fürsten der Philister / vnd alle Cananiter vnd Zidonier / vnd Heuiter die am berge Libanon woneten / von dem berg BaalHermon an / bis man kompt gen Hemath. [4]Dieselben blieben / Jsrael an den selben zuuersuchen / Das es kund || würde / ob sie den Geboten des HERRN gehorchten / die er jren Vetern geboten hatte / durch Mosen.

HEIDEN so vnter Jsrael blieben sind.

Num. 33.

|| 133 a

DA nu die kinder Jsrael also woneten vnter den Cananitern / Hethitern / Amoritern / Pheresitern / Heuitern vnd Jebusitern / [6]namen sie jener Töchter zu Weibern / vnd gaben jre Töchter jener Söne / vnd dieneten jener Göttern / [7]Vnd theten vbel fur dem HERRN / vnd vergassen des HERRN jres Gottes / vnd dieneten Baalim vnd den Haynen. [8]Da ergrimmet der zorn des HERRN vber Jsrael / vnd verkaufft sie vnter die hand CusanRisathaim / dem könige zu Mesopotamia / Vnd dieneten also die kinder Jsrael dem CusanRisathaim acht jar.

Deut. 7.

CUSANRISATHAIM.

[9]DA schrien die kinder Jsrael zu dem HERRN / Vnd der HERR erwecket jnen einen Heiland / der sie erlöset / Athniel / den son Kenas / Calebs jüngsten bruders. [10]Vnd der Geist des HERRN war in jm / vnd ward Richter in Jsrael / vnd zoch aus zum streit / Vnd der HERR gab den könig zu Syrien CusanRisathaim in seine hand / das seine hand vber jn zu starck ward. [11]Da ward das Land stil / vierzig jar / Vnd Athniel der son Kenas starb.

ATHNIEL. 40. Jar.

ABer die kinder Jsrael theten furter vbels fur dem HERRN / Da sterckt der HERR Eglon den könig der Moabiter wider Jsrael / Darumb das sie vbels thaten fur dem HERRN. [13]Vnd samlet zu jm die kinder Ammon / vnd die Amalekiter / vnd er zoch hin vnd schlug Jsrael / vnd nam ein die Palmenstad. [14]Vnd die kinder Jsrael dieneten Eglon der Moabiter könig achzehen jar.

Eglon.

Ehud 80. Jar.

[15]DA schrien sie zu dem HERRN / Vnd der HERR erwecket jnen einen Heiland / Ehud den son Gera / des sons Jemini / der war Linck. Vnd da die kinder Jsrael durch denselben Geschenck sandten / Eglon der Moabiter könige / [16]macht jm Ehud ein zweischneidig Schwert / einer ellen lang / vnd gürtet es vnter sein Kleid auff seine rechten hüfft / [17]vnd bracht das Geschenck dem Eglon der Moabiter könige / Eglon aber war ein seer fetter Man.

[18]VND da er das Geschenck hatte vberantwortet / lies er das Volck / die das Geschenck getragen hatten. [19]Vnd kart vmb von den Götzen zu Gilgal / vnd lies ansagen / Jch hab o König dir was heimlichs zu sagen. Er aber hies schweigen / vnd giengen aus von jm alle die vmb jn stunden. [20]Vnd Ehud kam zu jm hinein / Er aber sas in der Sommerleube. Vnd Ehud sprach / Jch hab Gottes wort an dich / Da stund er auff von seinem stuel. [21]Ehud aber recket seine lincken hand aus / vnd nam das Schwert von seiner rechten hüfft / vnd stiess jm in seinen Bauch / [22]das auch das hefft der schneiten nach hinein fur / vnd das fette das hefft verschlos (Denn er zoch das schwert nicht aus seinem bauch) das der mist von jm gieng. [23]Aber Ehud gieng den [a]Saal hinaus / vnd thet die thür hinder jm zu vnd verschlos sie.

a Die Ratstube / vbi ordinati et erant sedes etc.

DA er nu hinaus war / kamen seine Knechte hinein / vnd sahen das die thür der Sommerleube verschlossen war / vnd sprachen / Er ist vieleicht zu stuel gangen in der kamer an der Sommerleube. [25]Da sie aber so lange harreten / bis sie sich schemeten / Denn niemand thet die thür der Leuben auff / namen sie den schlüssel vnd schlossen auff / Sihe / da lag jr Herr auff der erden tod.

EHud aber war entrunnen die weil sie verzogen / vnd gieng fur den Götzen vber / vnd entran bis gen Seirath. [27]Vnd da er hinein kam / blies er die Posaunen auff dem gebirge Ephraim. Vnd die kinder Jsrael zogen mit jm vom Gebirge / vnd er fur jnen her. [28]Vnd sprach zu jnen / Jaget mir nach / Denn der HERR hat euch die Moabiter ewr Feinde in ewr hende gegeben. Vnd sie jagten jm nach / vnd gewunnen die Furt am Jordan ein / die gen Moab gehet / vnd liessen niemand hin vber gehen / [29]vnd schlugen die Moabiter zu der zeit / bey zehen tausent Man / allzumal die besten vnd streitbare Menner / das nicht einer entran. [30]Also wurden die

Moabiter zu der zeit vnter die hand der kinder Jsrael gedempfft / Vnd das Land war stille achzig jar.||

|| 133b

DARnach war Samgar der son Anath / Der schlug sechs hundert Philister / mit einem Ochsenstecken / vnd erlöset auch Jsrael.

## IIII.

ABER DIE KINDER JSRAEL THETEN FÜRTER VBEL fur dem HERRN / da Ehud gestorben war. 2Vnd der HERR verkaufft sie in die hand Jabin der Cananiter könig / der zu Hazor sass / vnd sein Feldheubtman war Sissera / vnd er wonet zu Haroseth der Heiden. 3Vnd die kinder Jsrael schrien zum HERRN / Denn er hatte neun hundert eissern Wagen / vnd zwang die kinder Jsrael mit gewalt zwenzig jar.

JABIN.

ZV derselbigen zeit war Richterin in Jsrael / die Prophetin Debora / ein Eheweib des Lapidoth. 5Vnd sie wonet vnter der Palmen Debora / zwisschen Rama vnd BethEl / auff dem gebirge Ephraim / Vnd die kinder Jsrael kamen zu jr hinauff fur gericht.

DEBORA Richterin 40. jar.

DJeselbige sand hin vnd lies ruffen Barak dem son AbiNoam von KedesNaphthali / vnd lies jm sagen / Hat dir nicht der HERR der Gott Jsrael geboten / Gehe hin / vnd zeuch auff den berg Thabor / vnd nim zehen tausent Man mit dir / von den kindern Naphthali vnd Sebulon? 7Denn ich wil Sissera den Feldheubtman Jabin / zu dir ziehen an das wasser Kison / mit seinen Wagen / vnd mit seiner Menge / vnd wil jn in deine hende geben.

BARAK.

8BArak sprach zu jr / Wenn du mit mir zeuchst / so wil ich ziehen / Zeuchstu aber nicht mit mir / so wil ich nicht ziehen. 9Sie sprach / Jch wil mit dir ziehen / Aber der preis wird nicht dein sein auff dieser Reise die du thust / sondern der HERR wird Sissera in eines Weibs hand vbergeben. Also macht sich Debora auff / vnd zoch mit Barak gen Kedes. 10Da rieff Barak Sebulon vnd Naphthali gen Kedes / vnd zoch zu fus mit zehen tausent Man / Debora zoch auch mit jm.

HEber aber der Keniter war von den Kenitern / von den kindern Hobab Moses schwager gezogen / vnd hatte seine Hütten auffgeschlagen bey den eichen Zaanaim neben Kedes.

SISSERA.

DA ward Sissera angesagt / das Barak der son AbiNoam auff den berg Thabor gezogen were. [13]Vnd er rieff allen seinen Wagen zusamen / neun hundert eisern wagen / vnd allem Volck das mit jm war / von Haroseth der Heiden / an das wasser Kison. [14]Debora aber sprach zu Barak / Auff / das ist der tag / da dir der HERR Sissera hat in deine hand gegeben / Denn der HERR wird fur dir er aus ziehen. Also zoch Barak von dem berge Thabor erab / vnd die zehen tausent Man jm nach.

Psal. 83.

[15]ABer der HERR erschrecket den Sissera / sampt allen seinen Wagen vnd gantzem Heer / fur der scherffe des schwerts Barak / das Sissera von seinem wagen sprang / vnd floh zu füssen. [16]Barak aber jaget nach den wagen vnd dem Heer bis gen Haroseth der Heiden / vnd alles heer Sissera fiel fur der scherffe des schwerts / das nicht einer vberbleib.

JAEL.

SIssera aber floh zu fussen in die hütten Jael / des weibs Heber des Keniters / Denn der könig Jabin zu Hazor / vnd das haus Heber des Keniters / stunden mit einander im friede. [18]Jael aber gieng er aus Sissera entgegen / vnd sprach zu jm / Weiche / mein Herr / weiche zumir / vnd fürchte dich nicht. Vnd er weich zu jr ein in jre Hütten / vnd sie deckte jn zu mit einem Mantel. [19]Er aber sprach zu jr / Lieber / Gib mir ein wenig wassers zu trincken / denn mich dürstet / Da thet sie auff einen Milchtopff / vnd gab jm zu trincken / vnd decket jn zu. [20]Vnd er sprach zu jr / Trit in der Hütten thür / vnd wenn jemand kompt vnd fragt / Ob jemand hie sey? So sprich niemand.

[21]DA nam Jael das weib Heber einen Nagel von der Hütten / vnd einen Hamer in jre hand / vnd gieng leise zu jm hin ein / vnd schlug jm den Nagel ‖ durch seinen Schlaff / das er zur erden sanck / Er aber entschlummet / ward ammechtig vnd starb.

‖ 134a

[22]DA aber Barak Sissera nachiaget / gieng jm Jael entgegen eraus / vnd sprach zu jm / Gehe her / Jch wil dir den Man zeigen den du süchst. Vnd da er zu jr hinein kam / lag Sissera tod / vnd der nagel stackt in seinem schlaff. [23]Also dempfft Gott zu der zeit Jabin der Cananiter könig / fur den kindern Jsrael. [24]Vnd die hand der kinder Jsrael fur fort / vnd ward starck wider Jabin der Cananiterkönig / bis sie jn ausrotten.

[1]DA sange Debora vnd Barak der son AbiNoam zu der zeit / vnd sprachen.

V.

L[a]Obet den HERRN / das Jsrael wider frey ist worden / Vnd das Volck willig dazu gewesen ist.

[3]HOret zu jr Könige / vnd mercket auff jr Fürsten / Jch wil dem HERRN / wil ich singen / Dem HERRN dem Gott Jsrael wil ich spielen.

Deut. 2. Psal. 68. 114.

[4]HERR / da du von Seir auszogest / vnd einher giengest vom felde Edom / Da erzittert die Erde / der Himel troff / vnd die Wolcken troffen mit wasser.

[5]Die Berge ergossen sich fur dem HERRN / Der Sinai fur dem HERRN dem Gott Jsrael.

Jud. 3. Jud. 4.

ZVn zeiten Samgar des sons Anath / zun zeiten Jael waren vergangen die wege / Vnd die da auff pfaten gehen solten / die wandelten durch [b]krumme wege.

[7]Es gebrach / an Bauren gebrachs in Jsrael / Bis das ich Debora auffkam / bis ich auffkam eine Mutter in Jsrael.

1. Sam. 13.

[8]Ein newes hat Gott erwelet / Er hat die Thor bestritten / Es war kein schilt noch spies vnter vierzig tausent in Jsrael zu sehen.

[9]Mein hertz ist wol an den Regenten Jsrael / die freiwillig sind vnter dem Volck / [c]Lobt den HERRN / [10]die jr auff schönen Eselin reittet / die jr am Gericht sitzt / Vnd singet / die jr auff dem wege gehet.

[11]Da die Schützen schrien zwisschen den [d]Schepffen / da sage man von der gerechtigkeit des HERRN / von der gerechtigkeit seiner Baurn in Jsrael / Da zoge des HERRN volck erab zu den Thoren.

[12]WOlauff / wolauff Debora / wolauff / wolauff / vnd singe ein Liedlin / Mach dich auff Barak / vnd fange deine Fenger / du son AbiNoam.

[13]Da herrscheten die Verlassene vber die mechtigen Leute / Der HERR hat geherrschet durch mich vber die Gewaltigen.

Exod. 17.

AVs Ephraim war jre [e]wurtzel wider Amalek / Vnd nach dir BenJamin in deinem volck.

Von Machir sind Regenten komen / Vnd von Sebulon sind Regierer worden durch die Schreibfedder.

[15]Vnd Fürsten zu Jsaschar waren mit Debora / Vnd Jsaschar war wie Barak im grunde gesand mit

a Dis Lied wil so viel sagen / Das Gott hab den Sissera geschlagen durch die geringsten Leute in Jsrael / Das die geringen auch ein mal hoch vnd gros worden sind / da die grossen hohen Geschlecht Jsrael stil sassen / vnd sie verliessen in nöten. Das ist das newe das der HERR erwelet hat / Da sind die Bauren Jsrael prechtig vnd auch Herrn worden etc.

b (Krumme) Das ist / Es war kein Regiment noch ordnung im Lande.

c (Lobt) Das ist / Jr Herrn Richter vnd gemeiner Man.

d (Schepffen) Das ist / Da die schützen Sissera schrien fur not am wasser Kison / da man pflegt zu schepffen da halff Gott seinen Bauren / vnd lies das Recht gehen.

e (Wurtzel) Das ist / Josua war der erst Fürst aus dem

vnd Baraks Liede.
stam Manasse / der schlug Amalek / vnd nach jm die andern / Bis das Sebulon auch ein mal einen Josua vberkomen hat wider Sissera. Vnd merck / Sie nennet die Fürsten Regierer / die mit den Schreibfeddern streiten / Das ist / Sie gewinnen mehr durch den glauben in Gottes wort / denn mit dem Schwert.

f (Hürten) Das ist / Du bliebest da heimen / ob du wol hortest das arme Heufflin zu felde blasen vnd hattest doch nahe zu jnen.

seinem Fussuolck / Ruben hielt hoch von jm / vnd sondert sich von vns.

16Warumb bleibstu zwisschen den [f]Hürten / zu hören das blecken der Herde / Vnd helst gros von dir / vnd sonderst dich von vns?

17Gilead bleib jenseid dem Jordan / Vnd warumb wonet Dan vnter den schiffen? Asser sass an der anfurt des Meers / vnd bleib in seinen zerrissenen Flecken.

18Sebulons volck aber waget seine Seele in den tod / Naphthali auch in der höhe des felds.

DJe Könige kamen vnd stritten / Da stritten die Könige der Cananiter zu Thaanach am wasder Megiddo / Aber sie brachten keinen gewin davon. ‖

‖ 134b

20Vom Himel ward wider sie gestritten / Die Stern in jren leufften stritten wider Sissera.

21Der bach Kison waltzet sie / der bach Kedumim / Der bach Kison.

Tritt meine seele auff die Starcken / 22Da rasselten der Pferde füsse fur dem zagen jrer mechtigen Reuter.

23FLuchet der stad Meros / sprach der Engel des HERRN / fluchet jren Bürgern / Das sie nicht kamen dem HERRN zu hülff / Zu hülff dem HERRN zu den Helden.

GEsegnet sey vnter den weibern Jael / das weib Heber des Keniters / Gesegnet sey sie in der Hütten vnter den Weibern.

Jael.

25Milch gab sie / da er wasser foddert / Vnd Butter bracht sie dar / in einer herrlichen Schalen.

26Sie greiff mit jrer Hand den Nagel / Vnd mit jrer Rechten den Schmidhamer.

Vnd schlug Sissera durch sein Heubt / Vnd zuquitzschet vnd durchboret seinen Schlaff.

27Zu jren füssen krümmet er sich / fiel nider vnd legt sich / Er krümmet sich / fiel nider zu jren füssen / Wie er sich krümmet / so lag er verderbet.

DJe mutter Sissera sahe zum fenster aus / vnd heulet durchs Gitter / Warumb verzeucht sein wagen / das er nicht kompt? Wie bleiben die reder seiner wagen so da hinden?

29Die weisesten vnter seinen Frawen antworten / da sie jre Klagwort jmer widerholet / 30Sollen sie denn nicht finden vnd austeilen den Raub / einem jglichen Man eine metzen oder zwo zur Ausbeute / Vnd Sissera bundte gestickte Kleider zur ausbeute /

Gestickte bundte kleider vmb den hals zur ausbeute?

[31]ALso müssen vmbkomen HERR alle deine Feinde / Die jn aber lieb haben / müssen sein / wie die Sonne auffgehet / in jrer macht.

Vnd das Lande war stille vierzig jar.

## VI.

VND DA DIE KINDER JSRAEL VBELS THETEN FUR dem HERRN / gab sie der HERR vnter die hand der Midianiter sieben jar. [2]Vnd da der Midianiter hand zu starck ward vber Jsrael / machten die kinder Jsrael fur sich Klüfften in den gebirgen / vnd hölen / vnd Festunge. [3]Vnd wenn Jsrael etwas seete / So kamen die Midianiter vnd Amalekiter vnd die aus dem Morgenland erauff vber sie / [4]vnd lagerten sich wider sie / vnd verderbeten das gewechs auff dem land / bis hinan gen Gaza / vnd liessen nichts vberigs von Narung in Jsrael / weder schaf / noch ochsen / noch esel. [5]Denn sie kamen erauff mit jrem Vieh vnd Hütten / wie ein grosse menge Hewschrecken / das weder sie noch jr Kamel zu zelen waren / vnd fielen ins Land / das sie es verderbeten. [6]Also ward Jsrael seer geringe fur den Midianitern. Da schrien die kinder Jsrael zu dem HERRN.

ALs sie aber zu dem HERRN schrien vmb der Midianiter willen / [8]sandte der HERR einen Propheten zu jnen / der sprach zu jnen / So spricht der HERR der Gott Jsrael. Jch hab euch aus Egypten gefüret / vnd aus dem Diensthause bracht / [9]vnd hab euch errettet von der Egypter hand / vnd von aller hand die euch drengeten / vnd hab sie fur euch her ausgestossen / vnd jr Land euch gegeben. [10]Vnd sprach zu euch / Jch bin der HERR ewr Gott / fürchtet nicht der Amoriter Götter / in welcher Land jr wonet / Vnd jr habt meiner stim nicht gehorchet.

VND EIN ENGEL DES HERRN KAM / VND SETZET sich vnter eine Eiche zu Ophra / die war Joas des vaters der Esriter / vnd sein son Gideon drasch || weitzen an der kelter / das er flöhe fur den Midianitern. [12]Da erschein jm der Engel des HERRN / vnd sprach zu jm / Der HERR mit dir / du streitbarer Helt. [13]Gideon aber sprach zu jm / Mein Herr / ist der HERR mit vns / Warumb ist

GIDEON.

|| 135 a

vns denn solchs alles widerfaren? Vnd wo sind alle seine Wunder / die vns vnser Veter erzeleten / vnd sprachen / Der HERR hat vns aus Egypten gefürt? Nu aber hat vns der HERR verlassen / vnd vnter der Midianiter hende gegeben.

[14]DEr HERR aber wand sich zu jm / vnd sprach / Gehe hin in dieser deiner krafft / Du solt Jsrael erlösen aus der Midianiter hende / Sihe / Jch hab dich gesand. [15]Er aber sprach zu jm / Mein Herr / Wo mit sol ich Jsrael erlösen? Sihe / meine Freundschafft ist die geringst in Manasse / vnd ich bin der kleinest in meines Vaters hause. [16]Der HERR aber sprach zu jm / Jch wil mit dir sein / das du die Midianiter schlagen solt / wie einen einzelen Man. [17]Er aber sprach zu jm / Lieber / Hab ich gnade fur dir funden / So mach mir ein Zeichen / das du es seiest der mit mir redet. [18]Weiche nicht bis ich zu dir kome / vnd bringe mein Speisopffer / das ich fur dir lasse. Er sprach / Jch wil bleiben bis das du widerkomest.

VND Gideon kam vnd schlachtet ein Zigenböcklin / vnd ein Epha vngeseurts melhs / vnd legt Fleisch in einen korb / vnd thet die brühe in ein töpffen / vnd brachts zu jm eraus vnter die Eiche / vnd trat er zu. [20]Aber der Engel Gottes sprach zu jm / Nim das fleisch vnd das vngeseurt / vnd las es auff dem Fels der hie ist / vnd geus die brühe aus / Vnd er thet also. [21]Da recket der Engel des HERRN den stecken aus den er in der hand hatte / vnd rüret mit der spitzen das fleisch / vnd das vngeseurt melh an / Vnd das Fewr fur aus dem fels / vnd verzeret das fleisch vnd vngeseurt melh / Vnd der Engel des HERRN verschwand aus seinen augen.

[22]DA nu Gideon sahe das es ein Engel des HERRN war sprach er / O HErr HERR / habe ich also einen Engel des HERRN von angesicht gesehen? [23]Aber der HERR sprach zu jm / Fried sey mit dir / Fürchte dich nicht / du wirst nicht sterben. [24]Da bawet Gideon daselbs dem HERRN einen Altar / vnd hies jn / DER HERR DES FRIEDES / der stehet noch bis auff den heutigen tag / zu Ophra des vaters der Esriter.

VND in der selben nacht sprach der HERR zu jm / Nim einen Farren / vnter den ochsen die deines Vaters sind / vnd einen andern Farren / der sieben jerig ist / vnd zubrich den Altar Baal / der deines vaters ist / vnd hawe ab den Hayn der dabey stehet / [26]vnd bawe dem HERRN deinem Gott / oben auff der höhe dieses felsen einen Altar / vnd rüste jn zu / Vnd nim den andern Farren / vnd opffere ein Brandopffer mit dem holtz des Hayns / den du abgehawen hast. [27]Da nam Gideon zehen Menner aus seinen Knechten / vnd thet wie jm der HERR gesagt hatte / Aber er furcht sich solchs zu thun des tages / fur seines Vaters haus vnd den Leuten in der Stad / vnd thets bey der nacht.

[28]DA nu die Leute in der Stad des morgens früe auffstunden / Sihe / da war der Altar Baal zubrochen / vnd der Hayn dabey abgehawen / vnd der ander Farr ein Brandopffer auff dem Altar der gebawet war. [29]Vnd einer sprach zu dem andern / Wer hat das gethan? Vnd da sie suchten vnd nachfragten / ward gesagt / Gideon der son Joas hat das gethan. [30]Da sprachen die leute der stad zu Joas / Gib deinen son er aus / er mus sterben / das er den Altar Baal zubrochen / vnd den Hayn da bey abgehawen hat. [31]Joas aber sprach zu allen die bey jm stunden / Wolt jr vmb Baal haddern? wolt jr jm helffen? Wer vmb jn haddert der sol dieses morgens sterben / Jst er Gott / so rechte er vmb sich selb / das sein Altar zubrochen ist. [32]Von dem tag an hies man jn JerubBaal / vnd sprach / Baal rechte vmb sich selbs / das sein Altar zubrochen ist. ||

ALTAR BAALS zubrochen etc.

JERUBBAAL.

|| 135 b

DA nu alle Midianiter vnd Amalekiter vnd die aus dem Morgenland sich zu hauff versamlet hatten / vnd zogen er durch / vnd lagerten sich im grunde Jesreel / [34]Zog der geist des HERRN Gideon an / Vnd er lies die Posaunen blasen / vnd rieff AbiEser / das sie jm folgeten. [35]Vand sandte Botschafft in gantz Manasse / vnd rieff jn an / das sie jm auch nachfolgeten / Er sandte auch Botschafft zu Asser vnd Sebulon vnd Naphthali / die kamer erauff jm entgegen.

MIDIANITER.

VND Gideon sprach zu Gott / Wiltu Jsrael durch mein hand erlösen / wie du geredt hast / [37]So wil ich ein Fell mit der wollen auff die Tenne legen / Wird der taw auff dem Fell allein sein / vnd auff der gantzen Erden trocken / So wil ich mercken / das du Jsrael erlösen wirst durch meine hand / wie du geredt hast. [38]Vnd es geschach also / Vnd da er des andern morgens frue auffstund / drucket er den taw aus vom Fell / vnd füllet eine schale vol des wassers. [39]Vnd Gideon sprach zu Gott / Dein zorn ergrimme nicht wider mich / das ich noch ein

GIDEON foddert von Gott ein Zeichen etc.

(Fell) Man mus es so deudschen / Ein Fell / obs wol ist gewest die abgeschorne wolle.

mal rede / Jch wils nur noch ein mal versuchen mit dem Fell / Es sey allein auff dem Fell trocken / vnd taw auff der gantzen Erden. [40]Vnd Gott thet also dieselbe nacht / das trocken war allein auff dem Fell / vnd taw auff der gantzen Erden.

## VII.

DA MACHT SICH JERUBBAAL / DAS IST GIDEON / früe auff / vnd alles Volck das mit jm war / vnd lagerten sich an den brun Harod / das er das Heer der Midianiter hatte gegen Mitternacht hinder den hügeln der Warte im grund. [2]Der HERR aber sprach zu Gideon / Des volcks ist zu viel das mit dir ist / das ich solt Midian in jre hende geben / Jsrael möchte sich rhümen wider mich / vnd sagen / Meine hand hat mich erlöset. [3]So las nu ausschreien fur den ohren des Volcks vnd sagen / Wer blöde vnd verzagt ist / der kere vmb / vnd hebe bald sich vom gebirge Gilead. Da keret des Volcks vmb / zwey vnd zwenzig tausent / das nur zehen Tausent vberblieben. ‖

Deut. 20.

‖ 136a

VND der HERR sprach zu Gideon / Des volcks ists noch zu viel / Füre hinab ans wasser / daselbs wil ich sie dir prüfen / Vnd von welchem ich dir sagen werde / das er mit dir ziehen sol / der sol mit dir ziehen / Von welchem aber ich sagen werde / das er nicht mit dir ziehen sol / der sol nicht ziehen. [5]Vnd er füret das volck hinab ans Wasser. Vnd der HERR sprach zu Gideon / Welcher mit seiner Zungen des wassers lecket / wie ein Hund lecket / den stelle besonders / Desselben gleichen welcher auff

seine knie felt zu trincken. [6]Da war die zal / dere die geleckt hatten aus der hand zum mund drey hundert Man / das andere volck alles hatte kniend getruncken. [7]Vnd der HERR sprach zu Gideon / Durch die drey hundert Man die geleckt haben / wil ich euch erlösen / vnd die Midianiter in deine hende geben / Aber das ander Volck las alles gehen an seinen ort.

VND sie namen Fütterung fur das Volck mit sich / vnd jre Posaunen / Aber die andern Jsraeliten lies er alle gehen / einen jglichen in seine Hütten / Er aber stercket sich mit drey hundert Man. Vnd das Heer der Midianiter lag drunden fur jm im grunde. [9]Vnd der HERR sprach in der selben nacht zu jm / Stehe auff / vnd gehe hinab zum Lager / denn ich habs in deine hende gegeben. [10]Fürchstu dich aber hinab zu gehen / so las deinen knaben Pura mit dir hinab gehen zum Lager / [11]das du hörest was sie reden / Darnach soltu mit der macht hinab ziehen zum Lager. Da gieng Gideon mit seinem knaben Pura hin ab an den ort der Schiltwechter die im Lager waren. [12]Vnd die Midianiter vnd Amalekiter vnd alle aus dem Morgenland / hatten sich nidergelegt im grunde / wie eine menge Hewschrecken / vnd jre Kamel waren nicht zu zelen fur der menge / wie der sand am vfer des Meers.

Pura.

DA nu Gideon kam / Sihe / da erzelet einer eim andern einen Trawm vnd sprach / Sihe / mir hat getrewmet / Mich daucht ein geröstet gersten Brot weltzet sich zum Heer der Midianiter / vnd da es kam an die Gezelte / schlug es dieselbigen / vnd warff sie nider vnd keret sie vmb / das öberst zu vnterst / das das Gezelt lag. [14]Da antwortet der ander / Das ist nichts anders / denn das schwert Gideons / des sons Joas des Jsraeliten / Gott hat die Midianiter in seine hende gegeben / mit dem gantzen Heer.

DA Gideon den höret solchen Trawm erzelen / vnd seine auslegung / betet er an / vnd kam wider ins heer Jsrael / vnd sprach / Macht euch auff / Denn der HERR hat das Heer der Midianiter in ewr hende gegeben. [16]Vnd er teilete die drey hundert Man in drey Hauffen / vnd gab einem jglichen eine Posaun in seine hand / vnd ledige Krüge vnd Fackeln drinnen. Vnd sprach zu jnen / [17]Sehet auff mich / vnd thut auch also / vnd sihe /

wenn ich an den ort des Heers kome / wie ich thue / so thut jr auch. [18]Wenn ich die Posaune blase / vnd alle die mit mir sind / So solt jr auch die Posaunen blasen vmbs gantze Heer / vnd sprechen / HIE HERR VND GIDEON.

[19]ALso kam Gideon vnd hundert Man mit jm an den ort des Heers an die ersten Wechter / die da verordenet waren / vnd weckten sie auff / vnd bliesen mit Posaunen / vnd zuschlugen die Krüge in jren henden. [20]Also bliesen alle drey Hauffen mit Posaunen / vnd zubrochen die Krüge / Sie hielten aber die Fackelen in ihrer lincken hand / vnd die Posaunen in jrer rechten hand das sie bliesen / vnd rieffen / HIE SCHWERT DES HERRN VND GIDEON / [21]Vnd ein jglicher stund auff seinem ort / vmb das Heer her. Da ward das gantze Heer lauffend / vnd schrien vnd flohen. [22]Vnd in dem die drey hundert Man bliesen die Posaunen / schafft der HERR / das im gantzen Heer eines jglichen schwert wider den andern war / Vnd das Heer floh bis gen BethSitta Zeredatha / bis an die grentze der breite Mehola bey Tabath. [23]Vnd die menner Jsrael von Naphthali / von Asser vnd von gantzem Manasse schrien vnd jagten den Midianitern nach. ||

Psal. 83.
Jesa. 9.
|| 136b

[24]VND Gideon sandte Botschafft auff das gantze gebirge Ephraim / vnd lies sagen / Kompt er ab den Midianitern entgegen / vnd verlaufft jnen das wasser / bis gen BethBara / vnd den Jordan. Da schrien alle die von Ephraim waren / vnd verlieffen jnen das wasser / bis gen BethBara vnd den Jordan. [25]Vnd fiengen zween fürsten der Midianiter / Oreb vnd Seb / vnd erwürgeten Oreb auff dem fels Oreb / vnd Seb in der kelter Seb / Vnd jagten die Midianiter / vnd brachten die heubter Oreb vnd Seb zu Gideon vber den Jordan.

OREB.
SEB.
Jesa. 10.
Psal. 83.

## VIII.

VND DIE MENNER VON EPHRAIM SPRACHEN ZU jm / Warumb hastu vns das gethan / das du vns nicht rieffest / da du in streit zogest wider die Midianiter? Vnd zanckten sich mit jm hefftiglich. [2]Er aber sprach zu jnen / Was hab ich jtzt gethan / das ewr that gleich sey? Jst nicht ein rebe Ephraim besser / denn die gantze weinernd AbiEser? [3]Gott hat die Fürsten der Midianiter / Oreb vnd Seb in ewr hende gegeben / Wie hette ich kund das thun das jr gethan habt? Da er solches redet / lies jr zorn von jm abe.

DA nu Gideon an den Jordan kam / gieng er hinüber mit den drey hundert Man / die bey jm waren / vnd waren müde / vnd jagten nach. [5]Vnd er sprach zu den Leuten zu Sucoth / Lieber / gebt dem volck das vnter mir ist etlich Brot / denn sie sind müde / das ich nachiage den Königen der Midianiter / Sebah vnd Zalmuna. [6]Aber die Obersten zu Sucoth sprachen / Sind die feuste Sebah vnd Zalmuna schon in deinen henden / das wir deinem Heer sollen brot geben? [7]Gideon sprach / Wolan / wenn der HERR Sebah vnd Zalmuna in meine hand gibt / wil ich ewr fleisch mit dornen aus der wüsten / vnd mit hecken zudreschen. [8]Vnd er zoch von dannen hin auff gen Pnuel / vnd redet auch also zu jnen / Vnd die Leute zu Pnuel antworten jm gleich / wie die zu Sucoth. [9]Vnd er sprach auch zu den Leuten zu Pnuel / Kom ich mit frieden wider / so wil ich diesen Thurn zubrechen.

SEBAH.
ZALMUNA.

SEbah aber vnd Zalmuna waren zu Karkor / vnd jr Heer mit jnen bey fünff zehen tausent / die alle vberblieben waren vom gantzen Heer / deren aus Morgenland / Denn hundert vnd zwenzig tausent waren gefallen / die schwert ausziehen kunden. [11]Vnd Gideon zoch hinauff auff der strassen / da man in Hütten wonet / gegen morgen gen Nobah / vnd Jagbeha / vnd schlug das Heer / Denn das Heer war sicher. [12]Vnd Sebah vnd Zalmuna flohen / Aber er jaget jnen nach / vnd fieng die zween Könige der Midianiter / Sebah vnd Zalmuna / vnd zurschreckt das gantze Heer.

DA nu Gideon der son Joas widerkam vom streit / ehe die Sonne erauff komen war / [14]fieng er einen Knaben aus den Leuten zu Sucoth / vnd fragt jn / Der schreib jm auff die Obersten zu Sucoth / vnd jre Eltesten / sieben vnd siebenzig Man. [15]Vnd er kam zu den Leuten zu Sucoth / vnd sprach / Sihe / hie ist Sebah vnd Zalmuna / vber welchen jr mich spottet / vnd sprachet / Jst denn Sebah vnd Zalmuna faust schon in deinen henden / das wir deinen Leuten die müde sind Brot geben sollen? [16]Vnd er nam die Eltesten der Stad / vnd dornen aus der wüsten vnd hecken / vnd lies es die Leute zu Sucoth [a]fülen. [17]Vnd den Thurn Pnuel zubrach er / vnd erwürget die Leute der stad.

[a] Das ist / erfaren / innen werden etc.

SEBAH. ZALMUNA.

VND er sprach zu Sebah vnd Zalmuna / Wie waren die Menner die jr erwürget zu Thabor? Sie sprachen / Sie waren wie du / vnd ein jglicher schön wie eins Königs kinder. [19]Er aber sprach / Es sind meine Brüder meiner mutter söne gewest / So war der HERR lebt / wo jr sie hettet leben lassen / wolt ich euch nicht erwürgen. [20]Vnd sprach zu seinem erstgebornen son Jether / Stehe auff / vnd erwürge sie. Aber der Knabe zoch sein schwert nicht aus / denn er ‖ furchte sich / weil er noch ein Knabe war. [21]Sebah aber vnd Zalmuna sprachen / Stehe du auff vnd mache dich an vns / Denn darnach der Man ist / ist auch seine krafft. Also stund Gideon auff vnd erwürget Sebah vnd Zalmuna / Vnd nam die Spangen die an jrer Kamelen helse waren.

Psal. 83.

‖ 137a

Psal. 83.

DA SPRACHEN ZU GIDEON ETLICHE IN JSRAEL / Sey Herr vber vns du vnd dein Son vnd deines sons son / weil du vns von der Midianiter hand erlöset hast. [23]Aber Gideon sprach zu jnen / Jch wil nicht Herr sein vber euch / vnd mein Son sol auch nicht Herr vber euch sein / Sondern der HERR sol Herr vber euch sein.

GJdeon aber sprach zu jnen / Eins beger ich von euch / Ein jglicher gebe mir die Stirnbande / die er geraubt hat. Denn weil es Jsmaeliter waren / hatten sie güldene Stirnbande. [25]Sie sprachen / Die wöllen wir geben / Vnd breiten ein Kleid aus / vnd ein jglicher warff die Stirnbande drauff / die er geraubt hatte. [26]Vnd die gülden Stirnbande die er fodderte / machten am gewichte / tausent sieben hundert sekel golds / On die Spangen vnd Keten vnd scharlaken Kleider / die der Midianiter könige tragen / vnd on die Halsbande jrer Camelen. [27]Vnd Gideon macht einen Leibrock draus / vnd setzt es in seine stad zu Ophra. Vnd gantz Jsrael verhurete sich daran daselbs / vnd geriet Gideon vnd seinem haus zum Ergernis.

GIDEONS Leibrock zu Ophra.

[28]ALso wurden die Midianiter gedemütiget fur den kindern Jsrael / vnd huben jren Kopff nicht mehr empor / Vnd das Land war stille vierzig jar / so lange Gideon lebet.

40. jar.

VND JerubBaal der son Joas / gieng hin vnd wonet in seinem hause / [30]Vnd Gideon hatte siebenzig Söne / die aus seiner hüfft komen waren / Denn er hatte viel Weiber. [31]Vnd sein Kebsweib das er zu Sichem hatte / gebar jm auch einen Son /

70. Söne Gideons.

den nennet er AbiMelech. [32]Vnd Gideon der son Joas starb im guten alter / vnd ward begraben in seines vaters Joas grab / zu Ophra des Vaters der Esriter.

GIDEON stirbt.

DA aber Gideon gestorben war / kereten sich die kinder Jsrael vmb / vnd hureten den Baalim nach / vnd machten jnen Baal Berith zum Gott. [34]Vnd die kinder Jsrael gedachten nicht an den HERRN jren Gott / der sie errettet hatte von der hand aller jrer Feinde vmbher / [35]vnd theten nicht barmhertzigkeit an dem hause JerubBaal Gideon / wie er alles guts an Jsrael gethan hatte.

Baal Berith.

## IX.

ABIMELECH ABER DER SON JERUBBAAL GIENG hin gen Sichem zu den Brüdern seiner Mutter / vnd redet mit jnen / vnd mit dem gantzen Geschlecht des hauses seiner mutter Vater / vnd sprach / [2]Lieber / redet fur den ohren aller Menner zu Sichem / Was ist euch besser / das siebenzig Menner / alle kinder JerubBaal vber euch Herrn seien / Oder das ein Man vber euch Herr sey? Gedenckt auch dabey / das ich ewr gebein vnd fleisch

ABIMELECH

[3]DA redten die Brüder seiner Mutter von jm alle diese wort / fur den ohren aller menner zu Sichem / Vnd jr hertz neiget sich AbiMelech nach / Denn sie gedachten / Er ist vnser Bruder. [4]Vnd gaben jm siebenzig Silberling aus dem haus Baal-Berith / Vnd AbiMelech bestellet da mit lose leichtfertige Menner / die jm nachfolgeten. [5]Vnd er kam in seines Vaters haus gen Ophra / vnd erwürget seine Brüder die kinder JerubBaal / siebenzig Man auff einem stein / Es bleib aber vber Jotham / der jüngst son JerubBaal / Denn er ward versteckt.

ABIMELECH erwürget 70. Brüder.

VND es versamleten sich alle Menner von Sichem / vnd das gantze haus Millo / giengen hin vnd machten AbiMelech zum Könige / bey der hohen Eichen / die zu Sichem stehet. ‖

‖ 137b

DA das angesagt ward dem Jotham / Gieng er hin / vnd trat auff die höhe des berges Grisim / vnd hub auff seine stim / rieff vnd sprach zu jnen / Höret mich jr Menner zu Sichem / das euch Gott auch höre. [8]Die Bewme giengen hin / das sie einen König vber sich salbeten / vnd sprachen zum Olebawm / Sey vnser König. [9]Aber der

a Es bestehet nicht / Es ist ein schuckel.

Olebawm antwortet jnen / Sol ich mein fettigkeit lassen / die beide Götter vnd Menschen an mir preisen / vnd hin gehen das ich [a]schwebe vber die Bewme? [10]Da sprachen die Bewme zum Feigenbawm / Kom du vnd sey vnser König. [11]Aber der Feigenbawm sprach zu jnen / Sol ich meine süssigkeit vnd meine gute frucht lassen vnd hin gehen / das ich vber den Bewmen schwebe? [12]Da sprachen die Bewme zum Weinstock / Kom du vnd sey vnser König. [13]Aber der Weinstock sprach zu jnen / Sol ich meinen Most lassen / der Götter vnd Menschen frölich macht / vnd hin gehen das ich vber den Bewmen schwebe? [14]Da sprachen alle Bewme zum Dornbusch / Kom du vnd sey vnser König. [15]Vnd der Dornbusch sprach zu den Bewmen / Jsts war / das jr mich zum König salbet vber euch / So kompt vnd vertrawet euch vnter meinen schatten / Wo nicht / So gehe fewr aus dem Dornbusch / vnd verzere die Cedern Libanon.

[16]HAbt jr nu recht vnd redlich gethan / das jr AbiMelech zum Könige gemacht habt / vnd habt jr wol gethan an JerubBaal / vnd an seinem Hause / vnd habt jm gethan wie er vmb euch verdienet hat / [17]das mein Vater vmb ewr willen gestritten hat / vnd seine Seel dahin geworffen von sich / das er euch errettet von der Midianiter hand / [18]Vnd jr lehnet euch auff heute wider meines Vaters haus / vnd erwürget seine Kinder / siebenzig Man auff einem Stein / Vnd machet euch einen könig AbiMelech seiner magd Son vber die Menner zu Sichem / weil er er ewr Bruder ist / [19]Habt jr nu recht vnd redlich gehandelt an JerubBaal / vnd an seinem hause an diesem tage / So seid frölich vber dem AbiMelech / vnd er sey frölich vber euch / [20]Wo nicht / So gehe fewr aus von AbiMelech / vnd verzere die Menner zu Sichem / vnd das haus Millo / Vnd gehe auch fewr aus von den Mennern zu Sichem / vnd vom haus Millo / vnd verzere AbiMelech. [21]Vnd Jotham floch vnd entweich / vnd gieng gen Ber / vnd wonet daselbs fur seinem bruder AbiMelech.

ABIMELECH.

ALS NU ABIMELECH DREY JAR VBER JSRAEL GEherrschet hatte / [23]sandte Gott einen bösen willen zwisschen AbiMelech vnd den Mennern zu Sichem. Denn die Menner zu Sichem versprachen AbiMelech / [24]vnd zogen an den freuel / an den siebenzig sönen JerubBaal begangen / Vnd legten der selben blut auff AbiMelech jren Bruder / der sie erwürget hatte / vnd auff die menner zu Sichem / die jm seine hand darzu gesterckt hatten / das er seine Brüder erwürgete. [25]Vnd die menner zu Sichem bestelleten einen Hinderhalt auff den spitzen der Berge / vnd raubeten alle die auff der strassen zu jnen wandelten. Vnd es ward AbiMelech angesagt.

ES kam aber Gaal der son Ebed vnd seine Brüder / vnd giengen zu Sichem ein. Vnd die menner zu Sichem verliessen sich auff jn / [27]vnd zogen eraus auffs feld / vnd lasen ab jre Weinberge / vnd kelterten / vnd machten einen Tantz / vnd giengen in jres Gottes haus / vnd assen vnd truncken / vnd fluchten dem AbiMelech. [28]Vnd Gaal der son Ebed sprach / Wer ist AbiMelech? vnd was ist Sichem / das wir jm dienen solten? Jst er nicht JerubBaals son / vnd hat Sebul seinen knecht her gesetzt vber die leute Hemor des vaters Sichem? Warumb solten wir jm dienen? [29]Wolt Gott / das Volck were vnter meiner hand / das ich den AbiMelech vertriebe.

GAAL

SEBUL.

VND es ward AbiMelech gesagt / Mehre dein Heer / vnd zeug aus / [30]Denn Sebul der Oberst in der Stad / da er die wort Gaal / des sons Ebed höret / ergrimmet er in seinem zorn / [31]vnd sandte Bottschafft zu AbiMelech heimlich / vnd lies jm sagen / Sihe / Gaal der son Ebed vnd seine Brüder || sind gen Sichem komen / vnd machen dir die stad widerwertig. [32]So mach dich nu auff bey der nacht / du vnd dein volck das bey dir ist / vnd mach einen Hinderhalt auff sie im felde. [33]Vnd des morgens wenn die Sonne auffgehet / so mache dich frü auff / vnd vberfalle die stad / Vnd wo er vnd das volck das bey jm ist / zu dir hinaus zeucht / So thu mit jm / wie es deine hand findet.

|| 138 a

ABiMelech stund auff bey der nacht / vnd alles volck das bey jm war / vnd hielt auff Sichem mit vier Hauffen. [35]Vnd Gaal der son Ebed zoch eraus / vnd trat fur die thür an der Stadthor. Aber AbiMelech macht sich auff / aus dem Hinderhalt sampt dem volck das mit jm war. [36]Da nu Gaal das volck sahe / sprach er zu Sebul / Sihe / da kompt ein volck von der höhe des Gebirges hernider. Sebul aber sprach zu jm / Du sihest die schatten der Berge fur Leute an. [37]Gaal redet noch mehr vnd sprach / Sihe / ein volck kompt ernider aus dem mittel des Landes / vnd ein Hauffe komet auff dem wege zur Zaubereiche.

[38]DA sprach Sebul zu jm / Wo ist nu hie dein maul / das da saget / Wer ist AbiMelech / das wir jm dienen solten? Jst das nicht das volck / das du verachtet hast? Zeuch nu aus vnd streit mit jm. [39]Gaal zoch aus fur den Mennern zu Sichem her / vnd streit mit AbiMelech. [40]Aber AbiMelech jaget jn / das er flohe fur jm / Vnd fielen viel erschlagene / bis an die thür des thors / [41]Vnd AbiMelech bleib zu Aruma. Sebul aber veriaget den Gaal vnd seine Brüder / das sie zu Sichem nicht musten bleiben.

AVff dem morgen aber gieng das volck eraus auffs feld. Da das AbiMelech ward angesagt / [43]Nam er das Volck / vnd teilets in drey Hauffen / vnd macht ein Hinderhalt auff sie im feld. Als er nu sahe / das das volck aus der Stad gieng / erhub er sich vber sie / vnd schlug sie. [44]AbiMelech aber vnd die Hauffen die bey jm waren / vberfielen sie / vnd tratten an die thür der Stad thor / Vnd zween der Hauffen vberfielen alle die auff dem felde waren / vnd schlugen sie. [45]Da streit AbiMelech wider die Stad denselben gantzen tag / vnd gewan sie / Vnd erwürget das volck / das drinnen war / vnd zubrach die Stad vnd seet saltz drauff.

DA das höreten alle Menner des thurns zu Sichem / Giengen sie in die Festung des hauses des Gottes Berith. [47]Da das AbiMelech hörete / das sich alle Menner des thurns zu Sichem versamlet hatten / [48]Gieng er auff den berg Zalmon mit all seinem volck / das bey jm war / Vnd nam ein Axt in seine hand / vnd hieb einen Ast von bewmen / vnd hub jn auff / vnd legt jn auff seine achsel / Vnd sprach zu allem volck / das mit jm war / Was jr gesehen habt das ich thu das thut auch jr eilend wie ich. [49]Da hieb alles volck ein jglicher einen Ast ab / vnd folgten AbiMelech nach / Vnd legten sie an die Festung / vnd stecktens an mit fewr / das auch alle Menner des thurns zu Sichem sturben / bey tausent Man vnd Weib.

BERITH.

ABiMelech aber zoch gen Thebez / vnd belegt sie / vnd gewan sie. [50]Es war aber ein starcker Thurn mitten in der Stad / auff welchen flohen alle Menner vnd Weiber / vnd alle Bürger der stad / vnd schlossen hinder sich zu / vnd stigen auff das dach des Thurns. [52]Da kam AbiMelech zum

Thurn / vnd streit da wider / Vnd nahet sich zur thür des Thurns das er jn mit fewr verbrente. 53Aber ein Weib warff ein stück von einem Mülstein AbiMelech auff den kopff / vnd zubrach jm den schedel. 54Da rieff AbiMelech eilend dem Knaben / der sein waffen trug / vnd sprach zu jm / Zeuch dein schwert aus / vnd tödte mich / Das man nicht von mir sage / Ein weib hat jn erwürget / Da durchstach jn sein Knabe / vnd er starb.

ABIMELECH kompt schendlich vmb.

55DA aber die Jsraeliter die mit jm waren / sahen das AbiMelech tod war / gieng ein jglicher an seinen ort. 56Also bezalet Gott AbiMelech das vbel / das er an seinem Vater gethan hatte / da er seine siebenzig Brüder erwürget. 57Desselben gleichen alles vbel der Menner Sichem / vergalt jnen Gott auff jren kopff / Vnd kam vber sie der fluch Jotham / des sons JerubBaal. ||

|| 138b

X.

NACH ABIMELECH MACHT SICH AUFF ZU HELffen Jsrael / Thola ein man von Jsaschar / ein son Pua / des sons Dodo. Vnd er wonet zu Samir auff dem gebirge Ephraim / 2vnd richtet Jsrael drey vnd zwenzig jar / vnd starb / vnd ward begraben zu Samir.

NAch jm macht sich auff Jair ein Gileaditer / vnd richtet Jsrael zwey vnd zwenzig jar. 4Vnd hatte dreissig Söne / auff dreissig Esel füllen reitten / Vnd hatte dreissig Stedte / die heissen / Dörffer Jair / bis auff diesen tag / vnd ligen in Gilead. 5Vnd Jair starb / vnd ward begraben zu Kamon.

JAIR 22. jar.

ABER DIE KINDER JSRAEL THETEN FÜRDER VBEL fur dem HERRN / vnd dieneten Baalim / vnd Astharoth / vnd den Göttern zu Syria / vnd den Göttern zu Zidon / vnd den Göttern Moab / vnd den Göttern der kinder Ammon / vnd den Göttern der Philister / vnd verliessen den HERRN / vnd dieneten jm nicht. 7Da ergrimmet der zorn des HERRN vber Jsrael / vnd verkaufft sie vnter die hand der Philister vnd der kinder Ammon. 8Vnd sie zutratten vnd zuschlugen die kinder Jsrael / von dem jar an wol achzehen jar / nemlich alle kinder Jsrael / jenseid dem Jordan / im Land der Amoriter / das in Gilead ligt. 9Dazu zogen die kinder Ammon vber den Jordan / vnd stritten wider Juda / BenJamin / vnd wider das haus Ephraim / Also das Jsrael seer geengstet ward.

PHILISTER. KINDER Ammon.

DA schrien die kinder Jsrael zu dem HERRN / vnd sprachen / Wir haben an dir gesündiget / Denn wir haben vnsern Gott verlassen / vnd Baalim gedienet. [11]Aber der HERR sprach zu den kindern Jsrael / Haben euch nicht auch gezwungen die Egypter / die Amoriter / die kinder Ammon / die Philister / [12]die Zidonier / die Amalekiter vnd Maoniter? vnd ich halff euch aus jren henden / da jr zu mir schriet. [13]Noch habt jr mich verlassen / vnd andern Göttern gedienet / Darumb wil ich euch nicht mehr helffen / [14]Gehet hin / vnd schreiet die Götter an die jr erwelet habt / Last euch dieselben helffen zur zeit ewrs trübsals. [15]Aber die kinder Jsrael sprachen zu dem HERRN / Wir haben gesündigt / mache es nur Du mit vns / wie dirs gefellet / Allein errette vns zu dieser zeit. [16]Vnd sie theten von sich die frembden Götter / vnd dieneten dem HERRN / Vnd es jamert jn / das Jsrael so geplagt ward.

Deut. 32.

[17]VND die kinder Ammon [a]schrien / vnd lagerten sich in Gilead / Aber die kinder Jsrael versamleten sich / vnd lagerten sich zu Mizpa. [18]Vnd das volck der Obersten zu Gilead sprachen vnternander / Welcher anfehet zu streiten wider die kinder Ammon / der sol das Heubt sein vber alle die in Gilead wonen.

a Jauchzeten.

## XI.

Jephthah 6. jar.

JEPHTHAH EIN GILEADITER WAR EIN STREITBAR Helt / Aber ein Hurkind / Gilead aber hatte Jephthah gezeuget. [2]Da aber das weib Gilead jm kinder gebar / vnd desselben weibs kinder gros wurden / stiessen sie Jephthah aus / vnd sprachen zu jm / Du solt nicht erben in vnsers Vaters haus / Denn du bist eines andern weibs son. [3]Da floh er vor seinen Brüdern / vnd wonet im lande Tob / Vnd es samleten sich zu jm lose Leute / vnd zogen aus mit jm.

VND vber etliche zeit hernach / stritten die kinder Ammon mit Jsrael. [5]Da nu die kinder Amon also stritten mit Jsrael / giengen die Eltesten von Gilead hin / das sie Jephthah holeten aus dem lande Tob / [6]vnd sprachen zu jm / Kom vnd sey vnser Heubtman / das wir streiten wider die kinder Ammon. [7]Aber Jephthah sprach zu den Eltesten von Gilead / Seid jr nicht die mich hassen / vnd aus meines Vaters haus gestossen habt / Vnd nu kompt jr zu mir / weil jr im trübsal seid? [8]Die Eltesten von

Gilead sprachen zu Jephthah / Darumb komen wir nu wider zu dir / das du mit vns ziehest / vnd helffest vns || streiten wider die kinder Ammon / vnd seiest vnser Heubt vber alle die in Gilead wonen.

|| 139a

[9]JEphthah sprach zu den Eltesten von Gilead / So jr mich widerholet zu streiten wider die kinder Ammon / vnd der HERR sie fur mir geben wird / Sol ich denn ewr Heubt sein? [10]Die Eltesten von Gilead sprachen zu Jephthah / Der HERR sey Zuhörer zwisschen vns / wo wir nicht thun / wie du gesagt hast. [11]Also gieng Jephthah mit den Eltesten von Gilead / Vnd das volck satzt jn zum Heubt vnd Obersten vber sich. Vnd Jephthah redet solchs alles fur dem HERRN zu Mizpa.

DA sandte Jephthah Botschafft zum Könige der kinder Ammon / vnd lies jm sagen / Was hastu mit mir zuschaffen / das du komest zu mir wider mein Land zu streiten? [13]Der König der kinder Ammon antwortet den Boten Jephthah / Darumb das Jsrael mein Land genomen hat / da sie aus Egypten zogen / von Arnon an bis an Jabok / vnd bis an den Jordan / So gib mirs nu wider mit frieden.

JEPHTHAH sendet Botschafft zu der Ammoniter König.

Num. 21.

[14]JEphthah aber sandte noch mehr Boten zum Könige der kinder Ammon / [15]die sprachen zu jm / So spricht Jephthah / Jsrael hat kein Land genomen weder den Moabitern noch den kindern Ammon. [16]Denn da sie aus Egypten zogen / wandelt Jsrael durch die wüsten bis ans Schilffmeer / vnd kam gen Kades / [17]vnd sandte Boten zum Könige der Edomiter / vnd sprach / Las mich durch dein Land ziehen. Aber der Edomiter könig erhöret sie nicht. Auch sandten sie zum könige der Moabiter / der wolt auch nicht. Also bleib Jsrael in Kades / [18]vnd wandelt in der Wüsten / vnd vmbzogen das Land der Edomiter vnd Moabiter / vnd kam von der Sonnen auffgang an der Moabiter land / vnd lagerten sich jenseid des Arnon / vnd kamen nicht in die grentze der Moabiter / Denn Arnon ist der Moabiter grentze.

Num. 20.

[19]VND Jsrael sandte Boten zu Sihon / der Amoriter könig zu Hesbon / vnd lies jm sagen / Las vns durch dein Land ziehen bis an meinen ort. [20]Aber Sihon vertrawet Jsrael nicht durch seine grentze zu ziehen / Sondern versamlet all sein volck / vnd lagert sich zu Jahza / vnd streit mit Jsrael. [21]Der HERR aber der Gott Jsrael / gab den Sihon mit all

Num. 21.

seinem Volck in die hende Jsrael / das sie sie schlugen. Also nam Jsrael ein alles Land der Amoriter / die in dem selben Land woneten / 22Vnd namen alle grentze der Amoriter ein / von Arnon an / bis an Jabok / vnd von der wüsten an / bis an den Jordan.

23SO hat nu der HERR der Gott Jsrael / die Amoriter vertrieben fur seinem volck Jsrael / vnd du wilt sie einnemen? 24Du soltest die einnemen die dein Gott Camos vertriebe / vnd vns lassen einnemen / alle die der HERR vnser Gott fur vns vertrieben hat. 25Meinstu / das du besser Recht habest / denn Balak der son Zipor / der Moabiter könig? Hat derselb auch je gerechtet oder gestritten wider Jsrael / 26ob wol Jsrael nu drey hundert jar gewonet hat in Hesbon vnd jren töchtern / in Aroer vnd jren töchtern / vnd allen Stedten die am Arnon ligen? Warumb errettet jrs nicht zu der selben zeit? 27Jch hab nichts an dir gesündigt / vnd du thust so vbel an mir / das du wider mich streitest. Der HERR felle heut ein vrteil zwisschen Jsrael vnd den kindern Ammon. 28Aber der König der kinder Ammon erhöret die rede Jephthah nicht / die er zu jm sandte.

CAMOS

Num. 21.

Num. 22.

300. jar.

DA kam der Geist des HERRN auff Jephthah / vnd zoch durch Gilead vnd Manasse vnd durch Mizpe / das in Gilead ligt / vnd von Mizpe das in Gilead ligt / auff die kinder Ammon. 30Vnd Jephthah gelobt dem HERRN ein Gelübd / vnd sprach / Gibstu die kinder Ammon in meine hand / 31was zu meiner Hausthür er aus mir entgegen gehet / wenn ich mit frieden widerkome / von den kindern Ammon / das sol des HERRN sein / vnd wils zum Brandopffer opffern. 32Also zoch Jephthah auff die kinder Ammon wider sie zu streiten. Vnd der HERR gab sie in seine hende. 33Vnd er schlug sie von Aroer ‖ an bis man kompt gen Minnith / zwenzig Stedte / vnd bis an den plan der Weinberge / ein seer grosse schlacht / Vnd wurden also die kinder Ammon gedemütigt fur den kindern Jsrael.

GELÜBD Jephthah.

‖ 139b

DA nu Jephthah kam gen Mizpa zu seinem hause / Sihe / da gehet seine Tochter er aus jm entgegen mit Paucken vnd Reigen / Vnd sie war ein einiges Kind / vnd er hatte sonst keinen Son noch Tochter. 35Vnd da er sie sahe / zureis er seine Kleider / vnd sprach / Ah mein Tochter / wie

[a]beugestu mich vnd betrübest mich / Denn ich habe meinen mund auffgethan gegen dem HERRN / vnd kans nicht widerruffen. [36]Sie aber sprach / Mein Vater / hastu deinen mund auffgethan gegen dem HERRN / So thu mir wie es aus deinem mund gangen ist / nach dem der HERR dich gerochen hat an deinen Feinden den kindern Ammon.

[37]VND sie sprach zu jrem Vater / Du woltest mir das thun / das du mich lassest zween monden / das ich von hinnen hinab gehe / auff die Berge / vnd meine Jungfrawschafft beweine mit meinen Gespielen. [38]Er sprach / Gehe hin / Vnd lies sie zween monden gehen. Da gieng sie hin mit jren Gespielen / vnd beweinet jre Jungfrawschafft auff den bergen. [39]Vnd nach zween monden kam sie wider zu jrem Vater / Vnd er thet jr / [b]wie er gelobt hatte / Vnd sie war nie keines Mans schüldig geworden. Vnd ward eine gewonheit in Jsrael / [40]das die töchter Jsrael jerlich hingehen / zu klagen die tochter Jephthah des Gileaditers des jars vier tage.

a (Beugest oder demütigest mich) Gott hat mich hoch erhebt durch diesen Sieg / das ich mein Heubt hoch vnd frölich auffrichtet. Aber du beugest mich / das ich den Kopff mus niderschlahen mit grossem hertzenleid / vnd solche hohe freude zum tieffen hertzenleid keren.

b (Wie er gelobt hatte) Man wil / er habe sie nicht geopffert / Aber der Text stehet da klar. So sihet man auch beide an den Richtern vnd Königen / das sie nach grossen Thatten / haben auch grosse torheit müssen begehen / zuuerhüten den leidigen hohmut.

## XII.

VND DIE VON EPHRAIM SCHRIEN VND GIENGEN zur Mitternacht werts / vnd sprachen zu Jephthah / Warumb bistu in den streit gezogen wider die kinder Ammon / vnd hastu vns nicht geruffen / das wir mit dir zögen? Wir wöllen dein Haus sampt dir mit fewr verbrennen. [2]Jephthah sprach zu jnen / Jch vnd mein Volck hatten eine grosse sache mit den kindern Ammon / vnd ich schrey euch an / Aber jr halfft mir nicht aus jren henden. [3]Da ich nu sahe / das jr nicht helffen woltet / stellet ich meine Seele in meine hand / vnd zoch hin wider die kinder Ammon / vnd der HERR gab sie in meine hand. Warumb kompt jr nu zu mir erauff / wider mich zu streitten?

[4]VND Jephthah samlet alle Menner in Gilead / vnd streit wider Ephraim / Vnd die menner in Gilead schlugen Ephraim / darumb das sie sagten / Seid doch jr Gileaditer vnter Ephraim vnd Manasse / als die Flüchtigen zu [c]Ephraim. [5]Vnd die Gileaditer namen ein die furt des Jordans fur Ephraim. Wenn nu sprachen die flüchtigen Ephraim / Las mich hin über gehen / So sprachen die Menner von Gilead zu jm / Bistu ein Ephraiter? Wenn er denn antwortet / Nein / [6]So hiessen sie jn sprechen / Schiboleth / So sprach er / Siboleth / vnd

(SCHIBOLETH) Heisst ein eher am korn / heisst auch wol ein Landstrass.

c Jd est / Qui ad Ephraim fugerunt in periculis pro salute / Non vos eripitis nos / sed nos vos fugitiuos / quia sumus regia tribus.

Simsons vater.

kunds nicht recht reden / So griffen sie jn vnd schlugen jn an der furt des Jordans / Das zu der zeit von Ephraim fielen zwey vnd vierzig tausent. [7]Jephthah aber richtet Jsrael sechs jar / Vnd Jephthah der Gileaditer starb / vnd ward begraben in den Stedten zu Gilead.

JEPHTHAH stirbt.

EBZAN 7. jar.

NAch diesem richtet Jsrael Ebzan von Bethlehem / [9]der hatte dreissig Söne / vnd dreissig Töchter satzt er aus / vnd dreissig töchter nam er von aussen seinen sönen. Vnd richtet Jsrael sieben jar / [10]vnd starb / vnd ward begraben zu Bethlehem.

ELON 10. jar.

NAch diesem richtet Jsrael Elon / ein Sebuloniter / vnd richtet Jsrael zehen jar / [12]vnd starb / vnd ward begraben zu Aialon im lande Sebulon.

ABDON 8. jar.

NAch diesem richtet Jsrael Abdon ein son Hillel / ein Pireathoniter / [14]Der hat vierzig Söne vnd dreissig Neffen / die auff siebenzig Eselfüllen ritten / vnd richtet Jsrael acht jar. [15]Vnd starb / vnd ward begraben zu Pireathon im lande Ephraim / auff dem gebirge der Amalekiter.||

|| 140 a

## XIII.

VND DIE KINDER JSRAEL THETEN FÜRDER VBEL fur dem HERRN / Vnd der HERR gab sie in die hende der Philister vierzig jar.

ES war aber ein Man zu Zarea von einem geschlecht der Daniter mit namen Manoah / vnd sein Weib war vnfruchtbar vnd gebar nichts. [3]Vnd der Engel des HERRN erschein dem Weibe / vnd sprach zu jr / Sihe / du bist vnfruchtbar / vnd gebirst nichts / Aber du wirst schwanger werden / vnd einen Son geberen. [4]So hüt dich nu / das du nicht Wein noch starck Getrenck trinckest / vnd nichts Vnreins essest / [5]Denn du wirst schwanger werden / vnd einen Son geberen / dem kein Schermesser sol auffs heubt komen / Denn der Knab wird ein Verlobter Gottes sein von mutterleibe / vnd er wird anfahen Jsrael zu erlösen / aus der Philister hand.

NASIR.

[6]DA kam das Weib vnd sagts jrem Man an / vnd sprach / Es kam ein man Gottes zu mir / vnd seine gestalt war anzusehen wie ein Engel Gottes / fast erschrecklich / das ich jn nicht fraget / wo her / oder wo hin / vnd er saget mir nicht wie er hiesse. [7]Er sprach aber zu mir / Sihe / du wirst schwanger

werden / vnd einen Son geberen / So trincke nu keinen Wein noch starck Getrencke / vnd iss nichts Vnreins / Denn der Knab sol ein Verlobter Gottes sein von mutterleibe an / bis in seinen Tod.

DA bat Manoah den HERRN / vnd sprach / Ah HERR / las den man Gottes wider zu vns komen / den du gesand hast / Das er vns lere / was wir mit dem Knaben thun sollen / der geboren sol werden. [9]Vnd Gott erhöret die stim Manoah / Vnd der Engel Gottes kam wider zum Weibe / Sie sas aber auff dem felde / vnd jr man Manoah war nicht bey jr. [10]Da lieff sie eilend vnd sagts jrem Man an / vnd sprach zu jm / Sihe / der Man ist mir erschienen / der heut zu mir kam.

[11]MAnoah macht sich auff vnd gieng seinem Weibe nach / vnd kam zu dem Man / vnd sprach zu jm / Bistu der Man / der mit dem Weibe geredt hat? Er sprach / Ja. [12]Vnd Manoah sprach / Wenn nu komen wird das du geredt hast / welch sol des Knabens weise vnd werck sein? [13]Der Engel des HERRN sprach zu Manoah / Er sol sich hüten fur allem / das ich dem Weibe gesagt habe / [14]Er sol nicht essen das aus dem Weinstock kompt / vnd sol keinen Wein noch starck Getrenck trincken / vnd nichts Vnreins essen / Alles was ich jr geboten hab / sol er halten.

Num. 6.

MAnoah sprach zum Engel des HERRN / Lieber / Las dich halten / wir wöllen vor ein Zigenböcklin opffern. [16]Aber der Engel des HERRN antwortet Manoah / Wenn du gleich mich hie heltest / so esse ich doch deiner Speise nicht / Wiltu aber dem HERRN ein Brandopffer thun / so magstu es opffern / Denn Manoah wuste nicht / das es ein Engel des HERRN war. [17]Vnd Manoah sprach zum Engel des HERRN / Wie heissestu / das wir dich preisen / wenn nu komet was du geredt hast? [18]Aber der Engel des HERRN sprach zu jm / Warumb fragstu nach meinem Namen / der doch Wundersam ist?

[19]DA nam Manoah ein Zigenböcklin vnd Speisopffer / vnd opfferts auff einem fels dem HERRN / Vnd er machts [a]Wunderbarlich / Manoah aber vnd sein Weib sahen zu. [20]Vnd da die lohe aufffuhr / vom Altar gen Himel / fuhr der Engel des HERRN in der lohe des Altars hin auff. Da das Manoah vnd sein Weib sahen / fielen sie zur erden auff jr angesicht / [21]Vnd der Engel des HERRN erschein

[a] Es gieng wunderlich zu / wie folget / Das der Engel verschwand / vnd in der flammen auff fuhr.

nicht mehr Manoah vnd seinem Weibe. Da erkandte Manoah / das es ein Engel des HERRN war / [22]Vnd sprach zu seinem Weibe / Wir müssen des todes sterben / Das wir Gott gesehen haben. [23]Aber sein || Weib antwortet jm / Wenn der HERR lust hette vns zu tödten / So hette er das Brandopffer vnd Speisopffer nicht genomen von vnsern henden / Er hette vns auch nicht solchs alles erzeiget / noch vns solchs hören lassen / wie jtzt geschehen ist. || 140b

SIMSON.

VND das Weib gebar einen Son / vnd hies jn Simson / Vnd der Knabe wuchs / vnd der HERR segenet jn. [25]Vnd der Geist des HERRN fieng an jn zutreiben im Lager Dan / zwisschen Zarea vnd Esthaol.

XIIII.

SJMSON GIENG HIN AB GEN THIMNATH / VND SAHE ein Weib zu Thimnath vnter den töchtern der Philister. [2]Vnd da er erauff kam / sagt ers an seinem Vater vnd seiner mutter / vnd sprach / Jch hab ein Weib gesehen zu Thimnath vnter den töchtern der Philister / Gebt mir nu dieselbige zum Weibe. [3]Sein Vater vnd sein Mutter sprachen zu jm / Jst denn nu kein Weibe vnter den töchtern deiner Brüder / vnd in all deinem Volck / das du hin gehest / vnd nimpst ein Weib bey den Philistern / die vnbeschnitten sind? Simson sprach zu seinem Vater / Gib mir diese / Denn sie gefellet meinen augen. [4]Aber sein Vater vnd seine Mutter wusten nicht / das es von dem HERRN were / Denn er sucht vrsach an die Philister. Die Philister aber herrscheten zu der zeit vber Jsrael.

ALso gieng Simson hin ab mit seinem Vater und seiner Mutter gen Thimnath. Vnd als sie kamen an die Weinberge zu Thimnath / Sihe / da kam ein junger Lewe brüllend jm entgegen. [6]Vnd der Geist des HERRN geriet vber jn / vnd zurisse jn / wie man ein Böcklin zureisset / vnd hatte doch gar nichts in seiner hand / Vnd sagts nicht an seinem Vater noch seiner Mutter was er gethan hatte.

[7]DA er nu hin ab kam redet er mit dem Weibe / vnd sie gefiel Simson in seinen augen. [8]Vnd nach etlichen tagen kam er wider / das er sie neme / Vnd trat aus dem wege / das er das ass des Lewens besehe / Sihe / da war ein Bienschwarm in dem ass des Lewens vnd honig. [9]Vnd nams in seine hand / vnd ass dauon vnter wegen / vnd gieng zu seinem Vater vnd zu seiner Mutter / || vnd gab jnen das sie auch || 141a

assen / Er sagt jnen aber nicht an / das er das honig von des Lewen ass genomen hatte.

VND da sein Vater hin ab kam zu dem Weibe / machte Simson daselbs eine Hochzeit / wie die Jünglinge zu thun pflegen. [11]Vnd da sie jn sahen / gaben sie jm dreissig Gesellen zu / die bey jm sein solten. [12]Simson aber sprach zu jnen / Jch wil euch ein Retzel auffgeben / wenn jr mir das errattet vnd trefft / diese sieben tage der Hochzeit / So wil ich euch dreissig Hembde geben / vnd dreissig Feirkleider. [13]Künd jrs aber nicht erratten / So solt jr mir dreissig Hembde vnd dreissig Feirkleider geben. Vnd sie sprachen zu jm / Gib dein Retzel auff / Las vns hören. [14]Er sprach zu jnen / SPEISE GIENG VON DEM FRESSER / VND SÜSSIGKEIT VON DEM STARCKEN. Vnd sie kundten in dreien tagen das Retzel nicht erratten.

AM siebenden tage sprachen sie zu Simsons weibe / Vberrede deinen Man / das er vns sage das Retzel / Oder wir werden dich vnd deines Vaters haus mit fewr verbrennen / Habt jr vns hieher geladen / das jr vns arm machet oder nicht? [16]Da weinet Simsons weib fur jm / vnd sprach / Du bist mir gram vnd hast mich nicht lieb / Du hast den Kindern meines volcks eine Retzel auffgegeben / vnd hast mirs nicht gesagt. Er aber sprach zu jr / Sihe / Jch habs meinem Vater vnd meiner Mutter nicht gesagt / vnd solt dirs sagen?

[17]VND sie weinet die sieben tage für jm / weil sie Hochzeit hatten / Aber am siebenden tage sagt ers jr / denn sie treib jn ein / Vnd sie sagt das Retzel jrs volcks Kindern. [18]Da sprachen die Menner der

Stad zu jm am siebenden tage / ehe die Sonne vntergieng / Was ist süsser denn Honig? Was ist stercker denn der Lewe? Aber er sprach zu jnen / WENN JR NICHT HETTET MIT MEINEM KALB GEPFLÜGET / JR HETTET MEIN RETZEL NICHT TROFFEN.

VND der Geist des HERRN geriet vber jn / vnd gieng hin ab gen Asklon / vnd schlug dreissig Man vnter jnen / Vnd nam jr Gewand / vnd gab Feirkleider denen / die das Retzel erratten hatten. Vnd ergrimmet in seinem zorn / vnd gieng erauff in seines Vaters haus. [20]Aber Simsons weib ward einem seiner Gesellen gegeben / der jm zugehöret.

XV.

ES BEGAB SICH ABER NACH ETLICHEN TAGEN / VMB die Weitzenerndte / das Simson sein Weib besucht mit einem Ziegenböcklin. Vnd als er gedacht / Jch wil zu meinem weibe gehen in die kamer / wolt jn jr Vater nicht hin ein lassen / [2]vnd sprach / Jch meiner du werest jr gram worden / vnd hab sie deinem Freunde gegeben / Sie hat aber eine jüngere Schwester die ist schöner denn sie / die las dein sein fur diese. [3]Da sprach Simson zu jnen / Jch hab ein mal eine rechte sach wider die Philister / Jch wil euch schaden thun.

VND Simson gieng hin / vnd fieng drey hundert Füchse / Vnd nam Brende / vnd keret ja einen Schwantz zum andern / vnd thet einen Brand ja zwisschen zween schwentze / [5]vnd zündet die an mit fewr / vnd lies sie vnter das Korn der Philister / Vnd zündet also an die Mandel / sampt dem stehenden Korn / vnd Weinberge vnd Olebewme. [6]Da sprachen die Philister / Wer hat das gethan? Da sagt man / Simson der Eidam des Thimniters / Darumb das er jm sein Weib genomen / vnd seinem Freunde gegeben hat. Da zogen die Philister hin auff / vnd verbrandten sie sampt jrem Vater mit fewr.

[7]SJmson aber sprach zu jnen / Ob jr schon das gethan habt / doch wil ich mich an euch selbs rechen / vnd darnach auff hören. [8]Vnd schlug sie hart / beide || an schuldern vnd lenden. Vnd zoch hin ab / vnd wonet in der Steinklufft zu Etam.

(Schuldern vnd lenden) Das ist / Er schlug sie / wie sie jm fur kamen / sie waren hohes oder nidriges Standes.

|| 141 b

DA zogen die Philister hin auff vnd belagerten Juda / vnd liessen sich nider zu Lehi. [10]Aber die von Juda sprachen / Warumb seid jr wider vns er auff zogen? Sie antworten / Wir sind er auff komen Simson zu binden / das wir jm thun / wie er vns gethan hat. [11]Da zogen drey tausent Man von Juda / hin ab in die Steinklufft zu Etam / vnd sprachen zu Simson / Weistu nicht das die Philister vber vns herrschen? Warumb hastu denn das an vns gethan? Er sprach zu jnen / Wie sie mir gethan haben / So hab ich jnen wider gethan.

[12]SJe sprachen zu jm / Wir sind er ab komen dich zu binden / vnd in der Philister hende zu geben. Simson sprach zu jnen / So schweret mir / das jr mir nicht wehren wolt. [13]Sie antworten jm / Wir wöllen dir nicht wehren / sondern wöllen dich nur binden / vnd in jre hende geben / vnd wöllen dich nicht tödten / Vnd sie bunden jn mit zweien newen Stricken / vnd füreten jn er auff vom Fels.

VND da er kam bis gen Lehi / jauchzeten die Philister zu jm zu / Aber der Geist des HERRN geriet vber jn / vnd die Stricke an seinen Armen wurden wie Faden / die das fewr versenget hat / das die band an seinen henden zuschmoltzen. [15]Vnd er fand einen faulen Eselskinbacken / Da reckt er seine hand aus vnd nam jn / vnd schlug damit tausent Man. [16]Vnd Simson sprach / Da ligen sie bey hauffen / Durch eins Eselskinbacken / hab ich tausent Man geschlagen. [17]Vnd da er das ausgeredt hatte / warff er den Kinbacken aus seiner hand / vnd hies die Stet RamatLehi.

RAMATHLEHI. Heisst ein hinwurff des Kinbackens.

DA jn aber seer dürstet / rieff er den HERRN an / vnd sprach / Du hast solch gros Heil gegeben / durch die hand deines Knechts / Nu aber mus ich dursts sterben / vnd in der Vnbeschnitten hende

fallen. [19]Da spaltet Gott einen Backenzaan in dem Kinbacken / das wasser er aus gieng / Vnd als er tranck / kam sein Geist wider / vnd ward erquicket / Darumb heisst er noch heutes tags / des Anrüffers brun / der im Kinbacken ward. [20]Vnd er richtet Jsrael zu der Philister zeit / zwentzig jar.

20. jar.

## XVI.

|| 142a

SJMSON GIENG HIN GEN GASA / VND SAHE DASELBS eine Hure / vnd lag bey jr. [2]Da ward den Gasitern gesagt / Simson ist herein komen / Vnd sie vmbgaben jn / vnd liessen auff jn lauren die gantze nacht in der Stadthor / vnd waren die gantze nacht stille / vnd sprachen / Harr / morgen wens liecht wird / wöllen wir jn erwürgen. [3]Simson aber lag bis zu mitternacht / Da stund er auff zur mitternacht / vnd ergreiff beide Thür an der Stadthor / sampt den beiden pfosten / vnd hub sie aus mit den rigeln / vnd legt sie auff seine Schuldern / vnd trug sie hinauff auff die höhe des bergs fur Hebron.

DELILA.

DARNACH GWAN ER EIN WEIB LIEB AM BACH Sorek / die hies Delila. [5]Zu der kamen der Philister Fürsten hin auff / vnd sprachen zu jr / Vberrede jn / vnd besihe worinnen er solche grosse Krafft hat / vnd wo mit wir jn vbermögen das wir jn binden vnd zwingen / So wöllen wir dir geben / ein jglicher tausent vnd hundert Silberlinge.

VND Delila sprach zu Simson / Lieber sage mir / worin dein grosse Krafft sey / vnd wo mit man dich binden müge / das man dich zwinge. [7]Simson sprach zu jr / Wenn man mich bünde mit sieben Seilen von frisschem bast / die noch nicht verdorret

sind / So würde ich schwach / vnd were wie ein ander Mensch. [8]Da brachten der Philister Fürsten zu jr hin auff sieben Seile von frisschem bast / die noch nicht verdorret waren / vnd sie band jn damit [9](Man hielt aber auff jn bey jr in der Kamer) Vnd sie sprach zu jm / Die Philister vber dir Simson / Er aber zureis die Seile wie eine flechsen Schnur zureist / wenn sie ans fewr reucht / Vnd war nicht kund / wo seine Krafft were.

DA sprach Delila zu Simson / Sihe du hast mich geteuscht vnd mir gelogen / Nu so sage mir doch / wo mit kan man dich binden? [11]Er antwort jr / Wenn sie mich bünden mit newen stricken / damit nie keine erbeit geschehen ist / So würde ich schwach / vnd wie ein ander Mensch. [12]Da nam Delila newe stricke vnd band jn damit / vnd sprach / Philister vber dir Simson (Man hielt aber auff jn in der Kamer) Vnd er zureiss sie von seinen Armen / wie einen Faden. ‖ ‖ 142b

DElila aber sprach zu jm / Noch hastu mich geteuscht / vnd mir gelogen / Lieber sage mir doch / wo mit kan man dich binden? Er antwortet jr / Wenn du sieben Locke meines Heubts flöchtest mit einem Flechtband / vnd hefftest sie mit einem Nagel ein. [14]Vnd sie sprach zu jm / Philister vber dir Simson / Er aber wachet auff von seinem schlaff / vnd zog die geflochten Locke mit nagel vnd flechtband eraus. [15]Da sprach sie zu jm / Wie kanstu sagen / du habest mich lieb / so dein hertz doch nicht mit mir ist? Drey mal hastu mich geteuscht / vnd mir nicht gesaget / worinnen deine grosse Krafft sey?

DA sie jn aber treib mit jren worten alle tag / vnd zuplaget jn / ward seine Seele matt / bis an den tod / [17]vnd sagt jr sein gantzes hertz / vnd sprach zu jr / Es ist nie kein Schermesser auff mein Heubt komen / Denn ich bin ein Verlobter Gottes von mutterleib an. Wenn du mich beschörest / so wiche meine krafft von mir / das ich schwach würde / vnd wie alle andere Menschen. [18]Da nu Delila sahe / das er jr alle sein hertz offenbaret hatte / Sand sie hin / vnd lies der Philister Fürsten ruffen / vnd sagen / Kompt noch ein mal er auff / denn er hat mir alle sein hertz offenbaret.

DA kamen der Philister Fürsten zu jr er auff / vnd brachten das Geld mit sich in jrer hand. [19]Vnd sie lies jn entschlaffen auff jrem schos / vnd rieff einem / der jm die sieben Locke seines Heubts abschöre. Vnd sie fieng an jn zu zwingen / Da war seine Krafft von jm gewichen. [20]Vnd sie sprach zu jm / Philister vber dir Simson. Da er nu von seinem schlaff erwacht / gedacht er / Jch wil ausgehen wie ich mehr mal gethan hab / ich wil mich ausreissen / Vnd wuste nicht das der HERR von jm gewichen war. [21]Aber die Philister grieffen jn / vnd stochen jm die Augen aus / vnd füreten jn hinab gen Gasa / vnd bunden jn mit zwo ehrnen Ketten / vnd er must malen im Gefengnis. [22]Aber das har seines heubts fieng an wider zu wachsen / wo es beschoren war.

SIMSON WIRD gefangen vnd jm die augen ausgestochen etc.

DAGON.

DA aber der Philister Fürsten sich versamleten / jrem Gott Dagon ein gros Opffer zuthun / vnd sich zu frewen / sprachen sie / Vnser Gott hat vns vnsern feind Simson in vnsere hende gegeben. [24]Des selben gleichen als jn das Volck sahe / lobten sie jren Gott / Denn sie sprachen / Vnser Gott hat vns vnsern Feind in vnsere hende gegeben / der vnser Land verderbet / vnd vnser || viel erschlug. [25]Da nu jr hertz guter dinge war / sprachen sie / Last Simson holen / das er fur vns spiele. Da holeten sie Simson aus dem Gefengnis / vnd er spielet fur jnen / Vnd sie stelleten jn zwisschen zwo Seulen.

|| 143 a

SJmson aber sprach zu dem Knaben der jn bey der hand leitet / Las mich das ich die Seulen taste auff welchen das Haus stehet / das ich mich dran lehne. [27]Das Haus aber war vol Menner vnd Weiber. Es waren auch der Philister Fürsten alle da / vnd auff dem Dach bey drey tausent Man vnd

Weib / die zusahen wie Simson spielet. [28]Simson aber rieff den HERRN an / vnd sprach / HERR HERR gedencke mein / vnd stercke mich doch Gott dis mal / das ich fur meine beide Augen mich einest reche an den Philistern.

[29]VND er fasset die zwo mittel Seulen / auff welchen das Haus gesetzt war / vnd drauff sich hielt / eine in seine rechte / vnd die ander in seine lincke Hand / [30]vnd sprach / Mein Seele sterbe mit den Philistern / vnd neiget sie krefftiglich. Da fiel das Haus auff die Fürsten / vnd auff alles Volck das drinnen war / Das der Todten mehr war / die in seinem tod storben / denn die bey seinem leben storben. [31]Da kamen seine Brüder ernider / vnd seines Vaters gantzes haus / vnd huben jn auff / vnd trugen jn hinauff / vnd begruben jn in seines vaters Manoah grab / zwisschen Zarea vnd Esthaol / Er richtet aber Jsrael zwenzig jar.

20. jar.

## XVII.

ES WAR EIN MAN AUFF DEM GEBIRGE EPHRAIM mit namen Micha / [2]der sprach zu seiner Mutter / Die tausent vnd hundert Silberlinge die du zu dir genomen hast vnd [a]geschworen vnd gesagt fur meinen ohren / Sihe dasselb Geld ist bey mir / ich habs zu mir genomen. Da sprach seine Mutter / Gesegnet sey mein Son dem HERRN. [3]Also gab er seiner Mutter die tausent vnd hundert Silberlinge wider. Vnd seine Mutter sprach / Jch hab das Geld dem HERRN geheiliget von meiner hand fur meinen Son / das man ein Bildnis vnd Abgott machen sol / darumb so gebe ichs dir nu wider.

MICHA.

a (Geschworen) Diese fraw wird solchs Geld gelobd haben zum Bilde zu geben / Das wird dem son zu erst nicht gefallen haben / hats jr darumb gestolen / Darnach sich jr klagen lassen bewegen / vnd wider gegeben / vnd lassen machen was sie wolt. Da es nu wol geriet (wie solch ding pfleget) lies ers jm auch gefallen.

b (Thraphim) Deudschen wir / das Heilige / oder Heiligthumb / wie zu vnser zeit die hültzen Heiligen / Todtenbeine / Todtenkleider / vnd der gleichen Heiligen tand gehalten ist fur Gottesdienst / Denn es ist vor ambigua.

c Das ist / Er weihet jn / wie Exod. 39. stehet.

[4]ABer er gab seiner mutter das geld wider / Da nam seine Mutter zwey || hundert Silberling / vnd thet sie zu dem Goldschmid / Der macht jr ein Bilde vnd Abgott / das war darnach im hause Micha. [5]Vnd der man Micha hatte also ein Gotteshaus / Vnd machet einen Leibrock vnd das Heilige [b]/ vnd [c]füllet seiner Söne einem die hand / das er sein Priester ward. [6]Zu der zeit war kein König in Jsrael / Vnd ein jglicher thet was jn recht dauchte.

|| 143 b

Es war aber ein Jüngling von Bethlehem Juda / vnter dem geschlecht Juda / vnd er war ein Leuit / vnd war frembd daselbs / [8]Er zoch aber aus der stad Bethlehem Juda / zu wandern wo er hin kundte. Vnd da er auffs gebirge Ephraim kam zum hause Micha / das er seinen weg gienge / [9]fragt jn Micha / Wo kompstu her? Er antwort jm / Jch bin ein Leuit von Bethlehem Juda / vnd wandere / wo ich hin kan. [10]Micha sprach zu jm / Bleibe bey mir / du solt mein Vater vnd mein Priester sein / Jch wil dir jerlich zehen Silberlinge vnd benante Kleider vnd deine narung geben / Vnd der Leuit gieng hin.

Leuit im Hause Micha.

[11]DER Leuit trat an zu bleiben bey dem Man / vnd er hielt den Knaben gleich wie einen Son. [12]Vnd Micha füllet dem Leuiten die hand / das er sein Priester ward / vnd war also im haus Micha. [13]Vnd Micha sprach / Nu weis ich das mir der HERR wird wolthun / weil ich einen Leuiten zum Priester habe.

## XVIII.

Daniter suchen ein Erbteil.

Zv der zeit war kein König in Jsrael / Vnd der stam der Daniter suchte jm ein Erbteil / da sie wonen möchten / Denn es war bis auff den tag noch kein Erbe fur sie gefallen vnter den stemmen Jsrael. [2]Vnd die kinder Dan sandten aus jren Geschlechten von jren Enden fünff streitbare Menner / von Zarea vnd Esthaol / das Land zu erkunden vnd zu erforschen / vnd sprachen zu jnen / Ziehet hin vnd erforschet das Land. Vnd sie kamen auff das gebirge Ephraim ans haus Micha / vnd blieben vber nacht daselbs.

VND weil sie da bey dem gesinde Micha waren / kandten sie die stimme des Knabens des Leuiten / Vnd sie wichen dahin / vnd sprachen zu jm / Wer hat dich hieher bracht? Was machstu da? Vnd was hastu hie? [4]Er antwortet jnen / So vnd so hat Micha an mir gethan / vnd hat mich gedinget / das ich sein Priester sey. [5]Sie sprachen zu jm / Lieber / Frage Gott / das wir erfaren / ob vnser weg den wir wandeln / auch wolgeraten werde? [6]Der Priester antwort jnen / Ziehet hin mit frieden / Ewr weg ist recht fur dem HERRN / den jr ziehet.

[7]DA giengen die fünff Menner hin vnd kamen gen Lais / vnd sahen das Volck das drinnen war / sicher wonen auff die weise / wie die Zidonier / stille vnd sicher / vnd war niemand der jnen leid thet im Lande / oder Herr vber sie were / vnd waren ferne von den Zidoniern / vnd hatten nichts mit Leuten zu thun.

Sie hatten weder Feinde noch Herrn.

[8]VND sie kamen zu jren Brüdern gen Zarea vnd Esthaol / Vnd jre Brüder sprachen zu jnen / Wie stehets mit euch? [9]Sie sprachen / Auff / last vns zu jnen hin auffziehen / denn wir haben das Land besehen / das ist fast gut / Drumb eilet vnd seid nicht faul zu ziehen / das jr kompt das Land einzunemen. [10]Wenn jr komet / werdet jr zu einem sichern Volck komen / Vnd das Land ist weit vnd breit / denn Gott hats in ewr hende gegeben / Einen solchen ort / da nichts gebricht / alles das auff Erden ist.

DA zogen von dannen aus den geschlechten Dan von Zarea vnd Esthaol / sechs hundert Man gerüst mit jren waffen zum streit / [12]vnd zogen hinauff vnd lagerten sich zu Kiriath Jearim in Juda / Daher nenneten sie die Stet / das lager Dan / bis auff diesen tag / das hinder Kiriath Jearim ist. ‖

LAGER Dan.

‖ 144a

VND von dannen giengen sie auff das gebirge Ephraim / vnd kamen zum hause Micha. [14]Da antworten die fünff Menner / die ausgegangen waren das land Lais zu erkunden / vnd sprachen zu jren Brüdern / Wisset jr auch / das in diesen heusern ein Leibrock / Heiligthumb / Bildnis vnd Abgott sind? Nu müget jr dencken was euch zu thun ist. [15]Sie kereten da ein / vnd kamen an das haus des Knabens des Leuiten in Micha hause / vnd grüsseten jn freundlich. [16]Aber die sechs hundert Gerüste mit jrem Harnisch / die von den kindern Dan waren / stunden fur dem thor. [17]Vnd die fünff Menner / die das Land zu erkunden ausgezogen waren / giengen hin auff vnd kamen da hin / vnd namen das Bilde / den Leibrock / das Heiligthumb vnd Abgott / Die weil stund der Priester fur dem

Lais von Danitern eröbert.

thor / bey den sechs hundert Gerüsten mit jrem harnisch.

[18]ALs nu jene ins haus Micha komen waren / vnd namen das Bilde / den Leibrock / das Heiligthumb vnd Abgott / sprach der Priester zu jnen / Was macht jr? [19]Sie antworten jm / Schweig vnd halt das maul zu / vnd zeuch mit vns / das du vnser Vater vnd Priester seiest. Jst dirs besser / das du in des einigen Mans haus Priester seiest / Oder vnter einem gantzen Stam vnd Geschlecht in Jsrael? [20]Das gefiel dem Priester wol / vnd nam beide den Leibrock / das Heiligthumb vnd Bilde / vnd kam mit vnter das volck. [21]Vnd da sie sich wandten vnd hinzogen / schickten sie die Kindlin vnd das Vieh / vnd was sie köstlichs hatten / vor jnen her.

DA sie nu fern von Michas haus kamen / schrien die Menner so in den heusern waren / bey Michas haus / vnd folgeten den kindern Dan nach / vnd rieffen den kindern Dan. [23]Sie aber wandten jr andlitz vmb / vnd sprachen zu Micha / Was ist dir / das du also ein geschrey machst? [24]Er antwortet / Jr habt meine Götter genomen / die ich gemacht hatte / vnd den Priester / vnd ziehet hin / vnd was hab ich nu mehr? Vnd jr fraget noch / was mir feile? [25]Aber die kinder Dan sprachen zu jm / Las deine stim nicht hören bey vns / das nicht auff dich stossen zornige Leute / vnd deine Seele vnd deines hauses Seele nicht auffgereumet werde. [26]Also giengen die kinder Dan jrs weges. Vnd Micha da er sahe das sie jm zu starck waren / wand er sich / vnd kam wider zu seinem hause.

SJe aber namen / das Micha gemacht hatte / vnd den Prister den er hatte / vnd kamen an Lais / an ein still sicher Volck / vnd schlugen sie mit der scherffe des Schwerts / vnd verbrandten die Stad mit fewr. [28]Vnd war niemand der sie errettet / Denn sie lag ferne von Zidon / vnd hatten mit den Leuten nichts zuschaffen / vnd sie lag im grunde / welcher an BethRehob ligt. Da baweten sie die Stad vnd woneten drinnen / [29]vnd nenneten sie Dan / nach dem namen jres vaters Dan / der von Jsrael geboren war / Vnd die Stad hies vorzeiten Lais.

DAN uorhin Lais.

[30]VND die kinder Dan richteten fur sich auff das Bilde. Vnd Jonathan der son Gerson / des sons Manasse vnd seine Söne waren Priester vnter dem stam der Daniter / bis an die zeit / da sie aus dem

3. Reg. 12.

4. Reg. 17.

Historia von des Leuiten Weibe.

Lande gefangen gefürt worden. [31]Vnd satzten also vnter sich das Bilde Micha / das er gemacht hatte / so lange als das haus Gottes war zu Silo.

## XIX.

Historia von des Leuiten Weib etc.

ZV DER ZEIT WAR KEIN KÖNIG IN JSRAEL. VND ein Leuitischer man war Frembdling / an der seiten des gebirges Ephraim / vnd hatte jm ein Kebsweib zum weib genomen von Bethlehem Juda. [2]Vnd da sie hatte neben jm gehuret / lieff sie von jm zu jres vaters hause gen Bethlehem Juda / vnd war daselbs vier monden lang.

VND jr Man macht sich auff vnd zoch jr nach / das er freundlich mit jr redet / vnd sie wider zu sich holet / vnd hatte einen Knaben vnd ein par Esel || mit sich. Vnd sie füret jn in jres Vaters haus / Da jn aber der Dirnen vater sahe / ward er fro vnd empfieng jn. [4]Vnd sein Schweher / der Dirnen vater / hielt jn / das er drey tage bey jm blieb / assen vnd truncken / vnd blieben des nachts da.

|| 144b

[5]DEs vierden tags machten sie sich des morgens früe auff / vnd er stund auff vnd wolt ziehen. Da sprach der Dirnen vater zu seinem Eidam / Labe dein hertz vor mit eim bissen brots / darnach solt jr ziehen. [6]Vnd sie satzten sich vnd assen beide mit ein ander vnd truncken. Da sprach der Dirnen vater zu dem Man / Lieber / bleib vber nacht / vnd las dein hertz guter ding sein. [7]Da aber der Man auffstund / vnd wolt ziehen / nötiget jn sein Schweher / das er vber nacht da bleib.

[8]DEs morgens am fünfften tag / macht er sich früe auff / vnd wolt ziehen. Da sprach der Dirnen vater / Lieber / labe dein hertz / vnd las vns verziehen bis sich der tag neiget / Vnd assen also die beide mit einander. [9]Vnd der Man macht sich auff / vnd wolt ziehen mit seinem Kebsweib vnd mit seinem Knaben. Aber sein Schweher / der Dirnen vater / sprach zu jm / Sihe der tag lest abe vnd wil abend werden / bleib vber nacht / Sihe hie ist Herberge noch diesen tag / bleib hie vber nacht / vnd las dein hertz guter ding sein / Morgen so stehet jr früe auff vnd ziehet ewers wegs zu deiner Hütten.

ABer der Man wolt nicht vber nacht bleiben / Sondern macht sich auff / vnd zoch hin / vnd kam bis fur Jebus / das ist Jerusalem / vnd sein par Esel beladen / vnd sein Kebsweib mit jm. [11]Da sie

JEBUS.

Historia von des Leuiten Weibe.

nu bey Jebus kamen / fiel der tag fast dahin / Vnd der Knabe sprach zu seinem Herrn / Lieber zeuch vnd las vns in diese Stad der Jebusiter einkeren / vnd vber nacht drinnen bleiben. [12]Aber sein Herr sprach zu jm / Wir wöllen nicht in der Frembden Stad einkeren / die nicht sind von den kindern Jsrael / Sondern wöllen hin vber gen Gibea. [13]Vnd sprach zu seinem Knaben / Gehe fort / das wir hinzu komen an einen ort / vnd vber nacht zu Gibea oder zu Rama bleiben.

[14]VND sie zogen fort vnd wandelten / vnd die Sonne gieng jnen vnter hart bey Gibea / die da ligt vnter BenJamin. [15]Vnd sie kereten daselbs ein / das sie hinein kemen / vnd vber nacht zu Gibea blieben. Da er aber hin ein kam / satzt er sich in der Stad gassen / Denn es war niemand / der sie die nacht im Hause herbergen wolt.

VND sihe / da kam ein alter Man von seiner erbeit vom Felde am abend / vnd er war auch vom gebirge Ephraim / vnd ein Frembdling zu Gibea / Aber die Leute des orts waren kinder Jemini. [17]Vnd da er seine augen auffhub / vnd sahe den Gast auff der gassen / sprach er zu jm / Wo wiltu hin? vnd wo kompstu her? [18]Er aber antwortet jm / Wir reisen von Bethlehem Juda / bis wir komen an die seite des gebirges Ephraim / da her ich bin / Vnd bin gen Bethlehem Juda gezogen / vnd ziehe jtzt zum Hause des HERRN / vnd niemand wil mich herbergen. [19]Wir haben stro vnd futter fur vnser Esel / vnd brot vnd wein fur mich vnd deine Magd vnd fur den Knaben / der mit deinem Knecht ist / das vns nichts gebricht. [20]Der alte Man sprach / Friede sey mit dir / Alles was dir mangelt findestu bey mir / bleib nur nicht vber nacht auff der gassen. [21]Vnd füret jn in sein Haus / vnd gab den Eseln futter / Vnd sie wuschen jre füsse / vnd assen vnd truncken.

VND da jr hertz nu guter dinge war / Sihe / da kamen die Leute der Stad / böse Buben / vnd vmbgaben das haus / vnd pochten an die thür / vnd sprachen zu dem alten Man / dem Hauswirt / Bringe den Man er aus / der in dein haus komen ist / das wir jn erkennen. [23]Aber der Man der Hauswirt gieng zu jnen er aus / vnd sprach zu jnen / Nicht meine Brüder / thut nicht so vbel / nach dem dieser Man in mein haus komen ist / thut nicht eine solche torheit. [24]Sihe / ich habe eine Tochter noch eine

Gen. 19.

|| 145 a

Jungfraw / vnd dieser ein Kebsweib / die wil ich euch er aus bringen / Die möcht jr zu schanden machen / || vnd thut mit jnen was euch gefellet / Aber an diesem Man thut nicht eine solche torheit. [25]Aber die Leute wolten jm nicht gehorchen. Da fasset der Man sein Kebsweib / vnd bracht sie zu jnen hin aus / Die erkenneten sie / vnd zuerbeiten sich die gantze nacht / bis an den morgen / Vnd da die Morgenröte anbrach / liessen sie sie gehen. [26]Da kam das Weib hart vor morgens vnd fiel nider fur der thür am hause des Mans / da jr Herr innen war / vnd lag da bis es liecht ward.

Grewliche that.

DA nu jr Herr des morgens auff stund / vnd die thür auffthet am Hause vnd er ausgieng das er seines wegs zöge / Sihe / da lag sein Kebsweib fur der thür des hauses / vnd jre Hende auff der schwelle. [28]Er aber sprach zu jr / Stehe auff / las vns zihen / Aber sie antwortete nicht. Da nam er sie auff den Esel / macht sich auff / vnd zoch an seinen ort. [29]Als er nu heim kam / nam er ein Messer vnd fasset sein Kebsweib / vnd stücket sie mit bein vnd mit alle / in zwelff stück / vnd sandte sie in alle grentze Jsrael. [30]Wer das sahe der sprach / Solchs ist nicht geschehen noch gesehen / sint der zeit die kinder Jsrael aus Egyptenland gezogen sind / bis auff diesen tag / Nu bedenckt euch vber dem / vnd gebt rat / vnd sagt an.

## XX.

Osec. 10.

DA ZOGEN DIE KINDER JSRAEL AUS / VND VERsamleten sich zu hauff wie ein Man / von Dan bis gen Berseba / vnd vom land Gilead zu dem HERRN gen Mizpa / [2]Vnd tratten zu hauff die Obersten des gantzen volcks aller stemme Jsrael / in der gemeine Gottes / vier hundert tausent Man zu fuss / die das schwert auszogen. [3]Aber die kinder BenJamin höreten / das die kinder Jsrael hinauff gen Mizpa gezogen waren. Vnd die kinder Jsrael sprachen / Saget / wie ist das vbel zugangen?

[4]DA antwortet der Leuit / des weibs Man die erwürget war / vnd sprach. Jch kam gen Gibea in BenJamin mit meinem Kebsweibe vber nacht da zubleiben. [5]Da machten sich wider mich auff / die Bürger zu Gibea / vnd vmbgaben mich im haus des nachts / vnd gedachten mich zu erwürgen / vnd haben mein Kebsweib geschendet / das sie gestor-

Ben Jamin schier gar vertilget etc.

ben ist. [6]Da fasset ich mein Kebsweib vnd zustücket sie / vnd sand es in alle feld des erbes Jsrael / Denn sie haben einen mutwillen vnd torheit gethan in Jsrael / [7]Sihe / da seid jr kinder Jsrael alle / schafft euch rat vnd thut hie zu.

DA macht sich alles Volck auff wie ein Man / vnd sprach / Es sol niemand in seine hütten gehen / noch in sein haus keren. [9]Sondern das wollen wir jtzt thun wider Gibea / [10]Lasst vns lossen / vnd nemen zehen Man von hundert / vnd hundert von tausent / vnd tausent von zehen tausent / aus allen stemmen Jsrael / das sie speise nemen fur das volck / das sie komen vnd thun mit Gibea Ben Jamin / nach all jrer torheit / die sie in Jsrael gethan haben. [11]Also versamleten sich zu der Stad alle Menner Jsrael / wie ein Man vnd verbunden sich.

[12]VND die stemme Jsrael sandten Menner zu allen geschlechten Ben Jamin / vnd liessen jnen sagen / Was ist das fur eine Bosheit die bey euch geschehen ist? [13]So gebt nu her die Menner / die bösen Buben zu Gibea / das wir sie tödten / vnd das vbel aus Jsrael thun. Aber die kinder Ben Jamin wolten nicht gehorchen der stim jrer Brüder der kinder Jsrael / [14]Sondern sie versamleten sich aus den Stedten gen Gibea / auszuziehen in den streit wider die kinder Jsrael. [15]Vnd wurden des tags gezelet die kinder Ben Jamin aus den Stedten / sechs vnd zwenzig tausent Man / die das schwert auszogen / On die Bürger zu Gibea / der wurden sieben hundert gezelet ausserlesen Man. [16]Vnd vnter allem diesem volck waren sieben hundert Man ausserlesen / die Linck waren / vnd kunden mit der Schleuder ein har treffen / das sie nicht feileten. ‖ ‖ 145 b

ABer der von Jsrael (on die von Ben Jamin) wurden gezelet vier hundert tausent Man / die das schwert füreten / vnd alle streitbar Menner. [18]Die machten sich auff / vnd zogen hin auff zum hause Gottes / vnd fragten Gott / vnd sprachen / Wer sol fur vns hin auff ziehen den streit anzufahen mit den kindern Ben Jamin? Der HERR sprach / Juda sol anfahen. [19]Also machten sich die kinder Jsrael des morgens auff vnd lagerten sich fur Gibea. [20]Vnd ein jederman von Jsrael gieng er aus zu streitten mit Ben Jamin / vnd schickten sich zu streitten wider Gibea. [21]Da fielen die kinder Ben Jamin er aus aus Gibea / vnd schlugen des tags vnter Jsrael zwey vnd zwenzig tausent zu boden.

Non petunt victoriam / sed viribus presumunt / et iusticia sua confidunt / ac animantur malicia filiorum Ben Jamin.

22000.

BenJamin schier gar vertilget etc.

ABer das volck der Man von Jsrael ermannet sich / vnd rüsteten sich noch weiter zu streiten / am selben ort / da sie sich des vorigen tages gerüstet hatten. [23]Vnd die kinder Jsrael zogen hin auff vnd weineten fur dem HERRN bis an den abend / Vnd fragten den HERRN / vnd sprachen / Sollen wir mehr nahen zu streitten mit den kindern BenJamin / vnsern Brüdern? Der HERR sprach / Ziehet hin auff zu jnen. [24]Vnd da die Kinder Jsrael sich machten an die kinder BenJamin des andern tages / [25]fielen die BenJamiter er aus aus Gibea jnen entgegen des selben tages / vnd schlugen von den kindern Jsrael noch achzehen tausent zu boden / die alle das schwert füreten.

Adhuc non petunt / Jdeo neque promittitur victoria.

18000.

DA zogen alle kinder Jsrael hin auff / vnd alles Volck / vnd kamen zum hause Gottes / vnd weineten / vnd blieben daselbs fur dem HERRN / vnd fasteten den tag bis zu abend / vnd opfferten Brandopffer vnd Danckopffer fur dem HERRN. [27]Vnd die kinder Jsrael fragten den HERRN (Es war aber daselbs die Lade des bunds Gottes zu der selbigen zeit / [28]vnd Pinehas / der son Eleasar Aarons son / stund fur jm zu der selbigen zeit) vnd sprachen / Sollen wir mehr ausziehen zu streiten mit den kindern BenJamin vnsern Brüdern / Oder sol ich ablassen? Der HERR sprach / Ziehet hinauff / Morgen wil JCH sie in ewre hende geben.

PINEHAS.

JCH / spricht Gott wils thun. Bisher habt jrs wollen thun / Aber es heist / Jch nicht jr.

[29]VND die kinder Jsrael bestelleten einen Hinderhalt auff Gibea vmb her [30]vnd zogen also die kinder Jsrael hinauff / des dritten tags an die kinder BenJamin / vnd rüsteten sich an Gibea / wie vor zwey mals. [31]Da furen die kinder BenJamin er aus / dem Volck entgegen / vnd rissen sich von der Stad / vnd fiengen an zu schlahen / vnd zuuerwunden vom Volck / wie vor zwey mals im feld auff zwo strassen / der eine gen BethEl / die ander gen Gibea gehet / bey dreissig man in Jsrael. [32]Da gedachten die kinder BenJamin / Sie sind geschlagen fur vns / wie vor hin. Aber die kinder Jsrael sprachen / Last vns fliehen / das wir sie von der Stad reissen auff die strassen.

[33]DA machten sich auff alle man von Jsrael von jrem ort / vnd rüsteten sich zu BaalThamar. Vnd der Hinderhalt Jsrael brach erfür an seinem Ort / von der höle Gaba / [34]vnd kamen gegen Gibea zehen tausent Man / ausserlesen aus gantzem Jsrael / das der streit hart ward / Sie wusten aber nicht /

Ben Jamin schier gar ausgetilget.

das sie das vnglück treffen würde. [35]Also schlug der HERR Ben Jamin fur den kindern Jsrael / das die kinder Jsrael auff den tag verderbeten fünff vnd zwenzig tausent / vnd hundert Man in Ben Jamin / die alle das schwert füreten. [36]Denn da die kinder Ben Jamin sahen das sie geschlagen waren / Gaben jnen die menner Jsrael raum / Denn sie verliessen sich auff den Hinderhalt / den sie bey Gibea bestellet hatten. [37]Vnd der Hinderhalt eilet auch / vnd brach erfur zu Gibea zu / vnd zog sich hin an vnd schlug die gantze Stad mit der scherffe des schwerts.

Der HERR schlug sie / nicht Jsrael / Denn es heisst / Gloria in excelsis Deo etc.

[38]S Je hatten aber eine Losung mit ein ander / die Menner von Jsrael vnd der Hinderhalt / mit dem schwert vber sie zu fallen / wenn der rauch von der Stad sich erhübe. [39]Da nu die Menner von Jsrael sich wandten im streit / vnd Ben Jamin anfieng zu schlahen / vnd verwundten in Jsrael bey dreissig Man / vnd gedachten / Sie sind fur vns geschlagen wie im vorigen streit / [40]Da fieng ‖ an sich zurheben von der Stad ein rauch stracks vber sich / Vnd Ben Jamin wand sich hinder sich / vnd sihe / Da gieng die Stad gantz auff gen Himel.

‖ 146 a

[41]VND die Menner von Jsrael wandten sich vmb / vnd erschreckten die menner Ben Jamin / denn sie sahen / das sie das vnglück treffen wolt / [42]vnd wandten sich fur den mennern Jsrael / auff den weg zur wüsten / Aber der streit folget jnen nach / Dazu die von den Stedten hin einkomen waren / die verderbeten sie drinnen. [43]Vnd sie vmbringeten Ben Jamin vnd jagten jm nach / bis gen Menuah / vnd zutratten sie bis fur Gibea / gegen der Sonnen auffgang. [44]Vnd es fielen von Ben Jamin achzehen tausent Man / die alle streitbare Menner waren.

[45]DA wandten sie sich vnd flohen zu der wüsten / an den fels Rimmon / Aber auff derselben strassen schlugen sie fünff tausent Man / vnd folgeten jnen hinden nach bis gen Gideom / vnd schlugen jr zwey tausent. [46]Vnd also fielen des tags von Ben Jamin fünff vnd zwenzig tausent Man die das schwert füreten / vnd alle streitbare Menner waren. [47]Nur sechs hundert Man wandten sich vnd flohen zur wüsten zum fels Rimmon / vnd blieben im fels Rimmon vier monden. [48]Vnd die menner Jsrael kamen wider zu den kindern Ben Jamin vnd schlugen mit der scherffe des schwerts die in der Stad /

25000. Ben Jamiter erschlagen.

Ben Jamin schier gar ausgetilget.

beide Leute vnd Vieh vnd alles was man fand / vnd alle Stedte die man fand / verbrand man mit fewr.

XXI.

DJe Menner aber Jsrael hatten zu Mizpa geschworen vnd gesagt / Niemand sol seine Tochter den Ben Jamitern zum Weibe geben. [2]Vnd das Volck kam zu dem hause Gottes / vnd bleib da bis zu abend fur Gott / vnd huben auff jre stimme / vnd weineten seer / [3]vnd sprachen / O HERR Gott von Jsrael / Warumb ist das geschehen in Jsrael / das heute eines Stams von Jsrael weniger worden ist? [4]Des andern morgens machte sich das Volck früe auff / vnd bawete da einen Altar / vnd opfferten Brandopffer vnd Danckopffer.

VND die kinder Jsrael sprachen / Wer ist jrgent von den stemmen Jsrael / der nicht mit der Gemeine ist er auff komen zum HERRN? Denn es war ein grosser Eid geschehen / das / wer nicht hin auff keme zum HERRN gen Mizpa / der solt des tods sterben. [6]Vnd es rewete die kinder Jsrael vber Ben Jamin jre brüdere / vnd sprachen / Heute ist ein Stam von Jsrael abgebrochen / [7]Wie wollen wir jnen thun / das die vbrigen Weiber kriegen? Denn wir haben geschworen bey dem HERRN / das wir jnen von vnsern Töchtern nicht Weiber geben.

VND sprachen / Wer ist jrgent von den stemmen Jsrael / die nicht hin auff komen sind zum HERRN gen Mizpa? Vnd sihe / da war niemand gewesen im Lager der gemeine / von Jabes in Gilead / [9]Denn sie zeleten das volck / vnd sihe / da war kein Bürger da von Jabes in Gilead. [10]DA sandte die Gemeine zwelff tausent Man dahin / von streitbarn mennern / vnd geboten jnen / vnd sprachen / Gehet hin vnd schlagt mit der schwerff des schwerts / die Bürger zu Jabes in Gilead / mit Weib vnd Kind. [11]Doch also solt jr thun / Alles was Menlich ist / vnd alle Weiber die beim man gelegen sind verbannet. [12]Vnd sie funden bey den Bürgern zu Jabes in Gilead / vier hundert Dirnen / die Jungfrawen / vnd bey keinem man gelegen waren / die brachten sie ins Lager gen Silo die da ligt im lande Canaan.

DA sandte die gantze Gemeine hin / vnd lies reden mit den kindern Ben Jamin / die im fels Rimmon waren / vnd rieffen jnen friedlich. [14]Also kamen die kinder Ben Jamin wider zu derselbigen

Vbrigen aus dem stam BenJamin weiber bekomen etc.

zeit / Vnd gaben jnen die Weiber / die sie hatten erhalten von den weibern Jabes zu Gilead / vnd fun‖den keine mehr also. [15]Da rewet es das volck vber BenJamin das der HERR ein Riss / gemacht hatte / in den stemmen Jsrael. ‖ 146b

VNd die Eltesten der Gemeine sprachen / Was wollen wir thun / das die vbrigen auch weiber kriegen? Denn die weiber in BenJamin sind vertilget. [17]Vnd sprachen / Die vbrigen von BenJamin müssen ja jr Erbe behalten / das nicht ein Stam ausgetilget werde von Jsrael. [18]Vnd wir können jnen vnsere Töchter nicht zu weibern geben / Denn die kinder Jsrael haben geschworen vnd gesagt / Verflucht sey / der den BenJamitern ein weib gibt.

[19]VND sie sprachen / Sihe / Es ist ein Jarfest des HERRN zu Silo / die zur Mitternacht werts ligt BethEl / gegen der Sonnen auffgang / auff der strassen / da man hin auff gehet von BethEl gen Sichem / vnd von mittag werts ligt sie gegen Libona. [20]Vnd sie geboten den kindern BenJamin / vnd sprachen / Gehet hin / vnd lauret in den Weinbergen / [21]Wenn jr denn sehet / das die töchter Silo er aus mit Reigen zum Tantz gehen / so faret erfür aus den Weinbergen / vnd neme ein jglicher jm ein Weib von den töchtern Silo / vnd gehet hin ins land BenJamin. [22]Wenn aber jre Veter oder Brüder komen mit vns zu rechten / wollen wir zu jnen sagen / Seid jnen gnedig / denn wir haben sie nicht genomen mit streit / Sondern jr wolt sie jnen nicht geben / Die schuld ist jtzt ewer.

[23]DJe kinder BenJamin thaten also / vnd namen Weiber nach jrer zal / von den Reigen / die sie raubten / Vnd zogen hin / vnd woneten in jrem Erbteil vnd baweten Stedte vnd woneten drinne. [24]Auch die kinder Jsrael machten sich von dannen zu der zeit / ein jglicher zu seinem Stam vnd zu seinem Geschlecht / Vnd zogen von dannen aus / ein jglicher zu seinem Erbteil. [25]Zu der zeit war kein König in Jsrael / Ein jglicher thet was jn recht dauchte.

Ende des Buchs der Richter.

# DAS BUCH RUTH.

## I.

ZUR ZEIT DA DIE RICHTER REGIERTEN / WARD EIN Tewrung im Lande. Vnd ein Man von Bethlehem Juda / zoch wallen in der Moabiter land / mit seinem Weibe vnd zween Sönen / [2]der hies EliMelech / vnd sein weib Naemi / vnd seine zweene söne Mahlon vnd ChilJon die waren Ephrater von Bethlehem Juda. Vnd da sie kamen ins land der Moabiter / blieben sie daselbs. [3]Vnd EliMelech der Naemi man starb / Vnd sie bleib vberig mit jren zween Sönen / [4]die namen Moabitische weiber / Eine hies Arpa / die ander Ruth. Vnd da sie daselbs gewonet hatten / bey zehen jar / [5]storben sie alle beide / Mahlon vnd ChilJon / das das Weib vberbleib beiden Sönen vnd jrem Man.

THEWRUNG.

ELIMELECH.

ARPA. RUTH.

DA macht sie sich auff mit jren zwo Schnüren / vnd zoch wider aus der Moabiter lande / Denn sie hatte erfaren im Moabiter lande / das der HERR sein Volck hatte heimgesucht / vnd jnen Brot gegeben. [7]Vnd ‖ gieng aus von dem Ort da sie gewesen war / vnd jre beide Schnür mit jr. Vnd da sie gieng auff dem wege / das sie wider keme ins land Juda / [8]sprach sie zu jren beiden Schnüren / Gehet hin / vnd keret vmb / eine jgliche zu jrer Mutter haus / Der HERR thue an euch Barmhertzigkeit / wie jr an den Todten / vnd an mir gethan habt. [9]Der HERR gebe euch das jr ruge findet eine jgliche in jres Mans hause / Vnd küsset sie.

‖ 147a

DA huben sie jre stimme auff / vnd weineten / [10]vnd sprachen zu jr / Wir wollen mit dir zu deinem volck gehen. [11]Aber Naemi sprach / Keret vmb meine töchter / Warumb wolt jr mit mir gehen? Wie kan ich fürder Kinder in meinem Leib haben / die ewr Menner sein möchten? [12]Keret vmb meine Töchter / vnd gehet hin / Denn ich bin nu zu alt das ich einen Man neme. Vnd wenn ich spreche / Es ist zu hoffen das ich diese nacht einen Man neme / vnd kinder gebere / [13]Wie künd jr doch harren / bis sie gros würden? Wie wolt jr verziehen / das jr nicht Mener soltet nemen? Nicht meine töchter / Denn mich jamert ewr seer / Denn des HERRN hand ist vber mich ausgegangen.

DA huben sie jre stimme auff / vnd weineten noch mehr / vnd Arpa küsset jre Schwiger / Ruth

ARPA. RUTH.

kompt wider gen Bethlehem aus der Moabiter land etc.

aber bleib bey jr. [15]Sie aber sprach / Sihe / deine Schwegerin ist vmbgewand zu jrem Volck vnd zu jrem Gott / Kere du auch vmb deiner Schwegerin nach. [16]Ruth antwortet / Rede mir nicht drein / das ich dich verlassen solt / vnd von dir vmbkeren. Wo du hin gehest da wil ich auch hingehen / Wo du bleibst / da bleibe ich auch / Dein Volck ist mein volck / vnd dein Gott ist mein Gott. [17]Wo du stirbest / da sterbe ich auch / da wil ich auch begraben werden / Der HERR thue mir dis vnd das / Der Tod mus mich vnd dich scheiden.

ALS sie nu sahe / das sie feste im sinn war mit jr zu gehen / lies sie ab mit jr dauon zu reden. [19]Also giengen die beide mit einander / bis sie gen Bethlehem kamen. Vnd da sie zu Bethlehem einkamen / reget sich die gantze Stad vber jnen / vnd sprach / Jst das die Naemi? [20]Sie aber sprach zu jnen / Heisst mich nicht Naemi / sondern Mara / denn der Allmechtige hat mich seer betrübt. [21]Vol zoch ich aus / Aber leer hat mich der HERR wider heim bracht. Warumb heisst jr mich denn Naemi? so mich doch der HERR gedemütiget / vnd der Allmechtige betrübt hat? [22]Es war aber vmb die zeit / das die Gersten erndte angieng / da Naemi vnd jr Schnur Ruth die Moabitin widerkamen / vom Moabiter land gen Bethlehem.

(NAEMI) Heist meine lust.
(MARA) Heisst bitter / oder betrübt.

## II.

ES WAR AUCH EIN MAN / DER NAEMI MAN FREUNde / von dem geschlecht EliMelech / mit namen Boas / der war ein weidlicher Man.

VND Ruth die Moabitin sprach zu Naemi / Las mich auffs Feld gehen vnd Ehern aufflesen / dem nach / fur dem ich gnade finde. Sie aber sprach zu jr / Gehe hin meine Tochter. [3]Sie gieng hin / kam vnd las auff den Schnittern nach auff dem felde. Vnd es begab sich eben / das das selbe feld / war des Boas der von dem geschlecht EliMelech war. [4]Vnd sihe / Boas kam eben von Bethlehem / vnd sprach zu den Schnittern / Der HERR mit euch / Sie antworten / Der HERR segene dich.

VND Boas sprach zu seinem knaben / der vber die Schnitter gestellet war / Wes ist die Dirne? [6]Der Knabe / der vber die Schnitter gestellet war / antwortet vnd sprach / Es ist die Dirne die Moabitin / die mit Naemi widerkomen ist von der Moabiterland. [7]Denn sie sprach / Lieber / Lasst mich aufflesen vnd samlen vnter den garben / den Schnittern nach / Vnd ist also komen / vnd da gestanden von morgen an bis her / vnd bleibt wenig daheime. ||

|| 147b

[8]DA sprach Boas zu Ruth / Hörstu es / meine tochter? Du solt nicht gehen auff einen andern Acker auffzulesen / vnd gehe auch nicht von hinnen / Sondern halt dich zu meinen Dirnen / [9]vnd sihe wo sie schneiten im felde / da gehe jnen nach / Jch hab meinem Knaben geboten / das dich niemand antaste. Vnd so dich dürstet / so gehe hin zu dem gefess vnd trincke / da meine Knaben schepffen. [10]Da fiel sie auff jr angesicht vnd betet an zur erden / vnd sprach zu jm / Wo mit hab ich die Gnade funden fur deinen augen / das du mich erkennest / die ich doch Frembd bin.

Das ist / Sie ist nicht der Metzen eine / die da heim auffm Polster sitzen vnd faulentzen etc.

BOas antwortet / vnd sprach zu jr / Es ist mir angesagt / alles was du gethan hast an deiner Schwiger / nach deines Mans tod / Das du verlassen hast deinen Vater vnd deine Mutter vnd dein Vaterland / vnd bist zu einem Volck gezogen / das du zuuor nicht kandtest. [12]Der HERR vergelte dir deine that / vnd müsse dein Lohn volkomen sein bey dem HERRN dem Gott Jsrael / zu welchem du komen bist / das du vnter seinen Flügeln zuuersicht hettest. [13]Sie sprach / Las mich gnade fur deinen augen finden / mein Herr / Denn du hast mich getröstet / vnd deine Magd freundlich angesprochen / So ich doch nicht bin / als deiner Megde eine.

[14]BOas sprach zu jr / Wens essens zeit ist / so mache dich hie her zu / vnd iss des Brots / vnd tuncke deinen bissen in den Essig. Vnd sie satzt sich zur seiten der Schnitter. Er aber legt jr Sangen fur / Vnd sie ass / vnd ward sat / vnd lies vber. [15]Vnd da sie sich auffmacht zulesen / gebot Boas seinen Knaben / vnd sprach / Lasst sie auch zwisschen den garben lesen / vnd beschemet sie nicht / [16]Auch von den hauffen lasst vberbleiben vnd lasst liegen / das sie es aufflese / vnd niemand schelte sie drumb.

ALso las sie auff dem felde bis zu abend / vnd schlugs aus was sie auffgelesen hatte / vnd es war bey eim Epha gersten. [18]Vnd sie hubs auff / vnd kam in die Stad / vnd jre Schwiger sahe es / was sie gelesen hatte / Da zog sie erfur vnd gab jr / was jr vbrig blieben war / da sie sat von war worden.

[19]DA sprach jre Schwiger zu jr / Wo hastu heut gelesen vnd wo hastu geerbeitet? Gesegenet sey der dich erkennet hat. Sie aber sagts jrer Schwiger / bey wem sie geerbeitet hette / vnd sprach / Der Man bey dem ich heute geerbeitet habe heisst Boas.

[20]NAemi aber sprach zu jrer Schnur / Gesegenet sey er dem HERRN / denn er hat seine barmhertzigkeit nicht gelassen beide an den lebendigen vnd an den todten. Vnd Naemi sprach zu jr / Der Man gehöret vns zu / vnd ist vnser Erbe. [21]Ruth die Moabitin sprach / Er sprach auch das zu mir / Du solt dich zu meinen Knaben halten / bis sie mir alles eingeerndtet haben. [22]Naemi sprach zu Ruth jrer Schnur / Es ist besser mein Tochter / das du mit seinen Dirnen aus gehest / Auff das nicht jemand dir drein rede auff eim andern acker. [23]Also hielt sie sich zu den Dirnen Boas / das sie las bis das die Gerstenernd vnd Weitzenernd auswar / vnd kam wider zu jrer Schwiger.

## III.

VND NAEMI JRE SCHWIGER SPRACH ZU JR / MEIN Tochter / Jch wil dir ruge schaffen / das dirs wolgehe. [2]Nu der Boas vnser Freund / bey des Dirnen du gewesen bist / worffelt diese nacht gersten auff seiner Tennen. [3]So bade dich / vnd salbe dich / vnd lege dein Kleid an vnd gehe hin ab auff die Tenne / das dich niemand kenne / bis man gantz gessen vnd getruncken hat. [4]Wenn er sich denn leget / so merck den Ort da er sich hin leget / vnd kom vnd decke auff zu seinen füssen / vnd lege dich / So wird er dir wol sagen was du thun solt. [5]Sie sprach zu jr / Alles was du mir sagest wil ich thun.‖ ‖ 148 a

SJE gieng hin ab zur Tennen / vnd thet alles / wie jr Schwiger geboten hatte. [7]Vnd da Boas gessen vnd getruncken hatte / ward sein hertz guter dinge / vnd kam vnd legt sich hinder einen Mandel / Vnd sie kam leise vnd decket auff zu seinen füssen / vnd legt sich. [8]Da es nu mitternacht ward / erschrack der Man vnd erschuttert / Vnd sihe / ein Weib lag zu seinen füssen. [9]Vnd er sprach / Wer bistu? Sie antwortet / Jch bin Ruth deine magd / Breite deinen flügel vber deine Magd / denn du bist der Erbe.

[10]ER aber sprach / Gesegnet seistu dem HERRN meine tochter / Du hast eine bessere barmhertzigkeit hernach gethan / denn vorhin / das du nicht bist den Jünglingen nachgegangen / weder reich noch arm. [11]Nu meine Tochter / fürchte dich nicht / Alles was du sagest / wil ich dir thun / Denn die gantze Stad meins Volcks weis / das du ein tugentsam Weib bist. [12]Nu es ist war / das ich der Erbe bin / Aber es ist einer neher denn ich. [13]Bleib vber nacht / morgen so er dich nimpt / wol / Gelüstets jn aber nicht / dich zunemen / so wil ich dich nemen / so war der HERR lebt / schlaff bis morgen. [14]Vnd sie schlieff bis morgen / zu seinen füssen.

VND sie stund auff / ehe denn einer den andern kennen mocht. Vnd er gedacht / Das nur niemand innen werde / das ein Weib in die tennen komen sey. [15]Vnd sprach / Lange her den Mantel den du anhast / Vnd halt jn zu / Vnd sie hielt jn zu. Vnd er mas sechs mas gersten / vnd legts auff sie / Vnd er kam in die Stad. [16]Sie aber kam zu jrer Schwiger / die sprach / Wie stehets mit dir / meine Tochter? Vnd sie saget jr alles was jr der Man gethan hatte / [17]vnd sprach / Diese sechs mas gersten gab er mir / denn er sprach / Du solt nicht leer zu deiner Schwiger komen. [18]Sie aber sprach / Sey stille / meine Tochter / bis du erferest wo es hinaus wil / Denn der Man wird nicht rugen / er brings denn heute zu ende.

## IIII.

BOAS GIENG HIN AUFF INS THOR / VND SATZT SICH daselbs. Vnd sihe / da der Erbe fur vber gieng / redet Boas mit jm / vnd sprach / Kom vnd setze dich etwa [a]hie oder da her / Vnd er kam vnd satzt sich.

a Ploni / almoni / Nomen loci incerti. id est / aliquo / Wo du wilt.

VND er nam zehen Menner von den Eltesten der Stad / vnd sprach / Setzt euch her / Vnd sie satzten sich. [3]Da sprach er zu dem Erben / Naemi / die vom lande der Moabiter wider komen ist / beut feil das stück Felds das vnsers Bruders war EliMelech. [4]Darumb gedacht ichs fur deine ohren zu bringen / vnd sagen / Wiltu es beerben / so keuff es fur den Bürgern / vnd fur den Eltesten meines volcks. Wiltu es aber nicht beerben / so sage mirs / das ichs wisse / Denn es ist kein Erbe on du / vnd ich nach dir. Er sprach / Jch wils beerben.

Boas nimpt Ruth zum weib.

BOas sprach / Welchs tags du das Feld keuffest von der hand Naemi / so mustu auch Ruth die Moabitin / des verstorben Weib nemen / das du dem Verstorbenen einen namen erweckest auff sein Erbteil. [6]Da sprach er / Jch mags nicht beerben / das ich nicht vieleicht mein erbteil verderbe / Beerbe du was ich beerben sol / denn ich mags nicht beerben. [7]Es war aber von alters her eine solche gewonheit in Jsrael / Wenn einer ein Gut nicht beerben / noch erkeuffen wolt / Auff das allerley sache bestünde / so zog er seinen schuch aus / vnd gab jn dem andern / Das war das zeugnis in Jsrael.

Deut. 25.

[8]VND der Erbe sprach zu Boas / keuffe du es / Vnd zog seinen schuch aus. [9]Vnd Boas sprach zu den Eltesten vnd zu allem volck / Jr seid heute Zeugen / das ich alles gekaufft habe / was EliMelech gewesen ist / vnd alles was ChilJon vnd Mahlon / von der hand Naemi. [10]Dazu auch Ruth die Moabitin Mahlons weib / neme ich zum Weibe / das ich dem Verstorbenen einen Namen er‖wecke auff sein Erbteil / vnd sein name nicht ausgerottet werde vnter seinen Brüdern / vnd aus dem thor seines orts / Zeugen seid jr des heute.

‖ 148 b

[11]VND alles Volck das im thor war / sampt den Eltesten / sprachen / Wir sind Zeugen / Der HERR mache das Weib das in dein Haus kompt / wie Rahel vnd Lea / die beide das haus Jsrael gebawet haben / vnd wachse seer in Ephrata / vnd werde gepreiset zu Bethlehem. [12]Vnd dein Haus werde / wie das haus Perez / den Thamar Juda gebar / von dem Samen / den dir der HERR geben wird von dieser Dirnen.

Jd est / Det Deus vt cum illa magnificeris / vt certe factum est / nam peperit Obed / auum Dauidis.

Gen. 38.

ALso nam Boas die Ruth / das sie sein Weib ward / Vnd da er bey jr lag / gab jr der HERR / das sie schwanger ward / vnd gebar einen son. [14]Da sprachen die weiber zu Naemi / Gelobt sey der HERR der dir nicht hat lassen abgehen einen Erben zu dieser zeit / das sein name in Jsrael bliebe / [15]Der wird dich erquicken / vnd dein alter versorgen / Denn deine Schnur / die dich geliebt hat / hat jn geboren / welche dir besser ist / denn sieben Söne.

[16]VND Naemi nam das Kind / vnd legts auff jren schos / vnd ward seine Warterin / [17]Vnd jre Nachbarin gaben jm einen namen / vnd sprachen / Naemi ist ein Kind geboren / vnd hiessen jn

Obed / Der ist der vater Jsai / welcher ist Dauids vater.

OBED.

Math. I.

DJS ist das geschlecht Perez. Perez zeuget Hezron. [19]Hezron zeuget Ram. Ram zeuget Amminadab. [20]Amminadab zeuget Nahesson. Nahesson zeuget Salma. [21]Salmon zeuget Boas. Boas zeuget Obed. [22]Obed zeuget Jsai. Jsai zeuget Dauid.

PEREZ geschlechte.

Ende des Buchs Ruth.

# DAS ERSTE BUCH SAMUEL.

## I.

Elkana.

ES WAR EIN MAN VON RAMATHAIM ZOPHIM / VOM gebirge Ephraim / der hies ElKana / ein son Jeroham / des sons Elihu / des sons Thohu / des sons Zuph / welcher von Ephrath war. [2]Vnd er hatte zwey Weiber / eine hies Hanna / die ander Peninna. Peninna aber hatte Kinder / vnd Hanna hatte keine kinder. [3]Vnd derselb Man gieng hinauff von seiner Stad zu seiner zeit / das er anbetet / vnd opffert dem HERRN Zebaoth zu Silo. Daselbs waren aber Priester des HERRN / Hophni vnd Pinehas die zween söne Eli.

HOHPNI. PINEHAS.

DA es nu eines tags kam / das ElKana opfferte / Gab er seinem weibe Peninna / vnd allen jren Sönen vnd Töchtern stücke / [5]Aber Hanna gab er ein stück traurig / denn er hatte Hanna lieb / Aber der HERR hatte jren Leib verschlossen. [6]Vnd jre Widerwertige betrübt sie / vnd trotzt sie seer / Das der HERR jren Leib verschlossen hette. [7]Also giengs alle jar wenn sie hin auff zoch zu des HERRN hause / vnd betrübt sie also / So weinet sie denn vnd ass nichts. [8]Elkana aber jr Man sprach zu jr / Hanna warumb weinestu? vnd warumb issestu nichts? vnd warumb gehabt sich dein hertz so vbel? Bin ich dir nicht besser / denn zehen Söne. ‖

‖ 149 a

HANNA gebet vnd Gelübde.

DA stund Hanna auff / nach dem sie gessen hatte zu Silo vnd getruncken (Eli aber der Prister sas auff eim stuel an der pfosten des Tempels des HERRN) [10]vnd sie war von hertzen betrübt / vnd bettet zum HERRN vnd weinet [11]vnd gelobt ein Gelübde / vnd sprach / HERR Zebaoth / Wirstu deiner Magd elend ansehen vnd an mich gedencken / vnd deiner Magd nicht vergessen / vnd wirst deiner Magd einen Son geben / So wil ich jn dem HERRN geben sein lebenlang / vnd sol kein Schermesser auff sein Heubt komen.

Eli.

[12]VND da sie lange betet fur dem HERRN / hatte Eli acht auff jren mund / [13]Denn Hanna redet in jrem hertzen / allein jre lippen regeten sich / vnd jre stimme höret man nicht. Da meinet Eli sie were truncken / [14]vnd sprach zu jr / Wie lange wiltu truncken sein? Las den wein von dir komen / den du bey dir hast. [15]Hanna aber antwortet / vnd sprach / Nein / mein Herr / Jch bin ein betrübt Weib / wein vnd starck getrenck hab ich nicht ge-

Hanna gebet vnd Gelübde.

truncken / Sondern hab mein hertz fur dem HERRN ausgeschut. [16]Du woltest deine Magd nicht achten / wie ein lose weib / Denn ich hab aus meinem grossen kummer vnd traurigkeit geredt bisher. [17]Eli antwortet / vnd sprach / Gehe hin mit frieden / der Gott Jsrael wird dir geben deine Bitte / die du von jm gebeten hast. [18]Sie sprach Las deine Magd gnade finden fur deinen augen. Also gieng das weib hin jres wegs vnd ass / vnd sahe nicht so trawrig.

VND des morgens früe machten sie sich auff / vnd da sie angebettet hatten fur dem HERRN / kereten sie widerumb / vnd kamen heim gen Ramath. Vnd ElKana erkandte sein weib Hanna / vnd der HERR gedacht an sie. [20]Vnd da etliche tage vmb waren ward sie schwanger vnd gebar einen Son / vnd hies jn Samuel / Denn ich hab jn von dem HERRN gebeten.

SAMUEL geborn.

VND da der Man ElKana hin auff zoch mit seinem gantzen Hause / das er dem HERRN opfferte das Opffer zur zeit gewönlich / vnd sein Gelübde / [22]zoch Hanna nicht mit hin auff / Sondern sprach zu jrem Man / Bis der Knabe entwenet werde so wil ich jn bringen / das er fur dem HERRN erscheine / vnd bleibe daselbs ewiglich. [23]ElKana jr Man sprach zu jr / So thu wie dirs gefelt / bleib bis du jn entwenest / Der HERR bestetige aber was er geredt hat.

ALso bleib das Weib / vnd seuget jren Son / bis das sie jn entwenet. [24]Vnd bracht jn mit jr hin auff / nach dem sie jn entwenet hatte / mit dreien Farren / mit einem Epha melh / vnd einer Flasschen weins / vnd bracht jn in das Haus des HERRN zu Silo. Der Knabe war aber noch jung / [25]Vnd sie schlachten einen Farren / vnd brachten den Knaben zu Eli. [26]Vnd sie sprach / Ah mein Herr / So war deine seele lebt / mein Herr / Jch bin das Weib / das hie bey dir stund / vnd bat den HERRN / [27]da ich vmb diesen Knaben bat. Nu hat der HERR meine bitte gegeben / die ich von jm bat. [28]Darumb geb ich jn dem HERRN wider sein lebe lang / weil er vom HERRN erbeten ist. Vnd sie betten daselbs den HERRN an.

II.

[1]Vnd Hanna betet / vnd sprach.

MEin hertz ist frölich in dem HERRN / Mein Horn ist erhöhet in dem HERRN. Mein Mund hat sich weit auffgethan vber meine Feinde / Denn ich frewe mich deines Heils.

[2]ES ist niemand heilig wie der HERR / Ausser dir ist keiner Vnd ist kein Hort / wie vnser Gott ist.

[3]LAsst ewr gros rhümen vnd trotzen / Lasst aus ewrem munde das [a]Alte / Denn der HERR ist ein Gott / der es merckt / Vnd lesst solch furnemen nicht gelingen. ‖

a (Alte) Das feste / gewis ehrliche / Wie man spricht / Gewonheit / alt herkomen Landsitten vnd weise / Denn darauff trotzen die Leute / vnd sagen Ey lieber / die alte weise die beste / Vnser Vorfaren sind auch nicht Narren gewest. Vnd pochen also wider Gottes werck / als muste ers nicht endern noch newern.

‖ 149b

[4]Der boge der Starcken ist zubrochen / Vnd die Schwachen sind vmbgürtet mit stercke.

[5]Die da sat waren / Sind vmbs brot verkaufft worden / Vnd die hunger lidden hungert nicht mehr / Bis das die Vnfruchtbar sieben gebar / Vnd die viel Kinder hatte abnam.

Das ist / Sie müssen vmbs brot dienen.

[6]Der HERR tödtet / vnd macht lebendig / Füret in die Helle vnd wider er aus.

Deut. 32.

[7]Der HERR macht Arm vnd machet Reich / Er nidriget vnd erhöhet.

[8]Er hebt auff den Dürfftigen aus dem staub / vnd erhöhet den Armen aus dem kot / Das er jn setze vnter die Fürsten / vnd den stuel der ehren erben lasse / Denn der Welt ende sind des HERRN / Vnd er hat den Erdboden drauff gesetzt.

Psal. 113.

[9]ER wird behüten die füsse seiner Heiligen / Aber die Gottlosen müssen zu nicht werden im finsternis / Denn viel vermügen hilfft doch niemand.

[10]Die mit dem HERRN haddern / mussen zu grund gehen / Vber jnen wird er donnern im Himel.

DEr HERR wird richten der Welt ende / Vnd wird macht geben seinem Könige / Vnd erhöhen das Horn seines Gesalbten.

[11]ElKana aber gieng hin gen Ramath in sein haus / Vnd der Knabe war des HERRN Diener fur dem Priester Eli.

Eli söne.

ABer die söne Eli waren böse Buben / die fragten nicht nach dem HERRN [13]noch nach dem Recht der Priester an das volck. Wenn jemand etwas opffern wolt / So kam des Priesters knabe / weil das fleisch kochet / vnd hatte eine Krewel mit drey zacken in seiner hand / [14]vnd sties in den tiegel oder kessel oder pfan / oder töpffen / vnd was er mit der krewel erfür zog / das nam der Priester dauon /

Also theten sie dem gantzen Jsrael / die daselbs hin kamen zu Silo.

[15]DEsselben gleichen / ehe denn sie das fett anzündten / kam des Priesters knabe / vnd sprach zu dem / der das Opffer bracht / Gib mir das fleisch dem Priester zu braten / Denn er wil nicht gekocht fleisch von dir nemen / sondern roh. [16]Wenn denn jemand zu jm sagt / Las das fett anzünden / wie sichs heute gebürt / vnd nim darnach was dein hertz begert / So sprach er zu jm / Du solt mirs jtzt geben / Wo nicht / so wil ichs mit gewalt nemen. [17]Darumb war die sund der Knaben seer gros fur dem HERRN / Denn die Leute lesterten das Speisopffer des HERRN.

SAmuel aber war ein Diener fur dem HERRN / Vnd der Knabe war vmbgürtet mit eim leinen Leibrock. [19]Dazu macht jm seine Mutter ein kleinen Rock / vnd bracht jn jm hin auff zu seiner zeit / wenn sie mit jrem Man hin auff gieng zu opffern / die Opffer zu seiner zeit. [20]Vnd Eli segenet Elkana vnd sein Weib / vnd sprach / Der HERR gebe dir Samen von diesem Weibe / vmb die bitte die sie vom HERRN gebeten hat. Vnd sie giengen an jren ort. [21]Vnd der HERR sucht Hanna heim / das sie schwanger ward / vnd gebar drey Söne vnd zwo Töchter / Aber Samuel der knabe nam zu bey dem HERRN.

(Leibrock) Das waren Priesterliche kleider / Dauon Exod. 28.

ELi aber war seer alt / vnd erfur alles was seine Söne theten dem gantzen Jsrael / vnd das sie schlieffen bey den Weibern / die da dieneten fur der thür der Hütten des Stiffts. [23]Vnd er sprach zu jnen / Warumb thut jr solchs? Denn ich höre ewr böses wesen von diesem gantzen volck. [24]Nicht meine Kinder / das ist nicht ein gut geschrey / das ich höre / Jr macht des HERRN volck vbertretten. [a]Wenn jemand wider einen Menschen sundigt / so kans der der Richter schlichten / Wenn aber jemand wider den HERRN sündiget / wer kan fur jn bitten? Aber sie gehorchten jres Vaters stimme nicht / Denn der HERR hatte willen sie zu tödten. [26]Aber der knabe Samuel gieng vnd nam zu / vnd war angeneme bey dem HERRN / vnd bey den Menschen. ||

a Si Deus offenditur / et non ipse per se remiserit / non est aliquis alius / vel superior / qui inter ipsum offensum et offensorem mediare possit / sicut inter homines etc.

|| 150a

ES KAM ABER EIN MAN GOTTES ZU ELI / VND SPRACH zu jm / So spricht der HERR / Jch hab mich offenbart deines Vaters hause / da sie noch in Egypten waren in Pharao hause. [28]Vnd hab jn

drewung Gottes / wider Eli etc.

daselb mir erwelet fur allen stemmen Jsrael zum Priesterthum / das er opffern solt auff meinem Altar / vnd Reuchwerg anzünden / vnd den Leibrock fur mir tragen / vnd hab deines Vaters hause gegeben alle Fewr der kinder Jsrael. [29]Warumb leckestu denn wider meine Opffer vnd Speisopffer / die ich geboten hab in der Wonung / Vnd du ehrest deine Söne mehr denn Mich / das jr euch mestet von dem besten aller Speisopffer meines volcks Jsrael.

(Leckest) Gleich wie Act. 9. S. Paulus wider den stachel lecket / das ist / frech vnd mutwillig.

[30]DArumb spricht der HERR der Gott Jsrael / Jch hab geredt / Dein haus vnd deines Vaters haus solten wandeln fur mir ewiglich. Aber nu spricht der HERR / Es sey fern von mir / SONDERN WER MICH EHRET / DEN WIL ICH AUCH EHREN / WER ABER MICH VERACHT / DER SOL WIDER VERACHT WERDEN. [31]Sihe / Es wird die zeit komen das ich wil entzwey brechen deinen arm / vnd den arm deines vaters Haus / das kein Alter sey in deinem hause. [32]Vnd wirst sehen deinen Widerwertigen in der wonung / in allerley Gut / das Jsrael geschehen wird vnd wird kein Alter sein in deines Vaters hause ewiglich. [33]Doch wil ich aus dir niemand von [a] meinem Altar ausrotten / Auff das deine augen verschmachten / vnd deine seele sich greme / vnd alle menge deines Hauses sollen sterben / wenn sie Menner worden sind.

3. Reg. 2.

a Non auferam quidem de altari meo sed diu non viuent quia vbi adoleuerint / morientur.

[34]VND das sol dir ein Zeichen sein / das vber deine zween Söne Hophni vnd Pinehas komen wird / Auff einen tag werden sie beide sterben. [35]Jch aber wil mir einen trewen Priester erwecken / der sol thun wie es meinem hertzen vnd meiner seelen gefellet / Dem wil ich ein bestendig Haus bawen / das er fur meinem Gesalbten wandele jmerdar. [36]Vnd wer vbrig ist von deinem Hause / der wird komen vnd fur jenen niderfallen / vmb einen silbern Pfennig vnd stück Brots / vnd wird sagen / Lieber las mich zu einem Priesterteil / das ich einen bissen Brot esse.

## III.

VND DA SAMUEL DER KNABE DEM HERRN dienet vnter Eli / war des HERRN wort thewr zu derselben zeit / vnd war wenig Weissagung.

(Thewr) Es waren nicht Prediger noch Pfarher gnug / Die Bibel ist da vnter der Banck gelegen / hat niemand studirt / Samuel ist komen vnd hats wider erfur gezogen etc.

VND es begab sich zur selben zeit lag Eli an seinem ort / vnd seine augen fiengen an tunckel zu werden / das er nicht sehen kund. [3]Vnd Samuel hatte sich geleget im Tempel des HERRN / da die

Drewung Gottes / wider des hause Eli.

Lade Gottes war / ehe denn die Lampe Gottes vertunckelt. [4]Vnd der HERR rieff Samuel / Er aber antwortet / Sihe / hie bin ich. [5]Vnd lieff zu Eli vnd sprach / Sihe / hie bin ich / du hast mir geruffen / Er aber sprach Jch hab dir nicht geruffen / Gehe wider hin vnd leg dich schlaffen / vnd er gieng hin / vnd legt sich schlaffen.

[6]DEr HERR rieff aber mal / Samuel / Vnd Samuel stund auff vnd gieng zu Eli / vnd sprach / Sihe / Hie bin ich / du hasst mir geruffen / Er aber sprach / Jch hab dir nicht geruffen / mein Son / Gehe wider hin / vnd lege dich schlaffen. [7]Aber Samuel kennete den HERRN noch nicht / vnd des HERRN wort war jm noch nicht offenbart. [8]Vnd der HERR rieff Samuel aber zum dritten mal / Vnd er stund auff / vnd gieng zu Eli vnd sprach / Sihe / hie bin ich / du hast mir geruffen. Da merckt Eli das der HERR dem Knaben rieff / [9]vnd sprach zu jm / Gehe wider hin / vnd lege dich schlaffen / Vnd so dir geruffen wird / so sprich / Rede HERR / denn dein Knecht höret / Samuel gieng hin vnd legt sich an seinen ort. ‖

‖ 150b

DA kam der HERR vnd trat da hin / vnd rieff wie vormals / Samuel Samuel / Vnd Samuel sprach / Rede / denn dein Knecht höret. [11]Vnd der HERR sprach zu Samuel / Sihe / Jch thu ein ding in Jsrael / das / wer das hören wird / dem werden seine beide Ohren gellen. [12]An dem tage wil ich erwecken vber Eli / was ich wider sein Haus geredt habe / Jch wils anfahen vnd volenden. [13]Denn ich habs jm angesagt / das ich Richter sein wil vber sein Haus ewiglich / vmb der missethat willen / das er wuste / wie seine Kinder sich schendlich hielten / vnd hette nicht ein mal saur dazu gesehen. [14]Darumb hab ich dem hause Eli geschworen / das diese missethat des hauses Eli / solle nicht versünet werden / weder mit Opffer noch mit Speisopffer ewiglich.

[15]VND Samuel lag bis an den morgen / vnd thet die Thür auff am Hause des HERRN. Samuel aber furchte sich das gesicht Eli anzusagen. [16]Da rieff jm Eli / vnd sprach / Samuel mein Son / Er antwortet / Sihe / hie bin ich. [17]Er sprach / Was ist das wort das dir gesagt ist? Verschweige mir nichts / Gott thu dir dis vnd das / wo du mir etwas verschweigest / das dir gesagt ist. [18]Da sagts jm Samuel alles an / vnd verschweig jm nichts. Er aber

sprach / Es ist der HERR / er thu was jm wolgefellet.

SAmuel aber nam zu / vnd der HERR war mit jm / vnd fiel keines vnter allen seinen worten auff die erden. [20]Vnd gantz Jsrael von Dan an bis gen Bersaba erkandte / das Samuel ein trewer Prophet des HERRN war. [21]Vnd der HERR erschein hinfurt zu Silo / Denn der HERR war Samuel offenbart worden zu Silo / durchs wort des HERRN. [1]Vnd Samuel fieng an zu predigen dem gantzen Jsrael.

Jd est. Deus cepit apparere copioso verbo sub Samuele.

IIII.

JSRAEL ABER ZOCH AUS DEN PHILISTERN ENTGEGEN in den streit / vnd lagerten sich bey EbenEzer. Die Philister aber hatten sich gelagert zu Aphek / [2]vnd rüsteten sich gegen Jsrael. Vnd der streit teilet sich weit / vnd Jsrael ward fur den Philistern geschlagen / Vnd schlugen in der ordenung im felde bey vier tausent Man.

EBENEZER. Heisst helffenstein.

Jnf. ca. 7.

VND da das volck ins Luger kam / sprachen die eltesten Jsrael / Warumb hat vns der HERR heute schlahen lassen fur den Philistern? Lasst vns zu vns nemen die Lade des Bunds des HERRN von Silo / vnd lasst sie vnter vns komen / das sie vns helffe von der hand vnser Feinde. [4]Vnd das volck sandte gen Silo / vnd lies von dannen holen die Lade des Bunds des HERRN Zebaoth / der vber den Cherubim sitzt / Vnd waren da die zweene söne Eli mit der Laden des Bunds Gottes / Hophni vnd Pinehas. [5]Vnd da die Lade des Bunds des HERRN in das Lager kam / jauchzete das gantze Jsrael mit einem grossen jauchzen / das die erde erschallet.

[6]DA aber die Philister höreten das geschrey solchs jauchzens / sprachen sie / Was ist das geschrey solchs grossen jauchzens in der Ebreer lager? Vnd da sie erfuren / das die Lade des HERRN ins Lager komen were / [7]furchten sie sich / vnd sprachen / Gott ist ins Lager komen. Vnd sprachen weiter / Weh vns Denn es ist vorhin nicht also gestanden / [8]weh vns / Wer wil vns erretten von der hand dieser mechtigen Götter? Das sind die Götter / die Egypten schlugen mit allerley Plage in der wüsten. [9]So seid nu getrost vnd Menner / jr Philister / das jr nicht dienen müsset den Ebreern / wie sie euch gedienet haben / Seid Menner vnd streitet. [10]Da stritten die Philister / Vnd Jsrael ward geschlagen / vnd ein jglicher floch in seine hutten /

Vnd es war ein seer grosse Schlacht / das aus Jsrael fielen dreissig tausent Man fusuolcks. [11]Vnd die Lade Gottes ward genomen / vnd die zween söne Eli / Hophni vnd Pinehas storben.

DA lieff einer von Ben Jamin aus dem Heer / vnd kam gen Silo desselben tages / vnd hatte sein Kleid zurissen / vnd hatte erden auff sein heubt ‖ gestrewet. [13]Vnd sihe / als er hinein kam / sas Eli auffm Stuel / das er auff den weg sehe / Denn sein hertz ware zaghafft vber der Laden Gottes / Vnd da der Man in die Stad kam / sagt ers an / vnd die gantze Stad schrey.

‖ 151a

[14]VND da Eli das laut schreien höret / fragt er / Was ist das fur ein laut getümel? Da kam der Man eilend vnd sagt Eli an [15](Eli aber war acht vnd neunzig jar alt / vnd seine augen waren tunckel / das er nicht sehen kund) [16]Der Man aber sprach zu Eli / Jch kom / vnd bin heute aus dem Heer geflohen. Er aber sprach / Wie gehets zu mein Son? [17]Da antwortet der Verkundiger / vnd sprach / Jsrael ist geflohen fur den Philistern / vnd ist eine grosse Schlacht im volck geschehen / vnd deine zwene söne Hophni vnd Pineas sind gestorben / Dazu / die Lade Gottes ist genomen. [18]Da er aber der Laden Gottes gedacht / fiel er zu rück vom stuel am thor / vnd brach seinen Hals entzwey / vnd starb / Denn er war alt / vnd ein schweer Man. Er richtet aber Jsrael vierzig jar.

Eli.
40. jar.

SEine Schnur aber Pinehas weib war schwanger / vnd solt schier geliegen / Da sie das gerüchte höret / das die Lade Gottes genomen vnd jr Schweher vnd Man tod war / krümet sie sich vnd gebar / denn

Wenn Menschen vnd vernunfft obligt / so gehet Gottes wort vnd alle ehre dahin / Da fellet das recht Priesterampt zurück / vnd stirbt / vnd das alles aus Gottes zorn. Aber die so gewinnen / haben darnach keine ruge im Gewissen / Denn wo Gottes wort nicht recht gehet / thut es den Gewissen alles leid an / wie hie die Lade Gottes den Philistern / So lange bis sie zu letzt jre schande bekennen müssen / das sie Gottes wort verkeret haben / vnd mit ehren wider zurecht bringen müssen. Das ist hie bedeut mit den gülden Ersen vnd Meusen / welches nichts ist / denn die heimliche plage der Gewissen / die zu letzt offen-

Gottes in der Philister lande 7. monde.

bar wird durch Gottes wort wie S. Paulus sagt. 2. Tim. 3. Jre torheit wird offen bar werden jederman.

es kam sie jre wehe an. [20]Vnd da sie jtzt starb / sprachen die Weiber / die neben jr stunden / Fürchte dich nicht / du hast einen jungen Son / Aber sie antwortet nichts / vnd nams auch nicht zu hertzen. [21]Vnd sie hies den Knaben Jcabod / vnd sprach / die Herrligkeit ist da hin von Jsrael / weil die Lade Gottes genomen war / vnd jr Schweher vnd jr Man. [22]Vnd sprach abermal / Die Herrligkeit ist da hin von Jsrael / Denn die Lade Gottes ist genomen.

JCABOD.

## V.

DJE PHILISTER ABER NAMEN DIE LADE GOTTES / vnd brachten sie von EbenEzer gen Asdod / [2]in das haus Dagon / vnd stelleten sie neben Dagon. [3]Vnd da die von Asdod des andern morgens früe auff stunden / funden sie Dagon auff seinem andlitz ligen auff der erden / fur der Laden des HERRN / Aber sie namen den Dagon vnd setzten jn wider an seinen ort. [4]Da sie aber des andern morgens früe auff stunden / funden sie Dagon aber mal auff seinem andlitz ligen auff der erden / fur der Laden des HERRN / Aber sein Heubt vnd seine beide Hende abge||hawen / auff der schwelle / das der strumpff allein drauff lag. [5]Darumb tretten die Priester Dagon / vnd alle die in Dagon haus gehen / nicht auff die schwelle Dagon zu Asdod / bis auff diesen tag.

DAGON.

|| 151b

ABer die hand des HERRN ward schweer vber die von Asdod / vnd verderbt sie / vnd schlug Asdod vnd alle jre grentze an heimlichen örten. [7]Da aber die Leute zu Asdod sahen das so zugieng /

Gottes in der Philister lande 7. monde.

sprachen sie / Lasst die Lade des Gottes Jsrael nicht bey vns bleiben / Denn seine hand ist zu hart vber vns vnd vnsern Gott Dagon. [8]Vnd sandten hin vnd versamleten alle Fürsten der Philister zu sich / vnd sprachen / Was sollen wir mit der Lade Gottes Jsrael machen? Da antworten sie / Lasst die von Gath / die Lade des Gottes Jsrael vmb her tragen / Vnd sie trugen die Lade des Gottes Jsrael vmbher. [9]Da sie aber dieselben vmbher trugen / ward durch die Hand des HERRN in der Stad ein seer gros Rumor / vnd schlug die Leute in der Stad / beide klein vnd gros / vnd kriegten heimliche Plage an heimlichen örten.

DA sandten sie die Lade des HERRN gen Ekron. Da aber die Lade Gottes gen Ekron kam / schrien die von Ekron / Sie haben die Lade Gottes vmbher getragen zu mir / das sie mich tödte vnd mein volck. [11]Da sandten sie hin / vnd versamleten alle Fürsten der Philister / vnd sprachen / Sendet die Lade des Gottes Jsrael wider an jren Ort / das sie mich vnd mein volck nicht tödte. Denn die hand Gottes machte ein seer gros rumor mit würgen in der gantzen Stad / [12]Vnd welche Leute nicht sturben die wurden geschlagen an heimlichen örten / das das geschrey der Stad auff gen Himel gieng.

VI.

ALSO WAR DIE LADE DES HERRN SIEBEN MONDE im Lande der Philister. [2]Vnd die Philister rieffen jren Priestern vnd Weissagern / vnd sprachen / Was sollen wir mit der Lade des HERRN machen? Leret vns / wo mit sollen wir sie an jren ort senden? Sie sprachen / [3]Wolt jr die Lade des Gottes Jsrael senden / so sendet sie nicht leer / sondern solt jr vergelten ein Schuldopffer / So werdet jr gesund werden / vnd wird euch kund werden / warumb seine Hand nicht von euch lesst.

|| 152a

[4]SJE aber sprachen / Welchs ist das Schuldopffer / das wir jm geben || sollen? Sie antworten / Fünff gülden Erse / vnd fünff gülden Meuse / nach der zal der fünff Fürsten der Philister / Denn es ist einerley Plage gewest vber euch alle / vnd vber ewre Fürsten. [5]So müsset jr nu machen gleiche gestalt ewren Ersen vnd ewren Meusen / die ewr Land verderbet haben / das jr dem Gott Jsrael die ehre gebt / Vieleicht wird seine Hand leichter werden vber euch / vnd vber ewren Gott / vnd vber ewr

Exod. 12.

Gottes in der Philister land etc.

Land. [6]Warumb verstockt jr ewr hertz / wie die Egypter vnd Pharao jr hertz verstockten? Jsts nicht also / da er sich an jnen beweiset / liessen sie sie faren / das sie hin giengen?

Exod. 12.

SO nemet nu vnd macht ein newen Wagen / vnd zwo junge seugende Küe / auff die nie kein Joch komen ist / vnd spannet sie an den Wagen / vnd last jre Kelber hinder jnen da heim bleiben. [8]Vnd nemet die Lade des HERRN / vnd legt sie auff den wagen / Vnd die gülden Kleinot die jr jm zum Schuldopffer gebet / thut in ein Kestlein neben jre seiten / vnd sendet sie hin / vnd lasst sie gehen. [9]Vnd sehet jr zu / Gehet sie hin auff dem weg jrer grentze gen BethSemes / So hat er vns alle das gros vbel gethan / Wo nicht / so werden wir wissen / das seine Hand vns nicht gerürt hat / sondern es ist vns on gefehr widerfaren.

[10]DJe Leute theten also / vnd namen zwo junge seugende Küe / vnd spanneten sie an einen wagen / vnd behielten jre Kelber daheim / [11]Vnd legten die Lade des HERRN auff den wagen / vnd das Kestlin mit den gülden Meusen vnd mit den Bilden jrer Erse. [12]Vnd die Küe giengen stracks weges zu BethSemes zu / auff einer stras / vnd giengen vnd blöcketen / vnd wichen nicht / weder zur rechten noch zur lincken / Vnd die Fürsten der Philister giengen jnen nach / bis an die grentze BethSemes.

BETHSEMITER.

DJe BethSemiter aber schnitten eben in der Weitzenerndte im grund / vnd huben jre augen auff / vnd sahen die Lade / vnd freweten sich die selbe zu sehen. [14]Der wage aber kam auff den acker Josua des BethSemiters / vnd stund daselbs stille. Vnd war ein gros Stein daselbs / vnd sie spalten das holtz vom wagen / vnd opfferten die Küe dem HERRN zum Brandopffer. [15]Die Leuiten aber huben die Lade des HERRN er ab / vnd das Kestlin das neben dran war / darinnen die gülden Kleinot waren / vnd setzten sie auff den grossen Stein. Aber die Leute zu BethSemes opfferten dem HERRN desselben tags Brandopffer vnd ander Opffer.

DA aber die fünff Fürsten der Philister zugesehen hatten / zogen sie widerumb gen Ekron / desselben tags. [17]Dis sind aber die gülden Erse / die die Philister dem HERRN zum Schuldopffer gaben / Asdod einen / Gasa einen / Asklon einen / Gath einen / vnd Ekron einen. [18]Vnd gülden

Meuse / nach der zal aller Stedte der Philister vnter den fünff Fürsten / beide der gemaurten Stedte vnd Dörffer / vnd bis an das grosse Abel / darauff sie die Lade des HERRN liessen bis auff diesen tag / auff dem acker Josua des BethSemiters.

VND etliche zu BethSemes wurden geschlagen / darumb das sie die Lade des HERRN gesehen hatten / Vnd er schlug des volcks funffzig tausent vnd siebenzig Man. Da trug das volck leide / das der HERR so eine grosse Schlacht im volck gethan hatte. [20]Vnd die Leute zu BethSemes sprachen / Wer kan stehen fur dem HERRN solchem heiligen Gott? vnd zu wem sol er von vns ziehen? [21]Vnd sie sandten Boten zu den burgern KiriathJearim / vnd liessen jnen sagen / Die Philister haben die Lade des HERRN widerbracht / Kompt er ab vnd holet sie zu euch hin auff.

## VII.

ALSO KAMEN DIE LEUTE VON KIRIATHJEARIM / vnd holeten die Lade des HERRN hin auff / vnd brachten sie ins haus AbiNadab zu Gibea / Vnd seinen son Eleasar heiligeten sie / das er der Lade des HERRN hütet. [2]Vnd von dem tage an da die Lade des HERRN || zu KiriathJearim bleib / verzoch sich die zeit so lange bis zwenzig jar wurden / vnd das gantze haus Jsrael weinete fur dem HERRN.

LADE Gottes zu KiriathJearim etc.

|| 152b

(Weinete) Das ist / sie trugen leide vnd klagten dem HERRN jr leid vber die Philister.

SAMUEL ABER SPRACH ZUM GANTZEN HAUSE JSRAEL / So jr euch mit gantzem hertzen bekeret zu dem HERRN / So thut von euch die frembden Götter vnd Astharoth / vnd richtet ewr hertz zu dem HERRN vnd dienet jm allein / So wird er euch erretten aus der Philister hand. [4]Da thaten die kinder Jsrael von sich Baalim vnd Astharoth / vnd dieneten dem HERRN allein. [5]Samuel aber sprach / Versamlet das gantze Jsrael gen Mizpa / das ich fur euch bitte zum HERRN. [6]Vnd sie kamen zusamen gen Mizpa / vnd schepfften wasser / vnd gossens aus fur dem HERRN / vnd fasteten den selben tag / vnd sprachen daselbs / Wir haben dem HERRN gesündigt. Also richtet Samuel die kinder Jsrael zu Mizpa.

DA aber die Philister höreten / das die kinder Jsrael zusamen komen waren gen Mizpa / zogen die Fürsten der Philister hin auff wider Jsrael. Da das die kinder Jsrael höreten / furchten sie sich fur den Philistern / [8]vnd sprachen zu Samuel / Las nicht ab fur vns zu schreien zu dem HERR / vnserm Gott / das er vns helffe aus der Philister hand. [9]Samuel nam ein milch Lemblin / vnd opfferte dem HERRN ein gantz Brandopffer / vnd schrey zum HERRN fur Jsrael / Vnd der HERR erhöret jn.

Das ist / das noch an der milch ist.

Eccl. 48.

[10]VND in dem Samuel das Brandopffer opfferte / kamen die Philister erzu / zu streiten wider Jsrael / Aber der HERR lies donnern einen grossen Donner vber die Philister desselben tages / vnd schrekket sie / das sie fur Jsrael geschlagen wurden. [11]Da zogen die Menner Jsrael aus von Mizpa / vnd jagten die Philister vnd schlugen sie bis vnter BethCar.

[12]DA nam Samuel einen Stein / vnd setzt jn zwisschen Mizpa vnd Sen / vnd hies jn EbenEzer vnd sprach / Bis hie her hat vns der HERR geholffen. [13]Also wurden die Philister gedempfft / vnd kamen nicht mehr in die grentze Jsrael / Vnd die Hand des HERRN war wider die Philister / so lange Samuel lebt. [14]Also worden Jsrael die Stedte wider / die die Philister jnen genomen hatten / von Ekron an bis gen Gath / sampt jren grentzen / die errettet Jsrael von der hand der Philister / Denn Jsrael hatte friede mit den Amoritern.

Sup. 4.

SAmuel aber richtet Jsrael sein leben lang. [16]Vnd zoch jerlich vmbher zu BethEl vnd Gilgal vnd Mizpa. Vnd wenn er Jsrael an allen diesen Orten gerichtet hatte / [17]kam er wider gen Ramath / Denn da war sein Haus / vnd richtet Jsrael daselbs / Vnd bawet dem HERRN daselbs einen Altar.

## VIII.

DA ABER SAMUEL ALT WARD / SATZT ER SEINE Söne zu Richter vber Jsrael. [2]Sein Erstgeborner son hies Joel / vnd der ander Abia / vnd waren Richter zu Bersaba. [3]Aber seine Söne wandelten nicht in seinem wege / Sondern neigeten sich zum Geitz / vnd namen geschenck / vnd beugeten das Recht.

Samuels Söne. JOEL. ABIA.

1. Par. 2.

DA versamleten sich alle Eltesten in Jsrael / vnd kamen gen Ramath zu Samuel / [5]vnd sprachen zu jm / Sihe / Du bist alt worden / Vnd deine Söne wandeln nicht in deinen wegen / So setze nu einen König vber vns / der vns richte / wie alle Heiden haben. [6]Das gefiel Samuel vbel / das sie sagten / Gib vns einen König der vns richte / vnd Samuel

JSRAEL foddert einen König etc.

Act. 13.

bettet fur dem HERRN. [7]Der HERR sprach aber zu Samuel / Gehorche der stim des volcks in allem das sie zu dir gesagt haben / Denn sie haben nicht dich / sondern mich verworffen / das ich nicht sol König vber sie sein. [8]Sie thun dir / wie sie jmer gethan haben / von dem tage an / da ich sie aus Egypten füret / bis auff diesen tag / Vnd haben mich verlassen / vnd andern Göttern gedienet. [9]So gehorche nu jrer stim. ‖ Doch bezeuge jnen vnd verkündige jnen das Recht des Königs / der vber sie herrschen wird.

‖ 153a

VND Samuel sagt alle wort des HERRN dem volck / das von jm einen König foddert. [11]Das wird des Königs Recht sein / der vber euch herrschen wird / Ewre Söne wird er nemen zu seinem wagen / vnd Reutern / die fur seinem wagen her draben / [12]Vnd zu Heubtleuten vber tausent / vnd vber funffzig / vnd zu Ackerleuten / die jm seinen Acker bawen / vnd zu Schnittern in seiner Erndte / vnd das sie seinen Harnisch / vnd was zu seinen Wagen gehört / machen. [13]Ewre Töchter aber wird er nemen das sie Apotekerin / Köchin vnd Beckerin seien.

Act. 13.

RECHT des Königs.

[14]Ewre beste Ecker vnd Weinberge vnd Olegarten wird er nemen / vnd seinen Knechten geben. [15]Dazu von ewr saat vnd Weiberge wird er den Zehenden nemen / vnd seinen Kemerern vnd Knechten geben. [16]Vnd ewre Knechte vnd Megde / vnd ewre feineste Jünglinge / vnd ewre Esel / wird er nemen / vnd sein geschefft damit ausrichten. [17]Von ewren Herden wird er den Zehenden nemen / vnd jr müsset seine Knechte sein. [18]Wenn jr denn schreien werdet zu der zeit vber ewrn König / den jr euch erwelet habt / So wird euch der HERR zu derseelben zeit nicht erhören.

[19]ABer das Volck wegert sich zu gehorchen der stimme Samuel / vnd sprachen / Mit nichte / Sondern es sol ein König vber vns sein / [20]das wir seien auch wie alle ander Heiden / das vns vnser König richte / vnd fur vns er ausziehe / wenn wir vnsere Kriege füren. [21]Da gehorcht Samuel alle dem das das volck saget / vnd sagets fur den ohren des HERRN. [22]Der HERR aber sprach zu Samuel / Gehorche jrer stim / vnd mache jnen einen König. Vnd Samuel sprach zu den Mennern Jsrael / Gehet hin ein jglicher in seine Stad.

IX.

Kis.

ES WAR ABER EIN MAN VON BENJAMIN / MIT namen Kis / ein son AbiEl / des sons Zeror / des sons Bechorath / des sons Apiah / des sons eins mans Jemini / ein weidlicher Man. [2]Der hatte einen Son mit namen Saul / der war ein junger feiner Man / vnd war kein feiner vnter den kindern Jsrael / eins heubts lenger / denn alles Volck.

Saul.

ES hatte aber Kis der vater Saul seine Eselinnen verloren / Vnd er sprach zu seinem son Saul / Nim der Knaben einen mit dir / mach dich auff / gehe hin vnd suche die Eselinnen. [4]Vnd er gieng durch das gebirge Ephraim / vnd durch das land Salisa / vnd funden sie nicht / Sie giengen durchs land Saalim / vnd sie waren nicht da / Sie giengen durchs land Jemini / vnd funden sie nicht.

DA sie aber kamen ins land Zuph / sprach Saul zu dem Knaben der mit jm war / Kom / Las vns wider heim gehen / Mein vater möchte von den Eselinnen lassen / vnd fur vns sorgen. [6]Er aber sprach / Sihe / Es ist ein berümpter Man Gottes in dieser Stad / alles was er sagt / das geschicht / Nu las vns dahin gehen / vieleicht sagt er vns vnsern weg / den wir gehen. [7]Saul aber sprach zu seinem Knaben / Wenn wir schon hin gehen / was bringen wir dem Man? Denn das Brot ist dahin aus vnserm sack / So haben wir sonst keine Gabe / die wir dem man Gottes bringen / Was haben wir? [8]Der Knabe antwortet Saul wider / vnd sprach / Sihe / ich hab ein vierteil eins silbern Sekels bey mir / den wollen wir dem man Gottes geben / das er vns vnsern weg sage.

Seher.

[9]VOrzeiten in Jsrael / wenn man gieng Gott zu fragen / sprach man / Kompt lasst vns gehen zu dem Seher / Denn die man jtzt Propheten heisst / die hies man vorzeiten Seher.|| || 153b

SAul sprach zu seinem Knaben / Du hast wol geredt / Kom las vns gehen. Vnd da sie hin giengen zu der Stad / da der man Gottes war / [11]vnd zur stad hinauff kamen / funden sie Dirnen / die er aus giengen wasser zu schepffen / Zu denselben sprachen sie / Jst der Seher hie? [12]Sie antworten jnen / vnd sprachen Ja / Sihe / da ist er / Eile / denn er ist heute in die Stad komen / weil das Volck heute zu opffern hat auff der Höhe. [13]Wenn jr in die Stad kompt / so werdet jr jn finden / ehe denn er hin auffgehe auff die Höhe zu essen / Denn das volck wird nicht essen bis er kome / sintemal er segenet das Opffer / Darnach essen die so geladen sind / Darumb so gehet hinauff / denn jtzt werdet jr jn eben antreffen.

VND da sie hin auff zur Stad kamen / vnd mitten in der stad waren / Sihe / da gieng Samuel er aus jnen entgegen / vnd wolt auff die Höhe gehen. 15Aber der HERR hatte Samuel seinen ohren offenbart einen tag zuuor / ehe denn Saul kam / vnd gesaget / 16Morgen vmb diese zeit wil ich einen Man zu dir senden / aus dem land BenJamin / Den soltu zum Fürsten salben vber mein volck Jsrael / das er mein Volck erlöse von der Philister hand / Denn ich hab mein Volck angesehen / vnd sein geschrey ist fur mich komen. 17Da nu Samuel Saul ansahe / antwortet jm der HERR / Sihe / das ist der man / dauon ich dir gesagt habe / das er vber mein Volck herrsche.

18DA trat Saul zu Samuel vnter dem thor / vnd sprach / Sage mir / Wo ist hie des Sehers haus? 19Samuel antwortet Saul / vnd sprach / Jch bin der Seher / Gehe fur mir hin auff / auff die Höhe / denn jr solt heute mit mir essen / Morgen wil ich dich lassen gehen / vnd alles was in deinem hertzen ist / wil ich dir sagen. 20Vnd vmb die Eselinnen / die du fur dreien tagen verloren hast / bekümmere dich jtzt nicht / sie sind gefunden. Vnd wes wird sein alles was das beste ist in Jsrael? Wirds nicht dein vnd deines Vaters gantzes hauses sein? 21Saul antwortet / Bin ich nicht ein son von Jemini / vnd von den geringsten stemmen Jsrael / vnd mein Geschlecht das kleinest vnter allen Geschlechten der stemme BenJamin? Warumb sagestu denn mir solches?

SAmuel aber nam Saul vnd seinen Knaben / vnd füret sie in die Esseleuben / vnd setzt sie oben an vnter die / so geladen waren / der war bey dreissig man. 23Vnd Samuel sprach zu dem Koch / Gib her das stück das ich dir gab / vnd befalh / du soltest es bey dir behalten. 24Da trug der Koch eine schulder auff vnd das daran hing. Vnd er legt es Saul fur / vnd sprach / Sihe / das ist vberblieben / Lege fur dich / vnd iss / Denn es ist auff dich behalten eben auff diese zeit / da ich das volck lud. Also ass Saul mit Samuel des tages.

VND da sie hin ab giengen von der Höhe zur Stad / redet er mit Saul auff dem Dache. 26Vnd stunden früe auff / vnd da die Morgenröt auffgieng /

rieff Samuel dem Saul auff dem Dach / vnd sprach / Auff / das ich dich gehen lasse. Vnd Saul macht sich auff / vnd die beide giengen mit einander hin aus / Er vnd Samuel. [27]Vnd da sie kamen hin ab an der Stad ende / sprach Samuel zu Saul / Sage dem Knaben das er fur vns hin gehe / Vnd er gieng fur hin / Du aber stehe jtzt stille / das ich dir kund thu / was Gott gesagt hat.

X.

DA NAM SAMUEL EIN ÖLEGLAS / VND GOS AUFF sein Heubt / vnd küsset jn / vnd sprach / Sihestu / das dich der HERR zum Fürsten vber sein Erbteil gesalbet hat? [2]Wenn du jtzt von mir gehest / so wirstu zween Menner finden bey dem grabe Rahel / in der grentze BenJamin zu Zelzah / die werden zu dir sagen / Die Eselinne sind gefunden / die du zu suchen bist gegangen / Vnd sihe / dein Vater hat die Esel aus der acht gelassen / vnd sorget vmb euch / vnd spricht / Was sol ich vmb meinen Son thun? ‖

‖ 154a

[3]VND wenn du dich von dannen furbas wendest / so wirstu komen zu der Eichen Thabor / daselbs werden dich antreffen drey Menner / die hin auff gehen zu Gott gen BethEl. Einer tregt drey Böcklin / der ander drey stück Brots / der dritte ein Flasschen mit wein. [4]Vnd sie werden dich freundlich grüssen / vnd dir zwey Brot geben / die soltu von jren henden nemen.

[5]DArnach wirstu komen auff den hügel Gottes / da der Philister lager ist / Vnd wenn du daselbs in

die Stad komest / wird dir begegen ein hauffen Propheten / von der Höhe er ab komend / vnd fur jnen her ein Psalter / vnd Paucken / vnd Pfeiffen vnd Harffen / vnd sie weissagend / [6]Vnd der Geist des HERRN wird vber dich geraten / das du mit jnen weissagest / Da wirstu ein ander Man werden.

[7]WEnn dir nu diese Zeichen komen / So thu was dir vnter handen kompt denn Gott ist mit dir. [8]Du solt aber fur mir hin ab gehen gen Gilgal / Sihe / da wil ich zu dir hin ab komen / zu opffern Brandopffer vnd Danckopffer. Sieben tage soltu harren bis ich zu dir kome / vnd dir kund thu / was du thun solt. [9]Vnd da er seine schuldern wandte / das er von Samuel gienge / gab jm Gott ein ander hertz / vnd kamen alle diese Zeichen auff den selben tag.

VND da sie kamen an den Hügel / Sihe / da kam jm ein Propheten hauffe entgegen / Vnd der geist Gottes geriet vber jn / das er vnter jnen weissaget. [11]Da jn aber sahen alle / die jn vorhin gekand hattet / das er mit den Propheten weissagetet / sprachen sie alle vnternander / Was ist dem son Kis geschehen? Jst Saul auch vnter den Propheten? [12]Vnd einer daselbs antwortet / vnd sprach / Wer ist jr Vater? Da her ist das Sprichwort komen / JST SAUL AUCH VNTER DEN PROPHETEN. [13]Vnd da er ausgeweissagt hatte / kam er auff die Höhe.

(Wer ist jr vater) Das ist / Lasst sie weissagen / Jsts doch nicht vom Vater angeboren sondern von Gott der ist der rechte Vater.

ES sprach aber Sauls vetter zu jm vnd zu seinem Knaben / Wo seid jr hin gegangen? Sie antworten / die Eselin zu suchen / Vnd da wir sahen / das sie nicht da waren / kamen wir zu Samuel. [15]Da sprach der vetter Saul / Sage mir / Was sagt euch Samuel? [16]Saul antwortet seinem Vettern / Er sagt vns das die Eselinnen gefunden weren / Aber von dem Königreich sagt er jm nicht / was Samuel gesaget hatte.||

|| 154b

SAMUEL ABER BERIEFF DAS VOLCK ZUM HERRN gen Mizpa / [18]vnd sprach zu den kindern Jsrael / So sagt der HERR der Gott Jsrael / Jch hab Jsrael aus Egypten gefüret / vnd euch von der Egypter hand errettet / vnd von der hand aller Königreiche die euch zwungen. [19]Vnd jr habt heute ewrn Gott verworffen / der euch aus alle ewrem vnglück vnd trübsal geholffen hat / vnd sprecht zu jm / Setze einen König vber vns. Wolan / So trettet nu fur den HERRN / nach ewren Stemmen vnd Freundschafften.

[20]DA nu Samuel alle stemme Jsrael erzu bracht / ward getroffen der stam BenJamin. [21]Vnd da er den stam BenJamin erzu bracht mit seinen Geschlechten / ward getroffen das geschlecht Matri / vnd ward getroffen Saul der son Kis / Vnd sie suchten jn / aber sie funden jn nicht. [22]Da fragten sie forder den HERRN / Wird er auch noch herkomen? Der HERR antwortet / Sihe / Er hat sich vnter die fass versteckt. [23]Da lieffen sie hin vnd holeten jn von dannen / Vnd da er vnter das Volck trat / war er eins heubts lenger denn alles volck. [24]Vnd Samuel sprach zu allem volck / Da sehet jr / welchen der HERR erwelet hat / Denn jm ist kein gleicher in allem volck. Da jauchtzet alles volck / vnd sprach / Glück zu dem Könige.

Ehre sol man fliehen / vnd sich dazu treiben lassen.

[25]SAmuel aber saget dem volck alle Recht des Königreichs / vnd schreibs in ein Buch / vnd legt es fur den HERRN. Vnd Samuel lies alles Volck gehen / einen jglichen in sein haus / [26]vnd Saul gieng auch heim gen Gibea / vnd gieng mit jm des Heers ein teil / welcher hertz Gott rürete. [27]Aber etliche lose Leute sprachen / Was solt vns dieser helffen? Vnd verachteten jn / vnd brachten jm kein Geschenck / Aber er thet als höret ers nicht.

Sup. 8.

## XI.

NAHAS.

ES ZOCH ABER ER AUFF NAHAS DER AMMONITER / vnd belagerte Jabes in Gilead. Vnd alle Menner zu Jabes sprachen zu Nahas / Mache einen Bund mit vns / so wollen wir dir dienen. [2]Aber Nahas der Ammoniter antwortet jnen / Darin wil ich mit euch einen Bund machen, das ich euch allen das rechte Auge aussteche / vnd mache euch zuschanden vnter gantzem Jsrael. [3]Da sprachen zu jm die Eltesten zu Jabes / Gib vns sieben tage / das wir Boten senden in alle grentze Jsrael / Jst denn niemand der vns rette / so wollen wir zu dir hin ausgehen.

DA kamen die Boten gen Gibea zu Saul / vnd redten solchs fur den ohren des volcks / Da hub alles volck seine stimme auff / vnd weinet. [5]Vnd sihe / da kam Saul vom felde hinder den Rindern her / vnd sprach / Was ist dem volck das es weinet? Da erzeleten sie jm die sache der Menner von Jabes. [6]Da geriet der geist Gottes vber jn / als er solche wort höret / vnd sein zorn ergrimmet seer. [7]Vnd nam ein par Ochsen vnd zustückt sie / vnd sandte in alle grentze Jsrael / durch die Boten / vnd lies sagen / Wer nicht auszeugt Saul vnd Samuel nach / des Rindern sol man also thun.

DA fiel die furcht des HERRN auff das volck / das sie auszogen / gleich als ein einiger Man. [8]Vnd macht die ordnung zu Basek / vnd der kinder Jsrael waren drey hundert mal tausent Man / vnd der kinder Juda dreissig tausent. [9]Vnd sie sagten den Boten die komen waren / Also sagt den mennern zu Jabes Gilead / Morgen sol euch hülffe geschehen wenn die Sonne beginnet heis zu scheinen. Da die Boten kamen vnd verkündigeten das den Mennern zu Jabes wurden sie fro. [10]Vnd die menner Jabes sprachen / Morgen wollen wir zu euch hinaus gehen / das jr vns thut alles was euch gefellet.

VND des andern morgens stellet Saul das volck in drey Hauffen / vnd kamen ins Lager vmb die Morgenwache / vnd schlugen die Ammoniter / bis der tag heis ward / Welche aber vberblieben / wurden also zustrewet / das jr nicht zween mit einander blieben. [12]Da sprach das Volck zu Samuel / ‖ Wer sind sie / die da sagten / Solt Saul vber vns herrschen? Gebt sie her die Menner das wir sie tödten. [13]Saul aber sprach / Es sol auff diesen tag niemand sterben / Denn der HERR hat heute Heil gegeben in Jsrael.

‖ 155 a
Sup. 10.

SAmuel sprach zum volck / Kompt / lasst vns gen Gilgal gehen / vnd das Königreich daselbs ernewen. [15]Da gieng alles Volck gen Gilgal / vnd machten daselbst Saul zum Könige fur dem HERRN zu Gilgal / vnd opfferten Danckopffer fur dem HERRN. Vnd Saul sampt allen mennern Jsrael freweten sich daselbst fast seer.

## XII.

DA SPRACH SAMUEL ZUM GANTZEN JSRAEL / SIHE / Jch hab ewr stimme gehorcht / in allem das jr mir gesagt habt / vnd hab einen König vber euch gemacht. [2]Vnd nu sihe / da zeucht ewer König fur euch her / Jch aber bin alt vnd graw worden / vnd meine Söne sind bey euch / vnd ich bin fur euch her gegangen von meiner jugent auff bis auff diesen tag. [3]Sihe / hie bin ich / Antwortet wider mich fur dem HERRN vnd seinem Gesalbten / Ob ich jemands Ochsen oder Esel genomen hab? Ob ich jemand hab gewalt oder vnrecht gethan? Ob ich von je-

Eccl. 46.

mands hand ein geschenck genomen habe / vnd mir die Augen blenden lassen? So wil ichs euch wider geben.

[4]SJe sprachen / Du hast vns kein gewalt noch vnrecht gethan / vnd von niemands hand etwas genomen. [5]Er sprach zu jnen / Der HERR sey Zeuge wider euch vnd sein Gesalbter heutes tags / das jr nichts in meiner hand funden habt. Sie sprachen / Ja / Zeugen sollen sie sein. [6]Vnd Samuel sprach zum volck / Ja / der HERR der Mose vnd Aaron gemacht hat / vnd ewre Veter aus Egyptenland gefürt hat. [7]So trettet nu her / das ich mit euch rechte fur dem HERRN / vber aller Wolthat des HERRN / die er an euch vnd ewren Vetern gethan hat.

ALs Jacob in Egypten komen war / schrien ewre Veter zu dem HERRN Vnd er sandte Mose vnd Aaron / das sie ewre Veter aus Egypten füreten / vnd sie an diesem Ort wonen liessen. [9]Aber da sie des HERRN jres Gottes vergassen / verkaufft er sie vnter die gewalt Sissera / des Heubtmans zu Hazor / vnd vnter die gewalt der Philister / vnd vnter die gewalt des Königs der Moabiter / die stritten wider sie. [10]Vnd schrien aber zum HERRN / vnd sprachen / Wir haben gesündiget / Das wir den HERRN verlassen / vnd Baalim vnd Astharoth gedienet haben / Nu aber errette vns von der hand vnser Feinde / so wollen wir dir dienen. [11]Da sandte der HERR Jerubaal / Bedan / Jephthah vnd Samuel / vnd errettet euch von ewr Feinde hende vmbher / vnd lies euch sicher wonen.

Ju. 17.
Ju. 4.
Ju. 6.
Ju. 11.

[12]DA jr aber sahet / das Nahas der König der kinder Ammon wider euch kam / spracht jr zu mir / Nicht du / sondern ein König sol vber vns herrschen / So doch der HERR ewer Gott ewr König war. [13]Nu da habt jr ewrn König / den jr erwelet vnd gebeten habt / Denn sihe / [a]der HERR hat einen König vber euch gesetzt. [14]Werdet jr nu den HERRN fürchten / vnd jm dienen / vnd seiner stimme gehorchen / vnd dem Munde des HERRN nicht vngehorsam sein / so werdet beide jr vnd ewr König / der vber euch herrschet / dem HERRN ewrem Gott folgen. [15]Werdet jr aber des HERRN stimme nicht gehorchen / sondern seinem Munde vngehorsam sein / So wird die Hand des HERRN wider euch vnd wider ewr Veter sein.

a Gott bestetiget den König / vnd zörnet doch / das sie jn erwelet hatten. Das ist so viel Sie theten vbel / das sie jr vertrawen von Gott auff einen Menschen / vnd sich selbs satzten / so sie bisher so offt on König durch Gott errettet waren. Dazu weil jnen versprochen war Könige zuhaben / lesst es Gott nicht zu / das sie jn welen / sondern er selbs welet. Auff das bestehe / Das alles was Gott nicht anfehet vnd thut / nichts gelte fur Gott.

AVch trettet nu her / vnd sehet das gros ding / das der HERR fur ewren augen thun wird. [17] Jst nicht jtzt die Weitzenerndte? Jch wil aber den HERRN anruffen / das er sol donnern vnd regen lassen / Das jr innen werdet vnd sehen solt / das gros vbel / das jr fur des HERRN augen ge||than habt / das jr euch einen König gebeten habt. [18] Vnd da Samuel den HERRN anrieff / Lies der HERR donnern vnd regen desselben tags. Da furchte das gantze volck seer den HERRN vnd Samuel / [19] Vnd sprachen alle zu Samuel / Bitte fur deine Knechte den HERRN deinen Gott / das wir nicht sterben. Denn vber alle vnser sünde / haben wir auch das vbel gethan / das wir vns einen König gebeten haben.

|| 155b

[20] SAmuel aber sprach zum volck / Fürchtet euch nicht / jr habt zwar das vbel alles gethan / Doch weichet nich hinder dem HERRN ab / sondern dienet dem HERRN von gantzem hertzen / [21] Vnd weichet nicht dem Eiteln nach / denn es nützet nicht / vnd kan nicht erretten / weil es ein eitel ding ist. [22] Aber der HERR verlesst sein Volck nicht / vmb seines grossen Namens willen / Denn der HERR hat angefangen euch jm selb zum Volck zu machen.

[23] Es sey aber auch ferne von mir / mich also an dem HERRN zu versündigen / das ich solt ablassen fur euch zu Beten / vnd euch zu Leren den guten vnd richtigen weg. [24] Furchtet nur den HERRN / vnd dienet jm trewlich von gantzem hertzen / Denn jr habt gesehen / wie grosse ding er mit euch thut. [25] Werdet jr aber vbel handeln / So werdet jr vnd ewr König verloren sein.

XIII.

SAUL WAR EIN JAR KÖNIG GEWESEN / VND DA ER zwey jar vber Jsrael regiert hatte / [2] erwelet er jm drey tausent Man aus Jsrael / Zwey tausent waren mit Saul zu Michmas / vnd auff dem gebirge BethEl vnd ein tausent mit Jonathan zu Gibea BenJamin / Das ander Volck aber lies er gehen / einen jglichen in seine Hütten. [3] Jonathan aber schlug die Philister in jrem Lager / die zu Gibea war / Das kam fur die Philister. Vnd Saul lies die Posaunen blasen im gantzen Land / vnd sagen / Das lasst die Ebreer hören. [4] Vnd gantz Jsrael höret sagen / Saul hat der Philister lager geschlagen / Denn

JONATHAN.

Jsrael stanck fur den Philistern / Vnd alles volck schrey Saul nach gen Gilgal.

DA versamleten sich die Philister zu streitten mit Jsrael / dreissig tausent Wagen / sechs tausent Reuter / vnd sonst Volck / so viel wie sand am rand des Meers / Vnd zogen er auff / vnd lagerten sich zu Michmas gegen morgen fur BethAuen. [6]Da das sahen die Menner Jsrael / das sie in nöten waren (denn dem Volck war bange) verkrochen sie sich in die höle vnd klüfften vnd felsen vnd löcher vnd gruben. [7]Die Ebreer aber giengen vber den Jordan ins land Gad vnd Gilead. Saul aber war noch zu Gilgal / vnd alles volck ward hinder jm zag. [8]Da harret er sieben tage / auff die zeit von Samuel bestimpt / Vnd da Samuel nicht kam gen Gilgal / zurstrewet sich das volck von jm.

DA sprach Saul / Bringet mir her Brandopffer vnd Danckopffer / Vnd er opffert Brandopffer. [10]Als er aber das Brandopffer volendet hatte / sihe / da kam Samuel / Da gieng Saul hinaus jm entgegen jn zu segenen. [11]Samuel aber sprach / Was hastu gemacht? Saul antwortet / Jch sahe / das das Volck sich von mir zurstrewet / vnd du kamest nicht zu bestimpter zeit vnd die Philister waren versamlet zu Michmas. [12]Da sprach ich / Nu werden die Philister zu mir er ab komen gen Gilgal / vnd ich hab das angesicht des HERRN nicht erbeten / Da wagt ichs / vnd opfferte Brandopffer.

[13]SAmuel aber sprach zu Saul / Du hast thörlich gethan / vnd nicht gehalten des HERRN deines Gottes gebot / das er dir geboten hat / Denn er hette dein Reich bestetiget vber Jsrael fur vnd fur / [14]Aber nu wird dein Reich nicht bestehen. Der HERR hat jm einen Man ersucht nach seinem hertzen / dem hat der HERR geboten Fürst zu sein vber sein Volck / Denn du hast des HERRN Gebot nicht gehalten. [15]Vnd Samuel macht sich auff / vnd gieng von Gilgal gen Gibea BenJamin. ‖

Act. 13.

‖ 156a

ABer Saul zelet das volck das bey jm war / bey sechs hundert Man / [16]Saul aber vnd sein son Jonathan / vnd das Volck das bey jm war / blieben auff dem hügel BenJamin / Die Philister aber hatten sich gelagert zu Michmas. [17]Vnd aus dem Lager der Philister zogen drey Hauffen / das Land zu verheeren / Einer wand sich auff die strassen gen Ophra / ins land Sual / [18]Der ander wand sich auff die strasse BethHoron / Der dritte wand sich auff die strasse / die da langet an das tal Zeboim / an der wüsten.

Jud. 5.

[19]ES ward aber kein Schmid im gantzen lande Jsrael erfunden. Denn die Philister gedachten / Die Ebreer möchten schwert vnd spies machen. [20]Vnd muste gantz Jsrael hin ab ziehen zu den Philistern / wenn jemand hatte ein pflug schar / hawen / beil / oder sensen zu scherffen / [21]Vnd die schneiten an den sensen / vnd hawen vnd gabbeln vnd beilen waren abgeerbeitet / vnd die stachel stumpff worden. [22]Da nu der Streittag kam / ward kein schwert noch spies funden in des gantzen Volcks hand / das mit Saul vnd Jonathan war / on Saul vnd sein Son hatten woffen. [23]Vnd der Philister lager zog er aus fur Michmas vber.

## XIIII.

ES BEGAB SICH EINS TAGES / DAS JONATHAN DER son Saul sprach zu seinem Knaben / der sein Waffentreger war / Kom / las vns hinüber gehen zu der Philister lager / das da drüben ist / vnd sagts seinem Vater nicht an. [2]Saul aber bleib zu Gibea am ende / vnter einem Granatenbawm / der in der Vorstad war / vnd des volcks das bey jm war / war bey sechs hundert Man. [3]Vnd Ahia der son Ahitob Jacobs bruder / Pinehas son / des sons Eli / war Priester des HERRN zu Silo / vnd trug den Leibrock an. Das volck wuste auch nicht / das Jonathan war hin gegangen.

Sup. 4.

[4]ES waren aber an dem wege / da Jonathan sucht hin über zu gehen zu der Philister lager / zween spitzen Felsen / einer disseid / der ander jenseid / der eine hies Bozez / der ander Senne / [5]Vnd einer sahe von Mitternacht gegen Michmas / vnd der ander von Mittag gegen Gaba. [6]Vnd Jonathan sprach zu seinem Waffentreger / Kom / las vns hinüber gehen / zu dem Lager dieser vnbeschnitten / Vieleicht wird der HERR etwas durch vns ausrichten / DENN ES IST DEM HERRN NICHT SCHWEER / DURCH VIEL ODER WENIG HELFFEN. [7]Da antwortet jm sein Waffentreger / Thu alles was in deinem hertzen ist / Far hin / Sihe ich bin mit dir / wie dein hertz wil.

[8]JOnathan sprach / Wolan / wenn wir hinüber komen zu den Leuten / vnd jnen ins gesicht komen / [9]Werden sie denn sagen / Stehet stille / bis wir an euch gelangen / So wollen wir an vnserm ort stehen

bleiben / vnd nicht zu jnen hinauff gehen. [10]Werden sie aber sagen / Kompt zu vns er auff / So wollen wir zu jnen hin auff steigen / So hat sie vns der HERR in vnser hende gegeben / Vnd das sol vns zum Zeichen sein.

DA sie nu der Philister lager beide ins gesicht kamen / sprachen die Philister / Sihe / die Ebreer sind aus den Löchern gegangen darin sie sich verkrochen hatten. [12]Vnd die Menner im Lager antworten Jonathan vnd seinem Waffentreger / vnd sprachen / Kompt er auff zu vns / so wollen wirs euch wol leren. Da sprach Jonathan zu seinem Waffentreger / Steige mir nach / der HERR hat sie gegeben in die hende Jsrael. [13]Vnd Jonathan klettert mit henden vnd mit füssen hin auff / vnd sein Waffentreger jm nach.

SIEG des Jonathan.

DA fielen sie fur Jonathan darnider / vnd sein Waffentreger würget jm jmer nach. [14]Also das die erste Schlacht / die Jonathan vnd sein Waffentreger thet / war bey zwenzig Man / bey nahe in halber huffen ackers / die ein joch trei||bet. [15]Vnd es kam ein schrecken ins Lager auff dem felde / vnd im gantzen Volck des lagers / vnd die streiffend Rotte erschracken auch / also das das Land erbebet / Denn es war ein schrecken von Gott. [16]Vnd die Wechter Saul zu Gibea BenJamin sahen das der Hauffe zuran / vnd verlieff sich vnd ward zuschmissen.

|| 156b

SAul sprach zu dem Volck das bey jm war / Zelet vnd besehet / wer von vns sey weg gegangen. Vnd da sie zeleten / sihe / da war Jonathan vnd sein Waffentreger nicht da. [18]Da sprach Saul zu Ahia / Bringe erzu die Lade Gottes (Denn die lade Gottes war zu der zeit bey den kindern Jsrael) [19]Vnd da Saul noch redet mit dem Priester / Da ward das getümel vnd das lauffen in der Philister lager grösser. Vnd Saul sprach zum Priester / Zeug deine hand abe. [20]Vnd Saul rieff / vnd alles Volck das mit jm war / vnd kamen zum streit / vnd sihe / Da gieng eins jglichen schwert wider den andern / vnd war ein seer gros getümel.

[21]AVch die Ebreer / die vorhin bey den Philistern gewesen waren / vnd mit jnen im Lager hinauff gezogen waren vmbher / theten sich zu Jsrael / die mit Saul vnd Jonathan waren. [22]Vnd alle Man von Jsrael / die sich auff dem gebirge Ephraim verkrochen hatten / da sie höreten / das die Philister

flohen / strichen hinder jnen her im streit. [23]Also halff der HERR zu der zeit Jsrael / vnd der streit weret bis gen BethAuen.

VND da die Menner Jsrael mat waren desselben tags / Beschwur Saul das Volck / vnd sprach / Verflucht sey jederman / wer etwas isset bis zu abend / das ich mich an meinen Feinden reche / Da ass das gantze Volck nichts. [25]Vnd das gantze Land kam in den wald / Es war aber honig im felde / [26]Vnd da das Volck hinein kam in den wald / sihe / da flos das honig / Aber niemand thet desselben mit der hand zu seinem munde / Denn das Volck furchte sich fur dem Eide.

[27]JOnathan aber hatte nicht gehört / das sein Vater das volck beschworen hatte / Vnd reckte seinen Stab aus / den er in seiner hand hatte / vnd tuncket mit der spitzen in den Honigseim / vnd wand seine hand zu seinem munde / Da wurden seine augen wacker. [28]Da antwortet einer des volcks / vnd sprach / Dein Vater hat das volck beschworen / vnd gesagt / Verflucht sey jederman / der heute etwas isset / Vnd das volck war matt worden. [29]Da sprach Jonathan / Mein Vater hat das Land geirret / Sehet / wie wacker sind meine augen worden / das ich ein wenig dieses honigs gekostet habe. [30]Weil aber das Volck heute nicht hat müssen essen von der Beute seiner Feinde / die es funden hat / So hat auch nu die Schlacht nicht grösser werden künnen wider die Philister. [31]Sie schlugen aber die Philister des tags von Michmas bis gen Aialon. Vnd das Volck ward seer matt.

VND das Volck richtet die Ausbeute zu / vnd namen Schaf vnd Rinder vnd Kelber / vnd schlachtens auff der erden / vnd assens so blutig. [33]Da verkündiget man Saul / Sihe / das volck versündiget sich am HERRN das es blut isset. Er sprach / Jr habt vbel gethan / Weltzet her zu mir jtzt einen grossen Stein. [34]Vnd Saul sprach weiter / Zustrewet euch vnter das volck / vnd saget jnen das ein jglicher seinen Ochsen vnd sein Schafe zu mir bringe vnd schlachtets alhie / das jrs esset vnd euch nicht versundiget an dem HERRN mit dem blut essen. Da brachte alles Volck ein jglicher seinen Ochsen mit seiner hand erzu des nachts / vnd schlachtens daselbs. [35]Vnd Saul bawet dem HERRN einen Altar / Das ist der erst Altar den er dem HERRN bawet.

Deut. 12.

Wider das Gesetz.

VND Saul sprach / Lasst vns hin ab ziehen den Philistern nach bey der nacht / vnd sie berauben / bis das liecht morgen wird / das wir niemand von jnen vberlassen. Sie antworten / Thu alles was dir gefellet. Aber der Priester sprach / Lasst vns hieher zu Gott nahen. [37]Vnd Saul fraget Gott /‖ Sol ich hin ab ziehen den Philistern nach? Vnd wilt du sie geben in Jsraels hende? Aber er antwortet jm zu der zeit nicht. [38]Da sprach Saul / Lasst erzu tretten alle hauffen des Volcks / vnd erfaret vnd sehet / an welchem die sünde sey zu dieser zeit. [39]Denn so war der HERR lebt der Heiland Jsrael / vnd ob sie gleich an meinem son Jonathan were / so sol er sterben / Vnd niemand antwortet jm aus dem gantzen volck.

‖ 157a

[40]VND er sprach zu dem gantzen Jsrael / Seid jr auff jener seiten / Jch vnd mein son Jonathan wollen sein auff dieser seiten. Das volck sprach zu Saul / Thu was dir gefellet. [41]Vnd Saul sprach zu dem HERRN dem Gott Jsrael / Schaffe recht. Da ward Jonathan vnd Saul troffen / Aber das volck gieng frey aus. [42]Saul sprach / werffet vber mich vnd meinen son Jonathan / Da ward Jonathan troffen. [43]Vnd Saul sprach zu Jonathan / Sage mir / Was hastu gethan? Jonathan sagts jm / vnd sprach / Jch habe ein wenig Honigs gekostet / mit dem stabe den ich in meiner hand hatte / Vnd sihe / ich mus drumb sterben.

[44]DA sprach Saul / Gott thu mir dis vnd das / Jonathan du must des tods sterben. [45]Aber das volck sprach zu Saul / Solt Jonathan sterben der ein solch gros Heil in Jsrael gethan hat? Das sey ferne / So war der HERR lebt es sol kein har von seinem heubt auff die erden fallen / Denn Gott hats heute durch jn gethan. Also erlöset das volck Jonathan / das er nicht sterben muste. [46]Da zoch Saul er auff von den Philistern / Vnd die Philister zogen an jren Ort.

ABer da Saul das Reich vber Jsrael eingenomen hatte / streit er wider alle seine Feinde vmbher / wider die Moabiter / wider die kinder Ammon / wider die Edomiter / wider die Könige Zoba / wider die Philister / Vnd wo er sich hin wand / da vbet er straffe / [48]Vnd macht ein Heer / vnd schlug die Amalekiter / Vnd errettet Jsrael von der hand aller die sie zwackten.

SAul aber hatte söne / Jonathan / Jswi / Malchisua / Vnd seine zwo Töchter hiessen also / die erste geborne Merob / vnd die jüngste Michal. [50]Vnd das weib Saul hies Ahinoam / ein tochter Ahimaaz / Vnd sein Feldheubtman hies Abner / ein son Ner / Sauls vettern. [51]Kis aber war Sauls vater / Ner aber Abners vater / war ein son AbiEl. [52]Es war aber ein harter streit wider die Philister / so lange Saul lebet. Vnd wo Saul sahe einen starcken vnd rüstigen Man / den nam er zu sich.

Sauls Geschlecht.

## XV.

SAMUEL ABER SPRACH ZU SAUL / DER HERR HAT mich gesand / das ich dich zum Könige salbete vber sein volck Jsrael / So höre nu die stimme der wort des HERRN. [2]So spricht der HERR Zebaoth / Jch habe bedacht was Amalek Jsrael thet / vnd wie er jm den weg verlegt / da er aus Egypten zoch. [3]So zeuch nu hin / vnd schlag die Amalekiter / vnd verbanne sie mit allem das sie haben / Schone seiner nicht / sondern tödte beide / Man vnd Weib / Kinder vnd Seuglinge ochsen vnd schafe / camel vnd esel.

Befelh Gottes an Saul / das er die Amalekiter schlagen vnd verbannen solt.

Exod. 17.

[4]SAul lies solchs fur das Volck komen / vnd er zelet sie zu Telaim / zwey hundert tausent Fusuolcks / vnd zehen tausent Man aus Juda. [5]Vnd da Saul kam zu der Amalekiter stad / macht er einen Hinderhalt am bach. [6]Vnd lies dem Keniter sagen / Gehet hin / weichet / vnd ziehet er ab von den Amalekitern das ich euch nicht mit jm auffreume / Denn jr thatet barmhertzigkeit an allen kindern Jsrael / da sie aus Egypten zogen. Also machten sich die Keniter von den Amalekitern.

DA schlug Saul die Amalekiter van Heuila an / bis gen Sur / die fur Egypten ligt. [8]Vnd greiff Agag der Amalekiter König lebendig / vnd alles || Volck verbannet er mit des schwerts scherffe. [9]Aber Saul vnd das volck schonete des Agag / vnd was gute Schaf vnd Rinder / vnd gemestet war / vnd den Lemmern / vnd allem was gut war / vnd woltens nicht verbannen / Was aber schnöde vnd vntüchtig war / das verbanneten sie.

|| 157b

DA gesach des HERRN wort zu Samuel / vnd sprach / [11]Es rewet mich / das ich Saul zum Könige gemacht habe / Denn er hat sich hinder mir abgewand / vnd meine wort nicht erfüllet. Des ward Samuel zornig / vnd schrey zu dem HERRN die gantze nacht.

[12]VND Samuel macht sich frúe auff / das er Saul am morgen begegenet. Vnd jm ward angesagt / das Saul gen Charmel komen were / vnd hette jm ein Siegzeichen auffgericht / vnd were erumb gezogen / vnd gen Gilgal hinab komen. [13]Als nu Samuel zu Saul kam / sprach Saul zu jm / Gesegenet seistu dem HERRN / Jch hab des HERRN wort erfüllet. [14]Samuel antwortet Was ist denn das fur ein blecken der Schafe in meinen ohren / vnd ein brüllen der Rinder die ich höre? [15]Saul sprach / Von den Amalekitern haben sie sie bracht / denn das volck verschonete den besten Schafen vnd Rindern / vmb des Opffers willen des HERRN deines Gottes / das ander haben wir verbannet.

SAmuel aber antwortet Saul / Las dir sagen / was der HERR mit mir geredt hat diese nacht. Er sprach / Sage her. [17]Samuel sprach / Jsts nicht also / Da du klein warest fur deinen augen / wurdestu das Heubt vnter den stemmen Jsrael / vnd der HERR salbte dich zum König vber Jsrael? [18]Vnd der HERR sandte dich auff den weg / vnd sprach / Zeuch hin / vnd verbanne die Sunder / die Amalekiter / vnd streite wider sie / bis du sie vertilgest. [19]Warumb hastu nicht gehorchet des HERRN stim? Sondern hast dich zum Raub gewand / vnd vbel gehandelt fur den Augen des HERRN.

Sup. 13.

[20]SAul antwortet Samuel / Hab ich doch der stimme des HERRN gehorchet / vnd bin hin gezogen des weges / den mich der HERR sandte / vnd hab Agag der Amalekiter könig bracht / vnd die Amalekiter verbannet. [21]Aber das Volck hat des Raubs genomen / Schafe vnd Rinder / das beste vnter dem Verbanten / dem HERRN deinem Gott zu opffern in Gilgal. [22]Samuel aber sprach / MEINSTU / DAS DER HERR LUST HABE AM OPFFER VND BRANDOPFFER / ALS AM GEHORSAM DER STIMME DES HERRN? SIHE / GEHORSAM IST BESSER DENN OPFFERN / VND AUFFMERCKEN BESSER DENN DAS FETT VON WIDERN. [23]Denn vngehorsam ist ein Zeuberey sunde / vnd widerstreben ist Abgötterey vnd Götzendienst. Weil du nu des HERRN wort verworffen hast / Hat er dich auch verworffen / das du nicht König seiest.

Osee. 6. Math. 9.

[24]DA sprach Saul zu Samuel / Jch habe gesün-

diget / das ich des HERRN befelh / vnd deine wort vbergangen habe / Denn ich furchte das volck / vnd gehorchet jrer stim. [25]Vnd nu vergib mir die sunde / vnd kere mit mir vmb / das ich den HERRN anbette. [26]Samuel sprach zu Saul / Jch wil nicht mit dir vmbkeren / Denn du hast des HERRN wort verworffen / vnd der HERR hat dich auch verworffen / das du nicht König seiest vber Jsrael. [27]Vnd als sich Samuel vmbwand / das er weggienge / ergreiff er jn bey eim zipffel seins Rocks / vnd er zureis. [28]Da sprach Samuel zu jm / Der HERR hat das Königreich Jsrael heute von dir gerissen / vnd deinem Nehesten gegeben / der besser ist denn du. [29]Auch leugt der Helt in Jsrael nicht / vnd [a]gerewet jn nicht / Denn er ist nicht ein Mensch / das jn etwas gerewen solt.

[a] Man sol Gottes wort nicht endern noch bessern / Er lesst sich nicht endern.

[30]ER aber sprach / Jch hab gesündiget / Aber ehre mich doch jtzt fur den Eltesten meins volcks vnd fur Jsrael / vnd kere mit vmb / das ich den HERRN deinen Gott anbete. [31]Also keret Samuel vmb vnd folget Saul nach / das Saul den HERRN anbettet.

|| 158a

SAmuel aber sprach / Lasst her zu mir bringen Agag der Amalekiter könig. || Vnd Agag gieng zu jm getrost / vnd sprach / Also mus man des tods bitterkeit vertreiben. [33]Samuel sprach / Wie dein schwert weiber jrer kinder beraubt hat / Also sol auch deine mutter kinder beraubt sein vnter den weibern. Also zuhieb Samuel den Agag zu stücken fur dem HERRN in Gilgal.

AGAG.

[34]VND Samuel gieng hin gen Ramath / Saul aber zoch hin auff zu seinem hause zu Gibea Saul. [35]Vnd Samuel sahe Saul fürder nicht mehr / bis an den tag seines tods / Aber doch trug Samuel leide vmb Saul / das den HERRN gerewet hatte / das er Saul zum Könige vber Jsrael gemacht hatte.

## XVI.

GOTT SENDET Samuel Dauid zum König zu salben etc.

VND DER HERR SPRACH ZU SAMUEL / WIE LANGE tregestu leide vmb Saul / den ich verworffen habe / das er nicht König sey vber Jsrael? Fülle dein Horn mit öle / vnd gehe hin / Jch wil dich senden zu dem Bethlemiter Jsai / Denn vnter seinen Sönen hab ich mir einen König ersehen. [2]Samuel aber sprach / Wie sol ich hin gehen? Saul wirds erfaren / vnd mich erwürgen. Der HERR sprach / Nim ein Kalb von den rindern zu dir / vnd

Act. 13.

sprich / Jch bin komen dem HERRN zu opffern. [3]Vnd solt Jsai zum opffer laden / Da wil ich dir weisen / was du thun solt / das du mir salbest / welchen ich dir sagen werde.

SAmuel thet wie jm der HERR gesagt hatte / vnd kam gen Bethlehem / Da entsatzten sich die Eltesten der Stad / vnd giengen jm entgegen / vnd sprachen / Jsts Friede / das du komest? [5]Er sprach / Ja / Jch bin komen dem HERRN zu opffern / Heiliget euch / vnd kompt mit mir zum Opffer / Vnd er heiliget den Jsai vnd seine Söne / vnd lud sie zum Opffer.

[6]DA sie nu er ein kamen / sahe er den Eliab an / vnd gedacht / Ob fur dem HERRN sey sein Gesalbter. [7]Aber der HERR sprach zu Samuel / Sihe nicht an seine Gestalt / noch seine grosse Person / Jch habe jn verworffen / Denn es gehet nicht wie ein Mensch sihet / Ein Mensch sihet was fur augen ist / der HERR aber sihet das hertz an. [8]Da rieff Jsai dem Abinadab / vnd lies jn fur Samuel vbergehen / Vnd er sprach / Diesen hat der HERR auch nicht erwelet. [9]DA lies Jsai fur vbergehen Samma / Er aber sprach / Diesen hat der HERR auch nicht erwelet. [10]Da lies Jsai seine sieben Söne fur Samuel ‖ vbergehen / Aber Samuel sprach zu Jsai / Der HERR hat der keinen erwelet. ‖ 158b

[11]VND Samuel sprach zu Jsai / Sind das die Knaben alle? Er aber sprach / Es ist noch vberig der Kleinest / vnd sihe / er hütet der schaf. Da sprach Samuel zu Jsai / Sende hin / vnd las jn holen / denn wir werden vns nicht setzen / bis er hie her kome. [12]Da sandte er hin vnd lies jn holen / Vnd er war

braunlicht mit schönen augen / vnd guter gestalt. Vnd der HERR sprach / Auff / vnd salbe jn / denn der ists. [13]Da nam Samuel sein Olehorn vnd salbet jn / mitten vnter seinen Brüdern / Vnd der Geist des HERRN geriet vber Dauid / von dem tag an vnd fürder / Samuel aber macht sich auff / vnd gieng gen Rama.

DER GEIST ABER DES HERRN WEICH VON SAUL / vnd ein böser Geist vom HERRN macht jn seer vnrügig. [15]Da sprachen die Knechte Saul zu jm / Sihe ein böser Geist von Gott macht dich seer vnrügig. [16]Vnser Herr sage seinen Knechten die fur jm stehen / das sie einen Man suchen / der auff der Harffen wol spielen künde / Auff das / wenn der böse geist Gottes vber dich kompt / er mit seiner hand spiele / das besser mit dir werde. [17]Da sprach Saul zu seinen knechten / Sehet nach einem Man / ders wol kan auff Seitenspiel / vnd bringet jn zu mir.

[18]DA antwortet der Knaben einer / vnd sprach / Sihe / ich hab gesehen einen son Jsai des Bethlehemiten / der kan wol auff Seitenspiel / ein rüstiger Man vnd streitbar / vnd verstendig in sachen / vnd schöne / vnd der HERR ist mit jm. [19]Da sandte Saul Boten zu Jsai / vnd lies jm sagen / Sende deinen son Dauid zu mir / der bey den Schafen ist. [20]Da nam Jsai einen Esel mit Brot vnd ein Legel weins / vnd ein Zigenböcklin / vnd sandte es Saul durch seinen son Dauid. [21]Also kam Dauid zu Saul / vnd dienete fur jm / Vnd er gewan jn seer lieb vnd er ward sein Waffentreger.

[22]VNd Saul sandte zu Jsai / vnd lies jm sagen / Las Dauid fur mir bleiben / denn er hat gnade funden fur meinen augen. [23]Wenn nu der geist Gottes vber Saul kam / So nam Dauid die Harffen / vnd spielet mit seiner hand / so erquickt sich Saul / vnd ward besser mit jm / vnd der böse Geist weich von jm.

## XVII.

DJE PHILISTER SAMLETEN JRE HEER ZUM STREIT / vnd kamen zusamen zu Socho in Juda / vnd lagerten sich zwisschen Socho vnd Aseka / am ende Damim. [2]Aber Saul vnd die menner Jsrael kamen zusamen / vnd lagerten sich im Eichgrunde / vnd rüsteten sich zum streit gegen die Philister. [3]Vnd die Philister stunden auff einem Berge jenseids / vnd die Jsraeliter auff einem Berge disseids / das ein Tal zwischen jnen war.

GOLIATH.

DA trat erfür aus den Lagern der Philister / ein Rise / mit namen Goliath von Gath / sechs ellen vnd einer handbreit hoch / [5]Vnd hatte ein ehern Helm auff seinem heubt / vnd ein schüppicht Pantzer an / vnd das gewicht seines pantzers war fünff tausent Sekel ertzs / [6]vnd hatte ehern Beinharnisch an seinen schenckeln / vnd ein ehern Schilt auff seinen schuldern / [7]Vnd der schafft seines Spiesses war wie ein Weberbawm / vnd das eisen seines Spiesses hatte sechs hundert sekel eisens / Vnd sein Schilttreger gieng fur jm her.

[8]VND er stund vnd rieff zu dem zeug Jsrael / vnd sprach zu jnen / Was seid jr ausgezogen euch zurüsten in einen streit? Bin ich nicht ein Philister / vnd jr Sauls knechte? Erwelet einen vnter euch / der zu mir erab kome / [9]Vermag er wider mich zustreitten / vnd schlegt mich / So wollen wir ewr Knechte sein / Vermag ich aber wider jn / vnd schlage jn / So solt jr vnser Knechte sein / das jr ‖ vns dienet. [10]Vnd der Philister sprach / Jch habe heuts tags dem Zeuge Jsrael hohn gesprochen / Gebt mir einen / vnd lasst vns mit einander streitten. [11]Da Saul vnd gantz Jsrael diese rede des Philisters höreten / entsatzten sie sich / vnd furchten sich seer.

‖ 159a

DAUID ABER WAR EINS EPHRATISSCHEN MANS SON von Bethlehem Juda / der hies Jsai / der hatte acht Söne / vnd war ein alter Man zu Sauls zeiten / vnd war betaget vnter den Mennern. [13]Vnd die drey grösten söne Jsai waren mit Saul in streit gezogen / vnd hiessen mit namen / Eliab der erstgeborne / Abinadab der ander / vnd Samma der dritte / [14]Dauid aber war der jüngst. Da aber die drey Eltesten mit Saul in Krieg zogen / [15]gieng Dauid widerumb von Saul / das er der schafe seines Vaters hütet zu Bethlehem. [16]Aber der Philister trat er zu früe morgens vnd abends / vnd stellet sich dar vierzig tage.

[17]JSai aber sprach zu seinem son Dauid / Nim fur deine Brüder diese Epha sangen / vnd diese zehen Brot / vnd lauff ins Heer zu deinen brüdern / [18]vnd diese zehen frissche Kese / vnd bringe sie dem Heubtman / vnd besuche deine Brüder / obs jnen wol gehe / vnd nim was sie dir befelhen. [19]Saul aber vnd sie vnd alle menner Jsrael waren im Eichgrunde / vnd stritten wider die Philister.

[20]DA machte sich Dauid des morgens früe auff / vnd lies die schafe dem Hüter / vnd trug vnd gieng hin / wie jm Jsai geboten hatte / vnd kam zur Wagenburg. Vnd das Heer war ausgezogen / vnd hatte sich gerüstet / vnd schrien im streit / [21]Denn Jsrael hatte sich gerüstet / So waren die Philister wider jren Zeug auch gerüstet.

DA lies Dauid das gefess das er trug / vnter dem Hüter der gefess / vnd lieff zu dem Zeug / vnd gieng hinein / vnd grüsset seine Brüder. [23]Vnd da er noch mit jnen redet / Sihe / Da trat er auff der Riese mit namen Goliath / der Philister von Gath / aus der Philister zeug / vnd redet wie vorhin / Vnd Dauid hörets.

[24]ABer jederman in Jsrael / wenn er den Man sahe / flohe er fur jm / vnd furchte sich seer. [25]Vnd jederman in Jsrael sprach / Habt jr den Man gesehen erauff tretten? Denn er ist erauff getretten Jsrael hohn zu sprechen. Vnd wer jn schlegt / den wil der König seer reich machen / vnd jm seine Tochter geben / vnd wil seins Vaters haus frey machen in Jsrael. [26]Da sprach Dauid zu den Mennern / die bey jm stunden / Was wird man dem thun / der diesen Philister schlegt vnd die schande von Jsrael wendet? Denn wer ist der Philister dieser vnbeschnittener der den Zeug des lebendigen Gottes hönet? [27]Da sagt jm das volck wie vorhin / So wird man thun dem / der jn schlegt.

[28]VND Eliab sein gröster Bruder höret jn reden mit den Mennern / vnd ergrimmet mit zorn wider Dauid / vnd sprach / Warumb bistu erab komen? vnd warumb hastu die wenige Schafe dort in der wüsten verlassen? Jch kenne deine vermessenheit wol vnd deines hertzen bosheit / Denn du bist erab komen das du den streit sehest. [29]Dauid antwortet / Was hab ich denn nu gethan? Jst mirs nicht befolhen? [30]Vnd wand sich von jm / gegen einem andern / vnd sprach wie er vorhin gesagt hatte. Da antwortet jm das Volck / wie vorhin.

VND da sie die wort höreten / die Dauid sagt / verkündigeten sie es fur Saul / Vnd er lies jn holen. [32]Vnd Dauid sprach zu Saul / Es entfalle keinem Menschen das hertz vmb des willen / Dein Knecht sol hin gehen / vnd mit dem Philister streitten. [33]Saul aber sprach zu Dauid / Du kanst nicht hin gehen wider diesen Philister mit jm zu streitten / Denn du bist ein Knabe / Dieser aber ist ein Kriegsman von seiner jugent auff. [34]Dauid aber sprach zu Saul / Dein Knecht hütet der schafe seines Vaters / vnd es kam ein Lewe vnd ein Beer / vnd trug ein schaf weg von der Herde. [35]Vnd ich lieff jm nach vnd || schlug jn / vnd errettets aus seinem maul / Vnd da er sich vber mich machet / ergreiff ich jn bey seinem bart / vnd schlug jn / vnd tödtet jn. [36]Also hat dein knecht geschlagen beide den Lewen vnd den Beren / So sol nu dieser Philister der vnbeschnittene sein / gleich wie der einer / Denn er hat geschendet den Zeuge des lebendigen Gottes. [37]Vnd Dauid sprach / DER HERR / DER MICH VON DEM LEWEN VND BEREN ERRETTET HAT / DER WIRD MICH AUCH ERRETTEN VON DIESEM PHILISTER.

|| 159b

VND Saul sprach zu Dauid / Gehe hin / der HERR sey mit dir. Vnd Saul zoch Dauid seine Kleider an / vnd setzt jm ein ehern Helm auff sein Heubt / vnd legt jm ein Pantzer an. [39]Vnd Dauid gürtet sein Schwert vber seine Kleider / vnd fieng an zugehen / denn er hats nie versucht. Da sprach Dauid zu Saul / Ich kan nicht also gehen / denn ich bins nicht gewonet / vnd legets von sich. [40]Vnd nam seinen Stab in seine Hand / vnd erwelet funff glatte Stein aus dem bach / vnd thet sie in die Hirtentassche die er hatte / vnd in den Sack / vnd nam die Schleuder in seine Hand vnd macht sich zu dem Philister.

VND der Philister gieng auch einher / vnd macht sich zu Dauid / vnd sein Schilttreger fur jm her. [42]Da nu der Philister sahe vnd schawet Dauid an / veracht er jn / Denn er war ein Knabe / braunlicht vnd schön. [43]Vnd der Philister sprach zu Dauid / Bin ich denn ein Hund / das du mit Stecken zu mir kompst? Vnd fluchet dem Dauid bey seinem Gott / [44]vnd sprach zu Dauid / Kom her zu mir / ich wil dein Fleisch geben den Vogeln vnter dem Himel / vnd den Thieren auff dem felde.

[45]DAuid aber sprach zu dem Philister / Du kompst zu mir mit schwert / spies vnd schilt / Jch aber kome zu dir im Namen des HERRN Zebaoth des Gottes des zeugs Jsrael / die du gehönet hast. [46]Heuts tags wird dich der HERR in meine hand vberantworten / Das ich dich schlahe / vnd neme dein Heubt von dir / vnd gebe den Leichnam des Heers der Philister heute den Vogeln vnter dem Himel / vnd dem Wild auff erden / Das alles Land

Psal. 20.

innen werde / das Jsrael einen Gott hat / [47]Vnd das alle diese Gemeine innen werde / das der HERR nicht durch Schwert noch Spies hilfft / Denn der streit ist des HERRN / vnd wird euch geben in vnsere hende.||

|| 160 a

DA sich nu der Philister auffmacht / gieng da her / vnd nahet sich gegen Dauid / eilet Dauid vnd lieff vom Zeug gegen dem Philister. [49]Vnd Dauid thet seine hand in die Tasschen / vnd nam einen Stein daraus / vnd schleudert / vnd traff den Philister an seine stirn / das der Stein in seine stirn fuhr / vnd er zur erden fiel auff sein angesicht. [50]Also vberwand Dauid den Philister mit der Schleuder vnd mit dem Stein / vnd schlug jn / vnd tödtet jn. Vnd da Dauid kein Schwert in seiner hand hatte / [51]lieff er / vnd trat zu dem Philister / vnd nam sein Schwert vnd zogs aus der scheiden / vnd töotet jn / vnd hieb jm den Kopff damit abe.

Eccl. 47.

GOLIATH VON Dauid vberwunden vnd getödtet.

DA aber die Philister sahen / das jr Sterckster tod war / flohen sie. [52]Vnd die menner Jsrael vnd Juda machten sich auff / vnd rieffen vnd jagten den Philistern nach / bis man kompt ins Tal / vnd bis an die thor Ekron / Vnd die Philister fielen erschlagen auff dem wege / zu den thoren / bis gen Gath vnd gen Ekron. [53]Vnd die kinder Jsrael kereten vmb von dem nachiagen der Philister / vnd beraubten jr Lager. [54]Dauid aber nam des Philisters Heubt / vnd brachts gen Jerusalem / Sein Waffen aber legt er in seine Hütten.

DA aber Saul Dauid sahe ausgehen wider den Philister / sprach er zu Abner seinem Feldheubtmañ / Wes son ist der Knabe? Abner aber sprach / So war deine seele lebt König / ich weis nicht. Der König sprach / [56]So frage darnach / wes Son der Jüngling sey. [57]Da nu Dauid widerkam von der Schlacht des Philisters / nam jn Abner / vnd bracht jn fur Saul / vnd er hatte des Philisters heubt in seiner hand. [58]Vnd Saul sprach zu jm / Wes son bistu Knabe? Dauid sprach / Jch bin ein son deines knechts Jsar des Bethlehemiten.

XVIII.

VND DA ER HATTE AUSGEREDT MIT SAUL / verband sich das hertz Jonathan mit dem hertzen Dauid / vnd Jonathan gewan jn lieb / wie sein eigen hertz. [2]Vnd Saul nam jn des tags / vnd lies jn nicht wider zu seins Vaters haus komen. [3]Vnd Jonathan vnd Dauid machten einen Bund mit einander / Denn er hatte jn lieb / wie sein eigen hertz. [4]Vnd Jonathan zog aus seinen Rock den er anhatte / vnd gab jn Dauid / dazu seinen Mantel / sein Schwert / seinen Bogen / vnd seinen Gürtel.

Jn. 20. 23

[5]VND Dauid zoch aus wo hin jn Saul sand / vnd hielt sich klüglich / Vnd Saul setzt jn vber die Kriegsleute / vnd er gefiel wol allem Volck / auch den knechten Saul.

ES begab sich aber / da er wider komen war von des Philisters schlacht / das die Weiber aus allen stedten Jsrael waren gegangen mit gesang vnd reigen dem könige Saul entgegen / mit paucken / mit freuden vnd mit geigen. [7]Vnd die Weiber sungen gegen einander / vnd spieleten / vnd sprachen / Saul hat tausent geschlagen / aber Dauid zehen tausent. [8]Da ergrimmet Saul seer / vnd gefiel jm das wort vbel / vnd sprach / Sie haben Dauid zehen tausent gegeben / vnd mir tausent / Das Königreich wil noch sein werden. [9]Vnd Saul sahe Dauid saur an / von dem tage / vnd fort an.

Eccl. 47.

DEs andern tags geriet der böse Geit von Gott vber Saul / vnd weissagt da heimen im hause / Dauid aber spielet auff den Seiten mit seiner hand / wie er teglich pflegt. Vnd Saul hatte einen Spies in der hand / [11]vnd schos jn / vnd gedacht / Jch wil Dauid an die wand spiessen / Dauid aber wand sich zwey mal von jm. [12]Vnd Saul furcht sich fur Dauid / Denn der HERR war mit jm / vnd war von Saul gewichen. [13]Da thet jn Saul von sich / vnd setzt jn zum Fürsten vber tausent Man / Vnd er zoch aus vnd ein fur dem Volck. [14]Vnd Dauid hielt sich klüglich in alle seim thun / vnd der HERR war mit jm. [15]Da nu Saul sahe / das er sich so klüglich hielt / schewet er sich fur jm. [16]Aber gantz Jsrael vnd Juda hatte Dauid lieb / denn er zoch aus vnd ein fur jnen her.||

|| 160b

VND Saul sprach zu Dauid / Sihe / meine grösseste tochter Merob wil ich dir zum Weibe geben / sey nur freidig / vnd füre des HERRN kriege. Denn Saul gedacht / meine hand sol nicht an jm sein / sondern die hand der Philister. [18]Dauid aber antwortet Saul / Wer bin ich? vnd was ist mein leben vnd Geschlecht meines Vaters in Jsrael / das ich des Königs Eidem werden sol? [19]Da aber die zeit kam / das Merob die tochter Saul solt Dauid gegeben werden / ward sie Adriel dem Meholathiter zum weibe gegeben.

MEROB.

ABer Michal Sauls tochter hatte den Dauid lieb. Da das Saul angesagt ward / sprach er / Das ist recht / [21]Jch wil sie jm geben / das sie jm zum Fall gerate / vnd der Philister hende vber jn komen. Vnd sprach zu Dauid / Du solt heute mit der andern mein Eidem werden. [22]Vnd Saul gebot seinen Knechten / Redet mit Dauid heimlich / vnd sprecht / Sihe / der König hat lust zu dir / vnd alle seine Knechte lieben dich / So sey nu des Königs Eidem.

MICHAL.

[23]VND die knechte Saul redten solche wort fur den ohren Dauid / Dauid aber sprach / Dünckt euch das ein geringes sein / des Königes Eidem zu sein? Jch aber bin ein armer geringer Man. [24]Vnd die knechte Saul sagten jm wider / vnd sprachen / Solche wort hat Dauid geredt. [25]Saul sprach / So sagt zu Dauid / Der König begeret keine Morgengab / on hundert Vorheute von den Philistern / das man sich reche an des Königs Feinden / Denn Saul tracht Dauid zu fellen durch des Philister hand. [26]Da sagten seine Knechte Dauid an solche wort / Vnd dauchte Dauid die sache gut sein / das er des Königs Eidem würde.

VND die zeit war noch nicht aus / [27]Da macht sich Dauid auff / vnd zoch hin mit seinen Mennern / vnd schlug vnter den Philistern zwey hundert Man / Vnd Dauid brachte jre Vorheute vnd vergnüget dem König die zal / das er des Königes Eidem würde. Da gab jm Saul seine tochter Michal zum weibe. [28]Vnd Saul sahe vnd mercket / das der HERR mit Dauid war. Vnd Michal Sauls tochter hatte jn lieb. [29]Da furchte sich Saul noch mehr fur Dauid / vnd ward sein Feind sein leben lang.

MICHAL Dauids weib.

30Vnd da der Philister Fürsten auszogen / handelt Dauid klüglicher denn alle knechte Saul / wenn sie auszogen / das sein name hoch gepreiset ward.

XIX.

SAUL ABER REDE MIT SEINEM SON JONATHAN VND mit allen seinen Knechten / das sie Dauid solten tödten. Aber Jonathan Sauls son hatte Dauid seer lieb / 2vnd verkündigets jm / vnd sprach / Mein vater Saul trachtet darnach / das er dich tödte. Nu so beware dich morgens / vnd bleibe verborgen vnd verstecke dich. 3Jch aber wil erause gehen / vnd neben meinem vater stehen auff dem felde da du bist / vnd von dir mit meinem Vatter reden / vnd was ich sehe / wil ich dir kund thun.

VND Jonathan redet das beste von Dauid mit seinem vater Saul / vnd sprach zu jm / Es versündige sich der König nicht an seinem knechte Dauid / denn er hat keine sünde wider dich gethan / Vnd sein thun ist dir seer nütze. 5Vnd er hat sein Leben in seine hand gesetzt / vnd schlug den Philister / vnd der HERR thet ein gros Heil dem gantzen Jsrael / Das hastu gesehen / vnd dich des gefrewet / Warumb wiltu dich denn an vnschüldigem Blut versündigen / das du Dauid on vrsach tödtest? 6Da gehorcht Saul der stim Jonathan / vnd schwur / So war der HERR lebt / er sol nicht sterben. 7Da rieff Jonathan Dauid / vnd sagt jm alle diese wort vnd bracht jn zu Saul / das er fur jm war / wie vorhin.

Sup. 17.

ES erhub sich aber wider ein streit / Vnd Dauid zoch aus / vnd streit wider die Philister / vnd

thet eine grosse Schlacht / das sie fur jm flohen. [9]Aber der böse Geist vom HERRN kam vber Saul / vnd er sass in seinem || hause / vnd hatte einen Spies in seiner hand / Dauid aber spielet auff den Seiten mit der hand. [10]Vnd Saul trachtet Dauid mit dem Spies an die wand zu spiessen / Er aber reis sich von Saul / vnd der Spies fuhr in die wand / Dauid aber floh / vnd entran die selbige nacht.

|| 161 a

Psal. 59.

SAul sand aber Boten zu Dauids haus / das sie jn bewareten vnd tödteten am morgen. Das verkündigt dem Dauid sein weib Michal / vnd sprach / Wirstu nicht diese nacht deine Seel erretten / so mustu morgen sterben. [12]Da lies jn Michal durchs Fenster ernider das er hin gieng / entfloh vnd entran. [13]Vnd Michal nam ein Bilde / vnd legts ins Bette / vnd leget ein Zigenfell zu seinen heubten / vnd deckts mit Kleidern zu. [14]Da sandte Saul Boten / das sie Dauid holeten. Sie aber sprach / Er ist kranck. [15]Saul aber sandte Boten Dauid zu besehen / vnd sprach / Bringet jn er auff zu mir mit dem Bette / das er getödtet werde. [16]Da nu die Boten kamen / sihe / da lag das Bild im bette / vnd ein Zigenfell zu seinen heubten. [17]Da sprach Saul zu Michal / Warumb hastu mich betrogen vnd meinen Feind gelassen / das er entrünne? Michal sprach zu Saul / Er sprach zu mir / Las mich gehen / oder ich tödte dich.

MICHAL.

DAuid aber entfloch vnd entran / vnd kam zu Samuel gen Rama / vnd sagt jm an alles / was jm Saul gethan hatte / Vnd er gieng hin mit Samuel / vnd blieben zu Naioth. [19]Vnd es ward Saul angesagt / Sihe Dauid ist zu Naioth in Rama. [20]Da sandte Saul Boten / das sie Dauid holeten. Vnd sie sahen zween Chor Propheten weissagen / vnd Samuel war jr Auffseher / Da kam der geist Gottes auff die Boten Sauls / das sie auch weissageten. [21]Da das Saul ward angesaget / sandte er andere Boten / die weissageten auch. Da sandte er die dritten Boten / die weissageten auch.

DAUID FLIEHET fur Saul etc.

[22]DA gieng er selbs auch gen Rama / vnd da er kam zum grossen Brun / der zu Seku ist / fraget er vnd sprach / Wo ist Samuel vnd Dauid? Da ward jm gesagt / Sihe zu Naioth in Rama. [23]Vnd er gieng daselbs hin gen Naioth in Rama / Vnd der geist Gottes kam auch auff jn / vnd gieng einher vnd weissaget / bis er kam gen Naioth in Rama. [24]Vnd er zog auch seine Kleider aus / vnd weissagt auch

a (Blos) Nicht das er nacket gewesen sey / sondern hat die Königliche Kleider abgelegt / vnd nur gemeine Kleider an behalten / als ein ander Mensch. Vnd fiel nider den gantzen tag etc. das ist / Er bettet mit jnen vnd / wenn sie nider fielen / fiel er auch nider mit jnen.

fur Samuel / vnd fiel [a]blos nider den gantzen tag / vnd die gantze nacht. Da her spricht man / Jst Saul auch vnter den Propheten?

Sup. 10.

## XX.

|| 161 b

DAUID ABER FLOHE VON NAIOTH ZU RAMA / VND kam vnd redet fur Jonathan / Was hab ich gethan? Was habe ich mishandelt? Was hab ich gesündiget fur deinem Vater / das er nach meinem Leben stehet? [2]Er aber sprach zu jm / Das sey ferne / du solt nicht sterben. Sihe / mein Vater thut nichts weder gros noch kleines / das er nicht meinen ohren offenbare / Warumb solt denn mein Vater dis fur mir verbergen? Es wird nicht so sein. [3]Da schwur Dauid weiter / vnd sprach / Dein Vater weis wol / das ich gnade fur deinen augen funden habe / darumb wird er dencken / Jonathan sol solchs nicht wissen / es möcht jn bekümmern. Warlich / so war der HERR lebt / vnd so war deine Seele lebt / es ist nur ein schrit zwischen mir vnd dem Tod.

JOnathan sprach zu Dauid / Jch wil an dir thun / was dein hertz begert. [5]Dauid sprach zu jm / Sihe / morgen ist der Newemond da ich mit dem Könige zu tisch sitzen solt / So las mich / das ich mich auff dem Felde verberge / bis an den abend des dritten tags. [6]Wird dein Vater nach mir fragen / so sprich / Dauid bat mich / das er gen Bethlehem zu seiner Stad lauffen möcht / denn es ist ein jerlich Opffer daselbs dem gantzen geschlechte. [7]Wird er sagen / Es ist gut / so stehet es wol vmb deinen knecht. Wird er aber ergrimmen / So wirstu mercken / das böses bey jm beschlossen ist. [8]So thu nu barmhertzigkeit an deinem knecht / denn du hast mit mir / deinem knecht / einen Bund im HERRN gemacht. Jst aber eine missetaht in mir / so tödte du mich / Denn warumb woltestu mich zu deinem Vater bringen? [9]Jonathan sprach / Das sey ferne von dir / das ich solt mercken / das böses bey meinem Vater beschlossen were vber dich zu bringen / vnd sols dir nicht ansagen.

[10]DAuid aber sprach / Wer wil mirs ansagen / so dir dein Vater etwas hartes antwortet? [11]Jonathan sprach zu Dauid / Kom / las vns hinaus auffs feld gehen / Vnd giengen beide hinaus auffs feld. [12]Vnd Jonathan sprach zu Dauid / HERR Gott Jsrael / wenn ich erforsche an meinem Vater morgen vnd am dritten tage / das es wol stehet mit Da-

uid / vnd nicht hin sende zu dir / vnd fur deinen ohren offenbare / [13]So thu der HERR Jonathan dis vnd jenes. Wenn aber das böse meinem Vater gefelt wider dich / So wil ichs auch fur deinen ohren offenbaren / vnd dich lassen / das du mit frieden weggehest / Vnd der HERR sey mit dir / wie er mit meinem Vater gewesen ist. [14]Thu ichs nicht so thu keine barmhertzigkeit des HERRN an mir / weil ich lebe / auch nicht so ich sterbe. [15]Vnd wenn der HERR die Feinde Dauid ausrotten wird / einen jglichen aus dem Lande / so reisse du deine barmhertzigkeit nicht von meinem Hause ewiglich. [16]Also machet Jonathan einen Bund mit dem hause Dauid (vnd sprach) Der HERR foddere es von der hand der Feinde Dauid.

Sup. 18.

VND Jonathan fuhr weiter vnd schwur Dauid / So lieb hatte er jn / denn er hatte jn so lieb als seine seele. [18]Vnd Jonathan sprach zu jm / Morgen ist der Newemond / so wird man nach dir fragen / Denn man wird dein vermissen / da du zu sitzen pflegest. [19]Des dritten tages aber kom balde ernider / vnd gehe an einen Ort / da du dich verbergest am Werckeltage / vnd setze dich bey den stein Asel. [20]So wil ich zu seiner seitten drey Pfeile schiessen / als ich zum Sichermal schösse / [21]vnd sihe / Jch wil den Knaben senden / gehe hin suche die Pfeile. Werde ich zum Knaben sagen / Sihe / die Pfeile ligen hierwerts hinder dir / hole sie / So kom / denn es ist friede / vnd hat keine fahr / so war der HERR lebt. [22]Sage ich aber zum Jünglinge / Sihe / die Pfeile ligen dortwerts fur dir / So gehe hin / denn der HERR hat dich lassen gehen. [23]Was aber du vnd ich mit einander geredt haben / da ist der HERR zwisschen mir vnd dir ewiglich.

DAuid verbarg sich im felde / Vnd da der Newemond kam / satzte sich der || König zu tische zu essen. [25]Da sich aber der König gesetzt hatte an seinen Ort / wie er vorhin gewonet war an der wand / stund Jonathan auff / Abner aber setzt sich an die seiten Saul / Vnd man vermisset Dauids an seinem ort. [26]Vnd Saul redet des tags nichts / denn er gedacht / Es ist jm etwas widerfaren / das er nicht rein ist. [27]Des andern tages des Newenmonden / da man Dauids vermisste an seinem ort / sprach Saul zu seinem son Jonathan / Warumb ist der son Jsai nicht zu tisch komen / weder gestern noch heute?

|| 162 a

[28]JOnathan antwortet Saul / Er bat mich / das er gen Bethlehem gienge / [29]vnd sprach / Las mich gehen / denn vnser Geschlecht hat zu opffern in der Stad / vnd mein Bruder hat mirs selbs geboten / Hab ich nu gnade fur deinen augen funden / so wil ich hinweg vnd meine Brüder sehen / Darumb ist er nicht komen zu des Königs tisch. [30]Da ergrimmet der zorn Saul wider Jonathan / vnd sprach zu jm / Du [a]vngehorsamer Bösewicht / Jch weis wol / das du den son Jsai ausserkorn hast / dir vnd deiner vnartigen Mutter zu schanden. [31]Denn so lange der son Jsai lebt auff Erden / wirstu / dazu auch dein Königreich nicht bestehen / So sende nu hin / vnd las jn her holen zu mir / denn er mus sterben.

a Filius non heroicus / sed mulieris ignominiosae / vilis / degeneris.

[32]JOnathan antwortet seinem vater Saul / vnd sprach zu jm / Warumb sol er sterben? Was hat er gethan? [33]Da schos Saul den spies nach jm / das er jn spiesset. Da merckt Jonathan / das bey seinen Vater gentzlich beschlossen war / Dauid zu tödten / [34]Vnd stund auff vom tisch mit grimmigem zorn / vnd ass desselben andern tages des Newenmonden kein Brot / Denn er war bekümmert vmb Dauid / das jn sein Vater also verdampte.

DES morgens gieng Jonathan hinaus auffs feld / dahin er Dauid bestimpt hatte / vnd ein kleiner knabe mit jm / [36]vnd sprach zu dem Knaben / Lauff vnd suche mir die pfeile / die ich schiesse. Da aber der Knabe lieff / schos er einen pfeil vber jn hin. [37]Vnd als der Knabe kam an den ort / da hin Jonathan den pfeil geschossen hatte / rieff jm Jonathan nach vnd sprach / Der pfeil ligt dortwerts fur dir. [38]Vnd rieff aber mal jm nach / Eile rissch vnd stehe nicht still. Da las der Knabe Jonathan die pfeile auff / vnd bracht sie zu seinem Herrn. [39]Vnd der Knabe wuste nichts drumb / alleine Jonathan vnd Dauid wusten vmb die sache. [40]Da gab Jonathan sein Woffen seinem Knaben / vnd sprach zu jm / Gehe hin vnd trags in die Stad.

DA der Knabe hin ein kam / stund Dauid auff vom Ort gegen Mittag / vnd fiel auff sein andlitz zur erden / vnd bettet drey mal an / Vnd küsseten sich mit einander / vnd weineten mit einander / Dauid aber am allermeisten. [42]Vnd Jonathan sprach zu Dauid / Gehe hin mit frieden / Was wir beide geschworen haben im Namen des HERRN / vnd gesagt / Der HERR sey zwisschen mir vnd dir / zwisschen meinem Samen vnd deinem Samen /

das bleibe ewiglich / [43]Vnd Jonathan macht sich auff vnd kam in die Stad.

## XXI.

DAUID ABER KAM GEN NOBE ZUM PRIESTER AHImelech / Vnd Ahimelech entsatzt sich / da er Dauid entgegen gieng / vnd sprach zu jm / Warumb kompstu allein / vnd ist kein Man mit dir? [2]Dauid sprach zu Ahimelech dem Priester / Der König hat mir eine Sache befolhen vnd sprach zu mir / Las niemand wissen / warumb ich dich gesand habe / vnd was ich dir befolhen habe / Denn ich hab auch meinen Knaben etwa hie oder da her bescheiden. [3]Hastu nu was vnter deiner hand / ein Brot oder fünffe / die gib mir in meine hand / oder

[4]DEr Priester antwortet Dauid / vnd sprach / Jch hab kein gemein Brot vnter meiner hand / sondern heilig Brot / Wenn sich nur die Knaben von Weibern enthalten hetten. [5]Dauid antwortet dem Priester / vnd sprach zu jm / Es || sind die Weiber drey tage vns versperret gewesen / da ich auszoch / vnd der Knaben zeug war heilig / Jst aber dieser weg vnheilig / so wird er heute geheiliget werden an dem zeuge. [6]Da gab jm der Priester des Heiligen / weil kein ander Brot da war / denn die schawbrot / die man fur dem HERRN auffhub / das man ander frisch Brot auff legen solt des tages da er die weggenomen hatte.

|| 162b

Mat. 12. Luc. 6.

(Zeug) Jn der Schrifft heisst ein jglicher Leib ein Zeug / Wie auch Act. 9. Christus von S. Paulus saget / Er ist mein ausserwelter Zeug etc. Darumb das Gott damit wircket / wie ein Handwercksman mit seinem zeuge. Wil nu hie Dauid sagen / Wenn die Person heilig ist / so ists alles heilig was man isset / trincket / thut oder lesst / Wie S. Paulus Tit. j. spricht / Den Reinen ist alles rein.

ES war aber des tages ein Man drinnen versperret fur dem HERRN / aus den knechten Saul / mit namen Doeg ein Edomiter / der mechtigest vnter den Hirten Sauls. [8]Vnd Dauid sprach zu Ahimelech / Jst nicht hie vnter deiner hand ein spies oder

DOEG. Psal. 52.

schwert? Jch hab mein schwert vnd waffen nicht mit mir genomen / Denn die sache des Königs war eilend. [9]Der Priester sprach / Das schwert des Philisters Goliath / den du schlugest im Eichgrunde / das ist hie / gewickelt in einem Mantel hinder dem Leibrock / Wiltu das selbige / so nims hin / denn es ist hie kein anders denn das. Dauid sprach / Es ist seins gleichen nicht / Gib mirs.

ACHIS.

VND Dauid macht sich auff / vnd floh fur Saul / vnd kam zu Achis dem könige zu Gath. [11]Aber die knechte Achis sprachen zu jm / Das ist der Dauid des lands König / von dem sie sungen am Reigen / vnd sprachen Saul schlug tausent / Dauid aber zehen tausent. [12]Vnd Dauid nam die rede zu hertzen / vnd furcht sich seer fur Achis dem könige zu Gath. [13]Vnd verstellet / sein geberde fur jnen / vnd kollert vnter jren henden / vnd sties sich an die thür am thor / vnd sein geiffer flos jm in den bart. [14]Da sprach Achis zu seinen knechten / Sihe / jr sehet das der Man vnsinnig ist / Warumb habt jr jn zu mir bracht [15]Hab ich der vnsinnigen zu wenig / das jr diesen her brechtet / das er neben mir rasete? Solt der in mein haus komen.

Psal. 56.

Psal. 34.

## XXII.

DAUID GIENG VON DANNEN / VND ENTRAN IN DIE höle Adullam. Da das seine Brüder höreten / vnd das gantze Haus seines Vaters / kamen sie zu jm hin ab daselbs hin. [2]Vnd es versamleten sich zu jm allerley Menner / die in not vnd schuld / vnd betrübtes hertzen waren / Vnd er war jr Oberster / das bey vier hundert Man bey jm waren.||

Psal. 57.

|| 163 a

VND Dauid gieng von dannen gen Mizpe in der Moabiter land / vnd sprach zu der Moabiter könig / Las mein Vater vnd mein Mutter bey euch aus vnd eingehen / bis ich erfare / was Gott mit mir thun wird / [4]Vnd er lies sie fur dem Könige der Moabiter / das sie bey jm blieben / so lange Dauid in der Burg war. [5]Aber der Prophet Gad sprach zu Dauid / Bleib nicht in der Burg / sondern gehe hin vnd kom ins land Juda. Da gieng Dauid hin. vnd kam in den wald Hareth. [6]Vnd es kam fur Saul / das Dauid vnd die Menner / die bey jm waren / weren erfur komen.

GAD.

Psal. 63.

ALs nu Saul wonet zu Gibea / vnter einem Hayn in Rama / hatte er seinen Spies in der hand / vnd alle seine Knechte stunden neben jm. [7]Da sprach

Saul zu seinen Knechten / die neben jm stunden / Höret jr kinder Jemini / Wird auch der son Jsai euch allen Ecker vnd Weinberge geben / vnd euch alle vber tausent vnd vber hundert zu Obersten machen? [8]das jr euch alle verbunden habt wider mich / vnd ist niemand der es meinen ohren offenbarte / Weil auch mein Son einen Bund gemacht hat mit dem son Jsai. Jst niemand vnter euch den es krencke meinet halben / vnd meinen ohren offenbare / Denn mein Son hat meinen Knecht wider mich aufferwecket / das er mir nachstellet / wie es am tag ist.

Psal. 52.

DA antwortet Doeg der Edomiter / der neben den knechten Saul stund / vnd sprach / Jch sahe den son Jsai / das er er gen Nobe kam zu Ahimelech dem son Ahitob / [10]Der fragte den HERRN fur jn / vnd gab jm speise / vnd das schwert Goliath des Philisters.

DOEG.

DA sandte der König hin / vnd lies ruffen Ahimelech dem Priester / dem son Ahitob / vnd seines Vaters gantzem hause / die Priester die zu Nobe waren / Vnd sie kamen alle zum Könige. [12]Vnd Saul sprach / Höre du son Ahitob. Er sprach / Hie bin ich mein Herr. [13]Vnd Saul sprach zu jm / Warumb habt jr einen Bund wider mich gemacht / du vnd der son Jsai / Das du jm Brot vnd Schwert gegeben / vnd Gott fur jn gefragt hast / das du jn erweckest / das er mir nachstelle / wie es am tag ist?

[14]AHimelech antwortet dem Könige / vnd sprach / Vnd wer ist vnter allen deinen Knechten als Dauid / der getrew ist vnd des Königs eidem / vnd gehet in deinem gehorsam / vnd ist herrlich gehalten in deinem Hause? [15]Hab ich denn heute erst angefangen Gott fur jn zu fragen? Das sey ferne von mir / Der König lege solchs seinem Knecht nicht auff in gantz meines Vaters hause / Denn dein Knecht hat von alle diesem nichts gewust / weder kleins noch grosses.

ABer der König sprach / Ahimelech / du must des tods sterben / du vnd deines Vaters gantzes haus. [17]Vnd der König sprach zu seinen Drabanten / die neben jm stunden / Wendet euch / vnd tödtet des HERRN Priester / Denn jre hand ist auch mit Dauid / vnd da sie wusten das er floh / haben sie mirs nicht eröffenet. Aber die knechte des Königs wolten jre hende nicht an die Priester des HERRN legen / sie zu erschlagen. [18]Da sprach der

errettet die zu Kegila.

König zu Doeg / Wende du dich vnd erschlage die Priester. Doeg der Edomiter wand sich / vnd erschlug die Priester / Das des tages storben fünff vnd achzig Menner / die leinen Leibröcke trugen. [19]Vnd die stad der Priester Nobe schlug er mit der scherffe des schwerts / beide Man vnd Weib / Kinder vnd Seuglinge / Ochsen vnd Esel vnd Schafe.

SAUL LESST 85. Priester ermorden vmb Dauids willen etc.

ES entran aber ein son Ahimelech / des sons Ahitob / der hies AbJathar / vnd floh Dauid nach / [21]vnd verkündiget jm / Das Saul die Priester des HERRN erwürget hette. [22]Dauid aber sprach zu AbJathar / Jch wusts wol an dem tage / da der Edomiter Doeg da war / das ers würde Saul ansagen / Jch bin schüldig an allen Seelen deines Vaters hause. [23]Bleibe bey mir vnd fürchte dich nicht / Wer nach meinem Leben stehet / der sol auch nach deinem leben stehen / vnd solt mit mir behalten werden. ||

ABJATHAR entrinnet.

|| 163b

XXIII.

VND ES WARD DAUID ANGESAGT / SIHE / DIE Philister streitten wider Kegila / vnd berauben die Tennen. [2]Da fragt Dauid den HERRN / vnd sprach / Sol ich hin gehen vnd diese Philister schlagen? Vnd der HERR sprach zu Dauid / Gehe hin / du wirst die Philister schlahen / vnd Kegila erretten. [3]Aber die Menner bey Dauid sprachen zu jm / Sihe / wir fürchten vns hie in Juda / vnd wöllen hin gehen gen Kegila zu der Philister zeug? [4]Da fragt Dauid wider den ERRNN / Vnd der HERR antwortet jm / vnd sprach / Auff / zeuch hin ab gen Kegila / denn ich wil die Philister in deine hende geben. [5]Also zoch Dauid sampt seinen Mennern gen Kegila / vnd streit wider die Philister / vnd treib jnen jr Vieh weg / vnd thet eine grosse Schlacht an jnen / Also errettet Dauid die zu Kegila. [6]Denn da AbJathar der son Ahimelech floh zu Dauid gen Kegila / trug er den Leibrock mit sich hinab.

Kegila.

DA WARD SAUL ANGESAGT / DAS DAUID GEN Kegila komen were / vnd sprach / Gott hat jn in meine hende vbergeben / das er verschlossen ist / nu er in eine Stad komen jst / mit thuren vnd rigeln verwaret. [8]Vnd Saul lies allem volck ruffen zum streit / hin nider gen Kegila / das sie Dauid vnd seine Menner belegten. [9]Da aber Dauid mercket / das Saul böses vber jn gedacht / sprach er zu dem

Priester Ab Jathar / Lange den Leibrock her. [10]Vnd Dauid sprach / HERR Gott Jsrael / dein Knecht hat gehöret / das Saul darnach trachte / das er gen Kegila kome / die Stad zu verterben vmb meinen willen. [11]Werden mich auch die Bürger zu Kegila vberantworten in seine hende? Vnd wird aber Saul erab komen / wie dein Knecht gehört hat? Das verkündige HERR Gott Jsrael deinem Knecht. Vnd der HERR sprach / Er wird erab komen. [12]Dauid sprach / Werden aber die Bürger zu Kegila mich vnd meine Menner vberantworten in die hende Saul? Der HERR sprach / Ja.

[13]DA macht sich Dauid auff sampt seinen Mennern / der bey sechs hundert waren / vnd zogen aus von Kegila / vnd wandelten wo sie hin kundten. Da nu Saul angesagt ward / das Dauid von Kegila entrunnen war / lies er sein ausziehen anstehen. [14]Dauid aber bleib in der wüsten in der Burg / vnd bleib auff dem berge in der wüsten Siph. Saul aber sucht jn sein leben lang / Aber Gott gab jn nicht in seine hende. [15]Vnd Dauid sahe das Saul ausgezogen war sein leben zu suchen / Aber Dauid war in der wüsten Siph / in der Heide.

DA macht sich Jonathan auff / der son Saul / vnd gieng hin zu Dauid in die Heide / vnd sterckt seine hand in Gott / [17]vnd sprach zu jm / Fürchte dich nicht / meins vaters Sauls hand wird dich nicht finden / vnd du wirst König werden vber Jsrael / So wil ich der Nehest vmb dich sein / Auch weis solchs mein Vater wol. [18]Vnd sie machten beide einen Bund mit einander fur dem HERRN / Vnd Dauid bleib in der Heide / Aber Jonathan zoch wider heim.

Su. 18. 20.

BUND ZWISSCHEN Jonathan vnd Dauid.

ABER DIE SIPHITER ZOGEN HINAUFF ZU SAUL GEN Gibea / vnd sprachen / Jst nicht Dauid bey vns verborgen in der Burg in der Heide auff dem hügel Hachila / der zur rechten ligt an der wüsten? [20]So kom nu der König ernider nach alle seins hertzen beger / So wöllen wir jn vberantworten in des Königs hende. [21]Da sprach Saul / Gesegenet seid jr dem HERRRN / das jr euch mein erbarmet habt. [22]So gehet nu hin / vnd werdets noch gewisser / das jr wisset vnd sehet / an welchem Ort seine füsse gewesen sind / vnd wer jn daselbs gesehen habe / Denn mir ist gesagt / das er listig ist. [23]Besehet vnd erkundet alle Orter / da er sich verkreucht / vnd komet wider zu mir / wenn jrs gewis seid / so wil

Jnf. 26.

Psal. 54.

SIPHITER.

stellet Dauid nach etc.

ich mit euch ziehen / Jst er im Lande / so wil ich nach jm forschen vnter allen tausenten in Juda. || || 164a

[24]DA machten sie sich auff / vnd giengen gen Siph fur Saul hin. Dauid aber vnd seine Menner waren in der wüsten Maon / auff dem gefilde zur rechten der wüsten. [25]Da nu Saul hin zoch mit seinen Mennern zu suchen / wards Dauid angesagt / Vnd er macht sich hinab in den Fels / vnd bleib in der wüsten Maon. Da das Saul höret / jaget er Dauid nach in der wüsten Maon. [26]Vnd Saul mit seinen Mennern gieng an einer seiten des Berges / Dauid mit seinen Mennern an der andern seiten des berges. Da Dauid aber eilet dem Saul zu entgehen / da vmbringete Saul sampt seinen mennern Dauid vnd seine menner / das er sie griffe.

[27]ABer es kam ein Bote zu Saul / vnd sprach / Eile vnd kom / Denn die Philister sind ins Land gefallen. [28]Da keret sich Saul von dem nachiagen Dauid / vnd zoch hin den Philistern entgegen / Da her heisst man den ort / SelaMahelkoth. [1]Vnd Dauid zoch hinauff von dannen / vnd bleib in der Burg zu EnGedi.

(SELAMAHELkoth) Das heisst Scheidefels.

XXIIII.

DA NU SAUL WIDER KAM VON DEN PHILISTERN / ward jm gesagt / Sihe / Dauid ist in der wüsten EnGedi. [3]Vnd Saul nam drey tausent junger Manschafft aus gantz Jsrael / vnd zoch hin / Dauid sampt seinen Mennern zu suchen / auff den felsen der Gemsen. [4]Vnd da er kam zu den Schafshürten am wege / war daselbs eine Höle / vnd Saul gieng hinein seine Füsse zu decken / Dauid aber vnd seine Menner sassen hinden in der Höle.

(Seine füsse decken) So züchtig ist die heilige Schrifft / das sie füsse decken heisst / auff das heimlich Gemach gehen.

[5]DA sprachen die Menner Dauid zu jm / Sihe / das ist der tag / dauon der HERR dir gesagt hat / Sihe / Jch wil deinen Feind in deine hende geben / das du mit jm thust was dir gefellet. Vnd Dauid stund auff / vnd schneit leise einen zipffel vom Rock Saul. [6]Aber da er den zipffel Saul hatte abgeschnitten / schlug er in sich / [7]vnd sprach zu seinen mennern / Das lasse der HERR ferne von mir sein / das ich das thun solte / vnd meine hand legen an meinen Herrn den gesalbten des HERRN / Denn er ist der gesalbte des HERRN / [8]Vnd Dauid weiset seine Menner von sich mit worten / vnd lies sie nicht sich wider Saul aufflehnen.

DA aber Saul sich auffmacht aus der Höle / vnd gieng auff dem wege / [9]macht sich darnach

Dauid auch auff / vnd gieng aus der Höle / vnd rieff Saul hinden nach / vnd sprach / Mein Herr könig. Saul sahe hinder sich / Vnd Dauid neigt sein andlitz zur erden vnd bettet an / [10]vnd sprach zu Saul / Warumb gehorchestu Menschen wort / die da sagen / Dauid sucht dein vnglück? [11]Sihe heuts tags sehen deine augen / das dich der HERR heute hat in meine hand gegeben in der Höle / Vnd es ward gesagt / das ich dich solt erwürgen / Aber es ward dein verschonet / Denn ich sprach / Jch wil meine hand nicht an meinen Herrn legen / Denn er ist der gesalbte des HERRN.

[12]MEin Vater / sihe doch den Zipffel von deinem Rocke in meiner hand / das ich dich nicht erwürgen wolt / da ich den zipffel von deinem Rocke schneit / Erkenne vnd sihe / das nichts böses in meiner hand ist / noch kein vbertrettung. Jch hab auch an dir nicht gesündigt / vnd du jagest meine Seele / das du sie wegnemest. [13]Der HERR wird Richter sein zwisschen mir vnd dir / vnd mich an dir rechen / Aber meine hand sol nicht vber dir sein. [14]Wie man sagt nach dem alten Sprichwort / Von Gottlosen kompt vntugent / Aber meine hand sol nicht vber dir sein. [15]Wem zeuchstu nach König von Jsrael? Wem jagstu nach? Einem todten Hund / einem einigen Floch? [16]Der HERR sey Richter vnd richte zwisschen mir vnd dir / vnd sehe drein / vnd füre meine sache aus / vnd rette mich von deiner hand. ||

|| 164b

[17]ALs nu Dauid solche wort zu Saul hatte ausgeredt / sprach Saul / Jst das nicht deine stim / mein son Dauid? Vnd Saul hub auff seine stim vnd weinet / [18]vnd sprach zu Dauid / Du bist gerechter denn ich / Du hast mir guts beweiset / Jch aber habe dir böses beweiset. [19]Vnd du hast mir heute angezeiget / wie du gutes an mir gethan hast / das mich der HERR hatte in deine hende beschlossen / vnd du mich doch nicht erwürget hast. [20]Wie solt jemand seinen Feind finden / vnd jn lassen einen guten weg gehen? Der HERR vergelte dir guts fur diesen tag / das du an mir gethan hast. [21]Nu sihe / ich weis / das du König werden wirst / vnd das Königreich Jsrael stehet in deiner hand. [22]So schwere nu mir bey dem HERRRN / das du nicht ausrottest meinen Samen nach mir / vnd meinen namen nicht austilgest von meines Vaters hause. [23]Vnd Dauid schwur Saul. Da zoch Saul heim /

Jnfr. 26.

Dauid aber mit seinen Mennern machten sich hinauff auff die Burg.

XXV.

Samuel stirbt.

VND Samuel starb / Vnd das gantze Jsrael versamlet sich / trugen leide vmb jn / vnd begruben jn in seinem hause zu Rama. Jnfr. 28.

DAuid aber machte sich auff / vnd zoch hin ab in die wüsten Paran. [2]Vnd es war ein man zu Maon / vnd sein wesen zu Carmel / vnd der Man war fast gros vermügens / vnd hatte drey tausent Schafe vnd tausent Zigen / Vnd begab sich eben das er seine Schaf beschur zu Carmel / [3]Vnd er hies Nabal / Sein weib aber hies Abigail / vnd war ein Weib guter vernunfft / vnd schön von angesicht / Der Man aber war hart vnd boshafftig in seinem thun / vnd war einer von Caleb.

Nabal.

DA nu Dauid in der wüsten höret / das Nabel seine schafe beschur / [5]sandte er aus zehen Jüngling / vnd sprach zu jnen / Gehet hin auff gen Carmel / vnd wenn jr zu Nabal kompt / so grüsset jn von meinet wegen freundlich / [6]Vnd sprecht / Glück zu / Fried sey mit dir vnd deinem Hause / vnd mit allem das du hast. [7]Jch hab gehöret / das du Schafscherer hast / Nu / deine Hirten die du hast / sind mit vns gewesen / Wir haben sie nicht verhönet / vnd hat jnen nichts gefeilet an der zal / so lange sie zu Carmel gewesen sind / [8]Frage deine Jünglinge darumb / die werdens dir sagen / Vnd las die Jünglinge gnad finden fur deinen augen / Denn wir sind auff einen guten tag komen / Gib deinen Knechten vnd deinem son Dauid / was deine hand findet.

[9]VND da die Jüngling Dauid hin kamen / vnd von Dauids wegen alle diese wort mit Nabal geredt hatten / höreten sie auff. [10]Aber Nabal antwortet den knechten Dauids / vnd sprach / Wer ist der Dauid? vnd wer ist der son Jsai? Es werden jtzt der Knechte viel / die sich von jren Herrn reissen. [11]Solt ich mein brot / wasser vnd fleisch nemen / das ich fur meine Scherer geschlachtet habe / vnd den Leuten geben / die ich nicht kenne / wo sie her sind?

DA kereten sich die Jünglinge Dauids wider auff jren weg / Vnd da sie wider zu jm kamen / sagten sie jm solchs alles. [13]Da sprach Dauid zu seinen Mennern / Gürte ein jglicher sein schwert vmb sich. Vnd ein jglicher gürtet sein schwert vmb sich / vnd Dauid gürtet sein schwert auch vmb sich / vnd zogen jm nach hinauff bey vier hundert Man / Aber zwey hundert blieben bey dem gerete.

ABER DER ABIGAIL / NABALS WEIB / SAGET AN DER Jünglinge einer / vnd sprach / Sihe / Dauid hat Boten gesand aus der wüsten vnsern Herrn zu segenen / Er aber schnaubet sie an. [15]Vnd sie sind vns doch seer nütze Leute gewesen / vnd haben vns nicht verhönet / vnd hat vns nichts gefeilet an der zal so lange wir bey jnen gewandelt haben / wenn wir auff dem felde waren / [16]Sondern sind vnser mauren gewesen tag vnd nacht / so lange wir der Schafe bey jnen ge-||hütet haben. [17]So mercke nu vnd sihe / was du thust / Denn es ist gewis ein Vnglück fur handen vber vnsern Herrn / vnd vber sein gantzes haus / Vnd er ist ein heiloser Man / dem niemand etwas sagen thar.

|| 165 a

[18]DA eilet Abigail / vnd nam zwey hundert Brot / vnd zwey Legel weins / vnd fünff gekochte Schafe / vnd fünff Scheffel melh / vnd hundert stück Rosin / vnd zwey hundert stück Feigen / vnd luds auff Esel. [19]Vnd sprach zu jren Jünglingen / Gehet vor mir hin / Sihe ich wil komen hernach / Vnd sie sagt jrem man Nabal nichts dauon. [20]Vnd als sie auff dem Esel reit / vnd hinab zoch im tunckel des berges / Sihe / da begegenet jr Dauid vnd seine Menner hinab / das sie auff sie sties. [21]Dauid aber hatte geredt / Wolan / ich hab vmb sonst behütet alles das dieser hat in der Wüsten / das nichts gefeilet hat an allem was er hat / vnd er bezalt mir guts mit bösem. [22]Gott thu dis vnd noch mehr den Feinden Dauid / wo ich diesem bis liecht morgen / vberlasse einen der an die wand pisset / aus allem das er hat.

ABIGAIL.

DA nu Abigail Dauid sahe / Steig sie eilend vom Esel / vnd fiel fur Dauid auff jr andlitz / vnd bettet an zur erden / [24]vnd fiel zu seinen füssen / vnd sprach / Ah mein Herr / mein sey diese missethat / vnd las deine Magd reden fur deinen ohren / vnd höre die wort deiner magd. [25]Mein Herr setze nicht sein hertz wider diesen Nabal den heilosen Man / Denn er ist ein Narr / wie sein name heisst / vnd narrheit ist bey jm / Jch aber deine Magd / habe die Jünglinge meines Herrn nicht gesehen / die du gesand hast.

[26]NV aber mein Herr / So war der HERR lebt / vnd so war deine seele lebt / Der HERR hat dich verhindert / das du nicht kemest widers Blut / vnd hat dir deine hand erlöset / So müssen nu werden wie Nabal deine Feinde / vnd die meinem Herrn vbel wöllen. [27]Hie ist der Segen / den deine Magd / meinem Herrn her gebracht hat / Den gib den Jünglingen die vnter meinem Herrn wandeln. [28]Vergib deiner Magd die vbertrettung / Denn der HERR wird meinem Herrn ein bestendig Haus machen / Denn du fürest des HERRN kriege / vnd las kein böses an dir gefunden werden / dein leben lang. [29]VND wenn sich ein Mensch erheben wird dich zu verfolgen / vnd nach deiner seelen stehet / So wird die seele meins Herrn eingebunden sein im bündlin der Lebendigen / bey dem HERRN deinem Gott / Aber die seele deiner Feinde wird geschleudert werden mit der schleuder. [30]Wenn denn der HERR alle das Gut meinem Herrn thun wird / das er dir geredt hat / vnd gebieten / das du ein Hertzog seiest vber Jsrael / [31]So wirds dem hertzen meins Herrn nicht ein stos noch ergernis sein / das du nicht blut vergossen hast on vrsach / vnd dir selber geholffen / So wird der HERR meinem Herrn wolthun / vnd wirst an deine Magd gedencken.

DA sprach Dauid zu Abigail / Gelobt sey der HERR der Gott Jsrael / der dich heuts tages hat mir entgegen gesand. [33]Vnd gesegenet sey dein Rede / vnd gesegenet seiestu / das du mir heute erweret hast / das ich nicht wider Blut komen bin / vnd mich mit eigener hand erlöset habe. [34]Warlich / so war der HERR der Gott Jsrael lebt / der mich verhindert hat / das ich nicht vbel an dir thet / Werestu nicht eilend mir begegenet / So were dem Nabal nicht vberblieben auff diesen liechten morgen / einer der an die wand pisset. [35]Also nam Dauid von jrer hand / was sie jm gebracht hatte / vnd sprach zu jr / Zeuch mit frieden hin auff in dein haus / Sihe / ich habe deiner stimme gehorchet / vnd deine Person angesehen.

DA aber Abigail zu Nabal kam / sihe / Da hatte er ein Mal zugericht / in seinem hause / wie eines Königs mal / vnd sein hertz war guter dinge [a]bey jm selbs / denn er war seer truncken. Sie aber sagt jm nichts / weder klein noch gros / bis an den liechten morgen. [37]Da es aber morgen ward / vnd der

a Neminem inuitauit / nec Pauperes curauit.

wein von Nabal komen war / sagt jm sein Weib solchs / Da erstarb sein Hertz ‖ in seinem Leibe / das er ward wie ein stein. [38]Vnd vber zehen tage schlug jn der HERR das er starb. [39]Da das Dauid höret / das Nabal tod war / sprach er / Gelobt sey der HERR der meine schmach gerochen hat an dem Nabal / vnd seinen Knecht enthalten hat fur dem vbel / Vnd der HERR hat dem Nabal das vbel auff seinen Kopff vergolten.

‖ 165 b

NABAL STIRBT.

VND Dauid sandte hin / vnd lies mit Abigail reden / das er sie zum Weibe neme. [40]Vnd da die knecht Dauid zu Abigail kamen gen Carmel / redten sie mit jr / vnd sprachen / Dauid hat vns zu dir gesand / das er dich zum weibe neme. [41]Sie stund auff vnd bettet an auff jr angesicht zur erden / vnd sprach / Sihe / Hie ist deine Magd / das sie diene den Knechten meines Herrn / vnd jre füsse wassche. [42]Vnd Abigail eilet vnd macht sich auff / vnd reit auffm Esel / vnd fünff Dirnen die vnter jr waren / vnd zoch den boten Dauid nach / vnd ward sein Weib.

ABIGAIL.

[43]AVch nam Dauid Ahinoam von Jesreel / vnd waren beide seine weiber. [44]Saul aber gab Michal seine tochter / Dauids weib / Phalti / dem son Lais von Gallim.

AHINOAM Dauids weiber. MICHAL.

## XXVI.

Sup. 23. Psal. 54.

DJE ABER VON SIPH KAMEN ZU SAUL GEN GIBEA / vnd sprachen / Jst nicht Dauid verborgen auff dem hügel Hachila fur der wüsten? [2]Da macht sich Saul auff / vnd zoch er ab zur wüsten Siph / vnd mit jm drey tausent junger Manschafft in Jsrael / das er Dauid suchte in der wüsten Siph. [3]Vnd lagert sich auff dem hügel Hachila / die fur der wüsten ligt am wege / Dauid aber bleib in der wüsten. Vnd da er sahe / das Saul kam jm nach in die wüsten / [4]sandte er Kundschaffer aus / vnd erfur das Saul gewislich komen were.

DIE VON SIPH sagen Saul an / wo er Dauid finden sol etc.

VND Dauid macht sich auff / vnd kam an den ort da Saul sein Lager hielt / vnd sahe die stete / da Saul lag mit seinem Feldheubtman Abner / dem son Ner / Denn Saul lag in der Wagenburg / vnd das Heeruolck vmb jn her. [6]Da antwortet Dauid / vnd sprach zu Ahimelech dem Hethiter / vnd zu Abisai dem son ZeruJa / dem bruder Joab / Wer wil mit mir hinab zu Saul ins Lager? Abisai sprach / Jch wil mit dir hinab. [7]Also kam Dauid vnd

Abisai zum volck des nachts / Vnd sihe / Saul lag vnd schlieff in der Wagenburg / vnd sein Spies steckt in der erden zu seinen heubten / Abner aber vnd das volck lag vmb jn her.

8DA sprach Abisai zu Dauid / Gott hat deinen Feind heute in deine hand beschlossen / So wil ich jn nu mit dem Spies stechen in die erden ein mal / das ers nicht mehr bedarff. 9Dauid aber sprach zu Abisai / Verderbe jn nicht / Denn wer wil die hand an den gesalbeten des HERRN legen / vnd vngestrafft bleiben? 10Weiter sprach Dauid / So war der HERR lebt / wo der HERR nicht jn schlegt / oder seine zeit komet das er sterbe / oder in einen streit ziehe vnd kom vmb / 11So las der HERR ferne von mir sein / das ich meine hand solt an den Gesalbeten des HERRN legen. So nim nu den Spies zu seinen heubten / vnd den Wasserbecher / vnd las vns gehen. 12Also nam Dauid den Spies vnd den Wasserbecher / zun heubten Saul / vnd gieng hin / vnd war niemand der es sahe / noch mercket / noch erwachet / sondern sie schlieffen alle / Denn es war ein tieffer schlaff vom HERRN auff sie gefallen.

DA nu Dauid hin über auff jenseid komen war / trat er auff des Berges spitzen von ferne / das ein weiter raum war zwisschen jnen / 14vnd schrey das Volck an / vnd Abner den son Ner / vnd sprach / Hörestu nicht Abner? Vnd Abner antwortet / vnd sprach / Wer bistu / das du so schreiest gegen dem Könige? 15Vnd Dauid sprach zu Abner / Bistu nicht ein Man? Vnd wer ist dein gleich in Jsrael? Warumb hastu denn nicht behütet deinen Herrn den || König? Denn es ist des Volcks einer hinein || 166a

komen / deinen Herrn den König zuuerterben. [16]Es ist aber nicht fein / das du gethan hast / So war der HERR lebt / jr seid Kinder des tods / das jr ewrn Herrn / den gesalbeten des HERRN nicht behütet habt / Nu sihe / hie ist der Spies des Königs / vnd der Wasserbecher / die zu seinen heubten waren.

DA erkennet Saul die stimme Dauids / vnd sprach / Jst das nicht dein stimme / mein son Dauid? Dauid sprach / Es ist meine stim mein Herr könig. [18]Vnd sprach weiter / Warumb verfolget mein Herr also seinen Knecht? Was hab ich gethan? Vnd was vbels ist in meiner hand? [19]So höre doch nu mein Herr der König die wort seines Knechts. Reitzet dich der HERR wider mich / so las man ein Speisopffer riechen / Thuns aber Menschenkinder / So seien sie verflucht fur dem HERRN / das sie mich heute verstossen / das ich nicht haffte in des HERRN Erbteil / vnd sprechen / Gehe hin / diene andern Göttern. [20]So verfalle nu mein Blut nicht auff erden / vnd dem Angesichte des HERRN / Denn der König Jsrael ist ausgezogen zu suchen einen Floch / wie man ein Rephun jagt auff den bergen.

[21]VND Saul sprach / Jch hab gesündigt / Kom wider mein son Dauid / ich wil dir kein leid fürder thun / darumb / das meine Seele heutes tags thewr gewesen ist in deinen augen / Sihe / ich hab thörlich vnd seer vnweislich gethan. [22]Dauid antwortet / vnd sprach / Sihe / hie ist der Spies des Königs / Es gehe der Jüngling einer herüber vnd hole jn. [23]Der HERR aber wird einem jglichen vergelten nach seiner gerechtigkeit vnd glauben / Denn der HERR hat dich heute in meine hand gegeben / Jch aber wolt meine hand nicht an den gesalbten des HERRN legen. [24]Vnd wie heute deine Seele in meinen augen ist gros geacht gewesen / So werde meine Seele gros geachtet werden fur den Augen des HERRN / vnd errette mich von allem trübsal. [25]Saul sprach zu Dauid / Gesegenet seistu mein son Dauid / du wirsts thun vnd hin aus füren. Dauid aber gieng seine stras / Vnd Saul keret wider an seinen Ort.

Sup. 24.

|| 166b

## XXVII.

DAUID ABER GEDACHT IN SEINEM HERTZEN / JCH werde der tag einen Saul in die hende fallen /

Es ist mir nichts besser / denn das ich entrinne in der Philisterlande / das Saul von mir ablasse mich fürder zu suchen in allen grentzen Jsrael / so werde ich seinen henden entrinnen. [2]Vnd macht sich auff / vnd gieng hinüber / sampt den sechs hundert Man / die bey jm waren / zu Achis dem son Maoch könige zu Gath. [3]Also bleib Dauid bey Achis zu Gath mit seinen Mennern / ein jglicher mit seinem hause / Dauid auch mit seinen zweien Weibern / Ahinoam der Jesreelitin / vnd Abigail der Nabals weib der Charmelitin. [4]Vnd da Saul angesagt ward / das Dauid gen Gath geflohen were / sucht er nicht mehr.

ACHIS.

VND Dauid sprach zu Achis / Hab ich gnade fur deinen augen funden / so las mir geben einen Raum in der Stedte einer auff dem Lande / das ich drinnen wone / Was sol dein Knecht in der königlichen Stad bey dir wonen? [6]Da gab jm Achis des tags Ziklag / Daher ist Ziklag der Könige Juda bis auff diesen tag. [7]Die zeit aber / die Dauid in der Philister lande wonet / ist ein jar vnd vier monden.

ZIKLAG.

DAuid aber zoch hinauff sampt seinen Mennern / vnd fiel ins Land der Gessuriter vnd Girsiter vnd Amalekiter / Denn diese waren die Einwoner von alters her dieses Lands / als man kompt gen Sur / bis an Egyptenland. [9]Da aber Dauid das Land schlug / lies er weder Man noch Weib leben / vnd nam schaf / rinder / esel / kamel vnd Kleider / vnd keret wider vnd kam zu Achis. [10]Wenn den Achis sprach / Seid jr heute nicht eingefallen? So sprach Dauid / Gegen dem mittag Juda / vnd gegen dem mittag der Jerahmeeliter / vnd gegen mittag der Keniter. [11]Dauid aber lies weder Man noch Weib lebendig gen Gath komen / vnd gedacht / Sie möchten wider vns reden vnd schwetzen. Also thet Dauid / vnd das war seine weise / so lange er wonet in der Philister lande. [12]Darumb gleub Achis Dauid / vnd gedacht / Er hat sich stinckend gemacht fur seinem volck Jsrael / Darumb sol er jmer mein Knecht sein.

XXVIII.

VND ES BEGAB SICH ZU DER SELBEN ZEIT / DAS DIE Philister jr Heer versamleten in streit zu ziehen wider Jsrael / Vnd Achis sprach zu Dauid / Du solt wissen / das du vnd deine Menner solt mit mir ausziehen ins Heer. [2]Dauid sprach zu Achis / Wolan /

du solt erfaren was dein Knecht thun wird. Achis sprach zu Dauid / Darumb wil ich dich zum Hüter meins heubts setzen mein leben lang.

Sup. 25.

SAmuel [a]aber war gestorben / vnd gantz Jsrael hatte leide vmb jn getragen / vnd begraben in seiner stad Rama. So hatte Saul aus dem Lande vertrieben die Warsager vnd Zeichendeuter. [4]Da nu die Philister sich versamleten / vnd kamen vnd lagerten sich zu Sunem / Versamlet Saul auch das gantze Jsrael / vnd lagerten sich zu GilBoa. [5]Da aber Saul der Philister Heer sahe / furcht er sich / vnd sein hertz verzagt seer. [6]Vnd er ratfraget den HERRN / Aber der HERR antwortet jm nicht / weder durch Trewme / noch durchs [b]Liecht / noch durch Propheten.

a Das erzelet die Schrifft darumb / auff das sie warne jederman / das er das nachfolgende Gespenst von Samuel recht verstehe / vnd wisse / das Samuel tod sey / vnd solchs der böse Geist mit der Zeuberinnen / vnd Saul redet vnd thut / in Samuels person vnd namen

b Das liecht ist / das auff dem Brustlatzen des Priesters war / Exo. 28.

DA sprach Saul zu seinen Knechten / Sücht mir ein Weib / die einen Warsager geist hat / das ich zu jr gehe / vnd sie frage. Seine Knechte sprachen zu jm / Sihe / zu Endor ist ein Weib / die hat einen Warsager geist. [8]Vnd Saul wechselt seine Kleider / vnd zog andere an / vnd gieng hin vnd zween andere mit jm / vnd kamen bey der nacht zum weibe / Vnd sprach / Lieber / weissage mir durch den Warsager geist / vnd bringe mir erauff den ich dir sage. [9]Das weib sprach zu jm / Sihe / du weissest wol / was Saul gethan hat / wie er die Warsager vnd Zeichendeuter ausgerottet hat vom lande / Warumb wiltu ‖ denn meine Seele in das netze füren / das ich ertödtet werde? [10]Saul aber schwur jr bey dem HERRN / vnd sprach / So war der HERR lebt / Es sol dir dis nicht zur missethat geraten.

‖ 167a

DA sprach das Weib / Wen sol ich dir denn erauff bringen? Er sprach / Bringe mir Samuel erauff. [12]Da nu das weib Samuel sahe / schrey sie laut / vnd sprach zu Saul / Warumb hastu mich betrogen? du bist Saul. [13]Vnd der König sprach zu jr / Fürchte dich nicht / Was sihestu? Das weib sprach zu Saul / Jch sehe Götter er auffsteigen aus der erden. [14]Er sprach / Wie ist er gestalt? Sie sprach / Es kompt ein alter Man erauff / vnd ist bekleidet mit einem Seidenrock. Da vernam Saul / das es Samuel war / vnd neiget sich mit seinem andlitz zur erden / vnd bettet an.

Götter / das ist / Richter / Exo. 22. Vnd der Seidenrock ist der Priesterliche Rock / Exo. 28.

[15]SAmuel aber sprach zu Saul / Warumb hastu mich vnrügig gemacht / das du mich erauff bringen lessest? Saul sprach / Jch bin seer geengstet / Die

Philister streitten wider mich / vnd Gott ist von mir gewichen / vnd antwortet mir nicht / weder durch Propheten / noch durch Trewme. Darumb hab ich dich lassen ruffen / das du mir weisest was ich thun solle.

[16]SAmuel sprach / Was wiltu mich fragen / weil der HERR von dir gewichen / vnd dein Feind worden ist? [17]Der HERR wird dir thun / wie er durch mich geredt hat / vnd wird das Reich von deiner hand reissen / vnd Dauid deinem Nehesten geben / [18]Darumb das du der stimme des HERRN nicht gehorcht / vnd den grim seines zorns nicht ausgerichtet hast wider Amalek / Darumb hat dir der HERR solchs jtzt gethan. [19]Da zu wird der HERR Jsrael mit dir auch geben in der Philister hende / Morgen wirstu vnd deine Söne mit mir sein / Auch wird der HERR das Heer Jsrael in der Philister hende geben. [20]Da fiel Saul zur erden / so lang er war / vnd erschrack seer fur den worten Samuel / das keine krafft mehr in jm war / Denn er hatte nichts gessen den gantzen tag vnd die gantze nacht.

Sup. 15.

VND das Weib gieng hin ein zu Saul / vnd sahe / das er seer erschrocken war / vnd sprach zu jm / Sihe / deine Magd hat deiner stimme gehorcht / vnd hab meine Seele in meine hand gesetzt / das ich deinen worten gehorchet / die du zu mir sagtest. [22]So gehorche auch nu du deiner Magd stimme / Jch wil dir einen bissen Brots fursetzen / das du essest / das du zu krefften komest / vnd deine strasse gehest. [23]Er aber wegert sich / vnd sprach / Jch wil nicht essen. Da nötigeten jn seine Knechte vnd das Weib / das er jrer stimme gehorchet / Vnd er stund auff von der erden / vnd setzet sich auffs Bette. [24]Das weib aber hatte da heim ein gemestet Kalb / Da eilet sie vnd schlachtets / Vnd nam melh vnd knettets / vnd buchs vngeseurt / [25]vnd brachts erzu fur Saul vnd fur seine Knechte. Vnd da sie gessen hatten / stunden sie auff vnd giengen die nacht.

## XXIX.

DJE PHILISTER ABER VERSAMLETEN ALLE JRE Heer zu Aphek / Vnd Jsrael lagerte sich zu Ain in Jesreel. [2]Vnd die Fürsten der Philister giengen daher mit hunderten vnd mit tauseten / Dauid aber vnd seine Menner giengen hinden nach bey Achis.

DA sprachen die Fürsten der Philister / Was sollen diese Ebreer? Achis sprach zu jnen / Jst nicht das Dauid der knecht Saul des königs Jsrael? der nu bey mir gewesen ist jar vnd tag / vnd habe nichts an jm gefunden / sint der zeit er abgefallen ist bis her? [4]Aber die Fürsten der Philister wurden zornig auff jn / vnd sprachen zu jm / Las den Man vmbkeren / vnd an seinem ort bleiben / da du jn hin bestellet hast / das er nicht mit vns hin ab ziehe / zum streit / vnd vnser Widersacher werde im streit / Denn woran kund er seinem Herrn bas gefallen thun / denn an den köpffen dieser Menner? [5]Jst er nicht der Dauid / von dem sie sungen am Reigen / Saul hat tausent geschlagen / Dauid aber zehen tausent?||

|| 167b

DA rieff Achis Dauid / vnd sprach zu jm / So war der HERR lebt / ich halt dich fur redlich / vnd dein ausgang vnd eingang mit mir im Heer gefelt mir wol / vnd hab nichts arges an dir gespürt / sint der zeit du zu mir komen bist bis her / Aber du gefellest den Fürsten nicht. [7]So kere nu vmb vnd gehe hin mit frieden / auff das du nicht vbel thust fur den augen der Fürsten der Philister. [8]Dauid aber sprach zu Achis / Was hab ich gethan / vnd was hastu gespüret an deinem Knecht / sint derzeit ich fur dir gewesen bin bis her / das ich nicht solt komen vnd streitten wider die Feinde meines Herrn des Königs?

[9]AChis antwortet / vnd sprach zu Dauid / Jch weis wol / Denn du gefellest meinen augen / als ein Engel Gottes / Aber der Philister Fürsten haben gesagt / Las jn nicht mit vns hin auff in streit ziehen. [10]So mach dich nu morgen früe auff / vnd die Knechte deines Herrn die mit dir komen sind / vnd wenn jr euch morgen früe auffgemacht habt / das liecht ist / so gehet hin. [11]Also machten sich Dauid vnd seine Menner früe auff / das sie des morgens hin giengen / vnd wider in der Philister land kemen / Die Philister aber zogen hin auff gen Jesrael.

## XXX.

DA NU DAUID DES DRITTEN TAGS KAM GEN Ziklag mit seinen Mennern / Waren die Amalekiter er ein gefallen zum mittag vnd zu Ziklag / vnd hatten Ziklag geschlagen vnd mit fewr verbrand / [2]vnd hatten die Weiber draus weggefurt / beide klein vnd gros / Sie hatten aber niemand ge-

ZIKLAG verbrand etc.

tödtet / sondern weggetrieben / vnd waren dahin jrs weges.
[3]DA nu Dauid sampt seinen Mennern zur Stad kamen / vnd sahe / Das sie mit fewr verbrand war / vnd jre Weiber / Söne vnd Töchter gefangen waren / [4]Hub Dauid vnd das volck das bey jm war / jre stimme auff vnd weineten / bis sie nicht mehr weinen kundten / [5]Denn Dauids zwey Weiber waren auch gefangen / Ahinoam die Jesreelitin / vnd Abigail Nabals weib des Carmeliten. [6]Vnd Dauid war seer geengstet / Denn das Volck wolt jn steinigen / Denn des gantzen volcks Seele war vnwillig / ein jglicher vber seine Söne vnd Töchter.

DAuid aber stercket sich in dem HERRN seinem Gott / [7]vnd sprach zu AbJathar dem Priester Ahimelechs son / Bringe mir her den Leibrock. Vnd da AbJathar den Leibrock zu Dauid bracht hatte / [8]fragte Dauid den HERRN / vnd sprach / Sol ich den Kriegsleuten nachiagen / vnd werde ich sie ergreiffen? Er sprach / Jage jnen nach / Du wirst sie ergreiffen vnd rettung thun. [9]Da zoch Dauid hin vnd die sechs hundert Man / die bey jm waren / Vnd da sie kamen an den bach Besor / blieben etliche stehen. [10]Dauid aber vnd die vier hundert Man jageten nach / Die zwey hundert Man aber die stehen blieben / waren zu müde vber den bach Besor zu gehen.

VND sie funden einen Egyptischen man auff dem felde / den füreten sie zu Dauid / vnd gaben jm Brot das er ass / vnd trenckten jn mit Wasser / [12]vnd gaben jm ein stück Feigen vnd zwey stück Rosin. Vnd da er gessen hatte / kam sein geist wider zu jm / Denn er hatte in dreien tagen vnd dreien nachten nichts gessen / vnd kein Wasser getruncken. [13]Dauid sprach zu jm / Wes bistu? vnd wo her bistu? Er sprach / Jch bin ein Egyptischer knabe eins Amalekiters knecht / vnd mein Herr hat mich verlassen / Denn ich ward kranck fur dreien tagen. [14]Wir sind er ein gefallen zum mittag Crethi / vnd auff Juda vnd zum mittag Caleb / vnd haben Ziklag mit fewr verbrennet.

DAuid sprach zu jm / Wiltu mich hin ab füren zu diesen Kriegsleuten? Er sprach / Schwere mir bey Gott / das du mich nicht tödtest / noch in meines Herrn hand vberantwortest / So wil ich dich hin ab füren zu diesen Kriegs||leuten. [16]Vnd er füret sie hin ab / Vnd sihe / sie hatten sich zustrewet

|| 168 a

auff der gantzen Erden / assen vnd truncken vnd fuerten vber alle dem grossen Raub / den sie genomen hatten aus der Philister vnd Juda lande.

[17]VND Dauid schlug sie / von dem morgen an bis an den abend / gegen dem andern tag / das jr keiner entran / On vierhundert Jüngelinge / die fielen auff die Kamelen / vnd flohen. [18]Also errettet Dauid alles was die Amalekiter genomen hatten / vnd seine zwey Weiber / [19]Vnd feilet an keinem / weder klein noch gros / noch Söne noch Töchter / noch Raub / noch alles das sie genomen hatten / Dauid brachts alles wider. [20]Vnd Dauid nam die schafe vnd rinder vnd treib das Vieh fur jm her / vnd sie sprachen / Das ist Dauids raub.

VND da Dauid zu den zwey hundert Mennern kam / die zu müde gewest / Dauid nach zu folgen / vnd am bach Besor blieben waren / giengen sie er aus Dauid entgegen / vnd dem volck das mit jm war / Vnd Dauid trat zum volck vnd grüsset sie freundlich. [22]Da antworten / was böse vnd lose Leute waren / vnter denen die mit Dauid gezogen waren / vnd sprachen / Weil sie nicht mit vns gezogen sind / sol man jnen nichts geben / von dem Raub den wir errettet haben / Sondern ein jglicher füre sein Weib vnd seine Kinder / vnd gehe hin.

[23]DA sprach Dauid / Jr solt nicht so thun / meine Brüder / mit dem das vns der HERR gegeben hat / vnd hat vns behüt / vnd diese Kriegsleute / die wider vns komen waren / in vnser hende gegeben. [24]Wer solt euch darinnen gehorchen? Wie das Teil der jenigen / die in streit hin ab gezogen sind / So sol auch sein das Teil derjenigen / die bey dem Gerete blieben sind / vnd sol gleich geteilet werden. [25]Das ist sint der zeit vnd fort hin in Jsrael ein Sitte vnd Recht worden / bis auff diesen tag.

Num. 31.

VND da Dauid gen Ziklag kam / sandte er des Raubs den Eltesten in Juda seinen Freunden / vnd sprach / Sihe / da habt jr den Segen aus dem raub der Feinde des HERRN / [27]nemlich / denen zu BethEl / denen zu Ramoth am mittag / denen zu Jathir / [28]denen zu Aroer / denen zu Siphamoth / denen zu Esthemoa / [29]denen zu Rachal / denen in stedten der Jerahmeeliter / denen in den stedten der Keniter / denen zu Harma / denen zu BorAsan / denen zu Atach / [30]denen zu Hebron / vnd allen orten da Dauid gewandelt hatte mit seinen Mennern.

## XXXI.

Saul kompt vmb mit dreien Sönen etc.

DJe Philister aber stritten wider Jsrael / Vnd die Menner Jsrael flohen fur den Philistern / vnd fielen erschlagen auff dem gebirge Gilboa. [2]Vnd die Philister hiengen sich an Saul vnd seine Söne / vnd schlugen Jonathan / vnd AbiNadab vnd Malchisna / die söne Sauls. [3]Vnd der streit ward hart wider Saul / vnd die Schützen troffen auff jn mit Bogen / vnd ward seer verwund von den Schützen.

1. Par. 10.

DA sprach Saul zu seinem Waffentreger / Zeuch dein Schwert aus / vnd erstich mich damit / das nicht diese Vnbeschnittene komen vnd mich erstechen / vnd treiben ein spot aus mir. Aber sein Waffentreger wolt nicht / denn er fürchtet sich seer / Da nam Saul das Schwert vnd fiel drein. [5]Da nu sein Waffentreger sahe / das Saul tod war / fiel er auch in sein Schwert / vnd starb mit jm. [6]Also starb Saul / vnd seine drey Söne vnd sein Waffentreger / vnd alle seine Menner zu gleich auff diesen tag.

[7]DA aber die Menner Jsrael / die jenseid dem grunde vnd jenseid dem Jordan waren, sahen / das die Menner Jsrael geflohen waren / vnd das Saul vnd seine Söne tod waren / verliessen sie die Stedte vnd flohen auch / So kamen die Philister vnd woneten drinnen. ‖

‖ 168 b

DES andern tags kamen die Philister die Erschlagene auszuziehen / vnd funden Saul vnd seine drey Söne ligen auff dem gebirge Gilboa. [9]Vnd hieben jm sein Heubt abe / vnd zogen jm seine Waffen ab / vnd sandten sie in der Philister

land vmbher / zu verkündigen im hause jrer Götzen / vnd vnter dem Volck. [10]Vnd legten seinen Harnisch in das haus Astaroth / Aber seinen Leichnam hiengen sie auff die maurn zu Bethsan.

2. Reg. 21.

DA die zu Jabes in Gilead höreten / was die Philister Saul gethan hatten [12]machten sie sich auff was streitbar Menner waren / vnd giengen die gantze nacht / vnd namen die Leichnam Saul vnd seiner Söne von der maur zu Bethsan / vnd brachten sie gen Jabes / vnd bereucherten sie daselbs. [13]Vnd namen jre Gebeine vnd begruben sie vnter den bawm zu Jabes / Vnd fasteten sieben tage.

2. Par. 16.

Ende des Ersten Buchs Samuel.

# DAS ANDER BUCH SAMUEL.

## I.

NACH DEM TOD SAUL: DA DAUID VON DER Amalekiter schlacht widerkomen / vnd zween tage zu Ziklag blieben war. [2]Sihe / da kam am dritten tage ein Man aus dem Heer von Saul / mit zurissen Kleidern / vnd erden auff seinem heubt / Vnd da er zu Dauid kam / fiel er zur erden vnd bettet an. [3]Dauid aber sprach zu jm / Wo kompstu her? Er sprach zu jm / Aus ‖ dem Heer Jsrael bin ich entrunnen. [4]Dauid sprach zu jm / Sage mir / Wie gehet es zu? Er sprach / Das Volck ist geflohen vom streit / vnd ist viel volcks gefallen / Dazu ist auch Saul tod vnd sein son Jonathan.

‖ 169a

DAuid sprach zu dem Jüngling / der jm solchs saget / Wo her weissestu / Das Saul vnd sein son Jonathan tod sind? [6]Der Jüngling / der jm solchs sagt sprach / Jch kam on geferde auffs gebirge Gilboa / vnd sihe / Saul lehnet sich auff seinen spies / vnd die Wagen vnd Reuter jagten hinder jm her. [7]Vnd er wand sich vmb / vnd sahe mich vnd rieff mir / Vnd ich sprach / Hie bin ich. [8]Vnd er sprach zu mir / Wer bistu? Jch sprach zu jm / Jch bin ein Amalekiter. [9]Vnd er sprach zu mir / Trit zu mir vnd tödte mich / Denn ich bin bedrenget vmbher / vnd mein Leben ist noch gantz in mir. [10]Da trat ich zu jm vnd tödtet jn / Denn ich wuste wol / das er nicht leben kundte nach seinem fall / Vnd nam die Kron von seinem heubt / vnd das Armgeschmid von seinem arm / vnd habs her bracht zu dir meinem Herrn.

[11]DA fasset Dauid seine Kleider / vnd zureis sie / vnd alle Menner die bey jm waren / [12]vnd trugen leide vnd weineten / vnd fasteten bis an den abend / vber Saul vnd Jonathan seinen son / vnd vber das volck des HERRN / vnd vber das haus Jsrael / das sie durchs Schwert gefallen waren.

VND Dauid sprach zu dem Jüngling / der jms ansagt / Wo bistu her? Er sprach / Jch bin eins Frembdlingen eins Amalekiters son. [14]Dauid sprach zu jm / Wie / das du dich nicht gefürchtet hast / deine hand zulegen an den gesalbten des HERRN jn zu verterben? [15]Vnd Dauid sprach zu seiner Jüngling einem / Erzu / vnd schlag jn / Vnd er schlug jn das er starb. [16]Da sprach Dauid zu jm / Dein blut sey vber deinem kopff / Denn dein mund hat wider dich selbs geredt / vnd gesprochen / Jch hab den gesalbten des HERRN getödtet.

VND Dauid klagt diese Klage vber Saul vnd Jonathan seinen Son. [18]Vnd befalh / man solt die kinder Juda den Bogen leren / Sihe / es stehet geschrieben im Buch der Redlichen.

(BOGEN) So heisst dis Lied wie auch bey vns etliche Lieder namen haben.

[19]DJe Edelsten in Jsrael sind auff deiner Höhe erschlagen / Wie sind die Helden gefallen?

[20]SAgts nicht an zu Gath / verkündets nicht auff der gassen zu Asklon / Das sich nicht frewen die Töchter der Philister / Das nicht frolocken die Töchter der Vnbeschnittenen.

[21]JR Berge zu Gilboa / es müssen weder thawen noch regenen auff euch / noch acker sein / da Hebopffer von komen / Denn daselbs ist den Helden jr Schild abgeschlagen / Der schild Saul / als were er nicht gesalbet mit öle.

[22]DEr Boge Jonathan hat nie gefeilet / vnd das Schwert Saul ist nie lere widerkomen / Von dem blut der Erschlagenen vnd vom fett der Helden.

[23]SAul vnd Jonathan holdselig vnd lieblich an jrem Leben / Sind auch am tod nicht gescheiden / Leichter denn die Adeler / vnd stercker denn die Lewen.

[24]JR Töchter Jsrael weinet vber Saul / der euch kleidet mit Rosinfarbe seuberlich / Vnd schmücket euch mit gülden Kleinoten an ewern Kleidern.

[25]WJe sind die Helden so gefallen im streit? Jonathan ist auff deinen Höhen erschlagen.

[26]ES ist mir leid vmb dich mein Bruder Jonathan / Jch habe grosse freude vnd wonne an dir gehabt / Deine liebe ist mir sonderlicher gewesen denn Frawenliebe ist.

[27]WJe sind die Helden gefallen / Vnd die Streitbarn vmbkomen?

|| 169b

## II.

NACH DIESEM GESCHICHT FRAGET DAUID DEN HERRN / vnd sprach / Sol ich hinauff in der stedte Juda eine ziehen? Vnd der HERR sprach zu jm / Zeuch hin auff. Dauid sprach / Wo hin? Er sprach / gen Hebron. [2]Also zoch Dauid da hin mit seinen zweien Weibern / Ahinoam der Jesreelitin / vnd mit Abigail Nabals des Carmeliten weib. [3]Dazu die Menner die bey jm waren füret Dauid hin auff / einen jglichen mit seinem hause / vnd woneten in den stedten Hebron. [4]Vnd die Menner Juda

König vber Juda etc.

kamen vnd salbeten daselbs Dauid zum Könige vber das haus Juda.

VND da es Dauid ward angesagt / das die von Jabes in Gilead Saul begraben hatten / [5]sandte er Boten zu jnen / vnd lies jnen sagen / Gesegenet seid jr dem HERRN / das jr solche barmhertzigkeit an ewrem Herrn Saul gethan vnd jn begraben habt. [6]So thu nu an euch der HERR barmhertzigkeit vnd trew / Vnd ich wil euch auch guts thun / das jr solchs gethan habt. [7]So seien nu ewre hende getrost / vnd seiet freidig / Denn ewr Herr Saul ist tod / So hat mich das haus Juda zum Könige gesalbet vber sich.

1. Reg. 31.

Jsboseth König vber Jsrael 2. jar.

ABner aber der son Ner / der Sauls Feldheubtman war / nam Jsboseth Sauls son / vnd füret jn gen Mahanaim / [9]vnd macht jn zum Könige vber Gilead / Assuri / Jesreel / Ephraim / BenJamin / vnd vber gantz Jsrael. [10]Vnd Jsboseth Sauls son war vierzig jar alt / da er König ward vber Jsrael / vnd regierte zwey jar / Aber das haus Juda hielts mit Dauid. [11]Die zeit aber die Dauid könig war zu Hebron vber das haus Juda / war sieben jar vnd sechs monden.

Abner vnd Joab stossen auff einander etc.

VND Abner der son Ner zoch aus sampt den knechten Jsboseth des sons Saul / aus dem Heer gen Gibeon. [13]Vnd Joab der son ZeruJa zoch aus sampt den knechten Dauid / vnd stiessen auff einander am teich zu Gibeon / vnd legten sich / diese auff dieser seiten des Teichs / jene auff jener seiten. [14]Vnd Abner sprach zu Joab / Las sich die Knaben auffmachen / vnd fur vns spielen. Joab sprach / Es gilt wol. [15]Da machten sich auff / vnd giengen hin / an der zal zwelff aus BenJamin / auff Jsboseth Sauls sons teil / vnd zwelff von den knechten Dauid. [16]Vnd ein jglicher ergreiff den andern bey dem Kopff / vnd sties jm sein Schwert in seine seiten / vnd fielen mit einander / Daher der Ort genennet wird Helkath hazurim / der zu Gibeon ist. [17]Vnd es erhub sich ein seer harter streit des tages / Abner aber vnd die Menner Jsrael wurden geschlagen fur den knechten Dauid.

(Helkath hazurim) Das heisst / der acker der Festen oder Helden.

Asahel

ES waren aber drey söne ZeruJa daselbs / Joab / Abisai vnd Asahel. Asahel aber war von leichten füssen wie ein Rehe auff dem felde / [19]vnd jagte Abner nach / vnd weich nicht / weder zur rechten noch zur lincken von Abner. [20]Da wand sich Abner vmb vnd sprach / Bistu Asahel? Er sprach / Ja. [21]Abner sprach zu jm / Heb dich / entweder zur rechten oder zur lincken / vnd nim fur dich der Knaben einen / vnd nim jm seinen harnisch. Aber Asahel wolt nicht von jm ablassen. [22]Da sprach Abner weiter zu Asahel / Heb dich von mir / Warumb wiltu / das ich dich zu boden schlahe? Vnd wie thürst ich mein andlitz auff heben fur deinem bruder Joab? [23]Aber er wegert sich zu weichen. Da stach jn Abner hinder sich mit einem Spies in seinen Wanst / das der spies hinden ausgieng / vnd er fiel daselbs / vnd starb fur jm / Vnd wer an den ort kam / da Asahel tod lag / der stund stille.

Jnfr. 3.

ASAHEL erstochen von Abner.

ABer Joab vnd Abisai jagten Abner nach bis die Sonne vntergieng. Vnd da sie kamen auff den hügel Amma der fur Giah ligt / auff dem wege zur wüsten Gibeon / [25]versamleten sich die kinder BenJamin hinder Abner her / vnd wurden ein Heufflin vnd tratten auff eins Hügels spitzen. [26]Vnd Abner rieff zu Joab / vnd sprach / Sol denn das schwert on ende fressen? Weissestu nicht / das hernach möcht mehr jamers werden? Wie lange wiltu dem volck nicht sagen / das es ablasse von seinen Brüdern? [27]Joab sprach / So war Gott ‖ lebt / Hettestu heute morgen so gesagt / das volck hette ein jglicher von seinem Bruder abgelassen. [28]Vnd Joab blies die Posaunen / vnd alles volck stund stille / vnd jagten nicht mehr Jsrael nach / vnd stritten auch nicht mehr.

‖ 170 a

[29]ABner aber vnd seine Menner giengen / dieselbe gantze nacht vber das Blachfeld / vnd giengen vber den Jordan / vnd wandelten durchs gantz Bithron / vnd kamen ins Lager. [30]Joab aber wand sich von Abner vnd versamlet das gantze volck / Vnd es feileten an den knechten Dauids neunzehen man / vnd Asahel. [31]Aber die Knechte Dauid hatten geschlagen vnter BenJamin vnd die menner Abner / das drey hundert vnd sechzig Man waren tod blieben. [32]Vnd sie huben Asahel auff vnd begruben jn in seines Vaters grab zu Bethlehem / Vnd Joab mit seinen Mennern giengen die gantze nacht / das jnen das liecht an brach zu Hebron.

## III.

VND ES WAR EIN LANGER STREIT ZWISSCHEN DEM haus Saul vnd dem hause Dauid. Dauid aber gieng vnd nam zu / Vnd das haus Saul gieng vnd nam abe.

1. Par. 3.

Dauids kinder.

VND es wurden Dauid kinder geborn zu Hebron / sein Erstgeborner son Amnon von AhiNoam der Jesreelitin. [3]Der ander / Chileab von Abigail Nabals weib des Carmeliten. Der dritte / Absalom der son Maacha der tochter Thalmai des königs zu Gesur. [4]Der vierde / Adonia der son Hagith. Der fünffte / SaphatJa der son Abital. [5]Der sechst / Jethream von Egla dem weibe Dauid. Diese sind Dauid geborn zu Hebron.

ALS nu der streit war zwisschen dem hause Saul / vnd dem hause Dauid stercket Abner das haus Saul. [7]Vnd Saul hatte ein Kebsweib / die hies Rizpa / eine tochter Aia. Vnd Jsboseth sprach zu Abner / Warumb schleffestu bey meins vaters Kebsweib? [8]Da ward Abner seer zornig vber diese wort Jsboseth / vnd sprach / Bin ich denn ein Hundskopff / der ich wider Juda / an dem hause Saul deines Vaters / vnd an seinen Brüdern vnd Freunden barmhertzigkeit thu? Vnd habe dich nicht in Dauids hende gegeben / vnd du rechenest heute mir eine missethat zu vmb ein Weib? [9]Gott thu Abner dis vnd das / wenn ich nicht thu / wie der HERR Dauid geschworen hat / [10]Das das Königreich vom hause Saul genomen werde / vnd der stuel Dauid auffgerichtet werde vber Jsrael vnd Juda / von Dan bis gen BerSeba. [11]Da kund er fürder jm kein wort mehr antworten / so furcht er sich fur jm.

Rizpa Sauls Kebsweib.

VND Abner sandte Boten zu Dauid fur sich / vnd lies jm sagen / Wes ist das Land? Vnd sprach / Mach deinen Bund mit mir / Sihe / meine hand sol mit dir sein / das ich zu dir kere das gantze Jsrael. [13]Er sprach / Wol / Jch wil einen Bund mit dir machen / Aber eins bitte ich von dir / das du mein angesicht nicht sehest / du bringest denn zuuor zu mir / Michal Sauls tochter / wenn du kompst mein angesicht zu sehen.

AVch sandte Dauid Boten zu Jsboseth dem son Saul / vnd lies jm sagen / Gib mir mein weib Michal / die ich mir vertrawet habe mit hundert vorheuten der Philister. [15]Jsboseth sandte hin / vnd lies sie nemen von dem man Paltiel dem son Lais. [16]Vnd jr Man gieng mit jr vnd weinet hinder jr / bis gen Bahurim. Da sprach Abner zu jm / Kere vmb vnd gehe hin / Vnd er keret vmb.

Michal.

1. Reg. 18.

VND Abner hatte eine rede mit den Eltesten in Jsrael / vnd sprach / Jr habt vorhin lengest nach

Dauid getrachtet / das er König were vber euch. [18]So thuts nu / Denn der HERR hat von Dauid gesagt / Jch wil mein volck Jsrael erretten durch die hand Dauid meines Knechts / von der Philister hand / vnd von aller jrer Feinde hand. [19]Auch redet Abner fur den ohren BenJamin. Vnd gieng auch hin / zu reden fur den ohren Dauid zu Hebron alles was Jsrael vnd dem gantzen hause BenJamin wol gefiel.‖

‖ 170b

DA nu Abner gen Hebron zu Dauid kam / vnd mit jm zwenzig Man / macht jnen Dauid ein Mal. [21]Vnd Abner sprach zu Dauid / Jch wil mich auffmachen vnd hin gehen / das ich das gantze Jsrael zu meinem Herrn dem Könige samle / vnd das sie einen Bund mit dir machen / auff das du König seiest / wie es deine Seele begert. Also lies Dauid Abner von sich / das er hin gienge mit frieden.

VND sihe / die knechte Dauid vnd Joab kamen von den Kriegsleuten / vnd brachten mit sich einen grossen Raub. Abner aber war nu nicht bey Dauid zu Hebron / sondern er hatte jn von sich gelassen / das er mit frieden weggegangen war. [23]Da aber Joab vnd das gantze Heer mit jm war komen / ward jm angesagt / das Abner der son Ner zum Könige komen war / vnd er hatte jn von sich gelassen / das er mit friede war weggegangen. [24]Da gieng Joab zum Könige hin ein / vnd sprach / Was hastu gethan? Sihe / Abner ist zu dir komen / Warumb hastu jn von dir gelassen / das er ist weggegangen? [25]Kennestu Abner den son Ner nicht? Denn er ist komen dich zu vberreden / das er erkennete dein ausgang vnd eingang / vnd erfüre alles was du thust.

[26]VND da Joab von Dauid ausgieng / sandte er Boten Abner nach / das sie jn widerumb holeten von Borhasira / vnd Dauid wuste nichts drumb. [27]Als nu Abner wider gen Hebron kam / füret jn Joab mitten vnter das Thor / das er heimlich mit jm redet / Vnd stach jn daselbs in den Wanst das er starb / vmb seines bruders Asahel blut willen.

ABNER erwürget von Joab etc.

DA das Dauid hernach erfur / sprach er / Jch bin vnschüldig vnd mein Königreich fur dem HERRN ewiglich / an dem blut Abner des sons Ner. [29]Es falle aber auff den kopff Joab / vnd auff gantz seins Vaters hause / vnd müsse nicht auffhören im hause Joab / der ein Eiterflus vnd Aussatz

3. Reg. 20.

habe / vnd am Stabe gehe / vnd durchs Schwert falle / vnd an Brot mangele. [30]Also erwürgeten Joab vnd sein bruder Abisai Abner / darumb / das er jren bruder Asahel getödtet hatte / im streit zu Gibeon.

Sup. 2.

KLAGE DAUIDS vber Abner.

DAuid aber sprach zu Joab vnd allem Volck das mit jm war / Zureisset ewre Kleider / vnd gürtet Secke vmb euch / vnd tragt leide vmb Abner. Vnd der König gieng dem Sarck nach. [32]Vnd da sie Abner begruben zu Hebron / hub der König seine stimme auff / vnd weinet bey dem grabe Abner / vnd weinet auch alles Volck. [33]Vnd der König klaget Abner / vnd sprach / Abner ist nicht gestorben wie ein Thor stirbt / [34]Deine hende sind nicht gebunden / deine füsse sind nicht in Fessel gesetzt / Du bist gefallen wie man fur bösen Buben felt. Da beweinete jn alles Volck noch mehr.

[35]DA nu alles Volck hin ein kam mit Dauid zu essen / da es noch hoch tag war / schwur Dauid / vnd sprach / Gott thu mir dis vnd das / wo ich brot oder etwas koste / ehe die Sonne vntergehet. [36]Vnd alles Volck erkands / vnd gefiel jnen auch wol / alles gut was der König that / fur den augen des gantzen volcks. [37]Vnd alles volck vnd gantz Jsrael merckten des tages / das nicht vom Könige war / das Abner der son Ner getödtet ward. [38]Vnd der König sprach zu seinen Knechten / Wisset jr nicht / das auff diesen tag ein Fürst vnd grosser gefallen ist in Jsrael? [39]Jch aber bin noch zart vnd ein gesalbeter König. Aber die Menner die kinder ZeruJa sind mir verdrieslich / Der HERR vergelte dem der böses thut nach seiner bosheit.

IIII.

DA ABER DER SON SAUL HÖRET / DAS ABNER ZU Hebron tod were / wurden seine hende lass / vnd gantz Jsrael erschrack.

ES waren aber zween Menner / Heubtleute vber die Krieger vnter dem son Saul / einer hies Baena / der ander Rechob / söne Rimon des Berothiters / aus den kindern BenJamin / ‖ Denn Beroth ward auch vnter BenJamin gerechnet / [3]Vnd die Berothiter waren geflohen gen Gethaim vnd woneten daselbs gast weise / bis auff den heutigen tag.

BAENA. RECHOB.

‖ 171 a

[4]AVch hatte Jonathan der son Saul einen Son der war lahm an füssen vnd war fünff jar alt / da

das geschrey von Saul vnd Jonathan aus Jesreel kam / vnd seine Amme jn auffhub vnd flohe / vnd in dem sie eilete vnd floh / fiel er vnd ward hinckend / Vnd er hies MephiBoseth.

MEPHIBOSET Jonathan Son.

SO giengen nu hin die söne Rimon des Berothiters / Rechob vnd Baena vnd kamen zum hause Jsboseth / da der tag am heisten war / vnd er lag auff seinem Lager im mittage. [6]Vnd sie kamen ins haus Weitzen zu holen / vnd stachen jn in den wanst / vnd entrunnen. [7]Denn da sie ins haus kamen / lag er auff seinem Bette in seiner Schlaffkamer / vnd stachen jn tod / vnd hieben jm den Kopff abe. Vnd namen seinen Kopff vnd giengen hin des wegs auff dem blachfelde die gantze nacht / [8]vnd brachten das heubt Jsboseth zu Dauid gen Hebron / Vnd sprachen zum Könige / Sihe / da ist das heubt Jsboseth Sauls son / deines Feindes / der nach deiner seelen stund / Der HERR hat heute meinen Herrn den König gerochen an Saul vnd an seinem Samen.

JSBOSETH erwürget von Baena etc.

[9]DA antwortet jnen Dauid / So war der HERR lebt / der meine Seele aus allem trübsal erlöset hat / [10]Jch greiff den der mich verkündigt / vnd sprach / Saul ist tod / vnd meinet / er were ein guter Bote / vnd erwürget jn zu Ziklag / dem ich solt Botenlohn geben / [11]Vnd diese gottlose Leute haben einen gerechten Man jn seinem hause auff seinem Lager erwürget / Ja / solt ich das blut nicht foddern von ewren henden / vnd euch von der erden thun? [12]Vnd Dauid gebot seinen Jünglingen / Die erwürgeten sie / vnd hieben jnen hende vnd füsse abe / vnd hiengen sie auff am teich zu Hebron / Aber das heubt Jsboseth namen sie / vnd begrubens in Abners grab zu Hebron.

Sup. 1.

## V.

1. Par. 11.

VND ES KAMEN ALLE STEMME JSRAEL ZU DAUID gen Hebron vnd sprachen / Sihe / wir sind deines gebeins vnd deines fleischs. [2]Da zu auch vorhin da Saul vber vns König war / füretstu Jsrael aus vnd ein. So hat der HERR dir gesagt / Du solt meines volcks Jsrael hüten / vnd solt ein Hertzog sein vber Jsrael. [3]vnd es kamen alle Eltesten in Jsrael / zum Könige gen Hebron / Vnd der König Dauid machte mit jnen einen Bund zu Hebron fur dem HERRN / Vnd sie salbeten Dauid zum Könige vber Jsrael. [4]Dreissig jar war Dauid alt / da er

DAUID KÖNIG vber gantz Jsrael etc.

König ward / vnd regirete vierzig jar. [5]Zu Hebron regierte er sieben jar vnd sechs monden vber Juda / Aber zu Jerusalem regierte er drey vnd dreissig jar vber gantz Jsrael vnd Juda.

VND der König zoch hin mit seinen Mennern zu Jerusalem / wider die Jebusiter / die im Lande woneten. Sie aber sprachen zu Dauid / Du wirst nicht hie er ein komen / sondern [a]Blinden vnd Lamen werden dich abtreiben (Das meineten sie aber) das Dauid nicht würde da hin ein komen. [7]Aber Dauid gewan die burg Zion / das ist Dauids stad. [8]Da sprach Dauid desselben tags / Wer die Jebusiter schlegt / vnd erlanget die Dachrinnen / die Lamen vnd Blinden / den die seele Dauid feind ist / Da her spricht man / Las keinen Blinden vnd Lamen ins haus komen. [9]Also wonet Dauid auff der Burg / vnd hies sie Dauids stad / vnd Dauid bawete vmb her von Millo vnd inwendig. [10]Vnd Dauid gieng vnd nam zu vnd der HERR der Gott Zebaoth war mit jm.

a Diese Blinden vnd Lamen sind jre Götzen gewesen welche sie zu trotz wider Dauid auff die maure setzten / als jre Patron die sie schützen solten. Wie man jtzt auch mit der heiligen Bilder thut. Q.d. Du kriegest mit vns nicht / sondern mit vnsern Göttern / Beisse dich mit jnen / sie werden dir wol weren. Nicht das sie sie Blinde oder Lahme geheissen haben / sondern der geist Gottes in denen / so her nach die Historien beschrieben haben heisset sie also.

Dauids Stad.

VND Hiram der König zu Tyro / sandte Boten zu Dauid vnd Cedernbewme zur wand / vnd Zimmerleute / vnd Steinmetzen / das sie Dauid ein Haus baweten. [12]Vnd Dauid mercket / das jn der HERR zum Kö||nige vber Jsrael bestettiget hette / vnd sein Königreich erhöhet vmb seins volcks Jsrael willen.

Hiram. 1.Par. 14.

|| 171b

VND Dauid nam noch mehr Weiber / vnd Kebsweiber zu Jerusalem nach dem er von Hebron komen war / vnd wurden jm noch mehr Söne vnd Töchter geboren. [14]Vnd das sind die namen dere / die jm zu Jerusalem geboren sind / Samua / Sobab / Nathan / Salomo / [15]Jebehar / Elisua / Nepheg / Japhia / [16]Elisama / Eliada Eliphalet.

Kinder Dauids.

VND DA DIE PHILISTER HÖRETEN / DAS MAN DAUID zum Könige vber Jsrael gesalbet hatte / zogen sie alle er auff Dauid zu suchen / Da das Dauid erfur / zoch er hin ab in eine Burg. [18]Aber die Philister kamen vnd liessen sich nider im grunde Rephaim. [19]Vnd Dauid fragte den HERRN / vnd sprach / Sol ich hin auff ziehen wider die Philister? vnd wiltu sie in meine hand geben? Der HERR sprach zu Dauid / Zeuch hin auff / Jch wil die Philister in deine hende geben. [20]Vnd Dauid kam gen BaalPrazim / vnd schlug sie daselbs / vnd sprach / Der HERR hat meine Feinde fur mir von einander gerissen / wie die wasser reissen / Daher

1.Par. 14.

Jnfr. 23.

(Perez) Heisst ein riss oder fach / Daher diese stad.

hies man denselben ort BaalPrazim. [21]Vnd sie liessen jre Götzen daselbs / Dauid aber vnd seine Menner huben sie auff.

BAALPRAZIM. Rissman heisst / das die Philister da gerissen sind.

DJe Philister aber zogen aber mal er auff / vnd liessen sich nider im grunde Rephaim. [23]Vnd Dauid fragt den HERRN / Der sprach / Du solt nicht hin auff ziehen / Sondern kom von hinden zu jnen / das du an sie komest gegen den Maulberbeumen. [24]Vnd wenn du hören wirst das rausschen auff den wipffeln der Maulberbeume ein her gehen / so zawe dich / Denn der HERR ist denn ausgegangen fur dir her / zu schlahen das Heer der Philister. [25]Dauid thet wie der HERR jm geboten hatte / vnd schlug die Philister von Geba an bis man kompt gen Gaser.

## VI.

1. Par. 13.

VND DAUID SAMLET ABERMAL ALLE JUNGE MANschafft in Jsrael dreissig tausent / [2]Vnd macht sich auff vnd gieng hin mit allem Volck das bey jm war / aus den bürgern Juda / das er die Lade Gottes von dannen er auff holete / welcher Name heisst / Der Name des HERRN Zebaoth wonet drauff vber den Cherubim. [3]Vnd sie liessen die lade Gottes füren auff einem newen Wagen / vnd holeten sie aus dem hause AbiNadab / der zu Gibea wonet / Vsa aber vnd Ahio die söne AbiNadab trieben den newen Wagen. [4]Vnd da sie jn mit der lade Gottes aus dem hause AbiNadab füreten / der zu Gibea wonete / vnd Ahio fur der Laden her gieng / [5]spielete Dauid vnd das gantze Haus Jsrael fur dem HERRN her mit allerley Seitenspiel von tennen holtz / mit Harffen vnd Psaltern vnd Paucken vnd Schellen vnd Cimbaln.

LADE GOTTES.

VND da sie kamen zur tennen Nachon / greiff Vsa zu / vnd hielt die lade Gottes / denn die Rinder tratten beseit aus. [7]Da ergrimmet des HERRN zorn vber Vsa / vnd Gott schlug jn daselbs vmb seines freuels willen / das er da selbs starb bey der lade Gottes. [8]Da ward Dauid betrübt / das der HERR einen solchen Riss an Vsa thet / Vnd hies dieselbige stete Perez Vsa / bis auff diesen tag. [9]Vnd Dauid furcht sich fur dem HERRN des tages / vnd sprach / Wie sol die Lade des HERRN zu mir komen? [10]Vnd wolt sie nicht lassen zu sich bringen in die stad Dauid / Sondern lies sie bringen ins haus ObedEdom des Gathiters. [11]Vnd da die Lade

PEREZVSA.

des HERRN drey monden bleib im hause ObedEdom des Gathiters / segenet jn der HERR vnd sein gantzes haus.

OBEDEDOM.

VND es ward dem könige Dauid angesagt / das der HERR das haus ObedEdom segenete / vnd alles was er hatte / vmb der laden Gottes willen. Da gieng er hin vnd holet die lade Gottes / aus dem hause || ObedEdom er auff / in die stad Dauid mit freuden. [13]Vnd da sie ein her giengen mit der Laden des HERRN sechs genge / opfferte man ein Ochsen vnd ein fett Schaf. [14]Vnd Dauid tantzet mit aller macht fur dem HERRN her / vnd ward begürtet mit einem leinen Leibrock. [15]Vnd Dauid sampt dem gantzen Jsrael / füreten die Lade des HERRN er auff / mit jauchzen vnd Posaunen.

|| 172a

VND da die Lade des HERRN in die stad Dauid kam / kucket Michal die tochter Sauls durchs Fenster / vnd sahe den könig Dauid springen vnd tantzen fur dem HERRN / Vnd verachtet jn in jrem hertzen. [17]Da sie aber die Lade des HERRN hin ein brachten / stelleten sie die an jren Ort mitten in der Hütten / die Dauid fur sie hatte auffgeschlagen / vnd Dauid opfferte Brandopffer vnd Danckopffer fur dem HERRN. [18]Vnd da Dauid hatte ausgeopffert die Brandopffer vnd Danckopffer / segenet er das Volck in dem Namen des HERRN Zebaoth / [19]vnd teilete aus allem Volck / vnd der menge Jsrael / beide Man vnd Weib / einem jglichen / ein Brotkuchen / vnd ein stück Fleisch / vnd ein Nössel wein / Da keret sich alles volck hin / ein jglicher in sein Haus.

MICHAL verachtet Dauid etc.

DA aber Dauid wider kam sein Haus zu segenen / gieng jm Michal die tochter Saul er aus jm entgegen / vnd sprach / Wie herrlich ist heute der König von Jsrael gewesen / der sich fur den Megden seiner Knechte entblöset hat / wie sich die losen Leute entblössen. [21]Dauid aber sprach zu Michal / Jch wil fur dem HERRN spielen / der mich erwelet hat fur deinem Vater / vnd fur alle seinem Hause / das er mir befolhen hat ein Fürst zu sein vber das Volck des HERRN vber Jsrael / [22]Vnd wil noch geringer werden / denn also / vnd wil nidrig sein in meinen augen / vnd mit den Megden / dauon du geredt hast / zu ehren werden. [23]Aber Michal Sauls tochter hatte kein Kind / bis an den tag jres tods.

VII.

1. Par. 17.

DA NU DER KÖNIG IN SEINEM HAUSE SAS / VND der HERR jm ruge gegeben hatte von allen seinen Feinden vmbher / [2]sprach er zu dem Propheten Nathan / Sihe / Jch wone in einem Cedern hause / vnd die Lade Gottes wonet vnter den Teppichen. [3]Nathan sprach zu dem Könige / Gehe hin / alles was du in deinem hertzen hast / das thu / Denn der HERR ist mit dir.

NATHAN.

DES nachts aber kam das wort des HERRN zu Nathan / vnd sprach / [5]Gehe hin / vnd sage zu meinem knecht Dauid / So spricht der HERR / Soltestu mir ein Haus bawen / das ich drinnen wonet? [6]Hab ich doch in keinem Hause gewonet sint dem tag / da ich die kinder Jsrael aus Egypten füret / bis auff diesen tag / Sondern ich habe gewandelt in der Hütten vnd Wonung / [7]wo ich mit allen kindern Jsrael hin wandelt. Hab ich auch je geredt mit jrgend der stemme Jsrael einem / den ich befolhen habe mein volck Jsrael zu weiden vnd gesagt / Warumb bawet jr mir nicht ein Cedern haus?

[8]SO soltu nu so sagen meinem knechte Dauid / So spricht der HERR Zebaoth / Jch habe dich genomen von den Schafhürten / das du sein soltest ein Fürst vber mein volck Jsrael. [9]Vnd bin mit dir gewesen / wo du hin gegangen bist / vnd hab alle deine Feinde fur dir ausgeroteet / vnd habe dir einen grossen namen gemacht / wie der name der grossen auff Erden. [10]Vnd ich wil meinem volck Jsrael einen Ort setzen / vnd wil es pflantzen / das es daselbs wone / vnd es nicht mehr in der irre gehe / vnd es die Kinder der bosheit nicht mehr drengen wie vorhin / vnd sint der zeit ich Richter vber mein volck Jsrael verordent habe / [11]vnd wil dir Ruge geben von allen deinen Feinden / Vnd der HERR verkündiget dir / das der HERR dir ein Haus machen wil.||

|| 172b

WENN NU DEINE ZEIT HIN IST / DAS DU MIT DEINEN VETERN SCHLAFFEN LIGST / WIL ICH DEINEN SAMEN NACH DIR ERWECKEN / DER VON DEINEM LEIBE KOMEN SOL / DEM WIL ICH SEIN REICH BESTETIGEN. [13]DER SOL MEINEM NAMEN EIN HAUS BAWEN / VND ICH WIL DEN STUEL SEINES KÖNIGREICHS BESTETIGEN EWIGLICH. [14]JCH WIL SEIN VATER SEIN / VND ER SOL MEIN SON SEIN. Wenn er eine

CHRISTUS Dauid verheissen.

Ebre. 1.

Missethat thut / wil ich jn mit Menschen ruten vnd mit der menschen Kinder schlegen straffen / [15]Aber meine Barmhertzigkeit sol nicht von jm entwand werden / Wie ich sie entwand habe von Saul / den ich fur dir habe weggenomen. [16]Aber dein Haus vnd dein Königreich sol bestendig sein ewiglich fur dir / vnd dein Stuel sol ewiglich bestehen.

Psal. 89.

DA Nathan alle diese wort vnd alle dis gesichte Dauid gesagt hatte / [18]kam Dauid der König vnd bleib fur dem HERRN / vnd sprach / Wer bin ich HErr HERR? Vnd was ist mein Haus / das du mich bis hieher gebracht hast? [19]Dazu hastu das zu wenig geacht HErr HERR / sondern hastu dem Hause deines Knechts noch von fernen zukünfftigem geredt / Das ist eine weise eines Menschen / der Gott der HERR ist. [20]Vnd was sol Dauid mehr reden mit dir? Du erkennest deinen Knecht HErr HERR. [21]Vmb deines worts willen / vnd nach deinem hertzen hastu solche grosse Ding alle gethan / das du sie deinem Knecht kundthetest.

1. Par. 17.

Sup. 14.

Das ist / Du redest mit mir von solchem ewigen Reich da niemand kan König sein / er mus Gott vnd Mensch sein / weil er mein Son / vnd doch fur vnd fur sol König sein / welchs allein Gott gehöret.

[22]DArumb bistu auch gros geachtet HERR Gott / Denn es ist keiner wie du / vnd ist kein Gott denn du / nach allem das wir mit vnsern ohren gehört haben. [23]Denn wo ist ein Volck auff Erden / wie dein volck Jsrael? vmb welchs willen Gott ist hin gegangen / jm ein Volck zu erlösen / vnd jm einen Namen zu machen / vnd solch grosse vnd schreckliche ding zuthun auff deinem Lande fur deinem Volck / welchs du dir erlöset hast von Egypten / von den Heiden vnd jren Göttern. [24]Vnd du hast dir dein volck Jsrael zubereit dir zum Volck in ewigkeit / vnd du HERR bist jr Gott worden.

Deut. 4.

Dauids Gebet.

[25]SO bekrefftige nu HERR Gott das wort in ewigkeit / das du vber deinen Knecht vnd vber sein Haus geredt hast / vnd thu / wie du geredt hast. [26]So wird dein Name gros werden in ewigkeit / das man wird sagen / Der HERR Zebaoth ist der Gott vber Jsrael / vnd das Haus deines knechts Dauid wird bestehen fur dir. [27]Denn du HERR Zebaoth du Gott Jsrael / hast das ohre deines knechts geöffenet vnd gesagt / Jch wil dir ein Haus bawen / Darumb hat dein Knecht sein hertz funden / das er dis Gebet zu dir betet. [28]Nu HErr HERR / du bist Gott / vnd deine wort werden Warheit sein / Du hast solchs Gut vber deinen Knecht geredt. [29]So hebe nu an vnd segene das Haus deines Knechts / das es ewiglich fur dir sey / Denn du

HErr HERR hasts geredt / vnd mit deinem Segen wird deines Knechts Haus gesegenet werden ewiglich.

VIII.

1. Par. 18.

VND ES BEGAB SICH DARNACH / DAS DAUID DIE Philister schlug / vnd schwechet sie / vnd nam den Dienstzaum von der Philister hand.

Das sind alles grosse Krieg gewest / aber zu mal kurtz beschrieben.

ER schlug auch die Moabiter also zu boden / das er zwey teil zum tod bracht / vnd ein teil beim leben lies / Also wurden die Moabiter Dauid vnterthenig / das sie jm Geschenck zutrugen.

HADADESER von Dauid geschlagen.

DAuid schlug auch HadadEser den son Rehob könig zu Zoba / da er hin zoch / seine macht wider zuholen an dem wasser Phrath. [4]Vnd Dauid fieng aus jnen tausent vnd sieben hundert Reuter / vnd zwenzig tausent Fusuolcks / vnd verlehmet alle Wagen / vnd behielt vbrig hundert wagen. [5]Es kamen aber die Syrer von Damasco zu helffen HadadEser dem könige zu Zoba / || vnd Dauid schlug der Syrer zwey vnd zwenzig tausent man. [6]Vnd legt volck gen Damascon in Syria / Also ward Syria Dauid vnterthenig / das sie jm Geschenck zutrugen / Denn der HERR halff Dauid wo er hin zoch. [7]Vnd Dauid nam die gülden Schilde / die HadadEsers knechte waren / vnd bracht sie gen Jerusalem. [8]Aber von Betah vnd Berothai den stedten HadadEser nam der könig Dauid fast viel ertzs.

|| 173 a

THOI.

DA aber Thoi der könig zu Hemath höret / das Dauid hatte alle macht des HadadEsers geschlagen / [10]sandte er Joram seinen Son / zu Dauid / jn freundlich zu grüssen / vnd jn zu segenen / das er wider HadadEser gestritten / vnd jn geschlagen hatte (Denn Thoi hatte einen streit mit HadadEser) Vnd er hatte mit sich silberne/güldene vnd ehrne Kleinod / [11]welche der könig Dauid auch dem HERRN heiliget / sampt dem silber vnd golde / das er dem HERRN heiligete von allen Heiden / die er vnter sich bracht [12]von Syria / von Moab / von den kindern Ammon / von den Philistern / von Amalek / vom raub HadadEser des sons Rehob königs zu Zoba.

Psal. 60.

AVch macht jm Dauid einen namen / da er widerkam / vnd die Syrer schlug im Saltztal / achzehen tausent. [14]Vnd er leget volck in gantz Edomea / vnd gantz Edom war Dauid vnterworffen / Denn der HERR halff Dauid / wo er hin zoch.

ALso war Dauid könig vber gantz Jsrael / vnd er schafft Recht vnd Gerechtigkeit allem volck. [16]Joab der son ZeruJa war vber das Heer / Josaphat aber der son Ahilud war Cantzler. [17]Zadok der son Ahitob vnd Ahimelech der son AbJathar waren Priester. Seraia war Schreiber. [18]Banaia der son Joiada war vber die Crethi vnd Plethi / vnd die söne Dauid waren Priester.

2. Samu. 20.

## IX.

VND DAUID SPRACH / JST AUCH NOCH JEMAND vberblieben von dem hause Saul / das ich barmhertzigkeit an jm thu / vmb Jonathan willen? [2]Es war aber ein Knecht vom hause Saul / der hies Ziba / dem rieffen sie zu Dauid / Vnd der König sprach zu jm / Bistu Ziba? Er sprach / Ja / dein knecht. [3]Der König sprach / Jst noch jemand vom hause Saul / das ich Gottes barmhertzigkeit an jm thu? Ziba sprach zum Könige / Es ist noch da ein Son Jonathan lahm an füssen. [4]Der König sprach zu jm / Wo ist er? Ziba sprach zum Könige / Sihe / er ist zu Lodabar / im hause Machir des sons Ammiel. [5]Da sandte der König Dauid hin / vnd lies jn holen von Lodabar / aus dem hause Machir des sons Ammiel.

ZIBA.

DA nu MephiBoseth der son Jonathan des sons Saul zu Dauid kam / fiel er auff sein angesicht vnd betet an. Dauid aber sprach / MephiBoseth. Er sprach / Hie bin ich dein knecht. [7]Dauid sprach zu jm / Fürchte dich nicht / denn ich wil barmhertzigkeit an dir thun / vmb Jonathan deines Vaters willen / vnd wil dir allen Acker deines vaters Saul widergeben / Du aber solt teglich auff meinem Tisch das brot essen. [8]Er aber betet an / vnd sprach / Wer bin ich dein Knecht / das du dich wendest zu einem todten Hunde / wie ich bin?

MEPHIBOSETH Jonathan Son.

1. Reg. 18.

[9]DA rieff der König Ziba dem knaben Saul / vnd sprach zu jm / Alles was Sauls gewesen ist vnd seines gantzen Hauses / hab ich dem Son deines Herrn gegeben. [10]So erbeite jm nu seinen Acker / du vnd deine Kinder vnd knechte / vnd bring es ein / das es deines Herrn son brot sey / das er sich neere / Aber MephiBoseth deines Herrn son sol teglich das brot essen auff meinem Tisch. Ziba aber hatte funffzehen Söne vnd zwenzig Knechte. [11]Vnd Ziba sprach zum Könige / Alles wie mein Herr der König seinem Knechte geboten hat / so sol sein

|| 173b

Knecht thun. Vnd MephiBoseth esse auff meinem Tische / wie der || Königs kinder eins. [12]Vnd MephiBoseth hatte einen kleinen Son der hies Micha / Aber alles was im hause Ziba wonete / das dienete MephiBoseth. [13]MephiBoseth aber wonete zu Jerusalem / Denn er ass teglich auff des Königs tisch / vnd hincket mit seinen beiden füssen.

MICHA MephiBoseth Son.

X.

1. Par. 19.

VND ES BEGAB SICH DARNACH / DAS DER KÖNIG der kinder Ammon starb / vnd sein Son Hanon ward König an sein stat. [2]Da sprach Dauid / Jch wil barmhertzigkeit thun an Hanon dem son Nahas wie sein Vater an mir barmhertzigkeit gethan hat. Vnd sandte hin vnd lies jn trösten durch seine Knechte vber seinen Vater.

HANON.

DA nu die knechte Dauids ins land der kinder Ammon kamen / [3]sprachen die Gewaltigen der kinder Ammon zu jrem Herrn Hanon / Meinstu das Dauid deinen Vater ehre fur deinen augen / das er Tröster zu dir gesand hat? Meinstu nicht / das er darumb hat seine Knechte zu dir gesand / das er die Stad erforsche vnd erkunde vnd vmbkere?

[4]DA nam Hanon die knechte Dauid vnd beschur jnen den Bart halb / vnd schneit jnen die Kleider halb ab bis an den gürtel / vnd lies sie gehen. [5]Da das Dauid ward angesagt / sandte er jnen entgegen / Denn die Menner waren seer geschendet / Vnd der König lies jnen sagen / Bleibt zu Jeriho bis ewr Bart gewechset / so kompt denn wider.

DA aber die kinder Ammon sahen / das sie fur Dauid stinckend waren worden / sandten sie hin / vnd dingeten die Syrer des hauses Rehob / vnd die Syrer zu Zoba / zwenzig tausent man Fusuolcks / vnd von dem könige Maacha tausent man / vnd von Jstob zwelff tausent man. [7]Da das Dauid höret / sandte er Joab mit dem gantzen Heer der Kriegsleute. [8]Vnd die kinder Ammon zogen aus / vnd rüsteten sich zum streit fur der thür des thors / Die Syrer aber von Zoba / von Rehob / von Jstob / vnd von Maacha waren allein im felde.

[9]DA Joab nu sahe / das der streit auff jn gestellet war / fornen vnd hinden / erwelet er aus aller jungen Manschafft in Jsrael / vnd rüstet sich wider die Syrer / [10]Vnd das vbrige Volck thet er vnter die hand seines bruders Abisai / das er sich rüstet wider die kinder Ammon / [11]vnd sprach / Werden mir die

1. Par. 19.

Syrer vberlegen sein / so kom mir zu hülffe / Werden aber die kinder Ammon dir vberlegen sein / so wil ich dir zu hülffe komen. [12]Sey getrost / vnd las vns starck sein fur vnser Volck / vnd für die Stedte vnsers Gottes / Der HERR aber thu was jm gefellet. [13]Vnd Joab macht sich erzu mit dem Volck das bey jm war / zu streitten wider die Syrer / Vnd sie flohen fur jm. [14]Vnd da die kinder Ammon sahen / das die Syrer flohen / flohen sie auch fur Abisai / vnd zogen in die Stad. Also keret Joab vmb von den kindern Ammon / vnd kam gen Jerusalem.

SYRER VND Ammoniter geschlagen etc.

VND da die Syrer sahen / das sie geschlagen waren fur Jsrael / kamen sie zu hauffe. [16]Vnd HadadEser sandte hin vnd bracht er aus die Syrer jenseid des Wassers / vnd füret er ein jre macht / vnd Sobach der Feldheubtman HadadEser zoch fur jnen her. [17]Da das Dauid ward angesagt / samlet er zu hauff das gantze Jsrael / vnd zoch vber den Jordan vnd kam gen Helam. Vnd die Syrer rüsteten sich wider Dauid / mit jm zu streitten. [18]Aber die Syrer flohen fur Jsrael / Vnd Dauid erwürget der Syrer sieben hundert Wagen vnd vierzig tausent Reuter / Dazu Sobach den Feldheubtman schlug er / das er da selbs starb. [19]Da aber die Könige / die vnter HadadEser waren / sahen / das sie geschlagen waren fur Jsrael / machten sie Friede mit Jsrael / vnd wurden jnen vnterthan / Vnd die Syrer furchten sich den kindern Ammon mehr zu helffen.‖

HADADESER.

SOBACH.

‖ 174a

## XI.

VND DA DAS JAR VMBKAM / ZUR ZEIT / WENN DIE Könige pflegen aus zu ziehen / sandte Dauid

1. Par. 20.

Joab vnd seine Knechte mit jm / vnd das gantz Jsrael / das sie die kinder Ammon verterbeten / vnd belegten Rabba / Dauid aber bleib zu Jerusalem.

RABBA.

DAUIDS FALLE etc.

VND es begab sich / Das Dauid vmb den abend auffstund von seinem Lager / vnd gieng auff dem dach des Königes hause / vnd sahe vom dach ein Weib sich wasschen / vnd das weib war seer schöner gestalt. [3]Vnd Dauid sandte hin vnd lies nach dem Weibe fragen / vnd sagen / Jst das nicht BathSeba die tochter Eliam / das weib Vria des Hethiters? [4]Vnd Dauid sandte Boten hin vnd lies sie holen. Vnd da sie zu jm hinein kam / schlieff er bey jr / Sie aber reiniget sich von jrer vnreinigkeit / vnd keret wider zu jrem hause. [5]Vnd das Weib ward schwanger / vnd sandte hin vnd lies Dauid verkündigen / vnd sagen / Jch bin schwanger worden.

DAuid aber sandte zu Joab / Sende zu mir Vria den Hethiter. Vnd Joab sandte Vria zu Dauid. [7]Vnd da Vria zu jm kam / fragt Dauid / ob es mit Joab / vnd mit dem Volck / vnd mit dem streit wol zustünde? [8]Vnd Dauid sprach zu Vria / Gehe hinab in dein haus vnd wassch deine füsse. Vnd da Vria zu des Königs haus hinaus gieng / folget jm nach des Königs geschenck. [9]Vnd Vria legt sich schlaffen fur der thür des Königs hause / da alle Knechte seines Herrn lagen / vnd gieng nicht hin ab in sein Haus.

DA man aber Dauid ansagt / Vria ist nicht hin ab in sein haus gegangen / sprach Dauid zu jm / Bistu nicht vber feld her komen? Warumb bistu nicht hinab in dein haus gegangen? [11]Vria aber sprach zu Dauid / Die Lade vnd Jsrael vnd Juda bleiben in Zelten / vnd Joab mein Herr / vnd meines Herrn knechte ligen zu felde / vnd ich solt in mein Haus gehen / das ich esse vnd trüncke / vnd bey meinem Weibe lege? So war du lebst vnd deine seele lebt / ich thu solchs nicht. [12]Dauid sprach zu Vria / So bleib heute auch hie / morgen wil ich dich lassen gehen. So bleib Vria zu Jerusalem des tages vnd des andern dazu. [13]Vnd Dauid lud jn / das er fur jm ass vnd tranck / vnd macht jn ‖ truncken / Dnd des abends gieng er aus / das er sich schlaffen legt auff sein Lager mit seines Herrn knechten / vnd gieng nicht hin ab in sein haus.

‖ 174b

DEs morgens schreib Dauid einen brieff zu Joab / vnd sandte jn durch Vria. [15]Er schreibe aber

VRIAS BRIEUE

also in den brieff / Stellet Vria an den streit da er am hertesten ist / vnd wendet euch hinder jm abe / das er erschlagen werde vnd sterbe. [16]Als nu Joab vmb die Stad lag / stellet er Vria an den ort / da er wuste das streitbar Menner waren. [17]Vnd da die Menner der Stad eraus fielen vnd stritten wider Joab / fielen etliche des volcks von den knechten Dauid / vnd Vria der Hethiter starb auch.

DA sandte Joab hin vnd lies Dauid ansagen allen Handel des streits / [19]Vnd gebot dem Boten / vnd sprach / Wenn du allen Handel des streits hast aus geredt mit dem Könige / [20]vnd sihest / das der König erzürnet / vnd zu dir spricht Warumb habt jr euch so nahe zur Stad gemacht mit dem streit? Wisset jr nicht wie man pflegt von der mauren zu schiessen. [21]Wer schlug AbiMelech den son Jerub-Beseth? Warff nicht ein Weib ein stück von einer Müllin auff jn von der mauren das er starb zu Thebez? Warumb habt jr euch so nahe zur maure gemacht? So soltu sagen / Dein knecht Vria der Hethiter ist auch tod.

Jud. 9.

[22]DEr Bote gieng hin / vnd kam vnd saget an Dauid alles / darumb jn Joab gesand hatte. [23]Vnd der Bote sprach zu Dauid / Die Menner namen vber hand wider vns / vnd fielen zu vns er aus auffs feld / Wir aber waren an jnen bis fur die thür des thors. [24]Vnd die Schützen schossen von der mauren auff deine Knechte / vnd tödten etliche von des Königes knechte / Da zu ist Vria dein Knecht der Hethiter auch tod. [25]Dauid sprach zum Boten / So soltu zu Joab sagen / Las dir das nicht vbel gefallen / Denn das Schwert frisset jtzt diesen jtzt jenen / Haltet an mit dem streit wider die Stad / das du sie zubrechest / vnd seid getrost.

Dauid nimbt Bathseba zum weib.

VND da Vrias weib höret / das jr man Vria tod war / trug sie leide vmb jren Hauswirt. [27]Da sie aber ausgetrawret hatte / sandte Dauid hin / vnd lies sie in sein haus holen / vnd sie ward sein Weib / vnd gebar jm einen Son / Aber die That gefiel dem HERRN vbel / die Dauid thet.

## XII.

Nathan.

VND DER HERR SANDTE NATHAN ZU DAUID / Da der zu jm kam / sprach er zu jm / Es waren zween Menner in einer Stad / Einer reich / der ander arm. [2]Der Reiche hatte seer viel schafe vnd rinder /

[3]Aber der Arme hatte nichts / denn ein einiges kleins Scheflin / das er gekaufft hatte / vnd er meret es / das es gros ward / bey jm vnd bey seinen Kindern zu gleich / Es ass von seinem Bissen / vnd tranck von seinem Becher / vnd schlieff in seinem Schos / vnd er hielts wie eine Tochter. [4]Da aber dem reichen Man ein Gast kam / schonet er zu nemen von seinen schafen vnd rindern / das er dem Gast etwas zurichtet / der zu jm komen war / vnd nam das schaf des armen Mans / vnd richtet zu dem Man der zu jm komen war.

[5]DA ergrimmet Dauid mit grossem zorn wider den Man / vnd sprach zu Nathan / So war der HERR lebt / der Man ist ein kind des tods / der das gethan hat. [6]Da zu sol er das schaf vierfeltig bezalen / darumb das er solchs gethan vnd nicht geschonet hat.

DA sprach Nathan zu Dauid / Du bist der Man. So spricht der HERR der Gott Jsrael / Jch habe dich zum Könige gesalbet vber Jsrael / vnd hab dich errettet aus der hand Saul / [8]vnd hab dir deines Herrn Haus gegeben / dazu seine Weiber in deinen schos / vnd hab dir das haus Jsrael vnd Juda gegeben / Vnd ist das zu wenig / wil ich noch dis vnd das dazu thun. ‖ [9]Warumb hastu denn das Wort des HERRN verachtet / Das du solches vbel fur seinen Augen thetest? Vriam den Hethiter hastu erschlagen mit dem Schwert / sein Weib hastu dir zum weib genomen / Jn aber hastu erwürget mit dem Schwert der kinder Ammon.

‖ 175 a

[10]NV so sol von deinem Hause das Schwert nicht lassen ewiglich / Darumb das du mich verachtet hast / vnd das weib Vria des Hethiters genomen hast / das sie dein weib sey. [11]So spricht der HERR / Sihe / Jch wil Vnglück vber dich erwecken aus deinem eigen Hause / Vnd wil deine Weiber nemen fur deinen augen / vnd wil sie deinem Nehesten geben / das er bey deinen Weibern schlaffen sol / an der liechten Sonnen / [12]Denn du hasts heimlich gethan / Jch aber wil dis thun fur dem gantzen Jsrael vnd an der Sonnen.

2. Samu. 13. 16.

DA sprach Dauid zu Nathan / JCH HAB GESÜNDIGET WIDER DEN HERRN. NATHAN SPRACH ZU DAUID / SO HAT AUCH DER HERR DEINE SÜNDE WEGGENOMEN / DU WIRST NICHT STERBEN. [14]Aber weil du die Feinde des HERRN hast durch diese Geschicht lestern gemacht / wird der Son der dir

Eccl. 47.

geboren ist / des tods sterben. [15]Vnd Nathan gieng heim.

VND der HERR schlug das Kind / das Vrias weib Dauid geborn hatte / das es tod kranck ward. [16]Vnd Dauid ersuchte Gott vmb das Kneblin / vnd fastet / vnd gieng hin ein vnd lag vber nacht auff der erden. [17]Da stunden auff die Eltesten seins Hauses vnd wolten jn auffrichten von der erden / Er wolt aber nicht / vnd ass auch nicht mit jnen. [18]Am siebenden tage aber starb das Kind / Vnd die knechte Dauid furchten sich jm anzusagen / das das Kind tod were / Denn sie gedachten / Sihe / Da das Kind noch lebendig war / redten wir mit jm / vnd er gehorcht vnser stimme nicht / Wie viel mehr wird er jm wehthun / so wir sagen das Kind ist tod. [19]Da aber Dauid sahe / das seine Knechte leise redten / vnd mercket / das das Kind tod were / sprach er zu seinen Knechten / Jst das Kind tod? Sie sprachen / Ja.

DA stund Dauid auff von der erden / vnd wussch sich vnd salbet sich / vnd thet andere Kleider an / vnd gieng in das Haus des HERRN / vnd betet an / Vnd da er wider heim kam / hies er jm Brot aufftragen / vnd ass. [21]Da sprachen seine Knechte zu jm / Was ist das fur ein ding / das du thust? Da das Kind lebt / fastestu vnd weinetest / Nu es aber gestorben ist / stehestu auff vnd issest? [22]Er sprach / Vmb das Kind fastet ich vnd weinet da es lebt / Denn ich gedacht / Wer weis / ob mir der HERR gnedig wird / das das Kind lebendig bleibe. [23]Nu es aber tod ist / was sol ich fasten? Kan ich jn auch widerumb holen? Jch werde wol zu jm faren / Es kompt aber nicht wider zu mir.

VND da Dauid sein weib BathSeba getröstet hatte / gieng er zu jr hinein / vnd schlieff bey jr / Vnd sie gebar einen Son / den hies er Salomo / vnd der HERR liebet jn. [25]Vnd er thet jn vnter die hand Nathan des Propheten / der hies jn JedidJa / vmb des HERRN willen.

Salomo wird geborn.

(Jedidja) Heisst lieblich dem HERRN.

SO STREIT NU JOAB WIDER RABBA DER KINDER Ammon / vnd gewan die Königliche Stad. [27]Vnd sandte Boten zu Dauid / vnd lies jm sagen / Jch hab gestritten wider Rabba / vnd hab auch gewonnen die Wasserstad. [28]So nim nu zuhauff das vbrige Volck / vnd belagere die Stad vnd gewinne sie / Auff das ich sie nicht gewinne / vnd ich den namen dauon habe. [29]Also nam Dauid alles Volck zu-

1. Par. 20.

Rabba eröbert.

hauffe / vnd zoch hin vnd streit wider Rabba / vnd gewan sie. [30]Vnd nam die krone jres Königs von seinem Heubt / die am gewicht ein Centner goldes hatte / vnd Edelgesteine / vnd ward Dauid auff sein heubt gesetzt. Vnd füret aus der Stad seer viel Raubs / [31]Aber das Volck drinnen füret er eraus / vnd legt sie vnter eisern segen vnd zacken / vnd eisern keile / vnd verbrand sie in Zigelöfen / So thet er allen Stedten der kinder Ammon. Da keret Dauid vnd alles Volck wider gen Jerusalem.‖

‖ 175 b

## XIII.

VND ES BEGAB SICH DARNACH / DAS ABSALOM der son Dauid / hatte eine schöne Schwester / die hies Thamar / vnd Amnon der son Dauid gewan sie lieb. [2]Vnd Amnon stellet sich kranck vmb Thamar seiner Schwester willen / Denn sie war eine Jungfraw / vnd dauchte Amnon schweer sein / das er jr etwas solte thun.

THAMAR Absaloms schwester etc.

Hie gehet das vnglück an / wie Nathan droben im 12. ca. Dauid verkündiget hat.

AMnon aber hatte einen Freund / der hies Jonadab / ein son Simea / Dauids bruder / vnd derselb Jonadab war ein seer weiser Man. [4]Der sprach zu jm / Warumb wirstu so mager du Königes son von tage zu tage? Magstu mirs nicht ansagen? Da sprach Amnon zu jm / Jch habe Thamar meines bruders Absalom Schwester lieb gewonnen. [5]Jonadab sprach zu jm / Lege dich auff dein Bette / vnd mach dich kranck / Wenn denn dein Vater kompt / dich zu besehen / So sprich zu jm / Lieber / Las meine schwester Thamar komen / das sie mich etze / vnd mache fur mir ein Essen / das ich zusehe / vnd von jrer hand esse.

[6]ALso legt sich Amnon vnd macht sich kranck / Da nu der König kam jn zu besehen / sprach Amnon zum Könige / Lieber / Las meine schwester Thamar komen das sie fur mir ein Gemüse oder zwey mache / vnd ich von jrer hand esse. [7]Da sandte Dauid nach Thamar ins haus / vnd lies jr sagen / Gehe hin ins haus deines bruders Amnon / vnd mache jm ein Speise. [8]Thamar gieng hin ins haus jres bruders Amnon / Er aber lag zu bette / Vnd sie nam einen teig / vnd knettet / vnd sods fur seinen augen / vnd kocht jm ein Gemüse. [9]Vnd sie nam das Gericht / vnd schüttets fur jm aus / Aber er wegert sich zu essen.

VND Amnon sprach / Las jederman von mir hin aus gehen / Vnd es gieng jderman von jm hin

AMNON schwechet Thamar etc.

aus. [10]Da sprach Amnon zu Thamar / Bringe das essen in die Kamer / das ich von deiner hand esse. Da nam Thamar das Gemüse das sie gemacht hatte / vnd brachts zu Amnon jrem Bruder in die Kamer. [11]Vnd da sie es zu jm bracht / das er esse / ergreiff er sie / Vnd sprach zu jr / Kom her / meine schwester / Schlaff bey mir. [12]Sie aber sprach / Nicht mein Bruder / schweche mich nicht / Denn so thut man nicht in Jsrael / Thu nicht eine solche torheit / [13]Wo wil ich mit meiner schande hin? Vnd du wirst sein wie die Thoren in Jsrael. Rede aber mit dem Könige / der wird mich dir nicht versagen.

[14]ABer er wolt jr nicht gehorchen / vnd vberweldiget sie / vnd schwecht sie / vnd schlieff bey jr. [15]Vnd Amnon ward jr vber aus gram / das der Hass grösser war / denn vor hin die Liebe war. Vnd Amnon sprach zu jr / Mach dich auff vnd heb dich. [16]Sie aber sprach zu jm / Das vbel ist grösser denn das ander / das du an mir gethan hast / das du mich ausstössest. Aber er gehorcht jrer stimme nicht / [17]Sondern rieff seinem Knaben der sein Diener war / vnd sprach / Treibe diese von mir hin aus / vnd schleus die thür hinder jr zu. [18]Vnd sie hatte einen bundten Rock an / Denn solche röcke trugen des Königs töchter / weil sie Jungfrawen waren.

VND da sie sein Diener hin aus getrieben / vnd die thür hinder jr zugeschlossen hatte / [19]Warff Thamar asschen auff jr heubt / vnd zureis den bundten Rock / den sie anhatte / vnd legt jre hand auff das heubt / vnd gieng da her vnd schrey. [20]Vnd jr bruder Absalom sprach zu jr / Jst dein bruder Amnon bey dir gewesen? Nu meine Schwester schweig stille / Es ist dein Bruder / vnd nim die sach nicht so zu hertzen. Also bleib Thamar leydig in Absalom jres Bruders hause.

(Leydig) Das ist / Sie hielt sich innen / gieng nicht mehr wie eine Jungfraw im Krantz / vnter die Leute etc.

[21]VND da der könig Dauid solchs alles höret / ward er seer zornig. Aber Absalom redet nicht mit Amnon / weder bös noch guts / [22]Aber Absalom war Amnon gram / darumb / das er seine schwester Thamar geschwecht hatte. ‖

‖ 176a

VBER ZWEY JAR ABER HATTE ABSALOM SCHAFscherer zu Baalhazor die vnter Ephraim ligt. Vnd Absalom lud alle Kinder des Königes / [24]vnd kam zum Könige / vnd sprach / Sihe / Dein knecht hat Schafscherer / Der König wolt sampt seinen Knechten mit seinem knecht gehen. [25]Der König aber sprach zu Absalom / Nicht mein Son / las vns nicht alle gehen / das wir dich nicht beschweren. Vnd da er jn nötiget / wolt er doch nicht gehen / sondern segenet jn.

[26]ABsalom sprach / Sol denn nicht mein bruder Amnon mit vns gehen? Der König sprach zu jm / Warumb sol er mit dir gehen? [27]Da nötiget jn Absalom / das er mit jm lies Amnon / vnd alle Kinder des Königes. [28]Absalom aber gebot seinen Knaben / vnd sprach / Sehet drauff / wenn Amnon guter ding wird von dem wein / vnd ich zu euch spreche / Schlagt Amnon vnd tödtet jn / Das jr euch nicht fürchtet / denn ich habs euch geheissen / Seid getrost vnd frisch dran. [29]Also theten die knaben Absalom dem Amnon / wie jnen Absalom geboten hatte. Da stunden alle kinder des Königs auff / vnd ein jglicher sas auff sein Maul vnd flohen.

AMNON todgeschlagen.

VND da sie noch auff dem wege waren / kam das grüchte fur Dauid / das Absalom hette alle kinder des Königs erschlagen / das nicht einer von jnen vbrig were. [31]Da stund der König auff vnd zureiss seine Kleider / vnd legt sich auff die erden / vnd alle seine Knechte / die vmb jn her stunden / zurissen jre Kleider. [32]Da antwortet Jonadab der son Simea / des bruders Dauid / vnd sprach Mein Herr dencke nicht / das alle Knaben die kinder des Königs tod sind / sondern Amnon ist allein tod / Denn Absalom hats bey sich behalten von dem tage an / da er seine schwester Thamar schwechte. [33]So neme nu mein Herr der König solchs nicht zu hertzen / das alle kinder des Königs tod seien / sondern Amnon ist alleine tod / [34]Absalom aber floh.

VND der Knabe auff der Warte hub seine augen auff vnd sahe / vnd sihe / Ein gros Volck kam auff dem wege nach einander / an der seiten des Berges. [35]Da sprach Jonadab zum Könige / Sihe / die kinder des Königs komen / Wie dein knecht gesagt hat / so ists ergangen. [36]Vnd da er hat ausgeredt / Sihe da kamen die kinder des Königes / vnd huben jre stimme auff vnd weineten / Der König vnd alle seine Knechte weineten auch fast seer. [37]Absalom aber floh / vnd zoch zu Thalmai dem son Ammihud dem Könige zu Gesur. Er aber trug leide vber seinen Son alle tage. [38]Da aber Absalom floh vnd gen Gesur zoch / war er daselbs drey jar. [39]Vnd der

ABSALOMS flucht.

könig Dauid höret auff aus zu ziehen wider Absalom / Denn er hatte sich getröstet vber Amnon / das er tod war.

XIIII.

JOab aber der son ZeruJa mercket / das des Königs hertz war wider Absalom. [2]Vnd sandte hin gen Thekoa / vnd lies holen von dannen ein kluges Weib / vnd sprach zu jr / Trage leide / vnd zeuch Leidekleider an / vnd salbe dich nicht mit öle / Sondern stelle dich wie ein Weib / das eine lange zeit leide getragen hat vber einen Todten / [3]Vnd solt zum Könige hinein gehen / vnd mit jm reden so vnd so. Vnd Joab gab jr ein / was sie reden solt.

Klug weib von Thekoa.

VND da das Weib von Thekoa mit dem Könige reden wolt / fiel sie auff jr andlitz zur erden vnd betet an / vnd sprach / Hilff mir König. [5]Der König sprach zu jr / Was ist dir? Sie sprach / Jch bin eine Widwe / ein weib das leide tregt / vnd mein Man ist gestorben. [6]Vnd deine Magd hatte zween Söne / die zanckten mit einander auff dem felde / vnd da kein Retter war / schlug einer den andern / vnd tödtet jn. [7]Vnd sihe / nu stehet auff die gantze Freundschafft wider deine Magd / vnd sagen / Gib her den / der seinen Bruder erschlagen hat / das wir jn tödten fur die seele seins Bruders / den er erwürget hat / vnd auch den Erben || vertilgen / Vnd wöllen meinen Funcken ausleschen der noch vbrig ist / das meinem Man kein name vnd nichts vbrigs bleibe auff Erden.

|| 176b

[8]DEr König sprach zum weibe / Gehe heim / Jch wil fur dich gebieten. [9]Vnd das weib von Thekoa sprach zum Könige / Mein Herr könig / die missethat sey auff mir vnd meines Vaters hause / der König aber vnd sein Stuel sey vnschüldig. [10]Der König sprach / Wer wider dich redet / den bringe zu mir / So sol er nicht mehr dich antasten. [11]Sie sprach / Der König gedenck an den HERRN deinen Gott / das der Blutrecher nicht zu viel werden zu verderben / vnd meinen Son nicht vertilgen. Er sprach / So war der HERR lebt / Es sol kein har von deinem Son auff die erden fallen.

VND das weib sprach / Las deine Magd meinem Herrn Könige etwas sagen. Er sprach / Sage her. [13]Das weib sprach / Warumb hastu ein solches gedacht wider Gottes volck / das der König ein solches geredt hat / das er sich verschuldige / vnd seinen Verstossen nicht widerholen lesst? [14]Denn wir sterben des tods / vnd wie das wasser in die erden verschleifft / das man nicht auffhelt / Vnd Gott wil nicht das Leben wegnemen / sondern bedenckt sich / das nicht das verstossen auch von jm verstossen werde.

[15]SO bin ich nu komen / mit meinem Herrn könige solchs zu reden / Denn das Volck macht mir bang / Denn deine magd gedacht / Jch wil mit dem Könige reden / vieleicht wird er thun / was seine Magd sagt. [16]Denn er wird seine magd erhören / das er mich errette / von der hand aller die mich sampt meinem Son vertilgen wöllen vom erbe Gottes. [17]Vnd deine magd gedacht / Meins Herrn des König wort sol mir ein trost sein / Denn mein Herr der könig ist / wie ein Engel Gottes / das er gutes vnd böses hören kan / Darumb wird der HERR dein Gott mit dir sein.

DER König antwortet / vnd sprach zum weibe / Leugne mir nicht was ich dich frage. Das weib sprach / Mein Herr der könig rede. Der König sprach [19]Jst nicht die hand Joab mit dir in diesem allem? Das weib antwortet / vnd sprach / So war deine seele lebt / mein Herr könig / Es ist niemand anders weder zur rechten noch zur lincken / denn wie mein Herr der könig geredt hat. Denn dein knecht Joab hat mirs geboten / vnd er hat solches alles deiner Magd eingegeben / [20]das ich diese Sache also wenden solte / das hat dein knecht Joab gemacht / Aber mein Herr ist weise / wie die weisheit eines Engel Gottes das er merckt alles auff erden.

DA sprach der König zu Joab / sihe / Jch hab solchs gethan / So gehe hin vnd bringe den Knaben Absalom wider. [22]Da fiel Joab auff sein andlitz zur erden vnd betet an / vnd danckt dem Könige / vnd sprach / Heute merckt dein Knecht / das ich gnade gefunden habe fur deinen augen / mein Herr könig / das der König thut / was sein Knecht sagt. [23]Also macht sich Joab auff vnd zoch gen Gesur / vnd bracht Absalom gen Jerusalem. [24]Aber der König sprach / Las jn wider in sein Haus gehen / vnd mein angesicht nicht sehen / Also kam Absalom wider in sein haus / vnd sahe des Königs angesicht nicht.

ES war aber in gantz Jsrael kein Man so schön als Absalom / vnd hatte dieses lob fur allen / Von

ABSALOM schön.

seiner fusssolen an bis auff seine scheitel / war nicht ein feil an jm. [26]Vnd wenn man sein Heubt beschur (das geschach gemeiniglich alle jar / denn es war jm zu schweer / das mans abscheren muste) so wug sein Haubt har / zwey hundert sekel nach dem königlichen Gewicht. [27]Vnd Absalom wurden drey Söne geborn / vnd eine Tochter / die hies Thamar / vnd war ein Weib schön von gestalt. [28]Also bleib Absalom zwey jar zu Jerusalem / das er des Königs angesicht nicht sahe.

iij. Söne vnd j. Tochter Absaloms.

VND Absalom sandte nach Joab / das er jn zum Könige sendte / Vnd er wolt nicht zu jm komen. Er aber sandte zum andern mal / Noch wolt er nicht komen. [30]Da sprach er zu seinen knechten / Sehet / das stück ackers ‖ Joabs neben meinem / vnd er hatte gersten drauff / So gehet hin vnd steckts mit fewr an / Da steckten die knechte Absalom das stück mit fewr an.

‖ 177a

[31]DA machte sich Joab auff vnd kam zu Absalom ins haus / vnd sprach zu jm / Warumb haben deine Knechte mein stück mit fewr angesteckt. [32]Absalom sprach zu Joab / Sihe / ich sandte nach dir / vnd lies dir sagen / Kom her / das ich dich zum Könige sende / vnd sagen lasse / Warumb bin ich von Gesur komen? Es were mir besser / das ich noch da were / So las mich nu das angesicht des Königes sehen / Jst aber eine missethat an mir / so tödte mich. [33]Vnd Joab gieng hin ein zum Könige vnd sagts jm an / Vnd er rieff dem Absalom das er hin ein zum Könige kam / Vnd er betet an auff sein andlitz zur erden fur dem Könige / vnd der König küsset Absalom.

## XV.

VND ES BEGAB SICH DARNACH / DAS ABSALOM lies jm machen Wagen vnd Rosse / vnd funffzig Man die sein Drabanten waren. [2]Vnd Absalom macht sich alst des morgens früe auff vnd trat an den weg bey dem thor / Vnd wenn jemand einen Handel hatte / das er zum Könige fur gericht komen solt / rieff jm Absalom zu sich / vnd sprach / Aus welcher Stad bistu? Wenn denn der sprach / Dein knecht ist aus der stemmen Jsrael einem. [3]So sprach Absalom zu jm / Sihe / deine Sache ist recht vnd schlecht / Aber du hast keinen Verhörer vom Könige.

ABSALOM EIN Auffrhürer wider Dauid seinen Vater.

[4]VND Absalom sprach / O wer setzt mich zum Richter im Lande / das jderman zu mir keme / der eine sache vnd gericht hat / das ich jm zum Rechten hülffe. [5]Vnd wenn jemand sich zu jm thete / das er jn wolt anbeten / so reckt er seine hand aus vnd ergreiff jn / vnd küsset jn. [6]Auff die weise thet Absalom dem gantzen Jsrael / wenn sie kamen fur gericht zum Könige / vnd stal also das hertz der menner Jsrael.

NACH [a]VIERZIG JAREN SPRACH ABSALOM ZUM Konige / Jch wil hin gehen / vnd mein Gelübd zu Hebron ausrichten / das ich dem HERRN gelobt habe. [8]Denn dein knecht thet ein Gelübde / da ich zu Gesur in Syria wonet / vnd sprach / Wenn mich der HERR wider gen Jerusalem bringet / So wil ich dem HERRN einen Gottesdienst thun. [9]Der König sprach zu jm / Gehe hin mit frieden. Vnd er macht sich auff vnd gieng gen Hebron.

Diese vierzig jare rechen wir von der ersten salbung Dauids / Denn er ist zwenzig jar alt gesalbet / vnd zehen jar verfolgung gelidden / vnd im dreissigsten jar König bestetigt vnd angenomen.

ABsalom aber hatte Kundschaffer ausgesand in alle stemme Jsrael / vnd lassen sagen / Wenn jr der Posaunen schal hören werdet / So sprecht / Absalom ist König worden zu Hebron. [11]Es giengen aber mit Absalom zwey hundert Man von Jerusalem beruffen / Aber sie giengen in jrer einfalt / vnd wusten nichts vmb die sache. [12]Absalom aber sandte auch nach Ahitophel dem Giloniten / Dauids Rat / aus seiner stad Gilo. Da er nu die Opffer thet / ward der Bund starck / vnd das Volck lieff zu / vnd mehret sich mit Absalom.

AHITOPHEL.

DA kam einer der sagts Dauid an / vnd sprach / Das hertz jdermans in Jsrael folget Absalom nach. [14]Dauid sprach aber zu allen seinen Knechten / die bey jm waren zu Jerusalem / Auff / lasst vns fliehen / Denn hie wird kein entrinnen sein fur Absalom / Eilet / das wir gehen / das er vns nicht vbereile vnd ergreiffe vns / vnd treibe ein vnglück auff vns / vnd schlahe die Stad mit der scherffe des schwerts. [15]Da sprachen die knechte des Königs zu jm / Was mein Herr der könig erwelet / sihe / hie sind deine Knechte.

Psal. 3.

[16]VND der König gieng zu füssen hin aus mit seinem gantzen Hause / Er lies aber zehen Kebsweiber das haus zu bewaren. [17]Vnd da der König vnd alles Volck zu füssen hin aus kamen / tratten sie ferne vom hause. [18]Vnd alle seine Knechte giengen neben jm her / Da zu alle Crethi vnd Pleti /

DAUID fleucht fur Absalom.

vnd alle Gethiter / sechs hundert Man / die von Gath zu füssen komen waren / giengen fur dem Könige her.‖ ‖ 177b

VND der König sprach zu Jthai dem Gethiter / Warumb gehestu auch mit vns? Kere vmb vnd bleibe bey dem Könige / denn du bist frembd / vnd von deinem Ort gezogen hie her. [20]Gestern bistu komen / vnd heute wagestu dich mit vns zu gehen / Jch aber wil gehen / wo ich hin kan gehen / Kere vmb / vnd deinen Brüdern mit dir widerfare barmhertzigkeit vnd trew. [21]Jthai antwortet / vnd sprach / So war der HERR lebt / vnd so war mein Herr könig lebt / an welchem ort mein Herr der könig sein wird / es gerate zum tod oder zum leben / da wird dein Knecht auch sein. [22]Dauid sprach zu Jthai / So kom vnd gehe mit. Also gieng Jthai der Gethiter vnd alle seine Menner / vnd der gantze hauffe Kinder die mit jm waren. [23]Vnd das gantze Land weinet mit lauter stimme / vnd alles Volck gieng mit. Vnd der König gieng vber den bach Kidron / vnd alles volck gieng vor / auff dem wege der zur wüsten gehet.

ZADOK.

ABJATHAR.

VND siehe / Zadok war auch da / vnd alle Leuiten die bey jm waren / vnd trugen die Lade des bunds Gottes / vnd stelleten sie dahin. Vnd AbJathar trat empor / bis das alles volck zur Stad aus kam. [25]Aber der König sprach zu Zadok / Bringe die lade Gottes wider in die Stad / Werde ich gnade finden fur dem HERRN / So wird er mich widerholen / vnd wird mich sie sehen lassen / vnd sein Haus. [26]Spricht er aber also / Jch hab nicht lust zu dir / Sihe / hie bin ich / Er machs mit mir / wie es jm wolgefellet. [27]Vnd der König sprach zu dem Priester Zadok / O du Seher / Kere vmb wider in die Stad mit frieden / vnd mit euch ewr beide söne Ahimaaz dein son / vnd Jonathan der son AbJathar. [28]Sihe / ich wil verziehen auff dem blachen felde in der wüsten / bis das Botschafft von euch kome / vnd sage mir an. [29]Also brachte Zadok vnd AbJathar die lade Gottes wider gen Jerusalem / vnd blieben da selbs.

DAuid aber gieng den Oleberg hin an vnd weinet / vnd sein Heubt war verhüllet / denn er gieng verhüllet / Da zu alles volck das bey jm war / hatte ein jglicher sein Heubt verhüllet / vnd giengen hin an vnd weineten. [31]Vnd da es Dauid angesagt ward / das Ahitophel im Bund mit Absalom war /

AHITOPHEL.

sprach er / HERR / Mache den ratschlag Ahitophels zur narrheit.

VND da Dauid auff die Höhe kam / da man Gott pflegte an zu beten / Sihe / da begegenet jm Husai der Arachiter mit zurissenem Rock vnd erden auff seinem heubt. [33]Vnd Dauid sprach zu jm / Wenn du mit mir gehest wirstu mir eine last sein / [34]Wenn du aber wider in die Stad giengest / vnd sprechst zu Absalom / Jch bin dein Knecht / ich wil des Königes sein / der ich deines Vaters knecht war zu der zeit / wil nu dein Knecht sein / So würdestu mir zu gut den Ratschlag Ahitophels zu nicht machen. [35]So ist Zadok vnd AbJathar die Priester mit dir / Alles was du höretest aus des Königes hause / sagestu an den Priestern Zadok vnd AbJathar. [36]Sihe / Es sind bey jnen jre zweene söne Ahimaaz Zadoks / vnd Jonathan AbJathars son / durch dieselbigen kanstu mir entbieten / was du hören wirst. [37]Also kam Husai der freund Dauid in die Stad / Vnd Absalom kam gen Jerusalem.

HUSAI.

## XVI.

VND DA DAUID EIN WENIG VON DER HÖHE GEgangen war / Sihe / da begegenet jm Ziba der knabe MephiBoseth mit einem par Esel gesattelt / darauff waren zwey hundert Brot / vnd hundert stück Rosin / vnd hundert stück Feigen / vnd ein legel weins. [2]Da sprach der König zu Ziba / Was wiltu da mit machen? Ziba sprach / Die Esel sollen fur das gesinde des Königs drauff zu reiten / vnd die Brot vnd Feigen fur die Knaben zu essen / vnd der Wein zu trincken / wenn sie müde werden in der wüsten. [3]Der König sprach / Wo ist der Son deines Herrn? Ziba sprach zum Könige / Sihe / er bleib zu Jerusalem / Denn er sprach / Heute ||wird mir das haus Jsrael / meines vaters Reich / wider geben. [4]Der König sprach zu Ziba / Sihe / Es sol dein sein / alles was MephiBoseth hat. Ziba sprach / Jch bete an / Las mich gnade finden fur dir / mein Herr könig.

ZIBA.

|| 178 a

DA aber der könig Dauid bis gen Bahurim kam / Sihe / da gieng ein Man daselbs er aus vom Geschlecht des hauses Saul / der hies Simei / der son Gera. Der gieng eraus vnd fluchet / [6]vnd warff Dauid mit steinen / vnd alle Knechte des königes Dauid / Denn alles volck vnd alle Gewaltigen waren zu seiner rechten vnd zur lincken. [7]So sprach

SIMEI fluchet Dauid.

aber Simei da er fluchte / Er aus / er aus du Bluthund / du loser Man. [8]Der HERR hat dir vergolten / alles blut des hauses Saul / das du an seine stat bist König worden / Nu hat der HERR das Reich gegeben in die hand deines sons Absalom / Vnd sihe / nu stickestu in deinem vnglück / Denn du bist ein Bluthund.

ABISAI.

ABer Abisai der son ZeruJa sprach zu dem Könige / Solt dieser todter Hund meinem Herrn dem Könige fluchen? Jch wil hin gehen vnd jm den kopff abreissen. [10]Der König sprach / Jr kinder ZeruJa / was hab ich mit euch zu schaffen? Lasst jn fluchen / Denn der HERR hats jn geheissen / fluche Dauid / Wer kan nu sagen / warumb thustu also? [11]Vnd Dauid sprach zu Abisai vnd zu allen seinen Knechten / Sihe / Mein Son / der von meinem Leibe komen ist / stehet mir nach meinem leben / Warumb nicht auch jtzt der Son Jemini? Lasst jn bezemen das er fluche / denn der HERR hats jn geheissen / [12]Vieleicht wird der HERR mein elend ansehen / vnd mir mit gute vergelten sein heutiges fluchen. [13]Also gieng Dauid mit seinen Leuten des weges / Aber Simei gieng an des Berges seiten neben jm her / vnd flucht vnd warff mit Steinen zu jm / vnd sprenget mit erdeklössen. [14]Vnd der König kam hin ein mit allem Volck das bey jm war müde / vnd erquicket sich daselbs.

ABSALOM kömpt gen Jerusalem. HUSAI.

ABer Absalom vnd alles volck der menner Jsrael / kamen gen Jerusalem / vnd Ahitophel mit jm. [16]Da aber Husai der Arachiter / Dauids freund / zu Absalom hin ein kam / sprach er zu Absalom / Glück zu Er könig / glück zu / Er könig. [17]Absalom aber sprach zu Husai / Jst das deine barmhertzigkeit an deinem Freunde? Warumb bistu nicht mit deinem Freunde gezogen? [18]Husai aber sprach zu Absalom / Nicht also / Sondern welchen der HERR erwelet / vnd dis volck vnd alle Man in Jsrael / des wil ich sein vnd bey jm bleiben. [19]Zum andern / Wem solt ich dienen? Solt ich nicht fur seinem Son dienen? Wie ich fur deinem Vater gedienet habe / So wil ich auch fur dir sein.

AHITOPHELS Rat.

VND Absalom sprach zu Ahitophel / Rat zu / was sollen wir thun? [21]Ahitophel sprach zu Absalom / Beschlaff die Kebsweiber deines Vaters / die er gelassen hat / das Haus zu bewaren / So wird das gantze Jsrael hören / das du deinen Vater hast stinckend gemacht / vnd wird aller hand / die bey dir sind / deste küner werden. [22]Da machten sie Absalom eine Hütten auff dem dache / vnd Absalom beschlieff die Kebsweiber seines Vaters fur den augen des gantzen Jsrael.

Sup. 12.

[23]ZV der zeit wenn Ahitophel einen Rat gab / das war / als wenn man Gott vmb etwas hette gefragt / Also waren alle Ratschlege Ahitophels / beide bey Dauid vnd bey Absalom.

## XVII.

VND AHITOPHEL SPRACH ZU ABSALOM / JCH WIL zwelff tausent Man auslesen / vnd mich auffmachen / vnd Dauid nachiagen bey der nacht / [2]vnd wil jn vberfallen / weil er matt vnd lass ist. Wenn ich jn denn erschrecke / das alles Volck / so bey jm ist / fleucht / wil ich den König alleine schlahen / [3]vnd alles Volck wider zu dir bringen. Wenn denn jederman zu dir gebracht ist / wie du begerest / so bleibet alles volck mit frieden. [4]Das dauchte Absalom gut sein / vnd alle Eltesten in Jsrael.||

|| 178b

ABer Absalom sprach / Lieber / Lasset Husai den Arachiten auch ruffen vnd hören / was er dazu sagt. [6]Vnd da Husai hin ein zu Absalom kam / sprach Absalom zu jm / Solchs hat Ahitophel geredt / Sage du / sollen wirs thun oder nicht?

[7]DA sprach Husai zu Absalom / Es ist nicht ein guter Rat / den Ahitophel auff dis mal gegeben hat. [8]Vnd Husai sprach weiter / Du kennest deinen Vater wol vnd seine Leute / das sie starck sind / vnd zorniges gemüts / wie ein Beer dem die Jungen auff einem felde geraubt sind / Dazu ist dein Vater ein Kriegs man / vnd wird sich nicht seumen mit dem volck. [9]Sihe / er hat sich jtzt vieleicht verkrochen jrgend in einer Gruben / oder sonst an einem ort. Wens denn geschehe / das das erst mal vbel geriete / vnd keme ein geschrey / vnd sprech / Es ist eine Schlacht geschehen in dem volck das Absalom nachfolget. [10]So würde jederman verzagt werden / der auch sonst ein Krieger ist / vnd ein hertz hat / wie ein Lewe / Denn es weis gantz Jsrael das dein Vater starck ist / vnd Krieger / die bey jm sind.

HUSAI RAT.

ABer das rate ich / Das du zu dir versamelest gantz Jsrael / von Dan an bis gen Berseba / viel als der sand am meer / vnd deine Person ziehe vnter jnen. [12]So wöllen wir jn vberfallen / an welchem ort wir jn finden / vnd wöllen vber jn komen / wie der Taw auff die erden felt / das wir an jm vnd allen seinen Mennern nicht einen vberig lassen. [13]Wird er sich aber in eine Stad versamlen / So sol das gantz Jsrael stricke an die selbige Stad werffen / vnd sie in den Bach reissen / das man nicht ein Kiselin dran finde. [14]Da sprach Absalom vnd jderman in Jsrael / Der rat Husai des Arachiten ist besser / denn Ahitophels rat. Aber der HERR schickts also / das der gute rat Ahitophels verhindert wurde / Auff das der HERR vnglück vber Absalom brechte.

VND Husai sprach zu Zadok vnd AbJathar den Priestern / So vnd so hat Ahitophel Absalom vnd den Eltesten in Jsrael geraten / Jch aber habe so vnd so geraten. [16]So sendet nu eilend hin / vnd lasset Dauid ansagen vnd sprecht / Bleibe nicht vber nacht auff dem Blachenfelde der wüsten / Sondern mache dich hinüber / das der König nicht verschlungen werde / vnd alles Volck das bey jm ist. [17]Jonathan aber vnd Ahimaaz stunden bey dem brun Rogel / vnd eine Magd gieng hin vnd sagts jnen an / Sie aber giengen hin vnd sagtens dem könige Dauid an / Denn sie thursten sich nicht sehen lassen / das sie in die Stad kemen.

ES sahe sie aber ein knabe vnd sagts Absalom an. Aber die beide giengen eilend hin / vnd kamen in eins mans haus zu Bahurim / der hatte einen Brunnen in seinem Hofe / da hin ein stiegen sie. [19]Vnd das Weib nam vnd breitet eine decke vber des Brunnen loch / vnd breitet Grütze drüber / das man es nicht mercket. [20]Da nu die knechte Absalom zum Weibe ins haus kamen / sprachen sie / Wo ist Ahimaaz vnd Jonathan? Das Weib sprach zu jnen / Sie giengen vber das wesserlin / Vnd da sie suchten vnd nicht funden / giengen sie wider gen Jerusalem.

[21]VND da sie weg waren / stiegen sie aus dem Brunnen / vnd giengen hin / vnd sagtens Dauid dem Könige an / vnd sprachen zu Dauid / Macht euch auff vnd gehet eilend vber das wasser / Denn so vnd so hat Ahitophel wider euch Rat gegeben. [22]Da macht sich Dauid auff / vnd alles Volck das bey jm war / vnd giengen vber den Jordan bis liecht morgen ward / vnd feilet nicht an einem / der nicht vber den Jordan gegangen were.

AHITOPHEL henget sich etc.

ALs aber Ahitophel sahe / das sein Rat nicht fort gegangen war / sattelt er seinen Esel / macht sich auff / vnd zoch heim in seine Stad / vnd beschickt sein Haus / vnd hieng sich vnd starb / Vnd ward begraben in seins Vaters grab.

VND Dauid kam gen Mahanaim / Vnd Absalom zoch vber den Jordan vnd alle Menner Jsrael mit jm. [25]Vnd Absalom hatte Amasa an Joabs ‖ stat gesetzt vber das Heer / Es war aber Amasa eins mans son / der hies Jethra ein Jsraeliter / welcher lag bey Abigail der tochter Nahas / der schwester Zeru Ja Joabs mutter. [26]Jsrael aber vnd Absalom lagerten sich im Gilead.

‖ 179 a

Jnfr. 19.

AMASA.

DA Dauid gen Mahanaim komen war / da brachten Sobi der son Nahas von Rabbath der kinder Ammon / vnd Machir der son Ammiel von Lodabar / vnd Barsillai ein Gileaditer von Roglim / [28]bettwerg / becken / jrden gefes / weitzen / gersten / melh / sangen / bonen / linsen / grütz / [29]hönig / butter / schaf vnd rinder / kese zu Dauid vnd zu dem Volck das bey jm war zu essen / Denn sie gedachten / Das Volck wird hungerig / müde vnd dürstig sein in der wüsten.

## XVIII.

VND DAUID ORDENET DAS VOLCK / DAS BEY JM war / vnd setzt vber sie Heubtleute vber tausent vnd vber hundert. [2]Vnd sandte aus des Volcks ein dritten teil vnter Joab / vnd ein dritten teil vnter Abisai dem son Zeru Ja Joabs bruder / vnd ein dritten teil vnter Jthai dem Gethiter.

VND der König sprach zum Volck / Jch wil auch mit euch ausziehen. [3]Aber das Volck sprach / Du solt nicht ausziehen / Denn ob wir gleich fliehen / oder die helfft sterben / so werden sie sich vnser nicht annemen / Denn du bist als wenn vnser zehen tausent were / So ists nu besser / das du vns aus der Stad helffen mügest. [4]Der König sprach zu jnen / Was euch gefelt / das wil ich thun. Vnd der König trat ans Thor / vnd alles Volck zoch aus bey hunderten vnd bey tausent.

VND der König gebot Joab vnd Abisai vnd Jthai vnd sprach / Faret mir seuberlich mit den Knaben Absalom / Vnd alles Volck hörets / da der König gebot allen Heubtleuten vmb Absalom.

VND da das Volck hin aus kam auffs feld / Jsrael entgegen / hub sich der streit im walde Ephraim. [7]Vnd das volck Jsrael ward daselbs geschlagen fur den knechten Dauid / das desselben tages eine grosse Schlacht geschach / zwenzig tausent Man. [8]Vnd

ABSALOMS anhang geschlagen.

war daselbs der streit zustrewet auff allem lande / Vnd der Wald frass viel mehr Volcks des tags / denn das Schwert frass.

VND Absalom begegenet den knechten Dauid / vnd reit auff einem Maul / Vnd da das Maul vnter eine grosse [a]dicke Eiche kam / behieng sein Heubt an der Eichen / vnd schwebt zwischen Himel vnd erden / Aber sein Maul lieff vnter jm weg.

a Das ist / Esstrige.

10DA das ein Man sahe / saget ers Joab an / vnd sprach / Sihe / ich sahe Absalom an einer Eichen hangen. 11Vnd Joab sprach zu dem Man ders jm hatte angesagt / Sihe / sahestu das / Warumb schlugestu jn nicht daselbs zur erden? So wolt ich dir von meinet wegen zehen Silberlinge vnd einen Gürtel gegeben haben. 12Der Man sprach zu Joab / Wenn du mir tausent Silberlinge in meine hand gewogen hettest / so wolt ich dennoch meine hand nicht an des Königes Son geleget haben / Denn der König gebot dir vnd Abisai vnd Jthai fur vnsern ohren / vnd sprach / Hütet euch das nicht jemand dem knaben Absalom [b]. 13Oder wenn ich etwas falsches gethan hette auff meiner Seelen fahr / weil dem Könige nichts verholen wird / würdestu selbst wider mich gestanden sein.

ABSALOM. krieget sein lohn.

b Vernim / Leide thu.

JOab sprach / Jch kan nicht so lang bey dir verziehen. Da nam Joab drey Spiesse in seine hand / vnd sties sie Absalom ins hertz / da er nocht lebt / an der Eichen. 15Vnd zehen knaben Joabs Waffentreger / machten sich vmb her vnd schlugen in zu tod. 16Da blies Joab die Posaunen / vnd bracht das

Volck wider / das es nicht weiter Jsrael nachiaget / Denn Joab wolt des Volcks verschonen. ‖ || 179b

[17]VND sie namen Absalom vnd worffen jn in den Wald in eine grosse Gruben / vnd legten ein seer grossen hauffen Stein auff jn. Vnd das gantz Jsrael floh / ein jglicher in seine Hütten. [18]Absalom aber hatte jm eine Seule auffgericht da er noch lebet / die stehet im Königs grunde / Denn er sprach / Jch habe keinen Son / darumb sol dis meines namens Gedechtnis sein / Vnd hies die Seule nach seinem namen / Vnd heisst auch bis auff diesen tag / Absaloms raum.

ABSALOMS Seule.

AHimaaz der son Zadok sprach / Lieber / Las mich lauffen vnd dem Könige verkündigen / das der HERR jm Recht verschafft hat von seiner Feinde hende. [20]Joab aber sprach zu jm / Du bringest heute keine gute Botschafft / Einen andern tag soltu Botschafft bringen vnd heute nicht / Denn des Königs son ist tod. [21]Aber zu Cusi sprach Joab / Gehe hin vnd sage dem Könige an / was du gesehen hast / Vnd Cusi betet Joab an vnd lieff. [22]Ahimaaz aber der son Zadok sprach aber mal zu Joab / Wie / wenn ich auch lieffe dem Cusi nach? Joab sprach / Was wiltu lauffen / mein Son? Kom her / du wirst nicht eine gute Botschafft bringen. [23]Wie / wenn ich lieff? Er sprach zu jm / So lauffe doch / Also lieff Ahimaaz stracks wegs / vnd kam Cusi vor.

DAuid aber sas zwisschen zweien Thoren / Vnd der Wechter gieng auffs Dach des thors an der mauren / vnd hub seine augen auff / vnd sahe einen Man lauffen allein / [25]Vnd rieff vnd sagts dem König an. Der König aber sprach / Jst er alleine / so ist eine gute Botschafft in seinem munde. Vnd da der selbige gieng vnd erzu kam / [26]sahe der Wechter einen andern Man lauffen / vnd rieff in das thor / vnd sprach / Sihe / ein Man leufft alleine / Der König aber sprach / Der ist auch ein guter Bote. [27]Der Wechter sprach / Jch sehe des ersten laufft / als den laufft Ahimaaz des sons Zadok / Vnd der König sprach / Es ist ein guter Man / vnd bringt eine gute Botschafft.

AHimaaz aber rieff / vnd sprach zum Könige / Friede / vnd betet an fur dem Könige auff sein andlitz zur erden / vnd sprach / Gelobt sey der HERR dein Gott / der die Leute / die jre hand wider meinen Herrn den König auffhuben / vbergeben hat.

AHIMAAZ.

[29]DEr König aber sprach / Gehet es auch wol dem knaben Absalom? Ahimaaz sprach / Jch sahe ein gros getümmel da des Königs knecht Joab / mich || deinen Knechte sandte / vnd weis nicht was es war. [30]Der König sprach / Gehe erumb vnd trit da her / Vnd er gieng erumb vnd stund alda.

|| 180a

CUSI.

SJhe / da kam Cusi / vnd sprach / Hie gute Botschafft / mein Herr König / Der HERR hat dir heute Recht verschafft / von der hand aller die sich wider dich aufflehneten.

[32]DEr König aber sprach zu Cusi / Gehet es dem knaben Absalom auch wol? Cusi sprach / Es müsse allen Feinden meins Herrn königes gehen / wie es dem Knaben gehet / vnd allen die sich wider dich aufflehnen vbel zu thun. [33]Da ward der König trawrig / vnd gieng hin auff den Saal im thor vnd weinet / vnd im gehen sprach er also / Mein son Absalom / mein son / mein son Absalom / Wolt Gott / Jch müste fur dich sterben / O Absalom / mein Son / mein Son.

KLAGE Dauids vber Absalom.

## XIX.

VND ES WARD JOAB ANGESAGT / SIHE / DER König weinet vnd tregt leide vmb Absalom. [2]Vnd ward aus dem Sieg des tags ein Leid vnter dem gantzen volck / Denn das volck hatte gehört des tages / das sich der König vmb seinen Son bekümmerte. [3]Vnd das Volck verstal sich weg an dem tage / das nicht in die Stad kam / wie sich ein Volck verstielet / das zu schanden worden ist / wens im streit geflohen ist. [4]Der König aber hatte sein angesicht verhüllet / vnd schrey laut / Ah mein son Absalom / Absalom mein son / mein son.

JOab aber kam zum Könige ins haus / vnd sprach / Du hast heute schamrot gemacht alle deine Knechte / die heute deine / deiner Söne / deiner Töchter / deiner Weiber / vnd deiner Kebsweiber seele errettet haben / [6]Das du lieb habest / die dich hassen / vnd hassest / die dich lieb haben. Denn du lest dich heute mercken / das dirs nicht gelegen ist an den Heubtleuten vnd Knechten / Denn ich mercke heute wol / wenn dir nur Absalom lebete / vnd wir heute alle tod weren / das deuchte dich recht sein.

[7]SO mache dich nu auff / vnd gehe er aus / vnd rede mit deinen Knechten freundlich / Denn ich schwere dir bey dem HERRN / Wirstu nicht er aus

gehen / Es wird kein Man an dir bleiben diese nacht vber / Das wird dir erger sein denn alles Vbel / das vber dich komen ist / von deiner jugent auff bis hie her. [8]Da machte sich der König auff / vnd setzt sich ins thor / Vnd man sagts allem volck / Sihe / der König sitzt im thor. Da kam alles volck fur den König. Aber Jsrael war geflohen ein jglicher in seine Hütten.

VND es zanckte sich alles Volck in allen stemmen Jsrael / vnd sprachen / Der König hat vns errettet von der hand vnser Feinde / vnd erlöset vns von der Philister hand / vnd hat müssen aus dem Lande fliehen fur Absalom. [10]So ist Absalom gestorben im streit / den wir vber vns gesalbet hatten / Warumb seid jr nu so stille / das jr den König nicht widerholet.

DEr König aber sandte zu Zadok vnd AbJathar den Priestern / vnd lies jnen sagen / Redet mit den Eltesten in Juda / vnd sprecht / Warumb wolt jr die letzten sein / den König wider zu holen in sein Haus (Denn die rede des gantzen Jsrael war fur den König komen in sein haus) [12]Jr seid meine Brüder / mein bein vnd mein fleisch / Warumb wolt jr denn die letzten sein / den König wider zu holen? [13]Vnd zu Amasa sprecht / Bistu nicht mein bein vnd mein fleisch? Gott thu mir dis vnd das / wo du nicht solt sein Feldheubtman fur mir dein leben lang an Joabs stat.

VND er neiget das hertz aller Menner Juda / wie eins mans. Vnd sie sandten hin zum Könige / Kom wider / du / vnd alle deine knechte. [15]Also kam der König wider. Vnd da er an den Jordan kam / waren die menner Juda gen Gilgal komen / hin ab zu ziehen dem Könige entgegen / das sie den König vber den Jordan füreten.‖ ‖ 180b

VND Simei der son Gera / des sons Jemini / der zu Bahurim wonete / eilete vnd zoch mit den Mennern Juda hin ab dem könige Dauid entgegen / [17]vnd waren tausent Man mit jm von BenJamin. Dazu auch Ziba der knabe aus dem hause Saul / mit seinen funffzehen Sönen vnd zwenzig Knechten / vnd fertigen sich durch den Jordan fur dem Könige her / [18]vnd machten die Furt / das sie das Gesinde des Königs hinüber füreten / vnd theten was jm gefiele.

ZIBA.

Sup. 16.

SJmei aber der son Gera fiel fur dem Könige nider / da er vber den Jordan fuhr / [19]vnd sprach

SIMEI.

zum Könige / Mein Herr / rechne mir nicht zu die missethat / vnd gedencke nicht / das dein Knecht dich beleidiget des tags / da mein Herr könig aus Jerusalem gieng / vnd der König neme es nicht zu hertzen / [20]Denn dein Knecht erkennet / das ich gesündigt habe. Vnd sihe / Jch bin heute der erste komen vnter dem gantzen hause Joseph / das ich meinem Herrn König entgegen er ab zöge.

[21]ABer Abisai der son ZeruJa antwortet / vnd sprach / Vnd Simei solte darumb nicht sterben / So er doch dem gesalbten des HERRN geflucht hat. [22]Dauid aber sprach / Was hab ich mit euch zu schaffen jr kinder ZeruJa / das jr mir heute wolt zum Satan werden? Solte heute jemand sterben in Jsrael? Meinstu / ich wisse nicht / das ich heute ein König bin worden vber Jsrael? [23]Vnd der König sprach zu Simei / Du solt nicht sterben / Vnd der König schwur jm.

MEPHIBOSETH.

MEphiBoseth der son Saul kam auch er ab dem Könige entgegen / Vnd er hatte seine Füsse noch seinen Bart nicht gereinigt / vnd seine Kleider nicht gewasschen / von dem tage an da der König weggegangen war / bis an den tag / da er mit Frieden kam. [25]Da er nu gen Jerusalem kam / dem Könige zu begegenen / sprach der König zu jm / Warumb bistu nicht mit mir gezogen MephiBoseth? [26]Vnd er sprach / Mein Herr könig / mein Knecht hat mich betrogen / Denn dein knecht gedacht / Jch wil einen Esel satteln vnd drauff reiten / vnd zum Könige ziehen / Denn dein Knecht ist lahm. [27]Da zu hat er deinen Knecht angegeben fur meinem Herrn könige / Aber mein Herr könig ist wie ein Engel Gottes / Thu / was dir wolgefellet / [28]Denn alle meins vaters Haus ist nichts gewesen / denn Leute des tods / fur meinem Herrn könige. So hastu deinen Knecht gesetzt vnter die so auff deinem tissch essen / Was hab ich weiter gerechtigkeit oder weiter zu schreien an den König? [29]Der König sprach zu jm / Was redestu noch weiter von deinem dinge? Jch habs gesagt / Du vnd Ziba teilet den Acker mit einander. [30]MephiBoseth sprach zum Könige / Er neme es auch gar da hin / nach dem mein Herr könig mit Frieden heim komen ist.

Sup. 16.

Sup. 16.

BARSILLAI.

VND Barsillai der Gileaditer kam er ab von Roglim / vnd füret den König vber den Jordan / das er jn im Jordan geleite. [32]Vnd Barsillai war fast alt wol achzig jar / der hatte den König versorget weil er zu Mahanaim war / Denn er war ein seer trefflicher Man. 33Vnd der König sprach zu Barsillai / Du solt mit mir hinüber ziehen / Jch wil dich versorgen bey mir zu Jerusalem. 34Aber Barsillai sprach zum Könige / Was ists noch das ich zu leben habe / das ich mit dem Könige solt hin auff zu Jerusalem ziehen? 35Jch bin heute achzig jar alt / Wie solt ich kennen was gut oder böse ist / oder schmecken was ich esse oder trincke / oder hören was die Senger oder Sengerin singen? Warumb solt dein knecht meinen Herrn könig förder beschweren. 36Dein knecht sol ein wenig gehen mit dem Könige vber den Jordan / Warumb wil mir der König ein solche vergeltung thun? 37Las deinen Knecht vmbkeren / das ich sterbe in meiner Stad bey meines Vaters vnd meiner Mutter grab.

SJhe / da ist dein knecht Chimeham / den las mit meinem Herrn könig || hinüber ziehen / vnd thu jm was dir wolgefellet. 38Der König sprach / Chimeham sol mit mir hinüber ziehen / vnd ich wil jm thun / was dir wolgefellet / Auch alles was du an mir erwelest / wil ich dir thun. 39Vnd da alles volck vber den Jordan war gegangen / vnd der König auch / küsset der König den Barsillai vnd segenet jn / vnd er keret wider an seinen ort. 40Vnd der König zoch hinüber gen Gilgal / vnd Chimeham zoch mit jm. Vnd alles volck Juda hatte den König hinüber gefürt / Aber des volcks Jsrael war nur die helffte da.

CHIMEHAM.

|| 181a

VND sihe / da kamen alle menner Jsrael zum Könige / vnd sprachen zu jm / Warumb haben dich vnsere Brüder die menner Juda gestolen / vnd haben den König vnd sein haus vber den Jordan gefürt / vnd alle menner Dauid mit jm? 42Da antworten die von Juda denen von Jsrael / Der König gehöret vns nahe zu / Was zürnet jr darumb? Meinet jr / das wir von dem Könige narung oder geschencke empfangen haben? 43So antworten denn die von Jsrael denen von Juda / vnd sprachen / Wir haben zehen mal mehr beim Könige / da zu auch bey Dauid / denn jr. Warumb hastu mich denn so geringe geachtet / das das vnser nicht das erst gewesen ist / vnsern König zu holen? Aber die von Juda redten herter / denn die von Jsrael.

XX.

(Berümbter) Einer von den grossen Haufen / vom hohen Adel / der grossen Anhang im volck vnd ein ansehen oder namen hatte Wie Catilina zu Rom etc.

VND ES WAR DASELBS EIN BERÜMBTER HEILLOSER Man / der hies Seba / ein son Bichri / eins mans von Jemini / der blies die Posaunen / vnd sprach / Wir haben kein teil am Dauid / noch erbe am Son Jsai / Ein jglicher heb sich zu seiner hütten o Jsrael. [2]Da fiel von Dauid jederman in Jsrael / vnd folgeten Seba dem son Bichri / Aber die menner Juda hiengen an jrem Könige / vom Jordan an bis gen Jerusalem.

SEBA EIN Auffrührer.

DA aber der könig Dauid heim kam gen Jerusalem / nam er die zehen Kebsweiber / die er hatte gelassen das Haus zu bewaren / vnd thet sie in eine verwarung / vnd versorget sie / Aber er beschlieff sie nicht / Vnd sie waren also verschlossen bis an jren tod / vnd lebten Widwinnen.

AMASA.

Su. 17. 19.

VND der König sprach zu Amasa / Beruff mir alle man in Juda auff den dritten tag / vnd du solt auch hie stehen. [5]Vnd Amasa gieng hin Juda zu beruffen / Aber er verzog die zeit die er jm bestimmet hatte. [6]Da sprach Dauid zu Abisai / Nu wird vns Seba der son Bichri mehr leides thun / denn Absalom / Nim du die Knechte deines Herrn vnd jage jm nach / das er nicht etwa fur sich feste Stedte finde / vnd entrinne aus vnsern augen. [7]Da zogen aus jm nach die menner Joab / Dazu die Crethi vnd Plethi / vnd alle starcken / Sie zogen aber aus von Jerusalem / nach zujagen Seba dem son Bichri.

DA sie aber bey dem grossen Stein waren zu Gibeon / kam Amasa fur jnen her. Joab aber war gegürtet vber seinem Kleide das er anhatte / vnd hatte darüber ein Schwert gegürtet / das hieng an seiner hüffte in der scheiden / das gieng gerne aus vnd ein. [9]Vnd Joab sprach zu Amasa / Friede mit dir / mein bruder. Vnd Joab fasset mit seiner rechten hand Amasa bey dem bart / das er jn küsset. [10]Vnd Amasa hatte nicht acht auff das Schwert in der hand Joab / Vnd er stach jn damit in den wanst / das sein eingeweide sich auff die erden schüttet / vnd gab jm keinen stich mehr / vnd er starb.

JOAB STICHT Amasa tod.

JOab aber vnd sein bruder Abisai jagten nach / Seba dem son Bichri. [11]Vnd es trat einer von den knaben Joab neben jn / vnd sprach / Trotz vnd mach sich einer an Joab / vnd thu sich bey Dauid nach Joab? [12]Amasa aber lag im blut geweltzet mitten auff der strassen. Da aber einer sahe / das alles Volck da stehen bleib / wendet er Amasa von der strassen auff den Acker / vnd warff Kleider auff jn / weil er sahe / das / wer an jn kam / stehen bleib. ||

|| 181b

DA er nu aus der strassen gethan war / folget jederman Joab nach / Seba dem son Bichri nach zujagen. [14]Vnd er zoch durch alle stemme Jsrael / gen Abel vnd BethMaacha / vnd gantze Haberim / vnd sie versamleten sich vnd folgeten jm nach. [15]Vnd kamen vnd belegten jn zu Abel vnd BethMaacha / Vnd schutten eine schut vmb die Stad / vnd tratten an die maure / vnd alles volck das mit Joab war / stürmet / vnd wolt die mauren niderwerffen.

WEISE FRAW zu Abel.

DA rieff eine weise Fraw aus der Stad / Höret / höret / Sprecht zu Joab das er hie erzu kome / Jch wil mit jm reden. [17]Vnd da er zu jr kam / sprach die Frawe / Bistu Joab? Er sprach / Ja. Sie sprach zu jm / Höre die rede deiner magd. Er sprach / Jch höre. [18]Sie sprach / Vorzeiten sprach man / Wer fragen wil / der frage zu Abel / vnd so giengs wol aus. [19]Jch bin eine von den friedsamen vnd trewen Stedten in Jsrael / Vnd du wilt die Stad tödten vnd die Mutter in Jsrael / Warumb wiltu das Erbteil des HERRN verschlingen?

ABEL.

[20]JOab antwortet / vnd sprach / Das sey ferne / das sey ferne von mir / das ich verschlingen vnd verderben solt / Es hat sich nicht also. [21]Sondern ein Man vom gebirge Ephraim mit namen Seba der son Bichri / hat sich empöret wider den könig Dauid / Gebt denselbigen her allein / so wil ich von der Stad ziehen. Die Fraw sprach zu Joab / Sihe / sein Heubt sol zu dir vber die maur geworffen werden. [22]Vnd die Fraw kam hin ein zu allem volck mit jrer weisheit / Vnd sie hieben Seba dem son Bichri den Kopff abe / vnd worffen jn zu Joab. Da blies er die Posaunen / vnd zustreweten sich von der Stad / ein jglicher in seine hütten / Joab aber kam wider gen Jerusalem zum Könige.

SEBA.

Sup. 8.

JOab aber war vber das gantze Heer Jsrael. Benaia der son Joiada war vber die Crethi vnd Plethi. [24]Adoram war Rentmeister. Josaphat der son Ahilud war Cantzler. Seia war Schreiber. Zadok vnd AbJathar waren Priester. Dazu war Jra der Jairiter Dauids Priester.

## XXI.

THEWRUNG.

ES WAR AUCH EINE THEWRUNG ZU DAUIDS ZEITEN drey jar an einander / Vnd Dauid sucht das angesicht des HERRN. Vnd der HERR sprach / Vmb Sauls willen / vnd vmb des Bluthauses willen / das er die Gibeoniter getödtet hat.

DA lies der König den Gibeonitern ruffen / vnd sprach zu jnen (Die Gibeoniter aber waren nicht von den kindern Jsrael / sondern vbrig von den Amoritern / Aber die kinder Jsrael hatten jnen geschworen / vnd Saul sucht sie zuschlahen in seinem eiuer / fur die kinder Jsrael vnd Juda) [3]So sprach nu Dauid zu den Gibeonitern / Was sol ich euch thun? vnd wo mit sol ich sünen / das jr dem Erbteil des HERRN segenet.

Jos. 9.

[4]DJe Gibeoniter sprachen zu jm / Es ist vns nicht vmb gold noch silber zu thun an Saul vnd seinem Hause / vnd ist vns nicht zu thun vmb jemand zu tödten in Jsrael. Er sprach / Was sprecht jr denn / das ich euch thun sol? [5]Sie sprachen zum Könige / Den Man der vns verterbet vnd zu nicht gemacht sollen wir vertilgen / das jm nichts bleibe in allen grentzen Jsrael. [6]Gebet vns sieben Menner aus seinem Hause / das wir sie auffhengen dem HERRN zu Gibea Sauls / des erweleten des HERRN. Der König sprach / Jch wil sie geben.

[7]ABer der König verschonet MephiBoseth des sons Jonathan / des sons Saul / vmb des Eides willen des HERRN / der zwisschen jnen war / nemlich zwisschen Dauid vnd Jonathan dem son Saul. [8]Aber die zween söne Rizpa der tochter Aia / die sie Saul geborn hatte / Armoni / vnd MephiBoseth / Da zu die fünff söne Michal der tochter Saul / die sie dem Adriel geborn hatte / dem son Barsillai des Mahalothiters / nam der König [9]vnd gab sie in die hand der Gibeoniter / Die hiengen sie auff dem berge fur dem HERRN. Also fielen || diese sieben auff ein mal / vnd storben zur zeit der ersten Erndten wenn die Gerstenerndte angehet.

Sup. 19.

|| 182a

RIZPA.

DA nam Rizpa die tochter Aia einen sack / vnd breitet jn auff den fels am anfang der Erndten / bis das wasser vom Himel vber sie troff / vnd lies des tags die vogel des Himels nicht auff jnen rugen / noch des nachts die Thier des feldes.

[11]VND es ward Dauid angesagt / was Rizpa die tochter Aia Sauls kebsweib gethan hatte. [12]Vnd Dauid gieng hin vnd nam die gebeine Saul / vnd die gebeine Jonathan seins Sons / von den Bürgern zu Gabes in Gilead (die sie von der gassen Bethsan gestolen hatten / dahin sie die Philister gehenget

1. Reg. 31.

hatten / zu der zeit / da die Philister Saul schlugen auff dem berge Gilboa) [13]vnd bracht sie von dannen er auff / vnd samleten sie zuhauffen mit den gebeinen der gehengeten / [14]Vnd begruben die gebeine Sauls vnd seines sons Jonathan im lande BenJamin / zu Zela im grabe seines vaters Kis / Vnd theten alles wie der König geboten hatte / Also ward Gott nach diesem Lande wider versünet.

ES erhub sich aber wider ein krieg von den Philistern wider Jsrael / Vnd Dauid zoch hin ab vnd seine Knechte mit jm / vnd stritten wider die Philister / Vnd Dauid ward müde. [16]Vnd Jesbi zu Nob (welcher war der kinder Rapha einer / vnd das gewicht seines Spers war drey hundert gewicht ertz vnd hatte newe woffen) der gedacht Dauid zuschlagen. [17]Aber Abisai der son ZeruJa halff jm / vnd schlug den Philister tod. Da schwuren jm die menner Dauid / vnd sprachen / Du solt nicht mehr mit vns ausziehen in den streit / das nicht das Liecht in Jsrael verlessche.

DAUID streittet wider die Philister.

JESBI.

ABISAI.

DArnach erhub sich noch ein Krieg zu [a]Nob mit den Philistern / Da schlug Sibechai der Husathiter den Saph / welcher auch der kinder Rapha einer war.

a Vel Gob.

SIBECHAI.

SAPH.

VND es erhub sich noch ein Krieg zu Gob mit den Philistern / Da schlug Elhanan der son Jaere Orgim ein Bethlehemiter den Goliath den Gethiter / welcher hatte einen Spies / des stange war wie ein Weberbawm.

ELHANAN.

GOLIATH.

VND es erhub sich noch ein Krieg zu Gath / Da war ein langer Man / der hatte sechs Finger an seinen henden / vnd sechs Zee an seinen füssen / das ist vier vnd zwenzig an der zal / vnd er war auch geboren von Rapha. [21]Vnd da er Jsrael honsprach / schlug jn Jonathan der son Simea des bruders Dauid. [22]Diese vier waren geboren dem Rapha zu Gath / vnd fielen durch die hand Dauid vnd seiner Knechte.

LANGER MAN.

JONATHAN.

## XXII.

Psal. 18.

VND DAUID REDET FUR DEM HERRN DIE WORT dieses Liedes / Zur zeit / da jn der HERR errettet hatte / von der hand aller seiner Feinde / vnd von der hand Saul / vnd sprach.

DER HERR ist mein Fels / Vnd meine Burg / vnd mein Erretter.

[3]Gott ist mein Hort / auff den ich trawe / mein Schilt vnd Horn meins heils Mein Schutz vnd meine Zuflucht / Mein Heiland / der du mir hilffst vom freuel.

[4]JCH wil den HERRN loben vnd anruffen / So werde ich von meinen Feinden erlöset werden.

[5]DEnn es hatten mich vmbfangen die schmertzen des todes / Vnd die beche Belial erschreckten mich.

[6]DEr Helle band vmbfiengen mich / Vnd des Todes stricke vberweldigten mich.

[7]WEnn mir angst ist / So ruffe ich den HERRN an / vnd schrey zu mei||nem Gott / So erhöret er meine stimme von seinem Tempel / Vnd mein geschrey kompt fur jn zu seinen Ohren. || 182b

DJe Erde bebet vnd ward bewegt / Die grundfeste des Himels regten sich vnd bebeten / da er zornig war.

[9]Dampff gieng auff von seiner Nasen / Vnd verzehrend Fewr von seinem Munde / das es dauon blitzet.

[10]Er neigete den Himel / vnd fuhr er ab / Vnd tunckel war vnter seinen füssen.

[11]Vnd er fuhr auff dem Cherub vnd floh da her / Vnd er schwebt auff den fittigen des winds.

[12]Sein Gezelt vmb jn her / war finster / Vnd schwartze dicke Wolcken.

[13]Von dem glantz fur jm brandte es mit blitzen.

[14]Der HERR donnerte vom Himel / Vnd der Höhest lies seinen donner aus.

[15]Er schos seine Strale / vnd zustrewet sie / Er lies blitzen / vnd schrecket sie.

[16]Da sahe man Wassergösse / vnd des Erdbodens grund ward auffgedeckt von dem schelten des HERRN / Vnd dem odem vnd schnauben seiner Nasen.

ER schicket aus von der höhe vnd holet mich / Vnd zog mich aus grossen Wassern.

[18]Er errettet mich von meinen starcken Feinden / Von meinen Hassern die mir zu mechtig waren.

[19]Die mich vberweldigten zur zeit meins vnfals / Vnd der HERR ward meine Zuuersicht.

[20]ER füret mich aus in den raum / Er reis mich er aus / Denn er hatte lust zu mir.

[21]Der HERR thut wol an mir / nach meiner gerechtigkeit / Er vergilt mir nach der reinigkeit meiner hende.

[22]Denn ich halte die Wege des HERRN / Vnd bin nicht Gottlos wider meinen Gott.

[23]Denn alle seine Rechte hab ich fur augen / Vnd seine Gebot werffe ich nicht von mir.

[24]Sondern ich bin on wandel fur jm / Vnd hüte mich fur sünden.

[25]Darumb vergilt mir der HERR nach meiner gerechtigkeit / Nach meiner reinigkeit fur seinen Augen.

[26]BEy den Heiligen / bistu heilig / Bey den Fromen / bistu from.

[27]Bey den Reinen / bistu rein / Vnd bey den Verkereten / bistu verkeret.

DEnn du hilffest dem elenden volck / Vnd mit deinen Augen nidrigestu die Hohen.

[29]Denn du HERR bist mein Liecht / der HERR macht meine finsternis liechte.

[30]DEnn mit dir kan ich Kriegsuolck zuschmeissen / Vnd mit meinem Gott vber die Mauren springen.

[31]Gottes wege sind on wandel / Des HERRN Rede sind durchleutert / Er ist ein Schilt allen die jm vertrawen.

[32]Denn wo ist ein Gott on den HERRN? Vnd wo ist ein Hort on vnser Gott?

[33]Gott sterckt mich mit krafft / Vnd weiset mir einen weg on wandel.

[34]Er macht meine füsse gleich den Hirssen / Vnd stellet mich auff meine höhe.

[35]Er lęret meine Hende streitten / Vnd leret meinen Arm den ehren Bogen spannen.

VND gibst mir den Schilt deines Heils / Vnd wenn du mich demütigest / machstu mich gros.

[37]Du machst vnter mir raum zugehen / Das meine Knöchel nicht gleiten.

[38]Jch wil meinen Feinden nachiagen vnd sie vertilgen / Vnd wil nicht vmb keren / bis ich sie vmbbracht habe. ||

|| 183a

[39]Jch wil sie vmbbringen vnd zuschmeissen / vnd sollen mir nicht widerstehen / Sie müssen vnter meine füsse fallen.

[40]Du kanst mich rüsten mit stercke zum streit / Du kanst vnter mich werffen / die sich wider mich setzen.

[41]Du gibst mir meine Feinde in die flucht / Das ich verstöre die mich hassen.

[42]Sie [a]lieben sich zu / Aber da ist kein Helffer / Zum HERRN / Aber er antwortet jnen nicht.

[a] (Sich zu lieben) Die sich mit vielen Gottesdiensten wollen vmb Gott wol verdienen / meinens hertzlich vnd thuns mit ernst. Aber on Gottes wort / aus eigen erweltem furnemen / wie vnser Münche vnd alle Abgöttische thun.

[43]Jch wil sie zustossen wie Staub auff der erden / Wie Kot auff der gassen wil ich sie versteuben vnd zustrewen.

DV hilffst mir von dem zenckischen Volck / vnd behütest mich zum Heubt vnter den Heiden / Ein Volck das ich nicht kandte / dienet mir.

[45]Den frembden Kindern hats wider mich gefeilet / Vnd gehorchen mir mit gehorsamen ohren.

[46]Die frembden Kinder sind verschmachtet / Vnd zabbeln in jren Banden.

[47]DEr HERR lebet / vnd gelobet sey mein Hort / Vnd Gott der Hort meines Heils müsse erhaben werden.

[48]Der Gott der mir die Rache gibt / Vnd wirfft die Völcker vnter mich.

[49]Er hilfft mir aus von meinen Feinden / Du erhöhest mich aus denen die sich wider mich setzen / Du hilffst mir von den Freueln.

Rom. 15.

[50]DArumb wil ich dir dancken HERR vnter den Heiden / Vnd deinem Namen lobsingen.

[51]Der seinem Könige gros Heil beweiset / Vnd wolthut seinem Gesalbeten Dauid / vnd seinem Samen ewiglich.

## XXIII.

GOTTES GEIST hat durch Dauid geredt.

DJS SIND DIE LETZTEN WORT DAUIDS. ES SPRACH Dauid der son Jsai / Es sprach der Man der von dem Messia des Gottes Jacob versichert ist / lieblich mit Psalmen Jsrael.

DEr Geist des HERRN hat durch mich geredt / vnd seine Rede ist durch meine Zungen geschehen. [3]Es hat der Gott Jsrael zu mir gesprochen / Der Hort Jsrael hat geredt / der gerechte Herrscher vnter den Menschen / Der Herrscher in der furcht Gottes. [4]Vnd wie das Liecht des morgens / wenn die Sonne auffgehet / des morgens [b]on wolcken / da vom Glantz / nach dem Regen / das Gras aus der erden wechst. [5]Denn mein Haus ist nicht also bey Gotte / Denn er hat mir einen Bund gesetzt / der ewig vnd alles wol geordent vnd gehalten wird / Denn alle mein Heil vnd Thun ist / das nichts [c]wechst.

ABer [d]Belial sind alle sampt / wie die ausgeworffen Disteln / die man nicht mit henden fassen kan / [7]Sondern wer sie angreiffen sol / mus Eisen vnd Spiesstangen in der hand haben / Vnd werden mit Fewr verbrand werden in der wonunge.

b (On wolcken) Moses richtet des Gesetzsreich an / auff dem Berge Sinai mit Donnern / wolcken / blitzen schrecklich. Aber dis Reich wird lieblich sein / wie es ist im Lentzen wenn es geregent hat / vnd die Sonne frü e scheinet.

c (Nichts wechst) Kein Königreich ist so hoch fur Gott wird auch nicht so wachsen sondern vergehen / Allein dis Reich bestehet ewiglich.

d (Belial) Sind die / so dem reich Christi feind sind / als Jüden / Bapst / Ketzer / Türcken etc. die wollen allein nütze vnd die besten sein / vnd sind doch die schedlichsten / darumb heissen sie Belial / die vnnützen oder schedlichen. Also sagt Jere. 23. von den falschen Propheten / Sie sind mit jrem nützen kein nütz diesem volck / das ist / Sie sind die schedlichsten / eben da sie nütze sein wollen.

1. Par. 11.
DIE HELDEN AN Dauids Hofe.

JASABE.

DJS sind die namen der Helden Dauid. [e]Jasabeam der son Hachmoni / der furnemest vnter dreien / Er hub seinen Spies auff / vnd schlug acht hundert auff ein mal.

ELEASAR.

NAch jm war Eleasar der son Dodo / des sons Ahohi / vnter den dreien Helden mit Dauid / da sie hohnsprachen den Philistern / vnd daselbs versamlet waren zum streit / vnd die menner Jsrael hin auff zogen / [10]Da stund er vnd schlug die Philister / bis das seine hand müde am Schwert erstarret / Vnd der HERR gab ein gros Heil zu der zeit / das das Volck vmbwand jm nach / zu rauben.

SAMMA.

NAch jm war Samma der son Age des Harariters / Da die Philister sich versamleten in ein Dorff / vnd war daselbs ein stück ackers vol Linsen / vnd das Volck flohe fur den Philistern / [12]Da trat er mitten auff das stück vnd errettets vnd schlug die Philister / vnd Gott gab ein gros Heil. ||

|| 183b

VND diese drey Furnemesten vnter Dreissigen kamen hin ab in der Erndte zu Dauid in der höle Adullam / vnd die Rotte der Philister lag im grund Rephaim. [14]Dauid aber war dazu mal in der Burg / Aber der Philister volck lag zu Bethlehem. [15]Vnd Dauid ward lüstern / vnd sprach / Wer wil mir zu trincken holen des wassers aus dem brun zu Bethlehem vnter dem thor? [16]Da rissen die drey Helden ins Lager der Philister / vnd schepfften des wassers aus dem brun zu Bethlehem vnter dem thor / vnd trugens vnd brachtens Dauid. Aber er wolts nicht trincken / sondern gos es dem HERRN / [17]vnd sprach / Das las der HERR fern von mir sein / das ich das thu / Jsts nicht das blut der Menner / die jr Leben gewogt haben / vnd da hin gegangen sind? vnd wolts nicht trincken / Das theten die drey Helden.

ABISAI.

ABisai Joabs bruder der son ZernJa / war auch ein furnemester vnter dreien / Er hub seinen Spies auff / vnd schlug drey hundert / vnd war auch berümbt vnter dreien / [19]vnd der herrlichst vnter dreien / vnd war jr Oberster / Aber er kam nicht bis an die drey.

BENAIA.

VND Banaia der son Joiada / des sons Jshail von grossen Thaten von Kabzeel / Der schlug zween Lewen der Moabiter / vnd gieng hin ab vnd schlug einen Lewen im brun zur schneezeit. [21]Vnd schlug auch ein Egyptischen grewlichen Man / der hatte einen Spies in seiner hand / Er aber gieng zu

[e] (Jasabeam) An diesem ort stehets im Ebreischen also / Dis sind die namen der Helden Dauid / JosebBasebeth / Thachmoni / der furnemest vnter dreien. Jpseadino / HaEznib / vnd schlug acht hundert auff ein mal. Da achten wir / der Text sey durch einen Schreiber verderbet / etwa aus einem Buch vnkendlicher schrifft vnd von bösen buchstaben. Vnd sey also Adino fur Orer / vnd HaEznib / fur ethhanitho gemacht. Denn die Ebrei wol wissen wie man in böser Handschrifft kan Daleth fur Res / Vau fur Nun / He fur Thau / vnd widerumb lesen. Darumb haben wirs nach dem Text 1. Par. 11. corrigirt / Denn der Text an diesem ort nichts gibt. Des gleichen kan auch geschehen sein / in dem wörtlin drey / Jtem acht hundert / So in der Chronica dreissig / Jtem drey hundert stehen /

Doch kan das ein ander meinung haben / vt infra. 1. Par. 11.

jm hin ab mit einem Stecken / vnd reis dem Egypter den Spies aus der hand / vnd erwürget jn mit seinem eigen spies / [22]Das thet Benaia der son Joiada. Vnd war berümbt vnter den dreien Helden / [23]vnd herrlicher / denn die Dreissig / Aber er kam nicht bis an die drey. Vnd Dauid machte jn zum heimlichen Rat.

AHASEL.

ASahel der bruder Joab ist vnter den dreissigen. Elhanan der son Dodo zu Bethlehem. [25]Samma der Haraditer. Elika der Haraditer. [26]Helez der Paltiter. Jra der son Jkes des Tekoiters. [27]Abieser der Anthotiter. Mebunai der Husathiter. [28]Zalmon der Ahohiter. Maherai der Nethopathiter. [29]Heleb der son Baena der Netophathiter. Jthai der son Ribai von Gibea der kinder BenJamin. [30]Benaia der Pirgathoniter. Hidai von den bechen Gaas. [31]Abialbon der Arbathiter. Asinaueth der Barhumiter. [32]Eliaheba der Saalboniter. Die kinder Jasen vnd Jonathan. [33]Samma der Harariter. Ahiam der son Sarar der Harariter. [34]Eliphelet der son Ahanbai des sons Maechathi. Eliam der son Ahitophel des Giloniters. [35]Hezrai der Carmelither. Paerai der Arbiter. [36]Jegeal der son Nathan von Zoba. Bani der Gaditer. [37]Zeleg der Ammoniter. Naharai der Beerothiter / der Waffentreger Joabs des sons ZeruJa. [38]Jra der Jethriter. Garab der Jethriter. [39]Vria der Hethiter. Der ist alle sampt sieben vnd dreissig.

XXIIII.

VND DER ZORN DES HERRN ERGRIMMET ABER mal wider Jsrael / vnd reitzt Dauid vnter jnen / das er sprach / Gehe hin / zele Jsrael vnd Juda. [2]Vnd der König sprach zu Joab seinem Feldheubtman / Gehe vmb her in allen stemmen Jsrael / von Dan an bis gen BerSeba / vnd zele das volck / Das ich wisse wie viel sein ist. [3]Joab sprach zu dem König / Der HERR dein Gott thu zu diesem Volck / wie es jtzt ist / noch hundert mal so viel / das mein Herr der König seiner augen lust dran sehe / Aber was hat mein Herr könig zu dieser sachen lust? [4]Aber des Königes wort gieng vor / wider Joab vnd die Heubtleute des Heeres.

DAUID LESST das Volck zelen etc.

ALso zoch Joab aus vnd die Heubtleute des Heers von dem Könige / das sie das volck Jsrael zeleten. [5]Vnd giengen vber den Jordan / vnd lagerten sich zu Aroer zur rechten der Stad die im bach Gad ligt / vnd zu Jaeser. [6]Vnd kamen gen Gilead / vnd ins Niderland Hadsi / vnd kamen gen DanJaan / vnd vmb Zidon her. [7]Vnd kamen zu der festen stad Tyro / vnd allen Stedten der He-|| uiter vnd Cananiter / vnd kamen hin aus an den mittag Juda gen Berseba / [8]Vnd zogen das gantze Land vmb / vnd kamen nach neun monden vnd zwenzig tagen gen Jerusalem. [9]Vnd Joab gab dem Könige die Summa des volcks / das gezelet war / Vnd es war in Jsrael acht hundert mal tausent starcker Man / die das Schwert auszogen / Vnd in Juda fünff hundert mal tausent Man.

|| 184a

SUMMA DES volcks Jsrael vnd Juda.

VND das hertz schlug Dauid / nach dem das volck gezelet war / Vnd Dauid sprach zum HERRN / Jch habe schwerlich gesündigt / das ich das gethan habe / Vnd nu HERR / nim weg die missethat deines Knechts / Denn ich hab seer thörlich gethan.

VND da Dauid des morgens auffstund / kam des HERRN wort zu Gad dem Propheten Dauids Seher / vnd sprach / [12]Gehe hin vnd rede mit Dauid / So spricht der HERR / Dreierley bringe ich zu dir / Erwele dir der eins / das ich dir thue.

GAD.

[13]GAD kam zu Dauid vnd sagts jm an / vnd sprach zu jm / Wiltu das sieben jar Thewrung in dein Land kome? Oder das du drey monden fur deinen Widersachern fliehen müssest / vnd sie dich verfolgen? Oder das drey tage Pestilentz in deinem Lande sey? So mercke nu vnd sihe / was ich wider sagen sol / dem / der mich gesand hat. [14]Dauid sprach zu Gad / Es ist mir fast angst / Aber las vns in die Hand des HERRN fallen (denn seine Barmhertzigkeit ist gros) Jch wil nicht in der Menschenhand fallen. [15]Also lies der HERR Pestilentz in Jsrael komen / von morgen an bis zur bestimpten zeit / das des Volcks starb / von Dan bis gen BerSeba / siebenzig tausent Man.

Eccl. 27.

LXX TAUSENT Man an der Pestilentz gestorben etc.

VND da der Engel seine hand ausstreckt vber Jerusalem / das er sie verderbet / Rewete es den HERRN vber dem vbel / vnd sprach zum Engel zu dem Verderber im volck / Es ist gnug / las nu deine hand ab / Der Engel aber des HERRN war bey der tennen Arafna des Jebusiters. [17]Dauid aber da er den Engel sahe / der das Volck schlug / sprach er zum HERRN / Sihe / Jch hab gesündiget / ich hab die missethat gethan / Was haben diese Schaf gethan? Las deine Hand wider mich vnd meines Vaters hause sein.

VND Gad kam zu Dauid zurselben zeit / vnd sprach zu jm / Gehe hin auff / vnd richte dem HERRN einen Altar auff in der tennen Arafna des Jebusiters. [19]Also gieng Dauid hin auff / wie Gad gesagt vnd der HERR geboten hatte. [20]Vnd da Arafna sich wandte / sahe er den König mit seinen Knechten zu jm gehen / vnd bettet an auff sein angesicht zur erden / [21]vnd sprach / Warumb kompt mein Herr der König zu seinem knecht? Dauid sprach / Zu keuffen von dir die Tennen / vnd zu bawen dem HERRN einen Altar / das die Plage vom Volck auffhöre.

ARAFNA.

[22]ABer Arafna sprach zu Dauid / Mein Herr der König neme vnd opffere wie es jm gefelt / Sihe / da ist ein Rind zum Brandopffer vnd schleuffen vnd geschirr vom ochsen zu holtz / [23]Alles gab Arafna der [a]König / dem Könige / Vnd Arafna sprach zum König / Der HERR dein Gott las dich jm angenem sein. [24]Aber der König sprach zu Arafna / Nicht also / sondern ich wil dirs abkeuffen vmb sein geld / Denn ich wil dem HERRN meinem Gott nicht Brandopffer thun das ich vmb sonst habe. Also kaufft Dauid die Tenne vnd das Rind vmb funffzig sekel Silbers / [25]Vnd bawete daselbest dem HERRN einen Altar / vnd opfferte Brandopffer vnd Danckopffer. Vnd der HERR ward dem Land versünet / vnd die Plage höret auff von dem volck Jsrael.

[a] Dieser Arafna wird der Jebusiter König gewest sein zu Jerusalem / vnd hernach zu Gott bekeret / from vnd selig worden / sich des Königreichs verziehen vmb Gottes willen.

Ende des Andern Buchs Samuel.

# DAS ERSTE BUCH VON DEN KÖNIGEN

## I.

VND DA DER KONIG DAUID ALT WAR VND WOL betaget / kund er nicht warm werden / ob man jn gleich mit Kleidern bedeckt. [2]Da sprachen seine Knechte zu jm / Lasst sie meinem Herrn könige eine Dirne ein Jungfraw suchen / die fur dem Könige stehe vnd sein pflege / vnd schlaffe in seinen armen / vnd werme meinen Herrn den König. [3]Vnd sie suchten eine schöne Dirne in allen grentzen Jsrael / vnd funden Abisag von Sunem / vnd brachten sie dem Könige. [4]Vnd sie war ein seer schöne Dirne / vnd pflegt des Königs vnd dienet jm / Aber der König erkand sie nicht.

ABISAG.

ADONIA ABER DER SON HAGITH ERHUB SICH / vnd sprach / Jch wil König werden. Vnd macht jm Wagen vnd Reuter / vnd funffzig Man zu Drabanten fur jm her. [6]Vnd sein Vater wolt jn nicht bekümmern bey seiner zeit / das er hette gesagt / Warumb thustu also? Vnd er war auch ein seer schöner Man / vnd er hatte jn gezeuget nehest nach Absalom. [7]Vnd hatte seinen Rat / mit Joab dem son ZeruJa / vnd mit AbJathar dem Priester / die hulffen Adonia. [8]Aber Zadok der Priester / vnd Benaia der son Joiada / vnd Nathan der Prophet / vnd Simei vnd Rei / vnd die Helden Dauid waren nicht mit Adonia. [9]Vnd da Adonia Schaf vnd Rinder vnd gemestet Vieh opfferte bey dem stein Soheleth / der neben dem brun Rogel ligt / lud er alle seine Brüder des Königes Söne / vnd alle menner Juda des Königs knechte. [10]Aber den Propheten Nathan vnd Benaia vnd die Helden vnd Salomo seinen Bruder lud er nicht.

ADONIA SIEHET nach dem Reich.

DA sprach Nathan zu BathSeba Salomons mutter / Hastu nicht gehöret / das Adonia der son Hagith ist König worden / vnd vnser Herr Dauid weis nichts drumb? [12]So kom nu / Jch wil dir einen Rat geben / das du deine seele vnd deines sons Salomo seele errettest. [13]Hin / vnd gehe zum könige Dauid hin ein / vnd sprich zu jm / Hastu nicht / mein Herr König / deiner Magd geschworen vnd geredt / Dein son Salomo sol nach mir König sein vnd er sol auff meinem Stuel sitzen? Warumb ist denn Adonia König worden? [14]Sihe /

weil du noch da bist vnd mit dem Könige redest / wil ich dir nach hin ein komen vnd vollend dein wort ausreden.

VND BathSeba gieng hin ein zum Könige in die kamer / vnd der König war seer alt / vnd Abisag von Sunem dienet dem Könige. [16]Vnd BathSeba neiget sich / vnd bettet den König an. Der König aber sprach / Was ist dir? [17]Sie sprach zu jm / Mein Herr / Du hast deiner Magd geschworen / bey dem HERRN deinem Gott / Dein son Salomo sol König sein nach mir / vnd auff meinem Stuel sitzen. [18]Nu aber sihe / Adonia ist König worden / vnd mein Herr König du weisst nichts drumb. [19]Er hat Ochsen vnd gemestet Vieh vnd viel Schaf geopffert / vnd hat geladen alle Söne des Königs / Da zu AbJathar den Priester / vnd Joab den Feldheubtman / Aber deinen knecht Salomo hat er nicht geladen. [20]Du bist aber mein Herr König / die augen des gantzen Jsrael sehen auff dich / das du jnen anzeigest / wer auff dem Stuel meines Herrn königs nach jm sitzen sol. [21]Wenn aber mein Herr könig mit seinen Vetern entschlaffen ist / so werden ich vnd mein son Salomo müssen Sünder sein. ‖ ‖ 185 a

Nathan Der Prophet.

WEil sie aber noch redet mit dem Könige / kam der Prophet Nathan. [23]Vnd sie sagtens dem Könige an / Sihe / da ist der Prophet Nathan / Vnd als er hinein fur den König kam / bettet er an den König auff sein angesicht zur erden [24]vnd sprach / Mein Herr könig / Hastu gesaget / Adonia sol nach mir König sein / vnd auff meinem Stuel sitzen? [25]Denn er ist heute hin ab gegangen / vnd hat geopffert ochsen vnd Mastvieh / vnd viel Schaf / vnd hat alle Söne des Königes geladen / vnd die Heubtleute / dazu den Priester AbJathar / Vnd sihe / sie essen vnd trincken fur jm / vnd sagen / Glück zu dem Könige Adonia. [26]Aber mich deinen knecht vnd Zadok den Priester / vnd Benaia den son Joiada / vnd deinen knecht Salomo hat er nicht geladen. [27]Jst das von meinem Herrn König befolhen / vnd hasts deine Knechte nicht wissen lassen / wer auff dem Stuel meins Herrn Königs nach jm sitzen sol?

DEr König Dauid antwortet vnd sprach / Rufft mir BathSeba. Vnd sie kam hin ein fur dem König / Vnd da sie fur dem Könige stund / [29]schwur der könig / vnd sprach / So war der HERR lebt / der meine Seele erlöset hat aus aller not / [30] Jch wil heute thun / wie ich dir geschworen habe bey dem HERRN / dem Gott Jsrael / vnd geredt / Das Salomo dein Son sol nach mir König sein / vnd er sol auff meinem Stuel sitzen fur mich. [31] Da neiget sich BathSeba mit jrem andlitz zur erden vnd bettet den König an / vnd sprach / Glück meinem Herrn könig Dauid ewiglich.

VND der könig Dauid sprach / Ruffet mir den Priester Zadok / vnd den Propheten Nathan / vnd Benaia den son Joiada. Vnd da sie hin ein kamen fur den König / [33] sprach der König zu jnen / Nemet mit euch ewrs Herrn Knechte / vnd setzt meinen son Salomo auff mein Maul / vnd füret jn hin ab gen Gihon. [34] Vnd der Priester Zadok sampt dem Propheten Nathan / salbe jn daselbs zum Könige vber Jsrael / vnd blaset mit den Posaunen / vnd sprecht / Glück dem könige Salomo. [35] Vnd ziehet jm nach er auff / vnd kompt / So sol er sitzen auff meinem Stuel vnd König sein fur mich / Vnd ich wil jm gebieten / das er Fürst sey vber Jsrael vnd Juda. [36] Da antwortet Benaia der son Joiada dem Könige / vnd sprach / Amen / Es sage der HERR der Gott meines Herrn königs auch also. [37] Wie der HERR mit meinem Herrn könige gewesen ist / So sey er auch mit Salomo / das sein Stuel grosser werde denn der Stuel meins Herrn königs Dauid.

Salomo zum König gesalbet vom Priester Zadok.

DA giengen hin ab / der Priester Zadok / vnd der Prophet Nathan / vnd Benaia der son Joiada / vnd Crethi vnd Plethi / vnd satzten Salomo auff das Maul des königs Dauid / vnd füreten jn gen Gihon. [39] Vnd der Priester Zadok nam das Olehorn aus der Hütten vnd salbete Salomo / Vnd sie bliesen mit der Posaunen / vnd alles volck sprach / Glück dem könige Salomo. [40] Vnd alles Volck zoch im nach er auff / vnd das volck pfeiff mit Pfeiffen / vnd war seer frölich / das die Erde von jrem geschrey erschall.

VND Adonia höret es vnd alle die er geladen hatte / die bey jm waren / vnd sie hatten schon gessen. Vnd da Joab der Posaunen schall höret / sprach er / Was wil das geschrey vnd getümel der Stad? [42] Da er aber noch redet / sihe / da kam Jonathan der son AbJathar des Priesters. Vnd Adonia sprach / Kom er ein / Denn du bist ein redlicher Man / vnd bringest gute Bottschafft. [43] Jonathan antwort / vnd sprach zu Adonia / Ja / vnser Herr der könig Dauid hat Salomo zum Könige gemacht [44]vnd hat mit jm gesand den Priester Zadok / vnd den Propheten Nathan / vnd Benaia den son Joiada / vnd Crethi vnd Plethi / vnd sie haben jn auffs Königs Maul gesetzt. [45]Vnd Zadok der Priester / sampt dem Propheten Nathan / hat jn gesalbet zum König zu Gihon / vnd sind von dannen er auff gezogen mit freuden / das die Stad tummelt / Das ist das geschrey / das jr gehöret habt.‖

‖ 185 b

[46]DAzu sitzt Salomo auff dem königlichem Stuel. [47]Vnd die knecht des Königs sind hin ein gegangen zusegenen vnsern Herrn den könig Dauid / vnd haben gesagt / Dein Gott mache Salomo einen bessern namen / denn dein name ist / vnd mache seinen Stuel grösser denn deinen Stuel. Vnd der König hat angebetet auff dem Lager. [48]Auch hat der König also gesagt / Gelobet sey der HERR der Got Jsrael / der heute hat gelassen einen sitzen auff meinem Stuel / das meine augen gesehen haben.

DA erschrocken vnd machten sich auff alle die bey Adonia geladen waren / vnd giengen hin / ein jglicher seinen weg. [50]Aber Adonia furcht sich fur Salomo vnd macht sich auff / gieng hin vnd fasset die hörner des Altars. [51]Vnd es ward Salomo angesagt / sihe Adonia fürchtet den könig Salomo / vnd sihe / er fasset die hörner des Altars / vnd spricht / der könig Salomo schwere mir heute / das er seinen Knecht nicht tödte mit dem schwert. [52]Salomo sprach / Wird er redlich sein / so sol kein har von jm auff erden fallen / Wird aber böses an jm funden / so sol er sterben. [53]Vnd der könig Salomo sandte hin / vnd lies jn er ab vom Altar holen / Vnd da er kam / betet er den könig Salomo an / Salomo aber sprach zu jm / Gehe in dein haus.

II.

Dauids befelh an Salomo fur seinem ende.

ALS NU DIE ZEIT ER BEY KAM / DAS DAUID STERben solt / gebot er seinem son Salomo / vnd sprach / [2]Jch gehe hin den weg aller Welt. So sey getrost / vnd sey ein Man / [3]vnd warte auff die Hut des HERRN deines Gottes / das du wandelst in seinen wegen vnd haltest seine Sitten / Gebot / Rechte / Zeugnisse / wie geschrieben stehet im gesetze Mose / Auff das du klug seiest in allem das du thust / vnd wo du dich hin wendest. [4]Auff das der HERR sein wort erwecke / das er vber mich geredt

Deut. 17.

hat / vnd gesagt / Werden deine Kinder jre wege behüten / da sie fur mir trewlich vnd von gantzem hertzen vnd von gantzer seelen wandeln / So sol von dir nimer gebrechen ein Man auff dem Stuel Jsrael.

AVch weistu wol / was mir gethan hat Joab der son ZeruJa / was er thet den zweyen Feldheubtmenner Jsrael / Abner der son Ner / vnd Amasa dem son Jether / die er erwürget hat / vnd vergos Kriegsblut im frieden / vnd thet Kriegsblut an seinen gürtel / der vmb seine Lenden war / vnd an seine schuch die an seinen füssen waren. [6]Thu nach deiner weisheit / das du seine grawe Har nicht mit frieden hinunter zur Helle bringest.

JOAB.

2. Reg. 3. 20.

AVch den kindern Barsillai des Gileaditers soltu barmhertzigkeit beweisen das sie auff deinem Tisch essen / Denn also theten sie sich zu mir / da ich fur Absalom deinem Bruder floh.

2. Reg. 17. 19. BARSILLAI

VND sihe / Du hast bey dir Simei den son Gera des sons Jemini von Bahurim / Der mir schendlich flucht zur zeit / da ich gen Mahanaim gieng. Er aber kam er ab mir entgegen am Jordan / Da schwur ich jm bey dem HERRN / vnd sprach / Jch wil dich nicht tödten mit dem Schwert. [9]Du aber las jn nicht vnschüldig sein / Denn du bist ein weiser Man / vnd wirst wol wissen / was du jm thun solt / Das du seine grawe Har mit blut hinunter in die Helle bringest.

2. Reg. 16. 19. SIMEI.

ALso entschlieff Dauid mit seinen Vetern / vnd ward begraben in der Stad Dauid. [11]Die zeit aber die Dauid könig gewesen ist vber Jsrael / ist vierzig jar / Sieben jar war er König zu Hebron / vnd drey vnd dreissig jar zu Jerusalem. [12]Vnd Salomo sas auff dem Stuel seines vaters Dauid / vnd sein Königreich ward seer bestendig.

1. Par. 3.

DAUID HAT 70. jar gelebt. 2. Reg. 5. vnd 40. jar regirt.

ABER ADONIA DER SON HAGITH KAM HIN EIN ZU BathSeba der mutter Salomo. Vnd sie sprach / Kompstu auch mit frieden? Er sprach / Ja. [14]Vnd || sprach / Jch hab mit dir zu reden. Sie sprach / Sage her. [15]Er sprach / Du weissest / das das Königreich mein war / vnd gantz Jsrael hatte sich auff mich gericht / das ich König sein solt / Aber nu ist das Königreich gewand vnd meines Bruders worden / von dem HERRN ists jm worden. [16]Nu bitte ich eine bitte von dir / du woltest mein angesicht nicht beschemen. Sie sprach zu jm / Sage her. [17]Er sprach / Rede mit dem könige Salomo / denn er

ADONIA.

|| 186a

wird dein angesicht nicht beschemen / das er mir gebe Abisag von Sunem zum weibe. [18]BathSeba sprach / Wol / Jch wil mit dem Könige deinet halben reden.

VND BathSeba kam hin ein zum könige Salomo mit jm zu reden Adonias halben. Vnd der König stund auff vnd gieng jr entgegen / vnd betet sie an / vnd satzt sich auff seinen Stuel / Vnd es ward des Königs mutter ein Stuel gesetzt / das sie sich satzt zu seiner Rechten. [20]Vnd sie sprach / Jch bitte eine kleine bitte von dir / du woltest mein angesicht nicht beschemen. Der König sprach zu jr / Bitte meine mutter / Jch wil dein angesicht nicht beschemen. Sie sprach / [21]Las Abisag von Sunem deinem bruder Adonia zum weibe geben.

[22]Da antwortet der könig Salomo / vnd sprach zu seiner Mutter / Warumb bittestu vmb Abisag von Sunem dem Adonia? Bitte jm das Königreich auch / Denn er ist mein gröster Bruder / vnd hat den Priester AbJathar vnd Joab den son ZeruJa. [23]Vnd der könig Salomo schwur bey dem HERRN / vnd sprach / Gott thu mir dis vnd das / Adonia sol das wider sein Leben geredt haben. [24]Vnd nu / so war der HERR lebt / der mich bestetigt hat / vnd sitzen lassen auff dem Stuel meins vaters Dauid / vnd der mir ein Haus gemacht hat / wie er geredt hat / heute sol Adonia sterben. [25]Vnd der König Salomo sandte hin durch Benaia den son Joiada / der schlug jn das er starb.

ADONIA.

VND zu dem Priester AbJathar sprach der König / Gehe hin gen Anathot zu deinem Acker / denn du bist des tods. Aber ich wil dich heute nicht tödten / Denn du hast die Lade des HErrn HERRN fur meinem vater Dauid getragen / vnd hast mit gelidden wo mein Vater gelidden hat. [27]Also versties Salomo den AbJathar / das er nicht muste Priester des HERRN sein / Auff das erfüllet würde des HERRN wort / das er vber das Haus Eli geredt hatte zu Silo.

ABJATHAR.

1. Reg. 2.

VND dis gerüchte kam fur Joab / Denn Joab hatte an Adonia gehangen wiewol nicht an Absalom. Da floh Joab in die Hütten des HERRN vnd fasset die hörner des Altars. [29]Vnd es ward dem könige Salomo angesagt / das Joab zur Hütten des HERRN geflohen were / vnd sihe / er stehet am Altar. Da sandte Salomo hin Benaia den son Joiada / vnd sprach / Gehe / schlahe jn. [30]Vnd da Benaia

JOAB.

zur Hütten des HERRN kam / sprach er zu jm / So sagt der König / Gehe er aus. Er sprach / Nein / hie wil ich sterben. Vnd Benaia sagt solchs dem Könige wider / vnd sprach / So hat Jacob geredt / vnd so hat er mir geantwortet.

[31]DEr König sprach zu jm / Thue wie er geredt hat / vnd schlag jn vnd begrabe jn / Das du das blut / das Joab vmb sonst vergossen hat / von mir thust vnd von meines Vaters hause / [32]vnd der HERR jm bezale sein Blut auff seinen Kopff / Das er zween Menner geschlagen hat / die gerechter vnd besser waren denn er / vnd hat sie erwürget mit dem Schwert / das mein vater Dauid nichts drumb wuste / nemlich / Abner den son Ner / den Feldheubtman vber Jsrael / vnd Amasa den son Jether / den Feldheubtman vber Juda / [33]das jr blut bezalet werde auff den kopff Joab vnd seins samens ewiglich / Aber Dauid vnd sein same / sein Haus vnd sein Stuel Friede habe ewiglich von dem HERRN.

2. Reg. 3. 20.

[34]VND Benaia der son Joiada gieng hin auff / vnd schlug jn vnd tödtet jn. Vnd er ward begraben in seinem hause in der wüsten. [35]Vnd der König setzet Benaia den son Joiada an seine stat vbers Heer / vnd Zadock den Priester setzet der König an die stat AbJathar. ‖

Jnf. 4.

‖ 186b

SIMEI.

VNd der König sandte hin vnd lies Simei ruffen / vnd sprach zu jm / Bawe dir ein haus zu Jerusalem / vnd wone daselbs / vnd gehe von dannen nicht eraus / weder hie noch da her. [37]Welches tags du wirst hin aus gehen vnd vber den bach Kidron gehen / So wisse / das du des tods sterben must / dein Blut sey auff deinem kopff. [38]Simei sprach zum Könige / Das ist eine gute meinung / wie mein Herr der könig geredt hat / so sol dein knecht thun / Also wonet Simei zu Jerusalem lange zeit.

ES begab sich aber vber drey jar / das zween knechte dem Simei entlieffen zu Achis dem son Maecha dem könige zu Gath / Vnd es ward Simei angesagt / Sihe / deine knechte sind zu Gath. [40]Da macht sich Simei auff vnd sattelt seinen Esel / vnd zoch hin gen Gath zu Achis / das er seine knechte suchet / Vnd da er hin kam / bracht er seine knechte von Gath.

VND es ward Salomo angesagt / das Simei hin gezogen were von Jerusalem gen Gath / vnd widerkomen. [42]Da sandte der König hin vnd lies

Simei ruffen / vnd sprach zu jm / Hab ich dir nicht geschworen bey dem HERRN / vnd dir bezeuget vnd gesagt / Welchs tages du würdest ausziehen / vnd hie oder dahin gehen / Das du wissen soltest / du müsstest des tods sterben? Vnd du sprachst zu mir / Jch hab eine gute meinung gehöret. [43]Warumb hastu denn nicht dich gehalten nach dem Eid des HERRN vnd Gebot / das ich dir geboten habe?

[44]VND der König sprach zu Simei / Du weist alle die bosheit / der dir dein hertz bewust ist / die du meinem vater Dauid gethan hast / Der HERR hat deine bosheit bezalet auff deinem Kopff. [45]Vnd der könig Salomo ist gesegenet vnd der Stuel Dauid wird bestendig sein fur dem HERRN ewiglich. [46]Vnd der König gebot Benaia dem son Joiada / Der gieng hin aus vnd schlug jn / das er starb / Vnd das Königreich ward bestetigt durch Salomo hand.

2. Reg. 16.

## III.

VND SALOMO BEFREUNDTE SICH MIT PHARAO DEM könig in Egypten / vnd nam Pharao tochter / vnd bracht sie in die Stad Dauids / bis er ausbawet sein Haus / vnd des HERRN Haus / vnd die mauren vmb Jerusalem her. [2]Aber das Volck opfferte noch auff den Höhen / Denn es war noch kein Haus gebawet dem Namen des HERRN bis auff die zeit. [3]Salomo aber hatte den HERRN lieb / vnd wandelt nach den Sitten seins vaters Dauid / On das er auff den Höhen opfferte vnd reucherte.

GIBEON.

2. Par. 1.

VND DER KÖNIG GIENG HIN GEN GIBEON / DASELBS zu opffern / Denn das war eine herrliche Höhe / vnd Salomo opfferte tausent Brandopffer auff dem selben Altar. [5]Vnd der HERR erschein Salomo zu Gibeon im trawm des nachts / vnd Gott sprach / Bitte / was ich dir geben sol.

WAS SALOMO von Gott bittet.

[6]SAlomo sprach / Du hast an meinem vater Dauid deinem Knecht grosse Barmhertzigkeit gethan / wie er denn fur dir gewandelt hat in Warheit vnd Gerechtigkeit / vnd mit richtigem Hertzen fur dir / Vnd hast jm diese grosse Barmhertzigkeit gehalten / vnd jm einen Son gegeben / der auff seinem Stuel sesse / wie es denn jtzt gehet. [7]Nu HERR mein Gott / du hast deinen Knecht zum Könige gemacht an meines vaters Dauids stat / So bin ich ein kleiner Knabe / weis nicht / weder mein ausgang noch eingang. [8]Vnd dein Knecht ist vnter

dem Volck / das du erwelet hast so gros / das niemand zelen noch beschreiben kan / fur der menge. [9]So woltestu deinem Knecht geben ein gehorsam hertz / das er dein Volck richten müge / vnd verstehen / was gut vnd böse ist / Denn wer vermag dis dein mechtig Volck zurichten?

DAS gefiel dem HERRN wol / das Salomo vmb ein solchs bat. [11]Vnd ‖ Gott sprach zu jm / Weil du solchs bittest / vnd bittest nicht vmb langes Leben / noch vmb Reichthum / noch vmb deiner Feinde seele / sondern vmb verstand Gericht zu hören / [12]Sihe / so habe ich gethan nach deinen worten. Sihe / Jch hab dir ein weises vnd verstendiges Hertz gegeben / Das deines gleichen vor dir nicht gewesen ist / vnd nach dir nicht auffkomen wird. [13]Dazu / das du nicht gebeten hast / hab ich dir auch gegeben / nemlich / Reichthum vnd Ehre / Das deines gleichen keiner vnter den Königen ist zu deinen zeiten. [14]Vnd so du wirst in meinen wegen wandeln / das du heltest meine Sitten vnd Gebot / wie dein vater Dauid gewandelt hat / So wil ich dir geben ein langes Leben.

‖ 187a

[15]VND da Salomo erwachet / sihe / da war es ein Trawm / Vnd kam gen Jerusalem / vnd trat fur die Lade des Bunds des HERRN / vnd opfferte Brandopffer vnd Danckopffer / vnd macht ein grosses Mal allen seinen knechten.

ZV DER ZEIT KAMEN ZWO HUREN ZUM KÖNIGE / vnd tratten fur jn. [17]Vnd das eine Weib sprach / Ah mein Herr / Jch vnd dis Weib woneten in einem Hause / vnd ich gelag bey jr im hause. [18]Vnd vber drey tage da ich geborn hatte / gebar sie auch / Vnd wir waren bey einander / das kein Frembder mit vns war im hause / on wir beide. [19]Vnd dieses weibs Son starb in der nacht / Denn sie hatte jn im schlaff erdrückt. [20]Vnd sie stund in der nacht auff / vnd nam meinen Son von meiner seiten / da deine Magd schlieff / vnd legt jn an jren arm / vnd jren todten Son legt sie an meinen arm. [21]Vnd da ich des morgens auff stund meinen Son zu seugen / sihe / da war er tod / Aber am morgen sahe ich jn eben an / vnd sihe / es war nicht mein son den ich geboren hatte. [22]Das ander Weib sprach / Nicht also / Mein son lebt / vnd dein son ist tod. Jene aber sprach / Nicht also / dein son ist tod / vnd mein son lebet / vnd redten also fur dem Könige.

[23]VND der König sprach / Diese spricht / Mein son lebt vnd dein son ist tod / Jene spricht / nicht also / Dein son ist tod vnd mein son lebt. [24]Vnd der König sprach / Holet mir ein Schwert her. Vnd da das Schwert fur den König bracht ward / [25]sprach der König / Teilet das lebendige Kind in zwey teil / vnd gebt dieser die helffte / vnd jener die helffte. [26]Da sprach das weib des Son lebete / zum Könige (Denn jr mütterlich hertz entbrand vber jren son) Ah mein Herr / Gebet || jr das Kind lebendig / vnd tödtet es nicht. Jene aber sprach / Es sey weder mein noch dein / Lasst es teilen. [27]Da antwortet der König / vnd sprach / Gebt dieser das Kind lebendig vnd tödtets nicht / die ist seine Mutter. [28]Vnd das Vrteil erschall fur dem gantzen Jsrael / das der König gefellet hatte / Vnd furchten sich fur dem Könige / Denn sie sahen / das die weisheit Gottes in jm war / Gericht zu halten.

|| 187b

## IIII.

SALOMOS Fürsten.

ALSO WAR SALOMO KÖNIG VBER GANTZ JSRAEL. [2]Vnd dis waren seine Fürsten / AsarJa / der son Zadok des Priesters. [3]Elihoreph vnd AhiJa die söne Sisa waren Schreiber. Josaphat der son Ahilud war Cantzler. [4]Benaia der son Joiada war Feldheubtman. Zadok vnd AbJathar waren Priester. [5]AsarJa der son Nathan war vber die Amptleute. Sabud der son Nathan des Priesters war des Königs freund. [6]Ahisar war Hoffmeister. Adoniram der son Abda war Rentmeister.

VND Salomo hatte zwelff Amptleute vber gantz Jsrael / die den König vnd sein Haus versorgeten / Einer hatte des jars ein mondlang zu versorgen. [8]Vnd hiessen also / Der son Hur auff dem gebirge Ephraim. [9]Der son Deker zu Makaz vnd zu Saalbim vnd zu BethSemes vnd zu Elon vnd BethHanan. [10]Der son Hesed zu Aruboth / vnd hatte dazu Socho vnd das gantze land Hepher. [11]Der son AbiNadab / die gantze Herrschafft zu Dor / vnd hatte Taphath Salomos tochter zum weibe. [12]Baena der son Ahilud zu Thaenach vnd zu Megiddo / vnd vber gantzes BethSean / welche ligt neben Zarthana / vnter Jesreel / von BethSean bis an den plan Mehola / bis jenseid Jakmeam. [13]Der son Geber zu Ramoth in Gilead / vnd hatte die Flecken Jair des sons Manasse in Gilead / vnd hatte die gegend Argob / die in Basan ligt / sechzig grosser Stedte vermauret vnd mit ehrnen Rigeln.

ZWELFF AMPTleute Salomos.

TAPHATH.

[14]AHiNadab der son Jddo zu Mahanaim [15]Ahimaaz in Naphthali / Vnd der nam auch Salomos tochter Basmath zum weibe. [16]Baena der son Husai in Asser / vnd zu Aloth. [17]Josaphat der son Parnah in Jsaschar. [18]Simei der son Ela in BenJamin. [19]Geber der son Vri im lande Gilead / im lande Sihon des königes der Amoriter / vnd Og des königes in Basan / ein Amptman war in dem selbigen Lande. [20]Juda aber vnd Jsrael des war viel / wie der sand am meer / vnd assen vnd truncken vnd waren frölich. [21]Also war Salomo ein Herr vber alle Königreich / von dem wasser an in der Philisterlande / bis an die grentze Egypti / die jm geschencke zubrachten / vnd dieneten jm sein leben lang.

BASMATH.

VNd Salomo muste teglich zur speissung haben / dreissig Cor Semelmelh / sechzig Cor ander Melh / [23]zehen gemeste Rinder / vnd zwenzig weide Rinder / vnd hundert Schaf / Ausgenomen Hirs vnd Rehe vnd Gemse / vnd gemestet Vieh. [24]Denn er herrschete im gantzen Lande disseid des wassers / von Tiphsah bis gen Gasa / vber alle Könige disseid des wassers / Vnd hatte Friede von allen seinen Vnterthanen vmbher. [25]Das Juda vnd Jsrael sicher woneten / ein jglicher vnter seinem Weinstock / vnd vnter seinem Feigenbawm / von Dan bis gen BerSeba / so lang Salomo lebt.

TEGLICHE speissung fur Salomos Hofe.

[26]VND Salomo hatte vierzig tausent Wagenpferde / vnd zwelff tausent Reisigen. [27]Vnd die

Amptleute versorgeten den könig Salomo / vnd alles was zum Tisch des Königs gehörte / ein jglicher in seinem monden / vnd liessen nichts feilen. [28]Auch gersten vnd stro fur die Ros vnd Leuffer / brachten sie an den Ort da er war / ein jglicher nach seinem befelh.

WEISHEIT Salomonis.

VND Gott gab Salomo seer grosse Weisheit vnd Verstand / vnd getrost hertz / wie sand der am vfer des Meers ligt. [30]Das die Weisheit Salomo grösser war / denn aller Kinder gegen morgen / vnd aller Egypter weisheit / [31]Vnd war weiser / denn alle Menschen / auch weiser denn die Tichter / || Ethan der Esrahiter / Heman / Chalchal vnd Darda / Vnd war berümbt vnter allen Heiden vmbher. [32]Vnd er redet drey tausent Sprüche / vnd seiner Liede waren tausent vnd fünff. [33]Vnd er redet von Bewmen / vom Ceder an zu Libanon bis an den Jsop / der aus der wand wechst. Auch redet er von vieh / von vogeln / von gewürm / von fischen. [34]Vnd es kamen aus allen Völckern zu hören die weisheit Salomo von allen Königen auff Erden / die von seiner weisheit gehöret hatten.

Ecc. 47.

|| 188 a

## V.

HIRAM.

VND HIRAM DER KÖNIG ZU TYRO SANDTE SEINE knechte zu Salomo / denn er hatte gehöret / das sie jn zum Könige gesalbet hatten an seins Vaters stat / Denn Hiram liebte Dauid sein leben lang.

VND Salomo sandte zu Hiram vnd lies jm sagen / [3]Du weissest / das mein vater Dauid nicht kundte bawen ein Haus dem Namen des HERRN seines Gottes / vmb des Kriegs willen / der vmb jn her war / Bis sie der HERR vnter seiner fussolen gab. [4]Nu aber hat mir der HERR mein Gott ruge gegeben vmbher / das kein Widersacher / noch böse hindernis mehr ist. [5]Sihe / so hab ich gedacht ein Haus zu bawen dem Namen des HERRN meines Gottes / wie der HERR geredt hat zu meinem vater Dauid / vnd gesagt / Dein Son / den ich an deine stat setzen werde / auff deinen Stuel / der sol meinem Namen ein Haus bawen. [6]So befilh nu / das man mir Cedern aus Libanon hawe / vnd das deine knechte mit meinen knechten seien / Vnd das Lohn deiner knechte wil ich dir geben alles wie du sagest / Denn du weissest / das bey vns niemand ist / der holtz zu hawen wisse wie die Zidonier.

DA Hiram aber höret die wort Salomo / frewet er sich hoch / vnd sprach / Gelobet sey der HERR heute / der Dauid einen weisen Son gegeben hat vber dis grosse Volck. [8]Vnd Hiram sandte zu Salomo vnd lies jm sagen / Jch habe gehöret / was du zu mir gesand hast / Jch wil thun nach alle deinem beger / mit Cedern vnd tennen holtz. [9]Meine knechte sollen sie von Libanon hin ab bringen ans Meer / vnd wil sie in Flössen legen lassen auff dem meer / bis an den Ort / den du mir wirst ansagen lassen / vnd wil sie daselbs abbinden / vnd du solts holen lassen. Aber du solt auch mein beger thun / vnd Speise geben meinem Gesinde.

[10]ALso gab Hiram Salomo Cedern vnd tennen holtz nach alle seinem beger. [11]Salomo aber gab Hiram zwenzig tausent Cor weitzen zu essen fur sein Gesinde / vnd zwenzig Cor gestossen öles / Solchs gab Salomo jerlich dem Hiram. [12]Vnd der HERR gab Salomo Weisheit / wie er jm geredt hatte / Vnd war friede zwisschen Hiram vnd Salomo / vnd sie machten beide einen Bund mit ein ander.

BUND ZWISSCHEN Salomo vnd Hiram.

VND Salomo legt einen anzal auff gantzes Jsrael / vnd der anzal war dreissig tausent Man. [14]Vnd sandte sie auff den Libanon / ja einen monden zehen tausent / das sie einen monden auff dem Libanon waren / vnd zween monden da heime / Vnd Adoniram war vber solchen anzal.

[15]VND Salomo hatte siebenzig tausent die last trugen / vnd achzig tausent die da zimmerten auff dem berge / [16]On die öbersten Amptleute Salomo / die vber das werck gesetzt waren / nemlich / drey tausent vnd drey hundert / welche vber das Volck herrscheten / das da am werck erbeitet. [17]Vnd der König gebot / das sie grosse vnd köstliche Steine ausbrechen / nemlich gehawene Steine zum grund des Hauses. [18]Vnd die Bawleute Salomo vnd die Bawleute Hiram / vnd die Giblim hieben aus / vnd bereiten zu Holtz vnd Steine zu bawen das Haus.

|| 188b

## VI.

TEMPEL Salomos.

JM VIER HUNDERT VND ACHZIGSTEN JAR NACH DEM Ausgang der kinder Jsrael aus Egyptenland / im vierden jar des Königreichs Salomo vber Jsrael / im monden Sif / das ist der ander mond / ward das Haus dem HERRN gebawet. [2]Das Haus aber / das der könig Salomo dem HERRN bawet / war

(Dreissig ellen hoch) Jm andern teil der Chronica cap. 3 spricht der text. Das Haus sey hundert vnd zwenzig ellen hoch gewesen / welchs ist von des gantzen Hauses höhe geredt. Hie aber redet er vom vntersten gemach alleine welchs dreissig ellen hoch war.

Die Fenster so inwendig weit vnd auswendig enge sind / da kan man nicht wol noch viel hin ein sehen / Aber seer wol vnd viel heraus sehen. Solches reimet sich fein mit dem mysterio / Spiritualis homo omnia iudicat / et ipse a nemine iudicatur. Ein geistlicher Mensch kennet alles / vnd sihet wol aus / aber niemand kennet jn. Das ist meines achtens / das der Text spricht / Die fenster am Hause waren offen vnd zu / Mir hinnen sind sie offen / dir draussen sind sie zu.

sechzig ellen lang / zwenzig ellen breit / vnd dreissig ellen hoch.

[3]VND bawet eine Halle fur den Tempel / zwenzig ellen lang / nach der breite des Hauses / vnd zehen ellen breit fur dem Hause her. [4]Vnd er machte an das Haus Fenster / inwendig weit / auswendig enge. [5]Vnd er bawet einen Vmbgang an der wand des Hauses rings vmbher / das er beide vmb den Tempel vnd Chor her gieng / vnd machet sein eusserwand vmbher. [6]Der vnterst Gang war fünff ellen weit / vnd der mittelst sechs ellen weit / vnd der dritte sieben ellen weit / Denn er legte Thramen aussen am hause vmbher / das sie nicht an der wand des Hauses sich hielten.

[7]VND da das Haus gesetzt ward / waren die Stein zuuor gantz zugericht das man kein Hamer noch Beil / noch jrgend ein eisen Gezeug im bawen hörete.

[8]EJne Thür aber war zur rechten seiten mitten am Hause / das man durch Wendelstein hinauff gieng auff den Mittelgang / vnd vom mittelgang auff den dritten. [9]Also bawet er das Haus vnd volendets / Vnd spündet das Haus mit Cedern / beide oben vnd an wenden. [10]Er bawet auch einen Gang oben auff dem gantzen Hause herumb / fünff ellen hoch vnd decket das Haus mit Cedernholtz.

VND ES GESCHACH DES HERRN WORT ZU SALOmo / vnd sprach / [12]Das sey das Haus das du bawest. Wirstu in meinen Geboten wandeln / vnd nach meinen Rechten thun / vnd alle meine Gebot halten / drinnen zuwandeln / So wil ich mein wort mit dir bestetigen / wie ich deinem vater Dauid

2. Reg. 7.

geredt habe / [13]vnd wil wonen vnter den kindern Jsrael / vnd wil mein volck Jsrael nicht verlassen.

Act. 7.

ALso bawet Salomo das Haus vnd volendets. [15]Vnd bawet die wende des Hauses inwendig an den seiten von Cedern / von des Hauses boden an bis an die decke / vnd spündets mit Holtz inwendig / vnd teffelt den Boden des Hauses mit tennen bretter. ‖

‖ 189a

[16]VND er bawet hinden im Hause zwenzig ellen lang ein Cedern wand / vom boden an bis an die decke / vnd bawet daselbst inwendig den Chor vnd das Allerheiligst. [17]Aber das Haus des Tempels (fur dem Chor) war vierzig ellen lang. [18]Jnwendig war das gantze Haus eitel Cedern / mit gedreten Knoten vnd Blumwerg / das man keinen Stein sahe. [19]Aber den Chor bereitet er inwendig im Haus / das man die Lade des Bunds des HERRN daselbs hin thet. [20]Vnd fur dem Chor der zwenzig ellen lang / zwenzig ellen weit / vnd zwenzig ellen hoch war / vnd vberzogen mit lauterm Golde / spündet er den Altar mit Cedern.

[21]VND Salomo vberzog das Haus inwendig mit lauterm Golde / vnd zog güldene Riegel fur dem Chor her / den er mit golde vberzogen hatte / [22]Also / das das gantze Haus gar mit golde vberzogen war / Dazu auch den gantzen Altar fur dem Chor / vberzog er mit golde.

Exod. 25. 37.

ER macht auch im Chor zween Cherubim zehen ellen hoch von Olebawmholtz. [24]Fünff ellen hatte ein Flügel eins jglichen Cherub / das zehen ellen waren von dem ende seines einen flügels / zum ende seines andern flügels. [25]Also hatte der ander Cherub auch zehen ellen / vnd war einerley masse vnd einerley raum beider Cherubim / [26]das also ein jglicher Cherub zehen ellen hoch war. [27]Vnd er thet die Cherubim inwendig ins Haus / Vnd die Cherubim breiten jre Flügel aus / das eins flügel rüret an diese wand / vnd des andern Cherub flügel rüret an die ander wand / Aber mitten im Hause rürete ein flügel den andern. [28]Vnd er vberzog die Cherubim mit golde.

[29]VND an allen wenden des Hauses vmb vnd vmb lies er Schnitzwerg machen von ausgehöleten Cherubim / Palmen vnd Blumwerg inwendig vnd auswendig. [30]Auch vberzog er den boden des Hauses mit gülden Blechen inwendig vnd auswendig. [31]Vnd im eingang des Chors macht er zwo

Thür von ölebawm holtz / mit fünffecketen pfosten / [32]vnd lies Schnitzwerg darauff machen von Cherubim / Palmen vnd Blumwerg / vnd vberzog sie mit gülden Blechen. [33]Also macht er auch im eingang des Tempels / viereckete pfosten von ölebawmholtz / [34]vnd zwo Thür von tennenholtz / das ein jgliche Thür zwey Blat hatte an einander hangen in jren angeln / [35]vnd macht Schnitzwerg drauff von Cherubim / Palmen vnd Blumwerg / vnd vberzog sie mit golde / recht wie es befolhen war.

[36]VND er bawet auch einen Hof drinnen / von dreien riegen gehawen Steinen / vnd von einer riegen gehöffelter Cedern.

[37]JM vierden jar im monden Sif / ward der Grund geleget am Hause des HERRN / [38]vnd im eilfften jar im monden Bul (das ist der acht mond) ward das Haus bereitet / wie es sein solte / Das sie sieben jar dran baweten.

VII.

Salomos Hause.

ABER AN SEINEM HAUSE BAWETE SALOMO DREIzehen jar / das ers gantz ausbawet / [2]nemlich / Er bawet ein Haus vom wald Libanon / hundert ellen lang / funffzig ellen weit / vnd dreissig ellen hoch.

Der Königliche Saal.

AVff das selbige geuierde / leget er den Boden von Cedern brettern / auff Cedern seulen nach den riegen hin. [3]Vnd oben drauff ein Gezimer von Cedern / auff dieselben Seulen / welcher waren fünff vnd vierzig / ja funffzehen in einer riege.

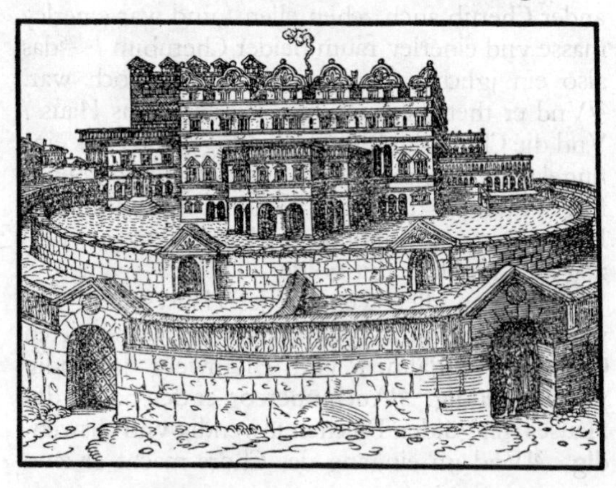

[4/5]VND waren Fenster gegen die drey riegen gegen ander vber / drey gegen drey / vnd waren in jren pfosten vierecket.

[6]ER bawet auch eine Halle von seulen / funffzig ellen lang vnd dreissig ellen breit. Vnd noch eine Halle fur diese / mit seulen vnd dicken balcken.

Hofesaal. Cantzley.

[7]VND bawet auch eine Halle zum Richtstuel / darin man gericht hielt vnd teffelt beide boden mit Cedern. ||

Richthaus.

|| 189b

[8]DAzu sein Haus / darinnen er wonet / im hinder Hof / hinden an der Hall / gemacht wie die andern.

VND macht auch ein Haus / wie die Halle der tochter Pharao / die Salomo zum Weibe genomen hatte.

[9]SOlchs alles waren köstliche Steine nach dem Winckeleisen gehawen / mit segen geschnitten auff allen seiten / von grund bis an das dach / Dazu auch haussen der grosse Hof. [10]Die Grundfeste aber waren auch köstliche vnd grosse Steine / zehen vnd acht ellen gros / [11]vnd darauff köstliche gehawene Steine nach dem Winckeleisen / vnd Cedern. [12]Aber der grosse Hof vmbher hatte drey riegen gehawen Stein / vnd ein riege von Cedern brettern / Also auch der Hof am Hause des HERRN inwendig / vnd die Halle am Hause.

VND der könig Salomo sandte hin vnd lies holen Hiram von Tyro [14]einer widwen Son / aus dem stam Naphthali / vnd sein Vater war ein man von Tyro gewesen / Der war ein Meister im ertz / vol weisheit / verstand vnd kunst zu erbeiten allerley Ertzwerck. Da der zum könige Salomo kam / machet er alle seine werck.

HIRAM.

VND machet zwo eherne Seulen / eine jgliche achzehen ellen hoch / vnd ein faden von zwelff ellen war das mas vmb jgliche seulen her. [16]Vnd machet zween Kneuff von ertz gegossen / oben auff die seulen zusetzen / vnd ein jglicher knauff war fünff ellen hoch. [17]Vnd es waren an jglichem Knauff oben auff der seulen sieben geflochten Reiffe / wie keten. [18]Vnd macht an jglichem knauff zwo riegen Granatepffel vmbher / an einem reiffe / da mit der knauff bedeckt ward. [19]Vnd die kneuffe waren wie die Rosen fur der Halle / vier ellen gros. [20]Vnd der Granatepffel in den riegen vmbher waren zwey hundert / oben vnd vnten an dem reiffe der vmb den bauch des knauffs hergieng / an jglichem knauff auff beiden seulen. [21]Vnd er richtet

die seulen auff / fur der Halle des Tempels / Vnd die er zur rechten hand setzet / hies er Jachin / vnd die er zur lincken hand setzet / hies er Boas. [22]Vnd es stund also oben auff den seulen wie Rosen / Also ward volendet das werck der Seulen.

VND er machet ein Meer gegossen / zehen ellen weit von einem rand zum andern / rund vmbher / vnd fünff ellen hoch / vnd eine Schnur dreissig ellen lang war das mas rings vmb. [24]Vnd vmb dasselb Meer das zehen ellen weit ‖ war / giegen knoten an seinem rande / rings vmbs meer her / der knoten aber waren zwo riegen gegossen. [25]Vnd es stund auff zwelff Rindern / welcher drey gegen Mitternacht gewand waren / drey gegen Abend / drey gegen Mittag / vnd drey gegen Morgen / vnd das Meer oben drauff / das alle jr hinder teil inwendig war. [26]Seine dicke aber war ein hand breit / vnd sein rand war wie eines Bechers rand / wie ein auffgegangen Rosen / Vnd gieng drein zwey tausent Bath.

‖ 190a

A.

ER machet auch zehen eherne Gestüle / ein jglichen vier ellen lang vnd breit / vnd drey ellen hoch. [28]Es war aber das gestüle also gemacht / das es seiten hatte zwisschen leisten / [29]vnd an den seiten zwisschen den leisten / waren Lewen / Ochsen vnd Cherubim / Vnd die seiten / daran die Lewen vnd Ochsen waren / hatten leisten oben vnd vnten / vnd füsslin dran. [30]Vnd ein jglich gestüle hatte vier eherne Reder / mit ehernem gestell. Vnd auff den vier ecken waren achseln gegossen / ein jgliche gegen der andern vber / vnten an den Kessel gelehnet.

[31]ABer der Hals mitten auff dem Gestüle war einer ellen hoch vnd rund / ander halb ellen weit / vnd waren Pockeln an dem Hals in felden / die vierecket waren vnd nicht rund. [32]Die vier Reder aber stunden vnten an den seiten / vnd die achsen der reder waren am gestüle / ein jglich rad war anderhalb ellen hoch. [33]Vnd waren reder wie wagenreder / vnd jr achsen / naben / speichen vnd felgen / war alles gegossen. [34]Vnd die vier achseln auff den vier ecken eins jglichen gestüls waren auch am gestüle.

[35]VND am Hals oben auff dem Gestüle einer halben ellen hoch rund vmb her / waren leisten vnd seiten am gestüle. [36]Vnd er lies auff die fleche der selben seiten vnd leisten graben Cherubim / Lewen vnd Palmenbewm / ein jglichs am andern rings vmb her dran. [37]Auff die weise machet er zehen gestüle gegossen / einerley mas vnd raum war an allen.

VND er macht zehen ehernen Kessel / das vierzig Bath in einen kessel gieng / vnd war vier ellen gros / vnd auff jglichem Gestüle war ein Kessel. [39]Vnd setzt fünff gestül an die rechten ecken des Hauses / vnd die andern fünffe an die lincken ecken / Aber das Meer setzet er zur rechten forn an gegen mittag.

VND Hiram machet auch Töpffe / Schauffeln / Becken / vnd volendet also alle Werck / die der könig Salomo am Hause des HERRN machen ‖ lies / [41]nemlich / die zwo Seulen / vnd die keuliche Kneuffe oben auff den zwo seulen / vnd die zween geflochten Reiffe / zu bedecken die zween keuliche

‖ 190b

kneuffe auff den seulen. [42]Vnd die vierhundert Granatepffel an den zween geflochten reiffen / ja zwo riegen granatepffel an einem reiffe / zu bedecken die zween keuliche kneuffe / auff den seulen. [43]Dazu die zehen Gestüle / vnd zehen Kessel oben drauff. [44]Vnd das Meer vnd zwelff Rinder vnter dem meer. [45]Vnd die töpffen / schauffel / vnd becken. Vnd alle diese Gefess die Hiram dem könige Salomo machet zum Hause des HERRN / waren von lauterm Ertz. [46]Jn der gegend am Jordan lies sie der König giessen in dicker erden / zwisschen Suchoth vnd Zarthan. [47]Vnd Salomo lies alle gefess vngewogen fur der seer grossen menge des ertzs.

AVch machet Salomo allen Gezeug der zum Hause des HERRN gehöret / nemlich / einen gülden Altar / einen gülden Tisch / darauff die schawbrot ligen. [49]Fünff Leuchter zur rechten hand / vnd fünff Leuchter zur lincken / fur dem Chor von lauterm golde / mit gülden blumen / lampen vnd schnautzen. [50]Dazu Schalen / Schüssel / Becken / Leffel / vnd Pfannen von lauterm golde. Auch waren die angel an der thür am Hause inwendig im Allerheiligsten / vnd an der thür des Hauses des Tempels gülden.

[51]ALso ward volendet alles Werck / das der könig Salomo macht am Hause des HERRN / Vnd Salomo bracht hin ein was sein vater Dauid geheiliget hatte / von Silber vnd Golde vnd Gefessen / vnd legts in den schatz des Hauses des HERRN.

2. Par. 5.

VIII.

DA VERSAMLET DER KÖNIG SALOMO ZU SICH DIE Eltesten in Jsrael / alle Obersten der Stemme vnd Fürsten der Veter vnter den kindern Jsrael / gen Jerusalem / die Lade des Bunds des HERRN erauff zubringen aus der stad Dauid / das ist Zion. [2]Vnd es versamlet sich zum könige Salomo alle man in Jsrael / im monden Ethanim am fest / das ist der siebende mond.

2. Par. 5.

[3]VND da alle Eltesten Jsrael kamen / huben die Priester die Laden des HERRN [4]auff vnd brachten sie hin auff / dazu die Hütten des Stiffts / vnd alle ‖ gerete des Heiligthums / das in der Hütten war / das theten die Priester vnd Leuiten. [5]Vnd der könig Salomo vnd die gantze gemeine Jsrael / die zu

‖ 191 a

jm sich versamlet hatte / giengen mit jm fur der Laden her / vnd opfferten Schafe vnd Rinder / so viel das mans nicht zelen noch rechnen kund.

Lade des Bunds an jren ort gebracht.

[6]ALso brachten die Priester die Lade des Bunds des HERRN an jren ort in den Chor des Hauses / in das Allerheiligst vnter die flügel der Cherubim. [7]Denn die Cherubim breiten die flügel aus an dem ort da die Laden stund vnd bedeckten die Lade vnd jre stangen von oben her. [8]Vnd die stangen waren so lang / das jre kneuffe gesehen wurden in dem Heiligthum fur dem Chor / Aber haussen wurden sie nicht gesehen / vnd waren daselbs bis auff diesen tag. [9]Vnd war nichts in der Lade / denn nur die zwo steinern tafeln Mose / die er daselbs lies in Horeb / da der HERR mit den kindern Jsrael einen Bund machte / da sie aus Egyptenland gezogen waren.

DA aber die Priester aus dem Heiligthum giengen / erfüllet ein wolcke das Haus des HERRN / [11]das die Priester nicht kundten stehen vnd Ampts pflegen fur der wolcken / Denn die Herrligkeit des HERRN erfüllet das Haus des HERRN.

2. Par. 6.

[12]DA sprach Salomo / Der HERR hat geredt / er wolle im tunckel wonen. [13]Jch habe zwar ein Haus gebawet dir zur Wonung / einen Sitz / das du ewiglich da wonest. [14]Vnd der König wand sein angesicht / vnd segenet die gantze gemeine Jsrael / vnd die gantze gemeine Jsrael stund / [15]Vnd er sprach.

GElobt sey der HERR der Gott Jsrael / der durch seinen Mund meinem vater Dauid geredt / vnd durch seine Hand erfüllet hat / vnd gesagt / [16]Von dem tage an / da ich mein volck Jsrael aus Egypten füret / hab ich nie keine Stad erwelet vnter jrgent einem stam Jsrael / das mir ein Haus gebawet würde / das mein Name da were / Dauid aber hab ich erwelet / das er vber mein volck Jsrael sein solt.

2. Reg. 7.

[17]Vnd mein vater Dauid hatte es zwar im sinn / das er ein Haus bawete dem Namen des HERRN des Gottes Jsrael / [18]Aber der HERR sprach zu meinem vater Dauid / Das du im sinn hast meinem Namen ein Haus zu bawen / hastu wol gethan / das du solchs furnamest. [19]Doch du solt nicht das Haus bawen / sondern dein Son / der aus deinen Lenden komen wird / der sol meinem Namen ein Haus bawen. [20]Vnd der HERR hat sein wort bestetiget / das er geredt hat / Denn ich bin auffkomen

an meines vaters Dauids stat / vnd sitze auff dem stuel Jsrael / wie der HERR geredt hat / vnd hab gebawet ein Haus dem Namen des HERRN des Gottes Jsrael. [21]Vnd habe daselbs eine Stete zugericht der Laden / darin der Bund des HERRN ist / den er gemacht hat mit vnsern Vetern / da er sie aus Egyptenland füret.

Salomos Gebet.

VND SALOMO TRAT FUR DEN ALTAR DES HERRN gegen der gantzen gemeine Jsrael / vnd breitet seine hende aus gen Himel / [23]vnd sprach / HERR Gott Jsrael / Es ist kein Gott / weder droben im Himel / noch hunden auff Erden / dir gleich / Der du heltest den Bund vnd Barmhertzigkeit deinen Knechten / die fur dir wandeln von gantzem hertzen. [24]Der du hast gehalten deinem Knecht / meinem vater Dauid / was du jm geredt hast / Mit deinem Mund hastu es geredt / vnd mit deiner Hand hastu es erfüllet / wie es stehet an diesem tage. [25]Nu HERR Jsrael / halt deinem Knecht / meinem vater Dauid / was du jm geredt hast / vnd gesagt / Es sol dir nicht gebrechen an einem Man fur mir / der da sitze auff dem stuel Jsrael / So doch / das deine Kinder jren weg bewaren / das sie fur mir wandeln / wie du fur mir gewandelt hast. [26]Nu Gott Jsrael / Las deine wort war werden / die du deinem Knecht / meinem vater Dauid geredt hast.

2. Reg. 7.

[27]DEnn meinestu auch / das Gott auff Erden wonet Sihe / der Himel vnd ‖ aller himel himel mügen dich nicht versorgen / Wie solts denn dis haus thun / das ich gebawet hab? [28]Wende dich aber zum Gebet deines Knechts vnd zu seinem flehen / HERR mein Gott / Auff das du hörest das Lob vnd Gebet / das dein Knecht heute fur dir thut. [29]Das deine Augen offen stehen vber dis Haus nacht vnd tag / vber die Stedte / dauon du gesagt hast / Mein Name sol da sein. Du woltest hören das Gebet / das dein Knecht an dieser Stedte thut / [30]vnd woltest erhören / das flehen deines Knechts vnd deines volcks Jsrael / das sie hie thun werden an dieser Stete deiner Wonung im Himel / Vnd wenn du es hörest gnedig sein.

‖ 191b

Deut. 12.

EID.

WEnn jemand wider seinen Nehesten sündigt / vnd nimpt des einen Eid auff sich / da mit er sich verpflicht / vnd der eid kompt fur deinen Altar in diesem Hause. [32]So wollestu hören im Himel / vnd Recht schaffen deinen Knechten / den Gottlosen zu verdammen / vnd seinen weg auff seinen Kopff bringen / vnd den Gerechten recht zu sprechen / jm zu geben nach seiner gerechtigkeit.

KRIEG.

WEnn dein volck Jsrael fur seinen Feinden geschlagen wird / weil sie an dir gesündigt haben / Vnd bekeren sich zu dir vnd bekennen deinen Namen / vnd beten vnd flehen zu dir in diesem Hause. [34]So wollestu hören im Himel / vnd der sünde deins volcks Jsrael gnedig sein / Vnd sie wider bringen ins Land / das du jren Vetern gegeben hast.

MANGEL AN Regen.

WEnn der Himel verschlossen wird / das nicht regent / weil sie an dir gesündigt haben / vnd werden beten an diesem Ort vnd deinen Namen bekennen / vnd sich von jren sünden bekeren / weil du sie drengest. [36]So wollestu hören im Himel / vnd gnedig sein der sünde deiner Knechte / vnd deins volcks Jsrael / Das du jnen den guten weg weisest / darinnen sie wandeln / vnd lassest regen auff das Land / das du deinem Volck zum Erbe gegeben hast.

THEWRUNG etc.

(Brand) Wenn das Getreide verschienen / oder von der Sonnen verbrand ist.

WEnn ein Thewrung / oder Pestilentz / oder Dürre / oder Brand oder Hewschrecken / oder Raupen im Lande sein wird / oder sein Feind im Lande seine Thore belagert / oder jrgend eine Plage oder Kranckheit / [38]Wer denn bittet vnd flehet / es seien sonst Menschen / oder dein volck Jsrael / die da gewar werden jrer Plage / ein jglicher in seinem hertzen / vnd breitet seine hende aus zu diesem Hause. [39]So wollestu hören im Himel / in dem Sitz da du wonest / vnd gnedig sein / vnd schaffen / das du gebest einem jglichen / wie er gewandelt hat / wie du sein hertz erkennest / Denn du alleine kennest das hertz aller Kinder der Menschen / [40]Auff das sie dich fürchten allezeit / so lange sie auff dem Lande leben / das du vnsern Vetern gegeben hast.

Jesa. 56.

(FREMBDER) Dis hause sol ein Bethaus sein allen Völckern.

WEnn auch ein Frembder / der nicht deins volcks Jsrael ist / kompt aus fernem Lande / vmb deines Namen willen [42](Denn sie werden hören von deinem grossen Namen / vnd von deiner mechtigen Hand / vnd von deinem ausgereckten Arm) vnd kompt das er bete fur diesem Hause. [43]So wollestu hören im Himel / im Sitz deiner Wonung / vnd thun alles / darumb der Frembde dich anrüfft / Auff das alle Völcker auff Erden deinen Namen erkennen / das sie auch dich fürchten / wie dein volck Jsrael / Vnd das sie innen werden / wie

Mat. 21.

dis Haus nach deinem Namen genennet sey / das ich gebawet habe.

SIEG IM STREIT.

WEnn dein Volck auszeucht in streit wider seine Feinde / des weges den du sie senden wirst / vnd werden beten zum HERRN / gegen den weg zur stad die du erwelet hast / vnd zum hause / das ich ich deinen Namen gebawet habe. [45]So wollestu jr gebet vnd flehen hören im Himel vnd Recht schaffen.

2. Par. 6.

WEnn sie an dir sündigen werden (Denn es ist kein Mensch / der nicht sündiget / vnd du erzürnest vnd gibst sie fur jren Feinden / das sie sie gefangen füren in der Feinde land fern oder nahe / [47]vnd sie in jr hertz schlahen im Lande da sie gefangen sind / vnd bekeren sich vnd flehen dir / im Lande jres Gefengnis / vnd sprechen / Wir haben gesündigt vnd missethan / vnd Gottlos gewesen / [48]vnd || bekeren sich also zu dir von gantzem hertzen / vnd von gantzer seelen / in jrer Feinde lande / die sie weggefürt haben / vnd beten zu dir gegen den weg zu jrem Lande / das du jren Vetern gegeben hast / zur Stad die du erwelet hast / vnd zum Hause das ich deinem Namen gebawet habe.

JSRAEL GEFANgen weggefüret.

|| 192a

[49]SO wollestu jr gebet vnd flehen hören im Himel / vom Sitz deiner wonung / vnd Recht schaffen / [50]vnd deinem Volck gnedig sein / das an dir gesündigt hat / vnd alle jren vbertrettung / da mit sie wider dich vbertretten haben / vnd barmhertzigkeit geben fur denen die sie gefangen halten / vnd dich jrer erbarmen. [51]Denn sie sind dein Volck vnd dein Erbe / die du aus Egypten / aus dem eisern Ofen gefürt hast. [52]Das deine Augen offen seien auff das flehen deines Knechts vnd deines volcks Jsrael / das du sie hörest in allem / darumb sie dich anruffen. [53]Denn du hast sie dir abgesondert zum Erbe aus allen Völckern auff Erden / wie du geredt hast durch Mosen deinen Knecht / Da du vnsere Veter aus Egypten füretest HErr HERR.

VND da Salomo alle dis gebet vnd flehen hatte fur dem HERRN aus gebettet / stund er auff von dem Altar des HERRN / vnd lies ab von knien vnd hende ausbreiten gen Himel. [55]Vnd trat da hin vnd segenet die gantze gemeine Jsrael mit lauter stim / vnd sprach / [56]Gelobet sey der HERR / der seinem volck Jsrael ruge gegeben hat / wie er geredt hat / Es ist nicht eins verfallen aus allen seinen guten worten / die er geredt hat durch seinen

Knecht Mose. [57]Der HERR vnser Gott sey mit vns / wie er gewesen ist mit vnsern Vetern. Er verlas vns nicht / vnd ziehe die hand nicht ab von vns / [58]zu neigen vnser Hertz zu jm / das wir wandeln in allen seinen Wegen / vnd halten seine Gebot / Sitten vnd Rechte / die er vnsern Vetern geboten hat.

[59]VND diese wort / die ich fur dem HERRN geflehet habe / müssen nahe komen dem HERRN vnserm Gott / tag vnd nacht / das er Recht schaffe seinem Knecht / vnd seinem volck Jsrael / ein jglichs zu seiner zeit / [60]Auff das alle Völcker auff Erden erkennen / das der HERR Gott ist / vnd keiner mehr / [61]Vnd ewr hertz sey rechtschaffen mit dem HERRN vnserm Gott / zu wandeln in seinen Sitten / vnd zu halten seine Gebot / wie es heute gehet.

Einweihung des Tempels.

VND der König sampt dem gantzen Jsrael opfferten fur dem HERRN Opffer. [63]Vnd Salomo opfferte Danckopffer (die er dem HERRN opffert) zwey vnd zwenzig tausent Ochsen / vnd hundert vnd zwenzig tausent Schaf / Also weiheten sie das Haus des HERRN ein / der König vnd alle kinder Jsrael. [64]Desselbigen tags weihete der König den Mittelhof / der fur dem Hause des HERRN war / da mit / das er Brandopffer / Speisopffer vnd das fett der Danckopffer / daselbs ausrichtet / Denn der eherne Altar der fur dem HERRN stund / war zu klein zu dem Brandopffer / Speisopffer / vnd zum fetten der Danckopffer.

[65]VND Salomo machte zu der zeit ein Fest / vnd alles Jsrael mit jm ein grosse Versamlungen / võ der grentze Hemath an bis an den bach Egypti / fur dem HERRN vnserm Gott / sieben tage / vnd aber sieben tage / das waren vierzehen tage / [66]vnd lies das Volck des achten tages gehen. Vnd sie segeneten den König / vnd giengen hin zu jren Hütten frölich vnd guts muts / vber alle dem Guten / das der HERR an Dauid seinem Knecht / vnd an seinem volck Jsrael gethan hatte.

## IX.

2. Par. 7.

Gott erscheinet Salomo zum andern mal.

VND da Salomo hatte ausgebawet des HERRN Haus / vnd des Königes haus / vnd alles was er begert vnd lust hatte zu machen / [2]Erschein jm der HERR zum andern mal / wie er jm erschienen war zu Gibeon. [3]Vnd der HERR sprach

Sup. 3.

zu jm / Jch habe dein Gebet vnd flehen gehöret / das du fur mir geflehet hast / ‖ vnd habe dis Haus geheiliget / das du gebawet hast / das ich meinen Namen daselbs hin setze ewiglich / vnd meine Augen vnd mein Hertz sollen da sein alle wege. [4]Vnd du / so du fur mir wandelst / wie dein vater Dauid gewandelt hat / mit rechtschaffenem hertzen vnd auffrichtig / das du thust alles / was ich dir geboten habe / vnd meine Gebot vnd meine Rechte heltest / [5]So wil ich bestetigen den Stuel deines königreichs vber Jsrael ewiglich / wie ich deinem vater Dauid geredt habe / vnd gesagt / Es sol dir nicht gebrechen an einem Man vom stuel Jsrael.

‖ 192b

2. Reg. 7.

[6]WErdet jr euch aber von mir hinden abwenden / jr vnd ewre Kinder / vnd nicht halten meine Gebot vnd Rechte / die ich euch furgelegt habe / vnd hin gehet vnd andern Göttern dienet vnd sie anbetet. [7]So werde ich Jsrael ausrotten von dem Lande / das ich jnen gegeben habe. Vnd das Haus / das ich geheiliget habe meinem Namen / wil ich verlassen von meinem Angesicht / Vnd Jsrael wird ein Sprichwort vnd Fabel sein vnter allen Völckern. [8]Vnd das Haus wird eingerissen werden / das alle die fur vbergehen / werden sich entsetzen vnd blasen / vnd sagen / Warumb hat der HERR diesem Lande vnd diesem Hause also gethan? [9]So wird man antworten / Darumb / das sie den HERRN jren Gott verlassen haben / der jre Veter aus Egyptenland fürete / vnd haben angenomen andere Götter / vnd sie angebetet vnd jnen gedienet / Darumb hat der HERR alle dis vbel vber sie gebracht.

Deut. 29.
Jere. 22.

DA NU DIE ZWENZIG JAR VMB WAREN IN WELCHEN Salomo die zwey Heuser bawet / des HERRN Haus / vnd des Königs haus / [11]dazu Hiram der könig zu Tyro Salomo Cedernbewm vnd Tennenbewm / vnd Gold nach alle seinem beger brachte / Da gab der könig Salomo Hiram zwenzig Stedte im lande Galilea. [12]Vnd Hiram zoch aus von Tyro die Stedte zu besehen / die jm Salomo gegeben hatte / Vnd sie gefielen jm nicht / [13]vnd sprach / Was sind das fur Stedte / mein Bruder / die du mir gegeben hast / Vnd hies sie das land Cabul bis auff diesen tag.

2. Par. 8.

VND Hiram hatte dem König gesand hundert vnd zwenzig Centner goldes. [15]Vnd das selb ist die summa der Zinse / die der könig Salomo auffhub / zu bawen des HERRN Haus / vnd sein Haus / vnd Millo / vnd die mauren Jerusalem / vnd Hazor vnd Megiddo vnd Gaser.

[16]DEnn Pharao der könig in Egypten war er auff komen vnd hatte Gaser gewonnen / vnd mit fewr verbrand / vnd die Cananiter erwürget / die in der stad woneten / vnd hatte sie seiner tochter Salomos weib zum geschenck gegeben. [17]Also bawet Salomo Gaser / vnd das nider BethHoron [18]vnd Baleath vnd Thamar in der wüsten im lande / [19]vnd alle stedte der Kornheuser die Salomo hatte / vnd alle stedte der Wagen / und die stedte der Reuter / vnd wo zu er lust hatte zu bawen zu Jerusalem / im Libanon / vnd im gantzen Lande seiner herrschafft.

GASER.

VND alles vbrige volck von den Amoritern / Hethitern / Pheresitern / Heuitern vnd Jebusitern / die nicht von den kindern Jsrael waren / [21]derselben kinder die sie hinder sich vberbleiben liessen im Lande / die die kinder Jsrael nicht kundten verbannen / die macht Salomo zinsbar bis auff diesen tag. [22]Aber von den kindern Jsrael macht er nicht knechte / sondern lies sie Kriegsleute / vnd seine knechte / vnd Fürsten vnd Ritter / vnd vber seine Wagen vnd Reutter sein. [23]Vnd der Amptleute die vber Salomos gescheffte waren / der war fünff hundert vnd funffzig / die vber das Volck herrscheten / vnd die geschefft ausrichten.

VND die tochter Pharao zoch er auff von der stad Dauid / in jr Haus / das er fur sie gebawet hatte / Da bawet er auch Millo. [25]Vnd Salomo opfferte des jars drey mal Brandopffer vnd Danckopffer auff dem Altar / den er dem HERRN gebawet hatte / vnd reucherte vber jm fur dem HERRN / vnd ward also das Haus fertig. ‖

‖ 193 a

VND Salomo macht auch Schiffe zu EzeonGeber / die bey Eloth ligt am vfer des Schilffmeers im lande der Edomiter. [27]Vnd Hiram sandte seine Knechte im Schiff / die gute Schiffleute / vnd auff dem Meer erfaren waren / mit den knechten Salomo / [28]vnd kamen gen Ophir / vnd holeten daselbs vier hundert vnd zwenzig Centner golds / vnd brachtens dem könige Salomo.

GOLD AUS Ophir.

## X.

2. Par. 9.

VND DA DAS GERÜCHT SALOMO VON DEM NAMEN des HERRN kam fur die Königin von Reicharabien / kam sie jn zu versuchen mit Retzelen.

KÖNIGIN AUS Reicharabia.

[2]Vnd sie kam gen Jerusalem mit einem seer grossen Zeug / mit Kamelen die Specerey trugen / vnd viel Golds vnd Edelgesteine / Vnd da sie zum könige Salomo hin ein kam / redet sie mit jm / alles was sie furgenomen hatte. [3]Vnd Salomo sagts jr alles / vnd war dem Könige nichts verborgen / das er jr nicht sagete.

DA aber die Königin von Reicharabien sahe alle weisheit Salomo / vnd das Haus das er gebawet hatte / [5]vnd die Speise fur seinen Tisch / vnd seiner Knechte wonung / vnd seiner Diener ampt / vnd jre Kleider / vnd seine Schencken / vnd seine Brandopffer / die er in dem Hause des HERRN opfferte / kund sie sich nicht mehr enthalten / [6]vnd sprach zum Könige / Es ist war / was ich in meinem Lande gehöret habe von deinem wesen / vnd von deiner weisheit / [7]Vnd ich habs nicht wollen gleuben / bis ich komen bin / vnd habs mit meinen augen gesehen. Vnd sihe / Es ist mir nicht die helfft gesagt / Du hast mehr weisheit vnd guts / denn das gerücht ist / das ich gehört habe. [8]Selig sind deine Leute vnd deine Knechte / die allzeit fur dir stehen / vnd deine weisheit hören. [9]Gelobt sey der HERR dein Gott / der zu dir lust hat / das er dich auff den stuel Jsrael gesetzt hat / darumb / das der HERR Jsrael lieb hat ewiglich / vnd dich zum Könige gesetzt hat / das du Gericht vnd Recht haltest.

Math. 12.

VND sie gab dem Könige hundert vnd zwenzig Centner golds / vnd seer viel Specerey / vnd Edelgesteine / Es kam nicht mehr so viel Specerey / als die Königin von Reicharabien dem könige Salomo gab. [11]Dazu die schiffe Hiram / die gold aus Ophir füreten / brachten seer viel Hebenholtz / vnd Edelgesteine. [12]Vnd der König lies machen von Hebenholtz pfeiler im Hause des HERRN vnd im Hause des Königes / vnd Harffen vnd Psalter fur die Senger / Es kam nicht mehr solch Hebenholtz / ward auch nicht gesehen / bis auff diesen tag. [13]Vnd der könig Salomo gab der Königin von Reicharabien / alles was sie begert vnd bat / on was er jr gab von jm selbs / Vnd sie wand sich vnd zoch in jr Land sampt jren Knechten.

(Heben) Jst ein Bawm in Jndienland.

DES golds aber das Salomo in einem jar kam / war am gewicht sechs hundert vnd sechs vnd sechzig Centner / [15]On was von Kremern vnd Kauffleuten vnd Apotekern / vnd von allen Königen Arabie / vnd von den Gewaltigen in Lendern

kam. [16]Vnd der könig Salomo lies machen zwey hundert Schilde vom besten golde / sechs hundert stück goldes thet er zu einem Schilde / [17]vnd drey hundert Tartschen vom besten golde / ja drey pfund goldes zu einer Tartschen / Vnd der König thet sie in das haus vom wald Libanon.

Jnf. 14.

2. Par. 9.

VND DER KÖNIG MACHT EINEN GROSSEN STUEL von Elffenbein / vnd vberzog jn mit dem edelsten Golde. [19]Vnd der Stuel hatte sechs stuffen / vnd das heubt am Stuel war hinden rund / Vnd waren Lehnen auff beiden seiten vmb das gesesse / vnd zwo Lewin stunden an den Lehnen / [20]Vnd zwelff Lewen stunden auff den sechs stuffen auff beiden seiten / Solchs ist nie gemacht in keinen Königreichen.

SALOMOS Stuel.

[21]ALle Trinckgefesse des königs Salomo waren gülden / vnd alle Gefesse im Hause vom wald Libanon waren auch lauter gold / Denn des Silbers acht ‖ man zun zeiten Salomo nichts. [22]Denn das Meerschiff des Königs / das auff dem meer mit dem schiff Hiram fuhr / kam in dreien jaren ein mal / vnd bracht Gold / Silber / Elffenbein / Affen vnd Pfawen.

‖ 193b

2. Par. 1.

ALso ward der könig Salomo grösser mit reichthum vnd weisheit / denn alle Könige auff Erden. [24]Vnd alle welt begert Salomo zusehen / das sie die weisheit höreten / die jm Gott in sein hertz gegeben hatte. [25]Vnd jederman bracht jm Geschencke / silbern vnd gülden Gerete / Kleider vnd Harnisch / Würtz / Rosse / Meuler / jerlich. [26]Vnd Salomo bracht zu hauffen / Wagen vnd Reuter / das er hatte tausent vnd vier hundert Wagen / vnd zwelff tausent Reuter / vnd lies sie in den Wagenstedten / vnd bey dem Könige zu Jerusalem.

Silbers so viel als steine zu Salomos zeiten.

[27]VNd der König macht / das des Silbers zu Jerusalem so viel war / wie die Steine / vnd Cedernholtz so viel / wie die wilden Feigenbewme in den gründen. [28]Vnd man brachte dem Salomo pferde aus Egypten vnd allerley wahr. Vnd die Kauffleute des Königs kaufften die selbige wahr / [29]vnd brachtens aus Egypten er aus / ja einen wagen vmb sechs hundert silberlinge / vnd ein pferd vmb hundert vnd funffzig. Also bracht man sie auch allen Königen der Hethiter vnd den Königen zu Syrien / durch jre hand.

XI.

Exo. 34. Deut. 7.

ABer der König Salomo liebete viel auslendischer Weiber / die tochter Pharao / vnd Moabitische / Ammonitische / Edomitische / Zidonitische vnd Hethitische / [2]Von solchen Völckern / dauon der HERR gesagt hatte den kindern Jsrae / GEhet nicht zu jnen / vnd lasst sie nicht zu euch komen / Sie werden gewis ewre hertzen neigen jren Göttern nach / An diesen hieng Salomo mit liebe.

Salomos Weiber vnd Kebsweiber.

[3]Vnd er hatte sieben hundert Weiber zu Frawen / vnd drey hundert Kebsweiber / Vnd seine Weiber neigeten sein hertz.

[4]VNd da er nu alt war / neigeten seine Weiber sein hertz frembden Göttern nach / das sein hertz nicht gantz war mit dem HERRN seinem Gott / wie das hertz seines vaters Dauids. [5]Also wandelt Salomo Asthoreth dem Gott der von Zidon nach / vnd Milcom dem grewel der Ammoniter. [6]Vnd Salomo thet das dem HERRN vbel gefiel / vnd folget nicht gentzlich dem HERRN / || wie sein vater Dauid. [7]Da bawete Salomo ein Höhe Chamos dem Grewel der Moabiter / auff dem Berge der fur Jerusalem ligt / vnd Molech dem Grewel der Ammoniter. [8]Also thet Salomo allen seinen auslendischen Weibern / die jren Göttern reucherten vnd opfferten.

|| 194a

Salomo thut / das dem HERRN nicht gefellet.

Sup. 3. 9.

DEr HERR aber ward zornig vber Salomo / das sein hertz von dem HERRN dem Gott Jsrael geneigt war / der jm zwey mal erschienen war / [10]vnd jm solchs geboten hatte / Das er nicht andern Göttern nachwandelte / vnd doch er nicht gehalten hatte / was jm der HERR geboten hatte. [11]Darumb sprach der HERR zu Salomo / Weil solchs bey dir geschehen ist / vnd hast meinen Bund vnd meine Gebot nicht gehalten / die ich dir geboten habe / So wil ich auch das Königreich von dir reissen / vnd deinem Knecht geben. [12]Doch bey deiner zeit wil ichs nicht thun / vmb deines vaters Dauids willen / sondern von der hand deines Sons wil ichs reissen. [13]Doch wil ich nicht das gantze Reich abreissen / Einen stam wil ich deinem Son geben / vmb Dauids willen meines Knechts / vnd vmb Jerusalem willen / die ich erwelet habe.

VND der HERR erwecket Salomo einen Widersacher / Hadad den Edomiter von königlichem Samen / welcher war in Edom. [15]Denn da Dauid in Edom war / vnd Joab der Feldheubtman hinauff zoch die Erschlagenen zu begraben / schlug er was Mansbilde war in Edom. [16]Denn Joab bleib sechs monden daselbs vnd das gantze Jsrael / bis er ausrottet alles was Mansbilde war in Edom. [17]Da floh Hadad / vnd mit jm etliche Menner der Edomiter von seines Vaters knechten / das sie in Egypten kemen / Hadad aber war ein junger Knabe. [18]Vnd sie machten sich auff von Midian vnd kamen gen Paran / vnd namen Leute mit sich aus Paran / vnd kamen in Egypten zu Pharao dem könige in Egypten / der gab jm ein Haus vnd Narung / vnd gab jm ein Land ein.

2. Reg. 8.

HADAD. EDOMITER.

EDOM.

[19]VND Hadad fand grosse gnade fur dem Pharao / das er jm auch seines weibs Thaphenes der königin Schwester zum weibe gab. [20]Vnd die schwester Thaphenes gebar jm Genubath seinen Son / Vnd Thaphenes zog jn auff im hause Pharao / das Genubath war im hause Pharao vnter den kindern Pharao. [21]Da nu Hadad höret in Egypten / das Dauid entschlaffen war mit seinen Vetern / vnd das Joab der Feldheubtman tod war / sprach er zu Pharao / Las mich in mein Land ziehen. [22]Pharao sprach zu jm / Was feilet dir bey mir / das du wilt in dein Land ziehen? Er sprach / Nichts / Aber las mich ziehen.

GENUBATH.

AVch erwecket jm Gott einen widersacher Reson / den son ElJada / der von seinem Herrn HadadEser dem könige zu Zoba geflohen war / [24]Vnd samlet wider jn Menner / vnd ward ein Heubtman der Kriegsknecht / da sie Dauid erwürget / vnd zogen gen Damascon / vnd woneten daselbs / vnd regierten zu Damasco / [25]Vnd er war Jsraels / widersacher / so lange Salomo lebet.

RESON.

Das ist der schade den Hadad leid / darumb hatte er einen ekel wider Jsrael / vnd ward König vber Syrien.

JEROBEAM.

DA zu Jerobeam der son Nebat ein Ephrater von Zareda Salomo knecht / vnd seine mutter hies Zeruga ein Widwin / Der hub auch die hand auff wider den König. [27]Vnd das ist die sache / darumb er die hand wider den König auff hub / Da Salomo Millo bawet / verschlos er eine lücke an der stad Dauids seines vaters. [28]Vnd Jerobeam war ein streitbar Man / Vnd da Salomo sahe / das der Knabe ausrichtig war / satzt er jn vber alle Last des Hauses Joseph.

Ahia der Prophet.

ES BEGAB SICH ABER ZU DER ZEIT / DAS JEROBEAM ausgieng von Jerusalem / vnd es traff jn an der Prophet Ahia von Silo auff dem wege / vnd hatte einen newen Mantel an / vnd waren die beide allein im felde. [30]Vnd Ahia fasset den newen Mantel den er anhatte / vnd reiss jn in zwelff Stück. [31]Vnd || sprach zu Jerobeam / Nim zehen stück zu dir / Denn so spricht der HERR der Gott Jsrael / Sihe / Jch wil das Königreich von der hand Salomo reissen / vnd dir zehen Stemme geben. [32]Einen stam sol er haben vmb meines knechts Dauids willen / vnd vmb der stad Jerusalem willen / die ich erwelet habe aus allen stemmen Jsrael. [33]Darumb / das sie mich verlassen / vnd angebetet haben Asthoreth den Gott der Zidonier / Chamos den Gott der Moabiter / vnd Milcom den Gott der kinder Ammon / vnd nicht gewandelt haben in meinen wegen / das sie theten was mir wolgefellet / meine Gebot vnd Rechte / wie Dauid sein Vater.

|| 194b

[34]JCH wil auch nicht das gantze Reich aus seiner hand nemen / Sondern ich wil jn zum Fürsten machen sein Leben lang / vmb Dauid meines Knechts willen / den ich erwelet habe / der meine Gebot vnd Rechte gehalten hat. [35]Aus der hand seines Sons wil ich das Königreich nemen / vnd wil dir zehen Stemme / [36]vnd seinem Son einen stam geben / Auff das Dauid mein Knecht fur mir ein Liecht habe allewege / in der stad Jerusalem / die ich mir erwelet habe / das ich meinen Namen dahin stellet.

[37]SO wil ich nu dich nemen / das du regirest vber alles was dein hertz begert / vnd solt König sein vber Jsrael. [38]Wirstu nu gehorchen allem / das ich dir gebieten werde / vnd in meinen wegen wan-

deln / vnd thun was mir gefellet / das du haltest meine Rechte vnd Gebot / wie mein knecht Dauid gethan hat / So wil ich mit dir sein / vnd dir ein bestendig Haus bawen / wie ich Dauid gebawet habe / Vnd wil dir Jsrael geben / [39]vnd wil den samen Dauid vmb des willen demütigen / doch nicht ewiglich.

SAlomo aber trachtet Jerobeam zu tödten / Da macht sich Jerobeam auff / vnd floh in Egypten zu Sisak dem könige in Egypten / Vnd bleib in Egypten / bis das Salomo starb.

SISAK.

2. Par. 9.

[41]WAs mehr von Salomo zu sagen ist / vnd alles was er gethan hat / vnd seine Weisheit / das ist geschrieben in der Chronica von Salomo. [42]Die zeit aber die Salomo könig war zu Jerusalem vber gantz Jsrael ist vierzig jar. [43]Vnd Salomo entschlieff mit seinen Vetern / vnd ward begraben in der stad Dauid seines Vaters / Vnd sein son Rehabeam ward König an seine stat.

SALOMO 40. jar König in Juda.

## XII.

2. Par. 10.

VND REHABEAM ZOCH GEN SICHEM / DENN DAS gantz Jsrael war gen Sichem komen jn zum König zumachen. [2]Vnd Jerobeam der son Nebat höret / da er noch in Egypten war (dahin er fur dem könige Salomo geflohen war) vnd bleib in Egypten. [3]Vnd sie sandten hin vnd liessen jm ruffen / Vnd Jerobeam sampt der gantzen gemeine Jsrael kamen vnd redeten mit Rehabeam / vnd sprachen / [4]Dein Vater hat vnser Joch zu hart gemacht / So mache du nu den harten Dienst vnd das schwere Joch leichter / das er vns auffgeleget hat / So wollen wir dir vnterthenig sein. [5]Er aber sprach zu jnen / Gehet hin bis an den dritten tag / so kompt wider zu mir. Vnd das volck gieng hin.

REHABEAM König in Juda etc.

VND der könig Rehabeam hielt einen rat mit den Eltesten die fur seinem vater Salomo stunden / da er lebet / vnd sprach / Wie ratet jr / das wir diesem Volck ein antwort geben? [7]Sie sprachen zu jm / Wirstu heute diesem Volck einen dienst thun / vnd jnen zu willen sein vnd sie erhören / vnd jnen gute wort geben / So werden sie dir vnterthenig sein dein leben lang. [8]Aber er verlies der Eltesten rat / den sie jm gegeben hatten / vnd hielt einen Rat mit den Jungen die mit jm auff gewachsen waren vnd fur jm stunden.

Eccl. 47.

[9]VND er sprach zu jnen / Was ratet jr / das wir antworten diesem Volck die zu mir gesagt haben / Mache das Joch leichter / das dein Vater auff vns gelegt hat? [10]Vnd die Jungen die mit jm auffgewachsen waren / sprachen zu jm ‖ Du solt zu dem Volck / das zu dir sagt / Dein Vater hat vnser Joch zu schweer gemacht / mache du es vns leichter / also sagen / Mein kleinester finger sol dicker sein / denn meines Vaters lenden. [11]Nu mein vater hat auff euch ein schweer Joch geladen / Jch aber wils noch mehr vber euch machen. Mein Vater hat euch mit Peitzschen gezüchtiget / Jch wil euch mit Scorpion züchtigen.

‖ 195 a

ALso kam Jerobeam sampt dem gantzen volck zu Rehabeam am dritten tage / wie der König gesagt hatte / vnd gesprochen / Kompt wider zu mir am dritten tage. [13]Vnd der König gab dem Volck eine harte antwort / vnd verlies den Rat / den jm die Eltesten gegeben hatten / [14]vnd redet mit jnen nach dem Rat der Jungen / vnd sprach / Mein Vater hat ewer Joch schweer gemacht / Jch aber wils noch mehr vber euch machen / Mein Vater hat euch mit Peitzschen gezüchtiget / Jch aber wil euch mit Scorpion züchtigen. [15]Also gehorcht der König dem volck nicht / Denn es war also gewand von dem HERRN / Auff das er sein wort bekrefftiget / das er durch Ahia von Silo geredt hatte zu Jerobeam dem son Nebat.

Sup. 11.

DA aber das gantz Jsrael sahe / das der König sie nicht hören wolt / gab das volck dem König ein antwort / vnd sprach / Was haben wir denn teils an Dauid / oder erbe am son Jsai? Jsrael heb dich zu deinen hütten / So sihe nu du zu deinem hause Dauid. Also gieng Jsrael in seine hütten / [17]Das Rehabeam regierte nur vber die kinder Jsrael in den stedten Juda woneten. [18]Vnd da der könig Rehabeam hin sandte Adoram den Rentmeister / warff jn gantz Jsrael mit steinen zu tod / Aber der könig Rehabeam steig frisch auff einen wagen / das er flöhe gen Jerusalem. [19]Also fiel ab Jsrael vom Hause Dauid / bis auff diesen tag.

ADORAM.
ABFAL JSRAELS von Juda.

JEROBEAM König vber Jsrael.

DA nu gantz Jsrael höret / das Jerobeam war widerkomen / sandten sie hin vnd liessen jn ruffen zu der gantzen Gemeine / vnd machten jn zum Könige vber das gantze Jsrael Vnd folget niemand dem hause Dauid / on der stam Juda alleine.

2. Par. 11.

VND da Rehabeam gen Jerusalem kam / samlet er das gantze haus Juda / vnd den stam BenJamin hundert vnd achzig tausent junge streitbare Manschafft wider das haus Jsrael zu streitten / vnd das Königreich wider an Rehabeam den son Salomo zu bringen. [22]Es kam aber Gottes wort zu Semaja dem man Gottes / vnd sprach / [23]Sage Rehabeam dem son Salomo / dem könige Juda / vnd zum gantzen hause Juda vnd BenJamin / vnd dem andern Volck / vnd sprich / [24]So spricht der HERR / Jr solt nicht hin auff ziehen vnd streitten wider ewre Brüder die kinder Jsrael / Ein jederman gehe wider heim / Denn solchs ist von mir geschehen. Vnd sie gehorchten dem wort des HERRN / vnd kereten vmb / das sie hin giengen / wie der HERR gesagt hatte.

SEMAJA der Prophet.

JErobeam aber bawete Sichem auff dem gebirge Ephraim / vnd wonete drinnen / vnd zoch von dannen eraus / vnd bawete Pnuel.

SICHEM PNUEL.

JErobeam aber gedacht in seinem hertzen / Das Königreich wird nu wider zum hause Dauid fallen / [27]so dis Volck sol hin auff gehen Opffer zu thun in des HERRN Hause zu Jerusalem / Vnd wird sich das hertz des volcks wenden zu jrem Herrn Rehabeam dem könige Juda / vnd wird mich erwürgen / vnd wider zu Rehabeam dem könige Juda fallen. [28]Vnd der König hielt einen Rat / vnd macht zwey güldene Kelber / vnd sprach zu jnen / Es ist euch zu viel hin auff gen Jerusalem zu gehen / Sihe / Da sind deine Götter Jsrael / die dich aus Egyptenlande gefürt haben. [29]Vnd setzet eins zu BethEl / vnd das ander thet er gen Dan / [30]Vnd das geriet zur sunde / Denn das Volck gieng hin fur dem einen bis gen Dan.

JEROBEAMS Kelber.

[31]ER macht auch ein haus der Höhen / vnd machet Priester von den geringsten im Volck / die nicht von den kindern Leui waren. [32]Vnd er macht ein Fest || am funffzehenden tag des achten monden / wie das Fest in Juda / vnd opfferte auff dem Altar / So thet er zu BethEl / das man den Kelbern opfferte die er gemacht hatte / Vnd stifftet zu BethEl die Priester der Höhen / die er gemacht hatte. [33]Vnd opfferte auff dem Altar (den er gemacht hatte) zu BethEl / am funffzehenden tage des achten monden / welchen er aus seinem hertzen erdacht hatte / Vnd macht den kindern Jsrael Feste / vnd opfferte auff den Altar das man reuchern solt.

|| 195 b

JEROBEAM.

XIII.

Ein Prophet weissaget wider den Altar zu BethEl etc.

VND sihe / ein Man Gottes kam von Juda / durch das wort des HERRN gen BethEl / vnd Jerobeam stund bey dem Altar zu reuchern. [2]Vnd er rieff wider den Altar durch das wort des HERRN / vnd sprach / Altar / Altar / so spricht der HERR / Sihe / es wird ein Son dem hause Dauid geborn werden / mit namen Josia / der wird auff dir opffern die Priester der Höhe / die auff dir reuchern / vnd wird Menschen bein auff dir verbrennen. [3]Vnd er gab des tages ein Wunder vnd sprach / Das ist das Wunder / das solchs der HERR geredt hat / Sihe / der Altar wird reissen / vnd die asschen verschüttet werden die drauff ist.

4. Reg. 23. Josia.

DA aber der König das wort von dem man Gottes höret / der wider den Altar zu BethEl rieff / recket er seine hand aus bey dem Altar / vnd sprach / Greifft jn. Vnd seine hand verdorret / die er wider jn aus gereckt hatte / vnd kund sie nicht wider zu sich ziehen. [5]Vnd der Altar reis / vnd die assche ward verschüttet vom Altar / nach dem Wunder / das der man Gottes gegeben hatte / durch das wort des HERRN. [6]Vnd der König antwortet / vnd sprach zu dem man Gottes / Bitte das angesicht des HERRN deines Gottes / vnd bitte fur mich / das meine hand wider zu mir kome. Da bat der man Gottes das Angesicht des HERRN / Vnd dem Könige ward seine hand wider zu jm bracht / vnd ward wie sie vor hin war.

[7]VND der König redet mit dem man Gottes / Kom mit mir heim / vnd labe dich / ich wil dir ein Geschenck geben. [8]Aber der man Gottes sprach zum Könige / Wenn du mir auch dein halbes Haus gebest / so keme ich doch nicht mit dir / Denn ich wil an diesem Ort kein Brot essen noch Wasser trincken. [9]Denn also ist mir geboten durch des HERRN wort / vnd gesagt / Du solt kein Brot essen / vnd kein Wasser trincken / vnd nicht wider durch den weg komen den du gegangen bist. [10]Vnd er gieng weg durch einen andern weg / vnd kam nicht wider durch den weg / den er gen BethEl komen war.

ES wonet aber ein alter Prophet zu BethEl / zu dem kam sein Son vnd erzelet jm alle werck / die der man Gottes gethan hatte des tages zu BethEl / vnd die wort die er zum Könige geredt hatte. [12]Vnd jr Vater sprach zu jnen / Wo ist der weg den er gezogen ist? Vnd seine Söne zeigten jm den weg / den der man Gottes gezogen war / der von Juda komen war. [13]Er aber sprach zu seinen Sönen / Sattelt mir den Esel. Vnd da sie jm den esel sattelten / reit er drauff / [14]vnd zoch dem man Gottes nach / vnd fand jn vnter einer Eichen sitzen / Vnd sprach zu jm / Bistu der man Gottes der von Juda komen ist? Er sprach / Ja.

[15]ER sprach zu jm / Kom mit mir heim vnd iss Brot. [16]Er aber sprach / Jch kan nicht mit dir vmbkeren vnd mit dir komen / Jch wil auch nicht brot essen noch wasser trincken mit dir / an diesem ort. [17]Denn es ist mit mir geredt worden durch das wort des HERRN / Du solt daselbs weder brot essen noch wasser trincken / Du solt nicht wider durch den weg gehen / den du gegangen bist. [18]Er sprach zu jm / Jch bin auch ein Prophet wie du / vnd ein Engel hat mit mir geredt / durch des HERRN wort / vnd gesagt / Füre jn wider mit dir heim das er brot esse vnd wasser trincke. Er log jm aber [19]vnd füret jn widerumb / das er brot ass / vnd wasser tranck in seinem hause.||

|| 196 a

VND da sie zu tisch sassen / kam das wort des HERRN zum Propheten der jn widerumb gefürt hatte / [21]Vnd schrey den man Gottes an / der von Juda komen war / vnd sprach / So spricht der HERR / Darumb / das du dem Munde des HERRN bist vngehorsam gewest / vnd hast nicht gehalten das Gebot / das dir der HERR dein Gott geboten hat / [22]vnd bist vmbkeret / hast brot gessen vnd wasser getruncken an dem ort / dauon er dir sagete / Du solt weder brot essen noch wasser trincken / Sol dein Leichnam nicht in deiner Veter grab komen.

VND nach dem er brot gessen vnd getruncken hatte / sattelt man den Esel dem Propheten / den er widerumb gefürt hatte. [24]Vnd da er weg zoch / fand jn ein Lewe auff dem wege vnd tödtet jn / Vnd sein Leichnam lag geworffen in dem wege / vnd der Esel stund neben jm / vnd der Lewe stund neben dem Leichnam. [25]Vnd da Leute fur vber giengen / sahen sie den Leichnam in den weg geworffen / vnd den Lewen bey dem Leichnam stehen / Vnd kamen vnd sagten es in der Stad / da der alte Prophet innen wonet.

PROPHET SO Gottes stimme vngehorsam ist / wird von eim Lewen getödtet.

[26]DA das der Prophet höret / der jn widerumb gefürt hatte / sprach er / Es ist der man Gottes der

dem Munde des HERRN ist vngehorsam gewest / darumb hat jn der HERR dem Lewen gegeben / der hat jn zubrochen vnd getödtet / nach dem wort / das jm der HERR gesagt hat. [27]Vnd sprach zu seinen sönen / Sattelt mir den Esel. Vnd da sie jn gesattelt hatten / [28]zoch er hin vnd fand seinen Leichnam in den weg geworffen / vnd den Esel vnd den Lewen neben dem Leichnam stehen. Der Lewe hatte nichts gefressen vom Leichnam / vnd den Esel nicht zu brochen.

[29]DA hub der Prophet den Leichnam des mans Gottes auff / vnd legt jn auff den Esel / vnd füret jn widerumb / vnd kam in die Stad des alten Propheten / das sie jn klagten vnd begruben. [30]Vnd er legt den Leichnam in sein Grab / vnd klagten jn / Ah Bruder. [31]Vnd da sie jn begraben hatten / sprach er zu seinen Sönen / Wenn ich sterbe / so begrabet mich in dem Grabe / da der man Gottes in begraben ist / vnd legt meine beine neben seinen Beinen. [32]Denn es wird geschehen / was er geschrien hat wider den Altar zu BethEl / durch das wort des HERRN / vnd wider alle Heuser der Höhen / die in den stedten Samaria sind.

ABer nach diesem Geschicht keret sich Jerobeam nicht von seinem bösen wege / Sondern verkeret sich / vnd macht Priester der Höhen von den Geringsten des volcks / Zu wem er lust hatte / des hand füllet er / vnd der ward Priester der Höhe. [34]Vnd dis geriet zur sünde dem hause Jerobeam / das er verderbet vnd von der Erden vertilget ward.

## XIIII.

ABIA.

ZV DER ZEIT WAR ABIA DER SON JEROBEAM kranck. [2]Vnd Jerobeam sprach zu seinem Weibe / Mache dich auff vnd verstelle dich / das niemand mercke / das du Jerobeam weib seiest / vnd gehe hin gen Silo / Sihe / daselbst ist der Prophet Ahia / der mir geredt hat / das ich solt König sein vber dis volck. [3]Vnd nim mit dir zehen Brot vnd Kuchen / vnd ein krug mit Honig / vnd kome zu jm / das er dir sage / wie es dem Knaben gehen wird. [4]Vnd das weib Jerobeam thet also / vnd macht sich auff / vnd gieng hin gen Silo / vnd kam ins haus Ahia / Ahia aber kund nicht sehen / denn seine augen starreten fur alter.

Sup. 11.

AHIA der Prophet.

ABer der HERR sprach zu Ahia / Sihe / das weib Jerobeam kompt / das sie von dir eine sache frage vmb jren Son / denn er ist kranck / So rede nu mit jr / so vnd so. Da sie nu hin ein kam / stellet sie sich frembde. [6]Als aber Ahia höret das rausschen jrer füsse zur thür hin ein gehen / sprach er / Kom her ein du weib Jerobeam / Warumb stellestu dich so frembd? Jch bin zu dir gesand ein harter Bote.||

|| 196b

GEhe hin vnd sage Jerobeam / So spricht der HERR der Gott Jsrael. Jch hab dich erhaben aus dem Volck vnd zum Fürsten vber mein volck Jsrael gesetzt / [8]vnd habe das Königreich von Dauids hause gerissen / vnd dir gegeben / Du aber bist nicht gewesen / wie mein knecht Dauid / der mein Gebot hielt / vnd wandelt mir nach von gantzem hertzen / das er thet was mir nur wolgefiel. [9]Vnd hast vbel gethan vber alle die vor dir gewesen sind / Bist hin gegangen / vnd hast dir ander Götter gemacht vnd gegossene Bilder / das du mich zu zorn reitzest / vnd hast mich hinder deinen rücken geworffen.

DArumb sihe / Jch wil vnglück vber das haus Jerobeam füren / vnd ausrotten an dem Jerobeam / auch den / der an die wand pisset / den verschlossen vnd verlassen in Jsrael / Vnd wil die Nachkomen des hauses Jerobeam ausfegen / wie man kot ausfeget / bis gantz mit jm aus sey. [11]Wer von Jerobeam stirbt in der Stad / den sollen die Hund fressen / Wer aber auff dem felde stirbt / den sollen die Vogel des Himels fressen / denn der HERR hats geredt. [12]So mache du dich auff vnd gehe heim / vnd wenn dein fus zur Stad eintrit / wird das Kind sterben. [13]Vnd es wird jn das gantze Jsrael klagen / vnd werden jn begraben / Denn dieser allein von Jerobeam wird zu Grabe komen / darumb / das etwas guts an jm erfunden ist fur dem HERRN dem Gott Jsrael / im hause Jerobeam.

[14]DEr HERR aber wird jm einen König vber Jsrael erwecken / Der wird das haus Jerobeam ausrotten des tages. [a]Vnd was ist nu gemacht? [15]Vnd der HERR wird Jsrael schlahen / gleich wie das Rhor im wasser bewegt wird vnd wird Jsrael ausreissen von diesem guten Lande / das er jren Vetern gegeben hat / vnd wird sie strewen vber das Wasser / Darumb / das sie jre Hayne gemacht haben / den HERRN zu erzürnen. [16]Vnd wird Jsrael vbergeben vmb der sünde willen Jerobeam / der da gesündigt hat / vnd Jsrael hat sündigen gemacht.

4. Reg. 17.

a Mimesis / Jn futuro dicetur his impletis. Was hat Jerobeam nu gemacht?

[17]VND das weib Jerobeam macht sich auff / gieng hin vnd kam gen Thirza / Vnd da sie auff die schwelle des Hauses kam / starb der Knabe. [18]Vnd sie begruben jn / vnd gantz Jsrael klaget jn / nach dem wort des HERRN / das er geredt hatte durch seinen knecht Ahia den Propheten. [19]Was mehr von Jerobeam zusagen ist / wie er gestritten vnd regiert hat / sihe / das ist geschrieben in der Chronica der könige Jsrael. [20]Die zeit aber die Jerobeam regierte / sind zwey vnd zwenzig jar / vnd entschlieff mit seinen Vetern / Vnd sein son Nadab ward König an seine stat.

JEROBEAM / 22. jar König vber Jsrael.

NADAB.

REHABEAM am. 17. jar König in Juda.

SO WAR REHABEAM DER SON SALOMO / KÖNIG IN Juda / vierzig jar alt / war Rehabeam da er König ward / vnd regierte siebenzehen jar zu Jerusalem in der Stad / die der HERR erwelet hatte aus allen stemmen Jsrael / das er seinen Namen daselbs hin stellete. Seine mutter hies Naema ein Ammonitin. [22]Vnd Juda thet das dem HERRN vbel gefiel / vnd reitzeten jn zu Eiuer mehr / denn alles das jre Veter gethan hatten mit jren sünden die sie thaten. [23]Denn sie baweten jnen auch Höhe / Seulen / vnd Hayne auff allen hohen Hügeln / vnd vnter allen grünen bewmen. [24]Es waren auch Hurer im Lande / vnd sie theten alle die grewel der Heiden / die der HERR fur den kindern Jsrael vertrieben hatte.

SISAK.

ABer im fünfften jar des königs Rehabeam zoch Sisak der könig in Egypten er auff wider Jerusalem / [26]vnd nam die Schetze aus dem Hause des HERRN / vnd aus dem hause des Königes / vnd alles was zu nemen war / vnd nam alle güldene Schilde / die Salomo hatte lassen machen. [27]An welcher stat / lies der könig Rehabeam eherne schilde machen / vnd befalh sie vnter die hand der öbersten Drabanten / die der thür hutten am hause des Königes. [28]Vnd so offt der König in das Haus des HERRN gieng / trugen sie die Drabanten / vnd brachten sie wider in der Drabanten kamer.||

|| 197a

2. Par. 12.

[29]WAS aber mehr von Rehabeam zusagen ist / vnd alles was er gethan hat / Sihe / das ist geschrieben in der Chronica der könige Juda. [30]Es war aber Krieg zwisschen Rehabeam vnd Jerobeam jr leben lang. [31]Vnd Rehabeam entschlieff mit seinen Vetern / vnd ward begraben mit seinen Vetern in der stad Dauid / Vnd seine mutter hies Naema ein Ammonitin / Vnd sein son Abiam ward König an seine stat.

## XV.

JM ACHZEHENDEN JAR DES KÖNIGS JEROBEAM DAS sons Nebat / ward Abiam könig in Juda / [2]vnd regierte drey jar zu Jerusalem. Seine mutter hies Maecha eine tochter Abisalom. [3]Vnd er wandelt in allen sünden seines Vaters / die er vor jm gethan hatte / vnd sein Hertz war nicht rechtschaffen an dem HERRN seinem Gott / wie das hertz seines vaters Dauids. [4]Denn vmb Dauids willen / gab der HERR sein Gott jm ein Liecht zu Jerusalem / das er seinen Son nach jm erwecket vnd erhielt zu Jerusalem / [5]darumb / das Dauid gethan hatte das dem HERRN wolgefiel / vnd nicht gewichen war / von allem das er jm gebot / sein lebenlang / On in dem handel mit Vria dem Hethiter. [6]Es war aber ein Krieg zwisschen Rehabeam vnd Jerobeam sein lebenlang.

ABIAM 3. jar König in Juda.

[7]WAS aber mehr von Abiam zu sagen ist / vnd alles was er gethan hat / Sihe / das ist geschrieben in der Chronica der könige Juda. Es war aber Krieg zwisschen Abiam vnd Jerobeam. [8]Vnd Abiam entschlieff mit seinen Vetern / vnd sie begruben jn in der stad Dauid / Vnd Assa sein son ward König an seine stat.

2. Par. 14.

JM ZWENZIGSTEN JAR DES KÖNIGS JEROBEAM VBER Jsrael / ward Assa könig in Juda / [10]vnd regiert ein vnd vierzig jar zu Jerusalem. Seine mutter hies Maecha eine tochter Abisalom. [11]Vnd Assa thet das dem HERRN wolgefiel / wie sein vater Dauid / [12]Vnd thet die Hurer aus dem Lande / vnd thet ab alle Götzen / die seine Veter gemacht hatten. [13]Dazu setzt er auch seine mutter Maecha ab / vom Ampt / das sie dem Miplezeth gemacht hatte im Hayne / vnd Assa rottet aus jren Miplezeth / vnd verbrands im bach Kidron. [14]Aber die Höhen theten sie nicht abe / Doch war das hertz Assa rechtschaffen an dem HERRN / sein leben lang. [15]Vnd das silber vnd gold vnd gefess das sein Vater geheiliget hatte / vnd was geheiliget war zum Hause des HERRN / bracht er ein. [16]Vnd es war streit zwisschen Assa vnd Baesa dem Könige Jsrael jr leben lang.

ASSA 41. jar König in Juda.

(MIPLEZETH) Wer der Miplezeth gewesen sey / ist vngewis. Etliche sagen / es sey der Abgott Priapus gewesen.

2. Par. 16.

BAesa aber der könig Jsrael zoch er auff wider Juda / vnd bawet Rama / das niemand solt aus vnd einziehen auff Assa seiten des königs Juda. [18]Da nam Assa alles silber vnd gold das vbrig war

BAESA.

im schatz des Haus des HERRN / vnd im schatz des haus des Königes / vnd gabs in seiner Knechte hende / vnd sand sie zu Benhadad dem son Tabrimon / des sons Hesion / dem könige in Syrien / der zu Damasco wonet / vnd lies jm sagen. [19]Es ist ein Bund zwisschen mir vnd dir / vnd zwisschen meinem Vater vnd deinem vater / Drumb schicke ich dir ein Geschencke / silber vnd gold / das du fahren lassest den Bund / den du mit Baesa dem könige Jsrael hast / das er von mir abziehe.

BENHADAD.

[20]BEnhadad gehorchet dem könige Assa / vnd sandte seine Heubtleute wider die stedte Jsrael / vnd schlug Jion vnd Dan vnd Abel BethMaecha / das gantz Cineroth / an dem gantzen lande Naphthali. [21]Da das Baesa höret / lies er ab zu bawen Rama / vnd zoch wider gen Thirza. [22]Der könig Assa aber lies erschallen im gantzen Juda / Hie sol niemand vngestrafft bleiben. Vnd sie namen die stein vnd holtz von Rama weg / da mit Baesa gebawet hatte / Vnd der könig Assa bawete da mit Geba BenJamin vnd Mizpa. ‖

‖ 197b

[23]WAS aber mehr von Assa zu sagen ist / vnd alle seine macht vnd alles was er gethan hat / vnd die Stedte die er gebawet hat / Sihe / das ist geschrieben in der Chronica der könige Juda / On das er in seinem Alter an seinen füssen kranck war. [24]Vnd Assa entschlieff mit seinen Vetern / vnd ward begraben mit seinen Vetern in der stad Dauid seines Vaters / Vnd Josaphat sein son ward König an seine stat.

NADAB. II. jar König in Jsrael.

NAdab aber der son Jerobeam ward könig vber Jsrael im andern jar Assa des königs Juda / vnd regiert vber Jsrael zwey jar. [26]Vnd thet das dem HERRN vbel gefiel / vnd wandelt in dem wege seines Vaters vnd in seiner sunde / da mit er Jsrael hatte sündigen gemacht.

ABer Baesa der son Ahia aus dem hause Jsaschar macht einen Bund wider jn / vnd schlug jn zu Gibethon / welche war der Philister / Denn Nadab vnd das gantze Jsrael belagerten Gibethon. [28]Also tödtet jn Baesa im dritten jar vnd Assa des königs Juda / vnd ward König an seine stat. [29]Als er nu König war / schlug er das gantze haus Jerobeam / vnd lies nicht vber etwas das den odem hatte von Jerobeam / bis er jn vertilget / Nach dem wort des HERRN / das er geredt hatte durch seinen knecht Ahia von Silo. [30]Vmb der sünde willen Jerobeam

JEROBEAMS haus ausgerottet durch Baesa.

Sup. 14.

die er thet / vnd da mit Jsrael sündigen macht / mit dem reitzen / da mit erden HERRN den Gott Jsrael erzürnet.

[31]WAs aber mehr von Nadab zu sagen ist / vnd alles was er gethan hat / Sihe / das ist geschrieben in der Chronica der könige Jsrael. [32]Vnd es war krieg zwischen Assa vnd Baesa dem könige Jsrael jr leben lang.

BAESA 24. jar König in Jsrael.

JM dritten jar Assa des köngs Juda / ward Baesa der son Ahia könig vber das gantze Jsrael zu Thirza / vier vnd zwenzig jar / [34]Vnd thet das dem HERRN vbel gefiel / vnd wandelt in dem wege Jerobeam vnd in seiner sünde da mit er Jsrael hatte sündigen gemacht.

Sup. 14.

JEHU WEISsaget wider Baesa.

ES kam aber das wort des HERRN zu Jehu dem son Hanani wider Baesa / vnd sprach / [2]Darumb / das ich dich aus dem staub erhaben habe / vnd zum Fürsten gemacht vber mein volck Jsrael / Vnd du wandelst in dem wege Jerobeam / vnd machest mein volck Jsrael sündigen / das du mich erzürnest durch jre sünde / [3]Sihe / so wil ich die nachkomen Basea / vnd die Nachkomen seines hauses wegnemen / vnd wil dein haus setzen / wie das haus Jerobeam des sons Nebat. [4]Wer von Baesa stirbt in der Stad / den sollen die Hunde fressen / vnd wer von jm stirbt auff dem felde / den sollen die Vogel des Himels fressen.

[5]WAs aber mehr von Baesa zu sagen ist / vnd was er gethan hat / vnd seine macht / Sihe / das ist geschrieben in der Chronica der könige Jsrael. [6]Vnd Baesa entschlieff mit seinen Vetern / vnd ward begraben zu Thirza / vnd sein son Ella ward König an seine stat. [7]Auch das wort des HERRN kam durch den Propheten Jehu / den son Hanani / vber Baesa vnd vber sein Haus / vnd wider alles vbel das er thet fur dem HERRN / jn erzürnen durch die werck seiner hende / das er würde wie das haus Jerobeam / vnd darumb / das er diesen erschlagen hatte.

ELLA.

## XVI.

ELLA. II. JAR König in Jsrael.

JM SECHS VND ZWENZIGSTEN JAR ASSA DES KÖNIGS Juda / ward Ella der son Baesa könig vber Jsrael zu Thirza zwey jar. [9]Aber sein knecht Simri der öberst vber die helfft der Wagen / macht einen Bund wider jn / Er aber war zu Thirza / tranck vnd war truncken im hause Arza des Vogts zu Thirza. [10]Vnd Simri kam hin ein vnd schlug jn tod / im sieben vnd zwenzigsten jar Assa des königs Juda / vnd ward König an seine stat.

[11]VND da er König war / vnd auff seinem Stuel sass / schlug er das gantze ‖ haus Baesa / vnd lies nicht vber auch der an die wand pisset / dazu seine Erben vnd seine Freunde. [12]Also vertilget Simri das gantze haus Baesa / nach dem wort des HERRN / das er vber Baesa geredt hatte / durch den Propheten Jehu / [13]vmb aller sunde willen Baesa vnd seines sons Ella / die sie theten / vnd Jsrael sündigen machten / den HERRN den Gott Jsrael zu erzürnen durch jre Abgötterey. [14]Was aber mehr von Ella zu sagen ist / vnd alles was er gethan hat / Sihe / das ist geschrieben in der Chronica der könige Jsrael.

‖ 198a

SIMRI VERtilget das hause Baesa.

Sup. 15.

JM sieben vnd zwenzigsten jar Assa des königs Juda / ward Simri König sieben tage zu Thirza / Denn das volck lag fur Gibbethon der Philister. [16]Da aber das volck im Lager höret sagen / das Simri einen Bund gemacht vnd auch den König erschlagen hette / Da machte gantz Jsrael desselben tags Amri den Feldheubtman zum Könige vber Jsrael im Lager.

SIMRI IST 7. tage Könige.

AMRI.

VND Amri zoch er auff vnd das gantze Jsrael mit jm von Gibbethon / vnd belagerten Thirza. [18]Da aber Simri sahe / das die Stad solt gewonnen werden / gieng er in den Pallast im hause des Königs / vnd verbrand sich mit dem hause des Königs / vnd starb [19]vmb seiner sünde willen / die er gethan hatte / das er thet das dem HERRN vbel gefiel / vnd wandelt in dem wege Jerobeam / vnd in seiner sünde / die er thet das er Jsrael sündigen machte. [20]Was aber mehr von Simri zu sagen ist / vnd wie er einen Bund machte / Sihe / das ist geschrieben in der Chronica der könige Jsrael.

DAzumal teilet sich das volck Jsrael in zwey teil / Eine helffte hieng an Thibni dem son Ginath / das sie jn zum Könige machten / Die ander helfft aber hieng an Amri. [22]Aber das volck das an Amri hieng / ward stercker denn das volck das an Thibni hieng dem son Ginath / vnd Thibni starb / da ward Amri könig.

THIBNI.

JM ein vnd dreissigsten jar Assa des königs Juda / ward Amri könig vber Jsrael zwelff jar / vnd regiert zu Thirza sechs jar. [24]Er kaufft den berg Samaria von Semer vmb zween Centner silbers / vnd bawet auff den Berg / vnd hies die Stad / die er

AMRI XII. JAR König vber Jsrael.

SAMARIA.

bawet nach dem namen Semer / des berges Herrn / Samaria. [25]Vnd Amri thet das dem HERRN vbel gefiel / vnd war erger / denn alle die vor jm gewesen waren / [26]vnd wandelt in allen wegen Jerobeam des sons Nebat / vnd in seinen sünden / damit er Jsrael sündigen machte / das sie den HERRN den Gott Jsrael erzürneten in jrer Abgötterey.

[27]WAS aber mehr von Amri zu sagen ist / vnd alles was er gethan hat / vnd seine macht die er geübet hat / sihe / das ist geschrieben in der Chronica der könige Jsrael. [28]Vnd Amri entschlieff mit seinen Vetern / vnd ward begraben zu Samaria / Vnd Ahab sein son ward König an seine stat.

JM acht vnd dreissigsten jar Assa des königs Juda / ward Ahab der son Amri könig vber Jsrael / vnd regiert vber Jsrael zu Samaria zwey vnd zwenzig jar. [30]Vnd thet das dem HERRN vbel gefiel / vber alle die vor jm gewesen waren. [31]Vnd war jm ein gerings / das er wandelt in der sünde Jerobeam des sons Nebat / Vnd nam da zu Jsebel die tochter EthBaal des königs zu Zidon zum weibe. Vnd gieng hin vnd dienet Baal vnd betet jn an / [32]Vnd richtet Baal einen Altar auff im hause Baal / das er jm bawete zu Samaria / [33]vnd machet einen Hayn / Das Ahab mehr thet den HERRN den Gott Jsrael zu erzürnen / denn alle könige Jsrael die vor jm gewesen waren.

AHAB XXII. JAR König vber Jsrael.

JSEBEL.

Samaria gebawet.

ZVR selben zeit bawet Hiel von BethEl Jeriho / Es kostet jn seinen ersten son Abiram / da er den grund leget / vnd seinen jüngsten son Segub / da er die thüren setzet / Nach dem wort des HERRN / das er geredt hatte durch Josua den son Nun.

HIEL BAWET Jeriho.

Josu. 6.

|| 198 b

## XVII.

Eccl. 48.

VND ES SPRACH ELIA DER THISBITER AUS DEN bürgern Gilead zu Ahab / So war der HERR der Gott Jsrael lebet fur dem ich stehe / Es sol diese jar weder Taw noch Regen komen / ich sage es denn.

THEWRUNG ZU Elias zeiten.

VND das wort des HERRN kam zu jm / vnd sprach / [3]Gehe weg von hinnen / vnd wende dich gegen morgen / vnd verbirge dich am bach Crith / der gegen dem Jordan fleusst / [4]Vnd solt vom Bach trincken / vnd ich hab den Raben geboten / das sie dich daselbs sollen versorgen. [5]Er aber gieng hin / vnd thet nach dem wort des HERRN /

vnd gieng weg / vnd setzt sich am bach Crith / der gegen dem Jordan fleusst. [6]Vnd die Raben brachten jm Brot vnd Fleisch / des morgens vnd des abends / Vnd er tranck des bachs.

VVD es geschach nach etlichen tagen / das der Bach vertrocknet / denn es war kein Regen im Lande. [8]Da kam das wort des HERRN zu jm / vnd sprach / [9]Mach dich auff vnd gehe gen Zarpath / welche bey Zidon ligt / vnd bleibe daselbs / Denn ich habe daselbs einer Widwen geboten / das sie dich versorge.

Luc. 4.

WIDWE ZU Zarpath.

[10]VND er macht sich auff / vnd gieng gen Zarpath. Vnd da er kam an die thur der Stad / Sihe / da war eine Widwen / vnd las holtz auff / Vnd er rieff jr / vnd sprach / Hole mir ein wenig wasser im Gefesse das ich trincke. [11]Da sie aber hin gieng zu holen / rieff er jr / vnd sprach / Bringe mir auch einen bissen brots mit. [12]Sie sprach / So war der HERR dein Gott lebet / ich habe nichts gebackens / On ein hand vol melhs im Cad / vnd ein wenig öle im Kruge / Vnd sihe / ich hab ein holtz oder zwey auffgelesen / vnd gehe hin ein / vnd wil mir vnd meinem Son zurichten / das wir essen / vnd sterben.

[13]ELia sprach zu jr / fürchte dich nicht / Gehe hin vnd machs / wie du gesagt hast / Doch mache mir am ersten ein kleines gebackens dauon / vnd bringe mirs er aus / Dir aber vnd deinem Son soltu darnach auch machen. [14]Denn also spricht der HERR der Gott Jsrael / Das melh im Cad sol nicht verzeret werden / vnd dem Olekrug sol nichts mangeln / Bis auff den tag / da der HERR regen lassen wird auff Erden. [15]Sie gieng hin vnd machet / wie Elia gesagt hatte / Vnd er ass / vnd sie auch vnd jr Haus / eine zeit lang. [16]Das melh im Cad ward nicht verzeret / vnd dem Olekrug mangelte nichts / nach dem wort des HERRN / das er geredt hatte durch Elia.

ELIA MACHT seiner Wirtin Son lebendig.

VND NACH DIESEN GESCHICHTEN WARD DES Weibs / seiner Hauswirtin Son kranck / vnd seine kranckheit war so seer hart / das kein odem mehr in jm bleib. [18]Vnd sie sprach zu Elia / Was hab ich mit dir zu schaffen du man Gottes? Du bist zu mir her ein komen / das meiner missethat gedacht / vnd mein Son getödtet würde. [19]Er sprach zu jr / Gib mir her deinen Son. Vnd er nam jn von jrer schos / vnd gieng hin auff auff den Saal da er wonet / vnd legt jn auff sein Bette / [20]vnd rieff den HERRN an / vnd sprach / HERR mein Gott /

Hastu auch der Widwen bey der ich ein Gast bin / so vbel gethan / das du jren Son tödtest?

[21]VND er mas sich vber dem Kinde drey mal / vnd rieff den HERRN an / vnd sprach / HERR mein Gott / las die seele dieses Kindes wider zu jm komen. [22]Vnd der HERR erhöret die stim Elia / Vnd die seele des Kinds kam wider zu jm / vnd ward lebendig. [23]Vnd Elia nam das Kind vnd brachts hin ab vom Saal ins haus / vnd gabs seiner Mutter / vnd sprach / Sihe da / dein Son lebt. [24]Vnd das Weib sprach zu Elia / Nu erkenne ich / das du ein man Gottes bist / vnd des HERRN wort in deinem munde ist warheit.

‖ 199 a

## XVIII.

VND VBER EINE LANGE ZEIT / KAM DAS WORT DES HERRN zu Elia im dritten jar / vnd sprach / Gehe hin vnd zeige dich Ahab / das ich regen lasse auff Erden. [2]Vnd Elia gieng hin das er sich Ahab zeigete / Es war aber eine grosse Tewrung zu Samaria.

THEWRUNG ZU Elia zeiten.

VND Ahab rieff ObadJa seinem Hofmeister (ObadJa aber furchte den HERRN seer / [4]Denn da Jsebel die Propheten des HERRN ausrottet / nam ObadJa hundert Propheten / vnd versteckt sie in der Hölen / hie funffzig / vnd da funffzig / vnd versorget sie mit brot vnd wasser) [5]So sprach nu Ahab zu ObadJa / Zeuch durchs Land zu allen Wasserbrunnen vnd Bechen / ob wir möchten hew finden / vnd die Ross vnd Meuler erhalten / das nicht das Vieh alles vmbkome. [6]Vnd sie teileten sich ins Land / das sie es durchzogen / Ahab zoch allein auff einen weg / vnd ObadJa auch allein den andern weg.

JSEBEL TÖDTET die Propheten.

DA nu ObadJa auff dem wege war / Sihe / da begegenet jm Elia / Vnd da er jn kennet / fiel er auff sein andlitz / vnd sprach / Bistu nicht mein Herr Elia? [8]Er sprach / Ja. Gehe hin vnd sage deinem Herrn / Sihe / Elia ist hie. [9]Er aber sprach / Was hab ich gesündiget / das du deinen Knecht wilt in die hende Ahab geben / das er mich tödte? [10]So war der HERR dein Gott lebt / Es ist kein Volck noch Königreich da hin mein Herr nicht gesand hat / dich zu suchen / Vnd wenn sie sprachen / Er ist nicht hie / Nam er einen Eid von dem Königreich vnd Volck / das man dich nicht funden hette.

[11]VND du sprichst nu / Gehe hin / sage deinem Herrn / Sihe / Elia ist hie. [12]Wenn ich nu hin gienge von dir / so würde dich der Geist des HERRN wegnemen / weis nicht wo hin / vnd ich denn keme vnd sagets Ahab an / vnd fünde dich nicht / so erwürgete er mich. Aber dein Knecht fürcht den HERRN von seiner jugent auff. [13]Jsts meinem Herrn nicht angesagt / was ich gethan habe / da Jsebel die Propheten des NERRN erwürget? Das ich der Propheten des HERRN hundert versteckt / hie funffzig vnd da funffzig / in der Höle / vnd versorget sie mit brot vnd wasser? [14]Vnd du sprichst / Nu gehe hin / sage deinem Herrn / Elia ist hie / das er mich erwürge. [15]Elia sprach / So war der HERR Zebaoth lebet / fur dem ich stehe / Jch wil mich jm heute zeigen.

DA gieng ObadJa hin Ahab entgegen / vnd sagts jm an / Vnd Ahab gieng hin Elia entgegen. [17]Vnd da Ahab Elia sahe / sprach Ahab zu jm / Bistu der Jsrael verwirret? [18]Er aber sprach / Jch verwirre Jsrael nicht / Sondern du vnd deins vaters Haus / da mit / das jr des HERRN Gebot verlassen habt / vnd wandelt Baalim nach. [19]Wolan / So sende nu hin / vnd versamle zu mir das gantze Jsrael auff den berg Carmel / vnd die vier hundert vnd funffzig Propheten Baal / Auch die vier hundert Propheten des Hayns / die vom tisch Jsebel essen. [20]Also sandte Ahab hin vnter alle kinder Jsrael / vnd versamlet die Propheten auff dem berg Carmel.

PROPHETEN Baal vnd des Hayns.

DA trat Elia zu allem volck / vnd sprach / Wie lange hincket jr auff beiden seiten? Jst der HERR Gott / so wandelt jm nach / Jsts aber Baal / so wandelt jm nach / Vnd das Volck antwortet jm nichts. [22]Da sprach Elia zum volck / Jch bin allein vberblieben ein Prophet des HERRN / Aber der Propheten Baal sind vier hundert vnd funffzig man. [23]So gebt vns nu zween Farren / vnd lasst sie erwelen einen Farren / vnd jn zustücken vnd auffs holtz legen / vnd kein fewr dran legen / So wil ich den andern Farren nemen / vnd auffs holtz legen / vnd auch kein fewr dran legen. [24]So ruffet jr an den namen ewrs Gottes / vnd ich wil den Namen des HERRN anruffen / Welcher Gott nu mit fewr antworten wird / der sey Gott. Vnd das gantze volck antwortet / vnd sprach / Das ist recht.

[25]VND Elia sprach zu den Propheten Baal / Erwelet jr einen Farren / vnd ‖ macht am ersten / ‖ 199b

Denn ewr ist viel / vnd ruffet ewrs Gottes namen an / vnd legt kein fewr dran. [26]Vnd sie namen den Farren / den er jnen gab / vnd richten zu / vnd rieffen an den namen Baal / von morgen an bis an den mittag / vnd sprachen / Baal erhöre vns. Aber es war da kein stimme noch antwort / Vnd sie [a]hincketen vmb den Altar den sie gemacht hatten. [27]Da es nu mittag ward / spottet jr Elia / vnd sprach / Rufft laut / denn er ist ein Gott / Er tichtet oder hat zu schaffen / oder ist vber feld / oder schlefft vieleicht / das er auffwache. [28]Vnd sie rieffen laut / vnd ritzeten sich mit Messern vnd Pfrümen / nach jrer weise / bis das jr blut her nach gieng. [29]Da aber der mittag vergangen war / weissagten sie / bis das man das Speisopffer thun solt / vnd war da keine stimme / noch antwort / noch Auffmercker.

a (Hincketen) Die falschen Heiligen wenn sie andechtig sein wöllen / werffen sie den Kopff zu beiden seiten / wie eine Gans gehet / das es scheinet / wie ein Hinckender zu beiden seiten hin vnd her wackelt. Da her auch das Passah kompt / Exo. 12. Da Gott in Egypten durchgieng vnd hincket / das er schlug tod zu beiden seiten hie vnd da / wie ein truncken man gehet. Sic supra / Vt quid claudicatis in duas partes? Significat impios esse vagos et duplices animo / nihil certi habere / Eph. 4. Jnde etiam saltare dicuntur tales / quia motu capitum similes sunt saltantibus et vere capitibus saltant.

DA sprach Elia zu allem volck / Kompt her alles volck zu mir / Vnd da alles Volck zu jm trat / heilet er den Altar des HERRN der zubrochen war. [31]Vnd nam zwelff Steine / nach der zal der Stemme der kinder Jacob (zu welchem das wort des HERRN redet / vnd sprach / Du solt Jsrael heissen) [32]vnd bawet von den steinen einen Altar im Namen des HERRN / Vnd macht vmb den Altar her eine gruben / zwey Kornmas weit. [33]Vnd richtet das holtz zu / vnd zustücket den Farren / vnd legt jn auffs holtz. [34]Vnd sprach / Holet vier Cad wasser vol / vnd giesset es auff das Brandopffer vnd auffs holtz. Vnd sprach / Thuts noch ein mal / Vnd sie thetens noch ein mal. Vnd er sprach / Thuts zum dritten mal / Vnd sie thetens zum dritten mal /

Gen. 32.

schlachtet die Propheten Baal.

[35]Vnd das Wasser lieff vmb den Altar her / vnd die grube ward auch vol wassers.

[36]VND da die zeit war Speisopffer zu opffern / trat Elia der Prophet erzu / vnd sprach / HERR Gott Abraham / Jsaac vnd Jsrael / Las heute kund werden / das du Gott in Jsrael bist / vnd ich dein Knecht / vnd das ich solchs alles nach deinem wort gethan habe. [37]Erhöre mich HERR / erhöre mich / Das dis Volck wisse / das du HERR Gott bist / das du jr hertz darnach bekerest. [38]Da fiel das fewr des HERRN erab / vnd frass / Brandopffer / holtz / stein vnd erden / vnd lecket das wasser auff jn der gruben. [39]Da das alles Volck sahe / fiel es auff sein angesicht / vnd sprachen / Der HERR ist Gott / Der HERR ist Gott.

ELia aber sprach zu jnen / Greifft die Propheten Baal / das jr keiner entrinne / || Vnd sie griffen sie. Vnd Elia füret sie hin ab an den bach Kison / vnd schlachtet sie daselbs. || 200a

VND Elia sprach zu Ahab / Zeuch hin auff / iss vnd trinck / denn es rausschet als wolts seer regen. [42]Vnd da Ahab hin auff zoch zu essen vnd zu trincken / gieng Elia auff des Carmels spitzen / vnd bücket sich zur erden / vnd thet sein Heubt zwisschen seine knie. [43]Vnd sprach zu seinem Knaben / Gehe hin auff / vnd schawe zum Meer zu. Er gieng hin auff vnd schawet / vnd sprach Es ist nichts da. Er sprach / Gehe wider hin sieben mal. [44]Vnd im siebenden mal sprach er / Sihe / Es gehet eine kleine Wolcke auff aus dem Meer / wie eins Mans hand. Er sprach / Gehe hin auff vnd sage Ahab / Span an / vnd fahre hin ab / das dich der Regen nicht ergreiffe. [45]Vnd ehe man zusahe / ward der Himel schwartz von wolcken vnd wind / vnd kam ein grosser regen / Ahab aber fuhr vnd zoch gen Jsreel. [46]Vnd die hand des HERRN kam vber Elia / vnd er gürtet seine Lenden vnd lieff fur Ahab hin / bis er kam gen Jesreel.

## XIX.

VND AHAB SAGET JSEBEL AN / ALLES WAS ELIA gethan hatte / vnd wie er hatte alle Propheten Baal mit dem Schwert erwürget. [2]Da sandte Jsebel einen Boten zu Elia / vnd lies jm sagen / Die Götter thun mir dis vnd das / wo ich nicht morgen vmb diese zeit / deiner Seele thu / wie dieser seele eine.

DA er das [a]sahe / macht er sich auff / vnd gieng wo er hin wolt / vnd kam gen BerSeba in Juda / vnd lies seinen Knaben daselbs. [4]Er aber gieng hin in die wüsten eine Tagreise / vnd kam hin ein vnd setzet sich vnter eine Wacholdern / vnd bat / das seine Seele stürbe / vnd sprach / Es ist gnug / So nim nu HERR meine Seele / Jch bin nicht besser / denn meine Veter. [5]Vnd legt sich vnd schlieff vnter der Wacholdern.

a Alij / Timuit.

VND sihe / der Engel rüret jn / vnd sprach zu jm / Stehe auff / vnd iss. [6]Vnd er sahe sich vmb / Vnd sihe / zu seinen heubten lag ein geröstet Brot / vnd eine kanne mit Wasser / Vnd da er gessen vnd getruncken hatte / legt er sich wider schlaffen. [7]Vnd der Engel des HERRN kam zum andern mal wider / vnd rüret jn / vnd sprach / Stehe auff vnd iss / denn du hast einen grossen weg fur dir. [8]Vnd er stund auff vnd ass vnd tranck / vnd gieng durch krafft der selben selben speise vierzig tage vnd vierzig nacht bis an den berg Gottes Horeb.

VND kam daselbs in eine Höle / vnd bleib daselbs vber nacht / Vnd sihe / das wort des HERRN kam zu jm / vnd sprach zu jm / Was machstu hie Elia? [10]Er sprach / Jch hab geeiuert vmb den HERRN den Gott Zebaoth / Denn die kinder Jsrael haben deinen Bund verlassen / vnd deine Altar zubrochen / vnd deine Propheten mit dem Schwert erwürget / vnd ich bin alleine vberblieben / vnd sie stehen darnach / das sie mit mein Leben nemen. [11]Er sprach / Gehe er aus / vnd trit auff den Berg fur dem HERRN / vnd sihe / Der HERR gieng fur vber / vnd ein grosser starcker Wind / der die Berge zureis vnd die Felsen zubrach fur dem HERRN her / Der HERR aber war nicht im winde. Nach dem winde aber kam ein Erdbeben / Aber der HERR war nicht im erdbeben. [12]Vnd nach dem Erdbeben kam ein Fewr / Aber der HERR war nicht im fewr. Vnd nach dem Fewr kam ein still sanfftes Sausen.

Rom. 11.

[13]DA das Elia höret / verhüllet er sein andlitz mit seinem Mantel / vnd gieng er aus vnd trat in die thür der Hölen / vnd sihe / da kam eine stim zu jm / vnd sprach / Was hastu hie zu thun Elia? [14]Er sprach / Jch hab vmb den HERRN den Gott Zebaoth geeiuert / Denn die kinder Jsrael haben deinen Bund verlassen / Deine Altar zubrochen / deine Propheten mit dem Schwert erwürget / vnd

Rom. 11.

ich bin allein vberblieben / vnd sie stehen darnach das sie mir das Leben nemen.‖ ‖ 200b

ABer der HERR sprach zu jm / Gehe widerumb deines weges durch die wüsten gen Damascon / vnd gehe hin ein vnd salbe Hasael zum könige vber Syrien / [16]vnd Jehu den son Nimsi zum könige vber Jsrael / vnd Elisa den son Saphat von Abel Mehola zum Propheten an deine stat. [17]Vnd sol geschehen / das / wer dem schwert Hasael entrinnet / den sol Jehu tödten / Vnd wer dem schwert Jehu entrinnet / den sol Elisa tödten. [18]VND ICH WIL LASSEN VBER BLEIBEN SIEBEN TAUSENT IN JSRAEL / NEMLICH / ALLE KNIE DIE SICH NICHT GEBEUGET HABEN FUR BAAL / VND ALLEN MUND DER JN NICHT GEKÜSSET HAT.

Eccl. 48.
4. Reg. 9.
Rom. 11.

ELISA.

VND er gieng von dannen / vnd fand Elisa den son Saphat / das er pflüget mit zwelff Jochen fur sich hin / vnd er war selbs vnter den zwelffen / vnd Elia gieng zu jm / vnd warff seinen Mantel auff jn. [20]Er aber lies die Rinder / vnd lieff Elia nach / vnd sprach / Las mich meinen Vater vnd meine Mutter küssen / so wil ich dir nachfolgen. Er sprach zu jm / Gehe hin vnd kom wider / denn ich hab etwas mit dir zu thun. [21]Vnd er lieff wider von jm vnd nam ein joch Rinder vnd opffert es / vnd kochet das fleisch mit dem holtzwerg an den rindern / vnd gabs dem Volck das sie assen / Vnd macht sich auff vnd folgete Elia nach / vnd dienete jm.

## XX.

BENHADAD belagert Samariam.

VND BENHADAD DER KÖNIG ZU SYRIEN VERSAMlet alle seine macht / vnd waren zwey vnd dreissig Könige mit jm vnd ross vnd wagen / vnd zoch erauff vnd belagert Samariam / vnd streit wider sie. [2]Vnd sandte Boten zu Ahab dem könige Jsrael in die stad / [3]vnd lies jm sagen / So spricht Benhadad / Dein silber vnd dein gold ist mein / vnd deine Weiber vnd deine besten Kinder sind auch mein. [4]Der könig Jsrael antwortet / vnd sprach / Mein Herr könig / wie du geredt hast / Jch bin dein / vnd alles was ich hab.

[5]VND die Boten kamen wider / vnd sprachen / So spricht Benhadad / Weil ich zu dir gesand habe / vnd lassen sagen / Dein silber vnd dein gold / deine Weiber vnd deine Kinder soltu mir geben / [6]So wil ich morgen vmb diese zeit meine Knechte zu

sieget wider die Syrer.

dir senden / das sie dein Haus / vnd deiner Vnterthanen heuser besuchen / vnd was dir lieblich ist / sollen sie in jre hende nemen vnd wegtragen.

DA rieff der könig Jsrael allen Eltesten des Lands / vnd sprach / Merckt vnd sehet / wie böse ers furnimpt. Er hat zu mir gesand vmb meine Weiber vnd Kinder / silber vnd gold / vnd ich hab jm des nicht geweret. 8Da sprachen zu jm alle Alten / vnd alles volck / Du solt nicht gehorchen noch bewilligen. 9Vnd er sprach zu den Boten Benhadad / Saget meinem Herrn dem könige / Alles was du am ersten deinem knecht entboten hast / wil ich thun / Aber dis kan ich nicht thun. Vnd die Boten giengen hin vnd sagten solchs wider. 10Da sandte Benhadad zu jm / vnd lies jm sagen / Die Götter thun mir dis vnd das / wo der staub Samaria gnug sein sol / das alles Volck vnter mir ein handuol dauon bringe. 11Aber der könig Jsrael antwortet / vnd sprach / Saget / der den Harnisch anlegt / sol sich nicht rhümen / als der jn hat abgelegt. 12Da das Benhadad höret (vnd er eben tranck mit den Königen in den Gezelten) sprach er zu seinen Knechten / Schicket euch / Vnd sie schickten sich wider die Stad.

(Nicht rhümen) Das ist / Er sprech nicht hui / ehe er vber den berg komet / Denn wer gewonnen hat / der legt den Harnisch ab / vnd mag sich rhümen. Wer jn aber anlegt / hat drumb noch nicht gewonnen.

VND / sihe / ein Prophet trat zu Ahab dem könige Jsrael / vnd sprach / So spricht der HERR / Du hast je gesehen alle diesen grossen Hauffen? Sihe / Jch wil jn heute in deine hand geben / Das du wissen solt / Jch sey der HERR. 14Ahab sprach / Durch wen? Er sprach / so spricht der HERR / Durch die knaben der Landuögte. Er sprach / Wer sol den streit anspannen? Er sprach / Du. 15Da zelet er die knaben der Landuögte / vnd jr war zwey hundert vnd zween vnd dreissig / Vnd zelet nach jnen das gantze volck aller kinder || Jsrael / sieben tausent Man / 16vnd zogen aus im mittage. Benhadad aber tranck vnd war truncken im Gezelt / sampt den zwey vnd dreissig Königen / die jm zu hülff komen waren. 17Vnd die knaben der Landuögte zogen am ersten aus.

|| 201 a

BEnhadad aber sandte aus / vnd die sagten jm an / vnd sprachen / Es ziehen menner aus Samaria. 18Er sprach / Greiffet sie lebendig / sie seien vmb friede oder vmb streit willen ausgezogen. 19Da aber die knaben der Landuögte waren ausgezogen vnd das Heer jnen nach / 20schlug ein jglicher wer jm fur kam. Vnd die Syrer flohen / Vnd Jsrael jaget

sieget wider die Syrer.

jnen nach. Vnd Benhadad der könig zu Syrien entran mit rossen vnd reutern. [21]Vnd der könig Jsrael zoch aus vnd schlug ross vnd wagen / das er an den Syrern eine grosse schlacht thet.

SYRER GEschlagen.

DA trat ein Prophet zum könige Jsrael / vnd sprach zu jm / Gehe hin vnd stercke dich / vnd mercke vnd sihe / was du thust / Denn der könig zu Syrien wird wider dich er auff ziehen / wenn das jar vmb ist. [23]Denn die knechte des königs zu Syrien sprachen zu jm / Jre Götter sind berge Götter / darumb haben sie vns angewunnen / O das wir mit jnen auff der Ebene streitten müsten / Was gilts / wir wolten jnen angewinnen? [24]Thu jm also / thu die Könige weg / ein jglichen von seinem ort / vnd stelle Herrn an jre stete / [25]vnd ordene dir ein Heer wie das Heer war / das du verloren hast / vnd ross vnd wagen / wie jene waren / vnd las vns wider sie streitten auff der Ebene / Was gilts / wir wöllen jnen obligen? Er gehorchet jrer stimme / vnd thet also.

[26]ALs nu das jar vmb war / ordenet Benhadad die Syrer / vnd zoch er auff gen Aphek wider Jsrael zu streitten. [27]Vnd die kinder Jsrael ordenten sich auch / vnd versorgeten sich / vnd zogen hin / jnen entgegen / vnd lagerten sich gegen sie wie zwo klein Herde zigen / Der Syrer aber war das Land vol.

VND es trat ein man Gottes erzu / vnd sprach zum könige Jsrael / So spricht der HERR / Darumb / das die Syrer haben gesagt / Der ERRR sey ein Gott der berge / vnd nicht ein Gott der gründe / So hab ich alle diesen grossen Hauffen in deine hand gegeben / Das jr wisset / Jch sey der HERR. [29]Vnd sie lagerten sich stracks gegen jene sieben tage. Am siebenden tage zogen sie zu haufl im streit / Vnd die kinder Jsrael schlugen der Syrer hundert tausent Fusuolcks auff einen tag. [30]Vnd die vbrigen flohen gen Aphek in die Stad / vnd die maur fiel auff die vbrigen sieben vnd zwenzig tausent man. Vnd Benhadad floch auch in die Stad von einer Kamer in die ander.

KÖNIG VON Syrien geschlagen.

DA sprachen seine Knechte zu jm / Sihe / Wir haben gehöret / das die Könige des hauses Jsrael barmhertzige könige sind / So last vns secke vmb vnser Lenden thun / vnd stricke vmb vnser Heubte vnd zum könige Jsrael hinaus gehen / vieleicht lesst er deine Seele leben. [32]Vnd sie gürteten secke vmb jre Lenden / vnd stricke vmb jre Heubter / vnd kamen zum könige Jsrael / vnd sprachen / Benhadad dein Knecht lest dir sagen / Lieber / las meine Seele leben. Er aber sprach / Lebt er noch / so ist er mein Bruder. [33]Vnd die Menner namen eilend das wort von jm / vnd deutens fur sich vnd sprachen / Ja dein bruder Benhadad. Er sprach / Kompt / vnd bringet jn. Da gieng Benhadad zu jm er aus. Vnd lies jn auff den Wagen sitzen. [34]Vnd sprach zu jm / Die Stedte die mein Vater deinem Vater genomen hat / wil ich dir widergeben / vnd mache dir Gassen zu Damasco / wie mein Vater zu Samaria gethan hat / So wil ich mit einem Bund dich lassen / Vnd er macht mit jm einen Bund / vnd lies jn ziehen.

DA sprach ein Man vnter den kindern der Propheten zu seinem Nehesten / durch das wort des HERRN / Lieber / schlahe mich / Er aber wegert sich jn zu schlahen. [36]Da sprach er zu jm / Darumb / das du der stim des HERRN nicht hast gehorcht / Sihe / so wird dich ein Lewe schlahen / wenn du von mir gehest / Vnd da er von jm abgieng fand jn ein Lewe vnd schluge jn. [37]Vnd er fand einen andern Man / vnd sprach / Lieber schlahe mich / Vnd der || man schlug jn wund. [38]Da gieng der Prophet hin / vnd trat zum Könige an den weg / vnd verstellet sein angesicht mit asschen. [39]Vnd da der König fur vberzoch / schrey er den König an / vnd sprach / Dein Knecht war ausgezogen mitten im streit / vnd sihe / ein Man war gewichen / vnd bracht einen Man zu mir / vnd sprach / Verware diesen Man / wo man sein wird missen / So sol deine Seele an stat seiner seele sein / Oder solt ein Centner silbers darwegen. [40]Vnd da dein Knecht hie vnd da zuthun hatte / war der nicht mehr da. Der könig Jsrael sprach zu jm / das ist dein Vrteil / du hasts selbs gefellet.

|| 201 b

[41]DA thet er eilend die asschen von seinem angesicht / Vnd der könig Jsrael kennet jn / das er der Propheten einer war. [42]Vnd er sprach zu jm / So spricht der HERR / Darumb / das du hast den verbanten Man von dir gelassen / wird deine Seele fur seine seele sein / vnd dein Volck fur sein volck. [43]Aber der könig Jsrael zoch hin / vnmuts vnd zornig in sein haus / vnd kam gen Samaria.

Jnfr. 22.

## XXI.

Naboth.

NACH DIESEN GESCHICHTEN BEGAB SICHS / DAS Naboth ein Jesreeliter einen Weinberg hatte zu Jesreel bey dem Pallast Ahab des königes zu Samaria. [2]Vnd Ahab redet mit Naboth / vnd sprach / Gib mir deinen Weinberg / Jch wil mir einen Kolgarten draus machen / weil er so nahe an meinem Hause ligt / Jch wil dir einen bessern Weinberg dafür geben / Oder so dirs gefelt / wil ich dir Silber dafür geben / so viel er gilt. [3]Aber Naboth sprach zu Ahab / das las der HERR fern von mir sein / das ich dir meiner Veter erbe solt geben.

DA kam Ahab heim vnmuts vnd zornig vmb des worts willen / das Naboth der Jesreeliter zu jm hatte gesagt / vnd gesprochen / Jch wil dir meiner Veter erbe nicht geben / Vnd er leget sich auff sein Bette / vnd wand sein andlitz vnd ass kein Brot.

[5]DA kam zu jm hin ein Jsebel sein weib / vnd redet mit jm / Was ists / das dein geist so vnmuts ist / vnd das du nicht brot issest? [6]Er sprach zu jr / Jch habe mit Naboth dem Jesreeliten geredt / vnd gesagt / Gib mir deinen Weinberg vmb geld / Oder so du lust dazu hast / wil ich dir einen andern dafür geben / Er aber sprach / Jch wil dir meinen Weinberg nicht geben. [7]Da sprach Jsebel sein weib zu jm / Was were fur ein Königreich in Jsrael wenn du thetest? Stehe auff vnd iss brot / vnd sey gutes muts / Jch wil dir den weinberg Naboth des Jesreeliten verschaffen.

(Wenn du) Tu nunc facis regnum super Jsrael / id est / Bistus doch ders macht / das Jsrael ein Königreich ist / On dich were es ein Nichts.

VNd sie schreib brieue vnter Ahabs namen / vnd versiegelt sie mit seinem Pitschir / vnd sandte sie zu den Eltesten vnd Obersten in seiner Stad / die vmb Naboth woneten. [9]Vnd schreib also in den brieuen / Lasst eine Fasten ausschreien / vnd setzt Naboth oben an im Volck / [10]vnd stellet zween loser Buben fur jn / die da zeugen / vnd sprechen / Du hast Gott vnd dem König gesegenet / Vnd füret jn hin aus / vnd steiniget jn / das er sterbe.

(Gesegenet) Das ist / Er hat gelestert / denn die schrifft das grausame Laster / das Gott lestern heisst an diesem ort auffs züchtigest nennet / wie auch Hiob am 3. stehet. Gott

[11]VND die Eltesten vnd Obersten in seiner Stad / die in seiner stad woneten theten wie jnen Jsebel entboten hatte / wie sie in den Brieuen geschrieben hatte / die sie zu jnen sandte. [12]Vnd liessen ein Fasten ausschreien / vnd liessen Naboth oben an vnter dem Volck sitzen. [13]Da kamen die zween lose Buben / vnd stelleten sich fur jm / vnd zeugeten wider Naboth fur dem volck / vnd sprachen /

Naboth hat Gott vnd dem Könige gesegenet / Da füreten sie jn fur die Stad hin aus / vnd steinigeten jn / das er starb.

[14]VND sie entboten Jsebel vnd liessen jr sagen / Naboth ist gesteiniget vnd tod. [15]Da aber Jsebel höret / das Naboth gesteiniget vnd tod war / sprach sie zu Ahab / Stehe auff vnd nim ein den weinberg Naboth des Jesreeliten / welchen er sich wegert dir vmb geld zu geben / Denn Naboth lebt nimer / sondern ist tod. [16]Da Ahab höret / das Naboth tod war / stund er auff das er hin ab gienge zum weinberge Naboth des Jesreeliten / vnd jn einneme.||

NABOTH gesteiniget.

|| 202 a

lestern aber hatte Mose bey dem tod verboten. So war das Königreich Jsrael von Gott eingesetzt / das den König lestern auch Gott betraff.

ABer das wort des HERRN kam zu Elia dem Thisbiten / vnd sprach / [18]Mach dich auff vnd gehe hin ab Ahab dem könige Jsrael entgegen / der zu Samaria ist (Sihe / er ist jm weinberge Naboth / da hin er ist hin ab gegangen / das er jn einneme) [19]vnd rede mit jm / vnd sprich / So spricht der HERR / Du hast todgeschlagen / da zu auch eingenomen. Vnd solt mit jm reden / vnd sagen / So spricht der HERR / An der Stete / da Hunde das blut Naboth geleckt haben / sollen auch hunde dein Blut lecken. [20]Vnd Ahab sprach zu Elia / Hastu mich je deinen Feinden erfunden? Er aber sprach / Ja / Jch hab dich funden / Darumb / das du verkaufft bist nur vbels zu thun fur dem HERRN. [21]Sihe / ich wil vnglück vber dich bringen / vnd deine Nachkomen wegnemen / vnd wil von Ahab ausrotten / auch den / der an die wand pisset / vnd der verschlossen vnd vbergelassen ist in Jsrael. [22]Vnd wil dein Haus machen / wie das haus Jerobeam des sons Nebat / vnd wil das haus Baesa des sons Ahia / vmb des reitzens willen / da mit du erzürnet vnd Jsrael sündigen gemacht hast.

ELIA WEISSAget wider Ahabs hause.

4. Reg. 9.

Sup. 15. 16.

VND vber Jsebel redet der HERR auch / vnd sprach / Die Hunde sollen Jsebel fressen an der mauren Jesreel. [24]Wer von Ahab stirbt in der Stad / den sollen die Hunde fressen / vnd wer auff dem Felde stirbet / den sollen die Vogel vnter dem Himel fressen. [25]Also war niemand / der so gar verkaufft were vbel zu thun fur dem HERRN / als Ahab / Denn sein weib Jsebel vberredt jn also / [26]vnd er macht sich zum grossen Grewel / das er den Götzen nachwandelt aller dinge / wie die Amoriter gethan hatten / die der HERR fur den kindern Jsrael vertrieben hatte.

4. Reg. 9.

(Sack) Das ist / betrübte geringe Kleider / Als wenn man leide tregt / oder erbeitet.

[27]DA aber Ahab solche wort höret / zureis er seine Kleider / vnd legt einen Sack an seinen Leib / vnd fastet / vnd schlieff im Sack / vnd gieng jemerlich her. [28]Vnd das wort des HERRN kam zu Elia dem Thisbiten / vnd sprach / [29]Hastu nicht gesehen / wie sich Ahab fur mir bücket? Weil er sich nu fur mir bücket / wil ich das vnglück nicht einfüren bey seinem leben / Aber bey seines Sons leben wil ich vnglück vber sein haus füren.

## XXII.

Josaphat. — 2. Par. 18.

VND ES KAMEN DREY JAR VMB / DAS KEIN KRIEG war zwisschen den Syrern vnd Jsrael. [2]Jm dritten jar aber zoch Josaphat der könig Juda hin ab zum könige Jsrael. [3]Vnd der könig Jsrael sprach zu seinen Knechten / Wisset jr nicht / das Ramoth in Gilead vnser ist / vnd wir sitzen stille / vnd nemen sie nicht von der hand des königs zu Syrien? [4]Vnd sprach zu Josaphat / Wiltu mit mir ziehen in den streit gen Ramoth in Gilead? Josaphat sprach zum könige Jsrael / Jch wil sein / wie du / vnd mein volck / wie dein volck / vnd meine ross / wie deine ross.

[5]VND Josaphat sprach zum könige Jsrael / Frage doch heute vmb das wort des HERRN. [6]Da samlet der könig Jsrael Propheten bey vier hundert Man / vnd sprach zu jnen / Sol ich gen Ramoth in Gilead ziehen zu streitten / Oder sol ichs lassen anstehen? Sie sprachen / Zeug hin auff / der HERR wirds in die hand des Königs geben.

[7]JOsaphat aber sprach / Jst hie kein Prophet mehr des HERRN / das wir von jm fragen? [8]Der könig Jsrael sprach zu Josaphat / Es ist noch ein man Micha der son Jemla / von dem man den HERRN fragen mag / Aber ich bin jm gram / denn er weissaget mir kein guts sondern eitel böses. Josaphat sprach / Der König rede nicht also. [9]Da rieff der könig Jsrael einem Kemerer / vnd sprach / Bringe eilend her Micha den son Jemla.

Micha.

[10]DER König aber Jsrael / vnd Josaphat der könig Juda / sassen ein jglicher auff seinem Stuel / angezogen mit Kleidern / auffm platz fur der thür am thor Samaria / vnd alle Propheten weissagten fur jnen. [11]Vnd Zedekia der son ‖ Cnaena hatte jm eisern Horner gemacht / vnd sprach / so spricht der HERR / Hie mit wirstu die Syrer stossen / bis du sie auffreumest. [12]Vnd alle Propheten weis-

Zedekia. — ‖ 202b

sagten also / vnd sprachen / Zeuch hin auff gen Ramoth in Gilead / vnd fahr glückselig / Der HERR wirds in die hand des Königs geben.

[13]VNd der Bote / der hin gegangen war Micha zu ruffen / sprach zu jm / Sihe / der Propheten rede sind eintrechtlich gut fur den König / So las nu dein wort auch sein / wie das wort der selben / vnd rede gutes. [14]Micha sprach / So war der HERR lebt / ich wil reden was der HERR mir sagen wird.

MICHA.

VNd da er zum Könige kam / sprach der könig zu jm / Micha / Sollen wir gen Ramoth in Gilead ziehen zu streitten / Oder sollen wirs lassen anstehen? Er sprach zu jm / Ja / zeuch hin auff / vnd fare glückselig / der HERR wirds in die hand des Königs geben. [16]Der König sprach abermal zu jm / Jch beschwere dich / das du mir nicht anders sagest / denn die warheit im Namen des HERRN. [17]Er sprach / Jch sahe gantz Jsrael zurstrewet auff den Bergen / wie die schaf die keinen Hirten haben / Vnd der HERR der sprach / Haben diese keinen Herrn? Ein jglicher kere wider heim mit frieden. [18]Da sprach der könig Jsrael zu Josaphat / Hab ich dir nicht gesagt / das er mir nichts guts weissaget / sondern eitel böses.

[19]ER sprach / Darumb höre nu das wort des HERRN / Jch sahe den HERRN sitzen auff seinem Stuel / vnd alles himelisch Heer neben jm stehen zu seiner rechten vnd lincken. [20]Vnd der HERR sprach / Wer wil Ahab vberreden das er hin auffziehe / vnd falle zu Ramoth in Gilead? Vnd einer saget dis / der ander das. [21]Da gieng ein Geist er aus vnd trat fur den HERRN / vnd sprach / Jch wil jn vberreden. Der HERR sprach zu jm / Wo mit? [22]Er sprach / Jch wil ausgehen / vnd wil ein falscher Geist sein in aller seiner Propheten munde. Er sprach / Du solt jn vberreden / vnd solts ausrichten / Gehe aus vnd thu also. [23]Nu sihe / der HERR hat einen falschen Geist gegeben in aller dieser deiner Propheten mund / vnd der HERR hat böses vber dich geredt.

DA trat er zu Zedekia der son Cnaena / vnd schlug Micha auff den backen / vnd sprach / Wie / Jst der geist des HERRN von mir gewichen / das er mit dir redet? [25]Micha sprach / Sihe / du wirsts sehen an dem tage wenn du von einer Kamer in die andern gehen wirst / das du dich verkriechest. [26]Der könig Jsrael sprach / Nim Micha vnd las jn

ZEDEKIA. schlegt Micha.

bleiben bey Amon dem Burgermeister / vnd bey Joas dem son des Königes / [27]vnd sprich / So spricht der König / Diesen setzet ein in den Kercker / vnd speiset jn mit brot vnd wasser des trübsals / bis ich mit frieden wider kome. [28]Micha sprach / Kompstu mit frieden wider / so hat der HERR nicht durch mich geredt / Vnd sprach / Höret zu alles Volck.

ALso zoch der könig Jsrael / vnd Josaphat der könig Juda hin auff gen Ramoth in Gilead. [30]Vnd der könig Jsrael sprach zu Josaphat / Verstelle dich / vnd kom in den streit mit deinen Kleidern angethan / Der könig Jsrael aber verstellet sich auch / vnd zoch in den streit. [31]Aber der König zu Syrien gebot den Obersten vber seine wagen / der waren zween vnd dreissig / vnd sprach / Jr solt nicht streitten wider kleine noch grosse / Sondern wider den könig Jsrael alleine. [32]Vnd da die Obersten der wagen Josaphat sahen / meineten sie / er were der könig Jsrael / vnd fielen auff jn mit streitten / Aber Josaphat schrey. [33]Da aber die Obersten der wagen sahen das er nicht der könig Jsrael war / wandten sie sich hinden von jm.

a Da das Schwert anhengt von der Achseln vber her bis auff bie Hüffte.

EJn Man aber spannet den Bogen on gefehr / vnd schos den könig Jsrael zwisschen dem Pantzer vnd [a]Hengel. Vnd er sprach zu seinem Fuhrman / wende deine hand / vnd füre mich aus dem Heer / denn ich bin wund. [35]Vnd der streit nam vber hand desselben tages / vnd der König stund auff dem wagen gegen die Syrer / vnd starb des abends / Vnd das Blut flos von den wunden || mitten in den

Sup. 20.

AHAB KOMPT vmb im Krieg.

|| 203 a

wagen. [36]Vnd man lies ausruffen im Heer / da die Sonne vntergieng / vnd sagen / Ein jglicher gehe in seine Stad vnd in sein Land. [37]Also starb der König / vnd ward gen Samaria gebracht / vnd sie begruben jn zu Samaria / [38]Vnd da sie den wagen wusschen bey dem teiche Samaria / lecketen die Hunde sein blut / Es wusschen jn aber die Huren / nach dem wort des HERRN das er geredt hatte.

(Huren) Da die Huren wasschen / id est / Cauponae iderices.

[39]WAS mehr von Ahab zu sagen ist / vnd alles was er gethan hat / vnd das Elffenbeinen haus das er bawet / vnd alle Stedte die er gebawet hat / Sihe / das ist geschrieben in der Chronica der könige Jsrael. [40]Also entschlieff Ahab mit seinen Vetern / Vnd sein son Ahasia ward König an seine stat.

VND JOSAPHAT DER SON ASSA WARD KÖNIG VBER Juda im vierden jar Ahab des königes Jsrael. [42]Vnd war fünff vnd dreissig jar alt / da er König ward / vnd regierte fünff vnd zwenzig jar zu Jerusalem / Seine mutter hies Asuba eine tochter Silhi. [43]Vnd wandelt in allem wege seines vaters Assa / vnd weich nicht dauon / vnd er thet das dem HERRN wolgefiel. [44]Doch thet er die Höhen nicht weg / vnd das Volck opfferte vnd reucherte noch auff den Höhen / [45]Vnd hatte friede mit dem könige Jsrael.

JOSAPHAT 25. jar König in Juda.

2. Par. 20. 18.

[46]WAs aber mehr von Josaphat zu sagen ist / vnd die macht / was er gethan / vnd wie er gestritten hat / Sihe / das ist geschrieben in der Chronica der könige Juda. [47]Auch thet er aus dem Lande was noch vbriger Hurer waren / die zu der zeit seines vaters Assa waren vberblieben.

[48]VND es war kein Könige in Edom. [49]Vnd Josaphat hatte Schiffe lassen machen auffs meer / die in Ophir gehen solten / gold zu holen. Aber sie giengen nicht / Denn sie worden zubrochen zu EzeonGeber. [50]Dazu mal sprach Ahasia der son Ahab zu Josaphat / Las meine knechte mit deinen knechten in Schiffen faren / Josaphat aber wolt nicht. [51]Vnd Josaphat entschlieff / mit seinen Vetern / vnd ward begraben mit seinen Vetern in der stad Dauid seines vaters / Vnd Joram sein son ward König an seine stat.

|| 203 b

Ende des Ersten Buchs / von den Königen. ||

# DAS ANDER BUCH: VON DEN KONIGEN

## I.

Ahasia 2. jar König vber Jsrael.

AHASIA DER SON AHAB WARD KÖNIG VBER JSRAEL zu Samaria im siebenzehenden jar Josaphat des königs Juda / vnd regierte vber Jsrael zwey jar. [53]Vnd thet das dem HERRN vbel gefiel / vnd wandelt in dem wege seines Vaters vnd seiner Mutter / vnd in dem wege Jerobeam des sons Nebat / der Jsrael sündigen machet. [54]Vnd dienete Baal vnd betet jn an / Vnd erzürnete den HERRN den Gott Jsrael / wie sein Vater thet. [1]Auch fielen die Moabiter abe von Jsrael da Ahab tod war.

BAALSEBUB.

VND Ahasia fiel durchs gitter in seinem Saal zu Samaria / vnd ward kranck / Vnd sandte Boten / vnd sprach zu jnen / Gehet hin vnd fragt BaalSebub den Gott zu Ekron / Ob ich von dieser kranckheit genesen werde? [3]Aber der Engel des HERRN redet mit Elia dem Thisbiten / Auff vnd begegene den Boten des königs zu Samaria / vnd sprich zu jnen / Jst denn nu kein Gott in Jsrael / das jr hin gehet zu fragen BaalSebub / den Gott Ekron? [4]Darumb / so spricht der HERR / Du solt nicht von dem Bette komen darauff du dich gelegt hast / sondern solt des tods sterben. Vnd Elia gieng weg.

[5]VND da die Boten wider zu jm kamen / sprach er zu jnen / Warumb kompt jr wider? [6]Sie sprachen zu jm / Es kam vns ein Man er auff entgegen / vnd sprach zu vns / Gehet widerumb hin zu dem Könige / der euch gesand hat / vnd sprecht zu jm / So spricht der HERR / Jst denn kein Gott in Jsrael / das du hin sendest zu fragen BaalSebub / den Gott Ekron? Darumb soltu nicht komen von dem bette / darauff du dich gelegt hast / sondern solt des tods sterben. [7]Er sprach zu jnen / Wie war der Man gestalt der euch begegenet / vnd solchs zu euch saget? [8]Sie sprachen zu jm / Er hatte eine rauche Haut an / vnd einen leddern Gürtel vmb seine lenden. Er aber sprach / Es ist Elia der Thisbiter.

Elia gebeut das fewr vom Himel falle etc.

Luc. 9.

VND er sandte hin zu jm einen Heubtman vber funffzig / sampt denselbigen funffzigen. Vnd da der zu jm hin auff kam / Sihe / da sas er oben auff dem berge / Er aber sprach zu jm / Du man Gottes / der König sagt / du solt er abe komen. [10]Elia antwortet dem Heubtman vber funffzig / vnd sprach zu jm / Bin ich ein man Gottes / So falle fewr vom

Himel vnd fresse dich vnd deine funffzige / Da fiel fewr vom Himel / vnd fras jn vnd seine funffzige.

[11]VND er sandte widerumb einen andern Heubtman vber funffzig zu jm / sampt seinen funffzigen. Der antwortet / vnd sprach zu jm / Du man Gottes / so spricht der König / Kom eilends er ab. [12]Elia antwortet / vnd sprach / Bin ich ein man Gottes / So falle fewr vom Himel / vnd fresse dich vnd deine funffzige. Da fiel das fewr Gottes vom Himel / vnd frass jn vnd seine funffzige.

DA sandte er widerumb den dritten Heubtman vber funffzig / sampt seinen funffzigen. Da der zu jm hin auff kam / beuget er seine knie gegen Elia vnd flehet jm / vnd sprach zu jm / Du man Gottes / Las meine seele vnd die seele deiner Knechte dieser funffzigen fur dir etwas gelten. [14]Sihe / das Fewr ist vom Himel gefallen / vnd hat die ersten zween Heubtmenner vber funffzig mit jren ‖ funffzigen gefressen / Nu aber las meine seele etwas gelten fur dir. [15]Da sprach der Engel des HERRN zu Elia / Gehe mit jm hin ab / vnd furchte dich nicht fur jm.

‖ 204a

VND er macht sich auff / vnd gieng mit jm hin ab zum Könige / [16]vnd er sprach zu jm / So spricht der HERR / Darumb / das du hast Boten hin gesand vnd lassen fragen BaalSebub den Gott zu Ekron / als were kein Gott in Jsrael / des wort man fragen möchte / So soltu von dem Bette nicht komen / darauff du dich gelegt hast / sondern solt des todtes sterben. [17]Also starb er nach dem wort des HERRN / das Elia geredt hatte. Vnd Joram ward König an seine stat / im andern jar Joram des sons Josaphat des königs Juda / Denn er hatte keinen Son. [18]Was aber mehr von Ahasia zu sagen ist / das er gethan hat / Sihe / das ist geschrieben in der Chronica der könige Jsrael.

Jnfr. 3.

JORAM.

II.

DA ABER DER HERR WOLT ELIA IM WETTER GEN Himel holen / gieng Elia vnd Elisa von Gilgal. [2]Vnd Elia sprach zu Elisa / Lieber bleibe hie / denn der HERR hat mich gen BethEl gesand. Elisa aber sprach / So war der HERR lebt / vnd deine seele / ich verlas dich nicht. Vnd da sie hin ab gen BethEl kamen / [3]giengen der Propheten kinder die zu BethEl waren er aus zu Elisa / vnd sprachen zu jm /

Weisestu auch / das der HERR wird deinen Herrn heute [a]von deinen Heubten nemen? Er aber sprach / Jch weis es auch wol / schweiget nur stille. [4]VND Elia sprach zu jm / Elisa / Lieber bleib hie / denn der HERR hat mich gen Jeriho gesand. Er aber sprach / So war der HERR lebt / vnd deine seele / ich verlas dich nicht. Vnd da sie gen Jeriho kamen / [5]tratten der Propheten kinder die zu Jeriho waren zu Elisa / vnd sprachen zu jm / Weissestu auch / das der HERR wird deinen Herrn heute von deinen Heubten nemen? Er aber sprach / Jch weis auch wol / schweigt nur stille. [6]Vnd Elia sprach zu jm / Lieber bleib hie / denn der HERR hat mich gesand an den Jordan. Er aber sprach / So war der HERR lebt / vnd deine seele / ich verlasse dich nicht. Vnd giengen die beide mit einander. [7]Aber funffzig Menner vnter der Propheten || kinder giengen hin vnd tratten gegen vber von fernen / Aber die beide stunden am Jordan.

|| 204b

[8]DA nam Elia seinen Mantel / vnd wickelt jn zusamen / vnd schlug ins Wasser / das teilet sich auff beide seiten / das die beide trocken durch hin giengen. [9]Vnd da sie hinüber kamen / sprach Elia zu Elisa / Bitte / was ich dir thun sol / ehe ich von dir genomen werde. Elisa sprach / Das dein Geist bey mir sey [a]zwifeltig. [10]Er sprach / Du hast ein hartes gebeten / Doch / so du mich sehen wirst / wenn ich von dir genomen werde / so wirds ja sein / Wo nicht / so wirds nicht sein.

VND da sie mit einander giengen / vnd er redet / sihe / da kam ein fewriger Wagen mit fewrigen

a (Von deinen Heubten) Zun Heubten sein heist Meister vnd Lerer sein. Zun füssen sein / heisst Schüler vnd vnterthan sein. Denn wenn der Lerer leret / sitzt er höher denn der Schüler das er sie zun füssen / vnd sie jn zun heubten haben. Also sagt S. Paulus Act. 22. Er hab zun füssen Gamaliel das Gesetz gelernet. Vnd ist fast ein gemeine weise der Schrifft / also zu reden auff Ebreisch.

a Nicht wolt Elisa zwifeltigen Geist Elia haben / so es doch ein geist ist. 1. Cor. 12 in allen Heiligen /

Gen. 5.
HISTORIA
von Elisa.

Rossen / vnd scheideten die beide von einander / vnd Elia fur also im wetter gen Himel. [12]Elisa aber sahe es / vnd schrey / Mein Vater / mein Vater / Wagen Jsrael vnd sein Reuter. Vnd sahe jn nicht mehr / Vnd er fasset seine Kleider vnd zureis sie in zwey stück.

Sondern ein zwifeltigen mund desselbigen geists das er stercker vnd mehr predigen kundte / denn Elia. Als er auch thet.

[13]VND hub auff den mantel Elia der jm entfallen war / vnd keret vmb vnd trat an den vfer des Jordans / [14]vnd nam den selben mantel Elia der jm entfallen war / vnd schlug ins wasser / vnd sprach / Wo ist nu der HERR der Gott Elia? Vnd schlug ins Wasser / Da teilet sichs auff beiden seiten / vnd Elisa gieng hin durch.

VND da jn sahen der Propheten kinder / die zu Jeriho gegen jm waren / sprachen sie / Der geist Elia ruget auff Elisa / vnd giengen jm entgegen / vnd betten an zur erden. [16]Vnd sprachen zu jm / Sihe / Es sind vnter deinen Knechten funffzig Menner starcke Leute / die las gehen / vnd deinen Herrn suchen / Vieleicht hat jn der Geist des HERRN genomen / vnd jrgend auff einen Berg oder jrgend in ein Tal geworffen. Er aber sprach / Lasst nicht gehen. [17]Aber sie nötigeten jn / bis er sich vngeberdig stellet / vnd sprach / Lasst hin gehen. Vnd sie sandten hin funffzig Menner / vnd suchten jn drey tage / Aber sie funden jn nicht / [18]vnd kamen wider zu jm. Vnd er bleib zu Jeriho / vnd sprach zu jnen / Sagt ich euch nicht / jr soltet nicht hin gehen.

VND die Menner der stad sprachen zu Elisa / Sihe / es ist gut wonen in dieser Stad / wie mein Herr sihet / Aber es ist böse Wasser / vnd das Land vnfruchtbar. [20]Er sprach / Bringet mir her ein newe Schale / vnd thut Saltz drein / Vnd sie brachtens jm. [21]Da gieng er hinaus zu der wasserquell / vnd warff das Saltz drein / vnd sprach / So spricht der HERR / Jch hab dis wasser gesund gemacht / Es sol hinfurt kein tod noch vnfruchtbarkeit daher komen. [22]Also ward das Wasser gesund bis auff diesen tag / nach dem wort Elisa / das er redet.

VND er gieng hin auff gen BethEl / Vnd als er auff dem wege hin an gieng / kamen kleine Knaben zur Stad er aus / vnd spotteten jn / vnd sprachen zu jm / Kalkopff kom er auff / kalkopff kom er auff. [24]Vnd er wand sich vmb / Vnd da er sie sahe / flucht er jnen im Namen des HERRN / Da kamen zween Beeren aus dem walde / vnd zu-

42. Kinder von Beeren zurissen.

rissen der Kinder zwey vnd vierzig. [25]Von dannen gieng er auff den berg Carmel / vnd keret vmb von dannen gen Samaria.

III.

Joram 12. jar König vber Jsrael.

JORAM DER SON AHAB WARD KÖNIG VBER JSRAEL zu Samaria im achzehenden jar Josaphat des königs Juda / vnd regiret zwelff jar. [2]Vnd thet das dem HERRN vbel gefiel / Doch nicht wie sein Vater vnd sein Mutter / Denn er thet weg die seulen Baal / die sein Vater machen lies. [3]Aber er bleib hangen an den sünden Jerobeam des sons Nebat / der Jsrael sündigen machet / vnd lies nicht dauon.

MESA FELT ABE vom König Jsrael.

MEsa aber der Moabiter könig hatte viel Schaf / Vnd zinset dem könig Jsrael wolle von hundert tausent Lemmern / vnd von hundert tausent || Widdern. [5]Da aber Ahab tod war / fiel der Moabiter könig abe vom könige Jsrael. [6]Da zoch zur selben zeit aus der könig Joram von Samaria / vnd ordenet das gantz Jsrael. [7]Vnd sandte hin zu Josaphat dem könige Juda / vnd lies jm sagen / Der Moabiter könig ist von mir abgefallen / Kom mit mir zu streitten wider die Moabiter. Er sprach / Jch wil hin auff komen / Jch bin wie du / vnd mein Volck wie dein Volck / vnd meine ross wie deine ross. [8]Vnd sprach / Durch welchen weg wöllen wir hin auff ziehen? Er sprach durch den weg in der wüsten Edom.

|| 205 a

JORAM.

ALso zoch hin der könig Jsrael / der könig Juda / vnd der könig Edom / Vnd da sie sieben Tagreise zogen / hatte das Heer vnd das Vieh / das vnter jnen war kein Wasser. [10]Da sprach der könig Jsrael / O weh / Der HERR hat diese drey Könige geladen / das er sie in der Moabiter hende gebe. [11]Josaphat aber sprach / Jst kein Prophet des HERRN hie / das wir den HERRN durch jn rat fragten? Da antwortet einer vnter den knechten des Königs Jsrael vnd sprach / Hie ist Elisa der son Saphat / der Elia wasser auff die hende gos. [12]Josaphat sprach / Des HERRN wort ist bey jm. Also zogen zu jm hin ab der könig Jsrael vnd Josaphat vnd der könig Edom.

Elisa.

ELisa aber sprach zum könige Jsrael / Was hastu mit mir zu schaffen? Gehe hin zu den Propheten deines Vaters / vnd zu den Propheten deiner Mutter. Der könig Jsrael sprach zu jm / Nein / Denn der HERR hat diese drey Könige geladen / das er sie in der Moabiter hende gebe. [14]Elisa sprach / So war der HERR Zebaoth lebt / fur dem ich stehe / wenn ich nicht Josaphat den könig Juda ansehe / Jch wolt dich nicht ansehen noch achten.

[15]SO bringet mir nu einen Spielman. Vnd da der Spielman auff der seiten spielet / kam die hand des HERRN auff jn / [16]vnd er sprach / So spricht der HERR / Macht hie vnd da graben / an diesem bach / [17]Denn so spricht der HERR / Jr werdet keinen wind noch regen sehen / dennoch sol der Bach vol wassers werden / das jr vnd ewer Gesinde / vnd ewr Vieh trinckt. [18]Dazu ist das ein geringes fur dem HERRN / Er wird auch die Moabiter in ewre hende geben / [19]das jr schlahen werdet / alle feste Stedte / vnd alle ausserwelte Stedte / vnd werdet fellen alle gute Bewme / vnd werdet verstopffen alle Wasserbrünnen / vnd werdet allen guten Acker mit steinen verderben.

[20]DES morgens aber wenn man Speisopffer opffert / Sihe / da kam ein Gewesser des weges von Edom / vnd füllet das Land mit wasser.

DA aber alle Moabiter höreten / das die Könige er auff zogen wider sie zu streitten / berieffen sie alle die zur Rüstung alt gnug vnd drüber waren / vnd tratten an die Grentze. [22]Vnd da sie sich des morgens früe auffmacheten / vnd die Sonne auffgieng auff das Gewesser / dauchte die Moabiter das Gewesser gegen jnen rot sein wie Blut / [23]vnd sprachen / Es ist blut / Die Könige haben sich mit dem Schwert verderbet / vnd einer wird den andern geschlagen haben / Hui Moab / mach dich nur zur ausbeute. [24]Aber da sie zum Lager Jsrael kamen / machte sich Jsrael auff / vnd schlugen die Moabiten / Vnd sie flohen fur jnen. Aber sie kamen hin ein vnd schlugen Moab / [25]Die Stedte zubrochen sie / vnd ein jglicher warff seine steine auff alle gute Ecker / vnd machten sie vol / vnd verstopfften alle Wasserbrünnen / vnd felleten alle gute Bewme / bis das nur die steine an den Ziegelmauren vberblieben / vnd sie vmbgaben sie mit Schleudern / vnd schlugen sie.

MOABITER geschlagen.

[26]DA aber der Moabiter könig sahe / das jm der streit zu starck war / nam er sieben hundert Man zu sich / die das Schwert auszogen / eraus zu reissen wider den könig Edom / Aber sie kundten nicht. [27]Da nam er seinen ersten Son / der an seine stat

MOABITER König opffert sein Son etc.

solt König werden / vnd opffert jn zum Brandopffer auff der mauren. Da ward Jsrael [a]seer zornig / das sie von jm abzogen / vnd kereten wider zu Land. || || 205 b

a Vel / quod ipsi Jsrael offensi / ista abominatione timuerunt / ne Deus in ipsos quoque irasceretur.

## IIII.

VND ES SCHREY EIN WEIB VNTER DEN WEIBERN der kinder der Propheten zu Elisa / vnd sprach / Dein Knecht mein Man ist gestorben / So weistu / das er / dein Knecht / den HERRN fürchtet / Nu kömpt der Schuldherr vnd wil meine beide kinder nemen zu eigen Knechten. [2]Elisa sprach zu jr / Was sol ich dir thun? Sage mir / was hastu im hause? Sie sprach / Deine Magd hat nichts im hause / denn einen Olekrug. [3]Er sprach / Gehe hin vnd bitte draussen von allen deinen Nachbarinnen lere Gefess / vnd derselben nicht wenig sind / [4]vnd gehe hin ein / vnd schleus die thür hinder dir zu mit deinen Sönen / vnd geus in alle Gefess. Vnd wenn du sie gefüllet hast / so gib sie hin.

[5]SJE gieng hin / vnd schloss die thür hinder jr zu sampt jren Sönen die brachten jr die Gefess zu / so gos sie ein. [6]Vnd da die gefess vol waren / sprach sie zu jrem Son / Lange mir noch ein gefess her. Er sprach zu jr / Es ist kein gefess mehr hie. Da stund das öle. [7]Vnd sie gieng hin vnd sagts dem man Gottes an. Er sprach / Gehe hin / verkeuffe das öle / vnd bezale deinen Schuldherrn / Du aber vnd deine Söne neeret euch von dem vbrigen.

SUNAMITIN Elisa Wirtin.

VND ES BEGAB SICH ZUR ZEIT / DAS ELISA GIENG gen Sunem / Daselbs war ein reiche Fraw / die

hielt jn / das er bey jr ass / Vnd als er nu offt daselbs durchzoch / gieng er zu jr ein / vnd ass bey jr. [9]Vnd sie sprach zu jrem Man / Sihe / Jch mercke / das dieser man Gottes heilig ist / der jmerdar hie durchgehet. [10]Las vns jm eine kleine brettern Kamer oben machen / vnd ein Bett / Tisch / Stuel / vnd Leuchter hin ein setzen / Auff das / wenn er zu vns kompt / da hin sich thue.

VND es begab sich zur zeit / das er hin ein kam / vnd legt sich oben in die Kamer vnd schlieff drinnen. [12]Vnd sprach zu seinem knaben Gehasi / Ruff der Sunamitin. Vnd da er jr rieff / trat sie fur jn. [13]Er sprach zu jm / Sage jr / Sihe / Du hast vns alle diesen dienst gethan / Was sol ich dir thun? Hastu eine sache an den König / oder an den Feldheubtman? Sie sprach / Jch [a]wone vnter meinem Volck. [14]Er sprach / Was ist jr denn zu thun? Gehasi sprach / Ah / sie hat keinen Son / vnd jr Man ist alt. [15]Er sprach / Ruff jr. Vnd da ‖ er jr rieff / trat sie in die thür. [16]Vnd er sprach / Vmb diese zeit / vber ein jar / soltu einen Son hertzen. Sie sprach / Ah nicht / mein Herr / du man Gottes / leug deiner Magd nicht. [17]Vnd die Fraw ward schwanger / vnd gebar einen Son vmb die selben zeit / [a]vber ein jar / wie jr Elisa geredt hatte.

a (Jch wone) Das ist / Jch habe zu Hofe nichts zu schaffen / ich wone vnter den Leuten alleine.

‖ 206 a

Gen. 18.

a *Id est, More anni currentis, quo uiuitur à cuntis animantibus.*

DA aber das Kind gros ward / begab sichs / das es hin aus zu seinem Vater zu den Schnittern gieng / [19]vnd sprach zu seinem Vater / O mein heubt / mein heubt. Er sprach zu seinem Knaben / Bringe jn zu seiner Mutter. [20]Vnd er nam jn vnd bracht jn hin ein zu seiner Mutter / Vnd sie satzt jn auff jren schos / bis an den mittag / da starb er. [21]Vnd sie gieng hin auff vnd leget jn auffs Bette des mans Gottes / schlos zu / vnd gieng hin aus [22]vnd rieff jren Man / vnd sprach / Sende mir der Knaben einen vnd ein Eselin / Jch wil zu dem man Gottes / vnd widerkomen. [23]Er sprach / Warumb wiltu zu jm? Jst doch heute nicht Newmond noch Sabbath. Sie sprach / Es ist gut. [24]Vnd sie sattelt die Eselin / vnd sprach zum Knaben / Treibe fort vnd seume mich nicht mit dem reiten / wie ich dir sage.

ALso zoch sie hin / vnd kam zu dem man Gottes auff den berg Carmel. Als aber der man Gottes sie gegen jm sahe / sprach er zu seinem knaben Gehasi Sihe / die Sunamitin ist da. [26]So lauff jr nu entgegen vnd frage sie / Obs jr vnd jrem Man vnd

Son wol gehe? Sie sprach / Wol. [27]Da sie aber zu dem man Gottes auff den Berg kam / hielt sie jn bey seinen füssen / Gehasi aber trat erzu / das er sie abstiesse. Aber der man Gottes sprach / Las sie / Denn jre seele ist betrübt / vnd der HERR hat mirs verborgen vnd nicht angezeiget. [28]Sie sprach / Wenn hab ich einen Son gebeten von meinem Herrn? Sagt ich nicht / du soltest mich nicht teusschen?

[29]ER sprach zu Gehasi / Gürte deine Lenden / vnd nim meinen Stab in deine hand / vnd gehe hin (So dir jemand begegenet / so grüsse jn nicht / vnd grüsset dich jemand / so dancke jm nicht) Vnd lege meinen Stab auff des Knaben andlitz. [30]Die Mutter aber des knaben sprach / So war der HERR lebt vnd deine seele / ich lasse nicht von dir. Da macht er sich auff vnd gieng jr nach. [31]Gehasi aber gieng fur jnen hin / vnd legt den Stab dem Knaben auffs andlitz / Da war aber keine stim noch fülen. Vnd er gieng widerumb jm entgegen / vnd zeiget jm an / vnd sprach / Der Knabe ist nicht auffgewacht.

Luc. 10.

VND da Elisa ins haus kam / Sihe / da lag der Knabe tod auff seinem Bette / [33]Vnd er gieng hin ein vnd schlos die thür zu fur sie beide / vnd betet zu dem HERRN. [34]Vnd steig hin auff / vnd legt sich auff das Kind / vnd legt seinen Mund auff des Kindes mund / vnd seine Augen auff seine augen / vnd seine Hende auff seine hende / vnd breitet sich also vber jn / das des kinds Leib warm ward. [35]Er aber stund wider auff / vnd gieng im Haus ein mal hie her vnd da her / vnd steig hin auff vnd breitet sich vber jn / Da schnaubet der Knabe sieben mal / Darnach thet der Knabe seine augen auff. [36]Vnd er rieff Gehasi / vnd sprach / Ruff der Sunamitin. Vnd da er jr rieff / kam sie hin ein zu jm. Er sprach / Da nim hin deinen Son / [37]Da kam sie vnd fiel zu seinen füssen / vnd betet an zur erden / Vnd nam jren Son / vnd gieng hin aus.

ELISA MACHT einen todten lebendig.

DA ABER ELISA WIDER GEN GILGAL KAM / WARD Thewrung im Lande / Vnd die kinder der Propheten woneten fur jm. Vnd er sprach zu seinem Knaben / Setz zu ein gros Töpffen / vnd koch ein Gemüse fur die kinder der Propheten. [39]Da gieng einer auffs feld / das er Kraut lese / vnd fand wilde Rancken / vnd las dauon Colochinten sein kleid vol / vnd da er kam / schneit ers ins Töpffen zum Gemüse / denn sie kandtens nicht. [40]Vnd da sie es

THEWRUNG ZU Elisa zeiten.

ausschutten fur die Menner zu essen / vnd sie von dem Gemüse assen / schrien sie / vnd sprachen / O man Gottes / Der Tod im töpffen / Denn sie kundtens nicht essen. [41]Er aber sprach / Bringet melh her / Vnd er thets in das töpffen / vnd sprach / Schütte es dem Volck für / das sie essen / Da war nichts böses in dem töpffen. ||

|| 206b

ES kam aber ein man von BaalSalisa / vnd bracht dem man Gottes Erstling brot / nemlich / zwenzig gersten Brot / vnd new Getreid in seinem kleid. Er aber sprach / Gibs dem volck das sie essen. [43]Sein Diener sprach / Was sol ich hundert Man an dem geben? Er sprach / Gib dem volck / das sie essen / Denn so spricht der HERR / Man wird essen / vnd wird vberbleiben. [44]Vnd er legts jnen fur / das sie assen / Vnd bleib noch vber / nach dem wort des HERRN.

## V.

Luc. 4.

NAEMAN DER FELDHEUBTMAN DES KÖNIGES ZU Syrien / war ein trefflicher Man fur seinem Herrn / vnd hoch gehalten / Denn durch jn gab der HERR heil in Syrien / Vnd er war ein gewaltiger Man vnd aussetzig.

NAEMAN VOM Aussatz gereiniget etc.

DJe Kriegsleute aber in Syrien waren er aus gefallen / vnd hatten eine kleine Dirne weggefürt aus dem lande Jsrael / die war am dienst des weibs Naeman / [3]Die sprach zu jrer Frawen / Ah / das mein Herr were bey dem Propheten zu Samaria / der würde jn von seinem Aussatz los machen. [4]Da gieng er hin ein zu seinem Herrn / vnd sagets jm an / vnd sprach / So vnd so hat die Dirne aus dem lande Jsrael geredt. [5]Der König zu Syrien sprach / So zeuch hin / Jch wil dem könige Jsrael einen brieff schreiben.

VND er zoch hin / vnd nam mit sich zehen Centner silbers / vnd sechs tausent gülden / vnd zehen Feierkleider / [6]vnd bracht den brieff dem könige Jsrael / der laut also / Wenn dieser brieff zu dir kompt / Sihe / so wisse / Jch hab meinen knecht Naeman zu dir gesand / das du jn von seinem Aussatz los machst. [7]Vnd da der könig Jsrael den brieff las / zureis er seine Kleider / vnd sprach / Bin ich denn Gott / das ich tödten vnd lebendig machen kündte / das er zu mir schicket / das ich den Man von seinem Aussatz los mache? Mercket vnd sehet / wie sucht er vrsach zu mir.

DA das Elisa der man Gottes höret / das der könig Jsrael seine Kleider zurissen hatte / sandte er zu jm / vnd lies jm sagen / Warumb hastu deine Kleider zurissen? Las jn zu mir komen / das er innen werde / das ein Prophet in Jsrael ist. [9]Also kam Naeman mit rossen vnd wagen / vnd hielt fur der thür am hause Elisa. [10]Da sandte Elisa einen Boten zu jm / vnd lies jm sagen / Gehe hin vnd wassche dich sieben mal im Jordan / So wird dir dein Fleisch widerstattet vnd rein werden. [11]Da erzürnet Naeman / vnd zoch weg / vnd sprach / Jch meinet / er solt zu mir er aus komen / vnd her tretten / vnd den Namen des HERRN seines Gottes anruffen / vnd mit seiner hand vber die stet faren / vnd den Aussatz also abthun. [12]Sind nicht die wasser Amana vnd Pharphar zu Damascon besser / denn alle wasser in Jsrael / das ich mich drinne wüssche vnd rein würde? Vnd wand sich / vnd zoch weg mit zorn.

DA machten sich seine Knechte zu jm / redten mit jm / vnd sprachen / Lieber Vater / Wenn dich der Prophet etwas grosses hette geheissen / soltestu es nicht thun? Wie viel mehr / so er zu dir saget / Wassche dich / so wirstu rein. [14]Da steig er ab / vnd teuffet sich im Jordan sieben mal / wie der man Gottes geredt hatte / vnd sein Fleisch ward widerstattet / wie ein fleisch eines jungen Knabens / vnd ward rein.

[15]VND er keret wider zu dem man Gottes / sampt seinem gantzen Heer / Vnd da er hin ein kam / trat er fur jn / vnd sprach / Sihe / Jch weis / das kein Gott ist in allen Landen / on in Jsrael. So nim nu den Segen von deinem Knecht. [16]Er aber sprach / So war der HERR lebt / fur dem ich stehe / ich nems nicht. Vnd er nötiget jn das ers neme / Aber er wolt nicht. [17]Da sprach Naeman / Möcht denn deinem Knechte nicht gegeben werden dieser erden eine Last / so viel zwey Meuler tragen? Denn dein Knecht wil nicht mehr andern Göttern || opffern / vnd Brandopffer thun / sondern dem HERRN. [18]Das der HERR deinem Knecht darinnen wolt gnedig sein / wo ich anbete im hause Rimmon / wenn mein Herr ins haus Rimmon gehet / daselbs an zu beten / vnd er sich an meine hand lehnet. [19]Er sprach zu jm / Zeuch hin mit Frieden.

(Hand lehnen) Das ist Ebreisch geredt / Wie wir Deudschen sagen / Er ist mir zur hand / das ist / Er ist vmb mich / thut vnd richtet aus / was ich jm befelh / vnd ich mich auff jn verlasse.

|| 207a

RIMMON.

VND als er von jm weg gezogen war ein feldwegs auff dem lande / [20]gedacht Gehasi der knabe Elisa des mans Gottes / Sihe / mein Herr hat diesem Syrer Naeman verschonet / das er nichts von jm hat genomen / das er gebracht hat / So war der HERR lebt / Jch wil jm nachlauffen / vnd etwas von jm nemen. [21]Also jaget Gehasi dem Naeman nach. Vnd da Naeman sahe / das er jm nachlieffe / steig er vom wagen jm entgegen / vnd sprach / Gehet es recht zu? [22]Er sprach / Ja. Aber mein Herr hat mich gesand / vnd lesst dir sagen / Sihe / jtzt sind zu mir komen vom gebirge Ephraim zween Knaben aus der Propheten kinder / Gib jnen ein Centner silbers / vnd zwey Feierkleider. [23]Naeman sprach / Lieber / nim zween Centner. Vnd er nötiget jn / vnd band zween Centner silbers in zween Beutel / vnd zwey Feierkleider / vnd gabs seinen zween Knaben / die trugens fur jm her. [24]Vnd da er kam gen Ophel / nam ers von jren henden / vnd legts beiseit im hause / vnd lies die Menner gehen / [25]Vnd da sie weg waren / trat er fur seinen Herrn.

VND Elisa sprach zu jm / Wo her Gehasi? Er sprach / Dein Knecht ist wider hie her noch da her gegangen. [26]Er aber sprach zu jm / Wandelt nicht mein hertz / da der Man vmbkeret von seinem wagen dir entgegen? War das die zeit Silber vnd Kleider zu nemen / Olegarten / Weinberge / Schafe / Rinder / Knecht vnd Megde? [27]Aber der Aussatz Naeman wird dir anhangen vnd deinem Samen ewiglich. Da gieng er von jm hin aus Aussetzig / wie schnee.

(Wandelt nicht) Das ist / Hastu nirgend hin gewandelt / Wie gehets denn zu / das mein hertz wandelt / vnd war bey dem wagen etc.

## VI.

DJE KINDER DER PROPHETEN SPRACHEN ZU Elisa / Sihe / der raum / da wir fur dir wonen / ist vns zu enge. [2]Las vns an den Jordan gehen / vnd einen jglichen daselbs Holtz holen / das wir vns daselbs eine Stete bawen / da wir wonen. Er sprach / Gehet hin. [3]Vnd einer sprach / Lieber gehe mit deinen Knechten. Er sprach / Jch wil mit gehen. [4]Vnd er gieng mit jnen. Vnd da sie an den Jordan kamen / hieben sie holtz abe. [5]Vnd da einer ein holtz fellet / fiel das eisen ins wasser / Vnd er schrey / vnd sprach / Awe / mein Herr / Dazu ists entlehnet. [6]Aber der man Gottes sprach / Wo ists entfallen? Vnd da er jm den ort zeiget / schneit er ein holtz ab / vnd sties daselbs hin / da schwam das eisen / [7]Vnd er sprach / Hebs auff. Da recket er seine hand aus vnd nams.

ELISA.

VND DER KÖNIG AUS SYRIEN FÜRET EINEN KRIEG wider Jsrael / vnd beratschlaget sich mit seinen Knechten / vnd sprach / Wir wöllen vns lagern / da vnd da. [9]Aber der man Gottes sandte zum könige Jsrael / vnd lies jm sagen / Hüte dich / das du nicht an den ort ziehest / Denn die Syrer rugen daselbs. [10]So sandte denn der könig Jsrael hin an den ort / den jm der man Gottes saget / verwaret jn vnd hütet daselbs / vnd thet das nicht ein mal oder zwey mal allein.

[11]DA ward das hertz des Königes zu Syrien vnmuts darüber / Vnd rieff seinen Knechten / vnd sprach zu jnen / Wolt jr mir denn nicht ansagen / Wer ist aus den vnsern zu dem könige Jsrael geflohen? [12]Da sprach seiner Knecht einer / Nicht also / mein Herr könig / Sondern Elisa der Prophet in Jsrael sagets alles dem könige Jsrael / was du in der Kamer redest / da dein Lager ist. [13]Er sprach So gehet hin vnd sehet / wo er ist / das ich hin sende vnd las jn holen. Vnd sie zeigeten jm an / vnd sprachen / Sihe / er ist zu Dothan. [14]Da sandte er hin Ros vnd Wagen vnd eine grosse Macht / Vnd da sie bey der nacht hin kamen / vmb gaben sie die Stad. ‖

‖ 207b

VND der Diener des mans Gottes stund früe auff / das er sich auffmechte vnd auszöge / Vnd sihe / da lag eine macht vmb die Stad mit rossen vnd wagen / Da sprach sein Knabe zu jm / Awe / mein Herr / wie wöllen wir nu thun? [16]ER SPRACH / FÜRCHTE DICH NICHT / DENN DER IST MEHR / DIE BEY VNS SIND / DENN DER / DIE BEY JNEN SIND [17]Vnd Elisa betet vnd sprach / HERR / öffene jm die augen / das er sehe. Da öffenet der HERR dem Knaben seine augen das er sahe / Vnd sihe / da war der Berg vol fewriger Ross vnd Wagen vmb Elisa her. [18]Vnd da sie zu jm hin ab kamen / bat Elisa / vnd sprach / HERR / Schlahe dis volck mit blindheit. Vnd er schlug sie mit blindheit nach dem wort Elisa. [19]Vnd Elisa sprach zu jnen / Dis ist nicht der weg noch die Stad / Folget mir nach Jch wil euch füren zu dem Man den jr suchet. Vnd füret gen Samaria.

1. Joha. 4.

[20]VND da sie gen Samaria kamen / sprach Elisa / HERR / öffene diesen die augen / das sie sehen / Vnd der HERR öffenet jnen die augen / das sie sahen / Vnd sihe / da waren sie mitten in Samaria. [21]Vnd der könig Jsrael / da er sie sahe / sprach er

zu Elisa / Mein Vater / sol ich sie schlahen? [22]Er sprach / Du solt sie nicht schlahen / Welche du mit deinem Schwert vnd Bogen fehest / die schlahe. Setze jnen Brot vnd Wasser fur / das sie essen vnd trincken / vnd las sie zu jrem HERRN ziehen. [23]Da ward ein gros Mal zugericht / Vnd da sie gessen vnd getruncken hatten / lies er sie gehen / das sie zu jrem Herrn zogen. Sint des kamen die Kriegsleute der Syrer nicht mehr ins Land Jsrael.

NACH DIESEM BEGAB SICHS / DAS BENHADAD DER könig zu Syrien alle sein Heer versamlet / vnd zoch er auff / vnd belagert Samaria. [25]Vnd es war eine grosse Thewrung zu Samaria / Sie aber belagerten die Stad / bis das ein Eselskopff acht silberlinge / vnd ein viertel Kab Daubenmist fünff silberlinge galt.

THEWRUNG ZU Samaria zur zeit Elisa.

VND da der könig Jsrael zur mauren gieng / schrey jn ein Weib an / vnd sprach / Hilff mir mein Herr könig. [27]Er sprach / Hilfft dir der HERR nicht / wo her sol ich dir helffen? Von der Tennen oder von der Kelter? [28]Vnd der König sprach zu jr / Was ist dir? Sie sprach / Dis Weib sprach zu mir / Gib deinen Son her / das wir heute essen / Morgen wöllen wir meinen Son essen / [29]So haben wir meinen Son gekocht vnd gessen. Vnd ich sprach zu jr am andern tage / Gib deinen Son her / vnd las vns essen / Aber sie hat jren Son verstackt.

[30]DA der König die wort des Weibs höret / zureis er seine Kleider / in dem er zur mauren gieng. Da sahe alles volck / das er einen Sack vnten am leibe an hatte. [31]Vnd er sprach / Gott thu mir dis vnd das / wo das heubt Elisa des sons Saphat / heute auff jm stehen wird. [32]Elisa aber sass in seinem Hause / vnd die Eltesten sassen bey jm. Vnd er sandte einen Man fur jm her. Aber ehe der Bote zu jm kam / sprach er zu den Eltesten / Habt jr gesehen / wie dis Mordkind hat her gesand / das er mein heubt abreisse? Sehet zu / wenn der Bote kompt / das jr die Thür zuschliesset / vnd stosset jn mit der thür weg / Sihe / das rausschen seins Herrn füssen folget jm nach. [33]Da er noch also mit jnen redet / Sihe / da kam der Bote zu jm hin ab / vnd sprach / Sihe / solch vbel kompt von dem HERRN / Was sol ich mehr von dem HERRN gewarten?

(Vbel) Ja so gehets vns / wenn wir ewrem Gott dienen / jr heilosen Propheten. Wie viel besser hatten wirs / da wir Baal dieneten / Jere. 44.

VII.

ELISA ABER SPRACH / HÖRET DES HERRN WORT / So spricht der HERR / Morgen vmb diese zeit wird ein scheffel Semelmelh einen sekel gelten / vnd zween scheffel Gersten einen sekel vnter dem Thor zu Samaria. [2]Da antwortet ein Ritter / auff welchs hand sich der König lehnet / dem man Gottes / vnd sprach / Vnd wenn der HERR fenster am Himel machet / wie könd solchs geschehen? Er sprach / Sihe da / mit deinen augen wirstu es sehen / vnd nicht dauon essen. ‖

‖ 208 a

VND es waren vier aussetzige Menner an der thür fur dem thor / Vnd einer sprach zum andern / Was wöllen wir hie bleiben / bis wir sterben? [4]Wenn wir gleich gedechten in die Stad zu komen / so ist Thewrung in der Stad / vnd müsten doch daselbs sterben / Bleiben wir aber hie / so müssen wir auch sterben. So lasst vns nu hin gehen / vnd zu dem Heer der Syrer fallen / Lassen sie vns leben / so leben wir / Tödten sie vns / so sind wir tod. [5]Vnd machten sich in der früe auff / das sie zum Heer der Syrer kemen. Vnd da sie forn an den ort des Heers kamen / Sihe / da war niemands.

[6]DEnn der HERR hat die Syrer lassen hören ein geschrey von Rossen / Wagen vnd grosser Heerkrafft / das sie vnternander sprachen / Sihe / der könig Jsrael hat wider vns gedinget die könige der Hethiter / vnd die Könige der Egypter / das sie vber vns komen sollen. [7]Vnd machten sich auff vnd flohen in der früe / vnd liessen jre Hütten / ross

vnd esel im Lager / wie es stund / vnd flohen mit jren leben dauon.

[8]ALs nu die Aussetzigen an den ort des Lagers kamen / giengen sie in der Hütten eine / assen vnd truncken / vnd namen Silber / Gold vnd Kleider / vnd giengen hin vnd verborgen es / Vnd kamen wider / vnd giengen in eine ander Hütten / vnd namen draus / vnd giengen hin vnd verborgens.

ABer einer sprach zum andern / Lasst vns nicht also thun / Diser tag ist ein tag guter Botschafft / Wo wir das verschweigen vnd harren / bis das Liecht morgen wird / wird vnser Missethat funden werden. So lasst vns nu hin gehen / das wir komen vnd ansagen dem hause des Königs. [10]Vnd da sie kamen / rieffen sie am thor der Stad / vnd sagtens jnen an / vnd sprachen / Wir sind zum Lager der Syrer komen / Vnd sihe / es ist niemand da / noch kein Menschenstim / Sondern ross vnd esel angebunden / vnd die Hütten wie sie stehen.

[11]DA rieff man den Thorhüttern / das sie es drinnen ansagten im hause des Königs. [12]Vnd der König stund auff in der nacht / vnd sprach zu seinen Knechten / Lasst euch sagen / wie die Syrer mit vns vmbgehen / Sie wissen / das wir Hunger leiden / vnd sind aus dem Lager gegangen / das sie sich im Felde verkröchen / vnd dencken / Wenn sie aus der Stad gehen / wöllen wir sie lebendig greiffen / vnd in die Stad komen. ‖

‖ 208 b

[13]DA antwortet seiner Knecht einer / vnd sprach / Man neme die fünff vbrige Rosse / die noch drinnen sind vberblieben (sihe / die sind drinnen vberblieben / von aller menge in Jsrael / welch alle dahin ist) die lasst vns senden vnd besehen. [14]Da namen sie zween Wagen mit Rossen / vnd der König sandte sie dem Lager der Syrer nach / vnd sprach / Ziehet hin vnd besehet. [15]Vnd da sie jnen nachzogen bis an den Jordan / Sihe / da lag der weg vol Kleider vnd Gerete / welche die Syrer von sich geworffen hatten / da sie eileten. Vnd da die Boten widerkamen / vnd sagtens dem Könige an / [16]Gieng das Volck hin aus vnd beraubete das Lager der Syrer / Vnd es galt ein scheffel Semelmelh einen sekel / vnd zween scheffel Gersten auch einen sekel / nach dem wort des HERRN.

ABer der König bestellet den Ritter / auff des hand er sich lehnet vnter das Thor / Vnd das Volck zutrat jn im thor / das er starb / Wie der man

Gottes geredt hatte / da der König zu jm hin ab kam. [18]Vnd geschach / wie der man Gottes dem Könige sagte / da er sprach / Morgen vmb diese zeit werden zween scheffel Gersten einen sekel gelten / vnd ein scheffel Semelmelh einen sekel vnter dem thor zu Samaria / [19]Vnd der Ritter dem man Gottes antwortet / vnd sprach / Sihe / wenn der HERR fenster am Himel mechte / wie möchte solchs geschehen? Er aber sprach / Sihe / mit deinen augen wirstu es sehen / vnd nicht dauon essen. [20]Vnd es gieng jm eben also / Denn das volck zutrat jn im Thor / das er starb.

VIII.

THEWRUNG 7. jar lang zu Elisa zeiten.

Sup. 4.

ELISA REDET MIT DEM WEIBE / DES SON ER HATTE lebendig gemacht / vnd sprach / Mach dich auff / vnd gehe hin mit deinem Hause / vnd sey Frembdling wo du kanst / Denn der HERR wird ein Thewrung ruffen / die wird ins Land komen sieben jar lang. [2]Das Weib macht sich auff vnd thet / wie der man Gottes sagt / vnd zoch hin mit jrem Hause / vnd war frembdling in der Philister lande sieben jar.

DA aber die sieben jar vmb waren / kam das Weib wider aus der Philister lande / Vnd sie gieng aus den König an zu schreien vmb jr Haus vnd Acker. [4]Der König aber redet mit Gehasi dem Knaben des mans Gottes / vnd sprach / Erzele mir alle grosse Thaten / die Elisa gethan hat. [5]Vnd in dem er dem König erzelet / wie er hette einen Todten lebendig gemacht / Sihe / da kam eben dazu das Weib / des Son er hatte lebendig gemacht / vnd schrey den König an vmb jr Haus vnd Acker. Da sprach Gehasi / Mein Herr könig / Dis ist das Weib / vnd dis ist jr Son / den Elisa hat lebendig gemacht. [6]Vnd der König fragt das Weib / Vnd sie erzelet es jm. Da gab jr der König einen Kemerer / vnd sprach / Schaff jr wider alles das jr ist / Dazu alles einkomen des Ackers / sint der zeit sie das Land verlassen hat / bis hie her.

BENHADAD sendet zu Elisa etc.

VND ELISA KAM GEN DAMASCON / DA LAG BENhadad der könig zu Syrien kranck / Vnd man sagts jm an / vnd sprach / Der man Gottes ist her komen. [8]Da sprach der König zu Hasael / Nim Geschenck mit dir / vnd gehe dem man Gottes entgegen / vnd frage den HERRN durch jn / vnd sprich / Ob ich von dieser kranckheit müge genesen? [9]Hasael gieng jm entgegen / vnd nam Geschenck mit sich / vnd allerley güter zu Damasco / vierzig Camelen last. Vnd da er kam / trat er fur jn / vnd sprach / Dein son Benhadad der könig zu Syrien / hat mich zu dir gesand / vnd lesst dir sagen / Kan ich auch von dieser kranckheit genesen? [10]Elisa sprach zu jm / Gehe hin / vnd sage jm / Du wirst genesen / Aber der HERR hat mir gezeigt / das er des tods sterben wird.

VND der man Gottes sahe ernst vnd stellet sich vngeberdig / vnd weinet. [12]Da sprach Hasael / Warumb weinet mein Herr? Er sprach / Jch weis was vbels du den kindern Jsrael thun wirst / Du wirst jre feste Stedte mit fewr ver‖brennen / vnd jre junge Manschafft mit dem Schwert erwürgen / vnd jre junge Kinder tödten / vnd jre schwanger Weiber zuhawen. [13]Hasael sprach / Was ist dein Knecht der Hund / das er solch gros ding thun solt? Elisa sprach / Der HERR hat mir gezeiget / das du König zu Syrien sein wirst.

HASAEL.

‖ 209a

[14]VND er gieng weg von Elisa / vnd kam zu seinem Herrn / Der sprach zu jm / Was sagt dir Elisa? Er sprach / Er saget mir / Du wirst genesen. [15]Des andern tags aber nam er den Kolter vnd tuncket jn in wasser / vnd breitet jn vber sich her / Da starb er. Vnd Hasael ward König an seine stat.

HASAEL KÖNIG zu Syrien.

2. Par. 21.

JM FÜNFFTEN JAR JORAM DES SONS AHAB DES KÖNIGS Jsrael / ward Joram der son Josaphat könig in Juda. [17]Zwey vnd dreissig jar alt war er da er König ward / vnd regiert acht jar zu Jerusalem. [18]Vnd wandelt auff dem weg der könige Jsrael / wie das haus Ahab thet / Denn Ahabs tochter war sein weib / vnd er thet das dem HERRN vbel gefiel. [19]Aber der HERR wolte Juda nicht verderben / vmb seines knechts Dauids willen / wie er jm geredt hatte / jm zu geben ein Liecht vnter seinen Kindern jmerdar.

JORAM 8. jar König in Juda.

ZV seiner zeit fielen die Edomiter ab von Juda / vnd machten einen Konig vber sich. [21]Denn Joram war durch Zair gezogen / vnd alle Wagen mit jm / vnd hatte sich des nachts auffgemacht vnd die Edomiter geschlagen / die vmb jn her waren / Dazu die Obersten vber die wagen / das das volck floh in seine hütten. [22]Darumb fielen die Edomiter ab von Juda / bis auff diesen tag. Auch fiel zur selben zeit ab Libna.

EDOMITER von Juda abgefallen.

LIBNA.

[23]WAs aber mehr von Joram zu sagen ist / vnd alles was er gethan hat / Sihe / das ist geschrieben in der Chronica der könige Juda. [24]Vnd Joram entschlieff mit seinen Vetern / vnd ward begraben mit seinen Vetern in der stad Dauid / Vnd Ahasia sein son ward König an seine stat.

Ahasia 1. jar König in Juda.

JM ZWELFFTEN JAR JORAM DES SONS AHAB DES königs Jsrael / ward Ahasja der son Joram könig in Juda. [26]Zwey vnd zwenzig jar alt war Ahasja / da er König ward / vnd regierte ein jar zu Jerusalem / Seine mutter hies Athalja eine tochter Amri des königs Jsrael. [27]Vnd wandelt auff dem wege des hauses Ahab / vnd thet das dem HERRN vbel gefiel / wie das haus Ahab / Denn er war Schwager im hause Ahab.

2. Par. 22.

[28]VND er zoch mit Joram dem son Ahab in streit wider Hasael den könig zu Syrien / gen Ramoth in Gilead / Aber die Syrer schlugen Joram. [29]Da keret Joram der könig vmb / das er sich heilen liesse zu Jesreel / von den schlegen / die jm die Syrer geschlagen hatten zu Rama / da er mit Hasael dem könige zu Syrien streit. Vnd Ahasja der son Joram der könig Juda / kam hin ab zu besehen Joram den son Ahab zu Jesreel / Denn er lag kranck.

## IX.

Jehu.

ELISA ABER DER PROPHET RIEFF DER PROPHETEN kinder einem / vnd sprach zu jm / Gürte deine lenden / vnd nim diesen Olekrug mit dir / vnd gehe hin gen Ramoth in Gilead. [2]Vnd wenn du da hin kompst / wirstu daselbs sehen Jehu den son Josaphat / des sons Nimsi / Vnd gehe hin ein vnd heis jn auffstehen vnter seinen Brüdern / vnd füre jn in die innerste Kamer. [3]Vnd nim den Olekrug vnd schüts auff sein Heubt / vnd sprich / So sagt der HERR / Jch hab dich zum Könige vber Jsrael gesalbet / Vnd solt die thür auffthun / vnd fliehen vnd nicht verziehen.

[4]VND der Jüngling des Propheten / der knabe gieng hin gen Ramoth in Gilead. [5]Vnd da er hin ein kam / Sihe / da sassen die Heubtleute des heers / Vnd er sprach / Jch habe dir Heubtman was zu sagen. Er sprach / Welchem vnter vns allen? Er sprach / Dir Heubtman. [6]Da stund er auff vnd gieng hin ein / Er aber schüttet das Ole auff sein Heubt / vnd sprach zu jm / So || sagt der HERR der

Jehu.

|| 209 b

3. Reg. 19.

Gott Jsrael / Jch hab dich zum Könige gesalbet vber des HERRN volck Jsrael. [7]Vnd du solt das haus Ahab deines Herrn schlahen / das ich das blut der Propheten meiner Knechte / vnd das blut aller Knechte des HERRN reche / von der hand Jsebel / [8]das das gantze haus Ahab vmbkome. Vnd ich wil von Ahab ausrotten / den der an die wand pisset vnd den verschlossen vnd verlassen in Jsrael. [9]Vnd wil das haus Ahab machen / wie das haus Jerobeam des sons Nebat / vnd wie das haus Baesa des sons Ahia. [10]Vnd die Hunde sollen Jsebel fressen / auff dem acker zu Jesreel / vnd sol sie niemand begraben. Vnd er thet die thür auff vnd floh.

3. Reg. 15. 16.

VND da Jehu er aus gieng zu den knechten seins Herrn / sprach man zu jm / Stehets wol? Warvmb ist dieser Rasender zu dir komen? Er sprach zu jnen / Jr kennet doch den Man wol / vnd was er saget. [12]Sie sprachen / Das ist nicht war / Sage es vns aber an. Er sprach / So vnd so hat er mit mir geredt / vnd gesagt / So spricht der HERR / Jch hab dich zum Könige vber Jsrael gesalbet. [13]Da eileten sie / vnd nam ein jglicher sein Kleid / vnd legets vnter jn / auff die hohe stuffen / Vnd bliesen mit der Posaunen / vnd sprachen / Jehu ist König worden.

(RASENDER) *Non quoad attoniti aut deuoti ut Rabini delirant, Sed quod impij Prophetas uocant furiosos, sicut hodie etc.*

(HOHE STUFFEN) *Hic fingendum est fuisse sellam Magistratus, eleuatam in urbe, candidam quasi osseam, Huc posuerunt lehu. Sed quia pompa regia tam cito non poterat tapetis ornari, suas uestes substernebant, in pompa festinantes scilicet.*

[14]ALso macht Jehu der son Josaphat des sons Nimsi einen Bund wider Joram / Joram aber lag fur Ramoth in Gilead / mit gantzem Jsrael / wider Hasael den könig zu Syrien. [15]Joram aber der könig war widerkomen / das er sich heilen lies zu Jesreel / von den schlegen / die jm die Syrer geschlagen hatten / da er streit mit Hasael dem könige zu Syrien. Vnd Jehu sprach / Jsts ewer gemüt / So sol niemand entrinnen aus der Stad / das er hin gehe vnd ansage zu Jesreel. [16]Vnd er lies sich füren / vnd zoch gen Jesreel / Denn Joram lag daselbs / So war Ahasja der könig Juda hin ab gezogen Joram zu besehen.

Sup. 8.

[17]DER Wechter aber der auff dem thurm zu Jesreel stund / sahe den hauffen Jehu komen / vnd sprach / Jch sehe einen hauffen. Da sprach Joram / Nim einen Reuter vnd sende jnen entgegen / vnd sprich / Jsts friede? [18]Vnd der Reuter reit hin jm entgegen / vnd sprach / So sagt der König / Jsts friede? Jehu sprach / Was gehet dich der fried an? Wende dich hinder mich. Der Wechter verkündigt / vnd sprach / Der Bote ist zu jnen komen / vnd

kompt nicht wider. [19]Da sandte er einen andern Reuter / Da der zu jm kam / sprach er / So spricht der König / Jsts friede? Jehu sprach / Was gehet dich der fried an? Wende dich hinder mich. [20]Das verkündigt der Wechter / vnd sprach / Er ist zu jnen komen vnd kompt nicht wider / Vnd es ist ein treiben / wie das treiben Jehu des sons Nimsi / denn er treibet wie er vnsinnig were.

DA sprach Joram / Spannet an. Vnd man spannet seinen wagen an / Vnd sie zogen aus / Joram der könig Jsrael / vnd Ahasja der könig Juda / ein jglicher auff seinem wagen / das sie Jehu entgegen kemen / Vnd sie traffen jn an / auff dem acker Naboth des Jesreeliten. [22]Vnd da Joram Jehu sahe / sprach er / Jehu / Jsts friede? Er aber sprach / Was Friede? Deiner mutter Jsebel Hurerey vnd Zeuberey wird jmer grösser. [23]Da wand Joram seine hand vnd floh / Vnd sprach zu Ahasja / Es ist verrheterey Ahasja. [24]Aber Jehu fasset den Bogen / vnd schos Joram zwisschen den armen / das der pfeil durch sein hertz ausfur / vnd fiel in seinen wagen. [25]Vnd er sprach zum Ritter Bidekar / Nim vnd wirff jn auffs stück ackers Naboth des Jesreeliten / Denn ich gedencke / das du mit mir auff eim wagen seinem Vater nachfuren / das der HERR solche Last vber jn hub. [26]Was gilts / sprach der HERR / Jch wil dir das blut Naboth vnd seiner Kinder / das ich gestern sahe / vergelten auff diesem acker. So nim nu vnd wirff jn auff den Acker nach dem wort des HERRN.

JORAM ERschossen von Jehu.

3. Reg. 21.

DA das Ahasja der könig Juda sahe / flohe er des wegs zum hause des garten. Jehu aber jagt jm nach / vnd hies jn auch schlahen auff dem wagen gen Gur hinan / die bey Jeblaam ligt / vnd er floh gen Megiddo / vnd starb ‖ daselbs. [28]Vnd seine knechte liessen jn füren gen Jerusalem / vnd begruben jn in seinem Grabe mit seinen Vetern in der stad Dauid. [29]Ahasja aber regierte vber Juda / im eilfften jar Joram des sons Ahab.

‖ 210a

VND da Jehu gen Jesreel kam / vnd Jsebel das erfur / schmincket sie jr angesicht vnd schmücket jr heubt / vnd kucket zum fenster aus. [31]Vnd da Jehu vnter das thor kam / sprach sie / Jsts Simri wol gegangen / der seinen Herrn erwürget? [32]Vnd er hub sein angesicht auff zum fenster / vnd sprach / Wer ist bey mir hie? Da wandten sich zween oder drey Kemerer zu jm. [33]Er sprach / Störtzet sie

3. Reg. 16.

JSEBEL.

herab. Vnd sie stortzten sie er ab / das die wand vnd die Ross mit jrem blut besprenget worden / vnd sie ward zutretten.

[34]VND da er hin ein kam vnd gessen vnd getruncken hatte / sprach er / Besehet doch die verfluchte / vnd begrabet sie / Denn sie ist eines Königs tochter. [35]Da sie aber hin giengen sie zu begraben / funden sie nichts von jr / denn den schedel vnd füsse / vnd jre flache hende. [36]Vnd kamen wider / vnd sagtens jm an. Er aber sprach / Es ists / das der HERR geredt hat durch seinen knecht Elia den Thisbiten / vnd gesagt / Auff dem acker Jesreel sollen die Hunde der Jsebel fleisch fressen. [37]Also ward das ass Jsebel wie kot auff dem felde / im acker Jesreel / das man nicht sagen kund / Das ist Jsebel.

3. Reg. 21.

X.

AHAB ABER HATTE SIEBENZIG SÖNE ZU SAMARIA / Vnd Jehu schreib Brieue / vnd sandte sie gen Samaria / zu den Obersten der Stad Jesreel / zu den Eltesten vnd Vormünden Ahab / die lauten also. [2]Wenn dieser Brieff zu euch kompt / bey denen ewrs Herrn Söne sind / wagen / rosse / feste stedte vnd rüstung / [3]So sehet / welcher der beste vnd der geschicktest sey vnter den Sönen ewrs Herrn / vnd setzt jn auff seines vaters Stuel / vnd streitter fur ewrs Herrn haus.

[4]SJe aber furchten sich fast seer / vnd sprachen / Sihe / Zween Könige sind nicht gestanden fur jm / Wie wöllen wir denn stehen? [5]Vnd die vber das Haus vnd vber die Stad waren / vnd die Eltesten

vnd Vormünden sandten hin zu Jehu / vnd liessen jm sagen / Wir sind deine knechte / Wir wöllen alles thun / was du vns sagest / Wir wöllen niemand zum Könige machen / Thu was dir gefellt. ‖ ‖ 210b

DA schreib er den andern brieff zu jnen / der lautet also / So jr mein seid / vnd meiner stimme gehorchet / So nemet die Heubter von den Mennern ewrs Herrn sönen / vnd bringet sie zu mir morgen vmb diese zeit / gen Jesreel (Der Söne aber des Königs waren siebenzig Man / vnd die grössesten der Stad zogen sie auff) [7]Da nu der brieff zu jnen kam / Namen sie des Königs Söne / vnd schlachteten siebenzig Man / vnd legten jre Heubter in körbe / vnd schicketen sie zu jm gen Jesreel. [8]Vnd da der Bote kam / vnd sagts jm an / vnd sprach / Sie haben die Heubter des Königs kinder gebracht / sprach er / Legt sie auff zween hauffen / fur der thür am thor bis morgen.

LXX. SÖNE Ahabs getödtet.

[9]VND des morgens da er ausgieng / trat er dahin / vnd sprach zu allem Volck / Jr wolt ja recht haben? Sihe / Hab ich wider meinen Herrn einen Bund gemacht / vnd jn erwürget / Wer hat denn diese alle geschlagen? [10]So erkennet jr ja / das kein wort des HERRN ist auff die erden gefallen / das der HERR geredt hat wider das haus Ahab / Vnd der HERR hat gethan / wie er geredt hat durch seinen knecht Elia. [11]Also schlug Jehu alle vbrigen vom hause Ahab zu Jesreel / alle seine Grossen / seine Verwandten / vnd seine Priester / bis das jm nicht einer vberbleib.

3. Reg. 21.

VND macht sich auff / zoch hin vnd kam gen Samaria / Vnter wegen aber war ein Hirtenhaus / [13]Da traff Jehu an die brüder Ahasja des königs Juda / vnd sprach / Wer seid jr? Sie sprachen / Wir sind brüder Ahasja / vnd ziehen hin ab zu grüssen des Königs kinder / vnd der Königin kinder. [14]Er aber sprach / Greiffet sie lebendig / Vnd sie grieffen sie lebendig / vnd schlachten sie bey dem brun am Hirtenhaus / zween vnd vierzig Man / vnd lies nicht einen von jnen vbrig.

XLII. BRÜDER Ahasja erwürget.

JONADAB.

VND da er von dannen zoch / fand er Jonadab den son Rechab / der jm begegent / vnd grüsset jn / vnd sprach zu jm / Jst dein hertz richtig / wie mein hertz mit deinem hertzen? Jonadab sprach / Ja. Jsts also / so gib mir deine hand Vnd er gab jm seine hand. Vnd er lies jn zu jm auff den Wagen sitzen / [16]vnd sprach / Kom mit mir / vnd sihe mei-

Jere. 35.

nen eiuer vmb den HERRN. Vnd sie füreten jn mit jm auff seinen Wagen. [17]Vnd da er gen Samaria kam / schlug er alles was vbrig war von Ahab zu Samaria / bis das er jn vertilget / Nach dem wort des HERRN / das er zu Elia geredt hatte.

3. Reg. 16.

VND Jehu versamlet alles Volck / vnd lies zu jnen sagen / Ahab hat Baal wenig gedienet / Jehu wil jm bas dienen. [19]So lasst nu ruffen allen Propheten Baal / allen seinen Knechten / vnd allen seinen Priestern zu mir / das man niemands vermisse / Denn ich habe ein gros opffer dem Baal zu thun / Wes man vermissen wird / der sol nicht leben. Aber Jehu thet solchs zu vntertretten / das er die Diener Baal vmbrechte. [20]Vnd Jehu sprach / Heiliget dem Baal das Fest / vnd lasst ausruffen. [21]Auch sandte Jehu in gantz Jsrael / vnd lies alle Diener Baal komen / das niemand vbrig war / der nicht keme / Vnd sie kamen in das haus Baal / das das haus Baal vol ward an allen enden.

[22]DA sprach er zu denen / die vber das [a]Kleiderhaus waren / Bringet allen Dienern Baal kleider er aus / Vnd sie brachten die kleider er aus. [23]Vnd Jehu gieng in die Kirchen Baal mit Jonadab dem son Rechab / vnd sprach zu den Dienern Baal / forschet vnd sehet zu / das nicht hie vnter euch sey des HERRN Diener jemand / sondern Baals Diener alleine. [24]Vnd da sie hin ein kamen / Opffer vnd Brandopffer zuthun / bestellet jm Jehu haussen achzig Man / vnd sprach / Wenn der Menner jemand entrinnet / die ich vnter ewre hende gebe / So sol fur seine seele desselben seele sein.

a Jd est / Vber die Sacristey.

[25]DA er nu die Brandopffer volendet hatte / sprach Jehu zu den Drabanten vnd Rittern / Gehet hin ein / vnd schlahet jederman / lasst niemand er aus gehen. Vnd sie schlugen sie mit der scherffe des schwerts / vnd die Drabanten vnd Ritter worffen sie weg / vnd giengen zur stad der Kirchen Baals / [26]vnd brachten ‖ er aus die Seule in der Kirchen Baal / vnd verbranten sie / [27]Vnd zubrachen die seule Baal / sampt der Kirchen Baal / vnd machten ein heimlich Gemach draus / bis auff diesen tag. [28]Also vertilget Jehu den Baal aus Jsrael. [29]Aber von den sünden Jerobeam des sons Nebat / der Jsrael sünndigen machte / lies Jehu nicht / von den gülden Kelbern zu BethEl vnd zu Dan.

PROPHETEN Baal erwürget.

‖ 211a

VND der HERR sprach zu Jehu / Darumb / das du willig gewesen bist zu thun was mir gefallen hat / vnd hast am hause Ahab gethan alles was in meinem hertzen war / Sollen dir auff deinem stuel Jsrael sitzen deine Kinder ins vierde Gelied. [31]Aber doch hielt Jehu nicht / das er im Gesetz des HERRN des Gottes Jsrael wandelte von gantzem hertzen / Denn er lies nicht von den sünden Jerobeam / der Jsrael hatte sündigen gemacht.

Jnfr. 15.

ZVR selbigen zeit fieng der HERR an vberdrüssig zu werden vber Jsrael / Denn Hasael schlug sie in allen grentzen Jsrael / [33]vom Jordan gegen der sonnen auffgang / Vnd das gantze land Gilead der Gadditer / Rubeniter vnd Manassiter / von Aroer an die am bach bey Arnon ligt / vnd Gilead vnd Basan.

3. Reg. 19.

HASAEL.

[34]WAS aber mehr von Jehu zu sagen ist / vnd alles was er gethan hat / vnd alle seine macht / Sihe / das ist geschrieben in der Chronica der könige Jsrael. [35]Vnd Jehu entschlieff mit seinen Vetern / vnd sie begruben jn zu Samaria / Vnd Joahas sein Son ward König an seine stat. [36]Die zeit aber die Jehu vber Jsrael regiert hat zu Samaria / sind acht vnd zwenzig jar.

JEHU. 28. jar König in Jsrael.

## XI.

ATHALIA ABER AHASJA MUTTER / DA SIE SAHE / das jr Son tod war / macht sie sich auff / vnd bracht vmb allen Königlichen samen. [2]Aber Joseba die tochter des königs Joram / Ahasja schwester / nam Joas den son Ahasja / vnd stal jn aus des Königs kindern die getödtet wurden / mit seiner Amme in der Schlaffkamer / vnd sie verborgen jn fur Athalia / das er nicht getödtet ward. [3]Vnd er war mit jr versteckt im Hause des HERRN sechs jar / Athalia aber war Königin im Lande.

ATHALIA.

2. Par. 22.

JOAS FUR Athalia verborgen etc.

JM siebenden jar aber sandte hin Joiada / vnd nam die Obersten vber hundert mit den Heubtleuten vnd die Drabanten / vnd lies sie zu sich ins haus des HERRN komen / vnd macht einen Bund mit jnen / vnd nam einen Eid von jnen / im Hause des HERRN / vnd zeiget jnen des Königs son. [5]Vnd gebot jnen / vnd sprach / Das ists / das jr thun solt / Ewr ein dritte teil / die jr des Sabbaths angehet / sollen der Hut warten im hause des Königs. [6]Vnd ein dritte teil sol sein am thor Sur / Vnd ein dritte teil am thor das hinder den Drabanten ist / vnd solt

JOIADA.

2. Par. 22.

(Des Sabbaths) Das waren / die auff des Königs dienst warten eine woche vmb die andern. Wenn ein teil abgieng / so gieng das ander an.

der hut warten am hause Massa. [7]Aber zwey teil ewer aller / die jr des Sabbaths abgehet / sollen der hut warten im Hause des HERRN vmb den König / [8]Vnd sollet rings vmb den König euch machen / vnd ein jglicher mit seiner Wehre in der hand. Vnd wer her ein zwisschen die wand komet / der sterbe / das jr bey dem König seid / wenn er aus vnd ein gehet.

[9]VND die Obersten vber hundert theten alles / wie jnen Joiada der Priester geboten hatte / vnd namen zu sich jre Menner / die des Sabbaths angiengen / mit denen / die des Sabbaths abgiengen / vnd kamen zu dem Priester Joiada. [10]Vnd der Priester gab den Heubtleuten Spies vnd Schilde / die des königs Dauids gewesen waren / vnd in dem Hause des HERRN waren. [11]Vnd die Drabanten stunden vmb den König her / ein jglicher mit seiner Wehre in der hand / von dem winckel des Hauses zur zechten / bis zum winckel zur lincken / zum Altar zu / vnd zum Hause. [12]Vnd er lies des Königs son erfür komen / vnd setzet jm eine Kron auff / vnd gab jm das [a]Zeugnis / vnd machten jn zum Könige / vnd waren frölich / vnd schlugen die hende zusamen / vnd sprachen / Glück zu dem Könige.‖

Deut. 17.

‖ 211b

a (Zeugnis) Das war das buch Mose / das fünffte / das dem Könige befolhen ward.

VND da Athalja höret das geschrey des volcks das zulieff / kam sie zum volck in das Haus des HERRN / [14]vnd sahe / Sihe / da stund der König an der seulen / wie es gewonheit war / vnd die Senger vnd Drometen bey dem Könige / vnd alles volck des Lands war frölich / vnd bliesen mit Drometen / Athalja aber zureis jre Kleider / vnd sprach / Auffrhur / auffrhur. [15]Aber der Priester Joiada gebot den Obersten vber hundert / die vber das Heer gesetzt waren / vnd sprach zu jnen / Füret sie zum Hause hin aus in den Hof / vnd wer jr folget / der sterbe des Schwerts / Denn der Priester hatte gesagt / sie solte nicht im hause des HERRN sterben. [16]Vnd sie legten die hende an sie / vnd sie gieng hin ein / des weges da die Ross zum hause des Königs gehen / vnd ward daselbs getödtet.

ATHALIA getödtet.

[17]DA machet Joiada einen Bund zwisschen dem HERRN / vnd dem Könige / vnd dem Volck / das sie des HERRN volck sein solten / Also auch zwisschen dem Könige / vnd dem Volck.

DA gieng alles volck des Lands in die Kirche Baal / vnd brachen seine Altar ab / vnd zu-

MATHAN.

brachen sein Bildnis recht wol / vnd Mathan den Priester Baal erwürgeten sie fur den Altaren. Der Priester aber bestellet die Empter im Hause des HERRN. 19Vnd nam die Obersten vber hundert / vnd die Heubtleute / vnd die Drabanten / vnd alles volck des Lands / vnd füreten den König hin ab vom Hause des HERRN / vnd kamen auff dem wege von dem thor der Drabanten zum Königs hause / vnd er satzt sich auff der Könige stuel. 20Vnd alles volck im Lande war frölich / vnd die Stad ward stille. Athalja aber tödten sie mit dem Schwert ins Königs hause. 21Vnd Joas war sieben jar alt / da er König ward.

## XII.

JOAS REGIERT 40. jar in Juda.

2. Par. 24.

JM SIEBENDEN JAR JEHU / WARD JOAS KÖNIG / vnd regierte vierzig jar zu Jerusalem / Seine mutter hiess Zibea von Bersaba. 2Vnd Joas thet was recht war vnd dem HERRN wolgefiel / so lang jn der Priester Joiada leret. 3On das sie die Höhen nicht abtheten / Denn das volck opfferte / vnd reucherte noch auff den Höhen.

VND Joas sprach zu den Priestern / Alles geld / das geheiliget wird / das es in das Haus des HERRN gebracht werde / das genge vnd gebe ist / das Gelt so jederman gibt / in der Schetzung seiner Seele / vnd alles Gelt das jederman von freiem hertzen opffert / das es in des HERRN Haus gebracht werde / 5das lasst die Priester zu sich nemen / einen jglichen von seinem bekandten / Dauon sollten sie bessern / was bawfellig ist am Hause des HERRN / wo sie finden das bawfellig ist. 6Da aber die Priester / bis ins drey vnd zwenzigst jar des königs Joas / nicht besserten was bawfellig war am Hause / 7Rieff der könig Joas dem Priester Joiada / sampt den Priestern / vnd sprach zu jnen / Warumb bessert jr nicht was bawfellig ist am Hause? So solt jr nu nicht zu euch nemen das Gelt ein jglicher von seinen bekandten / sondern solts geben zu dem das bawfellig ist am Hause. 8Vnd die Priester bewilligeten / vom volck nicht Gelt zu nemen / vnd das bawfellige am Hause zu bessern.

9DA nam der Priester Joiada eine Laden / vnd borte oben ein loch drein / vnd setzt sie zur rechten hand neben den Altar / da man in das Haus des HERRN gehet / Vnd die Priester die an der schwelle hüteten / theten drein alles Gelt das zu des HERRN Haus gebracht ward. [10]Wenn sie denn sahen / das viel Gelt in der Laden war / so kam des Königs Schreiber er auff mit dem Hohenpriester / vnd bunden das Gelt zusamen / vnd zeleten es / was fur des HERRN Haus funden ward. [11]Vnd man gab das Gelt bar vber denen / die da erbeiten vnd bestellet waren zu dem Hause des HERRN / Vnd sie gabens er aus den Zimmerleuten / die da baweten vnd erbeiten am Hause des HERRN / [12]nem‖lich / den Meurern vnd Steinmetzen / vnd die da Holtz vnd gehawen Stein kaufften / das das bawfellige am Hause des HERRN gebessert würde / vnd alles was sie funden am Hause zu bessern not sein.

‖ 212a

Joahas

[13]DOch lies man nicht machen silbern schalen / Psalter / becken / drometen / noch jrgend ein gülden oder silbern Gerete im Hause des HERRN von solchem gelt / das zu des HERRN Hause gebracht ward. [14]Sondern man gabs den Erbeitern / das sie da mit das bawfellige am Hause des HERRN besserten. [15]Auch durfften die Menner nicht berechen / den man das gelt thet / das sie es den Erbeitern geben / sondern sie handelten auff glauben. [16]Aber das gelt von Schuldopffern vnd Sündopffern ward nicht zum Hause des HERRN gebracht / denn es war der Priester.

Hasael.

ZV der zeit zoch Hasael der könig zu Syrien erauff / vnd streit wider Gath / vnd gewan sie. Vnd da Hasael sein angesicht stellet zu Jerusalem hin auff zu ziehen / [18]nam Joas der könig Juda alle das geheiligete / das seine veter Josaphat / Joram vnd Ahasja die könige Juda geheiliget hatten vnd was er geheiliget hatte / Da zu alles Gold / das man fand im schatz in des HERRN Hause / vnd in des Königs hause / vnd schickets Hasael dem könige zu Syrien / Da zoch er abe von Jerusalem.

2. Par. 24.

[19]WAS aber mehr von Joas zu sagen ist / vnd alles was er gethan hat / das ist geschrieben in der Chronica der könige Juda. [20]Vnd seine Knechte empöreten sich vnd machten einen Bund / vnd schlugen jn im hause Millo / da man hin ab gehet zu Silla. [21]Denn Josabar der son Simeath vnd Josabad der son Somer seine knechte / schlugen jn tod / Vnd man begrub jn mit seinen Vetern in der stad Dauid / Vnd Amazja sein son ward König an seine stat.

XIII.

Joahas 17. jar König vber Jsrael.

JM drey vnd zwenzigsten jar Joas des sons Ahasja des königs Juda / ward Joahas der son Jehu könig vber Jsrael zu Samaria / siebenzehen jar. [2]Vnd thet das dem HERRN vbel gefiel / vnd wandelt den sünden nach Jerobeam des sons Nebat / der Jsrael sündigen machte / vnd lies nicht dauon. [3]Vnd des HERRN zorn ergrimmet vber Jsrael / vnd gab sie vnter die hand Hasael des königs zu Syrien / vnd Benhadad des sons Hasael jr leben lang.

3. Reg. 19.

Hasael.

ABer Joahas bat des HERRN angesicht / Vnd der HERR erhöret jn / Denn er sahe den jamer Jsrael an / wie sie der König zu Syrien drenget. [5]Vnd der HERR gab Jsrael einen Heiland / der sie aus der gewalt der Syrer füret / das die kinder Jsrael in jren Hütten woneten / wie vor hin. [6]Doch liessen sie nicht von der sünde des hauses Jerobeam / der Jsrael sündigen machte / sondern wandelten drinnen / Auch bleib stehen der Hayn zu Samaria. [7]Denn es war des volcks Joahas nicht mehr vberblieben / denn funffzig Reuter / zehen wagen / vnd zehen tausent fusuolcks / Denn der König zu Syrien hatte sie vmb gebracht / vnd hatte sie gemacht / wie dresscher staub.

[8]WAS aber mehr von Joahas zu sagen ist / vnd alles was er gethan hat / vnd seine macht / Sihe / das ist geschrieben in der Chronica der könige Jsrael. [9]Vnd Joahas entschlieff mit seinen Vetern / vnd man begrub jn zu Samaria. Vnd sein son Joas ward König an seine stat.

Joas XVI. jar König in Jsrael.

JM sieben vnd dreissigsten jar Joas des königs Juda / ward Joas der son Joahas könig vber Jsrael zu Samaria / sechzehen jar. [11]Vnd thet das dem HERRN vbel gefiel / vnd lies nicht von allen sünden Jerobeam des sons Nebat / der Jsrael sündigen machte / sondern wandelt drinnen.

[12]WAS aber mehr von Joas zu sagen ist / vnd was er gethan hat / vnd seine macht / wie er mit Amazja dem könige Juda gestritten hat / Sihe / das ist geschrieben in der Chronica der könige Jsrael. [13]Vnd Joas entschlieff mit seinen ‖ Vetern / vnd Jerobeam sas auff seinem Stuel. Joas aber ward begraben zu Samaria bey die könige Jsrael.

2. Par. 25.

‖ 212b

ELISA ABER WARD KRANCK / DARAN ER AUCH starb / Vnd Joas der könig Jsrael kam zu jm hin ab / vnd weinet fur jm / vnd sprach / Mein Vater / mein vater / Wagen Jsrael / vnd sein Reuter. [15]Elisa aber sprach zu jm / Nim den bogen vnd pfeil. Vnd da er den bogen vnd die pfeil nam / [16]sprach er zum könige Jsrael / Spanne mit deiner hand den Bogen. Vnd er spannet mit seiner hand. Vnd Elisa legt seine hand auff des Königs hand / [17]vnd sprach / Thu das Fenster auff gegen morgen. Vnd er thets auff. Vnd Elisa sprach / Scheus. Vnd er schos. Er aber sprach / Ein pfeil des heils vom HERRN / ein pfeil des heils wider die Syrer / vnd du wirst die Syrer schlahen zu Aphek / bis sie auff gerieben sind.

[18]VND er sprach / Nim die pfeile. Vnd da er sie nam / sprach er zum könige Jsrael / Schlahe die erden. Vnd er schlug drey mal / vnd stund stille. [19]Da ward der man Gottes zornig auff jn / vnd sprach / Hettestu fünff oder sechs mal geschlagen / so würdestu die Syrer geschlagen haben / bis sie auffgerieben weren / Nu aber wirstu sie drey mal schlahen.

ELISA GEstorben.

DA aber Elisa gestorben war / vnd man jn begraben hatte / fielen die Kriegsleute der Moabiter ins Land / desselben jars. [21]Vnd es begab sich / das sie einen Man begruben / Da sie aber die Kriegsleute sahen / worffen sie den Man in Elisa grab. Vnd da er hin kam vnd die gebeine Elisa anrüret / ward er lebendig / vnd trat auff seine füsse.

Eccle. 48.

HASAEL.

ALso zwang nu Hasael der könig zu Syrien Jsrael / so lang Joahas lebt. [23]Aber der HERR thet jnen gnade / vnd erbarmet sich jr / vnd wand sich zu jnen / vmb seines Bunds willen / mit Abraham / Jsaac vnd Jacob / vnd wolt sie nicht verderben / verwarff sie auch nicht von seinem angesicht / bis auff diese stund.

VND Hasael der könig zu Syrien starb / vnd sein son Benhadad ward König an seine stat. [25]Joas aber keret vmb / vnd nam die Stedte aus der hand Benhadad des sons Hasael / die er aus der hand seines vaters Joahas genomen hatte mit streit / Drey mal schlug jn Joas / vnd bracht die stedte Jsrael wider.

## XIIII.

2. Par. 25.

AMAZIA 29. jar König vber Juda.

JM ANDERN JAR JOAS DES SONS JOAHAS DES KÖNIGS Jsrael / ward Amazja könig / der son Joas des königs Juda. [2]Fünff vnd zwenzig jar alt war er /

da er König ward / vnd regiert neun vnd zwenzig jar zu Jerusalem / Seine mutter hies Joadan von Jerusalem. [3]Vnd er thet was dem HERRN wolgefiel / Doch nicht wie sein vater Dauid / Sondern wie sein vater Joas / thet er auch / [4]Denn die Höhen wurden nicht abgethan / Sondern das volck opfferte vnd reucherte noch auff den Höhen.

[5]DA er nu des Königreichs mechtig ward / schlug er seine Knechte / die seinen Vater den König geschlagen hatten. [7]Aber die Kinder der Todschleger tödtet er nicht / Wie es denn geschrieben stehet im Gesetzbuch Mose / da der HERR geboten hat / vnd gesagt / Die Veter sollen nicht vmb der Kinder willen sterben / Vnd die Kinder sollen nicht vmb der Veter willen sterben / Sondern ein jglicher sol vmb seiner sünde willen sterben.

Deut. 24. Ezech. 18.

[8]ER schlug auch der Edomiter im Saltztal zehen tausent / vnd gewan die stad Sela mit streit / vnd hies sie Jaktheel bis auff diesen tag.

DA SANDTE AMAZJA BOTEN ZU JOAS DEM SON Joahas des sons Jehu dem könige Jsrael / vnd lies jm sagen / Kom her / las vns mit einander besehen. [9]Aber Joas der könig Jsrael sandte zu Amazja dem könige Juda / vnd || lies jm sagen / Der Dornstrauch der in Libanon ist / sandte zum Cedern im Libanon / vnd lies jm sagen / Gib deine Tochter meinem Son zum weib. Aber das Wild auff dem felde im Libanon / lieff vber den Dornstrauch vnd zutrat jn. [10]Du hast die Edomiter geschlagen / des vberhebt sich dein hertz. Habe den rhum vnd bleib da heimen / Warumb ringestu nach vnglück / das du fallest vnd Juda mit dir?

|| 213a

[11]ABer Amazja gehorchet nicht / Da zoch Joas der könig Jsrael er auff / vnd sie besahen sich mit einander / er vnd Amazja der könig Juda zu Beth-Semes die in Juda ligt. [12]Aber Juda ward geschlagen fur Jsrael / das ein jglicher floh in seine Hütten. [13]Vnd Joas der könig Jsrael greiff Amazja den könig Juda den son Jonas / des sons Ahasja zu Beth-Semes. Vnd kam gen Jerusalem / vnd zureis die mauren Jerusalem / von dem thor Ephraim an / bis an das Eckthor / vier hundert ellen lang. [14]Vnd nam alles Gold vnd Silber vnd Gerete das funden ward im Hause des HERRN / vnd im schatz des Königs hause / Da zu die Kinder zu pfande / vnd zoch wider gen Samaria.

[15]WAS aber mehr von Joas zu sagen ist / das er gethan hat / vnd seine macht / vnd wie er mit Amazja dem könige Juda gestritten hat / Sihe / das ist geschrieben in der Chronica der könige Jsrael. [16]Vnd Joas entschlieff mit seinen Vetern / Vnd ward begraben zu Samaria vnter den königen Jsrael / Vnd sein son Jerobeam ward König an seine stat.

AMazja aber der son Joas des königs Juda lebet nach dem tod Joas des sons Joahas des königs Jsrael funffzehen jar. [18]Was aber mehr von Amazja zu sagen ist / das ist geschrieben in der Chronica der könige Juda. [19]Vnd sie machten einen Bund wider jn zu Jerusalem / Er aber floh gen Lachis. Vnd sie sandten hin jm nach gen Lachis / vnd tödten jn daselbs. [20]Vnd sie brachten jn auff Rossen / vnd ward begraben zu Jerusalem bey seine Veter in der stad Dauid. [21]Vnd das gantze volck Juda nam Asarja in seinem sechzehenden jar / vnd machten jn zum Könige / an stat seines vaters Amazja. [22]Er bawete Elath / vnd brachte sie wider zu Juda / nach dem der König mit seinen Vetern entschlaffen war.

2. Par. 25.

AMAZIA getödtet.

JM funffzehenden jar Amazja des sons Joas des königs Juda / ward Jerobeam der son Joas könig vber Jsrael zu Samaria ein vnd vierzig jar. [24]Vnd thet das dem HERRN vbel gefiel / vnd lies nicht ab von allen sünden Jerobeam des sons Nebat / der Jsrael sündigen machte. [25]Er aber brachte wider erzu die grentze Jsrael / von Hemath an / bis ans meer das im Blachenfelde ligt / Nach dem wort des HERRN des Gottes Jsrael / das er geredt hatte durch seinen knecht Jona dem son Amithai den Propheten / der von GathHepher war. [26]Denn der HERR sahe an den elenden jamer Jsrael / das auch die verschlossen vnd verlassen da hin waren / vnd kein Helffer war in Jsrael. [27]Vnd der HERR hatte nicht geredt / das er wolte den namen Jsrael aus tilgen vnter dem Himel / Vnd halff jnen durch Jerobeam den son Joas.

JEROBEAM 41. jar König vber Jsrael.

JONA.

[28]WAS aber mehr von Jerobeam zu sagen ist / vnd alles was er gethan hat / vnd seine macht wie er gestritten hat / vnd wie er Damascon vnd Hemath wider bracht an Juda in Jsrael / Sihe / das ist geschrieben in der Chronica der könige Jsrael. [29]Vnd Jerobeam entschlieff mit seinen Vetern mit den königen Jsrael. Vnd sein son Sacharja ward König an seine stat.

XV.

Asaria
52. jar König in Juda.

JM sieben vnd zwenzigsten jar Jerobeam des königs Jsrael ward könig Asarja der son Amazja des königs Juda. [2]Vnd war sechzehen jar alt da er König ward / vnd regierte zwey vnd funffzig jar zu Jerusalem / Seine mutter hies Jechalja von Jerusalem. [3]Vnd thet das dem HERRN wolgefiel / aller ding wie sein vater || Amazja. [4]On das sie die Höhen nicht abtheten / Denn das volck opfferte vnd reucherte noch auff den Höhen. [5]Der HERR plagt aber den König / das er aussetzig war / bis an seinen tod / vnd wonet in einem sondern hause / Jotham aber des Königs son regiert das Haus / vnd richtet das volck im Lande.

|| 213b

[6]WAS aber mehr von Asarja zu sagen ist / vnd alles was er gethan hat / Sihe / das ist geschrieben in der Chronica der könige Juda. [7]Vnd Asarja entschlieff mit seinen Vetern / vnd man begrub jn bey seine Veter in der stad Dauid / Vnd sein son Jotham ward König an seine stat.

2. Par. 26.

Sacharja
6 monden König vber Jsrael.

JM acht vnd dreissigsten jar Asarja des königs Juda / ward König Sacharja der son Jerobeam vber Jsrael zu Samaria sechs monden. [9]Vnd thet das dem HERRN vbel gefiel / wie seine Veter gethan hatten / Er lies nicht ab von den sünden Jerobeam des sons Nebat / der Jsrael sündigen machte. [10]Vnd Sallum der son Jabes macht einen Bund wider jn / vnd schlug jn fur dem volck / vnd tödtet jn / vnd ward König an seine stat.

[11]WAS aber mehr von Sacharja zu sagen ist / Sihe / das ist geschrieben in der Chronica der könige Jsrael. [12]Vnd das ists / das der HERR Jehu geredt hatte / Dir sollen Kinder ins vierde gelied sitzen auff dem stuel Jsrael / Vnd ist also geschehen.

Sup. 10.

Sallum
1. monden König vber Jsrael.

SAllum aber der son Jabes ward König im neun vnd dreissigsten jar [a]Asarja des königs Juda / vnd regiert einen monden zu Samaria. [14]Denn Menahem der son Gadi zoch er auff von Thirza vnd kam gen Samaria / vnd schlug Sallum den son Jabes zu Samaria vnd tödtet jn / vnd ward König an seine stat.

a *Alij Vsia.*

[15]WAS aber mehr von Sallum zusagen ist / vnd seinem Bund den er anrichtet / Sihe / das ist geschrieben in der Chronica der könige Jsrael. [16]Da zu mal schlug Menahem Tiphsah / vnd alle die drinnen waren / vnd jre grentze von Thirza / Dar-

umb / das sie jn nicht wolten einlassen / vnd schlug alle jre Schwangere vnd zureis sie.

JM neun vnd dreissigsten jar Asarja des königs Juda ward könig Menahem der son Gadi vber Jsrael zehen jar zu Samaria. [18]Vnd thet das dem HERRN vbel gefiel / Er lies sein leben lang nicht von den sünden Jerobeam des sons Nebat / der Jsrael sündigen machte. [19]Vnd es kam Phul der könig von Assyrien ins Land / Vnd Menahem gab dem Phul tausent Centner silber / das ers mit jm hielte / vnd bekrefftiget jm das Königreich. [20]Vnd Menahem satzt ein geld in Jsrael auff die reichesten funffzig sekel silbers auff einen jglichen Man / das er dem könige von Assyrien gebe / Also zoch der könig von Assyrien wider heim / vnd bleib nicht im Lande.

MENAHEM 10. jar König vber Jsrael.

PHUL.

[21]WAS aber mehr von Menahem zu sagen ist / vnd alles was er gethan hat / Sihe / das ist geschrieben in der Chronica der könige Jsrael. [22]Vnd Menahem entschlieff mit seinen Vetern / vnd Pekahja sein son ward König an seine stat.

JM funffzigsten jar Asarja des königes Juda / ward könig Pekahja der son Menahem vber Jsrael zu Samaria zwey jar. [24]Vnd thet das dem HERRN vbel gefiel / Denn er lies nicht von der sünde Jerobeam des sons Nebat / der Jsrael sündigen machte. [25]Vnd es macht Pekah der son Remalja seins Ritters / einen Bund wider jn / vnd schlug jn zu Samaria im Pallast des Königs hause / mit Argob vnd Arie / vnd funffzig Man mit jm von den kindern Gilead / vnd tödtet jn / vnd ward König an seine stat.

PEKAHJA 2. jar König vber Jsrael.

[26]WAS aber mehr von Pekahja zu sagen ist / vnd alles was er gethan hat / Sihe / das ist geschrieben in der Chronica der könige Jsrael.

JM zwey vnd funffzigsten jar Asarja des königs Juda / ward könig Pekah der son Remalja vber Jsrael zu Samaria zwenzig jar. [28]Vnd thet das dem HERRN vbel gefiel / Denn er lies nicht von der sünde Jerobeam des sons Nebat / der Jsrael sündigen machte. ‖

PEKAH 20. jar König vber Jsrael.

‖ 214a

ZV den zeiten Pekah des königs Jsrael / kam Thiglath Pillesser / der könig zu Assyrien / vnd nam Hion / AbelBethMaecha / Janoha / Kedes / Hazor / Gilead / Galilea / vnd das gantze land Naphthali / vnd füret sie weg in Assyrien.

THIGLATH-Pillesser.

[30]VNd Hosea der son Ela macht einen Bund wider Pekah den son Remalja / vnd schluge jn tod /

vnd ward König an seine stat / im zwenzigsten jar Jotham des sons Vsia.

[31]WAS aber mehr von Pekah zu sagen ist / vnd alles was er gethan hat / Sihe / das ist geschrieben in der Chronica der könige Jsrael.

2. Par. 27.

Jotham 16. jar. König in Juda.

JM ANDERN JAR PEKAH DES SONS REMALJA DES königs Jsrael / ward könig Jotham der son Vsia des königs Juda. [33]Vnd war fünff vnd zwenzig jar alt da er König ward / vnd regierte sechzehen jar zu Jerusalem / Seine mutter hies Jerusa / eine tochter Zadok. [34]Vnd thet das dem HERRN wolgefiel aller dinge wie sein vater Vsia gethan hatte. [35]On das sie die Höhen nicht abetheten / Denn das Volck opfferte vnd reucherte noch auff den Höhen / Er bawete das hohethor am Hause des HERRN.

[36]WAS aber mehr von Jotham zu sagen ist / vnd alles was er gethan hat / Sihe / das ist geschrieben in der Chronica der könige Juda.

ZV der Zeit hub der HERR an zu senden in Juda / Rezin den König zu Syrien / vnd Pekah den son Remalja. [38]Vnd Jotham entschlieff mit seinen Vetern / vnd ward begraben bey seine Veter in der stad Dauid seines vaters / vnd Ahas sein son ward König an seine stat.

## XVI.

2. Par. 28.

Ahas 16. jar König in Juda.

JM SIEBENZEHENDEN JAR PEKAH DES SONS REMALJA ward König Ahas der son Jotham des königs Juda. [2]Zwenzig jar war Ahas alt / da er König ward / vnd regierte sechzehen jar zu Jerusalem. Vnd thet nicht was dem HERRN seinem Gott wolgefiel / wie sein vater Dauid / [3]Denn er wandelt auff dem wege der könige Jsrael. Da zu lies er seinen Son durchs fewr gehen / nach den greweln der Heiden / die der HERR fur den kindern Jsrael vertrieben hatte. [4]Vnd thet Opffer vnd reucherte auff den Höhen / vnd auff allen Hügeln / vnd vnter allen grünen Bewmen.

Deut. 18.

Rezin. Pekah.

Jsai. 7.

DA zumal zoch Rezin der könig zu Syrien / vnd Pekah der son Remalja könig in Jsrael / hin auff gen Jerusalem zu streitten / vnd belagerten Ahas / Aber sie kundten sie nicht gewinnen. [6]Zur selbigen zeit bracht Rezin könig zu Syrien / Elath wider an Syrien / vnd sties die Jüden aus Elath / Aber die Syrer kamen / vnd woneten drinnen bis auff diesen tag.

ABer Ahas sandte Boten zu ThiglathPillesser dem könige zu Assyrien / vnd lies jm sagen / Jch bin dein knecht vnd dein son / Kom er auff vnd hilff mir aus der hand des königs zu Syrien vnd des königs Jsrael / die sich wider mich haben auffgemacht. [8]Vnd Ahas nam das silber vnd gold / das in dem Hause des HERRN / vnd in den schetzen des Königs hause funden ward / vnd sandte dem könige zu Assyrien geschencke. [9]Vnd der könig zu Assyrien gehorcht jm / vnd zoch er auff gen Damascon / vnd gewan sie / vnd füret sie weg gen Kir / vnd tödtet Rezin.

THIGLATH-Pillesser.

VND der könig Ahas zoch entgegen Thiglath-Pillesser dem könig zu Assyrien gen Damascon / Vnd da er einen Altar sahe der zu Damasco war / sandte der könig Ahas desselben Altars ebenbild / vnd gleichnis zum Priester Vria / wie derselb gemacht war. [11]Vnd Vria der Priester bawet einen Altar / vnd machet jn / wie der könig Ahas zu jm gesand hatte von Damasco / bis der könig Ahas von Damasco kam. [12]Vnd da der könig von Damasco kam / vnd den Altar sahe / opfferte er drauff / [13]vnd zündet drauff an seine Brandopffer / || Speisopffer / vnd gos drauff seine Tranckopffer / Vnd lies das blut der Danckopffer / die er opffert / auff den Altar sprengen. [14]Aber den ehrnen Altar der fur dem HERRN stund / thet er weg das er nicht stünde zwisschen dem Altar / vnd dem Hause des HERRN / sondern setzt jn an die ecke des Altars gegen mitternacht.

VRIA.

|| 214b

[15]VND der könig Ahas gebot Vria dem Priester / vnd sprach / Auff dem grossen Altar soltu anzünden die Brandopffer des morgens / vnd die Speisopffer des abends / vnd die Brandopffer des Königs vnd sein Speisopffer / vnd die Brandopffer alles volcks im Lande / sampt jrem Speisopffer vnd Tranckopffer / Vnd alles blut der Brandopffer / vnd das blut aller ander Opffer soltu drauff sprengen / Aber mit dem ehrnen Altar wil ich dencken was ich mache. [16]Vria der Priester thet alles / was jn der könig Ahas hies.

[17]VND der könig Ahas brach ab die seiten an den Gestülen / vnd thet die Kessel oben dauon / vnd das Meer thet er von den ehrnen Ochsen die drunter waren / vnd setzts auff das steinern pflaster / [18]Da zu die decke des Sabbaths / die sie am Hause gebawet hatten / vnd den gang des Königes haussen

(Decke) Darunter sie des Sahbaths sassen oder stunden / wie jtzt Fürsten vnd Herrn vnter Teppichen oder Getefeltem sitzen.

wendet er zum Hause des HERRN / dem könige zu Assyrien zu dienst.

[19]WAS aber mehr von Ahas zu sagen ist / das er gethan hat / Sihe / das ist geschrieben in der Chronica der könige Juda. [20]Vnd Ahas entschlieff mit seinen Vetern / vnd ward begraben bey seine Veter in der stad Dauid / Vnd Hiskia sein son ward König an seine stat.

2. Par. 28.

XVII.

Hosea 9. jar König vber Jsrael.

JM ZWELFFTEN JAR AHAS DES KÖNIGS JUDA / WARD König vber Jsrael zu Samaria Hosea der son Ela / neun jar. [2]Vnd thet das dem HERRN vbel gefiel / Doch nicht wie die könige Jsrael / die vor jm waren. [3]Wider denselben zoch er auff Salmanesser der könig zu Assyrien / Vnd Hosea ward jm vnterthan / das er jm Geschenck gab.

SALMANESSER.

[4]DA aber der könig zu Assyrien innen ward / das Hosea einen Bund anrichtet / vnd Boten hatte zu So dem könige in Egypten gesand / vnd nicht darreichet Geschencke dem könig zu Assyrien alle jar / belagert er jn / vnd legt jn ins gefengnis. [5]Vnd der könig zu Assyrien zoch auffs gantze Land / vnd gen Samaria / vnd belagert sie drey jar. [6]Vnd im neunden jar Hosea / gewan der könig zu Assyrien Samaria / Vnd füret Jsrael weg in Assyrien / vnd setzt sie zu Halah vnd zu Habor / am wasser Gosan / vnd in den stedten der Meder.

SO.

Jnfr. 18.

Vmb welcher willen Gott Jsrael verworffen habe.

DEnn da die kinder Jsrael wider den HERRN jren Gott sündigeten / der sie aus Egyptenland gefüret hatte / aus der hand Pharao des königs in Egypten / vnd ander Götter furchten / [8]Vnd wandelten nach der Heiden weise / die der HERR fur den kindern Jsrael vertrieben hatte / vnd wie die könige Jsrael theten. [9]Vnd die kinder Jsrael schmückten jr Sachen wider den HERRN jren Gott / die doch nicht gut waren / nemlich / Das sie jnen Höhe baweten in allen Stedten / beide in Schlössern vnd festen Stedten / [10]Vnd richteten Seulen auff / vnd Hayne auff allen hohen Hügeln / vnd vnter allen grünen Bewmen / [11]vnd reucherten daselbs auff allen Höhen / wie die Heiden / die der HERR fur jnen weggetrieben hatte / Vnd trieben böse stücke / da mit sie den HERRN erzürneten / [12]vnd dieneten den Götzen / dauon der HERR zu jnen gesagt hatte / Jr solt solchs nicht thun.

(Schmückten) Sie wolten jre sünde verteidigen als recht vnd wol gethan / Wie alle Ketzer vnd Abgöttischen thun.

[13]VND wenn der HERR bezeuget in Jsrael vnd Juda / durch alle Propheten vnd Schawer / vnd lies jnen sagen / Keret vmb von ewren bösen wegen / vnd haltet meine Gebot vnd Rechte / nach allem Gesetz / das ich ewrn Vetern geboten habe / vnd das ich zu euch gesand habe / durch meine Knechte die Propheten / [14]So gehorchten sie nicht / Sondern herteten jren nacken / wie der nacke ‖ jrer Veter / die nicht gleubeten an den HERRN jren Gott. [15]Dazu verachten sie seine Gebot vnd seinen Bund / den er mit jren Vetern gemacht hatte / vnd seine Zeugnis die er vnter jnen thet / Sondern wandelten jrer eitelkeit nach / vnd wurden eitel den Heiden nach / die vmb sie her woneten / Von welchen jnen der HERR geboten hatte / Sie solten nicht wie sie thun. [16]Aber sie verliessen alle Gebot des HERRN jres Gottes / vnd machten jnen zwey gegossen Kelber / vnd Hayne / vnd beten an alle Heer des Himels / vnd dieneten Baal / [17]vnd liessen jre Söne vnd Töchter durchs fewr gehen / vnd giengen mit weissagen vnd zeubern vmb / vnd vbergaben sich zu thun das dem HERRN vbel gefiel jn zu erzürnen.

Jere. 25.

‖ 215 a

Sanherib.

3. Reg. 12.

DA ward der HERR seer zornig vber Jsrael / vnd thet sie von seinem Angesicht / Das nichts vberbleib / denn der stam Juda alleine [19](Dazu hielt auch Juda nicht die Gebot des HERRN jres Gottes / vnd wandelten nach den Sitten Jsrael / die sie gethan hatten) [20]Darumb verwarff der HERR allen samen Jsrael / vnd drenget sie / vnd gab sie in die hende der Reuber / bis das er sie warff von

Jsrael in Assyrien weggefüret.

seinem Angesicht. [21]Denn Jsrael ward gerissen vom hause Dauid / Vnd sie machten zum Könige Jerobeam den son Nebat / Derselb wand Jsrael hinden ab vom HERRN / vnd macht / das sie schwerlich sündigeten. [22]Also wandelten die kinder Jsrael in allen sünden Jerobeam / die er angerichtet hatte / vnd liessen nicht dauon / [23]bis der HERR Jsrael von seinem Angesicht thet / wie er geredt hatte durch alle seine Knechte die Propheten. Also ward Jsrael aus seinem Lande weggefürt in Assyrien / bis auff diesen tag.

3. Reg. 12.

SAMARIA mit Heiden besetzt.

DEr König aber zu Assyrien lies komen von Babel / von Cutha / von Ana / von Hemath / vnd Sepharuaim / vnd besetzt die Stedt in Samaria an stat der kinder Jsrael / Vnd sie namen Samaria ein / vnd woneten in der selben Stedten. [25]Da sie aber anhuben daselbs zu wonen / vnd den HERRN nicht furchten / sandte der HERR Lewen vnter sie / die erwürgeten sie. [26]Vnd sie liessen dem könige zu Assyrien sagen / Die Heiden / die du hast her gebracht / vnd die Stedte Samaria da mit besetzt / wissen nichts von der Weise des Gottes im lande / Darumb hat er Lewen vnter sie gesand / vnd sihe / die selben tödten sie / weil sie nicht wissen vmb die Weise des Gottes im lande. ||

|| 215 b

DEr könig zu Assyrien gebot / vnd sprach / Bringet da hin der Priester einen die von dannen sind weggefürt / vnd ziehet hin / vnd wonet daselbs / vnd er lere sie die Weise des Gottes im lande. [28]Da kam der Priester einer die von Samaria weggefürt waren / vnd setzt sich zu BethEl / vnd leret sie / wie sie den HERRN fürchten solten.

GÖTZEN DER Samariter.

ABer ein jglich volck macht seinen Gott / vnd theten sie in die heuser auff den Höhen / die die Samariter machten / ein jglich volck in jren Stedten / darinnen sie woneten. [30]Die von Babel machten Suchoth Benoth. Die von Chuth machten Nergel. Die von Hemath machten Asima. [31]Die von Aua machten Nibehas vnd Tharthak. Die von Sepharuaim verbranten jre söne dem Adramelech vnd Anamelech den Göttern der von Sepharuaim. [32]Vnd weil sie den HERRN auch furchten / machten sie jnen Priester auff den Höhen aus den vntersten vnter jnen / vnd theten sie in die heuser auff den Höhen. [33]Also furchten sie den HERRN / Vnd dieneten auch den Göttern / nach eins jglichen Volcks weise / von dannen sie her gebracht waren.

[34]VND bis auff diesen tag thun sie nach der alten weise / Das sie weder den HERRN fürchten / noch jre Sitten vnd Rechte thun / nach dem Gesetz vnd Gebot / das der HERR geboten hat den kindern Jacob / welchem er den namen Jsrael gab. [35]Vnd macht einen Bund mit jnen / vnd gebot jnen / vnd sprach / Fürchtet kein ander Götter / vnd bettet sie nicht an / vnd dienet jnen nicht / vnd opffert jnen nicht / [36]Sondern den HERRN der euch aus Egypten land gefürt hat / mit grosser Krafft vnd ausgerecktem Arm / den fürchtet / den bettet an / vnd dem opffert. [37]Vnd die Sitten / Rechte / Gesetz vnd Gebot / die er euch hat beschreiben lassen die haltet / das jr darnach thut allwege / vnd nicht ander Götter fürchtet. [38]Vnd des Bunds / den er mit euch gemacht hat / vergesset nicht / das jr nicht ander Götter fürchtet / [39]sondern fürchtet den HERRN ewrn Gott / Der wird euch erretten von alle ewrn Feinden. [40]Aber diese gehorchten nicht / sondern theten nach jrer vorigen weise. [41]Also furchten diese Heiden den HERRN / Vnd dieneten auch jren Götzen / Also theten auch jre Kinder vnd kindskinder / wie jre Veter gethan haben / bis auff diesen tag.

Gen. 32.

## XVIII.

JM DRITTEN JAR HOSEA DES SONS ELA / DES KÖNIGS Jsrael / ward könig Hiskia / der son Ahas / des königs Juda. [2]Vnd war fünff vnd zwenzig jar alt / da er König ward / vnd regiert neun vnd zwenzig jar zu Jerusalem / Seine Mutter hies Abi / eine tochter Sacharja. [3]Vnd thet was dem HERRN wolgefiel / wie sein vater Dauid. [4]Er thet ab die Höhen / vnd zubrach die Seulen / vnd rottet die Hayne aus / vnd zusties die ehrne Schlange / die Mose gemacht hatte / Denn bis zu der zeit hatten jm die kinder Jsrael gereuchert / Vnd man hies jn Nehusthan. [5]Er vertrawete dem HERRN dem Gott Jsrael / das nach jm seines gleichen nicht war vnter allen königen Juda / noch vor jm gewesen. [6]Er hieng dem HERRN an / vnd weich nicht hinden von jm abe / vnd hielt seine Gebot / die der HERR Mose geboten hatte. [7]Vnd der HERR war mit jm / vnd wo er auszog / handelt er klüglich. Da zu ward er abtrünnig vom Könige zu Assyrien / vnd war jm nicht vnterthan. [8]Er schlug auch die Philister bis gen Gasa / vnd jre Grentze von den Schlössern an / bis an die feste Stedte.

2. Par. 29.

HISKIA 29. jar König in Juda.

Num. 21.

NEHUSTHAN Ein küner König ist das / der die Schlange / von Gott selber / zu der zeit geboten vnd auffgericht / abbricht / darumb / das sie in misbrauch der Abgötterey geraten war.

Vnd verechtlich thar predigen lassen / Es sey Nehusthan / das ist / ein ehrnes Schlenglin / ein gerings stück Ertzs / ein klein Küpfferlinglin / Was solt das fur ein Gott sein?

JM vierden jar Hiskia des königes Juda / das war das siebende jar Hosea des sons Ela des königs Jsrael / Da zoch Salmanesser der könig zu Assyrien er auff wider Samaria / vnd belagert sie / [10]vnd gewan sie nach dreien jaren / im sechsten jar Hiskia / das ist im neunden jar Hosea des königs Jsrael / Da ward Samaria gewonnen. [11]Vnd der könig zu Assyrien füret Jsrael weg gen Assyrien / vnd setzt sie zu Halah / vnd Habor am wasser Gosan / vnd || in die stedte der Meder. [12]Darumb / das sie nicht gehorcht hatten der stimme des HERRN jres Gottes / vnd vbergangen hatten seinen Bund / vnd alles was Mose der knecht des HERRN geboten hatte / der hatten sie keins gehorchet noch gethan.

SALMANESSER.

|| 216a

JM VIERZEHENDEN JAR ABER DES KÖNIGS HISKIA / zoch er auff Sanherib der könig zu Assyrien / wider alle feste stedte Juda / vnd nam sie ein. [14]Da sandte Hiskia der könig Juda zum könige von Assyrien gen Lachis / vnd lies jm sagen / Jch hab mich versündiget / Kere vmb von mir / Was du mir aufflegest wil ich tragen. Da legt der könig von Assyrien auff Hiskis dem könig Juda / drey hundert Centner silbers vnd dreissig Centner golds. [15]Also gab Hiskia alle das silber / das im Hause des HERRN vnd in schetzen des königs Hause funden ward. [16]Zur selbigen zeit zubrach Hiskia der könig Juda die Thüren am Tempel des HERRN / vnd die Bleche / die er selbs vberziehen hatte lassen / vnd gab sie dem Könige von Assyrien.

SANHERIB.

2. Par. 32.
Jsai. 36.
Eccl. 48.

VND der könig von Assyrien sandte Tharthan vnd den Ertzkemerer / vnd den Rabsake von Lachis zum könige Hiskia mit grosser macht gen Jerusalem / vnd sie zogen er auff. Vnd da sie kamen hielten sie an der Wassergruben / bey dem öbern Teich / der da ligt an der strassen / auff dem acker des Walckmüllers / [18]vnd rieff dem Könige. Da kam er aus zu jnen Eliakim der son Hilkia der Hofemeister / vnd Sebena der Schreiber / vnd Joah der son Assaph der Cantzler.

(RABSAKE) Rabsaka heisst auff Deudsch ein Ertzschencke.

[19]VND der Ertzschencke sprach zu jnen / Lieber sagt dem könig Hiskia / so spricht der grosse König der könig von Assyrien / Was ist das fur ein trotz / dar auff du dich verlessest? [20]Meinstu / es sey noch rat vnd macht zu streitten? Wor auff verlessestu denn nu dich / das du abtrünnig von mir bist worden? [21]Sihe / verlessestu dich auff diesen zustossen Rhorstab auff Egypten / welcher / so

sich jemand drauff lehnet / wird er jm in die hand gehen vnd sie durchborn / Also ist Pharao der könig in Egypten allen die sich auff jn verlassen. [22]Ob jr aber woltet zu mir sagen / Wir verlassen vns auff den HERRN vnsern Gott / Jsts denn nicht der / des Höhen vnd Altar Hiskia hat abgethan / vnd gesagt zu Juda vnd zu Jerusalem / Fur diesem Altar der zu Jerusalem ist / solt jr anbeten?

[23]NV gelobe meinem Herrn dem könige von Assyrien / Jch wil dir zwey tausent Ross geben / das du mügest Reuter da zu geben. [24]Wie wiltu denn bleiben fur dem geringsten Herrn einem meines Herrn vnterthanen? Vnd verlessest dich auff Egypten vmb der wagen vnd reuter willen. [25]Meinstu aber / ich sey on den HERRN er auff gezogen / das ich diese Stet verderbete? Der HERR hat michs geheissen / Zeuch hin auff in dis Land / vnd verderbe es.

DA sprach Eliakim der son Hilkia / vnd Sebena vnd Joah zum Ertzschencken / Rede mit deinen Knechten auff Syrisch / denn wir verstehens / vnd rede nicht mit vns auff Jüdisch / fur den ohren des volcks / das auff der mauren ist. [27]Aber der Ertzschencke sprach zu jnen / Hat mich denn mein Herr zu deinem Herrn oder zu dir gesand / das ich solche wort rede? Ja zu den Mennern die auff der mauren sitzen / das sie mit euch jren eigen Mist fressen vnd jren Harn sauffen. [28]Also stund der Ertzschencke vnd rieff mit lauter stim auff Jüdisch / vnd redet / vnd sprach / Höret das wort des grossen Königes / des königs von Assyrien / [29]so spricht der König / Lasst euch Hiskia nicht auffsetzen / Denn er vermag euch nicht erretten von meiner hand. [30]Vnd lasst euch Hiskia nicht vertrösten auff den HERRN das er saget / Der HERR wird vns erretten / vnd diese Stad wird nicht in die hende des Königs von Assyrien gegeben werden / [31]Gehorchet Hiskia nicht.

|| 216b

DEnn so spricht der König von Assyrien / Nemet an meine gnade / vnd || kompt zu mir er aus / so sol jederman seines Weinstocks vnd seins Feigenbawms essen / vnd seines Brunnens trincken / [32]Bis ich kome vnd hole euch in ein Land / das ewrm Land gleich ist / Da korn / most / brot / weinberge / ölbewm / öle vnd honig innen ist / So werdet jr leben bleiben vnd nicht sterben. Gehorcht Hiskia nicht / Denn er verfüret euch / das er spricht /

SANHERIB.

der HERR wird vns erretten. [33]Haben auch die Götter der Heiden / ein jglicher sein Land errettet von der hand des Königs von Assyrien? [34]Wo sind die Götter zu Hemath vnd Arphad? Wo sind die Götter zu Sepharuaim / Hena vnd Jwa? Haben sie auch Samaria errettet von meiner hand? [35]Wo ist ein Gott vnter allen Landen Götter / die jr Land haben von meiner hand errettet? Das der HERR solt Jerusalem von meiner hand erretten?

Jsai. 10.

[36]DAS volck aber schweig stille / vnd antwortet jm nichts / Denn der König hatte geboten / vnd gesagt / Antwortet jm nichts. [37]Da kam Eliakim der son Hilkia der Hofemeister / vnd Sebena der Schreiber / vnd Joah der son Assaph der Cantzler / zu Hiskia mit zurissen Kleidern / vnd sagten jm an die wort des Ertzschencken.

## XIX.

Jsai. 37.

DA DER KÖNIG HISKIA DAS HÖRET / ZUREIS ER seine Kleider / vnd legt einen Sack an / vnd gieng in das Haus des HERRN. [2]Vnd sandte Eliakim den Hofemeister / vnd Sebena den Schreiber / sampt den eltesten Priestern / mit Secken angethan zu dem Propheten Jesaja dem son Amoz. [3]Vnd sie sprachen zu jm / so sagt Hiskia / Das ist ein Tag der not / vnd scheltens vnd lesterns / Die Kinder sind komen an die geburt / vnd ist keine krafft dazu geberen. [4]Ob vieleicht der HERR dein Gott hören wolt alle wort des Ertzschencken / den sein Herr / der könig von Assyrien gesand hat / hohn zu sprechen dem lebendigen Gott / vnd zu schelten mit worten / die der HERR dein Gott gehöret hat / So hebe dein Gebet auff fur die Vbrigen die noch fur handen sind.

VND da die knechte des königs Hiskia zu Jesaja kamen / [6]sprach Jesaja zu jnen / So sagt ewrem Herrn / So spricht der HERR / Fürchte dich nicht fur den worten die du gehöret hast / da mit mich die knaben des Königs von Assyrien gelestert haben. [7]Sihe / Jch wil jm einen Geist geben / das er ein Gerücht horen wird / vnd wider in sein Lande ziehen / vnd wil jn durchs Schwert fellen in seinem Lande.

VND da der Erzschencke wider kam / fand er den König von Assyrien streitten wider Libna / Denn er hatte gehört / das er von Lachis gezogen war. [9]Vnd da er höret von Thirhaka dem könige

THIRHAKA.

der Moren / Sihe / er ist ausgezogen mit dir zu streitten / wendet er vmb. Vnd sandte Boten zu Hiskia / vnd lies jm sagen / [10]so sagt Hiskia dem könig Juda / Las dich deinen Gott nicht auffsetzen / auff den du dich verlessest / vnd sprichst / Jerusalem wird nicht in die hand des Königs von Assyrien gegeben werden. [11]Sihe du hast gehöret / was die Könige von Assyrien gethan haben allen Landen / vnd sie verbannet / Vnd du soltest errettet werden? [12]Haben der Heiden Götter auch sie errettet / welche meine Veter haben verderbet / Gosan / Haran / Rezeph / vnd die kinder Eden / die zu Thelassar waren? [13]Wo ist der könig zu Hemath / der könig zu Arphad / vnd der könig der stad Sepharuaim / Hena vnd Jwa?

Hiskia Gebet.

VND da Hiskia die brieue von den Boten empfangen vnd gelesen hatte / gieng er hin auff zum Hause des HERRN / vnd breitet sie aus fur dem HERRN / [15]vnd betet fur dem HERRN / vnd sprach. HERR Gott Jsrael / der du vber Cherubim sitzest / du bist allein Gott / vnter allen Königreichen auff Erden / Du hast Himel vnd Erden gemacht. [16]HERR neige deine Ohren vnd höre / Thu deine Augen auff / vnd sihe / vnd höre die wort Sanherib / der ‖ her gesand hat hohn zu sprechen dem lebendigen Gott. [17]Es ist war HERR Die Könige von Assyrien haben die Heiden mit dem Schwert vmbgebracht vnd jr Land / [18]vnd haben jre Götter ins fewer geworffen / Denn es waren nicht Götter / sondern menschen hende werck / holtz vnd steine / Darumb haben sie sie vmbgebracht. [19]Nu aber HERR vnser Gott / hilff vns aus seiner hand / Auff das alle Königreiche auff Erden erkennen / das du HERR allein Gott bist.

‖ 217a

Jesaja.

DA sandte Jsaja der son Amoz zu Hiskia / vnd lies jm sagen / so spricht der HERR der Gott Jsrael / Was du zu mir gebettet hast vmb Sanherib den könig von Assyrien / das hab ich gehöret. [21]Das ists / das der HERR wider jn geredt hat / Die Jungfraw die tochter Zion verachtet dich vnd spottet dein / die tochter Jerusalem schüttelt jr Heubt dir nach. [22]Wen hastu gehöhnet vnd gelestert? Vber wen hastu deine stimme erhaben? Du hast deine augen erhaben wider den Heiligen in Jsrael. [23]Du hast den HERRN durch deine Boten gehönet / vnd gesagt / Jch bin durch die menge meiner Wagen auff die höhe der Berge gestiegen / auff den seiten des Libanon / Jch habe seine hohe Cedern vnd ausserlesen Tannen abgehawen / vnd bin komen an die eusserste Herberge des walds seines Carmels / [24]Jch habe gegraben vnd aus getruncken die frembden Wasser / vnd habe vertrockenet mit meinen fussolen die Seen.

[25]HAstu aber nicht gehöret / das ich solchs lange zuuor gethan habe / vnd von anfang habe ichs bereit? Nu jtzt aber habe ichs komen lassen / das feste Stedte würden fallen in einen wüsten Steinhauffen. [26]Vnd die drinnen wonen matt werden / vnd sich fürchten vnd schemen müssen / vnd werden wie das Gras auff dem felde / vnd wie das grüne kraut zum Hew auff den Dechern / das verdorret ehe denn es reiff wird. [27]Jch weis dein wonen / dein aus vnd einziehen / vnd das du tobest wider mich. [28]Weil du denn wider mich tobest / vnd dein vbermut fur meine Ohren er auff komen ist / So wil ich dir einen Rinck an deine Nasen legen / vnd ein Gebis in dein Maul / vnd wil dich den weg widerumb füren / da du her komen bist.

Psal. 129.

Jesa. 37.

VND sey dir ein Zeichen / Jn diesem jar iss was zutretten ist / Jm andern jar was selber wechst / Jm dritten jar seet vnd erndtet / vnd pflantzet Weinberge / vnd esset jre früchte. [30]Vnd die tochter Juda die errettet vnd vberblieben ist / wird fürder vnter sich wurtzelen vnd vber sich frucht tragen. [31]Denn von Jerusalem werden ausgehen die vberblieben sind / vnd die erretteten vom berge Zion / Der einer des HERRN Zebaoth wird solchs thun.

Eccl. 48.
1. Mach. 7.

[32]DARumb spricht der HERR vom könige zu Assyrien also / Er sol nicht in diese Stad komen / vnd keinen Pfeil drein schiessen vnd kein Schild da fur komen / vnd sol keinen Wal drumb schütten. [33]Sondern er sol den weg widerumb ziehen den er komen ist / vnd sol in diese Stad nicht komen / Der HERR sagts. [34]Vnd ich wil diese Stad beschirmen / das ich jr helffe vmb meinen willen / vnd vmb Dauid meins Knechts willen.

HEER DES Königs von Assyrien geschlagen.

VND in der selben nacht / fuhr aus der Engel des HERRN / vnd schlug im Lager von Assyrien / hundert vnd fünff vnd achzig tausent Man / Vnd da sie sich des morgens früe auffmachten / Sihe / da lags alles eitel todte Leichnam. [36]Also brach Sanherib der könig von Assyrien auff vnd zoch weg / vnd keret vmb vnd bleib zu Niniue. [37]Vnd da er anbetet im hause Nisroch seines Gottes / schlugen jn mit dem Schwert AdraMelech vnd SarEzer seine Söne / Vnd sie entrunnen ins land Ararat / Vnd sein son Assarhaddon ward König an seine stat.

## XX.

2. Par. 32. Jesa. 38.

ZV DER ZEIT WARD HISKIA TOD KRANCK / VND der Prophet Jesaja der son Amoz kam zu jm / vnd sprach zu jm / so spricht der HERR / Beschicke dein Haus / denn du wirst sterben vnd nicht leben bleiben. [2]Er aber wand sein Andlitz zur wand / vnd bettet zum HERRN ‖ vnd sprach / [3]Ah HERR / gedenck doch / das ich fur dir trewlich gewandelt habe / vnd mit rechtschaffenem hertzen / vnd habe gethan / das dir wolgefellet. Vnd Hiskia weinet seer.

JESAIA.

‖ 217b

DA aber Jesaja noch nicht zur Stad halb hin aus gegangen war / kam des HERRN wort zu jm / vnd sprach / [5]Kere vmb / vnd sage Hiskia dem Fürsten meines volcks / so spricht der HERR der Gott deines vaters Dauids / Jch habe dein Gebet gehöret / vnd deine threnen gesehen. Sihe / Jch wil dich gesund machen / am dritten tage wirstu hinauff in das Haus des HERRN gehen. [6]Vnd wil funffzehen jar zu deinem Leben thun / vnd dich vnd diese Stad erretten von dem Könige zu Assyrien / vnd diese Stad beschirmen / vmb meinen willen / vnd vmb meines knechts Dauids willen. [7]Vnd Jesaja sprach / Bringet her ein stück Feigen / Vnd da sie die brachten / legten sie sie auff die Drüse / Vnd er ward gesund.

HJskia aber sprach zu Jesaja / Welchs ist das Zeichen / das mich der HERR wird gesund machen / vnd ich in des HERRN Haus hinauff gehen werde am dritten tage? [9]Jesaja sprach / Das Zeichen wirstu haben vom HERRN / das der HERR thun wird was er geredt hat. Sol der schatten zehen stuffen forder gehen / oder zehen stuffen zu rücke gehen? [10]Hiskia sprach / Es ist leicht / das der schatte zehen stuffen niderwerts gehe / das wil ich nicht / Sondern das er zehen stuffen hinder sich zu rücke gehe. [11]Da rieff der Prophet Jesaja den HERRN an / Vnd der schatte gieng hinder sich zu rücke zehen stuffen / am zeiger Ahas / die er war niderwerts gegangen.

BRODACH.

Jesa. 39.

ZV DER ZEIT SANDTE BRODACH / DER SON BALEDAN des sons Baledan könig zu Babel / brieue vnd geschencke zu Hiskia / Denn er hatte gehöret / das Hiskia kranck war gewesen. [13]Hiskia aber war frölich mit jnen / vnd zeiget jnen das gantze Schatzhaus / silber / gold / Specerey / vnd das beste öle / vnd die Harnisch kamer / vnd alles was in seinen Schetzen furhanden war / Es war nichts in seinem Hause / vnd in seiner gantzen Herrschafft / das jnen Hiskia nicht zeigete.

DA kam Jesaja der Prophet zum könige Hiskia / vnd sprach zu jm / Was haben diese Leute gesagt? Vnd wo her sind sie zu dir komen? Hiskia sprach / Sie sind aus fernen Landen zu mir komen von Babel. [15]Er sprach / Was haben sie gesehen in deinem Hause? Hiskia sprach / Sie haben alles gesehen / was in meinem hause ist / vnd ist nichts in meinen Schetzen / das ich nicht jnen gezeiget hette. [16]Da sprach Jesaja zu Hiskia / Höre des HERRN wort / [17]Sihe / es kompt die zeit / Das alles wird gen Babel weggefürt werden / aus deinem Hause / vnd was deine Veter gesamlet haben / bis auff diesen tag / vnd wird nichts vbergelassen werden / spricht der HERR. [18]Da zu der Kinder die von dir komen / die du zeugen wirst werden genomen werden / das sie Kemerer seien im Pallast des königes zu Babel. [19]Hiskia aber sprach zu Jesaja / Das ist gut / das der HERR geredt hat / Vnd sprach weiter / Es wird doch Friede vnd trew sein zu meinen zeiten.

[20]WAS mehr von Hiskia zu sagen ist / vnd alle seiner macht vnd was er gethan hat / vnd der Teich vnd die Wasserrhören / damit er wasser in die stad geleitet hat / Sihe / das ist geschrieben in der Chronica der könige Juda. [21]Vnd Hiskia entschlieff mit seinen Vetern / Vnd Manasse sein son ward König an seine stat.

2. Par. 33.

## XXI.

MANASSE 55. jar König in Juda.

MANASSE WAR ZWELFF JAR ALT DA ER KÖNIG ward / vnd regierte fünff vnd funffzig jar zu Jersalem / Seine mutter hies Hephziba. [2]Vnd er thet das dem HERRN vbel gefiel / nach den greweln der Heiden / die der HERR fur den kindern Jsrael vertrieben hatte. ‖ Vnd verkeret sich / [3]vnd bawet die Höhen die sein vater Hiskia hatte abgebracht / vnd richtet Baal Altar auff / vnd

‖ 218a

machet Hayne / wie Ahab der könig Jsrael gethan hatte / vnd bettet an allerley Heer am Himel / vnd dienet jnen. [4]Vnd bawet Altar im Hause des HERRN / dauon der HERR gesagt hatte Jch wil meinen Namen zu Jerusalem setzen. [5]Vnd er bawet allen Heeren am himel Altar / in beiden höfen am Hause des HERRN. [6]Vnd lies seinen Son durchs fewr gehen / Vnd achtet auff Vogel geschrey vnd Zeichen / vnd hielt Warsager vnd Zeichendeuter / vnd thet des viel / das dem HERRN vbel gefiel / da mit er jn erzürnet.

2. Reg. 7.

[7]ER setzet auch einen Hayngötzen / den er gemacht hatte / in das Haus von welchem der HERR zu Dauid vnd zu Salomo seinem Son gesagt hatte / Jn diesem Hause vnd zu Jerusalem / die ich erwelet habe / aus allen stemmen Jsrael wil ich meinen Namen setzen ewiglich. [8]Vnd wil den fus Jsrael nicht mehr bewegen lassen vom Lande / das ich jren Vetern gegeben habe / So doch so sie halten vnd thun nach allem / das ich geboten habe / vnd nach allem Gesetze das mein knecht Mose jnen geboten hat. [9]Aber sie gehorchten nicht / sondern Manasse verfüret sie / das sie erger thaten / denn die Heiden / die der HERR fur den kindern Jsrael vertilget hatte.

Jere. 15.

WEISSAGUNG wider Jerusalem vnd Juda.

DA REDET DER HERR DURCH SEINE KNECHTE DIE Propheten / vnd sprach / [11]Darumb / das Manasse der könig Juda hat diese Grewel gethan / die erger sind / denn alle grewel / so die Amoriter gethan haben / die vor jm gewesen sind / vnd hat auch Juda sündigen gemacht mit seinen Götzen / [12]Darumb / spricht der HERR der Gott Jsrael also / Sihe / Jch wil vnglück vber Jerusalem vnd Juda bringen / das wer es hören wird / dem sollen seine beide Ohren gellen. [13]Vnd wil vber Jerusalem die messchnur Samaria ziehen / vnd das gewichte des hauses Ahab / vnd wil Jerusalem ausschütten / wie man Schüssel ausschüttet / vnd wil sie vmbstürtzen. [14]Vnd ich wil etliche meines Erbteils vber bleiben lassen / vnd sie geben in die hende jrer Feinde / das sie ein Raub vnd reissen werden aller jrer Feinde. [15]Darumb / das sie gethan haben das mir vbelgefellet / vnd haben mich erzürnet von dem tage an / da jre Veter aus Egypten gezogen sind / bis auff diesen tag.

AVch vergos Manasse seer viel vnschüldig Blut / bis das Jerusalem hie vnd da vol ward / On die sünde / da mit er Juda sündigen machte / das sie theten / das dem HERRN vbelgefiel.

[17]WAS aber mehr von Manasse zu sagen ist / vnd alles was er gethan hat / vnd seine sünde die er thet / Sihe / das ist geschrieben in der Chronica der könige Juda. [18]Vnd Manasse entschlieff mit seinen Vetern / vnd ward begraben im Garten an seinem hause / nemlich / im garten Vsa / Vnd sein son Amon ward König an seine stat.

2. Par. 33.

Amon. ii jar König in Juda.

ZWEY VND ZWENZIG JAR ALT WAR AMON DA ER König ward / vnd regierte zwey jar zu Jerusalem / Seine mutter hies Mesulemeth eine tochter Haruz von Jatba. [20]Vnd thet das dem HERRN vbel gefiel / wie sein vater Manasse gethan hatte / [21]vnd wandelt in allem wege den sein Vater gewandelt hatte / vnd dienet den Götzen / welchen sein Vater gedienet hatte / vnd bettet sie an / [22]vnd verlies den HERRN seiner veter Gott / vnd wandelt nicht im wege des HERRN. [23]Vnd seine knechte machten einen Bund wider Amon / vnd tödten den König in seinem hause. [24]Aber das volck im Lande schlug alle die den Bund gemacht hatten wider den könig Amon / Vnd das volck im Lande machte Josia seinen Son zum Könige an seine stat.

[25]WAS aber Amon mehr gethan hat / Sihe / das ist geschrieben in der Chronica der könige Juda. [26]Vnd man begrub jn in seinem grabe / im garten Vsa / Vnd sein son Josia ward König an seine stat. ‖ 218b

## XXII.

JOSIA WAR ACHT JAR ALT / DA ER KÖNIG WARD / vnd regierte ein vnd dreissig jar zu Jerusalem / Seine Mutter hies Jedida eine tochter Adaia von Bazkath. [2]Vnd thet das dem HERRN wolgefiel / vnd wandelt in allem wege seines vaters Dauids / vnd weich nicht weder zur rechten noch zur lincken.

VND im achzehenden jar des königs Josia / sandte der König hin Saphan den son Azalja / des sons Mesulam den Schreiber / in das Haus des HERRN / vnd sprach. [4]Gehe hin auff zu dem Hohenpriester Hilkia / das man jnen gebe das Geld / das zum Hause des HERRN gebracht ist / das die Hüter an der schwelle gesamlet haben vom Volck / [5]Das sie es geben den Erbeitern / die bestellet sind im Hause des HERRN vnd gebens den Erbeitern am Hause des HERRN / das sie bessern / was bawfellig ist am Hause / [6]nemlich / den Zim-

Sup. 12.

merleuten / vnd Bawleuten / vnd Meurern / vnd die da Holtz vnd gehawen Stein keuffen sollen / das Haus zu bessern. [7]Doch das man keine rechnung von jnen neme vom geld / das vnter jre hand gethan wird / sondern das sie es auff glauben handeln.

VND der Hohepriester Hilkia sprach zu dem Schreiber Saphan / Jch habe das Gesetzbuch gefunden im Hause des HERRN. Vnd Hilkia gab das buch Saphan / das ers lese. [9]Vnd Saphan der Schreiber brachts dem Könige / vnd sagts jm wider / vnd sprach / Deine knechte haben das Geld zusamen gestoppelt / das im Hause gefunden ist / vnd habens den Erbeitern gegeben / die bestellet sind am Hause des HERRN. [10]Auch sagt Saphan der Schreiber dem Könige / vnd sprach / Hilkia der Priester gab mir ein Buch / Vnd Saphan lase es fur dem Könige.

GESETZBUCH gefunden.

[11]DA aber der König höret die wort im Gesetzbuch / zureis er seine Kleider. [12]Vnd der König gebot Hilkia dem Priester / vnd Ahikam dem son Saphan / vnd Achbor dem son Michaja / vnd Saphan dem Schreiber / vnd Asaja dem knecht des Königs / vnd sprach / [13]Gehet hin / vnd fraget den HERRN fur mich / fur das Volck / vnd fur gantz Juda / vmb die wort dieses Buchs das gefunden ist / Denn es ist ein grosser grim des HERRN der vber vns entbrand ist / Darumb / das vnser Veter nicht gehorcht haben den worten dieses Buchs das sie theten alles was drinnen geschrieben ist.

DA gieng hin Hilkia der Priester / Ahikam / Achbor / Saphan / vnd Asaja / zu der Prophetin Hulda / dem weibe Sallum des sons Thikwa / des sons Harham / des Hüters der kleider / vnd sie wonet zu Jerusalem im andern teil / vnd sie redeten mit jr. [15]Sie aber sprach zu jnen / so spricht der HERR der Gott Jsrael / Sagt dem Man der euch zu mir gesand hat / [16]so spricht der HERR. Sihe / Jch wil vnglück vber diese Stete vnd jre Einwoner bringen / alle wort des Gesetzs / die der könig Juda hat lassen lesen. [17]Darumb / das sie mich verlassen / vnd andern Göttern gereuchert haben / das sie mich erzürneten mit allen wercken jrer hende / Darumb wird mein grim sich wider diese Stete an zünden / vnd nicht ausgelesschet werden.

HULDA Prophetin.

[18]ABer dem könig Juda / der euch gesand hat den HERRN zufragen / solt jr so sagen / so spricht

der HERR der Gott Jsrael / [19]Darumb / das dein hertz erweicht ist vber den worten die du gehöret hast / vnd hast dich gedemütiget fur dem HERRN / da du hortest / was ich geredt habe wider diese Stete vnd jre Einwoner / das sie sollen ein verwüstung vnd fluch sein / vnd hast deine Kleider zurissen / vnd hast geweinet fur mir / So hab ichs auch erhöret / spricht der HERR. [20]Darumb wil ich dich zu deinen Vetern samlen / das du mit frieden in dein Grab versamlest werdest / vnd deine augen nicht sehen alle das Vnglück / das ich vber diese stete bringen wil. Vnd sie sagten es dem Könige wider.‖

‖ 219a

## XXIII.

Eccl. 49.

VND DER KÖNIG SANDTE HIN / VND ES VERSAMleten sich zu jm alle Eltesten in Juda vnd Jerusalem. [2]Vnd der König gieng hin auff ins Haus des HERRN / vnd alle Man von Juda / vnd alle Einwoner zu Jerusalem mit jm / Priester vnd Propheten / vnd alles Volck beide klein vnd gros / Vnd man las fur jren ohren alle wort des Buchs vom Bund / das im Hause des HERRN gefunden war. [3]Vnd der König trat an eine Seule / vnd macht einen Bund fur dem HERRN / Das sie solten wandeln dem HERRN nach / vnd halten seine Gebot / Zeugnis vnd Rechte / von gantzem hertzen / vnd von gantzer seele / das sie auffrichten die wort dieses Bunds / die geschrieben stunden in diesem Buch / Vnd alles volck trat in den Bund.

(CAMERIM) Das waren sonderliche geistliche Leute / wie jtzt die allerandechtigsten vnd strengesten Mönche sein wöllen. Darumb haben sie auch einen namen Camarim / der lautet als von hitziger grosser andacht. Vnd das reuchern galt bey jnen / als bey vns der Mönche singen vnd beten in der Kirchen / Denn Reuchwerg bedeut allenthalben Gebet in der Schrifft Aber wie dieser Gebet ist / so war jener reucherey / beide Menschenthand on Gottes Geist vnd wort.

VND der König gebot dem Hohenpriester Hilkia / vnd den Priestern der andern Ordnung / vnd den Hütern an der schwelle / Das sie solten aus dem Tempel des HERRN thun alles Gezeug / das dem Baal vnd dem Hayne / vnd allem Heer des Himels gemacht war / Vnd verbranten sie haussen fur Jerusalem im tal Kidron / vnd jr staub ward getragen gen BethEl. [5]Vnd er thet abe die Camarim / welche der könige Juda hatten gestifftet / zu reuchern auff den Höhen / in den stedten Juda vnd vmb Jerusalem her / Auch die Reucher des Baals / vnd der sonnen vnd des Monden / vnd der Planeten / vnd alles Heer am Himel. [6]Vnd lies den Hayn aus dem Hause des HERRN füren hin aus fur Jerusalem in bach Kidron / vnd verbrand jn im bach Kidron vnd macht jn zu staub / vnd warff den staub auff die Greber der gemeinen Leute. [7]Vnd er brach abe die heuser der Hurer / die an dem Hause des HERRN waren / darinnen die Weiber wirckten Heuser zum Hayn.

VND er lies komen alle Priester aus den stedten Juda / vnd verunreinigt die Höhen / da die Priester reucherten von Geba an bis gen BerSeba / Vnd brach ab die Höhen in den thoren / die in der thür des thors waren / Josua des Staduogts / welchs war zur lincken / wenn man zum thor der Stad gehet. [9]Doch hatten die Priester der Höhen nie geopffert auff dem Altar des HERRN zu Jerusalem / sondern assen des vngeseurten brots vnter jren Brüdern.

[10]ER verunreiniget auch das Thophet / im tal der kinder Hinnom / das niemand seinem Son oder seine Tochter dem Molech durchs fewr liesse gehen.

[11]VND thet abe die Ross / welche die könige Juda hatten der Sonnen gesetzt im eingang des HERRN Hause / an der kamer NethanMelech des Kemerers der zu Parwarim war / Vnd die wagen der Sonnen verbrand er mit fewr. [12]Vnd die Altar auff dem dach im saal Ahas / die die könige Juda gemacht hatten / Vnd die Altar die Manasse gemacht hatte in den zween höfen des HERRN Hauses / brach der König abe / vnd lieff von dannen / vnd warff jren staub in den bach Kidron.

3. Reg. 11.

[13]AVch die Höhen die fur Jerusalem waren zur rechten am berge Mashith die Salomo der könig Jsrael gebawet hatte Asthoreth dem grewel von Zidon / vnd Chamos dem grewel von Moab / vnd Milkom dem grewel der kinder Ammon / verunreiniget der König. [14]Vnd zubrach die Seulen / vnd ausrottet die Hayne / vnd füllet jre stete mit Menschen knochen.

(MASHITH) Heisst verderbung vnd man helt / es sey der Oleberg gewesen / da man die Vbeltheter hat abgethan / den wir den Galgenberg oder Rabenstein heissen.

AVch die Altar zu BethEl / die Höhe die Jerobeam gemacht hatte der son Nebat / der Jsrael sündigen machte / den selben Altar brach er abe / vnd die Höhe / vnd verbrand die Höhe / vnd macht sie zu staub / vnd verbrand den Hayn.

[16]VND Josia wand sich / vnd sahe die Greber die da waren auff dem Berge / Vnd sandte hin vnd lies die Knochen aus den grebern holen / vnd verbrand || sie auff dem Altar / vnd verunreiniget jn / Nach dem wort des HERRN / das der man Gottes ausgeruffen hatte / der solchs ausrieff.

|| 219b

3. Reg. 13.

(Grabmal) Was aber solche Kamer oder Gazophylacia vnd Grabmal oder Grabzeichen sind / wirstu in Jermia vnd Hesekiel wol finden.

[17]VND er sprach / Was ist das fur ein Grabmal / das ich sehe? Vnd die Leute in der Stad sprachen

zu jm / Es ist das Grab des mans Gottes / der von Juda kam / vnd rieff solchs aus / das du gethan hast wider den Altar zu BethEl. [18]Vnd er aprach / Lasst jn ligen / niemand bewege sein gebeine. Also wurden seine gebeine errettet mit den gebeinen des Propheten / der von Samaria komen war.

[19]ER thet auch weg alle Heuser der Höhen in den stedten Samaria / welche die könige Jsrael gemacht hatten zu erzürnen / vnd thet mit jnen aller dinge / wie er zu BethEl gethan hatte. [20]Vnd er opfferte alle Priester der Höhe / die daselbs waren / auff den Altarn / vnd verbrand also Menschenbeine drauff / vnd kam wider gen Jerusalem.

Passah gehalten.

2. Par. 35.

VND der König gebot dem Volck / vnd sprach / Haltet dem HERRN ewrem Gott Passah / wie es geschrieben stehet im Buch dieses Bunds. [22]Denn es war keine Passah so gehalten als diese / von der Richter zeit an / die Jsrael gerichtet haben / vnd in allen zeiten der könige Jsrael / vnd der könige Juda / [23]Sondern im achzehenden jar des königs Josia / ward dis Passah gehalten dem HERRN zu Jerusalem.

AVch feget Josia aus alle Warsager / Zeichendeuter / Bilder vnd Götzen / vnd alle Grewel / die im lande Juda vnd zu Jerusalem ersehen wurden / Auff das er auffrichtet die wort des Gesetzs / die geschrieben stunden im buch / das Hilkia der Priester fand im Hause des HERRN. [25]Sein gleiche war vor jm kein König gewesen / der so von gantzem hertzen / von gantzer seelen / von allen krefften sich zum HERRN bekeret / nach allem gesetz Mose / vnd nach jm kam sein gleiche nicht auff.

[26]DOch keret sich der HERR nicht von dem grim seines grossen zorns / da mit er vber Juda erzürnet war / vmb alle die reitzunge willen / da mit jn Manasse erreitzet hatte. [27]Vnd der HERR sprach / Jch wil Juda auch von meinem Angesicht thun / wie ich Jsrael weggethan habe / vnd wil diese Stad verwerffen die ich erwelet hatte / nemlich / Jerusalem / vnd das Haus / dauon ich gesagt habe / Mein Name sol daselbs sein. [28]Was aber mehr von Josia zusagen ist / vnd alles was er gethan hat / Sihe / das ist geschrieben in der Chronica der könige Juda.

Pharao Necho.

2. Par. 35.

ZV seiner zeit zoch PharaoNecho der könig in Egypten er auff / wider den könig von Assyrien / an das wasser Phrath / Aber der könig Josia zoch jm entgegen / vnd starb zu Megiddo / da er jn gesehen hatte. [30]Vnd seine Knechte füreten jn tod von Megiddo vnd brachten jn gen Jerusalem / vnd begruben jn in seinem Grabe. Vnd das volck im Land nam Joahas den son Josia / vnd salbeten jn / vnd machten jn zum Könige an seines Vaters stat.

2. Par. 36.

DREY VND ZWENZIG JAR WAR JOAHAS ALT / DA ER König ward / vnd regiert drey monden zu Jerusalem / Seine mutter hies Hamutal eine tochter Jeremja von Libna. [32]Vnd thet das dem HERRN vbel gefiel / wie seine Veter gethan hatten. [33]Aber PharaoNecho fieng jn zu Riblath im lande Hemath / das er nicht regieren solt zu Jerusalem / vnd leget eine schatzung auffs Land / hundert Centner silbers / vnd einen Centner golds.

JOAHAS 3. monden König in Juda.

[34]VND PharaoNecho macht zum könige Eliakim / den son Josia / an stat seines vaters Josia / vnd wand seinen namen Joiakim / Aber Joahas nam er vnd bracht jn in Egypten / daselbs starb er. [35]Vnd Joiakim gab das silber vnd gold Pharao / Doch schetzet er das Land / das er solch silber gebe / nach befelh Pharao / Einen jglichen nach seinem vermügen / schetzet er am silber vnd gold vnter dem volck im Lande / das er dem Pharao Necho gebe.||

JOIAKIM.

|| 220a

FVNFF VND ZWENZIG JAR ALT WAR JOIAKIM / DA er König ward / vnd regiert eilff jar zu Jerusalem / Seine mutter hies Sebuda / eine tochter Pedaja von Ruma. [37]Vnd thet das dem HERRN vbelgefiel / wie seine Veter gethan hatten.

## XXIIII.

ZV SEINER ZEIT ZOCH ER AUFF NEBUCADNEZAR / der könig zu Babel / vnd Joiakim ward jm vnterthenig drey jar / Vnd er wand sich vnd ward abtrünnig von jm. [2]Vnd der HERR lies auff jn Kriegsknecht komen aus Chaldea / aus Syrien / aus Moab / vnd aus den kindern Ammon / vnd lies sie in Juda komen / das sie jn vmbbrechten / nach dem wort des HERRN / das er geredt hatte durch seine knechte die Propheten. [3]Es geschach aber Juda also / nach dem wort des HERRN / das er sie von seinem Angesicht thet / vmb der sünde willen Manasse / die er gethan hatte. [4]Auch vmb des vnschüldigen Bluts willen das er vergos / vnd machet Jerusalem vol mit vnschüldigem Blut / wolt der HERR nicht vergeben.

NEBUCADNezar.

Sup. 21.

[5]WAS mehr zu sagen ist von Joiakim / vnd alles was er gethan hat / Sihe / das ist geschrieben in der Chranica der könige Juda. [6]Vnd Joiakim entschlieff mit seinen Vetern / vnd sein son Joiachin ward König an seine stat. [7]Vnd der König in Egypten zoch nicht mehr aus seinem Lande / Denn der könig zu Babel hatte jm genomen alles was des Königs in Egypten war / vom bach Egypten an / bis an das wasser Phrath.

Joiachin 3. monden König in Juda.

ACHZEHEN JAR ALT WAR JOIACHIN / DA ER KÖNIG ward / vnd regieret drey monden zu Jerusalem / Seine mutter hies Nehustha / eine tochter Elnathan von Jerusalem. [9]Vnd thet das dem HERRN vbelgefiel / wie sein Vater gethan hatte.

Jerusalem belagert.

ZV der zeit zogen er auff die knechte NebucadNezar des königs zu Babel gen Jerusalem / vnd kamen an die Stad mit Bolwerg. [11]Vnd da NebucadNezar zur Stad kam vnd seine Knechte / belagert er sie. [12]Aber Joiachin der könig Juda gieng er aus zum Könige von Babel mit seiner Mutter / mit seinen Knechten / mit seinen Obersten vnd Kemerern / Vnd der könig von Babel nam jn auff im achten jar seines Königreichs / [13]Vnd nam von dannen er aus alle schetze im hause des HERRN / vnd im hause des Königs / vnd zuschlug alle gülden Gefesse / die Salomo der könig Jsrael gemacht hatte im Tempel des HERRN / wie denn der HERR geredt hatte.

[14]VND füret weg das gantze Jerusalem / alle Obersten / alle Gewaltigen / zehen tausent gefangen / vnd alle Zimmerleute / vnd alle Schmide vnd lies nichts vbrig / denn gering volck des Lands.

Joiachin gen Babel gefangen gefüret etc.

[15]Vnd füret weg Joiachin gen Babel / die mutter des königs / die Weiber des königs / vnd seine Kemerer / Dazu die Mechtigen im Lande füret er auch gefangen von Jerusalem gen Babel. [16]Vnd was der besten Leute waren / sieben tausent / vnd die Zimmerleute vnd Schmide / tausent / alle starcke Kriegsmenner / [17]Vnd der König von Babel bracht sie gen Babel. Vnd der könig von Babel macht Mathanja seinen Vetter zum Könige an seine stat / vnd wandelt seinen namen Zidekia.

Jere. 32.
Jere. 52.

Zidekia 11. jar König in Juda.

EJN VND ZWENZIG JAR ALT WAR ZIDEKIA / DA ER König ward / vnd regieret eilff jar zu Jerusalem / Seine mutter hies Hamital / eine tochter Jeremja von Libna. [19]Vnd er thet das dem HERRN vbel gefiel / wie Joiakim gethan hatte / [20]Denn es geschach also mit Jerusalem vnd Juda aus dem zorn des HERRN / bis das er sie von seinem Angesicht würffe / Vnd Zidekia ward abtrünnig vom Könige zu Babel.

|| 220b

XXV.

2. Par. 36. Jer. 39. 52.

VND ES BEGAB SICH IM NEUNDEN JAR SEINES Königreichs / am zehenden tag / des zehenden monden / kam NebucadNezar der könig zu Babel / mit alle seiner macht wider Jerusalem / vnd sie lagerten sich wider sie / vnd baweten einen Schut vmb sie her. [2]Also ward die Stad belagert bis ins eilffte jar des königs Zidekia. [3]Aber im neunden monde ward der Hunger starck in der Stad / das das Volck des Lands nichts zu essen hatte.

JERUSALEM belagert / eröbert / zerstöret vnd verbrand.

[4]DA brach man in die Stad / Vnd alle Kriegsmenner flohen bey der nacht des wegs von dem Thor zwisschen den zwo mauren / der zu des Königs garten gehet (Aber die Chaldeer lagen vmb die Stad) Vnd [a]er flohe des weges zum Blachenfelde. [5]Aber die macht der Chaldeer jagten dem Könige nach / vnd ergriffen jn im Blachenfelde zu Jeriho / vnd alle Kriegsleute die bey jm waren / wurden von jm zustrewet. [6]Sie aber griffen den König / vnd füreten jn hin auff zum könig von Babel gen Riblath / Vnd sie sprachen ein Vrteil vber jn. [7]Vnd sie schlachten die kinder Zidekia fur seinen augen / vnd blendeten Zidekia seine augen / vnd bunden jn mit Ketten / vnd füreten jn gen Babel.

a (Er) Zidekia.

TEMPEL verbrand.

AM siebenden tage des fünfften monden / das ist das neunzehende jar NebucadNezar / des

gen Babel gefürt.

königs zu Babel / kam NebusarAdan der Hofemeister des königs zu Babel knecht gen Jerusalem / [9]Vnd verbrand das Haus des HERRN / vnd das haus des Königs / vnd alle heuser zu Jerusalem / vnd alle grosse heuser verbrand er mit fewr. [10]Vnd die gantze macht der Chaldeer / die mit dem Hofemeister war / zubrach die mauren vmb Jerusalem her. [11]Das ander Volck aber das vberig war in der Stad / vnd die zum könige von Babel fielen / vnd den andern Pöbel / füret NebusarAdan der Hofemeister weg. [12]Vnd von den geringsten im lande / lies der Hofemeister weingartner vnd ackerleute.

3. Reg. 9.

ABer die eherne Seule am hause des HERRN / vnd die Gestüle vnd das eherne Meer / das am Hause des HERRN war / zubrachen die Chaldeer / vnd füreten das ertz gen Babel. [14]Vnd die töpffen / schauffeln / messer / leffel vnd alle eherne gefesse da mit man dienete / namen sie weg. [15]Dazu nam der Hofemeister die pfannen vnd becken / was gülden vnd silbern war. [16]Zwo Seulen ein Meer / vnd die Gestüle / die Salomo gemacht hatte zum Hause des HERRN. Es war nicht zu wegen das ertz aller dieser gefesse. [17]Achzehen ellen hoch war ‖ eine Seule / vnd jr Knauff drauff war auch ehern vnd drey ellen hoch / vnd die Reiffe vnd Granatepffel an dem knauff vmbher war alles ehern / Auff die weise war auch die ander Seule mit den reiffen.

‖ 221 a

VND der Hofemeister nam den Priester Seraja der ersten Ordenung / vnd den Priester Zephanja der andern Ordnung / vnd drey Thurhüter. [19]Vnd einen Kemerer aus der stad / der gesetzt war vber die Kriegsmenner / vnd fünff Menner die stets fur dem Könige waren / die in der stad funden wurden / vnd Sopher den Feldheubtman / der das volck im Lande kriegen leret / vnd sechzig Man vom volck auff dem Lande / die in der stad funden worden. [20]Diese nam NebusarAdan der Hofemeister / vnd bracht sie zum könige von Babel gen Riblath. [21]Vnd der könig von Babel schlug sie tod zu Riblath im Lande Hemath. Also ward Juda weggefürt aus seinem Lande.

ABer vber das vbrige Volck im lande Juda / das NebucadNezar der könig von Babel vberlies / setzet er Gedalja den son Ahikam des sons Saphan. [23]Da nu alle des Kriegsuolck / Heubt-

Jere. 40.

GEDALJA.

leute vnd die Menner höreten / das der könig von Babel Gedalja gesetzt hatte / kamen sie zu Gedalja gen Mizpa / nemlich / Jsmael der son Nethanja / vnd Johanan der son Kareah / vnd Seraja der son Thanhumeth der Netophathiter / vnd Jaesanja der son Maechathi / sampt jren Mennern. 24Vnd Gedalja schwur jnen vnd jren Mennern / vnd sprach zu jnen / Fürchtet euch nicht vnterthan zu sein den Chaldeern / bleibt im Lande / vnd seid vnterthenig dem könige von Babel / so wirds euch wol gehen.

JSMAEL.

25ABer im siebenden monden kam Jsmael der son Nethanja / des sons Elisama von königlichem Geschlecht / vnd zehen Menner mit jm / vnd schlugen Gedalja tod / Dazu die Jüden vnd Chaldeer / die bey jm waren zu Mizpa. 26Da machten sich auff alles Volck / beide klein vnd gros / vnd die Obersten des krieges / vnd kamen in Egypten / Denn sie furchten sich fur den Chaldeern.

Joiachin wird wider erhaben.

ABer im sieben vnd dreissigsten jar / nach dem Joiachin der könig Juda weggefüret war / im sieben vnd zwenzigsten tage des zwelfften monden / hub EuilMerodach der könig zu Babel im ersten jar seines Königreichs / das heubt Joiachin des königs Juda aus dem Kercker erfür. 28Vnd redet freundlich mit jm / Vnd setzt seinen Stuel vber die Stüele der Könige / die bey jm waren zu Babel. 29Vnd wandelt die Kleider seines gefengnis / Vnd er ass allwege fur jm sein leben lang. 30Vnd bestimpt jm sein Teil / das man jm alle wege gab vom Könige auff einen jglichen tag sein gantz leben lang.

Ende des Buchs der Königen.

# DAS ERSTE BUCH: DER CHRONICA.

I.

ADAM.

ADam: Seth: Enos: [2]Kenan / Mahalaleel / Jared / [3]Henoch / Methusalah / Lamech / [4]Noah / Sem / Ham / Japheth.

Gen. 5.

JAPHETH.

DJE kinder Japheth sind diese / Gomer / Magog / Madai / Jauan / Thubal / Mesech / Thiras. [6]Die kinder aber Gomer sind / Ascenas / Riphat / Thogarma. [7]Die kinder Jauan sind / Elisa / Tharsisa / Chitim / Dodanim.

Gen. 10.

HAM.

DJE kinder Ham sind / Chus / Mizraim / Put / Canaan. [9]Die kinder aber Chus sind / Seba / Heuila / Sabtha / Ragema / Sabthecha. Die kinder aber Ragema sind / Scheba vnd Dedan. [10]Chus aber zeuget Nimrod / der fieng an gewaltig zu sein auff Erden. [11]Mizraim zeuget Ludim / Anamim / Lehabim / Naphthuhim / [12]Pathrussim / Casluhim / von welchen sind auskomen die Philistim vnd Caphthorim. [13]Canaan aber zeuget Zidon seinen ersten son / Heth / [14]Jebusi / Amori / Girgosi / [15]Heui / Arki / Sini / [16]Arwadi / Zemari vnd Hemathi.

NIMROD.

SEM.

DJE kinder Sem sind diese / Elam / Assur / Arphachsad / Lud / Aram / Vz / Hul / Gether vnd Masech. [18]Arphachsad aber zeuget Salah / Salah zeuget Eber. [19]Eber aber wurden zween Söne geboren / der eine hies Peleg / darumb / das zu seiner zeit das Land zurteilet ward / vnd sein bruder hies Jaktan. [20]Jaktan aber zeuget Almodad / Saleph / Hazarmaueth / Jarah / [21]Hadoram / Vsal / Dikla / [22]Ebal / Abimael / Scheba / [23]Ophir / Heuila vnd Jobab / Das sind alle kinder Jaktan. [24]Sem / Arphachsad / Salah / [25]Eber / Peleg / Regu / [26]Serug / Nahor / Tharah / [27]Abram / das ist Abraham.

EBER.

KINDER Abraham.

DJE kinder aber Abraham sind / Jsaac vnd Jsmael. [29]Dis ist jr Geschlecht. Der erste son Jsmaels / Nebaioth / Kedar / Adbeel / Mibsam / [30]Misma / Duma / Masa / Hadad / Thema / [31]Jethur / Naphis / Kedma. Das sind die kinder Jsmaels.

JSMAELS kinder.

KETURA kinder.

[32]DJe kinder aber Ketura des kebsweibs Abraham / die gebar Simran / Jaksan / Medan / Midian / Jesbak / Suah. Aber die kinder Jaksan sind / Scheba vnd Dedan. [33]Vnd die kinder Midian sind

Epha / Epher / Henoch / Abida / Eldaa. Dis sind alle kinder der Ketura.

Gen. 25. 36.

ABraham zeuget Jsaac / Die kinder aber Jsaac sind / Esau vnd Jsrael. [35]Die kinder Esau sind / Eliphas / Reguel / Jeus / Jaelam / Korah. [36]Die kinder Eliphas sind / Theman / Omar / Zephi / Gaetham / Kenas / Thimna / Amalek. [37]Die kinder Reguel sind / Nahath / Serah / Samma vnd Misa.

KINDER Jsaac. ESAU.

Gen. 36.

[38]DJE kinder Seir sind / Lothan / Sobal / Zibeon / Ana / Dison / Ezer / Disan. [39]Die kinder Lothan sind / Hori / Homam / Vnd Thimna war ein schwester Lothan. [40]Die kinder Sobal sind / Alian / Manahath / Ebal / Sephi / Onam. Die kinder Zibeon sind / Aia vnd Ana. [41]Die kinder Ana / Dison. Die kinder Dison sind / Hamram / Esban / Jethran / Chran. [42]Die kinder Ezer sind / Bilhan / Saewan / Jaekan. Die kinder Disan sind / Vz vnd Aran.

SEIR.

Gen. 36.

DJS sind die Könige die regieret haben im lande Edom / ehe denn ein König regieret vnter den kindern Jsrael. Bela der son Beor / vnd seine stad hies Dinhaba. [44]Vnd da Bela starb / ward König an seine stat Jobab der son Sera von Bazra. [45]Vnd da Jobab starb / ward König an seine stat Husam || aus der Themaniter lande. [46]Da Husam starb / ward König an seine stat Hadad der son Bedad / der die Midianiter schlug in der Moabiter feld / Vnd seine stad hies Awith. [47]Da Hadad starb / ward König an seine stat Samla von Masrek. [48]Da Samla starb / ward König an seine stat Saul von Rehoboth am wasser. [49]Da Saul starb / ward König an seine stat BaalHanan der son Achbor. [50]Da BaalHanan starb / ward König an seine stat Hadad / vnd seine stad hies Pagi / vnd sein weib hies Mehetabeel / eine tochter Madred / vnd tochter Mesahab.

KÖNIGE in Edom etc.

|| 222a

[51]DA aber Hadad starb / wurden Fürsten zu Edom / fürst Thimna / fürst Alia / fürst Jetheth / [52]fürst Ahalibama / fürst Ela / fürst Pinon / [53]fürst Kenas / fürst Theman / fürst Mibzar / [54]fürst Magdiel / fürst Jram / das sind die fürsten zu Edom.

## II.

DJS SIND DIE KINDER JSRAEL / RUBEN / SIMEON / Leui / Juda / Jsaschar / Sebulon / [2]Dan / Joseph / BenJamin / Naphthali / Gad / Asser.

KINDER Jsrael.

KINDER Juda.

DJe kinder Juda sind Ger / Onan / Sela / Die drey wurden jm geborn von der Cananitin der tochter Suha. Ger aber der erste son Juda / war böse fur dem HERRN / Darumb tödtet er jn. [4]Thamar aber seine Schnur gebar jm / Perez vnd Serah / Das aller kinder Juda waren fünffe.

Gen. 38. 46.

Math. 1.

PEREZ.

[5]DJe kinder Perez sind / Hezron vnd Hamul. [6]Die kinder aber Serah sind Simri / Ethan / Heman / Chalcol / Dara / der aller sind fünffe.

[7]DJe kinder Charmi sind / Achar / welcher betrübet Jsrael / da er sich am Verbanten vergreiff. [8]Die kinder Ethan sind / Asarja.

Josu. 7.

HEZRON.

[9]DJe kinder aber Hezron die jm geborn sind / Jerahmeel / Ram / Chalubai. [10]Ram aber zeuget AmmiNadab. AmmiNabab zeuget Nahesson den Fürsten der kinder Juda. [11]Nahesson zeuget Salma. Salma zeuget Boas. [12]Boas zeuget Obed. Obed zeuget Jsai. [13]Jsai zeuget seinen ersten son Eliab / AbiNadab den andern / Simea den dritten / [14]Nethaneel den vierden / Raddai den fünfften / [15]Ozem den sechsten / Dauid den siebenden. [16]Vnd jre Schwestern waren / Zeruja vnd Abigail. Die kinder Zeruja sind / Abisai / Joab / Asahel / die drey. [17]Abigail aber gebar Amasa. Der vater aber Amasa war Jether ein Jsmaeliter.

Ruth. 4.
Math. 1.
1. Reg. 16.

JSAI.

DAUID ZERUJA. ABIGAIL.

CALEB.

CAleb der son Hezron zeuget Asuba seiner frawen / vnd Jerigoth / Vnd dis sind der selben kinder / Jeser / Sobab vnd Ardon. [19]Da aber Asuba starb / nam Caleb / Ephrath / die gebar jm Hur. [20]Hur gebar Vri. Vri gebar Bezaleel.

[21]DArnach beschlieff Hezron die tochter Machir / des vaters Gilead / vnd er nam sie / da er war sechzig jar alt / vnd sie gebar jm Segub. [22]Segub aber gebar Jair / der hatte drey vnd zwenzig stedte im lande Gilead. [23]Vnd er kriegt aus denselben Gesur vnd Aram / die flecken Jair. Dazu Kenath mit jren töchtern / sechzig stedte / Das sind alle kinder Machir des vaters Gilead. [24]Nach dem tod Hezron in Caleb in Ephrata / lies Hezron Abia sein weib / die gebar jm / Ashur den vater Thekoa.

[25]JErahmeel der erste son Hezron hatte kinder / den ersten Ram / Buna / Oren / vnd Ozem / vnd Ahia. [26]Vnd Jerahmeel hatte noch ein ander weib / die hies Atara / die ist die mutter Onam. [27]Die kinder aber Ram des ersten Sons Jerahmeel sind / Maaz / Jamin vnd Eker.

[28]ABer Onam hatte kinder / Samai vnd Jada. Die kinder aber Samai sind / Nadab vnd Abisur. [29]Das weib aber Abisur hies Abihail / die jm gebar Ahban vnd Molid. [30]Die kinder aber Nadab sind / Seled / vnd Appaim / vnd Seled starb on kinder. [31]Die kinder Appaim sind Jesei. Die kinder Jesei sind Sesan. Die kinder || der Sesan sind Ahelai. [32]Die kinder aber Jada des bruders Samai sind Jether vnd Jonathan / Jether aber starb on kinder. [33]Die kinder aber Jonathan sind / Peleth vnd Sasa. Das sind die kinder Jerahmeel.

|| 222b

[34]SEsan aber hatte nicht söne / sondern töchter. Vnd Sesan hatte einen Egyptischen knecht / der hies Jarha / [35]vnd Sesan gab Jarha seinem knecht seine Tochter zum weibe / die gebar jm Athai. [36]Athai zeuget Nathan. Nathan zeuget Sabad. [37]Sabad zeuget Ephlal. Ephlal zeuget Obed. [38]Obed zeuget Jehu. Jehu zeuget Asarja. [39]Asarja zeuget Halez. Halez zeuget Elleasa. [40]Elleasa zeuget Sissemai. Sissemai zeuget Sallum. [41]Sallum zeuget Jekamia. Jekamia zeuget Elisama.

[42]DJE kinder Caleb des bruders Jerahmeel sind / Mesa sein erster Son / der ist der vater Siph / vnd der kinder Maresa des vaters Hebron. [43]Die kinder aber Hebron sind / Korah / Thapuah / Rekem vnd Sama. [44]Sama aber zeuget Raham den vater Jarkaam. Rekem zeuget Samai. [45]Der son aber Samai hies Maon / vnd Maon war der vater Bethzur.

CALEB.

[46]EPha aber das Kebsweib Caleb / gebar Haran / Moza / vnd Gases. Haran aber zeuget Gases. [47]Die kinder aber Jahdai sind / Rekem / Jotham / Gesan / Peleth / Epha vnd Saaph. [48]Aber Maecha das Kebsweib Caleb gebar Seber vnd Thirhena. [49]Vnd gebar auch Saaph den vater Madmanna / vnd Sewa den vater Machbena / vnd den vater Gibea. Aber Achsa war Calebs tochter.

[50]DJS waren die kinder Caleb / Hur der erste son von Ephrata / Sobal der vater Kiriath Jearim / [51]Salma der vater Bethlehem / Hareph der vater Bethgader. [52]Vnd Sobal der vater Kiriath Jearim hatte Söne / der sahe die helfft Manuhoth.

(Sahe) Die Propheten heissen Seher oder Schawer in der Schrifft / Vnd sehen / heisst leren oder predigen. Also ist dieser Sobal ein Prophet oder Prediger gewest in dem halben Manuhoth / das ist / ein name eines Lendlins / das vieleicht stil vnd wol gelegen ist / Darumb es Manuhoth / das ist / ruge heisset.

[53]DJE Freundschafften aber zu Kiriath Jearim waren die Jethriter / Puthiter / Sumahiter vnd Misraiter. Von diesen sind auskomen die Zaregathiter vnd Esthaoliter. [54]Die kinder Salma sind Bethlehem vnd die Netophatiter / die Krone des

hauses Joab / vnd die helfft der Manahthiter von dem Zareither. [55]Vnd die Freundschafft der Schreiber / die zu Jaebez woneten / sind / die Thireathiter / Simeathiter / Suchathiter. Das sind die Kiniter / die da komen sind von Hamath des vaters Bethrechab.

## III.

Dauids Geschlecht. kinder Dauids.

DJS SIND DIE KINDER DAUID / DIE JM ZU HEBRON geborn sind / Der erst Amnon von Ahinoam der Jesreelitin. Der ander / Daniel von Abigail der Carmelitin. [2]Der dritte / Absalom der son Maecha / der tochter Thalmai des königs zu Gesur. Der vierde / Adonia der son Hagith. [3]Der fünffte / Saphath Ja von Abital. Der sechst Jethream von seinem weibe Egla. [4]Diese sechs sind jm geborn zu Hebron / Denn er regiert daselbs sieben jar vnd sechs monden. Aber zu Jerusalem regieret er drey vnd dreissig jar. [5]Vnd diese sind jm geboren zu Jerusalem / Simea / Sobab / Nathan / Salomo / die viere / von der tochter Sua der tochter Ammiel. [6]Dazu / Jebehar / Elisama / Eliphalet / [7]Noga / Nepheg / Japia / [8]Elisama / Eliada / Eliphaleth / die neune. [9]Das sind alles kinder Dauid / On was der Kebsweiber kinder waren. Vnd Thamar war jre Schwester.

2. Reg. 3.

(Egla) Diese wird allein Dauids weib genennet / vieleicht das sie die erste vnd einige ist gewest / da er noch der Schaff gehütet hat.

2. Reg. 5.

Salomos Geschlecht.

SAlomo son war Rehabeam / des son war Abia / des son war Assa / des son war Josaphat / [11]des son war Joram / des son war Ahasja / des son war Joas / [12]des son war Amazja / des son war Asarja / des son war Jotham / [13]des son war Ahas / des son war Hiskia / des son war Manasse / [14]des son war Amon / des son war Josia. [15]Josia söne aber waren / der erste Johanan / der ander / Joiakim der dritte / Zidekia / der vierde / Sallum. [16]Aber die kinder Joiakim waren / Jechanja / des son war Zidekia. ||

Matth. 1.

|| 223 a

kinder Jechan Ja.

DJE kinder aber Jechanja / der gefangen ward / waren Sealthiel / [18]Malchiram / Phadaja / Senneazar / Jekamja / Hosama / Nedabja. [19]Die kinder Phadaja waren / Zerubabel vnd Simei. Die kinder Zerubabel waren / Mesullam vnd Hananja / vnd jre schwester Selomith / [20]dazu Hasuba / Ohel / Berechja / Hasadja / Jusab / Heses / die fünffe. [21]Die kinder aber Hananja waren / Plat Ja vnd Jesaja / des son war Rephaja / des son war Arnan / des son war Obadja / des son war Sachanja. [22]Die kinder aber Sachanja waren / Semaja. Die kinder

Semaja waren / Hatus / Jegeal / Bariah / Nearja / Saphat / die sechse. [23]Die kinder aber Nearja waren Elioenai / Hiskia / Asrikam / die drey. [24]Die kinder aber Elioenai waren / Hodaja / Eliasib / Plaja / Akub / Johanan / Delaja / Anani / die sieben.

IIII.

DJE KINDER JUDA WAREN / PEREZ / HEZRON / Charmi / Hur vnd Sobal. [2]Reaja aber der son Sobal zeuget Jahath / Jahath zeuget Ahumai / vnd Lahad / Das sind die Freundschafften der Zaregathiter. [3]Vnd dis ist der stam des vaters Etam / Jesreel / Jesina / Jedbas / vnd jre schwester hies Hazlelponi. [4]Vnd Pnuel der vater Gedor / vnd Eser der vater Husa / Das sind die kinder Hur des ersten sons Ephratha des vaters Bethlehem. [5]Ashur aber der vater Thekoa hatte zwey weiber / Hellea vnd Naera. [6]Vnd Naera gebar jm Ahusam / Hepher / Themni / Ahastari / das sind die kinder Naera. [7]Aber die kinder Hellea waren Zereth / Jezohar vnd Ethnan. [8]Koz aber zeuget Anub / vnd Hazobeba / vnd die freundschafft Aharhel des sons Harum.

KINDER Juda.

[9]JAebez aber war herrlicher denn seine Brüder / vnd seine mutter hies jn Jaebez / denn sie sprach / Jch habe jn mit kummer geborn. [10]Vnd Jaebez rieff den Gott Jsrael an / vnd sprach / Wo du mich segenen wirst / vnd meine Grentze mehren / vnd deine Hand mit mir sein wird / vnd wirst mit dem vbel schaffen das michs nicht bekümmere / Vnd Gott lies komen / das er bat. [11]Chalub aber der bruder Suha zeuget Mehir / der ist der vater Esthon. [12]Esthon aber zeuget Bethrapha / Passeah vnd Thehinna den vater der stad Nahas / Das sind die menner von Recha. [13]Die kinder Kenas waren Athniel vnd Saraia. Die kinder aber Athniel waren Hathath.

JAEBEZ.

[14]VND Meonothai zeuget Ophra. Vnd Saraia zeuget Joab den vater des tals der Zimmerleute / denn sie waren Zimmerleut. [15]Die kinder aber Caleb des sons Jephunne waren Jru / Ela vnd Naam. Die kinder Ela waren Kenas. [16]Die kinder aber Jehaleleel waren Siph / Sipha / Thiria Vnd Asareel. [17]Die kinder aber Esra waren Jether / Mered / Epher vnd Jalon / vnd Thahar mit MirJam / Samai / Jesbah dem vater Esthemoa. [18]Vnd sein weib JudiJa gebar Jered den vater Gedor /

CALEB.

Simeon.

Heber den vater Socho / Jekuthiel den vater Sanoah. Das sind die kinder Bithja der tochter Pharao / die der Mared nam. [19]Die kinder des weibs HodiJa der schwester Naham des vaters Kegila / waren Garmi vnd Esthemoa der Maechathiter. [20]Die kinder Simon waren / Ammon / Rinna vnd Benhanan / Thilon. Die kinder Jesei waren / Soheth vnd der BenSoheth.

SELA.

[21]DJE kinder aber Sela des sons Juda waren / Er der vater Lecha / Laeda der vater Maresa / vnd die Freundschafft der Linweber vnter dem hause Asbea. [22]Dazu Jokim / vnd die menner von Coseba / Joas / Saraph / die Hausueter worden in Moab / vnd Jasubi zu Lahem / wie die alte rede lautet. [23]Sie waren Töpffer vnd woneten vnter pflantzen vnd zeunen bey dem Könige zu seinem Gescheffte / vnd kamen vnd blieben daselbs.

V. (IIII.)

DJE KINDER SIMEON WAREN / NEMUEL / JAMIN / Jarib / Serah / Saul. [25]Des son war Sallum / des son war Mibsam / des son war Misma. [26]Die kinder aber Misma waren Hamuel / des son war Zachur / des son war Simei. [27]Simei aber hatte sechzehen Söne / vnd sechs Töchter / vnd seine Brüder hatten nicht viel kinder / Aber alle jre Freundschafft mehreten sich nicht als die kinder Juda. [28]Sie woneten aber zu BerSeba / Molada HazarSual / [29]Bilha / Ezem / Tholad / [30]Bethuel / Harma / Zigklag / [31]BethMarchaboth / Hazarsussim / BethBieri / Saargim / Dis waren jre Stedte / bis auff den könig Dauid. Da zu jre Dörffer bey [32]Etam / Ain / Rimmon / Thochen / Asan / Die fünff Stedte / [33]vnd alle Dörffer die vmb diese stedte her waren / bis gen Baal / Das ist jr wonung vnd jr Sipschafft vnter jnen.

‖ 223b

Gen. 46.

[34]VND Mesobab / Jamlech / Josa der son AmazJa / [35]Joel / Jehu der son JosibJa / des sons Seraja / des sons Asiel / [36]Elioenai / Jaecoba / Jesohaia / Asaia / Adiel / Jsmeel / vnd Benaia. [37]Sisa der son Siphei / des sons Alon / des sons Jedaia / des sons Simri / des sons Semaja. [38]Diese wurden namhafftige Fürsten in jren Geschlechten des hauses jrer Veter / vnd teileten sich nach der menge.

[39]VND sie zogen hin / das sie gen Gedor kemen / bis gegen morgen des Tals / das sie weide suchten fur jre Schafe. [40]Vnd funden fett vnd gute weide /

vnd ein Land weit von rawm / still vnd reich / Denn vor hin woneten daselbs die von Ham. [41]Vnd die jtzt mit namen beschrieben sind / kamen zur zeit Hiskia des königs Juda / vnd schlugen jener hütten vnd wonunge die da selbs funden worden / vnd verbanten sie bis auff diesen tag / vnd woneten an jrer stat / Denn es ware weide daselbs fur schafe. [42]Auch giengen aus jnen / aus den kindern Simeon / fünffhundert Menner zu dem gebirge Seir / mit jren Obersten / Platja / Nearja / Rephaja vnd Vsiel / den kindern Jesei / [43]vnd schlugen die vbrigen entrunnene der Amalekiter / Vnd woneten daselbs / bis auff diesen tag.

HISKIA.

VI. (V.)

Ge. 35. 49.

KINDER Ruben.

DJe kinder Ruben des ersten sons Jsrael / denn er war der erste son / Aber damit das er seins Vaters bette verunreiniget / ward seine Erstegeburt gegeben den kindern Joseph / des sons Jsrael / vnd er ward nicht gerechnet zur Erstengeburt. [2]Denn Juda der mechtig war vnter seinen Brüdern / dem ward das Fürstenthum fur jm gegeben / vnd Joseph die Erstegeburt. [3]So sind nu die kinder Ruben des ersten sons Jsrael / Hanoch / Pallu / Hezron vnd Charmi.

Num. 26.

[4]DJe kinder aber Joel waren / Semaia / des son war Gog / des son war Simei / [5]des son war Micha / des son war Reaia / des son war Baal / [6]des son war Beera / welchen füret weg gefangen Thiglath-Pilnesser der könig von Assyrien / Er aber war ein Fürst vnter den Rubenitern. [7]Aber seine Brüder vnter seinen Geschlechten / da sie vnter jre geburt gerechnet wurden hatten zu Heubtern Jeiel vnd Sacharja. [8]Vnd Bela der son Asan / des sons Sema / des sons Joel / der wonete zu Aroer / vnd bis gen Nebo vnd BaalMeon / [9]vnd wonet gegen dem auffgang / bis man kompt an die wüsten ans wasser Phrath / Denn jres viehs war viel im lande Gilead. [10]Vnd zur zeit Saul füreten sie Krieg wider die Hagariter / das jene fielen durch jre hand / vnd woneten in jener Hütten gegen dem gantzen Morgen ort Gilead.

BEERA.

THIGLAETH-PILNESSER.

SAUL.

DJe kinder Gad aber woneten gegen jnen im lande Basan bis gen Salcha. [12]Joel der fürnemest / vnd Sapham der ander / Jaenai / vnd Saphat zu Basan. [13]Vnd jre brüder des hauses jrer Veter waren / Michael / Mesullam / Seba / Jorai / Jaecan /

KINDER GAD.

Sia vnd Eber / die sieben. [14]Dis sind die kinder Abihail / des sons Huri / des sons Jaroah / des sons Gilead / des sons Michael / des ‖ sons Jesisai / des sons Jahdo / des sons Bus. [15]Ahi der son Abdiel / des sons Guni war ein Oberster im hause jrer Veter / [16]vnd woneten zu Gilead in Basan / vnd in jren Töchtern / vnd in allen vorstedten Saron bis an jr ende. [17]Diese wurden alle gerechnet zur zeit Jotham des königs Juda vnd Jerobeam des königes Jsrael.

‖ 224a

JOTHAM

DEr kinder Ruben / der Gadditer / vnd des halben stams Manasse / was streitbar Menner waren / die Schild vnd Schwert füren / vnd Bogen spannen kundten / vnd streitkündig waren / der war vier vnd vierzig tausent vnd sieben hundert vnd sechzig / die ins Heer zogen. [19]Vnd da sie stritten mit den Hagaritern / hulffen jnen Jetur / Naphes vnd Nodab / [20]vnd die Hagariter wurden gegeben in jre hende / vnd alles das mit jnen war / Denn sie schrien zu Gott im streit / vnd er lies sich erbitten / denn sie vertraweten jm. [21]Vnd sie füreten weg / jr Vieh / fünff tausent Camel / zwey hundert vnd funffzig tausent Schaf / zwey tausent Esel / vnd hundert tausent Menschen seelen / [22]Denn es fielen viel verwundten / denn der streit war von Gott. Vnd sie woneten an jrer stat bis zur zeit / da sie [a]gefangen wurden.

(Erbitten) Sihe / wie der glaube alles vermag / wie Christus spricht.

a Nemlich / durch Salmanesser.

HALBE STAM Manasse.

DJe kinder aber des halben stams Manasse woneten im Lande / von Basan an bis gen Baal Hermon vnd Senir / vnd den berg Hermon / vnd jr war viel. [24]Vnd diese waren die Heubter des hauses jrer Veter / Epher / Jesei / Eliel / Asriel / Jeremia / Hodawia / Jahdiel / gewaltige redliche Menner vnd berümbte Heubter im haus jrer Veter. [25]Vnd da sie sich an dem Gott jrer Veter versündigten / vnd hureten den Götzen nach der Völcker im Lande / die Gott fur jnen vertilget hatte / [26]erweckt der Gott Jsrael den geist Phul des königs von Assyrien / vnd den geist ThiglathPilnesser des königs von Assyrien / vnd füret weg die Rubeniten / Gadditen / vnd den halben stam Manasse / Vnd bracht sie gen Halah vnd Habor vnd Hara / vnd ans wasser Gosan / bis auff diesen tag.

PHUL. Tiglath-Pilnesser.

RUBENITER Gadditer vnd der halbe stam Manasse in Assyrien weg gefurt etc.

## VII. (VI.)

KINDER Leui.

DJE KINDER LEUI WAREN GERSON / KAHATH / vnd Merari. [2]Die kinder aber Kahath waren /

Gen. 46. Jnf. 23.

Amram / Jezehar / Hebron vnd Vsiel. [3]Die kinder Amram waren / Aaron / Mose vnd MirJam.

KINDER AARON. DJe kinder Aaron waren / Nadab / Abihu / Eleaser vnd Jthamar. [4]Eleaser zeuget Pinehas. ELEASAR. Pinehas zeuget Abisua. [5]Abisua zeuget Buki. Buki zeuget Vsi. [6]Vsi zeuget Seraja. Seraja zeuget Merajoth. [7]Merajoth zeuget Amarja. Amarja zeuget Ahitob. [8]Ahitob zeuget Zadok. Zadok zeuget Ahimaaz. [9]Ahimaaz zeuget Asarja. Asarja zeuget Johanan. [10]Johanan zeuget Asarja / den / der ASARJA. Priester war im Hause das Salomo bawete zu Jerusalem. [11]Asarja zeuget Amarja. Amarja zeuget Ahitob. [12]Ahitob zeuget Zadok. Zadok zeuget Sallum. [13]Sallum zeuget Hilkija. Hilkija zeuget Asarja. [14]Asarja zeuget Seraja. Seraja zeuget Jozadak. JOZADAK. [15]Jozadak aber ward mit weggefürt / da der HERR Juda vnd Jerusalem durch NebucadNezar lies gefangen wegfüren.

Exod. 6. [16]SO sind nu die kinder Leui diese / Gerson / Kahath / Merari. [17]So heissen aber die kinder Gerson / Libni vnd Simei. [18]Aber die kinder Kahath heissen / Amram / Jezehar / Hebron vnd Vsiel. [19]Die kinder Merari heissen / Maheli vnd Musi.

DAS sind die geschlechte der Leuiten vnter jren Vetern. [20]Gersons son war Libni / des son war Jahath / des son war Sima / [21]des son war Joah / des son war Jddo / des son war Serah / des son war Jeathrai. [22]Kahaths son aber war Amminadab / des son war Korah / des son war Assir / [23]des son war Elkana / des son war AbiAssaph / des son war Assir / [24]des son war Thahath / des son war Vriel / des son war Vsija / des son war Saul.

[25]DJe kinder Elkana waren Amasai vnd Ahimoth / [26]des son war Elkana / des son war Elkana von Zoph / des son war Nahath / [27]des son war Elijab / des ‖ son war Jeroham / des son war Elkana / [28]des son war Samuel / Des erstgeborner war / Vasni vnd Abija. ‖ 224b 1. Reg. 1. SAMUEL.

[29]MErari son war Maheli / des son war Libni / des son war Simei / des son war Vsa / [30]des son war Simea / des son war Haggija / des son war Asaja.

SENGER VON Dauid bestellet etc. DJS sind aber / die Dauid stellet zu singen im Hause des HERRN / da die Lade ruget / [32]vnd dieneten fur der Wonung der Hütten des Stiffts mit singen / Bis das Salomo das Haus des HERRN bawet zu Jerusalem / vnd stunden nach jrer weise an jrem ampt / [33]Vnd dis sind sie / die da stunden / vnd jre kinder. Von den kindern Kahath war Heman der Senger / der son Joel / des sons Samuel / [34]des sons Elkana / des sons Jeroham / des sons Eliel / des sons Thoath / [35]des sons Zuph / des sons Elkana / des sons Mahath / des sons Amasai / [36]des sons Elkana / des sons Joel / des sons Asarja / des sons Zephanja / [37]des sons Thahath / des sons Assir / des sons Abiassaph / des sons Korah / [38]des sons Jezehar / des sons Kahath / des sons Leui / des sons Jsrael.

HEMAN.

[39]VND sein bruder Assaph stund zu seiner rechten. Vnd er / der Assaph war ein son Berechja / des sons Simea / [40]des sons Mihael / des sons Baeseja / des sons Malchija / [41]des sons Athni / des sons Serah / des sons Adaja / [42]des sons Ethan / des sons Sima / des sons Simei / [43]des sons Jahath / des sons Gersom des sons Leui.

ASSAPH.

ETHAN.

[44]JRe Brüder aber die kinder Merari stunden zur lincken / nemlich / Ethan der son Kusi / des sons Abdi / des sons Malluch / [45]des sons Hasabja des sons Amazja / des sons Hilkia / [46]des son Amzi / des sons Bani / des sons Samer / [47]des sons Maheli / des sons Musi / des sons Merari / des sons Leui.

[48]JRe Brüder aber die Leuiten waren gegeben zu allerley Ampt an der Wonung des Hauses des HERRN. [49]Aaron aber vnd seine Söne waren im Ampt / an zuzünden auff dem Brandopffersaltar / vnd auff dem Reuchaltar / vnd zu allem geschefft im Allerheiligsten vnd zu versünen Jsrael / wie Mose der knecht Gottes geboten hatte.

AARON.

[50]DJs sind aber die kinder Aaron / Eleasar sein son / Des son war Pinehas / des son war Abisua / [51]des son war Buki / des son war Vsi / des son war Serahja / [52]des son war Merajoth / des son war Amarja / des son war Ahitob / [53]des son war Zadok / des son war Ahimaaz.

VND dis ist jre Wonung vnd Sitz in jren Grentzen / nemlich / der kinder Aaron des geschlechts der Kahathiter / Denn das Los fiel jnen / [55]vnd sie gaben jnen Hebron im lande Juda / vnd derselben Vorstedte vmb her. [56]Aber das feld der Stad vnd jre Dörffer gaben sie Caleb dem son Jephunne. [57]So gaben sie nu den kindern Aaron die Freistedte / Hebron vnd Libna sampt jren vor-

Num. 35. Josu. 21.

stedten. Jather vnd Esthemoa mit jren vorstedten. [58]Hilen / Debir / [59]Asan / vnd Bethsemes / mit jren vorstedten. [60]Vnd aus dem stam BenJamin / Geba / Alemeth vnd Anathoth mit jren vorstedten. Das aller Stedte in jrem Geschlechte waren dreizehen.

[61]ABer den andern kindern Kahath jres Geschlechtes aus dem halben stam Manasse / wurden durchs los zehen Stedte. [62]Den kindern Gersom jres Geschlechts wurden aus dem stam Jsaschar / vnd aus dem stam Asser / vnd aus dem stam Naphthali / sind aus dem stam Manasse in Basan / dreizehen Stedte. [63]Den kindern Merari jres Geschlechts wurden durchs los / aus dem stam Ruben / vnd aus dem stam Gad / vnd aus dem stam Sebulon / zwelff Stedte.

[64]VND die kinder Jsrael gaben den Leuiten auch Stedte mit jren vorstedten / [65]nemlich / durchs loss / Aus dem stam der kinder Juda / vnd aus dem stam der kinder Simeon / vnd aus dem stam der kinder BenJamin / die Stedte die sie mit namen bestimpten. [66]Aber den Geschlechten der kinder Kahath wurden Stedte jrer grentze aus dem stam Ephraim. ‖

‖ 225 a

SO gaben sie nu jnen / dem Geschlecht der andern kinder Kahath / die Freienstedte / Sichem auff dem gebirge Ephraim / Geser / [68]Jakmeam / Beth-Horon / [69]Aialon / vnd GadRimon mit jren vorstedten. [70]Dazu aus dem halben stam Manasse / Aner vnd Bileam mit jren vorstedten. [71]Aber den kindern Gersom gaben sie aus dem Geschlecht des halben stams Manasse Golan in Basan vnd Astharoth mit jren vorstedten. [72]Aus dem stam Jsaschar / Kedes / Dabrath / [73]Ramoth vnd Anem / mit jren vorstedten. [74]Aus dem stam Asser / Masal / Abdon / [75]Hukok vnd Rehob / mit jren vorstedten. [76]Aus dem stam Naphthali / Kedes in Galilea / Hammon vnd Kiriathaim mit jren vorstedten.

[77]DEN andern kindern Merari gaben sie aus dem stam Sebulon / Rimono vnd Thabor mit jren vorstedten. [78]Vnd jenseid dem Jordan gegen Jeriho / gegen der Sonnen auffgang am Jordan / aus dem stam Ruben / Bezer in der wüsten / Jahza / [79]Kedemoth vnd Mepaath mit jren vorstedten. [80]Aus dem stam Gad / Ramoth in Gilead / Mahanaim / [81]Hesbon vnd Jeaser mit jren vorstedten.

VIII. (VII.)

Kinder Jsaschar.

DJE kinder Jsaschar waren / Thola / Pua / Jasub vnd Simron / die viere. [2]Die kinder aber Thola waren / Vsi / Rephaia / Jeriel / Jahemai / Jebsam vnd Samuel / Heubter im hause jrer Veter von Thola / vnd gewaltige Leute in jrem Geschlecht an der zal zu Dauids zeiten / zwey vnd zwenzig tausent vnd sechs hundert. [3]Die kinder Vsi waren / Jesraja. Aber die kinder Jesraja waren Michael / Obadja / Joel vnd Jesia / die fünffe vnd waren alle Heubter. [4]Vnd mit jnen vnter jrem Geschlecht im hause jrer Veter waren gerüst Heeruolck zum streit sechs vnd dreissig tausent / Denn sie hatten viel Weiber vnd kinder. [5]Vnd jre Brüder in allen geschlechten Jsaschar gewaltiger Leute / waren sieben vnd achzig tausent / vnd wurden alle gerechnet.

Gen. 46.

Kinder BenJamin.

DJE kinder BenJamin waren / Bela / Becher / vnd Jediael / die drey. [7]Aber die kinder Bela waren / Ezbon / Vsi / Vsiel / Jerimoth / vnd Jri die fünffe / Heubter im hause der Veter gewaltige Leute. Vnd wurden gerechnet zwey vnd zwenzig tausent vnd vier vnd dreissig. [8]Die kinder Becher waren / Semira / Joas / Elieser / Elioenai / Amri / Jeremoth / Abia / Anathoth / vnd Alameth die waren alle kinder des Becher. [9]Vnd wurden gerechnet in jren Geschlechten nach den Heubtern im haus jrer Veter gewaltige Leute / zwenzig tausent vnd zwey hundert. [10]Die kinder aber Jediael waren / Bilhan. Bilhan kinder aber waren / Jeus / BenJamin / Ehud / Cnaena / Sethan / Tharsis vnd Ahisahar / [11]Die waren alle kinder Jediael / heubter der Veter / gewaltige Leute / siebenzehen tausent / zwey hundert / die ins Heer auszogen zu streiten. [12]Vnd Supim / vnd Hupim waren kinder Jr / Husim aber waren kinder Aher.

Kinder Naphthalim.

DJE kinder Naphthali waren / Jahziel / Guni / Jezer vnd Sallum / kinder von Bilha.

Kinder Manasse.

DJE kinder Manasse sind diese / Esriel / welchen gebar Aramja sein kebsweib / Er zeuget aber Machir den vater Gilead. [15]Vnd machir gab Hupim vnd Supim weiber / vnd seine Schwester hies Maecha. Sein ander son hies Zelaphehad / vnd Zelaphehad hatte töchter. [16]Vnd Maecha das weib Machir gebar einen Son / den hies sie Peres / vnd sein bruder hies Sares / vnd desselben Söne waren

Vlam vnd Rakem. [17]Vlams son aber war Bedam. Das sind die kinder Gilead des sons Machir / des sons Manasse. [18]Vnd seine Schwester Molecheth gebar Jshud / Abieser vnd Mahela. [19]Vnd Semida hatte diese kinder / Ahean / Sichem / Likhi / vnd Aniam.

KINDER Ephraim.

DJE kinder Ephraim waren diese / Suthelah / des son war Bered / des son war Thahath / des son war Eleada / des son war Thahath / [21]des son war Sabad / des son war Suthelah / des son war Eser vnd Elead. Vnd die ‖ Menner zu Gath die einheimischen im Lande / erwürgeten sie / darumb / das sie hin ab gezogen waren / jr Vieh zu nemen. [22]Vnd jr vater Ephraim trug lange zeit leide / vnd seine Brüder kamen jn zu trösten. [23]Vnd er beschlieff sein Weib / die ward schwanger / vnd gebar einen Son / den hies er Bria / darumb / das in seinem Haus vbel zugieng. [24]Seine Tochter aber war Seera / die bawet das nidern vnd obern Bethhoron / vnd Vsen Seera. [25]Des son war Rephath vnd Reseph / des son war Thelah / des son war Thalan / [26]des son war Laedan / des son war Ammihud / des son war Elisama / [27]des son war Nun / des son war Josua.

‖ 225 b

BRIA.

JOSUA.

[28]VND jr Habe vnd wonung war / Bethel vnd jre töchter / vnd gegen dem auffgang Naeran / vnd gegen abend Geser vnd jre töchter / Sechem vnd jre töchter bis gen Zia vnd jre töchter. [29]Vnd an den kindern Manasse / BethSean vnd jre töchter / Thaenach vnd jre töchter / Megiddo vnd jre töchter. Dor vnd jre töchter. Jn diesen woneten die kinder Joseph des sons Jsrael.

Gen. 46.

KINDER Asser.

DJE kinder Asser waren diese / Jemna / Jeswa / Jeswai / Bria / vnd Serah jre schwester. [31]Die kinder Bria waren / Heber vnd Malchiel / das ist der vater Birsawith. [32]Heber aber zeuget Japhlet / Somer / Hotham vnd Sua jre schwester. [33]Die kinder Japhlet waren Passah / Bimehal vnd Aswath / das waren die kinder Japhlet. [34]Die kinder Somer waren / Ahi / Rahga / Jehuba vnd Aram. [35]Vnd die kinder seins bruders Helem waren / Zophah / Jemna / Seles vnd Amal. [36]Die kinder Zopha waren / Suah / Harnepher / Sual / Beri / Jemra / [37]Bezer / Hod / Sama / Silsa / Jethran / vnd Beera. [38]Die kinder Jether waren / Jephunne / Phispa vnd Ara. [39]Die kinder Vlla waren / Arah / Haniel / vnd Rizja. [40]Diese waren alle kinder

Asser / Heubter im hause jrer Veter ausserlesen / gewaltige Leute / vnd Heubter vber Fürsten. Vnd wurden gerechnet ins Heer zum streit an jrer zal / sechs vnd zwenzig tausent Menner.

IX. (VIII.)

Kinder Ben Jamin.

BEn Jamin aber zeuget Bela seinen ersten Son / Asbal den andern / Ahrah den dritten / [2]Noha den vierden / Rapha den fünfften. [3]Vnd Bela hatte kinder / Addar / Gera / Abihud / [4]Abisua / Naeman / Ahoah / [5]Gera / Sphuphan vnd Huram.

Gen. 46.

[6]DJs sind die kinder Ehud / die da Heubter waren der Veter vnter den bürgern zu Geba. Vnd zogen weg gen Mahanath / [7]nemlich / Naeman / Ahia vnd Gera / derselb fürt sie weg / vnd er zeuget Vsa vnd Ahihud. [8]Vnd Seharaim zeuget im lande Moab (da er jene von sich gelassen hatte) von Husim vnd Baera seinen weibern. [9]Vnd er zeuget von Hodes seinem weibe / Jobab / Zibja / Mesa / Malcham / [10]Jeuz / Sachja / vnd Mirma. Das sind seine kinder / Heubter der Veter.

[11]Von Husim aber zeuget er Abitob vnd Elpaal. [12]Die kinder aber Elpaal waren / Eber / Miseam vnd Samed. Derselb bawet Ono / vnd Lod vnd jre töchter. [13]Vnd Bria vnd Sama waren Heubter der Veter / vnter den bürgern zu Aialon / Sie veriagten die zu Gath. [14]Sein bruder aber / Sasak / Jeremoth / [15]Sebadia / Arad / Ader / [16]Michael / Jespa / vnd Joha / Das sind kinder Bria. [17]Sebadja / Mesullam / Hiski / Heber / [18]Jesinerai / Jeslia / Jobab / Das sind kinder Elpaal. [19]Jakim / Sichri / Sabdi / [20]Elioenai / Zilthai / Eliel / [21]Adaia / Braia vnd Simrath / Das sind die kinder Simei. [22]Jespan / Eber / Eliel / [23]Abdon / Sichri / Hanan / [24]Hananja / Elam / Anthothja / [25]Jephdeja vnd Pnuel / Das sind die kinder Sasak. [26]Samserai / Seharja / Athalja / [27]Jaeresja / Elia vnd Sichri / Das sind kinder Jeroham / [28]Das sind die Heubter der Veter jrer geschlechten / die woneten zu Jerusalem.

[29]ABer zu Gibeon woneten / der vater Gibeon / vnd sein Weib hies Maecha / [30]vnd sein erster son war Abdon / Zur / Kis / Baal / Nadab / [31]Gedor / Ahio || vnd Secher. [32]Mikloth aber zeuget Simea / vnd sie woneten gegen jren Brüdern zu Jerusalem mit jnen.

Jnf. 9.

1. Reg. 14.

|| 226 a

NEr zeuget Kis / Kis zeuget Saul. Saul zeuget Jonathan / Melchisua / Abinadab vnd Esbaal. [34]Der son aber Jonathan war Meribaal. Meribaal zeuget Micha. [35]Die kinder Micha waren Pithon / Melech / Thaerea vnd Ahas. [36]Ahas aber zeuget Joadda. Joadda zeuget Alemeth / Asmaueth vnd Simri. Simri zeuget Moza. [37]Moza zeuget Binea / des son war Rapha / des son war Eleasa / des son war Azel. [38]Azel aber hatte sechs Söne die hiessen / Esrikam / Bochru / Jesmael / Searja / Abadja / Hanan / die waren alle söne Azel. [39]Die kinder Esek seines bruders waren / Vlam sein erster son / Jeus der ander / Elipelet der dritte. [40]Die kinder aber Vlam waren gewaltige Leute / vnd geschickt mit Bogen / vnd hatten viel Söne vnd sons söne / hundert vnd funffzig / Die sind alle von den kindern BenJamin.

SAUL. JONATHAN.

## X. (IX.)

VND DAS GANTZ JSRAEL WARD GERECHNET / Vnd sihe / sie sind an geschrieben im Buch der könige Jsrael vnd Juda / vnd nu weggefürt gen Babel vmb jrer Missethat willen / [2]die zuuor woneten auff jren gütern vnd Stedten / nemlich / Jsrael / Priester / Leuiten vnd Nethinim. [3]Aber zu Jerusalem woneten etliche der kinder Juda / etliche der kinder BenJamin / etliche der kinder Ephraim vnd Manasse. [4]Nemlich aus den kindern Perez des sons Juda / war Vthai der son Amihud / des sons Amri / des sons Jmri / des sons Bani. [5]Von Silom aber Asaja der erst son vnd seine ander söne. [6]Von den kindern Serah / Jeguel vnd seine Brüder sechs hundert vnd neunzig.

(NETHINIM) Heisst die gegeben oder geschenckten Vnd waren die Leuiten die sich in sonderheit zu Gottesdienst ergeben hatten wo Gottes Hütten vnd die Lade war vnter den Priestern.

[7]VOn den kindern BenJamin / Sallu der son Mesullam / des sons Hodawja / des sons Hassnua. [8]Vnd Jebneja der son Jeroham. Vnd Ela der son Vsi / des sons Michri. Vnd Mesullam der son Sephatja / des sons Reguel / des sons Jebneja. [9]Dazu jre Brüder in jren Geschlechten / neun hundert vnd sechs vnd funffzig. Alle diese Menner waren Heubter der veter im hause jrer Veter.

VOn den Priestern aber / Jedaia / Joiarib / Jachin. [11]Vnd Asarja der son Hilkia / des sons Mesullam / des sons Zadok / des sons Meraioth / des sons Ahitob ein fürst im Hause Gottes. [12]Vnd Adaia der son Jeroham / des sons Pashur / des sons Malchia. Vnd Maesai der son Adiel / des sons Jahsera /

PRIESTER.

des sons Mesullam / des sons Messimeleth / des sons Jmmer. [13]Dazu jre brüder Heubter im hause jrer Veter / tausent sieben hundert vnd sechzig / vleissige Leute am geschefft des ampts im Hause Gottes.

LEUITEN.

[14]VOn den Leuiten aber aus den kindern Merari / Semaja der son Hasub des sons Asrikam / des sons Hasabja. [15]Vnd Bakbakar der Zimmerman vnd Galal. Vnd Mathanja der son Micha / des sons Sichri / des sons Assaph. [16]Vnd Obadja der son Semaja / des sons Galal / des sons Jeduthun. Vnd Berechja der son Assa / des sons Elkana / der in den Dörffern wonet der Nethophathiter.

PFÖRTENER.

[17]DJe Pförtener aber waren Sallum / Akub / Talmon / Ahiman mit jren brüdern / vnd Sallum der öberst. [18]Denn bis her hatten am thor des Königs gegen dem auffgang gewartet die kinder Leui mit Lagern. [19]Vnd Sallum der son Kore / des sons Abiassaph / des sons Korah / vnd seine Brüder aus dem haus seines vaters / Die Korhiter am geschefft des Ampts / das sie warteten an der schwelle der Hütten / vnd jre veter im Lager des HERRN / das sie warteten des eingangs. [20]Pinehas aber der son Eleasar war Fürst vber sie / darumb das der HERR zuuor mit jm gewesen war. [21]Sacharja aber der son Meselemja / war Hütter am thor der Hütten des Stiffts. [22]Alle diese waren ausserlesen zu ‖ Hüttern an der schwelle / zwey hundert vnd zwelffe / Die waren gerechnet in jren Dörffern. Vnd Dauid vnd Samuel der Seher stifften sie durch jren glauben / [23]das sie vnd jre Kinder hüten solten am hause des HERRN / nemlich / an dem hause der Hütten das sie sein warten.

‖ 226b

(Durch jren glauben) Das ist gesagt / Solch stifft theten sie nicht aus menschlicher andacht vnd guter meinung / sondern aus Gottes befelh vnd jren glauben Denn in Gottes sachen / sol kein menschlich stifftung oder werck gelten.

THORWARTER.

[24]ES waren aber solche Thorwarter gegen die vier winde gestellet / Gegen morgen / gegen abend / gegen mitternacht / gegen mittag. [25]Jre Brüder aber waren auff jren Dörffern / das sie her ein kemen ja des siebenden tages / allezeit bey jnen zu sein. [26]Denn die Leuiten waren diese vierley obersten Thorhütern vertrawet / Vnd sie waren vber die Kasten vnd Schetze im Hause Gottes.

[27]Auch blieben sie vber nacht vmb das Haus Gottes / Denn es gebürt jnen die Hut / das sie alle morgen aufftheten. [28]Vnd etliche aus jnen waren vber das gerete des Ampts / Denn sie trugens gezelet aus vnd ein. [29]Vnd jrer etliche waren bestellet vber die Gefess vnd vber alles heilige Ge-

rete / vber Semelmelh / vber Wein / vber Ole / vber Weirauch / vber Reuchwerg. [30]Aber der Priester kinder machten etliche das Reuchwerg.

[31]MAthithja aus den Leuiten / dem ersten son Sallum des Korhiters waren vertrawet die Pfannen. [32]Aus den Kahathitern aber jren Brüdern / waren vber die Schawbrot zu zurichten / das sie sie alle Sabbath bereiten.

[33]DAS sind die Senger / die Heubter vnter den vetern der Leuiten vber die Kasten ausgesondert / Denn tag vnd nacht waren sie drob im Geschefft. [34]Das sind die Heubter der veter vnter den Leuiten in jren Geschlechten / Diese woneten zu Jerusalem.

ZV Gibeon woneten Jeiel der vater Gibeon / Sein weib hies Maecha / [36]Vnd sein erster son Abdon / Zur / Kis / Baal / Ner / Nadab / [37]Gedor / Ahaio / Sacharja / Mikloth. [38]Mikloth aber zeuget Simeam / vnd sie woneten auch vmb jre brüder zu Jerusalem vnter den jren. [39]Ner aber zeuget Kis. Kis zeuget Saul. Saul zeuget Jonathan / Malchisua / AbiNadab / Esbaal. [40]Der son aber Jonathan war / Meribaal. Meribaal aber zeuget Micha. [41]Die kinder Micha waren Pithon / Melech vnd Thaherea.

1. Reg. 14.

[42]AHas zeuget Jaera. Jaera zeuget Alemeth / Asmaueth vnd Simri. Simri zeuget Moza. [43]Moza zeuget Binea / des son war Raphaja / des son war Eleasa / des son war Azel. [44]Azel aber hatte sechs Söne die hiessen / Asrikam / Bochru / Jesmael / Searja / Obadja / Hanan / Das sind die kinder Azel.

## XI. (X.)

DJe Philister stritten wider Jsrael / Vnd die von Jsrael flohen fur den Philistern / vnd fielen die Erschlagene auff dem berge Gilboa. [2]Aber die Philister hiengen sich an Saul vnd seine Söne hinder jnen her / vnd schlugen Jonathan / Abinadab / vnd Malchisua die söne Saul. [3]Vnd der streit ward hart wider Saul / vnd die Bogenschützen kamen an jn / das er von den Schützen verwund ward. [4]Da sprach Saul zu seinem Waffentreger / Zeuch dein Schwert aus / vnd erstich mich da mit / Das diese Vnbeschnittene nicht komen / vnd schendlich mit mir vmbgehen. Aber sein Waffentreger wolt nicht / denn er furcht sich seer. Da nam Saul sein schwert vnd fiel drein. [5]Da aber

Saul sampt dreien Sönen kompt vmb.

sein Waffentreger sahe / das Saul tod war / fiel er auch ins schwert vnd starb.

[6]ALso starb Saul vnd seine drey Söne vnd sein gantzes Haus zu gleich. [7]Da aber die menner Jsrael / die im grunde waren / sahen / das sie geflohen waren / vnd das Saul vnd seine Söne tod waren / verliessen sie jre Stedte / vnd flohen / vnd die Philister kamen vnd woneten drinnen.

DEs andern morgen kamen die Philister / die erschlagene aus zu ziehen / vnd funden Saul vnd seine Söne ligen auff dem berge Gilboa / [9]Vnd zogen jn aus / vnd huben auff sein Heubt vnd seine Waffen / vnd sandtens ins ‖ Land der Philister vmb her / vnd liessens verkündigen für jren Götzen / vnd dem volck. [10]Vnd legten seine Waffen ins haus jres Gottes / vnd seinen Scheddel hefften sie ans haus Dagon.

‖ 227a

DA aber alle die zu Jabes in Gilead höreten / alles was die Philister Saul gethan hatten / [12]machten sie sich auff alle streitbar Menner / vnd namen den leichnam Saul vnd seiner Söne / vnd brachten sie gen Jabes / vnd begruben jre Gebeine vnter der eiche zu Jabes / vnd fasteten sieben tage.

1. Reg. 31.

[13]ALso starb Saul in seiner Missethat / die er wider den HERRN gethan hatte / an dem wort des HERRN das er nicht hielt. Auch das er die Warsagerin fraget / [14]vnd fraget den HERRN nicht / darumb tödtet er jn / Vnd wand das Königreich zu Dauid dem son Jsai.

1. Reg. 28.

## XII. (XI.)

VND GANTZ JSRAEL SAMLET SICH ZU DAUID GEN Hebron / vnd sprach / Sihe / Wir sind dein bein vnd dein fleisch / [2]Auch vor hin / da Saul könig war / fürestu Jsrael aus vnd ein. So hat der HERR dein Gott dir geredt / Du solt mein volck Jsrael weiden / vnd du solt Fürst sein vber mein volck Jsrael. [3]Auch kamen alle eltesten Jsrael zum Könige gen Hebron / Vnd Dauid macht einen Bund mit jnen zu Hebron fur dem HERRN / Vnd sie salbeten Dauid zum Könige vber Jsrael / Nach dem wort des HERRN durch Samuel.

2. Reg. 5.

DAUID ZUM König gesalbet vber Jsrael.

1. Reg. 16.

VND Dauid zoch hin vnd das gantze Jsrael gen Jerusalem (das ist Jebus) Denn die Jebusiter woneten im Lande. [5]Vnd die Bürger zu Jebus sprachen zu Dauid / Du solt nicht er ein komen. Dauid aber gewan die burg Zion / das ist Dauids

2. Reg. 5.

JEBUS.

stad. [6]Vnd Dauid sprach / Wer die Jebusiter am ersten schleget / der sol ein Heubt vnd Oberster sein. Da ersteig sie am ersten Joab der son Zeruja / vnd ward Heubtman. [7]Dauid aber wonet auff der Burg / Da her heisst man sie Dauids stad. [8]Vnd er bawet die Stad vmb her von Millo an bis gar vmb her / Joab aber lies leben die vbrigen in der Stad. [9]Vnd Dauid fur fort vnd nam zu / vnd der HERR Zebaoth war mit jm.

DAUIDS STAD.

2. Reg. 23.

DJS sind die Obersten vnter den Helden Dauid / die sich redlich mit jm hielten in seinem Königreiche bey gantzem Jsrael / das man jn zum Könige machet / nach dem wort des HERRN vber Jsrael. [11]Vnd dis ist die zal der Helden Dauid / Jasabeam der son Hachmoni / der fürnemest vnter dreissigen / Er hub seinen spies auff / vnd schlug Dreyhundert auff ein mal.

DIE HELDEN Dauids.

JASABEAM.

(Dreyhundert) 2. Reg. 23. stehen acht hundert / wer einen Hauffen von achthundert angreifft vnd schlegt dreyhundert tod / vnd die funffhundert in die flucht / der hat sie alle acht hundert geschlagen. Also da hie (vnter dreissigen) stehet hat droben. 2. Reg. 23. der Text vnter dreien. Denn welcher vnter den besten dreien der furnemest ist / der ist auch vnter den dreissigen allen der furnemest.

ELEASAR.

NAch jm war Eleasar der son Dodo der Ahohiter / vnd er war vnter den dreien Helden. [13]Dieser war mit Dauid da sie hohnsprachen / vnd die Philister sich daselbs versamlet hatten zum streit. Vnd war ein Stück ackers vol Gersten / vnd das volck flohe fur den Philistern / [14]Vnd sie tratten mitten auffs stück / vnd erretten es / vnd schlugen die Philister / Vnd der HERR gab ein gros Heil.

VND die drey aus den dreissigen Fürnemesten zohen hin ab zum felsen zu Dauid in die höle Adullam / Aber der Philister lager lag im grunde Rephaim. [16]Dauid aber war in der Burg / Vnd der Philister volck war dazumal zu Bethlehem. [17]Vnd Dauid ward lüstern / vnd sprach / Wer wil mir zu trincken geben des wassers aus dem Brun zu Bethlehem vnter dem Thor? [18]Da rissen die drey in der Philister lager / vnd schepfften des wassers aus dem Brun zu Bethlehem vnter dem Thor / vnd trugens vnd brachtens zu Dauid / Er aber wolts nicht trincken / sondern [a]gos dem HERRN [19]vnd sprach / Das las Gott fern von mir sein / das ich solchs thu / vnd trincke das blut dieser Menner in jres lebens fahr / Denn sie habens mit jres lebens far herbracht / Darumb wolt ers nicht trincken / Das theten die drey Helden. ‖

a (Gos) Das ist / Er opffert es Gott zum Tranckopffer.

‖ 227b

ABisai der bruder Joab / der war der fürnemest vnter dreien / Vnd er hub seinen spies auff vnd schlug drey hundert. Vnd er war vnter dreien berümbt / [21]vnd er der dritte / herrlicher denn die

ABISAI.

zweene / vnd war jr Oberster / Aber bis an die drey kam er nicht.

BENAIA.

BEnaia der son Joiada des sons Jshail von grossen thatten von Kabzeel / Er schlug zween Lewen der Moabiter / vnd gieng hin ab vnd schlug einen Lewen mitten im brun zur schneezeit. [23]Er schlug auch einen Egyptischen man / der war fünff ellen gros / vnd hatte einen Spies in der hand / wie ein Weberbawm / Aber er gieng zu jm hin ab mit eim Stecken / vnd nam jm den Spies aus der hand / vnd erwürget jn mit seim eigen Spies. [24]Das thet Benaia der son Joiada / vnd ward berümbt vnter dreien Helden / [25]vnd war der herrlichst vnter dreissigen / Aber an die drey kam er nicht / Dauid aber macht jn zum heimlichen Rat.

ASAHEL.

DJe streitbaren Helden sind diese / Asahel der bruder Joab. Elhanan der son Dodo von Bethlehem. [27]Samoth der Haroriter. Helez der Peloniter. [28]Jra der son Ekes der Thekoiter. Abieser der Anthothiter. [29]Sibechai der Husathiter. Jlai der Ahohiter. [30]Maherai der Netophatiter. Heled der son Baena der Nethophatiter. [31]Jthai der son Ribai von Gibea der kinder BenJamin. Benaia der Pirgathoniter. [32]Hurai von den bechen Gaas. Abiel der Arbathiter. [33]Asmaueth der Baherumiter. Eliahba der Saalboniter. [34]Die kinder Hasem des Gisoniters. Jonathan der son Sage / des Harariter. [35]Ahiam der son Sachar des Harariter. Eliphal der son Vr. [36]Hepher der Macherathiter. Ahia der Peloniter. [37]Hezro der Carmeliter. Naerai der son Asbai. [38]Joel der bruder Nathan. Mibehar der son Hagri. [39]Zeleg der Ammoniter. Naherai der Berothiter / Waffentreger Joabs / des sons Zeruja. [40]Jra der Jethriter. Gareb der Jethriter. [41]Vria der Hethiter. Sabad der son Ahelai. [42]Adina der son Sisa der Rubeniter / ein Heubtman der Rubeniter / vnd dreissig waren vnter jm. [43]Hanan der son Maecha. Josaphat der Mathoniter. [44]Vsia der Asthrathiter. Sama vnd Jaiel / die söne Hotham des Aroeriters. [45]Jediael der son Simri. Joha sein bruder der Thiziter. [46]Eliel der Maheuiter. Jeribai vnd Josawia die söne Elnaam. Jethma der Moabiter. [47]Eliel / Obed / Jaesiel von Mezobaia.

XIII. (XII.)

AVCH KAMEN DIESE ZU DAUID GEN ZIKLAG / DA er noch [a]verschlossen war fur Saul dem son

a Das ist / Verborgen.

Kis / Vnd sie waren auch vnter den Helden die zum streit hulffen / [2]vnd mit Bogen geschickt waren zu beiden henden / auff steine / pfeile vnd bogen.

VOn den brüdern Saul die aus BenJamin waren / [3]der furnemest Ahieser vnd Joas die kinder Samaa des Gibeathiters / Jesiel vnd Pelet die kinder Asmaueth / Baracha vnd Jehu der Anthothiter. [4]Jesinaja der Gibeoniter / gewaltig vnter dreissigen vnd vber dreissige. Jeremia / Jahesiel Johanan / Josabad der Gederathiter. [5]Eleusai / Jerimoth / Bealja / Samarja / Saphatja / der Harophiter. [6]Elkana / Jesija / Asareel / Joeser / Jasabeam die Korhiter. [7]Joela vnd Sabadja die kinder Jeroham von Gedor.

VON den Gadditern sonderten sich aus zu Dauid in die Burg in der wüsten / starcke Helden vnd Kriegsleute / die schilt vnd spies füreten vnd jr angesicht wie der Lewen / vnd schnel wie die Rehe auff den bergen. [9]Der erst Eser / der ander Obadja / der dritte Eliab / [10]der vierde Masmanna / der fünfft Jeremja / [11]der sechst Athai / der siebende Eliel / [12]der achte Johanan / der neunde Elsabad / [13]der zehend Jeremja / der eilfft Machbanai. [14]Diese waren von den kindern Gad / Heubter im Heer / der kleinest vber hundert / vnd der grössest vber tausent. [15]Die sinds / die vber den Jordan giengen im ersten monden / || da er vol war an beiden vfern / das alle Gründe eben waren / beide gegen morgen vnd gegen abend.

|| 228 a

ES kamen aber auch von den kindern BenJamin vnd Juda zu der Burg Dauid. [17]Dauid aber gieng er aus zu jnen vnd antwortet / vnd sprach zu jnen / So jr komet im friede zu mir vnd mir zu helffen / So sol mein hertz mit euch sein / So jr aber komet auff list / vnd mir wider zu sein / so doch kein freuel an mir ist / So sehe der Gott vnser veter drein / vnd straffs. [18]Aber der Geist zoch an Amasai / den Heubtman vnter dreissigen / Dein sind wir Dauid / vnd mit dir halten wirs du son Jsai / Fried / fried / sey mit dir / Fried sey mit deinen Helffern / denn dein Gott hilfft dir. Da nam sie Dauid an / vnd setzt sie zu Heubtern vber die Kriegsleut.

VND von Manasse fielen zu Dauid / da er kam mit den Philistern wider Saul zum streit / vnd halff jnen nicht / Denn die fürsten der Philister

1. Reg. 29.

liessen jn mit Rat von sich / vnd sprachen / Wenn er zu seinem Herrn Saul fiele / so möchts vns vnsern hals kosten. [20]Da er nu gen Ziklag zoch fielen zu jm von Manasse / Adna / Jobasad / Jediael / Michael / Josabad / Elihu / Zilthai / Heubter vber tausent in Manasse / [21]Vnd sie holffen Dauid wider die Kriegsleut / Denn sie waren alle redliche Helden / vnd worden Heubtleut vber das Heer. [22]Auch kamen alle tage etliche zu Dauid jm zu helffen / bis das ein gros Heer ward / wie ein Heer Gottes.

VND dis ist die zal der Heubter gerüst zum Heer / die zu Dauid gen Hebron kamen / das Königreich Saul zu jm zu wenden / nach dem wort des HERRN. [24]Der kinder Juda / die schilt vnd spies trugen / waren sechs tausent / vnd acht hundert gerüst zum Heer. [25]Der kinder Simeon redliche Helden zum Heer / sieben tausent vnd hundert. [26]Der kinder Leui / vier tausent vnd sechs hundert. [27]Vnd Joiada der Fürst vnter den von Aaron / mit drey tausent vnd sieben hundert. [28]Zadok der Knabe ein redlicher Held mit seines vaters hause / zwey vnd zwenzig Obersten. [29]Der kinder Ben-Jamin Sauls brüdere drey tausent / Denn bis auff die zeit hielten jr noch viel an dem hause Saul.

[30]DER kinder Ephraim / zwenzig tausent vnd acht hundert / redliche Helden vnd berümbte Menner im hause jrer Veter. [31]Des halben stams Manasse achzehen tausent / die mit namen genennet worden / das sie kemen vnd machten Dauid zum Könige. [32]Der kinder Jsaschar die [a]verstendig waren / vnd rieten was zu jeder zeit Jsrael thun solt / zwey hundert Heubtleut / vnd alle jre Brüder folgeten jrem wort. [33]Von Sebulon / die ins Heer zogen zum streit / gerüst mit allerley Waffen zum streit / funffzig tausent / sich in die ordnung zuschicken eintrechtiglich. [34]Von Naphthali / tausent Heubtleut vnd mit jnen die schild vnd spies füreten / sieben vnd dreissig tausent. [35]Von Dan zum streit gerüst acht vnd zwenzig tausent / sechs hundert. [36]Von Asser / die ins Heer zogen gerüst zum streit / vierzig tausent. [37]Von jenseid dem Jordan / von den Rubenitern / Gadditern vnd halben stam Manasse / mit allerley Waffen zum streit / hundert vnd zwenzig tausent.

a Kriegsuerstendig.

[38]ALle diese Kriegsleute / den Zeug zu ordnen / kamen von gantzem hertzen gen Hebron / Dauid

könig zu machen vber gantz Jsrael / Auch war alles ander Jsrael eins hertzen / das man Dauid zum Könige machet. [39]Vnd waren daselbs bey Dauid drey tage / asen vnd truncken / Denn jre Brüder hatten fur sie zubereit. [40]Auch welche die nehesten vmb sie waren / bis hin an Jsaschar / Sebulon / vnd Naphthali / die brachten Brot auff eselen / kameln / meulern vnd rindern zu essen / mehl / feigen / rosin / wein / öle / rinder / schafe die menge / Denn es war eine freude in Jsrael.

XIIII. (XIII.)

|| 228b
2. Reg. 6.

LADE GOTTES.

VND DAUID HIELT EINEN RAT MIT DEN HEUBTleuten vber tausent vnd vber hundert / vnd mit allen Fürsten / [2]vnd sprach zu der gantzen gemeine Jsrael / Gefelt es euch / vnd ists von dem HERRN vnserm Gott / so lasst vns allenhalben ausschicken zu den andern vnsern Brüdern / in allen landen Jsrael / vnd mit jnen die Priester vnd Leuiten in den Stedten / da sie vorstedte haben / das sie zu vns versamlet werden / [3]Vnd last vns die Lade vnsers Gottes zu vns widerholen / Denn bey den zeiten Saul fragten wir nicht nach jr. [4]Da sprach die gantze Gemeine / Man solt also thun / denn solchs gefiel allem Volck wol.

ALso versamlet Dauid das gantz Jsrael von Sihor Egypti an / bis man kompt gen Hemath / die lade Gottes zu holen von KiriathJearim. [16]Vnd Dauid zoch hinauff mit gantzem Jsrael zu KiriathJearim welche ligt in Juda / das er von dannen er auffbrecht die lade Gottes des HERRN / der auff den Cherubim sitzt / da der Name angeruffen wird. [7]Vnd sie liessen die lade Gottes auff eim newen Wagen füren aus dem hause Abinadab / Vsa aber vnd sein Bruder trieben den Wagen. [8]Dauid aber vnd das gantze Jsrael spieleten fur Gott her / aus gantzer macht / mit Lieden / mit Harffen / mit Psalter / mit Paucken / mit Cimbeln / vnd mit Posaunen.

DA sie aber kamen auff den platz Chidon / recket Vsa seine hand aus / die Laden zu halten / denn die Rinder schritten beseit aus. [10]Da erzürnet der grim des HERRN vber Vsa / vnd schlug jn / das er seine hand hatte ausgereckt an die Lade / das er daselbs starb fur Gott. [11]Da ward Dauid traurig / das der HERR ein solchen Riss that an Vsa / vnd hies die stet PerezVsa / bis auff diesen tag. [12]Vnd

Jnf. 15.

PEREZVSA.

Dauid furcht sich fur Gott des tages / vnd sprach / Wie sol ich die lade Gottes zu mir bringen? [13]Darumb lies er die lade Gottes nicht zu sich bringen in die stad Dauid / sondern lencket sie hin ins haus ObedEdom des Githiters. [14]Also bleib die lade Gottes bey ObedEdom in seinem hause drey monden / Vnd der HERR segenet das haus ObedEdom vnd alles was er hatte.

2. Reg. 6.

OBEDEDOM.

XV. (XIIII.)

HIRAM.

VND HIRAM DER KÖNIG ZU THYRO SANDTE BOTEN zu Dauid vnd Cedern holtz / Meurer vnd Zimmerleute / das sie jm ein Haus baweten. [2]Vnd Dauid merckt / das jn der HERR zum Könige vber Jsrael bestettiget hatte / Denn sein Königreich steig auff vmb seins volcks Jsrael willen. [3]Vnd Dauid nam noch mehr Weiber zu Jerusalem vnd zeuget noch mehr Söne vnd Töchter. [4]Vnd die jm zu Jerusalem geboren wurden / hiessen also / Sammua / Sobab / Nathan / Salomo / [5]Jebehar / Elisua / Elipalet / [6]Noga / Nepheg / Japhia / [7]Elisamma / BaelJada / Eliphalet.

KINDER Dauids zu Jerusalem geboren.

VNd da die Philister höreten / das Dauid zum Könige gesalbet war vber gantz Jsrael / zogen sie alle er auff Dauid zu suchen / Da das Dauid höret / zoch er aus gegen sie. [9]Vnd die Philister kamen vnd liessen sich nider im grund Rephaim. [10]Dauid aber fragt Gott / vnd sprach / Sol ich hin auff ziehen wider die Philister / vnd wiltu sie in mein hand geben? Der HERR sprach zu jm / Zeuch hin auff / Jch hab sie in deine hende gegeben. [11]Vnd da sie hin auff zogen gen [a]BaalPrazim / schlug sie Dauid daselbs / Vnd Dauid sprach / Gott hat meine Feind durch meine hand zutrennet / wie sich das wasser trennet / Da her hiessen sie die stet BaalPrazim. [12]Vnd sie liessen jre Götter daselbs / Da hies sie Dauid mit fewr verbrennen.

PHILISTER VON Dauid geschlagen. Jesa. 28.

a (BAALPRAZIM) Baal heisst ein Hauswirt oder man. Perez heisst ein riss oder fach / Darumb mus diese stet BaalPrazim heissen / weil die Philister da zutrennet vnd zurissen sind.

ABer die Philister machten sich wider dran / vnd theten sich nider im grunde. [14]Vnd Dauid fraget aber mal Gott / Vnd Gott sprach zu jm / Du solt nicht hin auff ziehen hinder jnen her / Sondern lencke dich von jnen / das du an sie komest gegen den Maulberbewmen. [15]Wenn du denn wirst hören ‖ das rausschen oben auff den Maulberbewmen einher gehen / So far er aus zum streit / Denn Gott ist da fur dir ausgezogen zuschlahen der Philister heer. [16]Vnd Dauid thet wie jm Gott ge-

‖ 229a

boten hatte / vnd sie schlugen das Heer der Philister von Gibeon an bis gen Gaser. [17]Vnd Dauids namen brach aus in allen Landen / vnd der HERR lies seine furcht vber alle Heiden komen.

XVI. (XV.)

Dauid bawet ein Stete fur die Lade Gottes.

VND ER BAWET JM HEUSER IN DER STAD DAUID / vnd bereit der laden Gottes eine Stete / vnd bereitet eine Hütten vber sie. [2]Da zu mal sprach Dauid / Die lade Gottes sol niemand tragen / on die Leuiten / Denn die selbigen hat der HERR erwelet / das sie die laden des HERRN tragen / vnd jm dienen ewiglich. [3]Darumb versamlet Dauid das gantz Jsrael gen Jerusalem das sie die laden des HERRN hin auff brechten / an die Stete die er da zu bereitet hatte.

VND Dauid bracht zuhauffe die kinder Aaron vnd die Leuiten / [5]Aus den kindern Kahath / Vriel den Obersten sampt seinen brüdern / hundert vnd zwenzig. [6]Aus den kindern Merari / Asaja der Oberste / sampt seinen brüdern zwey hundert vnd zwenzig. [7]Aus den kindern Gersom / Joel der Oberst sampt seinen brüdern hundert vnd dreissig. [8]Aus den kindern Elizaphan / Semaja der Oberst sampt seinen brüdern zwey hundert. [9]Aus den kindern Hebron / Eliel der Oberst sampt seinen brüdern achzig. [10]Aus den kindern Vsiel / Amminadab der Oberst sampt seinen brüdern hundert vnd zwelff.

[11]VNd Dauid rieff Zadok vnd AbJathar den Priestern vnd den Leuiten / nemlich / Vriel / Asaja / Joel / Semaia / Eliel / Amminadab / [12]vnd sprach zu jnen / Jr seid die Heubt der Veter vnter den Leuiten / So heiliget nu euch vnd ewre brüder / das jr die lade des HERRN des Gottes Jsrael er auff bringet / dahin ich jr bereitet habe. [13]Denn vor hin / da jr nicht da waret / thet der HERR vnser Gott einen Riss vnter vns / darumb das wir jn nicht suchten / wie sichs gebürt. [14]Also heiligeten sich die Priester vnd Leuiten / das sie die lade des HERRN des Gottes Jsrael er auff brechten. [15]Vnd die kinder Leui trugen die lade Gottes des HERRN auff jren achseln mit den Stangen dran / Wie Mose gebotten hatte nach dem wort des HERRN.

Sup. 13.

Lade Gottes.

VND Dauid sprach zu den Obersten der Leuiten / das sie jre brüder zu Senger stellen solten / mit

Seitenspielen / mit Psalter / Harffen vnd hellen Cymbaln / das sie laut süngen vnd mit freuden. [17]Da bestelleten die Leuiten / Heman den son Joel / vnd aus seinen brüdern / Assaph den son Berechia / vnd aus den kindern Merari jren brüdern / Ethan den son Kusaja. [18]Vnd mit jnen jre brüder des andern teils / nemlich / Sacharja / Ben / Jaesiel / Semiramoth / Jehiel / Vnni / Eliab / Benaia / Maeseia / Mathithja / Elipheleia / Mikneia / ObedEdom / Jeiel / die Thorhüter. [19]Denn Heman / Assaph vnd Ethan waren Senger mit ehernen Cymbeln helle zu klingen. [20]Sacharja aber Asiel / Semiramoth / Jehiel / Vnni / Eliab / Maeseia vnd Benaia mit Psaltern nach zu singen. [21]Mathithja aber / Elipheleia / Mikneia / ObedEdom / Jeiel vnd Asasia mit Harffen von acht seiten / jnen vor zu singen. [22]Chenan Ja aber der Leuiten Oberster / der Sangmeister / das er sie vnterweiset zu singen / denn er war verstendig.

HEMAN. ASSAPH. ETHAN.

[23]VND Berechia vnd Elkana waren Thorhüter der Laden. [24]Aber Sachanja / Josaphat / Nethaneel / Amasai / Sacharja / Benaja / Elieser die Priester bliesen mit Drometen fur der laden Gottes / Vnd ObedEdom vnd Jehia waren Thorhüter der Laden.

ALso giengen hin Dauid vnd die Eltesten Jsrael vnd die Obersten vber die tausenten / er auff zu holen die lade des Bunds des HERRN aus dem hause ObedEdom mit freuden. [26]Vnd da Gott den Leuiten halff / die die laden ‖ des Bunds des HERRN trugen / opfferte man sieben Farren / vnd sieben Wider. [27]Vnd Dauid hatte einen leinen Rock an / dazu alle Leuiten die die laden trugen / vnd die Senger vnd Chenanja der Sangmeister mit den Sengern / Auch hatte Dauid einen leinen Leibrock an. [28]Also bracht das gantze Jsrael die laden des Bunds des HERRN hin auff mit jauchtzen / Posaunen / Drometen vnd hellen Cymbeln / mit Psaltern vnd Harffen.

‖ 229b

DA nu die lade des Bunds des HERRN in die stad Dauid kam / sahe Michal die tochter Saul zum fenster aus / Vnd da sie den könig Dauid sahe hüpffen vnd spielen / verachtet sie jn in jrem hertzen.

2. Reg. 6.

MICHAL.

XVII. (XVI.)

VND DA SIE DIE LADE GOTTES HIN EIN BRACHTEN / setzten sie sie in die Hütten / die jr Dauid auff-

2. Reg. 6.

gericht hatte / vnd opfferten Brandopffer vnd Danckopffer fur Gott. [2]Vnd da Dauid die Brandopffer vnd Danckopffer ausgericht hatte / segenet er das volck im Namen des HERRN. [3]Vnd teilet aus jederman in Jsrael / beide Man vnd Weibern / [a]ein laib brots / vnd stück fleischs / vnd ein nössel weins.

a Diese drey Ebreische wörter / Cicar / Espar / Asisa / heissen nicht allein die materia / als / brot / fleisch / wein / Sondern auch das mas oder gewicht / Als so ich auff deudsch spreche / Es gab ein lot Brots / ein pfund Fleisch / ein Nössel Weins.

VND er stellet fur die laden des HERRN etliche Leuiten zu diener das sie preiseten / danckten / vnd lobten den HERRN den Gott Jsrael / [5]nemlich / Assaph den ersten / Sacharja den andern. Jeiel / Semiramoth / Jehiel / Mathithja / Eliab / Benaja / ObedEdom / vnd Jeiel mit Psaltern vnd Harffen / Assaph aber mit hellen Cimbalen / [6]Benaja aber vnd Jehasiel die Priester mit Drometen / allezeit fur der Laden des Bunds Gottes.

ZV der zeit bestellet Dauid zum ersten dem HERRN zu dancken / durch Assaph vnd seine brüder.

Psal. 105.

[8]DAncket dem HERRN / predigt seinen Namen / Thut kund vnter den Völckern sein Thun.

[9]Singet / spielet vnd tichtet jm / Von allen seinen Wundern.

[10]Rhümet seinen heiligen Namen / Es frewe sich das hertze dere die den HERRN suchen.

[11]Fraget nach dem HERRN vnd nach seiner Macht / Suchet sein Angesicht allezeit.

[12]Gedenckt seiner Wunder die er gethan hat / Seiner Wunder vnd seines Worts.

[13]Jr der samen Jsrael seines Knechts / Jr kinder Jacob seines Ausserweleten.

[14]Er ist der HERR vnser Gott / Er richtet in aller Welt.

[15]GEdenckt ewiglich seines Bunds / Was er verheissen hat jn tausent Geschlecht.

[16]DEn er gemacht hat mit Abraham / Vnd seines Eides mit Jsaac.

[17]Vnd stellet dasselb Jacob zum Recht / Vnd Jsrael zum ewigen Bund.

[18]Vnd sprach / Dir wil ich das land Canaan geben / Das Los ewers Erbteils.

[19]Da sie wenig vnd gering waren / Vnd Frembdlinge drinnen.

[20]VNd sie zogen von eim Volck zum andern / Vnd aus eim Königreich zum andern Volck.

[21]Er lies niemand jnen schaden thun / Vnd straffet Könige vmb jrer willen.

[22]Tastet meine Gesalbeten nicht an / Vnd thut meinen Propheten kein leid.

SJnget dem HERRN alle Land / Verkündiget teglich sein Heil.

Psal. 96.

[24]Erzelet vnter den Heiden seine Herrligkeit / Vnd vnter den Völckern seine Wunder.

[25]DEnn der HERR ist gros vnd fast löblich / Vnd herrlich vber alle ander Götter. ||

|| 230a

[26]DEnn aller Heiden Götter sind Götzen / Der HERR aber hat den Himel gemacht.

[27]Es stehet herrlich vnd prechtig fur jm / Vnd gehet gewaltiglich vnd frölich zu an seinem Ort.

[28]BRinget her dem HERRN jr Völcker / Bringet her dem HERRN Ehre vnd Macht.

[29]Bringet her des HERRN Namen die Ehre / Bringet Geschenck / vnd kompt fur jn / Vnd betet den HERRN an in heiligem Schmuck.

[30]Es fürchte jn alle Welt / Er hat den Erdboden bereit / das er nicht bewegt wird.

[31]ES frewe sich der Himel / vnd die Erden sey frölich / Vnd man sage vnter den Heiden / Das der HERR regieret.

[32]Das Meer brause / vnd was drinnen ist / Vnd das Feld sey frölich / vnd alles was drauff ist.

[33]Vnd lasset jauchtzen alle Bewme im Wald fur dem HERRN / Denn er kompt zu richten die Erden.

[34]DAncket dem HERRN / Denn er ist freundlich / Vnd seine Güte weret ewiglich.

[35]Vnd sprecht / Hilff vns Gott vnser Heiland / vnd samle vns vnd errette vns aus den Heiden / Das wir deinem heiligen Namen dancken / vnd dir Lob sagen.

[36]GElobt sey der HERR der Gott Jsrael / von ewigkeit zu ewigkeit / Vnd alles volck sage / Amen / Vnd lobe den HERRN.

ALso lies er daselbs fur der laden des Bunds des HERRN / Assaph vnd seine brüder zu dienen fur der Laden allezeit / ein jglichen tag sein tagwerck. [38]Aber ObedEdom vnd jre brüder / acht vnd sechzig / vnd ObedEdom den son Jedithun / vnd Hossa zu Thorhütern.

[39]VNd Zadok den Priester / vnd seine brüder die Priester / lies er fur der Wonung des HERRN auff der Höhe zu Gibeon / [40]das sie dem HERRN teglich Brandopffer theten auff dem Brandopffers altar / des morgens vnd des abends / Wie geschrie-

ben stehet im Gesetz des HERRN / das er an Jsrael geboten hat. [41]Vnd mit jnen Heman vnd Jedithun / vnd die andern erweleten die mit namen benennet waren / zu dancken dem HERRN / das seine güte weret ewiglich. [42]Vnd mit jnen Heman vnd Jedithun mit Drometen vnd Cymbaln zu klingen / vnd mit Seitenspielen Gottes / Die kinder aber Jedithun macht er zu Thorhütern. [43]Also zoch alles Volck hin / ein jglicher in sein haus / Vnd Dauid keret auch hin sein haus zu segenen.

XVIII. (XVII.)

2. Reg. 7.

NATHAN.

ES BEGAB SICH / DA DAUID IN SEINEM HAUSE wonet / sprach er zu dem Propheten Nathan / Sihe / ich wone in eim Cedern hause / vnd die lade des Bunds des HERRN ist vnter den Teppichen. [2]Nathan sprach zu Dauid / Alles was in deinem hertzen ist / das thue / Denn Gott ist mit dir.

ABer in der selben nacht kam das wort Gottes zu Nathan vnd sprach / [4]Gehe hin / vnd sage Dauid meinem Knecht / so spricht der HERR. Du solt mir nicht ein Haus bawen zur wonung. [3]Denn ich hab in keinem hause gewonet / von dem tage an / da ich die kinder Jsrael ausfüret / bis auff diesen tag / Sondern ich bin gewesen / wo die Hütten gewesen ist vnd die Wonunge / [6]wo ich gewandelt hab in gantzem Jsrael. Hab ich auch zu der Richter einem in Jsrael je gesagt / den ich gebot zu weiden mein Volck / vnd gesprochen / Warumb bawet jr mir nicht ein Cedern haus? [7]So sprich nu also zu meinem knecht Dauid / so spricht der HERR Zebaoth / Jch hab dich genomen von der weide || hinder den Schafen / das du soltest sein ein Fürst vber mein volck Jsrael / [8]vnd bin mit dir gewesen / wo du hin gegangen bist / vnd habe deine Feinde ausgerottet fur dir / vnd habe dir einen namen gemacht / wie die Grossen auff erden namen haben.

|| 230b

[9]JCh wil aber meinem volck Jsrael eine Stete setzen / vnd wil es pflantzen das es daselbs wonen sol / vnd nicht mehr bewegt werde / Vnd die bösen Leute sollen es nicht mehr schwechen / wie vor hin / vnd zun zeiten da ich den Richtern gebot vber mein volck Jsrael / [10]Vnd ich wil alle deine Feinde demütigen / vnd verkündige dir / das der HERR / dir ein Haus bawen wil.

CHRISTUS Dauid verheissen.

WENN ABER DEINE TAGE AUS SIND / DAS DU HIN GEHEST ZU DEINEN VETERN / SO WIL ICH DEInen Samen nach dir erwecken / der deiner Söne einer sein sol / Dem wil ich sein Königreich bestetigen / [12]der sol mir ein Haus bawen / vnd ich wil seinen Stuel bestetigen ewiglich. [13]Jch wil sein Vater sein / vnd er sol mein Son sein. Vnd ich wil meine Barmhertzigkeit nicht von jm wenden / wie ich sie von dem gewand habe / der vor dir war / [14]Sondern ich wil jn setzen in mein Haus / vnd in mein Königreich ewiglich / das sein Stuel bestendig sey ewiglich.

Dauids Gebet.

VND da Nathan nach alle diesen worten vnd Gesicht mit Dauid redet / [16]kam der könig Dauid vnd bleib fur dem HERRN / vnd sprach / Wer bin ich HERR Gott? Vnd was ist mein Haus / das du mich bis hie her gebracht hast? [17]Vnd das hat dich noch zu wenig gedaucht Gott / Sondern hast vber das haus deines Knechts noch von fernem zukünfftigen geredt / vnd du hast angesehen Mich / als in der gestalt eines Menschen / der in der höhe Gott der HERR ist. [18]Was sol Dauid mehr sagen zu dir / das du deinen Knecht herrlich machest? Du erkennest deinen knecht / [19]HERR vmb deines Knechts willen / nach deinem hertzen hastu all solch grosse ding gethan / das du kund thettest alle herrligkeit. [20]HERR es ist dein gleiche nicht / vnd ist kein Gott denn du / von welchen wir mit vnsern ohren gehöret haben. [21]Vnd wo ist ein Volck auff Erden / wie dein Volck Jsrael / da ein Gott hin gegangen sey / jm ein Volck zu erlösen / vnd jm selb einen Namen zu machen / von grossen vnd schrecklichen dingen / Heiden aus zu stossen fur deinem Volck her / das du aus Egypten erlöset hast? [22]Vnd hast dir dein volck Jsrael zum volck gemacht ewiglich / vnd du HERR bist jr Gott worden.

(Mich) Das ist / Nicht meine Person / sondern meines bluts / Nachkomen / scilicet in futurum et longinquum / der ein solcher Mensch sein wird / der in Höhe Gott der HERR ist. Psal. 89. Wer kan gleich Gotte sein / vnter den kindern Gottes. Er ist auch Gottes kind / Aber weit vber andere Gotteskinder / als der selbs auch Gott ist.

[23]NU HERR das wort das du geredt hast vber deinen Knecht vnd vber sein Haus / werde war ewiglich / vnd thu wie du geredt hast. [24]Vnd dein Name werde war vnd gros ewiglich / das man sage / Der HERR Zebaoth der Gott Jsrael ist Gott in Jsrael / vnd das haus deines knechts Dauid sey bestendig fur dir. [25]Denn du HERR hast das ohr deines knechts geöffnet / das du jm ein Haus bawen wilt / Darumb hat dein Knecht funden / das er fur dir betet. [26]Nu HERR du bist Gott / vnd hast solch Gutes deinem knecht geredt / [27]Nu hebe an zu segen das Haus deins Knechts / das es

ewiglich sey fur dir / Denn was du HERR segenest / das ist gesegenet ewiglich.

XIX. (XVIII.)

2. Reg. 8.

NACH DIESEM SCHLUG DAUID DIE PHILISTER vnd demütiget sie / vnd nam Gath vnd jre töchter aus der Phlister hand.

PHILISTER. Moabiter / HadadEser / vnd Syrer von Dauid geschlagen.

[2]Auch schlug er die Moabiter / das die Moabiter Dauid vnterthenig wurden vnd Geschenck brachten.

ER schlug auch HadadEser / den könig zu Zoba in Hemath / da er hin zoch / sein Zeichen auffzurichten am wasser Phrath. [4]Vnd Dauid gewan jm ab tausent Wagen / sieben tausent Reuter / vnd zwenzig tausent Man zu fuss / Vnd Dauid verlehmet alle Wagen / vnd behielt hundert wagen vberig.

[5]VND die Syrer von Damasco kamen dem HadadEser dem könig zu || Zoba zu helffen / Aber Dauid schlug derselbigen Syrer zwey vnd zwenzig tausent Man. [6]Vnd legt volck gen Damascon in Syria / Das die Syrer Dauid vnterthenig wurden / vnd brachten jm Geschencke / Denn der HERR halff Dauid wo er hin zoch. [7]Vnd Dauid nam die gülden Schilde die HadadEsers knechte hatten / vnd bracht sie gen Jerusalem. [8]Auch nam Dauid aus den stedten HadadEsers / Tibehath vnd Chun / seer viel ertzs / Da von Salomo das eherne Meer vnd Seulen vnd eherne Gefess machet.

|| 231a

VND da Thogu der könig zu Hemath höret / das Dauid alle macht HadadEsers des königs zu Zoba geschlagen hatte / [10]sandte er seinen son Hadoram zum könige Dauid / vnd lies jn grüssen vnd segenen / das er mit HadadEser gestritten vnd jn geschlagen hatte / Denn Thogu hatte einen streit mit HadadEser.

THOGU.

(Segenen) Glück wündschen.

[11]AVch alle güldene / silberne / vnd eherne Gefess heiligete der König Dauid dem HERRN mit dem silber vnd golde / das er den Heiden genomen hatte / nemlich den Edomitern / Moabitern / Ammonitern / Philistern vnd Amalekitern.

VND Abisai der son Zeruja schlug der Edomiter im Saltztal achzehen tausent. [13]Vnd legt volck in Edomea / das alle Edomiter Dauid vnterthenig waren / Denn der HERR halff Dauid wo er hin zoch. [14]Also regiert Dauid vber das gantz Jsrael / vnd handhabet Gericht vnd Gerechtigkeit alle seinem Volck.

EDOMITER 18000. geschlagen.

JOab der son Zeruja war vber das Heer. Josaphat der son Ahilud war Cantzeler. [16]Zadok der son Ahitob vnd AbiMelech der son Abjathar waren Priester. Sawsa war Schreiber. [17]Benaja der son Joiada war vber die Chrethi vnd Plethi. Vnd die ersten söne Dauid waren dem könige zur hand.

2. Reg. 8.

## XX. (XIX.)

Nahas.

2. Reg. 10.

VND NACH DIESEM STARB NAHAS DER KÖNIG DER kinder Ammon / vnd sein Son ward König an seine stat. [2]Da gedacht Dauid / Jch wil barmhertzigkeit thun an Hanon dem son Nahas / Denn sein Vater hat an mir barmhertzigkeit gethan. Vnd sandte Boten hin / jn zu trösten vber seinen vater.

Hanon.

VND da die knecht Dauid ins Land der kinder Ammon kamen zu Hanon jn zu trösten / [3]sprachen die Fürsten der kinder Ammon zu Hanon / Meinstu das Dauid deinen Vater ehre fur deinen augen / das er Tröster zu dir gesand hat? Ja seine Knechte sind komen zu dir / zu forschen vnd vmb [a]zu keren vnd zuuerkundschaffen das Land. [4]Da nam Hanon die knechte Dauid vnd beschore sie / vnd schneit jre Kleider halb ab bis an die Lenden / vnd lies sie gehen. [5]Vnd sie giengen weg vnd liessens Dauid ansagen durch Menner / Er aber sandte jnen entgegen (Denn die Menner waren seer geschendet) vnd der König sprach Bleibt zu Jeriho / bis ewr Bart wachse / So kompt denn wider.

a Wie man ein ding keret / hinden vnd forn besihet / das man wil eigentlich erkunden.

DA aber die kinder Ammon sahen / das sie stuncken fur Dauid / sandten sie hin beide Hanon / vnd die kinder Ammon tausent Centner silbers / Wagen vnd Reuter zu dingen aus Mesopotamia / aus Maecha vnd aus Zoba / [7]vnd dingeten zwey vnd dreissig tausent Wagen / vnd den könig Maecha mit seinem volck. Da kamen vnd lagerten sich fur Medba / Vnd die kinder Ammon samleten sich auch aus jren Stedten vnd kamen zum streit. [8]Da das Dauid höret / sandte er hin Joab mit dem gantzen Heer der Helden. [9]Die kinder Ammon aber waren ausgezogen / vnd rüsteten sich zum streit fur der Stadthor / Die Könige aber die komen waren / hielten im felde besonders.

[10]DA nu Joab sahe / das fornen vnd hinder jm streit wider jn war / erwelet er aus aller jungen Manschafft in Jsrael / vnd rüstetet sich gegen die Syrer. [11]Das vbrige volck aber thet er vnter die

|| 231b

hand Abisai seines bruders / das sie sich || rüsteten wider die kinder Ammon / [12]vnd sprach. Wenn mir die Syrer zu starck werden / so kom mir zu hülff. Wo aber die kinder Ammon dir zu starck werden / wil ich dir helffen. [13]Sey getrost / vnd lass vns getrost handeln / fur vnser Volck vnd fur die Stedte vnsers Gottes / Der HERR thu / was jm gefelt. [14]Vnd Joab macht sich erzu mit dem volck das bey jm war / gegen die Syrer zu streitten / Vnd sie flohen fur jm. [15]Da aber die kinder Ammon sahen / das die Syrer flohen / flohen sie auch fur Abisai seinem bruder / vnd zogen in die stad. Joab aber kam gen Jerusalem.

SYRER VND Ammoniter geschlagen etc.

DA aber die Syrer sahen / das sie fur Jsrael geschlagen waren / sandten sie Boten hin / vnd brachten eraus die Syrer jenseid dem Wasser / Vnd Sophach der Feldheubtman HadadEser zoch fur jnen her. [17]Da das Dauid angesagt ward / samlet er zu hauff das gantz Jsrael / vnd zoch vber den Jordan / vnd da er an sie kam /rüstetet er sich an sie / Vnd Dauid rüstetet sich gegen die Syrer zum streit / vnd sie stritten mit jm. [18]Aber die Syrer flohen fur Jsrael / vnd Dauid erwürget der Syrer sieben tausent Wagen / vnd vierzig tausent Man zu fuss / Dazu tödtet er Sophach den Feldheubtman. [19]Vnd da die knecht HadadEser sahen / das sie fur Jsrael geschlagen waren / machten sie friede mit Dauid vnd seinen knechten / Vnd die Syrer wolten den kindern Ammon nicht mehr helffen.

SOPHACH.

## XXI. (XX.)

2. Reg. 11. 12.

VND DA DAS JAR VMB WAR / ZUR ZEIT WENN DIE Könige ausziehen / füret Joab die Heermacht vnd verderbt der kinder Ammon land / kam vnd belagert Rabba / Dauid aber bleib zu Jerusalem / Vnd Joab schlug Rabba vnd zubrach sie. [2]Vnd Dauid nam die krone jrs Königs von seinem Heubt / vnd fand dran einen Centner goldes schweer / vnd Eddel gesteine / vnd sie ward Dauid auff sein Heubt gesetzt / Auch füret er aus der Stad seer viel Raubs. [3]Aber das volck drinnen füret er er aus / vnd teilet sie mit Segen / vnd eisern Hacken vnd Keilen / Also thet Dauid allen Stedten der kinder Ammon / Vnd Dauid zoch sampt dem volck wider gen Jerusalem.

RABBA.

2. Reg. 21.

DArnach erhub sich ein streit zu Gasar mit den Philistern / Dazu mal schlug Sibechai der

SIBECHAI.

SIBAI. Husathiter / den Sibai der aus den kindern der Riesen war vnd demütiget jn. [5]Vnd es erhub sich noch ein streit mit den Philistern / Da schlug Elhanan der son Jair den Lahemi / den bruder Goliath den Gathiter / welcher hatte eine Spiesstangen wie ein Weberbawm. [6]Aber mal ward ein streit zu Gath / Da war ein gros Man / der hatte ja sechs finger vnd sechs zeen / die machen vier vnd zwenzig / vnd er war auch von den Riesen geborn / [7]vnd hönet Jsrael. Aber Jonathan der son Simea des bruders Dauid schlug jn. [8]Diese waren geborn von den Riesen zu Gath / vnd fielen durch die hand Dauid / vnd seiner Knechte.

ELHANAN. LAHEMI. GROSSER MAN. JONATHAN.

## XXII. (XXI.)

DAUID LESST das Volck zelen.

2. Sa. 24.

VND DER SATAN STUND WIDER JSRAEL / VND GAB Dauid ein / das er Jsrael zelen lies. [2]Vnd Dauid sprach zu Joab vnd zu des volcks Obersten / Gehet hin / zelet Jsrael von Berseba an bis gen Dan / vnd bringts zu mir / das ich wisse / wie viel jr ist. [3]Joab sprach / Der HERR thu zu seinem Volck wie sie jtzt sind / hundert mal so viel / Aber mein Herr könig / sind sie nicht alle meins Herrn knechte? Warumb fraget denn mein Herr darnach? Warumb sol eine schuld auff Jsrael komen?

[4]ABer des Königs wort gieng fort wider Joab. Vnd Joab zoch aus vnd wandelt durchs gantz Jsrael / vnd kam gen Jerusalem. [5]Vnd gab die zal des ge||zeleten volcks Dauid / Vnd es war des gantzen Jsrael eilff hundert mal tausent Man / die das schwert auszogen / vnd Juda vier hundert mal vnd siebenzig tausent Man / die das schwert auszogen. [6]Leui aber vnd Ben Jamin zelet er nicht vnter diese / Denn es war dem Joab des Königs wort ein grewel.

|| 232a

ABer solchs gefiel Gott vbel / Denn er schlug Jsrael. [8]Vnd Dauid sprach zu Gott / Jch habe schwerlich gesundigt / das ich das gethan habe / Nu aber nim weg die missethat deines Knechts / Denn ich habe fast [a]thörlich gethan.

a (Thörlich) Dauid bestund die eitel ehre / das er wolt sehen / wie das Königreich durch jn / als durch sein thun / so herrlich hette zugenomen. Da sihestu / das fiducia operis eitel ehre / wider Gottes ehre vnd ein Abgötterey ist.

GAD.

VND der HERR redt mit Gad dem schawer Dauid / vnd sprach / [10]Gehe hin / rede mit Dauid vnd sprich / so spricht der HERR / Dreierley lege ich dir fur / erwele dir der eins / das ich dir thue. [11]Vnd da Gad zu Dauid kam / sprach er zu jm / so spricht der HERR / Erwele dir [12]entweder drey jar Thewrung / Oder drey monden flucht fur deinen Widersachern / vnd fur dem schwert deiner Feinde /

das dichs ergreiffe / Oder drey tage das schwert des HERRN / vnd Pestilentz im Lande / das der Engel des HERRN verderbe in allen grentzen Jsrael / So sihe nu zu / was ich antworten sol dem der mich gesand hat. [13]Dauid sprach zu Gad / Mir ist fast angst / Doch ich wil in die hand des HERRN fallen / Denn seine barmhertzigkeit ist seer gros / vnd wil nicht in Menschen hende fallen.

DA lies der HERR Pestilentz in Jsrael komen / das siebenzig tausent Man fielen aus Jsrael. [15]Vnd Gott sandte den Engel gen Jerusalem sie zu verderben / Vnd im verderben sahe der HERR drein / vnd rewet jn das vbel. Vnd sprach zum Engel dem Verderber / Es ist gnug / las deine hand ab. Der Engel aber des HERRN stund bey der tennen Arnan des Jebusiters. [16]Vnd Dauid hub seine augen auff / vnd sahe den Engel des HERRN stehen zwischen Himel vnd Erden / vnd ein blos Schwert in seiner hand ausgereckt vber Jerusalem / Da fiel Dauid vnd die Eltesten mit Secken bedeckt auff jr andlitz. [17]Vnd Dauid sprach zu Gott / Bin ichs nicht / der das volck zelen hies? Jch bin der gesündiget vnd das vbel gethan hat / Diese Schafe aber was haben sie gethan? HERR mein Gott las deine Hand wider mich vnd meines Vaters haus / vnd nicht wider dein Volck sein / zu plagen.

(Secken) Das ist / geringe / grobe Kleider / als dar aus man Secke machet / Wie bey vns die Kittel vnd grob Linwand.

VND der Engel sprach zu Gad / das er Dauid solt sagen / das Dauid hin auff gehen / vnd dem HERRN einen Altar auffrichten solt / in der tennen Arnan des Jebusiters. [19]Also gieng Dauid hin auff nach dem wort Gad / das er geredt hatte in des HERRN Namen. [20]Arnan aber da er sich wandte vnd sahe den Engel / vnd seine vier Söne mit jm / versteckten sie sich / Denn Arnan drasch weitzen. [21]Als nu Dauid zu Arnan gieng / sahe Arnan vnd war Dauids gewar / Vnd gieng eraus aus der Tennen / vnd betet Dauid an mit seinem andlitz zur erden.

ARNAN.

VND Dauid sprach zu Arnan / Gib mir raum in der Tennen / das ich einen Altar dem HERRN drauff bawe / vmb vol Geld soltu mir jn geben / Auff das die Plage vom Volck auffhöre. [23]Arnan aber sprach zu Dauid / Nim dir vnd mache mein Herr könig wie dirs gefelt / Sihe / ich gebe das Rind zum Brandopffer / vnd das Geschir zu holtz / vnd Weitzen zum Speisopffer / alles gebe ichs. [24]Aber der könig Dauid sprach zu Arnan / Nicht also /

sondern vmb vol geld wil ichs keuffen / Denn ich wil nicht das dein ist nemen fur dem HERRN vnd wils nicht vmb sonst haben zum Brandopffer.

[25]ALso gab Dauid Arnan vmb den Raum / gold am gewicht sechs hundert sekel. [26]Vnd Dauid bawet daselbs dem HERRN einen Altar / vnd opffert Brandopffer vnd Danckopffer / Vnd da er den HERRN anrieff / erhöret er jn durchs Fewr vom Himel auff den Altar des Brandopffers. [27]Vnd der HERR sprach zum Engel / das er sein Schwert in seine scheiden keret.

[28]ZVR selbigen zeit / da Dauid sahe / das jn der HERR erhöret hatte auff dem platz Arnan des Jebusiters / pflegt er daselbs zu opffern. [29]Denn die Wo||nung des HERRN / die Mose in der wüsten gemacht hatte / vnd der Brandopffersaltar / war zu der zeit in der Höhe zu Gibeon. [30]Dauid aber kundte nicht hin gehen fur den selben / Gott zu süchen / so war er erschrocken fur dem schwert des Engels des HERRN. [1]Vnd Dauid sprach / Hie sol das Haus Gottes des HERRN sein / vnd dis der Altar zum Brandopffer Jsrael.

|| 232b

Nota / quod non electicium locum / sed ostensum elegit.

XXIII. (XXII.)

Dauid schaffet vorrat zum Tempel etc.

VND Dauid hies versamlen die Frembdlingen / die im Land Jsrael waren / vnd bestellet Steinmetzen stein zu hawen / das Haus Gottes zu bawen. [3]Vnd Dauid bereitet viel Eisens / zu negeln an die thüren in den thoren / vnd was zu nageln were / vnd so viel Ertzs / das nicht zu wegen war. [4]Auch Cedernholtz on zal / Denn die von Zidon vnd Tyro brachten viel Cedernholtz zu Dauid. [5]Denn Dauid gedacht / Mein son Salomo ist ein Knabe vnd zart / Das Haus aber das dem HERRN sol gebawet werden / sol gros sein / das sein Name vnd rhum erhaben werde in allen Landen / Darumb wil ich jm Vorrat schaffen. Also schaffet Dauid viel vorrats vor seinem tod.

Jnf. 29.

Dauid befielht Salomo den Tempel zu bawen.

VND er rieff seinem son Salomo / vnd gebot jm zu bawen das Haus des HERRN des Gottes Jsrael / [7]Vnd sprach zu jm / Mein son / Jch hatte es im sinn / dem Namen des HERRN meines Gottes ein Haus zu bawen. [8]Aber das wort des HERRN kam zu mir / vnd sprach / Du hast viel bluts vergossen / vnd grosse Krieg gefürt / Darumb soltu meinem Namen nicht ein Haus bawen / weil du so viel bluts auff die erden vergossen hast fur mir. [9]Sihe der Son der dir geborn sol werden / der wird ein rügig Man sein / Denn ich wil jn rugen lassen von all seinen Feinden vmb her / denn er sol Salomo heissen / Denn ich wil fried vnd ruge geben vber Jsrael sein leben lang / [10]Der sol meinem Namen ein Haus bawen. Er sol mein son sein / vnd ich wil sein Vater sein / Vnd ich wil seinen königlichen Stuel vber Jsrael bestetigen ewiglich.

2. Reg. 7.

(Friede) (SALOMO) Heisst friedsam / oder friedrich.

[11]SO wird nu mein Son / der HERR mit dir sein / vnd wirst glückselig sein / das du dem HERRN deinem Gotte ein Haus bawest / wie er von dir geredt hat. [12]Auch wird der HERR dir geben klugheit vnd verstand / vnd wird dir Jsrael befelhen / das du haltest das Gesetz des HERRN deines Gottes. [13]Denn aber wirstu glückselig sein / wenn du dich heltest / das du thuest nach den Geboten vnd Rechten / die der HERR Mose geboten hat an Jsrael / Sey getrost vnd vnuerzagt / fürcht dich nicht vnd zage nicht. [14]Sihe / Jch habe in meiner armut verschafft zum Hause des HERRN / hundert tausent Centner golds / vnd tausent mal tausent Centner silbers / Dazu ertz vnd eisen on zal / denn es ist sein zu viel / Auch holtz vnd steine hab ich geschickt / des magstu noch mehr machen. [15]So hastu viel Erbeiter / Steinmetzen vnd Zimmerleut an stein vnd holtz / vnd allerley Weisen auff allerley erbeit [16]an gold / silber / ertz / vnd eisen on zal. So mache dich auff vnd richte es aus / Der HERR wird mit dir sein.

Ein Centner ist bey. 1000. floren / doch an einem ort geringer oder mehr etc. Jn Graecia ists .600. Kronen.

VND Dauid gebot allen Obersten Jsrael / das sie seinem son Salomo hülffen / [18]Jst nicht der HERR ewr Gott mit euch / vnd hat euch ruge gegeben vmbher? Denn er hat die Einwoner des Lands in ewre hende gegeben / vnd das Land ist vnterbracht fur dem HERRN vnd fur seinem volck. [19]So gebt nu ewr hertz vnd ewre seele / den HERR ewren Gott zu suchen / Vnd macht euch auff vnd bawet Gott dem HERRN ein Heiligthum / das man die lade des Bunds des HERRN / vnd die heiligen gefess Gottes ins Haus bringe / das dem Namen des HERRN gebawet sol werden. [1]Also macht Dauid seinen son Salomo zum Könige vber Jsrael / da er alt vnd des lebens sat war.

## XXIIII. (XXIII.)

|| 233a

VND DAUID VERSAMLET ALLE OBERSTEN IN Jsrael / vnd die Priester vnd die Leuiten / [3]das

(Dreissig) Es scheinet / die Ebreische Bibel hie verfelscht sein denn sonst allenthalben zwenzig geschrieben stehet / vt paulo infra in 4. Paragrapho / et in Mose.

man die Leuiten zelete / von dreissig jaren vnd drüber / vnd jr zal war von heubt zu heubt / das starcke Man waren / acht vnd dreissig tausent. [4]Aus welchen worden vier vnd zwenzig tausent verordnet / die das werck am Hause des HERRN trieben / vnd sechs tausent Amptleut vnd Richter / [5]vnd vier tausent Thorhüter. Vnd vier tausent Lobesenger des HERRN mit Seitenspiel / die ich gemacht hab / lob zusingen.

Sup. 6.

GERSONITER.

VNd Dauid macht die Ordnung vnter den kindern Leui / nemlich / vnter Gerson / Kahath vnd Merari. [7]Die Gersoniten waren Laedan vnd Simei. [8]Die kinder Laedan / der erst / Jehiel / Sethan / vnd Joel die drey. [9]Die kinder aber Simei waren / Salomith / Hasiel / vnd Haran die drey. Diese waren die furnemesten vnter den Vetern von Laedan. [10]Auch waren diese Simei kinder / Jahath / Sina / Jeus vnd Bria / diese vier waren auch Simei kinder. [11]Jahath aber war der erste / Sisa der ander. Aber Jeus vnd Bria hatten nicht viel kinder / darumb wurden sie fur eins Vaters haus gerechnet.

KINDER Kahath.

DJE kinder Kahath waren / Amram / Jezehar / Hebron vnd Vsiel / die viere. [13]Die kinder Amram waren / Aaron vnd Mose. Aaron aber ward abgesondert / das er geheiliget würde zum Allerheiligsten er vnd seine Söne ewiglich / zu reuchern fur dem HERRN / vnd zu dienen vnd zu segenen in dem Namen des HERRN ewiglich. [14]Vnd Mose des mans Gottes kinder wurden genennet vnter der Leuiten stam. [15]Die kinder aber Mose waren / Gerson vnd Elieser. [16]Die kinder Gerson / der erste war Sebuel. [17]Die kinder Elieser / der erst war Rahabja. Vnd Elieser hatte kein ander kinder. Aber der kinder Rehabja waren viel drüber. [18]Die kinder Jezehar waren Salomith / der erste. [19]Die kinder Hebron waren / Jeria der erste / Amarja der ander / Jehasiel der dritte / vnd Jakmeam der vierde. [20]Die kinder Vsiel waren / Micha der erst / vnd Jesia der ander.

KINDER Merari

DJE kinder Merari waren / Maheli vnd Musi. Die kinder Maheli waren / Eleasar vnd Kis. [22]Eleasar aber starb vnd hatte keine Söne / sondern Töchtere / vnd die kinder Kis jre brüder / namen sie. [23]Die kinder Musi waren / Maheli / Eder vnd Jeremoth / die drey. [24]Das sind die kinder Leui vnter jrer Veter heuser / vnd furnemesten der Veter die gerechnet wurden nach der namen zal bey den

Heubten / welche theten das gescheftt des Ampts im Hause des HERRN / von zwenzig jaren vnd drüber. [25]Denn Dauid sprach / der HERR der Gott Jsrael hat seinem Volck ruge gegeben / vnd wird zu Jerusalem wonen ewiglich.

AVch vnter den Leuiten wurden gezelet der kinder Leui von zwenzig jaren vnd drüber / das sie die Wonung nicht tragen durfften mit all jrem gerete jrs Ampts. [27] [a]Sondern nach den letzten worten Dauid / [28]das sie stehen solten vnter der hand der kinder Aaron / zu dienen im Hause des HERRN im hofe / vnd zu den kasten / vnd zur reinigung / vnd zu allerley heiligthum / vnd zu allem werck des Ampts im hause Gottes / [29]vnd zum Schawbrot / zum Semelmelh / zum Speisopffer / zu vngesewrten fladen / zur pfannen / zu rosten / vnd zu allem gewicht vnd mas. [30]Vnd zu stehen des morgens zu dancken vnd zu loben den HERRN / des abends auch also. [31]Vnd alle Brandopffer dem HERRN zu opffern auff die Sabbathen / Newmonden vnd Feste / nach der zal vnd gebür alle wege fur dem HERRN / [32]das sie warten der Hut an der hütten des Stiffts vnd des Heiligthums / vnd der kinder Aaron jrer brüder / zu dienen im Hause des HERRN.

a Mutatio onerum Mosi.

## XXV. (XXIIII.)

|| 233b Luc. 1.

ABER DIS WAR DIE ORDENUNG DER KINDER Aaron. Die kinder Aaron waren Nadab / Abihu / Eleasar vnd Jthamar. [2]Aber Nadab vnd Abihu storben fur jren Vetern / vnd hatten keine Kinder / vnd Eleasar vnd Jthamar wurden Priester. [3]Vnd Dauid ordenet sie also / Zadok aus den kindern Eleasar / vnd Ahimelech aus den kindern Jthamar / nach jrer zal vnd ampt. [4]Vnd wurden der kinder Eleasar mehr funden zu furnemesten starcken Mennern / denn der kinder Jthamar. Vnd er ordenet sie also / nemlich / sechzehen aus den kindern Eleasar / zu Obersten vnter jrer Veter haus / vnd achte aus den kindern Jthamar vnter jrer Veter haus. [5]Er ordenet sie aber durchs Los / darumb / das beide aus Eleasar vnd Jthamar kinder / Obersten waren im Heiligthum / vnd öbersten fur Gott. [6]Vnd der schreiber Semaia der son Nethaneel aus den Leuiten / beschreib sie fur dem Könige vnd fur den Obersten / vnd fur Zadok dem Priester /

ORDENUNG der Priester.

vnd fur Ahimelech dem son AbJathar / vnd fur den öbersten Vetern vnter den Priestern vnd Leuiten / nemlich / ein vaters hause fur Eleasar / vnd das ander fur Jthamar.

VND das erst Los fiel auff Joiarib / das ander auff Jedaia. [8]Das dritte auff Harim / das vierde auff Seorim. [9]Das fünfft auff Malchia / das sechst auff Meiamin. [10]Das siebend auff Hakoz / das acht auff Abia. [11]Das neunde auff Jesua / das zehend auff Sechania. [12]Das eilfft auff Eliassib / das zwelfft auff Jakim. [13]Das dreizehend auff Hupa / das vierzehend auff Jesebeab. [14]Das funffzehend auff Bilga / das sechzehend auff Jmmer. [15]Das siebenzehend auff Hesir / das achzehend auff Hapizez. [16]Das neunzehend auff Pethahja / das zwenzigst auff Jeheskel. [17]Das ein vnd zwenzigst auff Jachin / das zwey vnd zwenzigst auff Gamul. [18]Das drey vnd zwenzigst auff Delaja / das vier vnd zwenzigst auff Maasia. [19]Das ist jre Ordenung nach jrem Ampt zu gehen in das Haus des HERRN nach jrer weise vnter jrem vater Aaron / wie jnen der HERR der Gott Jsrael geboten hat.

Luc. 1.

ABer vnter den andern kindern Leui / war vnter den kindern Amram / Subael. Vnter den kindern Subael war Jehdea. [21]Vnter den kindern Rehabja war der erst Jesia. [22]Aber vnter den Jezeharitern war Slomoth. Vnter den kindern Slomoth war Jahath. [23]Die kinder Hebron waren / Jeria der erste / Amarja der ander / Jahesiel der dritte / Jakmeam der vierde. [24]Die kinder Vsiel waren Micha. Vnter den kindern Micha war Samir. [25]Der bruder Micha war Jesia. Vnter den kindern Jesia war Sacharja. [26]Die kinder Merari waren / Maheli vnd Musi / des son war Jaesia. [27]Die kinder Merari von Jaesia seim son waren / Soham / Sacur vnd Jbri.

[28]MAheli aber hatte Eleasar / denn er hatte keine söne. [29]Von Kis / Die kinder Kis waren Jerahmeel. [30]Die kinder Musi waren Maheli / Eder vnd Jeremoth. Das sind die kinder der Leuiten vnter jrer veter haus. [31]Vnd man warff fur sie auch das Los neben jren brüdern den kindern Aaron / fur dem könige Dauid vnd Zadok vnd Ahimelech / vnd fur den öbersten Vetern vnter den Priestern vnd Leuiten / dem kleinsten bruder eben so wol / als dem öbersten vnter den Vetern.

## XXVI. (XXV.)

VND DAUID SAMPT DEN FELDHEUBTLEUTEN SONdert ab zu Emptern vnter den kindern Assaph / Heman vnd Jedithun die Propheten mit Harffen / Psaltern / vnd Cymbalen / vnd sie wurden gezelet zum Werck nach jrem Ampt. [2]Vnter den kindern Assaph war / Sacur / Joseph / Nethanja / Asarela / kinder Assaph vnter Assaph / der da weissaget bey dem König. [3]Von Jedithun / Die kinder Jedithun waren / Gedalja / Zori / Jesaja / Hasabja / Mathithja / Die sechse vnter jrem vater Jedithun mit Harffen / die da weissagten zu dancken vnd zu loben den HERRN. ‖ [4]Von Heman / Die kinder Heman waren / Bukia / Mathanja / Vsiel / Sebuel / Jerimoth / Hananja / Hanani / Eliatha / Gidalthi / RomamthiEser / Jasbekasa / Mallothi / Hothir vnd Mahesioth. [5]Diese waren alle kinder Heman des Schawers des königs in den worten Gottes / das Horn zu erheben / Denn Gott hatte Heman vierzehen Söne vnd drey Töchter gegeben.

‖ 234a

[6]DJese waren alle vnter jren vetern / Assaph / Jedithun vnd Heman zu singen im Hause des HERRN mit Cymbeln / Psaltern vnd Harffen / nach dem Ampt im hause Gottes bey dem Könige. [7]Vnd es war jr zal / sampt jren Brüdern die im gesang des HERRN gelert waren / alle sampt Meister / zwey hundert vnd acht vnd achzig. [8]Vnd sie worffen Los vber jre Ampt zu gleich / dem kleinesten wie dem grössesten / dem Lerer wie dem Schüler.

(Das Horn zu erheben) Jch acht das dieser Heman sey Dauids Prophet gewesen / in königlichen Gescheфften die das Königreich belanget haben / wie er hat streiten vnd regieren sollen. Denn Horn bedeut je Regiment vnd Königreich.

VND das erst Los fiel vnter Assaph auff Joseph. Das ander auff Gedalja sampt seinen brüdern vnd sönen / der waren zwelffe. [10]Das dritte auff Sacur / sampt seinen sönen vnd brüdern / der waren zwelffe. [11]Das vierde auff Jezri sampt seinen sönen vnd brüdern / der waren zwelffe. [12]Das fünfft auff Nethanja sampt seinen sönen vnd brüdern / der waren zwelffe. [13]Das sechste auff Bukia sampt seinen sönen vnd brüdern / der waren zwelffe. [14]Das siebend auff Jsreela sampt seinen sönen vnd brüdern / der waren zwelffe. [15]Das achte auff Jesaja sampt seinen sönen vnd brüdern / der waren zwelffe. [16]Das neunde auff Mathanja sampt seinen sönen vnd brüdern / der waren zwelffe. [17]Das zehende auff Simei sampt seinen sönen vnd brüdern / der waren zwelffe. [18]Das eilfft auff Asareel sampt seinen sönen vnd brüdern / der waren zwelffe. [19]Das zwelfft auff Hasabja sampt seinen sönen vnd brüdern / der waren zwelffe.

[20]DAs dreizehend auff Subael sampt seinen sönen vnd brüdern / der waren zwelffe. [21]Das vierzehend auff Mathithja sampt seinen sönen vnd brüdern / der waren zwelffe. [22]Das funffzehend auff Jeremoth sampt seinen sönen vnd brüdern / der waren zwelffe. [23]Das sechzehend auff Ananja sampt seinen sönen vnd brüdern / der waren zwelffe. [24]Das siebenzehend auff Jasbekasa sampt seinen sönen vnd brüdern / der waren zwelffe. [25]Das achzehend auff Hanani sampt seinen sönen vnd brüdern / der waren zwelffe. [26]Das neunzehend auff Mallothi sampt seinen sönen vnd brüdern / der waren zwelffe. [27]Das zwenzigst auff Eliatha sampt seinen sönen vnd brüdern / der waren zwelffe. [28]Das ein vnd zwenzigst auff Hothir sampt seinen sönen°vnd brüdern / der waren zwelffe. [29]Das zwey vnd zwenzigst auff Gidalthi sampt seinen sönen vnd brüdern / der waren zwelffe. [30]Das drey vnd zwenzigst auff Mahesioth sampt seinen sönen vnd brüdern / der waren zwelffe. [31]Das vier vnd zwenzigst auff RomamthiEser sampt seinen sönen vnd brüdern / der waren zwelffe.

## XXVII. (XXVI.)

VON DER ORDENUNG DER THORHÜTER. VNTER den Korhiten / war Meselemja der son Kore aus den kindern Assaph. [2]Die kinder aber Meselemja waren diese / der erstgeborne Sacharja / der ander Jediael / der dritte Sebadja / der vierde Jathniel [3]der fünffte Elam / der sechste Johanan / der siebend Elioenai. [4]Die kinder aber ObedEdom waren diese / der erstgeborn / Semaja / der ander Josabad / der dritte Joah / der vierde Sachar / der fünfft Nethaneel / [5]der sechst Ammiel / der siebend Jsaschar / der acht Pegulthai / Denn Gott hatte jn gesegenet. [6]Vnd seinem son Semaja wurden auch Söne geborn die im hause jrer veter herrscheten / Denn es waren starcke Helden. [7]So waren nu die kinder Semaja / Athni / Rephael / Obed vnd Elsabad / des brüder vleissige Leute waren / Elihu vnd Samachja. [8]Diese waren alle aus den kindern ObedEdom / Sie / sampt jren kindern vnd brüdern / vleissige Leute / geschickt zu Emptern / waren zwey vnd sechzig von ObedEdom. ‖

(Helden) Denn die Priester musten zur zeit des Kriegs die fördersten im Heer sein / mit den Drometen etc.

‖ 234b

[9]MEselemja hatte kinder vnd brüder vleissige Menner achzehen. [10]Hossa aber aus den kindern Merari hatte kinder / den furnemesten Simri / Denn es war der erstegeborner nicht da / drumb setzt jn sein Vater zum fürnemesten / [11]den andern Hilkia / den dritten Tebalja / den vierden Sacharja. Aller kinder vnd brüder Hossa waren dreizehen.

DJs ist die Ordnung der Thorhütter vnter den Heubtern der Helden am Ampt neben jren brüdern / zu dienen im Hause des HERRN. [13]Vnd das Los ward geworffen dem kleinen wie dem grossen vnter jrer Veter hause zu einem jglichen thor. [14]Das Los gegen morgen fiel auff Meselemja. Aber seinem son Sacharja / der ein kluger Rat war / warff man das Los / vnd fiel jm gegen mitternacht. [15]ObedEdom aber gegen mittag / vnd seinen Sönen bey dem hause Esupim. [16]Vnd Supim vnd Hossa gegen abend bey dem thor / da man gehet auff der strassen der Brandopffer / da die Hut neben andern stehen.

[17]GEgen dem morgen waren der Leuiten sechse. Gegen mitternacht des tages viere. Gegen mittag des tages viere. Bey Esupim aber ja zwene vnd zwene. [18]An Parbar aber gegen abend viere an der strassen / vnd zwene an Parbar. [19]Dis sind die Ordnung der Thorhütter vnter den kindern der Korhiter vnd den kindern Merari.

VOn den Leuiten aber war Ahia vber die Schetze des hause Gottes / vnd vber die Schetze die geheiliget worden. [21]Von den kindern Laedan / der kinder der Gersoniten / Von Laedan waren heubter der Veter / nemlich die Jehieliten. [22]Die kinder der Jehieliten waren Setham vnd sein bruder Joel vber die schetze des Hauses des HERRN. [23]Vnter den Amramiten / Jezehariten / Hebroniten vnd Vsieliten / [24]war Sebuel der son Gersom des sons Mose / Fürst vber die Schetze. [25]Aber sein bruder Elieser hatte einen son Rehabja / des son war Jasaja / des son war Joram / des son war Sichri / des son war Selomith. [26]Der selb Selomith vnd seine Brüder waren vber alle Schetze der geheiligeten welche der könig Dauid heiligete / vnd die öbersten Veter vnter den Obersten vber tausent / vnd vber hundert / vnd die Obersten im Heer / [27]Von streitten vnd rauben hatten sie es geheiliget zu bessern das Haus des HERRN. [28]Auch alles was Samuel der Seher vnd Saul der son Kis /

vnd Abner der son Ner / vnd Joab der son Zeruja geheiliget hatten. Alles geheiligete war vnter der hand Selomith vnd seiner Brüder.

VNter den Jezehariten war Chenanja mit seinen Sönen zum werck draussen vber Jsrael / Amptleute vnd Richter. [30]Vnter den Hebroniten aber war Hasabja vnd seine brüder vleissige Leute / tausent vnd sieben hundert / vber die ampt Jsrael disseid des Jordans gegen abend / zu allerley Geschefft des HERRN vnd zu dienen dem Könige. [31]Jtem / vnter den Hebroniten / war Jeria der fürnemest vnter den Hebroniten seines Geschlechts vnter den Vetern. Es wurden aber vnter jnen gesucht vnd funden im vierzigsten jar des königreichs Dauid / vleissige Menner zu Jaeser in Gilead / [32]vnd jre brüder vleissige Menner zwey tausent vnd sieben hundert öberste Veter. Vnd Dauid setzet sie vber die Rubeniter / Gadditer vnd den halben stam Manasse / zu allen hendeln Gottes vnd des Königes.

## XXVIII. (XXVII.)

DJE KINDER JSRAEL ABER NACH JRER ZAL WAREN Heubter der Veter / vnd vber tausent vnd vber hundert / vnd Amptleute die auff den König warten / nach jrer Ordenung / ab vnd zu zu ziehen / Ein jglichen monden einer / in allen monden des jars / Ein jgliche Ordnung aber hatte vier vnd zwenzig tausent.

[2]VBer die erste Ordnung des ersten monden / war Jasabeam der son Sabdiel / vnd vnter seiner Ordenung waren vier vnd zwenzig tausent. [3]Aus den kin‖dern aber Perez war der Oberste vber alle Heubtleute der Heere im ersten monden. [4]Vber die Ordenung des andern monden / war Dodai der Ahohiter / vnd Mikloth war Fürst vber seine ordenung / vnd vnter seiner Ordenung waren vier vnd zwenzig tausent. [5]Der dritte Feldheubtman des dritten monden / der Oberst war Benaja der son Joiada des Priesters / vnd vnter seiner Ordenung waren vier vnd zwenzig tausent. [6]Das ist der Benaja der Helt vnter dreissigen vnd vber dreissige / Vnd seine Ordenung war vnter seinem son Ammi-Sabad.

‖ 235a

[7]DER vierde im vierden monden war Asahel Joabs bruder / Vnd nach jm Sabadja sein Son / vnd vnter seiner Ordenung waren vier vnd zwenzig

tausent. [8]Der fünfft im fünfften monden / war Samehuth der Jesrahiter / vnd vnter seiner Ordenung waren vier vnd zwenzig tausent. [9]Der sechst im sechsten monden / war Jra der son Jkes der Thekoiter / vnd vnter seiner Ordenung waren vier vnd zwenzig tausent.

[10]DER siebend im siebenden monden / war Helez der Peloniter aus den kindern Ephraim / vnd vnter seiner Ordenung waren vier vnd zwenzig tausent. [11]Der acht im achten monden / war Sibechai / der Husathiter aus den Sarehitern / vnd vnter seiner Ordenung waren vier vnd zwenzig tausent. [12]Der neunde im neunden monden / war Abieser der Anthothiter aus den kindern Jemini / vnd vnter seiner Ordenung waren vier vnd zwenzig tausent.

[13]DER zehend im zehenden monden war Maherai der Netophatiter aus den Serahitern / vnd vnter seiner Ordenung waren vier vnd zwenzig tausent. [14]Der eilfft im eilfften monden / war Benaia der Pirgathoniter / aus den kindern Ephraim / vnd vnter seiner Ordenung waren vier vnd zwenzig tausent. [15]Der zwelfft im zwelfften monden / war Heldai der Netophathiter aus Athniel / vnd vnter seiner Ordenung waren vier vnd zwenzig tausent.

FÜRSTEN DER stemme Jsrael etc.

VBer die stemme Jsrael aber waren diese / Vnter den Rubenitern war fürst Elieser der son Sichri. Vnter den Simeonitern / war Sephatja der son Maecha. [17]Vnter den Leuiten war Hasabja der son Kemuel. Vnter den Aaronitern war Zadok. [18]Vnter Juda war / Elihu aus den brüdern Dauid. Vnter Jsaschar war / Amri der son Michael. [19]Vnter Sebulon war / Jesmaia der son Obadja. Vnter Naphthali war Jeremoth der son Asriel. [20]Vnter den kindern Ephraim war / Hosea der son Asasja. Vnter dem halben stam Manasse war / Joel der son Pedaia. [21]Vnter dem halben stam Manasse in Gilead war / Jeddo der son Sacharja. Vnter BenJamin war Jaesiel der son Abner. [22]Vnter Dan war / Asareel der son Jeroham. Das sind die Fürsten der stemme Jsrael.

ABer Dauid nam die zal nicht dere / die von zwenzig jaren vnd drunter waren / Denn der HERR hatte geredt Jsrael zu mehren / wie die Stern am Himel. [24]Joab aber der son Zeruja / der hatte angefangen zu zelen / vnd volendet es nicht / Denn es kam darumb ein zorn vber Jsrael / Darumb kam die zal nicht in die Chronica des königs Dauid.

OBERSTEN vber die Güter Dauids.

VBer den schatz des Königs war Asmaueth der son Adiel. Vnd vber die schetz auffm Lande in stedten / dörffern vnd schlössern / war Jonathan der son Vsia. 26Vber die Ackerleute das Land zu bawen / war Esri der son Chelub. 27Vber die Weinberge war / Simei der Ramathiter. Vber die Weinkeller vnd Schetze des weins war Sabdi der Siphimiter. 28Vber die Olegarten vnd Maulbeerbewm in den awen / war BaalHanan der Gaderiter. Vber den Oleschatz / war Joas. 29Vber die Weidrinder zu Saron / war Sitari der Saroniter. Aber vber die rinder in gründen / war Saphat der son Adlai. 30Vber die kamel war Obil der Jsmaeliter. Vber die esel war Jehedja der Meronothiter. 31Vber die schafe / war Jasis der Hagariter. Diese waren alle Obersten vber die güter des königs Dauid. ‖

‖ 235 b

32JOnathan aber Dauids vetter / war der Rat vnd Hofemeister vnd Cantzler. Vnd Jehiel der son Hachmoni / war bey den kindern des Königs. 33Ahitophel war auch Rat des Königs. Husai der Arachiter war des Königs freund. 34Nach Ahitophel war Joiada der son Benaia vnd AbJathar. Joab aber war Feldheubtman des Königs.

## XXIX. (XXVIII.)

VND DAUID VERSAMLET GEN JERUSALEM ALLE öbersten Jsrael / nemlich / die Fürsten der stemme / die Fürsten der ordenungen die auff den König warten / die Fürsten vber tausent vnd vber hundert / die Fürsten vber die güter vnd vieh des Königs vnd seiner Söne / mit den Kamerern / die Kriegsmenner vnd alle dapffere Menner. 2Vnd Dauid der könig stund auff seinen füssen vnd sprach.

HOret mir zu meine Brüder vnd mein Volck / Jch hatte mir furgenomen ein Haus zu bawen / da rugen solte die lade des Bunds des HERRN / vnd ein Fusschemel den füssen vnsers Gottes / vnd hatte mich geschickt zu bawen. 3Aber Gott lies mir sagen / Du solt meinem Namen nicht ein Haus bawen / Denn du bist ein Kriegsman vnd hast blut vergossen. 4Nu hat der HERR der Gott Jsrael mich erwelet aus meins Vaters gantzen hause / das ich König vber Jsrael sein solt ewiglich / Denn er hat Juda erwelet zum Fürstenthum / vnd im hause Juda meins vaters haus / vnd vnter meins vatern Kindern hat er gefallen gehabt an mir / das er mich vber gantz Jsrael zum Könige machte.

2. Reg. 7. Sup. 23.

[5]VND vnter allen meinen Sönen (denn der HERR hat mir viele Söne gegeben) hat er meinen son Salomo erwelet / das er sitzen sol auff dem stuel des Königreichs des HERRN vber Jsrael / [6]vnd hat mir geredt / Dein son Salomo sol mein Haus vnd Hofe bawen / Denn ich habe jn mir erwelet zum Son / vnd ich wil sein Vater sein. [7]Vnd wil sein Königreich bestetigen ewiglich / So er wird anhalten / das er thu nach meinen Geboten vnd Rechten / wie es heute stehet.

NV fur dem gantzen Jsrael der gemeine des HERRN / vnd fur den ohren vnsers Gottes / So haltet vnd sucht alle Gebot des HERRN ewrs Gottes / Auff das jr besitzt das gute Land / vnd beerbet auff ewre Kinder nach euch ewiglich.

[9]VND du mein son Salomo / Erkenne den Gott deines Vaters / vnd diene jm mit gantzem hertzen / vnd mit williger seelen / Denn der HERR sucht alle hertzen / vnd verstehet aller gedancken tichten. Wirstu jn suchen / so wirstu jn finden / Wirstu jn aber verlassen / So wird er dich verwerffen ewiglich. [10]So sihe nu zu / Denn der HERR hat dich erwelet / das du ein Haus bawest zum Heiligthum / Sey getrost vnd mache es.

Psal. 7.

VND Dauid gab seinem son Salomo ein furbild der Halle vnd seins Hauses / vnd der gemach vnd saal vnd kamern inwendig / vnd des Hauses des Gnadenstuels. [12]Dazu Furbilde alles was bey jm in seinem gemüt war / nemlich / des Hofs am Hause des HERRN / vnd aller Gemach vmbher / des Schatzs im hause Gottes / vnd des schatzs der geheiligeten. [13]Die ordenung der Priester vnd Leuiten / vnd aller Gescheft der ampt im Hause des HERRN. [14]Gold nach dem gold gewicht / zu allerley Gefess eines jglichen amptes / vnd allerley silbern Gezeug nach dem gewicht / zu allerley Gefess eins jglichen ampts.

Salomo bawet aus Gottes befelh nach dem wort Gottes / seinem vater Dauid zugesagt / Sup. 17. auch gibt jm Dauid das Muster dazu. Denn selb erweleten Gottesdienst vnd werck mag er nicht.

[15]VND golde zu güldenen Leuchtern vnd güldenen Lampen / einem jglichen Leuchter vnd seiner Lampen sein gewicht. Also auch zu silbern Leuchtern gab er das silber zum Leuchter vnd seiner Lampen / nach dem ampt eines jglichen Leuchters. [16]Auch gab er zu Tischen der Schawbrot gold / zum jglichen Tisch sein gewicht. Also auch silber zu silbern Tischen. [17]Vnd lauter gold zu Kreweln / || Becken vnd Kandel. Vnd zu gülden Bechern / eim jglichen becher sein gewicht. Vnd

|| 236a

zu silbern Becher / eim jglichen becher sein gewicht. [18]Vnd zum Reuchaltar das allerlauterst gold sein gewicht. Auch ein Furbild des wagens der güldenen Cherubim / das sie sich ausbreitten vnd bedeckten oben die lade des Bunds des HERRN. [19]Alles ists mir beschrieben gegeben von der Hand des HERRN / das michs vnterweiset alle werck des Furbildes.

VND Dauid sprach zu seinem son Salomo / Sey getrost vnd vnuerzagt / vnd machs / Fürchte dich nicht vnd zage nicht / Gott der HERR / mein Gott / wird mit dir sein / vnd wird die hand nicht abziehen noch dich verlassen / bis du alle werck zum ampt im Hause des HERRN volendest. [21]Sihe da die ordenung der Priester vnd Leuiten zu allen Emptern im hause Gottes / sind mit dir zu allem Geschefft / vnd sind willig vnd weise zu allen emptern / Da zu die Fürsten vnd alles Volck zu allen deinen Hendeln.

## XXX. (XXIX.)

VND DER KÖNIG DAUID SPRACH ZU DER GANTZEN Gemeine. Gott hat Salomo meiner söne einen erwelet / der noch jung vnd zart ist / Das werck aber ist gros / Denn es ist nicht eines menschen Wonung / sondern Gottes des HERRN. [2]Jch aber habe aus allen meinen krefften geschickt zum Hause Gottes / Gold zu güldenem / Silber zu silberm / Ertz zu ehernem / Eisen / zu eisenem / Holtz zu hültzenem / gerete. Onichsteine / eingefasste Rubin vnd bundte Steine / vnd allerley Edelgesteine / vnd Marmelsteine die menge. [3]Vber das / aus wolgefallen am Hause meins Gottes / hab ich eigens Guts / gold vnd silber / [4]drey tausent Centener golds von Ophir / vnd sieben tausent Centener / lauter silbers / das gebe ich zum heiligen Hause Gottes / vber alles das ich geschickt habe / die wende der Heuser zu vberziehen / [5]Das gülden werde was gülden / vnd silbern was silbern sein sol / vnd zu allerley werck durch die hand der Werckmeister. Vnd wer ist nu Freiwillig seine hand heute dem HERRN zu füllen?

DA waren die Fürsten der Veter / die Fürsten der stemme Jsrael / die Fürsten vber tausent vnd vber hundert / vnd die Fürsten vber des Königs gescheffte / freiwillig / [7]vnd gaben zum Ampt im hause Gottes fünff tausent Centener golds / vnd zehen tausent Gülden / vnd zehen tausent Centener silbers / achzehen tausent Centener ertzs / vnd hundert tausent Centener eisens. [8]Vnd bey welchem Steine funden wurden / die gaben sie zum Schatz des hauses des HERRN / vnter die hand Jehiel des Gersoniten. [9]Vnd das Volck ward frölich das sie freiwillig waren / Denn sie gabens von gantzem hertzen dem HERRN freiwillig.

Dauids Dancksagung vnd Gebet.

VND Dauid der König frewet sich auch hoch [10]vnd lobet Gott / vnd sprach fur der gantzen gemeine / Gelobet seiestu HERR Gott Jsrael vnsers Vaters ewiglich / [11]dir gebürt die Maiestet vnd gewalt / herrligkeit / sieg vnd danck / Denn alles was in Himel vnd Erden ist / das ist dein / Dein ist das Reich / vnd du bist erhöhet vber alles zum Obersten. [12]Dein ist reichtum / vnd ehre fur dir / Du herrschest vber alles / Jn deiner Hand stehet krafft vnd macht / Jn deiner Hand stehet es / jederman gros vnd starck zu machen.

[13]NV vnser Gott wir dancken dir / vnd rhümen den Namen deiner Herrligkeit / Denn was bin ich? Was ist mein Volck? das wir solten vermügen krafft / freiwillig zu geben / wie dis gehet? Denn von dir ists alles komen / vnd von deiner Hand haben wir dirs gegeben. [15]Denn wir sind Frembdlinge vnd Geste fur dir / wie vnser Veter alle / Vnser Leben auff Erden ist wie ein Schatten / vnd ist kein auffhalten. [16]HERR vnser Gott / alle diesen Hauffen / den wir geschickt haben / dir ein Haus zu bawen / deinem heiligen Namen / ist von deiner Hand komen / vnd ist alles dein. ||

Psal. 39.

|| 236b

[17]JCh weis / mein Gott / das du das hertz prüfest / vnd auffrichtigkeit ist dir angenem. Darumb habe ich dis alles aus auffrichtigem hertzen freiwillig gegeben / vnd habe jtzt mit freuden gesehen dein Volck das hie vorhanden ist / das es dir freiwillig gegeben hat. [18]HERR Gott vnser veter / Abraham / Jsaac vnd Jsrael / beware ewiglich solchen sinn vnd gedancken im hertzen deins Volcks / vnd schicke jre hertzen zu dir. [19]Vnd meinem son Salomo gib ein rechtschaffen hertz / das er halte deine Gebot / Zeugnis vnd Rechte / das ers alles thue / vnd bawe diese Wonunge / die ich geschickt habe.

VND Dauid sprach zur gantzen gemeine / Lobet den HERRN ewrn Gott. Vnd die gantze gemeine lobet den HERRN den Gott jrer Veter /

Vnd neigeten sich vnd beten an den HERRN vnd den König / [21]vnd opfferten dem HERRN opffer. Vnd des andern morgens opfferten sie Brandopffer / tausent farren / tausent widder / tausent lemmer / mit jren Tranckopffern / vnd opfferten die menge vnter dem gantzen Jsrael / [22]Vnd assen vnd truncken desselben tags fur dem HERRN mit grossen freuden.

Salomo König.

VND machten das ander mal Salomo den son Dauid zum Könige / vnd salbeten jn dem HERRN zum Fürsten / vnd Zadok zum Priester. [23]Also sas Salomo auff dem stuel des HERRN ein König an seines vaters Dauids stat / vnd ward glückselig. Vnd gantz Jsrael war jm gehorsam / [24]vnd alle Obersten vnd gewaltige / auch alle kinder des königs Dauid theten sich vnter den könig Salomo. [25]Vnd der HERR macht Salomo jmer grösser fur dem gantzen Jsrael / vnd gab jm ein löblich Königreich / das keiner vor jm vber Jsrael gehabt hatte.

3. Reg. 1.

Dauid 40. jar König vber Jsrael.

SO ist nu Dauid der son Jsai könig gewesen vber gantz Jsrael. [27]Die zeit aber die er König vber Jsrael gewesen ist / ist vierzig jar / Zu Hebron regiert er sieben jar / vnd zu Jerusalem drey vnd dreissig jar. [28]Vnd starb in gutem alter / vol lebens / reichthum vnd ehre / Vnd sein son Salomo ward König an seine stat. [29]Die geschicht aber des königs Dauid / beide die ersten vnd letzten / Sihe / die sind geschrieben vnter den geschichten Samuel / des Sehers Vnd vnter den geschichten des Propheten Nathan / Vnd vnter den geschichten Gad des Schawers / [30]mit allem seinem Königreich / gewalt vnd zeit / die vnter jm ergangen sind / beide vber Jsrael / vnd allen Königreichen in Landen.

3. Reg. 2.

Ende des Ersten Buchs / der Chronica.

## DAS ANDER BUCH: DER CHRONICA

### I.

3. Reg. 3.

VND SALOMO DER SON DAUID WARD IN SEINEM Reich bekrefftiget / vnd der HERR sein Gott war mit jm / vnd macht jn jmer grösser.

[2]VND Salomo redet mit dem gantzen Jsrael / mit den Obersten vber tausent vnd hundert / mit den Richtern vnd mit allen Fürsten in Jsrael / mit den öbersten ‖ Vetern / [3]das sie hin giengen / Salomo vnd die gantze Gemeine mit jm / zu der Höhe die zu Gibeon war / Denn daselbs war die Hütten des stiffts Gottes / die Mose der knecht des HERRN gemacht hatte in der wüsten. [4]Denn die lade Gottes hatte Dauid er auff bracht von Kiriath Jearim / da hin er jr bereitet hatte / Denn er hatte jr eine Hütten auffgeschlagen zu Jerusalem. [5]Aber der eherne Altar / den Bezaleel der son Vri des sons Hur gemacht hatte / war daselbs fur der Wonung des HERRN / Vnd Salomo vnd die Gemeine pflegten jn zu suchen. [6]Vnd Salomo opfferte auff dem ehernen Altar fur dem HERRN / der fur der Hütten des Stiffts stund / tausent Brandopffer.

‖ 237a

HÜTTEN DES Stiffts zu Gibeon.

Exo. 38.

JN der selben nacht aber erschein Gött Salomo / vnd sprach zu jm / Bitte / Was sol ich dir geben? [8]Vnd Salomo sprach zu Gott / Du hast grosse Barmhertzigkeit an meinem vater Dauid gethan / vnd hast mich an seine stat zum Könige gemacht. [9]So las nu HERR Gott deine Wort war werden an meinem vater Dauid / Denn du hast mich zum Könige gemacht vber ein Volck / des so viel ist / als staub auff Erden. [10]So gib mir nu Weisheit vnd Erkentnis / das ich für diesem Volck aus vnd eingehe / Denn wer kan dis dein grosses Volck richten?

SALOMO bittet von Gott weisheit.

[11]DA sprach Gott zu Salomo / Weil du das im sinn hast / vnd hast nicht vmb Reichthum / noch vmb Gut / noch vmb Ehre / noch vmb deiner Feinde seelen / noch vmb langes Leben gebeten / Sondern hast vmb Weisheit vnd Erkentnis gebeten / das du mein Volck richten mügest / darüber ich dich zum Könige gemacht habe / [12]So sey dir Weisheit vnd Erkentnis gegeben / Dazu wil ich dir Reichthum vnd Gut vnd Ehre geben / das deines gleichen vnter den Königen vor dir nicht gewesen ist / noch werden sol nach dir. [13]Also kam Salomo von der Höhe die zu Gibeon war gen Jerusalem /

von der Hütten des Stiffts / vnd regiert vber Jsrael.

VND Salomo samlet jm Wagen vnd Reuter / das er zu wegen bracht tausent vnd vier hundert Wagen / vnd zwelff tausent Reuter / vnd lies sie in den Wagenstedten / vnd bey dem Könige zu Jerusalem. [15]Vnd der König machte des silbers vnd golds zu Jerusalem so viel / wie die Steine / vnd der Cedern / wie die Maulberbewm in den gründen. [16]Vnd man bracht Salomo Rosse aus Egypten / vnd allerley wahr / Vnd die Kauffleute des Königs kaufften die selbige wahr / [17]vnd brachtens aus Egypten her aus / ja einen Wagen vmb sechs hundert silberling / ein Ross vmb hundert vnd funffzig. Also brachten sie auch allen Königen der Hethiter vnd den Königen zu Syrien.

3. Reg. 10.

## II.

VND SALOMO GEDACHT ZU BAWEN EIN HAUS dem Namen des HERRN / vnd ein Haus seines Königreichs. [2]Vnd zelet ab siebenzig tausent Man zur last / vnd achzig tausent Zimmerleut auff dem Berge / vnd drey tausent vnd sechs hundert Amptleut vber sie.

3. Reg. 5.

HURAM.

VND Salomo sandte zu Huram dem könige zu Tyro / vnd lies jm sagen / Wie du mit meinem vater Dauid thetest / vnd jm sandtest Cedern / das er jm ein haus bawet / darinnen er wonete / [4]Sihe / Jch wil dem Namen des HERRN meins Gottes ein Haus bawen / das jm geheiliget werde / gut Reuchwerg fur jm zu reuchern / vnd Schawbrot alle wege zu zurichten / vnd Brandopffer des morgens vnd des abends / auff die Sabbathen / vnd Newmonden / vnd auff die Fest des HERRN vnsers Gottes ewiglich fur Jsrael. [5]Vnd das Haus das ich bawen wil / sol gros sein / Denn vnser Gott ist grösser denn alle Götter. [6]Aber wer vermags / das er jm ein Haus bawe? Denn der Himel vnd aller himel himel mügen jn nicht versorgen / Wer solt ich denn sein / das ich ein Haus bawete / Sondern das man fur jm reuchere. ‖

3. Reg. 8.

(Versorgen) Act. 17. Gott ist nicht / des man müste pflegen.

‖ 237b

[7]SO sende mir nu einen weisen Man zu erbeiten / mit gold / silber / ertz / eisen / scharlacken / rosinrot / gelseiden / vnd der da wisse auszugraben / mit den Weisen die bey mir sind in Juda vnd Jerusalem / welche mein vater Dauid geschickt hat. [8]Vnd sende mir Cedern / Tennen vnd Hebenholtz / vom Libanon / Denn ich weis / das deine Knechte das

(Heben) Sol ein Holtz in Jndia sein / Jst hie vieleicht / das man jtzt Sandeln heisst.

Holtz zu hawen wissen auffm Libanon / Vnd sihe / meine Knechte sollen mit deinen Knechten sein / [9]das man mir viel Holtz zubereite / Denn das Haus das ich bawen wil sol gros vnd sonderlich sein. [10]Vnd sihe / ich wil den Zimmerleuten deinen knechten die das holtz hawen / zwenzig tausent Cor gestossen weitzen / vnd zwenzig tausent Cor gersten / vnd zwenzig tausent Bath weins / vnd zwenzig tausent Bath öles / geben.

DA sprach Huram der könig zu Tyro durch schrifft / vnd sandte zu Salomo / Darumb das der HERR sein Volck liebet / hat er dich vber sie zum Könige gemacht. [12]Vnd Huram sprach weiter / Gelobt sey der HERR der Gott Jsrael / der Himel vnd Erden gemacht hat / das er dem könige Dauid hat einen weisen / klugen vnd verstendigen Son gegeben / der dem HERRN ein Haus bawe / vnd ein haus seines Königreichs. [13]So sende ich nu einen weisen Man / der verstand hat / [a]Huram Abif / [14]der ein Son ist eins weibs aus den töchtern Dan / vnd sein vater ein Tyrer gewesen ist / Der weis zu erbeiten an gold / silber / ertz / eisen / stein / holtz / scharlacken / gelseiden / leinen / rosinrot / vnd zu graben allerley / vnd allerley künstlich zumachen was man jm fürgibt / mit deinen Weisen / vnd mit den weisen meines Herrn / königs Dauid deines vaters. [15]So sende nu mein Herr weitzen / gersten / öle vnd wein seinen knechten / wie er geredt hat / [16]So wöllen wir das Holtz hawen auff dem Libanon / wie viel es not ist / vnd wöllens auff flössen bringen im Meer gen Japho / Von dannen magstu es hin auff gen Jerusalem bringen.

a Etliche Bücher haben / Huram Abi.

VND Salomo zelet alle Frembdlinge im lande Jsrael / nach der zal da sie Dauid sein vater zelete / vnd wurden funden hundert vnd funffzig tausent / drey tausent vnd sechs hundert. [18]Vnd er macht aus denselben / siebenzig tausent Treger / vnd achzig tausent Hawer auff dem Berge / Vnd drey tausent sechs hundert Auffseher / die das Volck zum Dienst anhielten.

III.

3. Reg. 6.

VND SALOMO FIENG AN ZU BAWEN DAS HAUS des HERRN zu Jerusalem auff dem berge Morija / der Dauid seinem vater erzeigt war / welchen Dauid zubereitet hatte zum Raum auff dem platz Arnan des Jebusiters. [2]Er fieng aber an zu bawen

(MORIJA) Auff diesem Berge opfferte Abraham seinen Son / Gen. 22. Man helt Arnan sey der Jebusiter König gewest / vnd bekeret zum Gott Abraham / Dauon in Commenten zu reden.

im andern monden des andern tages im vierden jar seins Königreichs. [3]Vnd also legt Salomo den grund zu bawen das haus Gottes / Am ersten die lenge / sechzig ellen / die weite zwenzig ellen. [4]Vnd die Halle fur der weite des Hauses her / war zwenzig ellen lang / Die höhe aber war hundert vnd zwenzig ellen / Vnd vberzogs inwendig mit lauterm gold.

[5]DAS grosse Haus aber spündet er mit tennen Holtz / vnd vberzogs mit dem besten golde / vnd machte drauff Palmen vnd Ketenwerck. [6]Vnd vberzog das Haus mit edlen Steinen zum schmuck / Das gold aber war Parwaimgold. [7]Vnd vberzog die Balcken oben an / vnd die Wende / vnd die Thüren mit golde / vnd lies Cherubim schnitzen an die Wende.

HAUS DES Allerheiligsten.

[8]ER macht auch das Haus des Allerheiligsten / des lenge war zwenzig ellen nach der weite des Hauses / vnd seine weite war auch zwenzig ellen / vnd vberzogs mit dem besten golde bey sechs hundert Centener. [9]Vnd gab auch zu Negeln funffzig sekel goldes am gewicht / vnd vberzog die Saal mit golde.

II. CHERUBIM.

[10]ER macht auch im Haus des Allerheiligsten zween Cherubim nach der Bildener kunst / vnd vberzog sie mit golde. [11]Vnd die lenge am Flügel an den Cherubim war zwenzig ellen / das ein flügel funff ellen hatte / vnd rüret an die || wand des Hauses / Vnd der ander Flügel auch fünff ellen hatte / vnd rüret an den flügel des andern Cherub. [12]Also hatte auch des andern Cherub ein flügel fünff ellen / vnd rüret an die wand des Hauses / vnd sein ander flügel auch fünff ellen / vnd hieng am flügel des andern Cherub. [13]Das diese Flügel der Cherubim waren ausgebreitet zwenzig ellen weit / Vnd sie stunden auff jren füssen / vnd jr Andlitz war gewand zum Hause werts.

|| 238a

FURHANG.

3. Reg. 7.

[14]ER macht auch einen Furhang von gelwerck / scharlacken / rosinrot vnd linwerck / vnd machet Cherubim drauff. [15]Vnd er machet fur dem Hause zwo Seulen / fünff vnd dreissig ellen lang / vnd der Knauff oben drauff fünff ellen. [16]Vnd machet Ketenwerck zum Chor / vnd thet sie oben an die Seulen / vnd machet hundert Granatepffel / vnd thet sie an das Ketenwerck. [17]Vnd richtet die Seulen auff fur dem Tempel / eine zur rechten / vnd die ander zur lincken. Vnd hies die zur rechten Jachin / vnd die zur lincken Boas.

II. SEULEN.

IIII.

3. Reg. 7.

EHERNER Altar.

ER MACHET AUCH EINEN EHERNEN ALTAR / ZWENzig ellen lang vnd breit / vnd zehen ellen hoch.

GEGOSSEN Meer.

[2]VND er macht ein gegossen Meer zehen ellen weit / von eim rand an den andern / rund vmb her / vnd fünff ellen hoch / Vnd ein mas von dreissig ellen mochts vmb her begreiffen. [3]Vnd Ochsenbilde waren vnter jm vmbher / Vnd es waren zwo rigen Knoten vmb das Meer her (das zehen ellen weit war) die mit angegossen waren. [4]Es stund aber also auff den zwelff ochsen / Das drey gewand waren gegen mitternacht / drey gegen abend / drey gegen mittag / vnd drey gegen morgen / Vnd das Meer oben auff jnen / vnd alle jr hinderstes war inwendig. [5]Seine dicke war einer handbreit / vnd sein rand war wie eins Bechers rand / vnd ein auffgegangene Rose / Vnd es fasset drey tausent Bath.

X. KESSEL.

[6]VND er machet zehen Kessel / Der setzet er fünff zur rechten / vnd fünffe zur lincken / drinnen zu wasschen was zum Brandopffer gehöret / das sie es hin ein stiessen / das Meer aber / das sich die Priester drinnen wusschen.

X. GÜLDENE Leuchter.

[7]ER machet auch zehen güldene Leuchter / wie sie sein solten / vnd setzt sie in den Tempel / fünffe zur rechten / vnd fünffe zur lincken. [8]Vnd machet zehen Tische / vnd thet sie in den Tempel / fünffe zur rechten / vnd fünffe zur lincken. Vnd machet hundert güldene Becken.

HOF.

[9]ER machet auch einen Hof fur die Priester / vnd einen grossen Schrancken vnd Thür in die schrancken / vnd vberzog die thür mit Ertz. [10]Vnd setzt das Meer auff der rechten ecken gegen morgen / zum mittage werts. [11]Vnd Huram machet Töpffen / Schauffeln vnd Becken.

ALso volendet Huram die erbeit / die er dem könige Salomo thet am hause Gottes / [12]nemlich / die zwo Seulen mit den beuchen vnd kneuffen oben auff beiden Seulen / vnd beide gewunden Reiffe zu bedecken / beide beuche der kneuffe oben auff den seulen / [13]vnd die vier hundert Granatepffel an den beiden gewunden reiffen / zwo rigen granatepffel an jglichem reiffe / zu bedecken beide beuche der kneuffe / so oben auff den seulen waren. [14]Auch machet er die Gestüle vnd die Kessel auff den gestülen / [15]vnd ein Meer vnd zwelff Ochsen drunter. [16]Da zu Töpffen / Schauffeln / Krewel /

vnd alle jre Gefess macht Huram Abif dem könige Salomo zum Hause des HERRN aus lauterm Ertz / [17]Jn der gegend des Jordans lies sie der König giessen in dicker erden / zwischen Succoth vnd Zaredatha. [18]Vnd Salomo machet aller dieser Gefess seer viel / das des Ertzs gewicht nicht zu forschen war.

[19]VND Salomo macht alles Gerete zum Hause Gottes / nemlich den gülden Altar / Tisch vnd Schawbrot drauff / [20]die Leuchter mit jren Lampen von lauterm gold / das sie brenten fur dem Chor / wie sichs gebürt. [21]Vnd die Blumen || an den Lampen / vnd die Schnautzen waren gülden / das war alles völlig gold. [22]Dazu die Messer / Becken / Leffel vnd Nepffe waren lauter gold. Vnd der Eingang vnd seine Thür inwendig zu dem Allerheiligsten / vnd die thür am Hause des Tempels waren gülden. [1]Also ward alle erbeit vollenbracht / die Salomo thet am Hause des HERRN.

|| 238b

## V.

VND SALOMO BRACHTE HIN EIN / ALLES WAS SEIN vater Dauid geheiliget hatte / nemlich / Silber vnd Gold vnd allerley Gerete / vnd legts in den Schatz im hause Gottes.

3. Reg. 7.

DA versamlet Salomo alle Eltesten in Jsrael / alle Heubtleute der stemme / Fürsten der veter vnter den kindern Jsrael / gen Jerusalem / Das sie die lade des Bunds des HERRN hin auff brechten aus der stad Dauid / das ist Zion. [3]Vnd es versamlet sich zum Könige alle man Jsrael auffs Fest / das ist im siebenden monden / [4]vnd kamen alle Eltesten Jsrael. Vnd die Leuiten huben die Lade auff / [5]vnd brachten sie hin auff sampt der Hütten des Stiffts / vnd allem heiligen Gerete / das in der Hütten war / vnd brachten sie mit hin auff die Priester die Leuiten. [6]Aber der König Salomo vnd die gantze gemeine Jsrael zu jm versamlet fur der Laden / opfferten Schafe vnd Ochsen / so viel das niemand zelen noch rechnen kund.

3. Reg. 8.

LADE des Bunds in den Tempel bracht.

[7]ALso brachten die Priester die lade des Bunds des HERRN an jre Stet in den Chor des Hauses / in das Allerheiligste / vnter die flügel der Cherubim. [8]Das die Cherubim jre flügel ausbreitten vber die Stete der Laden / vnd die Cherubim bedeckten die Lade vnd jre stangen von oben her. [9]Die Stangen aber waren so lang / das man jr kneuff sahe

von der Laden fur dem Chor / Aber haussen sahe man sie nicht / Vnd sie war daselbs bis auff diesen tag. [10]Vnd war nichts in der Lade / on die zwo Tafeln / die Mose in Horeb drein gethan hatte / Da der HERR einen Bund machte mit den kindern Jsrael / da sie aus Egypten zogen.

[11]VND da die Priester er aus giengen aus dem Heiligen (Denn alle Priester die fur handen waren / heiligeten sich / das auch die Ordenung nicht gehalten wurden) [12]Vnd die Leuiten mit allen die vnter Assaph / Heman / Jedithun / vnd jren kindern vnd brüdern waren / angezogen mit Linwand / sungen mit Cymbaln / Psaltern / vnd Harffen / vnd stunden gegen morgen des Altars / vnd bey jnen hundert vnd zwenzig Priester die mit Drometen bliesen. [13]Vnd es war / als were es einer der drometet vnd sünge / als höret man eine stimme zu loben vnd zu dancken dem HERRN. Vnd da die stim sich erhub von den Drometen / Cymbeln / vnd andern Seitenspielen / vnd von dem loben des HERRN / Das er gütig ist / vnd seine Barmhertzigkeit ewig weret / Da ward das Haus des HERRN erfüllet mit einem Nebel / [14]das die Priester nicht stehen kunden / zu dienen fur dem nebel / Denn die Herrligkeit des HERRN erfüllet das Haus Gottes.

## VI.

3. Reg. 8.

DA SPRACH SALOMO / DER HERR HAT GEREDT zu wonen im tunckel / [2]Jch hab zwar ein Haus gebawet dir zur Wonung / vnd einen Sitz / da du ewiglich wonest. [3]Vnd der König wand sein andlitz / vnd segenet die gantze gemeine Jsrael / Denn die gantze gemeine Jsrael stund / [4]vnd er sprach / Gelobet sey der HERR der Gott Jsrael / der durch seinen Mund meinen vater Dauid geredt / vnd mit seiner Hand erfüllet hat / da er sagt / [5]Sint der zeit ich mein volck aus Egyptenland gefüret habe / habe ich keine Stad [a]erwelet in allen stemmen Jsrael ein Haus zu bawen / das mein Name daselbs were / vnd habe auch keinen || Man erwelet / das er Fürst were vber mein volck Jsrael. [6]Aber Jerusalem habe ich erwelet / das mein Name daselbs sey / vnd Dauid hab ich erwelet / das er vber mein volck Jsrael sey.

|| 239a

a (Erwelet) Mercke hie / wie alles mus aus Gottes befelh geschehen / Auff das ja niemand aus eigener andacht Gottesdienst anrichte. Denn Salomo hie beide die Stad Jerusalem vnd die person / Dauid / rhümet / das sie beide von Gott erwelet sind.

[7]VND da es mein vater Dauid im sinn hatte / ein Haus zu bawen dem Namen des HERRN des Gottes Jsrael / [8]sprach der HERR zu meinem vater

Dauid / Du hast wolgethan / das im sinn hast meinem Namen ein Haus zu bawen. [9]Doch du solt das Haus nicht bawen / Sondern dein Son / der aus deinen Lenden komen wird / sol meinem Namen das Haus bawen. [10]So hat nu der HERR sein wort bestetiget das er geredt hat / Denn ich bin auffkomen an meines vaters Dauid stat / vnd sitze auff dem stuel Jsrael / wie der HERR geredt hat / vnd habe ein Haus gebawet dem Namen des HERRN des Gottes Jsrael. [11]Vnd hab drein gethan die Lade / darinnen der Bund des HERRN ist / den er mit den kindern Jsrael gemacht hat.

VND er trat fur den Altar des HERRN / fur der gantzen gemeine Jsrael / vnd breittet seine hende aus. [13]Denn Salomo hatte einen ehernen Kessel gemacht / vnd gesetzt mitten in die schrancken / fünff ellen lang vnd breit / vnd drey ellen hoch / an den selben trat er / vnd fiel nider auff seine knie fur der gantzen gemeine Jsrael / vnd breitet seine hende aus gen Himel / [14]vnd sprach.

Salomos Gebet.

HERR Gott Jsrael / Es ist kein Gott dir gleich / weder im Himel noch auff Erden / der du heltest den Bund vnd Barmhertzigkeit deinen Knechten / die fur dir wandeln aus gantzem hertzen. [15]Du hast gehalten deinem knecht Dauid meinem vater / was du jm geredt hast / Mit deinem Mund hastu es geredt / vnd mit deiner Hand hastu es erfüllet / wie es heuts tags stehet. [16]Nu HERR Gott Jsrael halt deinem knecht Dauid meinem vater / was du jm geredt hast / vnd gesagt / Es sol dir nicht gebrechen an einem Man fur mir / der auff dem stuel Jsrael sitze / Doch so fern deine Kinder jren weg bewaren / das sie wandeln in meinem Gesetz / wie du fur mir gewandelt hast. [17]Nu HERR Gott Jsrael las dein wort war werden / das du deinem knechte Dauid geredt hast.

(Geredt) Nu lasse du Salomo auch dein wort war werden das du Gott geredt hast / zu wandeln in seinem Gesetz / Sonst wirds mühe werden.

[18]DEnn meinstu auch das Gott bey den Menschen auff Erden wone? Sihe / Der Himel vnd aller himel himel kan dich nicht versorgen / Wie solts denn das Haus thun das ich gebawet habe? [19]Wende dich aber HERR mein Gott zu dem Gebet deines Knechts / vnd zu seinem flehen / das du erhörest das bitten vnd beten / das dein Knecht fur dir thut. [20]Das deine Augen offen seien vber dis Haus tag vnd nacht / vber die Stet / da hin du deinen Namen zu stellen geredt hast / das du hörest das Gebet / das dein Knecht an dieser Stet thun

wird. [21]So höre nu das flehen deines Knechts vnd deines volcks Jsrael / das sie bitten werden an dieser Stet / Höre es aber von der Stet deiner Wonung vom Himel / Vnd wenn du es hörest / woltestu gnedig sein.

WEnn jemand wider seinen Nehesten sündigen wird / vnd wird jm ein Eid auffgelegt / den er schweren sol / vnd der Eid kompt fur deinen Altar in diesem Hause / [23]So woltestu hören vom Himel / vnd deinem Knecht recht verschaffen / Das du dem Gottlosen vergeltest vnd gebest seinen weg auff seinen Kopff / Vnd rechtfertigest den Gerechten vnd gebest jm nach seiner gerechtigkeit.

EID.

WEnn dein volck Jsrael fur seinen Feinden geschlagen wird / weil sie an dir gesündiget haben / Vnd bekeren sich / vnd bekennen deinen Namen / bitten vnd flehen fur dir in diesem Hause / [25]So woltestu hören vom Himel / vnd gnedig sein der sünden deines volcks Jsrael / Vnd sie wider in das Land bringen / das du jnen vnd jren Vetern gegeben hast.

KRIEG.

WEnn der Himel zugeschlossen wird / das nicht regent / weil sie an dir gesündiget haben / Vnd bitten an dieser stet / vnd bekennen deinen Namen / || vnd bekeren sich von jren sünden / weil du sie gedemütiget hast / [27]So woltestu hören im Himel / vnd gnedig sein den sünden deiner Knechte vnd deines volcks Jsrael / das du sie den guten weg lerest / darinnen sie wandeln sollen / Vnd regen lassest auff dein Land / das du deinem Volck gegeben hast zu besitzen.

MANGEL AN Regen.

|| 239b

WEnn eine Thewrung im Lande wird / oder Pestilentz / oder Dürre / Brand / Hewschrecken / Raupen / Oder wenn sein Feind im lande seine Thor belagert / oder jrgent eine Plage oder Kranckheit. [29]Wer denn bittet oder flehet vnter allerley Menschen vnd vnter alle deinem volck Jsrael / so jemand seine plage vnd schmertzen fület / vnd seine hende ausbreitet zu diesem Hause / [30]So woltestu hören vom Himel / vom Sitz deiner Wonung vnd gnedig sein / vnd jederman geben nach all seinem wege / nach dem du sein hertz erkennest (Denn du alleine erkennest das hertz der Menschen kinder) [31]Auff das sie dich fürchten vnd wandeln in deinen wegen alle tage / so lange sie leben auff dem Lande / das du vnsern Vetern gegeben hast.

THEWRUNG VND ander Plage.

TEMPEL ZU Jerusalem ein Bethaus aller Völcker.

Jesa. 56.

WEnn auch ein Frembder / der nicht von deinem volck Jsrael ist / kompt aus fernen Landen / vmb deines grossen Namens von mechtiger Hand vnd ausgerecktes Arms willen / vnd betet zu diesem Hause / [33]So woltestu hören vom Himel / vom Sitz deiner Wonung / vnd thun alles / warumb er dich anruffet. Auff das alle Völcker auff Erden deinen Namen erkennen / vnd dich fürchten / wie dein volck Jsrael / vnd innen werden / das dis Haus / das ich gebawet habe nach deinem Namen genennet sey.

STREIT.

WEnn dein Volck auszeucht in streit wider seine Feinde / des weges / den du sie senden wirst / vnd zu dir bitten gegen dem wege zu dieser Stad / die du erwelet hast / vnd zum Hause das ich deinem Namen gebawet habe / [35]So woltestu jr gebet vnd flehen hören vom Himel / vnd jnen zu jrem Recht helffen.

SO DAS VOLCK gefangen weggefüret / sich bekert etc.

WEnn sie an dir sündigen werden (sintemal kein Mensch ist / der nicht sündige / vnd du vber sie erzürnest vnd gibst sie fur jren Feinden / das sie sie gefangen wegfüren / in ein ferne oder nahe Land / [37]Vnd sie sich jn jrem hertzen bekeren im Lande / da sie gefangen innen sind / vnd bekeren sich / vnd flehen dir im Lande jres gefengnis / vnd sprechen / Wir haben gesündiget / missethan / vnd sind Gottlos gewesen / [38]Vnd sich also von gantzem hertzen / vnd von gantzer seelen zu dir bekeren / im Lande jres gefengnis / da man sie gefangen helt / Vnd sie beten gegen dem wege zu jrem Lande / das du jren Vetern gegeben hast / vnd zur Stad die du erwelet hast / vnd zum Hause / das ich deinem Namen gebawet habe / [39]So woltestu jr gebet vnd flehen hören vom Himel / vom Sitz deiner Wonung / vnd jnen zu jrem Rechten helffen / vnd deinem Volck gnedig sein / das an dir gesündigt hat.

SO las nu mein Gott deine Augen offen sein / vnd deine Ohren auffmercken auffs gebet an dieser stet. [41]So mache dich nu auff HERR Gott zu deiner Ruge / du vnd die Lade deiner macht / Las deine Priester HERR Gott mit Heil angethan werden / vnd deine Heiligen sich frewen vber dem guten. [42]Der HERR Gott wende nicht weg das Andlitz deines gesalbeten / Gedenck an die Gnade / deinem knechte Dauid verheissen.

Psal. 132.

VII.

VND DA SALOMO AUSGEBETTET HATTE / FIEL EIN Fewr vom Himel vnd verzehret das Brandopffer vnd ander Opffer / Vnd die Herrligkeit des HERRN erfüllet das Haus / [2]das die Priester nicht kundten hin ein gehen ins Haus des HERRN / weil die Herrligkeit des HERRN füllet des HERRN Haus. [3]Auch sahen alle kinder Jsrael das Fewr er ab fallen / vnd die Herrligkeit des HERRN vber dem Hause / vnd fielen auff jre knie mit dem andlitz zur erden || auffs pflaster / vnd beten an vnd danckten dem HERRN / Das er gütig ist / vnd seine barmhertzigkeit ewiglich weret.

|| 240a

3. Reg. 8.

Einweihung des Tempels.

DER König aber vnd alles Volck opfferten fur dem HERRN. [5]Denn der könig Salomo opfferte zwey vnd zwenzig tausent Ochsen / vnd hundert vnd zwenzig tausent Schafe / vnd weiheten also das haus Gottes ein / beide der König vnd alles volck. [6]Aber die Priester stunden in jrer Hut / vnd die Leuiten mit den Seitenspielen des HERRN / die der König Dauid hatte lassen machen / dem HERRN zu dancken / Das seine Barmhertzigkeit ewiglich weret / mit den Psalmen Dauids durch jre hand / Vnd die Priester bliesen Drometen gegen jnen / vnd das gantz Jsrael stund.

[7]VND Salomo heiliget den Mittelhof / der fur dem Hause des HERRN war / Denn er hatte daselbs Brandopffer vnd das fett der Danckopffer ausgericht. Denn der eherne Altar den Salomo hatte machen lassen / kundte nicht alle Brandopffer / Speisopffer / vnd das fett fassen.

[8]VND Salomo hielt zu derselben zeit ein Fest sieben tag lang / vnd das gantz Jsrael mit jm ein seer grosse Gemeine / von Hemath an bis an den bach Egypti / [9]vnd hielt am achten tage eine Versamlung / Denn die Einweihung des Altars hielten sie sieben tage / vnd das Fest auch sieben tage. [10]Aber im drey vnd zwenzigsten tage des siebenden monden / lies er das Volck in jre Hütten frölich vnd guts muts / vber allem Gute / das der HERR an Dauid Salomo vnd seinem volck Jsrael gethan hatte. [11]Also volendet Salomo das Haus des HERRN / vnd das haus des Königs / vnd alles was in sein hertz komen war zu machen / im Hause des HERRN vnd in seinem Hause / glückseliglich.

Der HERR erscheinet Salomo.

VND der HERR erschein Salomo des nachts / vnd sprach zu jm / Jch habe dein Gebet erhöret / vnd diese Stet mir erweletet zum Opfferhause. [13]Sihe / wenn ich den Himel zuschliesse das nicht regent / oder heisse die Hewschrecken das Land fressen / oder lasse ein Pestilentz vnter mein Volck komen / [14]das sie mein volck demütigen / das nach meinem Namen genennet ist / Vnd sie betten vnd mein Angesicht suchen / vnd sich von jren bösen wegen bekeren werden / So wil ich vom Himel hören / vnd jre sünde vergeben / vnd jr Land heilen. [15]So sollen nu meine Augen offen sein / vnd meine Ohren auffmercken auffs Gebet an dieser Stet. [16]So hab ich nu dis Haus erwelet vnd geheiliget / das mein Name daselbs sein sol ewiglich / vnd meine Augen vnd mein Hertz sol da sein alle wege.

3. Reg. 9.

VND so du wirst fur mir wandeln / wie dein vater Dauid gewandelt hat / das du thust alles was ich dich heisse vnd heltest meine Gebot vnd Rechte / [18]So wil ich den stuel deins Königreichs bestetigen / wie ich mich deinem vater Dauid verbunden habe / vnd gesagt / Es sol dir nicht gebrechen an einem Man der vber Jsrael Herr sey. [19]Werdet jr euch aber vmbkeren vnd meine Rechte vnd Gebot / die ich euch furgelegt habe / verlassen / vnd hin gehen vnd andern Göttern dienen / vnd sie anbeten / [20]So werde ich sie auswurtzeln aus meinem Lande / das ich jnen gegeben habe. Vnd dis Haus / das ich meinem Namen geheiliget habe / werde ich von meinem Angesicht werffen / vnd werde es zum Sprichwort geben vnd zur Fabel / vnter allen Völckern. [21]Vnd fur diesem Haus / das das Höhest worden ist / werden sich entsetzen alle die furüber gehen / vnd sagen / Warumb hat der HERR diesem Lande vnd diesem Hause also mitgefaren? [22]So wird man sagen / Darumb / das sie den HERRN jrer veter Gott verlassen haben / der sie aus Egyptenland gefüret hat / Vnd haben sich an ander Götter gehenget / vnd sie angebettet vnd jnen gedienet / Darumb hat er alle dis vnglück vber sie gebracht.

Deut. 29. Jere. 22.

## VIII.

VND NACH ZWENZIG JAREN / IN WELCHEN SALOMO des HERRN Haus vnd sein haus bawete / [2]bawete er auch die stedte / die Huram Salomo gab / vnd lies die kinder Jsrael drinnen wonen. [3]Vnd

‖ 240 b

3. Reg. 9.

Salomo zoch gen HemathZoba vnd befestiget sie / [4]vnd bawete Thadmor in der wüsten / vnd alle Kornstedte / die er bawete in Hemath. [5]Er bawet auch obern vnd nidern BethHoron / das feste Stedte waren mit mauren / thüren vnd rigeln. [6]Auch Baelath / vnd alle Kornstedte / die Salomo hatte / vnd alle Wagenstedte / vnd Reuter / vnd alles wo zu Salomo lust hatte zu bawen / beide zu Jerusalem vnd auff dem Libanon / vnd im gantzen Lande seiner Herrschafft.

ALles vbrige volck von den Hethitern / Amoritern / Pheresitern / Heuitern vnd Jebusitern / die nicht von den kindern Jsrael waren / [8]vnd jre Kinder / die sie hinder sich gelassen hatten im Lande / die die kinder Jsrael nicht vertilget hatten / machte Salomo zinsbar / bis auff diesen tag. [9]Aber von den kindern Jsrael machte Salomo nicht Knechte zu seiner erbeit / Sondern sie waren Kriegsleute / vnd vber seine Fürsten vnd vber seine Wagen vnd Reuter. [10]Vnd der öbersten Amptleute des königs Salomo / waren zwey hundert vnd funffzig / die vber das Volck herscheten.

OBERSTEN Amptleute Salomos 250.

VND die tochter Pharao lies Salomo er auff holen aus der stad Dauids / ins Haus / das er fur sie gebawet hatte / Denn er sprach / Mein Weib sol mir nicht wonen im hause Dauid des königs Jsrael / Denn es ist geheiliget / weil die Lade des HERRN drein komen ist.

VON dem an opfferte Salomo dem HERRN Brandopffer auff dem Altar des HERRN / den er gebawete hatte fur der Halle / [13]ein jglichs auff seinen tag zu opffern nach dem gebot Mose / auff die Sabbath / Newmonden / vnd bestimpten zeiten des jars drey mal / nemlich / Auffs fest der vngesewrten Brot / auffs fest der Wochen / vnd auffs fest der Laubhütten.

[14]VND er stellet die Priester in jrer ordenung zu jrem Ampt / wie es Dauid sein Vater gesetzt hatte / vnd die Leuiten auff jre Hut zu loben vnd zu dienen fur den Priestern / jgliche auff jren tag / vnd die Thorhüter in jrer ordenung / jgliche auff jr thor / Denn also hatte es Dauid der man Gottes befolhen. [15]Vnd es ward nicht gewichen vom gebot des Königes vber die Priester vnd Leuiten / an allerley sachen vnd an den schetzen. [16]Also ward bereit alles gescheffte Salomo vom tage an / da des

HERRN Haus gegründet ward bis ers volendet / das des HERRN Haus gantz bereit ward.

DA zoch Salomo gen EzeonGeber vnd gen Eloth an dem vfer des meeres im lande Edomea. [18]Vnd Huram sandte jm Schiffe durch seine Knechte / die des Meers kündig waren / vnd furen mit den knechten Salomo in Ophir / vnd holeten von dannen vier hundert vnd funffzig Centner goldes / vnd brachtens dem könige Salomo.

IX.

Königin von Reicharabia.

3. Reg. 10.

VND DA DIE KÖNIGIN VON REICHARABIA DAS gerücht Salomo höret / kam sie mit seer grossem Zeug gen Jerusalem / mit Kamelen die Würtze von Golds die menge trugen / vnd Edelsteine / Salomo mit Retzeln zuuersuchen. Vnd da sie zu Salomo kam / redet sie mit jm alles was sie im sinn hatte furgenomen. [2]Vnd der König saget jr alles was sie fraget / vnd war Salomo nichts verborgen / das er jr nicht gesagt hatte.

VND da die Königin von Reicharabia sahe die weisheit Salomo / vnd das Haus das er gebawet hatte / [4]die Speise fur seinen Tisch / die Wonung fur seine Knechte / die Ampt seiner Diener vnd jre Kleider / seine Schencken mit ‖ jren kleidern / vnd seine Saal / da man hin auff gieng ins Haus des HERRN / kund sie sich nicht mehr enthalten.

‖ 241 a

[5]VND sie sprach zum Könige / Es ist war was ich gehöret habe in meinem Lande von deinem wesen / vnd von deiner weisheit. [6]Jch wolt aber jren worten nicht gleuben / bis ich komen bin vnd habs mit meinen augen gesehen / Vnd sihe / es ist mir nicht die helfft gesagt deiner grossen weisheit / Es ist mehr an dir / denn das gerücht das ich gehört hab. [7]Selig sind deine Menner / vnd selig diese deine Knechte / die alle wege fur dir stehen / vnd deine weisheit hören. [8]Der HERR dein Gott sey gelobt / der dich lieb hat / das er dich auff seinen Stuel zum Könige gesetzt hat / dem HERRN deinem Gott. Es macht das dein Gott hat Jsrael lieb / das er jn ewiglich auffrichte / darumb hat er dich vber sie zum Könige gesatzt / das du Recht vnd Redligkeit handhabest.

Matt. 12.

[9]VND sie gab dem Könige hundert vnd zwenzig Centner golds / vnd seer viel Würtze vnd Edelgesteine / Es waren keine würtze als diese / die die Königin von Reicharabia dem könige Salomo gab.

[10]DAzu die knechte Huram / vnd die knechte Salomo die gold aus Ophir brachten / die brachten auch Hebenholtz vnd Edelgesteine. [11]Vnd Salomo lies aus dem Hebenholtz treppen im Hause des HERRN / vnd im hause des Königs machen / vnd Harffen vnd Psalter fur die Senger / Es waren vorhin nie gesehen solche höltzer im lande Juda. [12]Vnd der könig Salomo gab der Königin von Reicharabia / alles was sie begert vnd bat / On was sie zum Könige gebracht hatte / Vnd sie wand sich vnd zoch in jr Land mit jren Knechten.

DES goldes aber / das Salomo in eim jar gebracht ward / war sechs hundert vnd sechs vnd sechzig Centner / [14]on was die Kremer vnd Kauffleute brachten / Vnd alle Könige der Araber / vnd die Herrn in Landen brachten gold vnd silber zu Salomo. [15]Da her machte der könig Salomo zwey hundert Schilde vom besten golde / das sechs hundert stück goldes auff einen Schild kam / [16]vnd drey hundert Tartschen vom besten golde / das drey hundert stück goldes zu einer Tartschen kam / [17]Vnd der König thet sie ins Haus vom wald Libanon.

3. Reg. 10.

Stuel von Elffenbein.

VND der König machte einen grossen Elffenbeinen stuel vnd vberzog jn mit lauterm golde. Vnd der Stuel hatte sechs Stuffen / vnd einen gülden Fusschemel am stuel / vnd hatte zwo Lehnen auff beiden seiten vmb das gesesse / vnd zween Lewen stunden neben den lehnen. [19]Vnd zwelff Lewen stunden daselbs auff den sechs stuffen zu beiden seiten / Ein solchs ist nicht gemacht in allen Königreichen.

[20]VND alle Trinckgefess des königs Salomo waren gülden / vnd alle Gefess des Hauses vom wald Libanon waren lauter gold / Denn das silber ward nichts gerechnet zur zeit Salomo. [21]Denn die schiffe des Königs fuhren auff dem Meer mit den knechten Huram / vnd kamen in drey jaren ein mal / vnd brachten gold / silber / elffenbein / affen vnd pfawen.

ALso ward der könig Salomo grösser denn alle Könige auff Erden / mit reichtum vnd weisheit. [23]Vnd alle Könige auff Erden begerten das angesicht Salomo / seine weisheit zu hören / die jm Gott in sein hertz gegeben hatte. [24]Vnd sie brachten jm / ein jglicher sein Geschencke / silbern vnd gülden Gefess / Kleider / Harnisch / Würtz / Ross vnd Meuler jerlich.

WAGEN VND Reisige pferde Salomos.

[25]VND Salomo hatte vier tausent Wagenpferde / vnd zwelff tausent Reisigen / vnd man thet sie in die Wagenstedte / vnd bey dem Könige zu Jerusalem. [26]Vnd er war ein Herr vber alle Könige vom wasser an bis an der Philister land / vnd bis an die grentze Egypti. [27]Vnd der König macht des Silbers so viel zu Jerusalem / wie der Steine / vnd der Cedern so viel / wie die Maulbeerbewme in den gründen. [28]Vnd man bracht jm Rosse aus Egypten / vnd aus allen Lendern. ‖

‖ 241b

3. Reg. 11.

[29]WAS aber mehr von Salomo zu sagen ist / beide sein erstes vnd sein letztes / Sihe / das ist geschrieben in der Chronica des Propheten Nathan / vnd in den Propheceien Ahia von Silo / vnd in den Gesichten Jeddi des Schawers wider Jerobeam den son Nebat. [30]Vnd Salomo regierte zu Jerusalem vber gantz Jsrael vierzig jar. [31]Vnd Salomo entschlieff mit seinen Vetern / vnd man begrub jn in der stad Dauid seines vaters / Vnd Rehabeam sein son ward König an seine stat.

SALOMO 40. jar König vber Jsrael.

## X.

REHABEAM.

3. Reg. 12.

REHABEAM ZOCH GEN SICHEM / DENN GANTZ Jsrael war gen Sichem komen jn König zu machen. [2]Vnd da das Jerobeam höret der son Nebat / der in Egypten war (da hin er fur dem könig Salomo geflohen war) kam er wider aus Egypten. [3]Vnd sie sandten hin / vnd liessen jm ruffen / Vnd Jerobeam kam mit dem gantzen Jsrael vnd redeten mit Rehabeam / vnd sprachen / [4]Dein vater hat vnser Joch zu hart gemacht / So leichtere nu du den harten Dienst deines vaters / vnd das schwere joch / das er auff vns gelegt hat / So wöllen wir dir vnterthenig sein. [5]Er sprach zu jnen / Vber drey tage komet wider zu mir / Vnd das Volck gieng hin.

VND der könig Rehabeam ratfraget die Eltesten die fur seinem vater Salomo gestanden waren / da er beim leben war / vnd sprach / Wie ratet jr / das ich diesem volck antwort gebe? [7]Sie redeten mit jm / vnd sprachen / Wirstu diesem volck freundlich sein / vnd wirst sie handelen gütiglich / vnd jnen gute wort geben / So werden sie dir vnterthenig sein allewege.

[8]ER aber verlies den rat der Eltesten / den sie jm gegeben hatten / vnd ratschlug mit den Jungen die mit jm auffgewachsen waren / vnd fur jm stunden /

[9]vnd sprach zu jnen / Was ratet jr / das wir diesem volck antworten / die mit mir geredt haben / vnd sagen / Leichtere das joch das dein Vater auff vns gelegt hat? [10]Die Jungen aber die mit jm auffgewachsen waren / redeten mit jm / vnd sprachen / So soltu sagen zu dem volck / das mit dir geredt hat / vnd spricht Dein vater hat vnser joch zu schweer gemacht / Mach du vnser joch leichter / vnd sprich zu jnen / Mein kleinester Finger sol dicker sein / denn meins vaters Lenden. [11]Hat nu mein Vater auff euch zu schwere joch geladen / So wil ich ewrs jochs mehr machen / Mein vater hat euch mit Peitzschen gezüchtiget / Jch aber mit Scorpion.

ALS nu Jerobeam vnd alles volck zu Rehabeam kam am dritten tage / wie denn der König gesagt hatte / komet wider zu mir am dritten tage / [13]antwortet jnen der König hart. Vnd der könig Rehabeam verlies den rat der Eltesten / [14]vnd redet mit jnen nach dem rat der Jungen / vnd sprach / Hat mein vater ewre joch zu schweer gemacht / So wil ichs mehr dazu machen / Mein vater hat euch mit Peitzschen gezüchtiget / Jch aber mit Scorpion. [15]Also gehorchet der König dem volck nicht / Denn es war also von Gott gewand / Auff das der HERR sein wort bestetiget / das er geredt hatte durch Ahia von Silo zu Jerobeam dem son Nebat.

3. Reg. 11. — Abia.

DA aber das gantze Jsrael sahe / das jnen der König nicht gehorchet / antwortet das volck dem Könige / vnd sprach / Was haben wir teils an Dauid / oder erbe am son Jsai? Jederman von Jsrael zu seiner Hütten / So sihe nu du zu deinem hause Dauid. Vnd das gantze Jsrael gieng in seine Hütten / [17]das Rehabeam nur vber die kinder Jsrael regierte / die in den stedten Juda woneten. [18]Aber der könig Rehabeam sandte Hadoram den Rentmeister / Aber die kinder Jsrael steinigeten jn zu tod / Vnd der könig Rehabeam steig frisch auff seinen wagen / das er flöhe gen Jerusalem. [19]Also fiel Jsrael abe vom Hause Dauids bis auff diesen tag. ||

3. Reg. 12. — Hadoram gesteiniget etc.

|| 242a — Abfall Jsraels von Juda.

## XI.

3. Reg. 12. — Rehabeam.

VND da Rehabeam gen Jerusalem kam / versamlete er das haus Juda vnd BenJamin / hundert vnd achzig tausent junger Manschafft die streitbar waren / wider Jsrael zu streitten / das sie das Königreich wider an Rehabeam brechten. [2]Aber des HERRN wort kam zu Semaja / dem man Gottes / vnd sprach / [3]Sage Rehabeam dem son Salomo dem könige Juda / vnd dem gantzen Jsrael / das vnter Juda vnd BenJamin ist / vnd sprich / [4]So spricht der HERR / Jr solt nicht hin auff ziehen / noch wider ewre Brüder streitten / ein jglicher gehe wider heim / Denn das ist von mir geschehen. Sie gehorchten den worten des HERRN / vnd liessen ab von dem Zug wider Jerobeam.

SEMAJA.

REhabeam aber wonet zu Jerusalem / vnd bawet die Stedte feste in Juda / [6]nemlich / Bethlehem / Etam / Tekoa / [7]Bethzur / Socho / Adullam / [8]Gath / Maresa / Siph / [9]Adoraim / Lachis / Aseka / [10]Zarega / Aialon vnd Hebron / welche waren die festesten Stedte in Juda vnd BenJamin. [11]Vnd macht sie feste / Vnd setzte Fürsten drein / vnd vorrat von Speise / Ole vnd wein. [12]Vnd in allen Stedten schafft er Schilde vnd Spies / vnd macht sie seer feste / Vnd Juda vnd BenJamin waren vnter jm.

AVch machten sich zu jm die Priester vnd Leuiten aus gantzem Jsrael vnd allen jren Grentzen / [14]vnd sie verliessen jre Vorstedte vnd Habe / vnd kamen zu Juda gen Jerusalem / Denn Jerobeam vnd seine Söne verstiessen sie / das sie dem HERRN nicht Priesterampt pflegen musten. [15]Er stifftet jm aber Priester zu den Höhen vnd zu den Feldteufeln vnd Kelbern / die er machen lies. [16]Vnd nach jnen kamen aus allen stemmen Jsrael die jr hertz gaben / das sie nach dem HERRN dem Gott Jsrael fragten / gen Jerusalem / das sie opfferten dem HERRN dem Gott jrer veter. [17]Vnd sterckten also das Königreich Juda / vnd bestetigeten Rehabeam den son Salomo drey jar lang / Denn sie wandelten in dem wege Dauid vnd Salomo drey jar.

JEROBEAM.

3. Reg. 12.

VND Rehabeam nam Mahelath die tochter Jerimoth des sons Dauid zum weibe / vnd Abihail die rochter Eliab des sons Jsai / [19]Die gebar jm diese söne / Jeus / Semarja vnd Saham. [20]Nach der nam er Maecha die tochter Absalom / die gebar jm Abia / Athai / Sisa vnd Selomith. [21]Aber Rehabeam hatte Maecha die tochter Absalom lieber denn alle seine Weiber vnd Kebsweiber / Denn er hatte achzehen Weiber vnd sechzig Kebsweiber / vnd zeuget acht vnd zwenzig Söne vnd sechzig Töchter.

[22]Vnd Rehabeam setzt Abia den son Maecha zum Heubt vnd Fürsten vnter seinen brüdern / Denn er gedacht jn König zu machen. [23]Vnd er nam zu vnd brach aus fur allen seinen Sönen in landen Juda vnd BenJamin / in allen festen Stedten / Vnd er gab jnen fütterung die menge / vnd nam viel Weiber.

Abia.

## XII.

DA aber das Königreich Rehabeam bestetiget vnd bekrefftiget ward / verlies er das Gesetz des HERRN vnd gantzes Jsrael mit jm. [2]Aber im fünfften jar des königes Rehabeam zoch er auff Sisak der könig in Egypten wider Jerusalem (Denn sie hatten sich versündigt am HERRN) [3]mit tausent vnd zwey hundert Wagen / vnd mit sechzig tausent Reutern / vnd das Volck war nicht zu zelen das mit jm kam aus Egypten / Libia / Suchim vnd Moren. [4]Vnd er gewan die festen Stedte die in Juda waren / vnd kam bis gen Jerusalem.

Sisak.

DA kam Semaja der Prophet zu Rehabeam vnd zu den öbersten Juda / die sich gen Jerusalem versamlet hatten fur Sisak / vnd sprach zu jnen / || so spricht der HERR / Jr habt mich verlassen / Darumb habe ich euch auch verlassen in Sisaks hand. [6]Da demütigeten sich die öbersten in Jsrael mit dem Könige / vnd sprachen / Der HERR ist gerecht. [7]Als aber der HERR sahe / das sie sich demütigeten / kam das wort des HERRN zu Semaja / vnd sprach / Sie haben sich gedemütiget / drumb wil ich sie nicht verderben / Sondern ich wil jnen ein wenig errettung geben / das mein grim nicht trieffe auff Jerusalem durch Sisak. [8]Doch sollen sie jm vnterthan sein / Das sie innen werden was es sey / mir dienen / vnd den Königreichen in Landen dienen.

Semaja.

|| 242b

[9]ALso zoch Sisak der könig in Egypten er auff gen Jerusalem / vnd nam die Schetze im Hause des HERRN / vnd die schetze im hause des Königs / vnd nams alles weg / Vnd nam auch die gülden Schilde / die Salomo machen lies. [10]An welcher stat lies der könig Rehabeam eherne Schilde machen / vnd befalh sie den obersten der Drabanten die an der thür des Königs haus hutten. [11]Vnd so offt der König in des HERRN Haus gieng / kamen die Drabanten vnd trugen sie / vnd brachten sie wider in der Drabanten kamer. [12]Vnd weil er sich demütiget / wand sich des HERRN zorn von jm /

3. Reg. 14.

das nicht alles verterbet ward / Denn es war in Juda noch was gutes.

REHABEAM 17. jar König in Juda.

ALso ward Rehabeam der König bekrefftiget in Jerusalem / vnd regierte / Ein vnd vierzig jar alt war Rehabeam da er König ward / vnd regierte siebenzehen jar zu Jerusalem / in der Stad die der HERR erwelet hatte aus allen stemmen Jsrael / das er seinen Namen da hin stellet / Seine mutter hies Naema ein Ammonitin. [14]Vnd er handelt vbel / vnd schickt sein hertz nicht das er den HERRN suchet.

[15]DJE Geschicht aber Rehabeam / beide die ersten / vnd die letzten / sind geschrieben in den geschichten Semaja des Propheten / vnd Jddo des Schawers / vnd auffgezeichnet / dazu die kriege Rehabeam vnd Jerobeam jr leben lang. [16]Vnd Rehabeam entschlieff mit seinen Vetern / vnd ward begraben in der stad Dauid / Vnd sein son Abia ward König an seine stat.

## XIII.

ABIA. 3. jar König in Juda.

JM ACHZEHENDEN JAR DES KÖNIGS JEROBEAM / ward Abia König in Juda / [2]Vnd regierte drey jar zu Jerusalem / Seine mutter hies Michaia eine tochter Vriel von Gibea / Vnd es erhub sich ein streit zwischen Abia vnd Jerobeam. [3]Vnd Abia rüstet sich zu dem streit mit vier hundert tausent junger Manschafft starcke Leute zum kriege. Jerobeam aber rüstet sich mit jm zu streiten mit acht hundert tausent junger Manschafft / starcke Leute.

3. Reg. 15.

ZEMARAIM.

VND Abia macht sich auff oben auff den berg Zemaraim / welcher ligt auff dem gebirge Ephraim / vnd sprach / Höret mir zu Jerobeam vnd gantzes Jsrael / [5]Wisset jr nicht / das der HERR der Gott Jsrael / hat das Königreich zu Jsrael Dauid gegeben ewiglich / jm vnd seinen Sönen einen Saltzbund? [6]Aber Jerobeam der son Nebat / der knecht Salomo Dauids son / warff sich auff vnd ward seinem Herrn abtrünnig. [7]Vnd haben sich zu jm geschlagen lose Leut vnd kinder Belial / vnd haben sich gestercket wider Rehabeam den son Salomo / Denn Rehabeam war jung vnd eins blöden hertzen / das er sich fur jnen nicht wehret. [8]Nu denckt jr euch zu setzen wider das Reich des HERRN / vnter den sönen Dauid / weil ewer ein grosser Hauffe ist / vnd habt güldene Kelber / die euch Jerobeam für Götter gemacht hat. [9]Habt jr nicht die Priester des HERRN die kinder Aaron vnd die Leuiten ausgestossen / vnd habt euch eigen Priester gemacht / wie die Völcker in Landen? Wer da kompt seine hand zu füllen mit einem jungen Farren vnd sieben Widder / der wird Priester / dere die nicht Götter sind. ||

3. Reg. 12.

|| 243 a

[10]MJT vns aber ist der HERR vnser Gott / den wir nicht verlassen / Vnd die Priester die dem HERRN dienen / die kinder Aaron / vnd die Leuiten in jrem geschefft / [11]vnd anzünden dem HERRN alle morgen Brandopffer / vnd alle abend. Da zu das gute Reuchwerg / vnd bereite Brot auff den reinen Tisch / vnd der gülden Leuchter mit seinen Lampen / das sie alle abend angezündet werden / Denn wir behalten die Hut des HERRN vnsers Gottes / Jr aber habt jn verlassen. [12]Sihe / mit vns ist an der spitzen Gott vnd seine Priester / vnd die Drometen zu drometen / das man wider euch dromete / Jr kinder Jsrael / streittet nicht wider den HERRN ewer veter Gott / Denn es wird euch nicht gelingen.

ABer Jerobeam macht einen Hinderhalt vmbher / das er von hinden an sie keme / das sie fur Juda waren vnd der Hinderhalt hinder jnen. [14]Da sich nu Juda vmbwand / sihe / da war fornen vnd hinden streit. Da schrien sie zum HERRN / vnd die Priester drometen mit Drometen / [15]vnd jederman in Juda dönet. Vnd da jederman in Juda dönete / plaget Gott Jerobeam vnd das gantze Jsrael fur Abia vnd Juda. [16]Vnd die kinder Jsrael flohen fur Juda / vnd Gott gab sie in jre hende / [17]Das Abia mit seinem volck eine grosse Schlacht an jnen thet / vnd fielen aus Jsrael erschlagene fünff hundert tausent junger Manschafft. [18]Also wurden die kinder Jsrael gedemütiget zu der zeit / Aber die kinder Juda wurden getrost / denn sie verliessen sich auff den HERRN jrer veter Gott. [19]Vnd Abia jaget Jerobeam nach / vnd gewan jm Stedte an / Bethel mit jren töchtern / Jesana mit jren töchtern / vnd Ephron mit jren töchtern / [20]Das Jerobeam förder nicht zu kreften kam / weil Abia lebt / Vnd der HERR plaget jn das er starb.

JEROBEAM.

JSRAEL nider gelegt etc.

DA nu Abia gesterckt war / nam er vierzehen Weiber / vnd zeugete zwey vnd zwenzig Söne / vnd sechzehen Töchter. [22]Was aber mehr von Abia zu sagen ist / vnd seine wege vnd sein thun / das ist geschrieben in der Historia des Propheten

3. Reg. 15.

Jddo.

Jddo. [1]Vnd Abia entschlieff mit seinen Vetern / vnd sie begruben jn in der stad Dauid / Vnd Assa sein son ward König an seine stat / Zu des zeiten war das Land stille zehen jar.

XIIII.

Assa.

3. Reg. 15.

VND ASSA THET DAS RECHT WAR VND DEM HERRN seinem Gott wolgefiel / [3]vnd thet weg die frembden Altar / vnd die Höhen / vnd zubrach die Seulen / vnd hieb die Hayne ab. [4]Vnd lies Juda sagen / das sie den HERRN den Gott jrer Veter suchten / vnd theten nach dem Gesetz vnd Gebot. [5]Vnd er thet weg aus allen stedten Juda / die Höhen vnd die Götzen / Denn das Königreich war still fur jm. [6]Vnd er bawet feste Stedte in Juda / weil das Land still vnd kein streit wider jn war in den selben jaren / Denn der HERR gab jm ruge.

VND er sprach zu Juda / Last vns diese Stedte bawen vnd mauren drumb her füren vnd thürne / thür vnd rigel / weil das Land noch fur vns ist / Denn wir haben den HERRN vnsern Gott gesucht / vnd er hat vns ruge gegeben vmbher. Also baweten sie / vnd gieng glücklich von staten. [8]Vnd Assa hatte ein Heerkrafft die Schild vnd Spies trugen / aus Juda drey hundert tausent / vnd aus BenJamin die Schild trugen / vnd mit den Bogen kundten / zwey hundert vnd achzig tausent / vnd diese waren alle starcke Helden.

Serah.

ES zoch aber wider sie aus Serah der More mit einer Heerskrafft / tausent mal tausent / dazu drey hundert Wagen / vnd kamen bis gen Maresa. [10]Vnd Assa zoch aus gegen jm / Vnd sie rüsteten sich zum streit im tal Zephatha bey Maresa. [11]Vnd Assa rieff an den HERRN seinen Gott / vnd sprach / HERR / Es ist bey dir kein vnterscheid / helffen vnter vielen / oder da kein krafft ist / Hilff vns HERR vnser Gott / Denn wir verlassen vns auff || dich / vnd in deinem Namen sind wir komen / wider diese Menge / HERR vnser Gott wider dich vermag kein Mensch etwas.

Assa Hebet.

|| 243 b

[12]VND der HERR plaget die Moren fur Assa vnd fur Juda / das sie flohen. [13]Vnd Assa sampt dem volck / das bey jm war / jaget jnen nach / bis gen Gerar / Vnd die Moren fielen / das jr keiner lebendig bleib / sondern sie wurden geschlagen fur dem HERRN vnd fur seinem Heerlager / vnd sie trugen seer viel Raubs dauon. [14]Vnd er schlug alle

Wunderbarlicher Sieg.

Stedte vmb Gerar her / Denn die furcht des HERRN kam vber sie / Vnd sie beraubeten alle Stedte / Denn es war viel Raubs drinnen. [15]Auch schlugen sie die Hütten des Viehs / vnd brachten schafe die menge vnd kamel / vnd kamen wider gen Jerusalem.

## XV.

Asarja.

VND AUFF ASARJA DEN SON ODED KAM DER geist Gottes / [2]der gieng hin aus Assa entgegen / vnd sprach zu jm / Höret mir zu Assa vnd gantzes Juda vnd BenJamin. Der HERR ist mit euch / weil jr mit jm seid / vnd wenn jr jn sucht / wird er sich von euch finden lassen / Werdet jr aber jn verlassen / So wird er euch auch verlassen. [3]Es werden aber viel tage sein in Jsrael / das kein rechter Gott / kein Priester der da leret / vnd kein Gesetze sein wird. [4]Vnd wenn sie sich bekeren in jrer not / zu dem HERRN dem Gott Jsrael / vnd werden jn suchen / so wird er sich finden lassen. [5]Zu der zeit / wirds nicht wol gehen / dem / der aus vnd ein gehet / Denn es werden grosse getümel sein vber alle die auff Erden wonen. [6]Denn ein volck wird das ander zuschmeissen / vnd eine Stad die ander / Denn Gott wird sie erschrecken mit allerley angst. [7]Jr aber seid getrost vnd thut ewre hende nicht abe / Denn ewer Werck hat seinen lohn.

1. Cor. 15.

DA aber Assa höret diese wort vnd die weissagung Oded des Propheten / ward er getrost / vnd thet weg die Grewel aus dem gantzen lande Juda vnd BenJamin / vnd aus den Stedten / die er gewonnen hatte auff dem gebirge Ephraim / vnd ernewrt den Altar des HERRN / der fur der Halle des HERRN stund. [9]Vnd versamlet das gantze Juda vnd BenJamin vnd die Frembdlinge bey jnen aus Ephraim / Manasse vnd Simeon / Denn es fielen zu jm aus Jsrael die menge / als sie sahen / das der HERR sein Gott mit jm war.

[10]VND sie versamleten sich gen Jerusalem / des dritten monden im funffzehenden jar des königreichs Assa / [11]vnd opfferten desselben tags dem HERRN von dem Raub den sie gebracht hatten / sieben hundert ochsen / vnd sieben tausent schaf. [12]Vnd sie tratten in den Bund / das sie suchten den HERRN jrer veter Gott / von gantzem hertzen vnd von gantzer seelen. [13]Vnd wer nicht würde den HERRN den Gott Jsrael suchen / solt sterben /

beide klein vnd gros / beide man vnd weib. [14]Vnd sie schwuren dem HERRN mit lauter stimme / mit dönen / mit drometen vnd posaunen / [15]Vnd das gantz Juda war frölich vber dem Eide / Denn sie hatten geschworen von gantzem hertzen / vnd sie suchten jn von gantzem willen / Vnd er lies sich von jnen finden / vnd der HERR gab jnen ruge vmb her.

AVch setzt Assa der König ab Maecha seine mutter vom Ampt / das sie gestifftet hatte im Hayne Miplezeth / Vnd Assa rottet jren Miplezeth aus vnd zusties jn / vnd verbrand jn im bach Kidron. [17]Aber die Höhen in Jsrael wurden nicht abgethan / Doch war das hertz Assa rechtschaffen sein leben lang. [18]Vnd er bracht ein / was sein Vater geheiliget / vnd was er geheiliget hatte / ins haus Gottes / Silber / Gold vnd Gefesse. [19]Vnd es war kein streit / bis in das fünff vnd dreissigst jar des Königreichs Assa.

3. Reg. 15.

MIPLEZETH.

XVI.

JM SECHS VND DREISSIGSTEN JAR DES KÖNIGreichs Assa / zoch er auff Baesa der könig Jsrael wider Juda / vnd bawet Rama / das er Assa dem könig Juda weret aus vnd ein zu ziehen. [2]Aber Assa nam aus dem schatz im Hause des HERRN / vnd im hause des Königs / silber vnd gold / vnd sandte zu Benhadad dem könige zu Syrien / der zu Damascon wonet / vnd lies jm sagen / [3]Es ist ein Bund zwischen mir vnd dir / zwischen meinem vnd deinem vater / Darumb hab ich dir silber vnd gold gesand / das du den Bund mit Baesa dem könige Jsrael faren lassest / das er von mir abziehe.

BAESA.

|| 244a

3. Reg. 15.

[4]BEnhadad gehorchet dem könige Assa / vnd sandte seine Heerfürsten wider die stedte Jsrael / Die schlugen Eion / Dan vnd AbelMaim / vnd alle Kornstedte Naphthali. [5]Da Baesa das höret / lies er ab Rama zu bawen / vnd höret auff von seinem werck. [6]Aber der könig Assa nam zu sich das gantze Juda / vnd sie trugen die Steine vnd das Holtz von Rama / da mit Baesa bawete / vnd er bawete da mit Geba vnd Mizpa.

ZV der zeit kam [7]Hanani der Seher zu Assa dem könige Juda / vnd sprach zu jm / Das du dich auff den könig zu Syrien verlassen hast / vnd hast dich nicht auff den HERRN deinen Gott verlassen / Darumb ist die macht des königs zu Syrien deiner

HANANI der Seher.

Jnfr. 19.

hand entrunnen. [8]Waren nicht die Moren vnd Libier eine grosse menge mit seer viel Wagen vnd Reutern? Noch gab sie der HERR in deine hand / da du dich auff jn verliessest. [9]Denn des HERRN augen schawen alle Land / das er stercke die / so von gantzem hertzen an jm sind. Du hast thörlich gethan / Darumb wirstu auch von nu an krieg haben. [10]Aber Assa ward zornig vber den Seher / vnd legt jn ins Gefengnis / Denn er murret mit jm vber diesem stück / Vnd Assa vnterdrückt etliche des volcks zu der zeit.

[11]DJe Geschicht aber Assa / beide die ersten vnd letzten / Sihe / die sind geschrieben im Buch von den königen Juda vnd Jsrael. [12]Vnd Assa ward kranck an seinen Füssen im neun vnd dreissigsten jar seines Königreichs / vnd seine kranckheit nam seer zu / Vnd sucht auch in seiner kranckheit den HERRN nicht / sondern die Ertzte. [13]Also entschlieff Assa mit seinen Vetern / vnd starb im ein vnd vierzigsten jar seines Königreichs. [14]Vnd man begrub jn in seinem Grabe / das er jm hat lassen graben in der stad Dauid / Vnd sie legten jn auff sein Lager / Welchs man gefüllet hatte mit gutem Reuchwerg / vnd allerley Specerey nach Apoteker kunst gemacht / vnd machten ein seer gros brennen.

## XVII.

3. Reg. 22.

JOSAPHAT.

VND SEIN SON JOSAPHAT WARD KÖNIG AN SEINE stat / vnd ward mechtig wider Jsrael. [2]Vnd er legt Kriegsuolck in alle feste stedte Juda / vnd setzet Amptleute im lande Juda / vnd in den stedten Ephraim / die sein vater Assa gewonnen hatte. [3]Vnd der HERR war mit Josaphat / Denn er wandelt in den vorigen wegen seines vaters Dauids / vnd suchte nicht Baalim / [4]sondern den Gott seines Vaters. Vnd wandelt in seinen Geboten / vnd nicht nach den wercken Jsrael. [5]Darumb bestetiget jm der HERR das Königreich / Vnd gantz Juda gab Josaphat Geschencke / vnd er hatte Reichtum vnd Ehre die menge. [6]Vnd da sein hertz mutig ward in den wegen des HERRN / thet er förder ab die Höhen vnd Hayne aus Juda.

JM dritten jar seines Königreichs sandte er seine Fürsten / Benhail / Obadja / Sacharia / Nethaneel vnd Michaja / das sie leren solten in den stedten Juda / [8]vnd mit jnen die Leuiten / Semaja / Nethanja / Sebadja / Asael / Semiramoth / Jonathan / Adonia / Tobia / vnd TobAdonia / vnd mit jnen die Priester Elisama vnd Joram. [9]Vnd sie lereten in Juda / vnd hatten das Gesetzbuch des HERRN mit sich / vnd zogen vmbher in allen stedten Juda / vnd lereten das volck. ‖ ‖ 244b

[10]VND es kam die furcht des HERRN vber alle Königreich in den Landen / die vmb Juda her lagen / das sie nicht stritten wider Josaphat. [11]Vnd die Philister brachten Josaphat Geschencke / eine last silbers / Vnd die Araber brachten jm sieben tausent vnd sieben hundert Wider / vnd sieben tausent vnd sieben hundert Böcke. [12]Also nam Josaphat zu vnd ward jmer grösser / Vnd er bawete in Juda Schlösser vnd Kornstedte. [13]Vnd hatte viel vorrats in den stedten Juda vnd streitbar Menner vnd gewaltige Leute zu Jerusalem.

(Vorrats) Nicht allein des Getreides / sondern auch des Zeugs / Woffen oder Rüstung.

[14]VND dis war die Ordnung vnter jrer Veter haus die in Juda vber die tausent Obersten waren. Adna ein Oberster / vnd mit jm waren drey hundert tausent gewaltige Leute. [15]Neben jm war Johanan der Oberst / vnd mit jm waren zwey hundert vnd achzig tausent. [16]Neben jm war Amasja der son Sichri der freiwillige des HERRN / vnd mit jm waren zwey hundert tausent gewaltige Leute. [17]Von den kindern BenJamin war Eliada ein gewaltiger Man / vnd mit jm waren zwey hundert tausent / die mit Bogen vnd Schilde gerüst waren. [18]Neben jm war Josabad / vnd mit jm waren hundert vnd achzig tausent gerüste zum Heer. [19]Diese warteten alle auff den König / On was der König noch gelegt hatte in den festen Stedten in gantzem Juda.

## XVIII.

AHAB. 3. Reg. 22.

VND JOSAPHAT HATTE GROSSE REICHTHUM VND ehre / vnd befreundet sich mit Ahab. [2]Vnd nach zweien jaren zoch er hin ab zu Ahab gen Samaria / Vnd Ahab lies fur jn vnd fur das volck das bey jm war viel Schafe vnd Ochsen schlachten / Vnd er beredet jn / das er hin auff gen Ramoth in Gilead zöge. [3]Vnd Ahab der könig Jsrael sprach zu Josaphat dem könige Juda / Zeuch mit mir gen Ramoth in Gilead. Er sprach zu jm / Jch bin wie du / vnd mein volck wie dein volck / Wir wöllen mit dir in den streit.

ABer Josaphat sprach zum könige Jsrael / Lieber frage heute des HERRN wort. [5]Vnd der könig Jsrael samlete der Propheten vier hundert Man / vnd sprach zu jnen / Sollen wir gen Ramoth in Gilead ziehen in streit / Oder sol ichs lassen anstehen? Sie sprachen / Zeuch hin auff / Gott wird sie in des Königs hand geben. [6]Josaphat aber sprach / Jst nicht jrgent noch ein Prophet des HERRN hie / das wir von jm fragten? [7]Der könig Jsrael sprach zu Josaphat / Es ist noch ein Man / das man den HERRN von jm frage / Aber ich bin jm gram / Denn er weissagt vber mich kein guts / sondern allewege böses / nemlich / Micha der son Jemla. Josaphat sprach / Der König rede nicht also.

VND der könig Jsrael rieff seiner Kemerer einen / vnd sprach / Bringe eilend her Micha den son Jemla. [9]Vnd der könig Jsrael vnd Josaphat der könig Juda sassen / ein jglicher auff seinem stuel mit Kleidern angezogen / sie sassen aber auff dem Platz fur der thür am thor zu Samaria / vnd alle Propheten weissagten fur jnen. [10]Vnd Zidekia / der son Cnaena / macht jm eiserne Hörner / vnd sprach / so spricht der HERR / Hie mit wirstu die Syrer stossen / bis du sie auffreibest. [11]Vnd alle Propheten weissagten auch also / vnd sprachen / Zeuch hin auff / Es wird dir gelingen / der HERR wird sie geben ins Königes hand.

ZIDEKIA.

VND der Bote der hin gegangen war Micha zu ruffen / redet mit jm / vnd sprach / Sihe / der Propheten rede sind eintrechtig gut fur den König / Lieber / las dein wort auch sein wie der einen / vnd rede guts. [13]Micha aber sprach / So war der HERR lebet / was mein Gott sagen wird / das wil ich reden. [14]Vnd da er zum Könige kam / sprach der König zu jm / Micha / Sollen wir gen Ramoth in Gilead in streit ziehen / oder sol ichs lassen anstehen? Er sprach / Ja / ziehet hin auff / Es wird euch gelingen / Es wird euch in ewre hende gegeben werden. ‖

MICHA.

‖ 245 a

[15]ABer der König sprach zu jm / Jch beschwere dich noch ein mal / das du mir nichts sagest / denn die warheit im Namen des HERRN. [16]Da sprach er / Jch sahe das gantze Jsrael zustrewet auff den Bergen / wie Schafe die keinen Hirten haben. Vnd der HERR sprach / Haben diese keine Herren? Es kere ein jglicher wider heim mit frieden. [17]Da sprach der könig Jsrael zu Josaphat / Sagt ich dir nicht / Er weissaget vber mich kein gutes / sondern böses?

[18]ER aber sprach / Darumb höret des HERRN wort / Jch sahe den HERRN sitzen auff seinem Stuel / vnd alles himlische Heer stund zu seiner rechten vnd zu seiner lincken. [19]Vnd der HERR sprach / Wer wil Ahab den könig Jsrael vberreden / das er hin auff ziehe / vnd falle zu Ramoth in Gilead. Vnd da dieser so / vnd jener sonst sagt / [20]kam ein Geist erfur / vnd trat fur den HERRN / vnd sprach / Jch wil jn vberreden. Der HERR aber sprach zu jm / Wo mit? [21]Er sprach / Jch wil ausfaren / vnd ein falscher Geist sein in aller seiner Propheten munde. Vnd er sprach / Du wirst jn vberreden vnd wirsts ausrichten / Far hin / vnd thu also. [22]Nu sihe / der HERR hat einen falschen Geist gegeben in dieser deiner Propheten mund / vnd der HERR hat böses wider dich geredt.

3. Reg. 22.

ZIDEKIA schlecht Micha etc.

DA trat erzu Zidekia der son Cnaena / vnd schlug Micha auff den Backen / vnd sprach / Durch welchen weg ist der Geist des HERRN von mir gegangen / das er durch dich redet? [24]Micha sprach / Sihe / du wirsts sehen / wenn du in die innerste Kamer kompst / das du dich versteckest / [25]Aber der könig Jsrael sprach / Nemet Micha / vnd lasst jn bleiben bey Amon dem Staduogt / vnd bey Joas dem son des Königes. [26]Vnd saget / so spricht der König / Legt diesen ins Gefengnis / vnd speiset jn mit Brot vnd Wasser des trübsals / bis ich wider kome mit frieden. [27]Micha sprach / Kompstu mit frieden wider / so hat der HERR nicht durch mich geredt. Vnd er sprach / Höret jr völcker alle.

ALso zoch hin auff der könig Jsrael / vnd Josaphat der könig Juda gen Ramoth in Gilead. Vnd der könig Jsrael sprach zu Josaphat / Jch wil mich verkleiden vnd in streit komen / Du aber habe deine kleider an. [29]Vnd der könig Jsrael verkleidet sich / vnd sie kamen in den streit. [30]Aber der könig zu Syrien hatte seinen öbersten Reutern geboten / Jr solt nicht streiten weder gegen klein noch gegen gros / Sondern gegen dem könig Jsrael alleine.

[31]DA nu die öbersten Reuter Josaphat sahen / dachten sie / Es ist der könig Jsrael / vnd zogen vmbher auff jn zu streitten / Aber Josaphat schrey / vnd der HERR halff jm / vnd Gott wandte sie von jm. [32]Denn da die öbersten Reuter sahen / das er nicht der könig Jsrael war / wandten sie sich von jm abe. [33]Es spannet aber ein Man seinen Bogen

on gefehr / vnd schos den könig Jsrael zwisschen dem Pantzer vnd Hengel / Da sprach er zu seinem Furman / Wende deine hand vnd füre mich aus dem Heer / denn ich bin wund. [34]Vnd der streit nam zu des tages / Vnd der könig Jsrael stund auff seinem Wagen gegen die Syrer / bis an den abend / vnd starb da die Sonne vntergieng.

## XIX.

JOSAPHAT ABER DER KÖNIG JUDA / KAM WIDER heim mit frieden gen Jerusalem. [2]Vnd es gieng jm entgegen hin aus Jehu / der son Hanani der Schawer / vnd sprach zum könige Josaphat / Soltu so dem Gottlosen helffen / vnd lieben die den HERRN hassen? Vnd vmb des willen ist vber dir der zorn vom HERRN. [3]Aber doch ist was guts an dir funden / das du die Hayne hast ausgefegt aus dem Lande / vnd hast dein hertz gerichtet Gott zu suchen. [4]Also bleib Josaphat zu Jerusalem.

Sup. 16.

JEHU.

VND er zoch widerumb aus vnter das Volck / von Berseba an bis auffs gebirge Ephraim / vnd bracht sie wider zu dem HERRN jrer veter Gott [5]Vnd er bestellet Richter im Lande in allen festen stedten Juda / in einer || jglichen Stad etliche. [6]Vnd sprach zu den Richtern / Sehet zu was jr thut / Denn jr haltet das Gericht nicht den Menschen / sondern dem HERRN / vnd er ist mit euch im Gericht. [7]Darumb lasst die furcht des HERRN bey euch sein / vnd hütet euch vnd thuts / Denn bey dem HERRN vnserm Gott ist kein vnrecht / noch ansehen der Person / noch annemen des Geschencks.

|| 245 b

ERMANUNG an die Richter.

[8]AVch bestellet Josaphat zu Jerusalem aus den Leuiten vnd Priestern / vnd aus den öbersten Vetern vnter Jsrael / vber das Gericht des HERRN / vnd vber die sachen / vnd lies sie zu Jerusalem wonen. [9]Vnd gebot jnen / vnd sprach / Thut also in der furcht des HERRN / trewlich vnd mit rechtem hertzen. [10]Jn allen Sachen die zu euch komen von ewrn Brüdern / die in jren Stedten wonen / zwisschen blut vnd blut / zwisschen Gesetz vnd Gebot / zwisschen Sitten vnd Rechten / solt jr sie vntterrichten / das sie sich nicht verschüldigen am HERRN / vnd ein zorn vber euch vnd ewre Brüder kome / Thut jm also / so werdet jr euch nicht verschüldigen. [11]Sihe / Amarja der Priester ist der öberst vber euch in allen sachen des HERRN / So

ist Sabadja / der son Jsmael / Fürst im hause Juda in allen sachen des Königs / So habt jr Amptleute die Leuiten fur euch / Seid getrost vnd thuts / vnd der HERR wird mit dem guten sein.

## XX.

NACH DIESEM KAMEN DIE KINDER MOAB / DIE kinder Ammon / vnd mit jnen von den Amunim wider Josaphat zu streiten. [2]Vnd man kam vnd sagets Josaphat an / vnd sprach / Es kompt wider dich eine grosse menge von jenseid dem Meer / von Syrien / vnd sihe / sie sind zu Hazezon-Thamar / das ist Engeddi. [3]Josaphat aber furchte sich / vnd stellet sein angesicht zu suchen den HERRN / vnd lies eine Fasten ausruffen vnter gantz Juda. [4]Vnd Juda kam zusamen / den HERRN zu suchen / Auch kamen aus allen stedten Juda den HERRN zu suchen. [5]Vnd Josaphat trat vnter die gemeine Juda vnd Jerusalem im Hause des HERRN fur dem newen Hofe / [6]vnd sprach.

JOSAPHATS Gebet.

HERR vnser veter Gott / bistu nicht Gott im Himel / vnd Herrscher in allen Königreichen der Heiden? Vnd in deiner Hand ist krafft vnd macht / vnd ist niemand der wider dich stehen müge. [7]Hastu vnser Gott nicht die Einwoner dieses Lands vertrieben fur deinem volck Jsrael / vnd hast es gegeben dem samen Abraham deines Liebhabers ewiglich / [8]das sie drinnen gewonet / vnd dir ein Heiligthumb zu deinem Namen drinnen gebawet haben / vnd gesagt / [9]Wenn ein Vnglück / Schwert / Straffe / Pestilentz / oder Thewrung vber vns kompt / Sollen wir stehen fur diesem Hause fur dir (Denn dein Name ist in diesem Hause) vnd schreien zu dir in vnser not / So woltestu hören vnd helffen?

[10]NV sihe / Die kinder Ammon / Moab / vnd die vom gebirge Seir / vber welche du die kinder Jsrael nicht ziehen liessest / da sie aus Egyptenland zogen / Sondern musten von jnen weichen / vnd sie nicht vertilgen / [11]Vnd sihe / Sie lassen vns des entgelten / vnd komen vns aus zu stossen aus deinem Erbe / das du vns hast eingegeben. [12]Vnser Gott wiltu sie nicht richten? Denn in vns ist nicht krafft gegen diesem grossen Hauffen / der wider vns kompt. Wir wissen nicht was wir thun sollen / Sondern vnser augen sehen nach dir. [13]Vnd das

Deut. 2.

gantze Juda stund fur dem HERRN / mit jren Kindern / Weibern vnd Sönen.

ABer auff Jehasiel den son Zacharja / des sons Benaja / des sons Jehiel / des sons Mathanja den Leuiten / aus den kindern Assaph / kam der Geist des HERRN mitten in die Gemeine / [15]vnd sprach / Mercket auff gantz Juda vnd jr einwoner zu Jerusalem / vnd der könig Josaphat / so spricht der HERR zu euch / Jr solt euch nicht fürchten noch zagen fur diesem grossen || Hauffen / Denn jr streitet nicht / sondern Gott. [16]Morgen solt jr zu jnen hinab ziehen / Vnd sihe / sie ziehen an Ziz er auff / vnd jr werdet an sie treffen am schilff im Bach fur der wüsten Jeruel. [17]Denn jr werdet nicht streiten in dieser sachen / Trettet nur hin / vnd stehet / vnd sehet das Heil des HERRN / der mit euch ist. Juda vnd Jerusalem fürchtet euch nicht / vnd zaget nicht / morgen ziehet aus wider sie / Der HERR ist mit euch.

JEHASIEL.

|| 246a

[18]DA beuget sich Josaphat mit seinem andlitz zur erden / vnd gantz Juda / vnd die einwoner zu Jerusalem fielen fur den HERRN / vnd beten den HERRN an. [19]Vnd die Leuiten aus den kindern der Kahathiter / vnd aus den kindern der Korhiter machten sich auff zu loben den HERRN den Gott Jsrael mit grossem geschrey gen Himel.

VND sie machten sich des morgens früe auff vnd zogen aus zur wüsten Thekoa. Vnd da sie auszogen / stund Josaphat / vnd sprach / Höret mir zu Juda / vnd jr einwoner zu Jerusalem / GLEUBT AN DEN HERRN EWREN GOTT / SO WERDET JR SICHER SEIN / VND GLEUBT SEINEN PROPHETEN / SO WERDET JR GLÜCK HABEN. [21]Vnd er vnterweiset das Volck / vnd stellet die Senger dem HERRN / das sie lobeten in heiligem Schmuck / vnd fur den Gerüsten her zögen / vnd sprechen / Dancket dem HERRN / Denn seine Barmhertzigkeit weret ewiglich.

[22]VND da sie anfiengen mit dancken vnd loben / lies der HERR den Hinderhalt / der wider Juda komen war / vber die kinder Ammon / Moab vnd die vom gebirge Seir / komen / vnd schlugen sie. [23]Da stunden die kinder Ammon vnd Moab wider die vom gebirge Seir / sie zu verbannen vnd zu vertilgen. Vnd da sie die vom gebirge Seir hatten alle auffgerieben / halff einer dem andern / das sie sich auch verderbeten.

SIEG ON ALLE schwertschlag.

DA aber Juda gen Mizpe kam an der wüsten / wandten sie sich gegen den Hauffen / vnd sihe / da lagen die todten Leichnam auff der erden / das keiner entrunnen war. [25]Vnd Josaphat kam mit seinem volck jren Raub aus zu teilen / vnd funden vnter jnen so viel Güter vnd Kleider / vnd köstlich Geretes / vnd entwandtens jnen / das auch nicht zu tragen war / Vnd teileten drey tage den Raub aus / denn es war sein viel. [26]Am vierden tage aber kamen sie zusamen im Lobetal / denn daselbs lobeten sie den HERRN / da her heisst die stete Lobetal / bis auff diesen tag.

LOBETAL.

[27]ALso keret jederman von Juda vnd Jerusalem widerumb / vnd Josaphat an der spitzen / das sie gen Jerusalem zogen mit freuden / Denn der HERR hat jnen eine freude gegeben an jren Feinden. [28]Vnd zogen gen Jerusalem ein mit Psaltern / Harffen vnd Drometen zum Hause des HERRN. [29]Vnd die furcht Gottes kam vber alle Königreich in Landen / da sie höreten / das der HERR wider die feinde Jsrael gestritten hatte. [30]Also war das Königreich Josaphat stille / vnd Gott gab jm ruge vmbher.

JOSAPHAT 25. jar König in Juda.

VND Josaphat regierte vber Juda / vnd war fünff vnd dreissig jar alt / da er König ward / vnd regierte fünff vnd zwenzig jar zu Jerusalem / Seine mutter hies Asuba / eine tochter Silhi. [32]Vnd er wandelt in dem wege seins vaters Assa / vnd lies nicht dauon / das er thet was dem HERRN wol gefiel / [33]On die Höhen wurden nicht abgethan / Denn das Volck hatte sein hertz noch nicht geschickt zu dem Gott jrer veter. [34]Was aber mehr von Josaphat zu sagen ist / beide das erste vnd das letzte / Sihe / das ist geschrieben in den geschichten Jehu / des sons Hanani / die er auffgezeichent hat ins Buch der könige Jsrael.

AHASJA.

DARnach vereiniget sich Josaphat der könig Juda mit Ahasja dem könige Jsrael / welcher war Gottlos mit seinem thun. [36]Vnd er vereiniget sich mit jm Schiffe zu machen / das sie auffs Meer füren / vnd sie machten die schiff zu EzeonGaber.

ELIESER.

[37]Aber Elieser der son Dodaua von Maresa weissaget ‖ wider Josaphat / vnd sprach / Darumb das du dich mit Ahasja vereiniget hast / hat der HERR deine werck zurissen / Vnd die Schiff worden zubrochen vnd mochten nicht auffs Meer fahren.

‖ 246b

## XXI.

4. Reg. 8.

VND JOSAPHAT ENTSCHLIEFF MIT SEINEN VEtern / vnd ward begraben bey seine Veter in der stad Dauid / vnd sein son Joram ward König an seine stat. [2]Vnd er hatte brüder / Josaphats söne / Asarja / Jehiel / Sacharja / Azarja / Michael / vnd Sephatja / diese waren alle kinder Josaphat des königes Juda. [3]Vnd jr vater gab jnen viel Gaben / von silber / gold vnd kleinot / mit festen stedten in Juda / Aber das Königreich gab er Joram / denn der war der erstgeborne.

JORAM 8. jar König in Juda.

DA aber Joram auffkam vber das Königreich seines vaters / vnd sein mechtig ward / erwürget er seine Brüder alle mit dem schwert / dazu auch etliche Obersten in Jsrael. [5]Zwey vnd dreissig jar alt war Joram da er König ward / vnd regieret acht jar zu Jerusalem. [6]Vnd wandelt in dem wege der könige Jsrael / wie das haus Ahab gethan hatte / Denn Ahabs tochter war sein weib / vnd thet das dem HERRN vbel gefiel. [7]Aber der HERR wolte das haus Dauid nicht verderben / vmb des Bunds willen / den er mit Dauid gemacht hatte / vnd wie er geredt hatte / jm ein Liecht zu geben / vnd seinen Kindern jmerdar.

JORAM erwürget seine Brüder.

ZV seiner zeit fielen die Edomiter ab von Juda / vnd machten vber sich einen König. [9]Denn Joram war hinüber gezogen mit seinen Obersten / vnd alle wagen mit jm / vnd hatte sich des nachts auffgemacht / vnd die Edomiter vmb jn her / vnd die Obersten der wagen geschlagen. [10]Darumb fielen die Edomiter ab von Juda / bis auff diesen tag. Zur selben zeit fiel Libna auch von jm abe. Denn er verlies den HERRN seiner veter Gott / [11]Auch macht er Höhen auff den bergen in Juda / vnd machet die zu Jerusalem huren / vnd verfüret Juda.

EDOMITER abgefallen von Juda.

LIBNA.

ES KAM ABER SCHRIFFT ZU JM VON DEM PROPHETEN Elia / die laut also / so spricht der HERR der Gott deines vaters Dauids / Darumb / das du nicht gewandelt hast in den wegen deines vaters Josaphat / noch in den wegen Assa des königes Juda / [13]Sondern wandelst in dem wege der könige Jsrael / vnd machest / das Juda vnd die zu Jerusalem huren / nach der hurerey des hauses Ahab / vnd hast dazu deine Brüder deines Vaters hauses erwürget / die besser waren denn du / [14]Sihe / so wird dich der

ELIA schrifft an Joram.

HERR mit einer grossen Plage schlahen / an deinem Volck / an deinen Kindern / an deinen Weibern / vnd an alle deiner Habe. [15]Du aber wirst viel kranckheit haben in deinem Eingeweide / bis das dein eingeweide fur kranckheit er ausgehe von tage zu tage.

ALso erwecket der HERR wider Joram den geist der Philister vnd Araber die neben den Moren ligen / [17]vnd zogen er auff in Juda vnd zurissen sie / vnd füreten weg alle Habe die furhanden war im hause des Königes / da zu seine Söne / vnd seine Weiber / Das jm kein Son vberbleib / on Joahas sein junger son. [18]Vnd nach dem allen / plaget jn der HERR in seinem Eingeweide mit solcher kranckheit / die nicht zu heilen war. [19]Vnd da das weret von tage zu tage / als die zeit zweier jar vmb war / gieng sein Eingeweide von jm mit seiner kranckheit / vnd er starb an bösen kranckheiten / Vnd sie machten nicht vber jm einen brand / wie sie seinen Vetern gethan hatten. [20]Zwey vnd dreissig jar alt war er / da er König ward / vnd regiert acht jar zu Jerusalem / vnd wandelt das nicht fein war / Vnd sie begruben jn in der stad Dauid / Aber nicht vnter der Könige greber.

## XXII.

Ahasja.
1. jar König in Juda.

|| 247 a
4. Reg. 8.

VND DIE ZU JERUSALEM MACHTEN ZUM KÖNIGE Ahasja / seinen jüngsten Son an seine stat / Denn die Kriegsleute / die aus den Arabern mit dem Heer kamen / hatten die ersten alle erwürget / Darumb ward könig Ahasja der son Joram des königes Juda. [2]Zwey vnd vierzig jar alt war Ahasja da er König ward / vnd regierte ein jar zu Jerusalem / Seine mutter hies Athalja / die tochter Amri. [3]Vnd er wandelt auch in den wegen des hauses Ahab / denn seine mutter hielt jn dazu / das er Gottlos war. [4]Darumb thet er das dem HERRN vbel gefiel / wie das haus Ahab / Denn sie waren seine Ratgeben nach seines Vaters tod / das sie jn verderbeten / [5]vnd er wandelt nach jrem Rat.

Joram.

Hasael.

VND er zoch hin mit Joram dem son Ahab dem könige Jsrael in den streit gen Ramoth in Gilead / wider Hasael den könig zu Syria. Aber die Syrer schlugen Joram / [6]das er vmbkeret sich heilen zu lassen zu Jesreel / denn er hatte wunden / die jm geschlagen waren zu Rama / da er streit mit Hasael dem könige zu Syria. Vnd Ahasja der son Joram / der könig Juda / zoch hin ab zu besehen Joram den son Ahab zu Jesreel / der kranck lag. [7]Denn es war von Gott Ahasja der vnfal zugefügt / das er zu Joram keme / vnd also mit Joram auszöge wider Jehu den son Nimsi / welchen der HERR gesalbet hatte / auszurotten das haus Ahab.

AHASJA.

4. Reg. 9.

DA nu Jehu straffe vbet am hause Ahab / fand er etliche Obersten aus Juda / vnd die kinder der brüder Ahasja / die Ahasja dieneten / vnd erwürget sie. [9]Vnd er suchte Ahasja / vnd gewan jn / da er sich versteckt hatte zu Samaria / Vnd er ward zu Jehu gebracht / der tödtet jn / Vnd man begrub jn / Denn sie sprachen / Er ist Josaphats son der nach dem HERRN trachtet von gantzem hertzen. Vnd es war niemand mehr aus dem hause Ahasja der König würde.

JEHU.

4. Reg. 11.

DA aber Athalja / die mutter Ahasja sahe / das jr Son tod war / macht sie sich auff / vnd bracht vmb allen königlichen Samen im hause Juda. [11]Aber Josabeath des Königs schwester nam Joas den son Ahasja / vnd stal jn vnter den kindern des Königs die getödtet worden / vnd thet jn mit seiner Ammen in eine Schlaffkamer. Also verbarg jn Josabeath / die tochter des königs Joram / des Priesters Joiada weib (denn sie war Ahasja schwester) fur Athalja / das er nicht getödtet ward. [12]Vnd er ward mit jnen im hause Gottes versteckt sechs jar / weil Athalja königin war im Lande.

ATHALJA.

JOSABEATH.

## XXIII.

4. Reg. 11.

ABER IM SIEBENDEN JAR NAM JOIADA EINEN MUT / vnd nam die Obersten vber hundert / nemlich / Asarja den son Jeroham / Jsmael den son Johanan / Asarja den son Obed / Maeseja den son Adaja / vnd Elisaphat den son Sichri mit jm / zum Bund. [2]Die zogen vmb her in Juda / vnd brachten die Leuiten zuhauffe aus allen stedten Juda / vnd die öbersten Veter vnter Jsrael / das sie kemen gen Jerusalem. [3]Vnd die gantze Gemeine macht einen Bund im hause Gottes mit dem Könige / Vnd er sprach zu jnen / Sihe / Des königs Son sol König sein / wie der HERR geredt hat vber die kinder Dauid. [4]So solt jr nu also thun.

JOIADA.

EWer das dritte teil / die des Sabbaths antretten / sol sein vnter den Priestern vnd Leuiten die

Thorhüter sind an der schwellen / [5]vnd das dritte teil im hause des Königs / vnd das dritte teil am Grundthor / Aber alles volck sol sein im hofe am Hause des HERRN. [6]Vnd das niemand in das Haus des HERRN gehe / on die Priester vnd Leuiten die da dienen / die sollen hin ein gehen / denn sie sind Heiligthum / vnd alles volck warte der Hut des HERRN. [7]Vnd die Leuiten sollen sich rings vmb den König her machen / ein jglicher mit seiner Wehre in der hand / vnd wer ins Haus gehet / der sey des tods / Vnd sie sollen bey dem Könige sein / wenn er aus vnd eingehet. ‖

‖ 247b

[8]VND die Leuiten vnd gantz Juda theten / wie der Priester Joiada geboten hatte / vnd nam ein jglicher seine Leute / die des Sabbaths antratten mit denen die des Sabbaths abtratten / Denn Joiada der Priester lies die zween Hauffen nicht von einander komen. [9]Vnd Joiada der Priester gab den Obersten vber hundert / Spiesse vnd Schilde / vnd Wapen des königs Dauids / die im hause Gottes waren. [10]Vnd stellet alles volck / einen jglichen mit seinem Woffen in der hand / von dem rechten winckel des Hauses bis zum lincken winckel / zum Altar vnd zum Hause werts vmb den König her. [11]Vnd sie brachten des königs Son erfür / vnd setzten jm die Kron auff / vnd das Zeugnis / vnd machten jn zum Könige / Vnd Joiada sampt seinen Sönen salbeten jn / vnd sprachen / Glück zu dem Könige.

(Zeugnis) Fein ist dem König / beide die Kron vnd das Buch gegeben / Auff das er nicht allein mechtig / sondern auch weise sein solte / Oder (wie mans reden mag) Gottes wort vnd Recht wissen / So macht man jtzt König mit einem Schwert vnd Buch etc.

ATHALJA.

DA aber Athalja höret das geschrey des volcks / das zulieff / vnd den König lobet / gieng sie zum volck im Hause des HERRN. [13]Vnd sie sahe / vnd sihe / der König stund an seiner stet im eingang / vnd die Obersten / vnd drometen vmb den König / vnd alles Landuolck war frölich / vnd blies drometen / vnd die Senger mit allerley Seitenspiel geschickt zu loben. Da zureis sie jre Kleider / vnd sprach / Auffrhur / auffrhur. [14]Aber Joiada der Priester macht sich er aus mit den Obersten vber hundert die vber das Heer waren / vnd sprach zu jnen / Füret sie vom Hause vber den Hof hin aus / vnd wer jr nachfolget / den sol man mit dem schwert tödten. Denn der Priester hatte befolhen / man solte sie nicht tödten im Hause des HERRN. [15]Vnd sie legten die hende an sie / vnd da sie kam zum eingang des Rosthors am hause des Königs / tödteten sie sie daselbs.

VND Joiada macht einen Bund zwisschen jm vnd allem volck vnd dem Könige / das sie des HERRN volck sein solten. [17]Da gieng alles volck ins haus Baal / vnd brachen jn ab / vnd seine Altar vnd Bilde zubrachen sie / vnd erwürgeten Mathan den Priester Baal fur den Altaren. [18]Vnd Joiada bestellet die Ampt im Hause des HERRN vnter den Priestern vnd den Leuiten / die Dauid verordenet hatte zum Hause des HERRN / Brandopffer zu thun dem HERRN / wie es geschrieben stehet im gesetz Mose / mit freuden vnd Lieden durch Dauid getichtet. [19]Vnd stellet Thorhüter in die thor am Hause des HERRN / das nichts vnreins hin ein keme an jrgend einem dinge.

HAUS BAAL.

[20]VND er nam die Obersten vber hundert / vnd die mechtigen vnd Herren im volck / vnd alles Landuolck / vnd füret den König hin ab vom Hause des HERRN / vnd brachten jn durch das Hohethor am hause des Königs / vnd liessen den König sich auff den königlichen Stuel setzen. [21]Vnd alles Landuolck war frölich / vnd die Stad war stille / Aber Athalja ward mit dem schwert erwürget.

## XXIIII.

4. Reg. 12.

JOAS WAR SIEBEN JAR ALT DA ER KÖNIG WARD / vnd regieret vierzig jar zu Jerusalem / Seine mutter hies Zibja von Berseba. [2]Vnd Joas thet was dem HERRN wolgefiel / so lange der Priester Joiada lebete. [3]Vnd Joiada gab jm zwey Weiber / vnd er zeugete Söne vnd Töchter.

JOAS 40. jar König in Juda.

DArnach nam Joas fur / das Haus des HERRN zu ernewern. [5]Vnd versamlet die Priester vnd Leuiten / vnd sprach zu jnen / Ziehet aus zu allen stedten Juda / vnd samlet geld aus gantzem Jsrael / das Haus ewers Gottes zu bessern jerlich / vnd eilet solchs zu thun / Aber die Leuiten eileten nicht. [6]Da rieff der König Joiada dem Fürnemesten / vnd sprach zu jm / Warumb hastu nicht acht auff die Leuiten / das sie einbringen / von Juda vnd Jerusalem die Stewr / die Mose der knecht des HERRN / gesetzt hat / die man samlet || vnter Jsrael zu der Hütten des Stiffts? [7]Denn die gottlose Athalja vnd jre Söne haben das haus Gottes zurissen / vnd alles was zum Hause des HERRN geheiliget war / haben sie an Baalim vermacht.

|| 248 a

[8]DA befalh der König / das man eine Lade machte / vnd setzet sie haussen ins thor am Hause

des HERRN. [9]Vnd lies ausruffen in Juda vnd zu Jerusalem / das man dem HERRN einbringen solt die Stewre / von Mose dem knechte Gottes / auff Jsrael gelegt in der wüsten. [10]Da freweten sich alle Obersten vnd alles Volck / vnd brachtens vnd worffens in die Lade / bis sie vol ward. [11]Vnd wens zeit war / das man die Lade her bringen solt / durch die Leuiten / nach des Königes befelh (wenn sie sahen / das viel geld drinnen war) so kam der Schreiber des Königs / vnd wer vom fürnemesten Priester befelh hatte / vnd schutten die Laden aus / vnd trugen sie wider hin an jren ort / So theten sie alle tage / das sie gelds die menge zu hauff brachten.

[12]VND der König vnd Joiada gabens den Erbeitern / die da schaffeten am Hause des HERRN / dieselben dingeten Steinmetzen vnd Zimmerleute / zu ernewern das Haus des HERRN / auch den Meistern an eisen vnd ertz / zu bessern das Haus des HERRN. [13]Vnd die Erbeiter erbeiten das die besserung im werck zunam durch jre hand / vnd machten das haus Gottes gantz fertig vnd wol zugericht. [14]Vnd da sie es volendet hatten / brachten sie das vbrige geld fur den König vnd Joiada / Dauon macht man gefesse zum Hause des HERRN / Gefesse zum dienst vnd zu Brandopffern / Leffel vnd güldene vnd silberne Gerete / Vnd sie opfferten Brandopffer bey dem Hause des HERRN allewege / so lange Joiada lebet.

Joiada 130. jar alt.

VND Joiada ward alt / vnd des lebens sat / vnd starb / vnd war hundert vnd dreissig jar alt da er starb. [16]Vnd sie begruben jn in der stad Dauid vnter die Könige / darumb das er hatte wolgethan an Jsrael / vnd an Gott vnd seinem Hause.

VND nach dem tod Joiada kamen die Obersten in Juda / vnd betten den König an / Da gehorcht jnen der König / [18]Vnd sie verliessen das Haus des HERRN / des Gottes jrer veter / vnd dieneten den Haynen vnd Götzen. Da kam der zorn vber Juda vnd Jerusalem vmb dieser jrer schuld willen. [19]Er sandte aber Propheten zu jnen / das sie sich zu dem HERRN bekeren solten / vnd die bezeugten sie / Aber sie namens nicht zu ohren.

Zacharja gesteiniget.

VND der geist Gottes zog an Zacharja den son Joiada des Priesters / Der trat oben vber das Volck / vnd sprach zu jnen / so spricht Gott / Warumb vbertrettet jr die gebot des HERRN /

das euch nicht gelingen wird? Denn jr habt den HERRN verlassen / So wird er euch wider verlassen. [21]Aber sie machten einen Bund wider jn / vnd steinigeten jn nach dem gebot des Königes / im Hofe am hause des HERRN. [22]Vnd der könig Joas gedacht nicht an die barmhertzigkeit / die Joiada sein Vater an jm gethan hatte / sondern erwürget seinen Son. Da er aber starb / sprach er / Der HERR wirds sehen vnd suchen.

Matt. 23.

VND da das jar vmb war / zoch er auff das Heer der Syrer / vnd kamen in Juda vnd Jerusalem / vnd verderbeten alle Obersten im volck / vnd allen jren Raub sandten sie dem könige zu Damascon. [24]Denn der Syrer macht kam mit wenig Mennern / Noch gab der HERR in jre hand ein seer grosse macht / Darumb / das sie den HERRN jrer veter Gott verlassen hatten / Auch vbeten sie an Joas straffe. [25]Vnd da sie von jm zogen / liessen sie jn in grossen kranckheiten.

ES machten aber seine Knechte einen Bund wider jn / vmb des bluts willen der kinder Joiada des Priesters / vnd erwürgeten jn auff seinem Bette / vnd er starb / Vnd man begrub jn in der stad Dauid / Aber nicht vnter der Könige greber. [26]Die aber den Bund wider jn machten / waren diese / Sabad der son || Simeath der Ammonitin / vnd Josabad der son Simrith der Moabitin. [27]Aber seine Söne / vnd die summa die vnter jm versamlet war / vnd der baw des haus Gottes / sihe / die sind beschrieben in der Historia im buch der Könige / Vnd sein son Amazja ward König an seine stat.

|| 248 b

## XXV.

4. Reg. 14.

FVNFF VND ZWENZIG JAR ALT WAR AMAZJA / DA er König ward / vnd regiert neun vnd zwenzig jar zu Jerusalem / Seine mutter hies Joadan von Jerusalem. [2]Vnd er thet was dem HERRN wolgefiel / doch nicht von gantzem hertzen. [3]Da nu sein Königreich bekrefftiget war / erwürget er seine Knechte / die den König seinen vater geschlagen hatten. [4]Aber jre kinder tödtet er nicht / Denn also stehets geschrieben im Gesetz im buch Mose / da der HERR gebeut / vnd spricht / Die Veter sollen nicht sterben fur die Kinder / noch die kinder fur die veter / Sondern ein jglicher sol vmb seiner sünde willen sterben.

AMAZJA 29. jar König in Juda.

Deut. 24. Ezech. 18.

VND Amazja bracht zu hauffe Juda / vnd stellet sie nach der Veter heuser nach den Obersten vber tausent vnd vber hundert / vnter gantz Juda vnd BenJamin / vnd zelet sie von zwenzig jaren vnd drüber / vnd fand jr drey hundert tausent ausserlesen / die ins Heer ziehen mochten / vnd Spies vnd Schild füren kundten. [6]Dazu nam er an aus Jsrael hundert tausent starcke Kriegsleute vmb hundert Centner silbers.

MAN GOTTES etc.

[7]ES kam aber ein Man Gottes zu jm / vnd sprach / König / Las nicht das heer Jsrael mit dir komen / Denn der HERR ist nicht mit Jsrael / noch mit allen kindern Ephraim. [8]Denn so du komest / das du eine künheit beweisest im streit / wird Gott dich fallen lassen fur deinen Feinden / Denn bey Gott stehet die krafft zu helffen vnd fallen zu lassen. [9]Amazja sprach zum man Gottes / Was sol man denn thun mit den hundert Centnern die ich den Kriegsknechten von Jsrael gegeben habe? Der man Gottes sprach / Der HERR hat noch mehr denn des ist / das er dir geben kan. [10]Da sondert Amazja die Kriegsknechte abe / die zu jm aus Ephraim komen waren / das sie an jren ort hin giengen / Da ergrimmet jr zorn wider Juda seer / vnd zogen wider an jren ort mit grimmigem zorn.

EDOMITER geschlagen.

VNd Amazja ward getrost / vnd füret sein volck aus / vnd zoch aus ins Saltztal / vnd schlug der kinder von Seir zehen tausent. [12]Vnd die kinder Juda fiengen jr zehen tausent lebendig / die füreten sie auff die spitzen eines felses / vnd stürtzeten sie von der spitzen des felses / das sie alle zuborsten. [13]Aber die Kriegsknechte / die Amazja hatte widerumb lassen ziehen / das sie nicht mit seinem volck zum streit zogen / theten sich nider in den stedten Juda / von Samaria an bis gen Bethhoron / vnd schlugen jr drey tausent / vnd namen viel Raubes.

VND da Amazja wider kam von der Edomiter schlacht / bracht er die Götter der kinder von Seir / vnd stellet sie jm zu Götter / vnd betet an fur jnen / vnd reucherte jnen. [15]Da ergrimmet der zorn des HERRN vber Amazja / vnd sandte einen Propheten zu jm / der sprach zu jm / Warumb suchestu die Götter des volcks / die jr volck nicht kundten erretten von deiner hand? [16]Vnd da er mit jm redet / sprach er zu jm / Hat man dich zu des königs Rat gemacht? Höre auff / Warumb wiltu

PROPHET ZU Amazja gesand.

geschlagen sein? Da höret der Prophet auff / vnd sprach / Jch mercke wol / das Gott sich beraten hat dich zu verderben / das du solchs gethan hast / vnd gehorchest meinem Rat nicht.

VND Amazja der könig Juda ward rats / vnd sandte hin zu Joas dem son Joahas / des sons Jehu dem könige Jsrael / vnd lies jm sagen / Kom / las vns mit einander besehen. [18]Aber Joas der könig Jsrael sandte zu Amazja dem könige Juda / vnd lies jm sagen / Der Dornstrauch im Libanon sandte zum Cedern im Libanon vnd lies jm sagen / Gib deine Tochter meinem || Son zum weibe / Aber das Wild im Libanon lieff vber den Dornstrauch / vnd zutrat jn. [19]Du gedenckest / Sihe / Jch habe die Edomiter geschlagen / Des erhebt sich dein hertz / vnd suchest rhum / Nu bleib da heimen / Warumb ringestu nach vnglück / das du fallest / vnd Juda mit dir?

JOAS.

|| 249 a

ABer Amazja gehorcht nicht / Denn es geschach von Gott / das sie gegeben würden in die hand / darumb / das sie die Götter der Edomiter gesucht hatten. [21]Da zoch Joas der könig Jsrael er auff / vnd besahen sich mit einander / er vnd Amazja der könig Juda zu BethSemes / die in Juda ligt. [22]Aber Juda ward geschlagen fur Jsrael / vnd flohen / ein jglicher in seine hütten. [23]Aber Amazja den könig Juda / den son Joas / greiff Joas der son Joahas / der könig Jsrael zu BethSemes / vnd bracht jn gen Jerusalem / Vnd reis ein die mauren zu Jerusalem / vom thor Ephraim an / bis an das Eckthor / vier hundert ellen lang. [24]Vnd alles gold vnd silber / vnd alle gefess / die furhanden waren im hause Gottes bey ObedEdom / vnd in dem Schatz im hause des Königes / vnd die kinder zu pfand / nam er mit sich gen Samaria.

[25]VND Amazja der son Joas der könig Juda / lebt nach dem tod Joas des sons Joahas des königs Jsrael / funffzehen jar. [26]Was aber mehr von Amazja zu sagen ist / beide das erste vnd das letzte / Sihe / das ist geschrieben im Buch der könige Juda vnd Jsrael. [27]Vnd von der zeit an / da Amazja von dem HERRN abweich / machten sie einen Bund wider jn zu Jerusalem / er aber floch gen Lachis / Da sandten sie jm nach gen Lachis / vnd tödten jn daselbs. [28]Vnd sie brachten jn auff Rossen / vnd begruben jn bey seine Veter in der stad Juda.

XXVI.

4. Reg. 15.

DA nam das gantze volck Juda Vsia / der war sechzehen jar alt / vnd machten jn zum Könige an seines vaters Amazja stat. [2]Der selb bawet Eloth vnd bracht sie wider an Juda / nach dem der König entschlaffen war mit seinen Vetern. [3]Sechzehen jar alt war Vsia / da er König ward / vnd regieret zwey vnd funffzig jar zu Jerusalem / Seine mutter hies Jechalja von Jerusalem. [4]Vnd thet das dem HERRN wolgefiel / wie sein vater Amazja gethan hatte. [5]Vnd er suchte Gott so lang Sacharja lebt / der Lerer in den gesichten Gottes / vnd so lange er den HERRN suchet / lies jm Gott gelingen.

Vsia 52. jar König in Juda.

(Gesichten) Gesichte sind Prophecien. Er wil sagen / Sacharja sey geleret gewest in Mose vnd den Propheten / Samuel / Dauid / Gad / vnd der gleichen.

DEnn er zoch aus vnd streit wider die Philister / vnd zu reis die mauren zu Gath / vnd die mauren zu Jabne / vnd die mauren zu Asdod / vnd bawete Stedte vmb Asdod / vnd vnter den Philistern. [7]Denn Gott halff jm wider die Philister / wider die Araber / wider die zu GurBaal / vnd wider die Meuniter. [8]Vnd die Ammoniter gaben Vsia geschencke / vnd er ward berümbt bis man kompt in Egypten / Denn er ward jmer stercker vnd stercker. [9]Vnd Vsia bawet Thürne zu Jerusalem am Eckthor / vnd am Thalthor / vnd an andern ecken / vnd befestiget sie. [10]Er bawet auch Schlösser in der wüsten / vnd grub viel Brünnen / Denn er hatte viel Viehs / beide in den Awen vnd auff den Ebenen / auch Ackerleute vnd Weingartner an den bergen vnd am Charmel / Denn er hatte lust zu Ackerwerck.

VND Vsia hatte eine Macht zum streit / die ins Heer zogen von Kriegsknechten in der zal gerechnet / vnter der hand Jeiel des Schreibers / vnd Maeseia des Amptmans / vnter der hand Hananja aus den öbersten des Königes. [12]Vnd die zal der fürnemesten Veter vnter den starcken Kriegern / war zwey tausent vnd sechs hundert. [13]Vnd vnter jrer hand die Heermacht drey hundert tausent vnd sieben tausent vnd fünff hundert zum streit geschickt / in Heerskrafft zu helffen dem Könige wider die Feinde. [14]Vnd Vsia schickt jnen fur das gantze Heer / schilde / spiesse / helm / pantzer / bogen vnd schleudersteine. [15]Vnd macht zu Jerusalem Brustwehre künstlich / die auff den Thürnen vnd Ecken || sein solten / zu schiessen mit pfeilen

|| 249b

vnd grossen steinen / Vnd sein gerücht kam weit aus / darumb / das jm sonderlich geholffen ward / bis er mechtig ward.

VND da er mechtig worden war / erhub sich sein hertz zu seim verderben / Denn er vergreiff sich an dem HERRN seinem Gott / vnd gieng in den Tempel des HERRN zu reuchern auff dem Reuchaltar. [17]Aber Asarja der Priester gieng jm nach / vnd achzig Priester des HERRN mit jm / redliche Leute / [18]vnd stunden wider Vsia den könig / vnd sprachen zu jm / Es gebürt dir Vsia nicht zu reuchern dem HERRN / sondern den Priestern Aarons kindern / die zu reuchern geheiliget sind / Gehe eraus aus dem Heiligthum / denn du vergreiffest dich / vnd es wird dir keine ehre sein fur Gott dem HERRN.

ASARJA.

4. Reg. 15.

[19]ABer Vsia ward zornig / vnd hatte ein Reuchfas in der hand. Vnd da er mit den Priestern murret / fuhr der Aussatz aus an seiner stirn fur den Priestern im Hause des HERRN fur dem Reuchaltar. [20]Vnd Asarja der öberst Priester wand das heubt zu jm / vnd alle Priester / vnd sihe / da war er Aussetzig an seiner stirn / vnd sie stiessen jn von dannen / Er eilet auch selbs eraus zu gehen / denn seine Plage war vom HERRN. [21]Also war Vsia der könig Aussetzig / bis an seinen tod / vnd wonet in eim sondern Hause aussetzig / denn er ward verstossen vom Hause des HERRN. Jotham aber sein Son stund des Königes hause für / vnd richtet das volck im Land.

[22]WAS aber mehr von Vsia zu sagen ist / beide das erste vnd das letzte / hat beschrieben der Prophet Jesaja / der son Amoz. [23]Vnd Vsia entschlieff mit seinen Vetern / vnd sie begruben jn bey seine Veter im acker bey dem Begrebnis der Könige / Denn sie sprachen / Er ist aussetzig / Vnd Jotham sein son ward König an seine stat.

## XXVII.

4. Reg. 15.

JOTHAM WAR FÜNFF VND ZWENZIG JAR ALT / DA er König ward / vnd regieret sechzehen jar zu Jerusalem / Seine mutter hies Jerusa / eine tochter Zadok. [2]Vnd thet das dem HERRN wolgefiel / wie sein Vater Vsia gethan hatte / On das er nicht in den Tempel des HERRN gieng / vnd das volck sich noch verderbet. [3]Er bawet das hohethor am Hause des HERRN / vnd an der mauren Ophel

JOTHAM 16. jar König in Juda.

bawet er viel. [4]Vnd bawet die Stedte auff dem gebirge Juda / vnd in den welden bawet er Schlösser vnd Thürne.

VND er streit mit dem Könige der kinder Ammon / vnd er ward jr mechtig / das jm die kinder Ammon dasselb jar gaben hundert Centner silbers / zehen tausent Cor weitzen / vnd zehen tausent gersten / So viel gaben jm die kinder Ammon auch im andern vnd im dritten jar. [6]Also ward Jotham mechtig / Denn er richtet seine wege fur dem HERRN seinem Gott.

[7]WAS aber mehr von Jotham zu sagen ist / vnd alle seine streite vnd seine wege / sihe / das ist geschrieben im Buch der könige Jsrael vnd Juda. [8]Fünff vnd zwenzig jar alt war er / da er König ward / vnd regieret sechzehen jar zu Jerusalem. [9]Vnd Jotham entschlieff mit seinen Vetern / vnd sie begruben jn in der stad Dauid / Vnd sein son Ahas ward König an seine stat.

## XXVIII.

AHAS
16. jar König in Juda.

4. Reg. 16.

AHAS WAR ZWENZIG JAR ALT / DA ER KÖNIG ward / vnd regieret sechzehen jar zu Jerusalem / vnd thet nicht das dem HERRN wolgefiel / wie sein vater Dauid. [2]Sondern wandelt in den wegen der könige Jsrael / Dazu macht er gegossen bilder Baalim. [3]Vnd reucherte im tal der kinder Hinnom / vnd verbrand seine Söne mit fewr / nach dem grewel der Heiden / die der HERR fur den kindern Jsrael vertrieben hat||te. [4]Vnd opfferte vnd reucherte auff den Höhen vnd auff den Hügeln / vnd vnter allen grünen Bewmen.

|| 250a

DArumb gab jn der HERR sein Gott in die hand des königes zu Syrien / das sie jn schlugen / vnd ein grossen Hauffen von den seinen gefangen weg füreten / vnd gen Damascon brachten. Auch ward er gegeben vnter die hand des königes Jsrael / das er eine grosse schlacht an jm thet. [6]Denn Pekah der son Remalja schlug in Juda hundert vnd zwenzig tausent auff einen tag / die alle redliche Leute waren / Darumb das sie den HERRN jrer veter Gott verliessen. [7]Vnd Sichri ein gewaltiger in Ephraim erwürget Maeseia den son des Königes / vnd Asrikam den Hausfürsten / vnd Elkana den nehesten nach dem Könige. [8]Vnd die kinder Jsrael füreten gefangen weg von jren Brüdern zwey hundert tausent / weiber / söne vnd töchter / vnd namen

PEKAH.

SICHRI.

da zu grossen Raub von jnen / vnd brachten den Raub gen Samaria.

ES war aber daselbs ein Prophet des HERRN / der hies Oded / der gieng er aus dem Heer entgegen / das gen Samaria kam / vnd sprach zu jnen / Sihe / weil der HERR ewer veter Gott vber Juda zornig ist / hat er sie in ewre hende gegeben / Jr aber habt sie erwürget so grewlich / das in den Himel reicht. [10]Nu gedenckt jr die kinder Juda vnd Jerusalem euch zu vnterwerffen zu Knechten vnd zu Megden / Jst das denn nicht schuld bey euch wider den HERRN ewrn Gott? [11]So gehorchet mir nu / vnd bringet die Gefangenen wider hin / die jr habt weggefürt aus ewren Brüdern / Denn des HERRN zorn ist vber euch ergrimmet.

ODED.

[12]DA machten sich auff etliche vnter den Fürnemesten der kinder Ephraim / Asarja der son Johanan / Berechja der son Mesillemoth / Jehiskia der son Sallum / vnd Amasa der son Hadlai / wider die / so aus dem Heer kamen / [13]vnd sprachen zu jnen / Jr solt die Gefangene nicht her ein bringen / Denn jr gedenckt nur schuld fur dem HERRN vber vns / auff das jr vnser sünde vnd schuld deste mehr machet / Denn es ist zuuor der schuld zu viel / vnd der zorn vber Jsrael ergrimmet. [14]Da liessen die geharnischten die Gefangene vnd den Raub fur den Obersten vnd fur der gantzen Gemeine.

[15]DA stunden auff die Menner / die jtzt mit namen genennet sind / vnd namen die Gefangenen / vnd alle die blos vnter jnen waren / zogen sie an von den geraubten / vnd kleideten sie / vnd zogen jnen schuch an / vnd gaben jnen zu essen vnd zu trincken / vnd salbeten sie / vnd füreten sie auff Eseln alle die schwach waren / vnd brachten sie gen Jeriho zur Palmenstad bey jre Brüder / vnd kamen wider gen Samaria.

ZV der selben zeit / sandte der könig Ahas zu den Königen von Assur / das sie jm hülffen. [17]Vnd es kamen aber mal die Edomiter vnd schlugen Juda / vnd füreten etliche weg. [18]Auch theten sich die Philister nider in den Stedten / in der Awe vnd gegen mittag Juda / vnd gewonnen BethSemes / Aialon / Gederoth / vnd Socho mit jren töchtern / vnd Thimna mit jren töchtern / vnd Gimso mit jren töchtern / vnd woneten drinnen. [19]Denn der HERR demütiget Juda vmb Ahas willen / des königs [a]Juda / darumb das er Juda blos machet vnd

[a] Alij / Jsrael (Blos) Diese blösse war / Das das Volck nicht vnter Gott nach seinem wort lebet / sondern frey nach seinem eigen gutdünckel in Gottesdienst. Wie Exod. 32. Aaron das Volck entblösset.

TIGLATH Pilnesser.

vergreiff sich am HERRN. [20]Vnd es kam wider jn Tiglath Pilnesser der könig von Assur / der belagert jn / Aber er kund jn nicht gewinnen. [21]Denn Ahas teilet das Haus des HERRN / vnd das haus des Königs vnd der Obersten / das er dem könige zu Assur gab. Aber es halff jn nichts.

DAzu in seiner Not / macht der könig Ahas des vergreiffens am HERRN noch mehr / [23]vnd opfferte den Göttern zu Damascon / die jn geschlagen hatten / vnd sprach / Die Götter der könige zu Syrien helffen jnen / Darumb wil ich jnen opffern / das sie mir auch helffen / So doch dieselben jm / vnd dem gantzen Jsrael ein fall waren. [24]Vnd Ahas bracht zu hauff die gefesse des hauses Gottes / vnd samlet die gefesse im hause Gottes / vnd schlos die thürn zu am || Hause des HERRN / vnd macht jm Altar in allen winckeln zu Jerusalem / [25]vnd in den stedten Juda hin vnd her macht er Höhen zu reuchern andern Göttern / vnd reitzet den HERRN seiner veter Gott.

|| 250b

[26]WAS aber mehr von jm zu sagen ist / vnd alle seine wege / beide ersten vnd letzten / Sihe / das ist geschrieben im Buch der könige Juda vnd Jsrael. [27]Vnd Ahas entschlieff mit seinen Vetern / vnd sie begruben jn in der stad zu Jerusalem / Aber sie brachten jn nicht vnter die greber der könige Jsrael / Vnd sein son Jehiskia ward König an seine stat.

## XXIX.

JEHISKIA 29. jar König in Júda.

4. Reg. 18.

JEhiskia war fünff vnd zwenzig jar alt / da er König ward / vnd regiert neun vnd zwenzig jar zu Jerusalem / Seine mutter hies Abia eine tochter Zacharja. [2]Vnd er thet das dem HERRN wolgefiel / wie sein vater Dauid. [3]Er thet auff die thür am Hause des HERRN / im ersten monden des ersten jars seines Königreichs / vnd befestiget sie. [4]Vnd bracht hin ein die Priester vnd Leuiten / vnd versamlet sie auff der Breitengassen gegen morgen / [5]vnd sprach zu jnen.

HOret mir zu jr Leuiten / Heiliget euch nu / das jr heiliget das Haus des HERRN ewer veter Gott / vnd thut er aus den vnflat aus dem Heiligthum. [6]Denn vnser Veter haben sich vergriffen / vnd gethan / das dem HERRN vnserm Gott vbel gefelt / vnd haben jn verlassen / Denn sie haben jr angesicht von der Wonung des HERRN gewand /

vnd den rücken zugekeret. [7]Vnd haben die thür an der Halle zugeschlossen / vnd die Lampen ausgelesscht / vnd kein Reuchwerg gereuchert / vnd kein Brandopffer gethan im Heiligthum / dem Gott Jsrael.

[8]DA her ist der zorn des HERRN vber Juda vnd Jerusalem komen / vnd hat sie gegeben in zurstrewung vnd verwüstung / Das man sie anpfeifft wie jr mit ewern augen sehet. [9]Denn sihe / vmb desselben willen sind vnser Veter gefallen durchs schwert / vnser Söne / Töchter vnd Weiber sind weggefürt. [10]Nu hab ichs im sinn einen Bund zu machen mit dem HERRN dem Gott Jsrael / das sein zorn vnd grim sich von vns wende. [11]Nu meine Söne seid nicht hinlessig / Denn euch hat der HERR erwelet / das jr fur jm stehen solt / vnd das jr seine Diener vnd Reucher seid.

DA machten sich auff die Leuiten / Mahath / der son Amasai / vnd Joel der son Asarja / aus den kindern der Kahathiter. Aus den kindern aber Merari / Kis der son Abdi / vnd Asarja der son Jehaleleel. Aber aus den kindern der Gersoniter / Joab der son Simma vnd Eden der son Joah. [13]Vnd aus den kindern Elizaphan / Simri vnd Jeiel. Vnd aus den kindern Assaph / Sacharja vnd Mathanja. [14]Vnd aus den kindern Heman / Jehiel vnd Semei. Vnd aus den kindern Jeduthun / Semaea vnd Vsiel. [15]Vnd sie versamleten jre Brüder vnd heiligeten sich / vnd giengen hin ein nach dem gebot des Königes / aus dem wort des HERRN / zu reinigen das Haus des HERRN.

[16]DJe Priester aber giengen hin ein inwendig ins Haus des HERRN zu reinigen / vnd theten alle vnreinigkeit (die im Tempel des HERRN funden ward) auff den hof am Hause des HERRN / vnd die Leuiten namen sie auff / vnd trugen sie hin aus in den bach Kidron. [17]Sie fiengen aber an am ersten tage des ersten monden sich zu heiligen / vnd am achten tage des monden giengen sie in die Halle des HERRN / vnd heiligeten das Haus des HERRN acht tage / vnd volendeten es im sechzehenden tage des ersten monden.

[18]VND sie giengen hin ein zum könige Hiskia / vnd sprachen / Wir haben gereiniget das gantze Haus des HERRN / den Brandopffersaltar / vnd alle sein Gerete / den Tisch der Schawbrot vnd alle sein gerete / [19]vnd alle gefesse / die der könig

Ahas / da er König war / weggeworffen hatte / da er sich versündigt / die ‖ haben wir zugericht vnd geheiliget / Sihe / sie sind fur dem Altar des HERRN. ‖ 251a

DA macht sich der könig Hiskia früe auff / vnd versamlet die Obersten der Stad / vnd gieng hin auff zum Hause des HERRN / [21]vnd brachten erzu sieben farren / sieben widder / sieben lemmer / vnd sieben ziegenböcke zum Sündopffer / fur das Königreich / fur das Heiligthum vnd fur Juda / Vnd er sprach zu den Priestern der kinder Aaron / das sie opffern solten auff dem Altar des HERRN. [22]Da schlachten sie die rinder / vnd die Priester namen das Blut vnd sprengeten es auff den Altar / vnd schlachten die Widder / vnd sprengeten das blut auff den Altar / vnd schlachten die lemmer / vnd sprengeten das blut auff den Altar. [23]Vnd brachten die böcke zum Sündopffer fur dem Könige vnd der gemeine / vnd legten jre hende auff sie. [24]Vnd die priester schlachten sie / vnd entsündigeten jr blut auff dem Altar zu versünen das gantze Jsrael / Denn der König hatte befolhen Brandopffer vnd Sündopffer zu thun fur das gantze Jsrael.

[25]VND er stellet die Leuiten im Hause des HERRN / mit Cimbeln / Psaltern vnd Harffen / wie es Dauid befolhen hatte / vnd Gad der Schawer des Königes / vnd der Prophet Nathan / Denn es war des HERRN gebot durch seine Propheten. [26]Vnd die Leuiten stunden mit den Seitenspielen Dauid / vnd die Priester mit den Drometen. [27]Vnd Hiskia hies sie Brandopffer thun auff dem Altar / Vnd vmb die zeit / da man anfieng das Brandopffer / fieng auch an der Gesang des HERRN vnd die Drometen / vnd auff mancherley Seitenspil Dauid des königs Jsrael. [28]Vnd die gantze gemeine bettet an / vnd der gesang der Senger / vnd das drometen der Drometer / weret alles / bis das Brandopffer ausgericht war. [29]Da nu das Brandopffer ausgerichtet war / beuget sich der König vnd alle die bey jm fur handen waren / vnd beteten an.

[30]VND der könig Hiskia sampt den Obersten hies die Leuiten den HERRN loben mit dem geticht Dauid vnd Assaph des Schawers / vnd sie lobeten mit freuden / vnd neigeten sich vnd beteten an. [31]Vnd Hiskia antwortet / vnd sprach / Nu

habt jr ewre hende gefüllet dem HERRN / trettet hinzu / vnd bringet her die Opffer vnd Lobopffer zum hause des HERRN. Vnd die Gemeine bracht erzu Opffer vnd Lobopffer / vnd jederman freiwilliges hertzen Brandopffer. [32]Vnd die zal der Brandopffer / so die Gemeine erzu brachte / war siebenzig rinder / hundert widder / vnd zwey hundert lemmer / vnd solchs alles zu Brandopffer dem HERRN / [33]Vnd sie heiligeten sechs hundert rinder / vnd drey tausent schaf.

[34]ABer der Priester war zu wenig / vnd kundten nicht allen Brandopffern die haut abziehen / Darumb namen sie jre brüder die Leuiten / bis das werck ausgericht ward / vnd bis sie die Priester heiligeten / Denn die Leuiten sind leichter zu heiligen / weder die Priester. [35]Auch war der Brandopffer viel mit dem fett der Danckopffer vnd Tranckopffer zu den Brandopffern / Also ward das ampt am Hause des HERRN fertig. [36]Vnd Hiskia frewet sich sampt allem volck / das man mit Gott bereit war worden / Denn es geschach eilend.

## XXX.

VND HISKIA SANDTE HIN ZUM GANTZEN JSRAEL vnd Juda / vnd schreib brieue an Ephraim vnd Manasse / das sie kemen zum Hause des HERRN gen Jerusalem / Passah zu halten / dem HERRN dem Gott Jsrael. [2]Vnd der König hielt einen Rat mit seinen Obersten / vnd der gantzen Gemeine zu Jerusalem das Passah zu halten im andern monden / [3]Denn sie kundtens nicht halten zur selbigen zeit / darumb das der Priester nicht gnug geheiliget waren / vnd das volck noch nicht zu hauff komen war gen Jerusalem. [4]Vnd es gefiel dem Könige wol vnd der gantzen Gemeine. [5]Vnd bestelleten das solchs ausgeruffen würde durch gantz Jsrael /‖ von Berseba an bis gen Dan / das sie kemen Passah zu halten dem HERRN dem Gott Jsrael zu Jerusalem / Denn es war lang nicht gehalten / wie es geschrieben stehet.

‖ 251 b

VND die Leuffer giengen hin mit den Brieuen von der hand des Königes vnd seiner Obersten / durch gantz Jsrael vnd Juda / aus dem befelh des Königs / vnd sprachen / Jr kinder Jsrael bekeret euch zu dem HERRN dem Gott Abraham / Jsaac vnd Jsrael / so wird er sich keren zu den Vbrigen / die noch vbrig vnter euch sind aus der hand der

Könige zu Assur. [7]Vnd seid nicht wie ewre Veter vnd Brüder / die sich am HERRN jrer veter Gott vergriffen / vnd er sie gab in eine verwüstung / wie jr selber sehet. [8]So seid nu nicht halsstarrig wie ewre Veter / Sondern gebt ewre hand dem HERRN / vnd komet zu seinem Heiligthum / das er geheiliget hat ewiglich / vnd dienet dem HERRN ewrem Gott / so wird sich der grim seins zorns von euch wenden. [9]Denn so jr euch bekeret zu dem HERRN / so werden ewre Brüder vnd Kinder barmhertzigkeit haben fur denen die sie gefangen halten / das sie wider in dis Land komen / Denn der HERR ewr Gott ist gnedig vnd barmhertzig / vnd wird sein Angesicht nicht von euch wenden / so jr euch zu jm bekeret.

[10]VND die Leuffer giengen von einer Stad zur andern / im lande Ephraim vnd Manasse / vnd bis gen Sebulon / Aber sie verlacheten vnd spotten jr. [11]Doch etliche von Asser vnd Manasse vnd Sebulon / demütigeten sich / vnd kamen gen Jerusalem. [12]Auch kam Gottes hand in Juda / das er jnen gab einerley hertz zu thun nach des Königes vnd der Obersten gebot / aus dem wort des HERRN. [13]Vnd es kam zu hauffe gen Jerusalem ein gros Volck / zu halten das Fest der vngeseurten Brot im andern monden / ein seer grosse Gemeine.

PASSAH gehalten zu Hiskia zeiten.

VND sie machten sich auff / vnd theten ab die Altar / die zu Jerusalem waren / vnd alle Reuchwerg theten sie weg / vnd worffen sie in den bach Kidron. [15]Vnd schlachten das Passah am vierzehenden tage des andern monden. Vnd die Priester vnd Leuiten bekandten jre schande / vnd heiligeten sich / vnd brachten die Brandopffer zum hause des HERRN / [16]vnd stunden in jrer ordnung / wie sichs gebürt / nach dem gesetz Mose des mans Gottes. Vnd die Priester sprengeten das blut von der hand der Leuiten / [17]Denn jr waren viel in der Gemeine / die sich nicht geheiliget hatten / Darumb schlachten die Leuiten das Passah fur alle die nicht rein waren / das sie dem HERRN geheiliget würden.

[18]AVch war des volcks viel von Ephraim / Manasse / Jsaschar / vnd Sebulon die nicht rein waren / sondern assen das Osterlamb nicht wie geschrieben stehet. Denn Hiskia bat fur sie / vnd sprach / Der HERR der gütig ist / wird gnedig sein [19]allen / die jr hertz schicken Gott zu suchen den HERRN /

den Gott jrer veter / vnd nicht vmb der [a]heiligen reinigkeit willen. [20]Vnd der HERR erhöret Hiskia / vnd heilet das volck. [21]Also hielten die kinder Jsrael / die zu Jerusalem funden wurden / das Fest der vngeseurten Brot sieben tage mit grosser freude. Vnd die Leuiten vnd Priester lobeten den HERRN alle tage mit starcken Seitenspielen des HERRN.

a (Heiligen reinigkeit) Das ist / Gott sihet das hertz an / wenn das rechtschaffen ist an Gott / so fraget er nicht nach eusserlicher reinigkeit / die nach dem Gesetz heilig ist.

VND Hiskia redet hertzlich mit allen Leuiten / die ein guten verstand hatten am HERRN / vnd sie assen das Fest vber / sieben tage / vnd opfferten Danckopffer / vnd dancketen dem HERRN jrer veter Gott. [23]Vnd die gantze Gemeine ward rats / noch ander sieben tage zu halten / vnd hielten auch die sieben tage mit freuden. [24]Denn Hiskia der könig Juda / gab ein Hebe fur die Gemeine / tausent farren vnd sieben tausent schafe / Die Obersten aber gaben eine Hebe fur die Gemeine / tausent farren / vnd zehen tausent schafe / Also heiligeten sich der Priester viel.

[25]VND es freweten sich die gantze gemeine Juda / die Priester vnd Leuiten / vnd die gantze gemeine die aus Jsrael komen waren / vnd die Frembdlingen / || die aus dem lande Jsrael komen waren / vnd die in Juda woneten. [26]Vnd war eine grosse freude zu Jerusalem / Denn sint der zeit Salomo / des sons Dauid des königs Jsrael / war solchs zu Jerusalem nicht gewesen. [27]Vnd die Priester vnd die Leuiten stunden auff / vnd segeneten das Volck / vnd jre stimme ward erhöret / vnd jr Gebet kam hin ein fur seine heilige Wonung im Himel.

|| 252a

## XXXI.

VND DA DIS ALLES WAR AUSGERICHT / ZOGEN hin aus alle Jsraeliten / die vnter den stedten Juda funden wurden / vnd zubrachen die Seulen / vnd hieben die Hayne ab / vnd brachen ab die Höhen vnd Altar aus gantzem Juda / BenJamin / Ephraim vnd Manasse / bis sie sie gar auffreumeten / Vnd die kinder Jsrael zogen alle wider zu jrem Gut in jre Stedte.

HJskia aber stellet die Priester vnd Leuiten in jre ordnunge / ein jglichen nach seinem Ampt / beide der Priester vnd Leuiten / zu Brandopffern vnd Danckopffern / das sie dieneten / danckten vnd lobeten in den thoren des Lagers des HERRN.

[3]Vnd der König gab sein teil von seiner Habe zu Brandopffern des morgens vnd des abends / vnd zu Brandopffern des Sabbaths vnd Newmonden vnd Festen / wie es geschrieben stehet im Gesetz des HERRN.

VND er sprach zum volck / das zu Jerusalem wonet / das sie teil geben den Priestern vnd Leuiten / Auff das sie kündten desto herter anhalten am Gesetz des HERRN. [5]Vnd da das wort aus kam / gaben die kinder Jsrael viel Erstlinge von getreide / most / öle / honig vnd allerley einkomens vom felde / vnd allerley Zehenden brachten sie viel hin ein. [6]Vnd die kinder Jsrael vnd Juda / die in den stedten Juda woneten / brachten auch Zehenden von rindern vnd schafen / vnd Zehenden von dem Geheiligeten / das sie dem HERRN jrem Gott geheiliget hatten / vnd machten hie ein hauffen vnd da ein hauffen. [7]Jm dritten monden fiengen sie an hauffen zu legen / vnd im siebenden monden richteten sie es aus.

(Anhalten) Auff das sie nicht aus mangel der Narung müsten die Bücher lassen / beide zu studiren vnd zu leren / vnd jre Narung suchen. Denn Kirchendiener sollen versorgt sein / vnd studiren / wie Nehemias vnd Syrach auch sagen.

[8]VND da Hiskia mit den Obersten hin ein gieng / vnd sahen die hauffen / lobeten sie den HERRN vnd sein volck Jsrael. [9]Vnd Hiskia fraget die Priester vnd Leuiten vmb die hauffen. [10]Vnd Asarja der Priester / der fürnemest im hause Zadok / sprach zu jm / Sint der zeit man angefangen hat / die Hebe zu bringen ins Haus des HERRN / haben wir gessen vnd sind sat worden / vnd ist noch viel vberblieben / Denn der HERR hat sein Volck gesegenet / darumb ist dieser hauffe vberblieben. [11]Da befalh der König / das man Kasten zubereiten solt am hause des HERRN. Vnd sie bereiten sie zu / [12]vnd theten hin ein die Hebe / die Zehenden / vnd das Geheiligete / trewlich.

VND vber dasselbe war Fürst Chananja der Leuit / vnd Simei sein bruder der ander / [13]vnd Jehiel / Asasja / Nagath / Asahel / Jerimoth / Josabath / Eliel / Jesmachja / Mahath / vnd Benaja / verordnet von der hand Chananja vnd Simei seines bruders / nach befelh des königs Hiskia. Aber Asarja war Fürst im hause Gottes. [14]Vnd Kore der son Jemna der Leuit / der Thorhüter gegen morgen war vber die freiwilligen gaben Gottes / jm vertrawet / die dem HERRN zur Hebe gegeben wurden / vnd vber die allerheiligsten. [15]Vnd vnter seiner hand waren / Eden / Miniamin / Jesua / Semaja / Amarja / vnd Sachanja / in den stedten der

Priester / das sie geben solten jren Brüdern / nach jrer ordnunge / dem kleinesten wie dem grossen.

[16]DAzu denen die gerechnet wurden fur Mansbilde / von drey jar alt vnd drüber / vnter allen die in das Haus des HERRN giengen / ein jglicher an seinem tage zu jrem Ampt / in jrer Hut / nach jrer ordnunge. [17]Auch die fur Priester gerechnet wurden im hause jrer Veter / vnd die Leuiten / von zwenzig jaren vnd || drüber / in jrer Hut / nach jrer ordnung. [18]Da zu die gerechnet wurden vnter jre Kinder / Weiber / Söne vnd Töchter vnter der gantzen gemeine / Denn sie heiligeten trewlich das geheiligete. [19]Auch waren Menner mit namen benennet vnter den kindern Aaron den Priestern / auff den felden der vorstedte in allen Stedten / das sie teil geben allen Mansbilden vnter den Priestern / vnd allen die vnter die Leuiten gerechnet wurden.

|| 252b

[20]ALso thet Hiskia in gantzem Juda / vnd thet was gut / recht / vnd warhafftig war / fur dem HERRN seinem Gott. [21]Vnd in allem thun das er anfieng / am dienst des hauses Gottes / nach dem Gesetz vnd Gebot / zu suchen seinen Gott / das thet er von gantzem hertzen / Darumb hat er auch glück.

## XXXII.

4. Reg. 18.

SANHERIB.

NACH DIESEN GESCHICHTEN VND TREW / KAM Sanherib der könig zu Assur / vnd zoch in Juda / vnd lagert sich fur die festen Stedte / vnd gedacht sie zu sich zu reissen. [2]Vnd da Hiskia sahe das Sanherib kam / vnd sein angesicht stund zu streiten wider Jerusalem / [3]ward er rats mit seinen Obersten vnd Gewaltigen zu zudecken die wasser von den Brünnen / die draussen fur der Stad waren / vnd sie hulffen jm. [4]Vnd es versamlet sich ein gros volck / vnd deckten zu alle Brünne vnd fliessende wasser mitten im Lande / vnd sprachen / Das die könige von Assur nicht viel wassers finden wenn sie komen.

[5]VND er ward getrost / vnd bawet alle mauren / wo sie lückicht waren / vnd macht thürne drauff / vnd bawet draussen noch eine andere Maure / vnd befestiget Millo an der stad Dauid / vnd machet viel Woffen vnd Schilde. [6]Vnd stellet die Heubtleute zum streit neben das Volck. Vnd samlet sie zu sich auff die Breitegassen am thor der Stad / vnd redet hertzlich mit jnen / vnd sprach / [7]Seid getrost vnd

frisch / Fürchtet euch nicht / vnd zaget nicht fur dem könige von Assur / noch fur alle dem Hauffen der bey jm ist / Denn es ist ein Grösser mit vns weder mit jm. [8]Mit jm ist ein fleischlicher Arm / Mit vns aber ist der HERR vnser Gott / das er vns helffe / vnd füre vnsern streit. Vnd das Volck verlies sich auff die wort Hiskia des königs Juda.

1. Joha. 4.

DARnach sandte Sanherib der könig zu Assur seine knechte gen Jerusalem (Denn er lag fur Lachis / vnd alle seine Herrschafft mit jm) zu Hiskia dem könige Juda / vnd zum gantzen Juda / das zu Jerusalem war / vnd lies jm sagen / [10]so spricht Sanherib der könig zu Assur / Wes vertröstet jr euch / die jr wonet in dem belagerten Jerusalem? [11]Hiskia beredet euch / das er euch gebe in den Tod / Hunger vnd Durst / vnd spricht / Der HERR vnser Gott wird vns erretten von der hand des Königes zu Assur. [12]Jst er nicht der Hiskia der seine Höhe vnd Altar weggethan hat / vnd gesagt zu Juda vnd zu Jerusalem / Für einem Altar solt jr anbeten / vnd drauff reuchern?

[13]WJsset jr nicht / was ich vnd meine Veter gethan haben allen Völckern in Lendern? Haben auch die Götter der Heiden in Lendern / mügen jre Lender erretten von meiner hand? [14]Wer ist vnter allen Göttern dieser Heiden / die meine Veter verbannet haben / der sein Volck habe mügen erretten von meiner hand? das ewer Gott euch solt mügen erretten aus meiner hand? [15]So lasst euch nu Hiskia nicht auffsetzen / vnd lasst euch solchs nicht bereden / vnd gleubt jm nicht. Denn so kein Gott aller Heiden vnd Königreich hat sein volck mügen von meiner vnd meiner Veter hand erretten / So werden euch auch ewr Götter nicht erretten von meiner hand.

[16]DA zu redten seine Knechte noch mehr wider den HERRN den Gott / vnd wider seinen knecht Hiskia. [17]Auch schreib er Brieue zu hohn sprechen dem HERRN dem Gott Jsrael / vnd redet von jm / vnd sprach / Wie die Götter der Heiden in Lendern jr volck nicht haben errettet von meiner hand / So wird || auch der Gott Hiskia sein volck nicht erretten von meiner hand. [18]Vnd sie rieffen mit lauter stimme auff Jüdisch zum volck zu Jerusalem / das auff den mauren war / sie furchtsam zu machen vnd zu erschrecken / das sie die Stad gewünnen. [19]Vnd redeten wider den Gott Jerusa-

|| 253a

lem / wie wider die Götter der Völcker auff erden / die Menschenhende werck waren.

4. Reg. 19.

ABer der könig Hiskia vnd der Prophet Jesaia der son Amoz betten dawider vnd schrien gen Himel. [21]Vnd der HERR sandte einen Engel / der vertilget alle gewaltigen des Heers / vnd Fürsten vnd Obersten im Lager des königs zu Assur / das er mit schanden wider in sein Land zoch. Vnd da er in seines Gottes haus gieng / felleten jn daselbs durchs schwert / die von seinem eigen Leibe komen waren. [22]Also halff der HERR Hiskia vnd den zu Jerusalem aus der hand Sanherib des königs zu Assur / vnd aller ander / vnd enthielt sie fur allen vmbher. [23]Das viel dem HERRN Geschenck brachten gen Jerusalem / vnd Kleinote Hiskia dem könige Juda / Vnd er ward darnach erhaben fur allen Heiden.

(Enthielt) Wie ein Hirte seine Schafe helt wider die Wolffe / vnd hütet das sie gehen hin vnd her zur Weide. Also kundten die zu Jerusalem auch aus vnd ein ziehen sicher etc.

4. Reg. 20. Jesa. 38.

ZV der zeit ward Hiskia todkranck / Vnd er bat den HERRN / der geredt jm / vnd gab jm ein Wunder. [25]Aber Hiskia vergalt nicht / wie jm gegeben war / denn sein hertz erhub sich / Darumb kam der zorn vber jn / vnd vber Juda vnd Jerusalem. [26]Aber Hiskia demütiget sich / das sein hertz sich erhaben hatte / sampt denen zu Jerusalem / Darumb kam der zorn des HERRN nicht vber sie / weil Hiskia lebet.

VND Hiskia hatte seer grossen Reichthum vnd Ehre / vnd macht jm Schetze von silber / gold / edelsteinen / würtze / schilde vnd allerley köstlichem gerete [28]vnd Kornheuser zu dem einkomen des getreides / mosts vnd öles / vnd stelle fur allerley Vieh / vnd Hürten fur die schafe. [29]Vnd bawet jm Stedte / vnd hatte Vieh an schafen vnd rindern die menge / Denn Gott gab jm seer gros gut. [30]Er ist der Hiskia / der die hohe Wasserquelle in Gihon zudecket / vnd leitet sie hin vnter von abend werts zur stad Dauid / Denn Hiskia war glückselig in alle seinen wercken.

DA aber die Botschafften der Fürsten von Babel zu jm gesand waren zu fragen nach dem Wunder / das im Lande geschehen war / verlies jn Gott also / das er jn versucht / Auff das kund würde alles / was in seinem hertzen war.

[32]WAS aber mehr von Hiskia zu sagen ist / vnd seine barmhertzigkeit / sihe das ist geschrieben in dem gesicht des Propheten Jesaia / des sons Amoz / im Buch der könige Juda vnd Jsrael. [33]Vnd Hiskia

entschlieff mit seinen Vetern / vnd sie begruben jn vber die greber der kinder Dauid / Vnd gantz Juda / vnd die zu Jerusalem theten jm ehre in seinem Tod / Vnd sein son Manasse ward König an seine stat.

XXXIII.

Manasse 55. jar König in Juda.

4. Re. 21.

MANASSE WAR ZWELFF JAR ALT / DA ER KÖNIG ward / vnd regieret fünff vnd funffzig jar zu Jerusalem. [2]Vnd thet das dem HERRN vbel gefiel nach den greweln der Heiden / die der HERR fur den kindern Jsrael vertrieben hatte. [3]Vnd keret sich vmb / vnd bawet die Höhen / die sein vater Hiskia abgebrochen hatte / Vnd stifftet Baalim Altar / vnd machet Hayne / vnd bettet an allerley Heer am Himel / vnd dienet jnen. [4]Er bawet auch Altar im hause des HERRN / dauon der HERR geredt hat / Zu Jerusalem sol mein Name sein ewiglich. [5]Vnd bawet Altar allerley heer am Himel / in beiden Höfen am Hause des HERRN. [6]Vnd er lies seine Söne durchs fewr gehen / im tal des sons Hinnom / Vnd welet tage vnd achtet auff Vogel geschrey / vnd zauberte / vnd stifftet Warsager vnd Zeichen deuter / vnd thet viel / das dem HERRN vbel gefiel / jn zu erzürnen.

[7]ER setzet auch Bilder vnd Götzen / die er machen lies / ins haus Gottes / || dauon der HERR Dauid geredt hatte vnd Salomo seinem son / Jn diesem hause zu Jerusalem / die ich erwelet habe fur allen stemmen Jsrael / wil ich meinen Namen setzen ewiglich. [8]Vnd wil nicht mehr den fus Jsrael lassen weichen vom Lande / das ich jren Vetern bestellet habe / So ferne sie sich halten / das sie thun alles / was ich jnen geboten habe / in allem Gesetze / Geboten vnd Rechten durch Mose.

|| 253b

ABer Manasse verfüret Juda vnd die zu Jerusalem / das sie erger theten denn die Heiden / die der HERR fur den kindern Jsrael vertilget hatte. [10]Vnd wenn der HERR mit Manasse vnd seinem Volck reden lies / merckten sie nichts drauff. [11]Darumb lies der HERR vber sie komen die Fürsten des Heers des königs zu Assur / die namen Manasse gefangen mit Fesseln / vnd bunden jn mit Keten / vnd brachten jn gen Babel. [12]Vnd da er in der angst war flehet er fur dem HERRN seinem Gott / vnd demütiget sich seer fur dem Gott seiner veter. [13]Vnd bat vnd flehet jn / Da erhöret er sein flehen / vnd bracht jn wider gen Jerusalem zu seinem Kö-

Manasse gefangen gen Babel gefüret etc.

nigreich / Da erkennet Manasse / das der HERR Gott ist.

DARnach bawet er die eussersten mauren an der stad Dauid / von abend werts an Gihon im bach / vnd da man zum Fischthor eingehet / vnd vmb her an Ophel / vnd machet sie seer hoch / vnd legt Heubtleute in die festen stedte Juda. [15]Vnd thet weg die frembde Götter / vnd die Götzen aus dem hause des HERRN / vnd alle Altar / die er gebawet hatte auff dem berge des Hauses des HERRN vnd zu Jerusalem / vnd warff sie hin aus fur die Stad. [16]Vnd richtet zu den Altar des HERRN / vnd opfferte drauff / Danckopffer vnd Lobopffer / vnd befalh Juda / das sie dem HERRN dem Gott Jsrael dienen solten. [17]Doch opfferte das Volck auff den Höhen / wiewol dem HERRN jrem Gott.

[18]WAS aber mehr von Manasse zusagen ist / vnd sein Gebet zu seinem Gott / vnd die rede der Schawer / die mit jm redten im Namen des HERRN des Gottes Jsrael / Sihe / die sind vnter den Geschichten der könige Jsrael. [19]Vnd sein Gebet vnd flehen / vnd alle sein sünde vnd missethat / vnd die Stedte darauff er die Höhen bawete / vnd Hayne vnd Götzen stifftet / ehe denn er gedemütiget ward / Sihe / die sind geschrieben vnter den Geschichten der Schawer. [20]Vnd Manasse entschlieff mit seinen Vetern / vnd sie begruben jn in seinem Hause / Vnd sein son Amon ward König an seine stat.

4. Reg. 21.

Amon 2. jar König in Juda.

ZWEY VND ZWENZIG JAR ALT WAR AMON / DA ER König ward / vnd regieret zwey jar zu Jerusalem. [22]Vnd thet das dem HERRN vbel gefiel / wie sein vater Manasse gethan hatte / Vnd Amon opfferte allen Götzen / die sein vater Manasse gemacht hatte / vnd dienet jnen. [23]Aber er demütiget sich nicht fur dem HERRN / wie sich sein vater Manasse gedemütiget hatte / Denn er / Amon / macht der schuld viel. [24]Vnd seine Knechte machten einen Bund wider jn / vnd tödten jn in seinem Hause. [25]Da schlug das volck im Lande alle / die den Bund wider den könig Amon gemacht hatten / Vnd das volck im Lande macht Josia seinen son zum Könige an seine stat.

4. Reg. 23.

## XXXIIII.

4. Re. 22.

Josia 31. jar König in Juda.

ACHT JAR ALT WAR JOSIA DA ER KÖNIG WARD / vnd regieret ein vnd dreissig jar zu Jerusalem.

[2]Vnd thet das dem HERRN wolgefiel / vnd wandelt in den wegen seines vaters Dauid / vnd weich weder zur rechten noch zur lincken. [3]Denn im achten jar seins Königreichs / da er noch ein Knabe war / fieng er an zu suchen den Gott seines vaters Dauids / Vnd im zwelfften jar fieng er an zu reinigen Juda vnd Jerusalem / von den Höhen vnd Haynen / vnd Götzen / vnd gegossen Bildern. [4]Vnd lies fur jm abbrechen die Altar Baalim / vnd die Bilder oben drauff hieb ‖ er oben er ab / Vnd die Hayne / vnd Götzen vnd Bilder zubrach er / vnd macht sie zu staub / vnd strewet sie auff die Greber / dere / die jnen geopffert hatten. [5]Vnd verbrand die Gebeine der Priester auff den Altaren / vnd reiniget also Juda vnd Jerusalem. [6]Da zu in den stedten Manasse / Ephraim / Simeon / vnd bis an Naphthali in jren wüsten vmbher. [7]Vnd da er die Altar vnd Hayne abgebrochen / vnd die Götzen klein zumalmet / vnd alle Bilder abgehawen hatte im gantzen lande Jsrael / kam er wider gen Jerusalem.

‖ 254a

JM achzehenden jar seines Königreichs / da er das Land vnd das Haus gereiniget hatte / sandte er Saphan den son Azalja vnd Maeseija den Staduogt / vnd Joah den son Joahas den Cantzler / zu bessern das haus des HERRN seines Gottes. [9]Vnd sie kamen zu dem Hohenpriester Hilkia / vnd man gab jnen das Geld / das zum hause Gottes gebracht war / welchs die Leuiten / die an der schwellen hütten / gesamlet hatten / von Manasse / Ephraim vnd von allen vbrigen in Jsrael / vnd von gantzem Juda vnd BenJamin / vnd von denen / die zu Jerusalem woneten / [10]vnd gabens vnter die hende den Erbeitern / die bestellet waren am Hause des HERRN / Vnd sie gabens denen die da erbeiten am Hause des HERRN / vnd wo es bawfellig war / das sie das Haus besserten. [11]Dieselben gabens fort den Zimmerleuten vnd Bawleuten / gehawen Steine / vnd gehöffelt holtz zu keuffen / zu den Balcken an den Heusern / welche die könige Juda verderbet hatten. [12]Vnd die Menner erbeiten am Werck trewlich.

HILKIA.

VND es waren vber sie verordent / Jahath vnd Obadja die Leuiten aus den kindern Merari. Sacharja vnd Mesullam aus den kindern der Kahathiten / das Werck zu treiben / Vnd waren alle Leuiten die auff Seitenspiel kundten. [13]Aber vber die Lasttreger vnd Treiber zu allerley erbeit in allen Empten / waren aus den Leuiten / die Schreiber / Amptleute / vnd Thorhüter.

VND da sie das geld eraus namen / das zum Hause des HERRN eingelegt war / fand Hilkia der Priester das Buch des Gesetzs des HERRN / durch Mose gegeben. [15]Vnd Hilkia antwortet / vnd sprach zu Saphan dem Schreiber / Jch habe das Gesetzbuch funden im Hause des HERRN / Vnd Hilkia gab das buch Saphan. [16]Saphan aber brachts zum Könige / vnd sagt dem Könige wider / vnd sprach / Alles was vnter die hende deiner Knechte gegeben ist / das machen sie / [17]vnd sie haben das geld zu hauff geschut / das im Hause des HERRN funden ist / vnd habens gegeben denen / die verordnet sind vnd den Erbeitern. [18]Vnd Saphan der Schreiber sagt dem Könige an / vnd sprach / Hilkia der Priester hat mir ein Buch gegeben / vnd Saphan las drinnen fur dem Könige. [19]Vnd da der König die wort des Gesetzes höret zureis er seine Kleider.

GESETZE BUCH gefunden.

[20]VND der König gebot Hilkia vnd Ahikam dem son Saphan / vnd Abdon dem son Micha / vnd Saphan dem Schreiber / vnd Asaja dem knecht des Königs / vnd sprach / [21]Gehet hin / fraget den HERRN fur mich vnd fur die vbrigen in Jsrael / vnd fur Juda / vber den worten Buchs das funden ist / Denn der grim des HERRN ist gros / der vber vns entbrand ist / Das vnser Veter nicht gehalten haben das wort des HERRN / das sie theten / wie geschrieben stehet in diesem Buch.

DA gieng Hilkia hin / sampt den andern vom Könige gesand zu der Prophetin Hulda / dem weibe Sallum des sons Thakehath / des sons Hasra des Kleiderhüters / die zu Jerusalem wonete im andern teil / vnd redten solchs mit jr. [23]Vnd sie sprach zu jnen / so spricht der HERR der Gott Jsrael / Sagt dem Man / der euch zu mir gesand hat / [24]so spricht der HERR / Sihe / Jch wil vnglück bringen vber diesen Ort vnd die Einwoner / alle die flüche / die geschrieben stehen im Buch / das man fur dem könige Juda gelesen hat / [25]Darumb das sie mich verlassen haben / vnd andern Göttern gereuchert / das sie mich erzürneten || mit allerley wercken jrer hende / Vnd mein grim sol angezündet werden vber diesen Ort / vnd nicht ausgelesschet werden.

HULDA Prophetin.

|| 254b

[26]VND zum könige Juda / der euch gesand hat den HERRN zu fragen / solt jr also sagen / so spricht der HERR der Gott Jsrael von den worten die du gehöret hast. [27]Darumb / das dein hertz weich worden ist / vnd hast dich gedemütiget fur Gott / da du seine wort höretest wider diesen Ort vnd wider die Einwoner / vnd hast dich fur mir gedemütiget / vnd deine Kleider zurissen / vnd fur mir geweinet / So hab ich dich auch erhöret / spricht der HERR. [28]Sihe / Jch wil dich samlen zu deinen Vetern / das du in dein Grab mit frieden gesamlet werdest / Das deine augen nicht sehen alle das vnglück / das ich vber diesen Ort vnd die Einwoner bringen wil / Vnd sie sagten dem Könige wider.

DA sandte der König hin / vnd lies zu hauffe komen alle Eltesten in Juda vnd Jerusalem. [30]Vnd der König gieng hin auff ins Haus des HERRN vnd alle man Juda vnd einwoner zu Jerusalem / die Priester / die Leuiten / vnd alles volck / beide klein vnd gros / Vnd wurden fur jren ohren gelesen alle wort im Buch des Bunds / das im Hause des HERRN funden war. [31]Vnd der König trat an seinen ort / vnd machet einen Bund fur dem HERRN / Das man dem HERRN nachwandeln solt / zu halten seine Gebot / Zeugnis vnd Rechte / von gantzem hertzen vnd von gantzer seelen / zu thun nach allen worten des Bunds / die geschrieben stunden in diesem Buch. [32]Vnd stunden da alle die zu Jerusalem vnd in BenJamin fur handen waren / Vnd die einwoner zu Jerusalem theten nach dem bund Gottes jrer veter Gott. [33]Vnd Josia thet weg alle Grewel aus allen Landen / die der kinder Jsrael waren / vnd schafft / das alle / die in Jsrael funden wurden / dem HERRN jrem Gott dieneten. So lange Josia lebt / wichen sie nicht von dem HERRN jrer veter Gott.

4. Reg. 23.

XXXV.

Passah gehalten zu Josia zeiten.

VND Josia hielt dem HERRN Passah zu Jerusalem / vnd schlachtet das Passah im vierzehenden tage des ersten monden. [2]Vnd er stellet die Priester in jre Hut / vnd stercket sie zu jrem ampt im Hause des HERRN. [3]Vnd sprach zu den Leuiten / die gantz Jsrael lereten / vnd dem HERRN geheiliget waren / Thut die heilige Lade

4. Reg. 23.

ins haus / das Salomo der son Dauid des königs Jsrael gebawet hat / Jr solt sie nicht auff den schuldern tragen / So dienet nu dem HERRN ewrem Gott vnd seinem volck Jsrael. [4]Vnd schickt das Haus ewr Veter in ewer ordnung / wie sie beschrieben ist von Dauid dem könige Jsrael vnd seinem son Salomo. [5]Vnd stehet im Heiligthum nach der ordnung der Veter heuser vnter ewrn brüdern vom volck geborn / Auch die ordenung der Veter heuser vnter den Leuiten / [6]Vnd schlachtet das Passah / vnd heiliget euch / vnd schickt ewer Brüder / das sie thun nach dem wort des HERRN durch Mose.

VND Josia gab zur Hebe fur den gemeinen Man lemmer vnd junge zigen / (alles zu dem Passah / fur alle die fur handen waren) an der zal dreissig tausent / vnd drey tausent rinder / vnd alles von dem gut des Königes. [8]Seine Fürsten aber gaben zur Hebe freiwillig fur das Volck vnd fur die Priester vnd Leuiten (nemlich Hilkia / Sacharja vnd Jehiel / die fürsten im hause Gottes vnter den Priestern) zum Passah / zwey tausent vnd sechs hundert (lemmer vnd zigen) dazu drey hundert rinder. [9]Aber Chananja / Semaja / Nethaneel vnd seine brüder Hasabja / Jeiel / vnd Josabad der Leuiten obersten / gaben zur Hebe den Leuiten zum Passah / fünff tausent (lemmer vnd zigen) vnd dazu fünff hundert rinder.

Sup. 29.

ALso ward der Gottesdienst beschickt / vnd die Priester stunden an jrer Stete / vnd die Leuiten in jrer Ordnung nach dem gebot des Königes. [11]Vnd sie schlachteten das Passah / vnd die Priester namen von jren henden vnd || sprengeten / vnd die Leuiten zogen jnen die haut abe. [12]Vnd theten die Brandopffer dauon / das sie es geben vnter die teil der Veter heuser in jrem gemeinen hauffen / dem HERRN zu opffern / wie es geschrieben stehet im buch Mose / So theten sie mit den rindern auch. [13]Vnd sie kochten das Passah am fewr / wie sichs gebürt / Aber was geheiliget war / kocheten sie in töpffen / kesseln / vnd pfannen / vnd sie machtens eilend fur den gemeinen hauffen. [14]Darnach aber bereiten sie auch fur sich vnd fur die Priester / Denn die Priester die kinder Aaron schaffeten an dem Brandopffer vnd fetten bis in die nacht / Darumb musten die Leuiten fur sich vnd fur die Priester die kinder Aaron zubereiten.

|| 255 a

[15]VND die Senger die kinder Assaph stunden an jrer Stete nach dem gebot Dauid / vnd Assaph / vnd Heman / vnd Jedithun des Schawers des Königes vnd die Thorhüter an allen thoren / Vnd sie wichen nicht von jrem ampt / Denn die Leuiten jre brüder bereiten zu fur sie. [16]Also ward beschickt aller Gottesdienst des HERRN des tages / das man Passah hielt / vnd Brandopffer thet auff dem Altar des HERRN / nach dem gebot des königes Josia. [17]Also hielten die kinder Jsrael die fur handen waren / Passah zu der zeit / vnd das Fest der vngeseurten Brot sieben tage. [18]Es war kein Passah gehalten in Jsrael wie das / von der zeit an Samuel des Propheten / vnd kein könig Jsrael hat solch Passah gehalten / wie Josia Passah hielt / vnd die Priester / Leuiten / gantz Juda / vnd was von Jsrael fur handen war / vnd die einwoner zu Jerusalem. [19]Jm achzehenden jar des Königreichs Josia ward dis Passah gehalten.

NECHO.

4. Reg. 23.

NACH DIESEM / DA JOSIA DAS HAUS ZUGERICHT hatte / zoch Necho der könig in Egypten er auff zu streitten wider Charchemis am Phrath / Vnd Josia zoch aus jm entgegen. [21]Aber er sandte Boten zu jm vnd lies jm sagen / Was hab ich mit dir zuthun könig Juda? Jch kome jtzt nicht wider dich / sondern ich streitte wider ein haus / vnd Gott hat gesagt ich sol eilen / Höre auff von Gott der mit mir ist / das er dich nicht verderbe.

[22]ABer Josia wendet sein angesicht nicht von jm / sondern stellet sich mit jm zu streitten / vnd gehorchet nicht den worten Necho aus dem munde Gottes / vnd kam mit jm zu streitten auff der ebene bey Megiddo. [23]Aber die Schützen schossen den könig Josia / vnd der könig sprach zu seinen knechten / Füret mich hin vber / denn ich bin seer wund. [24]Vnd seine knechte theten jn von dem wagen / vnd füreten jn auff seinem andern wagen / vnd brachten jn gen Jerusalem / Vnd er starb vnd ward begraben vnter den Grebern seiner Veter. Vnd gantz Juda vnd Jerusalem trugen leide vmb Josia / [23]Vnd Jeremia klagte Josia / vnd alle Senger vnd Sengerin redeten jre Klageliede vber Josia bis auff diesen tag. Vnd machten eine gewonheit draus in Jsrael / Sihe / es ist geschrieben vnter den Klaglieden.

JOSIA tödlich verwund daran er auch stirbt.

JEREMIA beklaget Josia.

[27]WAS aber mehr von Josia zu sagen ist / vnd seine barmhertzigkeit nach der Schrifft im Gesetz

des HERRN / [27]vnd seine Geschichte / beide ersten vnd letzten / sihe / das ist geschrieben im Buch der könige Jsrael vnd Juda.

## XXXVI.

4. Reg. 23.

VND das Volck im lande nam Joahas / den son Josia vnd machten jn zum Könige an seines vaters stat zu Jerusalem. [2]Drey vnd zwenzig jar alt war Joahas / da er König ward / vnd regieret drey monden zu Jerusalem. [3]Denn der könig in Egypten setzet jn ab zu Jerusalem / vnd büsset das Land vmb hundert Centner silbers vnd ein Centner golds. [4]Vnd der könig in Egypten macht Eliakim seinen bruder zum Könige vber Juda vnd Jerusalem / vnd wandelt seinen namen Joiakim / Aber seinen bruder Joahas nam Necho / vnd bracht jn in Egypten.‖

Joahas 3. monden König in Juda.

Necho.

‖ 255b

Math. 1.

FVnff vnd zwenzig iar alt war Joiakim da er König ward / vnd regieret eilff jar zu Jerusalem / Vnd thet das dem HERRN seinem Gott vbel gefiel. [6]Vnd NebucadNezar der könig zu Babel zoch wider jn erauff / vnd band jn mit keten / das er jn gen Babel füret. [7]Auch bracht NebucadNezar etliche gefesse des hauses des HERRN gen Babel / vnd thet sie in seinen Tempel zu Babel. [8]Was aber mehr von Joiakim zusagen ist / vnd seine Grewel die et thet / vnd die an jm funden wurden / Sihe / die sind geschrieben im Buch der könige Jsrael vnd Juda / Vnd sein son Joiachin ward König an seine stat.

Joiakim 11. jar König in Juda.

ACht jar alt war Joiachin / da er König ward / vnd regieret drey monden vnd zehen tage zu Jerusalem / Vnd thet das dem HERRN vbel gefiel. [10]Da aber das jar vmbkam / sandte hin NebucadNezar / vnd lies jn gen Babel holen mit den köstlichen gefessen im Hause des HERRN / Vnd machet Zidekia seinen bruder zum Könige vber Juda vnd Jerusalem.

Joiachin 3. monden vnd 10. tag König in Juda.

4. Re. 24. Jere. 37.

EJn vnd zwenzig jar alt war Zidekia / da er König ward / vnd regieret eilff jar zu Jerusalem. [12]Vnd thet das dem HERRN seinem Gott vbel gefiel / Vnd demütiget sich nicht fur dem Propheten Jeremia / der da redet aus dem munde des HERRN. [13]Da zu ward er abtrünnig von NebucadNezar dem könige zu Babel / der einen Eid bey Gott von jm genomen hatte / vnd ward halsstarrig / vnd verstockt sein hertz / das er sich nicht bekeret zu dem HERRN dem Gott Jsrael.

Zidekia 11. jar König in Juda.

AVch alle Obersten vnter den Priestern sampt dem volck machten des sündigen viel nach allerley Grewel der Heiden / vnd verunreinigeten das Haus des HERRN / das er geheiliget hatte zu Jerusalem. [15]Vnd der HERR jrer veter Gott / sandte zu jnen durch seine Boten früe / Denn er schonete seines Volcks vnd seiner Wonung. [16]Aber sie spotteten der boten Gottes / vnd verachteten seine wort / vnd effeten seine Propheten / Bis der grim des HERRN vber sein volck wuchs / das kein heilen mehr da war. [17]Denn er füret vber sie den König der Chaldeer / vnd lies erwürgen jre Junge manschafft mit dem schwert im Hause jres Heiligthums / vnd verschonete weder der Jünglinge noch Jungfrawen / weder des Alten noch der Grosueter / alle gab er sie in seine hand.

(Früe) Das ist / Er sagte jnen zeitlich zuuor das sie zeit gnug hatten allewege sich zu bessern / ehe die straffe kem.

[18]VND alle Gefesse im hause Gottes gros vnd klein / die Schetze im Hause des HERRN / vnd die schetze des Königs vnd seiner Fürsten / alles lies er gen Babel füren. [19]Vnd sie verbranten das haus Gottes / Vnd brachen abe die mauren zu Jerusalem / vnd alle jre Pallast branten sie mit fewr aus / das alle jre köstliche Gerete verderbet wurden. [20]Vnd füret weg gen Babel wer vom schwert vberblieben war / vnd wurden seine vnd seiner Söne knechte / bis das Königreich der Persen regierte. [21]Das erfüllet würde das wort des HERRN durch den mund Jeremia / bis das Land an seinen Sabbathen gnug hette / Denn die gantze zeit vber der verstörung war Sabbath bis das siebenzig jar vol worden.

4. Re. 25.

Jere. 25. 29.

Cores.

ABER IM ERSTEN JAR CORES DES KÖNIGES IN PERSEN / das erfüllet würde das wort des HERRN / durch den mund Jeremia geredt / erweckt der HERR den geist Cores des königes in Persen / das er lies ausschreien durch sein gantzes Königreich / auch durch schrifft / vnd sagen / [23]so spricht Cores der König in Persen / Der HERR der Gott von Himel / hat mir alle Königreich in Landen gegeben / vnd hat mir befolhen / jm ein Haus zu bawen zu Jerusalem in Juda / Wer nu vnter euch seines Volcks ist / mit dem sey der HERR sein Gott / vnd ziehe hin auff.

Esra. 1.

Ende des Andern Buchs / Der Chronica.

# DAS BUCH ESRA.

## I.

Jere. 25. 29.
2. Par. 36.

JM ERSTEN JAR CORES DES KÖNIGES IN PERSEN / Das erfüllet würde das wort des HERRN / durch den mund Jeremia geredt / erwecket der HERR den geist Cores des königes in Persen / Das er lies ausschreien durch sein gantzes Königreich / auch durch Schrifft / vnd sagen / [2]so spricht Cores der König in Persen / Der HERR der Gott von Himel hat mir alle Königreich in Landen gegeben / vnd er hat mir befolhen jm ein Haus zu bawen zu Jerusalem in Juda. [3]Wer nu vnter euch seins Volcks ist / mit dem sey sein Gott / vnd er ziehe hin auff gen Jerusalem in Juda / vnd bawe das Haus des HERRN des Gottes Jsrael / Er ist der Gott der zu Jerusalem ist. [4]Vnd wer noch vbrig ist / an allen Orten / da er frembdling ist / dem helffen die Leute seins orts mit silber vnd gold / gut vnd vieh / aus freiem willen zum hause Gottes zu Jerusalem.

CORES nach ausgang der 70. jaren lesst das Volck in Judeam ziehen / den Tempel vnd die Stad Jerusalem wider zu bawen.

DA machten sich auff die öbersten Veter aus Juda vnd BenJamin / vnd die Priester vnd Leuiten / alle der geist Gott erwecket / hin auff zu ziehen vnd zu bawen das Haus des HERRN zu Jerusalem. [6]Vnd alle die vmb sie her waren / sterckten jre hand mit silbern vnd gülden Gerete / mit gut vnd vieh / vnd kleinot / On was sie freiwillig gaben.

VND der könig Cores thet er aus die gefesse des Hauses des HERRN die NebucadNezar aus Jerusalem genomen / vnd in seines Gottes haus gethan hatte. [8]Aber Cores der könig in Persen thet sie er aus durch Mithredath den Schatzmeister / vnd zelet sie dar Sesbazar dem fürsten Juda. [9]Vnd dis ist jre zal / Dreissig güldene Becken / vnd tausent silbern Becken / neun vnd zwenzig Messer / [10]dreissig güldene Becher / vnd der andern silbern Becher / vier hundert vnd zehen / vnd ander Gefesse tausent. [11]Das aller Gefesse beide gülden vnd silbern / waren fünff tausent vnd vier hundert / Alle bracht sie Sesbazar er auff mit denen die aus dem Gefengnis von Babel erauff zogen gen Jerusalem.

Jnf. 5.

SESBAZAR.

## II.

DJS SIND DIE KINDER AUS DEN LANDEN / DIE ER auff zogen aus dem Gefengnis / die NebucadNezar der könig zu Babel hatte gen Babel gefürt /

Summa der so nach den 70. jaren aus dem Gefengnis zu Babel erauff gezogen sind etc.

Summa der / so nach den 70. jaren aus dem Gefengnis zu Babel er auff gezogen sind etc.

vnd wider gen Jerusalem vnd in Juda kamen / ein jglicher in seine Stad. [2]Vnd kamen mit Serubabel / Jesua / Nehemja / Seraja / Reelja / Mardochai / Bilsan / Mispar / Bigeuai / Rehum vnd Baena.

DJs ist-nu die zal der Menner des volcks Jsrael. [3]Der kinder Parees / zwey tausent / hundert vnd zwey vnd siebenzig. [4]Der kinder Sephatja / drey hundert vnd zwey vnd siebenzig. [5]Der kinder Arah / sieben hundert vnd fünff vnd siebenzig. [6]Der kinder PahathMoab vnter der kindern Jesua / Joab / zwey tausent / acht hundert vnd zwelffe. [7]Der kinder Elam / tausent zwey hundert vnd vier vnd funffzig. [8]Der kinder Sathu / neun hundert vnd fünff vnd vierzig. [9]Der kinder Sacai / sieben hundert vnd sechzig. [10]Die kinder Bani / sechs hundert vnd zwey vnd vierzig. [11]Der kinder Bebai / sechs hundert vnd drey vnd zwenzig. [12]Der kinder Asgad / tausent zwey hundert vnd zwey vnd zwenzig. [13]Der kinder Adonikam / sechs hundert vnd sechs vnd sechzig. [14]Der kinder Bigeuai / zwey tausent vnd sechs vnd funffzig. [15]Der kinder Adin / vier hundert vnd || vier vnd funffzig. [16]Der kinder Ater von Hiskia / acht vnd neuntzig. [17]Der kinder Bezai / drey hundert vnd drey vnd zwenzig. [18]Der kinder Jorah / hundert vnd zwelffe. [19]Der kinder Hasum / zwey hundert vnd drey vnd zwenzig. [20]Der kinder Gibbar / fünff vnd neunzig.

|| 256b

[21]DER kinder Bethlehem / hundert vnd drey vnd zwenzig. [22]Der menner Nethopha / sechs vnd funffzig. [23]Der menner von Anathoth / hundert vnd acht vnd zwenzig. [24]Der kinder Asmaueth / zwey vnd vierzig. [25]Der kinder von KiriathArim / Caphira vnd Beeroth / sieben hundert vnd drey vnd vierzig. [26]Der kinder von Rama vnd Gaba / sechs hundert vnd ein vnd zwenzig. [27]Der menner von Michmas / hundert vnd zwey vnd zwenzig. [28]Der menner von BethEl vnd Ai / zwey hundert vnd drey zwenzig. [29]Der kinder Nebo / zwey vnd funffzig. [30]Der menner von Magbis / hundert vnd sechs vnd funffzig. [31]Der kinder des andern Elam / tausent zwey hundert vnd vier vnd funffzig. [32]Der kinder Harim / drey hundert vnd zwenzig. [33]Der kinder LodHadid vnd Ono / sieben hundert vnd fünff vnd zwenzig. [34]Der kinder Jereho / drey hundert vnd fünff vnd vierzig. [35]Der kinder Senaa / drey tausent / sechs hundert vnd dreissig.

der / so nach den 70. jaren aus dem Gefengnis zu Babel erauff gezogen sind etc.

DEr Priester. Der kinder Jedaia vom hause Jesua / neun hundert vnd drey vnd siebenzig. [37]Der kinder Jmmer / tausent vnd zwey vnd funffzig. [38]Der kinder Pashur / tausent zwey hundert vnd sieben vnd vierzig. [39]Der kinder Harim / tausent vnd siebenzehen. [40]Der Leuiten. Der kinder Jesua vnd Kadmiel von den kindern Hodauja / vier vnd siebenzig. [41]Der Senger. Der kinder Assaph / hundert vnd acht vnd zwenzig. [42]Der kinder der Thorhüter / die kinder Sallum / die kinder Ater / die kinder Talmon / die kinder Akub / die kinder Hatita / vnd die kinder Sobai / aller sampt hundert vnd neun vnd dreissig.

[43]DEr Nethinim. Die kinder Ziha / die kinder Hasupha / die kinder Tabaoth / [44]die kinder Keros / die kinder Siehha / die kinder Padon / [45]die kinder Lebana / [46]die kinder Hagaba / die kinder Akub / die kinder Hagab / die kinder Samlai / die kinder Hanan / [47]die kinder Giddel / die kinder Gahar / die kinder Reaia / [48]die kinder Rezin / die kinder Nekoda / die kinder Gasam / [49]die kinder Vsa / die kinder Passeah / die kinder Bessai / [50]die kinder Asna / die kinder Meunim / die kinder Nephussim / [51]die kinder Bakbuk / die kinder Hakupha / die kinder Harhur / [52]die kinder Bazeluth / die kinder Mehira / die kinder Harsa / [53]die kinder Barkom / die kinder Sissera / die kinder Thamah / [54]die kinder Neziah / die kinder Hatipha.

[55]DJE kinder der knechte Salomo. Die kinder Sotai / die kinder Sophereth / die kinder Pruda / [56]die kinder Jaela / die kinder Darkon / die kinder Giddel / [57]die kinder Sephatja / die kinder Hattil / die kinder Pochereth von Zebaim / die kinder Ami. [58]Aller Nethinim / vnd kinder der knechte Salomo waren zu samen drey hundert vnd zwey vnd neunzig.

VND diese zogen auch mit er auff / Mithel / Melah / Thel / Harsa / Cherub / Addon vnd Jmmer / Aber sie kundten nicht anzeigen jrer Veter haus noch jren Samen / ob sie aus Jsrael weren. [60]Die kinder Delaia / die kinder Tobia / die kinder Nekoda / sechs hundert vnd zwey vnd funffzig. [61]Vnd von den kindern der Priester / die kinder Habaja / die kinder Hakoz / die kinder Barsillai / der aus den töchtern Barsillai des Gileaditers ein weib nam / vnd ward vnter derselben namen genennet. [62]Die selben suchten jre geburt Register /

vnd funden keine / darumb wurden sie vom Priesterthum los. [63]Vnd Hathirsatha sprach zu jnen / Sie solten nicht essen vom Allerheiligsten / bis ein Priester stünde mit dem Liecht vnd Recht. Exod. 28.

DER gantzen Gemeine / wie ein man / war zwey vnd vierzig tausent / drey hundert vnd sechzig. [65]Ausgenomen jre Knechte vnd Megde / der waren sieben tausent / drey hundert vnd sieben vnd dreissig / Vnd hatten zwey hundert Senger vnd Sengerin / [66]Sieben hundert vnd sechs vnd dreissig Ros / zwey hun||dert vnd fünff vnd vierzig Meuler / [67]vier hundert vnd fünff vnd dreissig Kamelen / vnd sechs tausent / sieben hundert vnd zwenzig Esel. || 257a

[68]VND etliche der öbersten Veter / da sie kamen zum Hause des HERRN zu Jerusalem / wurden sie freiwillig zum hause Gottes / das mans setzte auff seine Stet / [69]vnd gaben nach jrem vermügen zum Schatz ans werck / ein vnd sechzig tausent Gülden / vnd fünff tausent pfund Silbers / vnd hundert Priesterröcke. [70]Also setzten sich die Priester vnd die Leuiten / vnd etliche des Volcks / vnd die Senger vnd die Thorhüter vnd die Nethinim in jre Stedte / vnd alles Jsrael in seine Stedte.

## III.

JESUA VND Serubabel bawen den Altar etc.

VND DA MAN ERLANGET HATTE DEN SIEBENDEN monden / vnd die kinder Jsrael nu in jren Stedten waren / kam das volck zusamen wie ein Man gen Jerusalem. [2]Vnd es macht sich auff Jesua / der son Jozadak / vnd seine brüder die Priester / vnd Serubabel der son Sealthiel / vnd seine Brüder / vnd baweten den Altar des Gottes Jsrael / Brandopffer drauff zu opffern / wie es geschrieben stehet im gesetze Mose des mans Gottes. [3]Vnd richten zu den Altar auff sein gestüle (Denn es war ein schrecken vnter jnen von den Völckern in Lendern) vnd opfferten dem HERRN Brandopffer drauff / des morgens vnd des abends. Math. 1.

LAUBHÜTTEN Fest gehalten etc.

[4]VND hielten der Laubhütten Fest / wie geschrieben stehet / vnd theten Brandopffer alle tage nach der zal wie sichs gebürt / einen jglichen tag sein Opffer. [5]Darnach auch die teglichen Brandopffer / vnd der Newmonden / vnd aller Festtagen des HERRN die geheiliget waren / vnd allerley freiwillige Opffer / die sie dem HERRN freiwillig theten. [6]Am ersten tage des siebenden monden / Leui. 23.

fiengen sie an dem HERRN Brandopffer zuthun / Aber der grund des Tempels des HERRN war noch nicht gelegt. [7]Sie gaben aber geld den Steinmetzen vnd Zimmerleuten / vnd speis vnd tranck vnd öle denen zu Zidon vnd zu Tyro / das sie Cedern holtz vom Libanon auffs Meer gen Japho brechten / nach dem befelh Cores des königs in Persen an sie.

JM andern jar jrer zukunfft zum hause Gottes gen Jerusalem des andern monden / fiengen an Serubabel / der son Sealthiel / vnd Jesua der son Jozadak / vnd die vbrigen jrer brüder / Priester vnd Leuiten / vnd alle die vom Gefengnis komen waren gen Jerusalem / vnd stelleten die Leuiten von zwenzig jaren vnd drüber / zu treiben das werck am Hause des HERRN. [9]Vnd Jesua stund mit seinen sönen vnd brüdern / vnd Kadmiel mit seinen sönen / vnd die kinder Juda / wie ein Man / zu treiben die Erbeiter am hause Gottes / nemlich / die kinder Henadad mit jren kindern vnd jren brüdern die Leuiten.

GRUND DES Tempels gelegt.

[10]VND da die Bawleute den Grund legten am Tempel des HERRN / stunden die Priester angezogen / mit Drometen / vnd die Leuiten die kinder Assaph mit Cymbeln zu loben den HERRN mit dem geticht Dauid des Königes Jsrael. [11]Vnd sungen vmb einander mit loben vnd dancken dem HERRN / Das er gütig ist / vnd seine Barmhertzigkeit ewiglich weret vber Jsrael. Vnd alles volck dönet laut mit loben den HERRN / das der grund am Hause des HERRN gelegt war. [12]Aber viel der alten Priester vnd Leuiten vnd obersten Veter / die das vorige Haus gesehen hatten / vnd dis Haus fur jren augen gegründet ward / weineten sie laut / Viel aber döneten mit freuden / das das geschrey hoch erschal / [13]Das das Volck nicht erkennen kund das dönen mit freuden / fur dem geschrey des weinens im volck / Denn das volck dönete laut / das man das geschrey ferne hörete.

## IIII.

|| 257b

DA ABER DIE WIDERSACHER JUDA VND BENJamin höreten / das die kinder des Gefengnis dem HERRN dem Gott Jsrael den Tempel baweten / [2]kamen sie zu Serubabel vnd zu den öbersten Vetern / vnd sprachen zu jnen / Wir wollen mit euch bawen / Denn wir suchen ewern Gott / gleich wie jr / vnd wir haben nicht geopffert sint der zeit

AssarHaddon der könig zu Assur / vns hat er auffgebracht. [3]Aber Serubabel vnd Jesua vnd die anderen öbersten Veter vnter Jsrael antworten jnen / Es zimet sich nicht vns vnd euch das Haus vnsers Gottes zu bawen / Sondern wir wollen alleine bawen dem HERRN dem Gott Jsrael / wie vns Cores der könig in Persen geboten hat.

4. Reg. 19.

BAW DES Tempels verhindert.

[4]DA hinderte das Volck im Lande die hand des volcks Juda / vnd schreckten sie ab im bawen. [5]Vnd dingeten Ratgeber wider sie / vnd verhinderten jren Rat / so lange Cores der könig in Persen lebet / bis an das Königreich Darij des königs in Persen. [6]Denn da Ahasueros könig ward / im anfang seines Königreichs / schrieben sie eine anklage wider die von Juda vnd Jerusalem.

DARIUS.

AHASUEROS.

ARTHAHSASTHA.

VND zun zeiten Arthahsastha schreib Bislam / Mithredath / Tabeel / vnd die andern jres Rats / zu Arthahsastha dem könige in Persen / Die schrifft aber des Brieues war auff Syrisch geschrieben / vnd ward auff Syrisch ausgelegt. [8]Rehum der Cantzler / vnd Simsai der Schreiber schrieben diesen Brieue wider Jerusalem zum Arthahsastha dem Könige. [9]Wir Rehum der Cantzler / vnd Simsai der Schreiber / vnd andere des Rats von Dina / von Apharsach / von Tarplat / von Persen / von Arach / von Babel / von Susan / von Deha / vnd von Elam / [10]vnd die ander Völcker / welche der grosse vnd berhümbte Asnaphar herüber bracht / vnd sie gesetzt hat in die stedte Samaria / vnd andere disseid des wassers vnd in Canaan. [11]Vnd dis ist der inhalt des Brieues / den sie zu dem könige Arthahsastha sandten.

BRIEUE REHUM etc. / an Arthahsastha / wider die Jüden.

DEine Knechte die Menner disseid des wassers vnd in Canaan. [12]Es sey kund dem Könige / Das die Jüden / die von dir zu vns erauff komen sind gen Jerusalem / in die auffrhürige vnd böse Stad / bawen dieselbige / vnd machen ire mauren / vnd füren sie aus dem grunde. [13]So sey nu dem Könige kund / Wo diese stad gebawet wird vnd die mauren wider gemacht / So werden sie schos / zol / vnd jerliche zinse nicht geben / vnd jr furnemen wird den Königen schaden bringen. [14]Nu wir aber alle da bey sind / die wir den Tempel zustöret haben / haben wir die schmach des Königes nicht lenger wollen sehen. Darumb schicken wir hin / vnd lassens dem Könige zu wissen thun / [15]Das man lasse suchen in den Chroniken deiner

Veter / So wirstu finden in den selben Chroniken vnd erfaren / Das diese Stad auffrhürisch vnd schedlich ist den Königen vnd Landen / vnd machen das andere auch abfallen / von alters her / darumb die Stad auch zustöret ist. [16]Darumb thun wir dem Könige zu wissen / das / wo diese Stad gebawet wird / vnd jre mauren gemacht / So wirstu fur jr nichts behalten disseid des wassers.

DA sandte der König eine antwort zu Rehum dem Cantzler / vnd Simsai dem Schreiber / vnd den andern jres Rats / die in Samaria woneten / vnd den andern jenseid dem wasser / Fried vnd grus. [18]Der brieff den jr vns zugeschickt habt / ist öffentlich fur mir gelesen. [19]Vnd ist von mir befolhen / das man suchen solt / vnd man hat funden / Das diese Stad von alters her wider die Könige sich empöret hat / vnd auffrhur vnd abfall drinnen geschicht. [20]Auch sind mechtige Könige zu Jerusalem gewesen / die geherrschet haben vber alles das jenseid des wassers ist / jnen zol / schos / vnd jerliche zinse gegeben worden. [21]So thut nu nach diesem befelh / Wehret den selben Mennern / das die Stad nicht gebawet werde / bis das von mir der befelh gegeben werde. [22]So sehet nu zu / das jr nicht hinlessig hierinnen seid / damit nicht schade entstehe dem Könige. ‖

‖ 258 a

DA nu der brieff des königes Arthahsastha gelesen ward fur Rehum vnd Simsai dem Schreiber vnd jrem Rat / zogen sie eilend hin auff gen Jerusalem zu den Jüden / vnd wehreten jnen mit dem arm vnd gewalt. [24]Da höret auff das Werck am hause Gottes zu Jerusalem / vnd bleib nach / bis ins ander jar Darij / des königs in Persen.

## V.

HAGGAI VND Sacharja ermanen den Tempel zu bawen etc.

ES WEISSAGTEN ABER DIE PROPHETEN HAGGAI vnd Sacharja der son Jddo / zu den Jüden die in Juda vnd Jerusalem waren / im namen des Gottes Jsrael. [2]Da machten sich auff Serubabel der son Sealthiel / vnd Jesua der son Jozadak / vnd fiengen an zu bawen das haus Gottes zu Jerusalem / vnd mit jnen die Propheten Gottes die sie sterckten.

ZV der zeit kam zu jnen Thathnai der Landpfleger disseid des wassers / vnd StharBosnai / vnd jr Rat / vnd sprachen also zu jnen / Wer hat euch befolhen dis Haus zu bawen / vnd seine mau-

vnd Sacharja ermanen den Tempel zu bawen.

ren zu machen? [4]Da sagten wir jnen wie die Menner hiessen / die diesen Baw theten. [5]Aber das auge jres Gottes kam auff die eltesten der Jüden / das jnen nicht gewehret ward / bis das man die sach an Darium gelangen liesse / vnd darüber eine Schrifft widerkeme.

DARIUS.

BRIEUE Thathnai etc. / an Darium etc.

DJs ist aber der inhalt des Brieues Thathnai des Landpflegers disseid des wassers / vnd Sthar-Bosnai / vnd jr Rat von Apharsach / die disseid des wassers waren / an den könig Darium / [7]vnd die wort die sie zu jm sandten / lauten also. Dem könige Dario / allen frieden. [8]Es sey kund dem Könige / das wir ins Jüdischeland komen sind / zu dem Hause des grossen Gottes / welchs man bawet mit allerley Steinen / vnd Balcken legt man in die wende / vnd das Werck gehet frissch von statten vnter jrer hand. [9]Wir aber haben die Eltesten gefragt vnd zu jnen gesagt also / Wer hat euch befolhen dis Haus zu bawen / vnd seine mauren zu machen? [10]Auch fragten wir / wie sie hiessen / auff das wir sie dir kund theten. Vnd haben die namen beschrieben der Menner die jre Obersten waren.

[11]SJE aber gaben vns solche wort zu antwort / vnd sprachen / Wir sind knechte des Gottes Himels vnd der Erden / vnd bawen das Haus / das vor hin vor vielen jaren gebawet war / das ein grosser könig Jsrael gebawet hat vnd auffgericht. [12]Aber da vnsere Veter den Gott von Himel erzürneten / gab er sie in die hand NebucadNezar / des königes zu Babel des Chaldeers / der zubrach dis Haus / vnd füret das Volck weg gen Babel.

[13]ABer im ersten jar Cores des königes zu Babel / befalh der selbe könig Cores / dis haus Gottes zu bawen. [14]Denn auch die gülden vnd silbern Gefesse im hause Gottes / die NebucadNezar aus dem Tempel zu Jerusalem nam / vnd bracht sie in den Tempel zu Babel / nam der könig Cores aus dem Tempel zu Babel / vnd gab sie Sesbazar mit namen / den er zum Landpfleger setzt / [15]vnd sprach zu jm / Diese gefesse nim / zeuch hin vnd bringe sie in den Tempel zu Jerusalem / vnd las das haus Gottes bawen an seiner stet. [16]Da kam derselbe Sesbazar / vnd leget den grund am hause Gottes zu Jerusalem / Sint der zeit bawet man / vnd ist noch nicht volendet.

Sup. 1.

[17]GEfellet es nu dem Könige / so lasse er suchen in dem Schatzhause des Königes / das zu Babel ist /

Darij vom Tempel zu bawen.

Obs von dem könige Cores befolhen sey / das haus Gottes zu Jerusalem zu bawen / Vnd sende zu vns des Königes meinung vber diesem.||

VI.

|| 258b

DA BEFALH DER KÖNIG DARIUS / DAS MAN SUCHEN solt in der Cantzeley im Schatzhause des Königes / die zu Babel lag. [2]Da fand man zu Ahmetha im Schlos das in Meden ligt ein Buch / vnd stund also drinnen eine Geschicht geschrieben. [3]Jm ersten jar des königes Cores / befalh der könig Cores / das haus Gottes zu Jerusalem zu bawen / an der Stet da man opffert / vnd den Grund legen zur höhe sechzig ellen vnd zur weite auch sechzig ellen. [4]Vnd drey wende von allerley steinen / vnd eine wand von holtz / Vnd die kost sol vom hause des Königes gegeben werden. [5]Da zu die gülden vnd silberne Gefesse des hauses Gottes / die NebucadNezar aus dem Tempel zu Jerusalem genomen / vnd gen Babel gebracht hatte / sol man wider geben / das sie wider gebracht werden in den Tempel zu Jerusalem an jre stat im hause Gottes.

Sup. 1. 5.

SO macht euch nu ferne von jnen / du Thathnai Landpfleger jenseid des wassers / vnd StharBosnai / vnd jrer Rat von Apharsach / die jr jenseid des wassers seid. [7]Lasst sie erbeiten am hause Gottes / das der Jüden Landpfleger vnd jre Eltesten das haus Gottes bawen an seiner Stet. [8]Auch ist von mir befolhen / was man den eltesten Juda thun sol zu bawen das haus Gottes / nemlich / Das man aus des Königes gütern von den Renten jenseid des wassers mit vleis neme / vnd gebs den Leuiten vnd das man jnen nicht were.

BEFELH DARIJ vom Tempel zu bawen.

[9]VND ob sie dürfften Kelber / Lemmer oder Böcke zum Brandopffer dem Gott von Himel / weitzen / saltz / wein vnd öle / nach der weise der Priester zu Jerusalem / Sol man jnen geben teglich sein gebür / Vnd das solchs nicht hinlessig geschehe / [10]Das sie opffern zum süssen geruch dem Gott von Himel / vnd bitten fur des Königes leben vnd seiner Kinder. [11]Von mir ist solcher befelh geschehen / Vnd welcher Mensch diese wort verendert / von des Hause sol man einen balcken nemen / vnd auffrichten / vnd jn dran hengen / vnd sein haus sol dem Gericht verfallen sein / vmb der that willen. [12]Der Gott aber der im Himel wonet / bringe vmb alle Könige vnd Volck / das seine

Darij vom Tempel zu bawen.

hand ausrecket zu endern vnd zu brechen das haus Gottes in Jerusalem. Jch Darius habe dis befolhen / das es mit vleis gethan werde.

TEMPEL volnbracht.

DAS theten mit vleis Thathnai der Landpfleger jenseid dem wasser / vnd StharBosnai mit jrem Rat / zu welchen der könig Darius gesand hatte. [14]Vnd die eltesten der Jüden baweten / vnd es gieng von statten durch die weissagung der Propheten Haggai vnd Sacharja / des sons Jddo / vnd baweten vnd richten auff nach dem befelh des Gottes Jsrael / vnd nach dem befelh Cores / Darij vnd Arthahsastha der königen in Persen. [15]Vnd volbrachten das Haus / bis an dritten tag des monden Adar / das war das sechste jar des Königreichs des königes Darij.

EINWEIHUNG des Tempels.

VND die kinder Jsrael / die Priester / die Leuiten / vnd die andern kinder der Gefengnis hielten Einweihung des hauses Gottes mit freuden. [17]Vnd opfferten auff die Einweihung des hauses Gottes / hundert Kelber / zwey hundert Lemmer / vier hundert Böcke / vnd zum Sundopffer fur gantzes Jsrael zwelff Zigenböcke / nach der zal der stemme Jsrael. [18]Vnd stelleten die Priester in jre Ordnung / vnd die Leuiten in jre Hut / zu dienen Gott der in Jsrael ist / wie es geschrieben stehet im buch Mose.

PASSAH gehalten.

VND die kinder des Gefengnis hielten Passah im vierzehenden tage des ersten monden. [20]Denn die Priester vnd Leuiten hatten sich gereiniget / das sie alle rein waren / wie ein Man / vnd schlachteten das Passah fur alle Kinder des Gefengnis / vnd fur jre brüder die Priester vnd fur sich. [21]Vnd die kinder Jsrael / die aus dem Gefengnis waren wider komen / vnd alle die sich zu jnen abgesondert hatten von der vnreinigkeit der Heiden im Lande / zu suchen den HERRN den Gott Jsrael / assen [22]vnd hielten das Fest der vngeseurten brot /|| sieben tage mit freuden. Denn der HERR hatte sie frölich gemacht / vnd das hertz des königs zu Assur zu jnen gewand / das sie gestercket würden im Werck am hause Gottes / der Gott Jsrael ist.

|| 259a

VII.

ESRA ZIEHET er auff von Babel in Judeam.

NACH DIESEN GESCHICHTEN IM KÖNIGREICH Arthahsastha des königes in Persen / zoch er auff von Babel Esra der son Seraja / des sons

Asarja / des sons Hilkia / [2]des sons Sallum / des sons Zadok / des sons Ahitob / [3]des sons Amarja / des sons Asarja / des sons Meraioth / [4]des sons Serah / des sons Vsi / des sons Buki / [5]des sons Abisua / des sons Pinehas / des sons Eleasar / des sons Aaron des öbersten Priesters / [6]welcher war ein geschickter Schrifftgelerter im gesetz Mose / das der HERR der Gott Jsrael gegeben hatte / Vnd der König gab jm alles was er foddert / nach der Hand des HERRN seines Gottes vber jm.

[7]VND es zogen er auff etliche der kinder Jsrael / vnd der Priester vnd der Leuiten / der Senger / der Thorhüter / vnd der Nethinim gen Jerusalem / im siebenden jar Arthahsastha des königes. [8]Vnd sie kamen gen Jerusalem im fünfften monden / das ist das siebende jar des Königes [9](Denn am ersten tage des ersten monden ward er rats er auff zu ziehen von Babel) vnd am ersten tage des fünfften monden kam er gen Jerusalem / nach der guten hand Gottes vber jm. [10]Denn Esra schickt sein hertz zu suchen das Gesetz des HERRN vnd zu thun / vnd zu leren in Jsrael Gebot vnd Rechte.

JNHALT DES Brieues / den Arthahsastha Esra gabe etc.

VND dis ist der inhalt des Brieues / den der könig Arthahsastha gab Esra dem Priester dem Schrifftgelerten / der ein Lerer war in den worten des HERRN vnd seiner Gebot vber Jsrael. [12]Arthahsastha König aller könige. Esra dem Priester vnd Schrifftgelerten im gesetz des Gottes von Himel. Fried vnd Grus. [13]Von mir ist befolhen / das alle die da freiwillig sind in meinem Reich / des volcks Jsrael / vnd der Priester vnd Leuiten / gen Jerusalem zu ziehen / das die mit dir ziehen / [14]Vom Könige vnd den sieben Ratherrn gesand / zu besuchen Juda vnd Jerusalem / nach dem gesetz Gottes / das vnter deiner hand ist. [15]Vnd mit nemest silber vnd gold / das der König vnd seine Ratherrn freiwillig geben dem Gott Jsrael / des Wonunge zu Jerusalem ist. [16]Vnd allerley silber vnd gold / das du finden kanst in der gantzen Landschafft zu Babel / mit dem / das das volck vnd die Priester freiwillig geben zum hause Gottes zu Jerusalem.

[17]ALle dasselb nim vnd keuff mit vleis von demselben gelde / Kelber / Lemmer / Böcke / vnd Speisopffer vnd Tranckopffer / das man opffer auff dem Altar beim hause ewrs Gottes zu Jerusalem. [18]Dazu was dir vnd deinen Brüdern mit dem

vbrigen Gelde zu thun gefelt / das thut nach dem willen ewrs Gottes. [19]Vnd die Gefesse die dir gegeben sind zum Ampt im Hause deines Gottes / vberantworte fur Gott zu Jerusalem. [20]Auch was mehr not sein wird zum Hause deines Gottes / das dir furfelt aus zugeben / das las geben aus der kamer des Königes. [21]Jch könig Arthahsastha habe dis befolhen den Schatzmeistern jenseid des wassers / das / was Esra von euch foddern wird der Priester vnd Schrifftgelerter im gesetz Gottes vom Himel / das jr das vleissig thut. [22]Bis auff hundert Centner silbers / vnd auff hundert Cor weitzen / vnd auff hundert Bath weins / vnd auff hundert Bath öles / vnd saltzes on mas. [23]Alles was gehöret zum gesetz Gottes vom Himel / das man dasselb vleissig thu zum hause Gottes vom Himel / Das nicht ein zorn kome vber des Königes königreich vnd seine kinder.

[24]VND euch sey kund / Das jr nicht macht habt / Zins / Zol / vnd jerliche Rente zu legen auff jrgent einen Priester / Leuiten / Senger / Thorhüter / Nethinim vnd Diener im hause dieses Gottes. [25]Du aber Esra nach der weisheit deines || Gottes / die vnter deiner hand ist / setze Richter vnd Pfleger / die alles volck richten das jenseid des wassers ist / alle die das Gesetz deines Gottes wissen / vnd welche es nicht wissen / die leret es. [26]Vnd alle die nicht mit vleis thun werden das gesetz deines Gottes / vnd das gesetz des Königs / Der sol sein vrteil vmb der that willen haben / es sey zum Tod oder in die Acht / oder zur Busse am gut / oder ins Gefengnis.

|| 259b

GElobet sey der HERR vnser veter Gott / der solchs hat dem Könige ein gegeben / das er das haus Gottes zu Jerusalem zieret. [28]Vnd hat zu mir barmhertzigkeit geneiget fur dem Könige vnd seinen Ratherrn / vnd allen Gewaltigen des Königes / Vnd ich ward getrost nach der hand des HERRN meines Gottes vber mir / vnd versamlet die Heubter aus Jsrael / das sie mit mir hin auff zögen.

## VIII.

DJS SIND DIE HEUBTER JRER VETER DIE GERECHnet wurden / die mit mir er auff zogen von Babel / zun zeiten / da der könig Arthahsastha regierte. [2]Von den kindern Pinehas / Gersom. Von den kindern Jthamar / Daniel. Von den kindern Dauid / Hattus. [3]Von den kindern Sechanja der kinder Pareos / Sacharja / vnd mit jm Mansbilde gerechnet hundert vnd funffzig. [4]Von den kindern PahathMoab / Elioenai der son Serahja / vnd mit jm zwey hundert Mansbilde. [5]Von den kindern Sechanja der son Jehasiel / vnd mit jm drey hundert Mansbilde. [6]Von den kindern Adin / Ebed / der son Jonathan / vnd mit jm funffzig Mansbilde.

[7]VON den kindern Elam / Jesaja der son Athalja / vnd mit jm siebenzig Mansbilde. [8]Von den kindern Sephatja / Sebadja der son Michael / vnd mit jm achzig Mansbilde. [9]Von den kindern Joab / Obadja der son Jehiel / vnd mit jm zwey hundert vnd achzehen Mansbilde. [10]Von den kindern Selomith / der son Josiphja / vnd mit jm hundert vnd sechzig Mansbilde. [11]Von den kindern Bebai / Sacharja der son Bebai / vnd mit jm acht vnd zwenzig Mansbilde. [12]Von den kindern Asgad / Johanan der jüngst son / vnd mit jm hundert vnd zehen Mansbilde. [13]Von den letzten kindern Adonikam / vnd hiessen also / Eliphelet / Jehiel vnd Semaja / vnd mit jnen sechzig Mansbilde. [14]Von den kindern Bigeuai / Vthai vnd Sabud / vnd mit jm siebenzig Mansbilde.

VND ich versamlet sie ans wasser das gen Aheua kompt / vnd blieben drey tage daselbs / Vnd da ich acht hatte auffs volck vnd die Priester / fand ich keine Leuiten daselbs. [16]Da sandte ich hin Elieser / Ariel / Semaja / Elnathan / Jarib / Elnathan / Nathan / Sacharja / vnd Mesullam die Obersten / vnd Joiarib vnd Elnathan die Lerer. [17]Vnd sand sie aus zu Jddo dem Obersten / gen Casphia / das sie vns holeten Diener im Hause vnsers Gottes / Vnd ich gab jnen ein / was sie reden solten mit Jddo vnd seinen brüdern den Nethinim zu Casphia. [18]Vnd sie brachten vns / nach der guten hand vnsers Gottes vber vns / einen klugen Man aus den kindern Maheli / des sons Leui / des sons Jsrael / Serebja mit seinen sönen vnd brüdern / achzehen. [19]Vnd Hasabja / vnd mit jm Jesaja von den kindern Merari / mit seinen brüdern vnd jren sönen / zwenzig. [20]Vnd von den Nethinim / die Dauid vnd die Fürsten gaben zu dienen den Leuiten / zwey hundert vnd zwenzig / alle mit namen genennet.

VND ich lies daselbs am wasser bey Aheua eine Fasten ausruffen / das wir vns demütigeten fur vnserm Gott / zu suchen von jm einen richtigen weg fur vns vnd vnser Kinder vnd alle vnser Habe. [22]Denn ich schemete mich vom könige Geleit vnd Reuter zu foddern / vnd wider die Feinde zu helffen auff dem wege / Denn wir hatten dem Könige gesagt / Die hand vnsers Gottes ist zum besten vber allen / die jn suchen / Vnd seine sterck vnd zorn vber alle die jn || verlassen. [23]Also fasteten wir / vnd suchten solchs an vnserm Gott / Vnd er höret vns.

|| 260a

[24]VND ich sonderte zwelff aus den öbersten Priestern / Serebja vnd Hasabja / vnd mit jnen jrer Brüder zehen / [25]vnd wug jnen dar das silber vnd gold / vnd gefesse zur Hebe dem hause vnsers Gottes / welche der König vnd seine Ratherrn vnd Fürsten vnd gantz Jsrael das fur handen war / zur Hebe gegeben hatten. [26]Vnd wug jnen dar vnter jre hand sechs hundert vnd funffzig Centner silbers / vnd an silbern gefesse hundert Centner / vnd an golde hundert Centner / [27]zwenzig gülden becher / die hatten tausent gülden / vnd zwey gute eherne köstliche gefesse / lauter wie gold. [28]Vnd sprach zu jnen / Jr seid heilig dem HERRN / so sind die Gefesse auch heilig / dazu das frey gegeben silber vnd gold dem HERRN ewr veter Gott. [29]So wachet vnd bewaret es / bis das jrs dar weget fur den öbersten Priestern vnd Leuiten vnd öbersten Vetern vnter Jsrael zu Jerusalem / in den Kasten des Hauses des HERRN. [30]Da namen die Priester vnd Leuiten das gewogen silber vnd gold vnd gefesse / das sie es brechten gen Jerusalem zum Hause vnsers Gottes.

ALso brachen wir auff von dem wasser Aheua am zwelfften tage des ersten monden / das wir gen Jerusalem zögen / Vnd die Hand vnsers Gottes war vber vns / vnd errettet vns von der hand der Feinde vnd die auff vns hielten auff dem wege. [32]Vnd kamen gen Jerusalem / vnd blieben daselbs drey tage. [33]Aber am vierden tage ward gewogen das silber vnd gold vnd gefesse / ins Haus vnsers Gottes / vnter die hand Meremoth / des sons Vria des Priesters / vnd mit jm Eleasar dem son Pinehas / vnd mit jnen Josabad dem son Jesua / vnd Noadja dem son Benui dem Leuiten / [34]nach der zal vnd gewicht eins jglichen / vnd das gewicht ward zu der zeit alles beschrieben.

[35]VND die kinder des Gefengnis / die aus dem gefengnis komen waren / opfferten Brandopffer dem Gott Jsrael / zwelff farren / fur das gantz Jsrael / sechs vnd neunzig wider / sieben vnd siebenzig lemmer / zwelff böcke zum Sündopffer / alles zum Brandopffer dem HERRN. [36]Vnd sie vberantworten des Königes befelh den Amptleuten des Königes / vnd den Landpflegern disseid des wassers / Vnd sie erhuben das Volck vnd das haus Gottes.

IX.

DA DAS ALLES WAR AUSGERICHT / TRATTEN ZU mir die Obersten / vnd sprachen / Das volck Jsrael vnd die Priester vnd Leuiten sind nicht abgesondert von den Völckern in Lendern nach jren greweln / nemlich / der Cananiter / Hethiter / Pheresiter / Jebusiter / Ammoniter / Moabiter / Egypter / vnd Amoriter. [2]Denn sie haben der selben Töchter genomen / vnd jren Sönen / vnd den heiligen Samen gemein gemacht mit den völckern in Lendern / Vnd die hand der Obersten vnd Ratherrn war die fürnemeste in dieser missethat.

[3]DA ich solchs höret / zureis ich meine Kleider vnd meinen Rock / vnd raufft mein heubthar vnd bart aus / vnd sas einsam. [4]Vnd es versamleten sich zu mir alle die des HERRN wort des Gottes Jsrael furchten / vmb der grossen vergreiffung willen / Vnd ich sas einsam bis an das Abendopffer. [5]Vnd vmb das Abendopffer stund ich auff von meinem elend / vnd zureis meine kleider vnd meinen rock / vnd fiel auff meine knie / vnd breitet meine hende aus zu dem HERRN meinem Gott / [6]vnd sprach.

ESRA GEBET.

MEin Gott / Jch scheme mich vnd schew mich meine augen auffzuheben zu dir / mein Gott / Denn vnser missethat ist vber vnser heubt gewachsen vnd vnser schuld ist gros bis in den Himel. [7]Von der zeit vnser Veter an sind wir in grosser schuld gewesen bis auff diesen tag / vnd vmb vnser missethat willen sind wir vnd vnsere Könige vnd Priester gegeben in die hand der Kö- || nige in Lendern / ins schwert / ins gefengnis / in raub / vnd in scham des angesichts / wie es heutes tages gehet.

|| 260b

[8]NV aber ist ein wenig vnd plötzliche Gnade von dem HERRN vnserm Gott geschehen / das

Gebet.

Nagel vnd Zaun / ist geredt auff Sprichworts weise / Das alles ander Land vnd Leute vmbkomen sind vnd sie noch vbrig sind blieben / als ein Nagel vom Hause / vnd ein Zaun vom Lande.

vns noch etwas vbrig ist entrunnen / das er vns gebe einen Nagel an seiner heiligen Stete / das vnser Gott vnser augen erleuchtet / vnd gebe vns ein wenig leben / da wir knechte sind. [9]Denn wir sind Knechte / vnd vnser Gott hat vns nicht verlassen / ob wir knechte sind / vnd hat barmhertzigkeit zu vns geneiget fur den Königen in Persen / das sie vns das Leben lassen / vnd erhöhen das Haus vnsers Gottes / vnd auffrichten seine verstörunge / vnd gebe vns einen Zaun in Juda vnd Jerusalem.

[10]NV was sollen wir sagen vnser Gott / nach diesem / das wir deine Gebot verlassen haben / [11]die du durch deine knechte die Propheten geboten hast vnd gesagt / Das Land dar ein jr komet zu erben / ist ein vnrein Land / durch die vnreinigkeit der Völcker in Lendern / in jren Greweln / damit sie es hie vnd da vol vnreinigkeit gemacht haben. [12]So solt jr nu ewre Töchter nicht geben jren Sönen / vnd jre Töchter solt jr ewern Sönen nicht nemen / Vnd sucht nicht jren Frieden noch guts ewiglich / Auff das jr mechtig werdet / vnd esset das gut im Lande / vnd beerbet es auff ewre Kinder ewiglich.

[13]Vnd nach dem allem das vber vns komen ist / vmb vnser bösen werck vnd grosser schuld willen / hastu vnser Gott vnser missethat verschonet / vnd hast vns eine errettung gegeben / wie es da stehet. [14]Wir aber haben vns vmb gekeret / vnd dein Gebot lassen faren / das wir vns mit den Völckern dieser grewel befreundet haben / Wiltu denn vber vns zürnen / bis das gar aus sey / das nicht vbrigs noch keine errettunge sey? [15]HERR Gott Jsrael / du bist gerecht / denn wir sind vberblieben ein errettunge / wie es heutes tages stehet / Sihe / wir sind fur dir in vnser schuld / denn vmb des willen ist nicht zu stehen fur dir.

## X.

Jsrael hat sich versündiget / das sie Heidnische weiber genomen etc.

VND DA ESRA ALSO BETET VND BEKENNET / WEInet / vnd fur dem hause Gottes lag / samleten sich zu jm aus Jsrael ein seer grosse gemeine von Mennern vnd Weibern vnd Kindern / Denn das volck weinet seer. [2]Vnd Sachanja / der son Jehiel / aus den kindern Elam / antwortet vnd sprach zu Esra / Wolan / wir haben vns an vnserm Gott vergriffen / das wir frembde Weiber aus den völckern

hat sich versündiget / das sie Heidnische Weiber genomen etc.

des Lands genomen haben / Nu / es ist noch hoffnung in Jsrael vber dem. [3]So lasst vns nu einen Bund machen mit vnserm Gott / das wir alle Weiber vnd die von jnen geborn sind / hin aus thun / nach dem rat des HERRN / vnd dere / die die gebot vnsers Gottes furchten / das man thu nach dem Gesetze. [4]So mach dich auff / denn dir gebürts wir wollen mit dir sein / Sey getrost vnd thu es.

DA stund Esra auff / vnd nam einen Eid von den öbersten Priestern vnd Leuiten vnd gantzem Jsrael / das sie nach diesem wort thun solten. Vnd sie schwuren. [6]Vnd Esra stund auff fur dem hause Gottes / Vnd gieng in die kamer Johanan des sons Eliasab / vnd da er daselbs hin kam / ass er kein brot / vnd tranck kein wasser / Denn er trug leide vmb die vergreiffung dere / die gefangen gewesen waren. [7]Vnd sie liessen ausruffen durch Juda vnd Jerusalem zu allen Kindern die gefangen waren gewesen / das sie sich gen Jerusalem versamleten. [8]Vnd welcher nicht keme in dreien tagen / nach dem rat der Obersten vnd Eltesten / des Habe solt alle verbannet sein / vnd er abgesondert von der gemeine der gefangenen.

[9]DA versamleten sich alle menner Juda vnd BenJamin gen Jerusalem in dreien tagen / das ist im zwenzigsten tage des neunden monden / Vnd alles volck sass auff der strassen fur dem hause Gottes / vnd zitterten vmb der Sach willen / vnd vom regen. ‖

‖ 261 a

VND Esra der Priester stund auff / vnd sprach zu jnen / Jr habt euch vergriffen / das jr frembde Weiber genomen habt / das jr der schuld Jsrael noch mehr machtet. [11]So bekennet nu dem HERRN ewr veter Gott / vnd thut seinen wolgefallen / vnd scheidet euch von den Völckern des Lands / vnd von den frembden weibern.

[12]DA antwortet die gantze Gemeine / vnd sprach mit lauter stimme / Es geschehe / wie du vns gesagt hast. [13]Aber des volcks ist viel / vnd regenicht wetter / vnd kan nicht haussen stehen / So ists auch nicht eines oder zweier tage werck / Denn wir habens viel gemacht solcher vbertrettung. [14]Lasst vns vnsere Obersten bestellen in der gantze Gemeine / das alle die in vnsern Stedten / frembde weiber genomen haben / zu bestimpten zeiten komen / vnd die Eltesten einer jglichen Stad / vnd

jr Richter mit / bis das von vns gewendet werde der zorn vnsers Gottes / vmb dieser sache willen.

[15]DA wurden bestellet Jonathan / der son Asahel / vnd Jehasja / der son Tikwa / vber diese Sachen / vnd Mesullam vnd Sabthai die Leuiten hulffen jnen. [16]Vnd die kinder des Gefengnis theten also. Vnd der Priester Esra vnd die fürnemesten Veter vnter jrer veter hause / vnd alle jtzt benante / scheideten sie / vnd satzten sich am ersten tage des zehenden monden zu forschen diese sachen. [17]Vnd sie richtens aus an allen Mennern die frembde Weiber hatten / im ersten tage des ersten monden.

VND es wurden funden vnter den kindern der Priester die frembde weiber genomen hatten / nemlich / vnter den kindern Jesua / des sons Jozadak / vnd seinen brüdern Maeseja / Elieser / Jarib vnd Gedalja. [19]Vnd sie gaben jre hand drauff / das sie die weiber wolten ausstossen / vnd zu jrem Schuldopffer einen Wider fur jre schuld geben. [20]Vnter den kindern Jmmer / Hanani vnd Sebadja. [21]Vnter den kindern Harim / Maeseja / Elia / Semaja / Jehiel / vnd Vsia. [22]Vnter den kindern Pashur / Elioenai / Maeseja / Jsmael / Nethaneel / Josabad vnd Eleasa. [23]Vnter den Leuiten / Josabad / Simei vnd Kelaja (Er ist der Klita) Pethathja / Juda vnd Eliezer. [24]Vnter den Sengern / Eliasib. Vnter den Thorhütern / Sallum / Telem vnd Vri.

[25]VON Jsrael / Vnter den kindern Pareos / Ramja / Jesia / Malchja / Mejamin / Eleasar / Malchia vnd Benaja. [26]Vnter den kindern Elam / Mathanja / Sacharja / Jehiel / Abdi / Jeremoth vnd Elia. [27]Vnter den kindern Sathu / Elioenai / Eliasib / Mathanja / Jeremoth / Sabad vnd Asisa. [28]Vnter den kindern Bebai / Johanan / Hananja / Sebai vnd Athlai. [29]Vnter den kindern Bani / Mesullam / Malluch / Adaja / Jasub / Seal vnd Jeramoth. [30]Vnter den kindern PahathMoab / Adna / Chelal / Benaja / Maeseja / Mathanja / Bezaleel / Benui vnd Manasse. [31]Vnter den kindern Harim / Elieser / Jesia / Malchia / Semaja / Simeon / [32]BenJamin / Malluch vnd Samarja. [33]Vnter den kindern Hasum / Mathnai / Mathatha / Sabad / Eliphelet / Jeremai / Manasse vnd Simei. [34]Vnter den kindern Bani / Maedai / Amram / Huel / [35]Benaja / Bedja / Chelui / [36]Naia / Meremoth / Eliasib / [37]Mathanja / Mathnai / Jaesai / [38]Bani / Benui / Simei / [39]Selemja / Nathan / Adaja / [40]Machnad-

Priester so frembde weiber genomen etc.

bai / Sasai / Sarai / [41]Asareel / Selemja / Samarja / [42]Sallum / Amarja vnd Joseph. [43]Vnter den kindern Nebo / Jeiel / Mathithja / Sabad / Sebina / Jaddai / Joel vnd Benaja. [44]Diese hatten alle frembde weiber genomen / Vnd waren etliche vnter denselben weibern / die Kinder getragen hatten.

|| 261b

Ende des Buchs Esra.||

# DAS BUCH NEHEMIA.

## I.

DJS SIND DIE GESCHICHTE NEHEMJA / DES SONS Hachalja. Es geschach im monden Chislef des zwenzigsten jars / das ich war zu Susan auff dem Schlos / [2]kam Hanani einer meiner brüder / mit etlichen Mennern aus Juda / Vnd ich fraget sie / Wie es den Jüden gienge / die errettet vnd vberig waren von dem Gefengnis / vnd wie es zu Jerusalem gienge? [3]Vnd sie sprachen zu mir / Die vbrigen von dem Gefengnis sind daselbs im Lande in grossem vnglück vnd schmach / Die mauren Jerusalem sind zubrochen / vnd jre Thor mit fewr verbrand. [4]Da ich aber solche wort höret / sas ich vnd weinet / vnd trug leid zween tage / vnd fastet vnd betet fur dem Gott von Himel / [5]vnd sprach.

NEHEMIA Gebet.

AH HERR Gott von Himel / grosser vnd schrecklicher Gott / der da helt den Bund vnd barmhertzigkeit denen / die jn lieben / vnd seine Gebot halten / [6]Las doch deine Ohren auffmercken / vnd deine Augen offen sein / das du hörest das gebet deines Knechts / das ich nu fur dir bete tag vnd nacht / fur die kinder Jsrael deine Knechte / vnd bekenne die sünde der kinder Jsrael / die wir an dir gethan haben / vnd ich vnd meins Vaters haus haben auch gesündiget. [7]Wir sind verruckt worden / Das wir nicht gehalten haben die Gebot / Befelh vnd Rechte / die du geboten hast deinem knecht Mose.

[8]GEdenck aber doch des worts / das du deinem knecht Mose gebotest / vnd sprachest / Wenn jr euch vergreifft / So wil ich euch vnter die Völcker strewen. [9]Wo jr euch aber bekeret zu mir / vnd haltet meine Gebot / vnd thut sie / vnd ob jr verstossen weret bis an der Himel ende / So wil ich euch doch von dannen versamlen / vnd wil euch bringen an den Ort / den ich erwelet habe / das mein Name daselbs wone. [10]Sie sind doch ja deine Knechte vnd dein Volck / die du erlöset hast / durch deine grosse Krafft vnd mechtige Hand. [11]Ah HERR / las deine Ohren auffmercken auff das gebet deines Knechtes / vnd auffs gebet deiner Knechte / die da begern deinen Namen zu fürchten / vnd las deinem Knechte heute gelingen / vnd gib jm barmhertzigkeit fur diesem Manne / Denn ich war des königs Schencke.

Deut. 12.

## II.

Nehemia reise gen Jerusalem etc.

JM MONDEN NISSAN DES ZWENZIGSTEN JARS DES Königes Arthahsastha / da wein vor jm stund / hub ich den wein auff vnd gab dem Könige / Vnd ich sahe trawriglich fur jm. [2]Da sprach der König zu mir / Warumb sihestu so vbel? du bist ja nicht kranck? das ists nicht / sondern du bist schweermütig. Jch aber furcht mich fast seer / [3]vnd sprach zum Könige / Der König lebe ewiglich / Solt ich nicht vbel sehen? Die Stad / da das Haus des begrebnis meiner Veter ist / ligt wüste / vnd jre thor sind mit fewr verzehret. [4]Da sprach der König zu mir / Was fodderstu denn? Da bat ich den Gott vom Himel / [5]vnd sprach zum Könige / Gefellet es dem Könige vnd deinen Knechten fur dir / das du mich sendest in Juda / zu der Stad des begrebnis meiner Veter / das ich sie bawe.

[6]VND der König sprach zu mir / vnd die Königin die neben jm sas / Wie lange wird deine Reise weren? vnd wenn wirstu widerkomen? Vnd es gefiel dem Könige / das er mich hin sendete. Vnd ich setzete jm ein bestimpte zeit. [7]Vnd sprach zum Könige / Gefellet es dem Könige / so gebe er mir Brieue an die Land||pfleger jenseid des wassers / das sie mich hinüber geleiten / bis ich kome in Juda. [8]Vnd brieue an Assaph den Holtzfürsten des Königes / das er mir holtz gebe zu balcken der pforten am Pallast / die im hause vnd an der Stadmauren sind / vnd zum Hause da ich einziehen sol. Vnd der König gab mir nach der guten hand meins Gottes vber mir. [9]Vnd da ich kam zu den Landpflegern jenseid des wassers / gab ich jnen des Königes brieue. Vnd der König sandte mit mir die Heubtleute vnd reuter.

|| 262a

DA aber das hörete Saneballat der Horoniter / vnd Tobia ein Ammonitisch knecht / verdros es sie seer / das ein Mensch komen were / der guts suchet fur die kinder Jsrael.

VND da ich gen Jerusalem kam / vnd drey tage da gewesen war / [12]macht ich mich des nachts auff / vnd wenig Menner mit mir / Denn ich saget keinem Menschen / was mir mein Gott eingegeben hatte zu thun an Jerusalem / vnd war kein Thier mit mir / on da ich auffreit. [13]Vnd ich reit zum Talthor aus bey der nacht / fur den Drachenbrun / vnd an das Mistthor / vnd thet mir wehe / das die mauren Jerusalem zurissen waren / vnd die thor mit fewr verzehret. [14]Vnd gieng hinüber zu dem Brunthor / vnd zu des Königes teich / vnd war da nicht raum meinem Thier / das vnter mir hette gehen können. [15]Da zoch ich bey nacht den Bach hin an / vnd thet mir wehe / die mauren also zusehen vnd keret vmb / vnd kam zum Thalthor wider heim.

[16]VND die Obersten wusten nicht / wo ich hin gieng / oder was ich machte. Denn ich hatte bis da her den Jüden vnd den Priestern / den Ratherrn vnd den Obersten / vnd den andern die am Werck erbeiten / nichts gesagt. [17]Vnd sprach zu jnen / Jr sehet das vnglück / darinnen wir sind / das Jerusalem wüste ligt / vnd jre thor sind mit fewr verbrand / Kompt / lasst vns die mauren Jerusalem bawen / das wir nicht mehr eine schmach seien. [18]Vnd sagt jnen an die hand meines Gottes / die gut vber mir war / Dazu die wort des Königes / die er mir geredt hatte. Vnd sie sprachen / So lasst vns auff sein / Vnd wir baweten / vnd jre hende wurden gestercket zum guten.

SANEBALLAT.

DA aber das Saneballat der Horoniter / vnd Tobia der Ammonitisch knecht / vnd Gosem der Araber höret / spotteten sie vnser vnd verachten vns / vnd sprachen / Was ist das / das jr thut? Wolt jr wider von dem Könige abfallen? [20]Da antwortet ich jnen / vnd sprach / Der Gott von Himel wird vns gelingen lassen / Denn wir seine Knechte haben vns auffgemacht vnd bawen / Jr aber habt kein teil noch recht / noch gedechtnis in Jerusalem.

## III.

VND ELIASIB DER HOHEPRIESTER MACHT SICH auff mit seinen brüdern den Priestern / vnd baweten das Schaffthor / Sie heiligeten es vnd setzten seine thür ein / sie heiligeten es aber bis an den thurm Mea / nemlich / bis an den thurm Hananeel. [2]Neben jm baweten die menner von Jeriho / Auch bawet neben jm Sachur / der son Jmri. [3]Aber das Fischthor baweten die kinder Senaa / sie decketen es vnd setzeten seine thür ein / schlösser vnd rigel. [4]Neben sie bawete Meremoth / der son Vria / des sons Hakoz. Neben sie bawete Mesullam der son Berechja / des sons Mesesabeel. Neben sie bawete Zadok der son Baena. [5]Neben sie baweten die von Thekoa / Aber jre [a]Gewaltigen brachten jren hals nicht zum dienst jrer Herrn.

[6]DAS Altethor bawete Joiada der son Passeah / vnd Mesullam der son Besodja / Sie decketen es vnd setzeten ein seine thür / vnd schlösser vnd rigel. [7]Neben sie baweten Melathja von Gibeon / vnd Jadon von Merono / menner von Gibeon vnd von Mizpa / am stuel des Landpflegers disseid des wassers. [8]Neben jm bawete Vsiel / der son Harhaja der Goldschmid. Neben jm bawete || Hananja der son der Apoteker / vnd sie baweten aus zu Jerusalem bis an die breite mauren. [9]Neben jm bawete Rephaja / der son Hur / der Oberst des halben vierteils zu Jerusalem. [10]Neben jm bawete Jedaia / der son Harumaph / gegen seinem hause vber. Neben jm bawete Hattus / der son Hasabenja. [11]Aber Malchia der son Harim / vnd Hasub der son PahathMoab / baweten zwey stücke / vnd den Thurn bey den ofen. [12]Neben jm bawete Sallum / der son Halohes / der Oberst des halben vierteils zu Jerusalem / er vnd seine Töchter.

|| 262b

a (Gewaltige) Die armen müssen das Creutz tragen. Die Reichen geben nichts. Taus Ess hat nicht / Sees Zing gibt nicht / Quater Drey die helffen frey.

[13]DAs Thalthor bawet Hanun / vnd die bürger von Sanoah / Sie bawetens vnd setzten ein seine thür / schlösser vnd rigel / vnd tausent ellen an der mauren / bis an das Mistthor. [14]Das Mistthor aber bawet Malchia der son Rechab der Oberst des vierteils der Weingertner / Er bawet es / vnd setzet ein seine thür / schlösser vnd rigel. [15]Aber das Brunthor bawete Sallum der son ChalHose / der Oberst des vierteils zu Mizpa / Er bawets vnd deckets / vnd setzet ein seine thür / schlösser vnd rigel. Dazu die mauren am teich Seloah bey dem garten des Königs / bis an die stuffen / die von der stad Dauid erab gehen. [16]Nach jm bawet Nehemja / der son Asbuk / der Oberst des halben vierteils zu Bethzur / bis gegen die greber Dauid vber / vnd bis an den teich Asuja / vnd bis an das haus der Helden.

[17]NAch jm baweten die Leuiten / Rehum der son Bani. Neben jm bawete Hasabja der Oberst des halben vierteils zu Regila in seinem vierteil. [18]Nach jm baweten jre brüder Bauai der son Henadad / der Oberst des halben vierteils zu Regila. [19]Neben jm bawete Eser / der son Jesua / der Oberst zu Mizpa / zwey stück den winckel hin an / gegen dem Harnischhaus. [20]Nach jm auff dem berge bawete Baruch / der son Sabai / zwey

stücke im winckel / bis an die Hausthür Eliasib des Hohenpriesters. [21]Nach jm bawete Meremoth der son Vria / des sons Hakoz / zwey stück / von der hausthür Eliasib / bis ans ende des hauses Eliasib.

[22]NAch jm baweten die Priester / die menner aus den gegenten. [23]Nach dem bawete BenJamin vnd Hasub gegen jrem hause vber. Nach dem bawete Asarja der son Maeseja / des sons Ananja neben seinem hause. [24]Nach jm bawete Benui der son Henadad / zwey stücke vom hause Asarja bis an den winckel / vnd bis an die ecken. [25]Palal der son Vsai / gegen dem winckel vnd dem Hohenthurn der vom Königshause er aus sihet / bey dem Kerckerhofe. Nach jm Pedaia / der son Pareos. [26]Die Nethinim aber woneten an Ophel / bis an das Wasserthor / gegen morgen / da der thurm er aus sihet. [27]Nach dem baweten die von Thekoa zwey stück gegen dem Grossenthurn / der er aus sihet / vnd bis an die mauren Ophel.

[28]ABer von dem Rosthor an baweten die Priester / ein jglicher gegen seinem hause. [29]Nach dem bawete Zadok der son Jmmer / gegen seinem hause. Nach jm bawete Semaja / der son Sachanja der Thorhüter gegen morgen. [30]Nach jm bawete Hananja / der son Selemja / vnd Hanun der son Zalaph der sechste / zwey srück. Nach jm bawete Mesullam der son Berechja gegen seinen kasten. [31]Nach jm bawete Malchia / der son des Goldschmids / bis an das haus der Nethinim vnd der Kremer / gegen dem Ratsthor / vnd bis an den Saal an der ecken. [32]Vnd zwisschen dem Saal an der ecke zum Schafthor / baweten die Goldschmide vnd die Kremer.

IIII.

DA ABER SANEBALLAT HÖRET / DAS WIR DIE mauren baweten / ward er zornig vnd seer entrüstet / vnd spottet der Jüden / [2]vnd sprach fur seinen brüdern vnd den Mechtigen zu Samaria. Was machen die ammechtigen Jüden? Wird man sie so lassen? Werden sie opffern? Werden sie es einen tag volenden? Werden sie die steine || lebendig machen / die staubhauffen vnd verband sind? [3]Aber Tobia der Ammoniter neben jm sprach / Las sie nur bawen wenn Füchse hin auff zögen / die zurissen wol jre steinerne mauren.

|| 263 a

TOBIA.

vnterstehen sich den Baw zu hindern etc.

NEHEMIA Gebet.

HOre vnser Gott / wie veracht sind wir / Kere jre schmach auff jren Kopf / das du sie gebest in verachtung im Lande jres gefengnis. [5]Decke jre missethat nicht zu / vnd jre sünde vertilge nicht fur dir / Denn sie haben die Bawleute gereitzet. [6]Aber wir baweten die mauren / vnd fügeten sie gantz an einander / bis an die halbe höhe / Vnd das Volck gewan ein hertz zu erbeiten.

DA aber Saneballat / vnd Tobia / vnd die Araber / vnd Ammoniter / vnd Asdoditer höreten / das die mauren zu Jerusalem zugemacht waren / vnd das sie die lücken angefangen hatten zu büssen / wurden sie seer zornig. [8]Vnd machten alle sampt einen Bund zu hauffen / das sie kemen vnd stritten wider Jerusalem / vnd machten drin einen jrthum. [9]Wir aber beten zu vnserm Gott / vnd stelleten Hut vber sie tag vnd nacht gegen sie. [10]Vnd Juda sprach / Die krafft der Treger ist zu schwach / vnd des staubs ist zu viel / wir kündten an der mauren nicht bawen. [11]Vnser Widersacher aber gedachten / sie sollens nicht wissen noch sehen / bis wir mitten vnter sie komen / vnd sie erwürgen / vnd das Werck hindern.

DA aber die Jüden / die neben jnen woneten / kamen vnd sagetens vns wol zehen mal / aus allen örten da sie vmb vns woneten / [13]Da stellet ich vnten an die örter hinder der mauren in die graben / das volck nach jren Geschlechten / mit jren Schwerten / Spies vnd Bogen. [14]Vnd besahe es / vnd macht mich auff / vnd sprach zu den Ratherrn vnd Obersten / vnd dem andern Volck / Fürchtet euch nicht fur jnen / Gedenckt an den grossen schrecklichen HERRN / vnd streittet fur ewre Brüder / Söne / Töchter / Weiber vnd Heuser.

[15]DA aber vnsere Feinde höreten / das vns war kund worden / machte Gott jren Rat zu nicht. Vnd wir kereten alle wider zur mauren / ein jglicher zu seiner erbeit. [16]Vnd es geschach hin fürder / das die Jünglinge die helfft theten die erbeit / die ander helfft hielten Spiesse / Schilde / Bogen / vnd Pantzer. Vnd die Obersten stunden hinder dem gantzen hause Juda / [17]die da baweten an der mauren / vnd trugen last / von denen die jnen auff luden / Mit einer hand theten sie die erbeit / vnd mit der andern hielten sie die woffen. [18]Vnd ein jglicher der da bawet || hatte sein Schwert an seine Lenden gegür-

|| 263 b

tet / vnd bawete also / vnd der mit der Posaunen blies war neben mir.

VND ich sprach zu den Ratherrn vnd Obersten / vnd zum andern Volck / Das werck ist gros vnd weit / vnd wir sind zustrewet auff der mauren / ferne von einander. [20]An welchem ort jr nu die Posaunen lauten höret / da hin versamlet euch zu vns / vnser Gott wird fur vns streitten / [21]So wollen wir am werck erbeiten / Vnd jre helffte hielt die Spies / von dem auffgang der morgenröte / bis die sterne erfür kamen. [22]Auch sprach ich zu der zeit zum volck / Ein jglicher bleibe mit seinem Knaben vber nacht zu Jerusalem / das wir des nachts der Hut vnd des tages der Erbeit warten. [23]Aber ich vnd meine Brüder vnd meine Knaben / vnd die Menner an der Hut hinder mir / wir zogen vnser Kleider nicht aus / ein jglicher lies das baden anstehen.

## V.

VND ES ERHUB SICH EIN GROS GESCHREY DES Volcks / vnd jrer Weiber wider jre Brüder die Jüden. [2]Vnd waren etliche / die da sprachen / Vnser Söne vnd Töchter sind viel / lasst vns getreide nemen / [a]vnd essen / das wir leben. [3]Aber etliche sprachen / Lasst vns vnsere ecker / weinberge / vnd heuser versetzen / vnd getreide nemen in der Thewrung. [4]Etliche aber sprachen / Lasst vns geld entlehnen auff zinse dein Könige auff vnser ecker vnd Weinberge / [5]Denn vnser Brüder leib ist wie vnser leib / vnd jre Kinder wie vnser kinder / Sonst würden wir vnser söne vnd töchter

a Scilicet / pro eis / Vmb sie.

vnterwerffen dem dienst / Vnd sind schon vnser töchter etliche vnterworffen / vnd ist kein vermügen in vnsern henden / Auch würden vnsere ecker vnd weinberge der andern.

DA ich aber jr schreien vnd solche wort höret / ward ich seer zornig. [7]Vnd mein hertz ward rats mit mir / das ich schalt die Ratherrn vnd die Obersten / vnd sprach zu jnen / Wolt jr einer auff den andern wucher treiben? Vnd ich bracht eine grosse Gemeine wider sie / [8]vnd sprach zu jnen. Wir haben vnsere Brüder die Jüden erkaufft / die den Heiden verkaufft waren / nach vnserm vermügen / vnd jr wolt auch ewre Brüder verkeuffen / die wir zu vns kaufft haben? Da schwiegen sie / vnd funden nichts zu antworten.

[9]VND ich sprach / Es ist nicht gut das jr thut / Solt jr nicht in der furcht Gottes wandeln / vmb der schmach willen der Heiden / vnser Feinde? [10]Jch vnd meine Brüder vnd meine Knaben / haben jnen auch geld gethan / vnd getreide / den Wucher aber haben wir nachgelassen. [11]So gebt jnen nu heuts tages wider jre ecker / weinberge / ölegarten / vnd heuser / vnd den Hundertsten am gelde / am getreide / am most / vnd am öle / das jr an jnen gewuchert habt. [12]Da sprachen sie / Wir wollens widergeben / vnd wollen nichts von jnen foddern / vnd wollen thun / wie du gesagt hast. Vnd ich rieff den Priestern / vnd nam einen Eid von jnen / das sie also thun solten. [13]Auch schüttelt ich meinen bosen aus / vnd sprach / Also schüttele Gott aus / jderman von seinem Hause / vnd von seiner erbeit / der dis wort nicht handhabet / das er sey ausgeschüttelt vnd leer. Vnd die gantze Gemeine sprach / Amen / vnd lobeten den HERRN. Vnd das Volck thet also.

AVch von der zeit an / da mir befolhen ward ein Landpfleger zu sein im lande Juda / nemlich / vom zwenzigsten jar an / bis in das zwey vnd dreissigst jar des königes Arthahsastha / das sind zwelff jar / neeret ich mich vnd meine Brüder nicht von der Landpfleger kost / [15]Denn die vorigen Landpfleger / die vor mir gewesen waren / hatten das Volck beschweret / vnd hatten von jnen genomen brot vnd wein / dazu auch vierzig sekel silbers / Auch hatten jre Knaben mit gewalt gefaren vber das Volck / Jch thet aber nicht also / vmb der furcht Gottes willen. ||

|| 264a

vnd falsche brüder vnterstehen sich / den baw zu hindern etc.

[16]Auch erbeitet ich an der mauren erbeit / vnd kaufft keinen acker / vnd alle meine Knaben musten daselbs an die erbeit zu hauffe komen. [17]Dazu waren der Jüden vnd öbersten hundert vnd funffzig an meinem Tisch / die zu mir komen waren aus den Heiden / die vmb vns her sind. [18]Vnd man macht mir des tages einen ochsen / vnd sechs erwelete schaf vnd vogel / Vnd ja inwendig zehen tagen allerley wein die menge / Noch fordert ich nicht der Landpfleger kost / Denn der dienst war schwer auff dem volck. [19]Gedenck mir mein Gott zum besten / alles das ich diesem Volck gethan habe.

VI.

VND DA SANEBALLAT / TOBIA VND GOSEM DER Arabiter vnd ander vnser Feinde erfuren / das ich die mauren gebawet hatte / vnd keine lücke mehr dran were (Wiewol ich die thüre zu der zeit noch nicht gehenget hatte in den thoren) [2]Sandte Saneballat vnd Gosem zu mir / vnd liessen mir sagen / Kom vnd las vns zusamen komen in den dörffen / in der fleche Ono / Sie gedachten mir aber böses zu thun. [3]Jch aber sandte Boten zu jnen / vnd lies jnen sagen / Jch hab ein gros gescheft aus zu richten / Jch kan nicht hin ab komen / Es möcht das werck nachbleiben / wo ich die hand abthet / vnd zu euch hin ab zöge. [4]Sie sandten aber wol vier mal zu mir auff die weise / Vnd ich antwortet jnen auff diese weise.

SANEBALLAT Brieue an Nehemja etc.

DA sandte Saneballat zum fünfften mal zu mir seinen Knaben mit einem offenen Brieue in seiner hand / [6]darinnen war geschrieben / Es ist fur die Heiden komen / vnd Gosem hats gesagt / das du vnd die Jüden gedencket ab zu fallen / Darumb du die mauren bawest / vnd du wollest jr König sein in diesen sachen. [7]Vnd du habest dir Propheten bestellet / die von dir ausschreien sollen zu Jerusalem / vnd sagen / Er ist der König Juda. Nu solchs wird fur den König komen / So kom nu / vnd las vns mit einander ratschlahen. [8]Jch aber sandte zu jm / vnd lies jm sagen / Solchs ist nicht geschehen / das du sagest / Du hast es aus deinem hertzen erdacht. [9]Denn sie alle wolten vns furchtsam machen / vnd gedachten / sie sollen die hand abthun vom gescheff / das sie nicht erbeiten / Aber ich stercket deste mehr meine hand.

vnd falsche brüder vnterstehen sich / den baw zu hindern etc.

Falsche Brüder.

VND ich kam ins haus Semaja des sons Delaia / des sons Mehetabeel / vnd er hatte sich verschlossen / vnd sprach / Las vns zusamen komen im hause Gottes mitten im Tempel / vnd die thür des Tempels zuschliessen / Denn sie werden komen dich zu erwürgen / vnd werden bey der nacht komen das sie dich erwürgen. [11]Jch aber sprach / Solt ein solcher Man fliehen? Solt ein solcher Man / wie ich bin / in den Tempel gehen / das er lebendig bliebe? Jch wil nicht hin ein gehen. [12]Denn ich mercket das jn Gott nicht gesand hatte / Denn er saget wol weissagunge auff mich / Aber Tobia vnd Saneballat hatten jm geld gegeben. [13]Darumb nam er geld / auff das ich mich fürchten solt / vnd also thun / vnd sundigen / das sie ein böse geschrey hetten / damit sie mich lestern möchten. [14]Gedencke mein Gott des Tobia vnd Saneballat / nach diesen seinen wercken auch des Propheten Noadja vnd der andern Propheten / die mich wolten abschrecken.

VND die maure ward fertig im fünff vnd zwenzigsten tage des monden Elul / in zwey vnd funffzig tagen. [16]Vnd da alle vnsere Feinde das höreten furchten sich alle Heiden / die vmb vns her waren / vnd der mut entfiel jnen / Denn sie merckten das dis werck von Gott war. [17]Auch zu der selben zeit waren viel der öbersten Juda / dere Brieue giengen zu Tobia / vnd von Tobia zu jnen. [18]Denn jr waren viel in Juda / die jm geschworen waren / Denn er war ein schwager Sachanja / des sons Arah / vnd sein son Johanan hatte die tochter Mesullam des sons Berechja / [19]Vnd sagten guts von jm fur mir / vnd brachten meine Rede aus zu jm / So sandte denn Tobia Brieue mich abzuschrecken. ||

|| 264b

## VII.

DA WIR NU DIE MAUREN GEBAWET HATTEN / henget ich die thür vnd wurden bestellet die Thorhüter / Senger / vnd Leuiten. [2]Vnd ich gebot meinem Bruder Hanani / vnd Hananja dem Pallastuogt zu Jerusalem (Denn er war ein trewer man vnd Gottfürchtig fur viel andern) [3]vnd sprach zu jnen / Man sol die thor Jerusalem nicht auffthun / bis das die Sonne heis werde / vnd wenn man noch erbeitet / sol man die thür zuschlahen vnd verrigeln. Vnd es wurden Hüter bestellet aus

der / so er auff von Babel gezogen etc.

den Bürgern Jerusalem / ein jglicher auff seine Hut vnd vmb sein haus. [4]Die Stad aber war weit von raum vnd gros / Aber wenig volck drinnen vnd die Heuser waren nicht gebawet.

VND mein Gott gab mir ins hertz / das ich versamlet die Ratherrn vnd die Obersten / vnd das Volck / sie zu rechnen / Vnd ich fand ein Register jrer rechnung / die vorhin er auff komen waren [6]aus dem Gefengnis / die NebucadNezar / der könig zu Babel / hatte weggefürt / vnd zu Jerusalem woneten / vnd in Juda / ein jglicher in seiner Stad. [7]Vnd waren komen mit Serubabel / Jesua / Nehemja / Asarja / Raamja / Nahemani / Mardachai / Bilsan / Misperet / Bigeuai / Nehum vnd Baena.

DJS ist die zal der Menner vom volck Jsrael. [8]Der kinder Pareos waren zwey tausent hundert vnd zwey vnd siebenzig. [9]Der kinder Sephathja / drey hundert vnd zwey vnd siebenzig. [10]Der kinder Arah / sechs hundert vnd zwey vnd funffzig. [11]Der kinder PahathMoab vnter den kindern Jesua vnd Joab / zwey tausent acht hundert vnd achzehen. [12]Der kinder Elam / tausent zwey hundert vnd vier vnd funffzig. [13]Der kinder Sathu / acht hundert vnd fünff vnd vierzig. [14]Der kinder Sacai / sieben hundert vnd sechzig. [15]Der kinder Benui / sechs hundert vnd acht vnd vierzig. [16]Der kinder Bebai / sechs hundert vnd acht vnd zwenzig. [17]Der kinder Asgad / zwey tausent drey hundert vnd zwey vnd zwenzig. [18]Der kinder Adonikam / sechs hundert vnd sieben vnd sechzig. [19]Der kinder Bigeuai / zwey tausent vnd sieben vnd sechzig. [20]Der kinder Adin / sechs hundert vnd funff vnd funffzig. [21]Der kinder Ater von Hiskia / acht vnd neunzig. [22]Der kinder Hasum / drey hundert vnd acht vnd zwenzig. [23]Der kinder Bezai / drey hundert vnd vier vnd zwenzig. [24]Der kinder Hariph / hundert vnd zwelffe.

Esra. 2.

[25]DER kinder Gibeon / fünff vnd neunzig. [26]Der menner von Bethlehem vnd Nethopha / hundert vnd acht vnd achzig. [27]Der menner von Anathoth / hundert vnd acht vnd zwenzig. [28]Der menner von BethAsmaueth / zwey vnd vierzig. [29]Der menner von KiriathJearim / Caphira vnd Beeroth / sieben hundert vnd drey vnd vierzig. [30]Der menner von Rama vnd Gaba / sechs hundert vnd ein vnd zwenzig. [31]Der menner von Michmas / hundert vnd zwey vnd zwenzig. [32]Der men-

ner von BethEl vnd Ai / hundert vnd drey vnd zwenzig. [33]Der menner vom andern Nebo / zwey vnd funffzig. [34]Der kinder des andern Elam / tausent zwey hundert vnd vier vnd funffzig. [35]Der kinder Harim / drey hundert vnd zwenzig. [36]Der kinder Jereho / drey hundert vnd fünff vnd vierzig. [37]Der kinder Lodhadid vnd Ono / sieben hundert vnd ein vnd zwenzig. [38]Der kinder Senaa / drey tausent neun hundert vnd dreissig.

DJE Priester. Der kinder Jedaja / vom hause Jesua / neun hundert vnd drey vnd siebenzig. [40]Der kinder Jmmer / tausent vnd zwey vnd funffzig. [41]Der kinder Pashur / tausent zwey hundert vnd sieben vnd vierzig. [42]Der kinder Harim tausent vnd siebenzehen. [43]Die Leuiten. Der kinder Jesua vom Kadmiel vnter den kindern Hodua / vier vnd siebenzig. [44]Die Senger. Der kinder Assaph / hundert vnd acht vnd vierzig. [45]Die Thorhütter waren / die kinder Sallum. Die kinder Ater / Die kinder Thalmon / Die kinder Akub. Die kinder Hatita / Die kinder Sobai / Alle sampt hundert vnd acht vnd dreissig. ||

|| 265 a

[46]DJe Nethinim. Die kinder Ziha / die kinder Hasupha / die kinder Tabaoth / [47]die kinder Keros / die kinder Sia / die kinder Padon / [48]die kinder Libana / die kinder Hagaba / die kinder Salmai / [49]die kinder Hanan / die kinder Giddel / die kinder Gahar / [50]die kinder Reaia / die kinder Rezin / die kinder Nekoda / [51]die kinder Gasam / die kinder Vsa / die kinder Passeah / [52]die kinder Bessai / die kinder Megunim / die kinder Nephussim / [53]die kinder Bakbuk / die kinder Hakupha / die kinder Harhur / [54]die kinder Bazlith / die kinder Mehida / die kinder Harsa / [55]die kinder Barkos / die kinder Sissera / die kinder Thamah / [56]die kinder Neziah / die kinder Hathipha. [57]Die kinder der knechte Salomo waren die kinder Sotai / die kinder Sophereth / die kinder Prida / [58]die kinder Jaela / die kinder Darkon / die kinder Giddel / [59]die kinder Sephatja / die kinder Hatil / die kinder Pochereth von Zebaim / die kinder Amon. [60]Aller Nethinim vnd kinder der knechte Salomo / waren drey hundert vnd zwey vnd neunzig.

VND diese zogen auch mit er auff / Mithel / Melah / Thel / Harsa / Cherub / Addon vnd Jmmer / Aber sie kundten nicht anzeigen jrer Veter haus noch jren samen / ob sie aus Jsrael weren.

der / so er auff von Babel wider zogen sind etc.

[62]Die kinder Delaia / die kinder Tobia / vnd die kinder Nekoda / waren sechs hundert vnd zwey vnd vierzig. [63]Vnd von den Priestern waren / die kinder Habaja / die kinder Hakoz / die kinder Barsillai / der aus den töchtern Barsillai des Gileaditers ein weib nam / vnd ward nach der selben namen genennet. [64]Diese suchten jrer geburt register / Vnd da sie es nicht funden / wurden sie los vom Priesterthum. [65]Vnd Hathirsatha sprach zu jnen / Sie solten nicht essen vom allerheiligsten / bis das ein Priester auff keme mit dem Liecht vnd Recht.

Exod. 28.

[66]DER gantzen Gemeine wie ein Man / war zwey vnd vierzig tausent / drey hundert vnd sechzig / [67]Ausgenomen jre Knechte vnd Megde / der waren sieben tausent / drey hundert vnd sieben vnd dreissig / Vnd hatten zwey hundert vnd funff vnd vierzig Senger vnd Sengerin. [68]Sieben hundert vnd sechs vnd dreissig Ros / zwey hundert vnd funff vnd vierzig Meuler / [69]vierhundert vnd fünff vnd dreissig Kamelen / sechs tausent sieben hundert vnd zwenzig Esel.

VND etliche der obersten Veter gaben zum werck. Hathirsatha gab zum schatz tausent gülden / funffzig becken / fünffhundert vnd dreissig Priesterröcke. [71]Vnd etliche öberste Veter gaben zum schatz ans Werck / zwenzig tausent gülden / zwey tausent vnd zwey hundert pfund silbers. [72]Vnd das ander Volck gab zwenzig tausent gülden / vnd zwey tausent pfund silbers / vnd sieben vnd sechzig Priesterröcke. [73]Vnd die Priester vnd die Leuiten / die Thorhütter / die Senger / vnd etliche des Volcks / vnd die Nethinim vnd gantz Jsrael / setzten sich in jre Stedte.

## VIII.

DA NU ER ZU KAM DER SIEBENDE MONDE / VND die kinder Jsrael in jren Stedten waren / versamlete sich das gantze Volck wie ein Man auff die Breitegassen fur dem Wasserthor / vnd sprachen zu Esra dem Schrifftgelerten / das er das Gesetzbuch Mose holete / das der HERR Jsrael geboten hat. [2]Vnd Esra der Priester bracht das Gesetz fur die gemeine / beide Menner vnd weiber / vnd alle die es vernemen kunden / im ersten tage des siebenden monden / [3]vnd las drinnen auff der Breitengassen / die fur dem Wasserthor ist / von liecht morgen an bis auff den mittag / fur Man vnd weib / vnd wers vernemen kund / Vnd des gantzen Volcks ohren waren zu dem Gesetzbuch gekeret.

[4]VND Esra der Schrifftgelerte stund auff eim hültzen hohen Stuel den sie gemacht hatten zu predigen / vnd stund neben jm Mathithja / Sema / Anaia / Vria / Hilkia / vnd Maeseia zu seiner rechten / Aber zu seiner lincken / Padaia / Misael / Malchia / Hasum / Hasbadana / Sacharja vnd Mesullam. [5]Vnd || Esra thet das Buch auff fur dem gantzen Volck / denn er raget vber alles volck. Vnd da ers auffthet / stund alles volck. [6]Vnd Esra lobet den HERRN den grossen Gott / vnd alles Volck antwortet / Amen / mit jren henden empor / vnd neigeten sich / vnd beten den HERRN an mit dem andlitz zur erden. [7]Vnd Jesua / Bani / Serebja / Jamin / Akub / Sabthai / Hodaja / Maeseja / Klita / Asarja / Josabad / Hanan / Plaja vnd die Leuiten machten das Volck / das auffs Gesetz merckete / vnd das volck stund auff seiner stete / [8]vnd sie lasen im Gesetzbuch Gottes klerlich vnd verstendlich / das mans verstund da mans las.

|| 265 b

VNd Nehemja der da ist Hathirsatha / vnd Esra der Priester der Schrifftgelerte / vnd die Leuiten / die das Volck auffmercken machten / sprachen zu allem volck / Dieser tag ist heilig dem HERRN ewrm Gott / Darumb seid nicht trawrig vnd weinet nicht. Denn alles volck weinet / da sie die wort des Gesetzs höreten. [10]Darumb sprach er zu jnen / Gehet hin vnd esset das fett / vnd trincket das süsse / vnd sendet denen auch Teil / die nichts fur sich bereit haben / Denn dieser Tag ist heilig vnserm HERRN / Darumb bekümmert euch nicht / Denn die freude am HERRN ist ewer stercke. [11]Vnd die Leuiten stilleten alles volck / vnd sprachen / Seid still / denn der Tag ist heilig / bekümmert euch nicht. [12]Vnd alles Volck gieng hin das es esse / trüncke / vnd Teil sendete / vnd eine grosse freude machte / Denn sie hatten die wort verstanden / die man jnen hatte kund gethan.

VND des andern tages versamleten sich die öbersten Veter vnter dem gantzen Volck / vnd die Priester vnd Leuiten / zu Esra dem Schrifftgelerten / das er sie die wort des Gesetzs vnterrichtet. [14]Vnd sie funden geschrieben im Gesetz / das der HERR durch Mose geboten hatte / das die kinder Jsrael in Laubhütten wonen solten auffs Fest im

Leui. 23.

fest gehalten etc.

siebenden monden. [15]Vnd sie liessens laut werden vnd ausruffen in allen jren Stedten vnd zu Jerusalem vnd sagen / Gehet hin aus auff die Berge / vnd holet Olezweige / Hartzbawmzweige / Mirtenzweige / Palmenzweige / vnd zweige von dichten Bewmen / das man Laubhütten mache / wie es geschrieben stehet.

[16]VND das volck gieng hin aus vnd holeten vnd machten jnen Laubhütten / ein jglicher auff seinem dach / vnd in jren höfen / vnd in den höfen am hause Gottes / vnd auff der Breitengassen am Wasserthor / vnd auff der Breitengassen am thor Ephraim. [17]Vnd die gantze Gemeine dere / die aus dem Gefengnis waren widerkomen / machten Laubhütten vnd woneten drinnen / Denn die kinder Jsrael hatten sint der zeit Josua des sons Nun / bis auff diesen tag nicht also gethan / vnd war ein seer grosse freude. [18]Vnd ward im Gesetzbuch Gottes gelesen alle tage / vom ersten tag an bis auff den letzten / Vnd hielten das Fest sieben tage / vnd am achten tage die Versamlunge / wie sichs gebürt.

## IX.

Jsrael bekennet jre sünde etc.

JM VIER VND ZWENZIGSTEN TAGE DIESES MONDEN / kamen die kinder Jsrael zusamen / mit fasten vnd secken vnd erden auff jnen [2]vnd sonderten den samen Jsrael von allen frembden Kindern / vnd traten hin vnd bekanten jre sünde vnd jrer Veter missethat. [3]Vnd stunden auff an jre stet / vnd man las im Gesetzbuch des HERRN jres Gottes / vier mal des tages / vnd sie bekandten / vnd beten an den HERRN jres Gottes / vier mal des tages / vnd sie bekandten / vnd beten an den HERRN jren Gott vier mal des tages.

[4]VND die Leuiten stunden auff in die höhe / nemlich / Jesua / Bani / Kadmiel / Sebanja / Buni / Serebja / Bani / vnd Chenani / vnd schrien laut zu dem HERRN jrem Gott. [5]Vnd die Leuiten Jesua / Kadmiel / Bani / Hasabenja / Serebja / Hodja / Sebanja / Pethahja sprachen / Stehet auff / lobet den HERRN ewren Gott / von ewigkeit zu ewigkeit / Vnd man lobe den Namen || deiner Herrligkeit / der erhöhet ist mit allem segen vnd lobe. [6]HERR du bists allein / du hast gemacht den Himel vnd aller himel himel / mit alle jrem Heer / die Erden vnd alles was drauff ist / die Meere vnd

|| 266 a

vnd Gebet Nehemia.

alles was drinnen ist / Du machest alles lebendig / vnd das himlische Heer betet dich an.

Gen. 12. 17.

[7]DV bist der HERR Gott / der du Abram erwelet hast / vnd jn von Vr in Chaldea ausgefürt / vnd Abraham genennet / [8]Vnd sein hertz trew fur dir funden / vnd einen Bund mit jm gemacht / seinem Samen zu geben das Land der Cananiter / Hethiter / Amoriter / Pheresiter / Jebusiter / vnd Girgositer / vnd hast dein wort gehalten / Denn du bist gerecht.

Exo. 1. 2. 14.

[9]VND du hast angesehen das elend vnser Veter in Egypten / vnd jr schreien erhöret am Schilffmeer / [10]vnd Zeichen vnd Wunder gethan an Pharao vnd allen seinen Knechten / vnd an allem Volck seines Landes / Denn du erkandtest / das sie stoltz wider sie waren / vnd hast jnen einen namen gemacht / wie es heute gehet. [11]Vnd hast das Meer fur jnen zurissen / das sie mitten im Meer trocken durch hin giengen / Vnd jre Verfolger in die Tieffe verworffen wie steine in mechtigen wassern. [12]Vnd sie gefürt des tages in einer Wolckseulen / vnd des nachts in einer Fewrseulen / jnen zu leuchten auff dem wege / den sie zogen.

Exod. 15.

Exo. 19.

[13]VND bist her ab gestiegen auff den berg Sinai / vnd hast mit jnen vom Himel geredt / vnd gegeben ein wahrhafftig Recht / vnd ein recht Gesetz / vnd gute Gebot vnd Sitten. [14]Vnd deinen heiligen Sabbath jnen kund gethan / vnd Gebot / Sitten vnd Gesetz jnen geboten durch deinen knecht Mose. [15]Vnd jnen Brot vom Himel gegeben / da sie hungerte / vnd Wasser aus dem Felsen lassen gehen / da sie dürstete. Vnd jnen geredt / sie solten hin ein gehen / vnd das Land einnemen / darüber du deine Hand hubest jnen zugeben.

Sünde vnd vndanckbarkeit des Volcks Jsrael.

ABer vnser Veter wurden stoltz vnd halsstarrig / das sie deinen Geboten nicht gehorchten. [17]Vnd wegerten sich zu hören / vnd gedachten auch nicht an deine Wunder / die du an jnen thatest / Sondern sie wurden halstarrig / vnd wurffen ein Heubt auff / das sie sich wendeten zu jrer dienstbarkeit in jrer vngedult. Aber du mein Gott vergabest vnd warest gnedig / barmhertzig / gedültig vnd von grosser barmhertzigkeit / vnd verliessest sie nicht. [18]Vnd ob sie wol ein gegossen Kalb machten / vnd sprachen / Das ist dein Gott / der dich aus Egyptenland gefüret hat / vnd theten grosse lesterunge. [19]Noch verliessestu sie nicht in der Wüsten nach deiner grossen barmhertzigkeit / vnd die Wolckenseule weich nicht von jnen / des tags sie zu füren auff dem wege / noch die Fewrseule des nachts / jnen zu leuchten auff dem wege den sie zogen.

[20]VND du gabest jnen deinen guten Geist / sie zu vnterweisen / vnd dein [a]Man wendestu nicht von jrem munde / vnd gabest jnen Wasser da sie dürstete. [21]Vierzig jar versorgetestu sie in der wüsten / das jnen nichts mangelst / Jre Kleider veralteten nicht / vnd jre Füsse zuschwollen nicht. [22]Vnd gabest jnen Königreiche vnd Völcker / vnd teiletest sie hie vnd da her / das sie einnamen das land Sihon / des königes zu Hesbon / vnd das land Og / des königes in Basan. [23]Vnd vermeretest jre Kinder wie die Sterne am Himel / vnd brachtest sie ins Land / das du jren Vetern geredt hattest / das sie einziehen vnd einnemen solten. [24]Vnd die Kinder zogen hin ein / vnd namen das Land ein / Vnd du demütigetest fur jnen die Einwoner des landes / die Cananiter / vnd gabest sie in jre hende / vnd jre Könige vnd Völcker im Lande / das sie mit jnen theten nach jrem willen.

a Himelbrot.

[25]VND sie gewonnen feste Stedte vnd ein fett Land / vnd namen Heuser ein vol allerley Güter / ausgehawen Brun / Weinberge / Olegarten / vnd Bewme dauon man isset / die menge / vnd assen vnd worden sat vnd fett / vnd lebeten in wollust / durch deine grosse Güte. [26]Aber sie wurden vngehorsam / vnd widerstrebten dir / vnd wurffen deine Gesetze hinder sich zurück / Vnd erwürgeten deine Propheten / die sie bezeugeten / Das sie solten sich zu dir bekeren / vnd the||ten grosse lesterunge. [27]Darumb gabestu sie in die hand jrer Feinde / die sie engsteten / Vnd zur zeit jrer Angst / schrien sie zu dir. Vnd du erhöretest sie vom Himel / vnd durch deine grosse Barmhertzigkeit gabestu jnen Heilande / die jnen holffen aus jrer Feinde hand.

|| 266 b

[28]WEnn sie aber zu ruge kamen / verkereten sie sich vbel zu thun fur dir / So verliessestu sie in jrer Feinde hand / das sie vber sie herrscheten. So bekereten sie sich denn / vnd schrien zu dir / Vnd du erhöretest sie vom Himel / vnd errettest sie nach deiner grossen barmhertzigkeit viel mal / [28]vnd liessest sie bezeugen / das sie sich bekeren solten zu deinem Gesetze. Aber sie waren stoltz / vnd ge-

bekennet das sichs an Gott versundigt etc. Leui. 18.

horchten deinen Geboten nicht / vnd sundigeten an deinen Rechten (welche so ein Mensch thut / lebet er drinnen) vnd wendeten jre Schulder weg / vnd wurden halstarrig / vnd gehorchten nicht. [30]Vnd du hieltest viel jar vber jnen / vnd liessest sie bezeugen durch deinen Geist in deinen Propheten / Aber sie namens nicht zu ohren / Darumb hastu sie gegeben in die hand der Völcker in Lendern. [31]Aber nach deiner grossen barmhertzigkeit hastu es nicht gar aus mit jnen gemacht / noch sie verlassen / Denn du bist ein gnediger vnd barmhertziger Gott.

NV vnser Gott / du grosser Gott / mechtig vnd schrecklich / der du heltest Bund vnd Barmhertzigkeit / Achte nicht geringe alle die mühe / die vns troffen hat / vnd vnser Könige / Fürsten / Priester / Propheten / Veter / vnd dein gantzes Volck / von der zeit an der Könige zu Assur / bis auff diesen tag. [33]Du bist gerecht an allem das du vber vns gebracht hast / Denn du hast recht gethan / Wir aber sind Gottlos gewesen. [34]Vnd vnser Könige / Fürsten / Priester / vnd Veter haben nicht nach deinem Gesetze gethan / vnd nicht acht gehabt auff deine Gebot vnd Zeugnis / die du hast jnen lassen zeugen. [35]Vnd sie haben dir nicht gedienet / in jrem Königreich vnd in deinen grossen Gütern / die du jnen gabest / vnd in dem weiten vnd fetten Lande / das du jnen dargelegt hast / vnd haben sich nicht bekeret von jrem bösen wesen.

[36]SJhe / wir sind heutes tages Knechte / vnd im Lande das du vnsern Vetern gegeben hast / zu essen seine Früchte vnd Güter / Sihe / da sind wir Knechte innen. [37]Vnd sein Einkomen mehret sich den Königen die du vber vns gesetzt hast / vmb vnser sünden willen / vnd sie herrschen vber vnser Leibe vnd Vieh nach jrem willen / vnd wir sind in grosser not. [38]Vnd in diesem allen machen wir einen Bund / vnd schreiben / vnd lassens vnsere Fürsten / Leuiten vnd Priester versiegeln.

## X.

DJe Versiegeler aber waren / Nehemja / Hathirsatha / der son Hachalja / vnd Zidekia / [2]Seraia / Asarja / Jeremja / [3]Pashur / Amaria / Malchia / [4]Hattus / Sebanja / Malluch / [5]Harim / Meremoth / Obadja / [6]Daniel / Ginthun / Baruch /

bekennet das sichs an Gott versündigt etc.

[7]Mesullam / Abia / Meiamin / [8]Maasga / Bilgai vnd Semaia / Das waren die Priester.

[9]DJe Leuiten aber waren / Jesua der son Asanja / Binui vnter den kindern Henadad / Kadmiel. [10]Vnd jre brüder / Sechanja / Hodia / Klita / Plaja / Hanan / [11]Micha / Rehob / Hasabja / [12]Sachur / Serebja / Sebanja / [13]Hodia / Bani vnd Beninu.

[14]DJE Heubter im volck waren / Pareos / PahathMoab / Elam / Sathu / Bani / [15]Buni / Asgad / Bebai / [16]Adonia / Biguai / Adin / [17]Ater / Hiskia / Asur / [18]Hodia / Hasum / Bezai / [19]Hariph / Anathoth / Neubai / [20]Magpias / Mesullam / Hesir / [21]Mesesabeel / Zadok / Jaddua / [22]Platja / Hanan / Anaja / [23]Hosea / Hananja / Hasub / [24]Halohes / Pilha / Sobek / [25]Rehum / Hasabna / Maeseja / [26]Ahia / Hanan / Anan / [27]Malluch / Harim / vnd Baena. [28]Vnd das ander volck / Priester / Leuiten / Thorhüter / Senger / Nethinim / vnd alle die sich von den Völckern in Landen ge||sondert hatten / zum gesetz Gottes / sampt jren Weibern / Sönen vnd Töchtern / alle die es verstehen kundten / [29]vnd jre Mechtigen namens an fur jre Brüder.

|| 267a

VND sie kamen das sie schwuren / vnd sich mit Eide verpflichten zu wandeln im gesetz Gottes / das durch Mose den knecht Gottes gegeben ist / Das sie hielten vnd thun wolten nach allen Geboten / Rechten vnd Sitten des HERRN vnsers Herrschers. [30]Vnd das wir den Völckern im Lande vnsere Töchter nicht geben / noch jre töchter vnsern Sönen nemen wolten. [31]Auch wenn die völcker im Lande am Sabbahtage bringen Wahr / vnd allerley Fütterung zu verkeuffen / das wirs nicht von jnen nemen wolten auff den Sabbath vnd heiligen Tagen. Vnd das wir das siebende Jar aller hand beschwerung frey lassen wolten / [32]Vnd legen ein Gebot auff vns / das wir jerlich einen dritten teil eins Sekels geben zum dienst im Hause vnsers Gottes / [33]nemlich / zu Schawbrot / zu teglichem Speisopffer / zu teglichem Brandopffer des Sabbaths / der Newmonden vnd Festagen / vnd zu den Geheiligeten / vnd zu Sündopffer / damit Jsrael versünet werde / vnd zu allem geschefft im Hause vnsers Gottes.

[34]VND wir worffen das Los vnter den Priestern / Leuiten vnd dem Volck vmb das Opffer des holtzs / das man zum Hause vnsers Gottes bringen solt jerlich / nach den heusern vnser Veter auff be-

stimpte zeit / zu brennen auff dem Altar des HERRN vnsers Gottes / wie es im Gesetz geschrieben stehet. [35]Vnd jerlich zu bringen die Erstlinge vnsers Lands / vnd die erstlinge aller Früchte auff allen bewmen / zum Hause des HERRN. [36]Vnd die erstlinge vnser Söne vnd vnsers Viehs / wie es im Gesetz geschrieben stehet / Vnd die Erstlinge vnser Rinder vnd vnser Schaf / das wir das alles zum Hause vnsers Gottes bringen sollen den Priestern / die im Hause vnsers Gottes dienen. [37]Auch sollen wir bringen die erstlinge vnsers Teiges vnd vnser Hebe / vnd die Früchte allerley bewme most vnd öle / den Priestern / in die Kasten am Hause vnsers Gottes. Vnd den Zehenden vnsers landes den Leuiten / das die Leuiten den Zehenden haben in allen Stedten vnsers Ackerwercks.

[38]VNd der Priester der son Aaron / sol mit den Leuiten auch an den zehenden der Leuiten haben / Das die Leuiten den zehenden jrer zehenden er auff bringen zum Hause vnsers Gottes / in die Kasten im Schatzhause. [39]Denn die kinder Jsrael vnd die kinder Leui / sollen die Hebe des getreides / mosts vnd öles erauff in die Kasten bringen / Daselbs sind die gefesse des Heiligthums / vnd die Priester die da dienen / vnd die Thorhüter vnd Senger / das wir das Haus vnsers Gottes nicht verlassen.

## XI.

VND DIE OBERSTEN DES VOLCKS WONETEN ZU Jerusalem / Das ander Volck aber worffen das Los drumb / das vnter zehen ein teil gen Jerusalem in die heilige Stad zögen zu wonen / vnd neun teil in den Stedten. [2]Vnd das volck segenet alle die Menner / die freiwillig waren zu Jerusalem zu wonen.

[3]DJS sind die Heubter in der Landschafft die zu Jerusalem woneten. Jn den stedten Juda aber wonete ein jglicher in seinem Gut das in jren Stedten war / Nemlich / Jsrael / Priester / Leuiten / Nethinim / vnd die kinder der knechte Salomo. [4]Vnd zu Jerusalem woneten etliche der kinder Juda vnd BenJamin. Von den kindern Juda / Athaja der son Vsia / des sons Sacharja / des sons Amarja / des sons Sephatja / des sons Mahelaleel / aus den kindern Parez. [5]Vnd Maeseja der son Baruch / des sons ChalHose / des sons Hasaja / des sons Adaja /

vnd zal der / so zu Jerusalem / da sie wider gebawet / gewonet haben.

des sons Joiarib / des sons Sacharja / des sons Siloni. [6]Aller kin||der Parez / die zu Jerusalem woneten waren vierhundert vnd acht vnd sechzig redliche Leute.

|| 267b

[7]DJS sind die kinder BenJamin / Sallu / der son Mesullam / des sons Joed / des sons Pedaja / des sons Kolaja / des sons Maeseja / des sons Jthiel / des sons Jesaja. [8]Vnd nach jm Gabai / Sallai / neun hundert vnd acht vnd zwenzig. [9]Vnd Joel der son Sichri / war jr Vorsteher / Vnd Juda der son Hasnua / vber das ander teil der Stad.

[10]VON den Priestern woneten / Jedaja der son Joiarib Jachin. [11]Saraja der son Hilkia / des sons Mesullam / des sons Zadok / des sons Meraioth / des sons Ahitob / war Fürst im hause Gottes. [12]Vnd seine brüder die im Hause schafften / der waren acht hundert vnd zwey vnd zwenzig. Vnd Adaja der son Jeroham / des sons Plalia / des sons Amzi / des sons Sacharja / des sons Pashur / des sons Malchia. [13]Vnd seine brüder / Obersten vnter den Vetern waren zwey hundert vnd zwey vnd vierzig. Vnd Amassai der son Asareel / des sons Ahusai / des sons Mesillemoth / des sons Jmmer / [14]Vnd seine brüder / gewaltige Leute / waren hundert vnd acht vnd zwenzig. Vnd jr Vorsteher war Sabdiel der son Gedolim.

[15]VON den Leuiten / Sesmaja der son Hasub / des sons Asrikam / des sons Hasabja / des sons Bunni. [16]Vnd Sabthai vnd Josabad aus der Leuiten öbersten / an den eusserlichen geschefften im hause Gottes. [17]Vnd Mathanja der son Micha / des sons Sabdi / des sons Assaph / der das Heubt war / Danck an zu heben zum Gebet. Vnd Babukja der ander vnter seinen brüdern / vnd Abda der son Sammua des sons Galal / des sons Jedithun. [18]Aller Leuiten in der heiligen Stad / waren zwey hundert vnd vier vnd achzig. [19]Vnd die Thorhüter / Akub vnd Talmon / vnd jre brüder / die in den thoren hütten / waren hundert vnd zwey vnd siebenzig. [20]Das ander Jsrael aber / Priester vnd Leuiten / waren in allen stedten Juda / ein jglicher in seinem Erbteil.

[21]VND die Nethinim woneten an Ophel / vnd Ziha vnd Gispa gehöreten zu den Nethinim. [22]Der Vorsteher aber vber die Leuiten zu Jerusalem war Vsi der son Bani / des sons Hasabja / des sons Mathanja / des sons Micha. Aus den kindern As-

der Priester vnd Leuiten / die mit Zerubabel von Babel er auf gezogen / etc.

saph waren Senger vmb das geschefft im hause Gottes / [23]Denn es war des Königes gebot vber sie / das die Senger trewlich handelten ein jglichen tag sein gebür. [24]Vnd Pethaja der son Mesesabeel aus den kindern Serah des sons Juda / war Befelhhaber des Königes zu allen Gescheften an das Volck.

[25]VND der kinder Juda / die aussen auff den dörffern auff jrem lande waren / woneten etliche zu KiriathArba vnd in jren töchtern / vnd zu Dibon / vnd in jren töchtern vnd zu Kapzeel / vnd in jren dörffern / [26]vnd zu Jesua / Molada / Bethpalet / [27]Hazarsual / Berseba / vnd jren töchtern / [28]vnd zu Ziklag vnd Mochona / vnd jren töchtern / [29]vnd zu Enrimmon / Zarega / Jeremuth / [30]Sanoah / Adullam / vnd jren dörffern / zu Lachis vnd auff jrem felde / zu Aseka / vnd in jren töchtern. Vnd lagerten sich von Berseba an / bis ans tal Hinnom.

[31]DJE kinder BenJamin aber von Gaba / woneten zu Michmas / Aia / BethEl / vnd jren töchtern / [32]vnd zu Anathoth / Nob / Ananja / [33]Hazor / Rama / Githaim / [34]Hadid / Ziboim / Neballat / [35]Lod / Ono / vnd im Zimmertal. [36]Vnd etliche Leuiten / die teil in Juda hatten / woneten vnter BenJamin.

## XII.

DJS SIND DIE PRIESTER VND LEUITEN / DIE MIT Serubabel dem son Sealthiel vnd Jesua er auff zogen. Seraja / Jeremja / Esra / [2]Amarja / Malluch / Hattus / [3]Sechanja / Rehum / Meremoth / [4]Jddo / Ginthoi / Abia / [5]Meiamin / Maadia / Bilga / [6]Semaja / Joiarib / Jedaia / [7]Sallu / Amok / Hilkia / vnd Jedaia. Dis waren die Heub||ter vnter den Priestern vnd jren Brüdern zun zeiten Jesua. [8]Die Leuiten aber waren diese / Jesua / Benui / Kadmiel / Serebja / Juda / vnd Mathanja / vber das Danckampt / er vnd sein brüder. [9]Bakbukja vnd Vnni jre brüder waren vmb sie zur Hut.

|| 268 a

[10]JEsua zeuget Joiakim / Joiakim zeuget Eliasib / Eliasib zeuget Joiada / [11]Joiada zeuget Jonathan / Jonathan zeuget Jaddua. [12]Vnd zun zeiten Joiakim waren diese öberste Veter vnter den Priestern / nemlich / von Seraja war Meraja / von Jeremja war Hananja / [13]von Esra war Mesullam / von Amarja war Johanan / [14]von Malluch war Jonathan / von Sebanja war Joseph / [15]von Harim war Adna / von

(JADDUA) Dis ist Jaddua der den grossen Alexander zu Jerusalem empfieng Also hat Nehemja vieleicht Esra auch / den Alexander erreicht / und seer alt worden / vnd vier oder fünff Hohepriester vberlebt.

der Priester vnd Leuiten / die mit Zerubabel von Babel erauffgezogen / etc.

Meraioth war Helkai / [16]von Jddo war Sacharja / von Ginthon war Mesullam / [17]von Abia war Sichri / von MeiaminMoadja war Piltai / [18]von Bilga war Sammua / von Semaja war Jonathan / [19]von Joiarib war Mathnai / von Jedaja war Vsi / [20]von Sallai war Kallai / von Amok war Eber / [21]von Hilkia war Hasabja / von Jedaja war Nethaneel.

[22]VND zun zeiten Eliasib / Joiada / Johanan / vnd Jaddua wurden die öbersten Veter vnter den Leuiten / vnd die Priester beschrieben vnter dem königreich Darij des Persen. [23]Es wurden aber die kinder Leui die öbersten Veter beschrieben in die Chronica / bis zur zeit Johanan des sons Eliasib. [24]Vnd dis waren die Obersten vnter den Leuiten / Hasabja / Serebja / vnd Jesua der son Kadmiel / vnd jre Brüder neben jnen zu loben vnd zu dancken / wie es Dauid der man Gottes geboten hatte / eine Hut vmb die ander. [25]Mathanja / Bakbukja / Obadja / Mesullam / Talmon vnd Akub waren Thorhüter an der Hut / an den schwellen in den thoren. [26]Diese waren zun zeiten Joiakim des sons Jesua / des sons Jozadak / vnd zun zeiten Nehemja des Landpflegers / vnd des Priesters Esra des Schrifftgelerten.

EINWEIHUNG der mauren zu Jerusalem.

VND in der Einweihung der mauren zu Jerusalem / suchet man die Leuiten aus allen jren Orten / das man sie gen Jerusalem brechte / zu halten Einweihung / in freuden / mit dancken / mit singen / Cymbalen / Psaltern vnd Harffen. [28]Vnd es versamleten sich die kinder der Senger / vnd von der gegend vmb Jerusalem her / vnd von den höfen Netophathi / [29]vnd vom hause Gilgal / vnd von den Eckern zu Gibea vnd Asmaueth / Denn die Senger hatten jnen höfe gebawet vmb Jerusalem her. [30]Vnd die Priester vnd Leuiten reinigeten sich / vnd reinigeten das Volck / die thor vnd die mauren.

[31]VND ich lies die fürsten Juda oben auff die mauren steigen / vnd bestellet zween grosse Danckchör / die giengen hin zur rechten oben auff die mauren zum Mistthor werds. [32]Vnd jnen gieng nach Hosaja / vnd die helfft der fürsten Juda / [33]vnd Asarja / Esra / Mesullam / [34]Juda / BenJamin / Semaja vnd Jeremja. [35]Vnd etliche der Priester kinder mit Drometen / nemlich / Sacharja / der son Jonathan / des sons Semaja / des sons Ma-

der Priester vnd Leuiten / die mit Zerubabel von Babel erauff gezogen / etc.

thanja / des sons Michaja / des sons Sachur / des sons Assaph / [36]vnd seine brüder / Semaja / Asareel / Milalai / Gilalai / Maai / Nethaneel / vnd Juda / Hanani / mit den Seitenspielen Dauids des mans Gottes / Esra aber der Schrifftgelerte fur jnen her / [37]zum Brunthor werds. Vnd giengen neben jnen auff den stuffen / zur stad Dauid die mauren auff hin / zum hause Dauid hin an / bis an das Wasserthor gegen morgen.

[38]DER ander Danckchor gieng gegen jnen vber / Vnd ich jm nach / vnd die helfft des volcks / die mauren hin an / zum Ofenthurm hin auff / bis an die Breite mauren / [39]vnd zum thor Ephraim hin an / vnd zum Altenthor / vnd zum Fischthor / vnd zum thurn Hananeel / vnd zum thurn Mea / bis an das Schaffthor / vnd blieben stehen im Kerckerthor. [40]Vnd stunden also die zween Danckchor im hause Gottes / vnd ich vnd die helfft der Obersten mit mir. [41]Vnd die Priester / nemlich / El-Jakim / Maeseja / MinJamin / Michaja / Elioenai / Sacharja / Hananja mit Drometen / [42]vnd Maeseja / Semaja / Eleasar / Vsi /|| Johanan / Malchia / Elam vnd Asar / Vnd die Senger sungen laut / vnd Jesrahia war der Vorsteher. [43]Vnd es wurden desselben tages grosse Opffer geopffert / vnd waren frölich / Denn Gott hatte jnen eine grosse freude gemacht / das sich beide Weiber vnd Kinder freweten / Vnd man höret die freude Jerusalem ferne.

|| 268 b

ZV der zeit wurden verordnet Menner vber die Schatzkasten / da die Heben / Erstlingen vnd Zehenden innen waren / das sie samlen solten von den Eckern vnd vmb die Stedte / aus zuteilen nach dem Gesetz fur die Priester vnd Leuiten / Denn Juda hatte eine freude an den Priestern vnd Leuiten / das sie stunden [45]vnd warten der Hut jres Gottes / vnd der Hut der reinigung. Vnd die Senger vnd Thorhüter stunden nach dem gebot Dauid vnd seines sons Salomo / [46]Denn zun zeiten Dauid vnd Assaph wurden gestifftet die öbersten Senger vnd Lobliede vnd danck zu Gott. [47]Aber gantz Jsrael gab den Sengern vnd Thorhütern teil zun zeiten Serubabel vnd Nehemja / einen jglichen tag sein teil / vnd sie gaben geheiligetets fur die Leuiten / Die Leuiten aber gaben geheiligetes fur die kinder Aaron.

## XIII.

VND ES WARD ZU DER ZEIT GELESEN DAS BUCH Mose fur den ohren des Volcks / vnd ward funden drinnen geschrieben / Das die Ammoniten vnd Moabiten sollen nimer mehr in die gemeine Gottes komen. [2]Darumb / das sie den kindern Jsrael nicht zuuor kamen mit brot vnd wasser / vnd dingeten wider sie Bileam / das er sie verfluchen solt / Aber vnser Gott wand den fluch in einen segen. [3]Da sie nu dis Gesetz höreten / scheideten sie alle Frembdlingen von Jsrael. [4]Vnd vor dem hatte der Priester Eliasib in den Kasten am Hause vnsers Gottes / geleget das opffer Tobia. Denn er hatte jm einen grossen Kasten gemacht / [5]vnd da hin hatten sie zuuor gelegt / Speisopffer / Weyrauch / Gerete / vnd die Zehenden vom getreide / most vnd öle / nach dem gebot der Leuiten / Senger vnd Thorhüter / dazu die Hebe der Priester.

Deut. 23.

Num. 28.

[6]ABer in diesem allen war ich nicht zu Jerusalem / Denn im zwey vnd dreissigsten jar Arthahsastha / des Königes zu Babel / kam ich zum Könige / vnd nach etlichen tagen erwarb ich vom Könige / [7]das ich gen Jerusalem zoch. Vnd ich mercket / das nicht gut war / das Eliasib an Tobia gethan hatte / das er jm einen Kasten machet im Hofe am Hause Gottes. [8]Vnd verdros mich seer / vnd warff alle Gerete vom hause Tobia hin aus fur den Kasten. [9]Vnd hies / das sie die Kasten reinigeten / Vnd ich bracht wider daselbs hin / das Gerete des hauses Gottes / das Speisopffer vnd Weyrauch.

VND ich erfur / das der Leuiten teil jnen nicht gegeben waren / Derhalben die Leuiten vnd Senger geflohen waren / ein jglicher zu seinem acker zuerbeiten. [11]Da schalt ich die Obersten / vnd sprach / Warumb verlassen wir das haus Gottes? Aber ich versamlet sie / vnd stellet sie an jre stet. [12]Da bracht gantz Juda die Zehende vom getreide / most vnd öle zum Schatz. [13]Vnd ich setzt vber die Schetze Selemja den Priester / vnd Zadok den Schrifftgelerten / vnd aus den Leuiten Pedaja / vnd vnter jre hand Hanan / den son Sachur / des sons Mathanja / Denn sie wurden fur trew gehalten / vnd jnen ward befolhen jren Brüdern aus zu teilen. [14]Gedencke mein Gott mir daran / vnd tilge nicht aus meine barmhertzigkeit / die ich an meines Gottes hause / vnd an seine Hut gethan habe.

SABBATH NICHT geheiliget.

ZVR selben zeit sahe ich in Juda Kelter tretten auff den Sabbath / vnd Garben er ein bringen / vnd Esel beladen mit wein / drauben / feigen / vnd allerley last zu Jerusalem bringen / auff den Sabbath tag. Vnd ich bezeuget sie des tages / da sie die futterung verkaufften. [16]Es woneten auch Tyrer || drinnen / die brachten Fisch vnd allerley Wahr / vnd verkaufftens auff den Sabbath den kindern Juda vnd Jerusalem. [17]Da schalt ich die Obersten in Juda / vnd sprach zu jnen / Was ist das böse ding / das jr thut / vnd brecht den Sabbather tag? [18]Theten nicht vnser Veter also / vnd vnser Gott füret alle dis vnglück vber vns vnd vber diese Stad? Vnd jr macht des zorns vber Jsrael noch mehr / das jr den Sabbath brecht.

|| 269 a

VND da die thor zu Jerusalem auffgezogen waren fur dem Sabbath hies ich die thür zuschliessen / vnd befalh / Man solt sie nicht aufthun / bis nach dem Sabbath / Vnd ich bestellet meiner Knaben etliche an die thor das man keine Last er ein brecht am Sabbather tage. [20]Da blieben die Kremer vnd Verkeuffer mit allerley wahr vber nacht draussen fur Jerusalem / ein mal oder zwey. [21]Da zeuget ich jnen / vnd sprach zu jnen / Warumb bleibet jr vber nacht vmb die mauren? Werdet jrs noch einest thun / So wil ich die hand an euch legen. Von der zeit an kamen sie des Sabbaths nicht. [22]Vnd ich sprach zu den Leuiten / die rein waren / das sie kemen vnd hütten der thor / zu heiligen den Sabbathtag. Mein Gott / Gedenck mir des auch / vnd schone mein nach deiner grossen barmhertzigkeit.

JÜDEN SO AUSlendische Weiber genomen.

JCH sahe auch zu der zeit Jüden die weiber namen von Asdod / Ammon vnd Moab. [24]Vnd jre Kinder redeten die helfft Asdodisch / vnd kundten nicht Jüdisch reden / Sondern nach der sprach eines jglichen volcks. [25]Vnd ich schalt sie / vnd flucht jnen / vnd schlug etliche Menner / vnd raufft sie / Vnd nam einen Eid von jnen bey Gott / Jr solt ewre Töchter nicht geben jren Sönen noch jre Töchter nemen ewern Sönen oder euch selbs. [26]Hat nicht Salomo der könig Jsrael daran gesündiget? Vnd war doch in vielen Heiden kein König jm gleich / vnd er war seinem Gott lieb / vnd Gott setzt jn zum Könige vber gantz Jsrael / Noch machten jn die auslendische Weiber zu sunden. [27]Habt jr das nicht gehöret / das jr solch gros vbel thut /

2. Reg. 11.

so auslendische weiber genomen.

euch an vnserm Gott zu vergreiffen mit auslendische Weiber nemen.

[28]VND einer aus den kindern Joiada / des sons Eliasib des Hohenpriesters hatte sich befreundet mit Saneballat den Horoniten / Aber ich jaget jn von mir. [29]Gedenck an sie mein Gott / die des Priesterthums los sind worden / vnd des Bunds des Priesterthums vnd der Leuiten. [30]Also reiniget ich sie von allen auslendischen / vnd stellet die Hut der Priester vnd Leuiten / einen jglichen zu seinem gescheffte / [31]Vnd zu opffern das holtz zu bestimpten zeiten / vnd die Erstlingen. Gedenck meiner / mein Gott im besten.

Ende des Buchs Nehemia.

|| 269b

# DAS BUCH ESTHER

## I.

ZVN ZEITEN AHASUEROS: DER DA KÖNIG WAR von Jndia bis an Moren / vber hundert vnd sieben vnd zwenzig Lender. [2]Vnd da er auff seinem königlichen Stuel sas zu schlos Susan / [3]im dritten jar seines Königreichs / machet er bey jm ein Mal allen seinen Fürsten vnd Knechten / nemlich / den Gewaltigen in Persen vnd Meden / den Landpflegern vnd Obersten seinen Lendern / [4]Das er sehen liesse den herrlichen Reichthum seines Königreichs / vnd den köstlichen pracht seiner Maiestet / viel tage lang / nemlich / hundert vnd achzig tage.

[5]VND da die tage auswaren / macht der König ein Mal / allem volck das zu schlos Susan war / beide gros vnd kleinen / sieben tage lang / im hofe des Garten am hause des Königes. [6]Da hiengen weisse / rote vnd gele Tücher / mit leinen vnd scharlacken seilen gefasset in silbern ringen / auff Marmelseulen. Die bencke waren gülden vnd silbern / auff pflaster von grünen / weissen / gelen vnd schwartzen marmeln gemacht. [7]Vnd das getrenck trug man in gülden Gefessen / vnd jmer ander vnd andern gefessen / vnd königlicher Wein die menge / wie denn der könig vermocht. [8]Vnd man satzte niemand / was er trincken solt / Denn der König hatte allen Vorstehern in seinem Hause befolhen / das ein jglicher solt thun / wie es jm wolgefiel.

VASTHI.

VND die königin Vasthi machte auch ein Mal fur die Weiber / im königlichem Hause des königes Ahasueros. [10]Vnd am siebenden tage / da der König guts muts war vom wein / hies er Mehuman / Bistha / Harbona / Bigtha / Abagtha / Sethar vnd Charcas die sieben Kemerer / die fur dem könige Ahasueros dieneten / [11]das sie die königin Vasthi holeten fur den König / mit der königlichen Krone / Das er den Völckern vnd Fürsten zeiget jre schöne / denn sie war schön. [12]Aber die königin Vasthi wolt nicht komen nach dem wort des Königes durch seine Kemerer / Da ward der König seer zornig / vnd sein grim erbrand in jm.

VND der König sprach zu den Weisen / die sich auff Landes sitten verstunden (Denn des Königes sachen musten geschehen fur allen verstendigen auff recht vnd hendel) [14]Die nehesten aber bey im waren / Charsena / Sethar / Admatha / Tharsis / Meres / Marsena / vnd Memuchan / die sieben Fürsten der Perser vnd Meder / die das angesicht des Königes sahen / vnd sassen oben an im Königreich / [15]Was fur ein Recht man an der königin Vasthi thun solt / Darumb das sie nicht gethan hatte nach dem wort des Königes durch seine Kemerer.

DA sprach Memuchan fur dem Könige vnd Fürsten. Die königin Vasthi hat nicht allein an dem Könige vbel gethan / sondern auch an allen Fürsten vnd an allen Völckern in allen Landen des königes Ahasueros. [17]Denn es wird solche that der Königin auskomen zu allen Weibern / das sie jre Menner verachten fur jren augen / vnd werden sagen / Der könig Ahasueros hies die königin Vasthi fur sich komen / Aber sie wolt nicht. [18]So werden nu die Fürstinnen in Persen vnd Meden auch so sagen zu allen Fürsten des Königes / wenn sie solche that der Königin hören / So wird sich verachtens vnd zorns gnug heben.

[19]GEfellet es dem Könige / so las man ein königlich Gebot von jm ausgehen / vnd schreiben nach der Perser vnd Meder gesetz / welchs man nicht thar || vbertreten / Das Vasthi nicht mehr fur den könig Ahasueros kome / vnd der König gebe jr Königreich jrer Nehesten / die besser ist denn sie. [20]Vnd das dieser brieff des königes der gemacht wird / in sein gantz Reich (welchs gros ist) erschalle / Das alle Weiber jre Menner in ehren halten / beide vnter grossen vnd kleinen. [21]Das gefiel dem könige vnd den Fürsten / vnd der König thet nach dem wort Memuchan. [22]Da wurden Brieue ausgesand in alle Lender des Königes / in ein jglich Land nach seiner schrifft / vnd zu jglichem Volck nach seiner sprach / Das ein jglich Man der Oberherr in seinem hause sey / vnd lies reden nach der sprach seins Volcks.

|| 270 a

## II.

NACH DIESEN GESCHICHTEN / DA DER GRIM DES königs Ahasueros sich geleget hatte / gedacht er an Vasthi / was sie gethan hatte / vnd was vber sie beschlossen were. [2]Da sprachen die knaben des Königes die jm dieneten / Man suche dem Könige junge schöne Jungfrawen / [3]vnd der könig bestelle Schawer in allen Landen seines Königreichs / das sie allerley junge schöne Jungfrawen zusamen bringen gen schlos Susan ins Frawenzimmer / vnter die hand Hege des königs Kemerer / der der Weiber wartet / vnd gebe jnen jren Geschmuck / [4]vnd welche Dirne dem könige gefellet / die werde Königin an Vasthi stat. Das gefiel dem Könige / vnd thet also.

ES war aber ein Jüdischer man zu schlos Susan / der hies Mardachai / ein son Jair / des sons Simei / des sons Kis / des sons Jemini / [6]der mit weggefürt war von Jerusalem / da Jechanja der könig Juda weggefürt ward / welchen Nebucad-Nezar der könig zu Babel wegfüret. [7]Vnd er war ein vormünd Hadassa / die ist Esther / eine tochter seines vettern / Denn sie hatte weder vater noch mutter / vnd sie war eine schöne vnd feine Dirne. Vnd da jr vater vnd mutter starb / nam sie Mardachai auff zur Tochter.

MARDACHAI.

HADASSA die sonst Esther heisset.

[8]DA nu das gebot vnd gesetz des Königes laut ward / vnd viel Dirne zu hauffe bracht wurden gen schlos Susan / vnter die hand Hegai / ward Esther auch genomen zu des königes hause / vnter die hand Hegai des Hüters der weiber. [9]Vnd die Dirne gefiel jm / vnd sie fand barmhertzigkeit fur jm. Vnd er eilet mit jrem Geschmuck / das er jr jren teil gebe / vnd sieben feine Dirnen / von des Königes hause dazu / Vnd er thet sie mit jren Dirnen an den besten ort im Frawenzimmer. [10]Vnd Esther saget jm nicht an jr Volck vnd jre Freundschafft / Denn Mardachai hatte jr geboten / sie solts nicht ansagen. [11]Vnd Mardachai wandelte alle tage fur dem Hofe am Frawenzimmer / das er erfüre / obs Esther wolgienge / vnd was jr geschehen würde.

[12]WEnn aber die bestimpte zeit einer jglichen Dirnen kam / das sie zum könige Ahasueros komen solt / nach dem sie zwelff monden im Frawenschmücken gewesen war (Denn jr schmücken muste so viel zeit haben / nemlich / sechs monden mit Balsam vnd Myrren / vnd sechs monden mit guter Specerey / so waren denn die weiber geschmückt) [13]als denn gieng eine Dirne zum Könige / vnd welche sie wolte / muste man jr geben / die mit jr vom Frawenzimmer zu des Königes hause gienge. [14]Vnd wenn eine des abends hin ein kam / die gienge des morgens von jm in das ander Frawenzimmer / vnter die hand Saasgas des königes Kemerer / der kebsweiber Hütter / Vnd sie muste

nicht wider zum Könige komen / es lüstete denn den König / vnd liesse sie mit namen ruffen.

DA nu die zeit Esther erzu kam / der tochter Abihail / des vettern Mardachai (die er zur Tochter hatte auffgenomen) das sie zum könig komen solt / begerte sie nichts / denn was Hegai des Königes kemerer der weiber Hüter sprach / Vnd Esther fand gnade fur allen die sie ansahen. 16Es ward aber Esther genomen zum könige Ahasueros / ins königliche Haus / im || zehenden monden / der da heisst Tebeth / im siebenden jar seines Königreichs. 17Vnd der König gewan Esther lieb vber alle Weiber / vnd sie fand gnade vnd barmhertzigkeit fur jm / fur allen Jungfrawen / Vnd er setzte die königliche Kron auff jr heubt / vnd machte sie zur Königen an Vasthi stat. 18Vnd der König machte ein gros Mal allen seinen Fürsten vnd Knechten / das war ein Mal vmb Esthers willen. Vnd lies die Lender rugen / vnd gab königliche Geschencke aus.

|| 270b

19VND da man das ander mal Jungfrawen versamlet / sas Mardachai im thor des Königes. 20Vnd Esther hatte noch nicht angesagt jre Freundschafft noch jr Volck / wie jr denn Mardachai geboten hatte / Denn Esther thet nach dem wort Mardachai / gleich als da er jr Vormund war.

MARDACHAI.

ZVR selbigen zeit / da Mardachai im thor des Königes sas / wurden zween Kemerer des Königes / Bigthan vnd Theres / die der thür hüteten / zornig vnd trachten jre hende an den könig Ahasueros zu legen. 22Das ward Mardachai kund / vnd sagts an der könig Esther / vnd Esther sagets dem Könige in Mardachai namen. 23Vnd da man solchs forschet / wards funden / Vnd sie wurden beide an Bewme gehenget. Vnd ward geschrieben in die Chronica fur dem Könige.

BIGTHAN.
THERES.

## III.

NACH DIESEN GESCHICHTEN MACHTE DER KÖNIG Ahasueros / Haman gros / den son Medatha den Agagiter / vnd erhöhet jn / vnd setzt seinen stuel vber alle Fürsten / die bey jm waren. 2Vnd alle knechte des Königes / die im thor des Königes waren / beugeten die knie vnd beteten Haman an / Denn der König hatte es also geboten / Aber Mardachai beuget die knie nicht / vnd betet nicht an. 3Da sprachen des Königes knechte / die im thor

HAMAN.

des Königes waren / zu Mardachai / Warumb vbertrittestu des Königes gebot? [4]Vnd da sie solchs teglich zu jm sagten / vnd er jnen nicht gehorchte / sagten sie es Haman an / das sie sehen / ob solch thun Mardachai bestehen würde / Denn er hatte jnen gesagt / das er ein Jüde were.

VND da Haman sahe / das Mardachi jm nicht die knie beuget noch jn an betet / ward er vol grims / [6]vnd verachtets / das er an Mardachai allein solt die hand legen / Denn sie hatten jm das volck Mardachai angesagt / Sondern er trachtet das volck Mardachai / alle Jüden / so im gantzen königreich Ahasueros waren / zu vertilgen. [7]Jm ersten monden / das ist der mond Nissan / im zwelfften jar des königes Ahasueros / ward das Los geworffen fur Haman / von einem tage auff den andern / vnd vom monden bis auff den zwelfften monden / das ist der mond Adar.

[8]VND Haman sprach zum könige Ahasueros / Es ist ein volck zustrewet / vnd teilet sich vnter alle völcker in allen Landen deines Königreichs / vnd jr Gesetz ist anders / denn aller Völcker / vnd thun nicht nach des Königes gesetzen / vnd ist dem Könige nicht zu leiden / sie also zu lassen. [9]Gefellet es dem Könige / so schreibe er / das mans vmbbringe / So wil ich zehen tausent Centner silbers dar wegen / vnter die hand der Amptleute das mans bringe in die Kamer des Königes. [10]Da thet der König seinen Rinck von der hand / vnd gab jn Haman / dem son Medatha dem Agagiter / der Jüden feind. [11]Vnd der König sprach zu Haman / Das silber sey dir gegeben / dazu das Volck / das du damit thust / was dir gefellet.

HAMANS RAT wider die Jüden.

DA rieff man den Schreibern des Königes / im dreizehenden tage des ersten monden / vnd ward geschrieben / wie Haman befalh / an die Fürsten des Königes / vnd zu den Landpflegern hin vnd her in den Lendern / vnd zu den Heubtleuten eines jglichen Volcks / in den Lendern hin vnd her / nach der || Schrifft eines jglichen Volcks / vnd nach jrer Sprach / im namen des königes Ahasueros / vnd mit des Königes Ringe versiegelt. [13]Vnd die Brieue wurden gesand durch die Leuffer in alle Lender des Königes / zu vertilgen / zu erwürgen / vnd vmb zubringen alle Jüden beide jung vnd alt / Kinder vnd Weiber auff einen tag / nemlich auff den dreizehenden tag des zwelfften

|| 271a

monden / das ist der mond Adar / vnd jr Gut zu rauben.

ALso war der inhalt der schrifft / Das ein Gebot gegeben were in allen Lendern / allen Völckern zu eröffenen / das sie auff den selbigen tag geschickt weren. [15]Vnd die Leuffer giengen aus eilend nach des Königes gebot. Vnd zu schlos Susan ward angeschlagen ein gebot. Vnd der König vnd Haman sassen vnd truncken / Aber die stad Susan ward jrre.

IIII.

MARDACHAI.

DA MARDACHAI ERFUR ALLES WAS GESCHEHEN war / zureis er seine Kleider / vnd legt einen Sack an vnd asschen / vnd gieng hin aus mitten in die Stad / vnd schrey laut vnd kleglich / [2]vnd kam fur das thor des Königes / Denn es muste niemand zu des Königes thor eingehen / der einen sack anhette. [3]Vnd in allen Lendern / an welchem ort des Königes wort vnd gebot gelanget / war ein gros klagen vnter den Jüden / vnd viel fasteten / weineten / trugen leide / vnd lagen in secken vnd in der asschen. [4]Da kamen die Dirnen Esther vnd jre Kemerer / vnd sagtens jr an / Da erschrack die Königin seer. Vnd sie sandte kleider / das Mardachai anzöge / vnd den Sack von jm ableget / Er aber nam sie nicht.

ESTHER.

DA rieff Esther Hathach vnter des königes Kemerern / der fur jr stund / vnd befalh jm an Mardachai / das sie erfüre / was das were / vnd warumb er so thet? [6]Da gieng Hathach hin aus zu Mardachai an die gassen in der Stad / die fur dem thor des Königes war. [7]Vnd Mardachai saget jm alles was jm begegenet were / vnd die summa des silbers das Haman geredt hatte in des Königes kamer dar zu wegen vmb der Jüden willen / sie zu vertilgen. [8]Vnd gab jm die abschrifft des Gebots / das zu Susan angeschlagen war sie zu vertilgen / das ers Esther zeiget vnd jr ansaget / Vnd geböte jr / das sie zum Könige hin ein gienge / vnd thet eine Bitte an jn / vnd thet eine Bitte an jn vmb jr volck.

VND da Hathach hin ein kam / vnd saget Esther die wort Mardachai / [10]sprach Esther zu Hathach / vnd gebot jm an Mardachai / [11]Es wissen alle knechte des Königes / vnd das volck in den Landen des Königes / das wer zum Könige hin ein gehet inwendig in den hof / er sey Man oder Weib / der nicht geruffen ist / der sol stracks gebots sterben (Es sey denn / das der König den gülden Scepter gegen jm reiche / da mit er lebendig bleibe) Jch aber bin nu in dreissig tagen nicht geruffen zum Könige hin ein zu komen.

[12]VND da die wort Esther wurden Mardachai angesagt / [13]hies Mardachai Esther wider sagen / Gedencke nicht das du dein Leben errettest / weil du im hause des Königes bist fur allen Jüden. [14]Denn wo du wirst zu dieser zeit schweigen / So wird eine hülffe vnd errettung aus einem andern ort den Jüden entstehen / vnd du vnd deines Vaters haus werdet vmbkomen. Vnd wer weis ob du vmb dieser zeit willen zum Königreich komen bist? [15]Esther hies Mardachai antworten / [16]So gehe hin vnd versamle alle Jüden / die zu Susan fur handen sind / vnd fastet fur mich / das jr nicht esset vnd trincket in dreien tagen weder tag noch nacht / Jch vnd meine Dirnen wöllen auch also fasten. Vnd also wil ich zum Könige hin ein gehen wider das gebot / Kom ich vmb / so kom ich vmb. [17]Mardachai gieng hin vnd thet alles was jm Esther geboten hatte. ||

|| 271 b

## V.

VND AM DRITTEN TAGE ZOG SICH ESTHER KÖNIGlich an / vnd trat in den hof am Hause des Königes inwendig gegen dem Hause des Königes / Vnd der König sass auff seinem königlichen Stuel im königlichen Hause / gegen der thür des hauses. [2]Vnd da der König sahe Esther die königin stehen im Hofe / fand sie gnade fur seinen augen / Vnd der König recket den gülden Scepter in seiner hand gegen Esther. Da trat Esther erzu / vnd rüret die spitzen des Scepters an. [3]Da sprach der König zu jr / Was ist dir Esther königin? vnd was fodderstu? Auch die helffte des Königreichs sol dir gegeben werden? [4]Esther sprach / Gefellet es dem Könige / so kome der König vnd Haman heute zu dem Mal / das ich zugericht habe. [5]Der König sprach / Eilet / das Haman thue / was Esther gesagt hat.

DA nu der König vnd Haman zu dem Mal kamen / das Esther zugericht hatte / [6]sprach der König zu Esther / da er wein getruncken hatte / Was bittestu Esther? Es sol dir gegeben werden / vnd was fodderstu? auch die helfft des Königreichs / es sol geschehen. [7]Da antwortet Esther / vnd sprach / Mein bitt vnd beger ist / [8]hab ich gnade gefunden fur dem Könige / vnd so es dem Könige gefellet / mir zu geben meine bitte / vnd zu thun mein beger / So kome der König vnd Haman zu dem Mal das ich fur sie zurichten wil / So wil ich morgen thun was der König gesaget hat.

HAMAN.

DA gieng Haman des tages hin aus frölich vnd guts muts. Vnd da er sahe Mardachai im thor des Königes / das er nicht auffstund / noch sich fur jm beweget / ward er vol zorns vber Mardachai / [10]Aber er enthielt sich. Vnd da er heim kam / sand er hin vnd lies holen seine Freunde / vnd sein weib Seres / [11]vnd erzelet jnen die herrligkeit seines Reichthums vnd die menge seiner Kinder / vnd alles wie jn der König so gros gemacht hette / vnd das er vber die Fürsten vnd knechte des Königes erhaben were. [12]Auch sprach Haman / Vnd die königen Esther hat niemand lassen komen mit dem Könige zum mal / das sie zugericht hat / on mich / vnd bin auch morgen zu jr geladen mit dem Könige. [13]Aber an dem allen habe ich keinen gnüge / so lange ich sehe den Jüden Mardachai am Königs thor sitzen.

[14]DA sprach zu jm sein weib Seres vnd alle seine Freunde / Man mache einen Bawm funffzig ellen hoch vnd sage morgen dem Könige / das man Mardachai dran henge / so kompstu mit dem Könige frölich zum Mal. Das gefiel Haman wol vnd lies einen Bawm zurichten.

VI.

JN der selben nacht kund der König nicht schlaffen / vnd hies die Chronica vnd die Historien bringen. Da die wurden fur dem Könige gelesen / [2]traff sichs / da geschrieben war / wie Mardachai hatte angesagt / das die zween Kemerer des Königs / Bigthana vnd Theres die an der schwelle hüteten / getrachtet hetten / die hand an den könig Ahasueros zu legen. [3]Vnd der König sprach / Was haben wir Mardachai ehre vnd guts da für gethan? Da sprachen die knaben des Königs / die jm dieneten / Es ist jm nichts geschehen. [4]Vnd der König sprach / Wer ist im hofe? (Denn Haman war in den Hof gegangen draussen fur des Königes hause / das er dem Könige saget / Mardachai zu hengen an den bawm den er jm zubereitet hatte) [5]Vnd des

BIGTHANA.
THERES.

Königs knaben sprachen zu jm / Sihe / Haman stehet im hofe. Der König sprach / Lasst jn er ein gehen.

VND da Haman hin ein kam / sprach der König zu jm / Was sol man dem Man thun / den der König gerne wolt ehren? Haman aber gedacht in || seinem hertzen / Wem solt der König anders gern wöllen ehre thun / denn mir? [7]Vnd Haman sprach zum Könige / Den Man den der König gerne wolt ehren [8]sol man her bringen / das man jm königliche Kleider anziehe / die der König pfleget zu tragen / vnd das Ros da der König auff reitet / vnd das man die königliche Krone auff sein heubt setze. [9]Vnd man sol solch Kleid vnd Ros geben in die hand eines Fürsten des Königes / das derselb den Man anziehe / den der König gern ehren wolt / vnd füre jn auff dem Ross in der Stad gassen / vnd lasse ruffen fur jm her / So wird man thun dem Man / den der König gerne ehren wolt.

|| 272a

[10]DER König sprach zu Haman / Eile vnd nim das Kleid vnd Ross / wie du gesagt hast / vnd thu also mit Mardachai dem Jüden / der fur dem thor des Königes sitzt / vnd las nichts feilen an allem / das du geredt hast. [11]Da nam Haman das Kleid vnd Ross / vnd zog Mardachai an / vnd füret jn auff der Stad gassen / vnd rieff fur jm her / So wird man thun dem Man / den der König gerne ehren wolt. [12]Vnd Mardachai kam wider an das thor des Königes.

HAman aber eilet zu hause / trug leide mit verhülletem Kopffe / [13]vnd erzelete seinem weibe Seres / vnd seinen Freunden allen / alles was jm begenet war. Da sprachen zu jm seine Weisen vnd sein weib Seres / Jst Mardachai vom samen der Jüden / fur dem du zufallen angehaben hast / so vermagestu nichts an jm / Sondern du wirst fur jm fallen. [14]Da sie aber noch mit jm redeten / kamen er bey des Königes kemerer / vnd trieben Haman zum Mal zu komen / das Esther zugericht hatte.

## VII.

VND DA DER KÖNIG MIT HAMAN KAM ZUM MAL / das die königin Esther zugerichtet hatte / [2]sprach der König zu Esther des andern tages / da er wein getruncken hatte / Was bittestu königin Esther / das man dirs gebe / vnd was fodderstu?

MARDACHAI.

Auch das halbe Königreich / es sol geschehen. [3]Esther die Königin antwortet / vnd sprach / Hab ich gnade fur dir funden / o König / vnd gefellet es dem Könige / so gib mir mein Leben vmb meiner bitte willen / vnd mein Volck vmb meines begerns willen. [4]Denn wir sind verkaufft / ich vnd mein volck / das wir vertilget / erwürget vnd vmbbracht werden. Vnd wolt Gott / wir würden doch zu Knechten vnd Megden verkaufft / so wolt ich schweigen / so würde der Feind doch dem Könige nicht schaden.

DER könig Ahasueros redet / vnd sprach zu der königin Esther / Wer ist der? oder wo ist der / der solchs in seinen sinn nemen thüre / also zu thun? [6]Esther sprach / Der Feind vnd Widersacher ist dieser böser Haman / Haman aber entsetzet sich fur dem König vnd der Königin. [7]Vnd der König stund auff vom Mal / vnd vom wein / in seinem grim / vnd gieng / in den Garten am hause. Vnd Haman stund auff / vnd bat die königin Esther vmb sein leben / Denn er sahe / das jm ein vnglück vom Könige schon bereitet war.

[8]VND da der König wider aus dem Garten am hause / in den Saal / da man gessen hatte / kam / lag Haman an der banck da Esther auffsass / Da sprach der König / Wil er auch die Königin würgen bey mir im Hause? Da das wort aus des Königes munde gieng / verhülleten sie Haman das andlitz. [9]Vnd Harbona der Kemerer einer fur dem Könige sprach / Sihe / es stehet ein Bawm im hause Haman funffzig ellen hoch / den er Mardachai gemacht hatte / der guts fur den König geredt hat. Der König sprach / Lasst jn dran hengen. [10]Also henget man Haman an den bawm den er Mardachai gemacht hatte / da leget sich des Königes zorn.

HAMAN wird an den baum gehenget / den er Mardachai hatte machen lassen etc.

VIII.

AN DEM TAGE GAB DER KÖNIG AHASUEROS DER königin Esther das haus Haman des Jüden feinds. Vnd Mardachai kam fur den König / denn Esther saget an / wie er jr zugehöret. [2]Vnd der König thet abe seinen Fingerreiff / den er von Haman hatte genomen / vnd gab jn Mardachai. Vnd Esther setzet Mardachai vber das haus Haman.

|| 272b

ESTHER bitt fur jr Volck etc.

VND Esther redet weiter fur dem König / vnd fiel jm zun füssen vnd flehet jn / Das er weg thet die bosheit Haman des Agagiters / vnd seine anschlege / die er wider die Jüden erdacht hatte. [4]Vnd der König recket das gülden Scepter zu Esther. Da stund Esther auff vnd trat fur den König / [5]vnd sprach / Gefellet es dem Könige / vnd habe ich gnade funden fur jm / vnd ists gelegen dem Könige / vnd ich jm gefalle / so schreibe man / Das die brieue der anschlege Haman / des sons Medatha / des Agagiters / widerruffen werden / die er geschrieben hat / die Jüden vmb zubringen in an allen Landen des Königes. [6]Denn wie kan ich zusehen dem vbel das mein Volck treffen würde? Vnd wie kan ich zusehen / das mein Geschlecht vmbkome?

(Widerruffen) Das ist / weil die vorigen brieue Haman waren mit des Königes siegel versiegelt / hette es die Jüden nichts geholffen / wo sie nicht weren von newem durch andere brieue widerruffen etc.

[7]DA sprach der könig Ahasueros zur königin Esther vnd zu Mardachai dem Jüden / sihe / Jch habe Esther das haus Haman gegeben / vnd jn hat man an einen bawm gehenget / Darumb / das er seine hand an die Jüden geleget. [8]So schreibt nu jr fur die Jüden / wie es euch gefellet / in des Königes namen / vnd versiegelts mit des Königs Ringe / Denn die schrifft die ins Königes namen geschrieben / vnd mit des Königs ringe versiegelt wurden / muste niemand widerruffen.

[9]DA wurden geruffen des Königes Schreiber / zu der zeit im dritten monden / das ist der mond Siuan / am drey vnd zwenzigsten tage / vnd wurden geschrieben / wie Mardachai gebot / zu den Jüden / vnd zu den Fürsten / Landpflegern vnd Heubtleuten in Landen / von Jndia an bis an die Moren / nemlich / hundert vnd sieben vnd zwenzig Lender / einem jglichen Lande nach seinen schrifften / einem jglichen Volck nach seiner sprache / vnd den Jüden nach jrer schrifft vnd sprache.

[10]VND es ward geschrieben ins königs Ahasueros namen / vnd mit des Königes Ringe versiegelt / Vnd er sandte die Brieue durch die reitende Boten auff jungen Meulern / [11]Darinnen der König den Jüden gab / wo sie in Stedten waren / sich zuuersamlen vnd zu stehen fur jr Leben / vnd zu vertilgen / zu erwürgen vnd vmb zubringen alle macht des Volcks vnd Landes / die sie engsteten / sampt den kindern vnd weibern / vnd jr gut zu rauben / [12]auff einen tag / in allen Lendern des königes Ahasueros / nemlich / am dreizenden tage des zwelfften monden / das ist der mond Adar.

[13]DER inhalt aber der schrifft war / Das ein Gebot gegeben were in allen Landen zu öffenen allen

Völckern / Das die Jüden auff den tag geschickt sein solten sich zu rechen an jren Feinden. [14]Vnd die reitende Boten auff den Meulern ritten aus schnell vnd eilend / nach dem wort des Königes / vnd das Gebot ward zu schlos Susan angeschlagen.

[15]MARdachai aber gieng aus von dem Könige in königlichen Kleidern / geel vnd weis / vnd mit einer grossen gülden Krone / angethan mit einem leinen vnd purpur Mantel / vnd die stad Susan jauchzete vnd war frölich. [16]Den Jüden aber war ein liecht vnd freude / vnd wonne vnd ehre komen. [17]Vnd in allen Landen vnd Stedten / an welchen ort des Königs wort vnd gebot gelanget / da ward freude vnd wonne vnter den Jüden / wolleben vnd gute tage / Das viel der völcker im Lande / Jüden wurden / denn die furcht der Jüden kam vber sie.

## IX.

JM ZWELFFTEN MONDEN / DAS IST DER MOND Adar / am dreizehenden tage / den des Königs wort vnd gebot bestimpt hatte / das mans thun solte / Eben desselben tages / da die Feinde der Jüden hoffeten / sie zu vberweldigen / Wand sichs / das die Jüden jre Feinde vberweltigen solten. [2]Da versamleten sich die Jüden in jren Stedten in allen Landen des königes Ahasueros / das sie die hand legeten an die / so jnen vbel wolten. Vnd niemand kund jnen widerstehen / Denn jre furcht war vber alle Völcker komen. [3]Auch alle Obersten in Landen vnd Fürsten vnd Landpfleger vnd Amptleute des Königes / erhuben die Jüden / denn die furcht Mardachai kam vber sie / [4]Denn Mardachai war gros im hause des Königes / vnd sein gerüchte erschall in allen Lendern / wie er zuneme vnd gros würde.

|| 273a

JÜDEN rechen sich an jren Feinden.

[5]ALso schlugen die Jüden an allen jren Feinden mit der schwertschlacht / vnd würgeten vnd brachten vmb / vnd theten nach jrem willen an denen / die jnen feind waren. [6]Vnd zu schlos Susan erwürgeten die Jüden vnd brachten vmb / fünff hundert Man. [7]Da zu erwürgeten sie / Parsandatha / Dalphon / Aspatha / [8]Poratha / Adalja / Aridatha / [9]Parmastha / Arissai / Aridai / Vaiesatha / [10]die zehen söne Haman / des sons Medatha / des Jüden feinds / Aber an seine Güter legten sie die hende nicht.

ZV der selbigen zeit kam die zal der Erwürgeten gen schlos Susan fur den König. [12]Vnd der König sprach zu der königin Esther / Die Jüden haben zu schlos Susan fünff hundert Man erwürget vnd vmbgebracht / vnd die zehen söne Haman / Was werden sie thun in den andern Lendern des Königes? Was bittestu das man dir gebe? Vnd was foddérstu mehr / das man thue?

[13]ESther sprach / Gefelts dem Könige / so las er auch morgen die Jüden zu Susan thun nach dem heutigen gebot / das sie die zehen söne Haman an den bawm hengen. [14]Vnd der König hies also thun / vnd das gebot ward zu Susan angeschlagen / vnd die zehen söne Haman wurden gehenget. [15]Vnd die Jüden versamleten sich zu Susan am vierzehenden tage des monden Adar / vnd erwürgeten zu Susan drey hundert Man / Aber an jre Güter legten sie jre hende nicht.

ABer die andern Jüden in den Lendern des Königes / kamen zusamen / vnd stunden fur jr Leben / das sie ruge schafften fur jren Feinden / vnd erwürgeten jrer Feinde / fünff vnd siebenzig tausent / Aber an jre Güter legten sie jre hende nicht. [17]Das geschach am dreizehenden tage des monden Adar / vnd rugeten am vierzehenden tage des selben monden / Den macht man zum tage des wollebens vnd freuden. [18]Aber die Jüden zu Susan waren zusamen komen beide am dreizehenden vnd vierzehenden tage / vnd rugeten am funffzehenden tage / vnd den tag machet man zum tage des wollebens vnd freuden. [19]Darumb machten die Jüden die auff den Dörffern vnd Flecken woneten / den vierzehenden tag des monden Adar zum tag des wollebens vnd freuden / vnd sandte einer dem andern Geschencke.

VND Mardachai beschreib diese Geschichte / vnd sandte die brieue zu allen Jüden / die in allen Lendern des königes Ahasueros waren / beide nahen vnd fernen / [21]Das sie annemen vnd hielten den vierzehenden vnd funffzehenden tag des monden Adar jerlich / [22]Nach den tagen / darinnen die Jüden zu ruge komen waren von jren Feinden / vnd nach dem monden / darinnen jre schmertzen in freude / vnd jr leid in gute tage verkeret war / Das sie die selben halten solten fur tage des wollebens vnd freuden / vnd einer dem andern Geschenck schicken / vnd den Armen mitteilen.

[23]VND die Jüden namens an / das sie angefangen hatten zu thun / vnd das Mardachai zu jnen schreib. [24]Wie Haman der son Madatha der Agagiter aller Jüden Feind / gedacht hatte alle Jüden vmb zu bringen vnd das Los || werffen lassen / sie zuschrecken vnd vmb zubringen. [25]Vnd wie Esther zum Könige gegangen war vnd geredt / Das durch brieue seine böse anschlege / die er wider die Jüden gedacht auff seinen Kopff gekeret würden / vnd wie man jn vnd seine Söne an die bawm gehenget hette. [26]Daher sie diese tage Purim nenneten / nach dem namen des Los / nach allen worten dieses brieues / vnd was sie selbs gesehen hatten / vnd was an sie gelanget hatte.

|| 273b

TAGE PURIM.

[27]VND die Jüden richten es auff / vnd namens auff sich / vnd auff jren Samen / vnd auff alle die sich zu jnen thaten / Das sie nicht vbergehen wolten / zu halten diese zween tage jerlich / wie die beschrieben vnd bestimpt wurden / [28]Das diese tage nicht zu vergessen / sondern zu halten seien / bey kinds kindern / bey allen Geschlechten in allen Lendern vnd Stedten. Es sind die tage Purim welche nicht sollen vbergangen werden vnter den Jüden / vnd jr gedechtnis nicht vmbkomen bey jrem Samen.

[29]VND die königin Esther die tochter Abihail / vnd Mardachai der Jüde / schrieben mit gantzer gewalt zu bestettigen diesen andern brieff von Purim / [30]vnd sandte die brieue zu allen Jüden in den hundert vnd zwey vnd siebenzig Lendern des königreichs Ahasueros / mit freundlichen vnd trewen worten / [31]das sie bestettigeten diese tage Purim auff jre bestimpte zeit / wie Mardachai der Jüde vber sie bestettiget hatte / vnd die königin Esther / wie sie auff jre Seele vnd auff jren Samen bestettiget hatten / die Geschichte der fasten vnd jres schreiens. [32]Vnd Esther befalh / diese Geschichte dieser Purim zu bestettigen / vnd in ein Buch zu schreiben.

## X.

VND DER KÖNIG AHASUEROS LEGET ZINS AUFFS Land / vnd auff die Jnsulen im Meer. [2]Aber alle werck seiner gewalt vnd macht / vnd die grosse herrligkeit Mardachai / die jm der König gab / sihe / das ist geschrieben in der Chronica der könige in Meden vnd Persen. [3]Denn Mardachai der Jüde war der ander nach dem könige Ahasueros / vnd gros vnter den Jüden / vnd angeneme vnter der menge seiner Brüder / Der fur sein Volck guts suchte / vnd redet das beste fur allen seinen Samen.

Ende des Buchs Esther.

## VORREDE VBER DAS BUCH HIOB.

DAS BUCH HIOB HANDELT DIESE FRAGE / OB auch den Fromen vnglück von Gott widerfare? Hie stehet Hiob feste / vnd helt / Das Gott auch
5 die Fromen on vrsach / allein zu seinem lobe peiniget. Wie Christus Johan. ix. von dem der blind geborn war auch zeuget.

DA wider setzen sich seine Freunde / vnd treiben gros vnd lange Geschwetz / wöllen Gott recht
10 erhalten / das er keinen Fromen straffe / Straffe er
|| 274a aber / so müsse der selbige gesündigt haben. Vnd || haben so ein weltliche vnd menschliche gedancken von Gott vnd seiner Gerechtigkeit / als were er gleich wie Menschen sind / vnd seine Recht wie der
15 welt recht ist.

WJewol auch Hiob / als der in Todsnöten kompt / aus menschlicher schwacheit zu viel wider Gott redet / vnd im leiden sündiget / Vnd doch darauff bleibet / Er habe solch leiden nicht verschul-
20 det fur andern / wie es denn auch war ist. Aber zu

letzt vrteilt Gott / Das Hiob / in dem er wider Gott geredt hat im leiden / vnrecht geredt habe / Doch was er wider seine Freunde gehalten hat von seiner vnschuld fur dem leiden / recht geredt habe. Also füret dieses Buch diese Historia endlich da hin / 5 Das Gott allein gerecht ist / vnd doch wol ein Mensch wider den andern gerecht ist auch fur Gott.

ES ist aber vns zu trost geschrieben / Das Gott seine grosse Heiligen / also lesst straucheln / sonderlich in der widerwertigkeit. Denn ehe das 10 Hiob in Todesangst kompt / lobet er Gott vber dem raub seiner Güter / vnd tod seiner Kinder. Aber da jm der Tod vnter augen gehet / vnd Gott sich entzeucht / geben seine wort anzeigen / was fur gedancken ein Mensch habe (er sey wie Heilig 15 er wölle) wider Gott / wie jn dünckt / das Gott / nicht Gott / sondern eitel Richter vnd zorniger Tyrann sey / der mit gewalt fare / vnd frage nach niemands guten leben. Dis ist das höhest stück in diesem Buch / Das verstehen alleine die / so auch 20 erfaren vnd fülen was es sey / Gottes zorn vnd vrteil leiden / vnd seine Gnade verborgen sein.

# DAS BUCH HIOB.

|| 274b

# Das Buch Hiob.

## I.

*Hiob est Iobab Rex Edom, Gen. 36. scilicet iuxta Arabiam felicem, in Petrea Arabia, quia irruunt in eum Sabei.*

ES WAR EIN MAN IM LANDE VZ / DER HIES HIOB / Derselb war schlecht vnd recht / Gottfürchtig / vnd meidet das böse. [2]Vnd zeuget sieben Söne vnd drey Töchter / [3]vnd seins Viehs war sieben tausent schaf / drey tausent kamel / fünff hundert joch rinder / vnd fünff hundert eselin / vnd seer viel Gesinds / Vnd er war [a]herrlicher / denn alle die gegen Morgen woneten.

a Nicht das er so Reich vnd gewaltig sey gewesen / Sondern vmb seiner weisheit / verstand vnd Gottseligkeit willen / ist er herrlicher gehalten denn andere.

VND seine Söne giengen hin vnd machten Wolleben / ein jglicher in seinem Hause auff seinen tag / vnd sandten hin vnd luden jr drey Schwestern mit jnen zu essen vnd zu trincken. [5]Vnd wenn ein tag des Wollebens vmb war / sandte Hiob hin vnd heiligete sie / vnd machte sich des morgens früe auff / vnd opfferte Brandopffer / nach jrer aller zal / Denn Hiob gedachte / Meine Söne möchten gesündigt / vnd Gott gesegenet haben in jrem hertzen / Also thet Hiob alle tage.

ES begab sich aber auff einen tag / da die Kinder Gottes kamen vnd fur den HERRN tratten / Kam der Satan auch vnter jnen. [7]Der HERR aber sprach zu dem Satan / Wo kompstu her? Satan antwortet dem HERRN / vnd sprach / Jch hab das Land vmbher durchzogen. [8]Der HERR sprach zu Satan / Hastu nicht acht gehabt auff meinen knecht Hiob? Denn es ist sein Gleiche nicht im Lande / schlecht vnd recht / Gottfürchtig / vnd meidet das böse.

1. Pet. 5.

[9]SAtan antwortet dem HERRN / vnd sprach / Meinstu / das Hiob vmb sonst Gott fürchtet? [10]Hastu doch jn / sein Haus vnd alles was er hat / rings vmb her verwaret / Du hast das werck seiner hende gesegenet / vnd sein Gut hat sich ausgebreitet im Lande. [11]Aber recke dein Hand aus / vnd taste an alles was er hat / Was gilts / er wird dich ins angesicht segenen? [12]Der HERR sprach zu Satan / Sihe / alles was er hat / sey in deiner hand / on alleine an jn selbs lege deine hand nicht. Da gieng Satan aus von dem HERRN.

(Segenen) Das ist fluchen vnd lestern.

DES tages aber da seine Söne vnd Töchter assen vnd truncken wein in jres Bruders hause des erstgebornen / [14]kam ein Bote zu Hiob / vnd sprach / Die Rinder pflügeten / vnd die Eselinnen giengen neben jnen an der weide. [15]Da fielen aus Reicharabia her ein / vnd namen sie / vnd schlugen die Knaben mit der scherffe des schwerts / Vnd ich bin allein entrunnen / das ich dirs ansaget. [16]Da der noch redet / kam ein ander / vnd sprach / Das fewr Gottes fiel vom Himel / vnd verbrand Schaf vnd Knaben / vnd verzehret sie / Vnd ich bin allein entrunnen / das ich dirs ansaget. [17]Da der noch redet / kam einer / vnd sprach / Die Chaldeer machten drey Spitzen / vnd vberfielen die Kamel / vnd namen sie / vnd schlugen die Knaben mit der scherffe des schwerts / Vnd ich bin allein entrunnen / das ich dirs ansaget.

DA der noch redet / kam einer / vnd sprach / Deine Söne vnd Töchter assen vnd truncken im hause jres Bruders des erstgebornen / [19]Vnd sihe / da kam ein grosser wind von der wüsten her / vnd sties auff die vier ecken des Hauses / vnd warffs auff die Knaben / das sie storben / Vnd ich bin allein entrunnen / das ich dirs ansaget.

DA stund Hiob auff vnd zureis sein Kleid / vnd raufft sein Heubt / vnd fiel auff die erden vnd betet an / [21]vnd sprach / Jch bin nacket von meiner Mutterleibe komen / nacket werde ich wider da hin faren. Der HERR hats gegeben / der HERR hats genomen / Der name des HERRN sey gelobt. [22]Jn diesem allen sündiget Hiob nicht / vnd thet nichts thörlichs wider Gott. ‖

Eccle. 5.
1. Tim. 6.

‖ 275 a

II.

ES BEGAB SICH ABER DES TAGES / DA DIE KINDER Gottes kamen / vnd tratten fur den HERRN / das Satan auch vnter jnen kam / vnd fur den HERRN trat. [2]Da sprach der HERR zu dem Satan / Wo kompstu her? Satan antwortet dem HERRN / vnd sprach / Jch hab das Land vmbher durchzogen. [3]Der HERR sprach zu dem Satan / Hastu nicht acht auff meinen knecht Hiob gehabt? Denn es ist sein gleiche im Lande nicht / schlecht vnd recht / Gottfürchtig / vnd meidet das böse / vnd helt noch fest an seiner frumkeit / Du aber hast mich bewegt / das ich jn on vrsach verderbet habe.

(Haut fur haut) Das ist / fur seine haut lesst er fahren / Kinder / Vieh / Gesind vnd aller ander Haut.

[4]SAtan antwortet dem HERRN / vnd sprach / Haut fur haut / vnd alles was ein Man hat / lesst er fur sein Leben. [5]Aber recke dein Hand aus / vnd taste sein gebein vnd fleisch an / Was gilts / er wird dich ins angesicht segenen? [6]Der HERR sprach

zu dem Satan / Sihe da / er sey in deiner hand / Doch schone seins lebens.

DA fuhr der Satan aus vom angesicht des HERRN / vnd schlug Hiob mit bösen Schweren / von der fussolen an bis auff seine scheitel. [8]Vnd er nam eine scherben vnd schabet sich / vnd sass in der asschen. [9]Vnd sein Weib sprach zu jm / Heltestu noch fest an deiner frömkeit? Ja / Segene Gott vnd stirb. [10]Er aber sprach zu jr / Du redest wie die nerrischen Weiber reden. Haben wir guts empfangen von Gott / vnd solten das böse nicht auch annemen? In diesem allen versündiget sich Hiob nicht mit seinen lippen.

HIOBS WEIB.

(Ja segene Gott) Ja du thust fein / Lobest vnd dienest Gott / vnd gehest drüber zu grund.

DA aber die drey freund Hiob höreten alle das vnglück / das vber jn komen war / kamen sie / ein jglicher aus seinem Ort / Eliphas von Theman / Bildad von Suah / vnd Zophar von Naema / Denn sie wordens eins / das sie kemen jn zu klagen vnd zu trösten. [12]Vnd da sie jre augen auffhuben von ferne / kenneten sie jn nicht / Vnd huben auff jre stimme / vnd weineten / vnd ein jglicher zureis sein Kleid / vnd sprengeten erden auff jr heubt gen Himel. [13]Vnd sassen mit jm auff der Erden sieben tage vnd sieben nacht / vnd redeten nichts mit jm / Denn sie sahen / das der schmertze seer gros war.

## III.

Jere. 20.

HIOB verflucht den tag etc.

DARNACH THAT HIOB SEINEN MUND AUFF / VND verflucht seinen tag / [2]vnd sprach / [3]Der tag müsse verloren sein / darinnen ich geborn bin / vnd die nacht / da man sprach / Es ist ein Menlin empfangen. [4]Der selbe tage müsse finster sein / vnd Gott von oben er ab müsse nicht nach jm fragen / Kein glantz müsse vber jn scheinen. [5]Finsternis vnd Tunckel müssen jn vberweldigen / vnd dicke Wolcken müssen vber jm bleiben / vnd der dampff am tage mache jn greslich. [6]Die nacht müsse ein tunckel einnemen / vnd müsse sich nicht vnter den tagen des jars frewen / noch in die zal der monden komen. [7]Sihe / die nacht müsse einsam sein / vnd kein jauchzen drinnen sein. [8]Es verfluchen sie die Verflucher des tages / vnd die da bereit sind zu erwecken den Leuiathan. [9]Jre Sterne müssen finster sein in jrer demmerung / Sie hoffe auffs liecht / vnd kome nicht / vnd müsse nicht sehen die augenbrün der Morgenröte. [10]Das

(Meines Leibs) Daraus ich geboren ward / das ist / der Mutter leib.

sie nicht verschlossen hat die thür meines Leibs / vnd nicht verborgen das vnglück fur meinen augen.

[11]WArumb bin ich nicht gestorben von Mutterleib an? Warumb bin ich nicht vmbkomen / da ich aus dem Leib kam? [12]Warumb hat man mich auff den Schos gesetzt? Warumb bin ich mit brüsten geseuget? [13]So lege ich doch nu vnd were stille / schlieffe vnd hette ruge / [14]mit den Königen vnd Ratherrn auff Erden / die das [a]wüste bawen / [15]Oder mit den Fürsten die gold haben / vnd ‖ jre Heuser vol silbers sind. [16]Oder wie ein vnzeitige Geburt verborgen vnd nichts were / wie die Jungekinder / die das liecht nie gesehen haben. [17]Daselbst müssen doch auffhören die Gottlosen mit toben / Daselbs rugen doch die viel mühe gehabt haben. [18]Da haben doch mit einander friede die Gefangenen / vnd hören nicht die stimme des Drengers. [19]Da sind / beide klein vnd gros / Knecht vnd der von seinem Herrn frey gelassen ist.

a (Wüste) Die mit bawen vmbgehen / da zuuor nichts stehet.

‖ 275 b

[20]WArumb ist das liecht gegeben dem müheseligen / vnd das leben den betrübten hertzen? [21](Die des tods warten vnd kompt nicht / vnd grüben jn wol aus dem verborgen / [22]Die sich fast frewen vnd sind frölich / das sie das Grab bekomen) [23]Vnd dem Man des weg verborgen ist / vnd Gott fur jm den selben bedeckt? [24]Denn wenn ich essen sol / mus ich seuffzen / vnd mein heulen feret er aus wie wasser. [25]Denn das ich gefurcht habe / ist vber mich komen / vnd das ich sorget / hat mich troffen. [26]War ich nicht glückselig? War ich nicht fein stille? Hatte ich nicht gute ruge? vnd kompt solch vnruge.

(Verborgen) Das ist / Aus der erden. (Bedeckt) Was sol der leben / der fur angst nicht weis / wo aus / wo hin / Besser tod etc.

## IIII.

ELIPHAS.

DA ANTWORTET ELIPHAS VON THEMAN / VND sprach / [2]Du hasts vieleicht nicht gern / so man versucht mit dir zu reden / Aber wer kan sichs enthalten? [3]Sihe / du hast viel vnterweiset / vnd lasse hende gesterckt. [4]Deine Rede hat die Gefallene auffgerichtet / vnd die bebende knie hastu bekrefftiget. [5]Nu es aber an dich kompt / wirstu weich / vnd nu es dich trifft / erschrickstu. [6]Jst das deine (Gottes) furcht / dein trost / deine hoffnung / vnd deine frömkeit? [7]Lieber gedenck / Wo ist ein Vnschüldiger vmbkomen? Oder wo

(Jst das) Das ist / Da sihet man nu / wie from du seiest / das dich Gott so strafft.

sind die Gerechten je vertilget? [8]Wie ich wol gesehen habe / die da mühe pflügeten / vnd vnglück seeten / vnd erndten sich auch ein. [9]Das sie durch den odem Gottes sind vmbkomen / vnd vom Geist seines zorns vertilget. [10]Das brüllen der [a]Lewen / vnd die stimme der grossen Lewen / vnd die zeene der jungen Lewen sind zubrochen. [11]Der Lewe ist vmbkomen / das er nicht mehr raubet / vnd die Jungen der Lewin sind zustrewet.

a Diese Lewen vnd Lewin sind die Reichen vnd Gewaltigen auff Erden / so die Armen vnterdrücken.

[12]VND zu mir ist komen ein heimlich wort / vnd mein ohre hat ein wörtlin aus dem selben empfangen. [13]Da ich Gesichte betrachtet in der nacht / wenn der schlaff auff die Leute fellet. [14]Da kam mich furcht vnd zittern an / vnd alle mein gebein erschracken. [15]Vnd da der geist fur mir vbergieng / stunden mir die har zu berge an meinem Leibe. [16]Da stund ein Bilde fur meinen augen / vnd ich kandte seine gestalt nicht / es war stille / vnd ich höret eine stimme. [17]Wie mag ein Mensch gerechter sein / denn Gott? Oder ein Man reiner sein / denn der jn gemacht hat? [18]Sihe / vnter seinen Knechten ist keiner on taddel / vnd in seinen [b]Boten findet er torheit. [19]Wie viel mehr die in den leimen Heusern wonen / vnd welche auff Erden gegründet sind / werden von den Würmen gefressen werden? [20]Es weret von Morgen bis an den Abend / so werden sie ausgehawen / vnd ehe sie es gewar werden / sind sie gar da hin. [21]Vnd jr vbrigen vergehen vnd sterben auch vnuersehens.

2. Pet. 2.

b Oder / Engeln.

## V.

NENNE MIR EINEN / WAS GILTS / OB DU EINEN findest? Vnd sihe dich vmb jrgent nach einem [c]Heiligen. [2]Einen Tollen aber erwürget wol der zorn / vnd den Albern tödtet der eiuer. [3]Jch sahe einen Tollen eingewurtzelt / vnd ich fluchet plötzlich seinem Hause. [4]Seine Kinder werden fern sein vom heil / vnd werden zuschlagen werden im Thor / da kein Erretter sein wird. [5]Seine Erndte wird essen der [d]Hungerige / vnd die Gewapneten werden jn holen / vnd sein Gut werden die Dürstigen aussauffen. [6]Denn mühe aus der erden [e]nicht gehet / vnd vnglück aus || dem acker nicht wechset. [7]Sondern der Mensch wird zu vnglück geborn / wie die Vögel schweben empor zufliegen.

c (Heiligen) Das ist / Zeige mir einen Heiligen der vnschüldig sey geplaget / wie du meinest. Aber die tollen vnd vnwitzigen heisst er hie / die losen frechen Leute / die nach Gott nicht fragen / Solche verderbet wol der zorn vnd eiuer Gottes.

d Hungerige vnd dürstige heisst er die Reuber vnd Tyrannen.

|| 276a

e (Nicht gehet) Das ist / Der Mensch verdienet solchs mit sünden sonst keme es jm nirgent her.

[8]DOch ich wil jtzt von Gott reden / vnd von jm handeln. [9]Der grosse ding thut / die nicht zu for-

schen sind / vnd Wunder / die nicht zu zelen sind. [10]Der den regen auffs Land gibt / vnd lesst wasser komen auff die strassen. [11]Der die nidrigen erhöhet / vnd den Betrübten empor hilfft. [12]Er macht zu nicht die anschlege der Listigen / das es jre hand nicht ausfüren kan. [13]Er fehet die Weisen in jrer listigkeit / vnd störtzt der Verkereten rat. [14]Das sie des tags im finsternis lauffen / vnd tappen im mittag / wie in der nacht. [15]Vnd hilfft dem Armen von dem schwert vnd von jrem munde / vnd von der hand des Mechtigen. [16]Vnd ist des Armen hoffnung / das die bosheit wird jren mund müssen zuhalten.

1. Cor. 3.

[17]SJhe / selig ist der Mensch / den Gott straffet / Darumb weger dich der züchtigung des Allmechtigen nicht. [18]Denn er verletzet / vnd verbindet / Er zuschmeisst / vnd seine Hand heilet. [19]Aus sechs Trübsalen wird er dich erretten / vnd in der siebenden wird dich kein vbel rüren. [20]Jn der Thewrung wird er dich vom Tod erlösen / vnd im Kriege von des schwerts hand. [21]Er wird dich verbergen fur der geissel der Zungen / das du dich nicht fürchtest fur dem verderben / wenn es kompt. [22]Jm verderben vnd hunger wirstu lachen / vnd dich fur den wilden Thieren im Lande nicht fürchten. [23]Sondern dein Bund wird sein mit den steinen auff dem felde / vnd die wilden Thier auff dem Lande werden fried mit dir halten. [24]Vnd wirst erfaren / das deine Hütten friede hat / vnd wirst deine Behausung versorgen / vnd nicht sündigen. [25]Vnd wirst erfaren / das deines Samens wird viel werden / vnd deine Nachkomen / wie das gras auff erden. [26]Vnd wirst im alter zu Grab komen / wie garben eingefürt werden zu seiner zeit. Sihe / das haben wir erforschet / vnd ist also / Dem gehorche vnd mercke du dirs.

1. Reg. 2.

(Dein Bund) Das ist / Die steine werden dein getreide bewaren / weil dauon eine maurn vmbher gemacht wird.

## VI.

Hiob.

HJob antwortet / vnd sprach / [2]Wenn man meinen jamer wöge / vnd mein Leiden zusamen in eine Wage legte. [3]So würde es schwerer sein / denn sand am meer / Darumb ists vmb sonst / was ich rede. [4]Denn die pfeile des Allmechtigen stecken in mir / Derselben grim seufft aus meinem geist / vnd die schrecknis Gottes sind auff mich gerichtet. [5][a]Das wild schreiet nicht / wenn es gras hat / der Ochse blöcket nicht / wenn

a (Das Wild) Das ist / Jr habt gut trösten / euch mangelt nichts. Man isset nicht vngesaltzens / wenn mans besser weis. Aber ich mus wol jtzt dis vnd das etc.

er sein futter hat. [6]Kan man auch essen das vngesaltzen ist? Oder wer mag kosten das weisse vmb den totter? [7]Was meiner Seelen widerte an zurüren / das ist meine Speise fur schmertzen. [8]O das meine bitte geschehe / vnd Gott gebe mir wes ich hoffe. [9]Das Gott anfienge vnd zuschlüge mich / vnd lies seine hand gehen vnd zuscheittert mich. [10]So hette ich noch trost / vnd wolt bitten in meiner kranckheit / das er nur nicht schonet / Hab ich doch [b]nicht verleugnet die rede des Heiligen.

[11]WAS ist meine krafft / das ich möge beharren? Vnd welch ist mein ende / das meine seele gedültig solt sein? [12]Jst doch meine krafft nicht steinern / so ist mein fleisch nicht ehren. [13]Hab ich doch nirgend keine hülffe / vnd mein vermügen ist weg. [14]Wer barmhertzigkeit seinem Nehesten wegert / der verlesst des Allmechtigen furcht. [15]Meine Brüder gehen verechtlich fur mir vber / wie eine Bach / wie die Wasserströme fur vberfliessen. [16]Doch welche sich fur dem reifen schewen / vber die wird der schnee fallen. [17]Zur zeit / wenn sie die hitze drücken wird / werden sie [c]verschmachten / Vnd wenn es heis wird / werden sie vergehen / von jrer stete. [18]Jr weg gehet beseid aus / sie tretten auffs vngebente vnd werden vmbkomen.

[19]SJE sehen auff [d]die wege Thema / auff die pfate Reicharabia warten sie. [20]Aber sie werden zu schanden werden / wens am sichersten ist / vnd sich || schemen müssen / wenn sie dahin komen. [21]Denn jr seid nu zu mir komen / vnd weil jr jamer sehet / fürchtet jr euch. [22]Hab ich auch gesagt / Bringet her / vnd von ewrem vermügen / schenckt mir. [23]Vnd errettet mich aus der hand des Feindes / vnd erlöset mich von der hand der Tyrannen? [24]Leret mich / ich wil schweigen / vnd was ich nicht weis / das vnterweiset mich. [25]Warumb taddelt jr die rechte rede? Wer ist vnter euch / der sie straffen künde? [26]Jr erdeckt wort / das jr nur straffet / vnd das jr nur paustet wort / die mich verzagt machen sollen. [27]Jr fallet vber einen armen Waisen / vnd grabt ewern Nehesten gruben. [28]Doch weil jr habt angehaben / sehet auff mich / ob ich fur euch mit lügen bestehen werde. [29]Antwortet / was recht ist / mein antwort wird noch recht bleiben. [30]Was gilts / ob meine zunge vnrecht habe / vnd mein mund böses furgebe.

|| 276b

b (Nicht verleugnet) Das ist / Hab ichs doch nicht verdienet / das ich so geplagt werde / wolt Gott / ich were doch tod.

c (Verschmachten) Das ist / weil meine Freunde jtzt fur vber rausschen / wie ein wasser / vnd kennen mich nicht / Wird sie auch ein mal eine hitze drücken / So werden sie denn versiegen vnd vertroken / darumb / das sie mich jtzt verlassen.

d (Die wege Thema) Das ist / Sie haltens mit denen die mich beraubt haben / wie oben im 1. Cap. stehet / Geben den selben recht / vnd mir vnrecht.

VII.

MVS NICHT DER MENSCH JMER IM STREIT SEIN auff Erden / vnd seine tage sind / wie eines Taglöners? [2]Wie ein Knecht sehnet sich nach dem schatten / vnd ein Taglöner / das sein erbeit aus sey. [3]Also hab ich wol gantze monden vergeblich geerbeitet / vnd elender nacht sind mir viel worden. [4]Wenn ich mich legt / sprach ich / Wenn werde ich auffstehen? Vnd darnach rechent ich / wens abend wolt werden / Denn ich war gantz ein Schewsal jederman bis finster ward. [5]Mein fleisch ist vmb vnd vmb / wörmicht vnd kötticht / Meine Haut ist verschrumpffen vnd zu nicht worden. [6]Meine tage sind leichter dahin geflogen denn ein Weberspuel / vnd sind vergangen / das kein auffhalten da gewesen ist.

(Vergeblich) Das ist / Jch habe ruge vnd der erbeit ein ende gesucht / Aber das ist vmb sonst / Es bleibt noch jmer vnruge.

[7]GEdenck das mein Leben ein wind ist / vnd meine augen nicht widerkomen zu sehen das Gute. [8]Vnd kein lebendig auge wird mich mehr sehen. Deine augen sehen mich an / darüber vergehe ich. [9]Eine wolcken vergehet vnd feret da hin / Also / wer in die Helle hinunter feret / kompt nicht wider er auff. [10]Vnd kompt nicht wider in sein Haus / vnd sein ort kennet jn nicht mehr. [11]Darumb wil auch ich meinem munde nicht weren / Jch wil reden von der angst meines hertzens / vnd wil er aus sagen vom betrübnis meiner seelen. [12]Bin ich denn ein Meer oder Walfisch / das du mich so verwarest? [13]Wenn ich gedacht / mein Bette sol mich trösten / mein Lager sol mirs leichtern. Wenn ich mit mir selbs rede / [14]So erschreckestu mich mit trewmen / vnd machst mir grawen. [15]Das meine Seele wündschet erhangen zu sein / vnd meine gebeine den tod / [16]Jch begere nicht mehr zu leben.

HOre auff von mir / denn meine tage sind vergeblich gewest. [17]Was ist ein Mensch das du jn gros achtest? vnd bekümerst dich mit jm? [18]Du suchest jn teglich heim / vnd versuchest jn alle stund. [19]Warumb thustu dich nicht von mir / vnd lessest nicht abe / bis ich meinen speichel schlinge? [20]Hab ich gesündigt / was sol ich dir thun / o du Menschenhüter? Warumb machstu mich / das ich auff dich stosse / vnd bin mir selbs eine Last? [21]Vnd warumb vergibstu mir meine missethat nicht / vnd nimpst nicht weg meine sünde? Denn nu werde ich mich in die erden legen / vnd wenn man mich morgen suchet / werde ich nicht da sein.

## VIII.

BILDAD.

DA ANTWORTET BILDAD VON SUAH / VND sprach / [2]Wie lange wiltu solchs reden? vnd die rede deines mundes so einen stoltzen mut haben? [3]Meinstu das Gott vnrecht richte / oder der Allmechtige das Recht verkere? [4]Haben deine Söne fur jm gesündiget / so hat er sie verstossen vmb jrer missethat willen. [5]So du aber dich bey zeit zu Gott thust / vnd dem Allmechtigen flehest. [6]Vnd so du rein vnd from bist / So wird er auffwachen zu dir / vnd wird wider auffrichten die Wonung || vmb deiner gerechtigkeit willen. [7]Vnd was du zu erst wenig gehabt hast / wird hernach fast zunemen. [8]Denn frage die vorigen Geschlechte / vnd nim dir fur zu forschen jre Veter. [9]Denn wir sind von gestern her vnd wissen nichts / Vnser Leben ist ein schatten auff Erden. [10]Sie werden dichs leren vnd dir sagen / vnd jre rede aus jrem hertzen erfur bringen.

|| 277a

[11]KAn auch die [a]Schilff auffwachsen / wo sie nicht feucht stehet? Oder Gras wachsen on wasser? [12]Sonst wens noch in der blüt ist / ehe es abgehawen wird verdorret es / ehe man denn hew macht. [13]So gehet es allen denen / die Gottes vergessen / vnd die hoffnung der Heuchler wird verloren sein. [14]Denn seine zuuersicht vergehet / vnd seine hoffnung ist eine Spinneweb. [15]Er verlesset sich auff sein Haus / vnd wird doch nicht bestehen / Er wird sich dran halten / Aber doch nicht stehen bleiben. [16]Es hat wol Früchte ehe denn die Sonne kompt / vnd Reiser wachsen erfur in seinem garten. [17]Seine saat stehet dicke bey den quellen / vnd sein Haus auff steinen. [18]Wenn er jn aber verschlinget von seinem ort / wird er sich gegen jm stellen / Als kennet er jn nicht. [19]Sihe / das ist die freude seines wesens / vnd werden ander aus dem staube wachsen. [20]Darumb sihe / das Gott nicht verwirfft die Fromen / vnd erhelt nicht die hand der Boshafftigen. [21]Bis das dein mund vol lachens werde / vnd deine lippen vol jauchzens. [22]Die dich aber hassen / werden zu schanden werden / vnd der Gottlosen hütte wird nicht bestehen.

[a] Jd est / Pintzen.

## IX.

Hiob.

HJob antwortet / vnd sprach / [2]Ja ich weis fast wol / das also ist / das ein Mensch nicht rechtfertig bestehen mag gegen Gott. [3]Hat er lust mit jm zu haddern / so kan er jm auff tausent nicht eins antworten. [4]Er ist weise vnd mechtig / Wem ists je gelungen / der sich wider jn gelegt hat? [5]Er versetzt Berge / ehe sie es innen werden / die er in seinem zorn vmbkeret. [6]Er weget ein Land aus seinem ort / das seine pfeiler zittern. [7]Er spricht zur Sonnen / so gehet sie nicht auff / vnd versiegelt die Sterne. [8]Er breitet den Himel aus allein / vnd gehet auff den wogen des Meers. [9]Er machet den Wagen am himel vnd Orion vnd die Glucken vnd die Stern gegen mittag. [10]Er thut grosse ding die nicht zu forschen sind / vnd Wunder der keine zal ist.

Amos 5.

(Orion) Jst das helle Gestirne gegen mittag / das die Bauren den Jacobsstab heissen. Die Glukken oder die Henne / sind die sieben kleine Gestirne.

[11]SJhe / er gehet fur mir vber / ehe ichs gewar werde / vnd verwandelt sich ehe ichs mercke. [12]Sihe / wenn er schwind hinferet / wer wil jn wider holen? Wer wil zu jm sagen / was machstu? [13]Er ist Gott / seinen Zorn kan niemand stillen / vnter jm müssen sich beugen [a]die stoltzen Herrn. [14]Wie solt ich denn jm antworten / vnd wort finden gegen jm? [15]Wenn ich auch gleich recht habe / kan ich jm dennoch nicht antworten / sondern ich müst vmb mein Recht flehen. [16]Wenn ich jn schon anruffe / vnd er mich erhöret / So gleube ich doch nicht / das er meine stimme höre. [17]Denn er feret vber mich mit vngestüme / vnd macht mir der Wunden viel on vrsach. [18]Er lesst meinen Geist sich nicht erquicken / Sondern macht mich vol betrübnis. [19]Wil man macht / so ist er zu mechtig / Wil man Recht / wer wil mein Zeuge sein? [20]Sage ich / das ich gerecht bin / So verdammet er mich doch / Bin ich from / So macht er mich doch zu vnrecht. [21]Bin ich denn From / So that sichs meine seele nicht annemen / Jch begere keines Lebens mehr. [22]Das ist das eine / das ich gesagt habe / Er bringt vmb beide den Fromen vnd Gottlosen. [23]Wenn er anhebt zu geisseln / So dringet er fort bald zum Tod / vnd spottet der anfechtung der Vnschüldigen. [24]Das Land aber wird gegeben vnter die hand des Gottlosen / Das er jre Richter vnterdrücke / Jsts nicht also / wie solts anders sein?

a Die stoltzen Junckherrn / die sich auff jre macht verlassen / vnd jederman helffen können.

[25]MEine tage sind schneller gewesen denn ein Lauffer / sie sind geflohen vnd haben nichts guts erlebt. [26]Sie sind vergangen / wie die starcken Schiff / || wie ein Adeler fleugt zur speise. [27]Wenn ich gedenck ich wil meiner Klage vergessen / vnd mein geberde lassen faren / vnd mich erquicken. [28]So furchte ich alle meine [a]schmertzen / weil ich weis / das du mich nicht vnschüldig sein lessest. [29]Bin ich denn Gottlos / warumb leide ich denn solche vergebliche plage? [30]Wenn ich mich gleich mit Schneewasser wüssche / vnd reinigete meine Hende mit dem brunnen. [31]So wirstu mich doch tuncken in Kot / vnd werden mir meine Kleider scheuslich anstehen. [32]Denn er ist nicht mein Gleiche / dem ich antworten möchte / das wir fur Gerichte mit einander kemen. [33]Es ist vnter vns kein Scheideman / noch der seine hand zwisschen vns beide lege. [34]Er neme von mir seine Ruten / vnd las sein schrecken von mir. [36]Das ich müge reden / vnd mich nicht fur jm fürchten dürffe / Sonst kan ich nichts thun / das fur mich sey.

|| 277b

a *Scilicet, ne redeant.*

(Kleider) Das ist / meine Tugent.

X.

MEINE SEELE VERDREUSST MEIN LEBEN / JCH WIL meine klage bey mir gehen lassen / vnd reden vom betrübnis meiner seelen. [2]Vnd zu Gott sagen / Verdamne mich nicht / Las mich wissen / warumb du mit mir hadderst? [3]Gefellet dirs / das du gewalt thust / vnd mich verwirffest / den deine Hende gemacht haben / vnd machest der Gottlosen furnemen zu ehren? [4]Hastu denn auch fleischliche augen / oder sihestu wie ein Mensch sihet? [5]Oder ist deine zeit wie eines Menschen zeit? Oder deine jar wie eines Mans jare? [6]Das du nach meiner missethat fragest / vnd suchest meine sünde. [7]So du doch weissest / wie ich nicht Gottlos sey / So doch niemand ist / der aus deiner Hand erretten müge.

[8]DEine hende haben mich geerbeitet / vnd gemacht alles was ich vmb vnd vmb bin / Vnd versenckest mich so gar. [9]Gedenck doch / das du mich aus Leimen gemacht hast / vnd wirst mich wider zu Erden machen. [10]Hastu mich nicht wie Milch gemolcken / vnd wie Kese lassen gerinnen? [11]Du hast mir haut vnd fleisch angezogen / mit beinen vnd adern hastu mich zusamen gefüget. [12]Leben vnd wolthat hastu an mir gethan / vnd dein auff-

(Vmb vnd vmb) Nichts ist an mir / das du nicht gemacht hast / oder nicht dein sey. Noch verwirffstu mich / als hette mich ein ander gemacht / der dein Feind were / So gar nimpstu dich deines eigens nicht an.

b (Odem) Das ist / mein Leben / das der odem anzeigt.

sehen bewart meinen [b]odem. [13]Vnd wiewol du solchs in deinem hertzen verbirgest / so weis ich doch / das du des gedenckest. [14]Wenn ich sündige / So merckstus bald / vnd lessest meine missethat nicht vngestrafft. [15]Bin ich Gottlos / so ist mir aber weh / Bin ich Gerecht / So thar ich doch mein heubt nicht auffheben / als der ich vol schmach bin vnd sehe mein Elend. [16]Vnd wie ein auffgereckter Lewe jagestu mich / vnd handelst widerumb grewlich mit mir. [17]Du ernewest deine Zeugen wider mich / vnd machest deines zorns viel auff mich / Es zeplagt mich eins vber das ander mit hauffen.

[18]WArumb hastu mich aus Mutterleib komen lassen? Ah / das ich were vmbkomen / vnd mich nie kein auge gesehen hette. [19]So were ich als die nie gewesen sind / von Muterleibe zum grabe bracht. [20]Wil denn nicht ein ende haben mein kurtzes Leben? vnd von mir lassen / das ich ein wenig erquickt würde? [21]Ehe denn ich hin gehe vnd kome nicht wider / nemlich / ins Land der finsternis vnd des tunckels. [22]Jns Land / da es stock dicke finster ist / vnd da keine ordenung ist / da es scheinet wie das tunckel.

XI.

ZOPHAR.

DA ANTWORTET ZOPHAR VON NAEMA / VND sprach / [2]Wenn einer lang geredt / mus er nicht auch hören? Mus denn ein Wesscher jmer recht haben? [3]Müssen die Leute deinem grossen schwetzen schweigen / das du spottest / vnd niemand dich bescheme? [4]Du sprichst / Meine rede ist rein / vnd lauter bin ich fur deinen augen. [5]Ah das Gott mit dir redet / vnd thet seine lippen auff. [6]Vnd zeigete die heimliche weis-‖heit / Denn er hette noch wol mehr an dir zu thun / auff das du wissest / das er deiner sünde nicht aller gedenckt. [7]Meinstu / das du so viel wissest / als Gott weis / vnd wöllest alles so volkömlich treffen / als der Allmechtige? [8]Er ist höher denn der Himel / was wiltu thun? Tieffer denn die Helle / was kanstu wissen? [9]Lenger denn die Erde / vnd breiter denn das Meer. [10]So er sie vmbkeret oder verbürge / oder in einen Hauffen würffe / wer wils jm wehren? [11]Denn er kennet die losen Leute / Er sihet die vntugent / vnd solts nicht mercken? [12]Ein vnnützer Man blehet sich / vnd ein geborn Mensch wil sein wie ein junges Wild.

‖ 278 a

(Wild) Das ist / Frey vnd seins willens.

[13]WEnn du dein hertz hettest gericht / vnd deine hende zu jm ausgebreitet. [14]Wenn du die vntugent / die in deiner hand ist / hettest ferne von dir gethan / das in deiner Hütten kein vnrecht bliebe. [15]So möchtestu dein andlitz auffheben on taddel / vnd würdest fest sein vnd dich nicht fürchten. [16]Denn würdestu der mühe vergessen / vnd so wenig gedencken / als des wassers das fur vbergehet. [17]Vnd die zeit deines Lebens würde auffgehen / wie der mittag / vnd das finster würde ein liechter morgen werden. [18]Vnd dürfftest dich des trösten / das hoffnung da sey / vnd würdest mit ruge ins Grab komen. [19]Vnd würdest dich legen / vnd niemand würde dich auffschrecken / vnd viel würden fur dir flehen. [20]Aber die augen der Gottlosen werden verschmachten / vnd werden nicht entrinnen mügen / Denn jre hoffnung wird jrer Seelen feilen.

## XII.

Hiob.

DA ANTWORTET HIOB / VND SPRACH / [2]JA JR SEID die Leute / mit euch wird die weisheit sterben. [3]Jch hab so wol ein hertz als jr / vnd bin nicht geringer denn jr / Vnd wer ist / der solchs nicht wisse? [4]Wer von seinem Nehesten verlachet wird / der wird Gott anruffen / der wird jn erhören / Der gerechte vnd frome mus verlachet sein. [5]Vnd ist ein verachtet [a]Liechtlin fur den gedancken der Stoltzen / stehet aber das sie sich dran ergern. [6]Der Verstörer hütten haben die fülle / vnd toben wider Gott thürstiglich / wiewol es jnen Gott in jre hende gegeben hat.

[7]FRage doch das Vieh / das wird dichs leren / vnd die Vogel vnter dem Himel / die werden dirs sagen. [8]Oder rede mit der Erden / die wird dichs leren / vnd die fisch im meer werden dirs erzelen. [9]Wer weis solchs alles nicht / das des HERRN Hand das gemacht hat? [10]Das in seiner Hand ist die Seele alles des da lebet / vnd der Geist alles fleischs eins jglichen? [11]Prüfet nicht das ohre die rede? vnd der mund schmeckt die speise? [12]Ja bey den Grosuetern ist die [b]weisheit / vnd der verstand bey den Alten. [13]Bey jm ist weisheit vnd gewalt / rat vnd verstand. [14]Sihe / wenn er zubricht / so hilfft kein bawen. Wenn er jemand verschleusst / kan niemand auffmachen. [15]Sihe / wenn er das wasser verschleusst / So wirds alles dürre / Vnd wenn ers aussesset / So keret es das Land vmb. [16]Er ist starck

[a] Jd est / Glommend tocht.

[b] Das ist / Jr saget weisheit sey bey den Grosuetern. Jch sage aber sie sey bey Gott / welcher allein aller Könige / Priester / Richter / gewalt / kunst / heiligkeit zu nicht macht.

vnd fürets aus / Sein ist der da jrret / vnd der da verfüret.

[17]ER füret die Klugen wie ein raub / vnd macht die Richter toll. [18]Er löset auff der Könige zwang / Vnd gürtet mit einem gürtel jre Lenden. [19]Er füret die Priester wie ein raub / Vnd lessts feilen den Fessten. [20]Er wendet weg die lippen der Warhafftigen / vnd nimpt weg die sitten der Alten. [21]Er schüttet verachtung auff die Fürsten / vnd macht den bund der Gewaltigen los. [22]Er öffenet die finstern gründe / vnd bringt er aus das tunckel an das liecht. [23]Er macht etlich zum grossen Volck / vnd bringet sie wider vmb. Er breitet ein Volck aus / vnd treibts wider weg. [24]Er nimpt weg den mut der Obersten des Volcks im Lande / vnd macht sie jrre auff eim vnwege / da kein weg ist. [25]Das sie die finsternis tappen on liecht / vnd macht sie jrre / wie die Trunckene.

XIII.

SJhe / das hat alles mein auge gesehen / vnd mein ohre gehöret / vnd habs verstanden. || 278b [2]Was jr wisset / das weis ich auch / vnd bin nicht geringer denn jr. [3]Doch wolt ich gern wider den Allmechtigen reden / vnd wolt gern mit Gott rechten. [4]Denn jr deutets felschlich / vnd seid alle vnnütze Ertzte. [5]Wolt Gott jr schwiget / so würdet jr weise. [6]Höret doch meine straffe / vnd merckt auff die sache dauon ich rede. [7]Wolt jr Gott verteidigen mit vnrecht / vnd fur jn lisst brauchen? [8]Wolt jr seine Person ansehen? Wolt jr Gott vertretten? [9]Wirds euch auch wolgehen / wenn er euch richten wird? Meinet jr / das jr jn teuschen werdet / wie man einen Menschen teuschet? [10]Er wird euch straffen / wo jr Person ansehet heimlich. [11]Wird er euch nicht erschrecken / wenn er sich wird erfür thun? vnd seine furcht wird vber euch fallen. [12]Ewer Gedechtnis wird vergleicht werden der asschen / vnd ewer Rücke wird wie ein leimen hauffen sein.

[13]SChweiget mir / das ich rede / es sol mir nichts feilen. [14]Was sol ich mein fleisch mit meinen Zeenen beissen / vnd meine Seele in meine Hende legen? [15]Sihe / er wird mich doch erwürgen / vnd ich kans nicht erwarten / Doch wil ich meine wege fur jm straffen. [16]Er wird ja mein Heil sein / Denn es kompt kein Heuchler fur jn. [17]Höret meine

(Beissen) Das ist / Was sol ich mich viel casteien vnd mir wehthun / So ich doch sterben mus / vnd hilfft mich nicht. Jtem / meine seele in die hende legen / das ist / viel wogen vnd in fahr geben.

rede / vnd meine auslegung fur ewrn ohren. [18]Sihe / ich habe das vrteil schon gefellet / Jch weis / das ich werde gerecht sein. [19]Wer ist der mit mir rechten wil? Aber nu mus ich schweigen vnd verderben.

[20]ZWeyerley thu mir nur nicht / so wil ich mich fur dir nicht verbergen. [21]Las deine Hand ferne von mir sein / vnd dein schrecken erschrecke mich nicht. [22]Ruffe mir / ich wil dir antworten / Oder ich wil reden / antworte du mir. [23]Wie viel ist meiner missethat vnd sünden? Las mich wissen meine vbertrettung vnd sünde. [24]Warumb verbirgestu dein Andlitz / vnd heltest mich fur deinen Feind? [25]Wiltu wider ein fliegend Blat so ernst sein / vnd ein dürren Halm verfolgen? [26]Denn du schreibest mir an betrübtnis / vnd wilt mich vmbbringen vmb der sünde willen meiner Jugent. [27]Du hast meinen fus in stock gelegt / vnd hast acht auff alle meine pfadte / vnd sihest auff die fusstapffen meiner füsse. [28]Der ich doch wie ein faul Ass vergehe / vnd wie ein Kleid das die Motten fressen.

XIIII.

DER MENSCH VOM WEIBE GEBORN / LEBT KURTZE zeit / vnd ist vol vnruge. [2]Gehet auff wie eine Blume vnd fellet abe / Fleucht wie eine Schatten / vnd bleibt nicht. [3]Vnd du thust deine Augen vber solchen auff / das du mich fur dir ins Gericht zeuhest. [4]Wer wil einen Reinen finden bey denen / da keiner rein ist? [5]Er hat sein bestimpte zeit / die zal seiner monden stehet bey dir / Du hast ein Ziel gesetzt / das wird er nicht vbergehen. [6]Thu dich von jm / das er ruge hab / bis das seine zeit kome / der er wie ein Taglöner wartet.

[7]EJn Bawm hat hoffnung / wenn er schon abgehawen ist / das er sich wider verendere / vnd seine Schüsslinge hören nicht auff. [8]Ob seine Wurtzel in der erden veraltet / vnd sein Stam in dem staub erstirbt. [9]So grunet er doch wider vom geruch des wassers / vnd wechst da her als were er gepflantzt. [10]Wo ist aber ein Mensch / wenn er tod vnd vmbkomen vnd da hin ist? [11]Wie ein wasser ausleufft aus dem See / vnd wie ein strom versieget vnd vertrocknet. [12]So ist ein Mensch wenn er sich legt / vnd wird nicht auffstehen / vnd wird nicht auffwachen / so lange der Himel bleibt / noch von seinem schlaff erweckt werden.

[13]AH / das du mich in der Helle verdecktest / vnd verbergest bis dein zorn sich lege / vnd setzest mir ein ziel / das du an mich denckest. [14]Meinstu ein todter Mensch werde wider leben? Jch harre teglich / die weil ich streitte / bis das meine verenderung kome. [15]Das du wollest mir ruffen / vnd ich dir antworten / || vnd wöllest das werck deiner Hende nicht ausschlahen. [16]Denn du hast schon meine Genge gezelet / Aber du woltest ja nicht acht haben auff meine sünde. [17]Du hast meine vbertrettung in einem Bündlin versiegelt / vnd meine missethat zusamen gefasset. [18]Zufellet doch ein Berg vnd vergehet / vnd ein fels wird von seinem ort versetzt. [19]Wasser wesschet steine weg / vnd die tropffen flötzen die erden weg / Aber des Menschen hoffnung ist verloren. [20]Denn du stossest jn gar vmb / das er da hin feret / verenderst sein wesen / vnd lessest jn faren. [21]Sind seine Kinder in ehren / das weis er nicht / Oder ob sie geringe sind / des wird er nicht gewar. [22]Weil er das fleisch antregt / mus er schmertzen haben / Vnd weil seine Seele noch bey jm ist / mus er leide tragen.

|| 279 a

(Hoffnung) Das ist / Fur dem Tod hat er keine hoffnung in diesem leben.

XV.

ELIPHAS.

DA ANTWORTET ELIPHAS VON THEMAN / VND sprach / [2]Sol ein weiser Man so auffgeblasen wort reden / vnd seinen Bauch so blehen mit losen reden? [3]Du straffest mit worten die nicht tügen / Vnd dein reden ist kein nütze. [4]Du hast die furcht faren lassen / vnd redest zu verechtlich fur Gott. [5]Denn deine missethat leret deinen mund also / Vnd hast erwelet ein schalckhafftige Zunge. [6]Dein mund wird dich verdammen / vnd nicht ich / Deine lippen sollen dir antworten. [7]Bistu der erste Mensch geborn? Bistu vor allen Hügeln empfangen? [8]Hastu Gottes heimlichen rat gehört? Vnd ist die weisheit selbs geringer denn du? [9]Was weissestu / das wir nicht wissen? Was verstehestu / das nicht bey vns sey? [10]Es sind graw vnd alte vnter vns / die lenger gelebt haben denn deine Veter.

[11]SOlten Gottes tröstung so geringe fur dir gelten? Aber du hast jrgend noch ein heimlich stück bey dir. [12]Was nimpt dein hertz fur? Was sihestu so stoltz? [13]Was setzt sich dein mut wider Gott / das du solche rede aus deinem munde lessest? [14]Was ist ein Mensch / das der solt rein sein / vnd

(Geringe) Das ist / Meinstu das Gott die sünder tröste / vnd seinen trost so gering hinwerffe / Du must zuuor from werden etc.

das er solt gerecht sein / der vom Weibe geborn ist? [15]Sihe / vnter seinen Heiligen ist keiner on taddel / vnd die Himel sind nicht rein fur jm. [16]Wie viel mehr ein Mensch / der ein Grewel vnd schnöde ist / Der vnrecht seufft wie wasser. [17]Jch wil dirs zeigen / höre mir zu / Vnd wil dir erzelen / was ich gesehen habe. [18]Was die weisen gesagt haben / vnd jren Vetern nicht verholen gewesen ist. [19]Welchen allein das Land gegeben ist / das kein Frembder durch sie gehen mus.

[20]DEr Gottlose bebet sein lebenlang / vnd dem Tyrannen ist die zal seiner jar verborgen. [21]Was er höret / das schrecket jn / Vnd wens gleich friede ist / furcht er sich / der Verderber kome. [22]Gleubt nicht / das er müge dem vnglück entrinnen / vnd versihet sich jmer des Schwerts. [23]Er zeucht hin vnd her nach Brot / vnd dünckt jn jmer / die zeit seines vnglücks sey furhanden. [24]Angst vnd not schrecken jn / vnd schlahen jn nider / als ein König mit einem Heer. [25]Denn er hat seine hand wider Gott gestreckt / vnd wider den Allmechtigen sich gestreubet. [26]Er leufft mit dem kopff an jn / vnd ficht halsstarriglich wider jn. [27]Er brüstet sich / wie ein fetter wanst / Vnd macht sich fett vnd dick.

(Brüstet sich) *Scilicet contra Deum, sicut Bos pingus, crassus et pugnax.*

[28]ER wird aber wonen in verstöreten Stedten / da keine Heuser sind / sondern auff einem hauffen ligen. [29]Er wird nicht reich bleiben / vnd sein Gut wird nicht bestehen / vnd sein Glück wird sich nicht ausbreiten im Lande. [30]Vnfall wird nicht von jm lassen / Die flamme wird seine zweige verdorren / vnd durch den odem jres mundes jn wegfressen. [31]Er wird nicht bestehen / denn er ist in seinem eitel dunckel betrogen / Vnd eitel wird sein lohn werden. [32]Er wird ein ende nemen / wens jm vneben ist / vnd sein Zweig wird nicht grunen. [33]Er wird abgerissen werden / wie ein vnzeitige Drauben vom Weinstock / vnd wie ein Olebawm seine blüet abwirfft. [34]Denn der Heuchler versamlung wird einsam bleiben / vnd das fewr wird die Hütten fressen / die Geschencke nemen. [35]Er gehet schwanger mit vnglück / vnd gebirt mühe / vnd jr Bauch bringt feil.||

Psal. 7.

|| 279b

## XVI.

Hiob.

HJob antwortet / vnd sprach / [2]Jch habe solchs offt gehöret / Jr seid alle zumal leidige Tröster / [3]Wöllen die lose wort kein ende haben?

Oder was macht dich so frech also zu reden? [4]Jch künd auch wol reden wie jr / Wolt Gott / ewr Seele were an meiner seelen stat / Jch wolt auch mit worten an euch setzen / vnd mein Heubt also vber euch schütteln. [5]Jch wolt euch stercken mit dem munde / vnd mit meinen lippen trösten. [6]Aber wenn ich schon rede / So schonet mein der schmertze nicht / Las ichs anstehen / So gehet er nicht von mir.

[7]NV aber macht er mich müde / vnd verstöret alles was ich bin. [8]Er hat mich runtzlicht gemacht / vnd zeuget wider mich / Vnd mein Widersprecher lehnet sich wider mich auff / vnd antwortet wider mich. [9]Sein grim reisset / vnd der mir gram ist / beisset die Zeene vber mich zusamen / mein Widersacher fünckelt mit seinen augen auff mich. [10]Sie haben jren mund auffgesperret wider mich / vnd haben mich schmehlich auff meine Backen geschlagen / Sie haben jren mut mit einander an mir gekület. [11]Gott hat mich vbergeben dem Vngerechten / vnd hat mich in der Gottlosen hende lassen komen. [12]Jch war reich / Aber er hat mich zu nicht gemacht / Er hat mich beim Hals genomen vnd zustossen / vnd hat mich jm zum Ziel auffgericht. [13]Er hat mich vmbgeben mit seinen Schützen / Er hat meine Nieren gespalten vnd nicht verschonet / Er hat meine Gallen auff die erden geschut. [14]Er hat mir eine wunde vber die andern gemacht / Er ist an mich gelauffen wie ein Gewaltiger.

(Zeuget) Das ist jr behelff wider mich.

JCh habe einen Sack vmb meine haut geneet / vnd habe mein Horn in den staub gelegt. [16]Mein andlitz ist geschwollen von weinen / Vnd mein augenliede sind vertunckelt. [17]Wiewol kein freuel in meiner hand ist / vnd mein Gebet ist rein. [18]Ah erde verdecke mein Blut nicht / vnd mein geschrey müsse nicht raum finden. [19]Auch sihe da / mein Zeuge ist im Himel / vnd der mich kennet ist in der höhe. [20]Meine freunde sind meine Spötter / Aber mein auge threnet zu Gott. [21]Wenn ein Man künd mit Gott rechten / wie ein Menschen kind / mit seinem Freunde. [22]Aber die bestimpten jar sind komen / vnd ich gehe hin des weges / den ich nicht wider komen werde.

(Horn) Das ist / mein gewalt / macht vnd herrschafft / vnd war auff ich mich verlies.

## XVII.

MEIN ODEM IST SCHWACH / VND MEINE TAGE sind abgekürtzt / das Grab ist da. [2]Niemand ist von mir geteuschet / noch mus mein Auge darumb bleiben in betrübnis. [3]Ob du gleich einen Bürgen fur mich woltest / wer wil fur mich geloben? [4]Du hast jren Hertzen den verstand verborgen / darumb wirstu sie nicht erhöhen. [5]Er rhümet wol seinen Freunden die ausbeute / Aber seiner Kinder augen werden verschmachten. [6]Er hat mich zum Sprichwort vnter den Leuten gesetzt / vnd mus ein Wunder vnter jnen sein. [7]Mein gestalt ist tunckel worden fur trawren / vnd alle meine glieder sind wie ein schatten. [8]Darüber werden die Gerechten vbel sehen / vnd die Vnschuldigen werden sich setzen wider die Heuchler. [9]Der Gerechte wird seinen weg behalten / Vnd der von reinen henden wird starck bleiben. [10]Wolan / so keret euch alle her vnd kompt / Jch werde doch keinen Weisen vnter euch finden.

[11]MEine tage sind vergangen / meine Anschlege sind zutrennet / die mein hertz besessen haben. [12]Vnd haben aus der nacht tag gemacht / vnd aus dem tage nacht. [13]Wenn ich gleich lange harre / so ist doch die Helle mein haus / vnd im finsternis ist mein Bette gemacht. [14]Die Verwesung heis ich meinen Vater / vnd die würme meine Mutter vnd meine Schwester. [15]Was sol ich harren? vnd wer achtet mein hoffen? [16]Hinunter in die Helle wird es faren / vnd wird mit mir in dem staub ligen. ‖ ‖ 280a

## XVIII.

DA ANTWORTET BILDAD VON SUAH / VND sprach / [2]Wenn wolt jr der rede ein ende machen? Mercket doch / darnach wöllen wir reden. [3]Warumb werden wir geachtet wie Vieh / vnd sind so vnrein fur ewren augen? [4]Wiltu fur bosheit bersten? Meinstu / das vmb deinen willen die Erden verlassen werde / vnd der fels von seinem ort versetzt werde? [5]Auch wird das Liecht der Gottlosen verlesschen / vnd der funcke seines fewrs wird nicht leuchten. [6]Das Liecht wird finster werden in seiner Hütten / vnd seine Leuchte vber jm verlesschen. [7]Die zugenge seiner Habe werden schmal werden / vnd sein Anschlag wird jn fellen. [8]Denn er ist mit seinen füssen in strick bracht / vnd wandelt im Netze. [9]Der strick wird seine fersen halten / vnd die Dürstigen werden jn erhasschen. [10]Sein Strick ist gelegt in die erden / vnd seine Falle auff seinem gang. [11]Vmb vnd vmb wird jn

BILDAD.

(Versetzt) Das ist / Gott wirds mit dir nicht anders machen denn mit allen andern / vnd seine weise nicht lassen vmb deinet willen.

(Fürst) Das ist / Die macht vnd gewalt des todtes. Also auch König des schreckens / ist die gewalt des schreckens / das er mus vnterligen vnd nicht entrinnen kan.

a (Wurtzel) Wurtzel heisst er alles was in der Erden gepflantzet ist. Erndten alles was oben aus wechst / es sey korn / öle / wein etc.

schrecken plötzliche furcht / das er nicht weis / wo er hin aus sol.

[12]HVnger wird seine habe sein / vnd vnglück wird jm bereit sein vnd anhangen. [13]Die sterck seiner haut wird verzehret werden / vnd seine stercke wird verzehren der fürst des Tods. [14]Seine hoffnung wird aus seiner Hütten gerottet werden / vnd sie werden jn treiben zum Könige des schreckens. [15]Jn seiner Hütten wird nichts bleiben / vber sein Hütten wird schwefel gestrewet werden. [16]Von vnten werden verdorren seine [a]Wurtzel / vnd von oben abgeschnitten sein Erndte. [17]Sein gedechtnis wird vergehen in dem Lande / Vnd wird keinen namen haben auff der gassen. [18]Er wird vom liecht ins finsternis vertrieben werden / vnd vom Erdboden verstossen werden. [19]Er wird keine Kinder haben vnd keine Neffen vnter seinem volck / Es wird jm keiner vberbleiben in seinen Gütern. [20]Die nach jm komen / werden sich vber seinen tag entsetzen / Vnd die vor jm sind / wird eine furcht ankomen. [21]Das ist die wonung des Vngerechten / vnd dis ist die stete des / der Gott nicht achtet.

## XIX.

Hiob.

HJob antwortet vnd sprach / [2]Was plaget jr doch meine Seele / vnd peiniget mich mit worten? [3]Jr habt mich nu zehen mal gehönet / vnd schemet euch nicht / das jr mich also vmbtreibet. [4]Jrre ich / so jrre ich mir. [5]Aber jr erhebet euch warlich wider mich / vnd schelt mich zu meiner schmach. [6]Merckt doch einst / das mir Gott vnrecht thut / vnd hat mich mit seinem Jagestrick vmbgeben. [7]Sihe / ob ich schon schrey vber freuel / so werde ich doch nicht erhöret / Jch ruffe / vnd ist kein recht da. [8]Er hat meinen weg verzeunet / das ich nicht kan hinüber gehen / Vnd hat finsternis auff meinen steig gestellet. [9]Er hat meine Ehre mir ausgezogen / vnd die Krone von meinem Heubt genomen. [10]Er hat mich zubrochen vmb vnd vmb / vnd lesst mich gehen / Vnd hat ausgerissen meine Hoffnung wie einen Bawm.

(Ehre / Krone / Hoffnung) Jst alles geredt vom zeitlichen leben in guter ruge.

[11]SEin zorn ist vber mich ergrimmet / vnd er achtet mich fur seinen feind. [12]Seine Kriegsleute sind mit einander komen / vnd haben jren weg vber mich gepflastert / vnd haben sich vmb meine Hütten her gelagert. [13]Er hat meine Brüder ferne

von mir gethan / Vnd meine Verwandten sind mir frembde worden. [14]Meine Nehesten haben sich entzogen / Vnd meine Freunde haben mein vergessen. [15]Meine Hausgenossen vnd meine Megde achten mich fur frembde / Jch bin vnbekand worden fur jren augen. [16]Jch rieff meinem Knecht / vnd er antwortet mir nicht / Jch muste jm flehen mit eigenem munde. [17]Mein Weib stellet sich frembd wenn ich jr ruffe / Jch mus flehen den Kindern meines Leibs. [18]Auch die junge Kinder geben nichts auff mich / Wenn ich mich wider || sie setze / so geben sie mir böse wort. [19]Alle meine getrewen haben Grewel an mir / Vnd die ich lieb hatte / haben sich wider mich gekeret.

|| 280b

[20]MEin gebein hanget an meiner haut vnd fleisch / vnd kan meine zeene mit der haut nicht bedecken. [21]Erbarmet euch mein / erbarmet euch mein / jr meine Freunde / Denn die hand Gottes hat mich gerürt. [22]Warumb verfolget jr mich / gleich so wol als Gott / vnd künd meines fleisches nicht sat werden? [23]Ah das meine rede geschrieben würden / Ah / das sie in ein Buch gestellet würden. [24]Mit einem eisern Griffel auff bley / vnd zu ewigem gedechtnis in einen Fels gehawen würden. [25]ABER ICH WEIS DAS MEIN ERLÖSER LEBET / VND ER WIRD MICH HERNACH AUS DER ERDEN AUFFWECKEN. [26]VND WERDE DARNACH MIT DIESER MEINER HAUT VMBGEBEN WERDEN / VND WERDE IN MEINEM FLEISCH GOTT SEHEN. [27]DEN SELBEN WERDE ICH MIR SEHEN / VND MEINE AUGEN WERDEN JN SCHAWEN / VND KEIN FREMBDER. Meine nieren sind verzeret in meinem schos / [28]denn jr sprecht / Wie wöllen wir jn verfolgen / vnd eine sache zu jm finden? [29]Fürchtet euch fur dem schwert / Denn das schwert ist der zorn vber die missethat / Auff das jr wisset / das ein Gericht sey.

(Sat werden) Das ist / Künd nicht auffhören mich zu beissen vnd zu straffen.
(Erlöser) *Retter, uindex Quia Christus uindicat nos contra Homicidam nostrum Diabolum.*

## XX.

DA ANTWORTET ZOPHAR VON NAEMA / VND sprach / [2]Darauff mus ich antworten / vnd kan nicht harren. [3]Vnd wil gern hören / wer mir das sol straffen vnd taddeln / Denn der geist meins verstands sol fur mich antworten. [4]Weissestu nicht / das allezeit so gegangen ist / sint das Menschen auff erden gewesen sind. [5]Das der rhum der Gottlosen stehet nicht lang / vnd die freude des Heuchlers weret ein augenblick? [6]Wenn gleich

ZOPHAR.

seine höhe in den Himel reichet / vnd sein heubt an die wolcken rüret / [7]So wird er doch zu letzt vmbkomen wie ein dreck / Das die / fur denen er ist angesehen / werden sagen / wo ist er? [8]Wie ein trawm vergehet / so wird er auch nicht funden werden / Vnd wie ein Gesicht in der nacht verschwindet. [9]Welch auge jn gesehen hat wird jn nicht mehr sehen / Vnd seine stete wird jn nicht mehr schawen / [10]Seine Kinder werden betteln gehen / Vnd seine hand wird jm mühe zu lohn geben. [11]Seine Beine werden seine heimliche sünde wol bezalen / vnd werden sich mit jm in die erden legen.

[12]WEnn jm die Bosheit gleich in seinem munde wol schmeckt / wird sie doch jm in seiner zungen [a]feilen. [13]Sie wird auffgehalten / vnd jm nicht gestattet / vnd wird jm geweret werden in seinem halse. [14]Seine speise inwendig im Leibe wird sich verwandeln in Ottergallen. [15]Die Güter / die er verschlungen hat / mus er wider ausspeien / vnd Gott wird sie aus seinem bauch stossen. [16]Er wird der Ottern galle saugen. / Vnd die zunge der Schlangen wird jn tödten. [17]Er wird nicht sehen die Ströme noch die wasserbeche / die mit honig vnd butter fliessen. [18]Er wird erbeiten / vnd des nicht geniessen / Vnd seine Güter werden andern / das er der nicht fro wird. [19]Denn er hat vnterdrückt vnd verlassen den armen / Er hat Heuser zu sich gerissen / die er nicht erbawet hat. [20]Denn sein wanst kund nicht vol werden / vnd wird durch sein köstlich Gut nicht entrinnen. [21]Es wird seiner Speise nichts vberbleiben / Darumb wird sein gut Leben keinen bestand haben. [22]Wenn er gleich die fülle vnd genug hat / wird jm doch angst werden / Aller hand mühe wird vber jn komen.

a Wenn er bosheit anfehet / hat er wollust vnd ruge. Aber es wird nicht weren / wird bald bitter schmecken.

(Saugen) Das ist / Er wird tödlich hertzenleid vnd jamer leiden / vnd alles guten beraubet werden.

[23]ES wird jm der wanst ein mal vol werden / Vnd er wird den grim seines Zorns vber jn senden / Er wird vber jn regenen lassen seinen streit. [24]Er wird fliehen fur dem eisern Harnisch / Vnd der ehern Bogen wird jn veriagen. [25]Ein blos Schwert wird durch jn ausgehen / vnd des schwerts blitzen / der jm bitter sein wird / wird mit schrecken vber jn faren / [26]Es ist kein finsternis da / die jn verdecken möchte. Es wird jn ein fewr verzeren das nicht [b]auffgeblasen ist /‖ Vnd wer vbrig ist in seiner Hütten / dem wirds vbel gehen. [27]Der Himel wird seine missethat eröffenen / Vnd die erde wird sich

‖ 281 a

(Auffgeblasen) Das ist / Ein fewr von Gott angezündet / nicht durch Menschen auffgeblasen.

wider jn setzen. [28]Das getreide in seinem Hause wird weggefüret werden / zustrewet am tage seins zorns. [29]Das ist der lohn eines gottlosen Menschen bey Gott / vnd das erbe seiner rede bey Gott.

XXI.

Hiob.

HIOB ANTWORTET / VND SPRACH / [2]HÖRET DOCH zu meiner rede / vnd lasst euch raten / [3]Vertragt mich / das ich auch rede / vnd spottet darnach mein. [4]Handel ich denn mit einem Menschen / das mein mut hierin nicht solt vnwillig sein? [5]Keret euch her zu mir / jr werdet saur sehen / vnd die hand auffs maul legen müssen. [6]Wenn ich daran gedenck / so erschrecke ich / vnd zittern kompt mein fleisch an. [7]Warumb leben denn die Gottlosen / werden alt vnd nemen zu mit gütern? [8]Jr Same ist sicher vmb sie her / vnd jr Nachkömling sind bey jnen. [9]Jr Haus hat friede fur der furcht / vnd Gottes ruten ist nicht vber jnen. [10]Seine ochsen lesst man zu / vnd misrett jm nicht / Seine kue kalbet / vnd ist nicht vnfruchtbar. [11]Jre jungen Kinder gehen aus / wie eine herd / vnd jre Kinder lecken. [12]Sie jauchzen mit Paucken vnd Harffen / vnd sind frölich mit Pfeiffen. [13]Sie werden alt bey guten tagen / vnd erschrecken kaum ein augenblick fur der Helle. [14]Die doch sagen zu Gott / Heb dich von vns / wir wöllen von deinen wegen nicht wissen. [15]Wer ist der Allmechtige / das wir jm dienen solten? oder was sind wirs gebessert / so wir jn anruffen?

Jere. 12.
Abac. 1.

Mal. 3.

(Augenblick) Das ist / Sie leben bis an den tod wol vnd da ists vmb ein bösen augenblick mit jnen zu thun / so sind sie hindurch. Jch aber mus so lange zeit schrecken vnd vnglück leiden.

[16]ABer sihe / jr gut stehet nicht in jren henden / Darumb sol der Gottlosen sinn ferne von mir sein. [17]Wie wird die leuchte der Gottlosen verlesschen vnd jr vnglück vber sie komen? Er wird hertzenleid austeilen in seinem zorn. [18]Sie werden sein wie stoppeln fur dem winde / vnd wie sprew die der Sturmwind wegfüret. [19]Gott behelt desselben vnglück auff seine Kinder / Wenn ers jm vergelten wird / so wird mans jnnen werden. [20]Seine augen werden sein verderben sehen / vnd vom grim des Allmechtigen wird er trincken. [21]Denn wer wird gefallen haben an seinem Hause nach jm? vnd die zal seiner monden wird kaum halb bleiben. [22]Wer wil Gott leren / der auch die Hohen richtet? [23]Dieser stirbet frisch vnd gesund / in allem reichthum vnd voller gnüg. [24]Sein melckfas ist vol milch / vnd seine gebeine werden gemest mit marck.

[25]Jener aber stirbet mit betrübter seelen / vnd hat nie mit freuden gessen. [26]Vnd ligen gleich mit einander in der erden / vnd Würme decken sie zu. [27]SJhe / ich kenne ewer gedancken wol / vnd ewer freuel furnemen wider mich. [28]Denn jr sprecht / Wo ist das haus des Fürsten? vnd wo ist die Hütten da die Gottlosen woneten? [29]Redet jr doch dauon / wie der gemeine Pöbel / vnd merckt nicht was jener wesen bedeutet. [30]Denn der Böse wird behalten auff den tag des verderbens / vnd auff den tag des grimmens bleibt er. [31]Wer wil sagen / was er verdienet / wenn mans eusserlich ansihet? Wer wil jm vergelten was er thut? [32]Aber er wird zum Grabe gerissen / vnd mus bleiben bey den [a]hauffen. [33]Es gefiel jm wol der schlam des Bachs / vnd alle Menschen werden jm nach gezogen / vnd dere / die fur jm gewesen sind / ist keine zal. [34]Wie tröstet jr mich so vergeblich? vnd ewer Antwort findet sich vnrecht.

(Vergelten) Das ist / Wer kans vrteilen was jm zu vergelten sey on Gott allein.

a (Hauffen) Das ist / Es ist jm auch ein Grab bereit / vnter andern Grebern.

XXII.

ELIPHAS.

DA ANTWORTET ELIPHAS VON THEMA / VND sprach / [2]Was darff Gott eines starcken / Vnd was nutzt jm ein Kluger? Meinstu das dem Allmechtigen gefalle / das du dich so from machest? Oder was hilffts jn / ob du deine wege gleich on wandel achtest? ‖ [4]Meinstu er wird sich fur dir fürchten dich zu straffen / vnd mit dir fur gericht tretten? [5]Ja deine bosheit ist zu gros / vnd deiner missethat ist kein ende. [6]Du hast etwa deinem Bruder ein Pfand genomen on vrsach / Du hast den Nacketen die kleider ausgezogen. [7]Du hast die Müden nicht getrenckt mit wasser / vnd hast dem Hungerigen dein brot versagt. [8]Du hast gewalt im Lande geübt / vnd prechtig drinnen gesessen. [9]Die widwen hastu leer lassen gehen / vnd die arm der Waisen zubrochen. [10]Darumb bistu mit stricken vmbgeben / vnd furcht hat dich plötzlich erschreckt. [11]Soltestu denn nicht die finsternis sehen / vnd die Wasserflut / dich nicht bedecken? [12]SJhe / Gott ist hoch droben im Himel / vnd sihet die Sternen droben in der höhe / [13]Vnd du sprichst / was weis Gott? Solt er das im tunckel ist richten können? [14]Die wolcken sind seine vordecke / vnd sihet nicht / vnd wandelt im vmbgang des Himels. [15]Wiltu der welt laufft achten / darinnen die Vngerechten gegangen sind? [16]Die ver-

‖ 281 b

Finsternis heisst trübsal vnd vnglück. Widerumb Liecht / heisset glück vnd heil.

gangen sind ehe denn es zeit war / vnd das wasser hat jren grund weg gewasschen. [17]Die zu Gott sprachen / Heb dich von vns / was solt der Allmechtige jnen thun können? [18]So er doch jr Haus mit güter füllet / Aber der Gottlosen meinung sey ferne von mir. [19]Die Gerechten werden sehen vnd sich frewen / vnd der Vnschüldige wird jr spotten. [20]Was gilts / jr wesen wird verschwinden / vnd jr vbriges das fewr verzeren?

[21]SO vertrage dich nu mit jm vnd habe friede / Daraus wird dir viel guts komen. [22]Höre das Gesetz von seinem munde / vnd fasse seine rede in dein hertz. [23]Wirstu dich bekeren zu dem Allmechtigen / so wirstu gebawet werden / vnd vnrecht ferne von deiner Hütten thun. [24]So wirstu fur erden gold geben / vnd fur die felsen güldene beche. [25]Vnd der Allmechtige wird dein gold sein / vnd silber wird dir zugeheufft werden. [26]Denn wirstu deine lust haben an dem Allmechtigen / vnd dein andlitz zu Gott auffheben. [27]So wirstu jn bitten / vnd er wird dich hören / vnd wirst deine gelübde bezalen. [28]Was du wirst furnemen wird er dir lassen gelingen / Vnd das liecht wird auff deinem wege scheinen. [29]Denn die sich demütigen / die erhöhet er / Vnd wer seine augen niderschlegt / der wird genesen. [30]Vnd der vnschüldige wird errettet werden / Er wird aber errettet vmb seiner hende reinigkeit willen.

## XXIII.

Hiob.

HIOB ANTWORTET / VND SPRACH / [2]MEINE REDE bleibt noch betrübt / meine macht ist schwach vber meinem seuffzen. [3]Ah das ich wüste / wie ich jn finden / vnd zu seinem Stuel komen möcht. [4]Vnd das recht fur jm solt furlegen / vnd den mund vol straffe fassen. [5]Vnd erfaren die Rede die er mir antworten / vnd vernemen / was er mir sagen würde. [6]Wil er mit grosser macht mit mir rechten? Er stelle sich nicht so gegen mir. [7]Sondern lege mirs gleich fur / so wil ich mein Recht wol gewinnen. [8]Aber gehe ich nu stracks fur mich / so ist er nicht da / Gehe ich zu rück / so spür ich jn nicht. [9]Jst er zur lincken / so ergreiff ich jn nicht / Verbirget er sich zur rechten / so sehe ich jn nicht.

[10]ER aber kennet meinen weg wol / Er versuche mich / so wil ich erfunden werden / wie das gold.

(Einig) Also Gal. 3. Gott ist einig / Des einigen aber ist kein Mittler.

[11]Denn ich setze meinen fuss auff seiner ban / vnd halte seinen weg vnd weiche nicht ab. [12]Vnd trette nicht von dem Gebot seiner Lippen / vnd beware die rede seines mundes mehr denn ich schüldig bin. [13]Er ist einig / wer wil jm antworten? vnd er machts wie er wil. [14]Vnd wenn er mir gleich vergilt / was ich verdienet habe / so ist sein noch mehr da hinden. [15]Darumb erschreck ich fur jm / vnd wenn ichs mercke / so fürcht ich mich fur jm. [16]Gott hat mein hertz blöde gemacht / vnd der Allmechtige hat mich erschreckt. [17]Denn die finsternis machts kein ende mit mir / vnd das tunckel wil fur mir nicht verdeckt werden. ‖

‖ 282a

## XXIIII.

(Die zeit) Weil Gott die Bösen so lesst machen wie sie wöllen / so scheinet es / als wisse er nichts drumb. Weil jr denn sagt / er straffe die Bösen vnd nicht die Fromen / So müsset jr zugeben / das ers nicht wisse / vnd die jn kennen / auch nicht wissen / zu welcher zeit er straffen werde / wie jr euch rhümet zu wissen.

WARUMB SOLTEN DIE ZEIT DEM ALLMECHTIGEN nicht verborgen sein? Vnd die jn kennen / sehen seine tage nicht. [2]Sie treiben die grentzen zu rück / sie rauben die herde vnd weiden sie. [3]Sie treiben der Waisen esel weg / vnd nemen der Widwen ochsen zu pfande. [4]Die armen müssen jnen weichen / vnd die dürfftigen im Lande müssen sich verkriechen. [5]Sihe / [a]das wild in der wüsten gehet er aus wie sie pflegen / früe zum raub / das sie speise bereiten fur die Jungen. [6]Sie erndten auff dem acker / alles was er tregt / vnd lesen den weinberg / den sie mit vnrecht haben. [7]Die nacketen lassen sie liegen / vnd lassen jnen keine decke im frost / den sie die Kleider genomen haben. [8]Das sie sich müssen zu den felsen halten / wenn ein Platzregen von bergen auff sie geusst / weil sie sonst keinen trost haben.

a (Das wild) Die freien / frechen Leute vnd Tyrannen.

[9]SJe reissen das Kind von den brüsten / vnd machens zum waisen / vnd machen die Leute arm mit pfenden. [10]Den Nacketen lassen sie on kleider gehen / vnd den Hungerigen nemen sie die garben. [11]Sie zwingen sie öle zu machen auff jrer eigen mülen / vnd jre eigen kelter zutretten / Vnd lassen sie doch durst leiden. [12]Sie machen die Leute in der stad süfftzend / vnd die Seele der erschlagenen schreiend / vnd Gott stürtzet sie nicht. [13]Darumb sind sie abtrünnig worden vom liecht / vnd kennen seinen weg nicht / vnd keren nicht wider zu seiner strassen. [14]Wenn der tag anbricht / stehet auff der Mörder / vnd erwürget den armen vnd dürfftigen / Vnd des nachts ist er wie ein Dieb.

[15]Das auge des Ehebrechers hat acht auff das tunckel / vnd spricht / Mich sihet kein auge / vnd meinet er sey verborgen. [16]Jm finstern bricht er zun Heusern ein / Des tages verbergen sie sich mit einander / vnd schewen das liecht. [17]Denn wo jnen der morgen kompt / ists jnen wie ein finsternis / Denn er fület das schrecken der finsternis. [18]Er feret leichtfertig wie auff eim wasser da hin / seine Habe wird geringe im Lande / vnd bawet seinen Weinberg nicht. [19]Die Helle nimpt weg die da sündigen / Wie die hitze vnd dürre das Schneewasser verzeret.

(Bawet) Das ist / die der hurerey nachgehen / bringen jr Gut vmb vnd lassens vngebawet.

[20]ES werden sein vergessen die barmhertzigen / Seine lust wird wormicht werden / sein wird nicht mehr gedacht / Er wird zubrochen werden wie ein fauler Bawm. [21]Er hat beleidiget / die Einsame die nicht gebirt / Vnd hat der Widwen kein guts gethan. [22]Vnd die Mechtigen vnter sich gezogen mit seiner krafft / Wenn er stehet / wird er seines Lebens nicht gewis sein. [23]Er macht jm wol selbs eine sicherheit / Doch sehen seine augen auff jr thun. [24]Sie sind eine kleine zeit erhaben / vnd werden zu nicht / vnd vnterdruckt / vnd gantz vnd gar ausgetilget werden / Vnd wie die erste blüet an den ehern / werden sie abgeschlagen werden. [25]Jsts nicht also? wolan / wer wil mich lügen straffen / vnd beweren / das meine Rede nichts sey?

(Auff jr thun) Das ist / das sie nicht ein Auffrhur wider jn machen / dempffet er sie jmerdar vnd mus also sicherheit mit list suchen / Aber es weret nicht.

## XXV.

DA ANTWORTET BILDAD VON SUAH / VND sprach / [2]Jst nicht die Herrschafft vnd furcht bey jm / der den frieden macht vnter seinen Höhesten? [3]Wer wil seine Kriegsleute zelen? vnd vber welchen gehet nicht auff sein liecht? [4]Vnd wie mag ein Mensch gerecht fur Gott sein? vnd wie mag rein sein eins weibs kind? [5]Sihe / der Mond scheinet noch nicht / vnd die Sterne sind noch nicht rein fur seinen augen. [6]Wie viel weniger ein Mensch / die made / vnd ein Menschen Kind / der wurm.

BILDAD. Wer solt dir thun? Gott ist Allmechtig vnd kan wol steuren den Grossen / Wenn du nur from werest. Vnd du meinst / Er wisse es nicht / wie du jtzt newlich gesagt hast.

## XXVI.

|| 282b

HJOB ANTWORTET / VND SPRACH / [2]WEM STEhestu bey? Dem der keine krafft hat / Hilffstu dem der keine stercke in armen hat? [3]wem gibstu rat? Dem der keine weisheit hat? vnd zeigest einem Mechtigen / wie ers ausfüren sol? [4]Fur wen re-

(Risen) Die grossen Walfisch / welche bedeuten die grossen Tyrannen auff Erden.

destu? vnd fur wen gehet der odem von dir? [5]Die Risen engsten sich vnter den wassern / vnd die bey jnen wonen. [6]Die Hell ist auffgedeckt fur jm / vnd das verderben hat keine decke. [7]Er breitet aus die Mitternacht nirgent an / vnd henget die Erden an nichts. [8]Er fasset das Wasser zusamen in seine wolcken / vnd die Wolcken zureissen drunder nicht. [9]Er helt seinen Stuel / vnd breitet seine wolcken dafur. [10]Er hat vmb das Wasser ein ziel gesetzt / bis das liecht sampt dem finsternis vergehe. [11]Die seulen des Himels / zittern / vnd entsetzen sich fur seinem schelten. [12]Fur seiner Krafft wird das Meer plötzlich vngestüm / vnd fur seinem verstand erhebt sich die höhe des meers. [13]Am Himel wirds schön durch seinen Wind / vnd seine Hand bereitet die gerade Schlangen. [14]Sihe / also gehet sein thun / Aber dauon haben wir ein gering wörtlin vernomen / Wer wil aber den donner seiner macht verstehen?

XXVII.

VND HIOB FUR FORT VND HUB AN FEINE SPRÜche / vnd sprach / [2]So war Gott lebt / der mir mein Recht nicht gehen lesst / vnd der Allmechtige / der mein Seel betrübt. [3]So lange mein odem in mir ist / vnd das schnauben von Gott in meiner nasen ist / [4]meine lippen sollen nichts vnrechts reden / vnd mein zunge sol keinen betrug sagen. [5]Das sey ferne von mir / das ich euch recht gebe / Bis das mein ende kompt / wil ich nicht weichen von meiner frömkeit. [6]Von meiner gerechtigkeit die ich habe / wil ich nicht lassen / Mein gewissen beisset mich nicht meines gantzen Lebens halben. [7]Aber mein Feind wird erfunden werden ein Gottloser / vnd der sich wider mich aufflehnet / ein vnrechter. [8]Denn was ist die hoffnung des Heuchlers / das er so geitzig ist / vnd Gott doch seine seele hin reisset? [9]Meinstu / das Gott sein schreien hören wird / wenn die angst vber jn kompt? [10]Wie kan er an dem Allmechtigen lust haben / vnd Gott etwa anruffen?

Heuchler heisset in diesem Buch allenthalben / einen falschen Menschen / Wie sie alle sind fur Gott on glauben.

[11]JCh wil euch leren von der hand Gottes / vnd was bey dem Allmechtigen gilt / wil ich nicht verhelen. [12]Sihe jr haltet euch alle fur klug / Warumb gebt jr denn solch vnnütze ding fur? [13]Das ist der lohn eins gottlosen Menschen bey Gott / vnd das erbe der Tyrannen / das sie von dem Allmechtigen

nemen werden. [14]Wird er viel Kinder haben / so werden sie des Schwerts sein. Vnd seine Nachkömlinge werden des Brots nicht sat haben. [15]Seine Vbrigen werden im Tod begraben werden / Vnd seine Widwe werden nicht weinen. [16]Wenn er geld zusamen bringet wie erden / vnd samlet Kleider wie leimen. [17]So wird er es wol bereiten / Aber der Gerecht wird es anziehen / vnd der Vnschüldige wird das geld austeilen. [18]Er bawet sein Haus wie eine Spinne / vnd wie ein Hütter eine Schawr macht.

(Weinen) Sie werden fro werden / das der tod ist.

[19]DEr Reiche wenn er sich legt / wird ers nicht mit raffen / Er wird seine augen auff thun / vnd da wird nichts sein. [20]Es wird jn schrecken vberfallen / wie Wasser / des nachts wird jn das vngewitter wegnemen. [21]Der Ostwind wird jn wegfüren / das er da hin feret / Vnd vngestüm wird jn von seinem ort treiben. [22]Er wird solchs vber jn füren / vnd wird sein nicht schonen / Es wird jm alles aus seinen henden entpfliehen. [23]Man wird vber jn mit den henden klappen / vnd vber jn zisschen da er gewesen ist.

## XXVIII.

‖ 283a

ES HAT DAS SILBER SEINE GENGE / VND DAS GOLD seinen ort da mans schmeltzt. [2]Eisen bringet man aus der erden / Vnd aus den steinen schmeltzt man ertz. [3]Es wird je des finstern etwa ein ende / vnd jemand findet ja zu letzt den Schifer tieff verborgen. [4]Es bricht ein solcher Bach erfür / das die drumb wonen / den weg daselbs verlieren / Vnd fellt wider / vnd scheusst da hin von den Leuten. [5]Man bringet auch fewr vnten aus der Erden / da doch oben speise auffwechst. [6]Man findet Saphir an etlichen örtern / vnd Erdenklösse da gold ist. [7]Den steig kein Vogel erkand hat / vnd kein Geiers auge gesehen. [8]Es haben die stoltzen Kinder nicht drauff getretten / vnd ist kein Lewe drauff gegangen. [9]Auch legt man die hand an die fels / vnd grebt die Berge vmb. [10]Man reisset Beche aus den felsen / vnd alles was köstlich ist / sihet das auge. [11]Man wehret dem Strome des wassers / vnd bringet das verborgen drinnen ist / ans liecht.

(Finstern) Das ist / man grebet zu letzt so tieff / Das man findet das verborgen ligt im finsternis der erden.

(Stoltzen kinder) Das sind junge Lewen.

WO wil man aber Weisheit finden? Vnd wo ist die stete des verstands? [13]Niemand weis wo sie ligt / vnd wird nicht funden im Lande der lebendigen. [14]Der abgrund spricht / Sie ist in mir nicht /

GOTTES weisheit.

vnd das Meer spricht / sie ist nicht bey mir. [15]Man kan nicht Gold vmb sie geben / noch Silber darwegen / sie zu bezalen. [16]Es gilt jr nicht gleich Ophirisch gold / oder köstlicher Onich vnd Saphir. [17]Gold vnd Demant mag jr nicht gleichen / noch vmb sie gülden Kleinot wechseln. [18]Ramoth vnd Gabis acht man nicht / die Weisheit ist höher zu wegen denn Berlen. [19]Topasius aus Morenland wird jr nicht gleich geschetzt / Vnd das reineste Gold gild jr nicht gleich.

[20]WO her kompt denn die Weisheit? vnd wo ist die stete des Verstands? [21]Sie ist verholen fur den augen aller Lebendigen / auch verborgen den vogeln vnter dem Himel. [22]Das verdamnis vnd der tod sprechen / Wir haben mit vnsern ohren jr gerücht gehöret. [23]Gott weis den weg dazu / vnd kennet jre stete. [24]Denn er sihet die ende der Erden / vnd schawet alles was vnter dem Himel ist. [25]Da er dem Winde sein gewicht machete / vnd setzete dem Wasser seine gewisse masse. [26]Da er dem Regen ein ziel machete / vnd dem Blitzen vnd Donner den weg. [27]Da sahe er sie / vnd erzelet sie / bereitet sie vnd er fand sie. [28]Vnd sprach zum Menschen / Sihe / die furcht des HERRN / das ist die Weisheit / vnd meiden das böse / das ist Verstand.

XXIX.

VND HIOB HUB ABERMAL AN SEINE SPRÜCHE / vnd sprach / [2]O das ich were wie in den vorigen monden / in den tagen da mich Gott behütet. [3]Da seine Leuchte vber meinem heubt schein / vnd ich bey seinem Liecht im finsternis gieng. [4]Wie ich war zur zeit meiner Jugent / da Gottes geheimnis vber meiner Hütten war. [5]Da der Allmechtige noch mit mir war / vnd meine Kinder vmb mich her. [6]Da ich meine trit wusch in butter / vnd die fels mir ölebeche gossen. [7]Da ich ausgieng zum thor in der Stad / vnd mir lies meinen Stuel auff der gassen bereiten. [8]Da mich die Jungen sahen / vnd sich versteckten / Vnd die Alten fur mir auffstunden. [9]Da die Obersten auffhöreten zu reden / vnd legeten jre hand auff jren mund. [10]Da die stimme der Fürsten sich verkroch / vnd jre zunge an jrem gumen klebte. [11]Denn welchs ohre mich hörete / der preiset mich selig / vnd welchs auge mich sahe / der rhümet mich.

(Jn butter) Das ist / Da ich alles vbrig genug hatte / alles fett vnd vol auff.

[12]DEnn ich errettet den Armen der da schrey / vnd den Waisen der keinen Helffer hatte. [13]Der segen des der verderben solte / kam vber mich / Vnd ich erfrewet das hertz der Widwen. [14]Gerechtigkeit war mein Kleid / das ich anzog wie einen rock / vnd mein Recht war mein fürstlicher Hut. [15]Jch war des Blinden auge / vnd des Lamen füsse. [16]Jch war ein Vater der armen / vnd welche || sache ich nicht wuste / die erforschet ich. [17]Jch zubrach die backenzeen des Vngerechten / vnd reis den Raub aus seinen zeenen. [18]Jch gedacht / Jch wil in meinem nest ersterben / vnd meiner tage viel machen / wie sand. [19]Meine Saat gieng auff am wasser / vnd der taw bleib vber meiner Erndte. [20]Meine herrligkeit ernewete sich jmer an mir / vnd mein Bogen besserte sich in meiner hand.

|| 283b

(Bogen) Das ist / Meine macht nam jmer zu.

[21]MAN höret mir zu / vnd schwiegen vnd warteten auff meinen rat. [22]Nach meinen worten redet niemand mehr / vnd meine Rede trouff sie. [23]Sie warteten auff mich / wie auff den Regen / Vnd sperreten jren mund auff / als nach dem Abendregen. [24]Wenn ich mit jnen lachete / wurden sie nicht zu küne darauff / vnd das liecht meins angesichts machte mich nicht geringer. [25]Wenn ich zu jrem Gescheﬀt wolt komen / so must ich oben ansitzen / Vnd wonet wie ein König vnter Kriegsknechten / da ich tröstet die leide trugen.

(Lachete) Freundlich / frölich mit jnen war / würden sie darumb nicht küne mich zu verachten *Id est, Familiaritas mea non peperit apud eo. mei contemptum*

## XXX.

NV ABER LACHEN MEIN DIE JÜNGER SIND DENN ich / welcher Veter ich verachtet hette zu stellen vnter meine Schafhunde. [2]Welcher vermügen ich fur nichts hielt / die nicht zum Alter komen kundten. [3]Die fur hunger vnd kumer einsam flohen in die Einöde / newlich verdorben vnd elend worden. [4]Die da Nesseln ausraufften vmb die püssch / vnd Wegholdern wurtzel war jre speise. [5]Vnd wenn sie die er ausrissen / jauchzeten sie drüber / wie ein Dieb. [6]An den grawsamen Bechen woneten sie / in den löchern der erden vnd steinritzen. [7]Zwisschen den Püsschen rieffen sie / vnd vnter den Disteln samleten sie. [8]Die Kinder loser vnd verachter Leute / die die geringsten im Lande waren. [9]Nu bin ich jr Seitenspiel worden / vnd mus jr Merlin sein. [10]Sie haben einen Grewel an mir / vnd machen sich ferne von mir / vnd schonen nicht fur meinem angesicht zu speien.

(Sie) Die Chaldeer.

a *Id est, Deposuerunt, priuarunt curru et aurigatu, id est, domino meo.*

[11]SJe haben meine Saelen ausgespannen / vnd mich zu nicht gemacht / vnd das meine [a]abgezeumet. [12]Zur rechten da ich grunet / haben sie sich wider mich gesetzt / Vnd haben meinen fus ausgestossen / vnd haben vber mich einen weg gemacht / mich zu verderben. [13]Sie haben meine steige zubrochen / Es war jnen so leicht mich zubeschedigen / das sie keiner hülffe dazu durfften. [14]Sie sind komen wie zur weiten Lücken er ein / vnd sind on ordnung daher gefallen. [15]Schrecken hat sich gegen mich gekeret / Vnd hat verfolget wie der wind meine herrligkeit / vnd wie ein lauffende wolcke meinen glückseligen stand. [16]Nu aber geusset sich aus meine Seele vber mich / vnd mich hat ergrieffen die elende zeit. [17]Des nachts wird mein Gebein durchboret allenthalben / vnd die mich jagen / legen sich nicht schlaffen. [18]Durch die menge der krafft werde ich anders vnd anders gekleidet / Vnd man gürtet mich da mit / wie mit dem loch meines Rocks. [19]Man hat mich in Dreck getretten / vnd gleich geacht dem staub vnd asschen.

(Gekleidet) Das ist / mancherley vnglück wird mir angethan gewaltiglich / das ich michs nicht erwehren kan / vnd gürtet mich / das ich nicht eraus komen kan / vnd mus es anhaben / wie einen rock am halse.

[20]SChrey ich zu dir / so antwortestu mir nicht / Trette ich erfur / so achtestu nicht auff mich. [21]Du bist mir verwandelt in einen Grawsamen / vnd zeigest deinen gram an mir mit der stercke deiner Hand. [22]Du hebest mich auff / vnd lessest mich auff dem winde faren / vnd zurschmeltzest mich krefftiglich. [23]Denn ich weis du wirst mich dem Tod vberantworten / da ist das bestimpte Haus aller Lebendigen. [24]Doch wird er nicht die Hand ausstrecken ins Beinhaus / vnd werden nicht schreien fur seinem verderben. [25]Jch weinete ja in der harten zeit / vnd meine Seele jamert der armen. [26]Jch wartete des Guten / Vnd kompt das böse / Jch hoffte auffs Liecht / vnd kompt finsternis. [27]Mein eingeweide sieden / vnd hören nicht auff / Mich hat vberfallen die elende zeit. [28]Jch gehe schwartz einher / vnd börnet mich doch keine Sonne nicht / Jch stehe auff in der Gemeine vnd schreie. [29]Jch bin ein bruder der Schlangen / vnd ein geselle der Straussen. || [30]Meine haut vber mir ist schwartz worden / vnd meine Gebeine sind verdorret fur hitze. [31]Meine Harffe ist eine klage worden / vnd meine Pfeiffe ein weinen.

Das ist / im Beinhause werde ich je ruge haben.

|| 284a

## XXXI.

JCh habe einen Bund gemacht mit meinen augen / das ich nicht achtet auff eine Jungfraw. [2]Was gibt mir aber Gott zu lohn von oben? vnd was fur ein erbe der Allmechtig von der höhe? [3]Solt nicht billicher der Vnrechte solch vnglück haben? vnd ein Vbeltheter so verstossen werden? [4]Sihet er nicht meine wege / vnd zelet alle meine genge? [5]Habe ich gewandelt in eitelkeit / Oder hat mein fus geeilet zum betrug? [6]So wege man mich auff rechter wage / so wird Gott erfaren meine frömkeit. [7]Hat mein gang gewichen aus dem wege / vnd mein hertz meinen augen nachgefolget / vnd ist etwas in meinen henden beklebt. [8]So müsse ich seen / vnd ein ander fresse es / Vnd mein Geschlecht müsse ausgewurtzelt werden.

[9]HAT sich mein hertz lassen reitzen zum Weibe / vnd habe an meines Nehesten thür gelauret. [10]So müsse mein Weib von einem andern geschendet werden / vnd andere müssen sie beschlaffen. [11]Denn das ist ein laster / vnd eine missethat fur die Richter. [12]Denn das were ein fewr / das bis ins verderben verzeret / vnd alle mein Einkomen auswurtzelte. [13]Hab ich verachtet das recht meines Knechts oder meiner Magd / wenn sie eine Sache wider mich hatten. [14]Was wolt ich thun / wenn Gott sich auffmacht? vnd was würde ich antworten / wenn er heimsucht? [15]Hat jn nicht auch der gemacht / der mich in Mutterleibe machte? vnd hat jn im Leibe eben so wol bereit? [16]Hab ich den Dürfftigen jr begirde versaget / vnd die augen der Widwen lassen verschmachten? [17]Hab ich meinen bissen allein gessen / vnd nicht der Waise auch dauon gessen? [18]Denn ich hab mich von Jugent auff gehalten wie ein Vater / vnd von meiner Mutterleib an hab ich gerne getröst.

[19]HAB ich jemand sehen vmbkomen / das er kein Kleid hatte / vnd den Armen on decke gehen lassen? [20]Haben mir nicht gesegenet seine seiten / da er von den fellen meiner Lemmer erwermet ward? [21]Hab ich mit meiner hand vber den Waisen gefaren / weil ich mich sahe im Thor macht zu helffen haben? [22]So falle meine schulder von der achseln / vnd mein arm breche von der rören. [23]Denn ich fürchte Gott wie ein vnfal vber mich / vnd kündte seine Last nicht ertragen. [24]Hab ich

(Gefaren) Hin vnd wider getrieben.

das Gold zu meiner zuuersicht gestellet / vnd zu den Goldklumpen gesagt / mein trost? [25]Hab ich mich gefrewet / das ich gros Gut hatte / vnd meine hand allerley erworben hatte? [26]Hab ich das [a]Liecht angesehen / wenn es helle leuchtet / vnd den Mond / wenn er vol gieng? [27]Hat sich mein hertz heimlich bereden lassen / das meine [b]hand meinen mund küsse? [28]Welchs ist auch eine missethat fur die Richter / Denn da mit hette ich verleugnet Gott von oben.

a Das ist / Wenn mirs glückselig gienge / habe ich nicht meine freude darinnen gehabt.

b Hand küssen / Heist seine eigen werck preisen / Welchs allein Gott zugehöret.

c Das ist / Mein gesinde muste auch nichts begeren an meine Feinde.

[29]HAB ich mich gefrewet / wenns meinem Feinde vbel gieng / vnd habe mich erhaben / das jn vnglück betretten hatte? [30]Denn ich lies meinen mund nicht sündigen / das er wündschete einen fluch seiner Seelen. [31]Haben nicht die Menner [c]in meiner Hütten müssen sagen? o wolt Gott / das wir von seinem fleisch nicht gesettiget würden. [32]Draussen muste der Gast nicht bleiben / sondern meine thür thet ich dem Wanderer auff. [33]Hab ich meine schalckheit wie ein Mensch gedeckt / das ich heimlich meine missethat verbörge? [34]Hab ich mir grawen lassen fur der grossen Menge / vnd die verachtung der Freundschafften mich abgeschreckt hat? Jch bleib stille / vnd gieng nicht zur thür aus.

[35]WER gibt mir einen Verhörer / das meine begirde der Allmechtige erhöre? das jemand ein Buch schriebe von meiner sache. [36]So wolt ichs auff meine achseln nemen / vnd mir wie eine Kron vmbbinden. [37]Jch wolt die zal meiner genge ansagen / vnd wie ein Fürst wolt ich sie dar bringen. [38]Wird mein Land wider mich schreien / vnd mit einander seine fürche weinen. [39]Hab ich seine ‖ früchte vnbezalet gessen / vnd das leben der Ackerleuten sawr gemacht. [40]So wachse mir disteln fur weitzen / vnd dornen fur gersten. Die wort Hiob haben ein ende.

(Fürst) Frey vnerschrocken.

‖ 284b

XXXII.

DA HÖRETEN DIE DREY MENNER AUFF HIOB ZU antworten / weil er sich fur gerecht hielt. [2]Aber Elihu der son Baracheel von Bus / des geschlechts Ram / ward zornig vber Hiob / das er seine Seele gerechter hielt denn Gott. [3]Auch ward er zornig / vber seine drey Freunde / das sie keine antwort funden / vnd doch Hiob verdampten. [4]Denn Elihu hatte geharret / bis das sie mit Hiob geredt

ELIHU.

hatten / weil sie Elter waren denn er. [5]Darumb da er sahe / das kein antwort war im munde der dreier Menner / ward er zornig / [6]Vnd so antwortet Elihu der son Baracheel von Bus / vnd sprach.

JCh bin jung / jr aber seid alt / Darumb hab ich mich geschewet / vnd gefurcht meine Kunst an euch zu beweisen. [7]Jch dacht / Las die jar reden / vnd die menge des alters las weisheit beweisen. [8]Aber der geist ist in Leuten / vnd der odem des Allmechtigen macht sie verstendig. [9]Die Grossen sind nicht die weisesten / vnd die Alten verstehen nicht das Recht. [10]Darumb wil ich auch reden / Höre mir zu / ich wil meine kunst auch sehen lassen. [11]Sihe / ich habe geharret / das jr geredt habt / Jch habe auffgemerckt auff ewren verstand / bis jr treffet die rechte rede. [12]Vnd habe acht gehabt auff euch / Aber sihe / da ist keiner vnter euch / der Hiob straffe oder seiner rede antworte.

[13]JR werdet vieleicht sagen / Wir haben die weisheit troffen / das Gott jn verstossen hat / vnd sonst niemand. [14]Die rede thut mir nicht genug / Jch wil jm nicht so nach ewr rede antworten. [15]Ah / sie sind verzagt / können nicht mehr antworten / Sie können nicht mehr reden. [16]Weil ich denn geharret habe / vnd sie kundten nicht reden (Denn sie stehen still / vnd antworten nicht mehr) [17]Wil doch ich mein teil antworten / vnd wil meine kunst beweisen. [18]Denn ich bin der Rede so vol / das mich der odem in meinem Bauche engstet. [19]Sihe mein bauch ist wie der Most der zugestopfft ist / der die newen fasse zureisset. [20]Jch mus reden / das ich [a]odem hole / Jch mus meine lippen auffthun vnd antworten. [21]Jch wil niemands Person ansehen / vnd wil keinen Menschen rhümen. [22]Denn ich weis nicht (wo ichs thet) ob mich mein Schepffer vber ein kleins hin nemen würde.

a Jch ersticke sonst fur grosser weisheit.

## XXXIII.

HOre doch Hiob meine rede / vnd mercke auff alle meine wort. [2]Sihe / Jch thu meinen mund auff / vnd meine zunge redet in meinem munde. [3]Mein hertz sol recht reden / vnd meine lippen sollen den reinen verstand sagen. [4]Der geist Gottes hat mich gemacht / vnd der odem des Allmechtigen hat mir das leben gegeben. [5]Kanstu / so antworte mir / Schicke dich gegen mich vnd stelle dich. [6]Sihe / ich bin Gottes eben so wol / als du / Vnd aus Leimen bin ich auch gemacht. [7]Doch / du darffest fur mir nicht erschrecken / vnd meine hand sol dir nicht zu schweer sein.

DV hast geredt fur meinen ohren / die stimme deiner rede must ich hören. [9]Jch bin rein on missethat / vnschuldig / vnd habe keine sünde. [10]Sihe / Er hat eine sache wider mich funden / darumb achtet er mich fur seinen feind. [11]Er hat meinen fus in stock gelegt / vnd hat alle meine wege verwaret. [12]Sihe / eben daraus schliesse ich wider dich / das du nicht recht bist / Denn Gott ist mehr weder ein Mensch. [13]Warumb wiltu mit jm zancken / das er dir nicht rechenschafft gibt alles seines thuns? [14]Denn wenn Gott ein mal etwas beschleusset / So [b]bedenckt ers nicht erst hernach. || [15]JM trawm des gesichts in der nacht / wenn der schlaff auff die Leute fellet / wenn sie schlaffen auff dem bette. [16]Da öffenet er das ohre der Leute / vnd schreckt sie vnd züchtiget sie. [17]Das er den Menschen von seinem [a]fürnemen wende / vnd beschirme jn fur hoffart. [18]Vnd verschonet seiner Seelen fur dem verderben / vnd seines Lebens / das nicht ins schwert falle. [19]Er strafft jn mit schmertzen auff seinem Bette / vnd alle seine gebeine hefftig. [20]Vnd richt jm sein Leben so zu / das jm fur der Speise ekelt / vnd seine Seele / das sie nicht lust zu essen hat. [21]Sein fleisch verschwindet / das er nicht wol [b]sehen mag / vnd seine Beine werden zuschlagen / das man sie nicht gern ansihet. [22]Das seine seele nahet zum verderben / vnd sein leben zu den Todten.

|| 285 a

b (Bedenckt) *Sicut homo post factum consulit, poenitet et cogitat mutare. Triumphator in Jsrael, (inquit Samuel) non poenitet nec mutat.*

a Wie Abimelech / Gen. 20.

b Das jms gesicht vergehet / das er weder sihet noch höret.

[23]SO denn ein Engel / einer aus tausent / mit jm redet / zu verkündigen dem Menschen wie er solle recht thun. [24]So wird er jm gnedig sein / vnd sagen / Er sol erlöset werden / das er nicht hinunter fare ins verderben / Denn ich habe eine versünung funden. [25]Sein fleisch grüne wider wie in der Jugent / vnd las jn wider jung werden. [26]Er wird Gott bitten / der wird jm gnade erzeigen / vnd wird sein Andlitz sehen lassen mit freuden / vnd wird dem Menschen nach seiner gerechtigkeit vergelten. [27]Er wird fur den Leuten bekennen vnd sagen / Jch wolt gesündiget vnd das Recht verkeret haben / Aber es hette mir nichts genützet. [28]Er hat meine Seele erlöset / das sie nicht füre ins verderben / sondern mein leben das liecht sehe.

[29]SJhe / das alles thut Gott zwey oder drey mal mit einem jglichen. [30]Das er seine Seele erumb hole aus dem verderben / vnd erleucht jn mit dem liecht der Lebendigen. [31]Merck auff Hiob / vnd höre mir zu / vnd schweige das ich rede. [32]Hastu aber was zu sagen / so antworte mir / Sage her / Bistu recht / ich wils gerne hören. [33]Hastu aber nichts / so höre mir zu / vnd schweige / Jch wil dich die weisheit leren.

(Zwey oder drey mal.) Das ist / offt mals.

## XXXIIII.

VND ELIHU ANTWORTET / VND SPRACH / [2]HÖRET jr weisen meine rede / vnd jr verstendigen merckt auff mich. [3]Denn das ohre prüfet die rede / vnd der mund schmeckt die speise. [4]Lasst vns ein Vrteil erwelen / das wir erkennen vnter vns / was gut sey. [5]Denn Hiob hat gesagt / Jch bin gerecht / vnd Gott wegert mir mein Recht. [6]Jch mus liegen / ob ich wol recht habe / Vnd bin gequelet von meinen pfeilen / ob ich wol nichts verschuldet habe. [7]WEr ist ein solcher wie Hiob / der da spötterey trinckt wie wasser? [8]Vnd auff dem wege gehet mit den Vbelthetern / vnd wandelt mit den gottlosen Leuten? [9]Denn er hat gesaget / Wenn jemand schon from ist / so gilt er doch nichts bey Gott.

(Meinen pfeilen) Das sind Gottes pfeile / die in mir stecken.

[10]DArumb höret mir zu jr weisen Leute. Es sey ferne / das Gott solt gottlos sein / vnd der Allmechtige vngerecht. [11]Sondern er vergilt dem Menschen darnach er verdienet hat / vnd trifft einen jglichen nach seinem thun. [12]On zweiuel / Gott verdampt niemand mit vnrecht / vnd der Allmechtige beuget das Recht nicht. [13]Wer hat das auff Erden ist / verordenet? vnd wer hat den gantzen Erdboden gesetzt? [14]So er sichs würde vnterwinden / so würde er aller geist vnd odem zu sich samlen. [15]Alles fleisch würde mit einander vergehen / vnd der Mensch würde wider zu asschen werden.

[16]HAstu nu verstand / so höre das / vnd merck auff die stim meiner rede / [17]Solt einer darumb das Recht zwingen / das ers hasset? Vnd das du stoltz bist / soltest drumb den Gerechten verdammen? [18]Solt einer zum Könige sagen / Du loser Man / vnd zum Fürsten / jr Gottlosen? [19]Der doch nicht ansihet die person der Fürsten / vnd kennet den Herrlichen nicht mehr denn den Armen / Denn sie sind alle seiner Hende werck. [20]Plötzlich müssen

die Leute sterben / vnd zu mitternacht erschrecken vnd vergehen / Die mechtigen werden krafftlos weggeno||men. [21]Denn seine Augen sehen auff eines jglichen wege / vnd er schawet alle jre genge. [22]Es ist kein finsternis noch tunckel / das sich da möchten verbergen die Vbeltheter. [23]Denn es wird niemand gestattet / das er mit Gott rechte.

|| 285 b

[24]ER bringt der Stoltzen viel vmb / die nicht zu zelen sind / vnd stellet andere an jre stat. [25]Darumb / das er kennet jre werck / vnd keret sie vmb des nachts / das sie zuschlagen werden. [26]Er wirfft die Gottlosen vber einen hauffen / da mans gerne sihet. [27]Darumb / das sie von jm weg gewichen sind / vnd verstunden seiner wege keinen. [28]Das das schreien der Armen muste fur jn komen / vnd er das schreien des Elenden höret. [29]Wenn er friede gibt / wer wil verdamnen? vnd wenn er das Andlitz verbirget / wer wil jn schawen / vnter den Völckern vnd Leuten? [30]Vnd lesst vber sie regirn einen Heuchler / das Volck zu drengen.

(Zu drengen) Das ist / Er lesst einen Tyrannen regieren / der das Volck mit auffsetzen vnd schinden / fehet vnd quelet.

[31]JCh mus fur Gott reden / vnd kans nicht lassen. [32]Hab ichs nicht troffen / so lere du michs besser / Hab ich vnrecht gehandelt / ich wils nicht mehr thun. [33]Man wartet der Antwort von dir / Denn du verwirffest alles / vnd du hasts angefangen / vnd nicht ich / Weissestu nu was / so sage an. [34]Weise leute las ich mir sagen / vnd ein weiser Man gehorcht mir. [35]Aber Hiob redet mit vnuerstand / vnd seine wort sind nicht klug. [36]Mein vater las Hiob versucht werden bis ans ende / darumb / das er sich zu vnrechten Leuten keret. [37]Er hat vber seine sünde dazu noch gelestert / Darumb las jn zwisschen vns geschlagen werden / vnd darnach viel wider Gott plaudern.

## XXXV.

VND Elihu antwortet / vnd sprach / [2]Achtestu das fur recht / das du sprichst / Jch bin gerechter denn Gott? [3]Denn du sprichst / Wer gilt bey dir etwas? Was hilffts / ob ich mich on sünde mache? [4]Jch wil dir antworten ein wort / vnd deinen Freunden mit dir. [5]Schaw gen Himel vnd sihe / vnd schaw an die wolcken / das sie dir zu hoch sind. [6]Sündigestu / was kanstu mit jm machen? vnd ob deiner missethat viel ist / was kanstu jm thun? [7]Vnd ob du gerecht seiest / was kanstu jm geben? oder was wird er von deinen henden nemen?

[8]EJnem Menschen wie du bist / mag wol etwas thun deine bosheit / vnd einem Menschenkind deine gerechtigkeit. [9]Die selbigen mügen schreien wenn jnen viel gewalt geschicht / vnd ruffen vber den arm der Grossen. [10]Die nicht dar nach fragen / wo ist Gott mein Schepffer / der das gesenge macht in der nacht / [11]Der vns gelerter macht / denn das vieh auff Erden / vnd weiser / denn die vogel vnter dem Himel. [12]Aber sie werden da auch schreien vber den hohmut der Bösen / vnd er wird sie nicht erhören. [13]Denn Gott wird das eitel nicht erhören / vnd der Allmechtige wird es nicht ansehen. [14]Da zu sprichstu / du werdest jn nicht sehen / Aber es ist ein gericht fur jm / harre sein nur. [15]Ob sein zorn so bald nicht heimsucht / vnd sich nicht annimpt / das so viel laster da sind. [16]Darumb hat Hiob seinen mund vmb sonst auffgespert / vnd gibt stoltze teiding fur mit vnuerstand.

(Gesenge) Das ist / Der Vogel gesenge. Oder geistlich / das man jn lobt in leid vnd vnfal. Wie der Psalm auch saget *Et nocte canticum eius.*

## XXXVI.

ELIHU REDET WEITER / VND SPRACH / [2]HARRE mir noch ein wenig / ich wil dirs zeigen / Denn ich habe noch von Gottes wegen was zu sagen. [3]Jch wil meinen verstand weit holen / vnd meinen Schepffer beweisen / das er recht sey. [4]Meine rede sollen on zweiuel nicht falsch sein / mein verstand sol on wandel fur dir sein.

[5]SJhe / Gott verwirfft die mechtigen nicht / denn er ist auch mechtig von krafft des hertzens. [6]Den Gottlosen erhelt er nicht / sondern hilfft dem Elenden zum rechten. [7]Er wendet seine Augen nicht von dem Gerechten / vnd die ‖ Könige lesst er sitzen auff dem Thron jmerdar / das sie hoch bleiben. [8]Vnd wo Gefangene ligen in stöcken / vnd gebunden mit stricken elendiglich. [9]So verkündigt er jnen / was sie gethan haben / vnd jre vntugent / das sie mit gewalt gefaren haben. [10]Vnd öffenet jnen das ohr zur zucht / vnd sagt jnen / Das sie sich von dem vnrechten bekeren sollen. [11]Gehorchen sie vnd dienen jm / so werden sie bey guten tagen alt werden / vnd mit lust leben. [12]Gehorchen sie nicht / so werden sie ins Schwert fallen / vnd vergehen / ehe sie es gewar werden.

‖ 286a

[13]DJe Heuchler wenn sie der zorn trifft / schreien sie nicht / Wenn sie gefangen ligen / [14]so wird jre Seele mit qual sterben / vnd jr leben vnter den Hurern. [15]Aber den Elenden wird er aus seinem elend erretten / vnd dem Armen das ohr öffenen im trübsal. [16]Er wird dich reissen aus dem weiten rachen der angst / die keinen boden hat / Vnd dein tisch wird ruge haben / vol alles guten. [17]Du aber machst die sache der Gottlosen gut / das jr sache vnd recht erhalten wird. [18]Sihe zu / das dich nicht vieleicht Zorn bewegt habe jemand zuplagen / Oder gros Geschencke dich nicht gebeuget habe. [19]Meinstu das er deine gewalt achte / oder gold / oder jrgend eine sterck oder vermügen? [20]Du darffest der nacht nicht begeren / die Leute an jrem ort zu vberfallen. [21]Hüte dich / vnd kere dich nicht zum vnrecht / wie du denn fur elende angefangen hast.

[22]SJhe / Gott ist zu hoch in seiner krafft / Wo ist ein Lerer wie er ist? [23]Wer wil vber jn heimsuchen seinen weg? vnd wer wil zu jm sagen / Du thust vnrecht? [24]Gedenck / das du sein werck nicht weisest / wie die Leute singen. [25]Denn alle Menschen sehen das / die Leute schawens von ferne. [26]Sihe / Gott ist gros vnd vnbekand / seine jar zal kan niemand forschen. [27]Er macht das wasser zu kleinen tropffen / vnd treibet seine wolcken zusamen zum Regen. [28]Das die wolcken fliessen / vnd trieffen seer auff die Menschen. [29]Wenn er furnimpt die wolcken aus zu breiten / wie sein hoch gezelt / [30]Sihe / so breitet er aus seinen Blitz vber die selbe / vnd bedeckt [a]alle ende des Meers. [31]Denn da mit schrecket er die Leute / vnd gibt doch speise die fülle. [32]Er deckt den Blitz wie mit henden / Vnd heissts doch wider komen. Dauon zeuget sein Geselle / nemlich des Donners zorn in wolcken.

*Descriptio poetica tempestatis.*

a *Id est, ab Occidente in Orientem.*

XXXVII.

DES ENTSETZT SICH MEIN HERTZ VND BEBET. [2]Lieber höret doch / wie sein Donner zürnet / Vnd was fur gesprech von seinem munde ausgehet. [3]Er sihet vnter allen Himeln / vnd sein Blitz scheinet auff die ende der Erden. [4]Demnach brüllet der Donner / vnd er donnert mit seinem grossen schall / Vnd wenn sein donner gehört wird / kan mans nicht auffhalten. [5]Gott donnert mit seinem donner grewlich / vnd thut grosse ding / vnd wird doch nicht erkand. [6]Er spricht zum Schnee / so ist er bald auff Erden / vnd zum Platzregen / so ist der platzregen da mit macht. [7]Alle Menschen hat er in der Hand / als verschlossen / das die Leute lernen / was er thun kan. [8]Das wild Thier gehet in die Hüle / vnd bleibt an seinem ort. [9]Von mittag her kompt wetter / vnd von mitternacht kelte. [10]Vom odem Gottes kompt frost / vnd grosse wasser / wenn er auffthawen lesst. [11]Die dicken wolcken scheiden sich / das helle werde / vnd durch den nebel bricht sein liecht. [12]Er keret die wolcken wo er hin wil / das sie schaffen alles was er jnen gebeut auff dem Erdboden. [13]Es sey vber ein Geschlecht / oder vber ein Land / so man jn barmhertzig findet.

[14]DA mercke auff Hiob / stehe vnd vernim die wunder Gottes. [15]Weistu / wenn Gott solchs vber sie bringt? vnd wenn er das liecht seiner wolcken lesst erfur brechen? [16]Weistu / wie sich die wolcken ausstrewen? welche Wunder die Volkomenen wissen. [17]Das deine kleider warm sind / wenn das Land stille ist vom mittags wind? [18]Ja du wirst mit jm die wolcken ausbreiten / die fest stehen / || wie ein gegossen Spiegel. [19]Zeige vns / was wir jm sagen sollen / Denn wir werden nicht da hin reichen fur finsternis. [20]Wer wird jm erzelen das ich rede? so jemand redet / der wird verschlungen. [21]Jtzt sihet man das Liecht nicht / das in den wolcken helle leucht / Wenn aber der wind webd / so wirds klar. [22]Von mitternacht kompt gold / zu lob fur dem schrecklichen Gott. [23]Den Allmechtigen aber mügen sie nicht begreiffen / der so gros ist von krafft / Denn er wird von seinem Recht vnd guter sachen nicht rechenschafft geben. [24]Darumb müssen jn fürchten die Leute / vnd er fürcht sich fur keinem / wie weise sie sind.

|| 286b

(Gold) Das ist / helle wetter wie lauter gold.

XXXVIII.

VND DER HERR ANTWORTET HIOB AUS EINEM wetter / vnd sprach / [2]Wer ist der / der so feilet in der weisheit / vnd redet so mit vnuerstand? [3]Gürte deine lenden wie ein Man / Jch wil dich fragen / Lere mich. [4]Wo warestu / da ich die Erden gründet? sage mirs / bistu so klug. [5]Weissestu / wer jr das mas gesetzt hat? oder wer vber sie ein Richtschnur gezogen hat? [6]Oder wor auff stehen

GOTT.

jre Füsse versencket? oder wer hat jr einen Eckstein gelegt? [7]Da mich die Morgensterne mit einander lobeten / vnd jauchzeten alle kinder Gottes. [8]Wer hat das Meer mit seinen thüren verschlossen / da es eraus brach wie aus mutterleibe. [9]Da ichs mit Wolcken kleidet / vnd in tunckel einwickelt wie in windeln. [10]Da ich jm den laufft brach mit meinem Tham / vnd setzet jm riegel vnd thür / [11]vnd sprach / Bis hie her soltu komen vnd nicht weiter / Hie sollen sich legen deine stoltzen wellen.

[12]HAstu bey deiner zeit dem Morgen geboten / vnd der Morgenröte jren ort gezeigt? [13]Das die ecken der Erden gefasset / vnd die Gottlosen er ausgeschüttelt würden. [14]Das siegel wird sich wandeln wie leimen / Vnd sie stehen wie ein Kleid. [15]Vnd den Gottlosen wird jr liecht genomen werden / vnd der arm der Hoffertigen wird zubrochen werden. [16]Bistu in den grund des Meers komen / vnd hast in den fusstapffen der Tieffen gewandelt? [17]Haben sich dir des Todes thor je auffgethan? oder hastu gesehen die thor der finsternis? [18]Hastu vernomen wie breit die Erde sey? sage an / weistu solchs alles? [19]Welchs ist der weg da das Liecht wonet / vnd welchs sey der Finsternis stet? [20]Das du mügest abnemen seine grentze / vnd mercken den pfad zu seinem Hause? [21]Wustestu / das du zu der zeit soltest geboren werden? vnd wie viel deiner tage sein würden.

(Das siegel) Das ist / jr stand vnd wesen / des sie gewis sein wöllen als versiegelt.

[22]BJstu gewesen da der Schnee her kompt? oder hastu gesehen / wo der Hagel her kompt? [23]Die ich habe verhalten bis auff die zeit der trübsal / vnd auff den tag des streits vnd kriegs. [24]Durch welchen weg teilet sich das Liecht? vnd aufferet der Ostwind auff erden? [25]Wer hat dem Platzregen seinen laufft ausgeteilet? vnd den weg dem Blitzen vnd Donner. [26]Das es regent auffs Land da niemand ist / in der wüsten da kein Mensch ist. [27]Das er füllet die einöden vnd wildnis / vnd macht das gras wechset. [28]Wer ist des Regens vater? wer hat die tropffen des Tawes gezeuget? [29]Aus wes Leib ist das Eys gegangen? vnd wer hat den Reiffen vnter dem Himel gezeuget? [30]Das das Wasser verborgen wird wie vnter steinen / Vnd die Tieffe oben gestehet. [31]Kanstu die bande der sieben Sterne zusamen binden? oder das band des Orion aufflösen? [32]Kanstu den Morgenstern erfur bringen zu seiner zeit? oder den Wagen am himel vber seine Kinder

füren? [33]Weissestu wie der Himel zu regirn ist? oder kanstu jn meistern auff Erden?

[34]KAnstu deinen Donner in der wolcken hoch her füren / Oder wird dich die menge des Wassers verdecken? [35]Kanstu die Blitzen auslassen / das sie hin faren / vnd sprechen / Hie sind wir? [36]Wer gibt die Weisheit ins verborgen? wer gibt verstendige gedancken? [37]Wer ist so weise / der die Wolcken erzelen könde? wer kan die Wasserschleuche am Himel verstopffen? [38]Wenn der staub begossen wird / das er zu hauff leufft / vnd die Klösse an einander kleben. ||

(Verborgen) Das ist / ins hertz.

|| 287a

## XXXIX.

KAnstu der Lewin jren raub zu jagen geben? vnd die jungen Lewen settigen / [40]das sie sich legen in jre stete / vnd rugen in der Höle da sie lauren? [41]Wer bereit dem Raben die speise / wenn seine Jungen zu Gott ruffen / vnd fliegen jrre wenn sie nicht zu essen haben? [1]Weissestu die zeit / wenn die Gemsen auff den felsen geberen? Oder hastu gemerckt / wenn die Hirsschen schwanger gehen? [2]Hastu erzelet jre monden / wenn sie vol werden / oder weissestu die zeit wenn sie geberen? [3]Sie beugen sich wenn sie geberen / vnd reissen sich vnd lassen aus jre Jungen. [4]Jre Jungen werden feist vnd mehren sich im Getreide / vnd gehen aus / vnd komen nicht wider zu jnen.

Psal. 147.

[5]WER hat das Wild so frey lassen gehen? wer hat die bande des Wilds auffgelöset? [6]Dem ich das feld zum Hause gegeben habe / vnd die wüste zur Wonung. [7]Es verlacht das getümel der Stad / das pochen des Treibers höret es nicht. [8]Es schawet nach den Bergen da seine weide ist / vnd sucht wo es grüne ist.

[9]MEinstu das Einhorn werde dir dienen / vnd werde bleiben an deiner krippen? [10]Kanstu jm dein joch anknüpffen die furchen zu machen / das es hinder dir broche in gründen? [11]Magstu dich auff es verlassen / das es so starck ist? vnd wirst es dir lassen erbeiten? [12]Magstu jm trawen das es deinen samen dir widerbringe / vnd in deine Scheune samle?

[13]DJe feddern des Pfawen sind schöner denn die flügel vnd feddern des Storcks. [14]Der seine eyer auff der Erden lesst / vnd lesst sie die heissen erden ausbrüen. [15]Er vergisset / das sie möchten zutretten

werden / vnd ein wild Thier sie zubreche. [16]Er wird so hart gegen seine Jungen / als weren sie nicht sein / Achtets nicht / das er vmb sonst erbeitet. [17]Denn Gott hat jm die weisheit genomen / vnd hat jm keinen verstand mitgeteilet. [18]Zur zeit wenn er hoch feret / erhöhet er sich / vnd verlacht beide Ross vnd Man.

[19]KAnstu dem Ross krefft geben / Oder seinen hals zieren mit seinem geschrey? [20]Kanstu es schrecken wie die Hewschrecken? Das ist preis seiner nasen / was schrecklich ist. [21]Es strampffet auff den boden / vnd ist freidig mit krafft / vnd zeucht aus den Geharnischten entgegen. [22]Es spottet der furcht vnd erschrickt nicht / vnd fleucht fur dem schwert nicht. [23]Wenn gleich wider es klingt der Köcher / vnd glentzet beide spies vnd lantzen. [24]Es zittert vnd tobet vnd scharret in die erde / vnd [a]achtet nicht der drometen halle. [25]Wenn die dromete fast klingt / spricht es / Hui / vnd reucht den Streit von ferne / das schreien der Fürsten vnd jauchzen.

(Preis) Das ist / Es ist nur deste trötziger vnd mutiger / vnd schnaubet als rhümet sichs / wo schrecklich ding / als streit vnd krieg fur handen ist.

a (Achtet nicht) Das ist / Es thut als sey jm nichts drumb / das doch so schrecklich ist.

[26]Fleuget der Habicht durch deinen verstand / vnd breitet seine flügel gegen mittag? [27]Fleuget der Adeler aus deinem befelh so hoch / das er sein nehst in der höhe macht? [28]Jn felsen wonet er / vnd bleibt auff den kipffen an felsen vnd in festen orten. [29]Von dannen schawet er nach der speise / vnd seine augen sehen ferne. [30]Seine Jungen sauffen blut / vnd wo ein As ist / da ist er.

Gott.

VND der HERR antwortet Hiob / vnd sprach / [32]Wer mit dem Allmechtigen haddern wil / sols jm der nicht beybringen? Vnd wer Gott taddelt / sol der nicht verantworten.

Hiob.

HJob aber antwortet dem HERRN / vnd sprach / [34]Sihe / Jch bin zu leichtfertig gewest / was sol ich antworten? Jch wil meine hand auff meinen mund legen. [35]Jch hab ein mal geredt / darumb wil ich nicht mehr antworten / Hernach wil ichs nicht mehr thun.

## XL.

VND der HERR antwortet Hiob aus einem wetter / vnd sprach / [2]Gürte wie ein Man deine lenden / Jch wil dich fragen / Lere mich. [3]Soltestu mein Vrteil zu nicht machen / vnd mich verdamnen / das du gerecht seiest? [4]Hastu einen arm wie Gott / vnd kanst mit gleicher stimme donnern / als

|| 287b

er thut? [5]Schmück dich mit pracht / vnd erhebe dich / zeuch dich löblich vnd herrlich an. [6]Strewe aus den zorn deines grimmes / schaw an die Hohmütigen wo sie sind / vnd demütige sie. [7]Ja schaw die Hohmütigen / wo sie sind / vnd beuge sie / Vnd mache die Gottlosen dünne wo sie sind. [8]Verscharre sie mit einander in der erden / vnd versencke jre pracht ins verborgen. [9]So wil ich dir auch bekennen / das dir deine rechte hand helffen kan.

SJhe / der Behemoth / den ich neben dir gemacht habe / frisset hew wie ein ochse. [11]Sihe / seine krafft ist in seinen Lenden / vnd sein vermügen in dem nabel seines Bauchs. [12]Sein schwantz strecket sich wie ein Cedern / die adern seiner Scham starren wie ein ast. [13]Seine Knochen sind / wie fest ertz / Seine Gebeine sind wie eiserne stebe. [14]Er ist der anfang der wege Gottes / der jn gemacht hat / der greifft jn an mit seinem schwert. [15]Die Berge tragen jm kreuter / vnd alle wilde Thier spielen daselbs. [16]Er ligt gern im schatten / Jm rhor vnd im schlam verborgen. [17]Das gepüsch bedeckt jn mit seinem schatten / vnd die Bachweiden bedecken jn. [18]Sihe / er schluckt in sich den Strom / vnd achts nicht gros / lest sich düncken / er wölle den Jordan mit seinem munde ausschepffen. [19]Noch fehet man jn mit seinen eigen Augen / vnd durch Fallstrick durchboret man jm seine nasen.

(BEHEMOTH) Heisst alle grosse vngehewre Thier. Wie Leuiathan alle grosse vngehewre Fische. Aber dar vnter beschreibet er die gewalt vnd macht des Teufels vnd seines Gesinds / des gottlosen Hauffens in der Welt.

## XLI.

KAnstu den Leuiathan ziehen mit dem hamen / vnd seine Zungen mit einem strick fassen? [21]Kanstu jm einen Angel in die nasen legen / vnd mit einer stachel jm die Backen durchboren? [22]Meinstu / er werde dir viel flehens machen / oder dir heuchlen? [23]Meinstu das er einen Bund mit dir machen werde / das du jn jmer zum Knecht habest? [24]Kanstu mit jm spielen wie mit einem Vogel? oder in deinen Dirnen binden? [25]Meinstu / die Gesellschafften werden jn zuschneiten / das er vnter die Kauffleute zuteilet wird? [26]Kanstu das netze füllen mit seiner Haut / vnd die fischreusen mit seinem Kopff? [27]Wenn du deine hand an jn legest / so gedencke / das ein streit sey / den du nicht ausfüren wirst. [28]Sihe / seine hoffnung wird jm feilen / Vnd wenn er sein ansichtig wird / schwinget er sich dahin. [1]Niemand ist so küne / der jn reitzen thar / Wer ist denn der fur mir stehen könne? [2]Wer hat

LEUIATHAN nennet er die grossen Walfisch im meer / Doch darunter beschreibt er der welt Fürsten / den Teufel mit seinem Anhang.

mir was zuuor gethan / das ichs jm vergelte? Es ist mein was vnter allen Himeln ist.

DA zu mus ich nu sagen / wie gros / wie mechtig vnd wolgeschaffen er ist. [4]Wer kan jm sein Kleid auffdecken? vnd wer thar es wogen jm zwisschen die Zeene zu greiffen? [5]Wer kan die Kinbacken seines andlitzes auffthun? schrecklich stehen seine Zeene vmbher. [6]Seine stoltze Schupen sind / wie feste Schilde / fest vnd enge in einander. [7]Eine rüret an die ander / das nicht ein lüfftlin da zwisschen gehet. [8]Es henget eine an der andern / vnd halten sich zusamen / das sie nicht von einander trennen. [9]Sein niesen glentzet wie ein Liecht / seine augen sind wie die augenliede der Morgenröte. [10]Aus seinem Munde faren fackeln / Vnd fewrige funcken schiessen her aus. [11]Aus seiner Nasen gehet rauch / wie von heissen töpffen vnd kesseln. [12]Sein Odem ist wie liechte lohe / vnd aus seinem Munde gehen flammen. [13]Er hat einen starcken hals / vnd ist seine lust / wo er etwas verderbet. [14]Die Gliedmas seines fleischs hangen an einander / vnd halten hart an jm / das er nicht zerfallen kan. ‖

(Starcken) Das ist / die grossen Fisch / fliehen fur jm. Also auch fur der Welt gewalt fliehen die Mechtigen.

‖ 288 a

[15]SEin Hertz ist so hart wie ein stein / vnd so fest wie ein stück vom vntersten Mülstein. [16]Wenn er sich erhebt / so entsetzen sich die Starcken / vnd wenn er da her bricht / so ist [a]kein gnade da. [17]Wenn man zu jm wil mit dem schwert / so reget er sich nicht / oder mit spies / geschos vnd pantzer. [18]Er achtet Eisen wie stro vnd Ertz wie faul holtz. [19]Kein Pfeil wird jn veriagen / die Schleudersteine sind jm wie stoppeln. [20]Den Hamer achtet er wie stoppeln / Er spottet der bebenden Lantzen. [21]Vnter jm liegen scharpffe steine / vnd feret vber die scharpffen felsen / wie vber kot. [22]Er macht das das tieffe Meer seudet wie ein töpffen / Vnd rürets in einander wie man eine salbe menget. [23]Nach jm leuchtet der [b]weg / Er macht die tieffe gantz grawe. [24]Auff erden ist jm niemand zu gleichen / Er ist gemacht on furcht zu sein. [25]Er verachtet alles was hohe ist / Er ist ein König vber alle Stoltzen.

a (Keine gnade) So haben sie gesündiget / das ist / Sie müssens gethan haben / vnd her halten / als arme Sünder.

b Das ist / er schwimmet vnd lebet im Meer wie er wil / das man seinen weg von ferne sihet.

## XLII.

Hiob.

VND Hiob antwortet dem HERRN / vnd sprach / [2]Jch erkenne / das du alles vermagst / vnd kein gedancken ist dir verborgen. [3]Es ist ein vnbesonnen Man / der seinen rat meinet zu verbergen. Darumb bekenne ich / das ich hab vnweislich geredt / das mir zu hoch ist vnd nicht verstehe. [4]So erhöre nu / las mich reden / ich wil dich fragen / lere mich. [5]Jch habe dich mit den ohren gehört / vnd mein auge sihet dich auch nu. [6]Darumb schüldige ich mich / vnd thu busse in staub vnd asschen.

DA nu der HERR diese wort mit Hiob geredt hatte / sprach er zu Eliphas von Theman / Mein zorn ist ergrimmet / vber dich vnd vber deine zween Freunde / Denn jr habt nicht recht von mir geredt / wie mein knecht Hiob. [8]So nemet nu sieben farren vnd sieben widder / vnd gehet hin zu meinem knecht Hiob / vnd opffert Brandopffer fur euch / vnd lasst meinen knecht Hiob fur euch bitten. Denn jn wil ich ansehen / Das ich euch nicht sehen lasse / wie jr torheit begangen habt / Denn jr habt nicht recht von mir geredt / wie mein knecht Hiob.

Gott.

[9]DA giengen hin Eliphas von Thema / Bildad von Suah / vnd Zophar von Naema / vnd theten wie der HERR jnen gesagt hatte / vnd der HERR sahe an Hiob. [10]Vnd der HERR wendet das gefengnis Hiob / da er bat fur seine Freunde / Vnd der HERR gab Hiob zwifeltig so viel als er gehabt hatte.

VND es kamen zu jm alle seine Brüder vnd alle seine Schwester / vnd alle die jn vorhin kandten / vnd assen mit jm in seinem Hause / vnd kereten sich zu jm vnd trösteten jn / vber allem vbel / das der HERR vber jn hatte komen lassen. Vnd ein jglicher gab jm einen schönen Grosschen / vnd ein gülden Stirnband. [12]Vnd der HERR segenet hernach Hiob mehr denn vorhin / das er kreig vierzehen tausent Schaf / vnd sechs tausent Kamel / vnd tausent joch Rinder / vnd tausent Esel. [13]Vnd kreig sieben Söne vnd drey Töchter. [14]Vnd hies die erste Jemima / die ander Kezia / vnd die dritte Kerenhapuch. [15]Vnd worden nicht so schöne Weiber funden in allen Landen / als die töchter Hiob / Vnd jr Vater gab jnen erbteil vnter jren Brüdern.

Hiob kriegt zwifeltig wider was er vor verloren hat.

[16]VND Hiob lebet nach diesem / hundert vnd vierzig jar / das er sahe Kinder vnd kindeskinder / bis in das vierde Gelied. [17]Vnd Hiob starb alt vnd lebens sat.

Ende des Buchs Hiob.

## VORREDE AUFF DEN PSALTER. || 288 b

Lobe vnd preise des Psalters.

ES HABEN VIEL HEILIGER VETER DEN PSALTER sonderlich fur andern Büchern der Schrifft gelobet vnd geliebet / Vnd zwar lobt das werck seinen Meister selbs gnug. Doch müssen wir vnser Lob vnd Danck auch daran beweisen. 5

MAn hat in vergangen jaren fast viel Legenden von den Heiligen / vnd Passional / Exempel-Bücher vnd Historien vmbher gefürt / vnd die Welt da mit erfüllet. Das der Psalter die weil vnter der banck / vnd in solchem finsternis lag / das man nicht wol einen Psalmen recht verstund / Vnd doch so trefflichen edlen geruch von sich gab / das alle frome hertzen auch aus den vnbekandten worten andacht vnd krafft empfunden / vnd das Büchlin darumb lieb hatten. 10 15

Jm Psalter findet man was Christus vnd alle Heiligen gethan haben.

JCH halt aber / Das kein feiner Exempelbuch oder Legenden der Heiligen auff Erden komen sey oder komen müge / denn der Psalter ist. Vnd wenn man wündschen solt / das aus allen Exempeln / Legenden / Historien / das beste gelesen vnd zusamen gebracht / vnd auff die beste weise gestellet würde / so müste es der jtzige Psalter werden. Denn hie finden wir nicht allein / was einer oder zween Heiligen gethan haben / Sondern was das Heubt selbs aller Heiligen gethan hat / vnd noch alle Heiligen thun. Wie sie gegen Gott / gegen Freunden vnd Feinden sich stellen / Wie sie sich in aller fahr leiden halten vnd schicken. Vber das / das allerley göttlicher heilsamer Lere vnd Gebot darinnen stehen. 20 25 30

Der Psalter redet klerlich von Christus sterben vnd aufferstehen / von seinem Reich vnd von der Christenheit stand vnd wesen.

VND solt der Psalter allein des halben thewr vnd lieb sein / das er von Christus sterben vnd aufferstehung / so klerlich verheisset / vnd sein Reich vnd der gantzen Christenheit stand vnd wesen furbildet. Das es wol möcht ein kleine Biblia heissen / darin alles auffs schönest vnd kürtzest / so in der gantzen Biblia stehet / gefasset vnd zu einem feinen Enchiridion oder Handbuch gemacht vnd bereitet ist. Das mich dünckt / Der heilige Geist habe selbs wöllen die mühe auff sich nemen / vnd eine kurtze Bibel vnd Exempelbuch von der gantzen Christenheit oder allen Heiligen zusamen bringen. Auff das / wer die gantzen Biblia nicht lesen kündte / hette hierin doch fast die gantze Summa verfasset in ein klein Büchlin. 35 40 45

ABer vber das alles / ist des Psalters edle tugent vnd art / Das andere Bücher wol viel von wercken der Heiligen rumpeln / Aber gar wenig von jren worten sagen. Da ist der Psalter ein ausbund / 5 Darin er auch so wol vnd süsse reucht / wenn man darinne lieset. Das er nicht allein die werck der Heiligen erzelet / Sondern auch jre wort / Wie sie mit Gott geredt vnd gebetet haben / vnd noch reden vnd beten. Das die andern Legenden vnd Exempel / 10 wo man sie gegen dem Psalter helt / vns schier eitel stumme Heiligen furhalten. Aber der Psalter rechte wacker lebendige Heiligen vns einbildet.

Jm Psalter sihet man / wie die Heiligen mit Gott geredt vnd gebetet haben.

ES ist ja ein stummer Mensch gegen einem redenden / schier als ein halb todter Mensch zu 15 achten. Vnd kein krefftiger noch edler werck am Menschen ist / denn reden / Sintemal der Mensch durchs reden von andern Thieren am meisten gescheiden wird / mehr denn durch die gestalt oder ander werck. Weil auch wol ein holtz kan eines 20 Menschen gestalt durch Schnitzer kunst haben. Vnd ein Thier so wol sehen / hören / riechen / singen / gehen / stehen / essen / trincken / fasten / dürsten / Hunger / frost vnd hart lager leiden kan / als ein Mensch.

Das edlest werck am Menschen ist / das er reden kan.

25 ZV dem / thut der Psalter noch mehr / Das er nicht schlechte gemeine rede der Heiligen vns furbildet / Sondern die aller besten / so sie mit grossem ernst in der aller trefflichsten sachen mit Gott selber geredt haben. Da mit er nicht allein jr wort 30 vber jr werck / Sondern auch jr hertz vnd gründlichen schatz jrer Seelen vns furlegt / Das wir in den grund vnd quelle jrer wort vnd werck / das ist / in ir hertz sehen können / was sie fur gedancken gehabt haben / Wie sich jr hertz gestellet vnd gehalten 35 hat / in allerley sachen / fahr vnd not. Welchs nicht so thun noch thun können / die Legenden oder Exempel / so allein von der Heiligen werck oder Wunder rhümen. Denn ich kan nicht wissen / wie sein hertz stehet / ob ich gleich viel trefflicher werck 40 von einem sehe oder höre.

Der Psalter zeigt an / wie der Heiligen hertz gestanden / vnd was fur gedancken sie gehabt haben.

VND gleich wie ich gar viel lieber wolt einen Heiligen hören reden / denn seine werck sehen. Also wolt ich noch viel lieber sein hertz vnd den Schatz in seiner Seelen sehen / denn sein wort hören. || 289a 45 Das gibt aber vns der Psalter auffs aller || reichlichst an den Heiligen / das wir gewis sein können / wie jr hertz gestanden / vnd jre wort gelautet haben /

Menschen hertz ist wie ein Schiff auffm Meer etc.

gegen Gott vnd jederman. Denn ein menschlich Hertz ist wie ein Schiff auff eim wilden Meer / welchs die Sturmwinde von den vier örtern der Welt treiben. Hie stösset her / furcht vnd sorge fur zukünftigem Vnfal. Dort feret gremen her vnd traurigkeit / von gegenwertigem Vbel. Hie webt hoffnung vnd vermessenheit / von zukünfftigem Glück. Dort bleset her sicherheit vnd freude in gegenwertigen Gütern. 5

SOlche Sturmwinde aber leren mit ernst reden vnd das hertz öffenen / vnd den grund eraus schütten. Denn wer in furcht vnd not steckt / redet viel anders von vnfal / denn der in freuden schwebt. Vnd er in freuden schwebt / redet vnd singet viel anders von freuden / denn der in furcht steckt. Es gehet nicht von hertzen / (spricht man) wenn ein Trawriger lachen / oder ein Frölicher weinen sol / das ist / Seines hertzen grund stehet nicht offen / vnd ist nicht er aus. 10 15

Wort von Freuden.

WAS ist aber das meiste im Psalter / denn solch ernstlich reden / in allerley solchen Sturmwinden? Wo findet man feiner wort von freuden / denn die Lobpsalmen oder Danckpsalmen haben? Da sihestu allen Heiligen ins hertze / wie in schöne lüstige Garten / ja wie in den Himel / Wie feine hertzliche lüstige Blumen darinnen auffgehen von allerley schönen frölichen Gedancken gegen Gott / vmb seine Wolthat. 20 25

Wort von Trawrigkeit.

WJderumb / wo findestu tieffer / kleglicher / jemerlicher wort / von Trawrigkeit / denn die Klagepsalmen haben? Da sihestu aber mal allen Heiligen ins hertze / wie in den Tod / ja wie in die Helle. Wie finster vnd tunckel ists da / von allerley betrübtem anblick des zorns Gottes. Also auch / wo sie von furcht vnd hoffnung reden / brauchen sie solcher wort / das dir kein Maler also kündte die Furcht oder Hoffnung abmalen / vnd kein Cicero oder Redkündiger also furbilden. 30 35

Wort von Furcht vnd Hoffnung.

VND (wie gesagt) ist das das aller beste / das sie solche wort gegen Gott vnd mit Gott reden / welchs macht das zweifeltiger ernst vnd leben in den worten sind. Denn wo man sonst gegen Menschen in solchen sachen redet / gehet es nicht so starck von hertzen / brennet / lebt/ vnd dringet nicht so fast. Daher kompts auch / das der Psalter aller Heiligen Büchlin ist / Vnd ein jglicher / in wasserley sachen er ist / Psalmen vnd wort drinnen findet / 40 45

Der Psalter ist ein gemeine Buch aller Heiligen.

die sich auff seine Sachen reimen / vnd jm so eben sind / als weren sie allein vmb seinen willen also gesetzt / Das er sie auch selbs nicht besser setzen noch finden kan noch wündschen mag.

5 WElchs denn auch dazu gut ist / das / wenn einem solche wort gefallen vnd sich mit jm reimen / Das er gewis wird / er sey in der Gemeinschafft der Heiligen / vnd hab allen Heiligen gegangen / wie es jm gehet / weil sie ein Liedlin alle mit jm singen. Son-
10 derlich / so er sie auch also kan gegen Gott reden / wie sie gethan haben / Welchs im glauben geschehen mus / Denn einem gottlosen Menschen schmekken sie nichts.

Der Psalter leret on fahr den Heiligen nachfolgen / Das vermögen Exempel vnd Legendenbücher nicht.

ZV letzt / ist im Psalter die sicherheit vnd ein wol
15 verwaret Geleit / das man allen Heiligen on fahr drinnen nachfolgen kan. Denn ander Exempel vnd Legenden von den stummen Heiligen bringen manch werck fur / das man nicht kan nachthun / Viel mehr werck aber bringen sie / die fehrlich sind
20 nach zu thun / vnd gemeiniglich Secten vnd Rotten anrichten / vnd von der Gemeinschafft der Heiligen füren vnd reissen. Aber der Psalter helt dich von den Rotten zu der heiligen Gemeinschafft / Denn er leret dich in Freuden / Furcht / Hoffnung /
25 Trawrigkeit / gleich gesinnet sein vnd reden / wie alle Heiligen gesinnet vnd geredt haben.

Der Psalter malet die heilige Kirchen mit jrer rechte farbe.

SVmma / Wiltu die heiligen Christlichen Kirchen gemalet sehen mit lebendiger Farbe vnd gestalt / in einem kleinen Bilde gefasset / So nim den
30 Psalter fur dich / so hastu einen feinen / hellen / reinen / Spiegel / der dir zeigen wird / was die Christenheit sey. Ja du wirst auch dich selbs drinnen / vnd das rechte Gnotiseauton finden / Da zu Gott selbs vnd alle Creaturn.

35 DArumb lasst vns nu auch fursehen / das wir Gott dancken / fur solche vnaussprechliche güter / vnd mit vleis vnd ernst dieselbigen annemen / brauchen vnd vben / Gott zu lob vnd ehre / Auff das wir nicht mit vnser vndanckbarkeit etwas
40 ergers verdienen. Denn vor hin zur zeit der finsternis / welch ein Schatz hette es sollen geacht sein / wer einen Psalmen hette mügen recht verstehen / vnd im verstendlichen Deudsch lesen oder hören / vnd habens doch nicht gehabt. Nu aber sind selig
45 die Augen / die da sehen / das wir sehen / vnd ohren / die da hören / das wir hören. Vnd besorge doch / ja leider sehen wirs / das vns gehet / wie den Jüden

in der wüsten / die da sprachen vom Himelbrot / Vnser Seelen eckelt fur der geringen || Speise. Aber wir sollen auch wissen / das daselbs bey stehet / wie sie geplagt vnd gestorben sind / das vns nicht auch so gehe. || 289b

5

DAS helffe vns der Vater aller Gnaden vnd Barmhertzigkeit / durch Jhesum Christum vnsern HErrn / Welchem sey Lob vnd Danck / Ehre vnd Preis fur diesen Deudschen Psalter / vnd fur alle seine vnzeliche vnaussprechliche Wolthat in ewigkeit / AMen / AMEN.

10

## DER PSALTER.

### I.

WOL DEM DER NICHT wandelt im Rat der Gotlosen / Noch tritt auff den Weg der Sünder / Noch sitzt da die Spötter sitzen.

(Spötter) Die es fur eitel narrheit halten / was Gott redet vnd thut.

[2]Sondern hat lust zum Gesetz des HERRN / Vnd redet von seinem Gesetz tag vnd nacht.

[3]Der ist wie ein Bawm gepflantzet an den Wasserbechen / Der seine Frucht bringet zu seiner zeit / Vnd seine Bletter verwelcken nicht / Vnd was er macht / das geret wol.

Jere. 17.

ABer so sind die Gottlosen nicht / Sondern wie Sprew / die der wind verstrewet.

[5]Darumb bleiben die Gottlosen nicht im [a]Gerichte / Noch die Sünder in der gemeine der Gerechten.

[6]Denn der HERR kennet den weg der Gerechten / Aber der Gottlosen weg vergehet.

a (Gerichte) Das ist / Sie werden weder Ampt haben / noch sonst in der Christen gemeine bleiben. Ja sie verweben sich selbs wie die sprew vom Korn.

## II.

Act. 4.

WArumb toben die Heiden / Vnd die Leute reden so vergeblich.

[2]Die Könige im Lande lehnen sich auff / vnd die Herrn ratschlagen mit einander / Wider den HERRN vnd seinen Gesalbeten.

[3]Lasset vns zureissen jre Bande / Vnd von vns werffen jre Seile.

[4]Aber der im Himel wonet lachet jr / Vnd der HERR spottet jr.

[5]Er wird einest mit jnen reden in seinem zorn / Vnd mit seinem grim wird er sie schrekken. ||

|| 290a

[6]Aber ich habe meinen König eingesetzt / Auff meinen heiligen berg Zion.

[7]Jch wil von einer solchen Weise predigen / Das der HERR zu mir gesagt hat / [a]Du bist mein Son / Heute hab ich dich gezeuget.

(Weise) Von einer newen weise / Das ist die newe Lere des Euangelij von Christo Gottes Son.
a Act. 13. Ebre. 1. 5.

[8]Heissche von mir / So wil ich dir die Heiden zum Erbe geben / Vnd der Welt ende zum Eigenthum.

[9]Du solt sie mit einem eisern Scepter zuschlahen / Wie Töpffen soltu sie zeschmeissen.

[10]So lasst euch nu weisen jr Könige / Vnd lasst euch züchtigen jr Richter auff Erden.

[11]Dienet dem HERRN mit furcht / Vnd frewet euch mit zittern.

[12]Küsset [b]den Son / Das er nicht zürne / vnd jr vmbkomet [c]auffm wege / Denn sein zorn wird bald anbrennen / Aber wol allen die auff Jn trawen.

(Dienet) Seid gehorsam vnterthenig.
b Oder also / Huldet dem Sone.
c (Auffm wege) Das ist / in ewr weise vnd wesen.

## III.

[1]Ein Psalm Dauids / Da er floh fur seinem son Absalom.

AH HERR / wie ist meiner Feinde so viel / Vnd setzen sich so viel wider mich.

[3]Viel sagen von meiner seele / Sie hat keine hülffe bey Gott / Sela.

[4]ABer du HERR bist der Schild fur mich / Vnd der mich zu ehren setzet / Vnd mein Heubt auffrichtet.

[5]Jch ruffe an mit meiner stim den HERRN / So erhöret er mich von seinem heiligen Berge / Sela.

[6]Jch lige vnd schlaffe / vnd erwache / Denn der HERR helt mich.

[7]Jch furchte mich nicht fur viel hundert tausenten / Die sich vmbher wider mich legen.

[8]Auff HERR / vnd hilff mir mein Gott / Denn du schlegst alle meine Feinde auff den backen / vnd zerschmetterst der Gottlosen zeene.

[9]Bey dem HERRN findet man hülffe / Vnd

deinen Segen vber dein Volck / Sela.

IIII.

(Vorsingen) Wie der Cantor vnd Priester einen Vers oder Epistel vor singet / Vnd der Chor hinnach singet ein Responsorium / Haleluia oder Amen.

[1]Ein Psalm Dauids / vor zu singen auff Seitenspiel.

ERHÖRE MICH / WENN ich ruffe / Gott meiner gerechtigkeit / Der du mich tröstest in angst Sey mir gnedig / vnd erhöre mein gebet.

(Herrn) Das ist / Jr grossen Hansen vnd was etwas gelten wil.

a (Ehre) Das ist / mein Psalm oder Lere / da ich Gott mit ehre.

[3]Lieben Herrn / wie lang sol meine [a]Ehre geschendet werden? Wie habt jr das Eitel so lieb / vnd die Lügen so gerne? Sela.

[4]Erkennet doch / das der HERR seine Heiligen wünderlich füret / Der HERR höret / wenn ich jn anruffe.

Ephe. 4.

b Bewegt euch etwas zu vnlust.

c Seid stille.

[5]ZÜRNET JR / SO [b]SÜNDIGET NICHT / Redet mit ewrem hertzen auff ewrem Lager / vnd [c]harret / Sela.

[6]Opffert Gerechtigkeit / Vnd hoffet auff den HERRN.

[7]Viel sagen / Wie solt vns Dieser weisen / was gut ist? Aber HERR erhebe vber vns das Liecht deines andlitzs.

(Liecht des andlitzs) Jst freundlich vnd gnedigs ansehen.

[8]Du erfrewest mein hertz / Ob jene gleich viel Wein vnd Korn haben.

[9]Jch lige vnd schlaffe gantz mit frieden / Denn allein du HERR hilffst mir / das ich sicher wone.

V.

[1]Ein Psalm Dauids / vor zu singen / Fur das Erbe.

HERR HÖRE MEIN wort / Mercke auff meine rede.

[3]Vernim mein schreien / mein könig vnd mein Gott / Denn ich wil fur dir beten.

[4]HERR früe woltestu meine stim hören / Früe wil ich mich zu dir schikken / vnd drauff merkken.

[5]Denn du bist nicht ein Gott / dem Gottlos wesen gefelt / Wer böse ist / bleibet nicht fur dir.

[6]Die Rhumredtigen bestehen nicht fur deinen Augen / Du bist feind allen Vbelthettern.

[7]Du bringest die Lügener vmb / Der HERR hat grewel an den Blutgirigen vnd Falschen. ‖

‖ 290b

[8]Jch aber wil in dein Haus gehen auff deine grosse Güte / Vnd anbeten gegen deinem heiligen Tempel / in deiner furcht.

[9]HERR leite mich in deiner Gerechtigkeit / vmb meiner Feinde willen / Richte deinen Weg fur mir her.

(Gewisses) Das ist / Jre Lere machet eitel vnrügige / vnselige Gewissen / weil sie eitel werck / vnd nicht Gottes gnade predigen.

[10]Denn in jrem Munde ist nichts gewisses / Jr inwendiges ist hertzeleid / Jr rachen ist ein offens grab / Mit jren zungen heuchlen sie.

[11]Schüldige sie Gott / das sie fallen von jrem Furnemen / Stosse sie aus vmb jrer grossen vbertrettung willen / Denn sie sind dir widerspenstig.

[12]Las sich frewen alle die auff dich trawen / ewiglich las sie rhümen / Denn du beschirmest sie / Frölich las sein in dir / die deinen Namen lieben.

[13]Denn du HERR segenest die Gerechten / Du krönest sie mit gnaden / wie mit einem Schilde.

## VI.

[1]Ein Psalm Dauids / vor zu singen auff acht Seiten.

AH HERR STRAFFE mich nicht in deinem Zorn / Vnd züchtige mich nicht in deinem grim.

[3]HERR sey mir gnedig / denn ich bin schwach / Heile mich HERR / Denn meine gebeine sind erschrocken.

[4]Vnd meine Seele ist seer erschrocken / Ah du HERR / wie lange?

[5]Wende dich HERR / vnd errette meine Seele / Hilff mir vmb deiner Güte willen.

[6]Denn im Tode gedenckt man dein nicht / Wer wil dir in der Helle dancken?

[7]Jch bin so müde von seufftzen / Jch schwemme mein Bette die gantze nacht / Vnd netze mit meinen threnen mein Lager.

(Schwemme) Jch bin im schweis gelegen.

[8]Meine Gestalt ist verfallen fur trawren / vnd ist alt worden / Denn ich allenthalben geengstet werde.

[9]WEichet von mir alle Vbeltheter / Denn der HERR höret mein weinen.

Matth. 7.

[10]Der HERR höret mein flehen / Mein gebet nimpt der HERR an.

[11]Es müssen alle meine Feinde zu schanden werden / vnd seer erschrekken / Sich zu rück keren / vnd zu schanden werden plötzlich.

## VII.

[1]Die vnschuld Dauids / dauon er sang dem HERRN / Von wegen der wort des Moren / des Jeminiten.

AVFF DICH HERR trawe ich / mein Gott / Hilff mir von allen meinen Verfolgern / vnd errette mich.

[3]Das sie nicht wie Lewen meine Seele erhasschen / Vnd zureissen / weil kein Erretter da ist.

[4]HERR mein Gott / Hab ich solchs gethan / Vnd ist vnrecht in meinen henden.

[5]Hab ich böses vergolten / denen so friedlich mit mir lebten / Oder die so mir on vrsach feind waren beschedigt.

[6]So verfolge mein Feind meine Seele vnd ergreiffe sie / Vnd trette mein Leben zu boden / Vnd lege meine Ehre in den staub / Sela.

[7]Stehe auff HERR in deinem zorn / Erhebe dich vber den grim meiner Feinde / Vnd hilff mir wider in das Ampt / das du mir befolhen hast.

[8]Das sich die Leute wider zu dir samlen / Vnd vmb derselben willen kom wider empor.

(Richter) Das ist / Nicht ich noch jemand / sondern Gott selber allein regiert vber vns.

[9]Der HERR ist Richter vber die Leute / Richte mich HERR nach meiner gerechtigkeit vnd fromkeit.

[10]Las der Gottlosen bosheit ein ende werden / Vnd fördere die Gerechten / Denn du gerechter Gott prüfest hertzen vnd nieren.

[11]MEin Schild ist bey Gott / Der den fromen hertzen hilffet.

[12]Gott ist ein rechter Richter / Vnd ein Gott der teglich drewet.

[13]Wil man sich nicht bekeren / so hat er sein Schwert gewetzt / Vnd seinen Bogen gespannet / vnd zielet.

[14]Vnd hat drauff gelegt tödlich Ge-||schos / Seine Pfeile hat er zugericht zuuerderben.

Jesa. 59. Hiob. 15.

[15]Sihe / der hat Böses im sinn / mit Vnglück ist er schwanger / Er wird aber einen Feil geberen.

[16]Er hat eine Gruben gegraben vnd ausgefürt / Vnd ist in die Gruben gefallen / die er gemacht hat.

[17]Sein vnglück wird auff seinen Kopff komen / Vnd sein freuel auff seine Scheittel fallen.

[18]Jch dancke dem HERRN vmb seiner gerechtigkeit willen / Vnd wil loben den Namen des HERRN des Allerhöhesten.

## VIII.

[1]Ein Psalm Dauids / vor zu singen / auff der Githith.

HERR VNSER HERRscher / wie herrlich ist dein Name in allen Landen / Da man dir dancket im Himel.

Matth. 21.

[3]Aus dem munde der Jungenkinder vnd Seuglingen hastu eine Macht zugericht / vmb deiner Feinde willen / Das du vertilgest den Feind vnd den Rachgirigen.

[4]Denn ich werde sehen die Himel deiner Finger werck / Den Monden vnd die Sterne die du bereitest.

Ebre. 2.

[5]WAs ist der Mensch / das du sein gedenckest / Vnd des Menschen kind / Das du dich sein annimpst?

|| 291 a

[6]Du wirst jn lassen eine kleine zeit von Gott verlassen sein / Aber mit ehren vnd schmuck wirstu jn krönen.

[7]Du wirst jn zum Herrn machen vber deiner Hende werck / Alles hastu vnter seine Füsse gethan.

Die Christen sollen auch zu essen haben auff Erden.

[8]Schafe vnd ochsen allzumal / Da zu auch die wilden Thier.

[9]Die vögel vnter dem Himel / vnd die fisch im Meer / Vnd was im meer gehet.

[10]HERR vnser Herrscher / Wie herrlich ist dein Name in allen Landen.

IX.

[1]Ein Psalm Dauïds / Von der schönen Jugent / vor zu singen.

JCH DANCKE DEM HERRN von gantzem hertzen / Vnd erzele alle deine Wunder.

[3]Jch frewe mich / vnd bin frölich in dir / vnd lobe deinen Namen / du Allerhöhester.

[4]Das du meine Feinde hinder sich getrieben hast / Sie sind gefallen vnd vmbkomen fur dir.

[5]Denn du fürest mein Recht vnd Sache aus / Du sitzest auff dem Stuel / ein rechter Richter.

[6]Du schiltest die Heiden / vnd bringest die Gottlosen vmb / Jren namen vertilgestu jmer vnd ewiglich.

[7]Die schwerte des Feindes haben ein ende / Die Stedte hastu vmbkeret / Jr Gedechtnis ist vmbkomen sampt jnen.

[8]Der HERR aber bleibt ewiglich / Er hat seinen Stuel bereitet zum gericht.

[9]Vnd er wird den Erdboden recht richten / Vnd die Leute regieren rechtschaffen.

[10]Vnd der HERR ist des Armen schutz / Ein schutz in der not.

[11]Darumb hoffen auff dich / die deinen Namen kennen / Denn du verlessest nicht / die dich HERR suchen.

[12]Lobet den HERRN der zu Zion wonet / Verkündiget vnter den Leuten sein Thun.

[13]Denn er gedenckt vnd fragt nach jrem Blut / Er vergisset nicht des schreiens der Armen.

[14]HERR sey mir gnedig / Sihe an mein elend / vnter den Feinden / Der du mich erhebest aus den Thoren des Todes.

[15]Auff das ich erzele all deinen preis in den Thoren der tochter Zion / Das ich frölich sey vber deiner Hülffe.

[16]Die Heiden sind versuncken in der Gruben / die sie zugericht hatten / Jr fus ist gefangen im Netz / das sie gestellet hatten.

[17]So erkennet man das der HERR recht schaffet / Der Gottlos ist verstrickt in dem werck seiner hende / durchs [a]wort / Sela.

a *Meditatione, scilicet uerbi, Sine ui, gladio, brachio carnis, In silentio et spe erit fortitudo uestra.*

[18]Ah das die Gottlosen müsten zur Helle || gekeret werden / Alle Heiden die Gottes vergessen.

[19]Denn er wird des Armen nicht so gantz vergessen / Vnd die hoffnung der Elenden wird nicht verloren sein ewiglich.

[20]HERR stehe auff / das Menschen nicht vberhand kriegen / Las alle Heiden fur dir gerichtet werden.

[21]Gib jnen HERR einen Meister / Das die Heiden erkennen / das sie Menschen sind / Sela.

X.

HERR / WARUMB trittestu so ferne? Verbirgest dich zur zeit der not?

[2]Weil der Gottlose [b]vbermut treibet / mus der Elende leiden / Sie hengen sich an einander / vnd erdencken böse Tück.

b *Scilicet, docendo et nocendo superbit confidenter, quasi re optime gesta.*

[3]Denn der Gottlose rhümet sich seines mutwillens / Vnd der Geitzige segenet sich / vnd lestert den HERRN.

[4]Der Gottlose ist so stoltz vnd zornig / Das er nach niemand fraget / Jn allen seinen tücken helt er Gott fur nichts.

[5]Er feret fort mit seinem thun jmerdar Deine Gerichte sind ferne von jm / Er handelt trötzig mit allen seinen Feinden.

Erbeit vnd lessts jm sawr werden / doch gern / Das sein thun bestehe vnd fort gehe.

[6]Er spricht in seinem hertzen / Jch werde nimer mehr darnider ligen / Es wird fur vnd fur keine not haben.

|| 291b

[7]Sein Mund ist vol fluchens / falsches vnd trugs / Seine Zungen richt mühe vnd erbeit an.

Rom. 3.

[8]Er sitzt vnd lauret in den Höfen / Er erwürget die Vnschüldigen heimlich / Seine Augen halten auff die Armen.

[9]Er lauret im verborgen / wie ein Lew in der hüle / Er lauret das er den Elenden erhassche / Vnd er hasschet jn / wenn er jn in sein netze zeucht.

[10]Er zuschlehet vnd drücket nider / Vnd stösset zu boden den Armen mit gewalt.

[11]Er spricht in seinem hertzen / Gott hats vergessen / Er hat sein Andlitz verborgen / Er wirds nimer mehr sehen.

[12]Stehe auff HERR Gott / erhebe deine Hand / Vergis des Elenden nicht.

[13]Warumb sol der Gottlose Gott lestern / vnd in seinem hertzen sprechen / Du fragest nicht darnach?

[14]Du sihest ja / Denn du schawest das elend vnd jamer / Es stehet in deinen Henden / Die Armen befelhens dir / Du bist der Waisen Helffer.

[15]Zubrich den arm des Gottlosen / vnd suche das böse / So wird man sein gottlos wesen nimer finden.

[16]Der HERR ist König jmer vnd Ewiglich / Die Heiden müssen aus seinem Land vmbkomen.

[17]Das verlangen der Elenden hörestu HERR / Jr hertz ist gewis / das dein Ohre drauff mercket.

|| 292a

[18]Das du Recht schaffest dem Waisen vnd Armen / Das der Mensch nicht mehr trotze auff Erden.

XI.

[1]Ein Psalm Dauids / vor zu singen.

JCH TRAW AUFF DEN HERRN / wie saget jr denn zu meiner seele / Sie sol fliegen wie ein vogel / auff ewre Berge?

[2]Denn sihe / die Gottlosen spannen den Bogen / vnd legen jre Pfeile auff die sehnen / Damit heimlich zu schiessen die Fromen.

[3]Denn sie reissen den Grund vmb / Was solt der Gerechte ausrichten?

(Was solt) Solt vns der Narr weren oder leren?

[4]Der HERR ist in seinem heiligen Tempel / Des HERRN stuel ist im Himel / Seine augen sehen drauff / Seine augenliede prüfen die Menschen kinder.

[5]Der HERR prüfet den Gerechten / Seine Seele hasset den Gottlosen / vnd die gerne freueln.

[6]Er wird regenen lassen vber die Gottlosen blitz / fewr vnd schwefel / Vnd wird jnen ein wetter zu lohn geben.

(Jr) Das ist / der Fromen

[7]DEr HERR ist Gerecht vnd hat Gerechtigkeit lieb / Darumb das jr [a]angesichte schawen auff das da recht ist. ||

a *Non franguntur persecutione, sed perseuerant spectando iusta, Ideo experiuntur Deo graciam esse iusticum.*

XII.

[1]Ein Psalm Dauids / vor zu singen auff acht Seiten.

HJLFF HERR / DIE Heligen haben abgenomen / Vnd der Gleubigen ist wenig vnter den Menschen kindern.

[3]Einer redet mit dem andern vnnütze ding vnd heucheln / Vnd leren aus vneinigem hertzen.

[4]DEr HERR wolte ausrotten alle Heuchley / Vnd die Zunge die da stoltz redet.

[5]Die da sagen / Vnser Zunge sol vber hand haben / Vns gebürt zu reden / Wer ist vnser Herr?

[6]WEil denn die Elenden verstöret werden / vnd die Armen seuffzen / wil ich auff / spricht der HERR / Jch wil eine Hülffe schaffen / das man getrost leren sol.

[7]Die Rede des HERRN ist lauter / Wie durchleutert Silber im erdenen tigel / beweret sieben mal.

[8]Du HERR woltest sie bewaren / Vnd vns behüten fur diesem Geschlecht ewiglich.

[9]Denn es wird allenthalben vol Gottlosen / Wo solche lose Leute vnter den Menschen herrschen.

XIII.

[1]Ein Psalm Dauids / vor zu singen.

HERR / WIE LANG wiltu mein so gar vergessen? Wie lange verbirgestu dein Andlitz fur mir?

[3]Wie lange sol ich sorgen in meiner Seele / vnd mich engsten in meinem hertzen teglich? Wie lange sol sich mein Feind vber mich erheben?

[4]SChaw doch vnd erhöre mich HERR / mein Gott / Erleuchte meine augen / das ich nicht im Tode entschlaffe.

(Augen) Mach mir das angesicht frölich.

[5]Das nicht mein Feind rhüme / Er sey mein mechtig worden / Vnd meine Widersacher sich nicht frewen / das ich niderlige.

[6]JCh hoffe aber dar auff / das du so gnedig bist / Mein hertz frewet sich / das du so gerne hilffest.

Jch wil dem HERRN singen / Das er so wol an mir thut.

XIIII.

[1]Ein Psalm Dauids / vor zu singen.

DJE THOREN SPRECHEN in jrem hertzen / Es ist kein Gott / Sie tügen nichts vnd sind ein Grewel mit jrem wesen / Da ist keiner der guts thue.

Jnfr. 53. (Thoren) Das ist / rohe lose Leute / die nach Gott nicht fragen.

[2]DEr HERR schawet vom Himel auff der Menschen kinder / Das er sehe / Ob jemand klug sey / vnd nach Gott frage.

[3]Aber sie sind alle abgewichen / vnd alle sampt vntüchtig / Da ist keiner der Gutes thue / auch nicht einer.

[4]Wil denn der Vbeltheter keiner das mercken? Die mein Volck fressen / das sie sich neeren / Aber den HERRN ruffen sie nicht an.

[5]Daselbs fürchten sie sich / Aber Gott ist bey dem Geschlecht der Gerechten.

(Fürchten) Gott fürchten sie nicht / Sonst fürchten sie allerley / Als bauch / brot / gut / ehre / fahr / tod.

[6]JR schendet des Armen rat / Aber Gott ist seine zuuersicht.

[7]AH / das die hülffe aus Zion vber Jsrael keme / vnd der HERR sein gefangen Volck erlösete / So würde Jacob frölich sein / vnd Jsrael sich frewen.

XV.

[1]Ein Psalm Dauids.

HERR / WER WIRD wonen in deiner Hütten? Wer wird bleiben auff deinem heiligen Berge?

[2]WEr on wandel ein her gehet / Vnd recht thut / Vnd redet die warheit von hertzen.

[3]Wer mit seiner Zungen nicht verleumbdet / Vnd seinem Nehesten kein arges thut / Vnd seinen Nehesten nicht schmehet.

[4]Wer die Gottlosen nichts achtet / Sondern ehret die Gottfürchtigen / Wer seinem Nehesten schweret / vnd helts. ||

|| 292b

[5]Wer sein Gelt nicht auff Wucher gibt / Vnd nimpt nicht Geschencke vber den Vnschüldigen / Wer das thut / der wird wol bleiben.

## XVI.

[1]Ein gülden Kleinot Dauids.

BEWARE MICH GOTT / Denn ich traw auff dich.

[2]Jch habe gesagt zu dem HERRN / Du bist ja der HErr / Jch mus vmb deinen willen leiden.

[3]Fur die Heiligen / so auff Erden sind / vnd fur die Herrlichen / An denen hab ich all mein gefallen.

[4]ABer jene / die einem Andern nach eilen / werden gros Hertzleid haben / Jch wil jres Tranckopffers mit dem blut nicht opffern / Noch jren [a]namen in meinem Munde füren.

(Mit dem Blut) Das ist / Die mit Bocksblut Gott versünen Jch aber mit meinem eigen blut.

a (Namen) Das ist / Jch wil jr ding nicht leren / noch predigen / die mit wercken vmbgehen / Sondern vom glauben / den Gott gibt.

[5]DER HERR aber ist mein Gut / vnd mein Teil / Du erheltest mein Erbteil.

[6]Das Los ist mir gefallen auff Liebliche / Mir ist ein schön Erbteil worden.

[7]JCh lobe den HERRN der mir geraten hat / Auch züchtigen mich meine Nieren des nachts.

[8]Jch [b]hab den HERRN allezeit fur augen / Denn er ist mir zur Rechten / Darumb werde ich wol bleiben.

b Act. 2. 13.

[9]Darumb frewet sich mein Hertz / vnd meine Ehre ist frölich / Auch mein Fleisch wird sicher ligen.

(Ehre) Das ist / meine Zunge / da ich Gott mir ehre vnd preise.

[10]DEnn du wirst meine Seele nicht in der Helle lassen / Vnd nicht zu geben / das dein Heilige verwese.

[11]Du thust mir kund den weg zum Leben / Fur dir ist Freude die fülle / vnd lieblich wesen zu deiner Rechten ewiglich.

## XVII.

[1]Ein Gebet Dauids.

HERR ERHÖRE DIE Gerechtigkeit / Merck auff mein geschrey / Vernim mein Gebet / das nicht aus falschem munde gehet.

*Scio quod non mendacium, sed tuum uerbum doceo. Ideo si non uis me exaudire exaudi tuam iustam caussam.*

[2]Sprich du in meiner Sache / Vnd schaw du auffs Recht.

[3]DV prüfest mein hertz / vnd besuchests des

nachts / Vnd leuterst mich vnd findest nichts / Jch hab mir fur gesetzt / das mein mund nicht sol vbertretten.

[4]Jch beware mich in dem wort deiner Lippen / Fur Menschen werck / auff dem wege des Mörders.

[5]ERhalte meinen Gang auff deinen Fussteigen / Das meine tritt nicht gleitten.

[6]Jch ruffe zu dir / das du Gott woltest mich erhören / Neige deine Ohren zu mir / höre meine rede.

[7]BEweise deine wünderliche Güte / du Heiland dere die dir vertrawen / Wider die so sich wider deine rechte Hand setzen.

[8]BEhüte mich wie einen Augapffel im auge / Beschirme mich vnter dem schatten deiner Flügel.

[9]Fur den Gottlosen / die mich verstören / Fur meinen Feinden / die vmb vnd vmb nach meiner Seelen stehen.

[10]Jre Fetten halten zusamen / Sie reden mit jrem munde stoltz.

(Fetten) Das ist / Die grossen vnd gewaltigen.

[11]Wo wir gehen / so vmbgeben sie vns / Jre augen richten sie dahin / das sie vns zur erden störtzen.

[12]Gleich wie ein Lewe / der des Raubs begert / Wie ein junger Lewe der in der hüle sitzt.

[13]HERR mache dich auff / vberweldige jn / vnd demütige jn / Errette meine Seele von dem Gottlosen / mit deinem schwert.

[14]Von den Leuten [c]deiner hand / HERR / Von den Leuten dieser welt / welche jr Teil haben in jrem Leben / welchen du den Bauch füllest mit deinem Schatz / Die da kinder die fülle haben / vnd lassen jr vbriges jren Jungen.

c (Deiner hand) Die dir in deine hand komen zu straffen / Ebre. 10. Es ist schrecklich dem lebendigen Gott in die hende fallen / Psal. 21. Deine hand wird finden alle deine Feinde.

[15]JCh aber wil schawen dein Andlitz / in gerechtigkeit / Jch wil sat werden / wenn ich erwache nach deinem Bilde.

(Erwache) Wacker sein im wort vnd glauben nicht schnarcken.

## XVIII.

[1]Ein Psalm vor zu singen Dauids / des HERRN knechts / Welcher hat dem HERRN die wort dieses Lieds geredt / Zur zeit da jn der HERR errettet hatte / von der hand seiner Feinde / vnd von der hand Saul / [2]vnd sprach.

|| 293 a
2. Samu. 22.

HERTZLICH LIEB HABE ich dich HERR meine Stercke / [3]HERR mein Fels / mein Burg / mein Erretter / mein Gott / mein Hort / auff den ich trawe.

Mein Schild / vnd Horn meines heils / Vnd mein Schutz.

[4]JCh wil den HERRN loben vnd anruffen / So

werde ich von meinen Feinden erlöset.

[5]Denn es vmbfiengen mich des Todes bande / Vnd die beche Belial erschreckten mich.

[6]Der Hellen band vmbfiengen mich / Vnd des Tods strick vberweldiget mich.

[7]WENN MIR ANGST IST / so ruffe ich den HERRN an / vnd schrey zu meinem Gott / So erhöret er meine stim von seinem Tempel / vnd mein geschrey kompt fur jn zu seinen Ohren.

DJe Erde bebete vnd ward beweget / Vnd die grundfeste der Berge regeten sich vnd bebeten / da er zornig war.

[9]Dampff gieng auff von seiner Nasen / Vnd verzerend fewr von seinem Munde / das es dauon blitzet.

[10]Er neigete den Himel vnd fur herab / Vnd tunckel war vnter seinen Füssen.

[11]Vnd er fuhr auff dem Cherub vnd flog daher / Er schwebet auff den fittigen des winds.

[12]Sein Gezelt vmb jn her war finster / vnd schwartze dicke wolcken / Darin er verborgen war.

[13]Vom glantz fur jm / trenneten sich die Wolcken / Mit hagel vnd blitzen.

[14]Vnd der HERR donnerte im Himel / Vnd der Höhest lies seinen donner aus / mit hagel vnd blitzen.

[15]Er schos seine strale vnd zerstrewet sie. Er lies seer blitzen vnd schrecket sie.

[16]Da sahe man Wassergösse / vnd des Erdboden grund ward auffgedeckt / HERR von deinem schelten / von dem odem vnd schnauben deiner Nasen.

ER schicket aus von der Höhe / vnd holet mich / Vnd zoch mich aus grossen Wassern.

[18]Er errettet mich von meinen starcken Feinden / von meinen Hassern die mir zu mechtig waren.

[19]Die mich vberweldigeten zur zeit meines vnfals / Vnd der HERR ward meine zuuersicht.

[20]Vnd er füret mich aus in den Raum / Er reis mich heraus / Denn er hatte lust zu mir.

[21]DEr HERR thut wol an mir / nach meiner [a]Gerechtigkeit / Er vergilt mir nach der reinigkeit meiner hende.

[22]Denn ich halte die [b]Wege des HERRN / Vnd bin nicht Gottlos wider meinen Gott.

[23]Denn alle seine Rechte hab ich fur augen / Vnd seine Gebot werffe ich nicht von mir.

[24]Sondern ich bin on wandel fur jm / Vnd hute mich fur sünden.

a *Non personalis sed realis, Id est,* Jch hab nichts aus freuel angefangen / sondern bin bei Gottes wort blieben / hab drüber gelidden was ich leiden solt.

b *Haec est illa iusticia, de qua hic loquitur.*

[25]DArumb vergilt mir der HERR nach meiner Gerechtigkeit / Nach der reinigkeit meiner hende fur seinen Augen.

[26]BEy den Heiligen bistu heilig / vnd bey den Fromen bistu from / [27]Vnd bey den Reinen bistu rein / Vnd bey den Verkereten / bistu verkeret.

[28]Denn du hilffest dem elenden volck / Vnd die hohen augen nidrigstu.

[29]Denn du erleuchtest meine Leuchte / Der HERR mein Gott machet meine finsternis liecht.

DEnn mit dir kan ich Kriegsuolck zeschmeissen / Vnd mit meinem Gott vber die mauren springen.

[31]GOttes wege sind on wandel / Die Rede des HERRN sind durchleutert / Er ist ein Schild allen die jm vertrawen.

[32]Denn wo ist ein Gott / on der HERR? Oder ein Hort / on vnser Gott?

[33]Gott rüstet mich mit krafft / Vnd macht meine wege on wandel.

[34]Er macht meine füsse gleich den Hir-||sschen / Vnd stellet mich auff meine höhe.

[35]Er leret meine Hand streitten / Vnd leret meinen Arm einen ehren bogen spannen.

VND gibst mir den Schild deines Heils / vnd deine Rechte stercket mich / Vnd wenn du mich demütigest / machstu mich gros.

[37]Du machst vnter mir raum zugehen / Das meine Knöchel nicht gleiten.

[38]Jch wil meinen Feinden nachiagen vnd sie ergreiffen / Vnd nicht vmbkeren / bis ich sie vmbbracht habe.

[39]Jch wil sie zeschmeissen / vnd sollen mir nicht widerstehen / Sie müssen vnter meine füsse fallen.

[40]Du kanst mich rüsten mit stercke zum streit / Du kanst vnter mich werffen die sich wider mich setzen.

[41]Du gibst mir meine Feinde in die flucht / Das ich meine Hasser verstöre.

[42]Sie ruffen / Aber da ist kein Helffer / Zum HERRN / Aber er antwortet jnen nicht.

[43]Jch wil sie zestossen / wie Staub fur dem winde / Jch wil sie wegreumen / wie den Kot auff der gassen.

DV hilffst mir von dem zenckisschen Volck / Vnd machest || 293b mich ein Heubt vnter den Heiden / Ein Volck das ich nicht kandte / dienet mir.

[45]Es gehorchet mir mit gehorsamen ohren / Ja den frembden Kindern hats wider mich gefeilet.

[46]Die frembden Kinder

verschmachten / Vnd zappeln in jren banden.

[47]Der HERR lebet / vnd gelobet sey mein Hort / Vnd der Gott meins Heils müsse erhaben werden.

[48]Der Gott der mir Rache gibt / Vnd zwinget die Völcker vnter mich.

[49]Der mich errettet von meinen Feinden / Vnd erhöhet mich aus denen / Die sich wider mich setzen / Du hilffst mir von den Freueln.

Rom. 15.

[50]Darumb wil ich dir dancken HERR vnter den Heiden / Vnd deinem Namen lobsingen.

[51]Der seinem Könige gros Heil beweiset vnd wolthut seinem Gesalbeten / Dauid vnd seinem Samen ewiglich.

## XIX.

[1]Ein Psalm Dauids / vor zu singen.

DJE HIMEL ERZELEN die Ehre Gottes / Vnd die Feste verkündiget seiner Hende werck.

[3]Ein Tag sagts dem andern / Vnd ein Nacht thuts kund der andern.

[4]Es ist kein Sprache noch Rede / Da man nicht jre stimme höre.

Rom. 10.

[5]Jre Schnur gehet aus in alle Lande / Vnd jr Rede an der welt ende / Er hat der Sonnen eine Hütten in den selben gemacht.

[6]Vnd dieselbe gehet her aus / wie ein Breutigam aus seiner Kamer / Vnd frewet sich / wie ein Helt zu lauffen den weg.

[7]Sie gehet auff an einem ende des Himels / vnd leufft vmb bis wider an das selbe ende / Vnd bleibt nichts fur jrer hitze verborgen.

[8]Das Gesetz des HERRN ist on wandel / Vnd erquickt die Seele.

Das Zeugnis des HERRN ist gewis / Vnd macht die Albern weise.

[9]Die befelh des HERRN sind richtig. Vnd erfrewen das hertz.

Die Gebot des HERRN sind lauter. Vnd erleuchten die augen.

[10]Die Furcht des HERRN ist rein vnd bleibt ewiglich / Die Rechte des HERRN sind warhafftig / allesampt gerecht.

[11]Sie sind köstlicher denn Gold / vnd viel feines goldes / Sie sind süsser denn Honig vnd honigseim.

[12]Auch wird dein Knecht durch sie erinnert / Vnd wer sie helt / der hat gros Lohn.

[13]WEr kan mercken / wie offt er feilet? Verzeihe mir die verborgen feile.

[14]BEware auch deinen Knecht fur den Stoltzen / das sie nicht vber mich herrschen / So werde ich

on wandel sein / vnd vnschüldig bleiben grosser missethat.

[15]Las dir wolgefallen die rede meines mundes / Vnd das gesprech meines hertzen fur dir.

HERR mein Hort / Vnd mein Erlöser.||

XX.

[1]Ein Psalm Dauids / vor zu singen.

DER HERR ERHÖRE dich in der not / Der Name des Gottes Jacob schütze dich.

[3]Er sende dir hülffe vom Heiligthum / Vnd stercke dich aus Zion.

[4]Er gedencke all deines Speisopffers / Vnd dein Brandopffer müsse fett sein / Sela.

[5]Er gebe dir was dein Hertz begeret / Vnd erfülle all deine anschlege.

[6]WJr rhümen / das du vns hilffest / Vnd im Namen vnsers Gottes werffen wir Panier auff / Der HERR gewere dich aller deiner bitte.

[7]NV [a]mercke ich / das der HERR seinem Gesalbeten hilfft / Vnd erhöret jn in seinem heiligen Himel / Seine rechte Hand hilfft gewaltiglich.

a Das ist / Gott mus helffen vnd raten / vnser anschlege vnd thun ist sonst kein nütz.

[8]Jene verlassen sich auff Wagen vnd Rosse / Wir aber dencken an den Namen des HERRN vnsers Gottes.

[9]Sie sind nidergestürtzt vnd gefallen / Wir aber stehen auffgericht.

[10]HJlff HERR / Der König erhöre vns / wenn wir ruffen.

XXI.

[1]Ein Psalm Dauids / vor zu singen.

HERR / DER KÖNIG || 294a frewet sich in deiner Krafft / Vnd wie seer frölich ist er vber deiner Hülffe.

[3]Du gibst jm seines hertzen wundsch / Vnd wegerst nicht was sein mund bittet / Sela.

[4]Denn du vberschüttest jn mit guten Segen / Du setzest eine güldene Krone auff sein Heubt.

[5]Er bittet dich vmbs Leben / So gibstu jm langs Leben jmer vnd ewiglich.

[6]Er hat grosse Ehre an deiner Hülffe / Du legest Lob vnd Schmuck auff jn.

[7]Denn du setzest jn zum Segen ewiglich / Du erfrewest jn mit freuden deines Andlitzs.

[8]Denn der König hoffet auff den HERRN / Vnd wird durch die Güte des Höhesten fest bleiben.

[9]DEine Hand wird finden alle deine Feinde / Deine Rechte wird finden / die dich hassen.

[10]Du wirst sie machen wie einen Fewrofen / wenn du drein sehen wirst / Der HERR wird sie verschlingen in sei-

nem zorn / Fewr wird sie fressen.

[11]Jre frucht wirstu vmbbringen vom Erdboden / Vnd jren Samen von den Menschen kindern.

[12]Denn sie gedachten dir vbels zu thun / Vnd machten anschlege / die sie nicht kundten ausfüren.

[13]Denn du wirst sie zur Schuldern machen / Mit deiner Sehnen wirstu gegen jr Andlitz zielen.

(Zur Schuldern) Das sie jmer tragen vnd vnglück leiden müssen.

[14]HERR erhebe dich in deiner Krafft / So wöllen wir singen vnd loben deine Macht.

|| 294b

## XXII.

[1]Ein Psalm Dauids / vor zu singen / Von der Hinden / die früe geiagt wird.

Matth. 27. Marc. 15.

MEIN GOTT / MEIN Gott / warumb hastu mich verlassen? Jch heule / Aber meine hülffe ist ferne.

[3]Mein Gott / des tages ruffe ich / So antwortestu nicht / Vnd des nachts schweige ich auch nicht.

[4]Aber du bist Heilig / Der du wonest vnter dem lob Jsrael.

(Lob) Das ist / im heiligen Volck / da man dich lobet in Jsrael.

[5]VNser Veter hoffeten auff dich / Vnd da sie hoffeten / halffestu jnen aus.

[6]Zu dir schrien sie vnd wurden errettet / Sie hoffeten auff dich / vnd wurden nicht zu schanden.

[7]Jch aber bin ein Wurm vnd kein Mensch / Ein spot der Leute vnd verachtung des Volcks.

[8]Alle die mich sehen / spotten mein / Sperren das maul auff / vnd schütteln den Kopff.

[9]Er klags dem HERRN / der helffe jm aus / Vnd errette jn / hat er lust zu jm.

[10]DEnn du hast mich aus meiner Mutterleibe gezogen / Du warest meine Zuuersicht / da ich noch an meiner Mutter brüsten war. ||

[11]Auff dich bin ich geworffen aus Mutterleibe / Du bist mein Gott von meiner Mutterleib an.

[12]SEy nicht ferne von mir / Denn angst ist nahe / Denn es ist hie kein Helffer.

[13]Grosse Farren haben mich vmbgeben / Fette Ochsen haben mich vmbringet.

[14]Jren Rachen sperren sie auff wider mich / Wie ein brüllender vnd reissender Lewe.

[15]Jch bin ausgeschütt wie wasser / Alle meine Gebeine haben sich zurtrennet / mein Hertz ist in meinem Leibe / wie zerschmoltzen Wachs.

[16]Meine Krefftе sind vertrockent / wie eine Scherbe / Vnd meine Zunge klebt an meinem gaumen / vnd du legest mich in des Todes staub.

[17]Denn Hunde haben

mich vmbgeben / Vnd der bösen Rotte hat sich vmb mich gemacht / Sie haben meine Hende vnd Füsse durchgraben.

Sie külen jr mütlin an mir.

[18]Jch möcht alle meine Beine zelen / Sie aber schawen vnd sehen jre lust an mir.

Johan. 19.

[19]SJe teilen meine Kleider vnter sich / Vnd werffen das Los vmb mein Gewand.

[20]ABer du HERR sey nicht ferne / Meine Stercke eile mir zu helffen.

[21]Errette meine Seele vom Schwert / Meine Einsame von den Hunden.

[22]Hilff mir aus dem Rachen des Lewen / Vnd errette mich von den Einhörnern.

Johan. 20.

JCH WIL DEINEN NAMEN predigen meinen Brüdern / Jch wil dich in der Gemeine rhümen.

[24]Rhümet den HERRN die jr jn fürchtet / Es ehre jn aller same Jacob / vnd fur jm schewe sich aller same Jsrael.

[25]DEnn er hat nicht veracht noch verschmecht das elend des Armen / Vnd sein Andlitz fur jm nicht verborgen / Vnd da er zu jm schrey / höret ers.

[26]DJch wil ich preisen in der grossen Gemeine / Jch wil meine Gelübde bezalen fur denen / die jn fürchten.

[27]DJe Elenden sollen essen / das sie sat werden / Vnd die nach dem HERRN fragen / werden jn preisen / Ewer Hertz sol ewiglich leben.

[28]Es werde gedacht aller Welt ende / das sie sich zum HERRN bekeren / Vnd fur jm anbeten alle Geschlechte der Heiden.

[29]DEnn der HERR hat ein Reich / Vnd er herrschet vnter den Heiden.

[30]Alle Fetten auff Erden werden essen vnd anbeten / Fur jm werden knie beugen / alle die im Staube ligen / Vnd die so kömerlich leben.

(Fetten) Das sind die Reichen vnd Grossen. Die im staub ligen sind die Armen vnd geringen. Die vbel vnd kömerlich leben / oder zum Tod bereit sind. Alle sollen sie Christum anbeten.

[31]ER wird einen Samen haben der jm dienet / Vom HERRN wird man verkündigen zu Kinds kind.

[33]Sie werden komen vnd seine Gerechtigkeit predigen / Dem Volck das geborn wird / Das Ers thut.

## XXIII.

[1]Ein Psalm Dauids.

Jesai. 40. Jere. 23. Ezech. 34. Johan. 10. 1. Pet. 2.

DER HERR IST MEIN Hirte / Mir wird nichts mangeln.

[2]Er weidet mich auff einer grünen Awen / Vnd füret mich zum frisschen Wasser.

[3]Er erquicket meine Seele / er füret mich auff rechter Strasse / Vmb seines Namens willen.

[4]VNd ob ich schon wandert im finstern Tal / fürchte ich kein Vnglück

/ Denn du bist bey mir / Dein Stecken vnd Stab trösten mich.

[5]DV bereitest fur mir einen Tisch gegen meine Feinde / Du salbest mein Heubt mit öle / Vnd schenckest mir vol ein.

[6]Gutes vnd Barmhertzigkeit werden mir folgen mein leben lang / Vnd werde bleiben im Hause des HERRN jmerdar.

## XXIIII.

[1]Ein Psalm Dauids.

DJe Erde ist des HERRN / vnd was drinnen ist / Der Erdboden / vnd was drauff wonet. ||

1. Cor. 10.

|| 295 a

[2]Denn er hat jn an die Meere gegründet / Vnd an den Wassern bereitet.

[3]WER wird auff des HERRN Berg gehen? Vnd wer wird stehen an seiner heiligen Stete?

[4]Der vnschüldige Hende hat / vnd reines Hertzen ist / Der nicht lust hat zu loser Lere / Vnd schweret nicht felschlich.

[3]Der wird den Segen vom HERRN empfahen / Vnd Gerechtigkeit von dem Gott seines Heils.

[6]Das ist das Geschlecht / das nach jm fraget / Das da sucht dein Andlitz Jacob / Sela.

(Andlitz) Das ist / Gottes andlitz vnd gegenwertigkeit / die im volck Jsrael war / vnd sonst nirgend.

[7]MAchet die Thore weit / vnd die Thüre in der welt hoch / Das der König der Ehren einziehe.

[8]Wer ist der selbige König der ehren? Es ist der HERR / starck vnd mechtig / Der HERR mechtig im streit.

[9]MAchet die Thore weit / vnd die Thüre in der welt hoch / Das der König der Ehren einziehe.

[10]Wer ist der selbige König der ehren? Es ist der HERR Zebaoth / Er ist der König der Ehren / Sela.

## XXV.

[1]Ein Psalm Dauids.

NAch dir HERR verlanget mich.

[2]Mein Gott ich hoffe auff dich / Las mich nicht zu schanden werden / Das sich meine Feinde nicht frewen vber mich.

[3]DEnn keiner wird zu schanden / der dein harret / Aber zu schanden müssen sie werden / die losen Verechter.

(Losen) Die grosse vnd doch nichtige vrsache haben zu verachten. Als gewalt / kunst / weisheit / reichthum.

[4]HERR zeige mir deine Wege / Vnd lere mich deine Steige.

[5]Leite mich in deiner Warheit / vnd lere mich / Denn du bist der Gott der mir hilfft / Teglich harre ich dein.

[6]GEdenck HERR an deine Barmhertzigkeit vnd an deine Güte / Die von der welt her gewesen ist.

[7]Gedenck nicht der sünde meiner Jugent / vnd meiner Vbertrettung / Gedenck aber mein nach deiner Barmhertzigkeit / vmb deiner Güte willen.

[8]Der HERR ist Gut vnd From / Darumb vnterweiset er die Sünder auff dem wege.

[9]Er leitet die Elenden recht / Vnd leret die Elenden seinen weg.

[10]Die wege des HERRN sind eitel Güte vnd Warheit / Denen die seinen Bund vnd Zeugnis halten.

[11]VMb deines Namen willen HERR sey gnedig meiner Missethat / Die da gros ist.

[12]Wer ist der / der den HERRN fürchtet? Er wird jn vnterweisen den besten weg.

[13]Seine Seele wird im guten wonen / Vnd sein Same wird das Land besitzen.

[14]Das Geheimnis des HERRN ist vnter denen die jn füchten / Vnd seinen Bund lesst er sie wissen.

[15]MEine augen sehen stets zu dem HERRN / Denn er wird meinen fus aus dem Netze zihen.

[16]Wende dich zu mir / vnd sey mir gnedig / Denn ich bin einsam vnd elend.

[17]Die angst meines hertzen ist gros / Füre mich aus meinen Nöten.

[18]Sihe an meinen jamer vnd elend / Vnd vergib mir alle meine sünde.

[19]Sihe / das meiner Feinde so viel ist / Vnd hassen mich aus freuel.

[20]BEware meine Seele vnd errette mich / Las mich nicht zu schanden werden / Denn ich trawe auff dich.

[21]Schlecht vnd recht das behüte mich / Denn ich harre dein.

[22]Gott erlöse Jsrael / Aus aller seiner not.

## XXVI.

[1]Ein Psalm Dauids.

HERR SCHAFFE MIR Recht / Denn ich bin Vnschüldig.

Jch hoffe auff den HERRN / Darumb werde ich nicht fallen.

[2]Prüfe mich HERR / vnd versuche mich / Leutere meine nieren vnd mein hertz.

[3]Denn deine Güte ist fur meinen augen / Vnd ich wandel in deiner warheit. ‖

‖ 295 b

[4]Jch sitze nicht bey den eiteln Leuten / Vnd habe nicht gemeinschafft mit den Falschen.

[5]Jch hasse die versamlung der Boshafftigen / Vnd sitze nicht bey den Gottlosen.

[6]JCh wassche meine Hende mit vnschuld / Vnd halte mich HERR zu deinem Altar.

Psal. 122.

[7]Da man höret die stim des Danckens / Vnd da man prediget alle deine Wunder.

[8]HERR ich habe lieb die Stete deines Hauses / Vnd den ort / da deine Ehre wonet.

Gottes haus vnd versamlung ist / wo Gottes wort gehet vnd sonst nirgend / Denn da selbst wonet Gott. Darumb preiset er so frölich Gottes haus vmb des worts willen.

[9]RAff meine Seele nicht hin mit den Sündern / Noch mein Leben mit den Blutdürstigen.

[10]Welche mit bösen Tücken vmbgehen / Vnd nemen gerne Geschencke.

[11]JCh aber wandele vnschüldig / Erlöse mich / vnd sey mir gnedig.

[12]Mein fus gehet richtig / Jch wil dich loben HERR in den Versamlungen.

## XXVII.

[1]Ein Psalm Dauids.

DER HERR IST MEIN Liecht vnd mein Heil / Fur wem solt ich mich fürchten? Der HERR ist meines lebens Krafft / Fur wem solt mir grawen?

[2]Darumb so die Bösen / meine Widersacher vnd Feinde / an mich wöllen mein fleisch zu fressen / Müssen sie anlauffen vnd fallen.

[3]WEnn sich schon ein Heer wider mich legt / so fürchtet sich dennoch mein Hertz nicht / Wenn sich Krieg wider mich erhebt / so verlasse ich mich auff Jn.

[4]EJns bitte ich vom HERRN / das hette ich gerne / Das ich im Hause des HERRN / bleiben möge mein leben lang / Zu schawen die schöne Gottesdienst des HERRN / vnd seinen Tempel zubesuchen.

[5]DEnn er deckt mich in seiner Hütten zur bösen zeit / Er verbirget mich heimlich in seinem Gezelt / Vnd erhöhet mich auff eim felsen.

[6]Vnd wird nu erhöhen mein Heubt / vber meine Feinde die vmb mich sind / So wil ich in seiner Hütten Lob opffern / Jch wil singen vnd lobsagen dem HERRN.

[7]HERR höre meine stim wenn ich ruffe / Sey mir gnedig vnd erhöre mich.

[8]MEin hertz helt dir fur dein Wort / Jr solt mein Andlitz süchen / Darumb suche ich auch HERR dein Andlitz.

[9]Verbirge dein Andlitz nicht fur mir / vnd verstosse nicht im zorn deinen Knecht / Denn du bist meine Hülffe. Las mich nicht / vnd thu nicht von mir die Hand ab / Gott mein Heil.

[10]Denn mein Vater vnd meine Mutter verlassen mich / Aber der HERR nimpt mich auff.

[11]HERR weise mir deinen Weg / vnd leite mich auff richtiger Ban / Vmb meiner Feinde willen.

[12]Gib mich nicht in den willen meiner Feinde / Denn es stehen falsche Zeugen wider mich / vnd thun mir vnrecht on schew.

[13]JCh gleub aber doch / das ich sehen werde / Das Gut des HERRN im Lande der Lebendigen.

(Lebendigen) Das ist / Den es wol gehet.

[14]HArre des HERRN / sey getrost vnd vnuerzagt / Vnd harre des HERRN.

## XXVIII.

[1]Ein Psalm Dauids.

WEnn ich ruff zu dir HERR mein Hort / so schweige mir nicht / Auff das nicht / wo du schweigest / ich gleich werde denen / die in die Helle faren.

[2]Höre die stim meines flehens / wenn ich zu dir schreie / Wenn ich meine hende auffhebe / zu deinem heiligen Chor.

[3]Zeuch mich nicht hin / vnter den Gottlosen / vnd vnter den Vbelthetern / Die freundlich reden mit jrem Nehesten / Vnd haben böses im hertzen. ||

|| 296 a

[4]Gib jnen nach jrer that / vnd nach jrem bösen wesen / Gib jnen nach den wercken jrer hende / Vergilt jnen was sie verdienet haben.

[5]Denn sie wöllen nicht achten auff das Thun des HERRN / noch auff die werck seiner Hende / Darumb wird er sie zebrechen vnd nicht bawen.

[6]Gelobet sey der HERR / Denn er hat erhöret die stim meines flehens.

[7]DEr HERR ist meine Stercke vnd mein Schild / Auff jn hoffet mein hertz / vnd mir ist geholffen / Vnd mein hertz ist frölich / vnd ich wil jm dancken mit meinem Lied.

[8]Der HERR ist jre stercke / Er ist die stercke die seinem Gesalbeten hilfft.

[9]HJlff deinem Volck / vnd segene dein Erbe / Vnd weide sie / vnd erhöhe sie ewiglich.

## XXIX.

[1]Ein Psalm Dauids.

BRinget her dem HERRN jr Gewaltigen / Bringet her dem HERRN ehre vnd stercke.

[2]Bringet dem HERRN ehre seines Namens / Betet an den HERRN in heiligem Schmuck.

[3]DJe stim des HERRN gehet auff den Wassern / der Gott der ehren donnert / Der HERR auff grossen Wassern.

[4]Die stim des HERRN gehet mit macht / Die stim des HERRN gehet herrlich.

[5]DJe stim des HERRN zubricht die Cedern /

Der HERR zubricht die Cedern im Libanon.

(Lecken) Das ist / springen / hüpffen.

[6]Vnd machet sie lecken wie ein Kalb / Libanon vnd Sirion / wie ein junges Einhorn.

[7]Die stim des HERRN hewet / Wie fewr flammen.

[8]Die stim des HERRN erreget die Wüsten / Die stim des HERRN erreget die wüsten Kades.

[9]Die stim des HERRN erreget die Hinden / vnd entblöset die Welde / Vnd in seinem Tempel wird jm jederman Ehre sagen.

[10]DEr HERR sitzt eine Sintflut anzurichten / Vnd der HERR bleibt ein König in ewigkeit.

[11]DEr HERR wird seinem Volck krafft geben / Der HERR wird sein Volck segenen mit frieden.

(Frieden) Das ist / Das jm wolgehen wird.

XXX.

[1]Ein Psalm zu singen / von der Einweihung des hauses Dauids.

JCH PREISE DICH HERR / Denn du hast mich erhöhet / Vnd lessest meine Feinde sich nicht vber mich frewen.

[3]HERR mein Gott / da ich schrey zu dir / Machtestu mich gesund.

[4]HERR du hast meine Seele aus der Helle gefüret / Du hast mich lebend behalten / da die in die Helle furen.

[5]JR Heiligen lobsinget dem HERRN / Dancket vnd preiset seine Heiligkeit.

(Seine Heiligkeit) Das ist / predigt das Gott nicht sey ein Gott der falschen Heuchler / wie sie sich rhümen / Sondern er ist heilig / vnd hat die rechten Heiligen lieb / Psal. 18. Cum sancto sanctus eris etc.

[6]DEnn sein Zorn weret ein augenblick / Vnd er hat [a]lust zum Leben / Den abend lang weret das Weinen / Aber des morgens die Freude.

[a] (Lust) Es ist sein ernst nicht Er meinets gut vnd nicht das sterben / wie sichs fület.

[7]JCh aber sprach / da mirs wolgieng / Jch werde nimer mehr darnider ligen.

[8]Denn HERR durch dein wolgefallen hastu meinen Berg starck gemacht / Aber da du dein Andlitz verbargest / erschrack ich.

[9]JCh wil HERR ruffen zu dir / Dem HERRN wil ich flehen.

[10]Was ist nütze an meinem Blut / wenn ich tod bin? Wird dir auch der Staub dancken / vnd deine Trewe verkündigen?

[11]HERR höre vnd sey mir gnedig / HERR sey mein Helffer.

[12]DV hast mir meine Klage verwandelt in einen Reigen / Du hast meinen Sack ausgezogen / vnd mich mit Freuden gegürtet.

[13]Auff das dir lobsinge meine Ehre vnd nicht stille werde / HERR mein Gott / Jch wil dir dancken in ewigkeit.

(Ehre) Meine Zunge vnd Seitenspiel / da ich dich mit ehre. Psal. 16.

XXXI.

[1]Ein Psalm Dauids / vor zu singen.

|| 296b

HERR / Auff dich trawe ich / Las mich nimer mehr zu schanden werden / Errette mich durch deine Gerechtigkeit.

[3]Neige deine Ohren zu mir / eilend hilff mir / Sey mir ein starcker Fels vnd eine Burg / das du mir helffest.

[4]DEnn du bist mein Fels vnd meine Burg / Vnd vmb deines Namens willen woltestu mich leiten vnd füren.

[5]DV woltest mich aus dem Netze ziehen / das sie mir gestellet haben / Denn du bist meine Stercke.

Luce. 23.

[6]Jn deine Hende befelh ich meinen Geist / Du hast mich erlöset HERR du trewer Gott.

[7]JCh hasse die da halten auff lose Lere / Jch hoffe aber auff den HERRN.

[8]JCh frewe mich vnd bin frölich vber deiner Güte / Das du mein elend ansihest / vnd erkennest meine Seele in der not.

[9]Vnd vbergibst mich nicht in die hende des Feindes / Du stellest meine füsse auff weiten raum.

[10]HERR sey mir gnedig / denn mir ist angst / Meine Gestalt ist verfallen fur trawren / Da zu meine Seele vnd mein Bauch.

[11]Denn mein Leben hat abgenomen fur trübnis / vnd meine Zeit fur seufftzen / Meine Krafft ist verfallen fur meiner missethat / Vnd meine Gebeine sind verschmacht.

[12]Es gehet mir so vbel / das ich bin eine grosse Schmach worden meinen Nachbarn / vnd eine Schew meinen Verwandten / Die mich sehen auff der Gassen / fliehen fur mir.

[13]Mein ist vergessen im hertzen / wie eins Todten / Jch bin worden wie ein zebrochen Gefess.

[14]Denn viel schelten mich vbel / das jederman sich fur mir schewet / Sie ratschlahen mit einander vber mich / vnd dencken mir das Leben zu nemen.

[15]JCh aber HERR hoffe auff dich / Vnd sprech / Du bist mein Gott.

[16]Meine zeit stehet in deinen Henden / Errette mich von der hand meiner Feinde / vnd von denen die mich verfolgen.

[17]Las leuchten dein Andlitz vber deinen knecht / Hilff mir durch deine Güte.

[18]HERR las mich nicht zu schanden werden / denn ich ruffe dich an / Die Gottlosen müssen zu schanden vnd geschweigt werden in der Helle.

[19]Verstummen müssen falsche Meuler / die da

reden wider den Gerechten / steiff / stoltz vnd hönisch.

[20]WJe gros ist deine Güte / die du verborgen hast / denen / die dich fürchten / Vnd erzeigests denen die fur den Leuten auff dich trawen.

[21]Du verbirgest sie heimlich bey dir fur jedermans trotz / Du verdeckest sie in der Hütten / fur den zenckischen Zungen.

[22]GElobt sey der HERR / das er hat eine wünderliche Güte mir beweiset / in einer festen Stad.

Feste Stad heisst allerley sicherheit.

[23]Denn ich sprach in meinem zagen / Jch bin von deinen Augen verstossen / Dennoch höretestu meines flehens stim / da ich zu dir schrey.

[24]LJebet den HERRN alle seine Heiligen / Die Gleubigen behüt der HERR / Vnd vergilt reichlich dem / der hohmut vbet.

[25]SEid getrost vnd vnuerzagt / Alle die jr des HERRN harret.

## XXXII.

[1]Ein Vnterweisung Dauids.

Rom. 4.

WOl dem / dem die vbertrettung vergeben sind / Dem die Sünde bedecket ist.

[2]Wol dem Menschen / dem der HERR die Missethat / nicht zurechnet / Jn des Geist kein falsch ist.

[3]Denn da ichs wolt [a]verschweigen / verschmachten meine Gebeine / Durch mein teglich heulen.

[4]Denn deine Hand war tag vnd nacht schweer auff mir / Das mein Safft ‖ vertrockete / wie es im sommer dürer wird / Sela.

a (Verschweigen) Das ist / Da ich nicht wolt bekennen das eitel sünde mit mir were / hatte mein Gewissen kein ruge / bis ichs muste bekennen vnd allein auff Gottes güte trawen.

‖ 297 a

[5]Darumb bekenne ich dir meine Sünde / vnd verhele meine missethat nicht / Jch sprach / Jch wil dem HERRN meine Vbertrettung bekennen / Da vergabstu mir die missethat meiner sünde / Sela.

[6]DA fur werden dich alle Heiligen bitten / zur rechten zeit / Darumb wenn grosse Wasserflut komen / werden sie nicht an die selbigen gelangen.

[7]DV bist mein Schirm / Du woltest mich fur angst behüten / Das ich errettet gantz frölich rhümen künde / Sela.

[8]JCh wil dich vnterweisen / vnd dir den Weg zeigen / den du wandeln solt / Jch wil dich mit meinen Augen leiten.

[9]SEid nicht wie Ross vnd Meuler / die nicht verstendig sind / Welchen man Zeum vnd Gebis mus ins Maul le-

gen / wenn sie nicht zu dir wöllen.

[10]Der Gottlose hat viel plage / Wer aber auff den HERRN hoffet / den wird die Güte vmbfahen.

[11]Frewet euch des HERRN vnd seid frölich jr Gerechten / Vnd rhümet alle jr Fromen.

XXXIII.

FREWET EUCH DES HERRN / jr Gerechten / Die Fromen sollen jn schon preisen.

[2]Dancket dem HERRN mit Harffen / vnd lobsinget jm auff dem Psalter von zehen seiten.

[3]Singet jm ein newes Lied / Machts gut auff Seitenspielen mit schalle.

[4]DEnn des HERRN wort ist warhafftig / Vnd was er zusaget / das helt er gewis.

[5]Er liebet Gerechtigkeit vnd gericht / Die Erde ist vol der Güte des HERRN.

Gen. 1. 2.

[6]DEr Himel ist durchs wort des HERRN gemacht / Vnd all sein Heer durch den Geist seines Munds.

[7]Er helt das Wasser im Meer zusamen / wie in einem Schlauch / Vnd legt die Tieffen ins verborgen.

[8]ALle Welt fürchte den HERRN / Vnd fur jm schewe sich alles was auff dem Erdboden wonet.

[9]Denn so er spricht / so geschichts / So er gebeut / so stehets da.

[10]Der HERR macht zunicht der Heiden Rat / Vnd wendet die gedancken der Völcker.

[11]ABer der Rat des HERRN bleibet ewiglich / Seines hertzen gedancken fur vnd fur.

[12]WOl dem Volck / des der HERR ein Gott ist / Das Volck / das er zum Erbe erwelet hat.

[13]DEr HERR schawet vom Himel / Vnd sihet aller Menschen kinder.

[14]Von seinem festen Thron sihet er auff alle / Die auff Erden wonen.

[15]Er lencket jnen allen das Hertz / Er mercket auff alle jre werck.

(Lencket) Das ist / Was sie gedencken / das lencket vnd wendet er wie er wil.

[16]EJm Könige hilfft nicht seine grosse Macht / Ein Rise wird nicht errettet durch seine grosse Krafft.

[17]Rosse helffen auch nicht / Vnd jre grosse stercke errettet nicht.

[18]SJhe / des HERRN Auge sihet auff die so jn fürchten / Die auff seine Güte hoffen.

[19]Das er jre Seele errete vom Tode / Vnd erneere sie in der Thewrunge.

Psal. 34. 37.

[20]VNser seele harret auff den HERRN / Er ist vnser Hülffe vnd Schild.

[21]Denn vnser hertz frewet sich sein / Vnd wir trawen auff seinen heiligen Namen.

[22]DEine Güte HERR sey vber vns / Wie wir auff dich hoffen.

XXXIIII.

[1]Ein Psalm Dauids / Da er sein geberde verstellet fur Abimelech / der jn von sich treib / vnd er weggieng.

1. Samu. 21.

JCh wil den HERRN loben alle zeit / Sein Lob sol jmerdar in meinem munde sein.

[3]Meine Seele sol sich rhümen des HERRN / Das die Elenden hören / vnd sich frewen. ‖

‖ 297b

[4]PReiset mit mir den HERRN / Vnd lasst vns mit einander seinen Namen erhöhen.

[5]DA ich den HERRN sucht / antwortet er mir / Vnd errettet mich aus aller meiner furcht.

[6]WElche jn ansehen vnd [a]anlauffen / Der angesicht wird nicht zu schanden.

a (Anlauffen) Die sich zu jm dringen vnd gleich vberfallen / Wie die geilende Fraw den Richter / Luc. 18. Oder wie Wasser da her fliessen mit hauffen vnd sturmen. Denn er hats gern das man suche klopffe vnd poliere mit beten on ablassen.

[7]DA dieser Elender rieff / höret der HERR / Vnd halff jm aus allen seinen nöten.

[8]DEr Engel des HERRN lagert sich vmb die her / so jn fürchten / Vnd hilfft jnen aus.

Gen. 32. 4. Reg. 6.

[9]SChmeckt vnd sehet / wie freundlich der HERR ist / Wol dem / der auff jn trawet.

1. Pet. 2.

[10]FVrchtet den HERRN jr seine Heiligen / Denn die jn fürchten / haben keinen Mangel.

Psal. 37.

[11]Die Reichen müssen darben vnd hungern / Aber die den HERRN suchen / haben keinen mangel an jrgent einem Gut.

Psal. 33.

[12]Kompt her Kinder höret mir zu / Jch wil euch die furcht des HERRN leren.

[13]Wer ist der gut Leben begert? Vnd gerne gute Tage hette?

1. Pet. 3.

[14]Behüte deine Zunge fur bösem / Vnd deine Lippen / das sie nicht falsch reden.

Das ist / Fleuch falsche Lere / vnd thu guts / vnd leide dich.

[15]Las vom bösen vnd thu guts / Suche friede / vnd jage jm nach.

[16]Die Augen des HERRN sehen auff die Gerechten / Vnd seine Ohren auff jr schreien.

[17]Das Andlitz aber des HERRN stehet vber die so Böses thun / Das er jr Gedechtnis ausrotte von der Erden.

Das man nichts mehr von jnen helt.

[18]WEnn die (Gerechten) schreien / so höret der HERR / Vnd errettet sie aus all jrer Not.

[19]Der HERR ist nahe bey denen / die zubrochens hertzen sind / Vnd hilfft denen die zurschlagen Gemüt haben.

[20]DEr Gerecht mus viel leiden / Aber der HERR hilfft jm aus dem allen.

[21]Er bewaret jm alle seine Gebeine / Das der nicht eins zubrochen wird.

Matth. 10.

[22]Den Gottlosen wird das vnglück tödten /

Vnd die den Gerechten hassen werden [b]schuld haben.

b *Id est, Perdentur sicut rei.*

[23]DEr HERR erlöset die Seele seiner Knechte / Vnd all die auff jn trawen / werden keine schuld haben.

XXXV.

[1]Ein Psalm Dauids.

HERR HADDERE MIT meinen Haddern / Streitte wider meine Bestreitter.

[2]Ergreiffe den Schild vnd Woffen / Vnd mache dich auff mir zu helffen.

[3]Zücke den Spies / vnd schütze mich wider meine Verfolger / Sprich zu meiner Seelen / Jch bin deine Hülffe.

[4]Es müssen sich schemen vnd gehönet werden / die nach meiner Seelen stehen / Es müssen zu rück keren vnd zu schanden werden / die mir vbel wöllen.

[5]Sie müssen werden wie Sprew fur dem winde / Vnd der Engel des HERRN stosse sie weg.

[6]Jr weg müsse finster vnd schlipfferig werden / Vnd der Engel des HERRN verfolge sie.

[7]Denn sie haben mir on vrsach gestellet jr Netze zu verderben / Vnd haben on vrsach meiner Seelen gruben zugericht.

[8]Er müsse vnuersehens vberfallen werden / Vnd sein Netz das er gestellet hat / müsse jn fahen / Vnd müsse drinnen vberfallen werden.

[9]ABer meine Seele müsse sich frewen des HERRN / Vnd frölich sein auff seine Hülffe.

[10]Alle meine Gebeine müssen sagen / HERR / Wer ist dein gleichen? Der du den Elenden errettest von dem der jm zu starck ist / Vnd den Elenden vnd Armen von seinen Reubern.

[11]ES tretten freuel Zeugen auff / Die zeihen mich des ich nicht schüldig bin.

[12]Sie thun mir arges vmb guts / Mich in [c]hertzleid zu bringen. ‖

‖ 298 a

c (Hertzleid) *Sterelitatem animae meae. Id est,* Als müste mein Seele verlassen vnd veracht sein / wie ein Widwe oder Vnfruchtbare.

[13]JCh aber / wenn sie kranck waren / zog einen Sack an / Thet mir wehe mit fasten / vnd betet von hertzen stets.

[14]Jch hielt mich / als were es mein Freund vnd Bruder / Jch gieng traurig / wie einer der leide tregt vber seiner Mutter.

[15]SJe aber frewen sich vber meinem schaden / vnd rotten sich / Es rotten sich die Hinckende wider mich / on meine schuld / Sie reissen vnd hören nicht auff.

3. Reg. 18. (Hinckende) Das ist / Die den Bawm auff beiden Achseln tragen dienen Gott vnd dienen doch auch dem Teufel.

[16]Mit denen die da heuchlen vnd spotten vmb des Bauchs willen / Beissen sie jre Zeene zu samen vber mich.

[17]HERR wie lange wiltu zusehen? Errette doch

meine Seele aus jrem Getümel / Vnd meine Einsame von den jungen Lewen.

[18]JCh wil dir dancken in der grossen Gemeine / Vnd vnter viel Volcks wil ich dich rhümen.

[19]LAs sich nicht vber mich frewen / die mir vnbillich feind sind / Noch mit den augen spotten / die mich on vrsach hassen.

[20]Denn sie trachten schaden zuthun / Vnd suchen falsche Sachen wider die Stillen im Lande.

(Stillen) Die gerne Friede hetten.

[21]Vnd sperren jr maul weit auff wider mich / vnd sprechen / Da / da / Das sehen wir gerne.

[22]HERR du sihests / schweige nicht / HERR sey nicht ferne von mir.

[23]Erwecke dich vnd wache auff zu meinem Recht / Vnd zu meiner Sache mein Gott vnd HERR.

[24]HERR mein Gott / richte mich nach deiner Gerechtigkeit / Das sie sich vber mich nicht frewen.

[25]Las sie nicht sagen in jrem hertzen / Da / da / Das wolten wir / Las sie nicht sagen / Wir haben jn verschlungen.

[26]Sie müssen sich schemen / vnd zuschanden werden / alle die sich meines Vbels frewen / Sie müssen mit schand vnd scham gekleidet werden / die sich wider mich rhümen.

[27]RHümen vnd frewen müssen sich / die mir gönnen / das ich recht behalte / Vnd jmer sagen / Der HERR müsse hoch gelobt sein / der seinem Knecht wol wil.

[28]Vnd meine Zunge sol reden von deiner Gerechtigkeit / Vnd dich teglich preisen.

## XXXVI.

[1]Ein Psalm Dauids des HERRN Knechts / vor zu singen.

ES IST VON GRUND MEInes Hertzen von der Gottlosen wesen gesprochen / Das kein Gottes furcht bey jnen ist.

(Von grund) Wenn ich gründlich die warheit sagen sol. Denn die Gottlosen scheinen als seien sie from vnd heilig / Vnd ist doch im grund falsch.

[3]Sie schmücken sich vnternander selbs das sie jre böse Sache fordern / Vnd andere verunglimpffen.

[4]Alle jre Lere ist schedlich vnd erlogen / Sie lassen sich auch nicht weisen / das sie guts theten.

[5]Sondern sie trachten auff jrem Lager nach schaden / Vnd stehen fest auff dem bösen weg / Vnd schewen kein arges.

(Lager) Das ist / On auffhören / rugen nicht etc.

[6]HERR deine Güte reicht so weit der Himel ist / Vnd deine Warheit so weit die wolcken gehen.

[7]Deine Gerechtigkeit stehet wie die berge Got-

Das ist / Fest vnd vnuerstörlich.

1. Tim. 4.

tes / Vnd dein Recht wie grosse tieffe / HERR du hilffest beide Menschen vnd Vihe.

[8]WJe thewr ist deine güte / Gott / Das menschen Kinder vnter dem schatten deiner Flügel trawen.

[9]Sie werden truncken von den reichen Gütern deines Hauses / Vnd du trenckest sie mit wollust / als mit einem strom.

[10]Denn bey dir ist die lebendige Quelle / Vnd in deinem Liecht sehen wir das Liecht.

(Liecht) Das ist / trost / freude.

[11]BReite deine Güte vber die / die dich kennen / Vnd deine Gerechtigkeit vber die Fromen.

[12]LAs mich nicht von den Stoltzen vntertretten werden / Vnd die hand der Gottlosen stürtze mich nicht.

[13]Sondern las sie / die Vbeltheter / daselbst fallen / Das sie verstossen werden / vnd nicht bleiben mügen.

## XXXVII.

‖ 298 b

[1]Ein Psalm Dauids.

Dieser spruch (Selig sind die Sanfftmütigen / Denn sie werden das Erdreich besitzen) Jst ein glose vnd auslegung dieses Psalms.

ERzürne dich nicht vber die Bösen / Sey nicht neidisch vber die Vbel thetter.

[2]Denn wie das Gras / werden sie bald abgehawen / Vnd wie das grüne Kraut werden sie verwelcken.

[3]HOffe auff den HERRN vnd thu guts / Bleibe im Lande / vnd neere dich redlich.

(Redlich) Mit Gott vnd mit ehren / Das du Gott fürchtest / vnd niemand vnrecht thust.

[4]Habe deine lust am HERRN / Der wird dir geben was dein hertz wündschet.

[5]Befelh dem HERRN deine wege / vnd hoffe auff jn / Er wirds wol machen.

[6]Vnd wird deine Gerechtigkeit erfur bringen / wie das liecht / Vnd dein Recht wie den mittag.

[7]Sey stille dem HERRN / vnd warte auff jn / Erzürne dich nicht vber den / Dem sein mutwille glücklich fort gehet.

(Stille) Harre vnd tobe nicht.

[8]Stehe ab vom zorn / vnd las den grim / Erzürne dich nicht / das du auch vbel thust.

[9]Denn die Bösen werden ausgerottet / Die aber des HERRN harren / werden das Land erben.

[10]Es ist noch vmb ein kleines / so ist der Gottlose nimer / Vnd wenn du nach seiner Stete sehen wirst / wird er weg sein.

[11]ABer die Elenden werden das Land erben / Vnd lust haben in grossem Friede.

[12]Der Gottlose drewet dem Gerechten / Vnd beisset seine Zeene zusamen vber jn.

[13]Aber der HERR lachet sein / Denn er

sihet / das sein tag kompt.

[14]DJe Gottlosen ziehen das Schwert aus / vnd spannen jren Bogen / Das sie fellen den Elenden vnd Armen / vnd schlachten die Fromen.

[15]Aber jr Schwert wird in jr hertz gehen / Vnd jr Bogen wird zubrechen.

[16]DAs wenige das ein Gerechter hat / ist besser / Denn das gros Got vieler Gottlosen.

[17]Denn der Gottlosen arm wird zubrechen / Aber der HERR enthelt die Gerechten.

[18]DEr HERR kennet die tage der Fromen / Vnd jr Gut wird ewiglich bleiben.

[19]Sie werden nicht zu schanden in der bösen zeit / Vnd in der Thewrung werden sie gnug haben.

[20]Denn die Gottlosen werden vmbkomen / Vnd die Feinde des HERRN. Wenn sie gleich sind wie eine köstliche Awe / werden sie doch vergehen / wie der Rauch vergehet.

[21]Der Gottlose borget vnd bezalet nicht. Der Gerecht aber ist barmhertzig vnd milde.

[22]Denn seine Gesegeneten erben das Land / Aber seine Verfluchten werden ausgerottet.

[23]VON dem HERRN wird solches Mans gang gefordert / Vnd hat lust an seinem wege.

[24]Fellet er / so wird er nicht weggeworffen / Denn der HERR erhelt jn bey der hand.

[25]JCh bin jung gewesen vnd alt worden / Vnd habe noch nie gesehen den Gerechten verlassen / Oder seinen Samen nach Brot gehen.

[26]Er ist alle zeit barmhertzig vnd leihet gerne / Vnd sein Same wird gesegnet sein.

[27]LAs vom bösen vnd thu gutes / Vnd bleibe jmerdar.

[28]Denn der HERR hat das Recht lieb vnd verlesst seine Heiligen nicht / Ewiglich werden sie bewaret / Aber der Gottlosen samen wird ausgerottet.

[29]Die Gerechten erben das Land / Vnd bleiben ewiglich drinnen.

[30]DEr mund des Gerechten redet die Weisheit / Vnd seine zunge leret das Recht.

[31]Das Gesetz seines Gottes ist in seinem hertzen / Seine trit gleitten nicht.

[32]Der Gottlose lauret auff den Gerechten / Vnd gedenckt jn zu tödten.

[33]Aber der HERR lesst jn nicht in seinen henden / Vnd verdampt jn nicht / wenn er verurteilt wird.‖ ‖ 299 a

[34]HArre auff den HERRN vnd halt seinen weg / so wird er

dich erhöhen / das du das Land erbest / Du wirsts sehen / das die Gottlosen ausgerottet werden.

[35] Jch hab gesehen einen Gottlosen / der war trötzig / Vnd breitet sich aus vnd grünet / wie ein Lorberbawm.

[36] Da man fur vbergieng / sihe / da war er da hin / Jch fragte nach jm / Da ward er nirgend funden.

[37] Bleibe From / vnd halt dich recht / Denn solchem wirds zu letzt wolgehen.

[38] DJe Vbertretter aber werden vertilget mit einander / Vnd die Gottlosen werden zu letzt ausgerottet.

[39] Aber der HERR hilfft den Gerechten / Der ist jre Stercke in der Not.

[40] Vnd der HERR wird jnen beystehen / vnd wird sie erretten / Er wird sie von den Gottlosen erretten / vnd jnen helffen / Denn sie trawen auff jn.

## XXXVIII.

[1] Ein Psalm Dauids / zum Gedechtnis.

(Gedechtnis) Gott loben / vnd sich schüldigen / das ist recht an Gott vnd sich selbs gedencken.

HERR STRAFFE MICH nicht in deinem zorn / Vnd züchtige mich nicht in deinem grim.

[3] Denn deine Pfeile stecken in mir / Vnd deine Hand drücket mich.

[4] Es ist nichts gesundes an meinem Leibe fur deinem drewen / Vnd ist kein Friede in meinen Gebeinen fur meiner Sünde.

[5] Denn meine Sünde gehen vber mein heubt / Wie eine schwere Last sind sie mir zu schweer worden.

[6] Meine Wunden stincken vnd eitern / Fur meiner Torheit.

[7] Jch gehe krum vnd seer gebücket / Den gantzen tag gehe ich trawrig.

[8] Denn meine Lenden verdorren gantz / Vnd ist nichts gesundes an meinem Leibe.

[9] Es ist mit mir gar anders / vnd bin seer zustossen / Jch heule fur vnruge meines Hertzen.

[10] HERR fur dir ist alle mein begird / Vnd mein seuffzen ist dir nicht verborgen.

[11] Mein hertz bebet / meine Krafft hat mich verlassen / Vnd das liecht meiner Augen ist nicht bey mir.

(Liecht meiner augen) Das ist / Mein angesicht ist nicht liecht vnd frölich / Sondern sihet sawr / betrübt vnd finster.

[12] Meine Lieben vnd Freunde stehen gegen mir / vnd schawen meine Plage / Vnd meine Nehesten tretten ferne.

[13] Vnd die mir nach der Seelen stehen / stellen mir / Vnd die mir vbel wöllen / reden wie sie schaden thun wöllen / Vnd gehen mit eitel listen vmb.

[14]Jch aber mus sein wie ein Tauber / vnd nicht hören / Vnd wie ein Stum der seinen mund nicht aufthut.

[15]Vnd mus sein wie einer der nicht höret / Vnd der keine widerrede in seinem munde hat.

[15]Aber ich harre HERR auff dich / Du HERR mein Gott wirst erhören.

|| 299b

[17]Denn ich dencke / das sie ja sich nicht vber mich frewen / Wenn mein Fus wancket / würden sie sich hoch rhümen wider mich.

[18]Denn ich bin zu leiden gemacht / Vnd mein schmertzen ist jmer fur mir.

[14]Denn ich zeige meine missethat an / Vnd sorge fur mein sünde.

[20]Aber meine Feinde leben vnd sind mechtig / Die mich vnbillich hassen sind gros.

[21]Vnd die mir arges thun vmb gutes / setzen sich wider mich / Darumb das ich ob dem Guten halte.

[22]VErlas mich nicht HERR mein Gott / Sey nicht ferne von mir.

[23]Eile mir beyzustehen / HERR meine Hülffe.

## XXXIX.

[1]Ein Psalm Dauids / vor zu singen / fur Jeduthun.

JCH HABE MIR FURGEsetzt ich wil mich hüten / Das ich nicht sündige mit meiner Zungen.

Jch wil meinen Mund [a]zeumen / Weil ich mus den Gottlosen so fur mir sehen.

[3]Jch bin verstummet vnd still / vnd schweige [b]der freuden / Vnd mus mein Leid in mich fressen. ||

[4]Mein hertz ist entbrant in meinem Leibe / Vnd wenn ich dran gedencke / werde ich entzündet / Jch rede mit meiner zungen.

[5]ABer HERR lere doch mich / das ein Ende mit mir haben mus / Vnd mein Leben ein ziel hat / vnd ich dauon mus.

[6]Sihe / meine Tage sind einer hand breit bey dir / Vnd mein Leben ist wie nichts fur dir / Wie gar nichts sind alle Menschen / die doch so sicher leben / Sela.

[7]Sie gehen da her wie ein Schemen / vnd machen jnen viel vergeblicher vnruge / Sie samlen / vnd wissen nicht wer es kriegen wird.

[8]NV HERR / wes sol ich mich trösten? Jch hoffe auff dich.

[9]Errette mich von aller meiner sünde / Vnd las mich nicht den Narren ein spot werden.

[10]Jch wil schweigen vnd meinen mund nicht auff-

a (Zeumen) Das ich nicht murre / weil es mir so vbel / vnd den Bösen so wol gehet.

b (Der freuden) Es ist mir nicht lecherlich.

(Lere) Das ich nicht so sicher lebe / wie die Gottlosen / die kein ander Leben hoffen. Psal. 90.

(Schweigen) Jch wil sie lassen faren vnd nicht murren wider dich.

thun / Du wirsts wol machen.

[11]Wende deine Plage von mir / Denn ich bin verschmacht von der straffe deiner Hand.

[12]Wenn du einen züchtigest vmb der sünde willen / So wird seine schöne verzeret wie von Motten / Ah wie gar nichts sind doch alle Menschen / Sela.

Psalm. 62.

[13]HOre mein gebet HERR / vnd vernim mein schreien / vnd schweige nicht vber meinen threnen / Denn ich bin beide dein Pilgerim / vnd dein Bürger / wie alle meine Veter.

Ebre. 11.

[14]Las ab von mir / das ich mich erquicke / Ehe denn ich hinfare / vnd nicht mehr hie sey.

## XL.

[1]Ein Psalm Dauids / vor zu singen.

JCH HARRET DES HERRN / Vnd er neiget sich zu mir / vnd höret mein schreien.

[3]Vnd zoch mich aus der grawsamen Gruben / vnd aus dem Schlam / Vnd stellet meine füsse auff einen Fels / das ich gewis tretten kan.

[4]Vnd hat mir ein Newlied in meinen Mund gegeben / zu loben vnsern Gott / Das werden viel sehen / vnd den HERRN fürchten / vnd auff jn hoffen.

[5]WOl dem / der seine hoffnung setzt auff den HERRN / Vnd sich nicht wendet zu den Hoffertigen / vnd die mit Lügen vmbgehen.

[6]HERR mein Gott / gros sind deine Wunder vnd deine Gedancken / Die du an vns beweisest / Dir ist nichts gleich / Jch wil sie verkündigen vnd dauon sagen / wiewol sie nicht zu zelen sind.

[7]OPFFER VND SPEISopffer gefallen dir nicht / Aber die Ohren hastu mir auffgethan / Du wilt weder Brandopffer noch Sündopffer.

Ebre. 10.

[8]Da sprach ich / Sihe / Jch kome / Jm Buch ist von mir geschrieben.

[9]Deinen willen / mein Gott / thu ich gerne / Vnd dein Gesetz hab ich in meinem hertzen.

[10]JCh wil predigen die Gerechtigkeit in der grossen Gemeine / Sihe / Jch wil mir meinen Mund nicht stopffen lassen / HERR / das weissestu.

[11]DEine Gerechtigkeit verberge ich nicht in meinem hertzen / Von deiner Warheit vnd von deinem Heil rede ich / Jch verhele deine Güte vnd Trewe nicht / fur der grossen Gemeine.

[12]DV aber HERR / woltest deine Barmhertzigkeit von mir nicht wenden / Las deine Güte

vnd Trewe allwege mich behüten.

[13]Denn es hat mich vmbgeben leiden on zal / Es haben mich meine Sünde ergriffen / das ich nicht sehen kan / Jr ist mehr denn har auff meinem Heubt / Vnd mein hertz hat mich verlassen.

(Sehen) Das mir das gesicht vergehet / fur grossem wehe.

[14]Las dirs gefallen HERR / das du mich errettest / Eile HERR mir zu helffen.

[15]SChemen müssen sich vnd zu schanden werden / die mir nach meiner Seelen stehen / das sie die vmbbringen / Zu rück müssen sie fallen / vnd zu schanden werden / die mir vbels gönnen. ||

|| 300a

[16]Sie müssen in jrer schande erschrecken / Die vber mich schreien / Da / da.

[17]ES müssen sich frewen vnd frölich sein / alle die nach dir fragen / Vnd die dein Heil lieben / müssen sagen allwege / Der HERR sey hoch gelobt.

[18]Denn ich bin Arm vnd Elend / Der HERR aber sorget fur mich / du bist mein Helffer vnd Erretter / Mein Gott verzeuch nicht.

## XLI.

[1]Ein Psalm Dauids / vor zu singen.

WOL DEM / DER SICH des Dürfftigen annimpt / Den wird der HERR erretten zur bösen zeit.

[3]Der HERR wird jn bewaren / vnd beim Leben erhalten / Vnd jm lassen wolgehen auff Erden / Vnd nicht geben in seiner Feinde willen.

[4]Der HERR wird jn erquicken auff seinem Siechbette / Du hilffest jm von aller seiner Kranckheit.

[5]JCh sprach / HERR sey mir gnedig / heile meine Seele / Denn ich habe an dir gesündiget.

[6]Meine Feinde reden arges wider mich / Wenn wird er sterben / vnd sein Name vergehen?

[7]Sie komen das sie schawen / vnd meines doch nicht von hertzen / Sondern suchen etwas / das sie lestern mügen / Gehen hin vnd tragens aus.

[8]Alle die mich hassen / rawnen mit einander wider mich / Vnd dencken böses vber mich.

[9]Sie haben ein Bubenstück vber mich beschlossen / Wenn er ligt / Sol er nicht wider auffstehen.

[10]Auch mein Freund / dem ich mich vertrawet / Der mein Brot ass / trit mich vnter die füsse.

[11]DV aber HERR sey mir gnedig / vnd hilff mir auff / So wil ich sie bezalen.

[12]Da bey mercke ich /

das du gefallen an mir hast / Das mein Feind vber mich nicht jauchzen wird.

[13]Mich aber erheltestu vmb meiner frömkeit willen / Vnd stellest mich fur dein Angesicht ewiglich.

[14]GElobt sey der HERR der Gott Jsrael / Von nu an bis in ewigkeit / Amen / Amen.

XLII.

[1]Ein vnterweisung der kinder Korah / vor zu singen.

WJe der Hirsch schreiet nach frischem Wasser / So schreiet meine seele Gott zu dir.

[3]Meine Seele dürstet nach Gott / nach dem lebendigen Gott / Wenn werde ich da hin komen / das ich Gottes angesicht schawe?

(Gottes angesicht) Da Gott wonet / Als im Tempel vnd wo sein Wort ist.

[4]Meine Threne sind meine Speise tag vnd nacht / weil man teglich zu mir sagt / Wo ist nu dein Gott?

[5]Wenn ich denn des innen werde / so schütte ich mein hertz heraus bey mir selbs / Denn ich wolt gerne hin gehen mit dem Hauffen / vnd mit jnen wallen zum Hause Gottes / mit frolocken vnd dancken / vnter dem Hauffen die da feiren.

[6]WAS betrübestu dich meine Seele / vnd bist so vnrügig in mir? harre auff Gott / Denn ich werde jm noch dancken / das er mir hilfft mit seinem Angesicht.

(Angesicht) Jst sein erkentnis vnd gegenwertigkeit durchs wort vnd glauben.

[7]Mein Gott / betrübt ist meine Seele in mir / Darumb gedencke ich an dich im [a]Lande am Jordan vnd Hermonim / auff dem kleinen Berg.

a Das ist / im Jüdischenlande welches er so nennet / weil der Jordan drinnen fleusset / als das Landwasser. Vnd Hermonim die grossen Berge drumb sind / Gegen welche der berg Zion klein ist.

[8]Deine [b]Flut rauschen da her / das hie eine tieffe vnd da eine tieffe brausen / Alle deine Wasserwogen vnd Wellen gehen vber mich.

b (Flut) Gleich wie im Rotten meer den Egyptern geschach.

[9]DEr HERR hat des tages verheissen seine Güte / Vnd des nachts singe ich jm / vnd bette zu Gott meins lebens.

[10]JCh sage zu Gott meinem Fels / Warumb hastu mein vergessen? Warumb mus ich so trawrig gehen / wenn mein Feind mich drenget?

[11]Es ist als ein mord in meinen beinen / das mich meine Feinde schmehen / Wenn sie teglich zu mir sagen / Wo ist nu dein Gott? ‖

‖ 300b

[12]WAs betrübstu dich meine Seele / vnd bist so vnrügig in mir? harre auff Gott / Denn ich werde jm noch dancken / das er meines angesichts hülffe vnd mein Gott ist.

(Meines angesichts) Das ist / Er wird mein Angesicht nicht lassen zu schanden werden / Vt sup. Psal. 34. Sondern mich frölich lassen erhöret sein.

XLIII.

RJchte mich Gott / vnd füre mir meine sache wider das vnheilige Volck / Vnd errette mich von den falschen vnd bösen Leuten.

[2]DEnn du bist der Gott meiner stercke / warumb verstössestu mich? Warumb lessestu mich so trawrig gehen / wenn mich mein Feind drenget?

[3]SEnde dein Liecht vnd deine Warheit / das sie mich leiten / Vnd brengen zu deinem heiligen Berg / vnd zu deiner Wonunge.

[4]Das ich hin ein gehe zum Altar Gottes / Zu dem Gott / der meine freude vnd wonne ist / Vnd dir Gott auff der Harffen dancke / mein Gott.

[5]WAS betrübestu dich mein Seele / vnd bist so vnrügig in mir? harre auff Gott / Denn ich werde jm noch dancken / das er meines angesichts hülffe vnd mein Gott ist.

## XLIIII.

[1]Ein vnterweisung der kinder Korah / vor zu singen.

GOtt wir haben mit vnsern ohren gehöret / vnser Veter habens vns erzelet / Was du gethan hast / zu jren zeiten vor alters.

[3]Du hast mit deiner Hand die Heiden vertrieben / Aber sie hastu eingesetzt. Du hast die Völcker verderbet / Aber sie hastu ausgebreitet.

[4]Denn sie haben das Land nicht eingenomen durch jr Schwert / vnd jr Arm halff jnen nicht / Sondern deine Rechte / dein Arm / vnd das liecht deines Angesichts / Denn du hattest wolgefallen an jnen.

[5]GOtt / du bist derselbe mein König / Der du Jacob hülffe verheissest.

[6]Durch Dich wöllen wir vnser Feinde zestossen / Jn deinem Namen wöllen wir vntertretten die sich wider vns setzen.

[7]Denn ich verlasse mich nicht auff meinen Bogen / Vnd mein Schwert kan mir nicht helffen.

[8]Sondern du hilffest vns von vnsern Feinden / Vnd machest zu schanden die vns hassen.

[9]WJr wöllen teglich rhümen von Gott / vnd deinem Namen dancken ewiglich / Sela.

WArumb verstössestu vns denn nu / vnd lessest vns zu schanden werden? Vnd zeuchst nicht aus vnter vnserm Heer?

[11]Du lessest vns fliehen fur vnserm Feind / Das vns berauben die vns hassen.

[12]Du lessest vns auff fressen wie Schafe / Vnd zurstrewest vns vnter die Heiden.

[13]Du verkeuffest dein Volck vmbsonst / Vnd nimpst nichts drumb.

[14]Du machest vns zur Schmach vnsern Nachbarn / Zum Spot vnd Hohn / denen die vmb vns her sind.

[15]Du machst vns zum Beyspiel vnter den Heiden / Vnd das die Völcker das heubt vber vns schütteln.

[16]Teglich ist meine Schmach fur mir / Vnd mein andlitz ist voller Schande.

[17]Das ich die Schender vnd Lesterer hören / Vnd die Feinde vnd Rachgirigen sehen mus.

[18]Dis alles ist vber vns komen / vnd haben doch dein nicht vergessen / Noch vntrewlich in deinem Bund gehandelt.

[19]Vnser hertz ist nicht abgefallen / Noch vnser gang gewichen von deinem weg.

[20]Das du vns so zurschlegest vnter den Drachen / Vnd bedeckest vns mit finsternis.

(Drachen) Das ist / Den gifftigen Tyrannen. Vnd finsternis heisset vnglück.

[21]WEnn wir des Namens vnsers Gottes vergessen hetten / Vnd vnser hende auffgehaben zum frembden Gott.

[22]Das möchte Gott wol finden / Nu kennet er ja vnsers Hertzen grund. ‖

‖ 301 a

Rom. 8.

[23]DENN WIR WERDEN JA vmb deinen willen teglich erwürget / Vnd sind geachtet wie Schlachtschafe.

(Deinen willen) Nicht vmb vnser willen / sondern dein wort verfolgen sie in vns.

[24]ERwecke dich HERR / warumb schleffestu? Wache auff / vnd verstosse vns nicht so gar.

[25]Warumb verbirgestu dein Andlitz / Vergissest vnsers elends vnd drangs?

[26]Denn vnser Seele ist gebeuget zur Erden / Vnser Bauch klebt am Erdboden.

[27]MAche dich auff / hilff vns / Vnd erlöse vns / vmb deiner Güte willen.

## XLV.

[1]Ein Brautlied vnd Vnterweisung der kinder Korah / Von den Rosen / vor zu singen.

MEIN HERTZ TICHTET mein feines Lied / Jch wil singen von eim Könige / Meine zunge ist ein griffel eins guten Schreibers.

[3]DV bist der schönest vnter den Menschen kindern / holdselig sind deine Lippen / Darumb segenet dich Gott ewiglich.

[4]GVrte dein Schwert an deine seiten du Helt / Vnd schmücke dich schön.

[5]ES müsse dir gelingen in deinem Schmuck / Zeuch einher der Warheit zu gut / vnd die Elenden bey recht zu behalten / So wird deine rechte Hand Wunder beweisen.

[6]SCharff sind deine Pfeile / das die Völcker fur dir niderfallen / Mitten vnter den Feinden des Königes.

Ebre. 1.

[7]GOtt dein stuel bleibt jmer vnd ewig / Das scepter deines Reichs ist ein gerade scepter.

[8]Du liebest Gerechtigkeit / vnd hassest Gottlos wesen / Darumb hat dich Gott / dein Gott / gesalbet mit Freudenöle / mehr denn deine Gesellen.

[9]DEine Kleider sind eitel Myrrhen / Aloes vnd Kezia / Wenn du aus den Elffenbeinen pallasten da her trittest / in deiner schönen Pracht.

Was Kezia sey / weis ich nicht. Etliche nennens Kasia / Es mus ein wurtzel sein die wol reucht vnd kleider wol helt.

[10]JN deinem schmuck gehen der Könige töchter / Die Braut stehet zu deiner Rechten / in eitel köstlichem Golde.

[11]HOre Tochter / schaw drauff / vnd neige deine ohren / Vergiss deines Volcks / vnd deines Vaters haus.

[12]So wird der König lust an deiner schöne haben / Denn er ist dein HERR / vnd solt jn anbeten.

[13]DJe tochter Zor wird mit Geschenck da sein / Die reichen im Volck werden fur dir flehen.

(ZOR) Heisst die stad Tyrus. Er nennet aber die stad Tyrus die zu der zeit die reichste vnd berhümbste stad war. Als solt er sagen / Auch die Reichsten in der Welt werden Christum ehren.

[14]DEs Königes tochter ist gantz herrlich [a]inwendig / Sie ist mit gülden Stücken gekleidet.

a (Jnwendig) Gleich wie im Frawenzimer alles eitel gold vnd seiden ist.

[15]Man füret sie in gestickten Kleidern zum König / Vnd jre gespielen / die Jungfrawen / die jr nachgehen / furt man [b]zu dir.

b (Zu dir) Als zum Tantze oder freuden.

[16]Man füret sie mit freuden vnd wonne / Vnd gehen in des Königes Pallast.

[17]AN stat deiner Veter wirstu Kinder kriegen / Die wirstu zu Fürsten setzen in aller Welt.

[18]JCh wil deines Namens gedencken von Kind zu kinds kind / Darumb werden dir dancken die Völcker jmer vnd ewiglich.

## XLVI.

[1]Ein Lied der kinder Korah / von der Jugent / vor zu singen.

Psal. 48.

GOTT IST VNSER ZUuersicht vnd Stercke / Eine Hülffe in den grossen Nöten / die vns troffen haben.

[3]Darumb fürchten wir vns nicht / wenn gleich die Welt vntergienge / Vnd die Berge mitten ins Meer süncken.

[4]Wenn gleich das Meer wütet vnd wallet / Vnd von seinem vngestüm die Berge einfielen / Sela.

[5]DEnnoch sol die stad Gottes fein lüstig bleiben / mit jren Brünlin / Da die heiligen Wonungen des Höhesten sind.

[6]Gott ist bey jr drinnen / darumb wird sie wol bleiben / Gott hilfft jr früe.

[7]DJe Heiden müssen verzagen / vnd die Königreiche fallen / Das Erdreich mus vergehen / wenn er sich hören lesst.

(Hören) Das ist / Wenn er donnert.

[8]Der HERR Zebaoth ist mit vns / || Der Gott Jacob ist vnser Schutz / Sela.

|| 301b

[9]KOmpt her / vnd schawet die werck des HERRN / Der auff Erden solch zerstören anrichtet.

[10]Der den Kriegen steuret in aller welt / Der Bogen zubricht / Spies zuschlegt / vnd Wagen mit fewr verbrend.

[11]SEid stille / vnd erkennet / das ich Gott bin / Jch wil Ehre einlegen vnter den Heiden / Jch wil ehre einlegen auff Erden.

[12]DEr HERR Zebaoth ist mit vns / Der Gott Jacob ist vnser Schutz / Sela.

XLVII.

[1]Ein Psalm / vor zu singen / der Kinder Korah.

FROLOCKET MIT HENden alle Völcker / Vnd jauchzet Gott mit frölichem schall.

[3]DEnn der HERR der Allerhöhest ist erschrecklich / Ein grosser König auff dem gantzen Erdboden.

[4]Er wird die Völcker vnter vns zwingen / Vnd die Leute vnter vnsere füsse.

[5]Er erwelet vns zum Erbteil / Die herrligkeit Jacob / den er liebet / Sela.

[6]GOtt feret auff mit jauchzen / Vnd der HERR mit heller Posaunnen.

[7]Lobsinget / lobsinget Gott / Lobsinget / lobsinget vnserm Könige.

[8]DEnn Gott ist König auff dem gantzen Erdboden / Lobsinget jm [a]klüglich.

a (Klüglich) Das man im predigen das wort mit vleis handele vnd drauff bleibe / nicht einhin schreie vnd plaudere / wie die wilden / wüsten Schreier vnd Speier / vnd frechen Prediger / die da reden was sie dünckt.

[9]Gott ist König vber die Heiden / Gott sitzt auff seinem heiligen Stuel.

[10]DJe Fürsten vnter den Völckern sind versamlet zu eim Volck dem Gott Abraham / Denn Gott ist seer erhöhet [b]bey den Schilden auff Erden.

b (Bey den Schilden) Es müssen Fürsten auch Christen sein / so hie genant werden Schilde auff erden.

XLVIII.

[1]Ein Psalmlied der kinder Korah.

GROS IST DER HERR vnd hoch berümbt / Jn der Stad vnsers Gottes / auff seinem heiligen Berge.

[3]DEr berg Zion ist wie ein schön Zweiglin / des sich das gantze Land tröstet / An der seiten gegen Mitternacht ligt die Stad des grossen Königs.

[4]Gott ist in jren Pallasten bekand / Das er der Schutz sey.

(Könige) Das ist / Könige haben fur dieser Stad müssen erschrecken / vnd offt mit schanden dauon ziehen.

5DEnn sihe / Könige sind versamlet / Vnd miteinander fur vber gezogen.

6Sie haben sich verwundert / da sie solchs sahen / Sie haben sich entsetzt / vnd sind gestürtzt.

7Zittern ist sie da selbs ankomen / Angst wie eine Gebererin.

8DV zubrichst Schiff im Meer / Durch den Ostwind.

9WJe wir gehört haben / so sehen wirs an der Stad des HERRN Zebaoth / An der stad vnsers Gottes / Gott erhelt die selbige ewiglich / Sela.

10GOtt wir warten deiner Güte / Jn deinem Tempel.

11Gott / wie dein Name / so ist auch dein Rhum / bis an der Welt ende / Deine Rechte ist vol Gerechtigkeit.

12ES frewe sich der berg Zion / vnd die töchter Juda seien frölich / Vmb deiner Rechte willen.

13Machet euch vmb Zion vnd vmbfahet sie / Zelet jre Thürne.

14Leget vleis an jre Mauren / vnd erhöhet jre Pallast / Auff das man dauon verkündige bey den Nachkomen.

(Verkündige) Das ist / predigen müge Gottes wort.

15Das dieser Gott sey vnser Gott jmer vnd ewiglich / Er füret vns wie die Jugent.

(Jugent) Das ist / gnediglich vnd sanfft durchs wort der gnaden / Wie vater vnd mutter ein kind auffziehen / nicht wie Hencker vnd Stockmeister durch Gesetz vnd zwang treiben vnd würgen.

## XLIX.

1Ein Psalm der kinder Koarah / vor zu singen.

HOret zu alle Völcker / Mercket auff alle / die in dieser zeit leben.

3Beide gemein Man vnd Herrn / Beide Reich vnd Arm mit einander.|| || 302a

4MEin mund sol von Weisheit reden / Vnd mein hertz von Verstand sagen.

5Wir wöllen einen guten Spruch hören / Vnd ein fein Geticht auff der Harffen spielen.

6WARumb solt ich mich fürchten in bösen tagen / Wenn mich die missethat meiner Vntertretter vmbgibt?

7Die sich verlassen auff jr Gut / Vnd trotzen auff jren grossen Reichthum.

8KAn doch ein Bruder niemand erlösen / Noch Gotte jemand versünen.

9Denn es kostet zuuiel jre Seele zu erlösen / Das ers mus lassen anstehen ewiglich.

10Ob er auch gleich lange lebet / Vnd die Grube nicht sihet.

(Lange lebet) Hat guten mut / denckt nimer an Tod.

11Denn man wird sehen / das solche Weisen doch sterben / So wol als die Thoren vnd Narren vmbkomen / Vnd müssen jr Gut andern lassen.

12DAs ist jr hertz / Das jre Heuser weren jmer-

(Jre Heuser) Das ist / jr geschlecht / kinder / gesind etc.

dar / Jre Wonunge bleiben fur vnd fur / Vnd haben grosse ehre auff Erden.

[13]Dennoch können sie nicht bleiben in solcher wirde / Sondern müssen da von / wie ein Vieh.

(Wirde) Das ist / gut vnd ehre.

[14]Dis jr Thun ist eitel thorheit / Noch lobens jre Nachkomen mit jrem munde / Sela.

[15]Sie ligen in der Helle wie schafe / der Tod naget sie / Aber die Fromen werden gar bald vber sie herrschen / vnd jr Trotz mus vergehen / Jn der Helle müssen sie bleiben.

[16]ABer Gott wird meine Seele erlösen aus der Hellen gewalt / Denn er hat mich angenomen / Sela.

[17]LAs dichs nicht jrren / ob einer Reich wird / Ob die herrligkeit seines Hauses gros wird.

[18]Denn er wird nichts in seinem sterben mit nemen / Vnd seine Herrligkeit wird jm nicht nach faren.

[19]Sondern er tröstet sich dieses guten Lebens / Vnd preisets / wenn einer nach guten Tagen trachtet.

(Lebens) Das ist / Er helt dauon / das man hie gnug habe vnd prange.

[20]So faren sie jren Vetern nach / Vnd sehen das Liecht nimer mehr.

[21]KVrtz / Wenn ein Mensch in der wirde ist / vnd hat keinen verstand / So feret er dauon wie ein Vieh.

## L.

[1]Ein Psalm Assaph.

GOTT DER HERR DER mechtige redet / vnd ruffet der Welt / Von auffgang der Sonnen bis zu nidergang.

[2]AVs Zion bricht an / Der schöne glantz Gottes.

[3]Vnser Gott kompt vnd schweiget nicht / Fressend Fewr gehet fur jm her / Vnd vmb jn her ein gros Wetter.

[4]Er ruffet Himel vnd Erden / Das er sein Volck richte.

(Richte) Regiere / helffe rette / von dem Teufel / Menschen / Tod / Sünden etc.

[5]VErsamlet mir meine Heiligen / Die den Bund mehr achten / denn Opffer.

[6]Vnd die Himel werden seine Gerechtigkeit verkündigen / Denn Gott ist Richter / Sela.

[7]HOre mein volck / Las mich reden / Jsrael las mich vnter dir zeugen / Jch Gott / bin dein Gott.

[8]DEines Opffers halben straffe ich dich nicht / Sind doch deine Brandopffer sonst jmer fur mir.

[9]Jch wil nicht von deinem hause Farren nemen / Noch Böcke aus deinen Stellen.

[10]Denn alle Thier im Walde sind mein / Vnd Vieh auff den Bergen da sie bey tausent gehen.

[11]Jch kenne alles Geuögel auff den Bergen /

Vnd allerley Thier auff dem felde ist fur mir.

[12]Wo mich hungerte / wolt ich dir nicht dauon sagen / Denn der Erdboden ist mein / vnd alles was drinnen ist.

[13]Meinstu das ich Ochssenfleisch essen wölle / Oder Bocksblut trincken?

[14]OPffere Gott Danck / Vnd bezale dem Höhesten deine Gelübde.

(Gelübde) Das du jm gelobet hast / Er solle dein Gott sein / Jm ersten Gebot.

[15]Vnd ruffe Mich an in der Not / So wil ich dich erretten / so soltu mich preisen.

ABer zum Gottlosen spricht Gott / Was verkündigestu meine || Rechte / vnd nimpst meinen Bund in deinen mund?

|| 302b

[17]So du doch zucht hassest / Vnd wirffest meine Wort hinder dich.

[18]Wenn du einen Dieb sihest / so leuffestu mit jm / Vnd hast gemeinschafft mit den Ehebrechern.

[19]Dein Maul lessestu böses reden / Vnd deine Zunge treibet falscheit.

[20]Du sitzest vnd redest wider deinen Bruder / Deiner Mutter son verleumbdestu.

[21]Das thustu / vnd ich schweige / Da meinestu / Jch werde sein gleich wie du / Aber ich wil dich straffen / vnd wil dirs vnter augen stellen.

[22]Mercket doch das / die jr Gottes vergesset / Das ich nicht ein mal hinreisse / vnd sey kein Retter mehr da.

[23]WEr Danck opffert / der preiset mich / Vnd da ist der weg / das ich jm zeige das heil Gottes.

## LI.

[1]Ein Psalm Dauids / vor zu singen / [2]Da der Prophet Nathan zu jm kam / Als er war zu BathSaba eingangen.

GOTT SEY MIR GNEdig / nach deiner Güte / Vnd tilge meine Sünde / nach deiner grossen Barmhertzigkeit.

[4]Wassche mich wol von meiner Missethat / Vnd reinige mich von meiner Sünde.

[5]Denn ich erkenne meine Missethat / Vnd meine Sünde ist jmer fur mir.

[6]An dir allein hab ich gesündigt / Vnd vbel fur dir gethan.

Auff das du recht behaltest in deinen worten / Vnd rein bleibest / wenn du gerichtet wirst.

Rom. 3.

[7]SJhe / Jch bin aus sündlichem Samen gezeuget / Vnd meine Mutter hat mich in sünden empfangen.

[8]SJhe / du hast lust zur Warheit die im verborgen ligt / Du lessest mich wissen die heimliche Weisheit.

[9][a]Entsündige mich mit Jsopen / das ich rein werde / Wassche mich /

a (Entsündige) Das ist / Absoluire mich vnd sprich mich los. Wie vor zeiten im Gesetz durchs sprengen mit Jsopen bedeutet ward.

das ich schnee weis werde.

[10]Las mich hören freude vnd wonne / Das die Gebeine frölich werden / die du zeschlagen hast.

[11]Verbirge dein Andlitz von meinen Sünden / Vnd tilge alle meine Missethat.

[12]SChaffe in mir Gott ein rein Hertz / Vnd gib mir einen newen gewissen Geist.

(Gewissen) Das ist / Ein Geist der im glauben on zweiuel vnd der sachen gewis ist / vnd sich nicht jrren noch bewegen lesst / von mancherley wahngedancken / leren etc. Als die Dünckler / Zweiueler sind.

[13]Verwirff mich nicht von deinem Angesichte / Vnd nim deinen heiligen Geist nicht von mir.

[14]Tröste mich wider mit deiner Hülffe / Vnd der freidige Geist enthalte mich.

[15]DEnn ich wil die Vbertretter deine Wege leren / Das sich die Sünder zu dir bekeren.

[16]ERrette mich von den Blutschulden Gott / der du mein Gott vnd Heiland bist / Das meine Zunge deine Gerechtigkeit rhüme.

(Blutschulden) Das ist / Von der schuld / da mit ich den Tod verdienet habe / Wie wir alle sind fur Gott.

[17]HERR thu meine Lippen auff / Das mein Mund deinen Rhum verkündige.

[18]DEnn du hast nicht lust zum Opffer / Jch wolt dir es sonst wol geben / Vnd Brandopffer gefallen dir nicht.

[19]Die Opffer die Gott gefallen sind ein geengster Geist / Ein geengestes vnd zuschlagen Hertz wirstu Gott nicht verachten.

[20]Thu wol an Zion nach deiner Gnade / Bawe die mauren zu Jerusalem.

[21]Denn werden dir gefallen die Opffer der gerechtigkeit / Die Brandopffer vnd gantzen Opffer / Denn wird man Farren auff deinen Altar opffern.

## LII.

[1]Ein vnterweisung Dauids / vor zu singen / [2]Da Doeg der Edomiter kam / vnd saget Saul an / vnd sprach / Dauid ist in Ahimelechs haus komen.

1. Reg. 21.

WAS TROTZESTU DENN / du Tyran / das du kanst schaden thun? So doch Gottes güte noch teglich wehret. ||

|| 303 a

[4]Deine Zunge trachtet nach schaden / Vnd schneit mit Lügen / wie ein scharff Schermesser.

(Schaden) Das du ander vnglück zurichtest vnd schaden thust.

[5]Du redest lieber Böses denn Gutes / Vnd Falsch denn Recht / Sela.

[6]Du redest gern alles was zu verderben dienet / Mit falscher Zungen.

[7]Darumb wird dich Gott auch gantz vnd gar zerstören / vnd zuschlagen / Vnd aus der Hütten reissen / vnd aus dem Lande der Lebendigen ausrotten / Sela.

(Gantz) Vier Plagen erzelet er / Das er sol kein Haus / kein gut behalten / Dazu in keiner Stad / in keinem Lande bleiben.

[8]VNd die Gerechten werdens sehen vnd sich fürchten / Vnd werden sein lachen.

[9]Sihe / Das ist der Man / der Gott nicht fur

seinen Trost hielt / Sondern verlies sich auff seinen grossen Reichthum / Vnd war mechtig schaden zu thun.

[10]JCh aber werde bleiben / wie ein grüner Olebawm / im hause Gottes / Verlasse mich auff Gottes güte jmer vnd ewiglich.

[11]JCh dancke dir ewiglich / Denn du kansts wol machen / Vnd wil harren auff deinen Namen / Denn deine Heiligen haben freude dran.

LIII.

[1]Ein vnterweisung Dauids / im Chor vmb einander / vor zu singen.

Psalm. 14.

DJe Thoren sprechen in jrem hertzen / Es ist kein Gott / Sie tügen nichts vnd sind ein Grewel worden in jrem bösen wesen / Da ist keiner der guts thut.

[3]GOtt schawet von Himel auff der Menschen kinder / Das er sehe / Ob jemand klug sey der nach Gott frage.

Rom. 3.

[4]Aber sie sind alle abgefallen / vnd alle sampt Vntüchtig / Da ist keiner der gutes thue / auch nicht einer.

[5]WOllen denn die Vbelthetter jnen nicht sagen lassen? Die mein Volck fressen / das sie sich neeren / Gott ruffen sie nicht an.

[6]Da fürchten sie sich aber / da nicht zu fürchten ist / Denn Gott zurstrewet die gebeine der [a]Treiber / Du machest sie zu schanden / Denn Gott verschmehet sie.

[7]AH das die Hülffe aus Zion vber Jsrael keme / vnd Gott sein gefangen Volck erlösete / So wurde sich Jacob frewen / vnd Jsrael frölich sein.

a (Treiber) Das sind die / so mit gesetzen vnd gewalt die Leute wöllen from machen in eigen wercken / Wie die Heubtleute das Kriegsuolck treiben.

LIIII.

[1]Ein vnterweisung Dauids / vor zu singen auff Seitenspielen / [2]Da die von Siph kamen / vnd sprachen zu Saul / Dauid hat sich bey vns verborgen.

Reg. 23. 26.

HJlff mir Gott durch deinen Namen / Vnd schaffe mir Recht durch deine Gewalt.

[4]Gott erhöre mein Gebet / Vernim die rede meines mundes.

[5]Denn Stoltze setzen sich wider mich / Vnd Trötzige stehen mir nach meiner Seele / Vnd haben Gott nicht fur augen / Sela.

[6]SJhe / Gott stehet mir bey / Der HERR erhelt meine Seele.

[7]Er wird die bosheit meinen Feinden bezalen / Verstöre sie durch deine Trew.

[8]So wil ich dir ein Freudenopffer thun / vnd deinem Namen HERR dan-

cken / Das er so tröstlich ist.

[9]DEnn du errettest mich aus aller meiner Not / Das mein auge an meinen Feinden lust sihet.

LV.

[1]Ein vnterweisunge Dauids / vor zu singen auff Seitenspielen.

GOTT HÖRE MEIN Gebet / vnd verbirge dich nicht fur meinem flehen / [3]Merck auff mich / vnd erhöre mich / wie ich so kleglich zage vnd heule.

[4]Das der Feind so schreiet / vnd der Gottlose drenget / Denn sie wöllen mir einen Tück beweisen / vnd sind mir hefftig gram.

[5]Mein hertz engstet sich in meinem Leibe / Vnd des Todes furcht ist auff mich gefallen. ‖

‖ 303b

[6]Furcht vnd zittern ist mich ankomen / Vnd grawen hat mich vberfallen.

[7]JCh sprach / O hette ich flügel wie Tauben / Das ich flüge vnd etwa bliebe.

[8]Sihe / so wolt ich mich ferne wegmachen / Vnd in der Wüsten bleiben / Sela.

[9]Jch wolt eilen / das ich entrünne / Fur dem Sturmwind vnd Wetter.

[10]MAche jre Zungen vneins HERR / vnd las sie vntergehen / Denn ich sehe freuel vnd hadder in der Stad.

[11]Solchs gehet tag vnd nacht vmb vnd vmb in jrer Mauren / Es ist mühe vnd erbeit drinnen.

(Mühe vnd erbeit) Das ist / Eitel bosheit / damit sie sich vnd andere beschweren.

[12]Schaden thun regiert drinnen / Liegen vnd triegen lesst nicht von jrer Gassen.

[13]WEnn mich doch mein Feind schendet / wolt ichs leiden / Vnd wenn mich mein Hasser pochet / wolt ich mich vor jm verbergen.

[14]Du aber bist mein Geselle / Mein Pfleger vnd mein Verwandter.

[15]Die wir freundlich mit einander waren vnter vns / Wir wandelten im hause Gottes zu hauffen.

[16]Der Tod vbereile sie / vnd müssen lebendig in die Helle faren / Denn es ist eitel bosheit / vnter jrem Hauffen.

[17]JCh aber wil zu Gott ruffen / Vnd der HERR wird mir helffen.

[18]Des abends / morgens vnd mittags wil ich klagen vnd heulen / So wird er meine stim hören.

[19]ER erlöset meine Seele von denen / die an mich wöllen / vnd schafft jr ruge / Denn jr ist viel wider mich.

[20]Gott wird hören vnd sie demütigen / der allweg bleibt / Sela / Denn sie werden nicht anders / vnd fürchten Gott nicht.

[21]Denn sie legen jre hende an seine Friedsamen / Vnd entheiligen seinen Bund.

[22]Jr Mund ist gletter denn butter / vnd haben doch Krieg im sinn / Jr wort sind gelinder denn Ole / vnd sind doch blosse Schwerter.

Matth. 6. Luce. 12. 1. Pet. 5.

[23]WJRFF DEIN ANLIGEN auff den HERRN / der wird dich versorgen / Vnd wird den Gerechten nicht ewiglich in Vnruge lassen.

[24]Aber Gott du wirst sie hinuntern stossen in die tieffe Gruben / Die blutgirigen vnd falschen werden jr Leben nicht zur helffte bringen / Jch aber hoffe auff dich.

(Leben) Was sie furhaben / noch zuthun bey jrem leben.

## LVI.

1. Reg. 21. Dauid muste wie eine Taube stum sein / Das ist / still schweigen / vnd König Saul nicht verklagen vnter den Philistern.

[1]Ein gülden Kleinot Dauids / von der stummen Tauben / vnter den Frembden / Da jn die Philister griffen zu Gath.

GOTT SEY MIR GNEdig / Denn Menschen wöllen mich versencken / Teglich streiten sie vnd engsten mich.

Sauls Hofgesinde veriaget mich ins elend vnd mus jmer in der Flucht leben.

[3]Meine Feinde versencken mich teglich / Denn viel streiten wider mich stöltziglich.

[4]Wenn ich mich fürchte / So hoff ich auff dich.

Jesa. 12. Psal. 118. Ebre. 13.

[5]JCh wil Gottes wort rhümen / Auff Gott wil ich hoffen / vnd mich nicht fürchten / Was solt mir Fleisch thun?

[6]Teglich fechten sie meine wort an / All jre gedancken sind / das sie mir vbel thun.

[7]Sie halten zu hauff vnd lauren / Vnd haben acht auff meine fersen / wie sie meine Seele erhasschen.

[8]Was sie böses thun / das ist schon vergeben / Gott stosse solche Leute on alle gnade hinunter.

Was sie thun / das ist Ablas.

[9]Zele meine Flucht / fasse meine Threnen in deinen Sack / On zweiuel du zelest sie.

(Du zelest sie) Du weissest wie viel der ist vnd vergissest sie nicht.

[10]Denn werden sich meine Feinde müssen zu rück keren / Wenn ich ruffe so werde ich inne / das du mein Gott bist.

[11]JCh wil rhümen Gottes wort / Jch wil rhümen des HERRN wort.

[12]Auff Gott hoffe ich / vnd fürcht mich nicht / Was können mir die Menschen thun?

Psal. 118.

[13]JCh hab dir Gott gelobt / Das ich dir dancken wil. ||

|| 304a

[14]Denn du hast meine Seele vom Tode errettet / meine füsse vom gleiten / Das ich wandeln mag fur Gott im Liecht der lebendigen.

## LVII.

[1]Ein gülden Kleinod Dauids / vor zu singen (Das er nicht vmbkeme) da er fur Saul flohe in die Höle.

1. Reg. 22. 24.

SEY MIR GNEDIG GOTT / sey mir gnedig / denn auff dich trawet meine Seele / Vnd vnter dem schatten deiner Flügel habe ich zuflucht / Bis das das vnglück fur vber gehe.

(Vnglück) Schade / leid / das sie mir thun.

[3]Jch ruffe zu Gott dem Allerhöhesten / Zu Gott der meines jamers ein ende macht.

[4]ER sendet vom Himel vnd hilfft mir von der schmach meines Versenckers / Sela / Gott sendet seine Güte vnd Trewe.

[5]Jch lige mit meiner Seelen vnter den Lewen / Die Menschen kinder sind flammen / Jre Zeene sind spies vnd pfeile / vnd jre Zungen scharffe schwerter.

[6]ERhebe dich Gott vber den Himel / Vnd deine Ehre vber alle welt.

[7]Sie stellen meinem gange Netze / vnd drükken meine Seele nider / Sie graben fur mir eine Gruben / vnd fallen selbs drein / Sela.

[8]MEin hertz ist bereit / Gott / mein hertz ist bereit / Das ich singe vnd lobe.

[9]Wach auff meine Ehre / wach auff Psalter vnd Harffe / Frůe wil ich auffwachen.

(Ehre) Das ist / mein Psalter vnd Lied / da ich Gott mit ehre.

[10]HERR ich wil dir dancken vnter den Völckern / Jch wil dir lobsingen vnter den Leuten.

[11]Denn deine Güte ist so weit der Himel ist / Vnd deine Warheit so weit die Wolcken gehen.

[12]Erhebe dich Gott vber den Himel / Vnd deine Ehre vber alle Welt.

## LVIII.

[1]Ein gülden Kleinod Dauids / vor zu singen / das er nicht vmbkeme.

SEID JR DENN STUM / das jr nicht reden wolt was recht ist / Vnd richten was gleich ist / jr Menschen kinder?

[3]Ja mutwillig thut jr Vnrecht / im Lande / Vnd gehet stracks durch mit ewren henden zu freueln.

[4]Die Gottlosen sind verkeret von Mutter leib an / Die Lügner jrren von Mutter leib an.

(Von Mutterleib) Das ist / Art ist nicht gut / vnd lesst von art nicht.

[5]Jr wüten ist gleich wie das wüten einer Schlangen / Wie eine taub Otter / die jr ohr zustopfft.

[6]Das sie nicht höre die stimme des Zeuberers / Des Beschwerers / der wol beschweren kan.

[7]GOtt zubrich jre Zeene in jrem maul / Zestosse HERR die Bakkenzeene der jungen Lewen.

[8]Sie werden zergehen wie Wasser / das da hin fleusst / Sie zielen mit jren Pfeilen / Aber dieselben zubrechen.

[9]Sie vergehen wie eine Schnecke verschmachtet / Wie ein vnzeitige

Geburt eines Weibes / sehen sie die Sonne nicht.

[10]Ehe [a]ewre Dornen reiff werden am Dornstrauche / Wird sie dein zorn so frisch wegreissen.

a (Ehe ewre) Das ist / Ehe denn sie es halb da hin bringen / da hin sie es haben wöllen / wird sie Gottes zorn zerstören / vnd den Gerechten helffen.

[11]DEr Gerecht wird sich frewen / wenn er solche Rache sihet / Vnd wird seine füsse baden in des Gottlosen [b]blut.

b (Blut) Das ist / Die Rache wird grösser werden denn jemands begert / Das / wo er einen tropffen bluts vnd Rache begert / wird sein so viel sein / das er möcht drinnen baden.

[12]Das die Leute werden sagen / Der Gerechte wird sein ja geniessen / Es ist ja noch Gott Richter auff Erden.

## LIX.

[1]Ein gülden Kleinod Dauids (das er nicht vmbkeme) Da Saul hin sandte / vnd lies sein Haus bewaren / das er jn tödtet.

1. Reg. 19.

ERRETTE MICH MEIN Gott von meinen Feinden / Vnd schütze mich fur denen / so sich wider mich setzen.

[3]Errette mich von den Vbelthettern / Vnd hilff mir von den Blutgirigen. ‖

‖ 304b

[4]Denn sihe HERR / sie lauren auff meine seele / Die Starcken samlen sich wider mich / on meine schuld vnd missethat.

[5]Sie lauffen on meine schuld / vnd bereiten sich / Erwache vnd begegene mir / vnd sihe drein.

[6]DV HERR Gott Zebaoth / Gott Jsrael / wache auff / vnd süche heim alle Heiden / Sey der keinem gnedig / die so verwegene Vbelthetter sind / Sela.

(Sey keinem gnedig) Das ist / Las dir jr böses fürnemen nicht gefallen / vnd hilff nicht das jr bosheit fort gehe.

[7]Des abends las sie widerumb auch heulen wie die Hunde / Vnd in der Stad vmb her lauffen.

[8]Sihe / sie plaudern mit einander / Schwerter sind in jren Lippen / Wer solts hören?

(Wer solts hören) Das ist / Sie thun als were kein Gott der es höret / Vnd sagen noch dencken nicht / das ein mal mus laut werden.

[9]ABer du HERR wirst jrer lachen / Vnd aller Heiden spotten.

[10]Fur jrer [a]Macht halt mich zu dir / Denn Gott ist mein Schutz.

a (Macht) Das ist / wenn sie mir zu mechtig sind / so sehe ich auff dich.

[11]Gott [b]erzeigt mir reichlich seine Güte / Gott lesst mich meine lust sehen an meinen Feinden.

b (Gott erzeigt) Gott thut mir mehr guts / denn sie mir böses thun künnen.

[12]Erwürge sie nicht / das es mein Volck nicht vergesse / Zurstrewe sie aber mit deiner Macht / HERR vnser Schild / vnd stos sie hin vntern.

[13]Jr Lere ist eitel sünde / vnd verharren in jrer [c]Hoffart / Vnd predigen eitel Fluchen vnd Widersprechen.

c (Hoffart) Das ist / sie bleiben auff jrem trotz vnd stoltz.

[14]Vertilge sie on alle gnade / vertilge sie / das sie nichts seien / Vnd inne werden / das Gott Herrscher sey in Jacob in aller welt / Sela.

[15]Des abends las sie widerumb auch heulen wie Hunde / Vnd in der Stad vmb her lauffen.

[16]Las sie hin vnd her lauffen vmb Speise / Vnd murren / wenn sie nicht sat werden.

[17]JCh aber wil von deiner Macht singen / vnd des morgens rhümen deine Güte / Denn du bist mein schutz vnd Zuflucht in meiner Not.

[18]Jch wil dir / mein Gott / lobsingen / Denn du Gott bist mein Schutz / vnd mein gnediger Gott.

## LX.

2. Reg. 8. 10.

[1]Ein gülden Kleinot Dauids / vor zu singen / von einem gülden Rosenspahn zu leren / [2]Da er gestritten hatte / mit den Syrer zu Mesopotamia / vnd mit den Syrer von Zoba. Da Joab vmbkeret / vnd schlug der Edomiter im Saltztal zwelff tausent.

(Rosenspahn) Das ist / Ein gehenge oder köstlich Kleinot in einer Rosen gestalt. Also nennet er hie sein Königreich / welchs ein göttlich Kleinot oder Spahn ist.

GOTT / DER DU VNS verstossen vnd zustrewet hast / vnd zornig warest / Tröste vns wider.

[4]Der du die Erde bewegt vnd zurissen hast / Heile jre brüche / die so zurschellet ist.

[5]Denn du hast deinem Volck ein hartes erzeigt / Du hast vns einen trunck Weins geben / das wir daumelten.

*Historia Iudic. et Regum testatur, subinde Duces suscitatos, qui quietem darent et liberarent hunc populum.*

[6]DV hast aber doch ein Zeichen gegeben / denen / die dich fürchten / Welchs sie auffwurffen / vnd sie sicher machet / Sela.

[7]Auff das deine Lieben erledigt werden / So hilff nu mit deiner Rechten / vnd erhöre vns.

[8]GOtt redet in seinem Heiligthum / des bin ich fro / Vnd wil teilen Sichem / vnd abmessen das tal Suchoth.

(Wil teilen) Das ist / Jch rechne was ich fur Volck habe.

[9]Gilead ist mein / mein ist Manasse / Ephraim ist die macht meines Heubts / Juda ist mein Fürst.

(Fürst) *Qui tempore pacis legibus non armis gubernat.*

[10]Moab ist mein [a]wasschtöpffen / Meinen schuch strecke ich vber Edom / Philistea jauchzet zu mir.

a (Wassertöpffen) Das ist / meine Vnterthanen.

[11]WEr wil mich füren in eine [b]feste Stad? Wer geleitet mich bis in Edom?

b (Feste stad) Heisst alles was sicher ist vnd macht.

[12]Wirstu es nicht thun Gott / der du vns verstössest? Vnd zeuchst nicht aus Gott auff [c]vnser Heer?

c (Vnser Heer) Das ist / Nicht auff vnser macht / sondern auff deine macht thustu was du vns thust.

[13]Schaff vns beystand in der Not / Denn Menschen hülffe ist kein nutz.

[14]MJt Gott wöllen wir Thaten thun / Er wird vnser Feinde vntertretten.

## LXI.

[1]Ein Psalm Dauids / vor zu singen / auff eim Seitenspiel. ‖

‖ 305 a

HORE GOTT MEIN GEschrey / Vnd merck auff mein Gebet.

[3]Hie nidden auff Erden ruffe ich zu dir / Wenn

mein Hertz in angst ist / Du woltest mich füren auffm hohen Felsen.

[4]DEnn du bist meine Zuuersicht / Ein starcker Thurn fur meinen Feinden.

[5]JCh wil wonen in deiner Hütten ewiglich / Vnd trawen vnter deinen Fittichen / Sela.

(Gelübde) Das ich dich lobe vnd anruffe / als einen Gott. Welchs wir im ersten Gebot Gott geloben.

[6]Denn du Gott hörest meine Gelübde / Du belohnest die wol / die deinen Namen fürchten.

[7]DV gibst einem Könige langes leben / Das seine jare wehren jmer fur vnd fur.

[8]Das er jmer sitzen bleibet fur Gott / Erzeige jm Güte vnd Trewe / die jn behüten.

[9]SO wil ich deinem Namen lobsingen ewiglich / Das ich meine Gelübde bezale teglich.

## LXII.

[1]Ein Psalm Dauids fur Jeduthun / vor zu singen.

(Stille) Jst zu frieden / lesst Gott walten / murret / tobet nicht / leidet sich vnd harret.

MEINE SEELE IST stille zu Gott / Der mir hilfft.

[3]Denn er ist mein Hort / meine Hülffe / mein Schutz / Das mich kein Fall stürtzen wird / wie gros er ist.

[4]WJe lange stellet jr alle einem nach / das jr jn erwürget / Als ein hangende Wand / vnd zurissene maur?

[5]Sie dencken nur wie sie jn dempffen / vleissigen sich der Lügen / Geben gute wort / Aber im hertzen fluchen sie / Sela.

[6]ABer meine Seele harret nur auff Gott / Denn er ist meine Hoffnung.

[7]Er ist mein Hort / mein Hülffe vnd mein Schutz / Das ich nicht fallen werde.

[8]Bey Gott ist mein Heil / meine Ehre / der Fels meiner stercke / Meine Zuuersicht ist auff Gott.

[9]HOffet auf jn alle zeit / lieben Leute / Schüttet ewer Hertz fur jm aus / Gott ist vnser Zuuersicht / Sela.

[10]ABer Menschen sind doch ja nichts / Grosse Leute feilen auch / Sie wegen weniger denn nichts / so viel jr ist.

(Feilen) Wer sich auff menschen lesst der feilet / Wie gros sie auch sind / so ists doch nichts mit jnen / vnd mus feilen.

[11]Verlasset euch nicht auff vnrecht vnd freuel / Haltet euch nicht zu solchem das nichts ist / Fellet euch Reichthum zu / so henget das hertz nicht dran.

[12]GOtt hat ein Wort geredt / das hab ich etlich mal gehört / Das Gott allein Mechtig ist.

[13]Vnd du HERR bist gnedig / Vnd bezalest einem jglichen / wie ers verdienet.

Matth. 16. Rom. 2.

## LXIII.

[1]Ein Psalm Dauids / Da er war in der wüsten Juda.

1. Reg. 22. 23. 24.

GOTT DU BIST MEIN Gott / früe wache ich zu dir / Es dürstet meine Seele nach dir / Mein fleisch verlanget nach dir / in eim trocken vnd dürren Lande / da kein Wasser ist.

[3]Da selbs sehe ich nach dir in deinem Heiligthum / Wolt gerne schawen deine Macht vnd Ehre.

(Macht) Jch wolt gerne bey deinem Gottesdienst sein / da du mechtig bist vnd geehret wirst. Aber nu mus ich hie sein in der wüsten.

[4]DEnn deine Güte ist besser denn Leben / Meine Lippen preisen dich.

[5]Da selbs wolt ich dich gerne loben mein leben lang / Vnd meine hende in deinem Namen auffheben.

[6]Das were meines hertzen freud vnd wonne / Wenn ich dich mit frölichem munde loben solte.

[7]WEnn ich mich zu Bette lege / so denck ich an dich / Wenn ich erwache / so rede ich von dir.

[8]Denn du bist mein Helffer / Vnd vnter dem schatten deiner Flügel rhüme ich.

[9]Meine Seele hanget dir an / Deine rechte Hand erhelt mich.

[10]SJe aber stehen nach meiner Seele mich zu vberfallen / Sie werden vnter die Erden hinunter faren.

[11]Sie werden ins Schwert fallen / Vnd den Füchsen zu teil werden. ‖

‖ 305 b

[12]ABer der König frewet sich in Gott / Wer bey jm schweret / wird gerhümet werden / Denn die Lügenmeuler sollen verstopfft werden.

LXIIII.

[1]Ein Psalm Dauids / vor zu singen.

HORE GOTT MEINE stim in meiner klage / Behüte mein Leben fur dem grausamen Feinde.

[3]Verbirge mich fur der samlung der Bösen / Fur dem hauffen der Vbeltheter.

[4]Welche jre Zungen scherffen wie ein schwert / Die mit jren gifftigen worten zielen / wie mit Pfeilen.

[5]Das sie heimlich schiessen den Fromen / Plötzlich schiessen sie auff jn on alle schew.

[6]Sie sind küne mit jren bösen anschlegen / vnd sagen / wie sie stricke legen wöllen / Vnd sprechen / Wer kan sie sehen?

(Sehen) Gott sihet sie selbs nicht.

[7]Sie ertichten Schalckheit vnd haltens heimlich / Sind verschlagen vnd haben geschwinde Rencke.

[8]ABer Gott wird sie plötzlich schiessen / Das jnen wehe thun wird.

(Wehe thun) Das sie es fülen werden.

[9]Jr eigen Zungen wird sie fellen / Das jr spotten wird wer sie sihet.

[10]Vnd alle Menschen die es sehen / werden sagen /

Das hat Gott gethan / vnd mercken / das sein werck sey.

[11]DJE Gerechten werden sich des HERRN frewen / vnd auff jn trawen / Vnd alle fromen Hertzen werden sich des rhümen.

## LXV.

[1]Ein Psalm Dauids zum Lied / vor zu singen.

Dieser Psalm lobet Gott vmb gute friedlich zeit.

GOTT MAN LOBET DICH in der [a]stille zu Zion / Vnd dir bezalt man Gelübde.

a (Stille) Jn der gedult / das man sich leidet / stille ist etc.

[3]DV erhörest Gebet / Darumb kompt alles Fleisch zu dir.

[4]Vnser Missethat drükket vns hart / Du woltest vnser Sünde vergeben.

[5]Wol dem / den du erwelest vnd zu dir lessest / das er wone in deinen Höfen / Der hat reichen Trost von deinem Hause deinem heiligen Tempel.

[6]ERhöre vns nach der wünderlichen gerechtigkeit / Gott vnser Heil / Der du bist Zuuersicht aller auff Erden vnd ferne am Meer.

[7]Der die Berge fest setzt in seiner krafft / Vnd gerüstet ist mit Macht.

(Gerüstet) Jmer fort vnd mehr guts zuthun.

[8]Der du stillest das brausen des Meers / das brausen seiner Wellen / Vnd das toben der Völcker.

[9]Das sich entsetzen die an den selben Enden wonen fur deinem Zeichen / Du machst frölich was da webert beide des morgens vnd abends.

(Zeichen) Es sind eitel grosse Wunder / wenn Gott Friede helt / vnd steuret den vnfriedsamen / So gehet denn vnd webert beide Menschen vnd Vihe / welches im Kriege nicht sein kan.

[10]DV suchest das Land heim vnd wesserst es / vnd machest es seer reich / [a]Gottes Brünlin hat Wassers die fülle / Du lessest jr Getreide wol geraten / denn also bawestu das Land.

a (Gottes brünlin) Jst sein Land vnd volck. Psalm. 46.

[11]Du trenckest seine furchen / vnd feuchtest sein gepflügtes / Mit Regen machstu es weich / vnd segenest sein Gewechse.

[12]Du krönest das Jar mit deinem Gut / Vnd deine Fusstapffen trieffen von fett.

(Fusstapffen) Wo er gehet / da wechsts wol.

[13]Die Wonunge in der Wüsten sind auch fett / das sie trieffen / Vnd die Hühel sind vmbher lüstig.

[14]Die anger sind vol Schafen / vnd die awen stehen dick mit Korn / Das man jauchzet vnd singet.

## LXVI.

[1]Ein Psalmlied / vor zu singen.

JAUCHZET GOTT ALLE Lande / [2]Lobsinget zu ehren seinem Namen / rhümet jn herrlich.

[3]Sprecht zu Gott / wie wünderlich sind deine Werck? Es wird deinen Feinden feilen fur deiner grossen Macht.

(Feilen) Das ist / das sie wider dich fürnemen.

[4]Alle Land bete dich an / vnd lobsinge dir / Lobsinge deinem Namen / Sela.

[5]KOmpt her / vnd sehet an die werck Gottes / Der so wünderlich ist mit seim Thun vnter den Menschen kindern. ||

|| 306 a

[6]ER verwandelt das Meer ins trocken / das man zu fussen vber das wasser gehet / des frewen wir vns in jm.

[7]ER herrschet mit seiner Gewalt ewiglich / seine Augen schawen auff die Völcker / Die Abtrinnigen werden sich nicht erhöhen künnen / Sela.

(Erhöhen) Sie sollen nicht siegen noch obligen / wie hoch sie empor faren.

[8]LObet jr Völcker vnsern Gott / Last seinen Rhum weit erschallen.

[9]Der vnser Seelen im Leben behelt / Vnd lesst vnsere füsse nicht gleiten.

[10]DEnn Gott du hast vns versucht / Vnd geleutert / wie das Silber geleutert wird.

[11]Du hast vns lassen in den Thurn werffen / Du hast auff vnsere Lenden eine Last gelegt.

[12]Du hast Menschen lassen vber vnser Heubt faren / Wir sind in fewr vnd wasser komen / Aber du hast vns ausgefürt vnd erquicket.

[13]DArumb wil ich mit Brandopffer gehen in dein Haus / Vnd dir meine Gelübde bezalen.

[14]Wie ich meine Lippen hab auffgethan / Vnd mein Mund geredt hat in meiner not.

[15]Jch wil dir feisste Brandopffer thun von gebranten widdern / Jch wil opffern rinder mit bökken / Sela.

[16]KOmpt her / höret zu / alle die jr Gott fürchtet / Jch wil erzelen was er an meiner Seelen gethan hat.

[17]Zu jm treffe ich mit meinem Munde / Vnd preiset jn mit meiner Zungen.

[18]Wo ich vnrechts furhette in meinem hertzen / So würde der HERR nicht hören.

[19]Darumb erhöret mich Gott / Vnd merckt auff mein flehen.

[20]GElobt sey Gott / der mein Gebet nicht verwirfft / Noch seine Güte von mir wendet.

## LXVII.

[1]Ein Psalmlied vor zu singen / auff Seitenspiel.

GOtt sey vns gnedig / vnd segene vns / Er las vns sein [a]Andlitz leuchten / Sela.

a (Andlitz leuchten) Jst frölich vnd gnedig an sehen / sich freundlich erzeigen.

[3]Das wir auff Erden erkennen seinen Weg / Vnter allen Heiden sein Heil.

[4]ES dancken dir Gott die Völcker / Es dancken dir alle Völcker.

[5]Die Völcker frewen sich vnd jauchzen / Das du die Leute recht rich-

(Richtest) Verteidigest vnd regierest.

test / Vnd regierest die Leute auff erden / Sela.

[6]Es dancken dir Gott die Völcker / Es dancken dir alle Völcker.

[7]Das Land gibt sein gewechs / Es segene vns Gott / vnser Gott.

[8]Es segene vns Gott / Vnd alle Welt fürchte jn.

## LXVIII.

[1]Ein Psalm Lied Dauids. vor zu singen.

Dieser Psalm redet durchaus von Christo / Darumb mus man wol drauff mercken / Denn er füret seltzame rede vnd wort nach dem buchstaben.

ES STEHE GOTT AUFF / das seine Feinde zurstrewet werden / Vnd die jn hassen fur jm fliehen.

[3]Vertreibe sie wie der Rauch vertrieben wird / Wie das Wachs zurschmeltzt vom fewr / So müssen vmbkomen die Gottlosen fur Gott.

[4]DJe Gerechten aber müssen sich frewen vnd frölich sein fur Gott / Vnd von hertzen sich frewen.

[5]SJnget Gott / lobsinget seinem Namen / Macht ban dem der da sanfft her feret / er heist HERR vnd frewet euch fur jm.

[6]Der ein Vater ist der Waisen / vnd ein Richter der Widwen / Er ist Gott in seiner heiligen Wonunge.

[7]Ein Gott der den Einsamen das haus vol Kinder gibt / Der die Gefangen ausfüret zu rechter zeit / Vnd lesst die Abtrinnigen bleiben in der dürre.

[8]GOtt / da du fur deinem Volck her zogest / Da du einher giengest in der wüsten / Sela.

[9]DA bebet die Erde / vnd die Himel troffen / fur diesem Gott in Sinai / Fur dem Gott der Jsraels Gott ist.

[10]NV aber gibstu Gott einen gnedigen Regen / Vnd dein Erbe / das dürre ist / erquickestu.

[11]Das deine Thier drinnen wonen können / Gott du labest die Elenden mit deinen Gütern. ‖

‖ 306b

[12]DEr HERR gibt das Wort / Mit grossen scharen Euangelisten.

[13]DJe [a]Könige der Herrscharen sind vnternander freunde / Vnd die [b]Hausehre teilet den Raub aus.

[14]WEnn jr zu Felde ligt / so glentzets als der Tauben flügel / Die wie [c]silber vnd gold schimmern.

[15]Wenn der Allmechtige hin vnd wider vnter jnen Könige setzt / So wird es helle / wo es tunckel ist.

[16]DER berg Gottes ist ein [d]fruchtbar Berg / Ein gros vnd fruchtbar Gebirge.

[17]Was [e]hüpffet jr grosse Gebirge? Gott hat lust auff diesem Berge zu wonen / Vnd der HERR bleibt auch jmer daselbst.

a (Könige) Sind die Aposteln / die eintrechtig leren.

b (Hausehre) Heisst auff Ebreisch eine Hausfraw. Vnd redet hie von der Kirchen vnd Braut Christi.

c (Silber vnd gold) Rot vnd weis / wie ein Heer von harnisch vnd paniren scheinet.

d (Fruchtbar) Auff Ebreisch fett / das ist gut Land / nicht kale Berge.

e (Hüpffet) Rhümet / trotzet / pochet auff ewr herrligkeit.

[18]Der wagen Gottes ist viel tausent mal tausent / Der HERR ist vnter jnen im Heiligen Sinai.

Ephe. 4.

[19]DU BIST IN DIE HÖHE gefaren / vnd hast das Gefengnis gefangen / Du hast Gaben empfangen fur die Menschen / Auch die Abtrinnigen / das Gott der HERR dennoch daselbs bleiben wird.

Christum müssen leiden auch seine Feinde.

[20]GElobet sey der HERR teglich / Gott legt vns eine Last auff / Aber er hilfft vns auch / Sela.

Matth. 11.

[21]Wir haben einen Gott der da hilfft / Vnd den HERRN HERRN / der vom Tode errettet.

[22]ABer Gott wird den Kopff seiner Feinde zuschmeissen sampt jrem Harscheddel / Die da fort fahren in jrer Sünde.

(Harscheddel) Das Königreich vnd Priesterthum der Jüden / Darumb das sie bleiben im vnglauben.

[23]DOch spricht der HERR / Jch wil vnter den [f]Fetten etliche holen / Aus der Tieffe des meers wil ich etliche holen.

f (Fetten) Aus dem volck Jsrael / das reich / herrlich war von Gottes wegen.

[24]Darumb wird dein fus in der Feinde blut geferbet werden / Vnd deine Hunde werdens lecken.

[25]MAn sihet Gott wie du einher zeuchst / Wie du mein Gott vnd König einher zeuchst im Heiligthum.

[26]Die Senger gehen vorher / Darnach die Spielleute vnter den Megden die da paucken.

[27]Lobet Gott den HERRN in den versamlungen / Fur den [g]Brun Jsrael.

g (Brun) Das ist / Fur das Reich Christi / das angefangen hat / quellet vnd wechst.

[28]DA herrschet vnter jnen der kleine BenJamin / Die fürsten Juda mit jren hauffen / Die fürsten Sebulon / Die fürsten Naphthali.

[29]DEin Gott hat dein Reich auffgerichtet / Das selbe woltestu Gott vns stercken / Denn es ist dein Werck.

[30]Vmb deines Tempels willen zu Jerusalem / Werden dir die Könige Geschencke zu füren.

[31]Schilt das Thier im Rhor / Die Rotte der ochsen vnter jren kelbern / Die da [a]zutretten vmb Gelts willen / Er zerstrewet die Völcker die da gern kriegen.

(Thier) Falsche Lerer mit jrem Hauffen. (Jren Kelbern) Das ist / vnter jrem Volck.

a (Zutretten) Wie die Hengst das wasser zutretten vnd trübe machen das nicht zu trincken ist. Also zutretten / vnd machen trübe die Schrifft alle Rottengeister.

[32]DJE Fürsten aus Egypten werden komen / Morenland wird seine hende ausstrecken zu Gott.

[33]Jr Königreiche auff Erden singet Gott / Lobsinget dem HERRN / Sela.

[34]Dem der da feret im Himel allenthalben von anbegin / Sihe / er wird seinem Donner krafft geben.

(Donner) Seiner predigt.

[35]Gebt Gott die [b]Macht / seine Herrligkeit ist in Jsrael / Vnd seine Macht in den wolcken.

b (Macht) Das ist / das Reich / lasst jn Herr sein.

[36]Gott ist wundersam in seinem Heiligthum / Er ist Gott Jsrael / Er wird dem volck macht vnd krafft geben / Gelobt sey Gott.

## LXIX.

[1]Ein Psalm Dauids / von den Rosen / vor zu singen.

GOtt hilff mir / Denn das Wasser gehet mir bis an die Seele.

[3]Jch versincke in tieffem Schlam / da kein grund ist / Jch bin im tieffen Wasser / vnd die Flut wil mich erseuffen.

[4]Jch habe mich müde geschrien / mein Halss ist heisch / Das Gesicht vergehet mir / das ich so lange mus harren auff meinen Gott.

[5]Die mich on vrsach hassen / Der ist mehr / denn ich Har auff dem heubt habe.

Die mir vnbillich feind sind vnd mich verderben / sind mechtig / Jch mus bezalen das ich nicht geraubt habe. ‖

‖ 307a

[6]GOtt du weissest meine torheit / Vnd meine Schulde sind dir nicht verborgen.

[7]Las nicht zu schanden werden an mir die dein harren / HErr HERR Zebaoth / Las nicht schamrot werden an mir / die dich suchen Gott Jsrael.

[8]Denn vmb deinen willen trage ich schmach / Mein Angesicht ist voller schande.

[9]Jch bin frembd worden meinen brüdern / Vnd vnbekand meiner Mutter kindern.

[10]Denn ich eiuere mich schier zu tod vmb dein Haus / Vnd die schmach dere / die dich schmehen / fallen auff mich.

Johan. 2.

Rom. 15.

[11]Vnd ich weine vnd faste bitterlich / Vnd man spottet mein dazu.

[12]Jch hab einen Sack angezogen / Aber sie treiben das gespött draus.

[13]Die im Thor sitzen / wasschen von mir / Vnd in den Zechen singet man von mir.

[14]Jch aber bete HERR zu dir / zur angenemen zeit / Gott durch deine grosse Güte / erhöre mich mit deiner trewen Hülffe.

[15]ERrette mich aus dem Kot / das ich nicht versincke / Das ich errettet werde von meinen Hassern / vnd aus dem tieffen Wasser.

[16]Das mich die Wasserflut nicht erseuffe / vnd die Tieffe nicht verschlinge / Vnd das Loch der gruben nicht vber mir zusamen gehe.

[17]ERhöre mich HERR / denn deine Güte ist tröstlich / Wende dich zu mir / nach deiner grossen Barmhertzigkeit.

[18]Vnd verbirge dein Angesicht nicht fur deinem Knechte / Denn mir ist angst / Erhöre mich eilend.

[19]Mach dich zu meiner Seele vnd erlöse sie /

Erlöse mich vmb meiner Feinde willen.

[20]Du weissest meine schmach / schande vnd scham / Meine Widersacher sind alle fur dir.

[21]Die schmach bricht mir mein Hertz vnd krencket mich / Jch warte obs jemand jamerte / Aber da ist niemand / Vnd auff Tröster / Aber ich finde keine.

Johan. 19.

[22]VND SIE GEBEN MIR. Gallen zu essen / Vnd Essig zu trincken / in meinem grossen Durst.

Rom. 11.

(Tisch) Das ist / Jr predigt vnd lere / da mit sie sich meinen zu speisen.

[23]Jr Tisch müsse fur jnen zum Strick werden / Zur vergeltung vnd zu einer Falle.

[24]Jre Augen müssen finster werden / das sie nicht sehen / Vnd jre Lenden las jmer wancken.

[25]Geus deine Vngnade auff sie / Vnd dein grimmiger Zorn ergreiffe sie.

Act. 1.

[26]JR WONUNGE MÜSSE wüste werden / Vnd sey niemand der in jren Hütten wone.

[27]Denn sie verfolgen den du geschlagen hast / Vnd rhümen / das du sie deinen vbel schlahest.

Das ist / Las jnen nichts gut noch recht sein.

[28]Las sie in eine sünde vber die andern fallen / Das sie nicht komen zu deiner Gerechtigkeit.

[29]Tilge sie aus dem Buch der Lebendigen / Das sie mit den Gerechten nicht angeschrieben werden.

[30]JCh aber bin Elend / vnd mir ist wehe / Gott deine Hülffe schütze mich.

[31]Jch wil den Namen Gottes loben mit eim Lied / Vnd wil jn hoch ehren mit Danck.

[32]Das wird dem HERRN bas gefallen / denn ein Farr / Der hörner vnd klawen hat.

[33]DJe Elenden sehen vnd frewen sich / Vnd die Gott suchen / den wird das Hertz leben.

[34]Denn der HERR höret die Armen / Vnd verachtet seine Gefangene nicht.

[35]Es lobe jn Himel / Erden vnd Meer / Vnd alles das sich drinnen reget.

[36]Denn Gott wird Zion helffen / Vnd die stedte Juda bawen / Das man daselbs wone vnd sie besitze.

[37]Vnd der Same seiner Knechte werden sie ererben / Vnd die seinen Namen lieben / werden drinnen bleiben.

## LXX.

[1]Ein Psalm Dauids / vor zu singen / zum Gedechtnis. ‖

‖ 307b

EJLE GOTT MICH ZU erretten / HERR mir zu helffen.

Es müssen sich schemen vnd zu schanden werden / Die nach meiner Seelen stehen.

[3]Sie müssen zu rück

keren vnd gehönet werden / Die mir vbels wündschen.

[4]Das sie müssen widerumb zuschanden werden / Die da vber mich schreien / Da / da.

[5]FRewen vnd frölich müssen sein an dir / die nach dir fragen / Vnd die dein Heil lieben / jmer sagen / Hoch gelobt sey Gott.

[6]Jch aber bin elend vnd arm / Gott eile zu mir / Denn du bist mein Helffer vnd Erretter / mein Gott verzeuch nicht.

## LXXI.

HERR ICH TRAWE auff dich / Las mich nimer mehr zu schanden werden.

[2]Errette mich durch deine Gerechtigkeit / vnd hilff mir aus / Neige deine Ohren zu mir / vnd hilff mir.

[3]Sey mir ein starcker Hort / da hin ich jmer fliehen müge / Der du zugesagt hast mir zu helffen / Denn du bist mein Fels vnd meine Burg.

[4]MEin Gott hilff mir aus der hand des Gottlosen / Aus der hand des Vnrechten vnd Tyrannen.

[5]Denn du bist meine Zuuersicht / HErr HERR / meine Hoffnung von meiner Jugent an.

[6]Auff dich hab ich mich verlassen von Mutter leibe an / Du hast mich aus meiner Mutter leibe gezogen / Mein rhum ist jmer von dir.

[7]JCh bin fur vielen wie ein Wunder / Aber du bist meine starcke Zuuersicht.

[8]Las meinen mund deines rhumes / Vnd deines preises vol sein teglich.

[9]Verwirff mich nicht in meinem Alter / Verlas mich nicht wenn ich schwach werde.

[10]Denn meine Feinde reden wider mich / Vnd die auff meine Seele halten / beraten sich mit einander.

[11]Vnd sprechen / Gott hat jn verlassen / Jaget nach vnd ergreifft jn / Denn da ist kein Erretter.

[12]GOtt sey nicht ferne von mir / Mein Gott eile mir zu helffen.

[13]Schemen müssen sich vnd vmbkomen / die meiner Seele wider sind / Mit schand vnd hohn müssen sie vberschüttet werden / die mein Vnglück suchen.

[14]JCh aber wil jmer harren / Vnd wil jmer deines Rhumes mehr machen.

[15]Mein mund sol verkündigen deine Gerechtigkeit / Teglich dein Heil / die ich nicht alle zelen kan.

[16]Jch gehe ein her in der Krafft des HErrn HERRN / Jch preise deine Gerechtigkeit allein.

[17]Gott du hast mich von Jugent auff geleret / Darumb verkündige ich deine Wunder.

[18]AVch verlas mich nicht Gott im Alter / wenn ich graw werde / Bis ich deinen Arm verkündige Kinds kindern / vnd deine Krafft allen die noch komen sollen.

[19]Gott deine Gerechtigkeit ist hoch / der du grosse ding thust / Gott wer ist dir gleich?

[20]DEnn du lessest mich erfaren viel vnd grosse Angst / Vnd machst mich wider lebendig / Vnd holest mich wider aus der tieffe der Erden erauff.

[21]Du machest mich seer gros / Vnd tröstest mich wider.

[22]SO dancke ich auch dir mit Psalterspiel fur deine Trewe / mein Gott / Jch lobsinge dir auff der Harffen du Heiliger in Jsrael.

[23]MEine Lippen vnd meine Seele / die du erlöset hast / Sind frölich / vnd lobsingen dir.

[24]Auch tichet meine Zunge teglich von deiner Gerechtigkeit / Denn schemen müssen sich vnd zu schanden werden / die mein Vnglück suchen.

## LXXII.

‖ 308 a

[1]Des Salomo.

GOtt gib dein Gericht dem Könige / Vnd deine Gerechtigkeit des Königes Sone.

[2]Das er dein Volck bringe zur Gerechtigkeit / Vnd deine Elenden rette.

[3]Las die Berge den Frieden bringen vnter das Volck / Vnd die Hügel die Gerechtigkeit.

[4]ER wird das elende Volck bey Recht erhalten / vnd den Armen helffen / Vnd die Lesterer zeschmeissen.

[5]Man wird dich fürchten / so lange die Sonne vnd der Mond weret / Von Kind zu kindes kinden.

[6]ER wird herab faren wie der Regen auff das fell / Wie die tropffen / die das Land feuchten.

(Fell) Wie Gideon geschach. Jud. 6.

[7]Zu seinen zeiten wird blühen der Gerechte / vnd grosser Friede / Bis das der Mond nimer sey.

[8]ER wird herrschen von eim Meer bis ans ander / Vnd von dem Wasser an bis zur Welt ende.

(Wasser) Das ist vom Jordan.

[9]Fur jm werden sich neigen die in der Wüsten / Vnd seine Feinde werden staub lecken.

[10]Die Könige am Meer vnd in den Jnsulen werden Geschencke bringen / Die Könige aus Reicharabien vnd Seba werden Gaben zufüren.

[11]Alle Könige werden jn anbeten / Alle Heiden werden jm dienen.

[12]DEnn er wird den Ar-

Ein König der Armen schreienden.

men erretten der da schreiet / Vnd den Elenden der keinen Helffer hat.

[13]ER wird gnedig sein den geringen vnd armen / Vnd den Seelen der armen wird er helffen.

[14]Er wird jre Seele aus dem Trug vnd Freuel erlösen / Vnd jr Blut wird thewr geacht werden fur jm.

[15]Er wird leben / vnd man wird jm vom Gold aus Reicharabien geben / Vnd man wird jmerdar fur jm beten / Teglich wird man jn loben.

[16]AVff Erden oben auff den Bergen wird das Getreide dick stehen / Seine frucht wird [a]beben wie Libanon / Vnd wird grünen in den Stedten / wie gras auff Erden.

a (Beben) Das ist / Der berg Libanon stehet dick von bewmen vnd bebet wenn der wind webd. So dick wird auch das Euangelium stehen vnd beben in den Stedten / Das ist / Es wird das Euangelium vnd die Christen reichlich wachsen vnd zunemen.

[17]Sein Name wird ewiglich bleiben / so lange die Sonne weret wird sein Name auff die Nachkomen reichen / Vnd werden durch denselben gesegenet sein / Alle Heiden werden jn preisen.

(Reichen) Das ist / Man wird seinen Namen jmer predigen fur vnd fur / ob gleich die Alten sterben / so thuns die Nachkomen.

[18]GElobet sey Gott der HERR der Gott Jsrael / Der alleine Wunder thut.

[19]Vnd gelobet sey sein herrlicher Name ewiglich / Vnd alle Land müssen seiner Ehre vol werden / Amen / Amen.

[20]Ein ende haben die Gebet Dauids / des sons Jsai.

## LXXIII.

[1]Ein Psalm Assaph.

JSRAEL HAT DENNOCH Gott zum trost / Wer nur reines hertzen ist.

(Rein hertzen) Jst das sich helt an Gottes wort rein vnd lauter.

[2]Jch aber hette schier gestrauchelt mit meinen füssen / Mein tritt hette viel nahe geglitten.

[3]Denn es verdros mich auff die Rhumrettigen / Da ich sahe / das den Gottlosen so wol gieng.

[4]Denn sie sind in keiner fahr des Todes / Sondern stehen fest wie ein Pallast.

[5]Sie sind nicht in vnglück wie andere Leute / Vnd werden nicht wie ander Menschen geplagt.

[6]Darumb mus jr trotzen köstlich ding sein / Vnd jr freuel mus wol gethan heissen.

[7]Jr Person [b]brüstet sich wie ein fetter wanst / Sie thun was sie nur gedencken.

b (Brüstet) Das ist / Sie sind fett / das ist / reich / mechtig / in ehren / Darumb brüsten sie sich / vnd wöllen forn vnd oben an sein / vnd fur allen gesehen sein / Was sie thun / das mus recht vnd fein sein. Was sie reden / das ist köstlich. Das jr pracht vnd hoffart gleich eine ehre vnd zierde gehalten wird. Was aber ander reden vnd thun / das mus stincken / vnd nichts sein. Jr Zunge regiert im Himel vnd Erden.

[8]Sie vernichten alles / vnd reden vbel dauon / Vnd reden vnd lestern hoch her.

[9]Was sie reden / das mus vom Himel her ab geredt sein / Was sie sagen / das mus gelten auff Erden.

[10]Darumb fellet jnen jr Pöbel zu / Vnd lauffen jnen zu mit hauffen / wie wasser.

[11]Vnd sprechen / Was solt Gott nach jenen fragen / Was solt der Höhest jr achten? ||

|| 308 b

[12]Sihe / das sind die Gottlosen / Die sind glückselig in der Welt / vnd werden Reich.

[13]SOls denn vmb sonst sein / das mein Hertz vnstrefflich lebt / Vnd ich meine Hende in vnschuld wassche?

Psal. 38.

[14]Vnd bin geplagt teglich / Vnd meine straffe ist alle morgen da?

[15]Jch hatte auch schier so gesaget / wie sie / Aber sihe / da mit hette ich verdampt alle deine Kinder / die je gewesen sind.

[16]JCh gedacht jm nach / das ichs begreiffen möchte / Aber es war mir zu schweer.

[17]Bis das ich gieng in das Heiligthum Gottes / Vnd mercket auff jr ende.

(Heiligthum) Da man Gottes wort höret / vnd solche sache recht lernet verstehen.

[18]Aber du setzest sie auffs schlipfferige / Vnd störtzest sie zu boden.

[19]Wie werden sie so plötzlich zu nichte / Sie gehen vnter / vnd nemen ein ende mit schrecken.

[20]Wie ein Trawm / wenn einer erwacht / So machstu HERR jr Bilde in der Stad verschmecht.

(Bilde) Das ist / Jr zeitlich wesen / welchs nur ein schein vnd bild ist.

[21]ABer es thut mir wehe im Hertzen / Vnd sticht mich in meinen Nieren.

[22]Das ich mus ein Narr sein / vnd nichts wissen / Vnd mus wie ein Thier sein fur dir.

[23]DEnnoch bleibe ich stets an dir / Denn du heltest mich bey meiner rechten Hand.

[24]Du leitest mich nach deinem Rat / Vnd nimpst mich endlich mit ehren an.

[25]WENN ICH NUR DICH habe / so frage ich nichts nach Himel vnd Erden.

[26]Wenn mir gleich Leib vnd Seele verschmacht / So bistu doch Gott alle zeit meines hertzen Trost / vnd mein Teil.

[27]Denn sihe / Die von dir weichen / werden vmbkomen / Du bringest vmb alle die wider dich huren.

[28]ABer das ist meine Freude / das ich mich zu Gott halte / vnd meine zuuersicht setze auff den HErrn HERRN / Das ich verkündige allein dein Thun.

## LXXIIII.

[1]Ein Vnterweisung Assaph.

GOTT WARUMB VERstössestu vns so gar? Vnd bist so grimmig zornig vber die Schafe deiner Weide?

[2]GEdenck an deine Gemeine die du vor alters erworben / vnd dir zum Erbteil erlöset hast / An den berg Zion / da du auff wonest.

[3]TRitt auff sie mit füssen / vnd stos sie gar zu boden / Der Feind hat alles verderbet im Heiligthum.

[4]Deine Widerwertigen brüllen in deinen Heu-

(Heusern) Schulen vnd Synagogen / da Gottes wort geleret wird.

sern / Vnd setzen jre Götzen drein.

[5]Man sihet die Exte oben her blicken / Wie man in einen Wald hawet.

[6]Vnd zuhawen alle seine Tafelwerck / Mit beil vnd barten.

4. Reg. 25.

[7]Sie verbrennen dein Heiligthum / Sie entweihen die Wonunge deines Namens zu boden.

[8]Sie sprechen in jrem hertzen / lasst vns sie plündern / Sie verbrennen alle heuser Gottes im Lande.

(Heuser) Das ist / die örter / da Gott sein wort hat / Als in den Schulen.

[9]Vnsere Zeichen sehen wir nicht / vnd kein Prophet prediget mehr / Vnd kein Lerer leret vns mehr.

[10]AH Gott / wie lange sol der Widerwertige schmehen / Vnd der Feind deinen Namen so gar verlestern?

[11]Warumb wendestu deine Hand ab / Vnd deine Rechten von deinem Schos so gar?

(Schos) Jst der Tempel / darin Gott sein Volck samlet vnd leret / wie eine Mutter jr kind tregt / vnd seuget es.

[12]ABer Gott ist mein König von alters her / Der alle Hülffe thut / so auff Erden geschicht.

[13]Du zutrennest das Meer durch deine Krafft / Vnd zubrichst die Köpffe der Drachen im wasser.

(Drachen) Tyrannen / Als Pharao vnd seine Fürsten. Also auch die Walfisch.

[14]Du zuschlegst die Köpffe der Walfische / Vnd gibst sie zur speise dem Volck in der einöde.

(Quellen) Gott bawet Land vnd Stedte / Er verstöret sie auch wider.

[15]Du lessest quellen Brunnen vnd Beche / Du lessest versiegen starcke Ströme.

[16]Tag vnd Nacht ist dein / Du machest / das beide Sonn vnd Gestirn jren gewissen lauff haben.

[17]Du setzest eim jglichen Lande seine grentze / Sommer vnd Winter machestu. ||

|| 309a

[18]SO gedenck doch des / das der Feind den HERRN schmehet / Vnd ein töricht Volck lestert deinen Namen.

[19]Du woltest nicht dem Thier geben die Seele deiner Dorteltauben / Vnd deine elende Thier nicht so gar vergessen.

[20]GEdenck an den Bund / Denn das Land ist allenthalben jemerlich verheret / Vnd die heuser sind zurissen.

[21]Las den Geringen nicht mit schanden dauon gehen / Denn die Armen vnd Elenden / rhümen deinen Namen.

[22]Mach dich auff Gott vnd füre aus deine Sache / Gedenck an die schmach die Dir teglich von den Thoren widerferet.

[23]Vergis nicht des geschreies deiner Feinde / Das toben deiner Widerwertigen wird je lenger je grösser.

## LXXV.

[1]Ein Psalm vnd Lied Assaph / Das er nicht

vmbkeme / vor zu singen.

WJR DANCKEN DIR Gott / wir dancken dir / Vnd verkündigen deine Wunder / das dein Name so nahe ist.

(Nahe) Der vns bald vnd getrost hilfft vnd erhelt.

[3]Denn zu seiner zeit / So werde ich recht richten.

[4]Das Land zittert / vnd alle die drinnen wonen / Aber ich halte seine Seulen feste / Sela.

(Seulen) Die fromen erschrecken fur Gott / Aber er sterckt sie doch. Die Gottlosen bleiben stoltz / vnd gehen also vnter.

[5]JCh sprach zu den Rhumrettigen / Rhümet nicht so / Vnd zu den Gottlosen / Pochet nicht auff gewalt.

[6]Pochet nicht so hoch auff ewer [a]gewalt / Redet nicht halsstarrig.

a (Gewalt) Ebreus / Auff die Hörner / Welche bedeuten gewalt.

[7]Es habe kein not / weder von auffgang / noch von nidergang / Noch von dem gebirge in der Wüsten.

[8]DEnn Gott ist Richter / Der diesen nidriget / vnd jnen erhöhet.

[9]DEnn der HERR hat einen Becher in der Hand / vnd mit starcken Wein vol eingeschenckt / vnd [b]schenckt aus dem selben / Aber die Gottlosen müssen alle trincken / vnd die Hefen aussauffen.

b (Schenckt) Das ist / Er teilet eim jglichen sein Mas zu das er leide. Aber die grundsuppe bleibet den Gottlosen.

[10]JCh aber wil verkündigen ewiglich / Vnd lobsingen dem Gott Jacob.

[11]Vnd wil alle gewalt der Gottlosen zubrechen / Das die gewalt des Gerechten erhöhet werde.

## LXXVI.

[1]Ein Psalmlied Assaph / auff Seitenspiel / vor zu singen.

GOTT IST IN JUDA BEkand / Jn Jsrael ist sein Name herrlich.

[3]Zu Salem ist sein Gezelt / Vnd seine Wonunge zu Zion.

[4]DAselbst zubricht er die pfeile des bogens / Schild / schwert vnd streit / Sela.

[5]Du bist herrlicher vnd mechtiger / Denn die Raubeberge.

(Raubeberge) Das sind die grossen Königreich vnd Fürstenthum / Als Assyrien / Babylon vnd Egypten / die die Land vnter sich mit streit brachten / vnd also zu sich raubten.

[6]Die Stoltzen müssen beraubet werden vnd entschlaffen / Vnd alle Krieger müssen die Hand lassen [b]sincken.

b (Sincken) Haben keine Feuste mehr / können nicht schlahen / sind feige vnd verzaget.

[7]Von deinem schelten Gott Jacob / Sinckt in schlaff beide Ross vnd Wagen.

[8]DV bist erschrecklich / Wer kan fur dir stehen / wenn du zürnest?

[9]WEnn du das Vrteil lessest hören vom Himel / So erschrickt das Erdreich vnd wird still.

[10]Wenn Gott sich auffmacht zurichten / Das er Helffe allen Elenden auff Erden / Sela.

[11]Wenn Menschen wider dich wüeten / so legestu Ehre ein / Vnd wenn sie noch mehr wüeten / bistu auch noch gerüst.

[12]GElobet vnd haltet dem HERRN ewrem

(Gelobet) Das er sol ewr Gott sein / wie das erste Gebot wil / vnd gelobt nicht den Heiligen noch andere Gelübde.

Gott / alle die jr vmb jn her seid / Brenget Geschenck dem Schrecklichen.

[13]DEr den Fürsten den mut nimpt / Vnd schrecklich ist vnter den Königen auff Erden.

## LXXVII.

[1]Ein Psalm Assaph / fur Jeduthun / vor zu singen.

JCH SCHREIE MIT MEIner stim / zu Gott / Zu Gott schreie ich / vnd er erhöret mich. ‖

‖ 309b

[3]Jn der zeit meiner Not suche ich den HErrn / Meine hand ist des nachts ausgereckt / vnd lesst nicht ab / Denn meine Seele wil sich nicht trösten lassen.

[4]Wenn ich betrübt bin / so dencke ich an Gott / Wenn mein Hertz in engsten ist / so rede ich / Sela.

[5]Meine augen heltestu / das sie wachen / Jch bin so onmechtig / das ich nicht reden kan.

[6]JCH dencke der alten zeit / Der vorigen jare.

[7]Jch dencke des nachts an mein Seitenspiel / vnd rede mit meinem hertzen / Mein geist mus forschen.

[8]Wird denn der HErr ewiglich verstossen / Vnd keine Gnade mehr erzeigen?

[9]Jsts denn gantz vnd gar aus mit seiner Güte? Vnd hat die Verheissunge eine ende?

[10]Hat denn Gott vergessen gnedig zu sein / Vnd seine Barmhertzigkeit fur Zorn veschlossen? Sela.

[11]Aber doch sprach ich / Jch mus das leiden / Die rechte Hand des Höhesten kan alles endern.

(Kan alles) Das ist / Jch mag mich zu tod drumb kümmern / Jch kans aber dennoch nicht endern.

[12]DArumb gedenck ich an die Thatten des HERRN / Ja ich gedencke an deine vorige Wunder.

[13]Vnd rede von allen deinen Wercken / Vnd sage von deinem Thun.

[14]GOtt dein weg ist heilig / Wo ist so ein mechtiger Gott / als du Gott bist?

(Heilig) Jst verborgen / Als wenn Gott Leben gibt im Tode / vnd nahe ist / wenn er ferne ist / Welchs die vernunfft nicht begreifft / Es ist zu heilig vnd verborgen. Exod. 14.

[15]Du bist der Gott der Wunder thut / Du hast deine Macht beweiset vnter den Völckern.

[16]Du hast dein Volck erlöset gewaltiglich / Die kinder Jacob vnd Joseph / Sela.

[17]Die wasser sahen dich Gott / die wasser sahen dich / vnd engsteten sich / Vnd die Tieffen tobeten.

[18]Die dicke Wolcken gossen wasser / die Wolcken donnerten / Vnd die Stralen furen da her.

[19]Es donnerte im Himel / deine Blitze leuchteten auff dem Erdboden / Das Erdreich regete sich vnd bebete dauon.

[20]Dein weg war im Meer / vnd dein Pfad in

grossen wassern / Vnd man spüret doch deinen Fus nicht.

[21]DV füretest dein Volck / wie ein Herd schafe / Durch Mosen vnd Aaron.

LXXVIII.

[1]Ein Vnterweisung Assaph.

HORE MEIN VOLCK mein Gesetze / Neiget ewre ohren zu der rede meines mundes.

Matth. 13.

[2]JCh wil meinen mund auffthun zu Sprüchen / Vnd alte Geschichte aussprechen.

[3]Die wir gehört haben vnd wissen / Vnd vnser Veter vns erzelet haben.

[4]Das wirs nicht verhalten sollen jren Kindern / die hernach komen / Vnd verkündigeten den Rhum des HERRN / vnd seine Macht vnd Wunder / die er gethan hat.

[5]ER richtet ein Zeugnis auff in Jacob / vnd gab ein Gesetz in Jsrael / Das er vnsern Vetern gebot zu leren jre Kinder.

[6]Auff das die Nachkomen lerneten / Vnd die Kinder die noch solten geborn werden.

[7]Wenn sie auffkemen / Das sie es auch jren Kindern verkündigeten.

Das sie setzten auff Gott jre hoffnung / Vnd nicht vergessen der thatten Gottes / vnd seine Gebot hielten.

[8]Vnd nicht würden wie jre Veter / ein abtrünnige vnd vngehorsame Art / Welchen jr Hertz nicht fest war / vnd jr Geist nicht trewlich hielt an Gott.

[9]Wie die kinder [a]Ephraim so geharnischt den Bogen füreten / Abfielen zur zeit des [b]streits.

[10]Sie hielten den bund Gottes nicht / Vnd wolten nicht in seinem Gesetz wandeln.

[11]Vnd vergassen seiner Thatten / Vnd seiner Wunder / die er jnen erzeiget hatte.

[12]FVr jren Vetern thet er Wunder in Egyptenland / Jm felde Zoan.

[13]Er zurteilet das Meer / vnd lies sie durch hin gehen / Vnd stellet das Wasser / wie eine Maur. ‖

Exod. 14.

‖ 310a

[14]Er leitet sie des tages mit einer Wolcken / Vnd des nachts mit einem hellen Fewr.

Exod. 13. Psal. 105.

[15]Er reis die Felsen in der Wüsten / Vnd trencket sie mit Wasser die fülle.

Exo. 17. Num. 20.

[16]Vnd lies Beche aus den felsen fliessen / Das sie hin ab flossen wie Wasserströme.

[17]NOch sündigeten sie weiter wider jn / Vnd erzüneten den Höhesten in der Wüsten.

[18]Vnd versuchten Gott in jrem hertzen / Das sie Speise fodderten fur jre Seelen.

Num. 11.

[19]Vnd redten wider Gott

a Vor den Königen stund das Regiment im stam Ephraim / Die füreten den harnisch vnd bogen / Aber sie waren stoltz vnd traweten Gott nicht / Darumb ward es von jnen genomen / vnd Silo verstöret vnd ward in Juda auffgericht.

b (Streit) Streit heisst hie anfechtung fahr vnd not.

vnd sprachen / Ja Gott solt wol können einen Tisch bereiten in der Wüsten?

Num. 20.

[20]SJhe / er hat wol den Felsen geschlagen / das Wasser flossen / Vnd beche sich ergossen.

Aber wie kan er Brot geben / Vnd seinem volck Fleisch verschaffen?

Num. 11.

[21]DA nu das der HERR höret / entbrand er / Vnd Fewr gieng an in Jacob / vnd zorn kam vber Jsrael.

[22]Das sie nicht gleubten an Gott / Vnd hoffeten nicht auff seine Hülffe.

[23]Vnd er gebot den Wolcken droben / Vnd thet auff die thüre des Himels.

Exod. 16. Joh. 6. Sap. 16.

[24]Vnd lies das Man auff sie regenen / zu essen / Vnd gab jnen Himelbrot.

[25]Sie assen Engelbrot / Er sandte jnen Speise die fülle.

[26]ER lies weben den Ostwind vnter dem Himel / Vnd erregt durch seine stercke den Sudwind.

[27]Vnd lies Fleisch auff sie regenen wie staub / Vnd Vogel wie sand am Meer.

[28]Vnd lies sie fallen vnter jr Lager allenthalben / Da sie woneten.

[29]Da assen sie vnd wurden all zusat / Er lies sie jren Lust büssen.

Num. 11.

[30]Da sie nu jren lust gebüsset hatten / Vnd sie noch dauon assen.

[31]Da kam der zorn Gottes vber sie / vnd erwürget die Fürnemesten vnter jnen / Vnd schlug darnider die Besten in Jsrael.

[32]Aber vber das alles sündigeten sie noch mehr / Vnd gleubten nicht an seine Wunder.

[33]Darumb lies er sie da hin sterben / das sie nichts erlangeten / Vnd musten jr lebenlang geplaget sein.

(Erlangeten) Das sie das verheissen land nicht kriegeten vnd vmbsonst gezogen waren aus Egypten.

[34]WEnn er sie erwürget / suchten sie jn / Vnd kereren sich früe zu Gott.

[35]Vnd gedachten / das Gott jr Hort ist / Vnd Gott der Höhest jr Erlöser ist.

[36]Vnd heuchelten jm mit jrem munde / vnd logen jm mit jrer zungen / [37]Aber jr hertz war nicht feste an jm / vnd hielten nicht trewlich an seinem Bunde.

ER aber war Barmhertzig / vnd vergab die Missethat / vnd vertilget sie nicht / Vnd wendet offt seinen Zorn ab / vnd lies nicht seinen gantzen zorn gehen.

[39]Denn er gedacht / das sie Fleisch sind / Ein wind der da hin feret / vnd nicht wider kompt.

[40]Sie erzürneten jn gar offt in der Wüsten / Vnd entrüsteten jn in der Einöde.

[41]Sie versuchten Gott jmer wider / Vnd [a]mei-

a (Meisterten) Sie stelleten Gott jmerdar zeit vnd weise wenn vnd wie er flugs gegenwertig vnd greifflich helffen solt / vnd wolten nicht trawen / noch hoffen auffs zu künfftig. Jtzt wöllen sie Fleisch / jtzt Wasser / jtzt

Brot haben / Aber so setzen vnd leren / wie es Gott machen sol / das heisst Gott versuchen.

sterten den Heiligen in Jsrael.

42Sie dachten nicht an seine Hand / Des tages da er sie erlösete von den Feinden.

PLAGE VBER Egypten etc. Exo. 7. 8. 9. 10.

43WJe er denn seine Zeichen in Egypten gethan hatte / Vnd seine Wunder im lande Zoan.

44Da er jr wasser in Blut wandelt / Das sie jre Beche nicht trincken kundten.

45Da er Vnzifer vnter sie schickt / die sie frassen / Vnd Kröten die sie verderbeten.

46Vnd gab jre gewechse den Raupen / Vnd jre saat den Hewschrecken.

47Da er jre Weinstöcke mit Hagel schlug / Vnd jre Maulberbewme mit Schlosen.

48Da er jr Vieh schlug mit Hagel / Vnd jre Herde mit Stralen.

49Da er böse Engel vnter sie sandte / in seinem grimmigem zorn / Vnd lies sie toben vnd wüten / vnd leide thun. ||

|| 310b

50Da er seinen zorn lies fortgehen / vnd jrer Seelen fur dem Tode nicht verschonet / Vnd lies jr Vieh an der Pestilentz sterben.

Exod. 12.

51Da er alle Erstegeburt in Egypten schlug / Die ersten Erben in den hütten Ham.

52VND lies sein Volck ausziehen wie Schafe / Vnd füret sie wie eine Herde in der Wüsten.

53Vnd er leitet sie sicher / das sie sich nicht furchten / Aber jre Feinde bedeckt das Meer.

54VND bracht sie in seine heilige Grentze / Zu diesem Berge / den seine Rechte erworben hat.

55Vnd vertreib fur jnen her die Völcker / Vnd lies jnen das Erbe austeilen / Vnd lies in jener Hütten die stemme Jsrael wonen.

56ABer sie versuchten vnd erzürneten Gott den Höhesten / Vnd hielten seine Zeugnis nicht.

57Vnd fielen zu rück / vnd verachteten alles / wie jre Veter / Vnd hielten nicht / Gleich wie ein loser Bogen.

58Vnd erzürneten jn mit jren Höhen / Vnd reitzeten jn mit jren Götzen.

59VND da das Gott höret / entbrand er / Vnd verwarff Jsrael seer.

60Das er seine Wonunge zu Silo lies faren / Die Hütten da er vnter Menschen wonet.

1. Reg. 4.

61Vnd gab jre Macht ins Gefengnis / Vnd jre Herrligkeit in die hand des Feindes.

(Macht) Das ist / Die Lade des Bunds / darauff sie sich liessen etc.

62Vnd vbergab sein Volck ins schwert / Vnd entbrand vber sein Erbe.

63Jre junge Manschafft fras das Fewr / Vnd jre Jungfrawen musten vngefreiet bleiben.

64Jre Priester fielen durchs Schwert / Vnd

waren keine Widwen / die da weinen solten.

[65]VND der HERR erwachet wie ein Schlaffender / Wie ein Starcker jauchzet / der vom wein kompt.

1. Reg. 5.

[66]Vnd schlug seine Feinde im Hindern / Vnd henget jnen eine ewige Schande an.

[67]VND verwarff die hütten Joseph / Vnd erwelet nicht den stam Ephraim.

[68]SOndern erwelet den stam Juda / Den berg Zion / welchen er liebet.

[69]Vnd bawet sein Heiligthum hoch / Wie ein Land / das ewiglich fest stehen sol.

1. Reg. 16.

[70]VND erwelet seinen knecht Dauid / Vnd nam jn von den Schafstellen.

[71]Von den saugenden Schafen holet er jn / Das er sein volck Jacob weiden solt / vnd sein Erbe Jsrael.

[72]Vnd er weidet sie auch mit aller trew / Vnd regiert sie mit allem vleis.

## LXXIX.

[1]Ein Psalm Assaph.

HERR / Es sind Heiden in dein Erbe gefallen / Die haben deinen heiligen Tempel verunreiniget / vnd aus Jerusalem Steinhauffen gemacht.

[2]Sie haben die Leichnam deiner Knechte den Vogeln vnter dem Himel zu fressen gegeben / Vnd das Fleisch deiner Heiligen den Thieren im Lande.

[3]Sie haben Blut vergossen vmb Jerusalem her / wie wasser / Vnd war niemand der begrub.

[4]Wir sind vnsern Nachbarn eine schmach worden / Ein spott vnd hohn denen / die vmb vns sind.

[5]HERR / Wie lange wiltu so gar zürnen? Vnd deinen Eiuer wie fewr brennen lassen?

Jere. 10.

[6]Schütte deinen grim auff die Heiden die dich nicht kennen / Vnd auff die Königreiche die deinen Namen nicht anruffen.

Jesa. 64.

[7]Denn sie haben Jacob auffgefressen / Vnd seine Heuser verwüstet.

[8]GEdenck nicht vnser vorigen Missethat / Erbarm dich vnser bald / Denn wir sind fast dünne worden.

[9]Hilff du vns Gott vnser Helffer / vmb deines Namens Ehre willen / Errette vns vnd vergib vns vnser Sünde / vmb deines Namens willen.

[10]Warumb lessestu die Heiden sagen / Wo ist nu jr Gott? Las vnter den Heiden fur vnsern augen kund || werden die Rache des bluts deiner Knechte / das vergossen ist.

|| 311a

[11]LAS fur dich komen das seufftzen der Gefangenen / Nach deinem

(Kinder des todes) Die man teglich da hin würget vnd gar auffreumen wil.

grossen Arm behalt die Kinder des todes.

[12]Vnd vergilt vnsern Nachbarn siebenfeltig in jrem bosem / Jre schmach da mit sie dich HERR geschmecht haben.

[13]WJr aber dein Volck vnd Schafe deiner Weiden dancken dir ewiglich / vnd verkündigen deinen Rhum fur vnd fur.

## LXXX.

(Spanrosen) Ein kleinod wie eine Rose. Vnd heisst hie das Königreich Jsrael.
(Joseph) Das ist / Das Königreich Jsrael.
(Ephraim) Das ist / Auff dem Gnaden stuel / hinder welchem diese Stemme Jsrael lagen / Num. 2.

[1]Ein Psalm Assaph / von den Spanrosen / vor zu singen.

DV HIRTE JSRAEL HÖre / der du Joseph hüttest wie der Schafe / Erscheine / der du sitzest vber Cherubim.

[3]Erwecke deine Gewalt / der du fur Ephraim / BenJamin vnd Manasse bist / Vnd kome vns zu hülffe.

[4]GOtt tröste vns / vnd las leuchten dein Andlitz / So genesen wir.

[5]HERR Gott Zebaoth / Wie lange wiltu zürnen vber dem Gebet deines Volcks?

[6]Du speisest sie mit Threnen brot / Vnd trenckest sie mit grossem mas vol threnen.

a (Zum zanck) Das jederman zu vns vrsache sucht / vns zwackt vnd fewr bey vns holet.

[7]Du setzest vns vnsern Nachbarn [a]zum zanck / Vnd vnser Feinde spotten vnser.

[8]Gott Zebaoth tröste vns / Las leuchten dein Andlitz / so genesen wir.

Jesa. 5. Matth. 21.

[9]DV hast einen Weinstock aus Egypten geholet / vnd hast vertrieben die Heiden / vnd denselben gepflantzet.

[10]Du hast fur jm die ban gemacht / Vnd hast jn lassen einwurtzeln / das er das Land erfüllet hat.

[11]Berge sind mit seinem Schatten bedeckt / Vnd mit seinen Reben die cedern Gottes.

(Cedern Gottes) Jd est / Regnum dilatatum vsque ad Libanum.
(Wasser) Das ist das wasser Phrath

[12]Du hast sein Gewechs ausgebreitet bis ans Meer / Vnd seine Zweige bis ans Wasser.

[13]Warumb hastu denn seinen Zaun zubrochen / Das jn zureisset alles das fur vber gehet?

[14]Es haben jn zuwület die wilden Sewen / Vnd die wilden Thier haben jn verderbet.

[15]GOtt Zebaoth wende dich doch / Schaw vom Himel / vnd sihe an vnd suche heim diesen Weinstock.

[16]Vnd halt jn im baw / den deine Rechte gepflantzt hat / Vnd den du dir festiglich erwelet hast.

[17]Sihe drein vnd schilt / Das des brennens vnd reissens ein ende werde.

[18]Deine Hand schütze das Volck deiner Rechten / Vnd die Leute die du dir festiglich erwelet hast.

[19]SO wöllen wir nicht von dir weichen / Las vns leben / so wöllen wir deinen Namen anruffen.

[20]HERR Gott Zebaoth tröste vns / Las dein Andlitz leuchten / so genesen wir.

## LXXXI.

[1]Auff der Githith / vor zu singen / Assaph.

SJnget frölich Gotte / der vnser Stercke ist / Jauchzet dem Gott Jacob.

[3]Nemet die Psalmen / vnd gebet her die Paucken / Lieblich Harffen mit Psaltern.

[4]Blaset im Newmonden die Posaunen / Jn vnserm Feste der Laubrust.

[5]Denn solchs ist eine Weise in Jsrael / Vnd ein Recht des Gottes Jacob.

[6]Solchs hat er zum Zeugnis gesetzt vnter Joseph / da sie aus Egyptenland zogen / Vnd frembde Sprache gehört hatten.

[7]Da ich jre Schulder von der last entlediget hatte / Vnd jre Hende der töpffen los wurden.

[8]Da du mich in der Not anrieffest / halff ich dir aus / Vnd erhöret dich / da dich das Wetter vberfiel / Vnd versuchte dich am Hadderwasser / Sela. Exo. 17.

[9]HOre mein Volck / Jch wil vnter dir zeugen / Jsrael du solt mich hören.

[10]Das vnter dir kein ander Gott sey / || Vnd du keinen frembden Gott anbetest. || 311b

[11]Jch bin der HERR dein Gott / der dich aus Egyptenland gefüret hat / Thu deinen mund weit auff / las mich jn füllen. Exod. 20.

[12]Aber mein Volck gehorchet nicht meiner stimme / Vnd Jsrael wil mein nicht.

[13]So hab ich sie gelassen in jres hertzen dünckel / Das sie wandeln nach jrem Rat.

[14]WOlte mein Volck mir gehorsam sein / Vnd Jsrael auff meinem Wege gehen.

[15]So wolt ich jre Feinde bald dempffen / Vnd meine Hand vber jre Widerwertige wenden.

[16]Vnd die den HERRN hassen / Müsten an jm feilen / Jre zeit aber würde ewiglich wehren.

[17]Vnd ich würde sie mit dem besten weitzen speisen / Vnd mit honig aus dem Felsen settigen.

## LXXXII.

[1]Ein Psalm Assaph.

GOtt stehet in der gemeine Gottes / Vnd ist Richter vnter den Göttern.

[2]Wie lange wolt jr vnrecht richten / Vnd die Person der Gottlosen furziehen? Sela.

[3]SChaffet Recht dem Armen vnd dem Waisen / Vnd helffet dem Elenden vnd Dürfftigen zum Recht.

[4]Errettet den Geringen vnd Armen / Vnd erlöset jn aus der Gottlosen gewalt.

[5]Aber sie lassen jnen nicht sagen / vnd achtens nicht / Sie gehen jmer hin im finstern / Darumb müssen alle Grundfeste des Landes fallen.

[6]JCh hab wol gesagt / Jr seid Götter / vnd all zumal Kinder des Hōhesten.

Joh. 10.

[7]Aber jr werdet sterben wie Menschen / Vnd wie ein Tyran / zu grund gehen.

[8]GOtt mache dich auff / vnd richte das Land / Denn du bist Erbherr vber alle Heiden.

## LXXXIII.

[1]Ein Psalmlied Assaph.

GOTT SCHWEIGE DOCH nicht also / Vnd sey doch nicht so still / Gott halt doch nicht so inne.

[3]Denn sihe / deine Feinde toben / Vnd die dich hassen / richten den Kopff auff.

[4]Sie machen listige anschlege wider dein Volck / Vnd ratschlahen wider deine Verborgene.

(Verborgene) Das sind die im glauben der welt verborgen leben / das man sie fur Ketzer helt.

[5]Wol her / sprechen sie / Lasst vns sie ausrotten / das sie kein Volck seien / Das des namens Jsrael nicht mehr gedacht werde.

[6]Denn sie haben sich mit einander vereiniget / Vnd einen Bund wider dich gemacht.

[7]Die hütten der Edomiter vnd Jsmaeliter / Der Moabiter vnd Hagariter.

[8]Der Gebaliter / Ammoniter vnd Amalekiter / Die Philister sampt denen zu Tyro.

[9]Assur hat sich auch zu jnen geschlagen / Vnd helffen den kindern Lot / Sela.

[10]THu jnen wie den Midianitern / Wie Sissera / wie Jabin am bach Kison.

Jud. 7.
Jud. 4.

[11]Die vertilget wurden bey Endor / Vnd wurden zu kot auff Erden.

[12]Mache jre Fürsten wie Oreb vnd Seeb / Alle jre Obersten / wie Sebah vnd Zalmuna.

Jud. 7. 8.

[13]Die da sagen / Wir wöllen die heuser Gottes einemen.

[14]GOtt mache sie wie einen Wirbel / Wie stoppel fur dem Winde.

[15]Wie ein Fewr den Wald verbrent / Vnd wie eine flamme die Berge anzündet.

[16]Also verfolge sie mit deinem Wetter / Vnd erschrecke sie mit deinem Vngewitter.

[17]Mache jr angesicht vol schande / Das sie nach deinem Namen fragen müssen.

[18]Schemen müssen sie sich vnd erschrecken jmer mehr vnd mehr / || || 312a

Vnd zu schanden werden vnd vmbkomen.

[19]So werden sie erkennen / das du mit deinem Namen heissest HERR alleine / Vnd der Höhest in aller Welt.

## LXXXIIII.

[1]Ein Psalm der kinder Korah / Auff der Githith / vor zu singen.

WJe lieblich sind deine Wonunge / HERR Zebaoth.

[3]Meine Seele verlanget vnd sehnet sich nach den Vorhöfen des HERRN / Mein leib vnd seele frewen sich in dem lebendigen Gott.

[4]DEnn der Vogel hat ein haus funden / Vnd die Schwalbe jr nest / da sie Jungen hecken / nemlich / Deine altar HERR Zebaoth / mein König vnd mein Gott.

[5]WOl denen die in deinem Hause wonen / Die loben dich jmerdar / Sela.

[6]Wol den Menschen / die dich fur jre Stercke halten / Vnd von hertzen dir nach wandeln.

[7]Die durch das Jamertal gehen / vnd machen daselbs Brunnen / Vnd die Lerer werden mit viel Segen geschmückt.

(Jamertal) Ziehen hin vnd wider / vnd leren die Leute.

[8]Sie erhalten einen Sieg nach dem andern / Das man sehen mus / der rechte Gott sey zu Zion.

[9]HERR Gott Zebaoth höre mein Gebet / Vernims Gott Jacob / Sela.

[10]Gott vnser Schild schawe doch / Sihe an das Reich deines Gesalbeten.

[11]Denn ein tag in deinen Vorhöfen ist besser denn sonst tausent / Jch wil lieber der Thür hüten in meines Gottes hause / denn lange wonen in der Gottlosen Hütten.

[12]DEnn Gott der HERR ist Sonn vnd Schild / der HERR gibt [a]Gnade vnd Ehre / Er wird kein guts mangeln lassen den Fromen.

(Sonn vnd Schild) Er leret vnd schützet / Tröstet vnd hilfft.

a (Gnade) Fur den hass vnd schmach der Welt.

[13]HERR Zebaoth / Wol dem Menschen / der sich auff dich verlesst.

## LXXXV.

[1]Ein Psalm der kinder Korah / vor zu singen.

HERR / der du bist vormals gnedig gewest deinem Lande / Vnd hast die Gefangenen Jacob erlöset.

[3]Der du die Missethat vormals vergeben hast deinem Volck / Vnd alle jre Sünde bedeckt / Sela.

[4]Der du vormals hast alle deinen Zorn auffgehaben / Vnd dich gewendet von dem grim deines zorns.

[5]Tröste vns Gott vnser Heiland / Vnd las ab von deiner Vngnade vber vns.

[6]Wiltu denn ewiglich vber vns zürnen? Vnd deinen zorn gehen lassen jmer fur vnd fur?

[7]Wiltu vns denn nicht wider erquicken? Das sich dein Volck vber dir frewen möge.

[8]HERR / erzeige vns deine Gnade / Vnd hilff vns.

[9]AH das ich hören solt / das Gott der HERR redet / Das er friede zusagte seinem Volck vnd seinen Heiligen / Auff das sie nicht auff eine Torheit geraten.

Psal. 125.

(Torheit) Das sie nicht zu letzt verzagen oder vngedultig werden vnd Gott lestern.

[10]DOch ist ja seine Hülffe nahe denen / die jn fürchten / Das in vnserm Lande [a]Ehre wone.

a (Ehre) Das löblich zu gehe / die Leute from seien gegenander. Florente religione et politia sub coelo toto.

[11]Das Güte vnd Trewe einander begegen / Gerechtigkeit vnd Friede sich küssen.

[12]Das Trewe auff der Erden wachse / Vnd Gerechtigkeit vom Himel schawe.

[13]DAs vns auch der HERR guts thue / Da mit vnser Land sein Gewechs gebe.

[14]Das Gerechtigkeit dennoch fur jm bleibe / Vnd im schwang gehe.

## LXXXVI.

[1]Ein Gebet Dauids.

HERR NEIGE DEINE Ohren vnd erhöre mich / Denn ich bin elend vnd arm. ||

|| 312b

[2]Beware meine Seele / denn ich bin Heilig / Hilff du mein Gott deinem Knechte / der sich verlesst auf dich.

Heilig kan hie auch heissen / verdampt vnd veracht / per antiphrasin / als ein Ketzer.

[3]HERR sey mir gnedig / Denn ich ruffe teglich zu dir.

[4]Erfrewe die Seele deines Knechts / Denn nach dir HErr verlanget mich.

[5]DEnn du HErr bist Gut vnd Gnedig / Von grosser Güte / allen die dich anruffen.

[6]Vernim HERR mein gebet / Vnd mercke auff die stimme meines flehens.

[7]Jn der Not ruffe ich dich an / Du wöllest mich erhören.

[8]HErr / es ist dir kein gleiche vnter den Göttern / Vnd ist niemand der thun kan wie du.

[9]Alle Heiden die du gemacht hast / werden komen vnd fur dir anbeten HErr / Vnd deinen Namen ehren.

[10]Das du so gros bist / vnd Wunder thust / Vnd alleine Gott bist.

[11]WEise mir HERR deinen weg / das ich wandele in deiner Warheit / Erhalte mein Hertz bey dem Einigen / das ich deinen Namen fürchte.

(Einigen) Das ist / Gottes wort / das bleibt vnd macht einig. Andere lere zutrennen / vnd machen eitel Rotten.

[12]Jch dancke dir HErr mein Gott von gantzem hertzen / Vnd ehre deinen Namen ewiglich.

[13]Denn deine Güte ist gros vber mich / Vnd hast meine Seele errettet aus der tieffen Helle.

[14]Gott / Es setzen sich die Stoltzen wider mich / vnd der hauffe der Ty-

rannen stehet mir nach meiner seele / Vnd haben dich nicht fur augen.

Psal. 103. 145.

[15]DV aber HErr Gott bist barmhertzig vnd gnedig / Gedultig / vnd grosser güte vnd trewe.

[16]Wende dich zu mir / sey mir gnedig / Stercke deinen Knecht mit deiner Macht / vnd hilff dem Son deiner magd.

[17]THu ein Zeichen an mir / das mirs wol gehe / Das es sehen die mich hassen / vnd sich schemen müssen / Das du mir beystehest / HERR / vnd tröstest mich.

## LXXXVII.

[1]Ein Psalmlied der Kinder Korah.

SJE IST FEST GEGRÜNdet auff den heiligen Bergen / [2]Der HERR liebet die thor Zion / vber alle wonunge Jacob.

[3]HErrliche ding werden in dir gepredigt / Du stad Gottes / Sela.

Jesa. 30. RAHAB ist Egypten.

[4]JCh wil predigen lassen Rahab vnd Babel / das sie mich kennen sollen / Sihe / die Philister vnd Tyrer sampt dem Moren werden daselbs geborn.

[5]Man wird zu Zion sagen / Das allerley Leute drinnen geborn werden / Vnd das Er der Höheste sie bawe.

[6]DEr HERR wird predigen lassen in allerley Sprachen / Das der etliche auch daselbs geborn werden / Sela.

(Daselbs) Zu Zion.

[7]Vnd die Senger wie am Reigen / Werden alle in dir singen eins vmbs ander.

## LXXXVIII.

[1]Ein Psalmlied der Kinder Korah / vor zu singen / Von der schwachheit der Elenden.

Ein vnterweisunge Heman des Esrahiten.

HERR GOTT MEIN Heiland / Jch schreie tag vnd nacht fur dir.

[3]Las mein gebet fur dich komen / Neige deine Ohren zu meinem geschrey.

[4]Denn meine Seele ist vol jamers / Vnd mein Leben ist nahe bey der Helle.

[5]Jch bin geacht gleich denen / die zur Helle fahren / Jch bin ein Man der keine hülffe hat.

[6]Jch lige vnter den Todten verlassen / wie die Erschlagene / die im Grabe ligen / Der du nicht mehr gedenckest vnd sie von deiner Hand abgesondert sind.

[7]Du hast mich in die Gruben hinunter gelegt / Jns finsternis vnd in die tieffe.

[8]Dein grim drücket mich / Vnd drengest mich mit allen deinen Fluten / Sela. ‖

‖ 313a

[9]Meine Freunde hastu ferne von mir gethan / Du hast mich jnen zum Grewel gemacht / Jch lige gefangen / vnd kan nicht auskomen.

Psal. 6.

[10]Meine gestalt ist jemerlich fur Elende / HERR ich ruffe dich an teglich / Jch breite meine Hende aus zu dir.

[11]WJrstu denn vnter den Todten Wunder thun? Oder werden die Verstorbene auffstehen / vnd dir dancken? Sela.

[12]Wird man in Grebern erzelen deine Güte? Vnd deine Trewe im verderben?

[13]Mügen denn deine Wunder im finsternis erkand werden? Oder deine Gerechtigkeit im Lande da man nichts gedencket?

[14]ABer ich schrey zu dir HERR / Vnd mein gebet kompt früe fur dich.

[15]Warumb verstossestu HERR meine Seele / Vnd verbirgest dein Andlitz fur mir?

[16]Jch bin elend vnd ammechtig / das ich so verstossen bin / Jch leide dein schrecken / Das ich schier verzage.

[17]Dein Grim gehet vber mich / Dein schrecken drücket mich.

[18]Sie vmbgeben mich teglich wie wasser / Vnd vmbringen mich mit einander.

[19]Du machest das meine Freunde vnd Nehesten / vnd meine Verwandten sich ferne von mir thun / Vmb solches elends willen.

## LXXXIX.

[1]Ein Vnterweisung Ethan / des Esrahiten.

JCH WIL SINGEN VON der Gnade des HERRN ewiglich / Vnd seine Warheit verkündigen mit meinem munde fur vnd fur.

[3]Vnd sage also / Das ein ewige [a]Gnade wird auffgehen / Vnd du wirst deine Warheit trewlich halten [b]im Himel.

[4]JCh habe einen Bund gemacht mit meinem Ausserweleten / Jch habe Dauid meinem knechte geschworen.

[5]Jch wil dir ewiglich Samen verschaffen / Vnd deinen Stuel bawen fur vnd fur / Sela.

[6]Vnd die Himel werden HERR deine Wunder preisen / Vnd deine Warheit in der gemeine der Heiligen.

[7]DEnn wer mag in den Wolcken dem HERRN gleich gelten? Vnd gleich sein vnter den Kindern der Götter dem HERRN?

[8]Gott ist fast mechtig in der samlunge der Heiligen / Vnd Wunderbarlich vber alle die vmb jn sind.

a Joh. 1. Durch Jhesum ist gnade vnd warheit worden.

b (Jm Himel) Denn Christus Reich ist nicht ein jrdisch Reich / sondern Himlisch / vnd in wolcken / das ist / nicht auff Erden. 2. Reg. 7.

[9]HERR Gott Zebaoth / Wer ist wie du / ein mechtiger Gott? Vnd deine Warheit ist vmb dich her.

[10]DV herrschest vber das vngestüme Meer / Du stillest seine Wellen / wenn sie sich erheben.

(Rahab) Egypten / vt supra / vnd heisst stoltz.

[11]Du schlehest Rahab zu tod / Du zurstrewest deine Feinde mit deinem starcken Arm.

[12]Himel vnd Erden ist dein / Du hast gegründet den Erdboden / vnd was drinnen ist.

[13]Mitternacht vnd Mittag hastu geschaffen / Thabor vnd Hermon jauchzen in deinem Namen.

(Jauchzen) Das gantze Land grunet vnd stehet lüstig.

[14]DV hast einen gewaltigen Arm / Starck ist deine Hand / Vnd hoch ist deine Rechte.

[15]Gerechtigkeit vnd Gericht ist deines Stuels festung / Gnade vnd Warheit sind fur deinem Angesichte.

[16]WOL dem Volck / das jauchzen kan / HERR sie werden im Liecht deines Andlitz wandeln.

(Jauchzen) Das ist / das frölich wort Gottes hat.

[17]Sie werden vber deinem Namen teglich frölich sein / Vnd in deiner Gerechtigkeit herrlich sein.

[18]DEnn du bist der Rhum jrer stercke / Vnd durch deine Gnade wirstu vnser Horn erhöhen.

[19]Denn der HERR ist vnser Schild / Vnd der Heilige in Jsrael ist vnser König.

DA zumal redestu im Gesichte zu deinem Heiligen / vnd sprachest / Jch habe einen Helt erweckt der helffen sol / Jch habe erhöhet einen Ausserweleten aus dem volck.

[21]Jch habe funden meinen knecht Da-|| iud / Jch hab jn gesalbet mit meinem heiligen Ole.

|| 313b

1. Reg. 16. Act. 13.

[22]Meine Hand sol jn erhalten / Vnd mein Arm sol jn stercken.

[23]Die Feinde sollen jn nicht vberweldigen / Vnd die Vngerechten sollen jn nicht dempffen.

[24]Sondern ich wil seine Widersacher schlahen fur jm her / Vnd die jn hassen / wil ich plagen.

[25]ABer meine Warheit vnd Gnade sol bey jm sein / Vnd sein Horn sol in meinem Namen erhaben werden.

[26]Jch wil seine Hand ins Meer stellen / Vnd seine Rechte in die Wasser.

[27]ER wird mich nennen also / Du bist mein Vater / Mein Gott vnd Hort der mir hilfft.

[28]Vnd ich wil jn zum ersten Son machen / Allerhöhest vnter den Königen auff Erden.

[29]Jch wil jm ewiglich behalten meine Gnade / Vnd mein Bund sol jm feste bleiben.

[30]Jch wil jm ewiglich Samen geben / Vnd sei-

nen Stuel / so lange der Himel wehret / erhalten.

[31]WO aber seine Kinder mein Gesetze verlassen / Vnd in meinen Rechten nicht wandeln.

[32]So sie meine Ordenung entheiligen / Vnd meine Gebot nicht halten.

[33]So wil ich jre Sünde mit der Ruten heimsuchen / Vnd jre Missethat mit plagen.

[34]Aber meine Gnade wil ich nicht von jm wenden / Vnd meine Warheit nicht lassen feilen.

[35]Jch wil meinen Bund nicht entheiligen / Vnd nicht endern / was aus meinem Munde gangen ist.

2. Reg. 7.

[36]JCh habe einst geschworen bey meiner Heiligkeit / Jch wil Dauid nicht liegen.

[37]Sein Same sol ewig sein / Vnd sein Stuel fur mir / wie die Sonne.

[38]Wie der Mond sol er ewiglich erhalten sein / Vnd gleich wie der Zeuge in wolcken gewis sein / Sela.

(Zeuge) Das ist / Der Regenbogen / den Gott zum Zeugen setzet des ewigen Bunds mit Noah. Gen. 9.

ABer nu verstössestu vnd verwirffest / Vnd zürnest mit deinem Gesalbeten.

[40]Du verstörest den Bund deines Knechtes / Vnd trittest seine Krone zu boden.

[41]Du zureissest alle seine Mauren / Vnd lessest seine Festen zubrechen.

[42]Es rauben jn Alle die fur vber gehen / Er ist seinen Nachbarn ein spot worden.

[43]Du erhöhest die Rechte seiner Widerwertigen / Vnd erfrewest alle seine Feinde.

[44]Auch hastu die Krafft seines schwerts weggenomen / Vnd lessest jn nicht siegen jm streit.

[45]Du zustörest seine Reinigkeit / Vnd wirffest seinen Stuel zu boden.

(Reinigkeit) Das ist / Alle seinen schmuck vnd zierde des Gottesdiensts

[46]Du verkürtzest die zeit seiner Jugent / Vnd bedeckest jn mit Hohn / Sela.

[47]HERR / Wie lange wiltu dich so gar verbergen / Vnd deinen Grim / wie fewr / brennen lassen?

[48]GEdencke / wie kurtz mein Leben ist / Warumb wiltu alle Menschen vmb sonst geschaffen?

[49]Wo ist jemand der da lebet / vnd den Tod nicht sehe? Der seine Seele errette aus der Hellen hand? Sela.

[50]HErr / wo ist deine vorige Gnade? Die du Dauid geschworen hast in deiner Warheit.

2. Reg. 7.

[51]GEdencke HErr an die Schmache deiner Knechte / Die ich trage in meinem schos / von so vielen Völckern allen.

[52]Da mit dich HERR deine Feinde schmehen / Da mit sie schmehen die Fusstapffen deines Gesalbeten.

[53]GElobet sey der HERR ewiglich / Amen / Amen.

## XC.

[1]Ein Gebet Mose / des mans Gottes.

HERR GOTT / DU BIST vnser Zuflucht / Fur vnd fur.

[2]Ehe denn die Berge worden / vnd die Erde / vnd die Welt geschaffen wurden / Bistu Gott von ewigkeit in ewigkeit.

[3]DEr du die Menschen [a]lessest sterben / vnd sprichst / Kompt wider Menschen kinder. ||

a (Lessest sterben) Es sterben jmer die Leute hin / vnd komen ander wider durch Gottes wort / Darumb ist vnser Leben gegen im als nichts.

|| 314a

[4]Denn tausent jar sind fur dir / wie der Tag der gestern vergangen ist / Vnd wie eine Nachtwache.

[5]Du lessest sie da hin faren wie einen Strom / Vnd sind wie ein Schlaff / Gleich wie ein Gras / das doch bald welck wird.

[6]Das da früe blüet / vnd bald welck wird / Vnd des abends abgehawen wird vnd verdorret.

[7]DAs machet dein Zorn / das wir so vergehen / Vnd dein Grim / das wir so plötzlich da hin müssen.

[8]Denn vnser Missethat stellestu fur dich / Vnser vnerkandte Sünde ins liecht fur deinem Angesichte.

(Vnerkandte) Das ist / Adams sünde Rom. 5. da mit der Tod verdienet ist / Vnd doch die Welt solches nicht weis.

[9]Darumb faren alle vnser Tage da hin durch deinen zorn / Wir bringen vnser Jare zu / wie ein Geschwetz.

[10]Vnser Leben wehret siebenzig Jar / wens hoch kompt so sinds achtzig jar / Vnd wens köstlich gewesen ist / so ists Mühe vnd Erbeit gewesen / Denn es feret schnell da hin / als flögen wir dauon.

Eccl. 18.

[11]Wer gleubts aber / das du so seer zörnest? Vnd wer furcht sich fur solchem deinem Grim?

(Zörnest) Das ist / Das solches dein Zorn ist / vnd vnser sünde so gros ist / die solchen zorn verdienet.

[12]LEre vns bedencken / das wir sterben müssen / Auff das wir klug werden.

[13]HERR kere dich doch wider zu vns / Vnd sey deinen Knechten gnedig.

[14]Fülle vns frűe mit deiner Gnade / So wöllen wir rhümen vnd frölich sein vnser Leben lang.

[15]ERfrewe vns nu wider / nach dem du vns so lange plagest / Nach dem wir so lange vnglück leiden.

[16]Zeige deinen Knechten deine Wercke / Vnd deine Ehre jren Kindern.

(Deine Werck) Das ist / leben vnd hülffe / vnd alles guts.

[17]Vnd der HERR vnser Gott sey vns freundlich / Vnd fordere das werck vnser hende bey vns / Ja das werck vnser hende wolt er fordern.

(Vnser werck) Das ist / geistlich vnd weltlich Regiment.

## XCI.

WER VNTER DEN Schirm des Höhesten sitzt / Vnd vnter dem schatten des Allmechtigen bleibt.

[2]Der spricht zu dem HERRN / meine Zuuersicht / vnd meine Burg / Mein Gott / auff den ich hoffe.

[3]DEnn er errettet mich vom strick des Jegers / Vnd von der schedlichen Pestilentz.

[4]ER wird dich mit seinen Fittichen decken / vnd deine Zuuersicht wird sein vnter seinen Flügeln / Seine Warheit ist Schirm vnd Schild.

(Warheit) Wort vnd verheissung der Gnaden.

[5]DAS du nicht erschrecken müssest fur dem grawen des Nachts / Fur den Pfeilen die des tages fliegen.

[6]Fur der Pestilentz die im finstern schleicht / Fur der Seuche die im mittage verderbet.

Allerley vnglück zeiget er mit an / Es sey gewalt / vnrecht / list / tücke / freuel etc.

[7]OB tausent fallen zu deiner Seiten / Vnd zehen tausent zu deiner Rechten / So wird es doch dich nicht treffen.

[8]Ja du wirst mit deinen augen deine lust sehen / Vnd schawen / wie es den Gottlosen vergolten wird.

[9]DEnn der HERR ist deine Zuuersicht / Der Höhest ist deine Zuflucht.

[10]Es wird dir kein Vbels begegen / Vnd keine Plage wird zu deiner Hütten sich nahen.

[11]DEnn er hat seinen Engeln befolhen vber dir / Das sie dich behüten auff alle deinen wegen.

Matth. 4.

[12]Das sie dich auff den henden tragen / Vnd du deinen fus nicht an einen stein stössest.

[13]AUff dem Lewen vnd Ottern wirstu gehen / Vnd tretten auff den Jungenlewen vnd Drachen.

[14]ER begert mein / so wil ich jm aushelffen / Er kennet meinen Namen / darumb wil ich jn schützen.

[15]Er rüffet mich an / so wil ich jn erhören / Jch bin bey jm in der Not / Jch wil jn er aus reissen / vnd zu Ehren machen.

[16]Jch wil jn settigen mit langem Leben / Vnd wil jm zeigen mein Heil.

## XCII.

[1]Ein Psalmlied auff den Sabbath tag. ‖

‖ 314b

DAS IST EIN KÖSTLICH ding / dem HERRN dancken / Vnd lobsingen deinem Namen du Höhester.

[3]Des morgens deine Gnade / Vnd des nachts deine Warheit verkündigen.

[4]Auff den zehen Seiten vnd Psalter / Mit spielen auff der Harffen.

[5]DEnn HERR du lessest mich frölich singen von deinen Wercken / Vnd ich rhüme die gescheffte deiner Hende.

[6]HERR / wie sind deine Werck so gros? Deine gedancken sind so seer tieff.

(Tieff) Wünderlich / da mit er vns so hilffet / das kein mensch begreiffen / noch erdencken künde.

[7]Ein Törichter gleubt das nicht / Vnd ein Narr achtet solchs nicht.

[8]DJe Gottlosen grünen wie das gras / Vnd die Vbelthetter blühen alle / Bis sie vertilget werden jmer vnd ewiglich.

[9]ABer du HERR bist der Höhest / Vnd bleibest ewiglich.

[10]Denn sihe / deine Feinde / HERR / sihe / deine Feinde werden vmbkomen / Vnd alle Vbelthetter müssen zustrewet werden.

[11]ABer mein Horn wird erhöhet werden / wie eines Einhorns / Vnd werde gesalbet mit frischem Öle.

(Gesalbet) Das ich werde erfrewet.

[12]Vnd meine auge wird sein lust sehen an meinen Feinden / Vnd mein ohre wird seine lust hören an den Boshafftigen / die sich wider mich setzen.

[13]DEr Gerechte wird grunen wie ein Palmbawm / Er wird wachssen wie ein Ceder auff Libanon.

[14]Die gepflantzt sind in dem Hause des HERRN / Werden in den Vorhöfen vnsers Gottes grünen.

[15]Vnd wenn sie gleich alt werden / Werden sie dennoch blühen / fruchtbar vnd frisch sein.

[16]Das sie verkündigen das der HERR so from ist / Mein Hort / vnd ist kein vnrecht an jm.

(Kein vnrecht) Er sihet keine Person an / vnd hilfft der Gottlosen sache nicht / wie sie doch meinen.

## XCIII.

DER HERR IST König / vnd herrlich geschmuckt / Der HERR ist geschmuckt / vnd hat ein Reich angefangen / so weit die Welt ist / Vnd zugericht / das es bleiben sol.

[2]Von dem an stehet dein Stuel fest / Du bist ewig.

[3]HERR / Die Wasserströme erheben sich / die wasserströme erheben jr brausen / Die wasserströme heben empor die wellen.

[4]Die wasserwogen im Meer sind gros / Vnd brausen grewlich / Der HERR aber ist noch grösser in der Höhe.

[5]DEin wort ist eine rechte Lere / Heiligkeit ist die zierde deines Hauses ewiglich.

## XCIIII.

HERR GOTT DES DIE Rache ist / Gott / des die Rache ist / erscheine.

(Erscheine) Brich erfür / Las dich sehen.

[2]Erhebe dich du Richter der Welt / Vergilt den Hoffertigen was sie verdienen.

[3]HERR / wie lange sollen die Gottlosen / Wie lange sollen die Gottlosen pralen?

(Pralen) Einher fahren mit worten / als ein Herr oder Tyran / den man fürchten müsse / was er sagt oder wil.

[4]Vnd so trötzlich reden / Vnd alle Vbelthetter sich so rhümen?

[5]HERR / Sie zuschlagen dein Volck / Vnd plagen dein Erbe.

6 Widwen vnd Frembdlinge erwürgen sie / Vnd tödten die Waisen.

7 Vnd sagen / Der HERR sihets nicht / Vnd der Gott Jacob achtets nicht.

8 MErckt doch jr Narren vnter dem Volck? Vnd jr Thoren / wenn wolt jr klug werden?

9 Der das Ohre gepflantzt hat / solt der nicht hören? Der das Auge gemacht hat / solt der nicht sehen?

10 Der die Heiden züchtiget / solt der nicht straffen? Der die Menschen leret was sie wis-

1. Cor. 3.

11 ABer der HERR weis die gedancken der Menschen / Das sie eitel sind.

12 WOl dem den du HErr züchtigest / Vnd lerest jn durch dein Gesetze. ‖

‖ 315 a

13 Das er Gedult habe / wens vbel gehet / Bis dem Gottlosen die Grube bereitet werde.

14 DEnn der HERR wird sein Volck nicht verstossen / Noch sein Erbe verlassen.

15 DEnn Recht mus doch recht bleiben / Vnd dem werden alle frome Hertzen zufallen.

16 Wer stehet bey mir / wider die Boshafftigen? Wer tritt zu mir / wider die Vbelthetter?

17 WO der HERR mir nicht hülffe / So lege meine Seele schier in der Stille.

(Stille) Das ist / in der Helle da es stille ist vnd alles aus.

18 Jch sprach / Mein fus hat gestrauchelt / Aber deine Gnade HERR hielt mich.

19 Jch hatte viel Bekümmernisse in meinem hertzen / Aber deine Tröstung ergetzeten meine Seele.

20 DV wirst ja nimer eins mit dem schedlichen Stuel / Der das Gesetz vbel deutet.

(Schedlichen) Das ist / Da man schedliche dinge vnd verderben der Seelen leret.

21 Sie rüsten sich wider die Seele des Gerechten / Vnd verdamnen vnschuldig Blut.

22 ABer der HERR ist mein Schutz / Mein Gott ist der Hort meiner zuuersicht.

23 Vnd er wird jnen jr vnrecht vergelten / Vnd wird sie vmb jre Bosheit vertilgen / Der HERR vnser Gott wird sie vertilgen.

## XCV.

KOMPT HER ZU / LASST vns dem HERRN frolocken / Vnd jauchzen dem Hort vnsers Heils.

2 Lasset vns mit dancken fur sein Angesichte komen / Vnd mit Psalmen jm jauchzen.

3 DEnn der HERR ist ein grosser Gott / Vnd ein grosser König vber alle Götter.

4 Denn in seiner Hand ist / was die Erde bringet / Vnd die höhe der Berge sind auch sein.

[5]Denn sein ist das Meer / vnd er hats gemacht / Vnd seine Hende haben das Trocken bereit.

(Trocken) Das ist die Erde.

[6]KOmpt / Lasst vns anbeten vnd knien / Vnd niderfallen fur dem HERRN / der vns gemacht hat.

[7]Denn er ist vnser Gott / vnd wir das Volck seiner weide / vnd Schafe seiner Hende.

Ebre. 3.

HEUTE / SO JR SEINE Stimme höret / [8]so verstocket ewer Hertz nicht / Wie zu Meriba geschach / Wie zu Massa in der wüsten.

Exo. 17.

[9]Da mich ewer Veter versuchten / Fületen vnd sahen meine Werck.

[10]Das ich vierzig Jar mühe hatte mit diesem Volck / vnd sprach / Es sind Leute / der Hertz jmer den Jrreweg wil / Vnd die meine Wege nicht lernen wöllen.

[11]Das ich schwur in meinem zorn / Sie sollen nicht zu meiner Ruge komen.

## XCVI.

1. Par. 16.

SJNGET DEM HERRN ein newes Lied / Singet dem HERRN alle Welt.

[2]Singet dem HERRN vnd lobet seinen Namen / Prediget einen tag am andern sein Heil.

[3]Erzelet vnter den Heiden seine Ehre / Vnter allen Völckern seine Wunder.

[4]DEnn der HERR ist gros vnd hoch zu loben / Wunderbarlich vber alle Götter.

[5]Denn alle Götter der Völcker sind Götzen / Aber der HERR hat den Himel gemacht.

[6]Es stehet herrlich vnd prechtig fur jm / Vnd gehet gewaltiglich vnd löblich zu in seinem Heiligthum.

[7]JR Völcker bringet her dem HERRN / Bringet her dem HERRN Ehre vnd Macht.

[8]Bringet her dem HERRN die Ehre seinem Namen / Bringet Geschencke / vnd kompt in seine Vorhöfe.

[9]Betet an den HERRN in heiligem Schmuck / Es fürchte jn alle Welt.

[10]Sagt vnter den Heiden / das der HERR König sey / Vnd habe sein || Reich / so weit die Welt ist / bereit / das es bleiben sol / Vnd richtet die Völcker recht.

|| 315 b

[11]HJmel frewe sich / vnd Erde sey frölich / Das Meer brause / vnd was drinnen ist.

[12]Das Feld sey frölich / vnd alles was drauff ist / Vnd lasset rhümen alle Bewme im walde.

[13]Fur dem HERRN / denn er kompt / Denn er kompt zu richten das Erdreich.

[14]Er wird den Erdboden richten mit Gerechtigkeit / Vnd die Völcker mit seiner Warheit.

XCVII.

DER HERR IST König / des frewe sich das Erdreich / Vnd seien frölich die Jnsulen / so viel jr ist.

[2]Wolcken vnd Tunckel ist vmb jn her / Gerechtigkeit vnd Gericht ist seines Stuels festung.

[3]Fewr gehet fur jm her / Vnd zündet an vmb her seine Feinde.

[4]Seine Blitzen leuchten auff den Erdboden / Das Erdreich sihet vnd erschrickt.

[5]Berge zuschmeltzen wie wachs fur dem HERRN / Fur dem Herrscher des gantzen Erdboden.

[6]Die Himel verkündigen seine Gerechtigkeit / Vnd alle Völcker sehen seine Ehre.

Exo. 20.

[7]SChemen müssen sich alle die den Bilden dienen / vnd sich der Götzen rhümen / Betet jn an alle Götter.

Ebre. 1.

[8]ZJon hörets vnd ist fro / Vnd die Töchter Juda sind frölich / HERR vber deinem Regiment.

[9]Denn du HERR bist der Höhest in allen Landen / Du bist seer erhöhet vber alle Götter.

[10]DJe jr den HERRN liebet / hasset das arge / Der HERR bewaret die seelen seiner Heiligen / Von der Gottlosen hand wird er sie erretten.

[11]DEm Gerechten mus das Liecht jmer wider auffgehen / Vnd freude den Fromen hertzen.

(Liecht) Das ist / Glück vnd heil.

[12]JR Gerechten frewet euch des HERRN / Vnd dancket jm vnd preiset seine Heiligkeit.

XCVIII.

[1]Ein Psalm.

SJNGET DEM HERRN ein newes Lied / Denn er thut Wunder.

ER sieget mit seiner Rechten / vnd mit seinem heiligen Arm.

[2]Der HERR lesst sein Heil verkündigen / Fur den Völckern lesst er seine Gerechtigkeit offenbaren.

[3]Er gedencket an seine Gnade vnd Warheit / dem hause Jsrael / Aller welt ende sehen das Heil vnsers Gottes.

[4]JAuchzet dem HERRN alle Welt / Singet / rhümet vnd lobet.

[5]Lobet den HERRN mit Harffen / Mit Harffen vnd Psalmen.

[6]Mit Drometen vnd Posaunen / Jauchzet fur dem HERRN dem Könige.

[7]Das Meer brause vnd was drinnen ist / Der Erdboden vnd die drauff wonen.

[8]Die Wasserströme frolocken / Vnd alle Berge seien frölich.

[9]Fur dem HERRN / denn er kompt das Erdreich zu richten / Er wird den Erdboden richten mit Gerechtigkeit / vnd die Völcker mit Recht.

## XCIX.

DER HERR IST König / Darumb toben die Völcker / Er sitzet auff Cherubim / Darumb reget sich die Welt.

[2]Der HERR ist gros zu Zion / Vnd hoch vber alle Völcker.

[3]MAn dancke deinem grossen vnd wunderbarlichem Namen / Der da heilig ist.

[4]Jm Reich dieses Königs hat man das Recht lieb / Du gibst frömkeit / Du schaffest Gericht vnd Gerechtigkeit in Jacob.

[5]ERhebet den HERRN vnsern Gott / Betet an zu seinem fusschemel / Denn er ist heilig. ‖ ‖ 316a

[6]MOse vnd Aaron vnter seinen Priestern / Vnd Samuel vnter denen die seinen Namen anruffen / Sie rieffen an den HERRN / Vnd er erhöret sie.

[7]Er redet mit jnen durch eine Wolckenseulen / Sie hielten seine Zeugnis vnd Gebot / die er jnen gab.

[8]HERR du bist vnser Gott / du erhöretest sie / Du Gott vergabest jnen / vnd straffetest jr thun.

[9]ERhöhet den HERRN vnsern Gott / vnd betet an zu seinem heiligen Berge / Denn der HERR vnser Gott ist heilig.

## C.

[1]Ein Danckpsalm.

JAUCHZET DEM HERRN alle Welt / [2]Dienet dem HERRN mit freuden / Kompt fur sein Angesicht mit frolocken.

[3]ERkennet das der HERR Gott ist / er hat vns gemacht / vnd nicht wir selbs / zu seinem Volck / vnd zu Schafen seiner weide.

[4]Gehet zu seinen Thoren ein mit dancken / zu seinen Vorhöfen mit loben / Dancket jm / lobet seinen Namen.

[5]DEnn der HERR ist freundlich / Vnd seine Gnade weret ewig / vnd seine Warheit fur vnd fur.

## CI.

[1]Ein Psalm Dauids.

VON GNADE VND Recht wil ich singen / Vnd dir HERR lobsagen.

[2]JCh handel fursichtig vnd redlich bey denen die mir zugehören / Vnd wandel trewlich in meinem Hause.

[3]Jch neme mir keine böse Sache fur / Jch

hasse den Vbertretter / vnd lasse jn nicht bey mir bleiben.

[4]Ein verkeret Hertz mus von mir weichen / Den Bösen leide ich nicht.

[5]Der seinen Nehesten heimlich verleumbdet / den vertilge ich / Jch mag des nicht / der stoltz geberde vnd hohen mut hat.

[6]MEine augen sehen nach den Trewen im Lande / das sie bey mir wonen / Vnd hab gerne frome Diener.

[7]Falsche Leute halte ich nicht in meinem Hause / Die Lügener gedeien nicht bey mir.

[8]Frü̈e vertilge ich alle Gottlosen im Lande / Das ich alle Vbelthetter ausrotte / aus der Stad des HERRN.

## CII.

[1]Ein Gebet des Elenden / so er betrübt ist / vnd seine Klage fur dem HERRN ausschütt.

HERR HÖRE MEIN Gebet / Vnd las mein schreien zu dir komen.

[3]Verbirge dein Andlitz nicht fur mir / Jn der Not neige deine Ohren zu mir / Wenn ich dich anruffe / so erhöre mich bald.

[4]DEnn meine Tage sind vergangen wie ein Rauch / Vnd meine Gebeine sind verbrand wie ein Brand.

[5]Mein Hertz ist geschlagen / vnd verdorret / wie Gras / Das ich auch vergesse mein Brot zu essen.

[6]Mein Gebein klebt an meinem fleisch / Fur heulen vnd seuffzen.

[7]Jch bin gleich wie ein Rhordomel in der wüsten / Jch bin gleich wie ein Kützlin in den verstöreten Stedten.

[8]Jch wache / Vnd bin / wie ein einsamer Vogel auff dem dache.

[9]Teglich schmehen mich meine Feinde / Vnd die mich spotten schweren bey mir.

[10]Denn ich esse asschen wie Brot / Vnd missche meinen Tranck mit weinen.

[11]Fur deinem drewen vnd zorn / Das du mich auffgehaben vnd zu boden gestossen hast.

[12]Meine tage sind dahin wie ein schatten / Vnd ich verdorre wie Gras.

[13]DV aber HERR bleibest ewiglich / vnd dein Gedechtnis fur vnd fur.

[14]DV woltest dich auffmachen vnd vber Zion erbarmen / Denn es ist zeit / das du jr gnedig seiest / vnd die stunde ist komen. ‖ ‖ 316b

[15]DEnn deine Knechte wolten gerne / das sie gebawet würde / Vnd sehen gerne / das jre Steine

vnd Kalck zugericht würde.

[16]Das die Heiden den Namen des HERRN fürchten / Vnd alle Könige auff Erden deine Ehre.

[17]Das der HERR Zion bawet / Vnd erscheinet in seiner Ehre.

[18]Er wendet sich zum gebet der verlassenen / Vnd verschmehet jr Gebet nicht.

(Geschrieben) Auff das man es predige. Psal. 87.

[19]Das werde geschrieben auff die Nachkomenen / Vnd das Volck das geschaffen sol werden / wird den HERRN loben.

[20]DEnn er schawet von seiner heiligen Höhe / Vnd der HERR sihet vom Himel auff Erden.

[21]Das er das seuffzen des Gefangenen höre / Vnd los mache die Kinder des Todes.

[22]AVff das sie zu Zion predigen den Namen des HERRN / vnd sein Lob zu Jerusalem.

[23]Wenn die Völcker zusamen komen / Vnd die Königreiche dem HERRN zu dienen.

[24]Er demütigeit auff dem wege meine Krafft / Er verkürtzet meine Tage.

[25]Jch sage / mein Gott / Nim mich nicht weg / in der helfft meiner tage.

(Jn der helfft) Ehe ich michs versehe. Ebre. 1.

DEine jare weren fur vnd fur / [26]Du hast vor hin die Erde gegründet / Vnd die Himel sind deiner Hende werck.

[27]Sie werden vergehen / Aber du bleibest / Sie werden alle veralten / wie ein Gewand / Sie werden verwandelt / wie ein Kleid / wenn du sie verwandeln wirst.

[28]Du aber bleibest wie du bist / Vnd deine jar nemen kein ende.

[29]Die Kinder deiner Knechte werden bleiben / Vnd jr Samen wird fur dir gedeien.

## CIII.

[1]Ein Psalm Dauids.

LOBE DEN HERRN meine Seele / Vnd was in mir ist / seinen heiligen Namen.

[2]Lobe den HERRN meine Seele / Vnd vergiss nicht was er mir Guts gethan hat.

[3]DEr dir alle deine Sünde vergib / Vnd heilet alle deine Gebrechen.

[4]Der dein Leben vom verderben erlöset / Der dich krönet mit Gnade vnd Barmhertzigkeit.

[5]Der deinen Mund frölich machet / Vnd du wider Jung wirst / wie ein Adeler.

[6]DER HERR schaffet Gerechtigkeit vnd Gericht / Allen die vnrecht leiden.

[7]Er hat seine wege Mose wissen lassen / Die kinder Jsrael sein Thun.

[8]BARMHERTZIG VND Gnedig ist der HERR / Gedültig vnd von grosser Güte.

Exo. 34. Psal. 145.

(Haddern) Vngnedig sein.

[9]Er wird nicht jmer haddern / Noch ewiglich zorn halten.

[10]Er handelt nicht mit vns nach vnsern Sünden / Vnd vergilt vns nicht nach vnser Missethat.

[11]Denn so hoch der Himel vber der Erden ist / Lesst er seine Gnade walten vber die so jn fürchten.

[12]So ferne der Morgen ist vom Abend / Lesset er vnser Vbertrettung von vns sein.

[13]WJe sich ein Vater vber Kinder erbarmet / So erbarmet sich der HERR vber die / so jn fürchten.

(Gemecht) Wie ein schwach / lose gebew oder zimer / eines kurtzen armen lebens.

[14]DEnn er kennet was für ein Gemecht wir sind / Er gedencket daran / das wir Staub sind.

[15]EJn Mensch ist in seinem Leben wie Gras / Er blüet wie eine Blume auff dem felde.

Das ist / Sie weis nicht mehr von der Blume / noch dencket mehr dran. Jd est / Nullum vestigium aut memoria relinquitur.

[16]Wenn der Wind darüber gehet / so ist sie nimer da / Vnd jr stete kennet sie nicht mehr.

[17]DJE GNADE ABER DES HERRN weret von ewigkeit zu ewigkeit / vber die so jn fürchten / Vnd seine Gerechtigkeit auff Kinds kind.

[18]Bey denen die seinen Bund halten / Vnd gedencken an seine Gebot / das sie darnach thun.

[19]DER HERR hat seinen Stuel im Himel bereit / Vnd sein Reich herrschet vber alles. ‖

‖ 317a

Ebre. 1.

[20]LObet den HERRN jr seine Engel / Jr starcken Helde / die jr seine befelh ausrichtet / Das man höre die stimme seines Worts.

[21]Lobet des HERRN alle seine Heerscharen / Seine Diener / die jr seinen willen thut.

[22]Lobet den HERRN alle seine Werck an allen orten seiner Herrschafft / Lobe den HERRN meine Seele.

## CIIII.

LOBE DEN HERRN meine Seele / HERR mein Gott / du bist seer herrlich / Du bist schön vnd prechtig geschmückt.

HIMEL.

LJecht ist dein Kleid / das du an hast / Du breitest aus den Himel / wie einen Teppich.

[3]Du welbest es oben mit Wasser / Du ferest auff den Wolcken / wie auff eim Wagen / Vnd gehest auff den fittichen des Windes.

Ebre. 1.

[4]Der du machest deine Engel zu winden / Vnd deine Diener zu Fewrflammen.

ERDREICH.

DER du das Erdreich gründest auff seinen Boden / Das es bleibt jmer vnd ewiglich.

[6]Mit der Tieffe dekkestu es / wie mit einem Kleid / Vnd Wasser stehen vber den Bergen.

[7]Aber von deinem Schelten fliehen sie / Von

deinem Donner fahren sie dahin.

[8]DJe Berge gehen hoch erfür / vnd die Breiten setzen sich herunter / Zum Ort den du jnen gegründet hast.

[9]Du hast eine Grentze gesetzt / darüber komen sie nicht / Vnd müssen nicht widerumb das Erdreich bedecken.

[10]DV lessest Brünnen quellen in den gründen / Das die Wasser zwisschen den Bergen hin fliessen.

[11]Das alle Thier auff dem felde trincken / Vnd das Wild seinen durst lessche.

[12]An den selben sitzen die Vögel des Himels / Vnd singen vnter den Zweigen.

[13]DV feuchtest die Berge von oben her / Du machest das Land vol früchte die du schaffest.

[14]DV lessest gras wachsen fur das Vieh / vnd saat zu nutz den Menschen / Das du Brot aus der erden bringest.

[15]VND das der Wein erfrewe des Menschen hertz / vnd seine gestalt schön werde von Ole / Vnd das Brot des Menschen hertz stercke.

[16]DAs die Bewme des HERRN vol saffts stehen / Die cedern Libanon die er gepflantzt hat.

Bewme des HERRN / heisst er die im wald stehen / die nicht durch Menschen gepflantzet sind.

[17]Da selbs nisten die Vogel / Vnd die Reiger wonen auff den Tannen.

[18]Die hohen Berge sind der Gemsen zuflucht / Vnd die Steinklufft der Kaninichen.

[19]DV machest den Monden / das Jar darnach zu teilen / Die Sonne weis jren Nidergang.

[20]DV machst finsternis / das Nacht wird / Da regen sich alle wilde Thier.

[21]Die jungen Lewen / die da brüllen nach dem Raub / Vnd jre Speise suchen von Gott.

[22]WEnn aber die Sonne auffgehet / heben sie sich dauon / Vnd legen sich in jre Löcher.

[23]So gehet denn der Mensch aus an seine erbeit / Vnd an sein Ackerwerck / bis an den abend.

[24]HERR WIE SIND DEINE Werck so gros vnd viel? Du hast sie alle weislich geordnet / Vnd die Erde ist vol deiner Güter.

MEER.

DAS Meer das so gros vnd weit ist / da wimmelts on zal / Beide gros vnd kleine Thier.

[26]Daselbs gehen die Schiffe / Da sind Walfische / die du gemacht hast / das sie drinnen schertzen.

[27]ES WARTET ALLES AUFF dich / Das du jnen Speise gebest zu seiner zeit.

Psal. 145. Matth. 6.

[28]Wenn du jnen gibst / so samlen sie / Wenn du deine Hand auffthuest so werden sie mit Gut gesettiget.

(Gesettiget) Das ist / frölich.

[29]Verbirgestu dein Angesicht / So erschrecken sie / Du nimpst weg jren odem / So vergehen sie / vnd werden wider zu Staub. ‖

‖ 317b

[30]Du lessest aus deinen Odem / so werden sie geschaffen / Vnd vernewest die gestalt der Erden.

[31]DJE Ehre des HERRN ist ewig / Der HERR hat wolgefallen an seinen Wercken.

[32]Er schawet die Erden an / so bebet sie / Er rüret die Berge an / so rauchen sie.

[33]JCh wil dem HERRN singen mein leben lang / Vnd meinen Gott loben / so lange ich bin.

[34]Meine Rede müsse jm wolgefallen / Jch frewe mich des HERRN.

[35]Der Sünder müsse ein ende werden auff Erden / Vnd die Gottlosen nicht mehr sein. Lobe den HERRN meine Seele / Halelu ia.

## CV.

DANCKET DEM HERRN vnd prediget seinen Namen / Verkündiget sein Thun vnter den Völckern.

[2]Singet von jm vnd lobet jn / Redet von allen seinen Wundern.

[3]Rhümet seinen heiligen Namen / Es frewe sich das Hertz / dere die den HERRN suchen.

[4]Fraget nach dem HERRN vnd nach seiner Macht / Suchet sein Andlitz alle wege.

[5]Gedencket seiner Wunderwerck / die er gethan hat / Seiner Wunder vnd seines Worts.

[6]Jr der samen Abrahams seines Knechts / Jr kinder Jacob seines Ausserweleten.

[7]ER ist der HERR vnser Gott / Er richtet in aller Welt.

[8]Er gedenckt ewiglich an seinen Bund / Des Worts / das er verheissen hat auff viel Tausent fur vnd fur.

[9]Den er gemacht hat mit Abraham / Vnd des Eides mit Jsaac.

Gen. 12.
Gen. 26. 28.

[10]Vnd stellet dasselbige Jacob zu einem Rechte / Vnd Jsrael zum ewigen Bunde.

[11]Vnd sprach / Dir wil ich das land Canaan geben / Das los ewers Erbes.

[12]Da sie wenig vnd geringe waren / Vnd Frembdlinge drinnen.

[13]Vnd sie zogen von Volck zu volck / Von einem Königreiche zum andern volck.

[14]Er lies keinen Menschen jnen schaden thun / Vnd straffet Könige vmb jren willen.

Gen. 12. 20.

[15]Tastet meine Gesalbeten nicht an / Vnd thut meinen Propheten kein leid.

[16]Vnd er lies eine Thewrunge ins Land komen /

Gen. 41.

Vnd entzoch allen vorrat des Brots.

[17]ER sandte einen Man fur jnen hin / Joseph ward zum Knecht verkaufft. (Gen. 37.)

[18]Sie zwungen seine Füsse im stock / Sein Leib muste in Eisen ligen. (Gen. 39.)

[19]Bis das sein wort kam / Vnd die Rede des HERRN jn durchleutert. (|| 318a)

[20]DA sandte der König hin / vnd lies jn los geben / Der Herr vber Völcker hies jn auslassen. (Gen. 41.)

[21]Er satzt jn zum Herrn vber sein Haus / Zum Herrscher vber alle seine Güter.

[22]Das er seine Fürsten vnterweiset nach seiner Weise / Vnd seine Eltesten weisheit lerete.

[23]VND Jsrael zoch in Egypten / Vnd Jacob ward ein Frembdling im lande Ham. (Gen. 46.)

[24]Vnd er lies sein Volck seer wachsen / Vnd machet sie mechtiger denn jre Feinde. (Exo. 1. Act. 7.)

[25]Er verkeret jener hertz / Das sie seinem Volck gram worden / Vnd dachten seine Knechte mit list zu dempffen.

[26]ER sandte seinen knecht Mosen / Aaron den er hatte erwelet. (Exo. 3. 4. 5.)

[27]Die selben theten seine Zeichen vnter jnen / Vnd seine Wunder im lande Ham. (Exo. 7.)

[28]Er lies Finsternis komen / vnd machts finster / Vnd waren nicht vngehorsam seinen worten. (Exo. 10.) ((Waren) Mose vnd Aaron.)

[29]Er verwandelt jre Wasser in Blut / Vnd tödtet jre Fische. (Exo. 7. Psal. 78.)

[30]Jr Land wimmelte Kröten er aus / Jn den Kamern jrer Könige. (Exo. 8.)

[31]ER sprach / Da kam Vnzifer / Leuse in allen jren grentzen. || (Exo. 8.)

[32]Er gab jnen Hagel zum Regen / Fewr flammen in jrem Lande. (Exod. 9.)

[33]Vnd schlug jre Weinstöcke vnd Feigenbewme / Vnd zubrach die Bewme in jren grentzen.

[34]Er sprach / da kamen Hewschrecken / Vnd Kefer on zal. (Exo. 10.)

[35]Vnd sie frassen alles gras in jrem Lande / Vnd frassen die Früchte auff jrem Felde.

[36]Vnd schlug alle Erstegeburt in Egypten / Alle jre erste Erben. (Exod. 12.)

VND füret sie aus mit silber vnd golde / Vnd war kein Gebrechlicher vnter jren Stemmen. (Exod. 12.)

[38]Egypten ward fro / das sie auszogen / Denn jr furcht war auff sie gefallen.

[39]ER breitet eine Wolcken aus zur decke / Vnd Fewr des nachts zu leuchten. (Exod. 13. Psal. 78.)

[40]SJE baten / Da lies er Wachteln komen / Vnd er settiget sie mit Himelbrot. (Exod. 16.)

Exod. 17. Num. 20.

[41]ER öffenet den Felsen / Da flossen wasser aus / Das Beche lieffen in der dürren wüsten.

Gen. 22.

[42]Denn er gedacht an sein heiliges Wort / Abraham seinem knechte geredt.

[43]ALso füret er sein Volck aus mit freuden / Vnd seine Ausserweleten mit wonne.

Josu. 3.

[44]Vnd gab jnen die Lender der Heiden / Das sie die Güter der Völcker einnamen.

[45]Auff das sie halten sollen seine Rechte / Vnd seine Gesetz bewaren / Halelu ia.

CVI.

[1]Halelu ia.

DANCKET DEM HERRN / Denn er ist freundlich / Vnd seine Güte weret ewiglich.

[2]Wer kan die grossen Thatten des HERRN ausreden? Vnd alle seine löbliche Werck preisen?

[3]Wol denen / die das Gebot halten / Vnd thun jmerdar recht.

[4]HERR gedenck mein / nach der gnaden / die du deinem Volck verheissen hast / Beweise vns deine Hülffe.

[5]Das wir sehen mügen die Wolfart deiner Ausserweleten / vnd vns frewen / das deinem Volck wolgehet / Vnd vns rhümen mit deinem Erbteil.

[6]WJr haben gesündiget sampt vnsern Vetern / Wir haben mishandelt / vnd sind Gottlos gewesen.

[7]Vnser Veter in Egypten wolten deine Wunder nicht verstehen / Sie gedachten nicht an deine grosse Güte vnd waren vngehorsam am Meer / nemlich am Schilffmer.

[8]ER halff jnen aber / vmb seines Namens willen / Das er seine Macht beweisete.

Exod. 14.

[9]Vnd er schalt das Schilffmeer / da wards trocken / Vnd füret sie durch die Tieffen / wie in einer Wüsten.

[10]Vnd halff jnen von der Hand des der sie hasset / Vnd erlöset sie / von der hand des Feindes.

[11]Vnd die Wasser erseufften jre Widersacher / Das nicht einer vberbleib.

Exod. 15.

[12]DA gleubten sie an seine wort / Vnd sungen sein Lob.

[13]ABer sie vergassen bald seiner Werck / Sie warteten nicht seines Rats.

[14]Vnd sie würden lüstern in der Wüsten / Vnd versuchten Gott in der Einöde.

Num. 11.

[15]ER aber gab jnen jre bitte / vnd sandte jnen gnug / Bis jnen da fur ekelt.

Num. 16.

[16]VND sie empöreten sich wider Mosen im Lager / Wider Aaron den

heiligen des HERRN.

[17]Die Erde that sich auff / vnd verschlang Dathan / Vnd decket zu die rotte Abiram.

[18]Vnd fewr ward vnter jre Rotte angezündet / Die flamme verbrand die Gottlosen.

Exod. 32.

[19]SJe machten ein Kalb in Horeb / Vnd beteten an das gegossen Bilde.

[20]Vnd verwandelten jre Ehre / Jn ein gleichnis eines Ochsen der gras isset.

(Ehre) Das ist Gott. Rom. 1.

[21]Sie vergassen Gottes jres Heilands / Der so grosse ding in Egypten gethan hatte. ‖

‖ 318b

[22]Wunder im lande Ham / Vnd schreckliche werck am Schilffmeer.

Exo. 32. 34.

[23]Vnd er sprach / Er wolt sie vertilgen / Wo nicht Mose sein Ausserweleter den Riss auffgehalten hette / seinen grim abzuwenden / Auff das er sie nicht gar verterbete.

Num. 14.

[24]Vnd sie verachteten das liebe Land / Sie gleubten seinem wort nicht.

[25]Vnd murreten in jren Hütten / Sie gehorchten der stimme des HERRN nicht.

[26]Vnd er hub auff seine Hand wider sie / das er sie niderschlüge in der Wüsten.

[27]Vnd würffe jren Samen vnter die Heiden / Vnd strewet sie in die Lender.

Num. 25.

[28]VND sie hiengen sich an den Baal Peor / Vnd assen von den Opffern der todten Götzen.

[29]Vnd erzürneten jn mit jrem thun / Da reis auch die Plage vnter sie.

[30]Da trat zu Pinehas / vnd schlichtet die sache / Da ward der Plage gestewret.

[31]Vnd ward jm gerechnet zur Gerechtigkeit / Fur vnd fur ewiglich.

Exo. 17. Num. 20.

[32]VND sie erzürneten jn am Hadderwasser / Vnd sie zuplagten den Mose vbel.

[33]Denn sie betrübten jm sein hertz / Das jm etliche wort entfuren.

Deut. 7. 12.

[34]AVch vertilgeten sie die Völcker nicht / Wie sie doch der HERR geheissen hatte.

[35]Sondern sie mengeten sich vnter die Heiden / Vnd lerneten der selben werck.

[36]Vnd dineten jren Götzen / Die gerieten jnen zum ergernis.

[37]Vnd sie opfferten jre Söne / Vnd jre Töchter den Teufeln.

[38]Vnd vergossen vnschuldig blut / das blut jrer Söne vnd jrer Töchter / die sie opfferten den Götzen Canaan / Das das Land mit Blutschulden pefleckt ward.

[39]Vnd verunreinigeten sich mit jren wercken / Vnd hureten mit jrem thun.

[40]DA ergrimmet der

zorn des HERRN / vber sein Volck / Vnd gewan einen grewel an seinem Erbe.

41 Vnd gab sie in die hand der Heiden / Das vber sie herrscheten / die jnen gram waren.

42 Vnd jre Feinde engsten sie / Vnd wurden gedemütiget vnter jre hende.

43 ER errettet sie offtmals / Aber sie erzürneten jn mit jrem fürnemen / Vnd wurden wenig vmb jrer missethat willen.

44 VND er sahe jre not an / Da er jre Klage höret.

45 Vnd gedacht an seinen Bund mit jnen gemacht / Vnd rewete jn nach seiner grossen Güte.

46 Vnd lies sie zur Barmhertzigkeit komen / Fur allen die sie gefangen hatten.

47 HJlff vns HERR vnser Got / vnd bringe vns zusamen aus den Heiden / Das wir dancken deinem heiligen Namen / vnd rhümen dein Lob.

48 GElobet sey der HERR der Gott Jsrael / von ewigkeit in ewigkeit / Vnd alles Volck spreche / Amen / Heleluia.

## CVII.

Dieser Psalm ist ein gemein Danck / wie Gott allerley Menschen aus allerley Not hilffet / Wie Paulus saget j. Tim. 2. Er ist ein Heiland aller Menschen.

DANCKET DEM HERRN / Denn er ist freundlich / Vnd seine Güte weret ewiglich.

2 Saget / die jr erlöset seid durch den HERRN / Die er aus der Not erlöset hat.

3 Vnd die er aus den Lendern zusamen bracht hat / Vom Auffgang / vom Nidergang / von Mitternacht / vnd vom Meer.

I. Die ersten sind so arm / elend / weder Haus noch Hof haben / vnd nichts an zu fahen wissen.

DJE jrre giengen in der Wüsten / in vngebentem wege / Vnd funden keine Stad / da sie wonen kundten / 5 Hungerig vnd durstig / vnd jre Seele verschmachtet.

6 Vnd sie zum HERRN rieffen in jrer Not / Vnd er sie errettet aus jren engsten.

7 Vnd füret sie einen richtigen weg / Das sie giengen zur Stad / da sie wonen kundten.

8 Die sollen dem HERRN dancken vmb seine Güte / Vnd vmb seine Wunder / die er an den Menschen kindern thut. ‖

‖ 319a

9 Das er settiget die dürstige Seele / Vnd füllet die hungerige Seele mit gutem.

II. Die andern / sind die mit Gefengnis vmb jrer Missethat willen geplagt / Vnd durch Gottes hülffe ledig werden.

DJe da sitzen musten im finsternis vnd tunckel / Gefangen im zwang vnd eisen.

11 Darumb das sie Gottes geboten vngehorsam gewest waren / Vnd das Gesetz des Höhesten geschendet hatten.

12 Darumb muste jr Hertz mit vnglück ge-

plagt werden / Das sie da lagen vnd jnen niemand halff.

[13]Vnd sie zum HERRN rieffen in jrer Not / Vnd er jnen halff aus jren engsten.

[14]Vnd sie aus dem finsternis vnd tunckel fürete / Vnd jr Band zureiss.

[15]Die sollen dem HERRN dancken vmb seine Güte / Vnd vmb seine Wunder / die er an den Menschen kindern thut.

[16]Das er zubricht ehrne Thür / Vnd zuschleget eisene Rigel.

III.
Die dritten / sind Narren / das ist / So Gott nicht fürchten / vnd sündlich leben Die werden mit Kranckheit geplaget / Vnd genesen doch etliche / das sie nicht sterben.

DJE Narren so geplagt waren vmb jrer vbertrettung willen / Vnd vmb jrer Sünde willen.

[18]Das jnen ekelt fur aller Speise / Vnd wurden Todkranck.

[19]Vnd sie zum HERRN rieffen in jrer Not / Vnd er jnen halff aus jren engsten.

[20]Er sandte sein Wort / vnd machte sie gesund / Vnd errettet sie / das sie nicht sturben.

[21]Die sollen dem HERRN dancken vmb seine Güte / Vnd vmb seine Wunder / die er an den Menschen kindern thut.

[22]Vnd Danck opffern / Vnd erzelen seine Werck mit freuden.

DJe mit Schiffen auff dem Meer furen / Vnd trieben jren Handel in grossen Wassern.

IIII.
Die vierden / So auff dem Meer not leiden / Vnd errettet werden.

[24]Die des HERRN werck erfaren haben / Vnd seine Wunder im Meer.

[25]Wenn er sprach / vnd einen Sturmwind erregt/ Der die Wellen erhub.

[26]Vnd sie gen Himel furen / vnd in Abgrund furen / Das jre Seele fur angst verzagte.

[27]Das sie daumelten vnd wancketen / wie ein Trunckener / Vnd wusten keinen Rat mehr.

[28]Vnd sie zum HERRN schrien in jrer Not / Vnd er sie aus jren engsten füret.

[29]Vnd stillet das vngewitter / Das die Wellen sich legeten.

[30]Vnd sie fro worden / das stille worden war / Vnd er sie zu Land brachte nach jrem wundsch.

[31]Die sollen dem HERRN dancken vmb seine Güte / Vnd vmb seine Wunder / die er an den Menschen kindern thut.

[32]Vnd jn bey der Gemeine preisen / Vnd bey den Alten rhümen.

V.
Die fünfften / So mit vnfruchtbar wetter geplagt / Vnd widerumb Regen vnd Frucht kriegen.

DJe / welchen jre Beche vertrockent / Vnd die Wasserquelle versiegen waren.

[34]Das ein fruchtbar Land nichts trug / Vmb der Bosheit willen / dere / die drinnen woneten.

[35]Vnd er das Trocken widerumb wasserreich machte / Vnd im dürren Lande Wasserquellen.

[36]Vnd die Hungerigen da hin gesetzt hat / Das sie eine Stad zurichten / da sie wonen kundten.

[37]Vnd Acker beseen / vnd Weinberge pflantzen möchten / Vnd die jerlichen früchte kriegeten.

[38]Vnd er sie segenete / das sie sich fast mehreten / Vnd jnen viel Vihes gab.

VI. Die sechsten / So mit Tyrannen oder Auffrhur geplagt / vnd widerumb friede vnd einigkeit kriegen.

DJe / welche nider gedrückt vnd geschwecht waren / Von dem Bösen / der sie gezwungen vnd gedrungen hatte.

[40]Da verachtung auff die Fürsten geschüttet war / Das alles jrrig vnd wüste stund.

[41]Vnd er den Armen schützete fur elende / Vnd sein Geschlecht / wie eine herd mehrete.

[42]Solchs werden die Fromen sehen vnd sich frewen / Vnd aller Bosheit wird das maul gestopfft werden.

[43]WER ist Weise / vnd behelt dis? So werden sie mercken / wie viel Wolthat der HERR erzeigt.

(Behelt) Daran gedencket / vnd damit vmbgehet.

## CVIII.

[1]Ein Psalmlied Dauids.

GOtt / Es ist mein rechter ernst / Jch wil singen vnd tichten / meine Ehre auch.

(Ehre) Das ist mein Seitenspiel da ich dich mit ehre.

[3]Wol auff Psalter vnd Harffen / Jch wil frue auff sein.

[4]Jch wil dir dancken HERR vnter den Völckern / Jch wil dir Lobe singen vnter den Leuten.

[5]DEnn deine Gnade reicht so weit der Himel ist / Vnd deine Warheit so weit die Wolcken gehen.

[6]Erhebe dich Gott vber den Himel / Vnd deine Ehre vber alle Lande.

[7]Auff das deine lieben Freunde erlediget werden / Hilff mit deiner Rechten / vnd erhöre mich.

[8]GOtt redet in seinem Heiligthum / des bin ich fro / Vnd wil Sichem teilen / vnd das tal Suchoth abmessen.

Psal. 60.

[9]Gilead ist mein / Manasse ist auch mein / Vnd Ephraim ist die macht meines Heubts / Juda ist mein Fürst.

[10]Moab ist mein Waschtöpffen / Jch wil meinen schuch vber Edom strekken / Vber die Philister wil ich jauchzen.

[11]WER wil mich füren in eine feste Stad? Wer wird mich leiten in Edom?

[12]Wirstu es nicht thun Gott / der du vns verstössest / Vnd zeuchst nicht aus Gott mit vnserm Heer? ‖ 319b

[13]SChaffe vns beystand in der not / Denn menschen Hülffe ist kein nütze.

[14]Mit Gott wöllen wir Thatten thun / Er wird vnser Feinde vntertretten.

CIX.

[1]Ein Psalm Dauids / vor zu singen.

GOTT MEIN RHUM / Schweige nicht.

[2]Denn sie haben jr gottloses vnd falsches Maul wider mich auffgethan / Vnd reden wider mich mit falscher Zungen.

[3]Vnd sie reden gifftig wider mich allenthalben / Vnd streitten wider mich on vrsach.

[4]Da für das ich sie liebe / Sind sie wider mich / Jch aber bete.

[5]Sie beweisen mir Böses vmb guts / Vnd hass vmb liebe.

(Setze) Jre lere / leben / lernen / beten / müsse alles verdampt sein.

[6]SEtze Gottlosen vber jn / Vnd der Satan müsse stehen zu seiner Rechten.

[7]Wer sich den selben leren lesst / des Leben müsse gottlos sein / Vnd sein Gebet müsse sünde sein.

Act. 1.

[8]Seiner tage müssen wenig werden / Vnd sein Ampt müsse ein ander empfahen.

[9]Seine Kinder müssen Waisen werden / Vnd sein Weib eine widwin.

[10]Seine Kinder müssen in der jrre gehen vnd betteln / Vnd suchen als die verdorben sind.

[11]Es müsse der Wucherer aussaugen alles was er hat / Vnd Frembde müssen seine Güter rauben.

[12]Vnd niemand müsse jm Guts thun / Vnd niemand erbarme sich seiner Waisen.

[13]Seine Nachkomen müssen ausgerottet werden / Jr name müsse im andern Gelied vertilget werden.

[14]Seiner Veter missethat müsse gedacht werden fur dem HERRN / Vnd seiner Mutter sünde müsse nicht ausgetilget werden.

[15]Der HERR müsse sie nimer aus den augen lassen / Vnd jre Gedechtnis müsse ausgerottet werden auff Erden.

[16]DARumb / das er so gar keine Barmhertzigkeit hatte / Sondern verfolget den Elenden vnd Armen / vnd den Betrübten / das er jn tödtet.

[17]Vnd er wolte den Fluch haben / der wird jm auch komen / Er wolt des Segens nicht / so wird er auch ferne von jm bleiben.

[18]Vnd zoch an den Fluch / wie sein Hembd / vnd ist in sein inwendiges gangen wie Wasser / Vnd wie öle in sein Gebeine.

[19]So werde er jm / wie ein Kleid / das er anhabe / Vnd wie ein Gürtel / da er sich allewege mit gürte. ‖

‖ 320a

[20]So geschehe denen vom HERRN die mir

wider sind / Vnd reden böses wider meine Seele.

ABer du HErr HERR / sey du mit mir / vmb deines Namens willen / Denn deine Gnade ist mein Trost / errette mich.

22Denn ich bin Arm vnd Elend / Mein hertz ist erschlagen in mir.

23Jch fare da hin / wie ein Schatte der vertrieben wird / Vnd werde veriaget / wie die Hewschrecken.

24Meine Knie sind schwach von fasten / Vnd mein Fleisch ist mager / vnd hat kein fett.

25Vnd ich mus jr Spott sein / Wenn sie mich sehen / schütteln sie jren Kopff.

26STehe mir bei / HERR mein Gott / Hilff mir nach deiner Gnade.

27Das sie innen werden / das dis sey deine Hand / Das du HERR solchs thust.

28Fluchen sie / So segene du / Setzen sie sich wider mich / So müssen sie zu schanden werden / Aber dein Knecht müsse sich frewen.

29Meine Widersacher müssen mit schmach angezogen werden / Vnd mit jrer schand bekleidet werden / wie mit einem Rock.

30JCh wil dem HERRN seer dancken mit meinem munde / Vnd jn rhümen vnter vielen.

31Denn er stehet dem Armen zur Rechten / Das er jm helffe von denen / die sein Leben verurteilen.

## CX.

1Ein Psalm Dauids.

DEr HERR sprach zu meinem HErrn / Setze dich zu meiner Rechten / Bis ich deine Feinde zum schemel deiner Füsse lege.

Matth. 22. Act. 2. 1. Cor. 15.

2Der HERR wird das Scepter deines Reichs senden aus Zion / Herrsche vnter deinen Feinden.

3Nach deinem Sieg / wird dir dein Volck williglich opffern / in heiligem Schmuck / Deine Kinder werden dir geborn / wie der Thaw aus der Morgenröte.

4DEr HERR hat geschworen / vnd wird jn nicht gerewen / Du bist ein Priester ewiglich / nach der weise Melkisedek.

Ebre. 5. 7.

5DER HErr zu deiner Rechten / Wird zeschmeissen die Könige / zur zeit seines zorns.

6Er wird richten vnter den Heiden / Er wird grosse Schlacht thun / Er wird zeschmeissen das Heubt vber grosse Lande.

7Er wird trincken vom Bache auff dem wege / Darumb wird er das Heubt empor heben.

(Vom Bach) Er wird leiden vnd aufferstehen.

## CXI.

[1]Halelu ia.

JCH DANCKE DEM HERRN von gantzem hertzen / Jm Rat der fromen / vnd in der Gemeine.

[2]Gros sind die Werck des HERRN / Wer jr achtet / der hat eitel lust dran.

[3]Was er ordnet / das ist löblich vnd herrlich / Vnd seine Gerechtigkeit bleibet ewiglich.

[4]ER hat ein Gedechtnis gestifftet seiner Wunder / Der gnedige vnd barmhertzige HERR.

[5]Er gibt Speise denen so jn fürchten / Er gedencket ewiglich an seinen Bund.

[6]Er lesst verkündigen seine gewaltige Thatten seinem Volck / Das er jnen gebe das Erbe der Heiden.

[7]Die Werck seiner Hende sind warheit vnd recht / Alle seine Gebot sind rechtschaffen.

[8]Sie werden erhalten jmer vnd ewiglich / Vnd geschehen trewlich vnd redlich.

[9]ER sendet eine Erlösung seinem Volck / Er verheisset / das sein Bund ewiglich bleiben sol.

[10]Heilig vnd hehr ist sein Name / Die furcht des HERRN ist der Weisheit anfang.

Prouer. 1. 9.
Eccle. 1.

Das ist ein feine klugheit / wer darnach thut / Des lob bleibet ewiglich.

## CXII.

[1]Halelu ia.

WOL DEM / DER DEN HERRN fürchtet / Der grosse lust hat zu seinen Geboten.

[2]Des Same wird gewaltig sein auff Erden / Das Geschlecht der fromen wird gesegenet sein.

[3]Reichthum vnd die fülle wird in jrem Hause sein / Vnd jre Gerechtigkeit bleibet ewiglich.

[4]Den Fromen gehet das Liecht auff im finsternis / Von dem gnedigen / barmhertzigen / vnd gerechten.

(Liecht) Das ist / glück vnd heil / mitten in der not.

[5]WOL dem der barmhertzig ist / vnd gerne leihet / Vnd richtet seine Sachen aus / das er niemand vnrecht thue.

[6]Denn er wird ewiglich bleiben / Des Gerechten wird nimer mehr vergessen.

[7]Wenn eine Plage komen wil / so fürcht er sich nicht / Sein hertz hoffet vnuerzagt auff den HERRN.

[8]Sein hertz ist getrost vnd fürcht sich nicht / Bis er seine lust an seinen Feinden sihet.

[9]ER strewet aus / vnd gibt den Armen / Sein gerechtigkeit bleibet ewiglich / sein Horn wird erhöhet mit Ehren.

2. Cor. 9.

[10]Der Gottlose wirds sehen / vnd wird jn verdriessen / Seine zeene wird er zusamen beis-

sen / vnd vergehen / Denn was die Gottlosen gerne wolten / das ist verloren.

CXIII.

[1]Halelu ia.

LObet jr Knecht des HERRN / Lobet den Namen des HERRN.

[2]Gelobet sey des HERRN Name / Von nu an bis in ewigkeit.

[3]Von auffgang der Sonnen bis zu jrem nidergang / Sey gelobet der Name des HERRN.

[4]DER HERR ist hoch vber alle Heiden / Seine Ehre gehet so weit der Himel ist.

[5]Wer ist wie der HERR vnser Gott? Der sich so hoch gesetzt hat.

[6]Vnd auff das Nidrige sihet / Jn Himel vnd Erden.

[7]Der den Geringen auffrichtet aus dem staube / Vnd erhöhet den Armen aus dem kot.

[8]Das er jn setze neben die Fürsten / Neben die fürsten seines Volcks.

[9]Der die Vnfruchtbare im Hause wonen macht / Das sie ein fröliche Kindermutter wird / Halelu ia.

CXIIII.

Exo. 13.

DA Jsrael aus Egypten zoch / Das haus Jacob aus dem frembden Volck.

[2]Da ward Juda sein Heiligthum / Jsrael seine Herrschafft.

[3]Das Meer sahe vnd flohe / Der Jordan wand sich zu rück.

[4]Die Berge hüpffeten wie die Lemmer / Die Hügel wie die jungen Schafe.

[5]Was war dir du Meer / das du flohest? Vnd du Jordan / das du zu rück wandtest?

[6]Jr Berge / das jr hüpffetet wie die lemmer / Jr Hügel / wie die jungen schafe.

[7]Fur dem HERRN bebete die Erde / Fur dem Gott Jacob.

[8]Der den Fels wandelt in Wassersee / Vnd die Steine in wasserbrunnen.

CXV.

NJcht vns HERR / nicht vns / sondern deinem Namen gib Ehre / Vmb deine gnade vnd warheit.

[2]Warumb sollen die Heiden sagen / Wo ist nu jr Gott?

[3]Aber vnser Gott ist im Himel / Er kan schaffen was er wil.

[4]JEner Götzen aber sind silber vnd gold / Von Menschen henden gemacht.

Psal. 135.

[5]Sie haben Meuler vnd reden nicht / Sie haben Augen vnd sehen nicht.

[6]Sie haben Ohren vnd hören nicht / Sie haben

Nasen vnd riechen nicht. ||

|| 321a

[7]Sie haben Hende vnd greiffen nicht / Füsse haben sie vnd gehen nicht / Vnd reden nicht durch jren Hals.

[8]Die solche machen sind gleich also / Vnd alle die auff sie hoffen.

[9]ABer Jsrael hoffe auff den HERRN / Der ist jr Hülffe vnd Schild.

[10]Das haus Aaron hoffe auff den HERRN / Der ist jr Hülffe vnd Schild.

[11]Die den HERRN fürchten / hoffen auch auff den HERRN / Der ist jr Hülffe vnd Schild.

DEr HERR dencket an vns / vnd segenet vns / Er segenet das haus Jsrael / Er segenet das haus Aaron.

[13]Er segnet die den HERRN fürchten / Beide kleine vnd grosse.

[14]Der HERR segene euch je mehr vnd mehr / Euch vnd ewre Kinder.

[15]Jr seid die gesegneten des HERRN / Der Himel vnd Erden gemacht hat.

[16]Der Himel allenthalben ist des HERRN / Aber die Erden hat er den menschen Kindern gegeben.

[17]Die Todten werden dich HERR nicht loben / Noch die hinunter faren in die Stille.

[18]Sondern wir loben den HErrn / Von nu an bis in ewigkeit / Halelu ia.

## CXVI.

DAS IST MIR LIEB / DAS der HERR meine stimme vnd mein flehen höret.

[2]Das er sein Ohre zu mir neiget / Darumb wil ich mein lebenlang jn anruffen.

[3]STricke des Todes hatten mich vmbfangen / Vnd angst der Hellen hatten mich troffen / Jch kam in jamer vnd not.

[4]Aber ich rieff an den Namen des HERRN / O HERR errette meine Seele.

[5]Der HERR ist gnedig vnd gerecht / Vnd vnser Gott ist barmhertzig.

[6]Der HERR behütet die Einfeltigen / Wenn ich vnterlige / so hilfft er mir.

[7]Sey nu wider zu frieden meine Seele / Denn der HERR thut dir guts.

[8]Denn du hast meine Seele aus dem Tode gerissen / Mein auge von den threnen / Meinen fus vom gleitten.

[9]Jch wil wandeln fur dem HERRN / Jm Lande der Lebendigen.

JCH GLEUBE / DARUMB REDE ICH / Jch werde aber seer geplagt.

2. Cor. 4.

[11]Jch sprach in meinem zagen / Alle Menschen sind Lügener.

Rom. 3. (Lügener) Das ist / Es ist auff keinen

[12]WJe sol ich dem HERRN vergelten / Alle

Menschen zu bawen / Er kan doch zu letzt nicht helffen / vnd mus feilen.

seine Wolthat / die er mir thut?

[13]Jch wil den heilsamen Kelch nemen / Vnd des HERRN Namen predigen.

[14]Jch wil meine Gelübde dem HERRN bezalen / Fur all seinem Volck.

[15]DEr Tod seiner Heiligen ist werd gehalten / fur dem HERRN.

[16]O HERR ich bin dein Knecht / Jch bin dein knecht / deiner magd Son / Du hast meine Bande zurissen.

[17]Dir wil ich Danck opffern / Vnd des HERRN Namen predigen.

[18]Jch wil meine Gelübde dem HERRN bezalen / Fur all seinem Volck.

[19]Jn den Höfen am Hause des HERRN / Jn dir Jerusalem / Halelu ia.

## CXVII.

Rom. 15.

LObet den HERRN alle Heiden / Preiset jn alle Völcker.

[2]DEnn seine gnade vnd warheit / Waltet vber vns in ewigkeit / Halelu ia.

## CXVIII.

DAncket dem HERRN / Denn er ist freundlich / Vnd seine Güte weret ewiglich.

[2]Es sage nu Jsrael / Seine güte weret ewiglich. ‖

‖ 312b

[3]Es sage nu das haus Aaron / Seine güte wehret ewiglich.

[4]Es sage nu die den HERRN fürchten / Seine güte wehret ewiglich.

JN der angst rieff ich den HERRN an / Vnd der HERR erhöret mich vnd tröstet mich.

[6]Der HERR ist mit mir / Darumb fürchte ich mich nicht / Was können mir Menschen thun?

Psal. 56. Ebre. 13.

[7]Der HERR ist mit mir / mir zu helffen / Vnd ich wil meine lust sehen an meinen Feinden.

[8]ES ist gut auff den HERRN vertrawen / Vnd nicht sich verlassen auff Menschen.

[9]Es ist gut auff den HERRN vertrawen / Vnd nicht sich verlassen auff Fürsten.

[10]Alle Heiden vmbgeben mich / Aber im Namen des HERRN wil ich sie zuhawen.

[11]Sie vmbgeben mich allenthalben / Aber im Namen des HERRN wil ich sie zuhawen.

[12]Sie vmbgeben mich / wie Bienen / Sie dempffen / wie ein fewr in dornen / Aber im Namen des HERRN wil ich sie zuhawen.

(Dempffen) Sie lauffen alle zu vnd leschen / als wolt alle Welt verderben von meiner Lere wegen / niemand wil der letzte sein.

[13]Man stösset mich / das ich fallen sol / Aber der HERR hilfft mir.

[14]Der HERR ist meine Macht / vnd mein Psalm / Vnd ist mein Heil.

Exo. 15.

[15]Man singt mit freuden vom Sieg in den hütten der Gerechten / Die Rechte des HERRN behelt den Sieg.

[16]Die Rechte des HERRN ist erhöhet / Die Rechte des HERRN behelt den Sieg.

[17]JCh werde nicht sterben / sondern leben / Vnd des HErrn Werck verkündigen.

[18]Der HERR züchtiget mich wol / Aber er gibt mich dem Tode nicht.

[19]THut mir auff die thore der Gerechtigkeit / Das ich da hin ein gehe / vnd dem HErrn dancke.

[20]Das ist das thor des HERRN / Die Gerechten werden da hin ein gehen.

[21]Jch dancke dir / das du mich demütigest / Vnd hilffest mir.

Jesa. 28. Matth. 21. Act. 4. Rom. 9. 1. Pet. 2.

[22]Der stein den die Bawleute verwerffen / Jst zum Eckstein worden.

[23]Das ist vom HERRN geschehen / Vnd ist ein Wunder fur vnsern augen.

[24]Djs ist der tag / den der HERR macht / Lasst vns frewen vnd frölich drinnen sein.

Matth. 21. Marc. 11.

[25]O HERR Hilff / O HERR las wol gelingen.

[26]Gelobet sey der da kömpt im Namen des HERRN / Wir segenen euch / die jr vom Hause des HERRN seid.

[27]Der HERR ist Gott / der vns erleuchtet / Schmücket das Fest mit Meigen / bis an die hörner des Altars.

[28]DV bist mein Gott / vnd ich dancke dir / Mein Gott / Jch wil dich preisen.

[29]DAncket dem HERRN / Denn er ist freundlich / Vnd seine Güte wehret ewiglich.

## CXIX.

I.

WOl denen die on wandel leben / Die im Gesetze des HERRN wandeln.

[2]Wol denen / die seine Zeugnis halten / Die jn von gantzem hertzen suchen.

[3]Denn welche auff seinen Wegen wandeln / Die thun kein vbels.

[4]Du hast geboten vleissig zu halten / Deine Befelh.

[5]O das mein Leben deine Rechte / Mit gantzem ernst hielte.

[6]Wenn ich schawe allein auff deine Gebot / So werde ich nicht zu schanden.

[7]Jch dancke dir von rechtem hertzen / Das du mich lerest die Rechte deiner Gerechtigkeit.

[8]Deine Rechte wil ich halten / Verlas mich nimer mehr.

II.

WJE wird ein Jüngling seinen Weg vnstrefflich gehen? Wenn

er sich helt nach deinen Worten.

[10]Jch suche dich von gantzem hertzen / || Las mich nicht feilen deiner Gebot.

[11]Jch behalte dein Wort in meinem Hertzen / Auff das ich nicht wider dich sündige.

[12]Gelobet seiestu HERR / Lere mich deine Rechte.

[13]Jch wil mit meinen Lippen erzelen / Alle Rechte deines mundes.

[14]Jch frewe mich des weges deiner Zeugnis / Als vber allerley Reichthumb.

[15]Jch rede was du befolhen hast / Vnd schawe auff deine Wege.

[16]Jch habe lust zu deinen Rechten / Vnd vergesse deiner Wort nicht.

III.

THV wol deinem Knecht / das ich lebe / Vnd dein Wort halte.

[18]Offene mir die augen / Das ich sehe / die Wunder an deinem Gesetze.

[19]Jch bin ein Gast auff Erden / Verbirge deine Gebot nicht fur mir.

[20]Meine Seele ist zumalmet fur verlangen / Nach deinen Rechten alle zeit.

[21]Du schiltest die Stoltzen / Verflucht sind die deiner Gebot feilen.

[22]Wende von mir schmach vnd verachtung / Denn ich halte deine Zeugnis.

[23]Es sitzen auch die Fürsten / vnd reden wider mich / Aber dein Knecht redet von deinen Rechten.

|| 322a

[24]Jch habe lust zu deinen Zeugnissen / Die sind meine Ratsleute.

IIII.

MEine Seele ligt im staube / Erquicke mich nach deinem Wort.

[26]Jch erzele meine wege / vnd du erhörest mich / Lere mich deine Rechte.

[27]Vnterweise mich den weg deiner Befelh / So wil ich reden von deinen Wundern.

[28]Jch greme mich / das mir das Hertz verschmacht / Stercke mich nach deinem Wort.

[29]Wende von mir den falschen weg / Vnd gönne mir dein Gesetze.

[30]Jch habe den weg der Warheit erwelet / Deine Rechte hab ich fur mich gestellet.

[31]Jch hange an deinen Zeugnissen / HERR las mich nicht zu schanden werden.

[32]Wenn du mein Hertz tröstest / So lauffe ich den weg deiner Gebot.

V.

ZEige mir HERR den weg deiner Rechte / Das ich sie beware bis ans ende.

[34]Vnterweise mich / das ich beware dein Gesetze / Vnd halte es von gantzem Hertzen.

[35]Füre mich auff dem Steige deiner Gebot / Denn ich habe lust dazu.

[36]Neige mein hertz zu deinen Zeugnissen / Vnd nicht zum Geitz.

[37]Wende meine augen ab / das sie nicht sehen nach vnnützer Lere / Sondern erquicke mich auff deinem Wege.

[38]Las deinen Knecht dein Gebot festiglich fur dein Wort halten / Das ich dich fürchte.

[39]Wende von mir die schmach / die ich schewe / Denn deine Rechte sind lieblich.

|| 322b

[40]Sihe / ich begere deiner Befelhe / Erquicke mich mit deiner Gerechtigkeit.

VI.

HERR / Las mir deine gnade widerfaren / Deine Hülffe / nach deinem Wort.

[42]Das ich antworten müge meinem Lesterer / Denn ich verlas mich auff dein Wort.

[43]Vnd nim ja nicht von meinem munde das wort der Warheit / Denn ich hoffe auff deine Rechte.

[44]Jch wil dein Gesetz halten alle wege / Jmer vnd ewiglich.

[45]Vnd ich wandele frölich / Denn ich suche deine Befelh.

[46]Jch rede von deinen Zeugnissen fur Königen / Vnd scheme mich nicht.

[47]Vnd habe lust an deinen Geboten / Vnd sind mir lieb.

[48]Vnd hebe meine hende auff zu deinen Geboten / die mir lieb sind / Vnd rede von deinen Rechten.

VII.

GEdencke deinem Knechte an dein Wort / Auff welches du mich lessest hoffen.

[50]Das ist mein Trost in meinem Elende / Denn dein Wort erquicket mich.

[51]Die Stoltzen haben jren spott an mir / Dennoch weiche ich nicht von deinem Gesetz. ||

[52]HERR / wenn ich gedencke / wie du von der Welt her gerichtet hast / So werde ich getröstet.

[53]Jch bin entbrand vber die Gottlosen / Die dein Gesetz verlassen.

[54]Deine Rechte sind mein Lied / Jn meinem Hause.

[55]HERR ich gedencke des nachts an deinen Namen / Vnd halte dein Gesetz.

[56]Das ist mein Schatz / Das ich deinen Befelh halte.

VIII.

JCH hab gesagt / HERR das sol mein Erbe sein / Das ich deine Wege halte.

[58]Jch flehe fur deinem Angesichte / von gantzem hertzen / Sey mir gnedig nach deinem Wort.

[59]Jch betrachte meine wege / Vnd kere meine füsse zu deinen Zeugnissen.

[60]Jch eile vnd seume mich nicht / Zu halten deine Gebot.

Coloss. 2. Lasst euch niemand berauben.

[61]Der Gottlosen rotte beraubet mich / Aber ich vergesse deines Gesetzes nicht.

[62]Zur mitternacht stehe ich auff / dir zu dancken / Fur die Rechte deiner gerechtigkeit.

[63]Jch halte mich zu denen / die dich fürchten / Vnd deinen Befelh halten.

[64]HERR / die Erde ist vol deiner Güte / Lere mich deine Rechte.

IX.

DV thust guts deinem Knechte / HERR nach deinem Wort.

(Erkentnis) Das ist bescheidenheit. 2. Pet. 1.

[66]Lere mich heilsame sitten vnd erkentnis / Denn ich gleube deinen Geboten.

[67]Ehe ich gedemütiget ward / jrret ich / Nu aber halte ich dein Wort.

[68]Du bist gütig vnd freundlich / Lere mich deine Rechte.

[69]Die Stoltzen ertichten Lügen vber mich / Jch aber halte von gantzem hertzen deinen Befelh.

[70]Jr hertz ist dick wie Schmehr / Jch aber habe lust an deinem Gesetze.

[71]ES ist mir lieb / das du mich gedemütiget hast / Das ich deine Rechte lerne.

[72]Das Gesetze deines Mundes ist mir lieber / Denn viel tausent stück Gold vnd Silber.

X.

DEine Hand hat mich gemacht / vnd bereitet / Vnterweise mich / das ich deine Gebot lerne.

[74]Die dich fürchten / sehen mich vnd frewen sich / Denn ich hoffe auff deine Wort.

[75]HERR ich weis / das deine Gerichte recht sind / Vnd hast mich trewlich gedemütiget.

[76]Deine Gnade müsse mein trost sein / Wie du deinem Knecht zugesagt hast.

[77]Las mir deine Barmhertzigkeit wider faren / das ich lebe / Denn ich habe lust zu deinem Gesetz.

[78]Ah das die Stoltzen müsten zu schanden werden / die mich mit Lügen niderdrücken / Jch aber rede von deinem Befelh.

[79]Ah das sich müssen zu mir halten / die dich fürchten / Vnd deine Zeugnisse kennen.

[80]Mein hertz bleibe rechtschaffen in deinen Rechten / Das ich nicht zu schanden werde.

XI.

MEine Seele verlanget nach deinem Heil / Jch hoffe auff dein Wort.

[82]Meine augen sehnen sich nach deinem Wort / Vnd sagen / Wenn tröstestu mich?

[83]Denn ich bin wie ein Haut im rauch / Deiner Rechte vergesse ich nicht.

(Haut) Da man öle / wein / wasser inne füret / wie ein watsack.

[84]Wie lange sol dein Knecht warten? Wenn wiltu gericht halten vber meine Verfolger.

[85]Die Stoltzen graben mir Gruben / Die nicht

sind nach deinem Gesetze.

[86]Deine Gebot sind eitel Warheit / Sie verfolgen mich mit Lügen / Hilff mir.

[87]Sie haben mich schier vmbbracht auff Erden / Jch aber verlasse dein Befelh nicht.

[88]Erquicke mich durch deine Gnade / Das ich halte die Zeugnis deines Mundes.

XII.

HERR dein Wort bleibt ewiglich / So weit der Himel ist.

[90]Deine Warheit wehret fur vnd fur / Du hast die Erde zugerichtet / vnd sie bleibt stehen. ‖

‖ 323a

[91]Es bleibt teglich nach deinem Wort / Denn es mus dir alles dienen.

[92]WO dein Gesetz nicht mein trost gewest were / So were ich vergangen in meinem Elende.

[93]Jch wil deinen Befelh nimer mehr vergessen / Denn du erquickest mich da mit.

[94]Jch bin dein / hilff mir / Denn ich suche deine Befelh.

[95]Die Gottlosen warten auff mich das sie mich vmbbringen / Jch aber mercke auff deine Zeugnis.

[96]Jch hab alles dinges ein ende gesehen / Aber dein Gebot wehret.

XIII.

WJE habe ich dein Gesetz so lieb / Teglich rede ich dauon.

[98]Du machest mich mit deinem Gebot weiser / denn meine Feinde sind / Denn es ist ewiglich mein Schatz.

[99]Jch bin Gelerter denn alle meine Lerer / Denn deine Zeugnis sind meine Rede.

[100]Jch bin Klüger denn die Alten / Denn ich halte deinen Befelh.

[101]Jch were meinem fus alle böse wege / Das ich dein Wort halte.

[102]Jch weiche nicht von deinen Rechten / Denn du lerest mich.

[103]Dein Wort ist meinem Mund süsser / Denn Honig.

[104]Dein Wort macht mich klug / Darumb hasse ich alle falsche Wege.

XIIII.

DEin Wort ist meines fusses Leuchte / Vnd ein Liecht auff meinem wege.

[106]Jch schwere vnd wils halten / Das ich die Rechte deiner gerechtigkeit halten wil.

[107]Jch bin seer gedemütiget / HERR erquicke mich nach deinem Wort.

[108]Las dir gefallen HERR das willige opffer meines mundes / Vnd lere mich deine Rechte.

[109]Jch trage meine Seele jmer in meinen henden / Vnd ich vergesse deines Gesetzes nicht.

[110]Die Gottlosen legen mir stricke / Jch aber jrre nicht von deinem Befelh.

[111]Deine Zeugnis sind mein ewiges Erbe / Denn sie sind meines hertzen wonne.
[112]Jch neige mein hertz / Zu thun nach deinen Rechten jmer vnd ewiglich.

XV.

Fladdergeister heissen hie die vnbestendigen Geister / die jmer etwas newes finden vnd fürnemen / Wie Ketzer pflegen zu thun.

JCH hasse die Fladdergeister / Vnd liebe dein Gesetze.
[114]Du bist mein schirm vnd schild / Jch hoffe auff dein Wort.
[115]Weichet von mir jr Boshafftigen / Jch wil halten die gebot meines Gottes.
[116]Erhalt mich durch dein Wort / Das ich lebe / Vnd las mich nicht zu schanden werden vber meiner hoffnung.
[117]Stercke mich / das ich genese / So wil ich stets meine lust haben an deinem Rechte.
[118]Du zutrittest alle die deiner Rechte feilen / Denn jr triegerey ist eitel Lügen.
[119]Du wirffst alle Gottlosen auff Erden weg / wie schlacken / Darumb liebe ich deine Zeugnisse.
[120]Jch fürchte mich fur dir / das mir die haut schawert / Vnd entsetze mich fur deinen Rechten.

XVI.

JCH halte vber dem Recht vnd gerechtigkeit / Vbergib mich nicht denen / die mir wöllen gewalt thun.
[122]Vertritt du deinen Knecht / vnd tröste jn / Das mir die Stoltzen nicht gewalt thun.
[123]Meine augen sehnen sich nach deinem Heil / Vnd nach dem Wort deiner gerechtigkeit.
[124]Handel mit deinem Knechte nach deiner gnaden / Vnd lere mich deine Rechte.
[125]Jch bin dein Knecht / vnterweise mich / Das ich erkenne deine Zeugnisse.
[126]Es ist zeit / das der HERR da zu thu / Sie haben dein Gesetze zurissen.
[127]Darumb liebe ich dein Gebot / Vber gold vnd vber fein gold.
[128]Darumb halte ich stracks alle deine Befelh / Jch hasse allen falschen weg.

XVII.

DEine Zeugnis sind wunderbarlich / Darumb helt sie meine Seele.
[130]Wenn dein Wort offenbar wird / so erfrewet es / Vnd machet klug die Einfeltigen. ‖

‖ 323b

[131]Jch thu meinen mund auff / vnd begere deine Gebot / Denn mich verlanget darnach.
[132]Wende dich zu mir / vnd sey mir Gnedig / Wie du pflegst zuthun denen die deinen Namen lieben.
[133]Las meinen gang gewis sein in deinem Wort / Vnd las kein vnrecht vber mich herrschen.
[134]Erlöse mich von der Menschen freuel / So

wil ich halten deinen Befelh.

[135]Las dein Andlitz leuchten vber deinen Knecht / Vnd lere mich deine Rechte.

[136]Meine augen fliessen mit wasser / Das man dein Gesetz nicht helt.

XVIII.

HERR du bist Gerecht / Vnd dein Wort ist recht.

[138]Du hast die Zeugnis deiner gerechtigkeit / Vnd die Warheit hart geboten.

[139]Jch habe mich schier zu tod geeiuert / Das meine Widersacher deiner Wort vergessen.

(Vergessen) Nicht allein aus der acht lassen / sondern so gar nichts achten / als were nie kein wort Gottes gewest.

[140]Dein Wort ist wol geleutert / Vnd dein Knecht hat es lieb.

[141]Jch bin geringe vnd veracht / Jch vergesse aber nicht deines Befelhs.

[142]Deine Gerechtigkeit ist eine ewige gerechtigkeit / Vnd dein Gesetze ist warheit.

[143]Angst vnd Not haben mich troffen / Jch hab aber lust an deinen Geboten.

[144]Die gerechtigkeit deiner Zeugnis ist ewig / Vnterweise mich / so lebe ich.

XIX.

JCH ruffe von gantzem hertzen / erhöre mich HERR / Das ich deine Rechte halte.

[146]Jch ruffe zu dir / hilff mir / Das ich deine Zeugnis halte.

[147]Jch kome früe vnd schreie / Auff deine Wort hoffe ich.

[148]Jch wache früe auff / Das ich rede von deinem Wort.

[149]Höre meine stimme nach deiner gnade / HERR / erquicke mich nach deinen Rechten.

[150]Meine boshafftigen Verfolger wöllen mir zu / Vnd sind ferne von deinem Gesetze.

[151]HERR / du bist nahe / Vnd deine Gebot sind eitel Warheit.

[152]Zuuor weis ich aber / Das du deine Zeugnis ewiglich gegründet hast.

XX.

SJhe mein elend / vnd errette mich / Hilff mir aus / Denn ich vergesse deines Gesetzes nicht.

[154]Füre meine Sache / vnd erlöse mich / Erquicke mich durch dein Wort.

[155]Das Heil ist ferne von den Gottlosen / Denn sie achten deine Rechte nicht.

[156]HERR / deine Barmhertzigkeit ist gros / Erquicke mich nach deinen Rechten.

[157]Meiner Verfolger vnd Widersacher ist viel / Jch weiche aber nicht von deinen Zeugnissen.

[158]Jch sehe die verechter / vnd thut mir wehe / Das sie dein Wort nicht halten.

[159]Sihe / Jch liebe deinen Befelh / HErr erquicke mich nach deiner gnade.

[160]Dein Wort ist nichts denn Warheit / Alle Rechte deiner gerechtigkeit wehren ewiglich.

XXI.

DJe Fürsten verfolgen mich on vrsach / Vnd mein hertz fürchtet sich fur deinen Worten.

[162]Jch frewe mich vber deinem Wort / Wie einer der eine grosse Beute kriegt.

(Lügen) Heuchlern vnd falschen Leuten.

[163]Lügen bin ich gram / vnd habe grewel daran / Aber dein Gesetze habe ich lieb.

[164]Jch lobe dich des tages sieben mal / Vmb der Rechte willen deiner gerechtigkeit.

[165]Grossen friede haben / die dein Gesetz lieben / Vnd werden nicht strauchelen.

(Straucheln) Sie werden nicht jrren noch feilen / weder durch gewalt noch list abgewendet werden.

[166]HERR / ich warte auff dein Heil / Vnd thu nach deinen Geboten.

[167]Meine Seele helt deine Zeugnis / Vnd liebet sie fast.

[168]Jch halte deine Befelh vnd deine Zeugnisse / Denn alle meine wege sind fur dir.

XXII.

HERR / Las meine Klage fur dich komen / Vnterweise mich nach deinem Wort.

[170]Las mein flehen fur dich komen / Errette mich nach deinem Wort. ‖

‖ 324a

[171]Meine Lippen sollen loben / Wenn du mich deine Rechte lerest.

[172]Meine Zunge sol jr gesprech haben von deinem Wort / Denn alle deine Gebot sind recht.

[173]Las mir deine Hand beystehen / Denn ich habe erwelet deine Befelh.

[174]HERR / mich verlanget nach deinem Heil / Vnd habe lust an deinem Gesetze.

[175]Las meine Seele leben / das sie dich lobe / Vnd deine Rechte mir helffen.

[176]Jch bin wie ein verirret vnd verloren Schaf / Suche deinen knecht / Denn ich vergesse deiner Gebot nicht.

(Verirret) Es nimpt sich mein niemand an.

## CXX.

[1]Ein Lied im höhern Chor.

JCH RUFFE ZU DEM HERRN in meiner Not / Vnd er erhöret mich.

[2]HERR errette meine Seele von den Lügenmeulern / Vnd von den falschen Zungen.

[3]WAs kan dir die falsche Zunge thun? Vnd was kan sie ausrichten.

[4]Sie ist wie scharffe Pfeile eines Starcken / Wie fewr in Wacholdern.

Fewr in Wacholdern loddert vnd brennet seer / Denn es ist fett vnd brennet gerne. Also gehet die Ketzerische lere auch mit grosser gewalt an / vnd brennet seer gerne.

[5]Weh mir / das ich ein Frembdling bin vnter Mesech / Jch mus wonen vnter den hütten Kedar.

[6]Es wird meiner Seelen lang zu wonen / Bey denen die den frieden hassen.

[7]Jch halte Friede / Aber wenn ich rede / so fahen sie krieg an.

CXXI.

[1]Ein Lied im höhern Chor.

JCH HEBE MEINE AUGEN auff zu den Bergen / Von welchen mir Hülffe kompt.

[2]Meine Hülffe kompt vom HERRN / Der Himel vnd Erden gemacht hat.

[3]Er wird deinen fus nicht gleitten lassen / Vnd der dich behütet / schlefft nicht.

[4]Sihe / der Hüter Jsrael / Schlefft noch schlumet nicht.

[5]Der HERR behütet dich / Der HERR ist dein Schatten vber deiner rechten hand.

[6]Das dich des tages die Sonne nicht steche / Noch der Mond des nachts.

[7]Der HERR behüte dich fur allem Vbel / Er behüte deine Seele.

[8]Der HERR behüte deinen ausgang vnd eingang / Von nu an bis in ewigkeit.

CXXII.

[1]Ein Lied Dauids / Jm höhern Chor.

JCH FREWE MICH DES / das mir geredt ist / Das wir werden ins [a]Haus des HERRN gehen.

[2]Vnd das vnser füsse werden stehen / Jn deinen thoren Jerusalem.

[3]JErusalem ist gebawet / das eine Stad sey / Da man zusamen komen sol.

[4]Da die Stemme hin auff gehen sollen nemlich / die stemme des HERRN / Zu predigen dem volck Jsrael / Zu dancken dem Namen des HERRN.

[5]Denn daselbst sitzen die Stüle zum gericht / Stüle des hauses Dauids.

[6]Wündschet Jerusalem glück / Es müsse wolgehen denen / die dich lieben.

[7]Es müsse Friede sein inwendig deinen Mauren / Vnd glück in deinen Pallasten.

[8]Vmb meiner Brüder vnd Freunde willen / Wil ich dir frieden wündschen.

[9]Vmb des Hauses willen des HERRN vnsers Gottes / Wil ich dein bestes suchen.

CXXIII.

[1]Ein Lied im höhern Chor.

JCH HEBE MEINE AUGEN auff zu dir / Der du im Himel sitzest.

[2]Sihe / Wie die augen der Knechte / Auff die hende jrer Herrn sehen. ||

a Wo man Gottes wort leret vnd höret / da wonet Gott / vnd ist Gottes Haus / Des ist sich wol zu frewen.

(Frieden) Das ist / das dirs wolgehe.

|| 324b

Wie die augen der Magd / Auff die hende jrer Frawen.
Also sehen vnser augen auff den HERRN vnsern Gott / Bis er vns gnedig werde.

[3]Sey vns gnedig HERR / sey vns gnedig / Denn wir sind seer vol verachtung.

[4]Seer vol ist vnser seele / der Stoltzen spott / Vnd der Hoffertigen verachtung.

CXXIIII.

[1]Ein Lied Dauids im höhern Chor.

WO DER HERR nicht bey vns were / So sage Jsrael.

[2]Wo der HERR nicht bey vns were / Wenn die Menschen sich wider vns setzen.

[3]So verschlüngen sie vns lebendig / Wenn jr zorn vber vns ergrimmet.

[4]So erseuffte vns Wasser / Strömen giengen vber vnser Seele.

[5]Es giengen Wasser allzu hoch / Vber vnser Seele.

[6]Gelobet sey der HERR / Das er vns nicht gibt zum Raube in jre Zeene.

[7]Vnser Seele ist entrunnen / Wie ein Vogel dem stricke des Voglers / Der strick ist zurissen / vnd wir sind los.

[8]Vnser Hülffe stehet im Namen des HERRN / Der Himel vnd Erden gemacht hat.

CXXV.

[1]Ein Lied im höhern Chor.

DJE AUFF DEN HERRN hoffen / Die werden nicht fallen / Sondern ewig bleiben / wie der berg Zion.

[2]Vmb Jerusalem her sind Berge / Vnd der HERR ist vmb sein Volck her / von nu an bis in ewigkeit.

[3]Denn der Gottlosen Scepter wird nicht bleiben vber dem Heufflin der gerechten / Auff das die Gerechten jre hand nicht ausstrecken zur Vngerechtigkeit.

Psal. 85.

[4]HERR thu wol / Den guten vnd fromen hertzen.

[5]Die aber abweichen auff jre krumme wege / wird der HERR wegtreiben mit den Vbelthettern / Aber Friede sey vber Jsrael.

CXXVI.

[1]Ein Lied im höhern Chor.

WENN DER HERR die Gefangen Zion erlösen wird / So werden wir sein wie die Trewmende.

(Trewmende) Das ist / Die Freude wird so gros sein / das wir sie kaum gleuben werden / vnd wird vns gleich sein / als trewmet es vns / vnd were nicht war.

[2]Denn wird vnser mund vol lachens vnd

vnser zunge vol rhümens sein / Da wird man sagen vnter den Heiden / Der HERR hat grosses an jnen gethan.

|| 325 a

[3]Der HERR hat Grosses an vns gethan / Des sind wir frölich.

[4]HERR wende vnser Gefengnis / Wie du die Wasser gegen mittage trockenest.

[5]Die mit Threnen seen / Werden mit freuden erndten.

[6]Sie gehen hin vnd weinen / vnd tragen edlen Samen / Vnd komen mit Freuden / vnd bringen jre Garben.

CXXVII.

[1]Ein Lied Salomo / Jm höhern Chor.

WO DER HERR nicht das Haus bawet / So erbeiten vmb sonst / die dran bawen.

Wo der HERR nicht die Stad behütet / So wachet der Wechter vmb sonst.

[2]Es ist vmb sonst / das jr früe auffstehet / vnd hernach lang sitzet / vnd esset ewer Brot mit sorgen / Denn seinen Freunden gibt ers schlaffend.

(Gabe) Das ist / Vmb sonst ists / das jrs mit ewer erbeit wöllet ausrichten. Sind doch die Kinder selbs / fur die jr erbeitet / nicht in ewer gewalt / sondern Gott gibt sie.

[3]Sihe / Kinder sind eine Gabe des HERRN / Vnd Leibes frucht ist ein geschenck.

[4]Wie die Pfeile in der hand eines Starcken / Also geraten die jungen Knaben.

[5]Wol dem / der seine Köcher derselben vol hat / Die werden nicht zu schanden / wenn sie mit jren Feinden handeln im Thor. ||

CXXVIII.

[1]Ein Lied im höhern Chor.

WOL DEM / DER DEN HERRN fürchtet / Vnd auff seinen Wegen gehet.

[2]Du wirst dich neeren deiner hende erbeit / Wol dir / du hasts gut.

[3]Dein Weib wird sein wie ein fruchtbar Weinstock vmb dein haus herumb / Deine Kinder wie Olezweige / vmb deinen tisch her.

[4]SJhe / also wird gesegenet der Man / Der den HERRN fürchtet.

[5]Der HERR wird dich segenen aus Zion / Das du sehest das glück Jerusalem / dein lebenlang.

[6]Vnd sehest deiner Kinder kinder / Friede vber Jsrael.

CXXIX.

[1]Ein Lied im höhern Chor.

SJE HABEN MICH OFFT gedrenget von meiner Jugent auff / So sage Jsrael.

[2]Sie haben mich offt gedrenget von meiner Jugent auff / Aber sie

haben mich nicht vbermocht.

[3]Die Pflüger haben auff meinem Rücken geackert / Vnd jre furche lang gezogen.

[4]Der HERR der Gerecht ist / Hat der Gottlosen seile abgehawen.

[5]Ah das müssen zu schanden werden vnd zu rücke keren / Alle die Zion gram sind.

[6]Ah das sie müssen sein / wie das Gras auff den dechern / Welches verdorret ehe man es ausreufft.

[7]Von welchem der Schnitter seine hand nicht füllet / Noch der Garbenbinder seinen arm vol.

[8]Vnd die fur vber gehen / nicht sprechen / Der Segen des HERRN sey vber euch / Wir segenen euch im Namen des HERRN.

CXXX.

[1]Ein Lied im höhern Chor.

AVS DER TIEFFEN / Ruffe ich HERR zu dir.

[2]HErr höre meine stimme / Las deine Ohren mercken auff die stimme meines flehens.

[3]So du wilt HErr sünde zu rechen? HErr / Wer wird bestehen?

[4]Denn bey dir ist die Vergebung / Das man dich fürchte.

[5]JCH harre des HERRN / meine Seele harret / Vnd ich hoffe auff sein Wort.

[6]Meine Seele wartet auff den HErrn / Von einer Morgenwache bis zur andern.

[7]Jsrael hoffe auff den HERRN / Denn bey dem HERRN ist die Gnade / vnd viel Erlösung bey jm.

[8]Vnd er wird Jsrael erlösen / Aus allen seinen Sünden.

CXXXI.

[1]Ein Lied Dauids im höhern Chor.

HERR / MEIN HERTZ ist nicht hoffertig / vnd meine augen sind nicht stoltz / Vnd wandele nicht in grossen dingen / die mir zu hoch sind.

[2]Wenn ich meine Seele nicht setzet vnd vnd stillet / So ward meine seele entwenet / wie einer von seiner Mutter entwenet wird.

[3]Jsrael hoffe auff den HERRN / Von nu an bis in ewigkeit.

CXXXII.

[1]Ein Lied im höhern Chor.

GEDENCKE HERR AN Dauid / Vnd an alle sein Leiden.

[2]Der dem HERRN schwur / Vnd gelobet dem Mechtigen Jacob.

2. Reg. 7.

[3]Jch wil nicht in die Hütten meines Hauses gehen / Noch mich auffs Lager meines bettes legen.

[4]Jch wil meine augen nicht schlaffen lassen / Noch meine augenliede schlummen. ||

|| 325 b

[5]Bis ich eine Stete finde fur den HERRN / Zur wonung dem Mechtigen Jacob.

[6]Sihe / wir hören von jr in Ephrata / Wir haben sie funden auff dem felde des waldes.

(Jr) Das ist von der selbigen Stete.

[7]Wir wöllen in sein Wonunge gehen / Vnd anbeten fur seinem Fusschemel.

[8]HERR mach dich auff zu deiner Ruge / Du vnd die Lade deiner Macht.

(Macht) Das ist deiner Herrschafft. 2. Par. 6.

[9]Deine Priester las sich kleiden mit Gerechtigkeit / Vnd deine Heiligen sich frewen.

[10]Nim nicht weg das Regiment deines Gesalbeten / Vmb deines knechts Dauids willen.

[11]DEr HERR hat Dauid einen waren Eid geschworen / dauon wird er sich nicht wenden / Jch wil dir auff deinen Stuel setzen die Frucht deines Leibes.

Psal. 89. 110.

[12]Werden deine Kinder meinen Bund halten / vnd mein Zeugnis / das ich sie leren werde / So sollen auch jre Kinder auff deinem Stuel sitzen ewiglich.

[13]Denn der HERR hat Zion erwelet / Vnd hat lust daselbs zu wonen.

[14]Dis ist meine Ruge ewiglich / Hie wil ich wonen / Denn es gefellet mir wol.

[15]Jch wil jr Speise segenen / Vnd jren Armen brots gnug geben.

[16]Jre Priester wil ich mit Heil kleiden / Vnd jre Heiligen sollen frölich sein.

[17]Daselbs sol auffgehen das horn Dauid / Jch habe meinem Gesalbten eine Leuchte zugerichtet.

Luc. 1.

[18]Seine Feinde wil ich mit schanden kleiden / Aber vber jm sol blühen seine Krone.

(Krone) Das ist / Das Königreich.

## CXXXIII.

[1]Ein Lied Dauids im höhern Chor.

SJhe / wie fein vnd lieblich ists / Das Brüder eintrechtig bey einander wonen.

Das ist / Wenn die reichen / grossen / heiligen / weisen sich der armen kleinen sünderthören annemen. Rom. 14.

[2]Wie der köstlich Balsam ist / der vom heubt Aaron herab fleust in seinen gantzen Bart / Der erab fleusst in sein Kleid.

[3]Wie der Taw der von Hermon erab felt auff die berge Zion / Denn daselbs verheisst der HERR Segen vnd Leben jmer vnd ewiglich.

## CXXXIIII.

[1]Ein Lied im höhern Chor.

SJhe / Lobet den HERRN / alle Knechte des HERRN / Die jr stehet des nachts im Hause des HERRN.

[2]Hebet ewre hende auff im Heiligthum / Vnd lobet den HERRN.

[3]Der HERR segene dich aus Zion / Der Himel vnd Erden gemacht hat.

CXXXV.

[1]Halelu ia.

LObet den Namen des HERRN / Lobet jr Knechte des HERRN.

[2]Die jr stehet im Hause des HERRN / Jn den Höfen des Hauses vnsers Gottes.

[3]Lobet den HERRN / Denn der HERR ist freundlich / Lobsinget seinem Namen / Denn er ist lieblich.

[4]Denn der HERR hat jm Jacob erwelet / Jsrael zu seinem Eigenthum.

[5]DEnn ich weis / das der HERR gros ist / Vnd vnser Herr fur allen Göttern.

[6]Alles was er wil / das thut er / Jm Himel / auff Erden / im Meer / vnd in allen Tieffen.

Jere. 10.

[7]Der die Wolcken lesst auffgehen / vom ende der Erden / Der die Blitzen sampt dem Regen machet / Der den Wind aus heimlichen örtern komen lesst.

Exo. 12.

[8]DEr die Erstengeburt schlug in Egypten / Beide der Menschen vnd des Vihes. ‖

‖ 326a

[9]Vnd lies seine Zeichen vnd Wunder komen vber dich Egyptenland / Vber Pharao vnd alle seine Knechte.

[10]Der viel Völcker schlug / Vnd tödtet mechtige Könige.

Num. 21.

[11]Sihon der Amoriter könig / vnd Og den könig zu Basan / Vnd alle Königreich in Canaan.

Josu. 12.

[12]Vnd gab jr Land zum Erbe / Zum erbe seinem volck Jsrael.

[13]HERR dein Name weret ewiglich / Dein Gedechtnis HERR weret fur vnd fur.

[14]Denn der HERR wird sein Volck richten / Vnd seinen Knechten gnedig sein.

Psal. 115.

DEr Heiden Götzen sind siber vnd gold / Von Menschen henden gemacht.

[16]Sie haben Meuler vnd reden nicht / Sie haben Augen vnd sehen nicht.

[17]Sie haben Ohren vnd hören nicht / Auch ist kein Odem in jrem munde.

[18]Die solche machen / sind gleich also / Alle die auff solche hoffen.

[19]DAS haus Jsrael lobe den HERRN / Lobet den HERRN jr vom hause Aaron.

[20]Jr vom hause Leui lobet den HERRN / Die jr den HERRN fürchtet / lobet den HERRN.

[21]GElobet sey der HERR aus Zion / Der zu Jerusalem wonet / Halelu ia.

CXXXVI.

DANCKET DEM HERRN / Denn er ist freundlich / Denn seine Güte weret ewiglich.

[2]Dancket dem Gott aller Götter / Denn seine güte weret ewiglich.

[3]Dancket dem HErrn aller Herrn / Denn seine güte weret ewiglich.

[4]Der grosse Wunder thut alleine / Denn seine güte weret ewiglich.

(Ordendlich) Das der Himel vnd alle Sternen so gewissen Laufft haben / vnd nicht feilen. Gen. 1.

[5]Der die Himel ordendlich gemacht hat / Denn seine güte weret ewiglich.

[6]Der die Erde auff wasser ausgebreitet hat / Denn seine güte weret ewiglich.

[7]Der grosse Liechter gemacht hat / Denn seine güte weret ewiglich.

[8]Die Sonne dem Tage fur zustehen / Denn seine güte weret ewiglich.

[9]Den Mond vnd Sterne der Nacht fur zustehen / Denn seine güte weret ewiglich.

Exo. 12.

[10]DEr Egypten schlug an jren Erstengeburten / Denn seine güte weret ewiglich.

Exo. 13.

[11]Vnd füret Jsrael er aus / Denn seine güte weret ewiglich.

[12]Durch mechtige hand vnd ausgerecktem arm / Denn seine güte weret ewiglich.

Exo. 14.

[13]Der das Schilffmeer teilet / in zwey teil / Denn seine güte weret ewiglich.

[14]Vnd lies Jsrael durch hin gehen / Denn seine güte weret ewiglich.

[15]Der Pharao vnd sein Heer ins Schilffmeer sties / Denn seine güte weret ewiglich.

[16]Der sein Volck füret durch die Wüsten / Denn seine güte weret ewiglich.

[17]DEr grosse Könige schlug / Denn seine güte weret ewiglich.

[18]Vnd erwürget mechtige Könige / Denn seine güte weret ewiglich.

Num. 21.

[19]Sihon der Amoriter könig / Denn seine güte weret ewiglich.

[20]Vnd Og den könig zu Basan / Denn seine güte weret ewiglich.

[21]Vnd gab jr Land zum Erbe / Denn seine güte weret ewiglich.

[22]Zum Erbe seinem knecht Jsrael / Denn seine güte weret ewiglich.

[23]Denn er dachte an vns / da wir vnter getrückt waren / Denn seine güte weret ewiglich.

[24]Vnd erlöset vns von vnsern Feinden / Denn seine güte weret ewiglich.

[25]Der allem Fleisch speise gibt / Denn seine güte weret ewiglich.

[26]Dancket dem Gott von Himel / Denn seine güte weret ewiglich.

CXXXVII.

AN DEN WASSERN ZU Babel sassen wir / vnd weineten / Wenn wir an Zion gedachten. ||

[2]Vnsere Harffen hiengen wir an die Weiden / Die drinnen sind.

[3]Denn daselbs hiessen vns singen / die vns gefangen hielten / vnd in vnserm heulen frölich sein / Lieber / Singet vns ein Lied von Zion.

[4]Wie solten wir des HERRN Lied singen / Jn frembden Landen?

[5]VErgesse ich dein Jerusalem / So werde meiner Rechten vergessen.

[6]Meine Zunge müsse an meinem gaumen kleben / wo ich dein nicht gedencke / Wo ich nicht lasse Jerusalem meine höchste freude sein.

[7]HERR gedencke der kinder Edom am tage Jerusalem / Die da sagen / Rein abe / rein abe / bis auff jren boden.

[8]Du verstörete tochter Babel / Wol dem der dir vergelte / wie du vns gethan hast.

Jesa. 13.

[9]Wol dem der deine junge Kinder nimpt / Vnd zerschmettert sie an den stein.

CXXXVIII.

[1]Dauids.

JCH DANCKE DIR VON gantzem hertzen / Fur den Göttern wil ich dir Lobe singen.

(Göttern) Fur den Engeln vnd Gottes kindern.

[2]Jch wil anbeten zu deinem heiligen Tempel / vnd deinem Namen dancken / vmb deine güte vnd trewe / Denn du hast deinen Namen vber alles herrlich gemacht durch dein Wort.

|| 326b

[3]Wenn ich dich anruffe / so erhöre mich / Vnd gib meiner Seele grosse krafft.

[4]ES dancken dir HERR alle Könige auff erden / Das sie hören das Wort deines mundes.

[5]Vnd singen auff den wegen des HERRN / Das die Ehre des HERRN gros sey.

[6]DEnn der HERR ist hoch / vnd sihet auff das Nidrige / Vnd kennet den Stoltzen von ferne.

[7]Wenn ich mitten in der angst wandele / so erquickestu mich / Vnd streckest deine Hand vber den zorn meiner Feinde / Vnd hilffest mir mit deiner Rechten.

[8]Der HERR wirds ein ende machen vmb meinen willen / HERR deine güte ist ewig / Das werck deiner Hende woltestu nicht lassen.

CXXXIX.

[1]Ein Psalm Dauids / vor zu singen.

HERR / DU ERFORschest mich / Vnd kennest mich.

2 Jch sitze oder stehe auff so weissestu es / Du verstehest meine Gedancken von ferne.

3 Jch gehe oder lige / so bistu vmb mich / Vnd sihest alle meine wege.

4 Denn sihe / Es ist kein wort auff meiner Zungen / Das du HERR nicht alles wissest.

‖ 327a

5 Du schaffest es / was ich vor oder hernach thue / Vnd heltest deine Hand vber mir.

6 Solchs erkentnis ist mir zu wünderlich vnd zu hoch / Jch kans nicht begreiffen.

7 WO sol ich hin gehen fur deinem Geist? Vnd wo sol ich hin fliehen fur deinem Angesicht?

Amos 9.

8 Füre ich gen Himel / so bistu da / Bettet ich mir in die Helle / Sihe / so bistu auch da.

9 Neme ich flügel der Morgenröte / Vnd bliebe am eussersten Meer.

10 So würde mich doch deine Hand da selbs füren / Vnd deine Rechte mich halten.

11 Spreche ich / finsternis mügen mich decken / So mus die nach auch Liecht vmb mich sein.

Jacob. 1.

12 Denn auch Finsternis nicht finster ist bey dir / Vnd die nacht leuchtet wie der tag / Finsternis ist wie das Liecht.

13 Denn du hast meine Nieren in deiner gewalt / Du warest vber mir in mutter Leibe.

14 JCH dancke dir darüber / das ich wünderbarlich gemacht bin / Wünderbarlich sind deine Wercke / Vnd das erkennet meine Seele wol.

15 Es war dir mein Gebein nicht verholen / da ich im verborgen gemacht ‖ ward / Da ich gebildet ward vnten in der Erden.

(Vnten) Das ist / Tieff in Mutterleibe. Das ist / wie lange ich leben solt / wustestu ehe ich leben anfieng.

16 Deine Augen sahen mich / da ich noch vnbereitet war / Vnd waren alle tage auff dein Buch geschrieben / die noch werden solten / vnd der selben keiner da war.

17 Aber wie köstlich sind fur mir Gott deine gedancken? Wie ist jr so ein grosse Summa.

18 Solt ich sie zelen / so würde jr mehr sein denn des Sands / Wenn ich auffwache / bin ich noch bey dir.

19 AH Gott / das du tödtest die Gottlosen / Vnd die Blutgirigen von mir weichen müsten.

20 Denn sie reden von dir lesterlich / Vnd deine Feinde erheben sich on vrsach.

21 Jch hasse ja HERR die dich hassen / Vnd verdreusst mich auff sie / das sie sich wider dich setzen.

[22]Jch hasse sie in rechtem ernst / Darumb sind sie mir feind.

[23]ERforsche mich Gott / vnd erfare mein Hertz / Prüfe mich vnd erfare / wie ichs meine.

[24]Vnd sihe / ob ich auff bösem wege bin / Vnd leite mich auff ewigem wege.

CXL.

[1]Ein Psalm Dauids / vor zu singen.

ERRETTE MICH HERR von den bösen Menschen / Behüte mich fur den freueln Leuten.

[3]Die Böses gedencken in jrem hertzen / Vnd teglich Krieg erregen.

[4]Sie scherffen jre Zunge / wie eine Schlange / Otterngifft ist vnter jren Lippen / Sela.

[5]Beware mich HERR fur der hand der Gottlosen / Behüre mich fur den freueln Leuten / Die meinen gang gedencken vmbzustossen.

[6]Die Hoffertigen legen mir Stricke / vnd breiten mir Seile aus zum netze / Vnd stellen mir Fallen an den weg / Sela.

[7]Jch aber sage zum HERRN / Du bist mein Gott / HERR vernim die stimme meines flehens.

[8]HERR HErr meine starcke Hülffe / Du beschirmest mein Heubt zur zeit des Streits.

[9]HERR las dem Gottlosen sein begirde nicht / Stercke seinen mutwillen nicht / Sie möchten sichs erheben / Sela.

[10]Das vnglück / dauon meine Feinde rat schlagen / Müsse auff jren Kopff fallen.

[11]Er wird stralen vber sie schütten / Er wird sie mit Fewr tieff in die erden schlahen / Das sie nimer nicht auff stehen.

Blitz vnd donner schlahe sie in die Erden / vt in mari rubro.

[12]Ein böse Maul wird kein glück haben auff Erden / Ein freuel böser Mensch wird veriagt vnd gestürtzt werden.

[13]Denn ich weis / das der HERR wird des Elenden sache / Vnd der Armen recht ausfüren.

[14]Auch werden die Gerechten deinem Namen dancken / Vnd die Fromen werden fur deinem Angesichte bleibn.

CXLI.

[1]Ein Psalm Dauids.

HERR ICH RUFFE ZU dir / eile zu mir / Vernim meine stimme / wenn ich dich anruffe.

[2]Mein Gebet müsse fur dir tügen / wie ein Reuchopffer / Meine hende auffheben / wie ein Abendopffer.

[3]HERR behüte meinen mund / Vnd beware meine Lippen.

[4]Neige mein hertz nicht auff etwas böses / Ein gottlos wesen zu füren

mit den Vbelthettern / Das ich nicht esse von dem das jnen geliebt.

[5]Der Gerechte schlahe mich freundlich vnd straff mich / Das wird mir so wol thun / als ein Balsam auff meinem heubt / Denn ich bete stets / das sie mir nicht schaden thun.

[6]Jre Lerer müssen gestürtzt werden vber einen Fels / So wird man denn meine Lere hören / das sie lieblich sey.

[7]VNser gebeine sind zustrewet bis zur Helle / Wie einer das Land zureisst vnd zuwület.‖

‖ 327b

[8]Denn auff dich HERR HErr sehen meine augen / Jch traw auff dich / verstosse meine Seele nicht.

[9]Beware mich fur dem Stricke / den sie mir gelegt haben / Vnd fur der falle der Vbelthetter.

[10]Die Gottlosen müssen in jr eigen Netze fallen mit einander / Jch aber jmer fur vber gehen.

## CXLII.

[1]Ein Vnterweisunge Dauids zu beten / Da er in der Hülen war.

JCh schrey zum HERRN / mit meiner stimme / Jch flehe dem HERRN mit meiner stimme.

[3]Jch schütte meine Rede fur jm aus / vnd zeige an / fur jm meine Not.

[4]Wenn mein Geist in engsten ist / so nimpstu dich meiner an / Sie legen mir Stricke auff dem wege / da ich auff gehe.

[5]Schaw zur Rechten / vnd sihe / da wil mich niemand kennen / Jch kan nicht entfliehen / Niemand nimpt sich meiner Seelen an.

[6]HERR / zu dir schrey ich / vnd sage / Du bist meine Zuuersicht / Mein teil im Lande der lebendigen.

[7]Mercke auff meine Klage / denn ich werde seer geplagt / Errette mich von meinen Verfolgern / Denn sie sind mir zu mechtig.

[8]Füre meine Seele aus dem Kercker / das ich dancke deinem Namen / Die Gerechten werden sich zu mir samlen / wenn du mir wol thust.

(Kercker) Das ist / Aus der not vnd angst / darin ich gefangen bin.

## CXLIII.

[1]Ein Psalm Dauids.

HERR erhöre mein Gebet / Vernim mein flehen vmb deiner Warheit willen / Erhöre mich vmb deiner Gerechtigkeit willen.

[2]Vnd gehe nicht ins Gericht mit deinem Knecht / Denn fur dir ist kein Lebendiger gerecht.

[3]DEnn der Feind verfolget meine Seele / vnd zuschlehet mein Leben zu boden / Er legt mich

ins finster / wie die Todten in der Welt.

[4]Vnd mein Geist ist in mir geengstet / Mein hertz ist mir in meinem Leibe verzeret.

[5]Jch gedencke an die vorigen zeiten / Jch rede von allen deinen Thatten / Vnd sage von den Wercken deiner Hende.

[6]Jch breite meine hende aus zu dir / Meine Seele dürstet nach dir / wie ein dürre Land / Sela.

[7]HERR erhöre mich balde / mein Geist vergehet / Verbirge dein Andlitz nicht von mir / Das ich nicht gleich werde denen / die in die Gruben fahren.

[8]Las mich früe hören deine Gnade / denn ich hoffe auff dich / Thu mir kund den weg / darauff ich gehen sol / Denn mich verlanget nach dir.

(Früe) Das ist / Bald vnd zeitlich / nicht spat noch langsam.

[9]Errette mich mein Gott von meinen Feinden / Zu dir hab ich zuflucht.

[10]Lere mich thun nach deinem wolgefallen / denn du bist mein Gott / Dein guter Geist füre mich auff ebener Bahn.

[11]HERR erquicke mich vmb deines Namens willen / Füre meine Seele aus der not / vmb deiner Gerechtigkeit willen.

[12]Vnd verstöre meine Feinde / vmb deiner Güte willen / Vnd bringe vmb alle die meine Seele engsten / Denn ich bin dein Knecht.

## CXLIIII.

[1]Ein Psalm Dauids.

GELOBET SEY DER HERR mein Hort / Der meine hende leret streiten vnd meine feuste kriegen.

[2]Meine Güte vnd meine Burg / mein Schutz vnd mein Erretter / mein Schild / auff den ich trawe / Der mein Volck vnter mich zwinget.

[3]HERR / was ist der Mensch / das du dich sein annimpst? Vnd des Menschen kind / das du jn so achtest? ‖

‖ 328 a

[4]Jst doch der Mensch gleich wie Nichts / Seine zeit feret da hin / wie eine Schatte.

[5]HERR / neige deine Himel vnd fare her ab / Taste die Berge an / das sie rauchen.

Das ist / las ein mal donnern vnd schlahe drein.

[6]Las blitzen vnd zustrewe sie / Scheus deine Stralen / vnd schrecke sie.

[7]Sende deine Hand von der Höhe vnd erlöse mich / Vnd errette mich von grossen Wassern / Von der hand der frembden Kinder.

(Frembde kinder) Die nicht recht Gottes kinder sind im glauben / sondern haben allein den namen vnd schein.

[8]Welcher Lere ist kein nütze / Vnd jre Werck sind falsch.

[9]GOtt / ich wil dir ein newes Lied singen / Jch wil dir spielen auff dem Psalter von zehen Seiten.

[10]Der du den Königen sieg gibst / Vnd erlösest deinen knecht Dauid / Vom mördischen schwert des Bösen.

[11]Erlöse mich auch / vnd errette mich von der hand der frembden Kinder / Welcher Lere ist kein nütze / Vnd jre werck sind falsch.

So reden vnd wündschen die Gottlosen / die auff Gott nicht bawen. Wie der reiche Man im Euangelio / Luc. 12.

[12]Das vnsere Söne auffwachsen in jrer jugent / wie die Pflantzen / Vnd vnsere Töchter / wie die ausgehawene Ercker / gleich wie die Pallast.

[13]Vnd vnsere Kamern vol seien / die eraus geben können einen Vorrat nach dem andern / Das vnsere Schafe tragen tausent / vnd hundert tausent / auff vnsern Dörffern.

[14]Das vnser Ochsen viel ererbeiten / Das kein schade / kein verlust / noch klage auff vnsern Gassen sey.

(Klage) Das vns kein vnfall / seuche / plage / treffe / Sondern alles gnug haben / sicher vnd frölich in aller Fülle leben.

[15]Wol dem Volck / dem es also gehet / Aber wol dem Volck / Des der HERR ein Gott ist.

## CXLV.

[1]Ein Lob Dauid.

JCH WIL DICH ERHÖHEN mein Gott / du König / Vnd deinen Namen loben jmer vnd ewiglich.

[2]Jch wil dich teglich loben / Vnd deinen Namen rhümen jmer vnd ewiglich.

[3]DEr HERR ist gros vnd seer löblich / Vnd seine Grösse ist vnaussprechlich.

[4]Kinds kind werden deine Werck preisen / Vnd von deiner Gewalt sagen.

[5]Jch wil reden von deiner herrlichen schönen Pracht / Vnd von deinen Wundern.

[6]Das man sol reden von deinen herrlichen Thatten / Vnd das man erzele deine Herrligkeit.

[7]Das man preise deine grosse Güte / Vnd deine Gerechtigkeit rhüme.

[8]GNEDIG VND BARMhertzig ist der HERR / Gedültig vnd von grosser Güte.

Exo. 34.

[9]Der HERR ist allen gütig / Vnd erbarmet sich aller seiner Werck.

[10]ES sollen dir dancken HERR alle deine Werck / Vnd deine Heiligen dich loben.

[11]Vnd die Ehre deines Königreichs rhümen / Vnd von deiner Gewalt reden.

[12]Das den Menschen kindern deine Gewalt kund werde / Vnd die ehrliche Pracht deines Königreichs.

[13]DEIN REICH IST EIN ewiges Reich / Vnd deine Herrschafft weret fur vnd fur.

[14]DEr HERR erhelt alle die da fallen / Vnd richtet auff alle die nider geschlagen sind.

15 ALLER AUGEN WARTEN auff dich / Vnd du gibst jnen ire Speise zu seiner zeit.

16 Du thust deine Hand auff / Vnd erfüllest alles was lebet mit wolgefallen.

(Wolgefallen) Das ist / Gnug vnd sat / das sie wolgefallen dran haben mügen / Ob wol ein Geitziger anders suchet etc.

17 DEr HERR ist Gerecht in allen seinen Wegen / Vnd Heilig in allen seinen Wercken.

18 DEr HERR ist nahe allen die jn anruffen / Allen die jn mit ernst anruffen.

19 Er thut was die Gottfürchtigen begeren / Vnd höret jr schreien / Vnd hilfft jnen.

20 Der HERR behütet alle die jn lieben / Vnd wird vertilgen alle Gottlosen.

21 Mein mund sol des HERRN lob || sagen / Vnd alles Fleisch lobe seinen heiligen Namen jmer vnd ewiglich.

|| 328b

## CXLVI.

1 Halelu ia.

LOBE DEN HERRN meine Seele / 2 Jch wil den HERRN loben / so lange ich lebe / Vnd meinem Gott lobsingen / weil ich hie bin.

3 VErlasset euch nicht auff Fürsten / Sie sind Menschen / die können ja nicht helffen.

4 Denn des menschen Geist mus dauon / vnd er mus wider zu Erden werden / Als denn sind verloren alle seine Anschlege.

Der auff Menschen hoffet / dem feilen seine anschlege / vnd ist vmbsonst.

5 WOL dem / des Hülffe der Gott Jacob ist / Des hoffnung auff dem HERRN seinem Gott stehet.

6 Der Himel / Erden / Meer / vnd alles was drinnen ist / gemacht hat / Der glauben helt ewiglich.

7 Der Recht schaffet denen / so gewalt leiden / Der die Hungerigen speiset.

8 Der HERR löset die Gefangenen / Der HERR machet die Blinden sehend / Der HERR richt auff die nidergeschlagen sind / Der HERR liebet die Gerechten.

9 Der HERR behütet Frembdlinge vnd Waisen / vnd erhelt die Widwen / Vnd keret zu rück den weg der Gottlosen.

Er treibet das widerspiel mit jnen.

10 Der HERR ist König ewiglich / Dein Gott Zion fur vnd fur / Halelu ia.

## CXLVII.

LOBET DEN HERRN / Denn vnsern Gott loben / das ist ein köstlich ding / Solch lob ist lieblich vnd schön.

2 Der HERR bawet Jerusalem / Vnd bringet zusamen die Veriagten in Jsrael.

3 Er heilet die zubrochens Hertzen sind / Vnd

verbindet jre schmertzen.

[4]Er zelet die Sternen / Vnd nennet sie alle mit namen.

[5]Vnser Herr ist gros vnd von grosser Krafft / Vnd ist vnbegreifflich / wie er regieret.

[6]Der HERR richtet auff die Elenden / Vnd stösset die Gottlosen zu boden.

[7]SJnget vmb einander dem HERRN mit dancke / Vnd lobet vnsern Gott mit Harffen.

[8]DER den Himel mit wolcken verdeckt / Vnd gibt regen auff Erden / Der gras auff Bergen wachsen lesst.

[9]Der dem Vieh sein Futter gibt / Den jungen Raben die jn anruffen.

[10]Er hat nicht lust an der stercke des Rosses / Noch gfallen an jemandes Beinen.

‖ 329a

[11]Der HERR hat gefallen an denen die jn fürchten / Die auff seine Güte hoffen.

PReise Jerusalem den HERRN / Lobe Zion deinen Gott.

[13]Denn er macht feste die Rigel deiner Thor / Vnd segenet deine Kinder drinnen.

[14]Er schaffet deinen grentzen Friede / Vnd settiget dich mit dem besten Weitzen.

[15]Er sendet seine Rede auff Erden / Sein Wort leufft schnell.

[16]Er gibt Schnee / wie wolle / Er strewet Reiffen / wie asschen.

[17]Er wirfft seine Schlossen / wie bissen / Wer kan bleiben fur seinem frost?

(Frost) Er machet solchen winter vnd frost das man fewr mus haben / Es künd sonst niemand da fur bleiben.

[18]Er spricht / so zeschmeltzet es / Er lesst seinen Wind wehen / so thawets auff.

[19]ER zeiget Jacob sein Wort / Jsrael seine Sitten vnd Rechte.

[20]So thut er keinen Heiden / Noch lesst sie wissen seine Rechte / Halelu ia.

## CXLVIII.

[1]Halelu ia.

LOBET JR HIMEL DEN HERRN / Lobet jn in der Höhe.

[2]Lobet jn alle seine Engel / Lobet jn all sein Heer.

[3]Lobet jn Sonn vnd Mond / Lobet jn alle leuchtende Sterne ‖

[4]Lobet jn jr Himel allenthalben / Vnd die Wasser die oben am Himel sind.

[5]Die sollen loben den Namen des HERRN / Denn er gebeut / so wirds geschaffen.

[6]Er helt sie jmer vnd ewiglich / Er ordent sie / das sie nicht anders gehen müssen.

[7]LObet den HERRN auff Erden / Jr Walfische vnd alle Tieffen.

[8]Fewr / Hagel / Schnee vnd Dampff / Sturm-

(Sein wort) Was er wil.

wind / die sein wort ausrichten.

[9]Berge vnd alle Hügel / Fruchtbare bewme vnd alle Cedern.

[10]Thier vnd alles Vieh / Gewürm vnd Vögel.

[11]JR Könige auff Erden vnd alle Leute / Fürsten vnd alle Richter auff Erden.

[12]Jünglinge vnd Jungfrawen / Alten mit den Jungen.

[13]Sollen loben den Namen des HERRN / Denn sein Name allein ist hoch / Sein Lob gehet so weit Himel vnd Erden ist.

[14]Vnd er erhöhet das Horn seines Volcks / Alle seine Heiligen sollen loben / Die kinder Jsrael / Das Volck das jm dienet / Halelu ia.

CXLIX.

[1]Halelu ia.

SJNget dem HERRN ein newes Lied / Die gemeine der Heiligen sol jn loben.

[2]Jsrael frewe sich des / der jn gemacht hat / Die kinder Zion seien frölich vber jrem Könige.

[3]Sie sollen loben seinen Namen im Reigen / Mit Paucken vnd Harffen sollen sie jm spielen.

[4]Denn der HERR hat wolgefallen an seinem Volck / Er hilfft den Elenden herrlich.

[5]Die Heiligen sollen frölich sein vnd preisen / Vnd rhümen auff jren Lagern.

[6]JR mund sol Gott erhöhen Vnd sollen scharffe Schwerter in jren Henden haben.

[7]Das sie Rache vben vnter den Heiden / Straffe vnter den Völckern.

[8]Jr Könige zu binden mit ketten / Vnd jre Edlen mit eisern fesseln.

[9]Das sie jnen thun das Recht dauon geschrieben ist / Solche Ehre werden alle seine Heiligen haben / Halelu ia.

CL.

[1]Halelu ia.

LObet den HERRN in seinem Heiligthum / Lobet jn in der Feste seiner Macht.

[2]Lobet jn in seinen Thatten / Lobet jn in seiner grossen Herrligkeit.

[3]Lobet jn mit Posaunen / Lobet jn mit Psalter vnd Harffen.

[4]Lobet jn mit Paucken vnd Reigen / Lobet jn mit Seiten vnd Pfeiffen.

[5]Lobet jn mit hellen Cymbeln / Lobet jn mit wolklingenden Cymbeln.

[6]ALles was Odem hat / Lobe den HERRN / Halelu ia.

Ende des Psalters. ‖ ‖ 329b

## VORREDE AUFF DIE BÜCHER SALOMONIS.

DRey Bücher haben den namen Salomonis. Das erste ist / Prouerbia / die Sprüche / welchs
5 billich ein Buch heissen mag / von guten Wercken / Denn er darin leret ein gut Leben füren / fur Gott vnd der Welt.

Drey Bücher Salomonis. Das erste Die Sprüche.

VND sonderlich nimpt er fur sich / die liebe Jugent / vnd zeucht sie gantz veterlich zu Gottes
10 geboten / mit tröstlichen Verheissungen / wie wol es den Fromen gehen solle / vnd mit drewen / wie die bösen gestrafft werden müssen. Denn die Jugent von jr selber zu allem Bösen geneigt / Dazu als ein vnerfaren Volck / der Welt vnd Teufels list
15 vnd bosheit nicht verstehet / vnd den bösen Exempeln vnd ergernissen widerzustehen / viel zu schwach ist / vnd sich selbs ja nicht vermag zu regieren / Sondern / wo sie nicht gezogen wird / ehe sie sich vmbsihet / verderbet vnd verloren ist.

Salomo prediget allhie / furnemlich der Jugent.

Jugent zu allem bösen geneigt etc.

20 DARumb darff sie wol / vnd mus haben Lerer vnd Regierer / die sie vermanen / warnen / straffen / züchtigen vnd jmer zu Gottes furcht vnd Gebot halten / dem Teufel / der Welt vnd Fleisch zu wehren. Wie denn Salomo in diesem Buch mit allem
25 vleis vnd reichlich thut / Vnd seine Lere in Sprüche fasset / Da mit sie deste leichter gefasset vnd lieber behalten werden. Das billich ein jglich Mensch / so from zu werden gedenckt / solch Buch wol möcht fur sein teglich Handbuch oder Betbuch
30 halten / vnd offt drinnen lesen / vnd sein Leben drinnen ansehen.

DEnn es mus doch der weg einen gehen / Entweder / das man sich lasse den Vater züchtigen / oder den Hencker straffen / Wie man spricht / Ent-
35 leuffestu mir / Du entleuffest dem Henker nicht. Vnd were gut / das man der Jugent solchs jmer einbildet / das sie vngezweiuelt wissen müste / Das sie entweder des Vaters rute / oder des Henckers schwert müsse leiden / Wie Salomon in diesem
40 Buch jmer mit dem Tode drewet / den Vngehorsamen. Denn es wird doch nicht anders draus / Gott lesst nichts vngestrafft. Wie man denn in der Erfarung sihet / Das die vngehorsamen bösen Buben / so gar wünderlich vntergehen / vnd zu
45 letzt doch dem Hencker in die Hende komen / wenn sie sich am wenigsten versehen / vnd am

Vaters rute. Henckers schwert.

Gott lesst das böse nicht vngestrafft etc.

sichersten sind. Des alles sind öffentliche Zeugen vnd Zeichen die Galgen / Redder vnd Rabenstein / am wege fur allen Stedten / welche Gott da hin gesetzt hat / durchs weltlich Regiment / zum schrecken aller / die sich nicht wöllen lassen / mit Gottes worten ziehen / vnd den Eltern gehorchen. 5

Narren. Weise.

DARumb nennet Salomon in diesem Buch / Narren / alle die so Gottes gebot verachten / Vnd Weisen / die nach Gottes gebot sich halten. Vnd trifft da mit nicht allein die Jugent / die er fürnemlich zu leren furnimpt / Sondern allerley Stende vom höhesten an / bis zum alleruntersten. Denn gleich wie die Jugent / jr eigen Laster hat wider Gottes gebot / Also haben alle ander Stende auch jre Laster / vnd wol erger denn der Jugent laster sind / Wie man spricht / Je elter / je erger. Vnd abermal / Alter hilfft fur keine Torheit. 10 15

Alle Stende haben jr eigen laster.

Gemeine plage vnd Laster in der Welt etc.

VND wenn sonst nichts were böses in den andern vnd hohen Stenden / als da ist / Geitz / Hoffart / Hass / Neid etc. So ist doch dis einige Laster böse gnug / Das sie Klug vnd Weise sein wöllen / da sie nicht sein sollen. Vnd jederman geneigt / anders zu thun / denn jm befolhen ist / vnd zu lassen / was jm befolhen ist. Als / wer im geistlichen Ampt ist / der wil klug vnd thettig sein in weltlichem / vnd ist seiner weisheit hie kein ende. Widerumb / wer in weltlichem Ampt ist / dem wird das Heubt zu enge fur vberiger Kunst / wie das geistlich Ampt zu regieren sey. 20 25

Gehorsam. Vngehorsam.

Solcher Narren sind alle Land / alle Stedte / alle Heuser vol / vnd werden in diesem Buch gar vleissig gestrafft / vnd ein jglicher vermanet / das er des seinen warte / vnd was jm befolhen ist / trewlich vnd vleissig ausrichte. Vnd ist auch keiner Tugent mehr / denn gehorsam sein / vnd warten / was jm zu thun befolhen ist / Das heissen weise Leute. Die Vngehorsamen heissen Narren / wiewol sie nicht wöllen vngehorsam noch Narren sein oder heissen. ‖ 30 35 ‖ 330a

Das ander Buch Salomo / Der Prediger.

DAS ander Buch heisst / Koheleth / das wir den Prediger heissen / vnd ist ein Trostbuch. Als / wenn nu ein Mensch / nach der lere des ersten Buchs wil gehorsamlich leben / vnd seines Befelhs oder Ampts warten / So sperret sich der Teufel / Welt / vnd eigen Fleisch / so da wider / das der Mensch / müde vnd verdrossen wird seines Stands / vnd rewet jn alles was er angefangen hat / 40 45

Denn es wil nirgent fort / wie ers gerne hette. Da hebt sich denn mühe vnd erbeit / vnlust vngedult vnd murren / das einer wil hende vnd füsse lassen geben / vnd nichts mehr thun. Denn wo der Teufel nicht kan zur rechten seitten / mit furwitz vnd lust dem gehorsam weren / So wil ers zur lincken seitten / mit mühe vnd widerwertigkeit hindern.

WJe nu Salomo im ersten Buch leret gehorsam / wider den tollen kutzel vnd furwitz. Also leret er in diesem Buch / wider den vnlust vnd anfechtung / gedültig vnd bestendig sein in gehorsam / vnd jmerdar des Stündlins / mit frieden vnd freuden harren. Vnd was er nicht halten noch endern kan / jmer faren lasse / Es wird sich wol finden etc.

Das dritte Buch Salomo / Das Hoheliede.

DAS dritte Buch ist ein Lobesang / darin Salomo Gott lobt fur den gehorsam / als fur eine Gottes gabe. Denn wo Gott nicht haushelt vnd selbs regiert / da ist keinem Stande / weder gehorsam noch Friede. Wo aber gehorsam / oder gut Regiment ist / da wonet Gott / vnd küsset vnd hertzet seine liebe Braut / mit seinem wort / das ist / seines mundes Kuss. Also wo es gehet im Lande oder Haus / nach den zweien Büchern (so viel es sein kan) Da mag man auch dis dritte Buch wol singen vnd Gott dancken / der vns solchs nicht allein gelert / sondern auch selbs gethan hat / AMEN.

Psal. 127.

## DIE SPRÜCHE SALOMO.

### I.

DJs sind die Sprüch Salomo des königes Jsrael / Dauids son. [2]Zu lernen Weisheit vnd zucht / verstand / [3]klugheit / gerechtigkeit / recht vnd schlecht. [4]Das die Albern witzig / vnd die Jünglinge vernünfftig vnd fürsichtig werden.

[5]WEr Weise ist / der höret zu vnd bessert sich / vnd wer Verstendig ist / der lesst jm raten. [6]Das er verneme die Sprüche vnd jre deutung / die lere der Weisen vnd jr Beyspiel. [7]Des HERRN furcht ist anfang zu lernen / Die Ruchlosen verachten weisheit vnd zucht.

(Anfang) Wer wol lernen wil / der mus zum ersten Gottfürchtig sein. Wer aber Gott geringe acht der fraget auch nach keiner Weisheit / vnd leidet keine straffe noch zucht.

Psal. 111. Syrach. 1.

MEin kind / Gehorche der zucht deines Vaters / vnd verlas nicht das gebot deiner Mutter. [9]Denn solchs ist ein schöner Schmuck deinem heubt / vnd eine Ketten an deinem halse. [10]Mein kind / Wenn dich die bösen Buben locken / so folge nicht. [11]Wenn sie sagen / Gehe mit vns / wir wöllen auff Blut lauren / vnd den Vnschüldigen on vrsache nachstellen / [12]Wir wöllen sie lebendig verschlingen wie die Helle / vnd die Fromen / als die hinunter in die Gruben faren / [13]Wir wöllen gros gut finden / wir wöllen vnser Heuser mit Raube füllen / [14]Woge es mit vns / Es sol vnser aller ein Beutel sein. [15]Mein kind / wandel den weg nicht mit jnen / were deinem Fus fur jrem Pfad. [16]Denn jre Füsse lauffen zum bösen / vnd eilen Blut zuuergiessen. [17]Denn es ist vergeblich / das [a]Netze auswerffen fur den augen der Vogel. [18]Auch lauren sie selbs vnternander auff jr Blut / vnd stellet einer dem andern nach dem leben. [19]Also thun alle Geitzigen / das einer dem andern das Leben nimpt. ‖

Jesa. 59.

a (Das Netze auswerffen) Das ist ein Sprichwort / vnd wil sagen / Es gehet jnen wie man saget / Es ist vmb sonst das netze etc. Das ist / Jr furnemen wird feilen / Sie werden selbs vmbkomen.

‖ 330b

DJe Weisheit klagt draussen / vnd lesst sich hören auff den gassen. [21]Sie rufft in der thür am thor fornen vnter dem Volck / Sie redet jre wort in der Stad. [22]Wie lange wolt jr Albern alber sein / vnd die Spötter lust zu spötterey haben / vnd die Ruchlosen die Lere hassen? [23]Keret euch zu meiner straffe. Sihe / Jch wil euch eraus sagen meinen Geist / vnd euch meine wort kund thun.

[24]WEil ich denn ruffe / Vnd jr wegert euch / Jch recke meine Hand aus / Vnd niemand achtet drauff / [25]vnd lasst faren allen meinen Rat / vnd wöllet meiner Straffe nicht. [26]So wil ich auch lachen in ewrem Vnfal / vnd ewer spotten / wenn da kompt das jr fürchtet. [27]Wenn vber euch kompt / wie ein Sturm / das jr fürchtet / vnd ewer vnfal als ein Wetter / wenn vber euch Angst vnd Not kompt. [28]Denn werden sie mir ruffen / Aber ich werde nicht antworten / Sie werden mich früe suchen / vnd nicht finden. [29]Darumb das sie hasseten die Lere / vnd wolten des HERRN furcht nicht haben / [30]wolten meins Rats nicht / vnd lesterten alle meine Straffe. [31]So sollen sie essen von den früchten jres wesens / vnd jres rats satt werden. [32]Das die Albern gelüstet / tödtet sie / vnd der Ruchlosen glück bringt sie vmb. [33]Wer aber mir gehorchet / wird sicher bleiben / vnd gnug haben / vnd kein Vnglück fürchten.

*Stulti uertunt se à consilijs uerbi ad carnalia etc.*

## II.

MEIN KIND / WILTU MEIN REDE ANNEMEN / VND mein Gebot bey dir behalten / [2]So las dein ohre auff Weisheit acht haben / vnd neige dein hertz mit vleis dazu. [3]Denn so du mit vleis darnach ruffest / vnd darumb bettest / [4]So du sie suchest wie silber / vnd forschest sie / wie die schetze / [5]Als denn wirstu die Furcht des HERRN vernemen / vnd Gottes erkentnis finden.

(Mit vleis) Must acht drauff geben / vnd von hertzen vleissig sein.

[6]DEnn der HERR gibt Weisheit / vnd aus seinem Munde kompt erkentnis vnd verstand. [7]Er lesst den Auffrichtigen gelingen / vnd beschirmet die Fromen / [8]vnd behütet die so recht thun / vnd bewaret den weg seiner Heiligen. [9]Denn wirstu verstehen / gerechtigkeit vnd recht / vnd fromkeit vnd allen guten weg.

WO die Weisheit dir zu hertzen gehet / das du gerne lernest / [11]So wird dich guter Rat bewaren / vnd verstand wird dich behüten / [12]Das du nicht geratest auff den weg der Bösen / noch vnter die verkereten Schwetzer. [13]Die da verlassen die rechte Bahn / vnd gehen finstere wege. [14]Die sich frewen Böses zu thun / vnd sind frölich in jrem bösen verkertem wesen / [15]Welche jren weg verkeren / Vnd folgen jrem abwege.

[16]DAs du nicht geratest an eines andern Weib / vnd die nicht dein ist / die glate wort gibt / [17]Vnd verlesst den Herrn jrer Jugent / vnd vergisset den Bund jres Gottes. [18]Denn jr Haus neiget sich zum tod / vnd jre genge zu den Verlornen. [19]Alle die zu jr eingehen / komen nicht wider / vnd ergreiffen den weg des Lebens nicht.

(Herrn) Jren Eheman / den sie jung genomen hat.

Psal. 37.
Matt. 5.

[20]AVff das du wandelst auff gutem wege / vnd bleibest auff der rechten bahn. [21]Denn die Gerechten werden im Lande wonen / vnd die Fromen werden drinnen bleiben. [22]Aber die Gottlosen werden aus dem Lande gerottet / vnd die Verechter werden draus vertilget.

## III.

MEIN KIND / VERGISS MEINS GESETZES NICHT / vnd dein hertz behalte meine Gebot. [2]Denn sie werden dir langes Leben / vnd gute jar vnd Friede bringen / [3]gnade vnd trew werden dich nicht lassen. Henge sie an deinen hals / vnd schreibe sie in die Tafel deines hertzen / [4]so wirstu gunst vnd [a]klugheit finden / die Gott vnd Mensch gefellet. ‖

‖ 331a

a (Klugheit) Du wirst ein fein vernünfftig mensch werden / dem alles wol anstehet vnd abgehet / was du angreiffest.

VErlas dich auff den HERRN von gantzem hertzen / Vnd verlas dich nicht auff deinen

Verstand / [6]Sondern gedencke an jn in allen deinen wegen / So wird er dich recht füren. [7]Düncke dich nicht Weise sein / Sondern fürchte den HERRN / vnd weiche vom bösen. [8]Das wird deinem Nabel gesund sein / vnd deine Gebeine erquicken. [9]Ehre den HERRN von deinem Gut / vnd von den Erstlingen alle deines einkomens. [10]So werden deine Scheunen vol werden / vnd deine Kelter mit most vbergehen. [11]MEIN KIND / VERWIRFF DIE ZUCHT DES HERRN NICHT / VND SEY NICHT VNGEDÜLTIG VBER SEINER STRAFFE. [12]Denn welchen der HERR liebet / den strafft er / Vnd hat wolgefallen an jm / wie ein Vater am Son.

Ebre. 12.

Apoc. 3.

WOL dem Menschen / der Weisheit findet / vnd dem Menschen / der verstand bekompt. [14]Denn es ist besser vmb sie hantieren / weder vmb silber / vnd jr Einkomen ist besser denn gold. [15]Sie ist edler denn Perlen / vnd alles was du wündschen magst / ist jr nicht zu gleichen. [16]Langes Leben ist zu jrer Rechten hand / zu jrer Lincken ist reichthum vnd ehre. [17]Jre wege sind liebliche wege / vnd alle jre steige sind Friede. [18]Sie ist ein bawm des Lebens allen die sie ergreiffen / vnd selig sind / die sie halten. [19]Denn der HERR hat die Erden durch Weisheit gegründet / vnd durch seinen Rat die Himel bereitet. [20]Durch seine Weisheit [a]sind die Tieffen zurteilet / vnd die Wolcken mit taw trieffend gemacht.

a Wort.

[21]MEin kind / Las sie nicht von deinen augen weichen / So wirstu glückselig vnd klug werden. [22]Das wird deiner Seelen leben sein / vnd dein mund wird holdselig sein. [23]Denn wirstu sicher wandeln auff deinem wege / das dein Fus sich nicht stossen wird. [24]Legestu dich / so wirstu dich nicht fürchten / sondern süsse schlaffen / [25]Das du dich nicht fürchten darffest fur plötzlichem schrecken / noch fur dem sturm der Gottlosen / wenn er kompt. [26]Denn der HERR ist dein trotz / der behüt deinen Fus / das er nicht gefangen werde.

Psal. 112.

WEgere dich nicht / dem Dürfftigen guts zu thun / so deine hand von Gott hat solchs zu thun. [28]Sprich nicht zu deinem Freunde / Gehe hin vnd kom wider / morgen wil ich dir geben / so du es doch wol hast. [29]Trachte nicht böses wider deinen Freund / der auff traw bey dir wonet. [30]Hadder nicht mit jemand on vrsache / so er dir kein leid gethan hat. [31]Eiuer nicht einem Freueln nach / vnd erwele seiner wege keinen / [32]Denn der HERR hat grewel an dem Abtrünnigen / vnd sein Geheimnis ist bey den Fromen. [33]Jm hause des Gottlosen ist der Fluch des HERRN / Aber das haus der Gerechten wird gesegenet. [34]Er wird die Spötter spotten / Aber den Elenden wird er gnade geben. [35]Die Weisen werden Ehre erben / Aber wenn die Narren hoch komen / werden sie doch zu schanden.

(Narren / Spötter) Lose Leute / die Gott nichts achten noch sein Wort.

## IIII.

HOret meine Kinder die zucht ewers Vaters / merckt auff / das jr lernet vnd klug werdet. [2]Denn ich gebe euch eine gute Lere / verlasset mein Gesetze nicht. [3]Denn ich war meines Vaters son / ein zarter vnd ein einiger fur meiner Mutter. [4]Vnd er leret mich / vnd sprach / Las dein hertz meine Wort auffnemen / halt mein Gebot / so wirstu leben. [5]Nim an Weisheit / nim an Verstand / vergiss nicht vnd weiche nicht von der Rede meines munds. [6]Verlas sie nicht / so wird sie dich behalten / Liebe sie / so wird sie dich behüten. [7]Denn der Weisheit anfang ist / wenn man sie gerne höret / vnd die Klugheit lieber hat / denn alle Güter. [8]Achte sie hoch / so wird sie dich erhöhen / vnd wird dich zu Ehren machen / wo du sie hertzest. [9]Sie wird dein Heubt schön schmükken / vnd wird dich zieren mit einer hübschen Krone. ||

|| 331b

[10]SO höre mein Kind / vnd nim an meine rede / So werden deiner jar viel werden. [11]Jch wil dich den weg der Weisheit füren / Jch wil dich auff rechter bahn leiten. [12]Das / wenn du gehest / dein gang dir nicht saur werde / vnd wenn du leuffest / das du dich nicht anstossest. [13]Fasse die Zucht / las nicht daruon / beware sie / Denn sie ist dein Leben.

KOm nicht auff der Gottlosen pfad / vnd tritt nicht auff den weg der bösen. [15]Lasse jn faren / vnd gehe nicht drinnen / weiche von jm / vnd gehe fur vber. [16]Denn sie schlaffen nicht / sie haben denn vbel gethan / vnd sie rugen nicht / sie haben denn schaden gethan. [17]Denn sie neeren sich von gottlosem Brot / vnd trincken vom Wein des freuels. [18]Aber der Gerechten pfad glentzet wie ein Liecht / das da fort gehet vnd leuchtet bis auff den vollen tag. [19]Der Gottlosen weg aber / ist wie tunckel / vnd wissen nicht / wo sie fallen werden.

MEin son / Mercke auff mein wort / vnd neige dein ohre zu meiner Rede. [21]Las sie nicht von deinen augen faren / behalte sie in deinem hertzen. [22]Denn sie sind das Leben denen / die sie finden / vnd gesund jrem gantzen Leibe. [23]Behüte dein hertz mit allem vleis / Denn daraus gehet das Leben. [24]Thu von dir den verkereten Mund / vnd las das Lestermaul ferne von dir sein. [25]Las deine augen stracks fur sich sehen / vnd deine augenlied richtig fur dir hin sehen. [26]Las deinen Fus gleich fur sich gehen / so gehestu gewis. [27]Wancke weder zur rechten noch zur lincken / wende deinen Fus vom bösen.

## V.

MEIN KIND / MERCK AUFF MEINE WEISHEIT / neige dein ohre zu meiner Lere. [2]Das du behaltest guten Rat / vnd dein mund wisse vnterscheid zu haben. [3]Denn die lippen der Huren sind süsse wie honigseim / vnd jre Kele ist gleter denn öle. [4]Aber hernach bitter wie Wermut / vnd scharff wie ein zweischneitig Schwert. [5]Jre füsse lauffen zum Tod hinunter / jre genge erlangen die Hell. [6]Sie gehet nicht stracks auff dem wege des Lebens / vnstete sind jre tritt / das sie nicht weis / wo sie gehet.

[7]SO gehorchet mir nu / meine Kinder / vnd weichet nicht von der rede meins mundes. [8]Las deine wege ferne von jr sein / vnd nahe nicht zur thür jres Hauses. [9]Das du nicht den Frembden gebest deine ehre / vnd deine jar dem Grausamen. [10]Das sich nicht Frembde von deinem Vermügen settigen / vnd deine Erbeit nicht sey in eins andern haus. [11]Vnd müssest er nach seufftzen / wenn du dein Leib vnd Gut verzeret hast / [12]vnd sprechen / Ah wie hab ich die Zucht gehasset? vnd mein hertz die straffe verschmecht? [13]Vnd hab nicht gehorchet der stim meiner Lerer / vnd mein ohre nicht geneigt zu denen die mich lereten? [14]Jch bin schier in all vnglück komen / fur allen Leuten vnd allem Volck.

(Frembden) Denn die Hurer verzeren jr Gut / vnd leben mit bösen Buben / die jnen darnach nicht Kleien / noch die Rinden geben. Wie dem Son im Euangelio geschach / da er sein Gut verbrasset hatte / Luc. 15.

TRincke wasser aus deiner Gruben / vnd flüsse aus deinem Brunnen. [16]Las deine Brünnen er aus fliessen / vnd die Wasserbeche auff die gassen. [17]Habe du aber sie alleine / vnd kein Frembder mit dir. [18]Dein Born sey gesegnet / Vnd frewe dich des Weibs deiner jugent. [19]Sie ist lieblich wie eine [a]Hinde / vnd holdselig wie ein Rehe / Las dich jre liebe allezeit settigen / vnd ergetze dich alle wege in jrer liebe.

a (Hinde) Das ist auff Sprichworts weise geredt / also viel / Bleibe bey deim Weib / vnd halt dein Gut / das du es nicht vmbbringest mit Huren / sondern andern da mit helffest. Denn kein lieblicher wesen auff Erden ist / wo sich Man vnd Weib freundlich zusamen halten.

[20]MEin Kind warumb wiltu dich an der Frembden ergetzen / vnd hertzest dich mit einer andern? [21]Denn jedermans wege sind stracks fur dem HERRN vnd er misset gleich alle jre genge. [22]Die missethat des Gottlosen wird jn fahen / vnd wird mit dem strick seiner sünde gehalten werden. [23]Er wird sterben / das er sich nicht wil ziehen lassen / vnd vmb seiner grossen Torheit willen / wirds jm nicht wolgehen.

## VI.

|| 332a
Jnfr. 11.

MEin Kind / Wirstu bürge fur deinen Nehesten / vnd hast deine hand bey einem Frembden verhefftet / [2]So bistu verknüpfft mit der rede deines mundes / vnd gefangen mit den reden deines mundes. [3]So thu doch / mein Kind also / vnd errette dich / Denn du bist deinem Nehesten in die hende komen / Eile / drenge vnd treibe deinen Nehesten. [4]Las deine augen nicht schlaffen / noch deine augenlied schlummern. [5]Errette dich wie ein Rehe von der hand / vnd wie ein Vogel aus der hand des Voglers.

GEhe hin zur Emmeissen du Fauler / sihe jre weise an / vnd lerne. [7]Ob sie wol keinen Fürsten noch Heubtman noch Herrn hat / [8]bereit sie doch jr brot im Sommer / vnd samlet jre speise in der Erndte. [9]Wie lange ligestu Fauler? Wenn wiltu auffstehen von deinem schlaff? [10]Ja schlaff noch ein wenig / schlummer ein wenig / schlahe die hende in einander ein wenig / das du schlaffest. [11]So wird dich das Armut vbereilen / wie ein Fusgenger / Vnd der mangel / wie ein gewaptneter Man.

Jnfr. 24.

EJn loser Mensch / ein schedlicher Man / gehet mit verkeretem munde / [13]wincket mit augen / deutet mit füssen / zeiget mit fingern / [14]trachtet allezeit böses vnd verkerets in seim hertzen / vnd richtet hadder an. [15]Darumb wird jm plötzlich sein Vnfal komen / vnd wird schnell zubrochen werden / das keine Hülffe da sein wird.

(Gehet) Füret keine bestendige rede sihet keinen recht an.

DJese sechs stück hasset der HERR / vnd am siebenden hat er einen grewel. [17]Hohe augen / falsche Zungen / Hende die vnschüldig Blut vergiessen / [18]Hertze das mit bösen tücken vmbgehet / Füsse die behende sind schaden zu thun / [19]falscher Zeuge der frech lügen redet / Vnd der hadder zwisschen Brüdern anricht.

MEin kind / Beware die gebot deines Vaters / vnd las nicht faren das gesetze deiner Mutter. [21]Binde sie zusamen auff dein Hertz allewege / vnd henge sie an deinen Hals. [22]Wenn du gehest / das sie dich geleiten / Wenn du dich legest / das sie dich bewaren / Wenn du auffwachst / das sie dein gespreche seien. [23]Denn das Gebot ist eine leuchte / vnd das Gesetz ein liecht / vnd die straff der zucht ist ein weg des Lebens. [24]Auff das du bewaret werdest fur dem bösen Weibe / fur der glatten zungen der Frembden.

[25]LAs dich jre schöne nicht gelüsten in deinem hertzen / vnd verfahe dich nicht an jren Augenlieden. [26]Denn eine Hure bringt einen vmbs Brot / Aber ein Eheweib fehet das edle Leben. [27]Kan auch jemand ein Fewr im bosem behalten / das seine Kleider nicht brennen? [28]Wie solt jemand auff Kolen gehen / das seine füsse nicht verbrand würden? [29]Also gehets / wer zu seines Nehesten weib gehet / Es bleibt keiner vngestrafft der sie berüret.

*Quia adulterium est capitale.*

(Brot) Wer sich mit Huren neeret / vnd mit Karren feret / Dem ist vnglück bescheret.

[30]ES ist einem Diebe nicht so grosse schmach / ob er stilet / seine Seele zu settigen / weil jn hungert / [31]Vnd ob er begriffen wird / gibt ers siebenfeltig wider / vnd legt dar alles gut in seinem hause. [32]Aber der mit einem Weibe die Ehe bricht der ist ein Narr / der bringt sein Leben ins verderben. [33]Dazu trifft jn plage vnd schande / vnd seine schande wird nicht ausgetilget. [34]Denn der grim des Mans eiuert vnd schonet nicht / zur zeit der rache / [35]Vnd sihet kein Person an / die da versüne / vnd nimpts nicht an / ob du viel schencken woltest.

## VII.

MEin kind / Behalt meine rede / vnd verbirge mein Gebot bey dir. [2]Behalt mein Gebot / so wirstu leben / vnd mein Gesetz wie deinen augapffel. [3]Binde sie an deine Finger / schreibe sie auff die tafel deines Hertzen. [4]Sprich zur Weisheit / Du bist meine Schwester / vnd nenne die Klugheit deine Freundin. [5]Das du behüt werdest / fur dem frembden Weibe / fur einer Andern die glatte wort gibt. ‖

‖ 332b

[6]DEnn am fenster meins hauses / kucket ich durchs gegitter / [7]vnd sahe vnter den Albern. Vnd ward gewar vnter den Kindern eins nerrischen Jünglings / [8]Der gieng auff der gassen an einer ecken / vnd trat da her auff dem wege an jrem Hause / [9]in der demmerung am abend des tages / da es nacht ward vnd tunckel war. [10]Vnd sihe / da begegent jm ein Weib im Hurnschmuck / listig / [11]wild vnd vnbendig / das jre füsse in jrem Hause nicht bleiben können / [12]Jtzt ist sie haussen / jtzt auff der gassen / vnd lauret an allen ecken. [13]Vnd erwisscht jn / vnd küsset jn vnuerschampt / vnd sprach zu jm / [14]Jch habe Danckopffer fur mich heute bezalet fur meine Gelübde / [15]Darumb bin ich er ausgegangen / dir zu begegen / dein angesicht früe zu suchen / vnd hab dich funden.

[16]JCh habe mein Bette schön geschmückt / mit bundten Teppichen aus Egypten. [17]Jch habe mein Lager mit Myrren / Aloes / vnd Cinnamen besprengt. [18]Kom / las vns gnug bulen / bis an den morgen / vnd las vns der liebe pflegen. [19]Denn der Man ist nicht da heime / er ist einen fernen weg gezogen. [20]Er hat den Geldsack mit sich genomen / Er wird erst auffs Fest wider heim komen. [21]Sie vberredet jn mit vielen worten / vnd gewan jn ein mit jrem glatten munde. [22]Er folget jr balde nach / wie ein Ochse zur fleischbanck gefürt wird / vnd wie zum fessel da man die Narren züchtiget. [23]Bis sie jm mit dem pfeil die Lebbern spaltet / Wie ein Vogel zum strick eilet / vnd weis nicht das jm das leben gilt.

[24]SO gehorchet mir nu / meine Kinder / vnd mercket auff die Rede meins mundes. [25]Las dein hertz nicht weichen auff jren weg / vnd las dich nicht verfüren auff jrer bahn. [26]Denn sie hat viel verwund vnd gefellet / vnd sind allerley Mechtigen von jr erwürget. [27]Jr Haus sind wege zur Helle / da man hinunter feret in des Todes kamer.

## VIII.

RVFFET NICHT DIE WEISHEIT / VND DIE KLUGheit lesst sich hören? [2]Offentlich am wege vnd an der strassen stehet sie / [3]An thoren bey der Stad / da man zur thür eingehet / schreiet sie / [4]O jr Menner / Jch schrey zu euch / vnd ruffe den Leuten. [5]Merckt jr Albern die witze / vnd jr Thoren

(Fürstlich) Fürsten sollen ehrlich / löblich thun / reden / machen / das man jr Exempel rhümen vnd folgen müge / Nicht wie die Tyrannen / Vnfleter / Cyclopen etc.

nemet es zu hertzen. [6]Höret / Denn ich wil reden / was Fürstlich ist / vnd leren was recht ist. [7]Denn mein mund sol die Warheit reden / vnd meine lippen sollen hassen das Gottlos ist. [8]Alle rede meines mundes sind gerecht / Es ist nichts verkerets noch falsches drinnen. [9]Sie sind alle gleich aus / denen die sie vernemen / vnd richtig denen / die es annemen wöllen.

[10]NEmet an meine Zucht lieber denn silber / vnd die Lere achtet höher denn köstlich gold. [11]Denn Weisheit ist besser denn Perlen / vnd alles was man wündschen mag / kan jr nicht gleichen. [12]Jch Weisheit / wone bey der Witze / vnd ich weis guten Rat zu geben. [13]Die furcht des HERRN hasset das arge / die hoffart / den hohmut / vnd bösen weg / vnd bin feind dem verkereten munde. [14]Mein ist beide Rat vnd That / Jch habe verstand / vnd macht. [15]Durch mich regiern die Könige / vnd die Ratherrn setzen das Recht. [16]Durch mich herrschen die Fürsten / vnd alle Regenten auff Erden. [17]Jch liebe die mich lieben / vnd die mich früe suchen / finden mich. [18]Reichthum vnd Ehre ist bey mir / wehrhafftig Gut vnd Gerechtigkeit. [19]Meine Frucht ist besser denn gold vnd fein gold / vnd mein Einkomen besser denn ausserlesen silber. [20]Jch wandel auff dem rechten wege / auff der strassen des Rechts / [21]Das ich wol berate die mich lieben / vnd jre Schetze vol mache.

DER HERR hat mich gehabt im anfang seiner wege / Ehe er was machet / war ich da. [23]Jch bin eingesetzt von ewigkeit / von anfang vor der Erden. [24]Da die Tieffen noch nicht waren / da war ich schon bereit / Da die Brunne noch nicht mit wasser quollen. [25]Ehe denn die Berge eingesenckt waren / vor den Hügeln war ich bereit. [26]Er hatte die Erden noch nicht ge|| macht / vnd was dran ist / noch die Berge des Erdbodens. [27]Da er die Himel bereitet / war ich daselbs / da er die Tieffen mit seim ziel verfasset. [28]Da er die Wolcken droben festet / da er festiget die Brünnen der tieffen. [29]Da er dem Meer das ziel setzet / vnd den Wassern / das sie nicht vbergehen seinen Befelh. Da er den grund der Erden legt / [30]da war ich der Werckmeister bey jm / vnd hatte meine lust teglich / vnd spielet fur jm allezeit. [31]Vnd spielet auff seinem Erdboden / VND MEINE LUST IST BEY DEN MENSCHENKINDERN.

Sap. 3.

|| 333a

SO gehorcht mir nu meine Kinder / Wol denen / die meine wege behalten. [33]Höret die Zucht vnd werdet Weise / vnd lasset sie nicht faren. [34]Wol dem Menschen der mir gehorchet / das er wache an meiner Thür teglich / das er warte an den pfosten meiner thür. [35]Wer mich findet / der findet das Leben / vnd wird wolgefallen vom HERRN bekomen. [36]Wer aber an mir sündiget / Der verletzt seine Seele / Alle die mich hassen / lieben den Tod.

## IX.

DJE WEISHEIT BAWETE JR HAUS / VND HIEB sieben Seulen. [2]Schlachtet jr Vieh / vnd trug jren Wein auff / vnd bereitet jren Tisch. [3]Vnd sandte jre Dirne aus / zu laden oben auff die Pallast der stad / [4]Wer Alber ist / der mache sich hie her. Vnd zum Narren sprach sie / [5]Kompt zehret von meinem Brot / vnd trincket des Weins / den ich schencke. [6]Verlasset das alber wesen / So werdet jr leben / vnd gehet auff dem wege des verstandes.

Die Welt wil vngestrafft sein.

[7]WEr den Spötter züchtiget / der mus schande auff sich nemen / Vnd wer den Gottlosen strafft / der mus gehönet werden. [8]Straffe den Spötter nicht / er hasset dich / Straffe den Weisen / der wird dich lieben. [9]Gib dem Weisen / so wird er noch weiser werden / Lere den Gerechten / so wird er in der lere zunemen.

(Spötter) Heisst Salomo alle Verechter vnd widerspenstige der warheit.

Sup. 1. Psal. 111.

[10]DER WEISHEIT ANFANG IST DES HERRN FURCHT / Vnd der verstand leret was Heilig ist. [11]Denn durch mich wird deiner tage viel werden / Vnd werden dir der jar des Lebens mehr werden. [12]Bistu Weise / so bistu dir weise / Bistu ein Spötter / so wirstu es allein tragen.

*Non me doctorem, sed te deluseris ipsum.*

ES ist aber ein töricht / wild Weib / vol schwetzens / vnd weis nichts. [14]Die sitzt in der thür jres Hauses auffm stuel / oben in der Stad / [15]zu laden alle die fur vber gehen / vnd richtig auff jrem wege wandeln. [16]Wer ist Alber? Der mache sich hie her / Vnd zum Narren spricht sie / [17]Die verstolen wasser sind süsse / vnd das verborgen brot ist niedlich. [18]Er weis aber nicht / das daselbs Todten sind / vnd jre Geste in der tieffen Hellen.

[1]Dis sind die Sprüche Salomo.

X.

Jnfr. 15.

EJN WEISER SON IST seines Vaters freude / Aber ein törichter Son ist seiner Mutter gremen.

Vnrechte Schetze.

[2]Vnrecht Gut hilfft nicht / Aber Gerechtigkeit errettet vom Tode.

[3]Der HERR lesst die seele des Gerechten nicht hunger leiden / Er störtzt aber der Gottlosen [a]schinderey.

a Da durch sie mit aller Leute schaden / reich werden.

[4]Lessige Hand macht arm / Aber der Vleissigen hand macht reich.

[5]Wer im Sommer samlet / der ist klug / Wer aber in der Erndte schlefft / wird zu schanden.

Schande vnd ehre heisst Salomo offt armut vnd reichthum / Darumb / das wer reich ist / ehre hat.

[6]Den Segen hat das heubt des Gerechten / Aber den mund derGottlosen wird jr freuel vberfallen.

[7]Das Gedechtnis der Gerechten bleibt im segen / Aber der Gottlosen name wird verwesen.

[8]Wer Weise von hertzen ist / nimpt die Gebot an / Der aber ein Narrenmaul hat / wird geschlagen. ||

|| 333b

[9]Wer vnschüldig lebet / der lebet sicher / Wer aber verkeret ist auff seinen wegen / wird offenbar werden.

[10]Wer mit Augen wincket / wird mühe anrichten / Vnd der ein Narrenmaul hat / wird geschlagen.

[11]Des Gerechten mund ist ein lebendiger Brun / Aber den mund der Gottlosen wird jr freuel vberfallen.

[12]Hass erreget hadder / Aber Liebe deckt zu alle vbertrettunge.

1. Cor. 13. Liebe lesst sich nicht erzürnen. 1. Pet. 4.

[13]Jn den lippen des Verstendigen findet man Weisheit / Aber auff den rücken des Narren gehört ein Ruten.

[14]Die Weisen bewaren die Lere / Aber der Narren mund ist nahe dem schrecken.

(Schrecken) Das ist / der fahr vnd dem vnglück.

[15]Das gut des Reichen [a]ist seine feste stad / Aber die Armen macht das armut blöde.

a Gut macht mut / Armut weh thut.

[16]Der Gerechte braucht seins guts zum [b]Leben / Aber der Gottlose braucht seins Einkomens zur sünde.

b (Zum Leben) Das er sich neere.

[17]Die zucht halten / ist der weg zum Leben / Wer aber die straffe verlesst / der bleibt [c]jrrig.

c Es gehet jm nicht wol.

[18]Falsche Meuler dekken hass / Vnd wer verleumbdet / der ist ein Narr.

(Falsche) Der eine vermanet seinen Bruder nicht seiner sünden / Oder wo er an leufft / sihet ers gerne. Der ander affterredet vnd bessert auch niemand da mit.

[19]Wo viel wort sind / Da gehets on sünde nicht ab / Wer aber seine lippen helt / ist klug.

[20]Des Gerechten zunge ist köstlich silber / Aber der Gottlosen hertz ist nichts.

[21]Des Gerechten lippen weiden viele / Aber die Narren werden jrer torheit sterben.

Gott bescheret
Gott berett.

[22]Der segen des HERRN macht reich / On mühe.

[23]Ein Narr treibt mutwillen / vnd hats noch dazu seinen spot / Aber der Man ist weise / der drauff merckt.

[24]Was der Gottlose fürchtet / das wird jm begegenen / Vnd was die Gerechten begeren / wird jnen gegeben.

[25]Der Gottlos ist wie ein Wetter das vber hin gehet / vnd nicht mehr ist / Der Gerechte aber bestehet ewiglich.

d
(Essig)
Wo lose Herrn vnd Amptleute sind / da sehen die Augen nicht / vnd beissen die Zeene nicht. Das ist / Es gehet zucht vnd straffe vnter.

[26]Wie der [d]Essig den zeenen / vnd der Rauch den augen thut / So thut der Faule denen / die jn senden.

[27]Die furcht des HERRN mehret die tage / Aber die jare der Gottlosen werden verkürtzt.

[28]Das warten der Gerechten wird freude werden / Aber der Gottlosen hoffnung wird verloren sein.

[29]Der weg des HERRN ist des Fromen trotz / Aber die Vbelthetter sind blöde.

[30]Der Gerecht wird nimer mehr vmbgestossen / Aber die Gottlosen werden nicht im Lande bleiben.

[31]Der mund des Gerechten bringt Weisheit / Aber das maul der Verkereten wird ausgerot.

[32]Die lippen der Gerechten leren heilsam ding / Aber der Gottlosen mund ist verkeret.

## XI.

FALSCHE WAGE IST dem HERRN ein Grewel / Aber ein völlig Gewicht ist sein wolgefallen.

Jnfr. 16. 20.

[2]Wo stoltz ist / Da ist auch schmach / Aber Weisheit ist bey den Demütigen.

[3]Vnschuld wird die Fromen leiten / Aber die bosheit wird die Verechter verstören.

Sup. 10.

[4]Gut hilfft nicht am tage des zorns / Aber Gerechtigkeit errettet vom Tod.

[5]Die gerechtigkeit des Fromen macht seinen weg eben / Aber der Gottlose wird fallen durch sein Gottlos wesen.

[6]Die gerechtigkeit der Fromen wird sie erretten / Aber die Verechter werden gefangen in jrer Bosheit.

[7]Wenn der gottlose Mensch stirbet / ist hoffnung verloren / Vnd das harren der Vngerechten wird zu nicht.

[8]Der Gerechte wird aus der Not erlöset / Vnd der Gottlose kompt an seine stat.

[9]Durch den mund des Heuchlers wird sein Ne-

hester verderbet / Aber die Gerechten merckens vnd werden erlöset.

[10]Eine Stad frewet sich wens den Gerechten wolgehet / Vnd wenn die ‖ Gottlosen vmbkomen / wird man fro.

[11]Durch den segen der Fromen wird ein Stad erhaben / Aber durch den mund der Gottlosen wird sie zubrochen.

[12]Wer seinen Nehesten schendet / ist ein Narr / Aber ein verstendiger Man stillets.

(Schendet) Offenbart des andern gebrechen gern. Aber ein weiser decket zu vnd entschüldigts.

[13]Ein Verleumbder verrhet was er heimlich weis / Aber wer eins getrewen hertzen ist / verbirget dasselb.

[14]Wo nicht Rat ist / Da gehet das Volck vnter / Wo aber viel Ratgeber sind da gehet es wol zu.

[15]Wer für einen andern Bürge wird / Der wird schaden haben / Wer aber sich fur geloben hütet / ist sicher.

Sup. 6.

[16]Ein holdselig weib erhelt die Ehre / Aber die Tyrannen erhalten den reichthum.

(Tyrannen) Ein from Weib erhelt bey ehren / obs gleich nicht reich ist. Tyrannen trachten nach Gut vnd achten keiner Ehre.

[17]Ein barmhertziger Man thut seinem Leibe guts / Aber ein Vnbarmhertziger betrübet auch sein fleisch vnd blut.

[18]Der Gottlosen erbeit wird feilen / Aber wer Gerechtigkeit seet / das ist gewis Gut.

[19]Denn Gerechtigkeit fordert zum leben / Aber dem vbel nachiagen fordert zum tod.

[20]Der HERR hat grewel an den verkerten Hertzen / Vnd wolgefallen an den Fromen.

‖334a

[21]Den Bösen hilfft nichts / wenn sie auch alle hende zusamen thetten / Aber der Gerechten same wird errettet werden.

[22]Ein schön weib on zucht / Jst wie ein Saw mit einem gülden Harband.

[23]Der Gerechten wundsch mus doch wol geraten / Vnd der Gottlosen hoffen wird vnglück.

[24]Einer teilet aus / vnd hat jmer mehr / Ein ander karget / da er nicht sol / vnd wird doch ermer.

[25]Die Seele die da reichlich segenet / wird fett / Vnd wer truncken macht der wird auch truncken werden.

(Truncken) Das ist / Wer reichlich gibt / dem wird reichlich wider gegeben.

[26]Wer Korn inhelt / dem fluchen die Leute / Aber segen kompt vber den / so es verkeufft.

[27]Wer da Guts sucht / dem widerferet guts / Wer aber nach Vnglück ringet / dem wirds begegen.

[28]Wer sich auff sein Reichthum verlesst / Der wird vntergehen / Aber die Gerechten werden grunen wie ein blat.

[29]Wer sein eigen Haus betrübt / der wird Wind

(Wind) Friede neeret. Vnfriede verzeret.

zu erbteil haben / Vnd ein Narr mus ein Knecht des Weisen sein.

(Bawm) Was die Gerechten thun / das kompt jederman zu gut.

[30]Die frucht des Gerechten ist ein bawm des lebens / Vnd ein Weiser nimpt sich der Leute hertzlich an.

a 1. Pet. 4. (Gerecht) So die Fromen / so alles gutes andern thun / vnd Gott gefallen / dennoch viel geplagt werden / Wie wils den Gottlosen gehen?

[31]So der [a]Gerecht auff Erden leiden mus / Wie viel mehr der Gottlos vnd Sünder?

## XII.

WER SICH GERN LESST straffen / der wird klug werden / Wer aber vngestrafft sein wil / Der bleibt ein Narr.

[2]Wer From ist / der bekompt trost vom HERRN / Aber ein Ruchloser verdampt sich selbs.

[3]Ein Gottlos wesen fordert den Menschen nicht / Aber die wurtzel der Gerechten wird bleiben.

Jnfr. 14. b Heuslich. c Vnheuslich / Die sich nichts annimpt / als were sie ein Gast im hause.

[4]EIN [b]VLEISSIG WEIB IST ein krone jres Mannes / Aber ein [c]vnuleissige / ist ein Eiter in seinem gebeine.

[5]Was die Gerechten raten / das ist gewis ding / Aber was die Gottlosen raten / das treuget.

[6]Der Gottlosen predigt richten Bluteruergiessen an / Aber der Fromen mund errettet.

[7]Die Gottlosen werden vmbgestürtzt vnd nicht mehr sein / Aber das haus der Gerechten bleibt stehen.

Vincit ueritas.

[8]Eins weisen Mans rat wird gelobt / Aber die tücken werden zu schanden.

[9]Wer gering ist / vnd wartet des seinen / Der ist besser / Denn der gros sein wil / dem des brots mangelt.

[10]Der Gerechte erbarmet sich seins viehs / Aber das hertz der Gottlosen ist vnbarmhertzig.

d (Seinen acker) Wer des seinen wartet / in seinem beruff oder stande. Sonst heisst es 14. handwerck / 15. vnglück.

[11]Wer [d]seinen acker bawet / der wird Brots die fülle haben / Wer aber || vnnötigen sachen nachgehet / Der ist ein Narr.

|| 334b

[12]Des Gottlosen Lust ist schaden zu thun / Aber die wurtzel der Gerechten wird frucht bringen.

[13]Der Böse wird gefangen in seinen eigen falschen worten / Aber der Gerecht entgehet der angst.

[14]Viel guts kompt einem durch die frucht des mundes / Vnd dem Menschen wird vergolten / nach dem seine hende verdienet haben.

[15]Dem Narren gefelt seine weise wol / Aber wer Rat gehorcht der ist Weise.

[16]Ein Narr zeigt seinen zorn balde / Aber wer die Schmach birget / ist witzig.

(Vnuorsichtig) Die nicht acht haben auff jre wort / oder wen sie treffen. Welchs geschicht beide im predigen / gerichten / vnd sonst in versamlungen.

[17]Wer warhafftig ist / der saget frey was recht ist / Aber ein falscher Zeuge betreugt.

[18]Wer vnuorsichtig er aus feret / sticht wie ein

Schwert / Aber die zunge der Weisen ist heilsam.

[19]Warhafftiger mund bestehet ewiglich / Aber die falsche Zunge bestehet nicht lange.

[20]Die so böses raten / betriegen / Aber die zum Friede raten / machen freude.

[21]Es wird dem Gerechten kein leid geschehen / Aber die Gottlosen werden vol vnglücks sein.

[22]Falsche Meuler sind dem HERRN ein grewel / Die aber trewlich handeln / gefallen jm wol.

[23]Ein witziger Man gibt nicht klugheit fur / Aber das hertz der Narren rüffet seine narrheit aus.

[24]Vleissige hand wird herrschen / Die aber Lessig ist / wird müssen zinsen.

[25]Sorge im hertzen / krencket / Aber ein freundlich wort erfrewet.

[26]Der Gerechte hats besser denn sein Nehester / Aber der Gottlosen weg verfüret sie.

(Besser) Ob er schon viel leidet vnd dem Gottlosen wolgehet.

[27]Eim Lessigen geret sein handel nicht / Aber ein vleissiger Mensch wird reich.

[28]Auff dem rechten wege ist Leben / Vnd auff dem gebeenten [a]Pfad ist kein Tod.

a (Pfad) Landstrasse sicher / holtzweg ist ferlich. Gottes wort füret zum leben / Aber eigen dünckel zum tode.

## XIII.

EJn weiser Son lesst sich den Vater züchtigen / Aber ein Spötter gehorcht der straffe nicht.

[2]Der frucht des mundes geneust man / Aber die Verechter dencken nur zu freueln.

[3]Wer seinen mund bewaret / der bewaret sein leben / Wer aber mit seinem Maul her aus feret / Der kompt in schrecken.

(Schrecken) Das ist / Fahr vnd straffe.

[4]Der Faule begerd vnd kriegts doch nicht / Aber die Vleissigen kriegen gnug.

[5]Der Gerechte ist der Lügen feind / Aber der Gottlose schendet vnd schmehet sich selbs.

[6]Die Gerechtigkeit behüt den Vnschüldigen / Aber das Gottlos wesen bringt einen zu der sünde.

[7]Mancher ist Arm bey grossem Gut / Vnd mancher ist Reich bey seim Armut.

[8]Mit Reichthum kan einer sein Leben erretten / Aber ein Armer höret das schelten nicht.

(Schelten nicht) Ein Reichen schilt man / Aber gibt jn vmb gelt los. Ein Armer mus her halten / Wer nicht gelt hat / bezalet mit der haut.

[9]Das liecht der Gerechten macht frölich / Aber die leuchte der Gottlosen wird ausleschen.

[10]Vnter den Stoltzen ist jmer hadder / Aber Weisheit macht vernünfftige Leute.

[11]Reichthum wird wenig wo mans vergeudet / Was man aber zusamen helt / das wird gros.

[12]Die Hoffnung die sich verzeucht / engstet das

hertz / Wens aber kompt das man begerd / das ist ein bawm des lebens.

[13]WEr das wort veracht / Der verderbet sich selbs / Wer aber das Gebot fürchtet / dem wirds vergolten.

[14]Die lere des Weisen ist ein Lebendige quelle / Zu meiden die stricke des Todes.

[15]Ein guter Rat thut sanfft / Aber der Verechter weg bringt wehe.

[16]Ein Kluger thut alles mit vernunfft / Ein Narr aber breitet narrheit aus.

[17]Ein gottloser Bote bringet vnglück / || Aber ein trewer Werber ist heilsam.

|| 335 a

[18]Wer zucht lesst faren / Der hat armut vnd schande / Wer sich gerne straffen lesst / wird zu ehren komen.

[19]Wens kompt / das man begerd / das thut dem hertzen wol / Aber der das Böse meidet / ist den Thoren ein grewel.

[20]Wer mit den Weisen vmbgehet / der wird weise / Wer aber der Narren geselle ist / Der wird vnglück haben.

[21]Vnglück verfolget die Sünder / Aber den Gerechten wird guts vergolten.

[22]Der gute wird erben auff Kinds kind / Aber des Sünders gut wird dem Gerechten furgespart.

[23]Es ist viel speise in den furchen der Armen / Aber die vnrecht thun verderben.

(Der Armen) Gott gibt den Armen gnug / wo sie from sind.

Jnfr. 22.

[24]WEr seiner ruten schonet / der hasset seinen Son / Wer jn aber lieb hat / der züchtiget jn bald.

[25]Der Gerechte isset das seine Seele sat wird / Der Gottlosen bauch aber hat nimer gnug.

(Sat) Lesst jm genügen.

## XIIII.

DVrch weise Weiber wird das Haus erbawet / Eine Nerrin aber zubrichts mit jrem thun.

Sup. 12.

(Zubrichts) Der man mus verderben / der ein vnheuslich Weib hat.

[2]Wer den HERRN fürcht / der gehet auff rechter bahn / Wer jn aber veracht / Der weicht aus seinem wege.

[3]Narren reden tyrannisch / Aber die Weisen bewaren jren mund.

[4]Wo nicht Ochsen sind / Da ist die krippen rein / Aber wo der Ochse schefftig ist / da ist viel einkomens.

(Ochsen) Wo man nicht erbeitet / da gewinnet man auch nichts.

[5]Ein trewer Zeuge leuget nicht / Aber ein falscher Zeuge redet dürstiglich lügen.

[6]Der Spötter suchet Weisheit vnd findet sie nicht / Aber dem Verstendigen ist die Erkentnis leicht.

(Suchet) Lose Leute suchen die weisheit nicht mit ernst / sondern zu jrem nutz / rhum vnd pracht.

[7]Gehe von dem Narren / Denn du lernest nichts von jm.

[8]Das ist des Klugen weisheit / das er auff

seinen weg merckt / Aber das ist der Narren torheit / das es eitel trug mit jnen ist.

[9]Die Narren treiben das gespöt mit der sünde / Aber die Fromen haben lust an den Fromen.

[10]Wenn das Hertz traurig ist / So hilfft kein eusserliche freude.

[11]Das haus der Gottlosen wird vertilget / Aber die hütten der Fromen wird grünen.

[12]Es gefellet manchem ein weg wol / Aber endlich bringt er jn zum Tode.

[13]Nach dem lachen / kompt trawren / Vnd nach der freude / kompt leid.

(Leid) Wie man spricht / Truncken freude / nüchtern leid. Kein lieb on leid.

[14]Eim losen Menschen wirds gehen / wie er handelt / Aber ein Fromer wird vber jn sein.

[15]Ein Alber gleubt alles / Aber ein Witziger merckt auff seinen gang.

[16]Ein Weiser fürcht sich / vnd meidet das Arge / Ein Narr aber feret hindurch thürstiglich.

[17]Ein Vngedültiger thut nerrisch / Aber ein Bedechtiger hasset es.

[18]Die Albern erben narrheit / Aber es ist der Witzigen krone fürsichtiglich handeln.

[19]Die Bösen müssen sich bücken fur den Guten / Vnd die Gottlosen in den thoren des Gerechten.

[20]Einen Armen hassen auch seine Nehesten / Aber die Reichen haben viel Freunde.

[21]Der Sünder veracht seinen Nehesten / Aber wol dem / der sich der Elenden erbarmet.

[22]Die mit bösen Rencken vmbgehen / werden feilen / Die aber guts dencken / den wird Trew vnd Güte widerfaren.

Vntrew schlecht jren Herrn.

[23]Wo man erbeitet da ist gnug / Wo man aber mit worten vmbgehet / Da ist mangel.

Viel wort / Nichts dar hinder.

[24]Den Weisen ist jr reichthum ein krone / Aber die torheit der Narren bleibt torheit.

[25]Ein trewer Zeuge errettet das leben / Aber ein falscher Zeuge betreugt.

[26]WEr den HERRN fürchtet / der hat ein sichere Festung / Vnd seine Kinder werden auch beschirmet.

[27]Die furcht des HERRN ist eine quelle des lebens / Das man meide die stricke des Todes.

[28]Wo ein König viel volcks hat / das ist || seine Herrligkeit / Wo aber wenig Volcks ist / Das macht einen Herrn blöde.

|| 335b

[29]WEr gedültig ist / der ist Weise / Wer aber Vngedültig ist / Der offenbart seine torheit.

[30]Ein gütigs Hertz ist des leibs leben / Aber neid ist eiter in beinen.

[31]Wer dem Geringen ge-

Jnfr. 17.

walt thut / Der lestert desselben Schepffer / Aber wer sich des Armen erbarmet / der ehret Gott.

32Der Gottlose bestehet nicht in seinem vnglück / Aber der Gerecht ist auch in seim Tod getrost.

33Jm hertzen des Verstendigen ruget Weisheit / Vnd wird offenbar vnter den Narren.

34Gerechtigkeit erhöhet ein Volck / Aber die Sünde ist der Leute verderben.

35Ein kluger Knecht gefellet dem König wol / Aber eim [a]schendlichen Knecht ist er feind.

Der haushalten zunicht macht.

## XV.

EJN LINDE ANTWORT stillet den zorn / Aber ein hart wort richtet grim an.

(Linde) Ein gut wort / findet ein gute stat.

2DEr Weisen zunge machet die lere lieblich / Der Narren mund speiet eitel narrheit.

Kan jm fein. helffen.

3Die Augen des HERRN schawen an allen orten / Beide die Bösen vnd Fromen.

4Ein heilsame Zunge ist ein bawm des lebens / Aber ein Lügenhafftige macht hertzleid.

5DER NARR LESTERT DIE zucht seines Vaters / Wer aber straffe annimpt / der wird Klug werden.

6Jn des Gerechten haus ist Guts gnug / Aber in dem Einkomen des Gottlosen ist verderben.

7Der Weisen mund strewet guten Rat / Aber der Narren hertz ist nicht also.

8Der Gottlosen opffer ist dem HERRN ein Grewel / Aber das gebet der Fromen ist jm angeneme.

9Des Gottlosen weg ist dem HERRN ein Grewel / Wer aber der Gerechtigkeit nachiaget / der wird geliebet.

10Das ist ein böse Zucht / den weg verlassen / Vnd wer die straffe hasset / der mus sterben.

11Helle vnd Verderbnis ist fur dem HERRN / Wie viel mehr der Menschen hertze?

12Der Spötter liebet nicht der jn straffet / Vnd gehet nicht zu dem Weisen.

Sie lassen jnen nicht sagen.

13Ein frölich Hertz macht ein frölich Angesicht / Aber wens hertz bekümert ist / so felt auch der mut.

Jnfr. 17.

14Ein kluges Hertz handelt bedechtiglich / Aber die künen Narren regieren nerrisch.

15Ein Betrübter hat nimer keinen guten tag / Aber ein guter Mut ist ein teglich wolleben.

16Es ist besser ein wenig mit der furcht des HERRN / Denn grosser Schatz darin Vnruge ist.

Jnfr. 16. 17.

17Es ist besser ein Gericht kraut mit liebe / Denn ein gemester Ochse mit Hass.

[18]Ein zornig man richtet hadder an / Ein Gedültiger aber stillet den zanck.

[19]Der weg des Faulen ist dörnicht / Aber der weg der Fromen ist wol gebenet.

Sup. 10. Jnfr. 17. 19.

[20]Ein weiser son erfrewet den Vater / Vnd ein nerrischer Mensch ist seiner Mutter schande.

[21]Dem Thoren ist die torheit eine freude / Aber ein verstendiger Man bleibt auff dem rechten wege.

[22]Die Anschlege werden zu nicht wo nicht Rat ist / Wo aber viel Ratgeben sind / bestehen sie.

[23]Es ist einem ein freude / wo man jm richtig antwortet / Vnd ein wort zu seiner zeit ist seer lieblich.

[24]Der weg des Lebens gehet vberwerts klug zu machen / Auff das man meide die Helle vnterwerts.

[25]Der HERR wird das haus der Hoffertigen zubrechen / Vnd die grentze der Widwen bestetigen.

[26]Die anschlege des Argen sind dem HERRN ein grewel / [a]Aber tröstlich reden die reinen.

Vel / Die rede der Freundlichen sind rein.

[27]Der Geitzige verstöret sein eigen Haus / Wer aber Geschenck hasset / der wird leben. ‖

[28]Das hertz des Gerechten tichtet was zu antworten ist / Aber der mund der Gottlosen scheumet böses.

[29]Der HERR ist ferne von den Gottlosen / Aber der Gerechten gebet erhöret er.

[30]Freundlicher anblick erfrewet das hertz / Ein gut Gerücht machet das gebeine fett.

[31]DAs ohre das da höret die straffe des lebens wird vnter den Weisen wonen.

[32]Wer sich nicht ziehen lesst / Der macht sich selbs zunichte / Wer aber straffe höret / der wird klug.

Das ist / Er kompt an den Galgen.

[33]Die furcht des HERRN ist zucht zur Weisheit / Vnd ehe man zu ehren kompt / Mus man zuuor leiden.

1. Pet. 1.

## XVI.

Der Mensch setzt jm wol fur im hertzen / Aber vom HERRN kompt was die zunge reden sol.

[2]Ein jglichen düncken seine wege rein sein / Aber allein der HERR macht das hertz gewis.

[3]Befilh dem HERRN deine werck / So werden deine anschlege fort gehen.

[4]Der HERR macht alles vmb sein selbs willen / Auch den Gottlosen zum bösen tage.

[5]Ein stoltz Hertz ist dem HERRN ein grewel

‖ 336a

/ Vnd wird nicht vngestrafft bleiben / wenn sie sich gleich alle an einander hengen.

[6]Durch güte vnd trew wird Missethat versünet / Vnd durch die furcht des HERRN meidet man das Böse.

(Versünet) Bey Gott vnd Menschen / Denn Gott wendet die straffe / vnd Menschen werden freunde dadurch.

[7]Wenn jemands wege dem HERRN wolgefallen / So macht er auch seine Feinde mit jm zu frieden.

[8]Es ist besser wenig mit gerechtigkeit / Denn viel einkomens mit vnrecht.

[9]Des Menschen hertz schlehet seinen weg an / Aber der HERR allein gibt / das er fort gehe.

WEissagung ist in dem munde des Königs / Sein mund feilet nicht im Gericht.

(Königs) Denn er richtet nach dem Recht oder Gesetz / welchs Gott bestetigt vnd gebeut / als ein öffentlich Ampt.

[11]Rechte Wage vnd Gewicht ist vom HERRN / Vnd alle Pfunde im sack sind seine werck.

[12]Fur den Königen vnrecht thun / ist ein Grewel / Denn durch gerechtigkeit wird der Thron bestetigt.

[13]Recht raten gefellet den Königen / Vnd wer gleich zuret / wird geliebet.

[14]Des Königes grim ist ein Bote des todes / Aber ein weiser Man wird jn versünen.

[15]Wenn des Königes angesicht freundlich ist / das ist leben / Vnd sein gnade ist wie ein Abendregen.

NJm an die Weisheit / denn sie ist besser weder gold / Vnd Verstand haben / ist edler denn silber.

[17]Der Fromen weg meidet das arge / Vnd wer seinen weg bewaret / der behelt sein Leben.

[18]Wer zu grund gehen sol / Der wird zuuor Stoltz / Hoffertig vnd stoltzer mut / kompt fur dem fall.

[19]Es ist besser nidriges gemüts sein mit den Elenden / Denn Raub austeilen mit den Hoffertigen.

[20]Wer eine Sache klüglich füret / der findet glück / Vnd wol dem / der sich auff den HERRN verlesst.

[21]Ein verstendiger wird gerhümet fur einen weisen Man / Vnd liebliche rede leren wol.

[22]Klugheit ist ein lebendiger brun / dem der sie hat / Aber die zucht der Narren ist narheit.

(Zucht) Jre Lere / Weisheit / Heiligkeit etc.

[23]Ein weise Hertz redet klüglich / Vnd leret wol.

[24]Die rede des Freundlichen sind honig seim / Trösten die seele vnd erfrischen die gebeine.

[25]Manchem gefelt ein weg wol / Aber sein letztes reicht zum Tode.

[26]Mancher kompt zu grossem vnglück / Durch sein eigen maul.

|| 336b

[27]Ein loser Mensch grebet nach vnglück / Vnd in seinem maul brennet fewr.
[28]Ein verkereter Mensch richtet hadder an / Vnd ein Verleumbder macht Fürsten vneins. ||
[29]Ein Freueler locket seinen Nehesten / Vnd füret jn auff keinen guten weg.
[30]Wer mit den augen wincket / denckt nichts guts / Vnd wer mit den lippen deutet / volbringet böses.
[31]Grawe har sind ein Kron der ehren / Die auff dem weg der gerechtigkeit funden werden.
[32]Ein Gedültiger ist besser denn ein Starcker / Vnd der seines muts herr ist / denn der Stedte gewinnet.
[33]Los wird geworffen in den schos / Aber es fellet wie der HERR wil.

## XVII.

Sup. 15. 16.

ES IST EIN TROCKEN bissen / dar an man sich genügen lesst / besser / Denn ein Haus vol Geschlachts mit hadder.
[2]Ein kluger Knecht wird herrschen vber vnuleissige Erben / Vnd wird vnter den Brüdern das erbe austeilen.
[3]Wie das fewer silber / vnd der ofen gold / Also prüfet der HERR die hertzen.
[4]Ein Böser achtet auff böse Meuler / Vnd ein Falscher gehorchet gern schedlichen Zungen.
[5]Wer des dürfftigen spottet / Der hönet desselben Schepffer / Vnd wer sich seins vnfals frewet / wird nicht vngestrafft bleiben.
[6]Der Alten krone sind Kindes kinder / Vnd der Kinder ehre sind jre Veter.
[7]Es stehet einem Narren nicht wol an / von hohen dingen reden / Viel weniger einem Fürsten / das er gern leugt.
[8]Wer zu schencken hat / dem ists wie ein Edelstein / Wo er sich hin keret / ist er klug geacht.
[9]Wer Sünde zudeckt / der macht Freundschafft / Wer aber die sache euert / Der macht Fürsten vneins.

Sup. 10.

(Euern) Widerholen / wider anziehen / wider regen etc.

[10]SCHELTEN SCHRECKT mehr an dem Verstendigen / Denn hundert schlege an dem Narren.
[11]Ein bitter Mensch trachtet schaden zu thun / Aber es wird ein grausamer Engel vber jn komen.
[12]Es ist besser eim Beren begegen / dem die Jungen geraubt sind / denn eim Narren in seiner narrheit.
[13]Wer guts mit Bösem vergilt / Von des Hause wird böses nicht lassen.

[14]Wer Hadder anfehet / ist gleich als der dem Wasser den tham auffreisst / Las du vom hadder / ehe du drein gemenget wirst.

Jesa. 5.

[15]Wer den Gottlosen recht spricht / Vnd den Gerechten verdampt / Die sind beide dem HERRN ein Grewel.

[16]Was sol dem Narren geld in der hand Weisheit zu keuffen / So er doch ein Narr ist?

[17]Ein Freund liebet allezeit / Vnd ein Bruder wird in der Not erfunden.

Sup. 6. 11.

[18]Es ist ein Narr der an die hand gelobt / Vnd Bürge wird fur seinen Nehesten.

[19]Wer Zanck liebt / der liebt Sünde / Vnd wer seine Thür hoch machet ringt nach vnglück.

[20]Ein verkeret Hertz findet nichts guts / Vnd der verkereter Zungen ist / wird in vnglück fallen.

Sup. 15.

[21]Wer einen narren zeuget / der hat gremen / Vnd eins Narren vater hat keine Freude.

Sup. 15. Jnfr. 22.

[22]Ein frölich Hertz macht das Leben lüstig / Aber ein betrübter Mut vertrocket das gebeine.

Exo. 23.

[23]Der Gottlose nimpt heimlich gern Geschencke / Zu beugen den weg des Rechts.

[24]Ein Verstendiger gebERDet weislich / Ein Narr wirfft die augen hin vnd her.

Sup. 15. Jnfr. 19.

[25]Ein nerrichter son ist seines Vaters trawren / Vnd betrübnis seiner Mutter die jn geborn hat.

[26]Es ist nicht gut das man den Gerechten schindet / Den Fürsten zu schlahen der recht regiert.

Jacob. 1.

[27]Ein Vernünfftiger messiget seine rede / Vnd ein verstendiger Man ist ein thewre Seele.

(Thewre) Werde / edle.

[28]Ein Narr wenn er schwiege / würde auch Weise gerechnet / Vnd verstendig / wenn er das maul hielte. ‖

‖ 337a

## XVIII.

*Non ueritatem sed sua querit.*

Wer sich absondert / Der suchet was jm gelüstet / Vnd setzet sich wider alles was gut ist.

[2]Ein Narr hat nicht lust am verstand / Sondern was in seim hertzen steckt.

[3]Wo der Gottlose hin kompt / Da kompt verachtunge / vnd schmach mit hone.

[4]Die wort in eines munde sind wie tieffe Wasser / Vnd die quelle der Weisheit ist ein voller strom.

Jnfr. 24.

[5]Es ist nicht gut die person des Gottlosen achten / Zu beugen den Gerechten im gericht.

[6]Die lippen des Narren bringen zanck / Vnd sein mund ringet nach schlegen.

[7]Der mund des Narren schadet jm selbs / Vnd seine Lippen fahen seine eigen Seele.

[8]Die wort des Verleumbders sind schlege / Vnd gehen einem durchs hertz.

[9]WEr lass ist in seiner erbeit / Der ist ein Bruder des / der das seine vmbbringet.

[10]DER NAME DES HERRN ist ein festes schlos / Der Gerechte leufft da hin / vnd wird beschirmet.

[11]Das gut des Reichen ist jm eine feste Stad / Vnd wie eine hohe maure vmb jn her.

[12]Wenn einer zu grund gehen sol / wird sein Hertz zuuor stoltz / Vnd ehe man zu Ehren kompt / mus man zuuor leiden.

1.Pet.1.

[13]Wer antwortet ehe er höret / Dem ists narrheit vnd schande.

[14]Wer ein frölich Hertz hat / der weis sich in seinem Leiden zu halten / Wenn aber der Mut ligt / wer kans tragen?

[15]Ein verstendig Hertz weis sich vernünfftiglich zu halten / Vnd die Weisen hören gern / das man vernünfftiglich handelt.

[16]Das [c]geschenck des Menschen macht jm raum / Vnd bringt fur die grossen Herrn.

c Gelt bringt fur die Herrn.

[17]Der Gerecht ist seiner Sache zuuor gewis / Kompt sein Nehester / so findet er jn also.

[18]Das Los stillet den hadder / Vnd scheidet zwisschen den Mechtigen.

[19]Ein verletzt Bruder helt herter denn eine feste Stad / Vnd Zanck helt herter / denn rigel am Pallast.

(Verletzt) Wenn ein Bruder vom andern mit vnrecht / erzürnet / ist leichter eine feste Ptad zu gewinnen / denn jn zuuersünen. Je neher vnd lieber Freund / je bitter vnd hefftiger zorn / Wie zwischen Man vnd Weib / zwischen Schwester vnd Brüder etc.

[20]Eim Man wird vergolten / darnach sein mund geredt hat / Vnd wird gesettiget von der frucht seiner lippen.

[21]Tod vnd Leben stehet in der zungen gewalt / Wer sie liebet / der wird von jrer Frucht essen.

[22]Wer ein Ehefraw findet / der findet was guts / Vnd kan [a]guter ding sein im HERRN.

a (Guter ding) Wens gleich zu weilen gar vngleich zugehet / so weis er doch / das sein Ehestand Gott gefellig ist / als sein geschepff vnd ordnung / vnd was er drinnen thut oder leidet / heisst / fur Gott wol gethan vnd gelidden.

[23]Ein Armer redet mit flehen / Ein Reicher antwortet stoltz.

[24]Ein trewer [b]Freund liebet mehr / Vnd stehet fester bey / denn ein Bruder.

b Frembde thun mehr guts denn eigen Freunde. Jnfr. 28.

## XIX.

EJN ARMER DER IN seiner frömkeit wandet / Jst besser denn ein Verkereter mit seinen lippen / der doch ein Narr ist.

[2]Wo man nicht mit vernunfft handelt / Da gehets nicht wol zu / Vnd wer schnell ist mit füssen / Der thut schaden.

(Nicht wol) Denn einer mus den andern dulden.

[3]Die torheit eines Menschen verleitet seinen weg / Das sein hertz wider den HERRN tobet.

[4]Gut macht viel Freunde / Aber der Arme wird von seinen Freunden verlassen.

Deut. 19. Jnf. 21. 24. 25.

[5]Ein falscher Zeuge bleibt nicht vngestrafft / Vnd wer Lügen frech redet / wird nicht entrinnen.

[6]Viel warten auff die person des Fürsten / Vnd sind alle Freunde des / der geschencke gibt.

[7]Den Armen hassen alle seine brüder / Ja auch seine Freunde fernen sich von jm / Vnd wer sich auff wort verlesset / dem wird nichts.

[8]Wer Klug ist / [c]liebet sein Leben / Vnd der Verstendige findet gutes. ||

c (Liebet) Er hütet sich fur ferligkeit / Trawet den menschen nicht in jren guten worten.

|| 337b

[9]Ein falscher Zeuge bleibt nicht vngestrafft / Vnd wer frech lügen redet / wird vmbkomen.

[10]Dem Narren stehet nicht wol an / gute tage haben / Viel weniger eim Knecht zu herrschen vber Fürsten.

[11]Wer gedültig ist / der ist ein kluger Mensch / Vnd ist jm ehrlich / das er vntugent vberhören kan.

(Gedültig) Wer wol verhören kan / wil weise werden. Jnfr. 28.

[12]Die Vngnade des Königes ist wie das brüllen eins jungen Lewen / Aber seine gnade ist wie taw auff dem grase.

(Königes) Rom. 13. Er tregt nicht vmb sonst das schwert.

[13]Ein herrischer Son ist seines Vaters hertzenleid / Vnd ein zenckisch Weib. ein stetigs trieffen.

Sup. 17.

Jnfr. 27.

[14]Haus vnd güter erben die Eltern / Aber ein vernünfftig Weib kompt vom HERRN.

Sup. 18.

[15]Faulheit bringt schlaffen / Vnd ein lessige Seele wird hunger leiden.

[16]Wer das Gebot bewaret / der bewaret sein Leben / Wer aber seinen wege verachtet / wird sterben.

(Sterben) Er kompt Meister hansen in die hende / vnd an den Galgen. Denn vngehorsame Kinder entlauffen jm nicht.

[17]Wer sich des Armen erbarmet / der leihet dem HERRN / Der wird jm wider Guts vergelten.

[18]Züchtige deinen Son weil hoffnung da ist / Aber las deine Seele nicht bewegt werden jn zu tödten.

[19]Denn grosser Grim bringt schaden / Darumb las jn los / so kanstu jn mehr züchtigen.

[20]Gehorche dem Rat / vnd nim zucht an / Das du er nach Weise seiest.

[21]Es sind viel anschlege in eins Mans hertzen / Aber der Rat des HERRN bleibet stehen.

Sup. 16.

[22]Ein Menschen lustet seine wolthat / Vnd ein Armer ist besser denn ein Lügener.

[23]Die furcht des HERRN fordert zum Leben / Vnd wird sat bleiben / das kein vbel sie heimsuchen wird.

[24]Der Faule verbirget seine hand im töpffe / Vnd bringt sie nicht wider [a]zum munde.

a (Zum munde) Wie man spricht / Er ist so faul das er fur faulheit nicht essen mag / wenn er gleich die hand in der schüsseln oder das essen fur sich hat. Das sind Lerer / Regierer / Gesinde / so jr Ampt lassen / ob sie es wol kundten leichtlich ausrichten.

[25]Schlehet man den Spötter / so wird der Alber witzig / Strafft man einen Verstendigen / so wird er vernünfftig.

[26]Wer Vater verstöret / vnd Mutter veriaget / Der ist ein schendlich vnd verflucht Kind.

[27]Las abe mein Son zu hören die zucht / Die da abfüret von vernünfftiger Lere.

[28]Ein loser Zeuge spottet des Rechts / Vnd der Gottlosen mund verschlinget das vnrecht.

[29]Den Spöttern sind straffe bereitet / Vnd schlege auff der Narren rücken.

(Spötter) Vngehorsam / lose Buben / mus Meister Hans steupen / Da hin komen sie gewis.

XX.

DER WEIN MACHT lose Leute / vnd starck Getrencke macht wilde / Wer da zu lust hat / wird nimer weise.

(Wilde) Das ist / Asotia illa / Ephe. 5. Saufft euch nicht vol weins / daraus ein vnordig oder wilde wesen folgt.

[2]Das schrecken des Königes ist wie das brüllen eins jungen Lewen / Wer jn erzürnet / der sündigt wider sein Leben.

[3]Es ist dem Man eine ehre vom hadder bleiben / Aber die gerne haddern / sind allzumal Narren.

[4]Vmb der kelte willen wil der Faule nicht pflügen / So mus er in der Erndten betteln / vnd nichts kriegen.

(Der Faule) Prediger vnd Regenten / die jr Ampt nicht redlich treiben vnd furchten anfechtung oder hass etc. sind wie faule Haushalter.

[5]Der Rat im hertzen eins Mans ist wie tieffe wasser / Aber ein Verstendiger kans mercken / was er meinet.

[6]Viel Menschen werden From gerhümbt / Aber wer wil finden einen der rechtschaffen From sey?

(From) Denn die heucheley ist gros / auch vnter guten wercken. Man helt manchen fur böse / vnd manchen fur gut / da man beiden vnrecht thut / Drumb trawe auff Menschen nicht.

[7]Ein Gerechter der in seiner fromkeit wandelt / Des Kinder wirds wol gehen nach jm.

[8]Ein König der auff dem Stuel sitzt zu richten / Zustrewet alles arge mit seinen augen.

[9]Wer kan sagen / Jch bin rein in meim hertzen? Vnd lauter von meiner sünde?

[10]Mancherley Gewicht vnd Mas / Jst beides grewel dem HERRN.

[11]Auch kennet man einen Knaben an seinem wesen / Ob er From vnd Redlich werden wil.

Jnfr. 22. Jung gewont / alt gethan.

[12]Ein hörend Ohr / vnd sehend Auge / Die macht beides der HERR.

[13]Liebe den Schlaff nicht / Das du nicht arm werdest / Las deine au-‖gen wacker sein / So wirstu brots gnug haben.

‖ 338a

[14]Böse / böse / spricht man / wenn mans hat / Aber wens weg ist / so rhümet man es denn.

(Böse) Das ist / Was man hat / des wird man vber drüssig / vnd wil haben das nicht da ist. Sup. 6.

[15]Es ist gold vnd viel perlen / Aber ein vernünfftiger Mund ist ein edel Kleinod.

[16]Nim dem sein Kleid / der fur einen andern Bürge wird / Vnd pfende

Jnfr. 27.

jn vmb des vnbekandten willen.

[17]Das gestolen Brot schmeckt jederman wol / Aber hernach wird jm der mund vol kiseling werden.

[18]Anschlege bestehen wenn man sie mit Rat füret / Vnd Krieg sol man mit vernunfft füren.

[19]Sey vnuerworren mit dem der heimligkeit offenbart / Vnd mit dem Verleumbder / vnd mit dem falschen Maul.

Exo. 21. Leui. 20. 21. Deut. 27.

[20]Wer seinem vater vnd seiner Mutter flucht / Des Leuchte wird verlesschen mitten im finsternis.

[21]Das Erbe darnach man zu erst seer eilet / Wird zu letzt nicht gesegenet sein.

(Eilet) Als die Kinder / so gern jr Eltern vnd Freunde tod sehen etc. Jtem / die ander Leute Gut / mit schein / zu sich bringen wider das zehend Gebot. Exempel / Absolom / Brutus.

[22]Sprich nicht / Jch wil böses vergelten / Harre des HERRN / der wird dir helffen.

[23]Mancherley Gewicht ist ein grewel dem HERRN / Vnd ein falsche Wage ist nicht gut.

[24]Jedermans genge komen vom HERRN / Welcher mensch verstehet seinen weg?

[25]Es ist dem Menschen ein strick / das Heilige lestern / Vnd darnach Gelübde suchen.

(Heilige) Gottes Namen / Wort / dienst etc. Vnd geben denn almosen / beten / fasten etc. Das heisst / Du heiliger S. Martin / sie opffern dir ein Pfennig / vnd stelen dir ein Pferd.

[26]Ein weiser König zustrewet die Gottlosen / Vnd bringt das Rat vber sie.

[27]Die [a]Leuchte des HERRN ist des Menschen odem / Die gehet durchs gantze hertz.

a (Leuchte) Das ist / Gottes trost vnd gnediger wille.

[28]From vnd warhafftig sein / behüten den König / Vnd sein thron bestehet durch Frömigkeit.

[29]Der Jüngling stercke ist jr preis / Vnd graw har ist der Alten schmuck.

[30]Man [b]mus dem Bösen wehren mit harter straffe / Vnd mit ernsten schlegen die man fület.

b *Mali non uerbis, sed uerberibus emendantur, Laxa imperia et Anarchia* ist kein nutz.

## XXI.

Des Königs hertz ist in der Hand des HERRN / wie wasserbeche / Vnd er neigets wo hin er wil.

[2]Einen jglichen dünckt sein weg recht sein / Aber allein der HERR macht die hertzen gewis.

(Gewis) Was man thut aus Gottes befelh / da ist man gewis / das recht sey. Ausser Gottes wort ist alles eitel dünckel / fein wahn / vnd vngewis.

[3]Wol vnd recht thun / Jst dem HERRN lieber / denn Opffer.

[4]Hoffertige Augen vnd stoltzer Mut / Vnd die [c]leuchte der Gottlosen / ist sünde.

c (Leuchte) Das ist / gonst der welt. Wer der welt Freund ist / der ist Gottes Feind / Jac. 3.

[5]Die anschlege eins [d]Endelichen bringen vberflus / Wer aber all zu jach ist / wird mangeln.

d (Endelich) Eile brach den hals / Langsam gehet man auch ferne / Eile wird müde vnd lesst balde ab. Mit mussen vnd an halten

[6]Wer Schatz samlet mit Lügen / Der wird feilen / vnd fallen vnter die seinen Tod suchen.

[7]Der Gottlosen rauben wird sie schrecken / Denn sie wolten nicht thun was recht war.

[8]Wer einen [e]andern weg gehet / Der ist ver-

bringt mans zum ende / Festina lente.

keret / Wer aber in seinem Befelh gehet / des werck ist recht.

e (Andern) Wers besser vnd anders macht / denn jm befolhen ist / der verderbts gar / wie schön auch sein gut dünckel gleisst. Wie Saul thet vber Amalek.

9Es ist besser wonen im winckel auff dem Dach / Denn bey eim zenckischen Weibe in einem Hause beysamen.

10Die seele des Gottlosen wündschet arges / Vnd gönnet seinem Nehesten nichts.

11Wenn der Spötter gestrafft wird / so werden die Albern weise / Vnd wenn man einen Weisen vnterricht / so wird er vernünfftig.

12Der Gerechte helt sich [f]weislich gegen des Gottlosen haus / Aber die Gottlosen dencken nur schaden zu thun.

f Exempel ist Dauid gegen Saul.

13Wer seine Ohren verstopfft fur dem schreien des Armen / Der wird auch ruffen / vnd nicht erhöret werden.

14Ein heimliche Gabe stillet den zorn / Vnd ein Geschenck im schos den hefftigen Grim.

(Heimlich) Der sein wolthat nicht rhümet / Matt. 6. Als die Phariseer thetten.

15Es ist dem Gerechten eine freude zu thun was recht ist / Aber eine furcht den Vbelthettern.

16Ein Mensch der vom wege der klug-||heit jrret / der wird bleiben in der Todten gemeine.

|| 338b

17Wer gern in wollust lebt / wird mangeln / Vnd wer Wein vnd Ole liebet / wird nicht Reich.

18Der Gottlose mus fur den Gerechten gegeben werden / Vnd der Verechter fur die Fromen.

19Es ist besser wonen im wüsten Lande / Denn bey eim zenckischen vnd zornigen Weibe.

20Jm hause des Weisen ist ein lieblicher schatz vnd öle / Aber ein Narr verschlemmets.

21Wer der Barmhertzigkeit vnd Güte nachiagt / Der findet das Leben / Barmhertzigkeit vnd Ehre.

(Nachiagt) Selig sind die Barmhertzigen / Denn sie werden barmhertzigkeit erlangen. Matth. 5.

22Ein Weiser gewinnet die Stad der [a]starcken / Vnd störtzet jre Macht durch jre Sicherheit.

a (Starcken) Die auff gewalt sich verlassen / vnd sicher sind / Da ist kein glück bey / wie Babylon / Roma etc.

23Wer seinen Mund vnd Zungen bewaret / Der bewaret seine Seele fur angst.

24Der stoltz vnd vermessen ist / [b]heisst ein loser Mensch / Der im zorn stoltz beweiset.

b (Heisst) Das ist / Er kriegt solchen schendlichen namen / vnd wird nimer mehr ein löblich, / ehrlich man draus / Denn sein vermessen / das ist trotz / stoltz vnd pochen / macht jn feindselig.

25Der Faule [c]stirbt vber seinem wündschen / Denn seine hende wöllen nichts thun.

c (Stirbt) Ehe er was redlichs thut / kompt vber jn der Tod. Das sind lessige Prediger / Regenten / Hausherrn / Die wöllen den Himel / ehre /

26Er wündscht teglich / Aber der Gerecht gibt vnd versagt nicht.

27Der Gottlosen opffer ist ein grewel / Denn sie werden in sünden geopffert.

28Ein lügenhafftiger Zeuge wird vmbkomen / Aber wer gehorchet / den lesst man auch alle zeit widerumb reden.

29Der Gottlose feret mit dem kopff hin durch / Aber wer From ist / des weg wird bestehen.

güter / haben / vnd doch nichts erbeiten noch leiden.

[30]Es hilfft keine Weisheit / kein Verstand / kein Rat / wider den HERRN.

[31]Ross werden zum streittage bereitet / Aber der Sieg kompt vom HERRN.

## XXII.

DAS GERÜCHT IST köstlicher denn gros Reichthum / Vnd gonst besser / denn silber vnd gold.

[2]Reiche vnd Arme müssen vnternander sein / Der HERR hat sie alle gemacht.

[3]Der witzige sihet das vnglück / vnd verbirgt sich / Die Albern gehen durch hin vnd werden beschedigt.

[4]Wo man leidet in des HERRN furcht / Da ist reichthum / ehre vnd leben.

[5]Stachel vnd strick sind auff dem wege des Verkereten / Wer aber sich dauon fernet / bewaret sein Leben.

Jung gewont / Alt gethan. Sup. 20.

[6]WIE MAN EINEN KNAben gewehnet / So lesst er nicht dauon / wenn er alt wird.

[7]Der Reiche herrschet vber die Armen / Vnd wer borget / ist des Leheners knecht.

[8]Wer vnrecht seet / Der wird mühe erndten / Vnd wird durch die Rute seiner bosheit vmbkomen.

(Gut auge) Das ist ein milder Mensch.

[9]Ein gut Auge wird gesegenet / Denn er gibt seines brots den Armen.

[10]Treibe den Spötter aus / so gehet der zanck weg / So höret auff hadder vnd schmach.

[11]Wer ein trew hertz vnd liebliche rede hat / Des Freund ist der König.

[12]Die augen des HERRN behüten guten Rat / Aber die wort des Verechters verkeret er.

(Guten rat) Was guts bleibt in leren vnd raten / das behüt Gott / Sonst ist der falschen meuler so viel / das es alles verderbet würde.

[13]Der Faule spricht / Es ist ein Lewe draussen / Jch möcht [a]erwürget werden auff der gassen.

a (Erwürget) Das sind / Prediger / Regenten / Gesinde / die des Fuchs nicht beissen / gehen nicht durch dicke vnd dünne.

[14]Der Huren mund ist ein tieffe gruben / Wenn der HERR vngnedig ist / Der fellet drein.

[15]TORHEIT STECKT DEM Knaben im hertzen / Aber die Rute der zucht wird sie ferne von jm treiben.

[16]Wer dem Armen vnrecht thut / das seines Guts viel werde / Der wird auch eim Reichen geben vnd mangeln.

[17]NEige deine ohren vnd höre die wort der Weisen / Vnd nim zu hertzen meine Lere.

[18]Denn es wird dir sanfft thun / wo du sie wirst bey dir behalten / Vnd werden mit einander durch deinen mund [b]wolgeraten. ||

b (Wolgeraten) Du wirst dir vnd andern damit nütze sein vnd helffen.

|| 339a

[19]Das deine hoffnung sey auff den HERRN / Jch mus dich solchs teglich erinnern / dir zu gut.

[20]Hab ich dirs nicht manchfeltiglich furge-

schrieben / Mit raten vnd leren?

21Das ich dir zeiget ein gewissen grund der warheit / Das du recht antworten kündest denen / die dich senden.

(Antworten) Du kanst mit guten Gewissen sagen / Ja HErr es ist geschehen / was du mir befolhen hast. Denn du weist / das es Gotte gefellet / was du thust nach seinem wort.

22BEraube den Armen nicht / ob er wol arm ist / Vnd vnterdrücke den Elenden nicht im Thor.

23Denn der HERR wird jre sache handeln / Vnd wird jre Vntertretter vntertretten.

24GEselle dich nicht zum zornigen Man / Vnd halt dich nicht zu eim grimmigen Man.

25Du möchst seinen weg lernen / Vnd deiner Seelen ergernis empfahen.

26SEy nicht bey denen / die jre hand verhefften / Vnd fur schuld Bürge werden.

Sup. 11. 17.

27Denn wo du es nicht hast zu bezalen / So wird man dir dein Bette vnter dir wegnemen.

28Treibe nicht zu rück die vorigen grentzen / Die deine Veter gemacht haben.

Deut. 27. Jnfr. 23.

29Sihestu einen Man endelich in seinem geschefft / der wird fur den Königen stehen / Vnd wird nicht fur den Vnedlen stehen.

## XXIII.

WENN DU SITZEST vnd issest mit einem Herrn / So mercke / wen du fur dir hast.

2Vnd setze ein [a]Messer an deine Kele / Wiltu das leben behalten.

[a] (Messer) Das ist / Beware deine zunge / das du nicht zu viel redest / vnd in fahr drüber komest etc. Denn dis recht ist vntrew / So ist zu hofe falsch brot / da jmer einer den andern vberleugnet vnd vberheuchelt / bis er jn hervnter vnd sich empor bringet. Je mehr mans begert / je ferner es kompt.

3Wündsche dir nicht seiner Speise / Denn es ist falsch Brot.

4BEmühe dich nicht Reich zu werden / Vnd las ab von deinen Fündlin.

5Las deine Augen nicht fliegen dahin / das du nicht haben kanst / Denn das selb macht jm flügel wie ein Adeler / vnd fleucht gen Himel.

6JSs nicht Brot bey eim Neidischen / Vnd wündsche dir seiner Speise nicht.

7Denn wie ein Gespenst ist er inwendig / Er spricht / Jss vnd trinck / Vnd sein hertz ist doch nicht an dir.

(Gespenst) Das vngewis ist / Wie die brendte in der nacht fliegen / darauff man sich nicht lassen thar. Also stellet er sich gütig / vnd ist doch nichts.

8Deine Bissen die du gessen hattest / mustu ausspeien / Vnd must deine freundliche wort verloren haben.

9REde nicht fur des Narren ohren / Denn er veracht die Klugheit deiner rede.

10TReibe nicht zu rück die vorigen grentzen / Vnd gehe nicht auff der Waisen acker.

11Denn jr Erlöser ist mechtig / Der wird jre sach wider dich ausfüren.

Sup. 22.

12Gib dein Hertz zur zucht / Vnd deine Ohren zu vernünfftiger rede.

13LAS NICHT AN DEN Knaben zu züchtigen /

Sup. 13.

Steupestu jn / so darff jn der Hencker nicht steupen / Es mus doch gesteupet sein / Thuts der Vater nicht / So thuts Meister Hans / da wird nicht anders aus / Niemand ist jm je entlauffen / denn es ist Gottes gericht.

Denn / wo du jn mit den Ruten hewest / So darff man jn nicht tödten.

14Du hewest jn mit der Ruten / Aber du errettest seine Seele von der Hellen.

15MEIN SON SO DU WEISE bist / So frewet sich auch mein hertz.

16Vnd meine nieren sind fro / Wenn deine lippen reden was Recht ist.

17Dein hertz folge nicht den Sündern / Sondern sey teglich in der furcht des HERRN.

18Denn es wird her nach gut sein / Vnd dein warten wird nicht feilen.

19Höre mein Son vnd sey weise / Vnd richte dein hertz in den weg.

20Sey nicht vnter den Seuffern / vnd Schlemmern.

Sup. 21.

21Denn die seuffer vnd schlemmer verarmen / Vnd ein Schleffer mus zurissen Kleider tragen.

22Gehorche deinem Vater der dich gezeugt hat / Vnd verachte deine Mutter nicht / wenn sie alt wird.

23Keuffe Warheit / vnd verkeuffe sie nicht / Weisheit / zucht vnd verstand.

24EJN VATER DES GErechten frewet sich / Vnd wer einen Weisen gezeugt hat / ist frölich drüber. ‖

‖ 339b

25Las sich deinen Vater vnd deine Mutter frewen / Vnd frölich sein die dich gezeuget hat.

26Gib mir / mein Son / dein hertz / Vnd las deinen augen meine wege wol gefallen.

27Denn eine Hure ist ein tieffe grube / Vnd die Ehebrecherin ist ein enge grube.

Sup. 22.

28Auch lauret sie wie ein Rauber / Vnd die Vrechen vnter den Menschen samlet sie zu sich.

29WO ist weh? wo ist leid? wo ist zanck? Wo ist klagen? wo sind wunden on vrsach? wo sind rote Augen?

30Nemlich wo man beim Wein ligt / Vnd kompt auszusauffen was ein geschenckt ist.

31Sihe den Wein nicht an / das er so Rot ist / vnd im glase so schön stehet / Er gehet glat ein.

32Aber dar nach beist er wie eine Schlange / Vnd sticht wie eine Ottern.

33So werden deine augen nach andern Weibern sehen / Vnd dein hertz wird verkerete ding reden.

34Vnd wirst sein wie einer der mitten im Meer schlefft / Vnd wie einer schlefft oben auff dem Mastbaum.

35Sie schlahen mich / Aber es thut mir nicht weh / Sie kloppen mich / Aber ich füle es nicht.

36Wenn wil ich auffwachen? Das ichs mehr treibe.

a
(Folge)
Das ist / Las dich dein arm bös leben nicht verdriessen / das du den bösen in jrem guten leben wöllest folgen.

b
(Ordentlich)
Wens ördentlich im hause gehalten wird das schafft mehr denn grosse erbeit. Als wenn man gibt / wo / wenn / wem man sol etc. *Sic impetus non est fortis, sed consilium est potens.*

(Ertzbösewicht) Etliche sind so boshafftig / das sie jn selbs gern schaden thun / da mit jr Nehester noch grösser schaden leiden müsse. Als der jm lies ein auge ausstechen / das dem andern zwey augen ausgestochen würden.

a
(Starck)
Viel sind keck wenn es wol stehet / vnd fürchtet sich fur zehen nicht wenn er allein ist.

b
(Tödten)
Wie man die Christen vor zeiten vnd noch jmer erwürget / vnd lacht noch dazu. Oder spricht / wir verstehens nicht / Jch mus meines Herrn befelh gehen lassen vnd gehorsam sein.

c
(Honig)
Das ist / Brauche der Güter / so dir Gott gibt / vnd spare jr nicht dir zu nachteil.

d
(Ruge)
Als die der armen Heuser vnd Güter zu sich reissen / Oder sonst mit tücken ausbeissen.

e
(Felt)
Gott hilfft jmer wider auff dem Gerechten / wie offt er verdirbt vnd vertrieben wird.

## XXIIII.

FOLGE [a]NICHT BÖSEN Leuten / Vnd wündsche nicht bey jnen zu sein.

2Denn jr hertz trachtet nach schaden / Vnd jre lippen raten zu vnglück.

3DVrch Weisheit wird ein Haus gebawet / Vnd durch verstand erhalten.

4Durch [b]ördentlich haushalten werden die Kamer vol / Aller köstlicher lieblicher Reichthum.

5Ein weiser Man ist starck / Vnd ein vernünfftiger Man / ist mechtig von krefften.

6Denn mit Rat mus man krieg füren / Vnd wo viel Rat geben sind / da ist der Sieg.

7Weisheit ist dem Narren zu hoch / Er thar seinen mund im Thor nicht auffthun.

8Wer jm selbs schaden thut / Den heisst man billich einen Ertzbösewicht.

9Des Narren tücke ist sünde / Vnd der Spötter ist ein grewel fur den Leuten.

10Der ist nicht [a]starck / Der in der not nicht fest ist.

11ERrette die so man [b]tödten wil / Vnd entzeuch dich nicht von denen / die man würgen wil.

12Sprichstu / sihe / Wir verstehens nicht / Meinstu nicht der die hertzen weiset / merckets? vnd der auff die seelen acht hat / kennets? Vnd vergilt dem Menschen nach seinem werck.

13JSs mein Son / [c]honig / denn es ist gut / Vnd honigseim ist süss in deinem halse.

14Also lerne die Weisheit / Fur deine Seelen. Wenn du sie findest / So wirds hernach wolgehen / Vnd deine hoffnung wird nicht vmb sonst sein.

15Laure nicht als ein Gottloser auff das haus des Gerechten / Verstöre seine [d]ruge nicht.

16Denn ein Gerechter [e]felt sieben mal vnd stehet wider auff / Aber die Gottlosen versincken in vnglück.

17FRewe dich des falles deines Feindes nicht / Vnd dein hertz sey nicht fro vber seinem Vnglück.

18Es möcht der HERR sehen vnd jm vbel gefallen / Vnd seinen zorn von jm wenden.

19ERzürne dich nicht vber den Bösen / Vnd eiuer nicht vber die Gottlosen.

20Denn der Böse hat nichts zu hoffen / Vnd die Leuchte der Gottlosen wird verlesschen.

21MEin kind / fürchte den HERRN vnd den König / Vnd menge dich nicht vnter die Auffrürischen.

|| 340a

[22]Denn jr Vnfal wird plötzlich entste||hen / Vnd wer weis wenn beider vnglück kompt?

DJs kompt auch von den Weisen / Der person ansehen im Gericht ist nicht gut.

[24]Wer zum Gottlosen spricht / du bist From / Dem fluchen die Leute / vnd hasset das Volck.

[25]Welche aber straffen / die gefallen wol / Vnd kompt ein reicher Segen auff sie.

[26]Ein richtiges antwort / Jst wie ein lieblicher Kuss.

[27]Richte draussen dein gescheffte aus / Vnd erbeite deinen acker / Darnach bawe dein haus.

Sup. 14.

[28]Sey nicht Zeuge on vrsach wider deinen Nehesten / Vnd betreug nicht mit deinem munde.

Sup. 20.

[29]Sprich nicht / Wie man mir thut / so wil ich wider thun / Vnd eim jglichen sein werck vergelten.

[30]JCh gieng fur dem acker des Faulen / Vnd fur dem Weinberg des Narren.

[31]Vnd sihe / da waren eitel Nessel drauff vnd stund vol Disteln / Vnd die maur war eingefallen.

[32]Da ich das sahe / nam ichs zu hertzen / Vnd schawet vnd lernete dran.

Sup. 6.

[33]Du wilt ein wenig schlaffen vnd ein wenig schlummern / vnd ein wenig die hende zu samen thun / das du rugest.

[34]Aber es wird dir dein armut komen wie ein Wanderer / vnd dein mangel / wie ein gewapneter Man.

Also verziehen die Faulen jre sachen / Morgen morgen etc. Ey es kompt noch wol etc. Jtem / Es ist bald geschehen etc.

## XXV.

DJs sind auch Sprüche Salomo / Die hin zu gesetzt haben die menner Hiskia / des königes Juda.

[2]Es ist Gottes ehre / eine sache [a]verbergen / Aber der Könige ehre ist ein sache erforschen.

a (Verbergen) Jn Gottes Regiment sollen wir nicht klug sein / vnd wissen wöllen / warumb? sondern alles gleuben. Aber im weltlichen Reich / sol ein Herr wissen vnd fragen / warumb? vnd niemand nichts vertrawen.

[3]DER Himel ist hoch vnd die Erden tieff / Aber der Könige hertz ist vnerforschlich.

[4]Man thu den Schawm vom silber / So wird ein rein Gefess draus.

[5]Man thu Gottlos wesen vom Könige / So wird sein thron mit Gerechtigkeit bestetiget.

[6]PRange nicht fur dem Könige / Vnd trit nicht an den ort der Grossen.

Luc. 14.

[7]Denn es ist dir besser das man zu dir sage / Trit hie er auff / Denn das du fur dem Fürsten genidrigt wirst / das deine augen sehen müssen.

[8]FAre nicht bald er aus zu zancken / Denn was wiltu hernach machen / wenn du deinen Nehesten geschendet hast?

[9]Handel deine Sache mit deim Nehesten / Vnd

offenbar nicht eins andern heimligkeit / [10]Auff das dirs nicht vbel spreche / der es höret / vnd dein böse Gerücht nimer ablasse.

[11]EJn wort geredt zu seiner zeit / Jst wie gülden Epffel in silbern Schalen.

(Gülden Epffel) Als Pomerantzen vnd Citrin.

[12]WEr einen Weisen strafft der jm gehorcht / Das ist wie ein gülden Stirnband vnd gülden Halsband.

[13]WJe die külde des schnees zur zeit der Erndte / So ist ein getrewer Bote dem der jn gesand hat / vnd erquickt seines Herrn seele.

(Külde) Ein trewer Diener oder Vnterthan ist nicht zu bezalen.

[14]Wer viel geredt vnd helt nicht / Der ist wie wolcken vnd wind on regen.

(Viel) Wie die welt thut. Gute wort / vnd nichts da hinden. Sup. 15.

[15]DVrch gedult wird ein Fürst versünet / Vnd eine linde Zunge bricht die hertigkeit.

[16]Finstu Honig / so iss sein gnug / Das du nicht zu sat werdest / vnd speiest es aus.

[17]Entzeuch deinen fus vom hause deines Nehesten / Er möcht dein vberdrüssig vnd dir gram werden.

[18]Wer wider seinen Nehesten falsch Zeugnis redet / Der ist ein Spies / Schwert vnd scharffe Pfeil.

Sup. 19.

[19]Die hoffnung des Verachters zur zeit der not / Jst wie ein fauler Zan vnd gleitender fus.

[20]Wer eim bösen hertzen Lieder [b]singet / Das ist wie ein zurissen Kleid im winter / vnd Essig auff der kreiten.

[21]HVNGERT [c]DEINEN Feind / so speise jn mit Brot / Dürstet jn / so trencke jn mit wasser. || [22]Denn du wirst kolen auff sein Heubt heuffen / Vnd der HERR wird dirs vergelten.

b (Singt) Denn er wird doch erger oder stöltzer dadurch. Vnd mit solchen Leuten ists (wie man sagt) Der erste zorn || 340b der beste / Denn er höret doch nicht auff bis er zu letzt einen zorn anrichte.

c Rom. 12.

[23]Der Nordwind vertreibt Regen / Vnd sawer sehen heimliche Zungen.

[24]Es ist besser im Winckel auff dem dache sitzen / Denn bey eim zenckischen Weibe in einem hause beysamen.

[25]EJn gut Gerücht aus fernen Landen / Jst wie kalt wasser einer dürstigen Seele.

[26]Ein Gerechter der fur eim Gottlosen fellt / Jst wie ein betrübt brun vnd verderbete quell.

[27]Wer zu viel Honig isset / Das ist nicht gut / Vnd wer schweer ding forschet / dem wirds zu schweer.

[28]Ein Man der seinen geist nicht halten kan / Jst wie eine offene Stad on mauren.

## XXVI.

WJE DER SCHNEE IM Sommer / vnd regen in der Erndte / Also reimet sich dem Narren ehre nicht.

Ehre ist / gut / reichthum vnd alles da man ehre von hat.

[2]Wie ein Vogel da hin feret vnd eine Schwalbe fleuget / Also ein vnuerdienet Fluch trifft nicht.

[3]Dem Ross ein geissel / vnd dem Esel ein zaum / Vnd dem Narren eine Ruten auff den rücken.

[4]Antworte dem Narren nicht nach seiner narrheit / Das du jm nicht auch gleich werdest.

[5]Antworte aber dem Narren nach seiner narrheit / Das er sich nicht weise lasse düncken.

[6]Wer eine Sache durch einen törichten Boten ausrichtet / Der ist wie ein Lamer an füssen / vnd nimpt schaden.

[7]Wie einem Kröpel das tantzen / Also stehet den Narren an von Weisheit reden.

Narren sollen nicht klug sein Vnd wöllen doch jmer klügeln.

[8]Wer einem Narren ehre anlegt / Das ist als wenn einer einen Edlenstein auff den Rabenstein würffe.

(Dornzweig) Wenn ein Trunckenbold ein Dornpusch in der hand tregt / vnd gauckelt / So kratzt er mehr da mit denn das er die Rosen zu riechen gebe. Also thut ein Narr / mit der schrifft oder Rechtspruch offt mehr schaden denn fromen.

[9]Ein Spruch in eins Narren mund / Jst wie ein Dornzweig der in eins Truncken hand sticht.

[10]Ein guter Meister macht ein ding recht / Aber wer einen Hümpler dinget / dem wirds verderbet.

[11]WIE EIN [a]HUND SEIN gespeiets wider frisst / Also ist der Narr der seine narrheit wider treibt.

a 2. Pet. 2.

[12]Wenn du einen sihest / der sich Weise düncket / Da ist an eim Narren mehr hoffnung denn an jm.

[13]DEr Faule spricht / Es ist ein junger Lew auff dem wege / Vnd ein Lew auff den gassen.

[14]Ein Fauler wendet sich im bette / Wie die thür in der angel.

[15]Der Faule verbirgt seine hand in dem töpffen / Vnd wird jm saur / das er sie zum munde bringe.

Sup. 19.

[16]Ein Fauler dunckt sich weiser / Denn sieben die da Sitten leren.

(Dunckt) Das sind sie / die ander Leute thun leren vnd richten / vnd sie selbs doch nichts bessers thun können noch wöllen / Ein verdrieslich Volck.

[17]WEr furgehet vnd sich menget in frembden hadder / Der ist wie einer der den Hund bey den ohren zwecket.

[18]Wie einer heimlich mit geschos vnd pfeilen scheust vnd tödtet / [19]Also thut ein falscher Mensch mit seinem Nehesten / vnd spricht darnach / Jch hab geschertzt.

(Geschertzt) Feilet jm sein böser anschlag so hat er geschertzt / vnd weis sich fein zu entschüldigen. Were jm aber lieber / das er nicht gefeilet hette.

[20]WEnn nimer holtz da ist / so verlescht das fewr / Vnd wenn der Verleumbder weg ist / so höret der hadder auff.

[21]Wie die kolen ein glut vnd holtz ein fewr / Also richt ein zenckischer Man hadder an.

[22]Die wort des Verleumbders sind wie schlege / Vnd sie gehen durchs hertz.

Sup. 18.

[23]Gifftiger mund vnd böses hertz / Jst wie ein

Scherben mit silberschaum vberzogen.

[24]Der Feind wird erkand bey seiner rede / Wiewol er im hertzen falsch ist.

[25]Wenn er seine stimme holdselig macht / so gleube jm nicht / Denn es sind sieben Grewel in seinem hertzen.

[26]Wer den Hass heimlich helt schaden zu thun / Des bosheit wird fur der Gemeine offenbar werden.

Psal. 7.

[27]Wer eine Gruben macht / der wird || drein fallen / Vnd wer einen stein waltzet / auff den wird er komen.

|| 341 a

[28]Ein falsche Zunge hasset der jn straffet / Vnd ein Heuchelmaul richtet verderben an.

## XXVII.

Jaco. 4.

RHÜME DICH NICHT des morgendes tages / Denn du weissest nicht was heute sich begeben mag.

[2]Las dich einen andern loben / vnd nicht deinen Mund / Einen frembden / vnd nicht deine eigen lippen.

[3]Stein ist schweer / vnd sand ist last / Aber des Narren zorn ist schwerer denn die beide.

[4]Zorn ist ein wütig ding / vnd Grim ist vngestüm / Vnd wer kan fur dem Neid bestehen?

[5]Offentliche straffe ist besser / Denn heimliche liebe.

[6]Die schlege des Liebhabers meinens recht gut / Aber das küssen des Hassers ist ein gewessch.

Hiob. 6.

[7]Ein volle Seele zutrittet wol honigseim / Aber einer hungerigen Seel ist alles bitter süsse.

[8]Wie ein Vogel ist der aus seinem nest weicht / Also ist der von seiner Stete weicht.

(Vogel) Las dich kein anfechtung von deinem Befelh treiben / Halt feste / es wirds Gott wol gut machen.

[9]DAS hertz frewet sich der Salben vnd Reuchwerg / Aber ein Freund ist lieblich / vmb rats willen der Seelen.

[10]Deinen Freund vnd deines Vaters freund verlas nicht / Vnd gehe nicht ins haus deines Bruders / wenn dirs vbel gehet / Denn ein Nachbar ist besser in der nehe / weder ein Bruder in der ferne.

Alte Freunde die besten.

Frembde thun mehr guts / denn eigen Freunde.

[11]SEy weise mein Son / so frewet sich mein hertz / So wil ich antworten dem der mich schmehet.

Hüt dich fur der That / der Lügen wird wol rat.

[12]Ein Witziger sihet das vnglück / vnd verbirget sich / Aber die Albern gehen durch / vnd leiden schaden.

Sup. 21. 22.

[13]Nim dem sein Kleid / der fur ein andern Bürge wird / vnd pfende jn vmb der Frembden willen.

[14 a]Wer seinen Nehesten mit lauter stim segenet vnd früe auffstehet / Das

[a] Das ist / Wer seer schilt / der lobt / vnd wer seer lobt / der schilt. Denn man gleubt jnen nicht / weil sie es zu gros machen.

wird jm fur ein Fluch gerechnet.

[15]EJN ZENCKISCH WEIB vnd stetigs trieffen wens seer regent / Werden wol mit einander vergleicht.

[16]Wer sie auff helt / der helt den Wind / Vnd wil das Ole mit der hand fassen.

[17]Ein Messer wetzt das ander / Vnd ein Man den andern.

[18]Wer seinen Feigenbawm bewaret / der isset Früchte dauon / Vnd wer seinen Herrn bewaret / wird geehret.

(Scheme) Das ist / Wie der scheme im wasser wackelt vnd vngewis ist. Also sind auch die hertzen. Es heisset / Trawe nicht. Jnfr. 30.

[19]Wie der Scheme im wasser ist gegen das Angesicht / Also ist eins Menschen hertz gegen dem andern.

Eccl. 14.

[20]Helle vnd Verderbnis werden nimer vol / Vnd der Menschen augen sind auch vnsettig.

(Lobers) Wer sich gern loben höret / wird billich betrogen / Denn er beweiset da mit das er ein loser Man sey / der sein ehre vber alles recht liebt.

[21]Ein Man wird durch den mund des Lobers bewert / Wie das Silber im tigel / vnd das Gold im ofen.

[22]Wenn du den Narren im Mörser zu stiessest mit dem stempffel wie grütze / So liesse doch seine Narrheit nicht von jm.

[23]AVff deine Schafe hab acht / Vnd nim dich deiner Herde an.

(Krone) Das ist / Die herrschafft im hause / Als solt er sagen / Las dir gnügen an dem / das fur handen ist / hie ist nicht bleibens.

[24]Denn Gut weret nicht ewiglich / Vnd die Krone weret nicht fur vnd fur.

[25]Das hew ist auffgangen / vnd ist da das gras / Vnd wird kraut auff den bergen gesamlet.

[26]Die Lemmer kleiden dich / Vnd die Böck geben dir das ackergelt.

[27]Du hast Ziegen milch gnug zur speise deins hauses / Vnd zur narung deiner Dirnen.

## XXVIII.

Leui. 26. (Fleucht) Eigen Gewissen ist mehr denn tausent Zeugen.

DER GOTTLOSE fleucht / vnd niemand jaget jn / Der Gerecht aber ist getrost wie ein junger Lew.

[2]Vmb des Lands sunde willen / werden viel enderunge der Fürstenthüme / Aber vmb der Leute willen die verstendig vnd vernünfftig sind bleiben sie lang. ‖

‖ 341 b

[3]Ein armer Man der die Geringen beleidigt / Jst wie ein Melthaw der die Frucht verderbt.

[4]Die das Gesetz verlassen / loben den Gottlosen / Die es aber bewaren sind vnwillig auff sie.

[5]Böse Leute mercken nicht auffs Recht / Die aber nach dem HERRN fragen / mercken auff alles.

Sup. 19.

[6]Es ist besser ein Armer der in seiner frömkeit gehet / Denn ein Reicher der in verkereten wegen gehet.

[7]Wer das Gesetz bewart / ist ein verstendig Kind / Wer aber Schlemmer neeret / schendet seinen Vater.

[8]Wer sein Gut mehret mit wucher vnd vbersatz / Der samlet es zu nutz der Armen.

[9]Wer sein Ohre abwendet zu hören das Gesetz / Des gebet ist ein grewel.

[10]Wer die Fromen verfüret auff bösem wege / Der wird in seine Gruben fallen / Aber die Fromen werden guts ererben.

[11]Ein Reicher dünckt sich weise sein / Aber ein armer verstendiger merckt jn.

Jnfr. 29.

[12]Wenn die Gerechten vberhand haben / so gehets seer fein zu / Wenn aber Gottlosen auffkomen / wendet sichs vnter den Leuten.

[13]Wer seine Missethat leugnet / dem wird nicht gelingen / Wer sie aber bekennet vnd lesst / der wird Barmhertzigkeit erlangen.

[14]Wol dem der sich allwege fürcht / Wer aber Halstarrig ist / wird in vnglück fallen.

[15]Ein Gottloser der vber ein arm Volck regiert / Das ist ein brüllender Lew vnd giriger Beer.

[16]Wenn ein Fürst on verstand ist / so geschicht viel vnrechts / Wer aber den Geitz hasset / der wird lange leben.

[17]Ein Mensch der am blut einer Seelen vnrecht thut / Der wird nicht erhalten / ob er auch in die Helle füre.

[18]Wer from einher gehet / wird genesen / Wer aber verkerets weges ist / wird auff ein mal zufallen.

[19]Wer seinen Acker bawet / wird brots gnug haben / Wer aber müssiggang nachgehet / wird Armuts gnug haben.

Sup. 12.

[20]Ein trewer Man wird viel gesegenet / Wer aber eilet Reich zu werden / wird nicht vnschüldig bleiben.

1. Timot. 6.

[21]Person ansehen ist nicht gut / Denn er thet vbel auch wol vmb ein stück Brots.

[22]Wer eilet zum Reichthum vnd ist neidisch / Der weis nicht das jm vnfal begegenen wird.

[23]Wer einen Menschen strafft / wird her nach gunst finden / Mehr denn der da heuchelt.

[24]Wer seinem vater oder Mutter nimpt vnd spricht / es sey nicht sünde / Der ist des verderbers Geselle.

Matth. 15.

[25]Ein Stoltzer erweckt zanck / Wer aber auff den HERRN sich verlesst / wird fett.

[26]Wer sich auff sein hertz verlesst / ist ein Narr / Wer aber mit Weisheit gehet / wird entrinnen.

[27]Wer dem Armen gibt / dem wird nicht mangeln / Wer aber seine augen ab wendet / Der wird seer verderben.

Deut. 15.
2. Cor. 9.

[28]Wenn die Gottlosen auffkomen / so verber-

gen sich die Leute / Wenn sie aber vmbkomen / wird der Gerechten viel.

XXIX.

WER WIDER DIE straffe hals starrig ist / Der wird plötzlich verderben on alle Hülffe.

[2]Wenn der Gerechten viel ist / frewet sich das Volck / Wenn aber der Gottlose herrschet / seufftzet das volck.

[3]Wer Weisheit liebt / erfrewet seinen Vater / Wer aber mit Huren sich neeret / kompt vmb sein Gut.

Luc. 15.

[4]EJn König richt das Land auff durchs Recht / Ein [a]Geitziger aber verderbet es.

a Der das Land schetzet.

[5]Wer mit seinem Nehesten heuchelt / Der breit ein Netz zu seinen fusstappen.

[6]Wenn ein Böser sündiget / verstrickt er sich selbs / Aber ein Gerechter frewet sich vnd hat wonne. ‖

‖ 342a

[7]Der Gerechte erkennet die sache der Armen / Der Gottlos achtet kein Vernunfft.

[8]Die Spötter bringen frechlich eine Stad in vnglück / Aber die Weisen stillen den zorn.

(Spötter) Es faren offt die Rete frey hinein / fragen nichts darnach das sie eine Stad oder Fürsten in ein vnglück bringen / daraus sie in viel jaren nicht komen.

[9]Wenn ein Weiser mit eim Narren zu handeln kompt / Er zürne oder lache / So hat er nicht ruge.

[10]Die Blutgirigen hassen den Fromen / Aber die Gerechten süchen seine Seele.

[11]Ein Narr schütt seinen Geist gar aus / Aber ein Weiser helt an sich.

[12]Ein Herr der zu lügen lust hat / Des Diener sind alle gottlos.

[13]Arme vnd Reichen begegen einander / Aber beider augen [a]erleuchtet der HERR.

(Reichen) Heisst hie einen reichen der wuchern kan / wie sie denn gemeiniglich alle wuchern / Wie Jsa. 53. den reichen auch Gottlos nennet.

a (Erleuchtet) Tröstet vnd gibt gnug.

[14]Ein König der die Armen trewlich richtet / Des thron wird ewiglich bestehen.

[15]RUTE VND STRAFFE gibt Weisheit / Aber ein Knabe jm selbs gelassen schendet seine Mutter.

[16]Wo viel Gottlosen sind / da sind viel sünde / Aber die Gerechten werden jren fal erleben.

[17]ZÜCHTIGE DEINEN SON / so wird er dich ergetzen / Vnd wird deiner Seelen sanfft thun.

Kinder straffe.

[18]Wenn die Weissagung aus ist / wird das Volck wild vnd wüst / Wol aber dem der das Gesetze handhabet.

(Weissagung) On Gottes wort kan der Mensch nichts anders thun / denn Abgötterey vnd seinen willen treiben.

[19]Ein Knecht lesst sich mit worten nicht züchtigen / Denn ob ers gleich verstehet / nimpt er sichs doch nicht an.

[20]Sihestu einen schnell zu reden / Da ist am Narren mehr hoffnung / denn an jm.

[21]Wenn ein Knecht von jugent auff zertlich gehalten wird / So wil er

darnach ein jungkherr sein.

[22]Ein zornig Man richtet hadder an / Vnd ein Grimmiger thut viel sünde.

[23]Die hoffart des Menschen wird jn stürtzen / Aber den Demütigen wird Ehre empfahen.

Hiob. 22.

[24]Wer mit Dieben teil hat / höret fluchen / vnd sagets nicht an / Der hasset sein Leben.

[25]Fur Menschen sich schewen bringet zu fall / Wer sich aber auff den HERRN verlesset / wird beschützt.

[26]Viel suchen das angesicht eins Fürsten / Aber eins jglichen Gericht kompt vom HERRN.

(Fürsten) Auff Fürsten gnade sich verlassen / on Gott / das ist vmb sonst.

[27]Ein vngerechter Man ist dem Gerechten ein grewel / Vnd wer rechts wegs ist / der ist des Gottlosen grewel.

## XXX.

DJS SIND DIE WORT Agur des sons Jake / Lere vnd rede des mans Leithiel / Leithiel vnd Vchal.

Dis sihet / als ein Zusatz eins weisen Mans / vnter die Sprüche Salomo.

[2]DEnn ich bin der aller nerrischt / vnd Menschen verstand ist nicht bey mir. [3]Jch hab Weisheit nicht gelernet / vnd was Heilig sey / weis ich nicht. [4]Wer feret hin auff gen Himel vnd er ab? Wer fasset den Wind in seine hende? Wer bindet die Wasser in ein Kleid? Wer hat alle Ende der welt gestellet? Wie heisst er? vnd wie heisst sein Son? Weistu das?

(Nerrischt) Weise leute erkennen / das jre weisheit nichts sey. Narren wissen alles vnd können nicht jrren.

[5]ALLE WORT GOTTES sind durchleutert / vnd sind ein Schild denen / die auff jn trawen.

Psal. 18.

[6]Thu nichts zu seinen worten / Das er dich nicht straffe / vnd werdest Lügenhafftig erfunden.

Deut. 4. 12.

ZWEIERLEY BITTE ICH von dir / die woltestu mir nicht wegern / ehe denn ich sterbe. [8]Abgötterey vnd Lügen las ferne von mir sein / Armut vnd Reichthum gib mir nicht / Las mich aber mein bescheiden Teil speise da hin nemen. [9]Jch möcht sonst / wo ich sat würde / verleugnen vnd sagen / Wer ist der HERR? Oder wo ich zu Arm würde / möcht ich stelen / vnd mich an dem Namen meines Gottes vergreiffen.

(Abgötterey) Ein fein Gebet ist das / Er begert Gottes wort / vnd sein teglich Brot / das er hie vnd dort lebe.

[10]Verrate den Knecht nicht gegen seinem Herrn / Er möcht dir fluchen / vnd du die schuld tragen müssest.

[11]ES ist eine Art / die jrem Vater fluchet / Vnd jre Mutter nicht segenet. ‖

‖ 342b

[12]Eine Art / die sich rein dünckt / Vnd ist doch von jrem Kot nicht gewasschen.

[13]Eine Art / die jre augen hoch tregt / Vnd jr augenlied empor helt.

[14]Eine Art die Schwerter fur zeene hat / Die mit jren Backenzeenen frisset / vnd verzehret die elenden im Lande / vnd die armen vnter den Leuten.

[15]Die Eigel hat zwo töchter / Bring her / bring her.

Sup. 27.

DRey ding sind nicht zu settigen / vnd das vierde spricht nicht / Es ist gnug. [16]Die Hell / Der frawen verschlossen Mutter / Die Erde wird nicht wassers sat / Vnd das Fewr spricht nicht / Es ist gnug.

Das heisst / An den Galgen komen.

[17]EJn auge das den Vater verspottet / vnd veracht der Mutter zugehorchen / Das müssen die Raben am bach aushacken / vnd die jungen Adeler fressen.

[18]DRey sind mir zu wünderlich / vnd das Vierde weis ich nicht / [19]des Adelers weg im Himel / Der Schlangen weg auff eim Felsen / Des Schiffes weg mitten im meer / Vnd eins Mans weg an einer Magd. [20]Also ist auch der weg der Ehebrecherin / die verschlinge? vnd wischet jr maul / vnd spricht / Jch hab kein vbels gethan.

(Magd) Das ist / Liebe ist nicht aus zu dencken noch zusprechen.

[21]EJn Land wird durch dreierley vnrügig / vnd das vierde mag es nicht ertragen. [22]Ein Knecht wenn er König wird / Ein Narr wenn er zu sat ist / [23]Eine Feindselige / wenn sie geehelicht wird / Vnd eine Magd / wenn sie jrer Frawen Erbe wird.

[24]VJer sind klein auff Erden / vnd klüger denn die Weisen. [25]Die Eimmeisen ein schwach volck / Dennoch schaffen sie im Sommer jre speise / [26]Caninichen ein schwach volck / Dennoch legts sein haus in den felsen / Hewschrekken haben keinen König / [27]Dennoch ziehen sie aus gantz mit hauffen / [28]Die Spinne wirckt mit jren henden / vnd ist in der Könige schlösser.

[29]DReierley haben einen feinen gang / vnd das vierde gehet wol. [30]Der Lew mechtig vnter den Thieren / vnd keret nicht vmb fur jemand / [31]Ein Wind von guten lenden. Vnd ein Widder / Vnd der König / wider den sich niemand thar legen.

[32]HAstu genarret vnd zu hoch gefaren vnd böses fürgehabt / So leg die hand auffs maul.

(Genarret) Scheme dich nicht / wo du etwas gefeilet hast vnd verteidige es nicht. Denn feilen ist menschlich / verteidigen ist Teufelisch.

[33]WEnn man milch stösst / so machet man butter draus / Vnd wer die nasen hart schneutzt / zwingt blut er aus / Vnd wer den Zorn reitzet / zwingt hadder er aus.

## XXXI.

DJs sind die wort des Königes La-

Das ist aber ein Zusatz eins Königes zu den Sprüchen Salomo.

muel / Die Lere die jn seine Mutter leret.

[2]AH mein Ausserwelter / Ah du son meins Leibs / Ah mein gewündschter Son.

[3]Las nicht den Weibern dein vermügen / vnd gehe die wege nicht / darin sich die Könige verderben. [4]O nicht den Königen / Lamuel gib den Königen nicht Wein zu trincken / noch den Fürsten starck Getrencke. [5]Sie möchten trincken vnd der Recht vergessen / vnd verendern die Sachen jrgend der elenden Leute.

(Verderben) Wie die thun / so veriagt oder erstochen werden / oder sonst schendlich vmbkomen.

[6]GEbt starck Getrencke denen / die vmbkomen sollen / vnd den Wein den betrübten Seelen / [7]Das sie trincken / vnd jres elends vergessen / vnd jres vnglücks nicht mehr gedencken.

Eccle. 13.

[8]THu deinen mund auff fur die Stummen / Vnd fur die sache aller die verlassen sind.

[9]Thu deinen mund auff vnd richte recht / Vnd reche den Elenden vnd Armen.

WEM EIN TUGENTSAM Weib bescheret ist / Die ist viel Edler denn die köstlichsten Perlen.

Sup. 18.

(Edler) Nicht liebers ist auff Erden / Denn Frawlieb / wems kan werden.

[11]Jrs Mans hertz thar sich auff sie verlassen / vnd Narung wird jm nicht mangeln / [12]Sie thut jm liebs vnd kein leids / sein leben lang.

[13]Sie gehet mit Wolle vnd Flachs vmb / Vnd erbeitet gerne mit jren henden. ||

||343a

[14]Sie ist wie ein Kauffmans schiff / Das seine Narung von ferne bringet.

[15]Sie stehet des nachts auff / vnd gibt Futter jrem Hause / Vnd essen jren Dirnen.

[16]Sie denckt nach eim Acker / vnd keufft jn / Vnd pflantzt einen Weinberg von den früchten jrer Hende.

[17]Sie gürtet jre Lenden fest / Vnd sterckt jre Arme.

Das ist / Sie ist rüstig im Hause.

[18]Sie merckt wie jr Handel fromen bringet / Jr Leuchte verlesscht des [a]nachts nicht.

(Fromen) Verhütet schaden / vnd sihet was fromet.

a (Des nachts) Jn der not / hat sie notdurfft.

[19]Sie streckt jre Hand nach dem Rocken / Vnd jre Finger fassen die Spindel.

[20]Sie breitet jre Hende aus zu den Armen / Vnd reichet jre Hand dem Dürfftigen.

[21]Sie fürcht jres Hauses nicht fur dem schnee / Denn jr gantzes Haus hat zwifache Kleider.

[22]Sie macht jr selbs Decke / Weisse seiden vnd purpur ist jr Kleid.

[23]JR Man ist berhümpt in den Thoren / Wenn er sitzt bey den Eltesten des Landes.

[24]SJe macht ein Rock vnd verkeufft jn / Einen Gürtel gibt sie dem Kremer.

[25]Jr Schmuck ist / das sie reinlich vnd vleissig ist / Vnd wird hernach lachen. [26]Sie thut jren mund auff mit Weisheit / Vnd auff jrer zungen ist holdselige Lere.

(Mund) Zeucht jr Kindlin vnd Gesind fein zu Gottes wort.

[27]Sie schawet / wie es in jrem Hause zu gehet / Vnd isset jr Brot nicht mit faulheit.

[28]JRe Söne komen auff vnd preisen sie selig / Jr Man lobet sie. [29]Viel Töchter bringen Reichthum / Du aber vbertriffst sie alle.

[30]Lieblich vnd schöne sein ist Nichts / Ein Weib das den HERRN fürcht / sol man loben. [31]Sie wird gerhümbt werden von den früchten jrer Hende / Vnd jre werck werden sie loben in den Thoren.

Das ist / Eine fraw kan bey einem Manne ehrlich vnd göttlich wonen / vnd mit gutem gewissen Hausfraw sein / Sol aber darüber vnd darneben Gott fürchten / gleuben vnd beten.

Ende der Sprüche Salomo.

# DER PREDIGER SALOMO.

## I.

DJs sind die Rede des Predigers / des sons Dauids / des Königes zu Jerusalem.

[2]ES ist alles gantz Eitel / sprach der Prediger / Es ist alles gantz eitel. [3]Was hat der Mensch mehr von all seiner mühe / die er hat vnter der Sonnen? [4]Ein Geschlecht vergehet / das ander kompt / Die Erde bleibet saber ewiglich. [5]Die Sonne gehet auff vnd gehet vnter / vnd leufft an jren Ort / das sie wider herumb an den Ort da er anfieng. [7]Alle mittag / vnd kompt herumb zur mitternacht / vnd wider herumb an den Ort da er anfieng. [7]Alles Wasser lauffen ins Meer / noch wird das meer nicht völler / An den Ort da sie her fliessen / fliessen sie wider hin. ‖

‖ 343 b

ES ist alles thun so vol mühe / das niemand ausreden kan. Das Auge sihet sich nimer sat / vnd das Ohr höret sich nimer sat. [9]Was ists das geschehen ist? Eben das hernach geschehen wird. Was ists das man gethan hat? Eben das man hernach wider thun wird / Vnd geschicht nichts newes vnter der Sonnen. [10]Geschicht auch etwas dauon man sagen möcht / Sihe / das ist new? Denn es ist vor auch geschehen in vorigen zeiten / die vor vns gewesen sind. [11]Man gedenckt nicht / wie es zuuor geraten ist / Also auch des das hernach kompt / wird man

(Alles thun) Das ist / Der jamer vnd eitelkeit auff Erden ist grösser denn man sagen kan / vnd mus doch dauon reden in diesem Buch.

nicht gedencken / bey denen die hernach sein werden.

JCH Prediger war König vber Jsrael zu Jerusalem / [13]Vnd begab mein Hertz zu suchen vnd zu forschen weislich / alles was man vnter dem Himel thut. Solche vnselige mühe hat Gott den Menschen kindern gegeben / das sie sich drinnen müssen quelen. [14]Jch sahe an alles Thun das vnter der Sonnen geschicht / vnd sihe / es war alles eitel vnd jamer. [15]Krum kan nicht schlecht werden / noch der Feil gezelet werden.

[16]JCh sprach in meinem hertzen / Sihe / Jch bin herrlich worden / vnd hab mehr Weisheit / denn alle die vor mir gewesen sind zu Jerusalem / vnd mein Hertz hat viel gelernt vnd erfaren. [17]Vnd gab auch mein Hertz drauff / das ich lernete Weisheit vnd Torheit vnd Klugheit / Jch ward aber gewar / das solchs auch mühe ist. [18]Denn wo viel Weisheit ist / Da ist viel gremens / Vnd wer viel [a]leren mus / Der mus viel leiden.

a *Id est, Regere mundum.*

## II.

JCH SPRACH IN MEINEM HERTZEN / WOLAN / JCH wil wol leben vnd gute tage haben / Aber sihe / das war auch eitel. [2]Jch sprach zum lachen / Du bist toll / vnd zur freude / Was machstu?

DA dacht ich in meinem Hertzen / meinen Leib vom Wein zu ziehen / vnd mein Hertz zur Weisheit ziehen / das ich ergriffe was Torheit ist / Bis ich lernete / was den Menschen gut were / das sie thun solten / so lange sie vnter dem Himel leben.

[4]JCH thet grosse ding / Jch bawet Heuser / pflantzet Weinberge. [5]Jch macht mir Garten vnd Lustgarten / vnd pflantzet allerley fruchtbar Bewme drein. [6]Jch macht mir Teiche / das aus zu wessern den Wald der gruenden Bewme. [7]Jch hatte Knechte vnd Meide vnd Gesinde. Jch hatte ein grösser Habe an Rindern vnd Schafen / denn alle die vor mir zu Jerusalem gewesen waren. [8]Jch samlete mir auch Silber vnd Gold / vnd von den Königen vnd Lendern einen Schatz. Jch schafft mir Senger vnd Sengerin vnd wollust der Menschen / allerley Seitenspiel. [9]Vnd nam zu / vber alle die vor mir zu Jerusalem gewest waren / Auch bleib Weisheit bey mir. [10]Vnd alles was meine Augen wündschten / das lies ich jnen / vnd wehret meinem hertzen keine Freude / das es frölich war

(Wollust) Mit singen vnd springen / tantzen / vnd hupffen.

von aller meiner erbeit / Vnd das hielt ich fur mein Teil von aller meiner erbeit. [11]Da ich aber ansahe alle meine werck / die meine hand gethan hatte vnd mühe die ich gehabt hette / Sihe / da war es alles eitel vnd jamer / vnd nichts mehr vnter der Sonnen.

DA wand ich mich zu sehen die Weisheit / vnd Klugheit vnd Torheit / Denn wer weis / was der fur ein Mensch werden wird / nach dem König / den sie schon bereit gemacht haben? [13]Da sahe ich / das die Weisheit die Torheit vbertraff / wie das Liecht die Finsternis. [14]Das dem Weisen seine augen im Heubt stehen / Aber die Narren im finsternis gehen / vnd merckte doch / das eim gehet wie dem andern.

*Praesentem fastidiunt, futurum petunt,* vnd wissen doch nicht wie er geraten werde.

[15]DA dacht ich in meinem hertzen / Weil es denn dem Narren gehet wie mir / Warumb hab ich denn nach Weisheit gestanden? Da dacht ich in meinem Hertzen / Das solchs auch eitel sey. [16]Denn man gedenckt des Weisen nicht || jmerdar / eben so wenig als des Narren / vnd die künfftigen tage vergessen alles / Vnd wie der Weise stirbt / Also auch der Narre. [17]Darumb verdros mich zu leben / Denn es gefiel mir vbel was vnter der Sonnen geschicht / das es so gar eitel vnd mühe ist.

|| 344a

VND mich verdros alle meine Erbeit die ich vnter der Sonnen hatte / Das ich die selben einem Mensch lassen must / der nach mir sein solt / [19]Denn wer weis / ob er Weise oder Toll sein wird? Vnd sol doch herrschen in aller meiner Erbeit / die ich weislich gethan habe vnter der Sonnen / Das ist auch eitel.

[20]DARumb wand ich mich / das mein hertz ablicsse von aller Erbeit die ich thet vnter der Sonnen. [21]Denn es mus ein Mensch der seine Erbeit mit weisheit / vernunfft / geschickligkeit gethan hat / eim andern zum Erbteil lassen / der nicht dran geerbeitet hat / Das ist auch eitel vnd ein gros vnglück. [22]Denn was kriegt der Mensch von aller seiner erbeit vnd mühe seins Hertzen / die er hat vnter der Sonnen / [23]Denn alle seine lebtage schmertzen mit gremen vnd leid? Das auch sein Hertz des nachts nicht ruget / Das ist auch eitel.

JSts nu nicht besser dem Menschen / essen vnd trincken / vnd seine Seele guter dinge sein in seiner Erbeit? Aber solchs sahe ich auch / das von Gottes hand kompt. [25]Denn wer hat frölicher gegessen vnd sich ergetzt / denn ich? [26]Denn dem Menschen der jm gefelt / gibt er Weisheit / Vernunfft vnd Freude / Aber dem Sünder gibt er vnglück / Das er samle vnd heuffe / vnd doch dem geben werde / der Gott gefelt / Darumb ist das auch eitel jamer.

## III.

EJN JGLICHS HAT SEINE ZEIT / VND ALLES FÜRnemen vnter dem Himel hat seine stund.

[2]Geborn werden
Sterben
Pflantzen
Ausrotten das gepflantzt ist
[3]Würgen
Heilen
Brechen
Bawen
[4]Weinen
Lachen
Klagen
Tantzen
[5]Stein zestrewen
Stein samlen
Hertzen
Fernen von hertzen
[6]Suchen
Verlieren
Behalten
Wegwerffen
[7]Zureissen
Zuneen
Schweigen
Reden
[8]Lieben
Hassen
Streit
Fried
} hat seine zeit.

Wenn das stündlin nicht da ist / so richt man nichts aus / man thu wie man wil / Wens nicht sein sol / so wird nichts draus.

MAN erbeit wie man wil / So kan man nicht mehr ausrichten. [10]Da her sahe ich die mühe / die Gott den Menschen gegeben hat / das sie drinnen geplagt werden [11](Er aber thut alles fein zu seiner zeit) Vnd lesst jr Hertz sich engsten wie es gehen solle / in der Welt / Denn der Mensch kan doch nicht treffen das werck das Gott thut / weder anfang noch ende. [12]Darumb merckt ich / das nichts bessers drinnen ist / denn frölich sein / vnd jm gütlich thun in seinem Leben. [13]Denn ein jglicher Mensch der da isset vnd trinckt / vnd hat guten mut in alle seiner erbeit / Das ist eine gabe Gottes. ‖

‖ 344b

[14]JCH mercke / das alles was Gott thut / das bestehet jmer / man kan nichts da zu thun noch abthun / Vnd solchs thut Gott / das man sich fur jm fürchten sol. [15]Was Gott thut / das stehet da / Vnd was er thun wil / das mus werden / Denn er tracht vnd jagt jm nach.

Was er thut / das stehet / Was er wil / das gehet. Das ist / Er wanckt nicht / wird auch nicht verdrossen / wie ein Mensch / Er dringet durch.

WEiter sahe ich vnter der Sonnen stete des Gerichts / Da war ein Gottlos wesen / Vnd stete der Gerechtigkeit / da waren Gottlose. [17]Da dacht ich in meinem hertzen / Gott mus richten den Gerechten vnd Gottlosen / Denn es hat alles furnemen seine zeit / vnd alle werck.

JCH sprach in meinem hertzen von dem wesen der Menschen / darin Gott an zeigt / vnd lessts ansehen als weren sie vnter sie selbs wie das Vihe. [19]Denn es gehet dem Menschen wie dem Vihe / Wie dis stirbt / so stirbt das auch / vnd haben alle einerley odem / vnd der Mensch hat nichts mehr denn das Vihe / Denn es ist alles eitel. [20]Es feret alles an einen ort / Es ist alles von staub gemacht / vnd wird wider zu staub. [21]Wer weis / ob der odem der Menschen auffwerts fare / vnd der odem des Vihes vnterwerts vnter die Erden fare? [22]Darumb sage ich / das nichts bessers ist / Denn das ein Mensch frölich sey in seiner erbeit / Denn das ist sein Teil. Denn wer wil jn da hin bringen / das er sehe / was nach jm geschehen wird.

Das ist / Sorge nicht fur morgen / Denn du weissest nicht was werden wird. Las dir benügen heute / Morgen kompt auch tag vnd rat.

## IIII.

JCH WANDTE MICH / VND SAHE AN ALLE DIE VNrecht leiden vnter der Sonnen / Vnd sihe / da waren Threnen dere so vnrecht lidden / vnd hatten keinen Tröster / Vnd die jnen vnrecht thetten / waren zu mechtig / das sie keinen Tröster haben kundten. [2]Da lobet ich die Todten die schon gestorben waren / mehr denn die Lebendigen / die noch das Leben hatten / [3]Vnd der noch nicht ist / besser denn alle beide / vnd des bösen nicht inne wird / das vnter der Sonnen geschicht.

(Nicht ist) Der noch nicht in solchem vnglück lebet.

JCH sahe an Erbeit vnd Geschickligkeit in allen sachen / Da neidet einer den andern / Das ist je auch eitel vnd mühe. [5]aDenn ein Narr schlegt die finger in einander / vnd frisset sein fleisch. [6]Es

a Kan jemand etwas / so ist

man jm feind / vnd der Feind ist doch selbs ein Narr der nichts kan / denn das er fur hass sich selbs martert / Darumb ists je elend wesen auff Erden.

ist besser eine Hand vol mit ruge / Denn beide feuste vol mit mühe vnd jamer.

JCH wandte mich vnd sahe die Eitelkeit vnter der Sonnen. [8]Es ist ein Einzeler vnd nicht selb ander / vnd hat weder Kind noch Brüder / Noch ist seines erbeitens kein ende / vnd seine augen werden Reichthums nicht sat / Wem erbeite ich doch / vnd breche meiner Seelen ab? Das ist je auch eitel vnd ein böse mühe. [9]So ists je besser / zwey denn eins / Denn sie geniessen doch jrer Erbeit wol / [10]Fellet jr einer / so hilfft jm sein Gesell auff / Weh dem der alleine ist / wenn er felt / So ist kein ander da / der jm auffhelffe. [11]Auch wenn zwey bey einander ligen / wermen sie sich / Wie kan ein Eintzeler warm werden? [12]Einer mag vberweldiget werden / Aber zween mügen widerstehen / Denn ein dreifeltige Schnur reisset nicht leicht entzwey.

EJn arm Kind das weise ist / ist besser denn ein alter König / der ein Narr ist / vnd weis sich nicht zu hüten. [14]Es kompt einer aus dem Gefengnis zum Königreiche / Vnd einer der in seinem Königreiche geborn ist / verarmet. [15]Vnd ich sahe das alle Lebendige vnter der Sonnen wandeln bey eim andern Kinde / der an jenes stat sol auffkomen. [16]Vnd des Volcks das fur jm gieng / war kein ende / vnd des das jm nachgieng / Vnd worden sein doch nicht fro / Das ist je auch eitel vnd ein jamer.

(Lebendige) Heisst Salomo / die herrlich leben auff Erden / Als zu Hofe vnd sonst in prangen / Als were das Leben vnd die Welt jr eigen.

## V.

‖ 345 a

BEWARE [a]DEINEN FUS / WENN DU ZUM HAUSE Gottes gehest / vnd kom das du hörest. Das ist besser / denn der Narren opffer / Denn sie wissen nicht was sie böses thun.

1. Reg. 15. Osee. 6.

Hie leret er Gott fürchten vnd trawen / vnd from sein / in solchem elenden Leben.

SEy [b]nicht schnell mit deinem Munde / vnd las dein Hertz nicht eilen etwas zu reden / fur Gott. Denn Gott ist im Himel / vnd du auff Erden / Darumb las deiner wort wenig sein. [2]Denn wo viel sorgen ist / da komen Trewme / vnd wo viel wort sind / da höret man den Narren.

a Erstlich sey du from.

b Zum andern / Verfüre niemand.

WEnn du Gott ein Gelübde thust / so verzeugs nicht zu halten / Denn er hat kein gefallen an den Narren. Was du gelobest / das halt / [4]Es ist besser du gelobest nichts / denn das du nicht heltest was du gelobest.

Deut. 23.

VErhenge deinem Mund nicht / das er dein fleisch verfüre / Vnd sprich fur dem Engel nicht / Jch bin vnschüldig / Gott möcht erzürnen vber deine stim / vnd verdamnen alle werck deiner hende. [6]Wo viel Trewme sind / Da ist eitelkeit vnd viel wort / Aber fürchte du Gott.

SJhestu den Armen vnrecht thun / vnd Recht vnd Gerechtigkeit im Lande wegreissen / wunder dich des fürnemens nicht / Denn es ist noch ein hoher Hüter vber den Hohen / vnd sind noch Höher vber die beide / [8]Vber das ist der König im gantzen Lande / das feld zu hawen.

WEr Gelt liebt / wird Gelts nimer sat / Vnd wer Reichthum liebt / wird keinen nutz dauon haben / Das ist auch eitel. [10]Denn wo viel Guts ist / da sind viel die es essen / Vnd was geneusst sein der es hat / on das ers mit augen ansihet? [11]Wer erbeitet / dem ist der Schlaf süsse / er habe wenig oder viel gessen / Aber die fülle des Reichen lesst jn nicht schlaffen.

(Vnschüldig) Das ist / Verteidige deine verfürung nicht / wie die falschen geister vnd trewmer. Engel heisst hie die Priester vnd Lerer.

(Feld zu bawen) Das ist / Er herrschet vber alles / vnd handhabet das Land / das nicht zurfalle vnd verwüste / das denn eins Königs Ampt vnd namen ist.

ES ist ein böse Plage / die ich sahe vnter der Sonnen / Reichthum behalten zum schaden dem der jn hat. [13]Denn der Reiche kompt vmb mit grossem jamer / Vnd so er einen Son gezeugt hat / dem bleibt nichts in der hand. [14]Wie er nacket ist von seiner Mutterleibe komen / So feret er wider hin / wie er komen ist / vnd nimpt nichts mit sich von seiner Erbeit in seiner hand / wenn er hin feret. [15]Das ist eine böse Plage / das er hin feret / wie er komen ist / Was hilffts jn denn / das er in den wind geerbeitet hat? [16]Sein lebenlang hat er im finstern gessen / vnd in grossem gremen vnd kranckheit vnd trawrigkeit.

Hiob. 1.

SO sehe ich nu das fur gut an / das fein sey / Wenn man isset vnd trincket vnd guts muts ist / in aller Erbeit die einer thut vnter der Sonnen sein lebenlang / das jm Gott gibt / Denn das ist sein Teil. [18]Denn welchem Menschen Gott reichthum vnd güter vnd gewalt gibt / das er dauon isset vnd trinckt fur sein Teil / vnd frölich ist in seiner Erbeit / Das ist eine Gottes gabe. [19]Denn er denckt nicht viel an das elend Leben / weil Gott sein Hertz erfrewet.

Sup. 2.

## VI.

ES IST EIN VNGLÜCK DAS ICH SAHE VNTER DER Sonnen / vnd ist gemein bey den Menschen. [2]Einer dem Gott reichthum / güter vnd ehre gegeben hat / vnd mangelt jm keins / das sein hertz begert / Vnd Gott doch jm nicht macht gibt desselben zu geniessen / Sondern ein ander verzehret es / Das ist eitel vnd eine böse Plage. [3]Wenn er gleich hundert Kinder zeugete / vnd hette so langes Leben / das er viel jar vberlebete / vnd seine Seele settiget sich des guts nicht / vnd bliebe on Grab / Von dem spreche ich / Das ein vnzeitige Geburt besser sey denn er. [4]Denn in eitelkeit kompt er / vnd im finsternis feret er da hin / vnd sein name bleibt im finsternis bedeckt / [5]Wird der Sonnen nicht fro / vnd weis kein Ruge weder hie noch da. [6]Ob er auch zwey tausent Jar lebete / so hat er nimer keinen guten mut / Kompts nicht alles an einen Ort? ‖ ‖ 345 b

(On grab) Des man gern los ist / vnd sein Begrebnis nicht ehret.

EJm jglichen Menschen ist Erbeit auffgelegt / nach seiner masse / Aber das Hertz kan nicht dran bleiben. [8][a]Denn was richt ein Weiser mehr aus weder ein Narr? Was vnterstehet sich der Arme / das er vnter den [b]Lebendigen wil sein? [9]Es ist besser das gegenwertig Gut gebrauchen / Denn nach anderm gedencken / Das ist auch eitelkeit vnd jamer.

[10]WAs ists / wenn einer gleich hoch berhümbt ist / So weis man doch das er ein Mensch ist / Vnd kan nicht haddern mit dem das jm zu mechtig ist. [11]Denn es ist des eitel dings zu viel / Was hat ein Mensch mehr dauon?

a Sie sind beide Narren / der weise vnd der arme / Der weise wils mit seiner sorge ausrichten. So meinet der arme / O were ich in dem oder dem Stande / wie fein solt es zu gehen / Ja hinder sich.

b (Lebendigen) Die wolleben vnd zeren.

## VII.

DENN WER WEIS / WAS DEM MENSCHEN NÜTZ IST im Leben / so lange er lebet in seiner eitelkeit / welchs dahin feret / wie eine schatten? Oder wer wil dem Menschen sagen / was nach jm komen wird vnter der Sonnen?

(Nach jm) Wie sein Thun geraten vnd ein ende nemen wird.

EJN gut Gerücht ist besser denn gute Salbe / Vnd der tag des Tods / weder der tag der Geburt. [3]Es ist besser in das Klagehaus gehen / denn in das Trinckhaus / in jenem ist das ende aller Menschen / vnd der Lebendige nimpts zu hertzen. [4]Es ist trawren besser denn lachen / Denn durch trawren wird das hertz gebessert. [5]Das hertz der Weisen ist im Klaghause / Vnd das hertz der Narren im hause der freuden. [6]Es ist besser hören das schelten des Weisen / Denn hören den Gesang der Narren. [7]Denn das lachen des Narren ist das krachen der Dornen vnter den Töpffen / Vnd das ist auch eitel. [8]EJn widerspenstiger macht einen Weisen vnwillig / vnd verderbt ein milde hertz. [9]Das ende

Wenn das ende gut ist / So ist alles gut. Anfahen ist leicht.

eins dings ist besser / denn sein anfang / Ein gedültiger Geist ist besser / denn ein hoher Geist. [10]Sey nicht schnelles gemüts zu zürnen / Denn Zorn ruget im hertzen eins Narren. [11]Sprich nicht / Was ists / das die vorigen tage besser waren denn diese? Denn du fragest solchs nicht weislich. [12]Weisheit ist gut mit einem Erbgut / vnd hilfft / das sich einer der Sonnen frewen kan. [13]Denn wie Weisheit beschirmet / so beschirmet Geld auch / Aber die Weisheit gibt das Leben dem der sie hat.

[14]SJhe an die werck Gottes / Denn wer kan das schlecht machen / das Er krümmet? [15]Am guten tage / sey guter dinge / vnd den bösen tag nim auch fur gut / Denn diesen schafft Gott neben jenem / Das der Mensch nicht wissen sol / was künfftig ist.

ALlerley hab ich gesehen die zeit vber meiner eitelkeit / Da ist ein Gerechter / vnd gehet vnter in seiner Gerechtigkeit / Vnd ist ein Gottloser der lange lebt in seiner bosheit. [17]Sey nicht all zu gerecht vnd all zu weise / Das du dich nicht verderbest. [18]Sey nicht all zu Gottlos vnd narre nicht / Das du nicht sterbest zur vnzeit. [19]Es ist gut / das du dis fassest / vnd jenes auch nicht aus deiner hand lessest / Denn wer Gott fürchtet / der entgehet dem allen.

[20]DJe Weisheit sterckt den Weisen mehr / denn zehen Gewaltigen in der Stad sind. [21]Denn es ist kein Mensch auff erden der guts thue / vnd nicht sündige. [22]Nim auch nicht zu hertzen alles was man sagt / Das du nicht hören müssest deinen Knecht dir fluchen. [23]Denn dein hertz weis / das du andern auch offt mals geflucht hast.

Sprichwort / Wer gern viel höret / der höret viel / das er nicht gern höret.

[24]SOlchs alles hab ich versucht weislich / Jch gedacht / Jch wil weise sein / Sie kam aber ferner von mir. [25]Es ist ferne / was wirds sein? Vnd ist seer tieffe / wer wils finden.

JCH keret mein hertz zu erfaren vnd erforschen vnd zu suchen Weisheis vnd Kunst / zu erfaren / der gottlosen Torheit / vnd jrrthumb der Tollen. [27]Vnd fand / das ein solchs weib / welchs hertz netz vnd strick ist / vnd jre hende bande sind / bitterer sey denn der Tod. Wer Gott gefelt der wird jr entrinnen / Aber der Sünder wird durch sie gefangen. ‖

(Netz) Denn Ehebruch verwirckt den Tod.

‖ 346a

[28]SChaw das habe ich funden / spricht der Prediger / Eins nach dem andern / das ich Kunst erfünde. [29]Vnd meine Seele sucht noch / vnd hats nicht funden / Vnter tausent habe ich einen Men-

schen funden / Aber kein Weib hab ich vnter den allen funden. [30]Alleine schaw das / Jch hab funden / das Gott den Menschen hat auffrichtig gemacht / Aber sie suchen viel [a]Kunste. [1]Wer ist so weise? vnd wer kan das auslegen.

(Kein Weib) Es gehöret hie zu kein weibischer / wehmütiger Mensch / sondern ein Mans mut / der solchs alles wogen / leiden vnd tragen kan / wie es geret. Aber die selben sind seltzam / Denn wenn sie hören / das nicht in jrer macht stehet / werden sie vnwillig / vnd wöllen nichts thun. Thun sie aber vnd geret nicht / werden sie noch vnwilliger / Es sind weiber / vnd nicht menner.

a (Künste) Sie wöllens treffen / vnd meinen / Es müsse wolgeraten.

b Wer ein schalckheit im sinn hat oder gethan / der sihet niemand frölich noch recht an. Der unschüldige sihet frölich vnd sicher.

## VIII.

DJE WEISHEIT DES MENSCHEN ERLEUCHTET [b]SEIN angesicht / Wer aber frech ist / Der ist feindselig. [2]Jch halte das wort des Königes / vnd den eid Gottes. [3]Eile nicht zu gehen von seinem angesicht / vnd bleibe nicht in böser sache / Denn er thut was jn gelüst. [4]Jn des Königes wort ist gewalt / vnd wer mag zu jm sagen / was machstu? [5]Wer das Gebot helt / der wird nichts böses erfaren / Aber eins Weisen hertz weis zeit vnd weise. [6]Denn ein jglich furnemen hat seine zeit vnd weise / Denn des vnglücks des Menschen ist viel bey jm. [7]Denn er weis nicht was gewesen ist / vnd wer wil jm sagen / was werden sol? [8]Ein Mensch hat nicht macht vber den Geist / dem geist zu wehren / vnd hat nicht macht zur zeit des sterbens / vnd wird nicht los gelassen im streit / Vnd das gottlos wesen errettet den Gottlosen nicht.

Pro. 17.

DAS hab ich alles gesehen / vnd gab mein hertz auff alle werck die vnter der Sonnen geschehen. Ein Mensch herrschet zu zeiten vber den andern zu seim vnglück. [10]Vnd da sahe ich Gottlosen die begraben waren / Die gegangen waren vnd gewandelt in heiliger Stete / vnd waren vergessen in der Stad / das sie so gethan hatten / Das ist auch eitel.

[11]WEil nicht bald geschicht ein vrteil vber die bösen werck / da durch wird das hertz der Menschen vol böses zu thun. [12]Ob ein Sünder hundert mal böses thut / vnd doch lange lebt / So weis ich doch / das es wolgehen wird / denen die Gott fürchten / die sein Angesicht schewen. [13]Denn es wird dem Gottlosen nicht wol gehen / vnd wie ein schatte / nicht lange leben / die sich fur Gott nicht fürchten.

ES ist ein eitelkeit die auff erden geschicht / Es sind Gerechten / den gehet es / als hetten sie werck der Gottlosen / Vnd sind Gottlose / den gehet es / als hetten sie werck der Gerechten / Jch sprach / Das ist auch eitel.

[15]DArumb lobt ich die Freude / das der Mensch nicht bessers hat vnter der Sonnen / denn essen vnd trincken vnd frölich sein / Vnd solchs werde jm

von der erbeit sein leben lang / das jm Gott gibt vnter der Sonnen.

[16]JCH gab mein hertz zu wissen die Weisheit / vnd zu schawen die mühe die auff Erden geschicht / das auch einer weder tag noch nacht den Schlaff sihet mit seinen augen. [17]Vnd ich sahe alle werck Gottes / Denn ein Mensch kan das werck nicht finden / das vnter der Sonnen geschicht / Vnd je mehr der Mensch erbeitet zu suchen / je weniger er findet / Wenn er gleich spricht / Jch bin weise vnd weis es / So kan ers doch nicht finden.

(Finden) Er meinet es wol zu treffen / Aber es ligt doch alles am geraten.

## IX.

DENN ICH HABE SOLCHS ALLES ZU HERTZEN GEnomen / zu forschen das alles / Das Gerechte vnd Weisen sind / vnd jr Vnterthan in Gottes hand / Doch kennet kein Mensch weder die liebe noch den hass jrgend eines / den er fur sich hat.

[2]ES begegenet einem wie dem andern / Dem Gerechten wie dem Gottlosen / Dem guten vnd reinen wie dem Vnreinen / Dem der opffert / wie dem der nicht opffert. Wie es dem Guten gehet / so gehets auch dem Sünder. Wie es dem Meineidigen gehet / so gehets auch dem der den Eid fürchtet. || [3]Das ist ein böse ding vnter allem das vnter der Sonnen geschicht / das einem gehet wie dem andern / Da her auch das hertz der Menschen vol arges wird / vnd Torheit ist in jrem hertzen die weil sie leben / Darnach müssen sie sterben.

|| 346b

[4]DEnn bey allen Lebendigen ist das man wündscht / nemlich hoffnung (denn ein lebendiger Hund ist besser / weder ein todter Lewe) [5]Denn die Lebendigen wissen / das sie sterben werden / Die Todten aber wissen nichts / sie verdienen auch nichts mehr / Denn jr gedechtnis ist vergessen / [6]das man sie nicht mehr liebet / noch hasset / noch neidet / Vnd haben kein Teil mehr auff der Welt / in allem / das vnter der Sonnen geschicht.

Jsa. 64.

(Wissen) Das ist / Sie mügen gebessert werden / vnd fur dem Tod erschrekken / Die Todten aber fülen nichts.

SO gehe hin vnd iss dein Brot mit freuden / trinck deinen wein mit gutem mut / Denn dein werck gefelt Gott. [8]Las deine Kleider jmer weis sein / vnd las deinem heubte Salbe nicht mangeln. [9]Brauche des Lebens mit deinem Weibe / das du lieb hast / so lange du das eitel Leben hast / das dir Gott vnter der Sonnen gegeben hat / so lange dein eitel Leben weret. Denn das ist dein Teil im leben vnd in deiner erbeit / die du thust vnter der Sonnen. [10]Alles was dir furhanden kompt zu thun / das thu frisch / Denn in der Helle da du hin ferest / ist weder werck / kunst / vernunfft noch weisheit.

Es heisst gerate wol / Noch sol man drumb nicht ablassen / sondern jmer schaffen / vnd Gott das gedeien befelhen.

JCH wand mich vnd sahe / wie es vnter der Sonnen zugehet / Das zu lauffen nicht hilfft schnell sein / Zum streit hilfft nicht starck sein / Zur narung hilfft nicht geschickt sein / Zum reichthum hilfft nicht klug sein / Das einer angenem sey / hilfft nicht / das er ein ding wol könne / Sondern alles ligt es an der zeit vnd glück. [12]Auch weis der Mensch seine zeit nicht / Sondern wie die Fisch gefangen werden mit eim schedlichen Hamen / Vnd wie die Vogel mit eim Strick gefangen werden / So werden auch die Menschen berückt zur bösen zeit / wenn sie plötzlich vber sie fellt.

JCH habe auch diese Weisheit gesehen vnter der Sonnen / die mich gros daucht. [14]Das eine kleine Stad war / vnd wenig Leut drinnen / Vnd kam ein grosser König / vnd belegt sie / vnd bawet grosse Bollwerg drumb. [15]Vnd ward drinnen funden ein armer weiser Man / der die selbe Stad durch seine Weisheit kund erretten / Vnd kein Mensch gedacht des selben armen Mans. [16]Da sprach ich / Weisheit ist ja besser denn stercke / Noch ward des Armen Weisheit veracht / vnd seinen worten nicht gehorcht. [17]Das macht / Der Weisen wort gelten mehr bey den Stillen / denn der Herrn schreien bey den Narren. [18]Denn Weisheit ist besser denn Harnisch / Aber ein einiger Bube verderbet viel guts. [1]Also verderben die schedlichen Fliegen gute Salben. Darumb ists zu weilen besser Torheit / denn Weisheit vnd Ehre / [2]Denn des Weisen hertz ist zu seiner rechten / Aber des Narren hertz ist zu seiner lincken. [3]Auch ob der Narr selbst nerrisch ist in seim thun / noch helt er jederman fur Narren. [4]Darumb wenn eins Gewaltigen trotz wider deinen willen fort gehet / so las dich nicht entrüsten / Denn nachlassen stillet gros vnglück

(Bube) Ein Bube verderbet zu weilen ein gantz Land / mit seinem bösen Rat.

(Stillet) Verhören vnd lassen gehen / das sichs selbs stillet / ist grosse kunst vnd tugent.

## X.

ES IST EIN VNGLÜCK DAS ICH SAHE VNTER DER Sonnen / nemlich / vnuerstand der vnter den Gewaltigen gemein ist / [6]Das ein Narr sitzt in grosser wirde / vnd die Reichen hie nidden sitzen. [7]Jch sahe Knechte auff rossen / vnd Fürsten zu fuss gehen wie Knechte. [8]Aber wer eine Gruben macht / der wird selbs drein fallen / Vnd wer den Zaun zureisset / den wird eine Schlange stechen. [9]Wer Steine weg waltzet / der wird mühe da mit haben / Vnd wer Holtz spaltet / der wird da von verletzt werden. [10]Wenn ein Eisen stumpff wird / vnd an der schneiten vngeschlieffen bleibet / mus mans mit macht wider scherffen / Also folget auch Weisheit dem vleis.

(Waltzet) New Regiment machen / sticht zu letzt vbel / Denn der Pöbel ist vnbendig.

[11]EJn Wesscher ist nichts bessers / denn eine Schlange / die vnbeschworen || sticht. [12]Die wort aus dem mund eines Weisen / sind holdselig / Aber des Narren lippen verschlingen den selben / [13]Der anfang seiner wort ist Narrheit / Vnd das ende ist schedliche torheit. [14]Ein Narr macht viel wort / Denn der Mensch weis nicht was gewesen ist / Vnd wer wil jm sagen / was nach jm werden wird? [15]Die erbeit der Narren wird jnen sawr / Weil man nicht weis in der Stad zu gehen.

|| 347a

(Weis) Er gedenckt nicht wie es vor hin andern gangen ist / Feret fort / vnd weis doch nicht wie es gehen wird.

WEh dir Land / des König ein Kind ist / vnd des Fürsten früe essen. [17]Wol dir Land / des König edel ist / vnd des Fürsten zu rechter zeit essen / zur stercke vnd nicht zur lust. [18](Denn durch faulheit sincken die Balcken / vnd durch hinlessige Hende / wird das Haus trieffend) [19]Das macht / sie machen brot zum lachen / Vnd der wein mus die Lebendigen erfrewen / vnd das gelt mus jnen alles zu wegen bringen.

(Lebendigen) Das sind die im sausse leben / vnd mit freuden zeren.

[20]FLuch dem Könige nicht in deim Hertzen / vnd fluche dem Reichen nicht in deiner Schlaffkamer / Denn die Vögel des Himels füren die stim / vnd die fittig haben / sagens nach.

## XI.

LAS DEIN BROT VBER DAS WASSER FAREN / so wirstu es finden auff lange zeit. [2]Teil aus vnter sieben vnd vnter achte / Denn du weissest nicht was fur vnglück auff Erden komen wird. [3]Wenn die wolcken vol sind / so geben sie Regen auff die erden / Vnd wenn der Bawm fellt / er falle gegen mittag / oder mitternacht / auff welchen ort er fellet / da wird er ligen. [4]Wer auff den Wind achtet / der seet nicht / Vnd wer auff die Wolcken sihet / der erndtet nicht.

(Faren) Das ist / Gib frey weg jederman / was du vermagst / Denn es möcht die zeit komen / du thettests gern / vnd wirsts nicht können.

[5]GLeich wie du nicht weisst den weg des winds / vnd wie die gebeine in Mutterleibe bereit werden / Also kanstu auch Gottes werck nicht wissen / das er thut vberall.

(Wissen) Denn zukünfftiges ist vns alles verborgen /

Darumb mus es alles gewogt sein in leiblichem Leben.

[6]FRue see deinen Samen / vnd las deine hand des abends nicht ab / Denn du weissest nicht / ob dis oder das geraten wird / Vnd obs beide geriete / so were es deste besser.

[7]ES ist das Liecht süsse / vnd den augen lieblich die Sonne zu sehen.

[8]WEnn ein Mensch lange zeit lebet / vnd ist frölich in allen dingen / So gedenckt er doch nur der bösen Tage / das jr so viel ist / Denn alles was jm begegent ist / ist eitel.

## XII.

SO FREWE DICH JÜNGLING IN DEINER JUGENT / vnd las dein Hertz guter ding sein in deiner Jugent. Thu was dein Hertz lüstet / vnd deinen Augen gefelt / Vnd wisse / das dich Gott vmb dis alles wird fur Gericht füren.

[10]LAS die Trawrigkeit aus deinem Hertzen / vnd thu das vbel von deinem Leibe / Denn kindheit vnd jugent ist eitel.

Mit diesen verbrochen worten beschreibt er das Alter eins Menschen / wenn die Hende zittern / die Beine sich krümmen / die Augen tunckel werden / die Zeene nicht wol malen / die Har graw / vnd die Schuldern sich bücken / die Ohren hangen vnd taub werden etc.

[1]GEdenck an deinen Schepffer in deiner Jugent / ehe denn die bösen Tage komen / vnd die jar erzutretten / Da du wirst sagen / Sie gefallen mir nicht. [2]Ehe denn die Sonne vnd das Liecht / Mond vnd Sterne finster werden / vnd Wolcken wider komen nach dem Regen. [3]Zur zeit wenn die Hüter im Hause zittern / vnd sich krümmen die Starcken / vnd müssig stehen die Müller / das jr so wenig worden ist / vnd finster werden die Gesicht durch die Fenster. [4]Vnd die Thür auff der gassen geschlossen werden / das die stim der Müllerin leise wird / vnd erwacht wenn der Vogel singet / vnd sich bücken alle Töchter des gesangs. [5]Das sich auch die Höhen fürchten vnd schewen auff dem wege / Wenn der Mandelbawm blühet / vnd die Hewschrecken beladen wird / vnd alle Lust vergehet (Denn der Mensch feret hin da er ewig bleibt / vnd die Kleger gehen vmb || her auff der Gassen) [6]Ehe denn der Silbernstrick wegkome / vnd die Güldenquelle verlauffe / vnd der Eimer zuleche am Born / vnd das Rad zubreche am Born. [7]Denn der Staub mus wider zu der Erden komen / wie er gewesen ist / Vnd der Geist wider zu Gott / der jn gegeben hat.

|| 347b

ES ist alles gantz eitel / sprach der Prediger / gantz eitel. [9]Der selb Prediger war nicht allein Weise / sondern leret auch das Volck gute Lere / vnd merckt vnd forschet vnd stellet viel Sprüche. [10]Er sucht / das er fünde angeneme wort / vnd schreib recht die wort der Warheit.

[11]DJese wort der Weisen sind Spiesse vnd Negel / geschrieben durch die Meister der versamlunge / vnd von einem Hirten gegeben. [12]Hüt dich mein Son / fur andern mehr / Denn viel Bücher machens ist kein ende / Vnd viel predigen macht den Leib müde.

[13]LAS vns die Heubtsumma aller Lere hören. Fürcht Gott / vnd halte seine Gebot / Denn das gehört allen Menschen zu. [14]Denn Gott wird alle Werck fur Gericht bringen / das verborgen ist / es sey gut oder böse.

Ende des Predigers Salomo.

# [1]DAS HOHELIED SALOMO.

## I.

ER KÜSSE MICH MIT DEM KUSSE SEINES MUNDES / Denn deine Brüste sind lieblicher denn Wein. [3]Das man deine gute Salbe rieche / Dein Name ist ein ausgeschütte Salbe / Darumb lieben dich die Megde.

[4]ZEuch mich dir nach / so lauffen wir / Der König füret mich in seine Kamer / Wir frewen vns / vnd sind frölich vber dir / Wir gedencken an deine Brüste mehr / denn an den Wein / Die Fromen lieben dich.

JCh bin schwartz / Aber gar lieblich / jr töchter Jerusalem / Wie die hütten Kedar / wie die teppiche Salomo. [6]Sehet mich nicht an / Das ich so schwartz bin / denn die Sonne hat mich so verbrand. Meiner mutter Kinder zürnen mit mir / Man hat mich zur Hüterin der Weinberge gesetzt / Aber meinen Weinberg den ich hatte / habe ich nicht behütet.

[7]SAge mir an du / den meine Seele liebet / Wo du weidest / wo du rugest im mittage? Das ich nicht hin vnd her gehen müsse / bey den Herden deiner Gesellen.

[8]KEnnestu dich nicht / du schöneste vnter den Weibern / So gehe hin aus auff die fusstapffen der Schafe / vnd weide deine Böcke bey den Hirten heusern.

[9]JCH gleiche dich / meine Freundin / meinem reisigen Zeuge an den wagen Pharao. [10]Deine Backen stehen lieblich in den Spangen / vnd dein Hals in den Keten. [11]Wir wöllen dir güldene Spangen machen mit silbern Pöcklin. ‖ ‖ 348 a

[12]DA der König sich her wandte / gab mein Narde seinen ruch. [13]Mein Freund ist mir ein büschel Myrrhen / das zwisschen meinen Brüsten hanget. [14]Mein Freund ist mir ein drauben Copher / in den Weingarten zu Engeddi.

[15]SJhe / meine Freundin / du bist schöne / schöne bistu / Deine augen sind wie Tauben augen. [16]Sihe mein Freund / du bist schön vnd lieblich / Vnser Bette grünet / [17]vnser Heuser balcken sind Cedern / vnser latten sind Cipressen.

## II.

JCH BIN EIN BLUMEN ZU SARON / VND EIN ROSE im tal. [2]Wie eine Rose vnter den Dörnen / So ist mein Freundin vnter den Töchtern. [3]Wie ein Apffelbawm vnter den wilden Bewmen / So ist mein Freund vnter den Sönen. Jch sitze vnter dem Schatten des ich begere / vnd seine Frucht ist meiner Kele süsse.

[4]ER füret mich in den Weinkeller / vnd die Liebe ist sein Panir vber mir. [5]Er erquicket mich mit Blumen / vnd labet mich mit Epffeln / Denn ich bin kranck fur liebe. [6]Seine Lincke liget vnter meinem Heubte / vnd seine Rechte hertzet mich.

[7]JCH beschwere euch / jr töchter Jerusalem / bey den Rehen oder bey den Hinden auff dem felde / Das jr meine Freundin nicht auffweckt noch reget / bis das jr selbst gefellt.

[8]DA ist die stimme meins Freunds / Sihe / Er kompt vnd hüpffet auff den Bergen / vnd springet auff den Hügeln. [9]Mein Freund ist gleich einem Rehe oder jungen Hirss. Sihe / Er stehet hinder vnser Wand / vnd sihet durchs fenster / vnd gucket durchs gitter.

[10]MEin Freund antwortet / vnd spricht zu mir / Stehe auff meine Freundin / meine schöne / vnd kom her. [11]Denn sihe / der Winter ist vergangen / der Regen ist weg vnd da hin / [12]Die Blumen sind erfür komen im Lande / Der Lentz ist er bey komen / vnd die Dordeltaube lesst sich hören in vnserm Lande. [13]Der Feigenbawm hat knoten gewonnen / die Weinstöcke haben augen gewonnen /

vnd geben jren Ruch / Stehe auff meine Freundin vnd kom / meine schöne kom her. [14]Meine Taube in den felslöchern / in den steinritzen / Zeige mir deine gestalt / Las mich hören deine stim / Denn deine stim ist süsse / vnd deine gestalt lieblich.

[15]FAhet vns die Füchse / die kleinen Füchse / die die Weinberge verderben / Denn vnser Weinberge haben augen gewonnen. [16]Mein Freund ist mein / vnd ich bin sein / der vnter den Rosen weidet / [17]Bis der tag küle werde / vnd der schatten weiche. Kere vmb / werde wie ein Rehe mein Freund / oder wie ein junger Hirss auff den Scheidebergen.

III.

JCH SUCHT DES NACHTS IN MEINEM BETTE / DEN meine Seele liebet / Jch sucht / Aber ich fand jn nicht. [2]Jch wil auffstehen / vnd in der Stad vmbgehen auff den gassen vnd strassen / vnd suchen / den meine Seele liebet / Jch sucht / Aber ich fand jn nicht. [3]Es funden mich die Wechter die in der Stad vmbgehen / Habt jr nicht gesehen den meine Seele liebet? [4]Da ich ein wenig fur vber kam / da fand ich den meine Seele liebet / Jch halt jn / vnd wil jn nicht lassen / Bis ich jn bringe in meiner Mutter haus / in meiner Mutter kamer.

[5]JCH beschwere euch / jr töchter zu Jerusalem / bey den Rehen oder Hinden auff dem felde / Das jr meine Freundin nicht auffweckt / noch reget / Bis das jr selbs gefellet. ‖

‖ 348b

[6]WER ist die / die er auff gehet aus der Wüsten / wie ein gerader Rauch / wie ein Gereuch von myrrhen / weyrauch vnd allerley puluer eins Apotekers?

[7]SJhe / vmb das bette Salomo her / stehen sechzig starcken aus den starcken in Jsrael. [8]Sie halten alle Schwerter / vnd sind geschickt zu streitten. Ein jglicher hat sein Schwert an seiner hüfften / vmb der furcht willen in der nacht.

[9]DEr könig Salomo lies jm eine Senffte machen von holtz aus Libanon / [10]Der selben Seulen waren silbern / die Decke gülden / der Sitz purpern / der Boden mitten inne war lieblich gepflastert / vmb der Töchter willen zu Jerusalem.

[11]GEhet er aus vnd schawet an / jr töchter Zion / den könig Salomo / in der Krone / da mit jn seine Mutter gekrönet hat / am tage seiner Hochzeit / vnd am tage der freuden seines hertzens.

IIII.

(Zöpffen) Er meinet die Harlocken / welche nach natürlicher alter weise / vngeflochten vnd zurück geschlagen / den Weibsbildern fast wol stehen / wenn sie mit volligem angesicht vnd rötlichten backen er aus sehen / vnd die Har zu beiden seiten herab hengen vber die ohren vnd achseln.

SJHE MEINE FREUNDIN / DU BIST SCHÖN / SIHE / schön bistu. Deine Augen sind wie taubenaugen / zwisschen deinen Zöpffen. Dein Har ist wie die Ziegen herd / die beschoren sind auff dem berge Gilead. [2]Deine Zeene sind wie die herde mit beschnitten wolle / die aus der schwemme komen / die allzumal Zwilling tragen / vnd ist keine vnter jnen vnfruchtbar. [3]Deine Lippen sind wie eine rosinfarbe schnur / vnd deine Rede lieblich. Deine Wangen sind wie der ritz am Granatapffel / zwischen deinen zöpffen. [4]Dein Hals ist wie der thurm Dauid / mit brustwehr gebawet / daran tausent Schilde hangen / vnd allerley waffen der Starcken. [5]Deine zwo Brüste sind wie zwey junge Rehe zwillinge / die vnter den rosen weiden / [6]bis der tag küle werde / vnd der schatten weiche. Jch wil zum Myrrhenberge gehen vnd zum Weyrauch hügel.

[7]DV bist aller ding schöne / meine Freundin / vnd ist kein flecken an dir. [8]Kom meine Braut vom Libanon / Kom vom Libanon / Gehe er ein / Trit her von der höhe Amana / von der höhe Senir vnd Hermon / von den wonungen der Lewen / von den bergen der Leoparden. [9]Du hast mir das hertz genomen / meine Schwester liebe Braut / mit deiner augen einem / vnd mit deiner Halsketen eine.

[10]WJe schön sind deine Brüste meine Schwester / liebe Braut / deine Brüste sind lieblicher denn Wein / vnd der geruch deiner Salben vbertrifft alle Würtze. [11]Deine Lippen / meine Braut / sind wie trieffender honigseim / honig vnd milch ist vnter deiner Zungen / vnd deiner Kleider geruch ist / wie der geruch Libanon.

MEine Schwester / liebe Braut / Du bist ein verschlossen Garten / Ein verschlossen Quelle / ein versiegelter Born. [13]Dein Gewechs ist wie ein Lustgarte von Granatepffeln / mit edlen Früchten / Cipern mit Narden / [14]Narden mit Saffran / Kalmus vnd Cynamen mit allerley bewmen des Weyrauchs / Myrrhen vnd Aloes mit allen besten Würtzen / [15]Wie ein Gartenbrun / wie ein Born lebendiger Wasser / die von Libano fliessen.

[16]STehe auff Nordwind vnd kom Sudwind / vnd webe durch meinen Garten / das seine Würtze trieffen.

V.

MEin Freund kome in seinen Garten / vnd esse seiner edlen Früchten. [1]Jch kom / meine Schwester / liebe Braut / in meinem Garten / Jch habe meine Myrrhen sampt meinen Würtzen abgebrochen / Jch hab meins Seims sampt meinem Honige gessen / Jch hab ‖ meins Weins sampt meiner Milch getruncken. Esset meine Lieben / vnd trincket meine Freunde vnd werdet truncken.

‖ 349a

JCH schlaff / Aber mein hertz wacht / Da ist die stim meins Freundes der anklopffet. Thu mir auff liebe Freundin meine schwester / meine Taube / meine frome / Denn mein heubt ist vol tawes / vnd meine locken vol nachtstropffen. [3]Jch habe meinen Rock ausgezogen / wie sol ich jn wider anziehen? Jch habe meine Füsse gewasschen / wie sol ich sie wider besuddeln?

[4]ABer mein Freund steckt seine Hand durchs loch / Vnd mein Leib erzittert da für. [5]Da stund ich auff / das ich meinem Freunde auffthet / Meine hende troffen mit Myrrhen / vnd Myrrhen lieffen vber meine Finger an dem rigel am schlos / [6]Vnd da ich meim Freund auffgethan hatte / war er weg vnd hin gegangen.

DA gieng meine Seele er aus nach seinem wort / Jch sucht jn / Aber ich fand jn nicht / Jch rieff / Aber er antwortet mir nicht. [7]Es funden mich die Hüter die in der Stad vmbgehen / die schlugen mich wund / Die Hüter auff der mauren namen mir meinen Schleier. [8]Jch beschwere euch jr Töchter Jerusalem / findet jr meinen Freund / so saget jm / das ich fur Liebe kranck lige.

WAS ist dein Freund fur andern Freunden / O du schönst vnter den Weibern? Was ist dein Freund fur andern Freunden / das du vns so beschworen hast? [10]Mein Freund ist weis vnd rot / auserkoren vnter viel tausent. [11]Sein Heubt ist das feinest Gold. Seine Locken sind kraus / schwartz wie ein Rabe. [12]Seine Augen sind wie Taubenaugen an den wasserbechen / mit milch gewasschen / vnd stehen in der fülle. [13]Seine Backen sind wie die wachsende wurtzgertlin der Apoteker. Seine Lippen sind wie Rosen die mit fliessenden Myrrhen trieffen. [14]Seine Hende sind wie güldene Ringe vol Türkissen. Sein Leib ist wie rein Elphenbein mit Saphiren geschmückt. [15]Seine Beine sind wie Mar-

(Fülle) Vollige angesicht vnd augen / nicht verfallen oder rüntzlicht.

melseulen / gegründet auff gülden füssen. Seine gestalt ist wie Libanon / ausserwelt wie Cedern. [16]Seine Kele ist süsse vnd gantz lieblich / Ein solcher ist mein Freund / mein Freund ist ein solcher / jr töchter Jerusalem.

VI.

WO IST DENN DEIN FREUND HIN GEGANGEN / O du schönest vnter den Weibern? Wo hat sich dein Freund hin gewand? So wöllen wir mit dir jn suchen. [1]Mein Freund ist hin ab gegangen in seinen Garten / zu den Wurtzgertlin / das er sich weide vnter den Garten vnd Rosen breche. [2]Mein Freund ist mein / vnd ich bin sein / der vnter den Rosen sich weidet.

[3]DV bist schön / meine Freundin / wie Thirza / lieblich wie Jerusalem / schrecklich wie Heerspitzen [4](Wende deine Augen von mir / Denn sie machen mich brünstig) Deine Har sind wie ein herd Ziegen / die auff dem berge Gilead geschoren sind. [5]Deine Zeene sind wie ein herd Schaf / die aus der schwemme komen / die allzu mal Zwilling tragen / vnd ist keine vnfruchtbar vnter jnen. [6]Deine Wangen sind wie ein Ritz am Granatapffel / zwisschen deinen zöpffen.

[7]SEchzig ist der Königinnen / vnd achzig der Kebsweiber / vnd der Jungfrawen ist kein zal. [8]Aber eine ist meine Taube / mein Frome / eine ist jrer Mutter die liebste / vnd die ausserwelete jrer Mutter. Da sie die Töchter sahen / preiseten sie dieselbige selig / die Königinnen vnd Kebsweiber lobeten sie. [9]Wer ist die erfür bricht / wie die Morgenröte / schön wie der Mond / ausserwelet wie die Sonne / schrecklich wie die Heerspitzen.

JCH bin hin ab in den Nussgarten gegangen / zu schawen die Streuchlin am Bach / zu schawen ob der Weinstock blühet / ob die Granatepffel grüneten. [11]Meine Seele wusts nicht / das er mich zum wagen AmiNadib gesetzt hette. ‖ ‖ 349b

[12]KEre wider / kere wider / o Sulamith / kere wider / kere wider / das wir dich schawen / Was sehet jr an Sulamith / den Reigen zu Mahanaim?

VII.

WJE SCHÖN IST DEIN GANG IN DEN SCHUHEN / du Fürsten tochter. Deine Lenden stehen gleich an einander / wie zwo Spangen / die des

Meisters hand gemacht hat. [2]Dein Nabel ist wie ein runder Becher / dem nimer getrenck mangelt. Dein Bauch ist wie ein Weitzenhauffe vmbsteckt mit Rosen. [3]Deine zwo Brüste sind / wie zwey junge Rehe zwillinge. [4]Dein Hals ist wie ein Elffenbeinen thurm. Deine Augen sind / wie die Teiche zu Hesbon / am thor Bathrabbim. Deine Nase ist wie der Thurm auff Libanon / der gegen Damascon sihet. [5]Dein Heubt stehet auff dir / wie Carmelus. Das Har auff deinem heubt / ist wie die purpur des Königs in falten gebunden.

[6]WJE schön vnd wie lieblich bistu / du Liebe in wollüsten. [7]Deine Leng ist gleich einem Palmbawm / vnd deine Brüste den Weindrauben. [8]Jch sprach / Jch mus auff den Palmbawm steigen / vnd seine zweige ergreiffen / Las deine Brüste sein wie Drauben am weinstock / vnd deiner Nasenruch wie Epffel / [9]vnd deine Kele wie guter Wein / der meinem Freunde glat eingehe / vnd rede von fernigem. [10]Mein Freund ist mein / vnd er helt sich auch zu mir.

KOm mein Freund / las vns auffs Feld hin aus gehen / vnd auff den Dorffen bleiben. [12]Das wir früe auffstehen zu den Weinbergen / Das wir sehen / ob der Weinstock blühet vnd augen gewonnen habe / Ob die Granatepffelbewm ausgeschlagen sind / Da wil ich dir meine Brüste geben. [13]Die Lilien geben den ruch / vnd fur vnser thür sind allerley edle Früchte. Mein Freund ich hab dir beide heurige vnd fernige behalten.

## VIII.

ODas ich dich / mein Bruder / der du meiner Mutter brüste saugest draussen fünde / vnd dich küssen müste / das mich niemand hönete. [2]Jch wolt dich füren vnd in meiner Mutter haus bringen / da du mich leren soltest / Da wolt ich dich trencken mit gemachtem Wein / vnd mit dem Most meiner Granatepffel. [3]Seine Lincke ligt vnter meinem Heubt / vnd seine Rechte hertzet mich.

[4]JCH beschwere euch töchter Jerusalem / Das jr meine Liebe nicht auffweckt noch reget / bis das jr selbs gefellet. [5]Wer ist die / die er auff feret von der Wüsten / vnd lehnet sich auff jren Freund? Vnter dem Apffelbawm weckt ich dich / da deine Mutter dich geboren hatte / da mit dir gelegen ist / die dich gezeuget hat.

(Flamme) Hie sihet man wol das Salomo in diesem Liede von geistlicher Liebe singet / die Gott gibt / vnd vns auch erzeigt in alle seinen woltaten.

[6]SEtze mich wie ein Siegel auff dein Hertz / vnd wie ein siegel auff deinen Arm / Denn Liebe ist starck wie der Tod / vnd Eiuer ist fest wie die Helle / Jr glut ist fewrig / vnd ein flamme des HERRN / [7]Das auch viel Wasser nicht mügen die Liebe auslesschen / noch die ströme sie erseuffen / Wenn einer alles Gut in seinem hause vmb die Liebe geben wolt / so gülte es alles nichts.

[8]VNser Schwester ist klein / vnd hat keine Brüste / Was sollen wir vnser Schwester thun / wenn man sie nu sol anreden? [9]Jst sie eine Maure / so wöllen wir silbern Bollwerg drauff bawen. Jst sie eine Thür / so wöllen wir sie festigen mit Cedern bolen. [10]Jch bin eine Maur / vnd meine Brüste sind wie Thürne / Da bin ich worden fur seinen augen / als die Frieden findet. || || 350a

[11]SAlomo hat einen Weinberg zu BaalHamon / Er gab den Weinberg den Hütern / das ein jglicher fur seine Früchte brechte tausent Silberlinge. [12]Mein Weinberg ist fur mir. Dir Salomo gebüren tausent / Aber den Hütern zwey hundert sampt seinen Früchten.

[13]DJE du wonest in den Garten / Las mich deine stimme hören / Die Geselschafften mercken drauff. [14]Fleuch mein Freund / vnd sey gleich eim Rehe oder jungen Hirssen auff den Würtzbergen.

Ende des Hohenlieds
Salomo.

GEDRÜCKT ZU WITTEMBERG:
DURCH HANS LUFFT.
D. M. XLIIII.